内 容 提 要

　　本书作者深入研究了教育部最新审定推荐的、我国高等院校目前广泛使用的几套大学英语教材、研究生英语教材和英语专业教材,分析并归纳了这些教材所涉及的语法难点、用法要点和各种疑难语言问题,取最新《大学英语教学大纲》和《研究生英语教学大纲》为参照系,集作者数十年英语教学研究经验与成果于一体,以解决中级以上水平英语学习者所面临的诸多复杂扰人的语法问题和语言现象为宗旨,精心编写而成。

　　第五版共计 25 讲,内容丰富,覆盖面广。英语学习中的难点语法问题,一般语法书和词典所没有论及的语法和惯用法问题,现代英语一些新的用法和语言现象,书中都作了深入探讨。为解决我国一般英语学习者语感不强、对英语句子的深层内涵和言外之意理解不透、对一些疑难词汇容易混淆用错的问题,本书特辟出附录,专门探讨典型的、易产生理解错误的英语貌合神离句和特殊难点,以期弥补这方面的缺憾。

　　本书可用作大学英语语法教材和英语专业语法教材,也可供报考研究生、PETS 和 TOEFL、雅思等人员以及各类中级以上水平英语培训班使用。

前　　言

　　本书是为我国高等院校学生和相当水平的英语学习者编写的,起点设定为中级英语水平,内容覆盖中高级英语所涉及的语法问题、用法问题及诸多复杂扰人的疑难点和语言现象。书中所述问题,大都是中级英语水平学习者的薄弱点和知识结构上的欠缺部分,是其英语水平再上台阶的主要障碍,务必扫清,方可使英语学习渐臻佳境,为日后真正掌握英语、用好英语打下扎实而全面的英语语言功底。

　　对于大学英语教学大纲和大学英语专业教学大纲中所规定的语法、用法要点,以及四、六级英语考试、研究生入学英语考试、PETS、托福和雅思考试中的难点,本书都给予了特别的关注,作了详细的归纳、点拨和示例,并补充了一般英语语法书和词典之所无,以期为高校师生和其他英语学习者解疑去惑,提供一本切实解决问题的理想工具书。

　　编写本书,我们走过了漫长的岁月,孜孜以求,至精至诚,融入了一个学人的辛劳、希冀与梦想。无数个秋晨与冬夜,我们伏案南窗,仿佛看到那些志存高远的莘莘学子,他们已走过了一段较平坦的初级英语学习之路,现在正雄心勃勃但又非常吃力地攀登在英语学习之更高层次的险峻山路上,渴望早日摘取山巅的明珠,领略"一览众山小"的风采。作为先行者,我们感到有责任把自己的所感、所知、所失、所获告诉他们,在荆棘密布的路途中标出一个个路标,助他们早日走向成功与辉煌。

　　本书第五版,对某些英语语言现象和疑难问题作了更深入的探讨,对以前诸版次中的某些例句和表述作了修正、更新,并补充了现代英语一些新的用法,以满足读者的学习需要和研究需要。

　　本书力求:

　　★全面地归纳、阐释英语语法所涉及的点和面

　　★解决一般英语语法书未能解决的语法疑难点

　　★解决一般英语用法书未能解决的用法疑难点

　　★对经典性的英语貌合神离句进行透彻的点评

　　★正文中详列语法规则和要点,以便查阅、诵记

　　在本书编写和修订的过程中,曾得到英语界多位专家、学者的帮助,徐文哲、徐文东、张绍华、陈东林、张叔宁、李乐宣等参加了部分编写工作。许多读者曾提出过宝贵的意见和建议,在此,我谨向他们表示诚挚的谢意。

　　我们虽已竭尽所能,但疏漏仍在所难免,祈盼指正。

徐广联

总　目

注:总目中的页码是指目录中的页码

目　录 (Contents)

第一讲　冠　词 (Article)

第二讲　数　词 (Numeral)

第三讲 代 词(Pronoun)

第四讲 介 词(Preposition)

第五讲　形容词(Adjective)

第六讲　副　词(Adverb)

第七讲　名　词(Noun)

第八讲　动　词(Verb)

第九讲　时　态(Tense)

第十讲　被动语态(Passive Voice)

第十一讲　动词不定式（Infinitive）

第十二讲　-ing 分词之动名词(Gerund)

第十三讲　-ing 分词之现在分词(Present Participle)和 过去分词(Past Participle)(-ed 分词)

第十四讲　虚拟语气(Subjunctive Mood)

第十五讲　简单句(Simple Sentence)与并列句(Compound Sentence)

第十六讲　名词性从句(Nominal / Noun Clause)

第十七讲　定语从句(The Attributive Clause)

第十八讲　状语从句(The Adverbial Clause)

第十九讲 一致关系(Agreement / Concord)

第二十讲　倒　装(Inversion)

第二十一讲　附加疑问句（Tag Question）

第二十二讲　省　略(Ellipsis)

第二十三讲 强 调(Emphasis)

第二十四讲　否　定(Negation)

第二十五讲　造句与修辞(Sentence-making and Rhetorics)

第一讲 冠 词(Article)

冠词是虚词的一种,虚词也称为结构词或封闭类词(Function Word /Structural Word /Empty Word /Closed-class Word)。除冠词外,英语中的虚词还包括:代词、介词、连词、助动词、情态动词和限定词(如 this，that 等)。虚词有些没有完整的词汇意义,但有语法意义和功能;虚词数量有限,比较稳定,很少增生。相比之下,英语中的实义词/开放类词(Content Word /Open-class Word)数量巨大,且仍在不断增生、扩大,不断产生新词。英语实义词都有完整的词汇意义,包括名词、主动词(如come，take 等)、形容词和副词。数词和感叹词通常被看作次要词类(Additional Class)。

冠词置于名词之前,说明名词所指的人或物。冠词依附于名词而产生功能,不能离开名词而单独存在。

英语冠词有三种:①定冠词(definite article)→the;②不定冠词(indefinite article)→a, an;③零冠词(zero article)。

定冠词 the 的基本概念是"特指",基本含义是"这个,那个",用于专指同类中的某一人或物或专指某一类人或物。不定冠词 a、an 的基本概念是"非特指",基本含义是"一,一个",用于指某类人或物中的任何一个或某一个。零冠词是指名词前一种无形的冠词,即不用冠词的场合。在当代英语中,零冠词的使用非常广泛。它可以用于专有名词、物质名词、抽象名词、类名词以及名词化的各种词类。零冠词可用于单数名词和复数名词,既可表示专指,也可表示泛指。

一、定冠词与零冠词

the 在辅音前读作[ðə]或[ð],在元音前读作[ði],需要重读时,读作[ði:]或[ði]。the 重读或为了表示强调,有"恰好的,适当的,最好的,真正的,典型的"之意,或为了加强对比,或在专有名词(如人名)前强调其特殊针对性。例如:

That's 'the [ði(:)] thing! 这样正对!

There are experts in plenty, but 'the [ði(:)] expert does not exist. 专家有很多,但真正的专家却一个也没有。

I don't want 'the [ði(:)] English novel, but just 'an [æn] English novel. 我不是一定要这本英语小说,只是随便一本英语小说。

Don't mistake Mr. Johnson for 'the [ði(:)] Mr. Johnson. 不要把约翰逊先生误认为是那个大名鼎鼎的约翰逊先生。

1. 定冠词的使用

1 表示独一无二的或被认为是唯一东西的名词前

The setting sun is glowing all over autumn hills. 落日满秋山。

The rising sun flushed the green mountain tops. 旭日映红了苍翠的山顶。

The sun has been playing a game of hide-and-seek with us all day. 太阳整天都在和我们捉迷藏,时而露脸,时而隐没。

The sky is the color of jade. 天空清澈如玉。

The moon has filled the field with her gentle, silver light. 月亮把她温柔的、银色的光撒满了田野。

At dawn I rise and go weeding the field; shouldering the hoe, I walk home with **the moon**. 晨兴理荒秽,带月荷锄归。

The earth we abuse and the living things we kill will, in the end, take their revenge. 我们不善待地球而且我们杀害生物,它们终将进行报复。

Somewhere in **the universe** there must be another world like ours. 在宇宙中的某个地方,一定存在另一个像我们这样的世界。

The world is a stage and every man plays his part. 世界是一个舞台,每个人都扮演着自己的角色。

On fine evenings, **the Milky Way** is ever so bright. 在晴朗的夜晚,银河非常明亮。

▶▶▶ 但某些名词若因阴晴雨雪等而表现出不同的状貌,前有形容词修饰时,亦可用不定冠词。例如:

a new moon 新月	**a** half moon 半月	**a** full moon 满月
a crescent moon 一钩新月	**a** red sun 一轮红日	**a** waning moon 一弯残月
an enormous moon 一轮圆月	**a** blue sky 蔚蓝的天空	**a** cloudless sky 晴朗的天空
a sullen sky 阴沉的天空	**a** cloudy sky 多云的天空	in **a** sky of iron 在铁色的天空
a starry sky 星光灿烂的夜空	**a** dark-blue sky 深蓝色的天空(幕)	

A new moon leads me to the woods of dreams. 一轮新月引我去梦中的森林。

There reflected **a rosy moon** in the water. 河水里倒映着一轮玫瑰色的月亮。

Over the valley, **a full moon** was rising. 山谷上,一轮满月冉冉升起 。

A round yellow moon is rising above the hilltop. 圆圆的、黄澄澄的月亮升起在山顶上。

It was **an old and ragged moon**. 这是一弯下弦残月。

A late November sun was still scorching hot. 11月下旬的太阳仍是热辣辣的。

An immense red sun hung low in the western sky. 一轮硕大的红日挂在西边的天空。

A red sky at night is a sailor's delight. 晚上天空红,水手就高兴。

Pink clouds floated **in a pale sky**. 苍茫的天空中飘着几缕彩云。

It was a perfect day, with **a burning sun and a cloudless sky**. 那是个风和日丽的日子,阳光灿烂,万里无云。

It was a glorious spring night, with **a great full moon** gleaming in **a purple sky**. 那是春日的一个美好夜晚,圆圆的大月亮照耀在紫色的天空中。

【提示】

① 再如普通名词 sea 等的类似表达法:a calm sea 平静的海, a rough sea 波涛汹涌的海, a long sea 长波阔浪的海, a short sea 急浪翻腾的海, a strong wind 劲风。

② sun 和 earth 前有用零冠词的情况,world 前也有用不定冠词的情况。例如:

The pagoda at the top of the hill caught the last of **sun**. 夕阳的余晖落在山顶的宝塔上。

We have **a better world** to win. 我们获得的将是更好的世界。

The moon is **a world** that is completely still and where utter silence prevails. 月亮是一个声断音绝的世界,是一个万籁俱寂的世界。

It is **a world** of wonders, **a world** where anything can happen. 这是一个充满奇迹的世界,一个任何事情都可能发生的世界。

2 表示特指的人或物的名词前(熟知或心照不宣的人或物)

The snows came. 下雪天来临了。

Sophia is in **the back garden**. 索菲娅在后花园里。

Where are **the other students**? 别的学生在哪儿?

It rained heavily during **the night**. 夜里下了暴雨。

She scored high marks in **the examination** for admission to college. 她在高考中获得了高分。

The birds in **the trees** outside my window began to sing in the early morning. 一大早,我窗外树上的鸟儿就开始鸣唱。

When **the scenery** of **the south** is most beautiful, I meet you again in showers of falling flowers. 正是江南好风景,落花时节又逢君。

比较:

She likes **the man** of no little humour. 她喜欢那个幽默风趣的人。(特指)

She likes **a man** of no little humour. 她喜欢幽默风趣的人。(泛指)

Few of the staff came from the local area. 工作人员中几乎没有当地人。(few of 为固定短语，表示"几乎没有")

The few who came to the concert enjoyed it. 来听音乐会的人虽然不多,却都很欣赏。(the few 为特指)

The few survivors staggered bleeding back into the camp. 那几个为数不多的幸存者身上流着血,跟跟跄跄地走回了营地。(特指)

A few survivors were sent to the hospital at once. 几名幸存者被立即送往医院了。(非特指)

③ 第二次提到的人或物的名词前

We were just preparing to pass the night in the open when an old man came up to us, and insisted that we stay in his house. When we entered **the house, the old man** asked us to sit down, and began serving us coffee. 我们正准备在露天过夜,这时一位老人朝我们走来,坚持要我们住在他的屋子里。我们就进了屋子,老人让我们坐下,端来了咖啡。

He must do something, even though **the something** is as simple an action as opening the book, closing the door and beginning to read. 他得做点事,即使这事十分简单,不过就是动手翻开书本,关上门,然后开始读。

④ 由短语或从句修饰的名词前

The key to the safe is lost. 保险箱的钥匙丢了。

The restaurant where I had my dinner last night is most inconvenient. 昨晚我去吃饭的那家餐馆太不方便了。

⑤ 与先前提及的事物有某种关系或联系的名词前

The boy was crying for milk, but **the bottle** was empty. 那男孩哭着要喝牛奶,但奶瓶却是空空的。

They saw a large flock of sheep grazing on the other side of the river. **The herdsman** sat under a tree playing the flute. 他们看见一大群羊在河对岸吃草。牧羊人坐在一棵树下,吹着长笛。

The policemen came near to a car parked at the end of the lane. **The driver** was dead drunk. 警察来到停在小巷尽头的一辆汽车旁,驾驶员已经醉得不省人事了。

The ship was smashed on the rocks. **The passengers** fell into water. 船在暗礁上撞得粉碎,乘客都纷纷落入水中。

⑥ 形容词最高级、副词最高级或序数词前;only, main, sole, same, following, last, next, opposite, present, usual, wrong, ultimate, right, principal 修饰名词时,前面也要用定冠词

That's **the main** point. 那就是要点。

He is **the sole** heir. 他是唯一的继承人。

He is **the first** man to come. 他是第一个来的人。

The same causes produce **the same** effects. 种瓜得瓜,种豆得豆。

The darkest cloud has a silver lining. 山重水复处必是柳暗花明时。

This is **the only** path through the forest. 这是穿过森林的唯一的小路。

You came on **the wrong** day. 你来的日期不对。

I'll meet you at **the usual** time. 我会在老时间见你。

I did not read **the last** section of the book. 这本书的最后一章我没有读。

It is definitely **the right** decision for the company. 这对于公司来说肯定是正确决定。

She was sick in the evening, but **the following** day she was better. 她晚上生病了,但第二天就有所好转。

If they win **the next** election, they have promised to reform the health service. 如果他们在下次大选中获胜,他们承诺要改革医疗制度。

▶▶▶ 在下列习语中,序数词前用零冠词(参阅下文):

at first glance 第一眼, on second thoughts 再三考虑, first prize 头奖, first secretary 第一书记

We are **first cousins**. 我们是亲表兄弟。

He is **second to** none in skill. 他的技术比谁都不差。

He went to see her **first thing** in the morning. 他早上首先去看她。

▶▶ only son(独生儿子), only daughter(独生女儿), only child(独生子女)前可以用不定冠词;其他这类形容词前有些也可用不定冠词;序数词前也可用不定冠词。例如:

You've taken **a wrong** bus. 你乘错车了。

It is likely that **a first** child is pampered. 头胎生的孩子多半会受到娇惯。

Don't worry, there might be **a second** choice. 别担心,可能还有第二种选择。

The couple has **an only** daughter. 这对夫妇有一个独生女儿。

She took **a last** parting look at her husband. 她分手前最后看了丈夫一眼。

7 单数名词前表示属类

The rose smells sweet. 玫瑰花香。

Who invented **the television**? 电视是谁发明的?

The whale is in danger of becoming extinct. 鲸有灭绝的危险。

The fox may grow grey, but never good. 狐狸会变老,但不会变好。

Do you know who invented **the saw**? 你知道是谁发明了锯子?

Today's topic will be **the bear**. 今天要谈的题目是熊。

The dog barks at a stranger. 狗见了生人汪汪叫。

The philistine is often a snob. 庸人往往是势利鬼。

The burnt child dreads the fire. 挨过烫的孩子怕火。

The cautious man shouldn't do like that. 谨慎的人是不会那样做的。

The computer has changed the world. 计算机改变了世界。

The short-tailed monkey is steadily dying out. 短尾猴已逐渐濒临灭绝。

The dove is a symbol of peace. 鸽子是和平的象征。

The first task of **the teacher** is to teach. 教师的首要任务是教书。

The beggar may sing before **the thief**. 叫花子不怕贼偷。

The yen was undervalued compared with **the dollar**. 日元对美元的比值降低了。

The kilometer is the international standard. 千米是国际通用的标准。

The study can be a very suitable place to meet friends. 书房是非常适合会见朋友的场所。

A bird in **the hand** is worth two in **the bush**. 一鸟在手胜过二鸟在林。

The telephone was invented by Alexander G. Bell. 电话是由亚历山大·G.贝尔发明的。

The bicycle is a cheap form of private transportation. 自行车是一种便宜的私人交通工具。

8 复数名词前表示某类人的总称或集体中的任何一个或多于一个

Once in a while they go to **the shops**. 他们偶尔去商店。(指一个商店或多个商店)

Her countenance is like **the flowers** and the moon. 她有着花容月貌。

What surprises him most is that **the government employees** are mildly annoyed at the decision. 最令他感到吃惊的是,所有政府雇员对这项决定都有些恼火。

▶▶ 也表示泛指时日。例如:

The times have changed. 时代变了。

The years went by. 一年又一年。/光阴荏苒。

9 形容词、分词、序数词等前表示同一类人或物或某种抽象概念等

作主语时,谓语动词一般用复数。但表示某一个人,某种抽象概念或抽象事物时,谓语动词用单数。例如:

the rich 富人	the old 老年人/旧的东西	the deceased 死者
the fair 美人	the brave 英雄	the assured 被保险人
the condemned 死刑犯	the employed 雇员	the unusual 古怪的东西
the mentally ill 精神病患者	the difficult 困难的东西	the ordinary 寻常的东西
the mystical 神秘古怪的东西	the unknown 未知的东西	the innocent 无辜的人
the impossible 不可能的事	the blind 盲人	the homeless 流浪的人

the living 活着的人　　　　the dead 死者　　　　　the dumb 哑巴

the injured 受伤者　　　　　the deaf 聋人　　　　　the sick 病人

the wicked 恶人　　　　　　the young 年轻人　　　　the aged 老人

the handicapped 残疾人　　　the wounded 伤员　　　　the oppressed 被压迫者

the privileged 特权阶级　　　the elderly 年长者　　　　the unscrupulous 无耻之徒

the dying 将死的人　　　　　the fittest 适者　　　　　the sublime 高尚（的东西）

the exploited 受剥削者　　　 the lonely 孤独者　　　　the progressive 进步的事物

the obscure 默默无闻的人/物　the happy 幸福的人　　　　the defeated 失败者

the poor and needy 贫困的人　the unemployed 失业者　　 the agreeable 如意的事

the well-to-do 富裕的人　　　the learned 有学问的人　　 the ridiculous 荒谬（的东西）

the inevitable 不可避免的事　 the rich and famous 有钱的名人

the socially gifted 具有非凡交际能力的人　　the mentally unbalanced 精神失常者

the down-trodden 受蹂躏的人　　　　　　　the supernatural 神奇的/超自然的东西

the unexpected 不可预料的东西/事　　　　　 the sentimental 多愁善感的人

the seeing 能看见东西的人　　　　　　　　　the world-famous 世界驰名的人/物

the startling 令人惊奇的事物　　　　　　　　the right and the wrong 对与错

the false，the evil and the ugly 假、丑、恶　　the good and the evil 善与恶

the fallen and the missing 阵亡与失踪者　　　 take the bitter with the sweet 能享乐也能吃苦

the true，the good and the beautiful 真、善、美　get rid of the stale and take in the fresh 吐故纳新

The young like skiing. 年轻人喜欢滑雪。

Heal **the wounded** and rescue **the dying**. 救死扶伤。

The living mourn for **the dead**. 生者哀悼死者。

The ignorant are suspicious. 无知者多疑。

the cherished memory of **the** loved and lost 已故亲人的美好回忆

It is only **the ignorant** who despise education. 只有无知的人才轻视教育。

The learned are most modest. 有学问的人总是很谦逊的。

The handicapped need our help. 残疾人需要我们的帮助。

The well-to-do have their cares also. 富裕的人也有烦恼。

Fortune favors **the brave**. 命运偏爱勇敢的人。

She felt sympathy for **the unfortunate**. 她同情不幸的人。

The wicked always come to bad ends. 恶人总会遭报应的。

You can't expect me to do **the impossible**. 你不能指望我做不可能的事。

He was scornful of **the privileged**. 他鄙视特权阶层。

We must take **the rough** with **the smooth**. 好的坏的我们都得承受。

The departed was a retired bus driver. 死者是一位退休的公交车司机。

Education draws out **the good** in everyone. 教育就是要启发人的善良天性。

The unscrupulous often deceive **the innocent**. 无耻之徒总是会欺骗头脑单纯的人。

The old is always opposite to **the new**. 旧的东西总是同新的东西相对立。

The righteous are bold as a lion. 正义之士,其勇如狮。

The poet has an ardent yearning for **the supernatural**. 诗人憧憬超自然的东西。

We are apt to accept **the obvious** too easily. 我们容易轻易接受明显的东西。

He had compassion for **the helpless**. 他同情无助者。

The local government provided relief for **the destitute**. 地方政府为贫困者发放救济品。

They dealt out rice to **the needy**. 他们把大米分发给缺粮的人。

The bald need no comb. 秃子不需梳头。

The enslaved many worked for **the privileged few** to make a bare living. 广大被奴役者为少数特权者卖力,以维持最低的生活。

Here were **the high and low**, slaves and masters. 这里高低贵贱的人都有,有奴隶,也有主人。

There is no good in arguing about **the inevitable**. 对于无法避免的事,争论是无益的。

The government should take account of the interests of **the disabled**. 政府应当考虑残疾人的利益。

Never put **the trivial** above **the important** in doing anything. 无论做任何事情切不可本末倒置。

He that spares **the bad** injures the **good**. 宽容邪恶就是伤害善良。

The law is made to protect **the innocent** by punishing **the guilty**. 制定法律在于惩罚罪恶,保护无辜。

The injured were taken to hospital. 受伤的人被送往了医院。

The strong dominate over **the weak**. 强者支配弱者。

In that case, you are putting **the trivial** above **the vital**. 那样一来,你就是本末倒置了。

It approaches **the impossible**. 这近乎不可能。

The well-fed have no idea how **the starving** suffer. 饱汉不知饿汉饥。

The seeing see little. 能看见东西的人往往所见甚少。

The fittest are **the strongest**. 适者即强者。

Politics is the art of **the possible**. 政治是掌握可能因素的艺术。

The progressive triumphs over **the obsolete**. 进步的事情总是战胜陈旧的事物。

The few exploited **the many**. 少数人剥削多数人。

The aged are well taken care of here. 老人在这里得到了很好的照顾。

They are **the young** at heart. 他们人老心不老。

There were **the ill**, **the desperate**, and **the overwhelmed**. 这里有病人、绝望者和被压垮的人。

The God sends rain on **the just** and on **the unjust**. 上帝把雨水洒给正义的人们,也洒给不义之人。

The dog has a nose for **the unusual**. 狗能闻出不寻常的东西。

The absent are always in the wrong. 不在场的总有错。

The lonely long for care and companion. 孤独的人渴望关心,渴望陪伴。

Come on now, that's asking for **the impossible**. 得了吧,那是强人所难。

The youngest are the most likely to be ill. 最小的婴儿最易得病。

At that moment **the incredible** happened. 就在此时此刻,偏偏出了不可思议的事。

The time shall come when **the oppressed** shall rise against **the oppressor**. 受压迫者反抗压迫者的那一天必定要到来。

There are various orders of beauty, causing men to make fools of themselves in various styles, from **the desperate** to **the sheepish**. 美有各种不同的种类,致使男人纷纷出丑而表现各异,从绝望之徒到唯唯诺诺的人。

Why should I serve **the high and mighty** with lowered eyes and on bent knees? Such things can never make my heart rejoice! 安能摧眉折腰事权贵,使我不得开心颜!

The jealous are troublesome to others, but a torment to themselves. 嫉妒者对他人是烦恼,对他们自己却是折磨。

On buses there are a few seats reserved for senior citizens and **the pregnant**. 公共汽车上设有一些老人和孕妇专座。

The power of fortune is acknowledged by **the unhappy**, for **the happy** owe all their success to their merits. 命运的力量为不幸者所承认,因为幸福的人把他们一切的成功都归因于自己的实力。

When **the old** saw the trees laden with fruit, he smiled with self-satisfaction. 那位老人看到树上果实累累时,满意地笑了。

Sometimes **the wronged** forgets more easily than the wrongdoer. 有时候,冤枉人的人比被冤枉的人记得还清楚。

Thirty percent of **the medicated** became depressed again within 10 months. 30%的药物治疗者在10个月内再度变得抑郁。

The stage points out **the selfish** and **depraved** to our detest, and **the amiable** and **generous** to our admiration. 舞台表演表现出我们厌恶的自私和道德败坏以及我们钦佩的友爱和宽厚品质。

The most beautiful emotion we can experience is **the mystical**. 我们能够体验到最美好的情感是妙不可言的情感。

It is **the weak** and **the sick** that realize the value of good health. 只有体弱生病的人才能理解健康的可贵。

Hate causes man to describe **the beautiful** as ugly and **the ugly** as beautiful. 仇恨使人把美说成丑，把丑说成美。

The unfortunate deserve our sympathy. 不幸的人值得我们同情。

Almost every woman，but **the very young**，can produce tales of this sort. 除了非常幼小的女孩子，几乎每个女人都能编出这种故事。

He has a taste for **the exotic**. 他喜欢奇异的东西。

Peter is interested in **the supernatural** and looking for UFOs. 彼得对超自然的东西感兴趣，正在寻找飞碟。

We are all faced with **the inevitable**：death. 我们都面对着不可避免的结局，那就是死亡。

The latest is that **the unemployed** are losing hope. 最新消息说失业者越来越没有信心。

We want to learn to laugh in the face of **the inevitable**, to smile at the looming of the death. 我们需要学会对不可避免的事情报以大笑，甚至以微笑面对死亡的威胁。

The best is oftentimes the enemy of **the good**. 过犹不及。

That's **the long** and **the short** of it. 总而言之，就是这样。

The unknown is yet to come. 天有不测风云。（指未知之事）

The beautiful is not always the good, and **the good** is not always **the true**. 美不一定是善，善不一定是真。（指性质）

There is but one step from **the sublime** to **the ridiculous**. 高尚和荒谬相去只一步。

The latest is that he has walked across the desert. 最新消息说，他已徒步穿越了沙漠。（某一具体事物）

The inevitable was not long in coming. 不可避免的事不久就发生了。（某一具体事物）

The faulty stands on the guard. 犯错的人需时时警惕。

It merely states **the obvious**. 它只是陈述了显而易见的道理。

I'm always ready to do **the little** I can for the country. 我总是愿意为国家尽我微薄的力量。（little 也可看作指量代词）

She was among **the first** to recognize a writer of merit in the author. 她是最早发现这位作者是个优秀作家的人之一。（序数词）

▶▶▶ "the＋形容词、分词等"也可以表示"确指"。例如：

The departed was a retired worker. 死者是一名退休工人。

The little I have is not worth giving. 我所拥有的这一点点不值得送人。

There is good in everyone，and education draws out **the good**. 人人内心都有善良的天性，教育就是要启发这善良的天性。

The accused was acquitted. 被告被宣判无罪。（确指，一人）
Several of **the accused** were acquitted. 几个被告被宣判无罪。（确指，几人）

▶▶▶ 表示单数概念的这类词还有：the unreal, the lovely, the foreign, the exciting 等。

▶▶▶ 这类形容词有时可用副词、介词短语、定语从句或另一形容词修饰。例如：

The seriously wounded were sent to the hospital at once. 重伤者被立即送往医院。

The old in this country are taken good care of. 这个国家的老人受到了很好的照顾。

The very best is yet to come. 最好的还在后头。

The extremely old are sent there. 特别年长的被送到那里。

The emotionally disturbed are to be well treated. 精神失常者要给予精心医治。

The very wise are still modest. 才高八斗的人仍然很谦虚。

The physically and mentally handicapped need looking after. 有生理和心理缺陷的人需要照顾。

The young in spirit enjoy life. 心理上年轻的人享受生活。

The old who resist changes are few and far between. 抵制变革的老年人非常少。

He didn't want to disturb **the quiet** that was needed by the old professor. 他不想打扰这位老教授需要的安静环境。

The information society should serve all of its citizens, not just **the technically sophisticated** and **the economically privileged**. 信息社会应当为全体公民服务，而不是专门为掌握高新技术和拥有经济优势的人服务。

The seriously ill are still under treatment in hospital. 重病患者依然在医院接受治疗。

The houses and cars of **the new rich** are huge but vulgar. 那个暴发户的房子和车子都很大，却也俗不可耐。

【提示】其他如：the patriotic dead 爱国烈士们，the busy many 忙碌的多数人，the idle few 无所事事的少数人，the recently rich 暴发户。

▶▶▶ 这类形容词有时可用比较级或最高级。例如：

Even **the humblest** have their rights in the world. 即使最卑贱的人在世界上也有自己的权利。

Victory belongs to **the most preserving**. 胜利总是属于坚韧不拔的人。

The greatest are not always **the noblest**. 最伟大的人并非总是最高尚的人。

The wise seeks advice from **the wiser**. 聪明人寻求比自己更高明人的指教。

▶▶▶ 有时可用代词代替这类形容词前的定冠词。例如：

Your sick will be nursed and **your young** will be fed. 你们的患病者将得到护理，年幼者将得到抚养。

May I present **my intended**? 我介绍一下我的未婚夫/妻吧！

We poor have become rich now. 我们穷人现在也富起来了。

▶▶▶ the haves 表示"富人，富国"，the have-nots 表示"穷人，穷国"，the not-so-poor 表示"次贫民"，the help 表示"佣人们"，为"the＋名词"结构，表示一类人。例如：

Information technology allows **the haves** to increase their control on global market — with destructive impact on **the have-nots**. 信息技术增强了富人对全球市场的控制，却给穷人带来了毁灭性的打击。

▶▶▶ 个别形容词前可加不定冠词，表示名词化的个体。例如：

Mary is **a dear**. 玛丽是个招人喜爱的孩子。

A better will be sent to you. 将给你寄去一个更好的。

He is such **a silly**. 他真是一个大傻瓜。

【提示】有些形容词可用零冠词，直接用作名词。例如：

The country lacks capital, energy and food and has large numbers of **unemployed**. 这个国家缺少资金、能源和食品，而且有大量的失业人口。

Some kids don't seem to know the difference between **right** and **wrong**. 有些孩子似乎不能分辨是非。

🔟 表示海洋、河流、山脉、群岛、某些国名、某些组织机构、建筑、报纸、杂志、书籍、会议、条约、信仰等名词前

the Atlantic 大西洋	the Thames 泰晤士河
the Sahara 撒哈拉沙漠	the Alps 阿尔卑斯山
the Americas 南北美洲或两洲各国	the Highlands 山区（苏格兰）
the Lowlands 平原区（苏格兰）	the East Indies 东印度群岛
the Persian Gulf 波斯湾	the U.S.A. 美国
the Grand Canal 大运河	the Warsaw Pact 华沙条约
the Taiwan Strait 台湾海峡	the Philippines 菲律宾群岛
the Saar 萨尔省	the Nansha Isles 南沙群岛
the Yellow Sea 黄海	the Netherlands 荷兰
the Antarctic Circle 南极圈	the Ukraine 乌克兰
the West/East End 伦敦西/东区	the Sudan 苏丹

the Crimea 克里米亚　　　　　　　　the Senate 参议院（美国）

the House of Representatives 众议院（美国）　　the Diet 国会（日本、丹麦）

the Duma 国家杜马（俄罗斯议会下院）　　the House of Lords 上议院（英国）

the House of Commons 下议院（英国）　　the Treaty of Nanjing 南京条约

the Tass 塔斯社　　　　　　　　　　the Louvre（Palace）卢浮宫

the Ganlu Temple 甘露寺　　　　　　the Imperial Palace 故宫

the Kremlin 克里姆林宫　　　　　　the Pentagon 五角大楼

the Spectator《观察家》　　　　　*the Atlantic*《大西洋》杂志

the Daily Telegraph《每日电讯报》　　*the Quarterly Review*《评论季刊》

the Book of Poetry《诗经》　　　　*the Odyssey*《奥德赛》

the True Story of Ah Q《阿Q正传》　　*the Iliad*《伊利亚特》

the Three Gorges 三峡　　　　　　the Arch of Triumph 凯旋门

the Huanghe/the Yellow River 黄河　　the Buick Auto Company 别克汽车公司

the Capital Airport 首都机场　　　　the Cape of Good Hope 好望角

the World Health Organization 世界卫生组织　　the Tian Shan 天山山脉

the City of Fog 雾都　　　　　　　the Country of Cherries 樱花国（日本）

the Yangtze/the Yangtze River/the Changjiang River 长江

the Industrial Revolution 工业革命（指18世纪后半期英国工业革命）

the World Table Tennis Championship 世界乒乓球锦标赛

the Rockefeller Foundation 洛克菲勒基金会

【提示】

① 下列这类名词前用零冠词：

　　Life《生活周刊》　　　　*Time*《时代周刊》　　　　*News Week*《新闻周刊》

　　Punch《笨拙周刊》　　　Congress 国会　　　　　Parliament 议会

② 含有 Mount, Lake 等表示孤岛、独山、湖泊的名词前一般用零冠词，但中国湖泊名词前却常带定冠词。例如：

　　Lake Baikal 贝加尔湖，Hainan Island 海南岛，Mount Fuji 富士山，Mount Ali 阿里山，Lake Michigan 密歇根湖，Mount Jomolangma 珠穆朗玛峰，Silver Lake 银湖，Mount Blanc 勃朗峰，Christian Island 圣诞岛，Sicily Island 西西里岛，Easter Island 复活节岛，**the** Dongting Lake 洞庭湖，**the** Taihu（Lake）太湖（也可说 Lake Tongting, Lake Taihu）。

▶▶ 例外情况：**the** Great Salt Lake 大盐湖，**the** Lake of Geneva/Lake Geneva 日内瓦湖，**the** Isle of Man 马恩岛。

③ 除 the Hague（海牙）、the Ginza（银座）外，都市名称前用零冠词，如：London, New York, Nanjing 等。

④ 下面几个专有名词前，用定冠词或用零冠词：

　　（the）Cape Comorin 科摩林角　　　　（the）Mount Everest 埃佛勒斯峰

　　（the）Castle Wildenstein 威尔登斯坦城堡　　（the）Fort St. George 圣·乔治要塞

　　（the）Hurricane Eileen 飓风艾琳

⑤ Bay（海湾）在专有名词后时用零冠词。例如：

　　Manila Bay 马尼拉湾　　　　　　　　Jiaozhou Bay 胶州湾

　　San Francisco Bay 圣弗兰西斯科湾

▶▶ 例外情况：the Bay of Biscay 比斯开湾。

⑥ 书籍、杂志、名画也可用引号，或用斜体。例如：

　　the "Song of Youth"《青春之歌》（小说）　　*the East Today*《今日东方》（杂志）

　　the Last Supper《最后的晚餐》（名画）

⑦ 比较：

　　┌ **the** Bird's Nest 鸟巢（北京一处著名建筑）

　　└ bird's nest 鸟巢（鸟筑的巢）

11 姓氏的复数形式前，表示"一家人（两人或两人以上），某一家族"，有时也指特定兄弟、姐妹、父子、夫妻等

The Smiths often go downtown on Sundays. 史密斯一家星期天常到商业街去。

The Schuylers are really crude. 斯凯勒一家真的很粗俗。

All **the Forsytes** were present at the ceremony. 福赛特家族的所有成员都出席了仪式。

The Wrights made the first flying machine in the world. 莱特兄弟制造了世界上第一架飞机。

Nurse is playing with **the little Jacksons** in the garden. 保姆陪杰克逊家的小孩子在花园里玩。

We know **the Gaos** are rich. 我们知道高家很有钱。

In spite of all the difficulties，**the Curies** persisted in their research. 尽管非常艰苦，居里夫妇还是坚持进行研究。

The Brontes are famous for *Jane Eyre*，*Wuthering Heights* and *Agnes Grey*. 勃朗特姐妹以小说《简·爱》《呼啸山庄》《艾格尼丝·格雷》闻名于世。

The Van Goghs are the greatest family of picture deals in Europe. 凡·高家族是欧洲经营绘画的最大家族。

▶▶▶ 成语 keep up with the Jones 中的 Jones 泛指"人们"，意为"跟上时代，不落伍"。

12 用在某些名词前表示民族、阶级、阶层、集团、党派

the Chinese 中国人	the nobility 贵族
the militia 民兵	the aristocrats 贵族
the clergy 教士	the Christians 基督徒
the local tyrants 土豪	the Catholics 天主教徒
the proletariat 无产阶级	the Liberals 自由党人
the Conservatives 保守党人	the bourgeoisie 资产阶级
the Asians 亚洲人	the Communists 共产党人
the laity 俗人	the French 法国人
the English 英国人	the Russians 俄罗斯人
the Americans 美国人	the evil gentry 劣绅
the intellectuals 知识分子	the upper class 上层社会

13 表示人名等的专有名词前，有鉴别意义

这类专有名词中大都含有普通名词或形容词。例如：

the Emperor Napoleon 拿破仑皇帝	the Reverend Peter Jones 彼得·琼斯牧师
the Judge Harris 哈里斯法官	the late President Nixon 已故尼克松总统
the Duke of Westminster 西敏公爵	Alfred the Great 阿尔弗莱德大帝
the Prince of Wales 威尔斯亲王	the Misses Shaw 肖家姐妹
Peter the Great 彼得大帝	Ivan the Terrible 暴君艾凡
the Great Einstein 伟大的爱因斯坦	Tiberius the Great 提比略大帝
the play "Hamlet" 剧本《哈姆雷特》	the sagacious Solomon 圣明的所罗门
the ambitious Churchill 雄心勃勃的丘吉尔	the far-sighted Washington 远见卓识的华盛顿
William the Conqueror 征服者威廉一世	the Countess of Harewood 海伍德伯爵夫人

▶▶▶ 中国历史上的皇帝称号前用定冠词或用零冠词。称号如是外来语，一般要用 the。例如：

（the）Emperor Qian Long 乾隆皇帝　　（the）Empress Wu 武皇（武则天）

the Kaiser Wilhelm 威廉皇帝

14 有后置定语修饰的专有名词前

He is **the Shakespeare** of the age. 他是当代的莎士比亚。

Suzhou is **the Venice** of China. 苏州是中国的威尼斯。

The Asia of the 20th century suffered from a lot of disasters. 20 世纪的亚洲遭遇了许多灾难。

The China of the 21th century will be more prosperous. 21 世纪的中国会更加繁荣昌盛。

She came on **the last Friday** of each month. 她在每个月的最后一个星期五来。

He is not **the Dr. Brown** that I met the other day. 他不是我前些天遇到的布朗医生。

The writer was **the Homer** of his age. 这位作家是他那个时代的荷马。

Mozart was called **the Raphael** of music. 莫扎特被称为音乐界的拉斐尔。

Is she **the Julia** who is a musician? 她就是那位音乐家朱莉娅吗？

The old buildings reminded her a little of **the Paris** in which she lived forty years ago. 老建筑使她隐约想起她 40 年前生活过的巴黎。

Twentieth-century England, **the England** of the railway, the telegraph, and the motorcar, was not **the England** of those old cottages. 20 世纪的英国，满是火车、电报及汽车的英国已不再是古老农舍的英国了。

Have you ever heard of **the Samuel Johnson** who is the famous dictionary compiler? 你听说过那位著名词典编纂家塞缪尔·约翰逊先生吗？

【提示】

① 英语中的封号有特殊的规定，其结构为：

$$\begin{cases} \text{Sir＋教名＋姓} \\ \text{Sir＋教名} \\ \text{Lord＋姓} \end{cases} \qquad \begin{cases} \text{Sir John Falstaff [√] 约翰·福斯塔夫爵士} \\ \text{Sir John [√]} \\ \text{Sir Falstaff [×]} \end{cases}$$

Lord Mowbray 莫布雷勋爵

② 在专有名词后，表示身份、职业等的名词作同位语时，如果用定冠词，表示该人或物为人们所熟悉；如果用不定冠词，表示不太为人们熟悉。例如：

Darwin, **the English scientist** 英国科学家达尔文

Barbara Kingsolver, **an American woman novelist** 芭芭拉·金索尔弗，一位美国女小说家

15 "the ＋形容词＋专有名词"表示某人的状态、属性等

The disappointed Mary walked on and on along the path. 失望的玛丽沿着小路走啊走。

The frightened Peter hid himself behind the door. 惊恐的彼得躲在门后面。

The timid Jane dare not say a word. 胆怯的简一句话也不敢说。

The angry Edward smashed his fist down on the table. 愤怒的爱德华用拳头猛击桌子。

16 表示方向、方位的名词前

（1）在介词短语中，方向、方位名词前要用定冠词。例如：

Birds come back from **the south** in spring. 春天鸟儿从南方飞来。

The fishing village is just to **the north** of the little bay. 那个渔村就在小海湾的北边。

Her parents live in a small town in **the north**. 她父母亲住在北方的一个小城里。

Many refugees crossed the border to **the south**. 许多难民越过了南边的边界。

▶▶ 但在"某些方位词＋介词"结构中，方位词前用零冠词。例如：

north by east 北偏东   from east to west 从东到西

south by west 南偏西   east by north 东偏北

【提示】suburbs(郊区)及 countryside（农村）之前要用定冠词。例如：

She doesn't live near the downtown area, but out **in the suburbs**. 她不住在市中心，而是住在郊区。

（2）方位名词大写，指某个国家或世界的某一部分时，前面要用定冠词。例如：

The North is colder than **the South**. 北方比南方冷。

The Middle/Far/Near East 中/远/近东

the South Pole 南极

17 表示学校、星球、船只、舰队、铁路、飞机、三军、宗教事务、历史朝代、某些节日等的名词前

the University of London 伦敦大学   the Air Force 空军

the Mayflower 五月花号（船只）   the Mercury 墨丘利号（宇宙飞船）

the Milky Way 银河   the Big Dipper 北斗星

the Lord 上帝   the Devil 魔王

the angels 天使   the Furies 复仇女神

the saints 圣徒	**the** gods 诸神
the Koran 古兰经	**the** Stone Age 石器时代
the Song Dynasty 宋朝	**the** Zhongshan 中山舰
the Queen Mary 玛丽皇后号	**the** Battleship Missouri 密苏里战舰
the Baltic Squadron 波罗的海舰队	**the** Discoverer 发现者号(航天飞机)
the Warring States Period 战国时代	**the** Moon Festival 中秋节
the Spring Festival 春节	**the** Spring and Autumn Period 春秋时代
the Planet Mars 火星	**the** Trans-Siberian Railway 西伯利亚铁路
the Central Academy of Fine Arts 中央美术学院	

比较：

北京大学
- **the** University of Beijing [√]
- Beijing University [√]
- **the** Beijing University [×]

▶▶▶ 以人名或某些地名命名的大学,人名、地名须前置,不可加 the。例如：

Harvard University 哈佛大学	Yale University 耶鲁大学
Tsinghua University 清华大学	Oxford University 牛津大学

18 乐器名称前

She is learning to play **the violin**. 她在学拉小提琴。

He is brilliant at **the flute**. 他笛子吹得非常好。

She plays **the piano/the guitar** very well. 她钢琴/吉他弹得很好。

【提示】

① the 用在乐器名词前通常表示类指,如上例,也可表示确指。例如：

　The piano I bought for my daughter is made in France. 我为女儿买的钢琴是法国制造的。

② 乐器名词前也可用 a/an 表示类指,强调该类中的任何一个,而 the 则强调区别他类。例如：

　A violin is played with a bow. 小提琴是用琴弓演奏的。

　A flute is played on the lips. 笛子是用嘴吹的。

　A soldier played **a bugle** at the funeral. 一名士兵在葬礼上吹起了军号。

③ 乐器名词前有时也用零冠词。例如：

　She is **first violin** of the orchestra. 她是管弦乐队的第一小提琴手。

④ 注意下面的句子：

　A young man is playing on **a mouth organ**. 一个青年在吹口琴。(小型乐器可用 a/an)

　He bought **a guitar** for his friend. 他为朋友买了一把吉他。
　He bought **the guitar** two years ago. 他两年前买的这把吉他。

19 表示单位的名词前(有时具有 every, each 或 per 的含义)

结构通常为:by＋the＋单位名词,to＋the＋单位名词,a/an/the＋单位名词。例如：

She bought oranges at one dollar **the pound**. 她买的橘子是每磅 1 美元。(相当于 per pound,也可以说 a pound)

They are paid by **the week**. 他们按周计酬。

Meat is sold by **the catty**. 肉是论斤卖的。

He hired the car by **the hour**. 他按小时租车。

Gasoline is sold by **the gallon**. 汽油按加仑卖。

The apples are sold by **the pound**. 苹果论磅卖。

How much **the/a pound** is it? 多少钱 1 磅?

Pears sell at five *jiao* **the/a jin**. 梨子 5 角钱 1 斤。

What is the price **the/an ounce**? 一盎司多少钱?

We are paid by **the piece**. 我们拿计件工资。

They sell the coal by **the ton**. 他们论吨卖煤。

She sells peanuts by **the handful**. 她按"把"卖花生。

Milk is sold by **the pint**. 牛奶论品脱卖。

The eggs here are sold by **the dozen**. 这里的鸡蛋按打卖。

The cloth are sold by **the yard**. 这布按码出售。

There are eighty pieces to **the box**. 每箱有 80 件。

Her pulse beat 70 times to **the minute**. 她的脉搏每分钟跳 70 次。

There are about three wolves to **the square kilometer**. 每平方千米大约有 3 匹狼。

The new car does about forty miles to **the gallon**. 这辆新车每加仑汽油跑 40 英里左右。

There are about seven eggs to **the pound**. 每磅约有 7 个鸡蛋。

【提示】注意下面一句的含义：

The supermarket is selling fresh eggs **by the long dozen**. 这家超市正以一打 13 个出售新鲜鸡蛋。

（或：一打多一个）

▶▶ 其他如：by the foot 按英尺，by the month 按月，by the day 按日，by the thousand 成千地。

20 to the day, to a day 和 to this day

to the day 和 to a day 意义相同，意为"整……，刚好……"，而 to this day 意为"直到今天"。比较：

She left her hometown five years ago **to a day**. 她一天也不差恰好是五年前离开家的。

I haven't told her the truth **to this day**. （直到今天）

【提示】by the day 不同于 by day，前者意为"按天"，后者意为"在白天"，相对应的词是 by night（在夜晚）。例如：

The workers are paid **by the day**. 工人们按天计酬。（按月：by the month）

They explored the island **by day**. 他们白天在那个岛上考察。

21 next 不同于 the next, last 不同于 the last

next Sunday 指从现在算起"下一个星期天"，the next Sunday 指从过去某时算起"次一个星期天"，其区别相当于 tomorrow 和 the next day。the next Sunday/month... 还可指从将来某时算起"次一个星期天/月……"。last Sunday 指从现在算起"上一个星期天"，the last Sunday 指从过去某时算起"上一个星期天"（参阅"形容词"章节）。例如：

She arrived on April 15 which happened to be a Wednesday, and came to see me **the next Sunday**. 她 4 月 15 日到达，那天是星期三，那个星期天(19 日)她就来看我。（不是 26 日）

She will be back **next month**. 她下个月返回。（下个月，以现在为背景）

The old man died **last month**. 那位老人上个月去世了。（上个月，以现在为背景）

She went to England in May and went to France **the next month**. 她 5 月去了英国，其后的一个月去了法国。（隔月，以过去为背景）

She will go to France and go over to England **the next month**. 她将去法国，并将在其后的一个月去英国。（隔月，以未来为背景）

December is **the last month** of the year. 12 月是一年的最后一个月。（最后一个月，跟现在无关）

22 the cobra, a cobra 和 cobras

在英语中，表示类属可以有三种方式：the＋单数名词、a/an＋单数名词、复数名词，但意义往往有所不同。比较：

The cobra is a danger. 眼镜蛇是危险的。（指的是蛇的一种类别，它不同于其他类别，比如草蛇）

A cobra is a very poisonous snake. 眼镜蛇是非常毒的蛇。（一条眼镜蛇，作为蛇这种爬行类中的一个实例）

Cobras are dangerous. 眼镜蛇是危险的。（指的是这一类的全体，即所有的眼镜蛇）

23 the book that I want 和 a book that I want

当某名词后有限制性修饰语时，该名词前一般要用定冠词 the，但根据具体情况，有时也可用不定冠词。比较：

She has bought me **the book** that I want. 她带来了我要的那本书。（我要的只是那本书）

She has bought me **a book** that I want. 她带来了我要的一本书。（我要的不止一本书）

The book on current situation is missing. 有关当前形势的那本书丢失了。（有关当前形势的书，只此一种）

A book on current situation is missing. 有一本关于当前形势的书丢失了。（有关当前形势的书，不止一种）

㉔ on the fly 和 on the go 中的 the 不可省

定冠词常用在某些与动词同形的名词之前。例如：

Jim caught the ball **on the fly.** 吉姆接住了传过来的球。

He has been **on the go** all day long. 他一整天都在忙个不停。

The prices have been **on the increase.** 物价一直在上涨。

▶▶▶ 其他还有：on the run 跑着/流行，on the move 在运动中，all the go 最流行，on the prowl 徘徊，to the rescue 抢救。

㉕ strike sb. in the eye

定冠词可以用以表示对人体部位的特指，在下列结构中指人体某部位时，一般用定冠词，不用物主代词。例如：

pull sb. by **the** ear 拉某人的耳朵

shoot sb. in **the** head 击中某人的头部

slap sb. across **the** face 打了某人一记耳光

kiss **the** girl on the hand 吻了那女孩的手

smack sb. across **the** bottom 打某人屁股

punch sb. squarely in **the** nose 对准某人的鼻子打一拳

The stone **struck** her **in the eye.** 石头击中了她的眼睛。

He **patted** the girl **on the head.** 他拍了拍那女孩的头。

He **struck** her **on the shoulder.** 他朝她肩膀击了一掌。

The old man **led** the cow **by the horn.** 老人抓着牛角拉牛前行。

He **wounded** the man **in the arm.** 他打伤了那男人的臂膀。

He **kissed** Lucy **on the forehead.** 他吻了吻露西的前额。

Death **stared** her **in the face.** 她生命垂危。

He **looked** her straight **between the eyes.** 他直视着她的双眼。

He **shook** her **by the hand.** 他握她的手。

The dog **bit** her **in the leg.** 狗咬了她的腿。

Mark **took** Mary **by the arm.** 马克抓住玛丽的手臂。

The man **stabbed** her **in the back.** 那人用刀刺入她的背部。

He **seized** the spade **by the handle.** 他抓住锹把。

John **punched** the man **in the chest.** 约翰猛击那人的胸部。

The criminal **took** the girl **by the throat.** 罪犯卡住那女孩的脖子。

The little boy **clasped** his father **round the waist.** 那小男孩抱着他父亲的腰。

A policeman was paralysed after **being shot in the neck.** 一名警察被射中脖子后瘫痪了。

The old man grabbed the stick and **hit** the man **behind the ear** with it. 老人抓起手杖捅那人的耳朵根。

He **bashed** the photographer **in the jaw.** 他朝那个摄影师的下巴上猛揍一拳。

She **took** the hammer **by the handle.** 她握住锤子的柄。

Don't keep **digging** me **in the ribs.** 别老用胳膊肘碰我的肋骨。

The teacher **pulled** him **by the ears.** 老师拉他的耳朵。

He **grasped/caught** the man **by the collar.** 他抓住那男人的衣领。

The man **held** the sheep **by the horns.** 那男的握住羊角。

The young man **caught** the thief **by the wrists.** 那年轻人一把抓住小偷的两只手腕。

She **clouted** him **on the ear**. 她打了他一记耳光。

The boss **punched** him **on the jaw**. 老板打他的下颚。

The little boy **clasped** his mother **round the neck**. 那小男孩搂着妈妈的脖子。

▶▶▶ 下面的说法都对：

> She **kissed her father on the cheek**. 她从面颊上吻她爸爸。（侧重于人）
>
> She **kissed her father's cheek**. 她吻她爸爸的面颊。（侧重于 cheek）
>
> Jack **hit Sam in the face**. 杰克打萨姆的脸。（强调 Sam）
>
> Jack **hit Sam's face**. 杰克打萨姆的脸。（强调 face）

【提示】下面两种说法都对，前者强调主语的特有性质，后者强调身体部分的典型性：

> He is blind in **his** right eye. 他右眼瞎了。
>
> He is blind in **the** right eye.
>
> She is lame in **her** left leg. 她左腿瘸了。
>
> She is lame in **the** left leg.

㉖ in the seventies 中的 the 不可省

年份之前用零冠词，但在逢"十"的复数数词前，指世纪中的几十年代或人的大约岁数，则要用定冠词。例如：

She was in America **in the seventies**. 她 20 世纪 70 年代在美国。

I guess the man is somewhere **in the forties**. 我猜想那个男的大约四十几岁。

▶▶▶ 其他如：in the 1990s, in the mid-fifties 等。

㉗ to the ear 和 to the eye 的含义

定冠词可用于单数可数名词之前，表示该名词的属性、功能或有关的抽象概念等，有时表示"转喻"。这类名词可以指人、人体、器官、动植物、工具、设施、日常用品等。例如：

Don't play **the fool**. 别装傻。

The man is at home **in the saddle**. 那人擅长骑马。

The music is pleasant **to the ear**. 音乐声悦耳。

The colors of the autumn leaves are pleasing **to the eye**. 斑斓的秋叶赏心悦目。

There is still much of **the schoolboy** in him. 他带着很重的小学生气。

She went **on the stage** at ten. 她 10 岁时就开始演艺生涯。

The man smells of **the shop**. 那人商人气很重。

The man is fond of **the bottle**. 那人嗜酒。

She's gone off **the screen**. 她已经离开了银幕。（不再从事电影工作）

She was appointed to **the bench** last year. 她去年被任命为法官。

Better **the foot** slip than **the tongue** trip. 失言不如跌跤。

He died in **the flower** of youth. 他英年早逝。

Well, **the cat** is out of **the bag**. 得了，秘密泄露了。

He's again playing **the woman**. 他又作女儿态了。

There is a mixture of **the tiger** and **the fox** in his character. 他如老虎般残忍，狐狸般狡诈。

The pen is mightier than **the sword**. 笔锋胜刀剑。（the pen→文字、文学，the sword→武功、战争）

When one is poor, **the beggar** will come out. 衣食足，知荣辱。（＝low conduct）

They felt **the patriot** rise within them. 他们的爱国心油然而生。（＝the patriotic spirit）

After the war, he gave up **the sword** for **the plow**. 战后他解甲归田。（the sword＝weapons, the plow＝farming）

The fine scenery served to develop **the poet** in him. 优美的风景有助于激发他的诗兴。（＝poetic talent）

What is learned **in the cradle** lasts to **the grave**. 少年所学，终生不忘。（the cradle＝infancy, the grave＝death）

He left **the bar** for the **church**. 他不当律师，去当牧师。

You'd better play **the man** a little more. 你应该多一点男子汉气概。

There is still much of **the schoolgirl** in Mary. 玛丽身上还有很多小学生的特质。

He has nothing of **the gentleman** about him. 他毫无绅士风度。

All **the father** rose in my heart. 强烈的做父亲的感情在我心头涌起。

He forgot **the judge** in **the father**. 做父亲的温情使他忘记了做法官的职责。

She was brought up on **the bottle**. 她是喝牛奶长大的。

The government nipped the rebellion in **the bud**. 政府把叛乱铲除于萌芽之中。

The money will help to keep **the wolf** from the door. 这笔钱将有助于避免挨饿。

I wouldn't have **the cheek** to go to a party uninvited. 没受邀请,我不好意思去参加聚会。

War really brings out **the brute** in a man. 战争确实能使人的兽性暴露无遗。

After finishing her legal studies, she was called to **the bar**. 结束了法学课程学习之后,她就从事律师职业了。

Though only twenty-five years old, he has something of **the old man** in him. 虽然只有 25 岁,但他却有老年人的老成持重。

28 the red and the white roses 不同于 the red and white roses

如果两个名词指两个人或物,通常每个名词前都要加定冠词;如果两个名词指同一人或物,一般只用一个定冠词。比较:

> Read **the fifth** and **the last** paragraph of the text. 读课文中的第五段和最后一段。(指两段课文)
> Read **the fifth** and **last** paragraph. 读第五段即最后一段。(指同一段课文)

> He sent her **the red** and **the white** roses. 他给她送去了红玫瑰和白玫瑰。(两种玫瑰花)
> He sent her **the red** and **white** roses. 他给她送去了红白相间的玫瑰花。

> **The teacher** and **the guardian** were discussing his case. 老师和监护人在讨论他的案子。(两人,教师和监护人)
> **The teacher** and **guardian** was discussing his case. 老师兼监护人在讨论他的案子。(一人,是教师,同时也是监护人)

> **The founder** and **editor** of the magazine is waiting for you in the office. 杂志的创始人兼编辑正在办公室等你。(一人)
> **The founder** and **the editor** of the magazine are waiting for you in the office. 杂志的创始人和编辑正在办公室等你。(两人)

▶▶▶ 但是,若要强调某个对象,即使指同一人或物,也可重复冠词。例如:

He was **the orator** and **the statesman** of his age. 他是他那个时代的演说家和政治家。

▶▶▶ 联系紧密的两个并列名词,在不会引起误解的情况下,可用一个定冠词。例如:

The doctor and nurse have been ready. 医生和护士都准备好了。(＝a doctor and a nurse)

The bride and bridegroom are kissing each other. 新娘和新郎在亲吻。

The father and (the) **mother** were against the marriage. 父母都反对这桩婚事。

▶▶▶ 其他如:the house and garden 房子和花园,the king and queen 国王和王后,the wit and beauty of the town 全城的才子佳人

29 the *Queen Elizabeth* 不是 Queen Elizabeth, the *Turner* 不是 Turner

人名、地名表示船舶、飞机等名称时要带定冠词,或同时用斜体;专有名词表示某人的作品、某个牌子的产品时,通常要用定冠词;某些画作、乐曲名称前要用定冠词。例如:

The *Queen Mary* and **the *France*** are on the North Atlantic run. "玛丽皇后"号和"法国"号正在北大西洋航行。(句中 The *Queen Mary* 和 the *France* 指以 Queen Mary 和 France 命名的船)

The *Titanic* struck against an iceberg and sank. "泰坦尼克"号撞上冰山,沉没了。(Titan 是希腊神话中的众巨神之一,译为"提坦")

We came aboard **the *Queen Elizabeth*** longing to be impressed. 我们登上了"伊丽莎白女王"号邮轮,渴望一睹其风采。(也可用 the "*Queen Elizabeth*")

They found **the *Turner*** in the local museum. 他们在当地的博物馆中发现了那幅透纳的画作。

(the Turner 指 19 世纪英国画家 Joseph Mallord William Turner 所作的画)

The *Jianghan* was on its first voyage. "江汉"轮正在作处女航。

We shall sail by **the *Princess Anne***. 我们将乘"安妮公主"号航行。

The *Mona Lisa* is a famous painting. 《蒙娜·丽莎》是一幅名画。

The *Moonlight Sonata* was played at the concert. 音乐会上演奏了《月光奏鸣曲》。

Columbia 哥伦比亚(美国城市名)
the Columbia"哥伦比亚"号(航天飞机名)

▶▶ 再如:**the Ford**(福特牌汽车),**the Kodak**(柯达牌照相机)等。但也有用零冠词的情况,比如:

She is going to play **Chopin** at the concert. 她要在音乐会上演奏肖邦的音乐作品。

㉚ by train 和 catch the train

在"by+交通工具名词"词组中,名词前用零冠词,但在其他结构的含有交通工具名词的词组中,则要用有关的冠词。参阅下文。比较:

It's about a day's journey **by train**. 乘火车大约需要一天时间。
They hurried to catch **the train**. 他们匆忙去赶火车。

They came **by boat**. 他们乘船来的。
The goods were conveyed **in a boat**. 货物是用船运送的。

㉛ 名人的姓名前

He is acquainted, perhaps, with **the Siddons**, **the Garbo** and **the Kimble**. (Siddons,Garbo 和 Kimble 都是名演员)他也许同西登斯、嘉宝、金贝尔相识。

You are **the Judge Harris**, aren't you? 你就是哈里斯法官,是吗?

㉜ 表示与人体密切相关的事物,或统称人体部分

Taking a walk is good for **the health**. 散步有利健康。

The spirit is willing, but **the flesh** is weak. 心有余而力不足。

Poetry serves to stimulate **the mind**. 诗能激发心灵。

Music is a distraction from **the pain**. 音乐能缓解疼痛。

The lower part of **the leg** was badly wounded. 腿的下部伤势严重。

The operation won't hurt **the brain**. 手术不会伤及大脑。

㉝ 表示对照

I prefer **the country** to **the city**. 我喜欢乡村胜于城市。

He flew over **the plains, the forest** and **the desert**. 他飞越了平原、森林和沙漠。

He has come to **the right person**. 他算找对人了。(与暗含的 the wrong person 相对)

We prefer to take our holidays at **the seaside** rather than in **the mountains**. 我们宁去海滨而不去山里度假。

You should see the bright side in life. Beside **the poison** there is **the antidote**. 应该看到生活中光明的一面。有毒素,但也有解毒素。

㉞ 听、说双方所共指或作同一理解的某个知名人士的名字前

A: The book is written by Henry James. 这本书是亨利·詹姆斯写的。(亨利·詹姆斯,美国著名作家)
B: Indeed? **The Henry James**? 真的? 是那个亨利·詹姆斯吗?
A: Yes, **The Henry James**. 是的,正是。

A: Paul McCartney's singing at the club tonight. 保罗·麦卡西今晚要在俱乐部登台演唱。
B: Not **the Paul McCartney** surely. 当然不是那个保罗·麦卡西!

㉟ community 等词前

某些代表各种社会集团的词,前面常用定冠词,表示概括意义,如:the community, the crowd, the public, the staff, the militia, the audience 等;the town 指全城的人,the village 指全村的人,the world 指世人或人民,the school 指全体学生或者包括全体教师。例如:

How do you find out what **the public** thinks? 你是怎样知道公众的想法的?

All **the school** were gathered on the sports ground. 全校师生都集中在操场上。

The town has come out to welcome the President. 全城的人都出来欢迎总统。

㊱ act the lover——定冠词的典型意义

定冠词 the 可以表示典型意义,所修饰的人或物是典型的、真正的、符合理想的。这种用法源于戏剧,原指演员经常扮演同一类型的角色,如:act the lover (扮演情人),play the fool (扮演小丑)等。例如:

She was so slenderly and prettily **the woman**. 她身段优美,面容清丽,堪称美女。

She was quite **the woman** of business. 她是一位商界女杰。

㊲ the variety of 不同于 a variety of

(1) variety 作"种类"解时,前面可加不定冠词 a,意为"一种",也可加定冠词 the,意为"各种、多样化、变化"。例如:

a variety of fruit 一种水果　　　　　　　a choice variety of black tea 特级红茶

The writing lacks **the variety**. 这篇文章的文体缺少变化。

The **variety** of his conversation surprised me. 他的谈话涉及面很广,使我感到吃惊。

(2) variety 作"种"解时,一般只能作单数,前面要有不定冠词 a,后跟 of 短语,a variety of 意为"各种",还可以说 a great/wide/endless variety of,表示"各种各样的,无数的"等。当然,也可用 varieties of 表示"各种"。例如:

She didn't come for **a variety of** reasons. 她因种种原因而没有来。

There are **varieties of** cloth on display. 展出的有各种各样的布料。

The love of money produces **an endless variety of** misery and crimes. 对金钱的欲望引起了无数的不幸和罪恶。

㊳ twice the speed 和 twice a minute

twice 作"两次"解时,后用不定冠词,twice a...意为"每一……两次",如:twice a minute 每分钟两次,twice an hour 每小时两次。twice 作"两倍"解时,后用 the,twice the...意为"……两倍/加倍",如:twice **the** speed 速度加倍,twice **the** length 长度加倍。例如:

She watered the flowers **six times a week**. 她每周给花浇六次水。(不可用 the)

He has **twice the strength**. 他的力量大一倍。

㊴ some of the students 还是 some of students

在"数词+of+宾语"结构中,若该宾语为名词,则该名词前必须有定冠词 the 或其他限定词。例如:

Some of her pens are locked in the box. [√] 她的一些笔锁在箱子里。

Some of pens are locked in the box. [×]

Some of the students have passed the test. [√] 有些学生通过了考试。

Some of students have passed the test. [×]

㊵ 表示部分

"the+由形容词转化而来的名词"可以表示"部分"概念。例如:

the yellow of an egg 蛋黄　　　　　　　**the** middle of the lake 湖的中间

the white of the eye 眼白　　　　　　　**the** heart of Africa 非洲中部

the thick of the forest 丛林深处　　　　**the** thick of the fair 市场中心

the thick of the snowstorm 暴风雪中心

㊶ 某些表示自然界事物等的名词前

mountain, seaside, sea, sunshine, wind, rain, snow 等表示自然界事物的名词,以及 country(乡间)等名词,通常要加 the。当然,也有加不定冠词等各种情况,参阅有关部分。例如:

I like the noise of **the rain**. 我喜欢雨声。

The sea was calm. 海上风平浪静。

Praise is like **the sunshine**. 赞扬就像阳光。

The seaside is a good place to go to. 海滨是个好去处。

He traveled through **the country** on horseback. 他骑马在乡间旅行。

㊷ 用于加强特指意义

这种用法的 the 要重读,有时用斜体或加重音号,读作[ði(:)],表示"恰恰(是),最典型的,最适合的,最好的,最时髦的"等意。参阅上文。例如:

This is *the* word to be used here. 这是用在这里最恰当的字眼。

He is *the* person for the job. 他是做这项工作的最佳人选。

This is 'the drink for hot weather. 这是热天喝的最佳饮料。

It's 'the place for summer holidays. 那是夏天去度假的最理想的地方。

At that time hide-and-seek was 'the game for the children. 那时候,捉迷藏是孩子们最喜爱的游戏活动。

It is in no way *the* answer to today's environmental problems. 这决不是解决如今环境问题的最好办法。

㊸ 在 the baker's 等商铺、场所名词前

这类名词有 baker's, dentist's, barber's, doctor's, hair dresser's, butcher's, greengrocer's, florist's, chemist's, pub, bank, post office 等。例如:

Mother is at **the baker's**. 母亲在面包店。

Jane has gone to **the greengrocer's**. 简到蔬菜水果店去了。

She might have gone to **the butcher's**. 她可能到肉店去了。

Do you fancy going to **the pub**? 你想去酒吧吗?

Father puts some money into **the bank** every month. 父亲每月在银行里存一些钱。

㊹ 有些惯用短语或说法要求用定冠词

at **the** same time 同时	in **the** end 最后
by **the** way 顺便说一下	in **the** least 至少
all **the** year round 一年到头	for **the** time being 暂时
in **the** distance 在远处	on **the** air 在播送中,流传
in **the** right 有理	on **the** part of 在……方面
on **the** run 在奔跑,在流传	on **the** other hand 另一方面
on **the** spot 当场	by **the** hour 以小时计
at **the** end of 在……结束时	in **the** east of 在……东部
for **the** better 好转	in **the** shade 在暗处
in **the** long run 毕竟	on **the** way 在路上
on **the** side of 在某人一边	on **the** job 忙碌着
on **the** ground 在地上	**the** other day 前几天
to **the** left/right 靠左/右	bring down **the** house 博得喝彩
get **the** upper hand of 占上风	at **the** latest 最迟
on **the** increase 在增加	to tell **the** truth 说实话
on **the** whole 总之	in **the** middle of 在……之中
ignorant of **the** law 不懂法律	go to **the** theater 去看戏
with **the** exception of 除……外	on **the** horizon 在地平线上
go to **the** doctor 看病	break **the** ice 打破沉默
take **the** consequences 承担后果	bite **the** bullet 忍辱负重
a man in **the** street 普通人	keep **the** peace 维持治安
burn **the** midnight oil 开夜车	pick up **the** pieces 收拾残局
put **the** blame on ……归咎于	pass **the** buck 推卸责任
put **the** cart before **the** horse 本末倒置	give somebody **the** go-by 对某人冷淡
like sth./sb. **the** best 最喜欢	come **the** earliest of all 来得最早
The fat is in **the** fire. 事情搞糟了。	none **the** wiser 不明白
Strike while **the** iron is hot. 趁热打铁。	under **the** circumstances 在这种情况下

all **the** better 更好	on **the** flow 在涨潮
strike **the** eye 引人注目	on **the** decrease 减少
on **the** ebb 在退潮	on **the** mend 在好转
on **the** march 在行军	on **the** turn 在转变
on **the** watch 在监视	on **the** boil 在沸腾
on **the** move 在运动	on **the** go 在忙碌
on **the** fly 在飞行	turn **the** cold shoulder to sb. 冷淡某人
on **the** wing 在飞行中	attack **the** enemy in **the** rear 从后方攻击敌人
say **the** word 下命令	give **the** last finish to 作最后的润饰
be down in **the** mouth 丧气	show sb. **the** door （不客气地）请某人离开
be armed to **the** teeth 武装到牙齿	give **the** baby **the** breast 母乳喂养婴儿
drink somebody under **the** table 灌醉某人	talk oneself red in **the** face 谈得脸都红了

know where **the** shoe pinches 知道麻烦出在哪里

give somebody **the** benefit of the doubt 假定某人是无辜的

2. 定冠词与零冠词

1 名词前有物主代词、指示代词、疑问代词、不定代词和数词等限定词时,用零冠词

my book 我的书	that book 那本书
some books 一些书	three books 三本书

2 表示人名、地名的专有名词前（由普通名词构成的专有名词除外）,一般用零冠词

John Brown 约翰·布朗	London 伦敦
Xi'an City 西安市	Tian'e County 天峨县
Lüdao Island 绿岛	Nüshan Lake 女山湖

▶▶▶ 但有例外:

the Spain of bulls and matadors 公牛和斗牛士的西班牙（后有定语）

He was **the Demosthenes** of his class in his school-days. 上学时他是班上的"狄摩西尼"。（狄摩西尼是古希腊著名演说家）

The Shanghai she found on her return differed greatly from **the Shanghai** of her schooldays. 她归来时发现上海已大大不同于她幼年上学时的上海了。

3 表示一日三餐的名词前一般用零冠词

Lunch is ready. 午饭准备好了。

He went to school without **breakfast**. 他没吃早饭就去上班了。

▶▶▶ 但若要确指某一次早、中、晚餐则用定冠词,表示"一种"时,可用不定冠词。例如:

The breakfast was well cooked. 这早餐做得好。

They brought **the lunch** with them. 他们把午餐随身带着。

Usually I have **a light breakfast**. 通常我吃的早餐是容易消化的。

Hope is **a good breakfast**, but it is **a bad supper**. 希望是美好的早餐,却是糟糕的晚餐。

4 表示日期、月份、季节、日、夜、早、晚、周、年等的名词前一般用零冠词

Night fell. 暮色四合。

Evening came on. 黄昏来临了。

Day is fading into dark. 夜色渐浓。

He came at **midday**. 他中午来的。

School begins in **September**. 学校 9 月开学。

He will leave today **next week**. 他将在下周的今天离开。

I have been busy **all week**. 我一周来一直很忙。（亦可说 all the week）

The theater opened in **May** 2006. 那家剧院开业于 2006 年 5 月。

Now it is truly **autumn**. 现在真的是秋天了。

The temperature drops below zero at **night**. 温度在夜间降至零度以下。

Winter gone with dead leaves, **spring** will return with new buds. 沉舟侧畔千帆过,病树前头万木春。(这里为意译,用的是唐代诗人刘禹锡的名句)

▶▶ 但若表示特指某一段时间或特定的时间概念,则用定冠词。若表示"某一个、某一种"这类概念时,季节名词前要用不定冠词。例如:

Where did they spend **the summer**? 夏天你在哪里过的?(今年夏天或去年夏天,视上下文而定)

The book will be published **in the autumn**. 那本书将在秋天出版。(＝the autumn of this year)

I spent **a summer** in the mountains. 我在山里过了一个夏天。

They had **an extremely cold winter** there. 他们在那里度过了一个极为寒冷的冬天。

【提示】

① at noon(在中午), at midnight(在午夜), all day, all night, all winter, all summer, all year 中用零冠词。

② in spring 和 in the spring, in summer 和 in the summer 常可换用。

③ 在 during the summer, during the winter, all through the autumn, at the summer harvest(夏收时)等习惯说法中,要用定冠词。

④ 在 in the morning, in the afternoon, in the evening, in the night, in the daytime, on the morning of 等短语中,要用定冠词。例如:

The exploration team set out on **the morning of the 25th**. 探险队是在 25 日上午出发的。

⑤ 概指周日中的某天早上、下午、晚上,可用不定冠词;周日名词有前后置修饰语,可用不定冠词或定冠词。例如:

These railway workers always went out for work on **a Monday** and came back home on **a Friday.** 这些铁路工人总是在星期一外出干活,星期五返家。

It happened on **an ordinary Sunday** in October. 这件事发生在 10 月里一个平常的星期天。

The graduation will be held on **the second Tuesday** in June. 毕业典礼将在 6 月的第二个星期二举行。

⑥ 在 a sunny spring morning, a summer morning, a winter night 等短语中,要用不定冠词。例如:

It was **a sunny spring morning.** 那是一个阳光明媚的春天早晨。

The attack came early on **a summer afternoon**. 袭击发生在一个夏天的下午。

It happened on **a cold, snowy night of January, 2012**. 这件事发生在 2012 年 1 月一个大雪纷飞的寒夜。

5 表示运动及游戏的名词前一般用零冠词

They are playing **football**. 他们在踢足球。

Shall we play **chess**? 我们下棋好吗?

They are playing **ball** in the field. 他们在球场上打球。

Badminton is becoming more and more widespread. 羽毛球日渐流行起来。

▶▶ 但:The pet dog was playing with **a ball**. 那宠物狗在玩皮球。(非运动)

6 表示颜色的名词前一般用零冠词

blue 蓝色　　　red 红色　　　yellow 黄色　　　dark green 深绿色

Green is her favourite color. 绿色是她喜爱的颜色。

▶▶ 但:**The blue coat** is better. (颜色名词作定语时则以中心词需要为准)

7 表示语言的名词前一般用零冠词

Chinese 中文　　　　　English 英文　　　　　French 法文

He wrote the novel in **English** and later translated it into **Chinese**. 他用英文写的那部小说,后来把它译成了中文。

▶▶ 但是在 the Chinese language, the English language 等中要用定冠词。

8 表示学科的名词前一般用零冠词

He majors in **physics**. 他主修物理。

She studies **history** at college. 她在大学里学习历史。

9 用作同位语或主语补足语以说明身份、职位、头衔或表示某种抽象概念等的名词前一般用零冠词。这种用法的名词有时表示笼统的类属

He is **son** to my neighbor. 他是我邻居的儿子。（亲属关系）

She was **daughter** of a merchant. 她是一个商人的女儿。（亲属关系）

He was **author** of many novels. 他是多部小说的作者。

She is **secretary** to the President. 她是总统秘书。

He is **captain** of the team. 他是这个队的队长。

Who is **heir** to the throne? 谁是王位继承人？

Three men were held **hostage**. 有三人成为人质。

He was once taken **prisoner**. 他曾经被俘。

She was **sole owner** of the business. 她是这家企业的唯一业主。

"My friend is all **man**," he said. "我的朋友是真正的男子汉"，他说。

Mary，**widow**，lived by doing odd jobs. 玛丽是个寡妇，靠打零工谋生。

A Jack of all trades is **master** of none. 博艺之人，杂而不精。

The child is **father** to the man. 从小看大。（father 表示抽象的"根源"）

The wish is **father** of the thought. 愿望是思想之父。

She was **nurse** to the two brothers Crawley. 她是克罗利兄弟俩的保姆。

Her son is **apprentice** to a printer. 她儿子是一家印刷厂的学徒。

Both brothers turned **poet**. 兄弟俩都成了诗人。

He is **head** of the family. 他是家长。

She is **critic** first，**poet** next. 她首先是一位批评家，其次才是诗人。

Two soldiers stood **sentinel** over the entrance. 两位士兵在门口站岗。

Many streams have fallen **victim** to the recent drought. 最近的干旱使许多小河干涸。

He studied medicine before he turned **writer**. 他先是学医，后来成了作家。

The woman standing there is **wife** to a judge. 站在那边的那个女的是一位法官的妻子。

She was appointed **director** of the society. 她被任命为协会的董事长。

He's **uncle** to all the little boys who like to fly kites in the village. 他是村子里所有喜欢放风筝的小男孩的叔叔。

His father is **professor** of English to Beijing University. 他父亲是北京大学英语教授。（professor 在这里相当于抽象名词 professorship，表示职位）

Carl，**son of the late professor Blake**，became Dean of Studies in our university. 已故教授布莱克之子卡尔，已成为我们大学的教务长。

A man may have many aspects：**husband，father，friend，businessman**…… 一个男人在生活中可以有不同的身份：丈夫、父亲、朋友、商人……

Churchill，**famous statesman and writer**，was the former British Prime Minister. 丘吉尔是著名政治家和作家，曾当过英国首相。

Mr. Smith，**chairman of the committee**，is going to present the winner with the prize. 委员会主席史密斯先生将为优胜者颁奖。

▶▶▶ 但要注意下面几种情况：

（1）职位或头衔名词作表语时用零冠词，表示某一单位内"独一无二"的职务或正职；若用不定冠词，则含有"其中之一"的含义。比较：

He is **dean** of the department. 他是这个系的系主任。（指正主任或唯一的一个主任）

He is **a dean** of the department. 他是这个系的（一个）主任。（指正副主任中的一个）

She is **woman** scientist in this field. 她是这个领域的女科学家。（暗示是该领域中唯一的女科学家）

She is **a woman** scientist in this field. 她是这个领域中的（一位）女科学家。（暗示该领域不止一位女科学家）

She was **daughter** of the king. 她是国王的女儿。（人所共知的）

She was a **daughter** of the king. 她是国王的女儿。（几个中的一个）

（2）如果表语名词前面或后面有 very，fully，enough，thoroughly，less … than，more … than 等词或短语，说明某种程度，使该名词抽象化，具有形容词的性质时，要用零冠词。参阅第七讲。例如：

She is **artist enough** to appreciate these poems. 她的艺术修养完全可以正确评价这些诗歌。

He is not **philosopher enough** to judge it. 他没有哲学家的睿智，不能对这件事作出判断。

He was **friend enough** to give me timely help. 他非常友好，及时地给了我帮助。

He is **more father** than husband. 他是个好父亲，但算不上好丈夫。

He is more **animal** than **man**. 他是衣冠禽兽。

He is **musician enough** to appreciate the songs. 他的音乐才能使他能欣赏这些歌曲。

She is **more mother** than **wife**. 她是个良母，但算不上贤妻。

He is **fool enough** to believe her. 他竟傻得相信她。

He wasn't **man/gentleman enough** to admit his mistakes. 他没有足够的勇气承认自己的缺点。

Mary was **very woman**. 玛丽极富女性的柔情。

He was **fully master** of his nerves. 他完全能控制住自己的感情。

She'll be **thoroughly master** of the subject. 她会完全掌握这一学科。

He is **more artist than businessman**. 与其说他是商人，不如说他是艺术家。

He is **warrior enough** to fight a duel. 他非常勇敢，敢于决斗。

He is **realist enough** to see what human nature is. 他非常讲究现实，看得清人的本性。

She is **scholar enough** to solve the problem. 她学识渊博，能够解决这个问题。

（3）把表语名词提前，表示强调时，该名词前用零冠词。例如：

He shared weal and woe with the soldiers, **great general** he was. 他同士兵同甘共苦，堪称良将。

（4）某些让步状语从句中的表语是名词时，可将其倒装，表示强调，其前用零冠词。参阅有关部分。例如：

Old man though he was, he never stopped writing. 他虽已年迈，但仍笔耕不辍。

Young boy as he was, he knew a lot about the world. 他虽然还是个孩子，但却很懂人情世故。

Masterpiece that it is, the novel wasn't popular at that time. 这部小说虽属杰作，但在当时却不大流行。

Quiet student as he may be, he talks a lot about his favorite singers after class. 他可能是个不爱讲话的学生，可是课后谈起所喜欢的歌星却滔滔不绝。

（5）society 作"社会"解时，如果泛指一般的社会，前用零冠词，如果表示特定的某个社会，要用定冠词。比较：

A thief is a danger to **society**. 小偷对社会是一种危险。

The society of the Greeks was based on freedom. 希腊社会是建立在自由基础上的。

10 表示家人的名词前可以用零冠词，具有"独指"性质，相当于专有名词，该名词的第一个字母一般要大写

Where has **Father** gone? 父亲去哪儿了？

I have received a letter from **Aunt**. 我收到姑妈的一封信。

"There is **Mother** coming," cried the little girl. "妈妈来了！"小女孩喊道。

I'll buy **Dad** a birthday cake. 我将给父亲买一个生日蛋糕。

How is **Baby**? 小孩子怎么样？（baby 也可以小写）

She went downtown together with **Uncle**. 她同叔叔一起进城了。

I've asked **Mom** to take care of **Junior** for us. 我请了妈妈来照顾我们的儿子。

【提示】

① 受雇用的 nurse，cook，teacher，coachman 等前也用零冠词，表示"独指"。例如：

Teacher didn't ask you to read that book. 老师没有要你读那本书。

Ask **nurse** to lay the table. 让保姆把桌子摆好。

Cook is helping out in the garden. 厨师在花园里帮忙干活。

Nurse has taken **Baby** out for a walk. 保姆带着宝宝出去散步了。

② 外人同家里人谈话，也可用零冠词"独指"某一家庭成员。例如：

Is **Mistress** in? 女主人在吗？

Is **Master** at home? 主人在家吗？

⑪ 成对使用的名词或某些名词固定搭配，一般用零冠词

这类用法的词，词义有些很接近，相互补充，有些指同一事物或含有对比、对照的含义。在音韵上，有些押头韵，有些虽不押韵，但读起来乐感很强。这类习语、短语多用 and 连接，也有用 after，by，to，for 等的。例如：

right and wrong 是非　　　　　friend and foe 敌友　　　　　track and field 田径运动

side by side 肩并肩　　　　　face to face 面对面　　　　　father and son 父子

from right to left 从右到左　　town and country 城乡　　　young and old 老少

heart and soul 全心全意　　　odds and ends 零碎的东西　　back and belly 浑身

arts and crafts 工艺美术　　　fun and games 娱乐　　　　goals and aims 目标

cakes and ale 享乐　　　　　fingers and thumbs 笨拙　　　anger and fury 怒火

pins and needles 不安　　　　supply and demand 供求　　　trial and error 反复试验

rise and fall 兴衰　　　　　　rags and tatters 褴褛的衣衫　　length and breadth 纵横

good and evil 善与恶　　　　blood for blood 以牙还牙　　　life and death 生死攸关

pride and joy 最喜欢的东西　　mother and baby 母婴　　　　man for man 一人对一人

knee to knee 促膝地　　　　　hand to fist 齐心协力　　　　drop by drop 一滴滴

nose to tail 首尾相接　　　　head over fist 迅速地　　　　piece by piece 一件件地

arm in arm 肩并肩　　　　　from top to bottom 从上到下　hand in hand 手挽着手

light and dark 光明与黑暗　　pen and ink 笔墨　　　　　sun and moon 日月

cup and saucer 茶杯和茶碟　　law and order 治安　　　　　step by step 逐步

life for life 以命偿命　　　　all in all 最重要的　　　　　man to man 老实说

back to back 背靠背　　　　　time after time 三番五次　　one by one 一个接一个

see eye to eye 看法一致　　　from ear to ear 咧嘴而笑　　word for word 逐字地

inch by inch 逐渐地　　　　　bit by bit 一点一点地　　　end to end 首尾相连地

land and water 水陆　　　　　fire and water 水火　　　　heat and cold 冷热

sovereign and subject 君与民　day by day 一天天地　　　　day after day 一天又一天

year by year 一年年地　　　　year after year 一年又一年　bag and baggage 完全彻底

by line and level 准确无误地　by rule and line 精确无误地　eye for eye 以眼还眼

horse and foot 骑兵和步兵　　house and home 家，家室　　master and pupil 师徒

part and parcel 重要部分　　　pen and paper 纸笔　　　　lord and serf 领主和农奴

pencil and notebook 铅笔和笔记本　　　　（as）husband and wife 夫妻

rich and poor 穷（人）和富（人）　　　　　from dawn to dusk 从黎明到天黑

from head/top to foot/toe 从头到脚　　　between lawyer and client 律师和当事人之间

prefer peace to war 要和平不要战争　　　hand over hand 双手交叉地使用

from north to south 从北到南　　　　　　hands and knees 趴在地上

fish and chips 炸鱼加炸土豆条　　　　　bread and butter 黄油面包

head and shoulders above 远胜于　　　　tooth and nail 拼命地，猛烈地

hand and foot 手脚一起，周到地　　　　　high and low 高贵者和低贱者

from cover to cover 从头至尾　　　　　　end for end 两端的位置颠倒过来

peak beyond peak 层峦叠嶂　　　　　　　back and forth 来回地，往复地

from cradle to crutch 从小到老　　　　　from beginning to end 从头到尾

from hand to mouth 勉强糊口　　　　　　be searched from top to toe 周身搜查

can't make head or tail of 摸不着头脑

freeman and slave 自由民和农奴

lock, stock and barrel 全部不剩地

from sitting-room to kitchen 从客厅到厨房

between cup and lip 将成未成之际,将得未得之际

hand in/and glove with 与……关系密切,狼狈为奸

between wind and water 在船的水线处,在最易受打击处

keep moving from place to place 不断地从一处到另一处

supreme artists of dance and theater 顶极舞蹈和戏剧艺术家

between parent and child 父母与子女之间

(all) skin and bone 骨瘦如柴

under lock and key 妥善收藏,严密监禁

We can improve the quality **step by step**. 我们能够逐步提高质量。

Man to man, where has he gone? 老实说,他到哪儿去了?

Life for life, he will be sentenced to death. 以命偿命,他将被判处死刑。

They fought bravely for **King and Country**. 他们为了国王和国家而英勇作战。

There are **men and men**. 世界上各种各样的人都有。

They are **brother and sister**. 他们是兄妹。

Desks are ranged **row on row**. 课桌排成一行行。

Keep to the subject and don't wander **from point to point**. 紧扣主题,不要东拉西扯。

She turned **from side to side** in front of the mirror. 她在镜子前面转来转去。

He is **head and shoulders above** the rest of his class. 他远胜于同班同学。

Here were the high and low, **slaves and masters**. 这里高低贵贱的人都有,有奴隶,也有主人。

High and low are equal before death. 在死亡面前,没有高低贵贱之分。

Money circulates as it goes **from person to person**. 货币转手即流通。

Social customs vary greatly **from country to country**. 国与国之间社会习俗差别很大。

Car after car was pouring into the street. 小汽车一辆接一辆涌入大街。

Telephones are ringing **from department to department**. 电话在各部门之间响个不停。

To right and left of him, there was nothing but sand. 在他的四周,除了黄沙还是黄沙。

She walked **from sitting-room to bedroom**. 她从客厅来到卧室。

They fought the invaders **tooth and nail**. 他们拼命打击侵略者。

There were rows of trees between **river and road**. 河与路之间是成排的树。

The business has been run by **father and son** for many years. 父子俩一起经营这家商行已经多年。

Features such as height, weight, and skin color vary **from individual to individual** and **from face to face.** 身高、体重、肤色等因人而异。

From **hill to hill** there is no bird in flight and from **path to path** no man in sight. 千山鸟飞绝,万径人踪灭。

The room was quiet and **doctor and patient** looked steadily at each other across the table. 房间里静悄悄的,医生和病人隔着桌子目不转睛地注视着对方。

They fastened him to the tree **neck and heels**. 他们把他牢牢地绑在树上。

The mad lady dressed herself in black **winter and summer** alike. 那个疯女人不论冬夏都穿着黑衣服。

Father and mother is **man and wife**. 父母是夫妻。

Mother and baby are doing well. 母亲和婴儿都平安。

Many parks close at least **from sunset to sunrise**. 许多公园至少从日落到日出是关门的。

There are slight design alterations **from edition to edition.** 各个版本在设计上有些小小的改动。

Fees may vary **from college to college.** 各大学的收费标准可能不同。

Income tax varies **from place to place**. 所得税各地方有所不同。

He was covered **from head to foot** with mud. 他从头到脚都沾满了泥。

The entire library, **from top to bottom**, should be transformed. 整个图书馆上上下下都应改造。

It is only in recent years, when fast falling into decay, that the old cottage has formed a theme for **pen and pencil**. 直到最近古老的农舍迅速崩塌之时，它们才成为作家和画家作品的主题。

Husband and wife are walking down the road, hand in hand. 夫妻俩手挽手沿路走着。

The documents were kept under **lock and key**. 文件被妥善保管着。

Pass me **pen and paper**, please. 请给我笔和纸。

Always in the air, flying **from flower to flower**, the humming-bird has their freshness as well as their brightness. 蜂鸟总在空中飞翔，从花丛飞向花丛，像花儿一样新鲜，又像花儿一样艳丽。

This was the first bed they had **as husband and wife**. 这是他俩成为夫妻后用的第一张床。

I roam **from north to south, from place to place**, and come back with grey hair and wrinkled face. 平生塞北江南，归来华发苍颜。

The pyramid is built with stones **piece by piece**. 金字塔是用石头一块块堆成的。

He earned barely enough to keep **body and soul** together. 他挣的钱很少，难以糊口。

She stood there, thrilling **from head to toe**. 她站在那里，浑身抖个不停。

Can you eat it with **knife and fork**? 你用刀叉吃行吗？

He walked **from pumping station to oil well**. 他从抽水站走到油井。

We had become part of a large crowd which moved **from speaker to speaker** to hear what each one had to say. 我们随着人群在一个又一个演讲者前经过，听他们各自要说些什么。

The boy began to haul down from the shelves **box after box**, displaying their contents for me to choose. 那少年从一个个货架上拖下一只只盒子，把里面的物品展现在我面前，让我选。

There is always something worth describing, and **town and country** are but one continuous subject. 总有值得描写的东西，而城市和乡村不过是可以经常描写的项目之一。

Now the penholder is plain brown wood **from end to end**. 现在，笔杆从头到尾都只剩棕色的木质本色了。

It has taken many a **pick and shovel** to unearth the treasures. 出土那些财宝是做了大量的考古发掘工作的。

Pacing through the house **from window to window**, he was thinking about what to do next. 他在房间里踱来踱去，从一个窗口走到另一个窗口，思考着下一步该做什么。

A car goes by, **driver and passenger** staring at the lunatic, well-dressed foreigner walking in the downpour. 一辆轿车过去了，司机和乘客张大眼睛望着这个疯疯癫癫、衣着考究的外国人在倾盆大雨中走着。

【提示】

① 下面几对词前通常要加定冠词：**the** talkers and **the** doers 空谈家和实干家，**the** causes and **the** effect 原因和结果，**the** exploiters and **the** exploited 剥削者与被剥削者。

② 注意下面两句中零冠词的类指用法：

Car is much quicker than **bike**. 小汽车比自行车快得多。

Rogue knows **rogue**. 苍蝇逐臭。

⑫ 新闻标题前一般省略定冠词

Agnes Miller For（the）Cause of Women's Liberation 艾娜斯·米勒投身于妇女的解放事业

（the）Latest Development of Wild Life Protection 野生生物保护的最新进展

⑬ 由具体转为抽象的名词前一般用零冠词

这时，名词所表示的不是具体的建筑物或事物，而是与这些建筑物或事物有关的情形或活动，或表明其用途或作用等。比较：

go to church 去教堂祷告　　　　　　　　by day 白天
go to the church 去那个教堂　　　　　　by the day 按天，论日

life at college 大学生活　　　　　　　at school 上学
go to the college 去那所大学　　　　　at the school 在学校里

go to sea 当水手（是海员）　　　　　in prison 坐牢（＝be punished）
go to the sea 到海边去　　　　　　in the prison 在监狱里（工作）

in red 穿着红色的衣服
in **the** red 亏损,负债

in office 在办公,执政
in **the** office 在办公室里

behind time 误期
behind **the** time 落伍于时代

in school 在校读书
in **the** school 在学校里

in hospital 住院(＝being ill)
in **the** hospital 在医院里(工作)

in class 在上课
in **the** class 在这个班里

out of office 离岗,下岗
out of **the** office 离开办公室

in secret 私下,秘密
in **the** secret 参与秘密或阴谋

with child 怀孕
with a/**the** child 带着孩子

keep house 料理家务
keep **the** house 守在家里

come out of prison 出狱
come out of **the** prison（因事）从监狱出来

come out of hospital 出院
come out of **the** hospital（因事）从医院出来

in front 在前头
in **the** front of 在……的前部

in possession of 拥有
in **the** possession of 为……所有

in sight 在望
in **the** sight of 在……看来

go to school 上学
go to **the** school 去学校(办事)
They returned from school/town/work. 他们放学/进城/下班回来。

at sea 在航海
at **the** sea 在海边

at table 在用餐
at **the** table 在桌旁

in bed 在睡觉,卧床
in **the** bed 在床上(看书)

at desk 在学习
at **the** desk 在课桌旁

of age 成年人
of an age 同龄

go to court 起诉
go to **the** court 去法院(办事)

go to prison 去坐牢
go to **the** prison 去监狱(办事)

go to hospital 去医院(看病)
go to **the** hospital 去医院(办事)

go to bed 上床睡觉
go to **the** bed 去床边

go to town 进城
go to **the** town 到那座小城去

at bottom 基本上,实质上
at **the** bottom of 在……底部/深处

in fashion 时髦
in **the** fashion of 仿照……的风格

on end 连续地
at **the** end of 在……末尾

on top of 在(某物的)上面,除了
at **the** top of 在……顶上

go to university/college 上大学
go to **the** university/college 去那所大学

▶▶▶ 上面比较的短语中,个别属于固定搭配。

▶▶▶ 下面几个短语用定冠词或用零冠词均可,在意义上一般没有什么差别:

at most
at **the** most ┣ 至多

go to market
go to **the** market ┣ 去市场,赶集

at first
at **the** first ┣ 起初

go to office
go to **the** office ┣ 上班,去办公室

▶▶▶ man 转为抽象概念表示人类时,一般用零冠词;home 表示抽象概念时,前面也用零冠词。例如:
Man has not a greater enemy than himself. 人类最大的敌人就是自己。
East, west, **home** is best. 金窝银窝,比不上自家的草窝。

▶▶▶ television 意为"看电视,在电视上播出"时,用零冠词。但指具体的电视机时,则要加定冠词。例如:
A new film is on **television**. 电视上在播一部新电影。

▶▶▶ at camp, go back to camp, bring . . .to shore 等习惯用法中的名词前一般用零冠词。例如:
Let't go back to **camp**. 我们回营地去吧。

14 方位词用作状语时,前面用零冠词

The window faces **north**. 这窗子朝北开。

The ship sailed **west**. 船向西航行。

China lies **west** of Japan. 中国在日本西边。

The soldier got to a village **east** of the lake. 士兵抵达湖东面的村庄。

▶▶ 下面三句意思相同：

> Yangzhou is/lies **northeast of Nanjing**. 扬州在南京的东北方。
>
> **Northeast of Nanjing** is/lies Yangzhou.
>
> **To the northeast of Nanjing** is/lies Yangzhou.

▶▶ 另外,方位词作定语修饰专有名词时,前面用零冠词,但方位词的第一个字母要大写。例如：

You can see from the map that **South America** is joined to **North America**.

▶▶ 但：the East Side 纽约东区(side 为普通名词)

15 four of us 和 the four of us

定冠词的使用有时会影响数的概念。一般情况下,用 the 表示某个范围内的全体,不用 the 则表示某个范围内的一部分。比较：

> They are **students** of the college. 他们是这所大学的学生。(部分学生)
>
> They are **the students** of the college. (全体学生)

> The soldiers returned, and only two weeks later **ten of them** left for the front. 士兵们返回了,但仅仅过了两周,他们中有 10 人又上了前线。(士兵总数不止 10 人)
>
> The soldiers returned, and only two weeks later **the ten of them** left for the front. 士兵们返回了,但仅仅过了两周,他们 10 人又上了前线。(士兵总数一共 10 人)

> **Four of us** will stay here. 我们中间有四人将留在这里。(我们一共不止四人)
>
> **The four of us** will stay here. 我们四人将留在这里。(我们一共只有四人)

> **The manager and engineer** is flying to London. 经理兼工程师将飞往伦敦。(指一人)
>
> **The manager and the engineer** are flying to London. 经理和工程师将飞往伦敦。(指两人)

16 形容词最高级前用零冠词的六种情况(参阅第五讲)

(1) 如果形容词最高级用来加强语气,表示"非常、极其"的意思,前面一般用零冠词,但有时可以用不定冠词。例如：

She was in **closest** touch with us. 她同我们保持着非常密切的联系。

He is **a most** learned scholar in electronics. 他是一位在电子学领域造诣很深的学者。

(2) 作表语的形容词最高级,只用来同本身相比较,并且无一定范围时,前面用零冠词。例如：

The lake is **deepest** here. 湖在这儿最深。

He is **busiest** on Friday. 他星期五最忙。

It is **best** to do so. 这样做最好。

Vegetables are **best** when they are fresh. 蔬菜新鲜的时候最好。

The stars are **brightest** when there is no moon. 没有月亮的时候,星星最明亮。

He is **richest** who is content with the least. 知足者最富有。

The snowstorm was **most** violent at noon. 暴风雪中午时猛烈至极。

The school is **strongest** on chemistry. 这所学校化学教学最强。

She is **happiest** when left alone. 她一个人的时候最快乐。

(3) 如果形容词最高级修饰的是同源宾语,前面用零冠词,用物主代词。例如：

He dreamed **his most dreadful** dream last night. 他昨晚做了个最可怕的梦。

She smiled **her sweetest** smile. 她用最甜美的方式微笑。

He shouted **his loudest** shout. 他用最大的声音叫出来。

【提示】这种结构中的同源宾语常可省略。例如：

She sang her sweetest (song). 她唱了首最美的歌。

He ran his fastest (run). 他跑出了他最快的速度。

(4) 如果形容词最高级用在由 that, though, as 引导的倒装让步状语从句中,前面用零冠词。例如：

Youngest though he is, he is the wisest. 他虽然最年轻,但却是最聪明的。

Most strong-bodied man as he is, he can't move the big stone. 他虽然最健壮,但却搬不动那块大石头。

(5) 在 at (the) least, at (the) worst, at (the) best, at (the) latest, at (the) utmost, at (the) farthest 等短语中,作名词用的形容词最高级前的 the 常可省去。例如:

He will be back on May 20 **at (the) latest**. 他最迟将于 5 月 20 日返回。

The town is 30 miles from here **at (the) farthest**. 那座小城离这里最远也不过 30 英里。

(6) 在带 to 的不定式前,最高级可以用零冠词。例如:

I think it's **safest** to overtake now. 我想现在超过去最安全。

17 表示概括指和一般概念的抽象名词、物质名词、复数名词和集体名词,通常用零冠词

Wisdom is better than **strength**. 智慧胜过体力。

Fruit is good for **health**. 水果有益健康。

Tea is made of tea leaves. 茶是由茶叶制成的。

Misfortunes never come singly. 祸不单行。

Morning dews glitter in the sun. 晨露在阳光中闪烁。

The bird is in full **song**. 那只鸟儿在欢唱。

We saw **cattle** at grass on the river bank. 我们看见牛在河岸上吃草。

Science means honest, solid knowledge. 科学意味着诚实、扎实的知识。

Rain falls in summer, **snow** falls in winter. 夏天下雨,冬天落雪。

Birds have burst into **song** in bright morning light. 鸟儿在明媚的晨光中欢唱。

He has performed a valuable service to **mankind**. 他对人类做出了宝贵的贡献。

He felt a great love for all of **humanity**. 他对全人类都充满着伟大的爱。

Society must be responsible for his degradation. 社会应对他的堕落负责。

Truth fears lies no more than gold fears rust. 真理不怕谎言,正如黄金不怕锈斑。

▶▶▶ 但:The song is very popular in China. 这首歌在中国很流行。(为特指)

比较:

{ **Quality** is more important than **quantity**. 质量比数量更重要。(抽象名词,概括指)

This is of **the same quality** as of the last. 这个和上一个性质相同。(确指)

18 by letter 等习语中用零冠词

by 同 post, wire, radio, phone, telephone, telegram, telegraph, bus, car, taxi, train, tram, rail, tube, plane, aeroplane, boat, ship, land, air, water, ferry, hovercraft, subway, underground, bike, bicycle, cab, sea, road 等词连用,构成习语,其中的名词不表示具体的交通工具或通信工具,而是表示"乘车,邮寄,坐飞机"等抽象概念;on horseback(骑马)和 on foot 也是这种情况。这种习语中的名词前用零冠词。例如:

I told her my arrival **by letter**. 我函告她我到达之事。

I informed her of the fact **by telegram**. 我发电报通知了她这件事。

She got herself back to Shanghai the quickest way, **by train and plane**. 她以最快的方式回到了上海,就是乘坐火车和飞机。

【提示】可以说 on a bicycle, in a bus, in a cab 和 on a tramcar,但不可说 on bicycle, in bus, in cab, on tramcar。下面一句中名词 train 前有特定时间状语,要用定冠词。

They left **by the 8:15 train**. 他们乘坐 8 点 15 分的火车离开。

19 表示类指的复数名词前用零冠词

Hens lay eggs. 母鸡下蛋。

Birds of a feather flock together. 物以类聚,人以群分。

Large families are hard to support. 子女多,供养就不大容易。

Beggars must not be choosers. 讨饭吃就不能挑三拣四。

Success stories are very popular in China. 描写励志成功的小说在中国非常流行。

Lions are often called the kings of the jungle. 狮子常被称作丛林之王。

⑳ admission to any university 和 the admission to this university

　　由 of, in 等引导的用作定语的短语,如果是描述性的,被修饰的名词前用零冠词(或 a, an, any),如果是分类性的,被修饰的名词前要用定冠词(或 this, that, his, her 等)。比较:

Waste of food is not allowed here. 这里不允许浪费食物。

They fought bravely for **freedom for the people**. 他们为人民的自由而英勇奋斗。

Construction of a modern bridge will begin in the autumn. 秋天将修建一座现代化的大桥。

Admission to any university is by examination. 上大学都是要通过考试的。(描述性定语)

The admission to this university is by no means easy. 上这所大学决非易事。(分类性定语)

They say that **conditions in a hotel** should be favorable. 他们说旅馆的条件应该良好。(描述性定语)

They say that **the conditions in this hotel** are the best in the city. 他们说这家旅馆的条件是这座城里最好的。(分类性定语)

I think **loss of appetite** is a serious thing with him. 我认为没有食欲对他是个严重的事情。(描述性定语)

He reported to the police **the loss of his new car**. 他报警说他的新车丢了。(分类性定语)

【提示】被定语从句修饰的不可数名词前,有时也用零冠词,表示泛指。例如:

Water that is impure often causes serious illness. 不洁净的水常会引起严重的疾病。

Milk from which the cream has been taken is called skim-milk. 去掉奶油的牛奶叫脱脂乳。

In the south people live on **land that is fertile and woody**. 南方人生活在肥沃而林木茂盛的土地上。

比较:**The milk that has gone sour** has been thrown away. 馊了的牛奶被扔掉了。(特指)

㉑ 含有 province, county, prefecture 等专有名词前用零冠词

Jiangsu Province 江苏省　　　　　　　　　　Kent County 肯特郡

㉒ 以人名作为书名、剧名、电影名时用零冠词

I'm reading *Einstein*. 我在读《爱因斯坦传》。

I watched *Hamlet* yesterday. 我昨天观看了《哈姆雷特》。

Romeo and Juliet is a tragedy. 《罗密欧与朱丽叶》是一出悲剧。

Have you read *Jane Eyre*? 你读过《简·爱》吗?

㉓ 以作者的名字表示作品时用零冠词

I am reading **Shelley**. 我在读雪莱的诗。

She hasn't read **Mark Twain**. 她没读过马克·吐温的作品。

㉔ 含有 station, park 等词的专有名词用零冠词

Shanghai Station 上海火车站　　　　　　　　Beihai Park 北海公园

We'll raise a statue to Lu Xun in **Zhongshan Park**. 我们将在中山公园为鲁迅立一尊塑像。

㉕ best seller(畅销书,畅销商品), best friend (好朋友)等含有最高级形式的固定短语前,可以用不定冠词

That is not what **a best friend** will do. 那不是好朋友所为。

The war novel has been **a best seller** in the bookstores for months. 这部战争小说在书店里已畅销了好几个月。

㉖ 有些惯用短语要求用零冠词

at anchor 抛锚	at present 当前	at table 在进餐
out of stock 脱销	beyond hope 毫无希望	in effect 奏效
by heart 默记	by mistake 弄错	in return 作为回报
in line 一致,协调	in danger 有危险	in fear 提心吊胆
in haste 匆忙	in peace 平安	in force 生效
in short 简言之	in stock 有存货	in distress 穷困
in reverse 相反	in sight of 看见	in trouble 有困难

in common 相同	at war 处于交战中	in debt 负债
by way of 经由……	by chance 偶然	at rest 安静
on duty 值班	on board 上船	on sale 在出售中
next in line 下一个	on principle 原则上	on deposit 存款
next in line 下一个	on guard 警戒	in office 在职，当权
out of reason 无理	out of job 失业	on hand 手头
out of practice 荒疏	with ease 不费力	out of hand 无法控制
under cover 暗中	catch fire 着火	set sail 起航
under cover 暗中	at hand 在手头，临近	at risk 处于危险中
take root 扎根	leave school 毕业	take shape 成形
mount guard 上岗	take offence 生气	send word 捎信
lose heart 丧失信心	make way 前进	give battle 挑战
give way 让路	cast anchor 抛锚	hold court 开庭
in charge 主管	keep house 管家	change gear 换挡
out of date 过时	with child 怀孕	under way 在进行中
take...to heart 记住	out of mind 忘却	out of place 不适当的
at home 在家	on trial 受审，试用	for show 为了给人家看
do duty for 当……用	at bottom 在底下	by night 在夜晚
aboard ship 在船上	keep pace with 跟上	take exception to 反对
on arrival 到达	die in youth 夭折	for good 永远
in honor of 为纪念……	day by day 一天天	run for life 逃命
talk sense 说有意义的话	little by little 一点一滴	drop by drop 一滴滴
delay sentence 推迟判决	in return for 作为……的回报	one by one 一个个
change course 改变方向	eat humble pie 忍辱负重	from day to day 逐日
on receipt of 收到……时	get wind of 得到……的风声	from place to place 到处
since childhood 从童年时代	from bad to worse 越来越糟	without question 毫无疑问
inch by inch 一寸一寸地	take...in good part 乐意接受	lose countenance 慌张失色
from age to age 一代代	from cover to cover 从头到尾	according to plan 按照计划
from door to door 门到门	from hand to hand 一个传一个	move full steam 全速前进
from side to side 左右来回	from beginning to end 从头到尾	from hand to mouth 勉强糊口
from house to house 挨家挨户	from head to foot 从头到脚	

hand to hand 逼近地/肉搏/短兵相接 heart to heart 互相交心地/严肃真诚地

from generation to generation 一代一代 from mouth to mouth 口头相传/广泛流传

from pillar to post 四处奔走/到处流浪 from top to toe 从头到脚/完全地

The explorers **set foot** on the island as early as the fifteenth century.

The king **made war** on his neighbour. 国王向他的邻国开战。

The trees have already **struck root**. 这些树已经扎根了。

▶▶▶ 下面一句为习惯用法：You are quite right, **teacher** is **teacher**. 你说得很对，教师毕竟是教师。

二、不定冠词与零冠词

1. 不定冠词的使用

1 表示"1"这个数量

He needs **an assistant**. 他需要一个助手。

Not **a word** was said. 一个字也没有说。

Rome was not built in **a day**. 冰冻三尺非一日之寒。/罗马不是一日建成的。

An apple a day keeps the doctor away. 一天一苹果，医生远离我。

2 用在可数名词前，表示一类人或物

A child needs love. 儿童需要爱。

A triangle has three angles. 三角形有三个角。

A horse is a useful animal. 马是有用的动物。

A forest is to supply timber. 森林能提供木材。

An optimist sees an opportunity in every calamity. 乐观者从困难中看到的是机会。

A bird may be known by its song, and **a man** by his words. 知鸟听音,知人听言。

The girl is beautiful, fresh as **a rose**. 那女孩很美,娇艳得如同一朵玫瑰花。

A phoenix is a very beautiful bird. 凤凰是一种很美的鸟。

It's **an ill bird** that fouls its own nest. 家丑不可外扬。

A writer must learn to live with criticism. 作家必须学会接受批评。

An automobile is a complicated apparatus. 汽车是复杂的机器。

A knife is a tool for cutting with. 刀是切割工具。

A Buick is a car with dual exhaust pipes. 别克轿车是有双排气管的汽车。

A family is a group of people related by blood or marriage. 家庭是由血缘关系或婚姻关系结合在一起的一些人。

【提示】

① 不定冠词和定冠词皆可表示类属,但不定冠词强调的是个别,定冠词强调的是类别;不定冠词相当于 every,定冠词相当于 all。比较:

> 空调已普遍使用。
> An air-conditioner has become very popular. [×]
> **The** air-conditioner has become very popular. [√]

> **A man** should love his country. 人应该爱国。
> ＝**Everyone** should love his country.
> ＝**One** should love one's country.

② 复数类指表示一般个体,可同 a/an/the 互换。例如:

> 锯子是锯木头的工具。
> **A saw** is a tool for cutting wood.
> **The saw** is a tool for cutting wood.
> **Saws** are tools for cutting wood.

> 玫瑰是一种很可爱的花。
> **A rose** is a lovely flower.
> **The rose** is a lovely flower.
> **Roses** are lovely flowers.

③ 复数类指表示群体,不可同 a/an/the 互换。例如:

> 人靠衣裳马靠鞍。
> Fine **feathers** make fine birds. [√]
> A fine feather makes a fine bird. [×]
> The fine feather makes a fine bird. [×]

④ 不定冠词与单数可数名词连用表示整体时,不能用来表示一类人、动物、事物所处的地点。例如:

> 大熊猫生活在中国西部的深山中。
> A panda lives in the deep mountains in West China. [×]
> **The panda** lives in the deep mountains in West China. [√]
> **Pandas** live in the deep mountains in West China. [√]

3 用在某些数目的表示法中

a dozen 1 打	a couple 1 对	an eighth 1/8
a quarter 1/4	a great many 许多	twice a week 每周两次

4 用在姓名前或 Mr. / Mrs. / Miss/ Ms. ＋姓氏前,表示"某一个,某位",有不肯定的意味;也可表示"一位",指某家庭的成员

She was **a Stuart**. 她是斯图亚特家的人/家族的人。

His wife is **a Smith**. 他的妻子是史密斯家族的。

A Professor Zhou applied for the post. 某位周教授申请这个职位。

She has married **a Jackson**. 她嫁给了一个叫杰克逊的男人。

He has the nature of **a Forsyte**. 他有福尔赛家族成员的天性。

A Mr. Thomson wanted to see you. 一位叫汤姆森的先生要见你。

I met **a John Smith** there. 我在那里遇到一位名叫约翰·史密斯的人。

Her English teacher is **a Miss Zhang**. 她的英语教师是一位姓张的小姐。

Her father is **a Zhou**, and her mother **a Li**. 她父亲姓周，母亲姓李。

The door-keeper is **a Chen**. 门卫是一个姓陈的人。（也可用 a certain 或 a one）

A Mrs. Chambers is waiting for you in the yard. 一位钱伯斯夫人在院子里等你。

I knew **a John Lennon**, but not the famous one. 我认识一位约翰·列侬，但不是那位名人约翰·列侬。

5 用在地名、国名专有名词前，表示某时的情况或某种样子

He would never think of **such a prosperous Shanghai**. 他决不会想到这样一个繁荣的上海。

You will see **an even stronger China** in the near future. 在不远的将来，人们会看到一个更加强大的中国。

6 用在某些物质名词前，表示"一阵、一份、一类、一场"等

He was caught in **a heavy rain**. 他遇上了一阵大雨。

I'd like to have **an ice-cream**. 我想来一份冰淇淋。

7 用在某些表示情绪的抽象名词前，表示"一种、一类"等；也用在其他抽象名词前，表示"一种、这种、那种"等；还可用在复数抽象名词前表示单一概念；或用在表示时间、款项的复数名词前，表示一个整体单位（整体概念）

The girl has developed **a love** for poems. 这女孩喜欢上了诗歌。

The horse started **at a gallop**. 马开始奔跑起来。

She is quite **a beauty**. 她是个大美人。

It's **a shame** to behave like that. 那样做事，简直是耻辱。

It is **a pleasure** for me to work with you. 能同你一起工作我非常高兴。

The first batsman had **a short innings**. 第一击球员的一局很短。

The room is in a bit of **a shambles**. 房间有点乱。

The quietness was like **a riches** to her. 寂静对她来说犹如财富。

He had **a busy two weeks**. 他度过了忙碌的两个星期。

I have **a good twenty dollars** in my pocket. 我口袋里有整整20美元。

It happened **a past millions upon millions of years** ago. 这件事发生在数百万年前。

I spent **a delightful summer holidays** there. 我在那里过了一个愉快的暑假。（整体单位）

He spoke with **an enthusiasm** which impressed us deeply. 他的话热情洋溢，给我们留下了深刻的印象。

The President displayed **a courage** and **a perseverance** much to the admiration of the world. 总统表现出的勇敢和坚韧不拔赢得了世人的赞誉。

8 at a time 和 at one time

a/an 和 one 均可以用于某些习语中，但含义或用法有所不同。比较：

The ship fetched 100 people **at a time**. 这条船每次能运送 100 人。（每次，一次）

It used to be a very pretty valley **at one time**. 这里曾经是一处非常美丽的山谷。（曾经，从前，一度）

When we visited the Tower of London we had to wait outside because only a certain number of people were allowed in **at one time**. 参观伦敦塔时我们必须等在外面，因为一次只允许进一部分人。（一次）

All my life I have set ahead of me a series of goals and then tried to reach them, one **at a time**. 我这一辈子给自己树立了一系列目标，然后努力去达到，一次一个。

They all tried to talk **at one time**. 他们都同时想讲话。（同时）

A turtle lays many eggs **at one time**. 海龟一次能下许多枚蛋。（一次）

as **one** man 众人一致地
as **a** man 就其性格而论

for **a** moment 一会儿（一般用法）
for **one** moment（强调用法）

▶▶▶ 另外，在 once upon **a** time，**one** day（有一天），**one** night（有一天晚上），at **a** stretch（连续地），at **a** glance（一眼望去），**one** at **a** time（一次一个）等习语中，a/an 和 one 不可调换。

▶▶▶ 在表示与别的事物相对照时，一般用 one，不用 a/an；与 the 连用时，只用 one，不用 a/an。例如：

One man's meat is **another** man's poison. 利甲者未必利乙。

That's **the one** thing needed. 那正是所需要的。

That's only **one way** of doing it, but there are **other and better ways**. 那只是做这件事的一种方法，还有别的更好的方法。

9 表示"每一"，相当于 each 或 per

How much **a pound** is it? 每磅多少钱？

Only one dollar **a dozen**. 每打只卖 1 美元。

What's it **a meter/dozen**? 每米/打多少钱？

She goes downtown only twice **a year**. 她每年才进城两次。

The meat costs one dollar **a pound**. 肉每磅 1 美元。（也可以说 the pound）

The dinner cost us five dollars **a head**. 这顿饭花去我们每人 5 美元。

He drove at 100 kilometers **an hour**. 他的车速度每小时 100 千米。

I go back to my hometown twice **a year**. 我每年回家乡两次。

The car does about forty miles **a gallon**. 这辆车每加仑汽油跑 40 英里左右。

How much is this cloth **a meter**? 这种布一米多少钱？

He bought them at $ 75.50 **a share**. 他们以每股 75.5 美元的价格购买。

10 more than a year 不同于 more than one year

a/an 尽管可以表示"一"这一概念，但并不总是可以同 one 互换。比较：

It will take **more than a year** to build the railway. 修建这条铁路需要一年多时间。（意指一年以上、两年以下）

It will take **more than one year** to build the railway. 修建这条铁路需要不止一年时间。（意指不止一年，可能两年或三年）

The wall will collapse **at a blow**. 这墙一击就倒。（句中的 a 不强调"一次"）

The wall will collapse **at one blow**. 这墙击一下就倒。（句中的 one 强调"不需击两下"）

The box weighs over **a kilogram**. 这只盒子 1 千克多重。（不到 2 千克）

The box weighs over **one kilogram**. 这只盒子不止 1 千克重。（2 千克或 3 千克）

11 birds of a feather 的含义

不定冠词可以表示"同一、相同"的意思，上面的词组意为"一丘之貉"。例如：

My coat and his are of **a size**. 我的外套和他的外套是同一尺码的。

The two girls are of **an age**. 这两个女孩同年。

Things of **a kind**（同类的物） come together, so do people of **a mind**. 物以类聚，人以群分。

▶▶▶ 其他如：plants of **a species**/**a genus**（同一种），rulers of **a length**（同一长度）等。

12 so cold a day 不可说成 so cold one day

a/an 可用在"so as/too/how＋形容词"之后，表示比较或强调，这种结构中的 a/an 不可以换成 one。例如：

They have not had **so cold a day** as this for many years. 他们已有很多年没遇到这么寒冷的一天了。

None of them realized **how serious a crime** it was. 他们谁也没有意识到这是多么严重的罪行。

▶▶▶ 其他如：as clever a girl，too heavy a bag，so hot a day，how large an armchair 等。

13 a mountain of a wave 中的 a 不可换成 one

"a/an＋名词＋of＋a/an＋名词"是一种固定结构，前面的名词表示的是后面名词的性质或特征，意为"像……一样的，是属某一类的"。这种结构中的 a/an 不可换成 one，但有变体。例如：

a mountain of **a** wave 滔天巨浪　　　　　　　a palace of **a** house 宫殿般的宅邸

a hell of a life 地狱般的生活

an angel of a girl 天仙般的少女

a matchbox of a room 火柴盒般的房间

a whale of a difference 极大的差别

a hell of an actor 非常蹩脚的演员

a treasure of a son 宝贝儿子

a pig of a fellow 猪一样蠢的家伙

a rascal of a fellow 无赖之徒

a tyrant of a father 暴君般的父亲

a death of a cold 极度寒冷

a skeleton of a woman 骨瘦如柴的女人

a girl of a boy 女孩似的男孩

a fool of a man 呆子般的男人

a chit of a girl 黄毛丫头

a devil of a hurry 心急火燎

a hell of a spot 地狱般的地方

an angel of a man 完美无缺的男人

a honey of an idea 绝妙的主意

a bottleneck of a road 瓶颈般的路

make a hell of a racket 太吵了

a beast of a job 讨厌的工作

a lamb of a temper 羔羊般的温顺

a hell of a factory 地狱般的工厂

a giant of a man 巨人

a hell of a mess 一塌糊涂

a brute of a man 凶残之人

a cavern of a room 洞穴般的房间

a mouse of a girl 胆怯的女孩

a saint of a man 圣洁之人

a lion of a man 雄狮般勇敢的人

a jewel of a book 非常珍贵的书

a boy of a girl 男孩似的女孩

a beast of a temper 暴躁的脾气

a despot of a landlord 恶霸地主

a beast of a place 鬼地方

a flower of a girl 鲜花似的姑娘

have a hell of a time 过得很苦恼

a whale of a victory 巨大的胜利

a fairyland of a place 仙境似的地方

a graveyard of a country 墓地般的国家

a gem of a sculpture 宝石般精美的雕刻品

a bull of a man 壮如公牛的男人

a jewel of a partner 一位极为难得的好助手（a jewel-like partner）

a poem of a moon-lit night 一个诗一般的月夜（a poetic moon-lit night）

The girl has **a lamb of a temper**. 这女孩的脾气像一只羔羊。

The winner is **a lion of a young man**. 获胜者壮如一头狮子。

She is really **an angel of a woman**. 她真是一个天使般的女人。

He is **a fool of a man** to do that. 他做那样的事真是个大傻瓜。

The boss had **a beast of a temper**. 老板的脾气非常粗暴。

She lived **a hell of a long way** off. 她住的地方远在天涯。

He's had **a devil of a time** these last three years. 这三年来,他过得很苦。

John was in **a devil of a hurry**. 约翰急得要命。

It is **a gem of a poem**. 这是一首宝石般美好的诗歌。

Her husband is **a lamb of a man**. 她丈夫是个羔羊般温顺的男人。

The man has **a dome of a forehead**. 那人的脑门大得像个圆屋顶。

My friend Green is **a saint of a man**. 我的朋友格林是个圣徒般的好人。

What **a horror of a woman**! 多可怕的女人!

What **a devil of a name**! 好古怪的名字呀!

What **a hell of an actor**! 多么差劲的演员!

They lived in **a match-box of a room**. 他们住在一间火柴盒般狭小的斗室里。

It will be **a devil of a nuisance** if the car breaks down halfway. 如果车子半途抛锚的话,那可太伤脑筋了。

【提示】

① 这种结构中第一个名词前也可以有形容词,形容词性物主代词,the, this, that, these, one, those 或 some;有时候,第二个名词前可加形容词;第二个名词还可以用复数形式。例如:

a hell of **a** long way 极远的路

my angel of **a** Jane 我可爱的简

a curved beak of **a** nose 鹰钩鼻子

the specter of **a** man 这个像幽灵般的人

this slip of **a** boy 这个瘦高的男孩

his ideal of **a** wife 他的爱妻

the hell of **a** mistake 大错特错

a mere dot of **a** child 小不点

his fool of **a** doctor 他那笨蛋医生

the deuce of **a** scandal 声名狼藉

this jail of **a** house 这监牢似的房子

a tiny leaf of **a** boat 一叶扁舟

his hell of **a** life 他地狱般的生活

a great moon of **a** face 大圆脸

this beast **of** a man 这个讨厌的人

that rascal of **a** man 那个恶棍

some fool **of** a man 傻瓜一个

those pigs of boys 那些贪吃的男孩子

this skeleton of **a** dog 这条骨瘦如柴的狗

a great barn of **a** house 一座空荡荡的大房子

that love of **a** child of Mary's 玛丽那可爱的孩子

a little shrimp of **a** fellow 一个小得像虾米似的人

that idiot of **a** woman 那个傻女人（＝idiotic）

that jewel of **an** island 那个像宝石一样的岛屿

the fool of **a** policeman 这个傻瓜一样的警察

that pretty butterfly **of** a girl 那个像一只美丽蝴蝶般的姑娘

some long black ribbon of **a** highway 像一条很长黑色带子一样的公路

an immense wall of ice 巨大墙壁一样的冰块（ice 为不可数名词）

She got **the devil of a toothache** yesterday. 她昨天牙痛得厉害。

Where is **her fool of a husband**? 她那傻瓜丈夫在哪儿呢？

Have you ever seen **my darling of a Mary** before? 你以前见过我心爱的玛丽吗？

Down came **another mountain of a wave** and the boat overturned. 又一个山一般的巨浪砸了下来，小船就被打翻了。

When they'd washed up the supper dishes they went out on the porch, the old man and **the bit of a boy**. 吃过晚饭，洗好盘子，一老一少来到了门廊上。

The town lay in the midst of **a checkerboard of prosperous farms**. 小城位于中心地带，四周农场欣欣向荣，纵横交错。（of 后用复数名词）

Get out of my way, **you big fat lump of a man**. 滚开，你这蠢猪！（第一个名词前用人称代词）

② 注意下面的变体：

a little rat sort of fellow 一个像老鼠一样的家伙（of 前用了 sort，of 后的名词前不再用 a）

③ 下面"the＋普通名词＋of＋抽象名词"结构表示比喻：

{ the sun of her beauty 她倾国的美貌
  ＝her beauty as bright as the sun

{ the beast of his behavior 他的残忍行为
  ＝his behavior like that of a beast

{ the milk of human kindness 人类善心的可贵
  ＝human kindness as desirable as milk

④ 下面的结构则表示"有点儿，微不足道的，相当不小的"：

His room was **a bit of a mess**. 他的房间有点儿乱。

The question came as **a bit of a shock** at first. 这个问题起初有点使人吃惊。

We have just moved in, so we're in **a bit of a shambles**. 我们刚搬进来，所以有点乱。

I've got myself into **a bit of a mess** by telling a lie. 我因为撒了一个谎而使自己处于颇为尴尬的境地。

14 turn writer 还是 turn a writer

当 turn 或 go 作"变成"解时，其后作表语的单数名词前不用不定冠词（用零冠词）。例如：

He **turned writer** in 2005. 他 2005 年当了作家。

She has **gone Democrat**. 她成了民主党人。

Both sisters **turned musician**. 两姐妹都成了音乐家。

The man **turned traitor** after he was arrested. 那人被捕后叛变了。

【提示】若作表语的单数名词前有形容词，则要用不定冠词。例如：

He **turned a good fellow**. 他变好了。

The leaves have **turned a dark red**. 树叶变得通红。

15 a Gorky，a contented Mary 和 a Qi Baishi 中的 a

a/an 加专有名词可以表示：①与某个专有名词相仿的某人、某事或某地（one like）；②某种状态下的某人或某物；③某人的一部/幅作品或设计、制造、发明的机器等；④别的人或物具有该专有名词的性质等。⑤专有名词性质减弱，接近普通名词。例如：

Henry is a pretty good playwright，but he is not **a Shakespeare**. 亨利是一位优秀的剧作家，但还不能同莎士比亚相提并论。

He bought **a Remington** last week. 他上周买了一台美国人雷明顿设计制造的打字机。

He bought **a Benz** last month. 他上个月买了一辆奔驰牌轿车。

He found **a Qi Baishi** among the exhibits. 他在展品中发现了一张齐白石的画。

He thought he was **a Shakespeare**. 他自认为是莎士比亚第二。

Father bought her **a complete Lu Xun**. 父亲给她买了一套鲁迅全集。

He is now **a different Jack** from what he was years ago. 现在的杰克和几年前的杰克不同了。

She drove **a Ford**. 她开着一辆福特牌汽车。

He imagined himself **a Newton**. 他想象自己是牛顿。

He is **an Einstein** of today. 他是当代的爱因斯坦。

There is **a China** of the plains，easily travelled，a tourist delight. 中国的一部分地区是平原，旅行便利，为游览胜地。

A relaxed President Nixon said that his search might result in the destruction of walls that divide mankind. 随和的尼克松总统说他的探索也许能破除分裂人类的壁垒。

Jack was met at the station by **a contented Mary**，not **an angry Mary**. 杰克在车站受到玛丽的迎接，当时玛丽很开心，并没有生气。

He talks like **a Johnson**. 他谈起话来很像约翰逊。（Samuel Johnson 是英国 18 世纪著名学者，非常健谈）

Do you think it possible for the North Pole ever to have **a Shanghai**? 你认为北极会在什么时候有个像上海一样的城市吗？

The fellow is **a Shylock**. 那家伙是另一个夏洛克。（夏洛克是莎士比亚的名剧《威尼斯商人》中一个刻薄吝啬的商人）

They spent **a meaningful Christmas** on the island. 他们在岛上过了一个很有意义的圣诞节。

The man is **a Caesar** in speech and leadership. 那人的口才和领导才能像恺撒一样非凡。

Sam is a novelist，but he isn't **a Dickens**. 萨姆是个小说家，但他还不是狄更斯那样的大作家。

He was met at the door by **an anxious Isabel**. 他一进门就碰到了焦急的伊莎贝尔。

The China that was poor and backward has been replaced by **a new China** rich and powerful. 贫穷落后的旧中国已变成富强的新中国。

If he's **a Marconi**，I'm **an Einstein**. 如果他是马克尼（那样杰出的电学家），我就是当代的爱因斯坦。

She wishes her son to be **an Edison** or **a Washington**. 她希望自己的儿子成为像爱迪生或华盛顿那样的人。（即：发明家或政治家）

This is **a West Lake**. 这是一幅西湖图。

比较：

His father is **a Napoleon** of finance. 他父亲是金融界的一个巨头。（其中一个）

His father is **the Napoleon** of finance. 他父亲是金融巨头。（唯一一个）

16 用在名词化的动名词、形容词、过去分词或序数词等前

A knocking on the window was heard. 听到了敲窗声。

Our team took **a real beating** on Friday. 我们队星期五遭到惨败。

He gave the boy **a thrashing**. 他痛打了那个男孩一顿。

Jim got **a scolding** for breaking the plate. 吉姆因弄破了盘子而受到责骂。

He took this one for want of **a better**. 没有更好的，他就拿了这一个。

They are talking about **a deceased's** estate. 他们在谈论一个死者的房地产。

He got **a first** in physics. 他物理得了第一名。

They asked him to give **a reading** from the best-known of his poems. 他们请他读读他最著名的诗篇。

It's a good idea, so try to get **a hearing** with the people concerned. 这个主意很好，要设法听一听有关人员的意见。

【提示】下列名词化的词前用零冠词：

Old and **young** joined the game. 老的和少的都参加了这个游戏。

Let **bygones** be **bygones**. 过去的事就让它过去吧。

Good **beginnings** make good **endings**. 有好的开头才有好的结果。

There are **washings** on the rope. 绳子上挂着洗的衣物。

These are **borrowings** from Latin. 这些词源出拉丁语。

The children should be taught to know **good** from **bad**. 应当教育孩子们知道是非。

They are **newlyweds**, asking about the price of **ready-mades**. 他们是新婚夫妇，正在询问现成衣服的价格。

17 表示言外之意

She has **a way** with naughty children. 她有办法管淘气的孩子。

It's done to **a turn**. 这菜烧得非常好。(＝perfectly cooked)

The man is covetous to **a degree**. 那人非常贪婪。

There is **a time** to be silent and **a time** to speak. 该说话时要说话，该沉默时就沉默。

A drowning man will catch at **a straw**. 快淹死的人连稻草也要去抓。(表示强调)

18 表示"那种"，相当于 such a；也表示"任何"，相当于 any

He is not **a man** to be trifled with. 他不是那种好惹的人。

She is not **a girl** to do such things. 她不是做这种事的女孩。

A thing worth doing at all is worth doing well. 值得做的事就值得做好。(＝any)

> **A steel worker** makes steel. 炼钢工人炼钢。(a 相当于 any)
> **A steel worker** is making steel. 一名炼钢工人在炼钢。(a 相当于 a certain)

19 a red and blue pencil 不同于 a red and a blue pencil

不定冠词的使用与数的概念有关。如果两个或两个以上形容词或名词共有一个不定冠词，那么这两个形容词修饰的是同一人或物。比较：

> She bought **a red and blue** pencil. 她买了一支红蓝铅笔。(一支)
> She bought **a red and a blue** pencil. 她买了一支红铅笔和一支蓝铅笔。(两支)

> She bought **a French** and a **Chinese** dictionary. 她买了一本法语词典和一本汉语词典。(两本)
> She bought **a French** and **Chinese** dictionary. 她买了一本法汉词典。(一本)

> They met **a writer and translator**. 他们遇见了一位作家兼翻译家。(一人)
> They met **a writer** and a **translator**. 他们遇见了一位作家和一位翻译家。(两人)

▶▶▶ 但是，在不会引起误会的情况下，指不同的人或物时也可只用一个不定冠词。联系紧密的并列名词，虽指不同的人或物，也可只用一个不定冠词。参见下文。例如：

He married **a nurse or singer**. 他娶了一个护士或许是歌手。

A doctor and nurse were sent to the village. 一位医生和一位护士被派往了那个村庄。

He saw **a lady and gentleman** walking by the lake. 他看见一位女士和一位先生在湖边散步。

The car was bought by **a man and girl** who came from Nanjing. 那辆汽车被从南京来的一男一女买走了。

▶▶▶ 联系紧密的人或物，若要强调其不同的性质、状态、关系，要重复不定冠词。例如：

> **A man and woman** walked out of the hotel. 一对男女从宾馆里走了出来。
> **A man** and a **woman** may hold different views about the matter. 一个男人和一个女人可能对这件事有不同的看法。

> **A gentleman** and **lady** are waiting for you outside. 一对先生和女士在外面等你。
> **A gentleman** and a **lady** may disagree about this sort of thing. 一位先生和一位女士对这种事情可能看法不一致。

▶▶ 强调同一人或物的不同方面，并列名词前也可重复不定冠词。例如：

Her father is **a painter and a poet**. 她父亲既是画家，又是诗人。

He is **a professor and an author**. 他是一位教授，也是一位作家。

A few years later，she became **a wife** and then **a mother**. 几年后，她结了婚，婚后又当了母亲。

⑳ 有些名词通常成对出现（被视为一体、一套），有些属于联系紧密，一般只用一个不定冠词

Have you got **a needle and thread** here? 你这里有针线吗？

There is **a horse and cart** by the roadside. 路边有一套车马。

Give me **a dustpan and brush**. 把畚箕扫帚给我。

I'll have **a gin and tonic**. 我要一瓶加奎宁水的杜松子酒。

▶▶ 其他如：

a coat and hat 衣帽   **a cup and saucer** 带茶托的茶杯   **a coat and tie** 一套上装和领带

a knife and fork 一副刀叉   **a nut and bolt** 一副螺钉   **a watch and chain** 带表链的表

a rod and line 带线的钓竿   **a coat and shirt** 一套上装和裙子   **a box and needle** 一副罗盘

a wheel and axle 转向轮   **a brace and bit** 手摇曲柄钻   **a table and chairs** 一套桌椅

a bow and arrow 一副弓箭   **a man and woman** 一对男女   **a gentleman and lady** 一对男女

a hook and line 一只带线的渔钩   **a boy or girl** 一个男孩或女孩

a short beard and moustache 短胡须   **an uncle or aunt** 一位叔叔或姑姑

a journalist and writer 一位记者兼作家   **a carriage and pair** 一辆两匹马拉的马车

㉑ 用 a 还是用 one（参阅本章上文）

（1）表示数目"一"，指百、千整数时，二者可以换用；在某些常用习语中，二者可以换用。例如：

a/one hundred percent 十足地

a/one hundred/thousand of something 某物的 100/1 000

She bought **a/one kilo** of tomatoes. 她买了 1 千克西红柿。

A/One fourth of the students came to the gathering. 四分之一的学生来参加了聚会。

I would like **a/one photocopy** of this poem. 我想要这首诗的一份复印件。

The painter finished the picture **at a/one breath**. 画家一口气把画画好了。

Can you work for ten hours **at a/one stretch**? 你能不休息连续工作 10 个小时吗？

They intended to devastate the town **at a/one stroke**. 他们企图一举摧毁全城。

He killed three flies **at a/one blow**. 他一下子打死了三只苍蝇。（但也可表示不同的含义，参阅上文）

It's quite a short article, you could easily read it **at a/one sitting**. 这篇文章很短，你能一口气很容易把它看完。

In a/one word, while the prospects are bright, the road has twists and turns. 总之，前途是光明的，道路是曲折的。

【提示】

① "一两天，一两个星期"通常要说 a day or two，a week or two，但也可说 one or two days，one or two weeks。例如：

我们一两天后动身。

  We'll start **in a day or two**. ［✓］

  We'll start **in one or two days**. ［✓］

另外，one or two 作为习语还有"少数，几个"的意思，而 either one or two 则明确表示"一个或者两个"。

② 有时 a 和 one 含义相同，但结构不同。例如：

  an hour and a half 半个小时   **a third of the population** 三分之一的人口

  one and a half hours   **one-third of the population**

③ 强调数量"一"时，要用 one，不用 a。例如：

I only want **one** ticket, you've given me two. 我只想要一张票，你却给了我两张。

I only want **one** coffee, not two. 我只要一杯咖啡，不是两杯。

（2）指"有一个（人）"或"某一（人）"时，a 和 one 可以换用。但泛指一个人的身份、职业、职称时，要用 a，不用 one。用 a 时也可带或不带称号、尊称等。例如：

Her mother is **a painter**. 她母亲是一位画家。

He's now been made **a leader**. 他现在已成为队长。

The queen made him **a lord**. 女王封他为贵族。

A/One Mr. Wang told me the news. 是一位王先生告诉我这个消息的。

I know **a Bill Clinton**, but not the famous one. 我认识一个名叫比尔·克林顿的，但不是那位名人。

（3）表示"一个非常……，一个确实……"，常用 one 代替 a/an，更为强调。例如：

She is **one** beautiful girl. 她真是个漂亮姑娘。

John is **one** worried man. 约翰忧心忡忡。

（4）在表示"一致，同一"时，a/an 和 one 可以换用。例如：

There was no disagreement among us; we were all of **a/one** mind on this subject. 我们没有什么分歧，在这个问题上我们的意见完全一致。

The two girls are of **an/one** age. 这两个女孩同龄。

These machines are of **a/one** type. 这些机器都是相同型号的。

（5）"not one ＋名词"与"not a ＋名词"同义，有时可换用。例如：

Not a/one word was spoken. 一句话也没说。

Not a/one penny is wasted. 一个子儿也没有浪费。

▶▶ 但是，后面有 of 短语表示范围时，要用 not one，不可用 not a。例如：

Not one of them can answer the question. 他们谁也回答不了这个问题。

▶▶ 另外，not one 可以单独使用，而 not a 则不能。例如：

Not even a window was broken. **Not one.** 连一个窗户也没破。一个也没破。（表示强调）

（6）有时用 a 或 one 含义不同，或在语气、侧重面等方面不同。比较：

{ A boy can do it. 男孩子就能做这件事。（a 指类别，是小孩而非大人）
One boy can do it. 一个男孩就能做这件事。（one 强调数量，指一个小孩，而非多个小孩）

{ A penny at a pitch is worth a pound. 在紧要关头，1 便士抵得上 1 镑。（一般规律）
One penny with right is better than a thousand without right. 来路正的 1 便士强过不义之财 1 000 便士。（强调数字悬殊）

{ One day of pleasure is worth two of sorrow. 一天愉快抵两天愁苦。（强调相差一倍）
Rome was not built in **a day**. 罗马城不是一天建成的。

{ **a people or two** 一两个民族（＝one or two nations）
one or two people 一两个人（＝one or two persons）

{ Just **a minute**. 请稍等一下。
Just **one minute more**. 再等一分钟。（不多等）

{ They united as **one** man. 他们团结如一人。
They were perished to **a** man. 他们全部遇难。

{ A machine gun is a useful weapon. 机枪是很有用的武器。
One machine gun is not enough. 一挺机枪不够用。

{ The town is **one** hundred and thirty miles away. 小城离这里有 130 英里远。（表示百、千带个位数的准确数字用 one）
The town isn't **a** hundred miles away. 小城离这里不远。（表示大约的数量用 a）

（7）数学运算只能用 one。例如：

Once **one** is one. 1 乘 1 等于 1。

（8）表示"其中之一，第一"时，只能用 one。例如：

He is studying **Volume One** of *Lu Xun's Selected Works*. 他在研读《鲁迅选集》第一卷。

One of the best ways to keep friends is to return it. 交友的秘籍之一就是礼尚往来。

（9）one 作代词相当于"a person"时,不用 a。例如:

The officer is **one** who gives orders. 长官是发号施令的人。

He is not **one** to bow before difficulties. 他不是向困难低头的人。

She had the air of **one** on holiday. 她带着度假者的神气。

（10）在某些谚语中,只用 one,不用 a。例如:

One false move may lose the game. 一着错,满盘输。

One good turn deserves another. 以德报德。

One man, no man. 孤掌难鸣。

One hand washes another. 有来有往。

One must drink as one brews. 自作自受。

One must howl with the wolves. 入乡随俗。

One swallow does not make a summer. 一燕不成夏。

One cannot make a silk purse out of a sow's ear. 朽木不可雕。

One cloud is enough to eclipse all the sun. 片云足以遮全日。

One lie makes many. 一次撒谎装得像,得有七次假话帮。

One man's loss is another's gain. 对张三有害的事可能对李四有利。

One beats the bush, and another catches the bird. 人尽其劳,彼享其利。

One can't make an omelette without breaking eggs. 舍不得孩子套不住狼。

（11）表示"以一概全",泛指一类人或物时,只能用 a,不用 one。参见上文。例如:

A rolling stone can gather no moth. 滚石不生苔。

A rolling eye, **a** roving heart. 眼为心声。/久别情亦疏。

（12）某些短语、习惯说法要用 one。例如:

with **one** voice 齐声

one and all 人人,大家

one fine day 有一天,有一回

one or two 几个,少数

number **one** 最好的,头等的

one and the same 完全一样,完全一回事

be **one** with 和……意见一致,打成一片

One man, **one** vote. 一人一票。

Ten to one he won't come. 他十有八九不来了。

one last time 最后一次

one and only 着重地,唯一的

one by one 一个接一个

one or other 不管哪个

as **one** 像一个人一样

for **one** 例如

one at a time 一次一个

㉒ Many a little makes a mickle——不定冠词的位置难点

（1）as/so/too/how/however＋形容词＋a/an。例如:

He said he was **as good a painter** as any. 他说他的绘画水平不比任何人差。

She is **too good a girl** for him. 这姑娘太好了,他配不上。

He was **much too good a husband** to forsake her. 他是一个好丈夫,绝不会抛弃她。

It was **as pleasant a day** as I have ever spent. 那曾是我度过的最愉快的一天。

It was **too cold a day** to work outdoors. 天太冷,在户外干不了活。

How astonishing a sight it is! 多么令人惊讶的景象啊!

How accomplished a painter is she? 她这位画家造诣如何?

However humble a man has a right to enjoy freedom and happiness. 无论多卑微的人也有权得到自由和幸福。

▶▶▶ 可以说:That is **a too bad mistake**. 那是个天大的错误。

▶▶▶ 但要说:There's **quite a hundred people**. 足有上百人。

（2）such/what/many＋a/an＋名词。例如:

many an inviting smile 满脸动人的微笑

many a moonlight night 多少个月明的夜晚

We have spent **many a day** together. 我们一起度过了好多日子。

He had **such a long neck**. 他有着长长的脖子。

Oh! **What a shame**! 哎呀! 太遗憾了!

I've told him **many a time** not to say it. 我多次告诫他不要说那件事。(＝many times)

There could be **many a slip** before his ultimate end was achieved. 他的最终目标达到之前有可能功败垂成。

（3）"rather/quite/no less＋a/an＋形容词＋名词"结构也可转换为"a＋rather/quite/no less＋形容词＋名词"结构。例如：

> Travel has become **rather a popular activity** today. 今天,旅行已成为十分大众化的活动。
> Travel has become **a rather popular activity** today.

> It is **quite a cold day**. 今天相当冷。
> It is **a quite cold day**.

> He is **no less a gifted writer**. 他是个极有天赋的作家。
> He is **a no less gifted writer**.

比较：

> The man seems **quite an honest fellow**. 那人似乎很诚实。(quite 修饰 an honest fellow)
> The man seems **a quite honest fellow**. (quite 修饰 honest)

【提示】

① 若名词前无形容词,则只能用"rather/quite＋a/an＋名词"结构。例如：

> 那是个很大的失败。
> That was **rather a failure**. [✓]
> That was a rather failure. [✕]

> 那个故事听来十分有趣。
> That's **quite a story**. [✓]
> That's a quite story. [✕]

She's **quite a beauty**. 她真是个美人。

He isn't **quite a gentleman**. 他算不上真正的君子。

He is **quite a man**. 他真是一个男子汉。

It took **quite a time**. 这件事费了很大的劲。

He's **rather a fool**. 他真是一个大傻瓜。

He is **rather a violinist**. 他是个相当不错的小提琴手。

② "quite/rather＋the＋形容词/名词"是一种强调说法,意为"完全,全然"。例如：

That's **quite the opposite**. 那全然相反。

She looks **quite the lady**. 她全然是一位典型的贵妇人。

John is **quite the gentleman**. 约翰全然是标准的绅士。

This kind of cap is **quite the thing** this winter. 这种帽子今年冬天是最时髦的。

That's **rather the impression** I want to give. 那正是我想留下的印象。

He's **rather the partner** I've been expecting. 他正是我期盼已久的搭档。

Yours is **quite the right answer**. 你的答案完全正确。

It's **quite the most enjoyable game**. 这真是最令人快乐的游戏。

It's **rather the cool evening** we hoped to have. 这正是我们所希望的凉爽的夜晚。

23 冠词同 half 的搭配问题

（1）冠词置于 half 和名词之间。例如：

He drank **half a bottle** of wine at dinner. 他晚餐时喝了半瓶酒。

She spent **half the holiday** in the country. 她一半的假期是在乡间度过的。

（2）half a mile, half a month, half an inch, half a dozen 等表达英美通用,但美式英语也常把 a

放到 half 前。例如：

She ran **half** a/a **half** mile in half an hour. 她半小时跑了半英里。

A half month has passed. 半个月过去了。

（3）half 单独使用作"一半"解时，a 放在 half 前。例如：

She had eaten two apples and **a half**. 她吃了两个半苹果。（＝two and a half apples）

比较：

$\begin{cases} \text{two miles and a } \textbf{half} \\ \text{two and a } \textbf{half} \text{ miles 2.5 英里} \\ \text{four hours and a } \textbf{half} \\ \text{four and a } \textbf{half} \text{ hours 四个半小时} \end{cases}$

$\left.\begin{cases} \text{dull a half hour} \\ \text{another a half hour} \end{cases}\right\} [\times]$

$\begin{cases} \textbf{half} \text{ an hour} \\ \text{a } \textbf{half} \text{ hour（美式英语）} \\ \text{an hour and a } \textbf{half} \\ \text{one and a } \textbf{half} \text{ hours} \\ \text{another } \textbf{half} \text{ hour} \\ \text{a dull } \textbf{half} \text{ hour} \end{cases}$ $[\checkmark]$

▶▶▶ half 前有形容词时，须把 a 或 an 放在形容词之前。

（4）half 作形容词用结构为：half a/the...＋名词。half 作名词用结构为：half of a/the...＋名词。比较：

half the sum＝**half** of the sum 半额

half one's pay＝**half** of one's pay 一半的报酬

half the distance＝**half** of the distance 一半的距离

（5）half 作名词时可以有复数形式。例如：

He knows many things by **halves**. 他对很多事情都是一知半解。

Two **halves** make a whole. 两个一半成为整体。

（6）a **half** brother/sister（异父或异母的兄弟或姐妹）和 a **half** moon（上弦月或下弦月）为固定表达，不可说成 half a brother，half a moon。

【提示】

① half 亦可用作副词，表示程度，意为"一半地，相当程度地"。例如：

I have **half** as many books as you have. 我的书比你的书少一半。

I have **half** as many books **again** as you have. 我的书是你的一倍半。

She was **half** asleep. 她要睡着了。

② by half 意为 very much；by halves 意为 incompletely。例如：

He is the greater poet **by half**. 他是一位非常伟大的诗人。（相比之下）

Never do anything **by halves**. 做事不要半途而废。

24 用 a 还是用 an

用 a 还是 an，不是看其后词的起首字母是元音字母还是辅音字母，而是看其后词的起首字母是发元音还是发辅音。

a 在辅音开头的词前读作[ə]，an 在元音开头的词前读作[ən]；a 需要重读时读作[eɪ]，an 需要重读时读作[æn]，主要是为了强调或加强对比。例如：

We all have to make 'A [eɪ] REAL EFFORT! 我们可都得真正卖力气了！

I asked Mark to get me 'a [eɪ] hat and 'an [æn] umbrella, not necessarily 'his hat and 'his umbrella. 我是要马克给我随便拿一顶帽子和一把雨伞，不一定是他的帽子、他的雨伞。

（1）h 在 honest，hour，heir，honor 前不发音，故用 an。例如：

She is **an honest** girl. 她是个诚实的女孩。

He is **an heir** at law. 他是法定继承人。

We waited for him for **an hour**. 我们等了他一个小时。

It's **an honor** to be with you. 同你在一起是一种荣誉。

▶▶▶ 但：a **half** hour，half 中的 h 发[h]。

（2）u 发[juː]时，用 a，因为[j]是半元音，属辅音；u 发[ʌ]时用 an。例如：

She saw **an ugly** face. 她看到一张丑陋的脸。

It's **a useless** tool. 这是一件无用的工具。

He is an inexperienced young man just coming out of **a university**. 他是个刚出大学校门毫无经验的青年。

▶▶▶要说 an urgent message, urgent 中的 ur 发[ɜː]。

(3) once 发音为[wʌns], one 发音为[wʌn], [w]亦是半元音, 属辅音, 故前用 a。例如:

They made **a one-sided** decision. 他们作出了一个不公正的决定。

He was **a once** chairman of the committee. 他是该委员会前任主席。

(4) eu 和 ew 在词首时, 发音为[juː], 故用 a。例如:

That is **a European** country. 那是一个欧洲国家。

She saw **a ewe** and several lambs under the tree. 她看见树下有一只母羊和几只小羊羔。

Sometimes it is necessary to use **a euphemism**. 有时候使用委婉语是很必要的。

(5) 英语的 26 个字母常用于缩略语中, 在 A, E, F, H, I, L, M, N, O, R, S, X 前要用 an, 其余用 a。例如:

an A student 一名最优学生   **an H** bomb 一枚氢弹

a VIP card 一张贵宾卡   **a FIAT** manager 菲亚特汽车公司的一位经理

a BBC official 英国广播公司的一名官员 **an OPEC** delegation 石油输出国组织代表团

There is **a** "u [juː]" in the word "universal" and **an** "h [eɪtʃ]" in the word "house". 在单词 universal 有个字母 u, 单词 house 中有个字母 h。

㉕ 序数词表示"再一, 又一"的意思时, 用不定冠词

She has called on the President **a third time** but hasn't seen him once yet. 她第三次来拜访总统, 但还没有见到他。

The first nail being thus driven, **a second and a third** were fixed. 第一颗钉钉进去后, 第二颗和第三颗便固定下来了。

She failed in the experiment seven times, but wanted to try **an eighth time**. 她的实验失败了七次, 但她想再试第八次。

㉖ 表示"大约"

She spent **a six years** in writing the novel. 她写这部小说大约用了六年时间。

㉗ 表示程度或限度

Those travellers came from **a great distance**. 那些游人来自远方。

㉘ 表示对比或强调

You said **a lamp**, not the lamp. 你说一盏灯, 不是那盏灯。

I asked for **a pen**, not **10** pens. 我要一支钢笔, 不是十支钢笔。

㉙ 不定冠词可用来指几个一起连用且合在一起考虑的单数名词

Whether it takes **a minute, hour or day**, I'll do it gladly. 不管它需要一分钟, 一小时, 还是一天, 我都将高兴地去做。

The old man has been **an explorer, bricklayer, dustman, and school teacher**. 那位老人曾当过勘探工、砖瓦匠、垃圾清洁工和教师。

㉚ 有些惯用短语要求用不定冠词

at a blow 一举, 一下子   as a matter of fact 其实

all of a sudden 突然   as a rule 照例, 通常

at a loss 不知所措   at a distance 在远处

at a discount 打折扣   for a while 一会儿

in a sense 在某种意义上   in a hurry 匆忙地

in a passion 发脾气   in a word 简言之

in a way 有几分   of an age 同年

of a size 大小相同   with a will 热情地

with a firm hand 坚决地   have a hand in 参与

take/make a bow 鞠躬
have a mind to 想做某事
have a try 试一试
make a living 谋生，糊口
put a premium on 重视
take an interest in 有兴趣
lend a hand 帮助
have a gallop 快马加鞭
make a scene 当众大闹
with a vengeance 猛烈地
be a credit to 为……争光
make a racket 大声喧闹
have a word with 同……谈谈
look at someone with a glare 怒目而视

keep an eye on 照看，留意
make a move 开始行动
take a chance 冒险
make a fuss 大惊小怪
have a liking for 喜欢
beat a retreat 撤退
at a disadvantage 处于不利地位
at a disadvantage 处于不利地位
work oneself into a frenzy 拼命工作
with a view to 鉴于，考虑到
have a say in 对……有发言权
take a walk/rest/bath 散步/休息/洗澡
make a name for oneself 出名

▶▶▶ "have/take＋a/an＋动作名词"与该动词同义，是一种通俗说法，语气显得自然，如 have a look，have a talk，take a swim，take a rest，take a walk 等。

31 to a fault 不同于 at fault

在一些惯用短语中，用定冠词、不定冠词或零冠词，意义往往不同。例如：

in temper 发脾气时（作状语）
in a temper 在发脾气（作表语）

have a time 吃苦头，玩得很好
have the time 有时间，有钟表

in word 口头上
in a word 总之

in a line 排成一行
in the line 内行，精于此道

in secret 秘密地
in the secret 知道内情

of age 成年
of an age 同龄

in manner 态度上
in a manner 在某种意义上

in office 执政
in an office 在办公室

in praise of 赞扬
sing the praise of 赞扬

take a bath 洗澡
take baths 进行矿泉浴治疗

be in bud 含苞欲放
be nipped in the bud 消灭于萌芽状态

in service 被使用，服役期间，当仆人
in the service of 服役，在军队中

tend/keep shop 照管营业
keep a shop 经营一家商店

by way of 经由
by the way 顺便说一下

take a fancy to 喜爱
take the fancy of 吸引，使……喜爱

be in drink 喝醉了
be on the drink 嗜酒成瘾，经常喝酒

to a man 全体一致
to the last man 到最后一人

be brought to bed（孕妇）临产
be brought to the bed 被带到床前

on a line 在同一水平上
on the line（挂画）与眼同高，处于显赫位置

take air（事）传扬开来
take the air 吸点新鲜空气，外出转转

in flesh 肥胖的
in the flesh 亲身，活着

with a view to 抱着……目的，着眼于，考虑到
with the view of 抱着……目的

in care of 由……执行
in the care of 由……照管

take wing 逃脱
on the wing 飞翔

give sb. a lead 给……做示范
take the lead 起主导作用

by day 在白天
by the day 按天计算

at root 根本上，本质上（抽象）
at the root 根本，根源（特定事物，形象说法）

by telephone 用电话
(be wanted) on the telephone 打电话找

show leg 逃跑
show a leg 起床

at length 终于
by a length（比赛）差一马身，差一船身

see light 领会,明白
see **the** light 出版,问世

play ball 合作
have **a** ball 玩得很痛快

in person 亲身,身体上
in **the** person of 代表,体现于

in fashion 时髦
in/after **a** fashion 多少,勉强
in **the** fashion of 按……的样式

in body 亲自
in **a** body 全体,一起
in **the** body 在(信件等)正文中,在体内

on board 在船/飞机/车上
on **the** board 当委员
on **the** boards 在舞台上(指演员)

take time 费时间
make time 腾出时间
make **a** time over 吵吵嚷嚷

be within cry 很近
be out of cry 很远
be **a** long cry 很远,差别很大,大不相同

in life 生活中
for life 终身,拼命
in **the** life 活着时

by name 名叫
in name 名义上
have **a** name of 有……名声
in **the** name of 以……的名义

in point 中肯的
to **a** point 到一定程度
at **the** point of 将近
on **the** point of 即将

on balance 总的来说
strike balance 结账,取得平衡
hold **the** balance 举足轻重
hang in **the** balance 悬而未决

play games 玩游戏,打球
have **a** game with sb. 耍花招,瞒哄
play **a** double game 耍两面三刀
play **the** game 讲信义,按规矩办事
make game of 嘲笑,取笑

in pen 用钢笔
with **a** pen 用一支钢笔
by **the** pen 靠写作(谋生)
by **an** unknown pen 由不知名作者写的

on service 服现役
at **the** service of 供……差使、差遣

give air to sth. 公开表示(意见)
give **an** air of 做出……的样子

go to bed 睡觉
go to **the** bed and see if... 到床前去看看……

at (the) first 起初
from **the** first 一开始
take **a** first 得第一名

by line 准确地,精细地
in line 成横排,协调
in lines 成行

give battle 挑战
provoke **a** battle 挑起一场战斗
give **the** battle 认输

in truth 的确,事实上
of **a** truth 的确
to tell **the** truth 老实说

take effect 生效
to **the** same effect 意思一样
have **an** effect on 对……有影响

in point 恰当的
see **the** point 理解
on/at **the** point of 即将,马上

on end 连续地,竖直立着
at **an** end 即将结束
at **the** end (of) 在……尽头,在……末尾
to **the** (bitter) end 到底

in turn 依次
to **a** turn (烹调)恰到好处
take **a** turn for 有转机
on **the** turn 在转变

on paper 理论上,名义上
on **a** paper 是一家报社的记者
in **the** paper 报纸上
Cut it out in paper. 用纸剪出。

in sense 意义上
in **the** sense of 在……心目中
in **a** sense 在某种意义上
make sense 有意义,讲得通
make sense of 懂,理解

in **a** word 总而言之
at **the** word 一听这话
at **a** word 一提起……的话
in word and in deed 言行

under way 进行中,(船)行驶中
on **the** way 在途中
in **the** way 碍事
by **the** way 顺便说一下
in **a** way 在某种意义上

at first thought 乍一想
on second thought 再想一想
at **the** thought of 每一想到
upon **a** thought 一下子就

under night 乘黑夜,秘密地
in **a** night 一夜之间
in **the** night 在深夜
at night 夜间
during **the** night 在夜间
of **a** night 在一个夜晚,常在夜间

keep holiday 度假
be on holiday 在休假
be away on holiday 外出度假
go for/on a holiday 去度假
be out on **a** holiday 外出度假

keep house 管理家务
play house（儿童）玩过日子
keep **the** house 待在家里不出去

take sight 瞄准
in sight 看得见
a sight of work 大量的工作
in **the** sight of 在……心目中
take **a** sight of 观察一下
at sight 一见即……,临时看看就
at **the** sight of 一见……就

She is faithful **to a fault**. 她非常忠实。(＝very, excessively)
She is quite **at fault**. 她非常困惑。(＝at a loss)

She can speak Russian **in a fashion**. 她勉强能讲一点俄语。(＝not very well)
This kind of coat is **in fashion**. 这种外衣很时髦。(＝most modern)

He **had a word with** her yesterday. 他昨天同她谈了话。(＝talk for a short time)
He has **had word** of the case. 他已经知道那个案件了。(＝learn about)
They often **have words with** each other. 他们常常吵嘴。

They are all **of an age**. 他们都是同年的。(of the same age)
They are all **of age**. 他们都已是成年人了。(reaching 18 years old or over)

There comes a girl **in red**. 来了一位穿红衣服的女孩。(这里的 red 意为 red clothes, in red 可释义为 wearing a red suit)
The factory is still **in the red**. 这家工厂依然亏损。(＝in debt)

They worked **by day**. 他们白天工作。
They are paid **by the day**. 他们按日付给报酬。

That rascal of a man **took liberty** with women. 那个恶棍调戏妇女。
He **took the liberty** of breaking into the house. 他擅自闯进了那所房子。

The news has **taken air**. 这消息已经传开了。
She opened the window to **take the air**. 她打开窗子,透透气。

He weighed six *jin* **at birth**. 他出生时 6 斤重。
To some extent, our intelligence is given us **at birth**. 在某种程度上,我们的智力是生而有之。
There are three kittens **at a birth**. 一胎生了三只小猫。

He **kept shop** in those years. 那些年他照管店务。
He wanted to **keep a shop** in the neighborhood. 他想在附近开个店。

He **won distinction** even in his teens. 他十几岁就成名了。
He **won a distinction** for his contribution to the country. 他因对国家的贡献而获得勋章。

The students **took a fancy** to the books. 学生们喜欢这些书。(主语为人)
The books **took the fancy** of the children. 这些书深受孩子们的喜爱。(主语为物)

She saw a tower **in the distance**. 她看到远处有一座塔。(在远处)
The painting looks better **at a distance**. 这幅画远看更好。(稍远一些)

She came to the exhibition **with a child**. 她带着孩子来看展览。(带着孩子)
Two months after her marriage, she was **with child**. 她婚后两个月就怀孕了。(＝pregnant)

The young man is **in possession of** a large fortune. 那个年轻人拥有大量财产。(主语为人)
A large fortune is **in the possession of** the young man. 大量财产在那个年轻人手里。(主语为物)

She is **a** teacher. 她是一位教师。(表示类别,不是工人或农民,问句应为 What is she?)

She is **the** teacher. 她就是那位教师。(特指,问句应为 Who is the teacher?)

She knocked at **the** door and **a** voice answered. (敲的是一个熟悉的门,而回答的则是一个陌生的声音)

She knocked at **a** door and **the** voice answered. (敲的是一个不熟悉的门,而出乎意料,一个熟悉的声音回答了她)

2. 不定冠词与零冠词

1 不可数名词前一般用零冠词,通常用 some, any, a little, a piece of 等表示数量

　　any information 任何信息　　a piece of news 一则消息　　a little oil 一点油

2 物质名词前一般用零冠词,但有些物质名词指具体的东西时,可用不定冠词

They write on **paper**. 他们在纸上写字。

I'm reading **a paper**. 我在读报。

The tool is made of **iron**. 这件工具是铁制的。

She bought **an iron** yesterday. 她昨天买了一个熨斗。

He has lost **weight**. 他瘦了。

He has lost **a weight**. 他丢了一个秤砣。

3 抽象名词如 beauty, hope, death, happiness, strength 等前一般用零冠词,但当这些词表示某种具体的、特指的含义时,可用不定冠词

Beauty lives forever. 美是永存的。

She is really **a beauty**. 她真是个美人。

　　She answered my questions with **an accuracy** not to be expected of a fourth grade pupil. 她对我的问题回答十分精确,没料到一个四年级的小学生竟能回答得这么好。

4 一日三餐的名词前一般用零冠词,但名词前有形容词时例外

They were at **lunch** then. 那时他们在吃午饭。

It is **a sumptuous** supper. 真是一顿丰盛的晚餐。

5 在一些习惯用语中,用零冠词(参阅有关部分)

He was **master** of the situation. 他把局势控制住了。

He is **a master** of painting. 他是个油画家。

6 在并列使用或配对使用的单数名词前,用零冠词(有时是不定冠词的省略)

　　All you need is (a) **needle and thread**. 你需要的就是(一副)针线。

　　There stands a table with **knife**, **fork**, **spoon** and **glass**. 有一张桌子,上面有刀、叉、汤匙和杯子。

　　She is more famous as (a) **poet** than as (a) **novelist**. 她作为诗人比作为小说家更为出名。

　　He purchased **palace** and **park**, and **deer**, and pictures. 他买了公馆、园林,又买了鹿和绘画作品。

　　He is **philosopher**, **painter**, and **statesman**. 他是哲学家、画家和政治家。

　　This room serves the triple purpose of **study**, **bedroom** and **sitting room**. 这个房间有三种用处:书房、卧室兼起居室。

　　The little inn was really a combination of **restaurant** and **hotel** and **dancing parlour**. 这个小旅馆集饭店、旅店和舞厅于一体。

　　Lion hunter, **snake handler**, **doorkeeper** and **cook**, John was all these and more. 猎狮人、捕蛇者、看门人、厨师——约翰都一身兼具,而且还不只这些。

　　He's not one of those priests who arrive with (a) **bell**, **book**, **and candle** whenever summoned. 他不是那些无论何时召见都带着(一套)铃、书和蜡烛的教士之一。

　　He vowed never again to raise his gun against (a) **bird** or (a) **beast**. 他发誓,不论是鸟类还是兽类,决不再举枪打了。

　　Depending on circumstances and surroundings, she behaves like a **wife**, (a) **mother**, (a) **business woman** or (a) **government official**. 场合不同,她的角色也就不同,或是妻子,或是母亲,或是商人,或是政府官员。

7 fool as Jim is 还是 a fool as Jim is

在倒装的让步状语从句中,放在句首的名词前用零冠词。例如:

Fool as Jim is, he could not have done such a thing. 吉姆虽然傻,但也不会做这样的事。

Child as Sally is, she has seen much of the world. 萨莉虽然还是个孩子,但却见过很多世面。

8 "(a) kind/ species of＋名词"结构中的名词前是否加不定冠词

在(a) kind of, (a) sort of, a type/types of, a class/classes of, a brand/brands of, a variety/varieties of, a form/forms of, a style/styles of 等结构中,of 后的名词前一般用零冠词。例如:

A hammer is **a sort of tool**. 锤子是一种工具。

She is **a fine type of schoolgirl**. 她是一名很优秀的小学生。

It is **a new type of crane**. 这是一种新型起重机。

That is a curious **species of rose**. 那是一种很奇特的玫瑰。

This class of bag is rare now. 这种袋子现在已很稀少了。

These kinds of film are worth seeing. 这些类型的电影值得看。(也可用 films)

There are **many kinds of expert** in the institute. 那所学院里有各类专家。(也可用 experts)

Do you know what **kind of jacket** he wants to buy? 你知道他想买哪一种夹克衫吗?

I had **a sort/kind of feeling** that it would be a wrong decision. 我有一种预感,这将是一个错误决定。

That is **a new type of dish-washer**. 那是一种新型洗衣机。

That is **a dish-washer of a new type**. (强调 a new type)

【提示】

① a kind of 通常表示两种含义:颇有一点,有几分(rather, in some way),常指人,往往表示贬义;一种,一类,……之类的人或物(a member of a particular class)。例如:

He's **a kind of** doctor. 他还算得上是个医生吧。(医术不怎么样)

It's **a kind of** fish. 它是一种鱼。

Judging from his appearance, he must be **a kind of an artist**. 从外表看,他一定是艺术家之类的人。

② "What kind/sort of＋名词?"问句中,名词前不带 a/an 问类别,带 a/an 问特殊属性、特点。例如:

What sort of **musician** is she? 她是演奏什么乐器的?

What sort of **a musician** is she? 她这个乐师演技如何?

What kind of **holiday** did you have? 你假期里做了什么?

What kind of **a holiday** did you have? 你假期过得怎样?

③ a type/sort of a/an＋名词,还可表示"颇有,有几分"等。例如:

He is **a sort of a hero**. 他颇有英雄气概。

④ of a kind/sort 表示"同种的,某种,名不副实的,也算一种(不大好的)"等。例如:

He runs a car **of a sort**. 他开的车子不怎么样。

It is a painting **of a sort**. 这幅画不怎么样。

She could speak French **of a sort**. 她能对付说几句法语。

These shoes are **of a sort**. 这些鞋子都是同一个种类的。

You and your brother are two **of a kind**. 你和你弟弟两人属于同一类型。

There's a road **of a kind** to the mountain village. 有一条勉强能走的路通往那个山村。

Selections **of a kind** were held, but there was only one party to vote for. 进行了一些所谓的选举,但只有一个党派参加竞选。

9 在独立结构中,coat off, head down, and pen in hand 中的 coat, head, pen 前用零冠词;在某些独立结构中,名词前往往用零冠词

The policeman entered the room, **gun** in hand. 警察进了房间,手里拿着枪。

The old man was standing by the road, **pipe** in mouth. 老人站在路边,嘴里含着烟斗。

He fell, **head** first down the stairs. 他头朝下从楼梯上摔了下来。

Anderson sat at the table, **coat** off, **head** down, and **pen** in hand. 安德森脱去了外套,坐在桌旁,头低着,手里拿着一支钢笔。

⑩ 人名同位语中的 a/ an 常可省略

Mrs. Sylvia Wilkins,（an）**avid amateur astronomer from New York**，reports a sighting of an unidentified comet. 西尔维娅·威尔金斯夫人，来自纽约的热切的业余天文学家，报告说观察到一颗身份未明的彗星。

三、零冠词在其他情况下的使用

1. 在介词后表示抽象概念的名词前

He is at **university**. 他正在大学读书。

Her son is still in **jail**. 她儿子在坐牢。

He put the baby to **bed**. 他弄婴儿去睡。

The tree was in **flower**. 那棵树上花开满枝。

The apple trees were in full **blossom**. 苹果树开的花压满枝头。

2. 在"形容词＋of＋表示身体部位的单数名词"结构中

He is a stout man, red of **face**. 他脸色红润，非常强壮。

He is genuinely good, pure of **heart**. 他为人好，心地善良。

A middle-aged man, solid of **frame** and bright of **cheek**, was waving to her. 一位身体结实、容光焕发的中年人在向她招手。

▶▶ 另外，表示典型的身体部位前也用零冠词。例如：

He saw a man with bald **head** and pale **face**. 他看见一个头发光秃、面色苍白的人。

The dog ran away, with **tail** between its legs. 那条狗夹着尾巴逃跑了。

3. 在单数（类）名词用作物质名词、抽象名词或表示整体时

这种用法的名词可以作主语、表语、动词宾语或介词宾语。

Carrot is very nourishing. 胡萝卜营养丰富。（carrot 指菜食，不是自然存在的一种蔬菜）

The table is made of **pine**. 这张桌子是松木做的。（pine 指松木，不是松树）

She likes **rabbit** very much. 她很喜欢吃兔肉。

Don't care too much about **face**. 不要太爱面子。

School begins in March. 3 月份开学。

Term ends on July 15th. 7 月 15 日放假。

The wish is **father** to the thought. 愿望是思想之父。

He was already through **college**. 他已经大学毕业。

She was found with **child**. 发现她怀孕了。

He worked as **apprentice** for a dentist. 他给牙医当学徒。

Class is at two p.m. 上课是下午两点。

Dog does not eat **dog**. 同类不相残。

He has seen too much **town**. 城市的灯红酒绿，他见得多了。

Have you ever shot **duck**? 你打过野鸭吗？（野生动物作为一个类或渔猎对象，指整体）

They went into the forest to shoot **monkey**. 他们到森林里猎取猴子。

Mary is all **woman** in body. 玛丽的身段完全是女儿家那般娇态。

He's all **child** in soul. 他的心灵孩童般纯洁。

He left **town** early. 他很早就出城了。

Jack was more **bull**, less **man**. 杰克性情上不太像人，更像公牛。

It was **day** now outside. 外面天已经亮了。

The theory is open to **question**. 这个理论尚有争议。

The results are **answer** enough. 结果就是最好的回答。

Nothing should be left to **chance**. 任何事情都不能凭侥幸。

You must act on **principle**. 你必须按照原则行事。

There is too much **sun** here. 这里光照太强。（阳光）

There is no place like **home**. 还是家最好。

The ship sailed into **port** to refit. 那条船进港进行整修。

The case was settled out of **court**. 那个案子私了了。

He is a man of **family**. 他名门出身。

I didn't know she had **family**. 我不知道她已有家室。

She passed by the grave with her heaviness of **heart**. 她心情沉重地从坟前走过。

He had left **college** before that time. 他在那时之前已经大学毕业。

The house is **shelter** from the winter cold and summer heat. 这房子冬暖夏凉。

They have gone **downtown** to do some shopping. 他们到市中心买东西去了。

She was **woman**，all **woman**，just like any woman. 她也是女人气质，十足的女人气质，正像任何女人一样。

Some novels，though very interesting to read，do not make good **theater**. 有些小说读起来虽然有趣，但是若编成戏剧，效果并不太好。（theater 用零冠词表示"戏剧效果"）

Car is the best mode of transport in modern society. 小汽车是现代社会最好的交通工具。（表示总体概念）

Word came that they won the match. 消息传来，他们赢了比赛。（word 可表示"消息，谣传，命令"）

4. 表示一个纯概念，无所指，无单、复数概念

Space shuttle 航天飞机（图画说明）

Map pinpoints scenic sites in Nanjing. 地图标有南京的风景名胜。（地图说明）

"Plant" and **"geometry"** are concepts. "植物"和"几何"都是些概念。

5. 在呼语、感叹语、习惯用语等中

Poor **fellow**! 可怜的人儿!

Fat **chance**. 没门儿。

Sit down，**children**! 孩子们，坐下!

Smart **chap** that merchant. 那个商人真精。

6. 在某些短语中

He has recovered **presence of mind**. 他已恢复了镇静。

Compliance with the law is our duty. 遵法守纪是我们的责任。

Please reply by **return of post**. 请信函赐复。

He lived within **reach of the factory**. 他住在离工厂不远的地方。

The main cause is **want of medical care**. 主要原因是缺医少药。

Public interest in it has increased. 公众对这件事产生了更大的兴趣。

General opinion was against it. 这件事遭到舆论的普遍反对。

He has delivered **sentence of death** of some high-ranking officials. 他曾宣判过一些高官的死刑。

7. 表示某一范围之内或某一情况之中的有限类指

Traffic is heavy here. 这里的交通很拥挤。

Wine is very cheap there. 那里的酒很便宜。

History repeats itself. 历史是会重演的。

Things are getting better and better. 形势越来越好。

It will only make **matters** worse. 这只会使情况更糟。

Conditions are favorable for business. 商业形势很好。

Unemployment still remained high. 失业率仍居高不下。

According to **tradition**，the house is haunted. 据传说，那所房子闹鬼。

They are talking about the present state of **affairs**. 他们在谈论目前形势。

Legend has it that the dragon was killed by him. 据传说，那条龙被他杀死了。

He promised that **relations** between the two countries would be improved. 他承诺两国间的关系将得到改善。

▶▶▶ 其他如：rumor has it/says, go back to religion 等。

8. 在一些并列结构中（参阅上文）

Road and hill were white with snow. 路和山都是白雪皑皑。

Nothing moved in **sky，land or sea**. 天地之间一切都静止了。

Husband and wife went to the movies. 夫妻俩一起去看电影。

He can't be **buyer and seller** too. 他不能既做买方又做卖方。

The building is **more window than wall**. 这幢楼的窗户比墙多。

He has lost **youth，property and wife**. 他失去了青春、财产和妻子。

Whether he is **soldier or general** makes no difference. 他是士兵还是将军都无关紧要。

9. 泛指人、人类或男女

Man should help and love each other. 人类应互助互爱。

Man is lord over the creation. 人为万物之灵。

The proper study of mankind is **man**. 要正确研究人类，就应以人为对象。

Many **men**，many minds. 百姓百条心。

Man is stronger than **woman**. 男人比女人强壮。

Man is mortal. 人固有一死。

Woman is frail. 女人是脆弱的。

Every **man** has a fool in his sleeve. 聪明一世，糊涂一时。

Woman is the crown of creation. 妇女是天地间最高贵的造物。

Men die，but **man** is immortal. 人有一死，但人类永生。

Man with the head，**woman** with the heart. 男富才智，女富柔情。

He is more interested in **man** than in **men**. 他对一个男人不大感兴趣，倒是对研究男性感兴趣。

Man did not learn to write until about 3000 B.C. 人类直到公元前 3000 年才出现文字。

Can **man** be free if **woman** is a slave? 女人当奴隶，男人能自由吗？

Man of great wisdom often appears slow-witted. 大智若愚，大巧若拙。

Woman has played an important role in modern society. 妇女在当今社会中发挥着重要作用。

Man masters nature not by force but by understanding. 人类征服自然凭借的不是力量而是理解。

If **man** does not face reality，he'll suffer disastrous consequences. 如果人类不面对现实，就会遭受灾难性的后果。

Man，at the top end of several food chains, eats both green plants and animals. 处于若干条食物链顶端的人类以绿色植物和动物为食。

【提示】

① 抽象化的 man 可以表示男人气质或男人气概，woman 可以表示女人气质。例如：

That is a lot of **man/woman**. 那真是大丈夫/妇人之见。

Are you **man** enough for the dangerous job? 你有没有足够的男子汉气概去做这一危险的工作？

② 表示男女对比。例如：

Woman is supposed to live longer than **man**. 一般认为女人比男人活得久。

10. 被认为是不可数的或复数形式的疾病名词前用零冠词

He was in bed with **flu** for ten days. 他患流感卧床 10 天。

The child was down with **mumps**. 这孩子患腮腺炎病倒了。

I've had **toothache** all night. 我牙痛了一整夜。

▶▶▶ 其他如：gout(痛风), backache, cold, stomachache, measles, shingles, hepatitis（肝炎）等。

▶▶▶ 但有时也可以说：

I've got **a headache/a cold**. 我头痛/患了感冒。

She's got **the flu/the measles**. 她得了流感/麻疹。

11. of 前后的两个名词表示同位关系时，后一名词前通常用零冠词

He is not used to the **position of servant**. 他不适应当仆人。

She played **the role of happy hostess**. 她是个快乐的女主人。

12. earth 前也可用零冠词

earth 作"地球"解时,前面通常要加定冠词,但不绝对。在下面几种情况下,earth 前可用零冠词。

① on earth 表示"到底,究竟",位于 what,how,who,why,where 之后,加强语气。

② on earth 表示"人世间",位于否定意义的词后或形容词最高级后,加强语气。

③ on（the）earth 表示"在世界上,在地球上",为习惯用语,the 可用可不用。例如:

Why **on earth** was he so nervous? 他到底为什么这样紧张?

What **on earth** are you? 你到底是做什么的?

They're the best folks **on earth**. 他们是世界上最好的人。

He is the luckiest person **on earth**. 他是人世间最幸运的人。

The historic "moon walk" was televised live to viewers **on（the）earth**. 这次历史性的"月球行走"由电视实况转播给地球上的观众。

13. 序数词前可用零冠词

1 序数词作副词用时,用零冠词

You should **first** read the questions before you answer them. 你应该先看一下问题再作答。

First read fast to get a general idea. **Second** read in detail. 先快速阅读了解大意,然后再细读。

2 序数词作名词用,表示"名次"等时,用零冠词

These TV sets are all **firsts**. 这些电视机均是一等品。

▶▶ 但:She took **a first** in the match. 她在比赛中得了第一名。

3 有些由序数词表示的街道名词前用零冠词

Twenty-second Street 第 22 街　　　　Sixth Avenue 第 6 大街

【提示】"序数词＋名词"构成的复合词,如 first-hand/firsthand,second-hand/secondhand 等,前面用不用冠词根据句意而定。例如:

Don't buy **a second-hand** car. 不要买二手车。

He wanted **a firsthand** account. 他想要第一手报道。

They tried to get **first-hand** information. 他们设法想弄到第一手消息。（information 为抽象名词,前用零冠词）

They are journalists with **first-hand** experience of working in war zones. 他们都是具有战地实际工作经验的新闻记者。

比较:

D. H. Lawrence, **author** of "The Rainbow", died in 1930.（意味着人人都知道劳伦斯）

D. H. Lawrence, **the author** of "The Rainbow", died in 1930.（意味着很多人都听说过劳伦斯,至少知道他是《虹》的作者）

D. H. Lawrence, **an author** from Nottingham, wrote a book called "The Rainbow".（意味着说话者未曾听说过劳伦斯其人）

【改正错误】

1. Although <u>adult education</u> in China began <u>in 1950s</u>, its chief growth has taken place since <u>the</u> open
　　　　　　A　　　　　　　　　　B　　　　　　　　　　　　　　　　　　C

　university on TV <u>came into being</u>.
　　　　　　　　D

2. Wind power is <u>a ancient source</u> of energy <u>to which</u> people <u>may return</u> <u>in the near future</u>.
　　　　　　　　A　　　　　　　　　　B　　　　　　C　　　　　　D

3. "The girl is <u>cleverer</u> <u>of the two</u>", said Jim's mother, pointing to <u>a girl</u> <u>in white</u>.
　　　　　　　A　　　　B　　　　　　　　　　　　　　　　　C　　　D

4. <u>Having brought</u> up five children <u>of their own</u>, <u>the Brown's</u> may be considered expert <u>on child behavior</u>.
　　A　　　　　　　　　　　B　　　　　C　　　　　　　　　　　　　　D

5. <u>All the blood</u> in the body passes <u>through</u> the heart <u>at least</u> twice <u>the minute</u>.
　　A　　　　　　　　　　B　　　　　　　C　　　　　D

6. When Linda was a child, her mother always let her have the breakfast in bed.
      A   B   C   D

7. I want an assistant with knowledge of French and an experience of office routine.
   A   B   C   D

8. I think that the aim of philosophy is to discover the good and true.
     A   B   C   D

9. A variety of rare shells are displayed at the annual shell show on the island, which drew attention of
  A   B   C   D
thousands of sell collectors.

10. He was very excellent at his work and as the result of this, he finished the work ahead of time.
    A   B   C   D

11. Mr. Smith can play almost every kind of music instrument but he is good at flute.
      A   B   C D

12. Ann's habit of riding a motocycle up and down the road early in the morning annoyed the heighbors and
        A   B
in end took her to court.
 C   D

13. At present, the world situation is most favorable to the cause of the peace, national liberation
  A   B   C
and socialism.
 D

14. A good exercise program helps teach people to avoid the habits that might shorten the lives.
  A   B   C   D

15. The harder you work, more likely you are to qualify as a doctor by the time you are thirty.
  A   B   C   D

16. Compared with the corresponding period in 2011, in the first 3 months of 2013, the loss of metal of the
  A   B   C
workshop dropped to 15%.
  D

17. Tian'an Men Square and Great Wall are two of the places everyone should see in the People's
        A   B C   D
Republie of China.

18. He enjoys life on a board of the "Queen Anne".
  A   B   C   D

19. Frank has taken place of George as captain of the team.
   A   B C   D

20. Rose was severely scolded by her mother for running in the front of the car while chasing her ball into
             A   B   C
the street.
 D

21. The wheels of the old wagon are nearly three times size of those of a modern car.
     A   B   C   D

22. An air and space museum has the highest attendance record of all the museums in the world.
 A   B C   D

23. No sooner had the man departed than the tree began dropping coffee beans by the thousands.
    A   B   C   D

24. There is no healthier or more enjoyable activity than on horseback on fine morning.
    A   B   C   D

25. He lost his job and on the top of that his wife left him.
  A B   C   D

26. Like his sister, Jack needed the ride from some generous person in order to get home.
 A   B C   D

27. Do you think it possible for the North Pole to have Shanghai a few thousand years from now?
     A   B   C   D

28. Most of the representatives think <u>that</u> <u>on a whole</u> the meeting <u>was</u> very successful.
                            A   B   C   D

29. <u>A</u> <u>student</u> as she is, she is more <u>sociable</u> than many teachers <u>in the university</u>.
      A B   C   D

30. I <u>didn't</u> know <u>why</u> he looked angry <u>when</u> I patted him <u>on head</u>.
       A   B   C   D

【答案】

1. B(in the 1950s)	2. A(an ancient source)	3. A(the cleverer)
4. C(the Browns)	5. D(a minute)	6. C(breakfast)
7. B(a knowledge of French)	8. D(the true)	9. D(the attention)
10. B(as a result)	11. D(the flute)	12. C(in the end)
13. C(peace)	14. D(lives)	15. B(the more likely)
16. D(by)	17. A(the Great Wall)	18. B(on board)
19. A(taken the place)	20. B(in front of)	21. C(three times the size)
22. A(The)	23. D(by thousands)	24. D(on a fine morning)
25. C(on top of that)	26. B(a ride)	27. C(a Shanghai)
28. C(on the whole)	29. A(Student)	30. D(on the head)

第二讲 数 词(Numeral)

数词分为基数词(Cardinal Numeral)和序数词(Ordinal Numeral)两种。基数词用于计数,序数词用于表示位置或顺序。

一、基数词

1. 基数词中 1～12 是独立单词,13～19 的基数词以后缀-teen 结尾,20～90 八个整十位数词以后缀-ty 结尾

thirteen 13, fifteen 15(不是 fiveteen), forty 40(不是 fourty)

Fifteen ships anchored a mile off the coast. 有 15 艘船抛锚停泊在离岸 1 英里的地方。

2. 表示其他两位数词,十位数与个位数之间需用连字号"-"

twenty-three 23, seventy-five 75, ninety-two 92

He owns **twenty-five** shares in the company. 他在这家公司里拥有 25 股。

3. 百位数与十位数之间,在英式英语中要用"and"连接,在美式英语中一般不用

3,456 three thousand four hundred (and) fifty-six

She paid **six thousand seven hundred and forty-eight** *yuan* down for the house. 她分期付款买房子时,先付了 6 748 元定金。

4. 英语中"万"的表示法

英语数词无"万"这个单位,用英语表达"4 万"、"50 万"等时要利用 thousand 表示:4 万即 40 个千(forty thousand), 50 万即 500 个千(five hundred thousand)。

Light travels **three hundred thousand** miles per second. 光速是每秒 30 万公里。

5. 百万以上的数,英美表示法有所不同

汉语有"亿"字,而英语则没有,用英语表达"亿"要利用 million。比较:

数值	汉语	英式英语	美式英语
百万	百万	million	million
10^9	10 亿	a/one thousand million	a billion
10^{12}	兆	a billion	a trillion

8,000 万→eighty million

1 亿→one hundred million

80 亿→eight thousand million (英), eight billion (美)

1,000 亿→a/one hundred thousand million (英), a/one hundred billion (美)

▶▶ 注意下面 a 和 an 等的用法:

a/**one** hundred (and) twenty-seven 127

a/one hundred 100

a/one thousand 1,000

a/one million 100 万

a/one thousand one hundred (and) thirty-eight 1,138(这里 hundred 之前不可用 a。a 只能用在数字之首表示 one)

one hundred and **one** thousand 101,000(这里 thousand 之前不可用 a)

【提示】"零(0)"的各种说法：

① zero(一般说法，在温度、速度或数学上)：ten degrees below **zero** 零下 10 度，. 04＝point **zero** four，ten with one **zero** after it 10 后面带个 0

naught/nought 英式英语(数学用语)：.03＝point **naught** three，A billion is 1 with 9 **noughts** after it. 10 亿是 1 后面加 9 个 0。

② **nil，nothing** (运动比赛说法)：The result of the match was 5∶0(＝five〈goals〉to **nil**). 比赛结果是五比零。They won 3∶0(读作 three (to) **nothing**). 他们 3 比 0 获胜。

nothing 也可表示数学上的"零"：Multiply ten by **nothing**，and the result is **nothing**. 10 乘以 0 等于 0。

③ **love**(网球比赛说法)：Our team leads by 10∶0(读作 ten **love**) in the first game. 我们队在第一局中以 10 比 0 获胜。The score is 20∶0. (读作 twenty **love**)比分为 20 比 0。Jones leads 15-**love**. 琼斯领先，比分为 15 比 0。

④ **o**(电话或数学用语)：Dial 30840268. (读作 θriː əʊ eɪt fɔː əʊ tuː sɪks eɪt) 请拨 30840268。

⑤ **cipher**(书面语，指符号而不指数目，有时指温度)：The thermometer fell below **cipher** yesterday. 昨天温度表降到零度以下。

6. 表示确指数字时，ten，hundred，thousand，million 只用单数形式，不能加"s"

six hundred students 600 名学生　　be worth two million 值 200 万美元/英镑

five million men 500 万人　　seven thousand eight hundred workers 7,800 名工人

▶▶▶ 下面含有确指数字的复合名词也要用单数：

15 five-dollar bills 15 张 5 美元的钞票

80 fifteen-cent stamps 80 张 15 美分的邮票

20 two-pound parcels 20 个两磅重的包裹

▶▶▶ 但在某些表示概数的习语中，如"成百上千，成千上万，许许多多"等，基数词要加"-s"。例如：

hundreds of soldiers 数百名士兵　　millions of children 数百万儿童

thousands of birds 数千只鸟　　millions of reasons 许许多多的理由

tens of thousands of people 成千上万的人

A marshal is made on the white bones of **thousands of** average soldiers. 一将成名万骨枯。

【提示】

① hundred of，thousand of，million of 被 a few，some，several，many 等表示不确定数的词修饰时，用单数形式或复数形式均可。例如：

Several hundred(s) of workers attended the meeting. 数百名工人参加了会议。

Some thousand(s) of soldiers were sent there. 几百名士兵被派往那里。

Many million(s) of birds fly to the south in winter. 有好几百万只鸟冬天飞往南方。

② 比较：

{She earned **several hundred/thousand**. 她挣了几百元/几千元。(用单数)

She earned **some/many hundreds/thousands**. 她挣了几百元/好几百元/几千元/好几千元。(用复数)}

{She is worth **three million(s)**. 她拥有价值 300 万的家产。(用单数或复数)

She is worth **millions**. 她拥有数百万家产。(用复数)}

{**two dollar** bills 两张 1 美元的钞票

two dollars 两美元}

③ 表示"多少人组成一排，几个一起"时，基数词要用复数形式。例如：

The students lined in **fives**. 学生们五人一排。

The soldiers marched in **tens**. 士兵们 10 人一排向前行进。

She counted them **in eights**. 她八个八个地数它们。

They entered the room **in singles**，not **in pairs**. 他们一个一个地进入房间，不是成对地。

The guests came **in twos/two by two/two and two**. 客人们两个两个地进来。

④ "第一名","第二名"可用 first, second 表示,且可用复数形式。例如:

几个第一名→several firsts　　　　　　两个第二名→two seconds

⑤ 注意下面一句数词的复数形式:

The Philadelphia 76ers beat the New York Knicks 88∶51 last night. 昨晚,费城 76 人队以 88 比 51 击败纽约尼克斯队。

7. dozen, score, brace, head, yoke 和 gross

dozen(12)同基数词或 several, many 连用时,要用单数形式,而表示不确定的数字时,要用复数形式,常用结构:dozens of＋复数名词。score(20)的用法与 dozen 相同。brace(一对,一双), head(〈牛羊等的〉头数), yoke(〈同轭的〉一对牲口)和 gross(罗)单复数同形。例如:

ten **head** of cows 10 头母牛　　　　　　a large **head** of game 大批猎物

a **gross** of eggs 1 罗蛋(＝12 打＝144 个)　　a **brace** of ducks 一对鸭子

two **brace** of rabbits 两对野兔　　　　　five **yoke** of oxen 五对(同轭)公牛

{ two **dozen** bottles of beer 24 瓶啤酒　　{ three **score** students [√]60 名学生
dozens of times 几十次　　　　　　　 three **score** of students [√]

{ four **score** and six years 86 年　　　　{ three **scores** students [×]
scores of students 几十名学生　　　　 three **scores** of students [×]

比较:

{ **Some dozens of children** are playing over there. 有几十个儿童在那边玩耍。(some 表示"一些")
Some dozen(of) children are playing over there. 大约有 12 个儿童在那边玩耍。(some 表示"大约")

他买了好多打这样的铅笔。

{ He bought many dozen these pencils. [×]
He bought **many dozen of these pencils**. [√](pencils 前有 these 修饰,同 dozen 之间要加 of)

【提示】

① 可以说:a **score** of times 20 次,a **score** times 20 次(较普通),a **score** or more 20 多(人或物)。例如:

　 I have been there **a score times**. 我去过那里 20 次。

　 A score or more students attended the meeting. 20 多名学生参加了会议。

{ a **score** of people 20 人
a **score** of these people 这些人中的 20 人

② 在 two score of ..., three score of ...这类结构中,of 后可以接名词,也可以接 them, us, these, those 等代词。比较:

{ four **score** of those workers 那些工人中的 80 名
four **score** of them 他们中的 80 人

{ five **score** soldiers 100 名士兵
five **score** of the soldiers 士兵中的 100 名

③ "scores of＋复数名词"意为"好几十,许多"。例如:

　 There were **scores of guests** at the evening party. 出席晚会的有好几十位客人。

　 He has been to the park **scores of times**. 那个公园他去过好几十次。

▶▶ scores 有时可以独立使用,省去后面的 of 短语。例如:

　 Scores were wounded in the accident. 有几十人在事故中受了伤。

④ "a dozen＋复数名词"和"a score of＋复数名词"也可表示"许多"。例如:

　 He's escaped death **a score of** times by a hair's breadth. 他许多次都差点丧命。

　 The vase broke into **a dozen** pieces. 花瓶碎成很多片。

8. 数词常与名词连用构成复合定语,中间要用连字号,而且只用名词的单数形式

a **three-hundred-word** abstract　一份 300 字的文摘

a 20-**million**-*yuan*-a-year turnover　一年 2,000 万元的营业额

9. 基数词可以表示书页、住所、房间、教室、电话号码等的编号

第 9 号	Number nine（缩写式 No.9）
第 8 页	Page eight（缩写式 P8/p.8）
第 7 行	Line seven（缩写式 L7/1.7）
第 303 房间	Room（No.）303（读作 Room（number）three oh three）
第 6 站台	Platform（No.）6
第 38 路公共汽车	Bus（No.）38
第 4 教室	Classroom（No.）4
第 88 幢	Building（No.）88
唐宁街 10 号	No.10 Downing Street
邮政编码 210094	Postcode（zip code）210094
电话号码 66023288	double six 0，two three two，double eight

【提示】

① 电话号码通常以两个数字读为一组，中间有个小停顿，但以三个数字为一组也属常见，尤其是读六位数或六位数以上电话号码时。电话号码中两个相重的数字，常用 double。

② 门牌号码和电话号码的 0 多读作 [əʊ]。

10. 基数词可以用作序数词

基数词可以放在名词后，用作序数词，这时基数词可以是阿拉伯字码，如 1、2、3，也可以是罗马字母，如 Ⅰ、Ⅱ、Ⅲ。罗马字母要大写，用于较正式的场合，如法律文件中的第几款，或国王、女王、主教等编号。例如：

第二幕	Act Ⅱ	第四部分	Part Ⅳ
第三款	Clause Ⅲ	附录五	Appendix Ⅴ

伊丽莎白二世	Elizabeth Ⅱ（Elizabeth the Second）
亨利八世	Henry Ⅷ（Henry the Eighth）
路易十世	Louis Ⅹ（Louis the Tenth）

【提示】

① 基数词除作定语、表语、宾语、主语、同位语外，亦可作状语。例如：

I hate riding **two** on a bike. 我不喜欢骑车带人。

People were **three or four** deep in the supermarket. 商场里的人里三层外三层。

In the West, sitting down **thirteen** at dinner is unlucky. 在西方，坐在 13 号台用餐是不吉利的。

② 注意下面基数词和序数词的相互转换：

Sections 5 – 8→ the fifth to eighth sections 第 5 至第 8 部分

Exercise 3→ the third ex. 练习 3

Table Ⅸ→ the ninth table 表 9

Diagram 7→ the seventh diag. 图表 7

③ 注意下面的说法：

＄80 – ＄100→ eighty to one hundred dollars 80 至 100 美元

10％ – 15％→ 10 to 15 percent 10％至 15％

Chapters 3,8,10→ Chs. 3,8,10 第 3、第 8 和第 10 章

Paragraphs 5 – 7→ Pars. 5 – 7 第 5 至第 7 段

Lines 8 – 15→ LL. /ll. 8 – 15 第 8 至第 15 行

Pages 333 – 388→ PP. /pp. 333 – 388 第 333 至第 388 页

④ number one 可以表示"最好的，最重要的"。例如：

It is **number one** restaurant in the town. 这是城里最好的饭店。（＝the best）

He is the **number one** man in the company. 他是公司里最重要的人物。（＝the most important）

二、序数词

1. 一般序数词的形式

序数词中除了前三个(first，second，third)形式特殊以外，其余序数词都以-th 结尾。例如：fourth，sixth，tenth 等。但 fifth，eighth，ninth，twelfth 的拼写有变化。

2. 以-ty 结尾的基数词如何变成序数词

以-ty 结尾的基数词构成序数词时，需将-y 改为-i 再加-eth。例如：twentieth，thirtieth 等。

3. 两位数的基数词如何变成序数词

两位数的基数词变为序数词时，只需将个位数变成序数词，十位数不变。例如：twenty-one→twenty-first，sixty-five→sixty-fifth 等。

【提示】"百、千、百万、10 亿"的序数词为：hundredth，thousandth，millionth，billionth。

4. 序数词的缩写

序数词的缩写形式，由阿拉伯数字加序数词最后两个字母构成。例如：first→1st，second→2nd，third→3rd，eightieth→80th 等。

5. 序数词的一些惯用法

a second cousin 父母的堂/表兄弟姐妹所生的儿子/女儿

She is **first** cousin to me. 她是我的(第一代)堂/表姐妹。

These are all **firsts**. 这些都是一等品。

These bowls are **seconds**. 这些碗都是次品。

Does anyone want **seconds**? 谁要再添一份菜？

The **first two** are good. 开头两个很好。

She got/took **a first** in mathematics. 她数学得了第一名。

She sat at the **last** seat **but one**. 她坐在倒数第二个座位上。(next to the last seat)

Two dogs fight for a bone，and **a third** runs away with it. 鹬蚌相争，渔翁得利。

It is the **second most** interesting novel，but not the **first** best one. 在最有趣的小说中，这本书名列第二，但不是第一。(序数词＋最高级)

The old man has four daughters. One is a nurse，**a second** is a teacher，**a third** is a musician，**the fourth** is a painter. 老人有四个女儿。第一个是护士，第二个是教师，第三个是音乐家，第四个是画家。(a＋序数词，the＋序数词)

She is **third best** student in class. 她在班上名列第三。(序数词＋最高级)

The **first three** chapters are well-written. 头三章写得好。(序数词＋基数词)

Business **first** and pleasure afterwards. 先做事，后娱乐。

First come，**first** served. 先到者优先。

He shifted into **first** and drove off. 他挂上 1 挡，把车开走了。

She changed from **third** to **fourth**. 她从 3 挡换到 4 挡。

On **second** thought(s)，he decided to give up the job. 再三考虑后他决定放弃那份工作。

Don't give it **a second** thought. 不要再想它了。(＝again)

She wants a **second** pair of shoes. 她要另一双鞋子。(＝another)

She talked with him a **second** time. 她同他又谈了一次。(＝again)

He is **second** to none in spoken English. 他的英语口语不比任何人差。

I have known her，**first** and last，for twenty years. 我认识她总共有 20 年了。

He liked maths from the **first**. 他从一开始就喜欢数学。

A lot of the paper's stories were **firsts**. 这家报纸的许多报道都是首次见报的新闻。

I'm in a **first**，next carriage along the train. 我的座位在头等车厢，就在下一节。

【提示】"三分之一"既可说 one-third，也可说 a third，下面的两种说法都对：

He finished reading the book in one-third/a third (of) the time it took me. 他读完这本书用的时间是我用的三分之一。

比较：

- the **first** two speakers 头两个发言的人
- the two **first** grades 两个甲级/两个头等

三、倍数的表示法

1. 英语中的倍数既可以表示增加,也可以表示减少

表示增加时包括基数,表示增加后的结果,相当于"乘"的意思;表示减少时,则相当于"除"的意思。汉语的倍数要考虑是否包括基数的问题,英语则不必考虑。

1 通常说"增加了……倍",不包括基数,即纯增加;若说"增加到……倍"或"是原来的……倍",则包括基数

- The machine improves the working conditions and raises efficiency **four times**.
- 这台机器改善了劳动条件,并使工效提高了 3 倍。(纯增数)
- 这台机器改善了劳动条件,并使工效提高到 4 倍。(含基数)

2 汉语中表示减少一般不用倍数表述,而用"减少到……","是原来的……"或"减少了……"

- Production costs have dropped **four times**.
- 生产成本降低了 3/4。(纯减数)
- 生产成本降低到 1/4。(剩余数)

2. 英语中"两倍、三倍"等的表示法

两倍常用 twice, double, duple, twofold, as...again as 表示,在美式英语中还可用 two times 表示,译为"翻一番"或"为……的两倍"。**三倍**常用 three times, triple, treble, threefold 表示,译为"增加两倍,增至三倍"或"为……的三倍"。**四倍**用 quadruple,基数词＋times,基数词＋fold 表示,译为"增加三倍,增至四倍"或"为……的四倍"。

You are **twice** her age. 你比她的年龄大一倍。

It is worth **twice** the value. 它值这个价格的两倍。

This chair will easily hold **twice** your weight. 这把椅子承受你体重两倍的重量不成问题。

Two **times** five is ten. 5 的两倍是 10。

He has paid **three times** the usual price. 他付了正常价格三倍的钱。

The driver demanded **double** the usual fare. 司机要了比平常多一倍的车费。

This river is **as wide again as** that river. 这条河的宽度是那条河的两倍/宽了一倍。

The export of cars in 2004 **quadrupled** the figure for 2001. 2004 年小汽车的出口量为 2001 年的四倍。

They have produced **fivefold** as many washers as they did last year. 他们今年生产的洗衣机数量相当于去年的五倍。

Their grains have **trebled/tripled** this year. 他们的粮食今年增产了两倍。(是……的三倍)

【提示】

① double(＝twofold)可作名词、形容词、副词和动词;double(包括 twice, three times 等)表示倍数时,要放在定冠词、形容词性物主代词或名词所有格前,如:double the output (his strength, John's usual cost)。treble(＝threefold)可作形容词和动词。例如:

Travel serves the **double** end of health and culture. 旅行能起到增进健康和提高修养的双重目的。(句中 double 不表示倍数,而是表示"双重的",作形容词)

The money is **double** the amount I need. 这些钱比我需要的多一倍。(作形容词)

She has to do **double** work. 她得做双份工作。(作形容词)

This river is **double** as broad as that one. 这条河有那条河的两倍宽。(作副词)

He is **double** her age. 他的岁数比她大一倍。(作形容词)

Ten is the **double** of five. 10 是 5 的两倍。(作名词)

He is a man of **double** character. 他是个双重性格的人。

This ship has **double** the capacity of that one. 这艘船的容积是那艘船的两倍。

Her salary is **treble/double** mine. 她的薪水是我的三倍/两倍。

The price **doubled** between 2008 and 2013. 在 2008—2013 年间,价格上涨了一倍。

The top-brand computers are often sold at **double** the normal price in the shop. 这家店里名牌电脑的售价经常比正常价高一倍。

② treble 和 triple 通常可换用,但有时只能用 triple,如:the **triple** alliance 三国同盟。

3. 倍数比较的表示法

1 X times+as+形容词或副词原级+as

这个句型译为:①A 是 B 的 X 倍(净增加 X−1 倍);②减少到,降低到,减少了,降低了。例如:

Room A is **twice as wide as** Room B. A 房间的宽度是 B 房间的两倍。(A 比 B 宽一倍)

This substance reacts **three times as fast as** that one. 这种物质的反应速度是那种物质的三倍。(比另一物质快两倍)

This box is **four times as light as** that box. 这个盒子比那个盒子轻 3/4。

The total output of industry in 2003 was 40 **times as high as** that of 1970. 2003 年的工业总产值是 1970 年的 40 倍。

Jack runs **three times as fast as** Jim. 杰克跑的速度是吉姆的三倍。(比……快两倍)

Asia is **four times as big as/four times the size** of Europe. 亚洲有欧洲的四倍大。/亚洲比欧洲大三倍。

⎰ They have **twice as many planes as** we have. 他们的飞机数量是我们的两倍。
⎱ =They have **twice** the number of our planes.

2 X times+形容词或副词比较级(greater, longer, faster)+than

这个句型表示:A 的大小/数量/长度/速度……是 B 的 X 倍(或:A 比 B 大、多、长、快…… X−1 倍)。例如:

A is **three times longer than** B. A 比 B 长两倍。(是 B 的三倍)

The car runs **twenty percent faster than** the motor. 小汽车比摩托车快 20%。

The cotton output was **four times greater** than that of 1996. 棉花产量比 1996 年增产三倍。(是 1996 年的四倍)

A is **twice less than** B. A 是 B 的 1/2。

The incidence of the disease is **five times higher** in men **than** in women. 男性患此病比女性多四倍。/此病的发病率男性为女性的五倍。

3 X times+the width/ length/ breadth/ level/ value/ size/ velocity of

这个句型表示净增加"X−1 倍"(是……的 X 倍)。例如:

The lake is **twice the width** of that lake. 这个湖的宽度是那个湖的两倍。(比那个湖宽一倍)

⎰ The earth is **49 times the size** of the moon.
⎱ The earth is **49 times as large as** the moon. 地球的大小是月球的 49 倍。(比月球大 48 倍)

4 (half) as much/ many/ large again as

这个句型表示净增加"一半"(用 half)或"是……的两倍"。比较:

⎰ half as many/much as 是……的半倍
⎨ half as many/much again as 是……的一倍半
⎱ as many/much again as 是……的两倍

I have **half as many** books **as** she has. 我的书只有她的一半多。

Tony is **as old again as** I am. 托尼的年龄比我大一倍。

She is **half as** old **again as** you. 她的岁数是你的一倍半。/她的岁数比你大半倍。

I have **as much** wine **again as** you. 我所有的酒是你的两倍。

Mary has **half as much** money **again as** John. 玛丽的钱是约翰的一倍半。/玛丽的钱比约翰的多半倍。

This river is **half as long again as** that one. 这条河比那条河长一半。(one and a half times longer than)

Three is **half as much again as** two. 3 比 2 多一半。

Four is **as much again as** two. 4 比 2 大一倍。

This wheel turns **as fast again as** that one. 这个轮子比那个轮子转动快一倍。

The new building will be **as large again as** the old one. 这幢新楼的建筑面积将是那幢旧楼的两倍。

4. 倍数增减的表示法

by 表示增加或减少的净数,不包括底数,常可省略;**to** 表示增加、减少、降低到什么程度,一般包括底数在内。例如:

> reduce by 2/3　减少了 2/3
> reduce to 2/3　减至 2/3

1 increase/ speed up/ step up/ raise/ rise/ go up/ grow up＋by＋数字百分比或倍数

本句型表示"增加了百分之……"。例如:

Prices **are being upped by 15%**. 价格上涨了 15%。

Industrial output **rose by 0.9 per cent** in May. 5 月份工业产量增长 0.9%。

Hong Kong share prices **rose/gained/closed up 4 per cent** today. 香港股票价格今天上升 4%。

DVD sales **grew 33%** last year. 去年 DVD 销售增长了 33%。

The output of steel **went up by three times** over the previous year. 钢产量比上一年增加了两倍。(是……的三倍)

The production of TV sets in the fourth quarter **grew by 8 per cent** as against that of 2003. 第四季度电视机的产量比 2003 年同期增长了 8%。

This factory's total output value **rose/increased（by）3.8%** this year, compared with that of last year. 这家工厂的总产值与去年相比增加了 3.8%。

2 increase/ be/ rise/ grow/ augment/ multiply/ go up＋数词＋times 或-fold

本句型表示"增加了 X－1 倍,增加到 X 倍,增加了百分之……"。例如:

This will **increase** the speed **ten times/tenfold** as against 1999. 这将比 1999 年的速度提高九倍。(是……的十倍)

The value of the house in the city has **increased fourfold/four times** since 1996. 这座城市的房价自 1996 年以来增加了三倍。(是……的四倍)

The production of notebook computers has been **increased six times** as compared with 2009. 笔记本电脑的产量比 2009 年增加了五倍。(是……的六倍)

The power will be augmented **a hundredfold**. 能量将增至 100 倍。

3 multiply X times 和 be multiplied by

本句型表示"增加 X－1 倍"。例如:

The sales of air-conditioners have been **multiplied by four times** since 2002. 自 2002 年以来,空调的销售量增加了三倍。(是……的四倍)

The production has **multiplied eight times**. 产量提高了七倍。(是……的八倍)

4 increase/ exceed/ go up/ rise/ reduce/ decrease … ＋by a factor of ＋数词

factor 表示增加的倍数时,意为"增加或增大 X－1 倍";表示减少时,意为"减少或降低了 $\frac{X-1}{X}$"。

例如:

> increase by a factor of 8　增加了七倍
> reduce by a factor of 5　减少了 4/5

The speed **exceeds** the average speed **by a factor** of 4. 该速度超过了平均速度三倍。(是……的四倍)

It **goes up by an average factor of** 30%. 它以 30% 的平均系数上涨。

The new equipment **reduced** the error probability **by a factor of** five. 新设备把误差率降低了 4/5。

5 decrease/ drop/ fall/ weaken/ shorten/ reduce/ step down/ speed down/ go down/ be down＋(by) 数词

本结构中,by 后表示纯减数,有时不用 by。例如:

The cost of TV sets has **dropped by 50%**. 电视机的成本下降了 50%。

The traveling time was **shortened 3 times**. 旅行时间缩短了 2/3。

The price of rice was **reduced by 11.5 per cent**. 大米的价格降低了 11.5%。

Toy sales **were down 5%** compared with the first nine months of last year. 玩具的销量较去年头九个月下降了 5%。

6 increase/ rise/ go up/ decrease/ reduce/ fall/ drop/ decline/ dip to

本结构表示"增加到/减少到"。例如:

The soldiers have **increased to** 5,000. 士兵增加到 5 000 名。

The population of the country **rose to** twenty million last year. 这个国家的人口去年增至 2,000 万。

The temperature has **gone up to/increased to/risen to** ten degrees centigrade. 气温已上升到 10 摄氏度。

The number of people out of work has **dropped to** 2 million. 失业人口已经降低到 200 万。

The temperature during the night **fell to/dipped to/declined to/decreased to/dropped to** minus ten. 夜间的气温下降到零下 10 度。

7 倍数＋upon/ over

本结构表示"超过……倍"。例如:

She is **three times upon/over** your age. 她的年龄是你的三倍。

The number of college students for 2004 was **30 times over** that for 1990. 2004 年大学生的数量是 1990 年的 30 倍。

8 倍数＋what＋从句

本结构表示"为……的……倍"。例如:

The industrial output in the factory is more than **30 times what it was in 1970**. 这家工厂的工业产量是 1970 年的 30 多倍。

9 百分数＋above/ higher than

本结构表示"增加了百分之……"。例如:

The export this month was **40 per cent above** that of last month. 这个月的出口量比上个月增长了 40%。

10 up＋倍数

本结构表示"增长了 X－1 倍"或"是原来的 X 倍"。例如:

His income this month was **up 3-fold**. 他这个月的收入增长了两倍。(是上个月的三倍)

The nation's grain output was **up 4.5 times**. 该国的粮食产量增加了 3.5 倍。(是……的 4.5 倍)

11 register＋百分数＋increase(名词)

本结构表示"增加了百分之……"。例如:

The output in April **registered a thirty per cent increase** over March. 4 月的产量比 3 月增长了 30%。

12 register/ show＋百分数＋decrease(名词)

本结构表示"下降了百分之……"。例如:

The output in April **registered a twenty per cent decrease** over March. 4 月的产量比 3 月下降了 20%。

It **shows a 20% decrease** in sales. 它显示销售量减少了 20%。

13 百分数＋less than

本结构表示"下降了百分之……"。例如:

The steel output this year is **10 per cent less than** in 2001. 今年的钢产量比 2001 年下降了 10%。

14 "减少一半"的表示法

英语中表示"减少一半"的常用句型如下:

half as many ... as ...   decrease one-half ...

half as (much, long, fast ...) as ...   one-half less

twice thinner than …   cut/break/split … in half/into halves

reduce by one half …   half the usual price

They have produced **half as much** steel **as** we. 他们生产的钢比我们生产的少一半。

The ordinary ship moves **half as fast as** the hovercraft. 普通船的速度比气垫船的速度慢一半。

⑮ six feet square 和 six square feet

six feet square 中的 six feet 意为"6 英尺",square 是形容词,作后置定语,意为"见方,平方的",故 six feet square 意为"6 英尺见方",即"36 平方英尺"。**six square feet** 中的 six 作定语,修饰 square feet,square feet 意为"平方英尺",所以 six square feet 意为"6 平方英尺"。例如:

The room is **8 square feet**. 这个房间 8 平方英尺。

The hall is **8 feet square**. 这个厅 64 平方英尺。

A table **4 feet square** has an area of **16 square feet**. 一个 4 英尺见方的桌子有 16 平方英尺的面积。

⑯ 倍数表达方式的再比较

(1) 增加

$\begin{cases} 增加到五倍(增加了四倍) \\ \textbf{increase} \text{ by 5 times} \\ \textbf{increase} \text{ 5 fold/times} \\ \textbf{increase} \text{ by a factor of 5} \\ \textbf{multiply} \text{ 5 times} \end{cases}$

$\begin{cases} 5 \textbf{ times} \text{ as great as 大小为……的五倍(比……大四倍)} \\ 5 \textbf{ times} \text{ more than 比……多四倍(是……的五倍)} \\ \textbf{twice} \text{ as long as 长度两倍于(比……长一倍)} \end{cases}$

(2) 减少

$\begin{cases} \textbf{decrease} \text{ by 20\% 减少了 20\%} \\ \textbf{decrease} \text{ to 20\% 减少到 20\%} \\ \textbf{decrease} \text{ by a factor of 5 减少了 4/5(减少到 1/5)} \\ \textbf{reduce} \text{ (by) 5 times 减少了 4/5(减少到 1/5)} \\ \textbf{decrease} \text{ 3 times 减少到 1/3(减少了 2/3)} \end{cases}$

$\begin{cases} \textbf{twice} \text{ less than 为……的 1/2} \\ 3 \textbf{ times} \text{ smaller 小 2/3(小到 1/3)} \\ \text{a } \textbf{four-fold} \text{ reduction 减少 3/4(减少到 1/4)} \end{cases}$

【提示】

① 注意下面几种表示法:

half a **percent** 0.5%

an eight **percent** increase 8%的增长

a three **percent** decrease in sales tax 3%的营业税减少

Two **percent** of 50 is 1. 50 的 2%是 1。

A rapid **decrease by a factor of** 7 was observed. 发现迅速减少到 1/7。

There is a population **increase of 5%**. 人口增长了 5%。

② 倍数词可用作形容词,作定语,这时要用连字符连接。例如:

The **twice-weekly** quizzes kept the pupils busy. 每周两次的小考让小学生们忙个不停。

She is proud of her son, the **three-times** gold medal winner. 她对儿子三次获得金牌感到自豪。

⑰ "猛增,暴跌"的表示法

"猛增"用 jump to, sharply increase, rise sharply 等表示。"暴跌"用 fall sharply, drop sharply 等表示。例如:

Interest rate **fell sharply**. 利率暴跌。

Oil prices **rose sharply** last year. 去年油价急剧上涨。

House prices have **dropped sharply** in the past few months. 过去几个月来房价急剧下降。

The population of the city has **sharply increased** to ten million. 这座城市的人口猛增到 1,000 万。

⑱ "共计,合计"的表示法

"共计,合计"用 total，amount to，add up to，in all，sum up to，all told 等表示。例如：

The visitors to the flower show **totalled** twenty thousand. 参观花展的人数共计两万。

These bills **add up to** 2,000 *yuan*. 这些账单加起来总共 2 000 元。

Her debts **amounted to** six thousand dollars. 她欠债共计 6 000 美元。

They numbered forty **in all**. 他们总共有 40 人。

There were fifteen of us at the meeting **all told**. 我们总共有 15 人参加了会议。

The cost **sums up to** 500 dollars. 费用共达 500 美元。

The total expenses **came to** 800 *yuan*. 全部费用共达 800 元。

⑲ "恰好,整整,足有"的表示法

"恰好,整整,足有"等说法,用副词 exactly，just，sharp，precisely，punctually，promptly，to the minute 等表示,也可用 clear，solid，cool 等形容词表示。例如：

The meeting will begin **exactly** at eight o'clock. 会议将在 8 点整开始。

There are **exactly** 1,000 pupils in this school. 这所学校恰好有 1 000 名学生。

Be there at **precisely** five o'clock. 5 点整到那里。

I shall ring you up at ten o'clock **sharp**. 我 10 点整给你打电话。

It is **just** eleven o'clock. 现在 11 点整。

The performance begins **promptly** at nine o'clock. 演出于 9 点准时开始。

The delegates arrived **punctually** at nine o'clock. 代表们在 9 点准时到达。

The train arrived at twelve o'clock **to the minute**. 火车 12 点整到达。

He was dressed in three minutes **flat**. 他穿好衣服正好用了三分钟。

I have **neither more nor less** than 50 *yuan*. 我恰好有 50 元。

I walked a **cool** thirty miles that day. 那天我走了整整 30 英里。

He has a **cool** million dollars. 他足有 100 万美元。

The man is a **good** six feet tall. 那个男的足有 6 英尺高。

He waited there for six **clear** hours. 他在那里等了整整六个小时。

The lecture lasted three **solid** hours. 讲座持续了整整三个小时。

⑳ "多达,长达,高达"的表示法

"多达,长达,高达"常用 as many as，as much as，as long as，as high as，as tall as，no fewer than 等表示。例如：

Today's room temperature is **as high as** 40℃。今天室内温度高达 40℃。

He wrote **as many as** fifteen books in his life. 他一生写的书多达 15 部。

These snakes shed their skins **as often as** four times a year. 这些蛇一年蜕皮多达四次。

He lived alone on the island for **as long as** 10 years. 他在那座岛上独自生活长达 10 年之久。

We have designed **no less than** ten types of computers. 我们设计的电脑多达 10 种。

No fewer than ten government officials were involved in the case. 这起案件牵涉到的政府官员 10 人之多。

The expenses for that building came to **as much as** nine million dollars. 那幢大楼的造价高达 900 万美元。

㉑ "最多,至多,顶多"的表示法

"最多,至多,顶多"是最高极限,用 at most，at the most，at the very most，at the utmost，a maximum of 等表示。例如：

She is **at most** thirty years old. 她最多 30 岁。

At the very most the temperature here in summer goes up to about 38℃。这儿夏天的气温最高也就上升到 38℃左右。

The distance between here and the town can not be more than 15 kilometers **at the utmost**. 从这

里到那座小城的距离最多不超过 15 千米。

Father smoked **a maximum of** five cigarettes a day. 父亲每天最多抽五支烟。

It's a beautiful cottage **no more than** five minutes from the nearest beach. 那是一座漂亮的小屋，离最近的海滩至多五分钟的路程。

22 "最少,至少,顶少"的表示法

"最少,至少,顶少"是最低极限,用 at (the) least, all the least, no fewer than 等表示。例如：

It will take you **at least** 15 minutes to walk there. 步行到那里至少要花 15 分钟。

It will cost two million dollars **at the very least**. 最起码要花 200 万美元。

He tried to contact her **no fewer than** five times. 他至少有五次试图与她联系上。

All the least, the journey will take us half a month. 我们这次旅行至少要用半个月时间。

23 "平均"的表示法

"平均"常用 average, on (an/the) average, an average of 等表示。例如：

The exhibition has **an average of** 500 visitors a day. 平均每天有 500 人来参观展览。

The rainfall here **averages** four inches a month. 这儿的降雨量平均每月 4 英寸。

House prices have gone up by **an average of** 3%. 房价平均上涨了 3%。

He kept an **average** speed of 120 kilometers an hour. 他的平均车速为每小时 120 公里。

On (an/the) **average** I receive 5 e-mails each day. 我平均每天收到五封电子邮件。

I suppose I **average** about six cups of tea a day. 我想我平均每天喝六杯茶。

The weekly profits **average** at about 800 dollars. 每周平均利润达到 800 美元左右。

24 "极大可能性"的表示法

由数词构成某些短语,可以表示"极大可能性",常用的有：ten to one, twenty to one, nine cases out of ten, nine times out of ten, in nine out of ten 等。例如：

Ten to one he'll have forgotten all about it tomorrow. 他明天多半会把这事忘得一干二净。

Nine cases out of ten he'll be left out of the team. 十有八九,他将被排除出队。

Nine times out of ten, she doesn't have courage to jump out of a plane. 她十有八九没胆量跳下飞机。

四、概数的表示法

1. "over, above, more than＋数字"或"数字＋odd"

over two years 两年多 　　　　　　　**above** twenty pounds 20 磅以上

more than 90 degrees 90 多度 　　　　thirty **odd** years 30 余年

Her majority was **over** twenty thousand. 她赢得的票数超过了两万张。

They first met thirty **odd** years ago. 他们 30 多年前第一次相见。

She stayed here forty **odd** days. 她在这里待了 40 多天。

比较：

{ He has two hundred **odd** dollars. 他有 200 多美元。

{ He has two hundred dollars **odd**. 他有 200 美元余。(odd 用于 dollar 后常表示"若干美分")

2. below, under, less than＋数字

below six days 不足六天 　　　　　　**under** two hours 两小时以内

less than 60 miles 不到 60 英里

You can't buy it for **anything below** 300 dollars. 少于 300 美元你买不到它。

3. "about, around, nearly, some, toward(s), roughly, approximately＋数字"；"数字＋名词＋or so"；"数字＋名词＋more or less"

about/around 90 yards 约 90 码 　　　**nearly/approximately** one tenth 将近 1/10

some/roughly fifty feet 50 英尺左右 　**toward(s)** 4 o'clock 将近 4 点钟

more or less 20 metres 20 米上下 　　nine kilograms **or so** 9 千克左右

About a hundred other students failed in the exam. 大约有 100 名其他的学生也没有通过考试。

She lives **nearly** ten miles away. 她住的地方离这里大约 10 英里。

She left home **around** six o'clock. 她大约 6 点钟离开家的。

That's **approximately** two hours' journey. 那大约是两个小时的路程。

There were **roughly** 200 people there. 那里大约有 200 人。

They had to wait an hour **or so** for the police to arrive. 到警察赶来，他们得等上一个小时左右。

We're expecting 150 delegates at the conference，**more or less**. 我们预计大约会有 150 名代表参加会议。

4. **one or two, two or three, a couple of, a score of, scores of, dozens of** 等

He caught only **one or two** fish the whole morning. 他整个上午才捕到几条鱼。

There are about **thirty or forty** people involved in the case. 这起案件涉及的大约有三四十人。

He saw **scores of** people lining for tickets. 他看见有几十人在排队买票。

Dozens of protesters were dragged away by the police. 几十个抗议者被警察拖走了。

They collected **dozens and dozens of** shells on the beach. 他们在海滩上捡了很多很多的贝壳。

I saw her leaving **a minute or two** ago. 我看见她一两分钟前刚刚离开。

She arrived at four o'clock **or thereabout(s)**. 她是 4 点左右到达的。

This bag of flour weighs ten kilograms **or thereabout(s)**. 这袋面粉重 10 千克左右。

It will cost two thousand dollars **in the rough**. 这将花费 2,000 美元左右。

She is a woman of **fifty-something**. 她大约 50 几岁。

He spent **something like that** every month. 他每月大约花那么多钱。

He has **in the neighborhood of** a hundred acres of land. 他大约有 100 英亩土地。

It is a **three-pound-plus** watermelon. 这是一个 3 磅多重的西瓜。

An average of thirty students passed the exam. 大约 30 名学生通过了考试。

An estimated fifty soldiers were wounded. 大约有 50 名士兵受伤。

One may fail **upwards of** a hundred times before one succeeds. 人们在成功之前可能要失败上百次。

She will live here **a week or two/one or two weeks**. 她将在这里待一两个星期。

Man has made great progress **in this century or two**. 人类在这一两个世纪中取得了巨大进步。

I met him **the last month or two**. 我上个月或上上个月见过他。

She received letters **by the thousand/by thousands**. 她收到数千封信。（＝thousands of letters）

The soldiers died **by the hundred/by hundreds**. 士兵们成百成百地死去。

She has lovers **by the dozen/by dozens**. 她有十几个情人。

The town will have changed beyond recognition in another **two or three** years. 再过两三年，这座小城就会变得认不出来了。

I don't know why I feel so bad，I only had **a couple of** drinks. 我不知道为什么感觉不舒服，我只喝了几杯酒。

They have traveled **a good/full six hundred** miles. 他们已经旅行了足足 600 英里。（＝no less than）

They worked **anywhere up to/somewhere about/round about** fourteen hours a day. 他们一天工作大约 14 个小时。

He studied law 6 years **on end/running/at a stretch/in a row**. 他一连学了六年法律。

⎧ She earned three hundred dollars **in sum total/altogether/in all/all told/a total of three hundred dollars**. 她总共挣了 300 美元。

⎩ She earned nine hundred dollars **or somewhere about/or less** last month. 她上个月挣了大约 900 美元。

五、"每隔"与"每逢"的表示法

▶▶ 英语中表示每隔有两种结构，意义相同：

⎧ every＋基数词＋复数名词
⎩ every＋序数词＋单数名词

▶▶ 值得注意的是，将这种结构中的数词译成汉语用"隔"时，须从数词中减一，即"每十分钟"就是"每

隔九分钟"，"每逢五天"就是"每隔四天"。例如：

every four days	每四天（每隔三天）	**every three days**	
every fourth day		**every third day**	每三天（每隔两天）
		once in **every three days**	
every three lines	每三行（每隔两行）	**every ten metres**	每十米（每隔九米）
every third line		**every tenth metre**	

▶▶▶ **every** other day，**every** two days 和 **every** second day 均作"每隔一天"解；**every** few days 意为"隔些日子"。再如：

The bus runs **every** five minutes. 公共汽车每五分钟一趟。（每隔四分钟）

One in **every** twenty students is to be chosen as a representative. 每20名学生中选一名代表。

六、比例表示法

One in eight joined the club. 八分之一的人参加了这个俱乐部。

One in a hundred survived the earthquake. 百分之一的人在那次地震中活了下来。

There are two secretaries **for** one mayor here. 这里每位市长有两位秘书。

Of the twenty students，fifteen are girls. 在这20名学生中，15名是女生。（＝Out of）

One person in ten is against the plan. 十分之一的人反对这项计划。（＝One person out of ten 或 One in ten）

她得了 20 枚奖章，而她妹妹得了 15 枚。
- She won twenty medals **as against** her sister's 15.
- She won twenty medals **to** her sister's 15.
- She won twenty medals **as compared** with her sister's 15.

七、一些数学公式、小数、分数等的表示法

$3+6=9$	Three plus/and six is/are/equals/is equal to/makes/make nine.
$2+2=4$	Two twos are four. /Two and two are four.
$12-5=7$	Twelve minus five is seven. /Five from twelve leaves/is seven.
$1\times1=1$	Once one is one.
$1\times3=3$	Once three is three.
$2\times1=2$	Twice one is/are two.
$1\times0=0$	Once nought is nought. /One multiplied by nought is nought.
$4\times5=20$	Four fives are twenty. /Four times five is twenty.
$7\times3=21$	Seven times three/Seven multiplied by three/Seven threes is twenty-one.
$9\div3=3$	Nine divided by three is three.
$63\div8=7$ 余 7	Sixty-three divided by eight is seven and seven over. / Eight into sixty-three is seven and seven in the remainder.
3.5	three point five
0.4	zero/nought point four/decimal four/point four
0.138	（nought) point one three eight
15.637	one five point six three seven
1/2	a/one half/one divided by two/one over two（数学中可都用基数词）
1/4	a fourth/a quarter/one quarter/one-fourth/one over four/one divided by four
2/4	two-fourths
$7\frac{2}{3}$	seven and two thirds（整数与分数之间要用 and 连接）
$2\frac{1}{4}$	two and a quarter

$1\dfrac{1}{2}$	one and a half/a and a half
$2\dfrac{4}{5}$	two and four-fifths
$1:3$	the ratio of one to three
$16:4=4$	The ratio of sixteen to four is/equals four.
$5+7<15$	Five plus seven is less than fifteen.
$15>5+7$	Fifteen is greater than five plus seven.
$5^2=25$	Five squared is twenty-five.
$3^3=27$	Three cubed is twenty-seven.
$2^4=16$	Two to the power of four/fourth power is sixteen.
x^2	x square/x squared
y^3	y cube/y cubed
z^4	z (raised) to the fourth (power)
$a^2+2b=6$	a squared and two times b makes six.
$a^3-4b=8$	a cubed minus four times b equals eight.
$2^5=32$	Two raised to the fifth power/the power of five is thirty-two.
$\sqrt[3]{8}=2$	The cubic root of eight is two.
$\sqrt[2]{9}=3$	The square root of nine is three.
$\sqrt[3]{27}=3$	The cube/third root of twenty-seven is three.
$\sqrt[5]{a^2}=x$	The fifth root of a squared is x.
$(17-\sqrt{9}+\dfrac{65}{5})-(4\times3)=15$	Seventeen minus the square root of nine, plus sixty-five over five, minus four times three, equals fifteen.

五又四分之一英里　　　five and a quarter miles

二六一十二;写二进一;二四得八,八加一得九;二一得二　Two sixes are twelve; put down two and carry one; two fours are eight and one are nine; two ones are two

八五折	fifteen per cent discount
七折	thirty per cent discount
$85\,°F$	eighty-five degrees Fahrenheit(华氏)
$21\,°C$	twenty-one degrees centigrade(摄氏)
$-10\,°$	ten degrees below zero(零下10度)

It's about a page and **a quarter**. 约一又四分之一页。

The interest rate is reduced by **two-fifths**. 利率减少了五分之二。

The petrol price is up by **one-third**. 汽油价格上涨了三分之一。

A third of the population of the country lived in cities. 该国有三分之一的人口居住在城市里。

I've written **a third** or **a quarter** of the book. 这本书我已写完了三分之一或四分之一。

Nine-tenths of the applicants had excellent academic qualifications, but no work experience. 十分之九的应聘者有不错的学历证明,但没有工作经验。

They have widened **three-quarters** the length of the expressway. 这条高速公路有四分之三的路段已经被拓宽。

【提示】分数可用作名词,也可用作前置定语。例如:

two-thirds/two thirds of the population 三分之二的人口(作名词时用不用连字号皆可)

a one-third majority 三分之一的多数(one 后用连字号)

a two-thirds majority 三分之二的多数(thirds 用复数)

a three-quarter majority 四分之三的多数(quarter 用单数)

八、长度、重量、面积、体积的表示法

The yard is **twenty feet wide/in width**. 这院子宽 20 英尺。

He stands **five foot/feet three**. 他身高 5 英尺 3 英寸。

The photo is **5 by 8/5×8**. 这张照片 5 英寸宽，8 英寸长。

This track field is **70 meters by 180**. 这块田径运动场地长 180 米，宽 70 米。

The bed is **five feet by six and a half feet**. 这张床是 6 英尺半长，5 英尺宽。

She bought **ten pound's weight/ten pounds weight of** meat. 她买了 10 磅重的肉。

The man weighs about **ten stone**. 那人大约 140 磅重。（stone 不加 s，1 stone＝14 pounds）

The tree measured **30 inches through**. 这棵树直径 30 英寸。

Her waist measures **forty inches round**. 她的腰围 40 英寸。

It weighs **a tenth of a pound**. 它重十分之一磅。

The big tree is **three feet thick/in diameter, nine feet round/in circumference**. 这棵大树直径 3 英尺，周长 9 英尺。

The window is **six feet five**（inches）**by seven feet seven**（inches）. 这个窗户 6 英尺 5 英寸宽，7 英尺 7 英寸长。

12'×15'（12 英尺×15 英尺） twelve feet by fifteen feet（表示面积用 by）

6 英尺见方 six feet by six feet/six feet square（总面积为 thirty-six square feet）

一个体重 140 磅的男子 a ten-stone man

一个 8 英尺深的洞 an eight-foot hole

15×8 feet（面积） fifteen by eight feet/fifteen feet by eight

7″×4″×3″（体积） seven inches by four by three

6 ft. 2 in.（长度） six feet two inches

20 Ib. 5 oz.（重量） twenty pounds five ounces

5 gal. 4 qt. 3 pt. five gallons four quarts three pints（6 加仑 4 夸脱 3 品脱）

九、英、美楼层的不同表示法

在美式英语和英式英语中，楼层有不同的表示法。比较：

美	英	汉
first	ground	一层
second	first	二层
third	second	三层

【提示】

① floor 可表示"楼层"，指的是"第几层"，常同 on 连用。例如：

　Dr. Smith lives **on the third floor**. ［√］史密斯博士住在三楼。

　Dr. Smith lives **on the top floor**. ［√］史密斯博士住顶层。

　Dr. Smith lives on the third story. ［×］

② story 表示"楼层"时，与 storey 同义，指的是层数，常同基数词连用或构成复合词，但不同 on 连用。例如：

　It is a house of one **story/storey**. 那是一间平房。

　The building has over fifty **stories/storeys**. 这幢大楼有 50 多层。

　那是一幢 80 层的大楼。

　That's an eighty-**story/storey** building. ［√］

　That's an eighty-floor building. ［×］

但一般应说：five stories high 五层楼高

③ storeyed 是形容词,意为"有……(层)楼的",常构成复合词。例如:

a **four-storeyed** house 四层楼的房屋　　　　a **many-storeyed** building 多层建筑物

十、币制的表示法

1¢(1 美分)　one cent/a penny

1p(1 便士)　one penny/one p(pence 的单数是 penny)

6 p(6 便士)　six pence 或 six p

£3.75(3 英镑 75 便士)　three pounds seventy-five(pence)

$0.75　seventy-five cents

$1.25(1 美元 25 美分)　one dollar twenty five(cents)/one twenty-five(cents)

$315.78(315 美元 78 美分)　three hundred and fifteen(dollars)seventy-eight(cents)(不可写成$315.78¢)

four fives(4 张 5 美元的钞票)　four five-dollar bills/notes

50 ¢ – 60 ¢(50 美分—60 美分)　50 – 60 cents

$20, $30 or $35(20 美元,30 美元或 35 美元)　20, 30 or 35 dollars

$3 000 in bills/currency, $2 000 in checks, $500 in coins　3,000 美元现钞,2,000 美元支票,500 美元硬币

【提示】

① 大数额的款项,常用下面的方式表示:bn＝billion, m＝million, K＝thousand。例如:

$5 bn＝five billion dollars　　　　　　£35 m＝thirty-five million pounds

£85 K＝eighty-five thousand pounds

② 注意在美国和加拿大英语中的币制表示方法:

一枚 1 分硬币→a penny/a cent
一枚 5 分硬币→a nickel
一枚 10 分硬币→a dime

一枚 25 分硬币→a quarter
一枚 50 分硬币→a half-dollar

十一、数词的其他用法

1. 年代、年月等的表示法

1998 年　nineteen ninety-eight/nineteen hundred and ninety-eight

20 世纪 80 年代　nineteen eighties(可写成 1980's 或 1980s)

1900 年　(year)nineteen hundred

2000 年　(year)two thousand

2008 年　two thousand and eight

在 21 世纪 80 年代　in the eighties of the twenty-first century

在 16 世纪初期/中期/晚期　in the early/mid/late sixteenth century

在 40 年代　in the 40s/the '40/the nineteen forties/the forties/the fourth decade of the twentieth century

在 90 年代初期/中期/晚期　in the early/mid/late nineties

350 BC(BC 350)three fifty BC

43 AD(AD 43)forty-three AD

公元 580 年—733 年　AD 580 – 733/580 – 733 AD(在公元后 1 – 1000 年都可加 AD,但 1001 年以后就不必再加)

在公元 4 世纪　in the fourth century AD(不可以说 in the AD fourth century)

公元前 606 年—公元前 732 年　606 – 732 BC

正月十五　on the fifteenth day of the First Moon

农历十月十日上午　on the morning of the 10th day of the 10th lunar month

20 世纪 90 年代的一本论述宇宙探索的书　a 1990s book on space exploration

10 月 10 号　on October 10/10 October/October 10th/10th October/October the tenth/October tenth/October ten/the tenth (day) of October

October 8, 2016 $\begin{cases} \text{Oct. 8, 2016（美）（缩写为：10,8,16）} \\ \text{8 Oct. 2016（英）（缩写为：8,10,16 或 8/10/16）} \end{cases}$

2. 年龄的表示法

1 大概年龄的表示法

所有格人称代词＋基数词复数形式。例如：

He died in **his nineties**. 他 90 多岁去世的。（90 岁到 99 岁之间）

He's still in **his sixties**. 他才 60 多岁。（60 岁到 69 岁之间）

He is an old man of **eighty winters**. 他是一位年届八旬的老人。（winter 用于老年）

She is **in her early/middle/late twenties**. 她今年二十二三岁/二十四五岁/二十八九岁。

He is **in his early/late teens**. 他才十三四岁/十八九岁。

【提示】英语中 in one's teens 指的是从 13 岁到 19 岁这个年龄段,因为从 thirteen 到 nineteen 几个词都有词根-teen,一般译为"十几岁"或"不到 20 岁"。"十几岁"不能说"in one's tens"。

2 "……岁"的表示法

"她 18 岁"有以下几种说法：

She is (aged) eighteen.

She is eighteen years old.

She is eighteen years of age.

She is a girl of eighteen summers.（summer 用于少年和壮年）

She is an eighteen-year-old girl.

3 "快……岁,将近……岁"的表示法

a man hard on/upon forty 年近 40 的男子

She is getting on for eighteen. 她年近 18。

She is going on eighteen years old. 她快 18 岁了。

She will be eighteen years old next week. 她下周就满 18 岁了。

It will be her eighteenth birthday next week. 下周是她 18 岁生日。

4 "已……岁"的表示法

她已年满 18 岁。

$\begin{cases} \text{She's turned/past/above eighteen.} \\ \text{She is on the shady/wrong side of eighteen.} \end{cases}$

5 "不满……岁"的表示法

She is three years off fifty. 她再过三年就 50 岁了。

She can't be much below/under eighteen. 她离 18 岁小不了多少。

她还不满 18 岁。

She is barely eighteen.

She is on the right side of eighteen.

She has not yet turned eighteen.

She is not quite eighteen.

She is just under eighteen.

She is not yet eighteen.

She is nearly/almost eighteen.

她不到 50 岁。

$\begin{cases} \text{She is on the hither side of fifty.} \\ \text{She is on the sunny side of fifty.} \end{cases}$

【提示】年岁的其他表示法:be/come of age 成年,be under age 未成年,be of school age 已到上学

年龄,be over age 超龄,be (far) advanced in years 年迈,attain the advanced age of 达……岁的高龄,long-lived (live to a great age)长寿,live to ninety 活到 90 岁。

3. 用阿拉伯数字表示复数数词时,阿拉伯数字后加 s 或 's

the customs of the 1850s 19 世纪 50 年代的风俗

They bought five Boeing 787's. 他们买了 5 架波音 787 客机。

She has got three 5's. 她得了 3 个 5 分。

4. 数词构成的惯用语

ten to one 十有八九,很可能	love all 0 比 0
at sixes and sevens 乱七八糟	two all/two two 2 比 2
in twos and threes 三三两两地	two nil 2 比 0
go fifty-fifty 平摊	three love 三平
in one 合为一体	in two 分为两半
by twos 成双成对	one and the same 完全一回事
six to one 六对一	one in a thousand 千里挑一
first-star 一流的,五星的	in two twos 立刻,一转眼
put two and two together 推理	in two minds 三心二意
in twenty minds 犹豫不决	talk nineteen to the dozen 没完没了
sweet seventeen 二八年华	talk twenty/forty to the dozen 滔滔不绝

six of one and half a dozen of the other 半斤八两

ninety-nine out of a hundred 百分之九十九,几乎全部

It **takes two** to do something. 双方均有责任。

Two of a trade never agrees. 同行是冤家。

Two's company, **three's** none. 两人成伴,三人不欢。

Her performance is **of the first water**. 她的表演好极了。(最好的)

The man is a fool **of the first water**. 那人是个十足的呆子。

The man is/has **three sheets in the wind**. 那人已酩酊大醉。(大醉)

She has been running **two by four** shops. 她一直在经营小得可怜的商店。

He likes to take **forty winks** at noon. 他喜欢在中午打一会儿盹儿。

Antelope abounded **by fours and fives** on the hillside. 山坡上羚羊三五成群。

Ten to one the plane will be late. 这次航班十有八九要晚点。

Everything in the house is **at sixes and sevens**. 房子里一切都杂乱无章的。(乱七八糟,杂乱无章)

He was **at sixes and sevens** about what to say. 他脑子很乱,不知如何说是好。(心情很乱)

They came into the room **by ones and twos**. 他们三三两两地进了房间。

People are taking a walk on the square **in twos and threes**. 人们三三两两地在广场上散步。

They entered the hall **by twos**. 他们成对地进入大厅。(成对)

This example is **on all fours** with the other. 这个例子与另一个例子完全一致。(完全一致,完全对应)

He had **a hundred and one other things** to do. 他有许许多多的事情要做。(许许多多,没完没了)

This plan is **on all fours** with the one he drafted. 这项计划同他起草的那项完全一样。(on all fours 可表示"吻合、爬行、匍匐"等)

John had **one over the eight** after he drank only half of the wine. 约翰才喝了半瓶酒就醉得七歪八倒了。

The fresh morning air made him **feel like a million dollars**. 早晨的清新空气使他感到精神特别好。(感觉好,精神好)

This kind of thing happens **nine times out of ten**. 这种事情是经常发生的。(常常,几乎每次)

She changed her mind **at the eleventh hour**. 她在最后时刻改变了主意。(在最后时刻,在最后关头)

It's only a **nine days' wonder**. 那只不过是昙花一现而已。(轰动一时)

The teacher gave John **ten out of ten** for the composition. 老师给约翰的作文打了个满分。（满分）

Only he can answer the **sixty-four dollar question**. 只有他才能解决这个最难的问题。（最难解决的问题，最重要的问题）

Henry would not **sit thirteen** to dinner. 亨利在宴会上不肯坐第13个座位。

I'll love you **three score and ten**. 我会一辈子爱你的。

I always believe my **sixth sense**. 我总相信自己的直觉。

She is **second to none** in maths in the class. 她的数学在班上名列前茅。

The crowd surrounded him **three or four deep**. 人群里三层外三层地围着他。

He's **in seventeenth heaven** when he's watching football. 他一看足球赛就快活似神仙。

I didn't call to say I'd be late，but she **put two and two together** when she heard the weather reports. 我没打电话说会晚到,但她一听天气预报就判断出来了。

For two cents I'd kick him out. 我恨不得把他踢出去。

You and she **are two**，I hear. 听说你跟她合不来。

The business was over in **two twos**. 事情很快就办完了。

{ A：Will he help you? 他会帮助你吗？
{ B：**A hundred to one.** 可能性极大。（十之八九）

【提示】 注意下面两句中数词的含义：

She gave the door-keeper **a fifty**. 她给了看门人一张50元的纸币。

There was a wad of mixed notes in the drawer，**tens and twenties**. 抽屉里有一沓钞票,10元和20元的混在一起。

5. 次数的提问与回答

1 "多少次"常用 how many times 进行提问,指的是总的次数：一次、三次或者十次；回答可以是 twice, ten times, one hundred times 等

{ A：**How many times** have you seen her? 你见过她几次？
{ B：I have seen her **three times**. 我见过她三次。

2 how often 也用来表示次数,但它通常指间隔的次数,即多少时间一次,或多少时间多少次,回答不可只说多少次,须说多少时间多少次,可以是 once a week, twice a month, every three days, every four hours 等

{ A：**How often** do you see her? 你多长时间见她一次？（一般现在时表示通常的情况）
{ B：I see her **once a month**. 我每个月见她一次。

比较：**How often** have you seen her? （现在完成时表示过去一段时间的情况）

6. 时刻的表示法

at eight o'clock/at eight a.m. 在上午8时

five to/of eight p.m. 下午8时差5分（美式英语用 of）

(a) quarter past/after seven a.m. 上午7点一刻（美式英语用 after）

(a) quarter to/of four p.m. 下午4点差一刻（美式英语用 of）

half past six p.m. 下午6点半

【提示】

① 不说出钟点时不能用 a.m. 或 p.m.，不说 tomorrow p.m.，要说 tomorrow afternoon。

② a.m.，am，A.M.，AM，p.m.，pm，P.M.，PM 均正确,在标题、句子开头或时间表中用大写 A.M. 和 P.M.。电报用语为 A. 和 P.。

▶▶▶ 还可用阿拉伯数字表示时刻。例如：

{ 7：00(seven)，7：20(seven twenty)→美式
{ 7.00，7.20→英式

▶▶▶ 以24小时时制的表示法：

08：00/08.00(读作 zero eight hundred hours)

22：15/22.15(读作 twenty-two fifteen)

【提示】

① "零点"用 zero hours, zero hour 或 O hundred hours 表示。

② past(过)和 to(差)一般限制在 30 分钟之内。例如：

7点差20分	5点20分
forty past six〔×〕	forty to six〔×〕
twenty **to** seven〔√〕	twenty **past** five〔√〕

7. 数词的限定语

有些副词、形容词、介词或短语可用来修饰、限定一数词，一般位于数词之前；但形容词和数词同时修饰名词时，通常数词在前，形容词在后。数词的限定语有下述几种：

① 表示"大约，左右"→about, some, around, round, roughly, approximately, in a matter of, something like, or so, in the rough, in the neighborhood of, more or less, round about, or thereabout(s), somewhere about

② 表示"恰好，整整"→exactly, clear, cool, just, sharp, flat, solid, good, full, whole, neither more nor less

③ 表示"仅仅，只不过"→only, scarcely, barely, scant, no more than

④ 表示"过剩，外加"→over, more, left, other, another

⑤ 表示"接近，几乎"→near, nearly, close to, towards, almost, just（by）, close on/upon

⑥ 表示"少于，不足"→less, under, less than, below, off, short, within, fewer than, inside, or under, or below, or few

⑦ 表示"多于，以上"→over, past, odd, above, and odd, and more, and over, or above, and a bit over, and a bit longer, upwards of, more than, all of

We have walked for **only** two hours. 我们只走了两个小时。

She is **towards** fifty years of age. 她已年届五十。

He worked there for ten **clear/cool/whole** days. 他在这里整整工作了 10 天。

He is friends with **two beautiful girls**. 他同两个美丽的女孩交上了朋友。（不可说 beautiful two girls）

She has bought **five big fish**. 她买了五条大鱼。（不可说 big five fish）

He lives **about** ten miles away. 他住的地方大约 10 英里开外。

The plane will be landing in **approximately** 15 minutes. 飞机大约将于 15 分钟后降落。

Round about one hundred people were killed in the plane crash. 这次空难造成大约 100 人死亡。

It will cost **somewhere round** five thousand dollars. 这将花费大约 5 000 美元。

I'm hoping to buy one **in the neighborhood of** $ 800. 我希望能以 800 美元左右买一个。

He'll be here **in a matter of** a few minutes. 他几分钟就到。

He stayed there for **three delightful days**. 他在那里待了三天，很是快活。（不可说 delightful three days）

【提示】

① two hours, five months, three years 等表示的是整体概念，形容词须放在它们前面。例如：

She spent a **full five hours** in the club. 她在俱乐部整整待了五个小时。

Those **difficult seven years** are never to be forgotten. 永远也不能忘记那艰难的七年。

It will be over in **scant twenty minutes**. 不到 20 分钟就会结束了。

② or so, in the rough, left, over, flat 等一般要放在"数词＋名词"之后。例如：

The jewel will cost 10,000 dollars **in the rough**. 这件首饰大约值 10,000 美元。

The town is ten miles **or so** from here. 那个城镇离这里约有 10 英里。

I have only one dollar **over/left**. 我只剩下 1 美元了。

8. "基数词＋名词"和"基数词＋名词-ed"

"基数词＋名词"可以构成复合形容词，表示数量，如：a three-week holiday 三周的假期，a two-day visit 两天的参观。"基数词＋名词-ed"也可构成复合形容词，但通常表示人或事物的特征，如：a three-legged animal 一只三条腿的动物，a one-eyed man 独眼人。比较：

$$\begin{cases} \text{10 层的大楼} \\ \text{a } \textbf{ten-storey} \text{ building（侧重层数）} \\ \text{a } \textbf{ten-storeyed} \text{ building（侧重特点）} \end{cases}$$

▶▶ 这类复合形容词中间均要加连字号，名词用单数，均为前置定语形容词，一般不置于名词后或用作表语。例如：

$$\begin{cases} \text{这户人家住在一个有五间房间的公寓里。} \\ \text{The family lived in a } \textbf{five-room} \text{ flat. } [\checkmark] \\ \text{The family lived in a } \textbf{five-roomed} \text{ flat. } [\checkmark] \\ \text{The family lived in a flat five-room. } [\times] \end{cases}$$

▶▶ 另外，"数词＋形容词"也是常用的复合形容词，用法相同，如：a ten-year-old girl 一个 10 岁的女孩，a sixty-meter-wide road 一条 60 米宽的路。比较：

$$\begin{cases} \text{这是一条 20 米长的绳子。} \\ \text{It is a } \textbf{twenty-meter-long} \text{ rope. } [\checkmark] \\ \text{It is a rope } \textbf{twenty meters long}. [\checkmark] \end{cases}$$
$$\begin{cases} \text{这条绳子 20 米长。} \\ \text{The rope is } \textbf{twenty meters long}. [\checkmark] \\ \text{It is a rope twenty-meter-long. } [\times] \\ \text{The rope is twenty-meter-long. } [\times] \end{cases}$$

十二、half 的用法

1. 用作形容词

1 half 表示"一半"有五种方式：

$$\begin{cases} \text{half a＋名词} \\ \text{a half＋名词} \\ \text{half the＋名词} \\ \text{a half of＋名词} \\ \text{half＋形容词性物主代词＋名词} \end{cases}$$

They talked **half an hour**. 他们谈了半个小时。

He ran **half a mile**. 他跑了半英里路。

Half the apples are bad. 一半的苹果都坏了。

He is but **half an artist**. 他只是半个艺术家。

John earns **half her salary**. 约翰的收入是她的一半。

We were there **half the night**. 我们在那里待了半个晚上。

She was not on good terms with **a half of/half her relations.** 她同一半亲戚关系不好。

Mary bought the skirt at **half the usual price**. 玛丽以平常价格的一半买了这条裙子。

$$\begin{cases} \text{I drank at least } \textbf{half a bottle of wine} \text{ that evening. 我那天晚上至少喝了半瓶葡萄酒。（half a} \\ \text{...表示整体中的一部分）} \\ \text{I drank } \textbf{a half bottle of wine} \text{ that evening. 我那天晚上喝了半瓶葡萄酒。（a half...表示确定的} \\ \text{数量单位：半瓶）} \end{cases}$$

2 and a half 表示"又一半"

She studied abroad for two years **and a half**. 她在国外读了两年半书。

The length is about three and **a half** meters. 长度大约是 3.5 米。

They've covered only eight miles in the past day and **a half**. 在过去一天半的时间里，他们只走了 8 英里。

$$\begin{cases} \text{four pounds and } \textbf{a half} \\ \text{four and } \textbf{a half} \text{ pounds 四磅半} \end{cases}$$
$$\begin{cases} \text{three days and } \textbf{a half} \\ \text{three and } \textbf{a half} \text{ days 三天半} \end{cases}$$

▶▶▶ 注意下面加连字号或不加连字号的 half 的含义：

a **half** sister 异父/异母的姐妹   **half** blood 混血儿

a **half** brother 异父/异母的兄弟   **half** back（足球）中卫

half salary 半薪   a **half** note 二分音符

half breed 混血儿	half-baked 半生不熟的
half-hearted 不热心的	half-hourly 每半小时的/地
half-yearly 半年一次（的）	other half 丈夫/妻子
the second half 下半场（体育比赛）	half-light 半明半暗的光线
half moon 上弦月/下弦月	half-breed 杂种
half-holiday 半天放假	half-length 半身（像）

A **half-hour** later she came downstairs. 半小时后她下楼来了。

They took a rest every **half-hour**. 他们每隔半小时休息一会儿。

I'll be ready in another **half-minute**. 再有半分钟我就准备好了。

She groped around in the dark for a full **half-hour**. 她在黑暗中四处摸索了整整半小时。

The new museum is located a **half-mile** south of the zoo. 新博物馆坐落在距动物园以南半英里的地方。

比较：

⎰ a **half** dozen 半打
⎱ a **half**-dozen 半打（指一个单位）
  two **half**-dozens 两个半打（半打一份的两份）

⎰ a **halfpenny** 半便士硬币
⎱ two **halfpennies** 两枚半便士硬币

2. 用作名词（可有复数形式）

half of the money 一半的钱（作形容词要说 half the money）

half of the story 故事的一半（作形容词要说 half the story）

half of a mile 半英里路（作形容词要说 half the mile）

half of the day 半天（作形容词要说 half the day）

Half was damaged. 一半毁了。

Pay **half** now and the rest later. 先付一半，其余后补。

Half of the land is cultivated. 有一半的土地被开垦了。

Cut it in **halves**/into **halves**. 把它切成两半。

Two **halves** make a whole. 两个一半成一个整体。

Don't do things by **halves**. 做事不要半途而废。

Let's go **halves** in buying the house. 买房子的钱我们共同分摊吧。

She cut the apple in **half**. 她把苹果切成两半。

The discount rate rose from a quarter to **a half**. 折扣率从四分之一上升到二分之一。

The new policy would cut the world oil production **by half**. 这个新政策将使世界石油产量减少一半。

3. 用作副词

表示"一半地，部分地，有些"。例如：

Well begun is **half** done. 良好的开始是成功的一半。

The box is **half** empty. 这盒子有一半空着。

The fish were **half** dead. 这些鱼已经半死了。

You are only **half** right. 你只对了一半。

I'm **half** inclined to agree with you. 我有点儿倾向同意你的观点。

Cups of **half**-finished tea were on the floor beside the bed. 床边的地板上有几杯喝了一半的茶。

He was **half** in love with her by the end of the evening. 晚上快过去时，他已经有点爱上她了。

【提示】not half 可以表示：①很小程度上，差距很大地；②毫不，一点也不；③非常，很。例如：

He is **not half** done with the work. 那工作他才做了一点点。

Not bad! **Not half** bad! 不错！相当好！

Do you like the book? **Not half**! 你喜欢这本书吗？太喜欢了！

He **doesn't half** talk once he gets started. 他只要一打开话匣子就说个没完。

She **didn't half** like the house. 她太喜欢这所房子了。

You're **not half** the man you think you are. 你一点也不是你自认为那样的人。

Actually the picnic **wasn't half** bad. 实际上,这次野餐棒极了。

十三、a fall of snow 一场雪——英语量词的表示法

汉语中的量词,如"一场,两副,三群"等,在英语中要借用名词来表达,有着固定搭配。例如:

a fall of snow 一场雪

a sheet/piece of paper 一张纸

a gust of wind 一股风

a bowl of rice 一碗米饭

a cloud of dust 一阵尘土

a crowd of people 一群人

a stalk of grass 一根草

a string of beads 一串珠子

a stick of chalk 一支粉笔

a shipment of goods 一批货

a suite of rooms 一套房间

a set of furniture 一套家具

a tube of toothpaste 一管牙膏

a roll of cloth 一匹布

a dish of greens 一盘绿叶蔬菜

a murmur of pain 一阵痛苦的呻吟

a group of pupils 一群小学生

a set of mahjong 一副麻将

three copies of newspaper 三份报纸

a drizzle of rain 一阵细雨

a single shred of cloud 一丝云

a volley of questions 一连串的问题

a roll of paper 一卷纸

a piece of baggage 一件行李

a cup of tea 一杯茶

a handful of salt 一把盐

a jar of jam 一罐酱

a package of towels 一包毛巾

a pile of books 一摞书

a sack of cement 一袋水泥

a suit of armour 一副甲胄

a bunch of flowers 一束花

a flight of stairs 一段楼梯

a cloud of flies 一群苍蝇

a can of meat 一听肉

a couple of twins 一对双胞胎

a basket of flowers 一篮子花

a bar of soup 一块肥皂

a pound of sugar 一磅糖

a piece/an item of news 一条新闻

a piece of meat 一块肉

a crowd of students 一群学生

a row of new buildings 一排新楼房

a drop of water 一滴水

a pair of glasses 一副眼镜

a flood of sunlight 一片阳光

a loaf of bread 一个面包

a fleet of ships 一队船

a cluster of cloud 一朵云

a cloud of birds 一大群鸟

a column of smoke 一股烟

a burst of fire 一条火舌

a team of players 一队运动员

a torrent of water 一股激流

a lump of sugar 一块糖

a herd of cattle 一群牛

a swarm of bees 一群蜂

a cry of pain 一声痛苦的叫喊

a flock of birds 一群鸟

a volley of curses 一阵咒骂

a blank of snow 一片白雪

a smell of gas 一股煤气味

a heavy fall of snow 一场大雪

a pack of cigarettes 一包香烟

a spool of thread 一卷线

a pile of sand 一堆沙子

half a cup of water 半杯水

a handful of bandits 一小撮匪徒

a scrap of paper 一个小纸头

a mass of troops 一批部队

a patch of wheat 一块麦田

a plate of fruits 一盘水果

a gleam of hope 一线希望

a dozen of eggs 一打鸡蛋

a pair of earrings 一副耳环

a flight of birds 一行飞鸟

a case of clothes 一箱衣服

a bottle of wine 一瓶酒

a chain of events 一连串事件

a cluster of grapes 一串葡萄

a batch of guests 一批客人

two tons of coal 两吨煤

a flock of goats 一群山羊

a piece of thread 一根线

a sack of wheat 一袋小麦

a burst of applause 一阵掌声

a yard of cloth 一码布   a set of chess 一副象棋

a mouthful of snow 一口雪   a pail/bucket of water 一桶水

a bagful of flour 一袋面粉   a bowl of porridge 一碗麦粥

a bowl of millet 一碗小米饭   a bank of clouds 一团乌云

a bar of light 一束光线   a bag of sugar 一包糖

a tin of tea 一听茶   a ball of string 一团线

a bale of cotton 一包棉花   a batch of bread 一炉面包

ten head of cabbage 十棵卷心菜 five head of sheep 五头羊

a truckload of steel 一卡车钢材 two lorryloads of sand 两卡车沙子

a spiral of smoke 一缕炊烟   an excited group of people 一群激动的人

a peal of thunder/applause/laughter 一声响雷/一阵欢呼/一阵笑声

a flash of light/hope/lightning/anger/grief/elation 一道亮光/一线希望/一道闪电/一阵愤怒/一阵悲伤/一阵得意

a fit of coughing/anger/fever/laughter/colic/enthusiasm/jealousy/the blues 一阵咳嗽/一阵愤怒/一阵发烧/一阵大笑/一阵腹痛/一阵热情/一阵嫉妒/一阵忧郁

【改正错误】

1. It is reported that the floods have left about two thousands people homeless.
       A   B   C   D

2. Mr. Smith asked me to buy several dozens eggs for the dinner party.
                 A   B   C   D

3. It is not rare in 90s that people in their fifties went to university for further education.
       A   B   C   D

4. The cakes are delicious. He'd like to have a third one because a second one is rather too small.
             A   B   C   D

5. Paper money was in use in China when Marco Polo visited the country in thirteeth century.
      A   B   C   D

6. Two fifth of the land in that district is covered with trees and grass.
      A   B   C   D

7. South of the equator, 81 percents of the surface of the earth is water.
      A   B   C D

8. Staying in the hotel for a day costs as twice much as renting a room in a dormitory for a week.
      A   B   C   D

9. The village he mentioned is far away from here indeed. It's a four-hours walk.
           A   B   C   D

10. Take this medicine one day twice and you'll be all right in one or two days.
      A   B   C   D

11. A survey of the opinions of experts shows that three hours of outdoor exercise a week are good for one's
      A   B   C D
    health.

12. Attention please, Flight Nineteen from Paris to Shanghai is now arriving at the Gate Two.
            A   B   C   D

13. Every few hundreds meters along the city wall there are some watch towers.
      A   B   C   D

14. We are told that our English teacher lives on the twenty-five floor of this building.
       A   B   C   D

15. Paper produced every year is the three times weight of the world's population of vehicles.
          A   B   C   D

16. Everything in the room is not in good order but at six and seven.
           A   B   C   D

17. Every three year, two score students from the foreign school are sent to Britain to learn English.
      A   B   C   D

18. Surprisingly, there were three times girls as many as boys in the summer camp.
　　　　A　　　　　　　　　　　　B　　　　　　　C　　　D

19. The population of some Asian countries has more doubled than in the past thirty years.
　　　　A　　　　　　　　B　　　　　　　　　　　C　　　　　　　　　　C

20. Long Island, an island that form the southeastern part of New York, has a greater population than that of
　　　　　　　　　　　　A　　　　　　　　　　　　　　　　　　　　　　B　　　　　　　　　　　　　C

　　forty-two of fifty states.
　　　　　　　　D

21. This month the output of the workshop has increased with 20 percent as compared with that of last month.
　　　　　　　　A　　　　　　　　　　　　　　B　　　　　　　　C　　　　　　D

22. No sooner had the man departed than the tree began dropping coffee beans by thousand.
　　　　　　　A　　　　　　　　　B　　　　　　　　C　　　　　　　　　　D

23. Thousands upon thousand of martyrs have heroically laid down their lives for the people.
　　　　A　　　　　　　　　　　　　　　　　B　　　　　C　　　　　　　D

24. The Chinese teacher asked the girl students to make a mark on every two line.
　　　　A　　　　　　　　　　B　　　　　　C　　　　　　　　　　D

25. Thanks to its great charm, the Great Wall with an over-two-thousands-years-old history was named as one
　　　A　　　　　　　　　　　　　　　　　　　　　　B　　　　　　　　　　　　　C

　　of the new wonders.
　　　　　　　D

【答案】

1. C(two thousand)　　　　　2. B(dozen)　　　　　　　3. B(in the 90s)

4. C(the second one)　　　　5. D(in the thirteenth century)　6. A(Two fifths)

7. B(81 percent)　　　　　　8. C(twice as much as)　　　　9. D(a four hour/ a four hours)

10. B(twice a day)　　　　　11. D(is)　　　　　　　　　12. D(Gate Two)

13. B(hundred)　　　　　　14. C(twenty fifth)　　　　　15. C(three times the weight of)

16. D(at sixes and sevens)　17. A(Every third year/Every three years)

18. B(three times as many girls as)　　　19. C(more than doubled)

20. D(the fifty states)　　　21. B(by)　　　　　　　22. D(by thousands)

23. A(Thousands upon thousands of)　　　24. D(every second line)

25. B(an over-two-thousand-year-old)

第三讲 代 词(Pronoun)

一、概述

代词是用来代替名词的词,也用来代替起名词作用的短语、分句或句子。代词属于封闭词类,数量有限,但使用十分广泛。例如:

Don't expect Davis to accept your invitation. **He's** far too busy. 别指望戴维斯会接受你的邀请。他太忙了。(he 代替名词 Davis)

Look at that bird. **It** always comes to my window. 瞧那只鸟,它时常飞到我窗前来。(it 代替名词 bird)

Loyalty must be earned. **It** can't be bought. 忠诚必须靠自己赢得。它不是买来的。(it 代替名词 loyalty)

Jack and Susan phoned. **They're** coming round this evening. 杰克和苏珊来了电话,他们今晚要过来。(they 代替名词短语 Jack and Susan)

She thinks that everyone is in love with her. **That** makes me sick. 她以为人人都喜欢她。这真让我恶心。(that 代替前面的句子)

There were people crying, buildings on fire. **It** was terrible. 有人在哭喊,房屋在燃烧。这太可怕了。(it 代替前面的句子)

【提示】

① 可以说:**she**-goat 母山羊,**she**-monster 女怪物,**she**-dancer 女舞者,**she**-bear 母熊,**you** boys 你们男孩子们,**you** students 你们学生们。

② 英语代词本身词义较弱,须从上下文来确定。有些英语代词也可作形容词,用作定语修饰语。

二、分类

英语中的代词一般可分为九大类,见下表:

①人称代词(Personal Pronouns)	I, you, he, she, it, we, you, they
②物主代词(Possessive Pronouns)	形容词性(Determinative):my, your, his, her, its, our, your, their
	名词性(Nominal):mine, yours, his, hers, ours, yours, theirs
③反身代词(Reflexive Pronouns)	myself, yourself, himself, herself, itself, ourselves, yourselves, themselves
④相互代词(Reciprocal Pronouns)	each other, one another
⑤指示代词(Demonstrative Pronouns)	this, that, these, those, such, same, so
⑥疑问代词(Interrogative Pronouns)	who, whom, whose, which, what
⑦连接代词(Conjunctive Pronouns)	who, whom, whose, which, what
⑧关系代词(Relative Pronouns)	who, whom, whose, which, that, as, but
⑨不定代词(Indefinite Pronouns)	some, something, somebody, someone, any, anything, anybody, anyone, either, everything, everybody, everyone, all, both, each, no, nothing, nobody, none, neither, no one, oneself, one, one's, many, more, most, much, few, a few, fewer, fewest, less, least, little, a little, enough, half, several, other, others, another

三、功能

1. 人称代词

人称代词是用于替代人和物的代词,有人称(第一人称、第二人称和第三人称)、数(单数和复数)、格(主格、宾格和所有格)的变化,单数第三人称有性(阳性、阴性和中性)的区别。

人 称 \ 数 格		单数			复数		
		主格	宾格	所有格	主格	宾格	所有格
第一人称		I	me	my	we	us	our
第二人称		you	you	your	you	you	your
第三人称	阳	he	him	his	they	them	their
	阴	she	her	her			
	中	it	it	its			

① 当一个句子中有两个或两个以上人称代词时,语法功能相同的代词形式应该一致

He and I saw the man passing by. 我和他看见那人经过的。(同为主格)

Between **you** and **me**,he got a lot of money from somewhere. 私下跟你说吧,不知他从哪里弄到一大笔钱。(同为宾格)

② 人称代词可以指代动物

把动物看作具有人的感情时,可以用 he 或 she 指代。例如:

The dog waved his tail when **he** saw his master. 狗看见主人摇起了尾巴。

Look at that dog. Look at the way **he** barks. 看那条狗!看它叫的样子!

Each bird loves to hear **himself** sing. 鸟儿都爱听自己唱的歌。

She(the cat)has adapted herself to a life on the island. 她(猫)已经适应了岛上的生活。

The cuckoo lays **her** eggs in other birds' nest. 杜鹃把蛋下在别的鸟窝里。(指雌性)

You may take a horse to the water,but you can't make **him** drink. 你可以把马带到水边,但你不能强迫它喝水。

③ 人称代词可以拟人(地球、月亮、党派、国家、车辆等),以表示喜爱或亲昵等

We thank the earth for **her** bounty. 我们感谢大地的慷慨。

The moon shines **her** rays on all. 万物都沉浸在溶溶的月色里。

Death lays **his** icy hand on kings. 在死亡面前,帝王亦如平民。

England is proud of **her/its** poets. 英国为自己的诗人们感到骄傲。

What's wrong with the car? **She** won't start. 车子怎么了? 她发动不起来。

China has done what **she** promised to do. 中国已经做了她承诺的事情。

In spring Nature awakens from **her** long winter. 春天,大自然从漫长的冬眠中苏醒过来。

The *Princess Anne* is sailing for Hawaii. **She**'s a beautiful ship. "安妮公主"号正在驶向夏威夷,她是一艘很漂亮的船。

Winter is spreading **his** icy cloak over the vast plains of North China. 冬之神正把他冰做的斗篷覆盖在辽阔的华北平原上。

The moon sheds **her** liquid light silently over the leaves and flowers. 月光如流水一般,静静地泻在这一片叶子和花上。

The belated moon looks over the roofs,and finds no one to welcome **her**. 姗姗来迟的月亮从屋顶后面探出脸来,发觉没有人欢迎她。

You step out upon the balcony,and lie in the very bosom of the cool,dewy night as if you folded **her** garments about you. 你走到阳台上,躺在露水弥漫的凉爽夜幕中,仿佛你用它作为外衣裹住你的身子。

The greatest friend of truth is time, and **her** greatest enemy is prejudice. 真理最好的朋友是时间,最大的敌人是偏见。

Peeping down the spread of light, the sun raised **his** shoulder over the edge of gray mountain and wavering length of upland. 透过一片晨曦,朝阳从朦胧的山冈和起伏连绵的高地边际,抬起了肩头。

The sun never repents of the good **he** does, nor does **he** ever demand a recompense. 太阳绝对不会为他所做的善事而后悔,他也不会指望任何回报。

Into the forest of pines the moon sheds **her** lights; over the glistening rocks the spring water glides. 明月松间照,清泉石上流。

④ 人称代词有时可以用作名词

在某些情况下,人称代词可用形容词或限定词作定语,可有-s复数形式,这种特征的人称代词称作名词化的人称代词。代词 it 大写或用斜体,可表示"自我,自负的人,讨厌的人,极端自私的人"等。we 和 you 有时亦可作名词用。

It's reported that poor wretched **he** committed suicide. 据报道,贫困潦倒的他自杀了。

It was the other **you** doing such silly things. 这样的傻事不像是你做的。

There's no use arguing with the angry **you**. 你正在气头上,同你争辩也没有用。

That **me** you saw is in fact somebody else. 你所看到的那个我事实上是某个别人。

He was **It**. 他很自负。

It's hard to deal with the **It**. 极端自私的人很难对付。

The person she loves is the other **him**. 她爱的是另一个他。

There are more **she**s than **he**s in my class. 我班上女生比男生多。

Poor **him** always gets the blame. 他这个可怜虫总是遭埋怨。

In theory, that's like using one of your skin cells to clone **a new you**. 在理论上,那就像使用你的皮肤细胞来克隆一个新的你本人。

比较:

{
He is really "**it**". 他真蠢。(或:他是个重要人物。)
She is really "**it**". 她很性感。(sexy)
}

⑤ he or she

有时使用 he or she, his or her 强调男性或者女性,或因为特定结构的需要。例如:

Is the new baby a **he** or **she**? 婴儿是男是女?

The politician must please **his** or **her** audiences and that often means saying things he or she does not mean or does not believe in fully. 政治家必须讨好他或她的听众,这就往往意味着要讲一点自己并不完全相信或同意的话。

A weekend guest usually takes a gift to express **his** or **her** thanks. 在别人家度周末的人,经常带上一件礼物以表示感谢。

{
Each person must make up **his** or **her** mind. 每个人都必须自己拿主意。
Each person must make up **their** own mind. (所指有男也有女,可用复数代词)
}

【提示】

① every, each 修饰由 and 连接的两个并列名词时,通常用阳性单数代词与之对应,但在正式文体中可使用 his or her。例如:

Every man and woman has done **his** best. 每个人都尽了力。

Each bedroom and each study has **its** own air-conditioner. 每间卧室和每个书房都有空调。

{
Every boy and girl must have **his** hair done. 每个男孩和女孩都得理发。
Every boy and girl must have **his** or **her** hair done. (正式文体)
}

② each 位于 be 动词之后,其后的代词用单数;each 位于 be 动词之前,其后的动词用复数。例如:

{
他们每个人都对自己的工作负责。
They are each responsible for **his** own work.
They each are responsible for **their** own work.
}

6 代词的呼应与就近一致

　　集体名词与代词的呼应,视单、复数含义而定。集体名词作整体看待,用单数代词;集体名词强调个体成员,用复数代词。例如:

The majority imposes **its** will on the minority. 多数人把意志强加于少数人。

The majority of the students did well on **their** final exams. 大多数学生期末考试都考得很好。

Her family is large. **It** consists of eight members. 她家是个大家庭,有八口人。

Her family are loving and supportive. **They** are loved by **their** neighbors. 她的家人慈爱助人,受到邻居的爱戴。

▶▶ 由 either ... or, neither ... nor 和 or 连接的并列结构,代词的呼应依照"就近原则"。例如:

Either John or Mary had **her** hand burned. 不是约翰就是玛丽把手灼伤了。

Neither Peter nor the girls were satisfied with **their** present work. 彼得和女孩子们对他们现在的工作都不满意。

▶▶ 人称代词应与其所代替的那个词在人称和数方面保持一致。例如:

Meat and fish are more expensive than **they** used to be. 肉和鱼比从前贵多了。

I don't like the **book** because **it** is too dull. 那本书太乏味了,我不喜欢。

7 如果几个人称代词并列,应注意其排列次序

　　(1) 第二人称＋第一人称。例如:

　　　　you and I 你和我　　　　　　　　　　you and us 你们和我们

　　(2) 第三人称＋第一人称。例如:

　　　　my friends and I 我的朋友和我　　　　Henry and me 亨利和我

　　(3) 第二人称＋第三人称。例如:

　　　　you or they 你们和他们　　　　　　　you or them 你和他们

　　(4) 第二人称＋第三人称＋第一人称。例如:

　　　　you, him and me 你、他和我　　　　　you,Jim and I 你、吉姆和我

　　(5) 第一人称＋不定代词。例如:

　　　　We and ten others will go on a business trip. 我们和另外 10 人将去出差。

　　　　I and anyone else present enjoyed the performance. 我和在场的每个人都很喜欢那场表演。

　　(6) 第一人称＋带后置定语的并列成分。例如:

　　　　I and the old man living next door 我和住在隔壁的老人

　　　　we and the students of the college 我们和大学的学生们

　　(7) 第一人称＋第二或第三人称(在承担责任、承认错误、检讨工作等时)。例如:

　　　　I and she are to blame. 我和她该受责备。

　　　　We and the children spoiled the plan. 我们和孩子们把那个计划弄糟了。

　　　　I and many other English teachers were invited to the opening ceremony. 我和许多别的英语老师都应邀出席了开幕式。(第三人称主语较长,故后置)

　　(8) 父母、妻子、丈夫＋第一人称＋子女。例如:

　　　　It was just **my husband** and **my father-in-law** and **I**. 只有我、我丈夫和我公公三人。

　　　　My husband and **I** and **our twin sons**, Tom and Scott, will be going. 我丈夫、我和我们的双胞胎儿子汤姆和司各特都将去。

　　　　My mother and **I** and **Andy** once sat there in the park. 我母亲、我和安迪曾在公园里那个地方坐过。

　　　　When holidays came, **my father**, **my sister** and **I** spent the day on the farm. 每逢节假日,我和父亲、妹妹就在农场上一起过。

8 用主格还是用宾格

　　(1) 在系动词后,在 such as, the same thing as, other than, rather than, between, think of..., being 后及独立主格中,用主格或宾格皆可,口语中更多用宾格。例如:

　　　　It is **she/her**. 是她。

It seems to be **he**/**him**. 似乎是他。

The winners are **they**/**them**. 获胜者是他们。

They thought of the law-breaker being **he**/ **him**. 他们认为犯法的是他。

He broke the window rather than **she**/**her**. 打破窗户的是他,不是她。

Nobody, other than **he**/**him** went that way. 除了他外,没有人走那条路。

Between you and **me**/**I**, he is a liar. 你我之间说说,他这人说话不诚实。

He understands the problem better than **I**/**me**. 他比我更理解这个问题。

Failure is not for such as **I**/**me**. 失败不属于像我这样的人。(但 People such as **he** will have a bright future. 用作主语)

A: Is Jack on duty today? 今天是杰克值日吗?
B: It can't be **him**. It's his turn tomorrow. 不可能是他。明天才是他值日。

【提示】

① 现代英语中,下面几句用主格或宾格均可:

Let you and **us**/**we** do it. 让你和我们做这件事。

Let you and **I**/**me** make another try. 让你和我再试一次。

This is not the kind of work for **him**/**he** or **me**/**I** to do. 这不是他和我做的工作。

② 在省略句中,常用宾格代词。例如:

"Who told her the news?" "**Me**. /Not me!" "谁把消息告诉她的?""我! /不是我!"

"You can sell your house. " "**Me** sell the house?" "你可以把房子卖了。""我把房子卖了?"

"I don't like the color of the coat. " "**Me** neither. /Nor **me**. " "我不喜欢这外套的颜色。" "我也不喜欢。"

"He's won the gold medal.""Lucky **him**!""他得了金牌。""真幸运!"

(2) 在 think ... to be, imagine ... to be, suppose ... to be, look ... upon ... as 等后,多用宾格。例如:

They **imagined** the new manager to be **me**. 他们设想新任经理是我。

People **supposed** the best player to be **her**. 人们认为最好的选手是她。

She **looked upon** me as **him**. 她把我看成了他。

He **thought** the painters to be **them**. 他认为画家是他们。

(3) 在强调句型中强调主语时常用主格,但也可用宾格,强调宾语时多用宾格,也可用主格。例如:

It was **she**/**her** who told me the news. 是她把消息告诉我的。

It is **him** /**he** we are talking about. 我们谈的正是他。

(4) "nobody/no one but/except＋代词", "everybody/everyone but/except＋代词"作主语时,常用宾格代词,也可用主格代词,这时的 but 或 except 起连词作用。例如:

No one but **me** saw her. 只有我看见了她。

Nobody but **he**/**him** showed much interest in the proposal. 只有他对这个建议感兴趣。

Everyone but **I**/**me** knew the answer. 除我之外,人人都知道答案。

(5) 有时用主格或宾格含义不同。例如:

She talked with Jim, not **me**. 她同吉姆谈了话,没同我谈。(＝She did not talk with me.)
She talked with Jim, not **I**. 她同吉姆谈了话,我没谈。(＝I did not talk with Jim.)

He scolded everybody there and even **her**. 他责骂了那里所有的人,甚至也责骂了她。
(He also scolded her.)
He scolded everybody there and even **she**. 他责骂了那里所有的人,甚至她也责骂了。
(She also scolded everybody there.)

Jack treated the girl as kindly as **me**. 杰克待那女孩同待我一样亲切。(as Jack treated me)
Jack treated the girl as kindly as **I**. 杰克待那女孩同我待她一样亲切。(as I treated the girl)

I love you as much as **she**. 我像她一样爱你。
I love you as much as **her**. 我爱你像爱她一样。

(6) 注意下面几句中宾格或主格的用法:

Let us go，**you and me**. 咱们俩走吧。(习惯说法，you 和 me 为宾格，作 us 的同位语)

Let's **you and me** wait here. 咱们俩在这里等吧。

Do you know John，**him** of the team? 你认识队上的约翰吗? (him 是 John 的同位语)

He studies harder than **us all**. 他比我们大家学习都刻苦。(用于比较的代词同 all，both 连用时，通常用宾格)

They thought the **players** to be **us** boys. 他们认为运动员是我们男孩子们。(用 us，为宾语 players 的补足语)

The players were thought to be **we** boys. 运动员被认为是我们男孩子们。(用 we，为主语 players 的补足语)

9 at one's best 不同于 at best

英语中有些词组，仅因形容词性物主代词一字之差，意义往往大不相同。比较:

| at one's best 出色，处于最佳状态(表语) | for one's good 为了某人的益处 |
| at best 至多，充其量(状语) | for good 永远地 |

| put one's heart into 专注于…… | for one's life 拼命地 |
| put heart into sb. 鼓舞某人 | for life 终生 |

| lose one's heart to 爱上 | ahead of one's time (思想等)超越时代 |
| lose heart 灰心 | ahead of time 提前 |

The king **went to his rest** early. 那个国王死得早。(=died)

The king **went to rest** early. 那个国王睡得早。(=went to bed)

Under no circumstances will he **lose heart**. 在任何情况下他都不会灰心。

The girl **lost her heart to** a foreign youth. 这个女孩爱上了一个外国青年。

10 for the life of me 的含义

双重所有格由"名词＋of＋名词性物主代词/名词所有格"表示，如 a friend of mine，而不说 a friend of me。但是有时候，如果这种结构中的名词前有定冠词 the 或其他限定词，则要用"the＋名词＋of＋宾格人称代词"结构。双重所有格结构常表示某种感情色彩。例如:

I will not **for the life of me** do it. 我无论如何也不会做那件事。

He did it just for **the fun of it**. 他那样做只是好玩而已。

I don't like **the look of him**. 我不喜欢他那个样子。

The failure will be **the death of her**. 这次失败对她来说将是致命的。

I don't trust **the likes of him**. 我不相信他这种人。

On the surface of it，it's a small matter. 表面上看，这是一桩小事。

He will break **the neck of you**. 他会扭断你的脖子。(威胁)

The business may be **the ruin of her**. 这个企业可能毁了她。(=ruin her)

I can't **for the soul of me** do it. 那件事就是要了我的命也不能做。(=I can never)

I have never seen **the like of him**. 我从没有见过像他那样的人。(=a man like him)

I have never heard **the like of it**. 我从没听说过那么奇特的事。(=anything so strange)

I hate **the sight of her**. 我讨厌见到她。(=hate to see her)

I cannot **for the life of me** understand why she did it. 我怎么也不明白她为什么做那件事。

▶▶▶ 但能用于这种结构的情况是不多的，如不可说 for the sake of me 或 for the good of her。比较:

They stood **at the back of him**. 他们站在他身后边。(=behind him)

They stood **at his back**. 他们支持他。(=supported him)

11 mine 可以表示"我一家人"，yours 可以表示"你一家人"

Professor Li sends his love to you and **yours**. 李教授向你和你的家人问好。

He was kind to me and **mine**. 他待我和我的家属很亲切。

Best wishes for you and **yours**. 向你和你的全家人表达最美好的祝愿。

12 人称代词可用作指示词，用在名词前指说话者或听者自己

We're a greedy lot，**we smugglers**. 我们这些走私者都是贪婪无度的人。

2. it 的用法

1 指代事物或性别不明确的动物

The plan does have **its** merits. 这项计划确有其优点。

You can not eat your cake and have **it**. 事难两全。

The dog wagged **its** tail. 狗摇着尾巴。

How goes **it** with you? 你近来怎样？

Come on，**it** says to go. 走啊，信号灯放行了。

Where does **it** hurt? 哪儿疼？

It's all over. 一切都过去了。

A monkey is very alert in **its** movements. 猴子的动作很敏捷。

She went up to the cat and started stroking **it**. 她走上前去，开始抚摸那只猫。

"What's the sound?" "**It's** the wind shaking the door." "是什么声音？" "是风吹门。"

2 指代婴儿、未知的人、未确定的人、人的身份或境况，或表示谁做某动作

Look at the baby. Isn't **it** lovely? 瞧那婴儿，多可爱啊！

What will you call it if **it's** a boy? 要是个男孩的话，你想给他取个什么名字？

The little baby stretched out **its** little arms to me. 小宝贝朝我伸出了胳膊。

Poor girl! What is **it** crying for? 可怜的小女孩，她哭什么呢？

"Who's that?" "**It's** Jim." "谁呀？" "吉姆。"

He was rich and he looked **it**. 他是个富人，看上去也像。

The landlord! Here **it** comes. 是房东啊！他来了。

"Who is **it** there?" "It is I." "谁在那边？" "是我。"

"Why，**it's** you!" he cried. "哎呀，原来是你！" 他大声说。

"What's the noise?" "It is only the boy." "是什么声音？" "就是那个男孩。"

Her baby is due next month. She hopes **it** will be a girl. 她怀的孩子下月出生，她希望是个女孩儿。

"What was that at the door?" "**It** was a girl selling flowers." "门口是谁？" "是个卖花姑娘。"

A tall man came in，smiling. **It** was Captain Cook. 一个高个子男人微笑着走了进来，他是库克船长。

   A：Someone is at the door. 门口有人。

   B：Who is **it**? 谁呀？

【提示】

① 这种用法的 it 可以指复数名词。例如：

"Who is making so much noise?" "**It** must be the children." "谁这么吵？" "那一定是孩子们。"

② it 可有下面这种用法，表示强调：

Thus when he spoke **it** was in a sharper voice. 所以，他说话时那口气就更加严厉了。

When she rushed out，**it** was to call a taxi. 她匆忙跑出去是为了叫出租车。

③ 在下面的句子中，it 指代后面的名词，表示强调。例如：

It was shocking，that accident. 那个事件使人十分震惊。

It's a nuisance，this delay. 这么耽搁下去，太讨厌了。

④ 注意下面两句：

What a clever girl **it** is! 多么聪明的姑娘啊！（用于感叹句表示亲密）

What a mean man **it** is! 多么卑鄙的人啊！（用于感叹句表示鄙视）

3 电话用语中

"Who is **it** speaking?" "**It's** Sam." "是哪位？" "我是萨姆。"

Hello，**it's** Silva here. Is Polly there，please? 喂，我是西尔瓦，请问波莉在吗？

4 指天气、时间、距离、自然现象、环境等

It's raining. 下雨了。

It's Friday tomorrow. 明天星期五。

It's noisy here. 这儿很吵闹。

It will soon be Christmas. 圣诞节快到了。

It's very lonely here. 这儿太冷清了。

It's rather damp here. 这里太潮湿了。

It is clearing up now. 天放晴了。

It's bright moonlight. 月光真明亮。

It is very hot today. 今天很热。

It is five o'clock. 现在是 5 点。

It is twenty miles to the zoo. 到动物园有 20 英里。

It is very quiet here. 这里很安静。

It's spring now. 现在已是春天了。

It was a bitterly cold night. 那是一个非常寒冷的夜晚。

It'll be lovely in the garden tonight. 今夜的花园将非常美。

How far is **it** from here to the beach? 从这里到海边有多远？

It has been snowing since morning. 从早上起就一直在下雪。

It was twilight when we came out of the hall. 我们从大厅出来时已是暮色四合了。

⑤ 作先行代词，代替不定式，作形式主语或形式宾语

以 it 作形式主语或形式宾语的动词有：feel，consider，find，believe，make，take，imagine，prove，think，suppose，deem，count，regard 等。这种结构中，常用作表语的名词有：pity，pleasure，shame 等；常用作表语的形容词有：easy，important，vital，necessary，difficult 等。本结构中，被替代的成分要置于句尾。例如：

I consider **it** advisable **to tell her beforehand**. 我认为还是事先告诉她好。

I find **it** quite necessary **to make some changes**. 我觉得作些改变很有必要。

It is of great help **to master a foreign language**. 掌握一门外语有很大帮助。

It took me a week **to rewrite the paper**. 重写这篇论文用了我一周时间。

We shall leave **it** to him **to settle the matter**. 我们将让他来解决这件事。（＝It is left to him to . . .）

It's a pleasure for me **to be here**. 我很高兴来这里。

It's important **to reconsider the matter**. 重新考虑这件事很重要。

It is possible **to be drowned** in a few inches of water. 仅仅几英寸的水也可能把人溺死。

⑥ 作先行代词，代替动名词

it 代替动名词，主要用于下面的结构中：

{ It is no good/fun/no help/no use/useless/senseless/dangerous/enjoyable/worthwhile 等＋动名词
{ It is a waste/a nuisance/hard work 等＋动名词

It's no good **talking with her**. 同她说没有用。

It's much fun **playing on the beach**. 在海边玩耍真好玩。

It's well worth **getting there half an hour earlier**. 很值得提前半个小时到达那里。

It is worthwhile **making another try**. 再试一次是值得的。

It's dangerous **sleeping out in the woods at night**. 夜晚睡在树林里是很危险的。

It is hard work **persuading him into doing it**. 说服他做那件事很难。

I think **it** wrong **doing it this way**. 我觉得这样做是错的。

It is wonderful, **swimming in summer**. 夏天游泳真快活。

It wouldn't do **your going alone**. 你自己去不行吧。

It's a waste of time **your talking to him.** 你同他说是浪费时间。

It is very risky, **your going off in such a hurry**. 你这样匆忙去是很危险的。

It has been just splendid **meeting you here**. 在这里见到你，真是太好了。

It was the merest chance **his getting scholarships**. 他得奖学金的机会太小了。

I know **it's** awful **my coming here**. 我知道自己来这里是很煞风景的。

I find **it** a waste **spending so much money drinking and eating**. 我认为把这么多钱花在吃喝上是一种浪费。

7 作先行代词,代替名词性从句

该结构中的名词性从句可用 that,what,when 等引导。例如:

It is a shame **that they were cheated**. 他们受了骗,真是太不像话了。

Has **it** been found out **who is the murderer**? 查明谁是凶手没有?

It is not known **what caused the accident**. 不知道事故的起因。

It is a mystery **when they got married**. 他们何时结的婚是个谜。

It's no business of yours **what I think**. 我怎么想不关你的事。

He wants to make **it** clear **whether you still love him or not**. 他想弄弄清楚你是否还爱他。

We have made **it** clear **that she has nothing to do with the case**. 我们已经弄清楚她与这个案子无关。

She resented **it** terribly **that her brother refused to help**. 她哥哥拒绝帮助,她因此非常气愤。

I knew what **it** would mean to our family **that Mother had lost her job**. 我知道母亲失去了工作对家庭意味着什么。

It is obvious **that metals in common use are very important in our life**. 显而易见,普通金属对我们的生活非常重要。

I owe **it** to you **that I have survived the disaster**. 多亏了你我才逃过一劫。(＝It is owed to you that...)

8 在 it seems strange, it looks likely/unlikely, it appears probable, it is (not) likely 等结构中作主语

这类结构中的 it 为形式主语,指代后面的句子,可作转换。例如:

It's likely **that the criminal is hiding in the cave**. 罪犯很可能藏在山洞里。

It looks very unlikely **that we will be finished by January**. 看来我们 1 月份完成的可能性不大。

It appeared highly probable **that his parents would stop his allowance**. 似乎极有可能他父母不再给他零用钱。

It seems strange **that my name isn't on the list**. 我的名字不在名单上,这似乎很奇怪。(可转换为:That my name isn't on the list seems strange.)

【提示】在"It seems/appears/(so) happens/chanced/transpired/came about/turned out＋that-从句"结构中,it 为虚设主语(不是形式主语,不可作转换),that-从句不是动词的宾语,而是一个外置的分句,但不存在非外位的形式。

"It may/could be＋that-从句"结构中的 that-从句也是一种分句外位结构,表达可能性,也不存在非外位的形式。例如:

It happened **that the weather was exceptionally hot**. 碰巧天气异常炎热。

It may be **that she no longer lives here**. 也许她不住在这里了。

Could **it** be **that you left your umbrella in the shop**? 你是不是把伞丢在商店里了?

It seems **that no one really knows where he's gone**. 似乎没有人真正知道他去了哪里。

It appears **that there has been a change in the plan**. 计划好像做了修改。

It finally transpired **that he had not a single penny in his pocket**. 最后得知他口袋里连一个便士也没有。

⎰**It** seems **that your shoes need seeing to**. [√]你的鞋好像得修补了。
⎱**That your shoes need seeing to seems**. [×]

同样,我们可以说:It is said that the tree is 1,500 years old。但不可说:That the tree is 1,500 years old is said.

9 用于独立句中

it 还常同 be 动词和 with 连用,构成独立的句子,为习惯用法。例如:

It is all gone with her. 她一切都完了。

It is all over with it. 一切都过去了。

It is well with him. 他一切都很好。

It is always so with boys. 男孩子就是这样。

It fared well with us. 我们生活得很好。

How is **it** with your wife? 你太太好吗？

🔟 用于强调句中

无指代关系，也无实义，去掉"it is ... that ..."三个词后，剩余的词仍能单独组成一个完整的句子。例如：

It is the drink **that** does it. 那是喝酒造成的。

It was Jane **who** paid the meal yesterday. 昨天的饭钱是简付的。

⎰ **It is** from the sun **that** we get light and heat. 正是从太阳那里我们得到了光和热。（强调句型）
⎱ We get light and heat from the sun. 我们从太阳那里得到光和热。（非强调句型）

11 可以用来替代整个句子或句中某个部分所表示的意思，前指或后指（参阅上文）

He is a scholar and he looks **it**. 他是个学者，看上去也像。

He hates children, and **it** is strange. 他不喜欢孩子，这很奇怪。

John is an idiot，and he looks **it**. 约翰是个白痴，一看就知道。

They are strong and should be **it**. 他们强大，也应该强大。（＝strong）

He's a teacher，and he looks **it**. 他是教师，看上去也是当教师的。

It's quite true，all that she told us. 她告诉我们的都是真的。

It's a nuisance, this noisy fan. 这台噪声很大的电扇真讨厌。

"Do you like watching the sunset?""Yes，I thoroughly enjoy **it**." "你喜欢看落日吗？""太喜欢了。"

"The couple got divorced last week." "Who would have thought of **it**?" "那对夫妻上周离婚了。" "谁会想到呢？"（指代整个句子 The couple got divorced last week.）

Though no one knew **it**，it would be the last time he would be present at the meeting. 谁也不知道这将是他最后一次参加会议了。

He helped me a lot during my college years. I shall never forget **it**. 在我读大学的年月里，他曾给了我许多帮助，我永远不会忘记。

Mrs. Anderson is already past fifty, but she doesn't look **it**. 安德森夫人已年过五十，但看不出来。

You are much stronger now, though you may not look **it**. 现在你身体结实多了，虽然你看上去还不那么结实。

It's known to all of us, his great achievements in this field. 他在这个领域的巨大成就，我们都知道。

⎰ A：When can we come to visit you? 我们可以什么时候来看你？
⎱ B：Any time you feel like **it**. 随时都可以。

12 it 组成的惯用语

it 同动词结合可以组成惯用词组，这种用法的 it 无明确指代关系，也无明确语义。例如：

Bother **it**! 讨厌！

Confound **it**! 讨厌！

Take **it** easy. 别着急，慢慢来。

You're in for **it**. 你要倒霉了。

That must be **it**. 准是那么回事。

That is about **it**. 差不多是这样。（＝nearly the case）

That's **it**. 那正是我想知道的。（＝something I want to know）

The man is so badly injured that I'm afraid he **has had it**. （没希望了，不行了）

Go it! We'll back you up. 加油！我们会支持你的。

Win or lose，we'll **stick it out**. 不论输赢，我们都将坚持到底。

I footed **it** all the way. 我一路走着来的。

Go it while you're young. 趁年轻，好好干。

I'll give **it** him hot. 我要好好教训他一顿。

Hang it all. We can't leave now. 见鬼！我们现在不能离开。

We had a nice time of **it**. 我们玩得很愉快。

You're asking for **it**. 你是自讨苦吃。

At last we've made **it**. 我们终于成功了。

Go **it** on your own! 自己动手做吧！

Go **it** alone! 自个儿做吧！

Make a run for **it**! Run! 快跑！快！

We can bus/cab **it**. 我们可以乘公共汽车/坐出租车去。

He decided to rough **it** on his vacation. 他决定简简单单过个假期算了。

There is nothing for **it** but to stand. 没有别的办法,只能忍耐一下。

The ruler lorded **it** over the people. 那个统治者欺压百姓。

She had a very **thin time of it** in those years. 那些年里,她过得可真难。

He spent a **tiring day of it** weeding the field. 他在田里除了一天草,非常疲惫。

I can't stand **it** any longer. I'm resigning. 我再也忍受不了了,我要辞职。

The worst of **it** is the house isn't even paid for yet. 最糟糕的是,这房子还没有付钱。

Just because he got a higher mark he really thinks he's **it**. 他因为分数比别人高就自以为了不起。

You'll **catch it** if your father finds you doing that. 要是你父亲发现你那样,他会责备你的。

It says in the Bible that the snake lures Adam and Eve to eat the Forbidden Fruit. 圣经上说,蛇引诱亚当和夏娃偷吃了禁果。

▶▶▶ 常见的有：

go **it** alone 独自做	make **it** 做到/起到/办成	battle **it** out 决出胜负
hit **it** 猜对/说中	beat **it** 走开/滚开	cheese **it** 停止
hop **it** 快溜	foot/walk **it** 步行	brave **it** out 拼着做到底
tram **it** 坐电车去	cab **it** 乘车	bus **it** 坐公共汽车去
train **it** 坐火车去	taxi **it** 坐出租车去	boat **it** 坐船去
pig **it** 过困苦生活	tube **it** 坐地铁去	king **it** 做帝王/统治
dog **it** 摆阔气	queen **it** 当女王/统治	leg **it** 逃走
inn **it** 住旅馆	hoof **it** 逃走	hotel **it** 住旅馆
trip **it** 长途旅行	cool **it** 平静下来	go **it** blind 瞎做
Dash **it**! 混账！	get **it** 挨骂	chance **it** 碰碰运气
hike **it** 步行	boss **it** 盛气凌人	hang **it** out 怠工
a hard time of **it** 过得艰难	hang **it** 该死	Deuce take **it**! 见鬼！
an easy time of **it** 愉快的时间	Damn **it**! 该死！	be hard put to **it** 处于困境
a thin time of **it** 不愉快	have the worst of **it** 遭到失败	a tiring day of **it** 疲劳的一天
make a revenge of **it** 报复	brazen **it** out 厚着脸皮硬挺	make a jolly life of **it** 过得快活
fight **it** out 一决雌雄/做到底	draw **it** fine 区别得十分精确	rough **it** 生活困顿/艰难地生活
duke **it** out 打出个输赢	come **it** 达到……目的/成功地做……	
come/go **it** strong 做得过分/过分夸大	call **it** a day 今天就做到这里/到此为止	
just for the hell of **it** 只是为了好玩	as luck would have **it** 碰巧/不凑巧/倒霉	
face **it** out 把……坚持到底/撑到底	take **it** out of somebody 拿……出气	
cut **it** fine （在时间,金钱等方面）算得几乎不留余地		
make the best of **it** 以随遇而安的态度对待不利情况		

13 it that 可以引导宾语从句

take，hide，see to，insist on，depend on，count on，rely on 等后的宾语从句要求用 it that 引导。

例如：

I **take it that** he's not interested in the book. 我猜想他对这本书不感兴趣。（猜想,认为）

She **hid it that** she was married. 她隐瞒了她已结了婚。（隐瞒）

He **saw to it that** the work was finished on time. 他确保工作按时完成。（确保）

I **take it that** you have been out. 我以为你出去了。

He **insisted on it that** we set off before noon. 他坚持我们午前出发。

You may **depend upon it that** we'll never desert you. 你可以相信,我们不会不管你的。

You can **put it that** it was arranged beforehand. 你可以认为这是早先安排好的。

I will **answer for it that** she is a qualified accountant. 我愿担保她是个称职的会计师。

You may **rely on it that** everything will be all right. 你可以放心,一切都会好起来的。

I **took his word for it that** he would take part in the TV debate. 我听他这么说,以为他真的要参加这次电视辩论。

【提示】see to it that, insist on it that, no doubt about it that 结构中介词和 it 常可省略。例如:

I'll see (to it) that the job is done properly. 我将保证这项工作做得妥妥当当。

He insisted (on it) that everyone should come to the party. 他坚决要求每个人都参加晚会。

14 for it 的含义

for it 可以表示"应付的手段或方法,因此,受罚"等。例如:

There is nothing **for it** but to wait. 别无他法,只能等待。(办法)

It is none the better **for it**. 这并不因此而好些。(因此)

She will be in **for it**. 她会倒霉的。(倒霉)

He had to run **for it**. 他必须快跑。(以躲避大雨等)

He made a bolt **for it**. 他赶快逃走了。

15 have it that 的含义

have it that 结构意为"……说"。例如:

Legend **has it that** there is a dragon in the lake. 据传说,这个湖里有一条龙。

Rumor **has it that** he has escaped into the forest. 据谣传,他逃到森林里去了。

The newspaper **has it that** the President will resign. 报上说总统将要辞职。

▶▶ take it that(猜想,认为)不可同 have it that(说)混淆。

16 Who is it 和 Who is that

Who is it? 问的不是具体的人,it 泛指任何人。Who is that? 问的是明确具体的人,that 指具体"某人"。听到有人在敲门,你要说的是:Who is it? 看见有人在阅览室里读报,你要问的是:Who is that?

3. 物主代词

1 物主代词有形容词性和名词性两种

形容词性物主代词只用作定语,修饰名词,但不能替代名词。名词性物主代词具有名词性质,相当于"形容词性物主代词＋名词",可用作主语、宾语或表语。例如:

That is **my** book. 那是我的书

That book is **mine**. 那本书是我的。

Theirs is a very large university. 他们那所大学规模很大。

What of **yours** will you give her? 你把你的什么东西给她?

I will give her everything of **mine**. 我将把我所有的东西给她。

These are pens of **ours**. 这些是我们的笔。(比 our pens 更有强调性)

The cherry tree gives its share of color to the garden, and the lilac tree gives **its**. 庭园里樱桃花和丁香花争奇斗艳。(＝its share of color)

2 her or his paper 还是 his or her paper

如果两个不同性别的形容词性物主代词共同修饰一个名词,男性代词需放在女性代词之前。例如:

Which do you prefer, **his or her paper**? 你更喜欢谁的论文,他的还是她的?

Whom do you know better, **his or her friend**? 你更了解谁,他的还是她的朋友?

3 名词性物主代词与 of 连用,可构成双重所有格

结构为:a/an/no/each/which/that ...＋名词＋of＋名词性物主代词。要注意的是,名词前不可

用定冠词 the。例如：

This is no fault **of hers**. 这不是她的错。

I don't know what business **of yours** it is. 我不知道这关你什么事。

A friend **of mine** came to see me yesterday. 我的一位朋友昨天来看我。

I won't borrow Jim's bike because I don't like that bike **of his**. 我不会借吉姆的自行车，因为我不喜欢。

4 动名词前一般使用形容词性物主代词(参阅第十二讲)

We are surprised at **his** not passing the exam. 他考试没通过，我们感到很吃惊。

Would you mind **my** opening the window? 我打开窗户你不介意吧？

5 of one's own 的含义

这种结构意为"……自己的"，其前面的名词常同时被 no，some，any，a/an，this，that，these，those，several，another，which 等修饰。例如：

The moon has no light **of its own**. 月亮本身无光。

She said she had nothing **of her own**. 她说她一无所有。

He always has views **of his own**. 他总是有自己的见解。

Bob wanted to have a room **of his own**. 鲍勃想有一个自己的房间。

▶▶ 注意下面的结构：

The failure is **of his own making**. 失败是他自己造成的。

They treated the girl as if she were **their own** although they have **their own** children. 他们待那个女孩如己出，虽然他们有自己的孩子。

【提示】own 可以表示"甚至"。例如：

She can't write her **own** name. 她连自己的名字都不会写。

He never cares about his **own** health. 他甚至不关心自己的健康。

6 touch sb. on the head 还是 touch sb. on one's head

在下面这种结构中，表示身体部位的名词前用 the，而不用形容词性物主代词：

及物动词+宾语
系动词+表语 ⎬+介词+the+名词(身体部位)
被动语态

The general **touched him on the head** kindly. 将军轻轻地拍了拍他的头。

The stone **hit the child in the left** eye. 石头打中孩子的左眼。

On seeing him, the girl **became red in the face**. 见到他，那女孩红了脸。

He **was wounded not in the arm** but in the leg. 他伤着的不是胳膊而是腿。

7 非物主意义的物主代词

(1) my 用于感叹句时，表示"欢迎、惊奇、痛苦"等义，没有"我的"这种意思。例如：

Oh，**my** boy! 哇，好家伙！

My God! 天啊！

My Goodness! 天哪！

(2) His，Your，Her，Their 可同 Excellency，Majesty，Honor，Highness 连用，表示尊称，无物主意义。例如：

Will that be all，**Your Majesty**? 就这些了吗，殿下？(直接称呼用 Your)

He was invited to tea with **Her Majesty** the Queen. 他应邀与女王陛下共进下午茶。

His Excellency the Mayor was invited to speak at the meeting. 市长先生被邀请在会上讲话。(间接提及时用 His 或 Her)

The building was officially opened by **Their Highness** the Prince and Princess of Wales. 威尔士亲王和王妃殿下为这幢大楼举行正式揭幕典礼。

【提示】注意下面的表达法：**His** Reverence the Bishop 尊敬的教士(对教士的尊称用 Reverence)，**Your/His** Worship the Mayor 市长阁下(对某些上层人士的尊称用 Worship)

8 物主代词所表示的四种关系

> He took off **his coat**. 他脱下外衣。（所属关系，＝the coat owned by him）
> The book has lost **its cover**. 这本书的封面掉了。（所属关系，＝the cover as a part of it）

> They are waiting for **her arrival**. 他们在等着她的到来。（主谓关系，＝she arrives）
> He lived in this room until **his death**. 他到死都住在这个房间里。（主谓关系，＝he died）

> The building was set fire to just after **its completion**. 这幢楼刚完工就被人放火烧了。（动宾关系，＝It was completed）
> **Her appointment** is something unexpected. 她的任命是没料到的事。（动宾关系，＝She was appointed）

> **His love** is unselfish. 他的爱／别人对他的爱是无私的。（主被动双重关系，＝He loves others. 或 He is loved by others.）
> **His treatment** is just. 他待人／人们待他是公正的。（主被动双重关系，＝He treats others. 或 He is treated by others.）

4. 指示代词

1 指代前面提到过的事（单词、名词短语、从句、句子等），常用 that 或 those，起"承上"的作用

He will scold them. **That** he will. 他会责备他们的。他会的。

She has taken it. **That** she has. 她拿了它。她是拿了。

He is selfish. I find him **that**. 他自私。我觉得他是自私。

To be or not to be，**that** is a question. 生还是死，这是个问题。

He is my friend，**that** he is. 他是我的朋友，的确是。（＝my friend，相当于 so）

They say John is cruel，but I know he cannot be **that**. 他们说约翰很残忍，但据我所知他不是这样。

He had a bad cold. **That's** why he was absent. 他患了重感冒，所以没有到场。

Send her some flowers — **that's** the easiest thing to do. 送些花给她——那是最容易做到的。

You saw some rare plants. Describe **those**. 你见过一些珍稀植物。描写一下那些植物。

Will your father lend her the car? **That** he won't. 你父亲会把车借给她吗？不会的。

He stabs you in the back and then professes to be your friend. What do you think of **that**? 他背后捅你刀子，当面声称是你的朋友，这你怎么看？

2 指代将要提及的事物，常用 this 或 these，起"启下"的作用

This is what we shall discuss tomorrow. 这就是明天我们要讨论的。

It all boils down to **this**：he is a snob. 归根到底一句话，他是个势利眼。

What do you think of **this**? He pretends to know what he doesn't know. 他不懂装懂，这你怎么想？

These language options are open to you：English, Japanese and Russian. 你们可以选择这些语言：英语、日语和俄语。

What do you think of **this**? Jack broke my camera, and then refused to pay for the repairs. 你怎么看这件事？杰克摔坏了我的照相机，却拒绝出修理费。

比较：

> **This** is the news of the past week. 现在播送过去一周的新闻。
> **That** is the end of the news. 新闻播送完了。（结束语）

> **This** is how you unlock the box. 你要这样打开箱子。（接着做示范）
> **That** is how you unlock the box. 你要那样打开箱子。（示范结束后）

> **This** is how you do it. 按下面的方法做。（示范之前）
> **That's** how you do it. 按上面的方法做。（示范之后）

【提示】this 和 these 常指自己要说的话，that 和 those 常指别人说过的话。例如：

> Listen to **this** story, please. 请听我讲这个故事。
> I've heard **that** story before. 我以前听过那个故事。

3 this 和 that 同时指出现过的两件事时，this 指"后者"，that 指"前者"

Virtue and vice are for you to choose；**this** brings you misery and **that** brings you happiness. 美德

与罪恶供你选择,罪恶给你带来灾难,美德给你带来幸福。

4 this 指朝着说话人方向过来的人或物,that 指离开说话人而去的人或物

> **This** is the train he rides in. 他乘坐的火车开过来了。
>
> **That** is the train he rides in. 他乘坐的火车开走了。

5 this 和 these 指的是在地点、时间等方面较近的事物,that 和 those 指的是地点、时间等方面较远的事物,有时也表示对比

This is mine；**that's** yours. 这是我的,那是你的。

These are very happy days. 眼下过的正是非常幸福的日子。

Those were the years when I was young and strong. 那些岁月里,我正值青春年华。

> A：Which book do you want to buy, **this or that**? 你想买哪一本书,这本还是那本?
>
> B：**This** book is cheaper, but **that** one is more useful. 这本书较便宜,但那本书更有用。

> I have been busy **this** morning. 今天上午我一直忙着。(现在时间)
>
> I was busy **that** morning. 那天上午我很忙。(过去时间)

We've been talking a lot about it **these** last few days. 最近这几天关于那件事我们谈了许多。

She went back to her hometown **that** summer. 那年夏天,她回到了故乡。

In **those** years, thousands of people died because of poor medical care. 在那些年里,成千上万的人因医疗条件差而死去。

▶▶▶ 值得注意的是,this,that,these,those 的指代区别并不是那么严格。这几个词实际上都能指代上文中出现的名词词组、整个分句、整个句子甚至若干个句子所表达的意思。例如:

At first glance, the desert seems completely barren of animal life, but **this** is an illusion. 乍一看,沙漠里似乎没有任何生命存在,但这只是个错觉。

He asked for his brown coat, saying that **this** was his usual coat for an evening walk. 他要他的棕色外套,说这是他晚间散步经常穿的外套。

Three bridges have been completely destroyed by the flood. **These** will take five months to rebuild. 有三座桥被洪水彻底冲毁了,要重建得用五个月时间。

Liquor, coffee and cigars：**these** are my friends. 酒、咖啡和雪茄,这些都是我的朋友。

6 this 或 that 同介词连用,表示特定的含义

With this, he went out. 他这样说着就出去了。(＝So saying)

At this, she burst into laughing. 她看到/听到这个大笑起来。(＝Seeing this or Hearing this)

Upon this, he sat down by the window. 然后他就在窗边坐了下来。(＝And then)

Since that, I have never seen her. 从那以后,我就没再见过她。(＝Since that time)

With that he jumped from the window. 而后,他就从窗口跳了下去。

It would be a shame to treat her **like that**. 那样待她是可耻的。

7 this 和 that 表示某些事物或不知名的某人

Some worried about **this**, some worried about **that**. 有些人担心这个,有些人担心那个。

He hasn't said anything against **Mr. This or Mrs. That**. 他没有说任何人的坏话。

8 this, these 和 that, those 同 very 连用表示强调

这种用法的 this 等为形容词。例如:

We must leave **this very** minute. 我们必须立即离开。

That very accident cost her life. 就是那场事故夺去了她的生命。

These very men are the people suitable for the job. 这些人非常适合做这项工作。

9 this, that 同 and 或 or 连用表示随随便便

这种用法的 this 等为形容词。例如:

He is busy with **this** thing or **that**. 他这事那事忙个不停。

He falls in love with **this** or **that** girl. 他同不止一个女孩谈情说爱。

Don't run **this** way and **that** way. 不要到处乱跑。

10 this 和 that 可以表示数量

这种用法的 this 和 that 为形容词。例如：

That factory has ten thousand workers, but ours has half **this** number. 那家工厂有 10,000 名工人,而我们厂只有 5,000 人。(＝five thousand)

It is four metres but twice **that** length is needed. 这只有 4 米,但需要 8 米。(＝eight metres)

11 this 和 that 可以同 much 连用

这种用法的 this 和 that 为形容词。例如：

I only know **this much**. 我知道的就这些。

That much I want. 我就要那么多。

She is right in **that much**. 她仅在那方面是对的。

12 this, these 和 that, those 可以表示某种情绪

Who is **this** Zhang Lin? 这个张林是谁?(看不起)

Forget **that** woman. 忘了那个女人。(鄙视)

I hate **that** old bike of yours. 我不喜欢你那辆破自行车。

O **that** sweet voice! O **those** eyes! 啊,那甜美的声音! 啊,那美丽的双眸!(赞美)

Jane is coming. I hope she doesn't bring **that** husband of hers. 简要来了,我希望她不要把她讨人厌的丈夫也带来。(厌恶)

13 this 和 that 可以用作副词,相当于 so

He isn't **that** silly. 他没那么傻。

The river is **that** wide. 这条河有那么宽。

He can't swim **that** far. 他游不了那么远。

Does he think **that**? 他那么认为吗?(＝that way, like that)

It is about **this** tall. 它大约有这么高。

【提示】比较不同的含义：

$\left\{\begin{array}{l}\text{John } \textbf{didn't see} \text{ her } \textbf{this morning/this autumn}. \text{(说话时已不是早晨或秋天)}\\ \text{John } \textbf{hasn't seen} \text{ her } \textbf{this morning/this autumn}. \text{(说话时是在早晨或秋天)}\end{array}\right.$

14 要求用 this 或 these 的特定场合(参阅上文)

(1) 总结上文刚说过的内容。例如：

Pride and conceit, nonchalance, and dejection — **these** make Fred the man he is. 骄傲、自负、冷漠、颓废——这就是弗雷德其人。

(2) 指代直接引语。例如：

"We've had a lot of fun at the party", as the girl said **this**, a pleasant smile spread over her face. "我们在聚会上玩得快活极了,"女孩说道,脸上洋溢着笑容。

(3) 在某些习惯用语中要用 this。例如：

This is Mark speaking. 我是马克。(电话用语)

What's all **this** about? 这都是怎么了?

Just **this** once. 就这一次。

This is Mary. Is that Sam? 我是玛丽。你是萨姆吗?

This is Mr. Frank. **This** is Mrs. Brown. 这位是弗兰克先生,这位是布朗先生。(介绍见面)

15 要求用 that 的特定场合

(1) 在 that he is 等结构中。例如：

"He is very stubborn sometimes." "Yes, **that** he is." "他有时非常固执。""是的,他就是这么个人。"

(2) 用在某些习语、词组或特殊说法中。例如：

$\left\{\begin{array}{l}\text{Who's } \textbf{that}, \text{please? (英)请问哪位?(电话用语)}\\ \text{Who's } \textbf{this}, \text{please? (美)}\end{array}\right.$

That is why you failed. 这就是你失败的原因。

That will do. 那就够了。

That's it! 对啦!

That's all. 就这些。

What of **that**? 那又怎样? /后来怎样?

That is how I made it. 我就是那么做的。

That is because you didn't come on time. 那是因为你没有按时到。

Stop crying and **that/there** is a good boy. 别哭了,不哭就是好孩子。

He has **that** in his character which deserves praise. 他身上有着值得赞扬的品质。(=something)

There is **that** who doesn't like the film. 有人不喜欢这部电影。(=someone)

She saw **that** in his face which frightened her. 她在他脸上看到了令她恐惧的东西。(=something)

Though perhaps too elaborate, it seems like a good plan **at that**. 虽然过于细致,看起来那仍是个稳妥的计划。

We'll **leave it at that**. You will pay all the expenses. 我们就这样吧。你支付所有的费用。

I don't agree with all you say but we'll **let it go at that**. 我并不全同意你说的话,不过我们就不要再说这件事了。

I refuse to go and **that's that**! 我不会去的,就是这样!

She's a housewife — when she's not teaching English, **that** is. 她是个家庭主妇——这是说在不当英语教师时。

I believe her account of the story, **that is to say**, I have no reason to doubt it. 我相信她所讲的情况,换句话说,我没有理由怀疑它。

All you have to do is telephone him and tell him you can't come and **that's that**. 你该做的事情是给他打个电话,告诉他你没法去,就这么行了。

Don't wait any longer. Just put a note in the letter-box, **that's all**. 不要再等了,只要在他家的信箱里放一个便条就行了。

For all that, they managed to win the game. 虽然如此,他们最终赢了比赛。

For all (**that**) you say, I won't forgive her. 不管你怎么说,我还是不能原谅她。

(3) 同 and 连用,用作替代词。例如:

You must go there, and **that** immediately. 你必须去那里,而且立即就去。(=and you must go there immediately)

She decides to be a doctor and **that** all her life. 她决定当医生,而且终生从医。(=and she decides to be a doctor all her life)

【提示】these 也有这种用法。例如:

She has a lot of story books and **these** very interesting ones. 她有许多故事书,而且都非常有趣。(=and she has very interesting story books)

(4) 用在 and...at that 结构中,表示强调,意为"而且,此外"。例如:

It's an idea, **and** a good one **at that**. 那是个主意,而且是个很不错的主意。

She has a car, **and** a very good one **at that**. 她有一辆车,而且是一辆非常好的车。

People went to the flower show **and** thousands of them **at that**. 人们前去看花展,有好几千人。

We had a better man for the job, **and** a more experienced one **at that**. 有个人更适合做这项工作,而且更有经验。(=We had a better man for the job, and that a more experienced one)

The girl knows nothing except cooking, **and** very little **at that**. 那女孩除了烧烧饭什么也不懂,而且饭也不怎么烧得好。

16 this day 的一种特殊用法

这种用法可以用来表示以当天为起点的向前或向后的一个周期。例如:

They will arrive **this day** week. 他们将在一周后的今天到达。(a week from today 一周后的今天)

They started on the journey **this day** month. 他们在一个月前的今天出发去旅行了。(a month from today 一个月前的今天）

The war broke out **this day** twenty years. 这场战争发生在 20 年前的今天。

I shall see her **this day** next month. 我将在下个月的今天见她。

⑰ Alas, that Spring should vanish with the Rose 中 that 的含义

　　that 有时可以引导句子独立出现，表示说话人的强烈感情或愿望。例如：

　　Oh，**that** she were here! 啊！她要是在这里该多好！（＝I wish that she were here. ）

　　That he was kept totally in the dark. 他竟然完全不知晓！

▶▶▶ 上面的句子意为 It's a pity that Spring should vanish with the Rose. 这个句子似可译为南唐后主李煜《乌夜啼》中的名句：“林花谢了春红，太匆匆……”。

⑱ He left the day that I arrived 中的 that 不是指示代词

　　上句中的 that 相当于 when, on which, 起关系副词的作用。that 还可以作 in which, why 等解。例如：

　　This is the way **that** they live. 他们就是这样生活的。（that＝in which）

　　That is the reason **that** he didn't tell you the fact. 那就是他没有告诉你事实真相的原因。（that＝why）

⑲ A good man, that ——用指示代词重复前面所讲的事物，表示强调

　　They are no ordinary people, **those**. 那些人可不是一般的人。

　　A rather pretty girl, **that**! 那可是个相当漂亮的女孩！

　　He went into the house, a lovely home **this**. 他走进了那所房子，真是一个漂亮的家。

⑳ for them involved in the case 还是 for those involved in the case

　　those 后可以跟定语从句或短语，而人称代词 them 后则不可。例如：

　　对于那些涉案人员，法庭将进行调查。

　　For them involved in the case, the court will conduct investigations. 〔×〕

　　For **those** involved in the case, the court will conduct investigations. 〔√〕

【提示】

① those who ... 相当于 people who ..., 意为“凡……的人”，表示两者以上的不定人数。those who 中的 who 作主语，不可省略，而 those whom 中的 whom 后接定语从句作宾语，往往省略。those 可以直接代替代词，故不说 those ones, 但可以说 those green ones。例如：

　　Those who insult themselves will be insulted by others. 自侮者人必侮之。

　　There are **those who** say parents have to teach their children to think for themselves. 有些人说，父母必须教育孩子自己动脑筋。

② those who 或 they who 有时相当于 one who 或 he who。例如：

　　Those who take no thought at first will at the last repent. 事前不思考，事后定懊悔。

　　＝**One who takes** no thought at first will at the last repent.

　　They who stay last take the most. 坚持到最后者，得到的最多。

　　＝**He who stays** last takes the most.

③ that which＝what。例如：

　　That which is beautiful is not always true. 美的东西未必真实。

　　We are often afraid of **that which** we cannot understand. 我们常常害怕我们不能理解的东西。

㉑ this kind 和 these kinds 等

　　比较下面几个句子的不同含义：

　　This kind of animal is rare now. 这种动物现在很稀有了。（用单数 animal 表示概括）

　　This kind of animals is/are rare now. （可用单数或复数，句意同上）

　　Animals of this kind are rare now. （强调种类，句意同上）

　　These kinds of animal/animals are rare now. 这些种类的动物现在很稀有了。（用单数 animal 表示概括）

这六天中我一直很忙。

I have been busy **these** six days.〔√〕

I have been busy **this** six days.〔√〕(用 this 则把 six days 当作一个时间段,作整体看待)

5. 不定代词

表示不特定的人或物和不定数量的代词称为不定代词。

1 All is well that ends well——all 的用法要点

all 用于三者或三者以上,接可数名词复数,也可接不可数名词。另外,the 只能放在 all 的后面。

(1) 作形容词,意为"所有的,一切的",即包括全体中的每一个或每一类(接复数名词)。例如:

All men have equal rights. 所有的人都有平等的权利。

All dogs are faithful animals but **all** men are not kind. 所有的狗都是忠实的动物,但并非所有的人都是好人。

【提示】

① all 可同复数名词连用表示"任何"。例如:

He went there in **all** weathers. 他不管刮风下雨都去那里。(＝in any weather)

She begged money from **all** passers-by. 她见了过路人就乞讨钱。(＝from any passer-by)

② 比较:

I have read **all** these books. 所有这些书我都读了。(总体来考虑)

I have read **every** one of these books. 这些书每一本我都读了。(分开考虑)

The boy can recite **all** the essays he has studied. 这男孩能背诵他学过的所有散文。(特指,全部)

The boy can recite **any** essay he will study. 这男孩对学过的散文过目成诵。(泛指任何一篇)

(2) 作形容词,表示集体或整体概念(接 this, that 或单数名词,动词用单数)。例如:

He remained unknown **all** his life. 他一生默默无闻。

She waited in **all** the afternoon. 她等了一整个下午。

He studied **all** day, **all** night. 他日夜苦学。

She stayed here **all** spring. 她整个春天都在那里。

All Asia stands up for the games. 全亚洲人都支持举办这场运动会。

All this/**All** that is madness. 这全是胡作非为。

(3) 作形容词,接抽象名词或单数名词,意为 any, every, the greatest possible。例如:

That she welcomes **all** criticism is beyond **all** doubt. 她欢迎所有的批评是不容置疑的。

The flowers are blooming in **all** their beauty. 鲜花怒放,姹紫嫣红。

Her loyalty is beyond **all** question. 她的忠诚是不容置疑的。

He spoke with **all** humility. 他说话很谦逊。

The storm came in **all** its fury. 肆虐的风暴铺天盖地。

They went there with **all** speed. 他们急速赶去那里。

He took **all** care of her. 他无微不至地照顾她。

It is beyond **all** dispute. 这无可争辩。

It is **all** nonsense. 这全是一派胡言。

It is beyond **all** controversy. 这毫无争议。

It is contrary to **all** rule. 这与所有的规则相背。

She denied **all** error. 她拒不承认有任何过错。

He refused **all** praise. 他拒绝任何称赞。

They cut off **all** connection. 他们切断了所有联系。

all manner of people 各种各样的人(manner 表示"种类"时用单数)

all manner of goods 各种各样的货物

【提示】"for all/with all＋抽象名词"表示"尽管"。例如:

For all their opposition, he went his own way. 不管他们怎么反对,他坚持走自己的路。

With all his wealth, he isn't happy. 尽管他十分富有,但并不幸福。

(4) all 可以同复数名词或抽象名词连用,表示"非常,聚精会神地"。例如:

He is **all** ears. 他倾听着。

She is **all** eyes. 她目不转睛地看着。

The girl is **all thumbs**. 那女孩笨得很。

He is **all** heart. 他非常诚恳。(＝very earnest)

She is **all** attention. 她注意力非常集中。(＝very attentive)

She is **all** astonishment. 她非常吃惊。(＝very astonished)

A life that is **all beer** and **skittles** can not last long. 光是喝啤酒、玩九柱戏这样吃喝玩乐的生活长久不了。

(5) all 可以同复数名词或抽象名词连用,表示"仅有的,唯一的"。例如:

All the books I have are yours. 我有的书也都是你的。

That is **all** the news I learn. 我所知道的消息就这些。

Life is not **all** pleasure. 生活并不仅是享乐。

All work and no play makes Jack a dull boy. 只工作不玩耍,聪明的孩子也变傻。

(6) 用于 of all 或 out of all 结构中,意为"这么多……中偏偏,这么多……中最",表示某种情绪,如惊奇、困惑、厌恶等。例如:

He left on a rainy day **of all** days. 他偏偏在下雨那天离开了。

He married Mary **out of all** good girls. 在这么多好女孩中,他偏偏娶了玛丽。

I like this picture **of all** pictures. 这么多照片中,我最爱这一张。

He, **of all** persons, hurt her most. 偏偏就是他对她伤害最深。

This suggestion **of all** suggestions appeals to her. 偏偏这个建议她感兴趣。

They chose Jim **of all** others. 他们偏偏选中了吉姆。

This is something **of all** others to be remembered. 这是最应该记住的事情。

He likes traveling **of all** things. 他偏偏最爱旅行。(＝particularly)

Did you, **of all** things, love a country girl? 你怎么偏偏爱上了一个农村姑娘?

It is, **of all** things, the ideal way of doing it. 这是做这件事的最理想的方式。

They quarreled on New Year's Day **of all** days. 他们别的时候不吵架,偏偏在新年那天吵。

(7) 作副词,可以修饰形容词、副词、介词,并常同 over, along, round, around, about, through, by 等一起使用,表示强调,意为"全部,都"。例如:

It is **all** useless. 这全无用处。

He was **all** wet. 他浑身都湿透了。

She was **all** in black. 她穿着一身黑衣服。

Her face is **all** swollen. 她的脸全肿了。

Your essay is **all** very fine. 你的文章写得相当好。

They are **all** for starting early. 他们都赞同早动身。

The girl has got him **all** excited. 那女孩让他神魂颠倒。

He was **all** wrong in his conjecture. 他的猜测全错了。

She was **all** alone in that dark room. 她孤单单一人在那黑屋子里。

She was living **all** by herself in an old house on the river. 她孤身一人住在河边的一座旧房子里。

He died **all** too soon. 他去世太早了。(修饰副词)

He died **all** for the country. 他完全是为国家而献身的。(修饰介词短语)

【提示】all but 表示"几乎,差点",相当于 almost。例如:

She **all but** failed the exam. 她差一点考不及格。

I am **all but** certain of her success. 我几乎可以肯定她会成功。

They have talked **all but** the whole day. 他们已经谈了几乎一整天。

(8) 作代词，意为 the whole number, quantity or amount (of)，谓语动词用单数或复数，视情况而定。例如：

All of the milk is spilt. 牛奶都洒了。

I saw it **all**. 我一切都看到了。

The boy ate **all** of the apple. 这男孩吃了一整个苹果。

All of the goods are imported from France. 所有这些货物都是从法国进口的。

【提示】all 后有时可跟两个同位语。例如：

All we students like sports. 我们学生们都喜爱运动。

The general praised **all them brave soldiers**. 将军赞扬了他们所有的勇敢的战士们。

(9) 作代词，相当于 all people，接复数动词。例如：

All are in favour of the proposal. 所有人都赞成这个提议。

All that live must die. 有生必有死。

It's hard to please **all**. 众口难调。

(10) 作代词，相当于 everything 等，接单数动词。例如：

All is well that ends well. 结果好，就是好。

All is over. 全完了。/全都结束了。

Is that **all**? 就这些吗？

Music is her **all**. 音乐是她的一切。(＝all she has or values)

All said and done, life is struggle. 说到底，生活就是奋斗。

All was quiet in the open at night. 夜晚的旷野万籁俱寂。

All I know is that **all** seems to be going on well. 我所知道的是一切进展顺利。

(11) 作名词，相当于 everything，用于所有格代词之后。例如：

That is her little **all**. 那是她的全部所有。

He gave his **all** to the peace and freedom of mankind. 他为人类的和平和自由奉献了一切。

(12) 作同位语。例如：

They are **all** to blame. 他们都该受责备。

We'd **all** like to make easy money. 我们都想赚容易得来的钱。

The students **all** agreed to make a trip to the scenic spot. 学生们都同意去那个景点旅游。

(13) be all here 还是 all be here。

all 位于行为动词前，be 动词后；表示强调可以说 all of us/them 等，但 all 不可紧放在代词前。例如：

[√] {
All were in tears at the news. 听到那个消息所有的人都流了泪。
All of them were in tears at the news. 听到那个消息他们所有的人都流了泪。
They were **all** in tears at the news.
They were **all of them** in tears at the news.
They **all** shed tears at the news.
}

[×] {
They all were in tears at the news.
They shed all tears at the news.
All they shed tears at the news.
}

比较：

[√] {
all books 所有的书
all the books 所有的书
all such books 所有这样的书
all these/those books 所有这些/那些书
all my books 所有我的书(my 后有名词，前可用 all)
all of my books 所有我的书
all of these/those books 所有这些/那些书
}

$$[\times]\begin{cases} \text{all of books} \\ \text{the all books} \end{cases}$$

【提示】be 动词位于句尾时,all 要移到 be 之前。例如:

How unfair it **all was**! 这一切是多么不公平啊!

What fun it **all was**! 这是多么有趣呀!

(14) all in 和 in all——all 构成的惯用语。

all in 疲倦	in **all** 总共	**all** at once 突然/同时
all the same 都一样	**all** alone 独自地	**all** gone 无……留下
once and for **all** 只此一次	for good and **all** 永远	and **all** 连……一起

The soldiers are **all in**. 士兵们都疲惫不堪。(very tired)

There were ten cars **in all**. 总共有 10 辆车。(altogether)

(15) of all,at all,all in all 和 after all。

$$比较\begin{cases} \text{of all} \rightarrow 在所有中……最(常同最高级连用) \\ \text{at all} \rightarrow 根本(用于疑问句、否定句和条件句) \\ \text{all in all} \rightarrow 一切的一切,最重要的人或事,完全地 \\ \text{after all} \rightarrow 毕竟 \end{cases}$$

He likes smoking least **of all**. 他最不喜欢抽烟。

I like her best **of all**. 我最喜欢她。

She is **all in all** to him. 她是他最爱的人。

He is **the most** kind-hearted man **of all**. 他是最善良的人。

If you do it **at all**, do it well. 如果你真要做这件事,那就做好它。

After all, no one is perfect. 说到底,没有人是十全十美的。

Take it **all in all**, health is the most important. 说到底,健康才是最重要的。(= When everything is considered ...)

【提示】

① 比较下面几句:

$$\begin{cases} \text{**All books** are not worth reading. 并非所有的书都值得读。(泛指所有的书)} \\ \text{**All the books** are worth your reading. 所有这些书都值得你读。(特指某个地点所有的} \\ \text{书,如某个书架上的书,也可以说 all of the books)} \end{cases}$$

$$\begin{cases} \text{**All men** must die. 人皆有一死。(泛指所有的人)} \\ \text{**All men** are born equal. 所有的人生来都是平等的。} \\ \text{**All the men** are from England. 所有这些人都来自英国。(特指某地的一群人,也可以说} \\ \text{all of the men)} \end{cases}$$

$$\begin{cases} \text{**All three men** waved to her. [√]三个人都向她打招呼。} \\ \text{**All the three men** waved to her. [√]("all+数词+复数名词"结构可用可不用 the)} \end{cases}$$

$$\begin{cases} \text{**All roads** lead to Rome. 条条道路通罗马。} \\ \text{**All the roads** will be open to traffic before the end of the year. 所有这些道路年底前都} \\ \text{将通车。} \end{cases}$$

$$\begin{cases} \text{He is the greatest physicist of **all time**. 他是有史以来最伟大的物理学家。} \\ \text{He was ill **all the time** he stayed here. 他在这儿的期间一直生病。} \end{cases}$$

$$\begin{cases} \text{所有四个人都受伤了。} \\ \text{**All four** were wounded. [√]} \\ \text{**All four of them** were wounded. [√]} \\ \text{All the four were wounded. (不妥)("all+数词"结构一般不用 the)} \end{cases}$$

② all 和 whole 的异同。

A. 在单数可数名词和不可数名词之前多用 whole,在复数可数名词之前多用 all。例如:

whole→the **whole** building, the **whole** army, the **whole** idea, the **whole** truth, the

whole thing

all→**all** the cars, **all** the students, **all** the books

B. 在表示时间(day, week, month, year)、季节(spring, summer, autumn, winter)及月份(January ...)等名词前,用 whole 和 all 均可,但结构不同。比较:

$\begin{cases} \textbf{all} \text{ (the) month 一整月} \\ \text{the } \textbf{whole} \text{ month} \end{cases}$ $\begin{cases} \textbf{all} \text{ (the) spring 整个春天} \\ \text{the } \textbf{whole} \text{ spring} \end{cases}$

$\begin{cases} \textbf{all} \text{ May 整个五月} \\ \text{the } \textbf{whole} \text{ May} \end{cases}$ $\begin{cases} \textbf{all} \text{ the way 一路上} \\ \text{the } \textbf{whole} \text{ way} \end{cases}$

$\begin{cases} \textbf{all} \text{ the family 全家} \\ \text{the } \textbf{whole} \text{ family} \end{cases}$

▶▶▶ 但是,hour 和 century 只可用 whole 修饰,不可用 all 修饰。比较:

$\begin{cases} \text{整整一个小时} \\ \text{the } \textbf{whole} \text{ hour } [\checkmark] \\ \text{a } \textbf{whole} \text{ hour } [\checkmark] \\ \text{all the hour } [\times] \end{cases}$ $\begin{cases} \text{整整一个世纪} \\ \text{the } \textbf{whole} \text{ century } [\checkmark] \\ \text{a } \textbf{whole} \text{ century } [\checkmark] \\ \text{all the century } [\times] \end{cases}$

C. 在"数词+时间名词"前,可用 all 或 whole。例如:

$\begin{cases} \textbf{all} \text{ five weeks 整整五个星期} \\ \text{the } \textbf{whole} \text{ five weeks} \end{cases}$ $\begin{cases} \textbf{all} \text{ three years 整整三年} \\ \text{the } \textbf{whole} \text{ three years} \end{cases}$

D. 物质名词前通常用 all。例如:

Not **all water** is fit to drink. 并非所有的水都适宜饮用。(不可说 the whole water)

He wasted **all the money**. 他把所有的钱都浪费掉了。(不可说 the whole money)

▶▶▶ 有些物质名词前亦可用 whole,但有特殊的含义,如:**whole** milk 全脂奶,**whole** flour 纯面粉。

E. 有些抽象名词前用 all 或 whole 均可。例如:

$\begin{cases} \textbf{all} \text{ the time 一直} \\ \text{the } \textbf{whole} \text{ time} \end{cases}$ $\begin{cases} \textbf{all} \text{ his life 他的整个一生} \\ \text{his } \textbf{whole} \text{ life} \end{cases}$

$\begin{cases} \textbf{all} \text{ her attention 她的全部注意力} \\ \text{her } \textbf{whole} \text{ attention} \end{cases}$ $\begin{cases} \textbf{all} \text{ her energy 她的全部精力} \\ \text{her } \textbf{whole} \text{ energy} \end{cases}$

③ all 可以同名词或形容词等构成复合词。例如:

all-important 头等重要的   **all**-knowing 无所不知的

all-wise 绝顶聪明的   **all**-powerful 强大无比的

All-Maker 全能的上帝(=All Creator)

The man is **all-seeing, all-wise**. 那人无所不晓,绝顶聪明。

④ 比较:

$\begin{cases} \textbf{All is} \text{ lost. 一切都完了。(=everything,后跟单数动词指物)} \\ \textbf{All were} \text{ lost. 我们不知如何是好。(=we,后跟复数动词指人)} \end{cases}$

$\begin{cases} \textbf{All is} \text{ well. 一切正常。(都好)} \\ \textbf{All are} \text{ well. 我们都好。} \end{cases}$

$\begin{cases} \textbf{All has} \text{ changed. 一切都变了。} \\ \textbf{All have} \text{ changed. 我们都变了。} \end{cases}$

2 both 的用法和结构

(1) both 用于两者,动词用复数形式。both 可作主语、宾语、定语和同位语,在句中的位置居行为动词之前,be 动词之后。例如:

Both of the girls are pop singers. 这两个女孩都是流行歌手。(主语)

She got angry with **both** of them. 她生他们两个的气。(宾语)

Both the suggestions sound good. 两个建议听起来都不错。(定语)

He is fond of you **both**. 他喜欢你们俩。(同位语)

We are **both** young. 我们两人都年轻。（同位语）

She and Jane **both** agreed to come. 她和简答应要来。（同位语）

(2) both 和 alike 不可连用，both 和 as well as 不可连用，但可以说 both/at once...and。both...and 连接两个平行或同等的人或物，表示"和……都，既……又"等。例如：

The book is written **both for** children **and for** adults. 这本书既是为儿童写的，也是为成人写的。（连接两个介词短语）

She **both** listened **and** made notes. 她一边听一边做笔记。（连接两个动词）

> 这两幅画非常相像。
> The two pictures are both very much alike. [×]
> The two pictures are very much **alike**. [√]

> 她会说英语和德语。
> She can speak both English as well as German. [×]
> She can speak **both** English **and** German. [√]

【提示】

① 比较：
> She held a pen in **both** of her hands. 她双手握着一支笔。（只有一支笔）
> She held a pen in **either** of her hands. 她一手握着一支笔。（共两支笔）

> I bought a gift for **both** of them. 我给他们两人买了一份礼物。（只买了一份礼物，是给他们两人的）
> I bought a gift for **each** of them. 我给他们两人各买了一份礼物。（买了两份礼物，两人每人一份）

② both 只能放在 my, the, these, those 等之前，不可放在其后。例如：
> 我父母亲都是新闻工作者。
> My both parents are journalists. [×]
> **Both my** parents are journalists. [√]

③ both 不可紧放在 we, they 等主格代词前。例如：
> 他们两人都是诗人。
> Both they are poets. [×]
> **They both** are poets. [√]

④ 下面的结构均正确：
Both her children were praised. 她的两个孩子都受到了表扬。

> 两个孩子都受到了表扬。
> **Both** children were praised.
> **Both** the children were praised.
> **Both** these children were praised.
> **Both** of the children were praised.
> The children were **both** praised.

> 他们表扬了两个孩子。
> They praised **both** (of) the children.
> They praised the children **both**.

⑤ both 可用作副词。例如：
> She can sing and dance **both**. 她唱歌跳舞都行。

3 either 的用法和结构

(1) either 用于两者，意为"两者中任何一个都……"，可以作主语、定语、宾语或状语，其结构一般为：
> either＋名词＋of the ＋名词＋单数谓语动词
> either＋形容词＋单数名词＋单数谓语动词

Either one of these conclusions might be drawn. 这两个结论哪一个都可能得出。（定语）

There is no sound from **either** of the rooms. 两个房间里都没有声音传出来。（宾语）

He was not very interesting to talk to **either**. 同他谈话也不大有趣。（状语）

There are two ways leading into the woods. **Either** seems to be passable. 有两条路通往森

林,哪一条似乎都走得通。(主语)

(2) either 可以表示"两(边),两(头)"等。例如:

The soldiers stood on **either** side of the road. 士兵们站在路的两边。

At **either** end of the street there is a bridge. 大街的两头各有一座桥。

(3) either...or 表示"要么……要么,不是……就是,或者……或者",连接两个平行的人或物。例如:

You may **either** stay **or** leave. 你可留可走。(连接两个动词)

You must be **either** modest **or** cautious. 你必须既谦虚,又谨慎。(连接两个形容词)

You may buy it **either** from this shop **or** from that shop. 们可以从这个商店或那个商店买它。(连接两个介词短语)

【提示】

① either 只用于两者,each 用于两者,也用于两者以上。比较:

那里有两个苹果,你们两人都可以拿一个。
Either of you may take one. [✓]
Each of you may take one. [✓]

那里有三个苹果,你们每个人都可以拿一个。
There are three apples here. Either of you three may take one. [×]
There are three apples here. **Each** of you three may take one. [✓]

② 比较 either 和 any 的不同含义:

他的兄弟们你有认识的吗?
Do you know **any** of his brothers? (至少有三个兄弟)
Do you know **either** of his brothers? (只有两个兄弟)

I don't like **any** of them. 他们我都不喜欢。(＝I like none of them.)
I don't like **either** of them. 他们俩我都不喜欢。(＝I like neither of them.)

③ either 和 both 有时可互换,但 either 强调两者中的每一个,both 强调两者的整体。例如:

New buildings have sprung up on **either** side of the street. 街道的每一边都盖起了新大楼。(指街道的每一边)

New buildings have sprung up on **both** sides of the street. 街道的两边都盖起了新大楼。(指街道的两边)

Either of them fits me. 两者中哪一个都适合我。(着重两者中的每一个)
Both of them fit me. 两者都适合我。(着重两者整体)

4 any 的用法

(1) 用作代词(有时相当于省略了后面的名词)。例如:

Can **any** do it better? 有谁能做得更好吗? (＝any person)

Will **any** of you help her? 你们有谁能帮助她吗?

She has a lot of picture books, but I have not **any**. 她有许多图画书,而我却没有一本。

【提示】在复数的上下文中,any 可用作复数代词。例如:

Are/Is any of them ready? 他们都准备好了吗?

(2) 用作副词,表示程度,常用于条件句、否定句和疑问句中,有时相当于 at all。例如:

He can't do **any** better than you. 他不可能做得比你好。

She never slept **any** the whole night. 她整整一夜都没睡着。

He did not mind this **any**. 他对此一点也不介意。

Is this **any** different from that? 这同那个有什么区别吗?

I cannot help you **any**. 我无论如何也帮不了你。(＝in any way)

He is not a poet **any** more than I. 我不是诗人,他也不是。(＝I am not a poet, nor is he.)

(3) 用作形容词,用于肯定句,any 表示强调,通常重读,有"不管哪个,任何"等含义,同可数名词单数或不可数名词连用。例如:

Any time you want me，just send for me. 你任何时候需要我，就派人叫我。

Any person，however wise，can make mistakes sometimes. 再聪明的人有时也会出错。

We did the work without **any** difficulty. 我们毫不费力就把这个工作完成了。

He was ready to defend himself with **any** weapon. 他已准备好用任何武器保护自己。

Come **any** day you like. 你想哪天来就那天来。

(4) 用在复数可数名词前，说明某一特定类型中的一切事或一切人。例如：

He can meet **any** circumstances，however difficult. 他能够应付不管多难的局面。

One must be ware of **any** forecasts about fuel supplies. 人们必须关注任何燃料供应的预告。

The patients know their rights like **any** other consumers. 病人也像别的消费者一样知道自己的权利。

(5) 表示"一些，什么"，用于疑问句、否定句及条件状语从句中，代替 some，同可数名词复数或不可数名词连用，一般不重读。例如：

Are there **any** cows in the fields？ 田野里有牛吗？

There won't be **any** trouble. 不会有什么麻烦的。

There are scarcely **any** flowers in the garden. 园子里几乎没有花。

Do you have **any** facts to back up all this？ 你有什么事实来支持这些吗？

If you need **any** money，please let me know. 如果你需要钱，请让我知道。

【提示】any 有时意思较弱，接近于一个不定冠词(a，an)，可与单数可数名词连用。例如：

There isn't **any** house near here suitable for you. 这儿附近没有适合你的房子。

If you see **any** interesting book，please buy it for me. 如果你遇见什么有趣的书就请给我买下。

The bucket hasn't **any** handle. 这个桶没有把手。

(6) "any of＋复数名词"作主语，谓语动词多用单数，但也可用复数。例如：

There is no sign that **any** of these limits **has** yet **been reached**. 没有迹象表明这些限度有达到的。

Find out if **any** of her colleagues **were** at the party. 弄清楚她的同事是否有出席聚会的。

(7) "any of＋us，you，these，those"作主语，谓语动词可用单数或复数。例如：

I don't think **any** of them **wants** that. 我想他们谁也不会想要那个的。

We hotly contested the idea that **any** of us **were** middle class. 我们激烈争议我们中有任何人是中产阶级这一观点。

(8) 有时表示"极大，极好，极多"等义。例如：

There is **any** wine in the shop. 这家店里有各种酒。

You can find **any** picture in the museum. 那家博物馆藏画极为丰富。

There was **any** rascal in that street. 那条街上什么样的无赖都有。

【提示】

① 下面几句中的形容词相当于 any，但更为强调：

Don't let **mortal** man know it. 不要让任何人知道这件事。(＝any man)

I can't get **the slightest** help from him. 我从他那里得不到一点帮助。(＝any help)

② 比较：

I don't know **any** (one) of them. 我对于他们一个也不认识。

I don't know **some** of them. 我对于他们有几个不认识。

I don't know **every** one of them. 我对于他们并非个个都认识。

I do not know **any** of these words. 这些词我一个也不认识。

I do not know **some** of these words. 这些词我有几个不认识。

5 any，some 及其复合词的用法和结构

any 指"三者或三者以上之中的任何一个"；any 及其复合词作主语时，谓语动词用单数形式；any 的反义词是 none。

(1) any 修饰主语或 any 的复合词作主语时，其谓语动词只能用肯定式，不能用否定式。比较：

　　猎人们谁也难以一个人捉住那只老虎。

　　Any of the hunters could not catch the tiger single-handed. [×]

　　None of the hunters **could** catch the tiger single-handed. [√]

　　Any film can hardly interests him. [×]

　　Hardly any film can interest him. [√]几乎没有任何电影能使他感兴趣。

　　He has **hardly** seen **any** film the whole year. [√] 他几乎一整年都没有看过电影。

　　谁也不能鱼和熊掌兼得。

　　Anybody can not eat his cake and have it. [×]

　　Nobody can eat his cake and have it. [√]

(2) 一般来讲,any 作形容词时用于否定句、疑问句或条件句,some 用于肯定句。但是,如果以问句的方式向对方提出要求、建议或邀请,或期望对方作肯定的答复,要用 some,不用 any。例如:

Will you lend me **some** money? 借点钱给我好吗?(请求)

Can I have **some** tea? 来点茶好吗?(请求)

Won't you try **some** of the bread? 你尝尝这面包好吗?(邀请)

Has she lost **something**? 她丢了什么吗?(含义是:她看来正在找东西,估计是丢了什么。)

Have you got **something** I could read? 你有什么我可以读的吗?

【提示】

① 比较不同的含义:

　　some/a few/several/many/most cities 一些城市/几个城市/许多城市/大多数城市

　　some/a few/several/many/most of the cities 城市中的一些/几个/许多/大多数(指整个数目中的一部分)

　　some/little/much/most food 一些食物/许多食物/大多数食物

　　some/little/much/most of the food 食物中的一些/许多/大部分(指其中的一部分)

▶▶▶ 但下面的 more 等修饰表示抽象概念的名词,两种结构含义相同:

　　more courage→more of courage 更大的勇气

　　the least work→the least of work 最少的工作

　　little rest→little of rest 很少休息

② some 和 any 构成的复合代词的区别同 some 和 any 一样。

③ some 有时也可用于 if 引导的条件从句中。例如:

　　If you want **some/any** help, let me know. 如果你需要帮助,请告诉我。

　　If you want **some/any** money, let me know. 如果你需要钱,请告诉我。

④ some 有时表示"相当程度的,相当数量的"等,这时用作形容词。例如:

　　He is **some** writer. 他是个了不起的作家。(＝a wonderful)

　　That is **some** case. 那是个重要的案子。(＝an important)

　　I have waited for **some** time. 我已经等了很久了。(＝a long)

⑤ some 有时表示"些许,大约,左右"等,这时用作副词。例如:

　　She is **some** better today. 她今天好些了。(＝somewhat)

　　She comes **some** twice a week. 她大约一周来两次。(＝about twice a week)

　　He slept **some** last night. 他昨夜睡了一会儿。(＝a little)

　　It is **some** six o'clock. 现在大约 6 点钟。(＝about six o'clock)

⑥ 比较不同的含义:

　　I can come **any** time next week. 我下周任何时候都可以来。(整个下周有空)

　　I can come **some** time next week. 我下周找个时候来。(需选择一个方便的时间)

　　Any doctor can tell you it is poisonous. 任何医生都会告诉你这是有毒的。(没有例外)

　　Some doctors can tell you it is poisonous. 一些医生会告诉你这是有毒的。(是否有毒意见不完全统一)

$$
\begin{cases}
\text{Does she know \textbf{any} French? 她懂法语吗?} \\
\text{Does she know \textbf{some} French? 她懂一点法语吗?} \\
\text{Doesn't she know \textbf{any} French? 她难道一点法语也不懂吗?（一般问句）} \\
\text{Doesn't she know \textbf{some} French? 她不是也懂一点法语吗?（修辞问句）}
\end{cases}
$$

（3）anything 等的用法及构成的惯用语。

① anything。

like **anything** 拼命地，if **anything** 要说有什么两样的话，for **anything**（用于否定句）说什么也，or **anything** 或是其他别的事，be as...as **anything** ...不得了，be **anything** of a/an＋单数可数名词（用于条件句、疑问句、否定句）(＝not...at all)有点……的气质或味道，**anything** but＋单数可数名词/形容词　一点……也不

The man ran down the street **like anything**. 那人在大街上拼命地跑。

We won't accept the conditions **for anything**. 我们说什么也不会接受这些条件。

He isn't **anything** in the local government. 他在当地政府中不是什么举足轻重的人物。

He is **anything but** a scholar. 他根本称不上学者。

She isn't **anything of** a musician. 她没有音乐家的气质。

【提示】下面句中的 anything 用作副词。

$$
\begin{cases}
\text{She is \textbf{anything} between 15 and 18. 她大约在 15—18 岁之间。} \\
\text{＝She is \textbf{anywhere} between 15 and 18.}
\end{cases}
$$

② nothing。

go for **nothing** 白费　　　**nothing** but 只是/只有　　　**nothing** if not 非常

next to **nothing** 几乎没有　　for **nothing** 免费/白白地　　come to **nothing** 失败/无结果

nothing doing 绝对不　　　**to say nothing** of 更不用说　　make **nothing** of 不把……当回事

nothing like 没有……能比得上　　be **nothing** to 不能与……相比

nothing of the kind 毫不相似的事物　　have **nothing** on sb. 不比某人强

in **nothing** flat 在极短的时间内　　**nothing** short of 不折不扣/简直是

think **nothing** of 认为……没什么　　**nothing** of a/an 算不上/不具有……的能力

have **nothing** in sb. 毫无优点（接人称代词宾格）

nothing for it but to 除了……以外没有别的办法

Of **nothing** comes **nothing**. 无中不能生有。

He is **nothing if not** optimistic. 他非常乐观。

Nothing seek，**nothing** find. 无所求，则无所获。

By doing **nothing** we learn to do ill. 一闲生百邪。

Nothing succeeds like success. 一事成功,事事成功。

John **had nothing on** Henry in maths. 约翰的数学不比亨利强。

We are **nothing if not** up to date in our laboratory. 在我们的实验里,一切都是很新式的。

He **thought nothing of** working eight hours on end. 他连续工作八个小时,一点也不觉得什么。

She knew **next to nothing** about the secret. 她对那个秘密几乎一无所知。

I think there is **nothing like** taking a walk as a means of keeping fit. 我认为要想保持健康散步最好。

比较：He is **nothing/little of** a doctor, but **much of** (＝quite) a quack. 他不是什么医生,只是个江湖郎中。

▶▶ nothing 有时意为"微不足道的人或事"(a person or thing of no importance)。例如：

He is a real **nothing**. 他算不了什么。

A nothing vexed her. 一件小事使她烦恼。

His achievements are **nothing** to yours. 他的成就与你相比是微不足道的。

Don't criticize others for a mere **nothing**. 别为芝麻小事而批评他人。

A man may be so much of everything that he is **nothing** of everything. 一个人也许什么都懂,

以至实际上什么都不真懂。

③ something。

something like 大约 　　　　or **something** 类似……

something or other 一件什么东西 　　see **something** of life 见过世面

be **something** of the kind 某些类似的东西 　have **something** going for one 有某种好条件

have **something** on sb. 抓住了……的把柄 　and **something** 等待

make **something** of 从……得到好处/以……为借口而……

be **something** of a/an＋单数可数名词(用于肯定句) 有点……的味道或气质/有一定程度的

He is a painter **or something**. 他是个画家什么的。

They broke the window **or something**. 他们打破了窗子或别的什么。

She is **something of** a scholar. 她有点学者气质。

He is **something/somewhat of** a doctor. 他有点医术。

John is **something of** an athlete. 约翰有几分运动员的才能。

He is **something of** a liar. 他不是个十分诚实的人。

He has gone through **something of** a crisis. 他经历了某种危机。

It is **something of** a luck. 这也算得上幸运吧。

He was sure to **make something of** the experiment. 这次试验他一定会取得成果的。

He has **made something of** himself. 他已经小有成就。

The professor is **something of** an eccentric. 这位教授的性情有点古怪。

He is bad-tempered，selfish **and something**. 他脾气坏，自私，等等。

He has **seen something of life**. 他见过些世面。

▶▶ something 可以表示"颇为重要或值得重视的人或物"(a person or thing of some importance)。例如：

He is **something** in our city. 他是我们市里的一个重要人物。

These paintings are really **something**. 这些画确实不错。

Her mother is a wonderful woman，really **something**. 她母亲的确是一位出色的女性。

She thought she was **something** since she came out first. 她得了第一名，就以为自己了不起了。

▶▶ something 作不定代词用时，其修饰语要后置，如 something mysterious。但是，something 有时也可用作名词，即名词化的不定代词，表示某个说不出确切名字的人或物，这时，其修饰语可以前置，这个修饰语可以是定冠词、不定冠词或形容词等。somebody，nobody 和 nothing 也有这种用法。例如：

A something made her sad. 有件事使她难过。

They are nameless **nothings**. 他们都是无名之辈。

He has **a something** in him worth preserving. 他身上有种值得保留的东西。

There was moving **the mysterious something** on the wall. 墙上有神秘的东西在移动。

I got you **a little something** from my holiday. 我度假时给你买了一件小礼物。

I have **a something** for you. 我有个小礼物给你。(＝a small gift)

Mr. Something went instead of him. 某位先生代他去了。(我忘了他的名字)

I met Mary，Jim and **somebody**. 我遇见了玛丽、吉姆和别的人。

You may ask **Jack something** to do it. 你可以让名叫杰克的某人去做。

When they came near，they saw **a something** which had five legs. 他们走近时，看见一个有五条腿的东西。

Look carefully. **A wonderful something** will come out of the bottle. 注意看，某种奇妙的东西将从瓶子中出来。

On the table was **the something** that the woman scientist had worked so hard to find. 桌子上的就是这位女科学家付出艰苦努力所要找到的那种东西。

▶▶ something 有时可用复数形式。例如：

The Internet company is staffed by mostly **20-somethings**, men and women. 这家因特网公司的职工大多是 20 岁左右的青年男女。

He said sweet **somethings** to her. 他对她说了一些好听的话。

▶▶▶ something 有时可用作副词，表示"在某种程度上"等。例如：

It is **something** better than yours. 这比你的略好些。

It **something** surprised me. 这使我有些吃惊。

He is **something** worried. 他有些担心。（＝somewhat）

④ everything。

everything 可以表示"最重要的人或物"（a person or thing of the first importance）。例如：

Quality is **everything** to them. 质量对他们来说比什么都重要。

Her daughter is **everything** to her. 女儿就是她的命。

The news means **everything** to us. 这个消息对我们来说至关重要。

Money is **everything** to the greedy man. 对那个贪婪的人来说，金钱就是他的命。

比较：

Speed is **something** but economical benefit is **everything**. 速度是重要的，但经济效益最为重要。

Faculty is **something** but diligence is **everything**. 才干固然重要，但最为重要的是勤奋。

Money is **something** but health is **everything**. 金钱是重要的，但健康比什么都重要。

▶▶▶ 考察下面一句：We should know **something** of **everything** and **everything** of **something**. 我们应该通百艺而专一长。

⑤ somebody 和 someone。

somebody 和 someone 同义，表示"某个人"，someone 语气较强，较正式。例如：

There's **somebody** waiting to see you. 有人等着要见你。

If you don't know the answer, ask **somebody**. 如果你不知道答案，问问人。

It needs **somebody** of some experience. 这工作需要有经验的人。

Someone has placed a lamp on the table. 有人在桌子上放了一盏台灯。

He noticed **someone** else in the water. 他注意到水中还有另外一个人。

【提示】

① 注意下面的惯用短语：

　　a doctor or **someone** 医生之类的人　　　　　　**someone** or other 有人，某人

　　a repairman or **somebody** 修理工之类的人

② somebody, everybody, anybody 和 anyone 均可以表示"大人物，重要人物"，反义词为 nobody（小人物）。例如：

Is that man over there **anybody**? 那边那个人是个大人物吗？

Everybody who was **anybody** attended the meeting. 重要人物都参加了会议。

"Is he (a) **somebody**?" "No, he is (a) **nobody**." "他重要吗？""不，他不算什么。"

He wants to be **somebody** someday. 他想有朝一日成为一个大人物。

He thought himself **a somebody**. 他认为自己是个重要人物。

Only **a few nobodies** came to the meeting. 只有几个无关紧要的人到会。

I'm tired of being a **nobody**. 我再也不想当无名小卒了。

There were **somebodies** and **nobodies** at the party. 晚会上有大人物，也有小人物。

They tried to look **somebodies**. 他们想法子使自己看上去像个人物。

They think themselves **somebodies**, but in fact they are **nobodies**. 他们以为自己了不起，但事实上他们什么也不是。

She knows a lot about **the somebodies** on the list. 她对这份名单上的知名人士的情况了解甚多。

He acts as if he were **somebody** since he won the prize. 自从获了奖，他派头十足，像个大人物似的。

Jim, a poor **nobody** then, fell in love with the mayor's daughter. 吉姆当时还是个穷小子，竟然爱上了市长的女儿。

He's **nobody** here in the city, but I suppose he's **somebody** in his hometown. 他在这座城市里默默无闻，不过我想在他的家乡他可是个人物。

③ 谚语两则：

Everybody's friend is **nobody's** friend. 滥交朋友则无朋友。

Everybody's business is **nobody's** business. 人人都管等于没人管。

（4）anyone 和 any one。

anyone 是不定代词，只能指人，其后不可接 of 短语；any one 意为"每个"，既可指人，也可指物，后面一般要接 of 短语。其他如 someone 和 some one，everyone 和 every one 都属此类。比较：

Anyone can do it. 任何人都能做。（任何人，指人）

Any one of us can do it. 我们中间任何人都能做。（任何一个人，指人）

Any one of the books is worth reading. 这些书任何一本都值得读。（每一本书，指物）

Someone has done it. 有人做过了。（某人，指人）

Some one of us has done it. 我们中间某人已经做了。（某一个，指人）

Some one of the windows was broken. 这些窗户有一扇破了。（某一扇，指物）

你照片中有一张我很喜欢。

I like **some one** of your photos. ［√］

I like someone of your photos. ［×］

这些女孩子中谁会弹钢琴吗？

Can **any/any one** of the girls play the piano? ［√］

Can anyone of the girls play the piano? ［×］

（5）肯定句中，any 并不总是作"任何"解。当 any 表示数量或与表示数量等的名词连用时，它往往具有偏高(appreciative)的含义，相当于 a large number of 或 a great amount of 等，或表示偏低(depreciative)的含义，相当于 the smallest or least possible amount or degree of。例如：

She will need **any** help she can get. 她任何帮助都要。（＝as much as possible）

There are **any** number of reasons for getting up early. 早起有诸多理由。（＝many reasons）

The teacher has got **any** amount of explanations for you. 老师能给你各种各样的解释。（＝a large number of）

There isn't **any** hope of finding the lost ring. 找到那枚丢失的戒指没有一点希望了。（＝the least possible degree of）

（6）and then some 的含义。

and then some 通常放在句尾，意为 and a lot more（至少，远远不止），应重读。例如：

She is as capable as him **and then some**. 她同他一样能干，而且还不仅如此。

The job will take him twenty days **and then some**. 这项工作至少要用他 20 天时间。

6 each of his eyes 还是 every one of his eyes——each 和 every 的用法要点

（1）each 可用作代词、形容词或副词，指两个或两个以上中的每一个，各自的情况。each 作主语或修饰主语时，其谓语动词要用单数，each 的物主代词通常用单数。注意下面两种结构：

each/every＋单数名词＋and＋单数名词→单数动词

each/every＋单数名词＋and＋each/every＋单数名词→单数动词

Each of them thinks different thoughts. 他们各有各的想法。（代词，作主语）

They were given 20 *yuan* **each**. 给了他们每人 20 元。（副词，作状语）

My wife and I **each** have our own bank accounts. 我和妻子各有银行账户。（作同位语）

Two men entered, **each** carrying a suitcase. 两个男的进来了，每人提着一个手提箱。（作主语）

The average walk for water is five miles **each** way. 不管哪条路，弄水都得平均走五英里。（形容词，作定语）

We **each** have our private views about it. 关于这件事，我们每人都有自己的看法。（代词，作

同位语）

Every adult and **every** child was holding a flag. 成年人和孩子们每人都拿着一面旗子。（作定语）

He sent them **each** a present. 他送给每人一份礼物。（作宾语）

Each hour and **each** minute **has** its value. 每一小时每一分钟都有价值。

Each boy and girl **has** come and will sign **his** full name before attending the ceremony. 每个男孩和女孩都来了，并将在参加典礼前签上全名。（也可用 their）

比较：

> The watches cost 20 dollars **each**. 这些手表每块价格为 20 美元。
> ＝The watches **each** cost 20 dollars.

> The children must **each** have some toys. 孩子们每人都必须有一些玩具。
> ＝The children **each** must have some toys.

> 每个士兵都发了一杆枪。
> Each of soldiers has been given a gun. ［×］
> **Each of the soldiers** has been given a gun. ［√］
> **Each soldier** has been given a gun. ［√］

▶▶ each of 后的名词前须加 the。

（2）each 可作代词或形容词，而 every 只能作形容词；each 指两者以上中间的每一个，而 every 只能指三个或三个以上中间的每一个，不用于指两者；each 指若干固定数目中的每一个，而 every 则多泛指"任何一个"；every 指固定数目中的每一个时，着重在全体，而 each 则强调个体，一个一个地加以考虑。比较：

> 每一本杂志
> **each** of the magazines ［√］
> **each** one of the magazines ［√］
> **every** one of the magazines ［√］
> **every** of the magazines ［×］

> 她的每只手
> **each** of her hands ［√］
> **every** of her hands ［×］

> She talked with **every** student in the class. 她同班上每一个学生都谈了话。（无例外）
> She talked with **each** student in the class. 她同班上的学生逐一谈了话。（逐一地）

> 她认识该协会里的每一个人。
> She knows **every** member of the society.（着重总体上能辨别出谁是该协会的人，但与其本人并不一定相识）
> She knows **each** member of the society.（着重个体，她本人认识协会里的每一个人）

> 每一种理论都可提出质疑。
> **Every** theory is open to objection.（泛指理论）
> **Each** theory is open to objection.（某个有限范围内）

> **Each** item was carefully checked. 逐一仔细检查了各项。（one by one）
> **Every** item has been carefully checked. 所有各项都仔细检查过了。（all of them）

> **Each** child was given a small gift. 每个孩子都得到一件小礼物。
> **Every** child was given a small gift. 所有的孩子都得到一件小礼物。

> 广场每侧都有警察。
> One **each** side of the square there were policemen. ［√］
> On **every** side of the square there were policemen. ［√］

▶▶ 可见，只能说 each of his eyes，不可说 every of his eyes。同样，下面一句中的 each 不可换为 every：**Each** sex has its own physical and psychological character. 男女各有其生理上和心理上的特点。

【提示】有时候，并不强调个体或全体，用 each 和 every 均可。例如：

Each/Every area of the country is rich in natural resources. 该国的每个地方都有丰富的自然

资源。

Each/Every couple was asked to complete a form. 每对夫妻都要求填写一张表。

(3) each other 可用作宾语,有所有格,在口语和非正式文体中可作主语。例如:

They looked at **each other**. 他们面面相觑。

They shook **each other's** hands. 他们握了握手。

Each admires **the other's** success. 他们相互羡慕各自的成就。

他们各人都明白对方想说什么。

{ They knew what **each other** wanted to say.（可以说）
Each of them knew what the **other** wanted to say.（惯常说法）

(4) every 可同强调词(single 等)、数词(third, two 等)和某些副词(almost, nearly, not 等)连用,each 则不可;every 可修饰抽象名词,each 则不可;every 可用于否定,each 通常不可。另外,在下列短语中,只可用 every,不可用 each。例如:

every other day　　　every fourth tree　　　every six days　　　every few days

in every way　　　　　　every now and then　　　one out of every ten

show every concern for sb.　　wish sb. every success　　enjoy every minute of the party

She has read almost **every** book in the library. 这个图书馆里几乎每一本书她都读过。

Not **every** book is worth reading. 并不是每本书都值得读。

I go to the bookstore once **every** two weeks. 我每两个星期去书店一次。

He answered **every** single letter he received. 他有信必回。

I see Harold **every other** Friday. 每隔一周的周五我都见到哈罗德。

Every other man carried a lighted torch. 每隔一个人,就有人举着火把。

Every now and then he saw seagulls flying overhead. 他时不时地看到海鸥从头顶上飞过。

Every one of them went out but Jane. 除了简,他们每个人都去了。（可以说 every … but,但不可说 each … but）

▶▶▶ 但在下列短语或句子中,只可用 each:

on **each** side of the road/street 在路/大街的两边

with **each** passing day 随着每一天的过去

Each is better than the one before. 每一个都比前面一个更好。（each 同 one 搭配）

Each was given his share. 每人都有一份。（each 可用作名词,every 则不可）

They were asked two questions **each**. 问了他们每人两个问题。（each 可用作副词,every 则不可）

They **each** have three apples. 他们每人有三个苹果。（each 可用作同位语,every 则不可）

(5) "every one of ＋人称代词宾格"可以作同位语。例如:

Come and join us, **every one of you**. 来加入我们,你们每个人都来吧。

We should respect the old, **every one of us**. 我们每个人都应该尊敬老人。

Those books are worth reading, **every one of them**. 那些书每一本都值得读。

(6) every 可用于修饰抽象名词或可数名词,表示强调。例如:

I wish you **every** success! 祝你成功!

He had **every** confidence in you. 他对你充满信心。

They have **every** chance of winning. 他们赢的机会多多。

He has **every** reason to do it. 他有充分的理由做那件事。

You should read **every** word of the essay. 你应该逐字读这篇散文。

Every drop of water is precious. 每一滴水都是珍贵的。

I enjoyed **every** minute of the party. 晚会上的每一分钟我都过得很愉快。

I have **every** respect for him as a scholar. 他作为一名学者,我十分尊敬。

Under the circumstances we have **every** reason to be suspicious. 在这种情况下,我们有充分的理由表示怀疑。

【提示】each and every, any and every, every and all 等修饰可数名词也都是表示强调,

everything 也可表示强调。例如：

She is busy **every day** and **all day**. 她每天都忙个不停。

He has visited **each and every** park in the city. 城里每一个公园他都游览过。

The man is honest, diligent, responsible and **everything**. 那人诚实、勤勉、有责任心, 还有别的许多优点。（也可用 all those things 或 many other things）

There they saw new paintings, new books, new dictionaries and new **everything**. 他们在那里看到了新的绘画、新书和别的新东西。

(7) every ... not 和 not ... every 是部分否定结构, 其中的 every 不可换成 each; "every＋基数词＋复数名词"和"every＋序数词＋单数名词"意义相同, every 也不可换成 each。例如：

并非每个人都能当作家。

Every man can **not** be a writer. [✓]

Not every man can be a writer. [✓]

Each man can not be a writer. [✗]

每 10 码

every ten yards [✓]

every tenth yard [✓]

each ten yard [✗]

(8) 单数阳性名词和单数阴性名词连用时, 如果前面有 each, every 修饰, 动词用单数, 代词通常用 his。如不想或不能明确表明性别, each 后面的有关代词可用复数, 以充当中性的"he"。复数形式原用在口语中, 但现在也越来越多地用在正式语体中以代替用来统指男女的阳性单数代词, 在附加问句中尤为多见。其他如 anybody, anyone, everybody, everyone, nobody, no one, somebody, someone 以及 whoever, "every＋表示人的通性名词"等, 后面也可使用复数的人称代词、物主代词或反身代词。例如：

Every boy and (every) **girl** has handed in **their** exercise-book. 每个男孩和女孩都上交了练习本。

Each child has **his/his or her/their** seat here. 每个孩子在这里都有座位。

Each child has a seat here, hasn't **he**/haven't **they**? 每个孩子在这里都有座位, 是不是?

7 One must know oneself 的含义——one 的用法要点

(1) one 相应的物主代词是 one's 或 his, 不可用 her 或 your; one 的反身代词是 oneself 或 himself。one 通常泛指人。例如：

One's love affairs are **one's** own business. 爱谁是一个人自己的事。

Green fills up the streams and hills and **one** hears the cuckoo bird. 绿满山川闻杜宇。

人要有自知之明。

One must know **oneself**. [✓]

One must know **himself**. [✓]

One must know **yourself**. [✗]

(2) 指物时, one 用于替代同类事物中的一个、一些或刚刚提到的一种人, it 用于替代上下文中提到的同一事物。例如：

This is my new bike. I bought **it** last week. 这是我的新自行车, 上周买的。（it 指 new bike）

You have no pencil? I can lend you **one**. 你没有铅笔吗? 我可以借一支给你。

If there is any genius, I have met **one**. 如果说有天才的话, 我就曾遇到过一个。

There are five apples here, you may take **one**. 这里有五个苹果, 你可以拿一个。

He is not a qualified manager, but you are **one**. 他是个不称职的经理, 但你却不是。

There are bikes on sale in this shop and you can buy **one**. 这家店出售自行车, 你可以买一辆。

I've lost my pen. I am going to buy a new **one** tomorrow. 我的笔丢了, 我明天要买一支新的。（另一支新笔）

【提示】下面一句中不可用 ones, 而要用 some：

如果说有高尚的人的话, 我就曾遇到过一些。

If there are any noble men, I have met **some**. [✓]

If there are any noble men, I have met ones. [✗]

(3) one 可用 the, this, that, any, some, each, every, which 和形容词修饰, 但一般不可用基数词或某些指示词修饰, 通常不说 these ones, those ones, either one, neither one, all ones,

both ones，six ones。但 one 或 ones 前有形容词时，则又可以说 these black ones，some better ones，either large one，both long ones，six wounded ones。one 前面可用不定冠词 a/an，表示强调；a one for 表示"热衷于，喜欢"。例如：

He's **a one**. 他真是个怪人。

Her lot is **an enviable one**. 她的命运真令人羡慕。

He's **a one for** football. 他爱踢足球真是入了迷。

Never **a one** has ever walked on Mars. 从来没有人在火星上行走过。

Your question is **a complicated one**. 你问的是一个复杂的问题。

He was never **a one** for dogma. 他从来不是一个喜欢教条的人。

You're **a fine one**! 你真是好样的啊！（讽刺）

The building is a **fifty-story one**. 那幢大楼 50 层高。

She is a clever girl，and a **country one**. 她是个机灵的姑娘，且来自乡村。

A diligent student is different from a **lazy one**. 勤奋的学生与懒惰的学生不同。

There are three big beds and two small **ones** in the house. 房子里有三张大床和两张小床。

These shoes are too expensive. Show me some cheap **ones**. 这些鞋子太贵，给我拿一些便宜的。

You should make friends with honest people instead of **cunning ones**. 你应交诚实之友，而不交狡诈之人。（也可说 with honest instead of cunning people）

Is this a fish? I have never seen **such a one**. 这是鱼吗？我从没见过这样的鱼。（也可说成 so strange a one）

The man sitting there is **a (real) one**，I can tell you. 我告诉你，坐在那边的那个人是个人物。

He used to have a lot of friends，but now he hasn't got **a one**. 他从前朋友很多，但是现在一个朋友也没有。

He likes American novels，especially **twenty-century ones**. 他喜欢美国小说，尤其是 20 世纪的美国小说。

The book is written by a Chinese writer，and a **young one**. 这本书是一位中国作家写的，而且是一位青年作家。

⎰ He gave me **five big ones**. [✓]他把五个大的给了我。
⎱ He gave me five ones. （不妥）

【提示】

① one 不可替代不可数名词。例如：

 He prefers green tea to black (tea). 他喜喝绿茶，不喜喝红茶。（不可说 black one）

② 下面用法中的 one 有特殊含义：

 my dear **one** 我亲爱的（＝darling）   your little **ones** 你的孩子们（＝children）

 the Evil **One** 撒旦（＝The Devil）   the Holy **One** 上帝（＝God）

（4）one 可以用多种后置定语短语或从句修饰。例如：

He is **one worthy of trust**. 他是值得信赖的人。

He is not **one to tell lies**. 他不是个说谎的人。

She ran about like **one mad**. 她像疯了一般四处乱跑。（也可用单个形容词后置修饰）

A good book is **one which pleases and teaches**. 好书给人愉悦，给人教诲。

A good cook is **one skillful in cooking**. 良厨烹佳肴。

One in trouble longs for help and care. 困顿之人渴望帮助和关爱。

These books are **ones of special value**. 这些书有着特殊的价值。

（5）one 同 the 连用，表示某个特定的人或东西，要带后置定语。例如：

Which book do you want? **The one** on the left. 你要哪本书？左边的那本。

Her house is near to **the one** belonging to Mr. Brown. 她的房子邻近布朗先生的。

There are some children over there. **The one** flying a kite is her son. 那边有一些儿童，放风筝的那个是她儿子。

Of all books, I like **the ones** written in blood and tears best. 在所有的书中,我最喜欢的是用血泪写成的。

These birds are really beautiful. Look at the **one** high above in the tree. 这些鸟真漂亮,瞧那高处大树上的那只。

I'll take that one, **the one** with all the chocolate on top. 我要那个,就是巧克力全在上头的那个。

The ones in the basket are for Mary. 篮子中的那些东西是为玛丽准备的。

The old are taken good care of here. Did you notice **the ones** sitting in the sun, talking and laughing? 老人们在这里受到了很好的照顾。你注意到坐在阳光下又说又笑的老人了吗?

【提示】

① 在书面语中,要用 that 和 those 代替 the one 和 the ones。

② more than one 后接单数名词和单数动词;one or two 后接复数名词和复数动词。例如:

There **are one or two points** I haven't explained fully. 有一两点我没有展开讲。

More than one pair of glasses **was** broken. 不只一副眼镜被打碎了。

③ 注意区别真正的先行词:

This is one of **the best novels that are** written in English. 这是用英语写的最优秀的小说之一。(不用 is,因为 that 代替 the best novels)

This is **one** of the best novels, **which is** written in English. 这是最优秀的小说之一,是用英语写的。(不用 are,因为 which 代替 one)

④ 在下面的句子中,one 表示"某一个",相当于 a。例如:

He met **one** Miss Lin on the way. 他在路上遇见一位林小姐。

One Professor Smith asked to see you this morning. 有一位史密斯教授今天上午要见你。

⑤ both, own 不可用于修饰 one 或 ones。例如:

我不会借他的相机,我宁愿用自己的。

I won't borrow his camera; I'd rather use my **own**. [√]

I won't borrow his camera; I'd rather use my own one. [×]

⑥ 形容词性物主代词和名词所有格不可直接用于 one 或 ones 前,但可用于"形容词＋one/ones"前。例如:

我弟弟的那个蓝的

my brother's **blue one** [√]

my brother's one [×]

她把旧的锁进箱子里。

She locked **her old ones** in the box. [√]

She locked her ones in the box. [×]

⑦ 在口语中,one 可以用于指笑话或故事。例如:

I heard **a good one** in the pub last week. 我上周在一家小酒馆里听到一个很有趣的笑话。

Did you hear **the one** about the famous mathematician? 你听说过那位著名数学家的故事吗?

⑧ 注意说 prepare (one's) lessons, do (one's) lessons, one's 可省,但要说 finish one's lessons, neglect one's lessons, one's 不可省。

(6) every one 不同于 everyone。

every one 中的 every 是形容词,修饰 one 作定语, every one 意为"每个",后面常跟 of 短语,表示范围,意为"其中之一"。everyone 是代词,意为"人人,每人",其后不可跟 of 短语。everybody 和 everybody, some one 和 someone, any one 和 anyone, nobody 和 no one 亦有这种区别。some one, any one, every one, no one 和"one of＋复数名词"的相应代词用 he, him, his, himself,明显指女性才用 she, her, herself。例如:

谁也不知道自己的命运将会怎样?

No one knows what **his** fate will be. [√]

No one knows what one's fate will be. [×]

每个学生都通过了考试。

Every one of the students passed the exam. [√]

Everyone of the students passed the exam. [×]

在小镇上,大家都是熟人。
In a small town everyone knows **everyone** else. [√]
In a small town, everyone knows every one else. [×]

他们每一个
every one of them [√]
everyone of them [×]

人人都这么说。
Everyone says so. [√]
Every one says so. (不妥)

One of the girls left **her** book in the classroom. 有一个女孩把她的书忘在教室里了。
【提示】
① 指人时,everyone 和 everybody 相当于 each person;指物时,every one 相当于 each thing。例如:
Everyone has his faults and shortcomings. 缺点错误人人都有。
"Which novel do you want to borrow?" "I want to borrow **every one** you have." "你要借哪部小说?" "我想借你所有的小说。"
② 如果具有范围"限制"的含义,every one 可以单独使用,指人或指物。例如:
Try your best, **every one**! 我们大家都要好好干!
She borrowed five story books from the library and read **every one** carefully. 她从图书馆借了五本故事书,每一本都读得很仔细。
(7) no one 表示"没有人",no man 也指"没有人",不如 no one 常用;no one man 表"示没有一个单独的人"。比较:
No one knows all of it. 没有人知道这件事的全部。
No one man knows all of it. 没有一个单独的人知道这件事的全部。
No one/**No man** can do it. 没有人能做这个。
No one man can do it. 没有人能单独做这个。

8 other 的用法和结构
(1) 作代词,指两者中的一个,相当于 the second of two,常与 one 并用于句中,构成 one ... the other 结构。例如:
He has two daughters, **one** a baby, **the other** a girl of twelve. 他有两个女儿,一个尚在襁褓中,另一个 12 岁。
(2) 作代词,指两者以上,前加定冠词,the others 意为"所有其余的人",相当于 the rest;others 相当于 other people,意为"他人"。例如:
I don't care what **others** may think of me. 我不在乎别人对我怎么想。
Some students come from China, **the others** from Japan. 一些学生来自中国,别的来自日本。
(3) 作代词,前面不加冠词,泛指"旁人,旁物,其他人,其他物,别人的东西,别的东西",相当于 other people, other things,常构成 some ... others 结构,指不确定的范围。例如:
She is always thoughtful of **others**. 她总是替别人着想。
Tell me some **others** please. 告诉我其他一些事情。
Some of them are for the decision while **others** are against it. 他们中有些人赞同,另一些人反对。
(4) 作形容词,后接复数名词。例如:
He has read a lot about the people of **other times**. 他读过许多过去年代的人物的故事。
Her father is, among **other things**, a very selfish person. 别的除外,她父亲还是一个非常自私的人。
(5) 作形容词,在 every other, no other, any other 后的名词用单数形式。例如:
He was talking to **no other than** the manager. 他正是在同经理谈话。
Have you written **any other** paper on the subject? 你还写过别的关于这个专题的论文吗?
He told **one other** friend to come **some other** time. 他告诉另一位朋友改个时间来。
The Yangtze is longer than **any other** river/**other** rivers in China. 长江比中国其他的江河都长。
【提示】有时为了强调,any other 后可接复数名词。例如:
Aren't there **any other** doctors? 就没有别的医生了吗?

(6) 如果 other 与数词并用,前面无 the 时,数词要位于 other 之前,前面有 the 时,数词位于 other 前后均可。例如:

$\begin{cases} \text{她借给我另外两本书。} \\ \text{She lent me } \textbf{two other} \text{ books. } [\checkmark] \\ \text{She lent me other two books. } [\times] \end{cases}$ $\begin{cases} \text{把另外两个箱子给她。} \\ \text{Give her } \textbf{the two other} \text{ boxes. } [\checkmark] \\ \text{Give her } \textbf{the other two} \text{ boxes. } [\checkmark] \end{cases}$

(7) other 构成的惯用习语。

① none/no other than 不是……正是……。例如:

The man he met was **none other than** his father. 他遇见的那个人正是他父亲。

He reread the book with **no other** purpose **than** to pass the time. 他重读那本书只是为了消磨时间。

② other than 除了……以外(可分开为 other...than),只能是,只……不……(作此解时不可分开,句中谓语常用否定式,后接副词、形容词或从句)。例如:

$\begin{cases} \text{There was no noise } \textbf{other than} \text{ the wind.} \\ \text{There was no } \textbf{other} \text{ noise } \textbf{than} \text{ the wind. 除了风声,什么也听不到。} \end{cases}$

$\begin{cases} \text{All parts of the house were well decorated } \textbf{other than} \text{ the north veranda.} \\ \text{All } \textbf{other} \text{ parts of the house were well decorated } \textbf{than} \text{ the north veranda. 除了北阳台外,整个房子都装饰得很好。} \end{cases}$

She never discussed it with anyone **other then** Dick. 除了迪克之外,她从不同别人讨论这件事。

She can hardly be **other than** grateful to you. 她对你只能是感激。

He can do no **other than** laugh. 他不禁大笑起来。(＝He cannot but laugh.)

It is something **other than** true. 这不是真的。(＝not true)

Don't give her **other than** she really needs. 不要给她不是她真正需要读的东西。(＝Don't give her things that she doesn't need.)

It could not be **other than** a lie. 这无疑是个谎言。(＝It must be a lie.)

She can not speak to him **other/otherwise than** angrily. 她一同他说话就来气。

Come in **other** months (rather) **than** in March. 在别的月份来,别在 3 月来。

He did his homework **other than** carelessly. 他只是草草地做了作业。

③ among other things 除了别的以外还。例如:

Among other things, he also studied architect. 除了别的课程外,他还学了建筑学。

They discussed, **among other things**, the family problem. 除了其他问题,他们还讨论了家庭问题。

④ among others 除了别人外。例如:

Professor Barry, **among others**, has drawn attention to this problem. 同其他一些人一样,白瑞教授也对这个问题表示关注。

⑤ every other＋单数名词,意为"每隔"(参阅"数词"章节)。例如:

Please write on **every other line**. 请隔行写。

He went to see her **every other year**. 他隔年去看望她一次。

⑥ "some＋单数名词＋or other"表示"某一个,哪一个"(表示不肯定),somebody or other 表示"某人,有人",somewhere or other 意为"某处",somehow or other 意为"以某种方式"。例如:

I will go to see her **some day or other**. 我某一天一定去看她。

Somebody or other must go there. 总得有人去那里。

You may leave by **one or other** doors. 你可以随便从哪个门离开。

Some one of us or other will do it. 我们中总会有人去做那件事。

The man living in **some room or other** upstairs will meet you **some time or other** to tell you **something or other**. 住在楼上某一房间的那个人某个时间将同你会面,并有某事要告诉你。

I am sure we can tide over the difficulties **somehow or other**. 我相信我们总会设法渡过难关的。

⑦ otherwise than 相当于 not。例如:

His answer is **otherwise than** correct. 他的回答不正确。

Nobody says the boy is **otherwise than** clever. 没有人说那个男孩不聪明。

⑧ 注意习惯用法:tell one from **the other** 区分,of all **others** 在所有的当中,on the day of all **others** 偏偏在那天。

9 another 的用法和结构

(1) another 是由 an+other 合成的,后面只能接单数名词,不可接复数名词,如不可以说another books;other 可接复数名词,可以说 other books。既然 another 本身已含有不定冠词 an,故其前面不可再用 any,不能说 any another;但 other 前可用 any,可以说 any other。但是,在"another+数词+名词"结构中,another 作"再"解,该名词应为复数。例如:

We walked **another ten miles**. 我们又走了 10 英里路。

I want to stay here for **another four weeks**. 我想在这里再住四个星期。

I don't like your pictures. I'll go to buy **another's**. 我不喜欢你的画,我要去买另一个人的。

▶▶ 上例中的 another ten miles 也可说成 ten more miles 或 ten miles more;another four weeks 也可说成 four more weeks 或 four weeks more。必须注意的是,more 要位于数词和名词之间或位于名词之后,不可放在数词之前,如不可说 more ten miles,more four books。

(2) 作形容词,意为"又一个,另一个",相当于 one more。例如:

Another bullet whistled by. 又一颗子弹呼啸而过。

It's twelve o'clock. All the bells in the village churches are pealing. **Another** year has come. 已是 12 点,乡村教堂里钟声齐鸣。新的一年到来了。(=one more year)

(3) 作形容词,意为"别的,另外的",相当于 some other。例如:

The argument can be put in **another** way. 这个论点可以用另一种方式表述。

It's late. We'll go there **another** time. 天晚了,我们改日再去那里吧。

(4) 作形容词,意为"类似的",相当于 a similar。例如:

He is **another** Zhuge Liang of our time. 他是我们时代的又一个诸葛亮。

The boy is very clever; he may become **another** Einstein. 这孩子很聪明,也许会成为另一个爱因斯坦。

(5) 作形容词,意为"不同的,另外一……"。例如:

That's **another** matter. Don't get confused. 那是另一回事,不要弄混了。

He seems quite **another** person than what he used to be. 他跟以前相比判若两人。(用 than,不用 from)

(6) 作代词,意为"另一个人或物",相当于 one more person or thing,"另一个那样的人或物"。例如:

Her mother is a musician and she is **another**. 她母亲是一位音乐家,她也是。

We will never see such **another**. 那样的人我们恐怕再也见不到了。

It is just such **another**. 这真是无独有偶。

He made a drink for Helen, then poured **another** for himself. 他给海伦倒了杯饮料,然后给自己倒了一杯。

If Patric is a double-dealer, Jack is **another**. 如果说帕特里克是个两面三刀之人,杰克也算一个。(=a double-dealer, too)

(7) another 构成的惯用词组。

① one ... another 一个……又/另一个

He found **one** excuse after **another** to postpone it. 他找种种理由使之延期。

The bird jumped from **one** twig to **another**. 那只鸟从一个树枝跳到另一个树枝。

② one ... or another 这样/种或那样/种

We'll get there **one way or another**. 我们将想方设法到那里。

I must have met her **one** time **or another**. 我肯定在某个时候碰见过她。

10 one, other 和 another 如何表示数目

两者的另一个是 the other,构成 one ... the other 结构;不定数目中的另一个是 another,不可说 one ... another。例如:

There is something wrong with the radio. Please buy me **another**. 这台收音机坏了,请再给我买一台。

He held a pen in **one** hand and a book in **the other**. 他一只手握着一支笔,另一只手拿着一本书。(other 后省略了 one)

【提示】 the one ... the other 用来指具有具体名字或名称的两者。例如:

He has two brothers, Tom and Bill. **The one** is an interpreter and **the other** is a teacher. 他有两个兄弟,汤姆和比尔。一个当口译,一个当教师。

11 one, other 和 another 如何表示对比

表示两件事情对比时,用 ...one...another 结构,意为"……是一回事,……又是一回事",其中的 another 不可改用 the other。例如:

To do it is **one** thing; to do it well is **another**. 做是一回事,做好又是一回事。

What he says is **one** thing, but what he thinks is **another**. 他所说的是一回事,所想的又是另一回事。(嘴上一套,心里一套)

12 one, other 和 another 如何表示三者、四者

表示三者的结构 { one ... another ... and the other
　　　　　　　 one ... a second ... and a third

表示四者的结构:one ... another ... a third ... and the fourth/the other

{ The house has three windows, **one** facing south, **another** facing west, and **the other** facing east. 这所房子有三个窗子,一个朝南,另一个朝西,还有一个朝东。
{ The house has three windows, **one** facing south, **a second** facing west, and **a third** facing east. 这所房子有三个窗子,一个朝南,第二个朝西,第三个朝东。

【提示】 这里要用 a second,不用 the second。再如:

There are four books on the desk; **one** is on literature, **another** is on music, **a third** is on foreign trade and **the fourth/the other** is on architect. 桌子上有四本书,一本是文学方面的,另一本是音乐方面的,第三本是外贸方面的,第四本/还有一本是建筑方面的。

13 most 的用法和结构

(1) 作形容词。

① most+复数名词,意为"大多数的……",most 前不用冠词。例如:

Most children like watching cartoons. 大多数儿童喜爱看卡通片。

Most people think so. 大多数人都这么想。

② most+单数名词,意为"最多的",most 前不用冠词。例如:

This is the area that attracts **most attention**. 这是最受关注的地区。

Those who have **most money** are not always the happiest. 钱最多的人并不总是最快乐的人。

③ most time 还是 most my time。

在"most+复数名词/单数名词"结构中,most 和名词之间不能插入形容词性物主代词或 this, that, these, those 等起限定作用的修饰词。比较:

{ **most** students [√] 大多数学生
{ **most** of my students [√] 我的大多数学生
{ **most** of Professor Li's students [√] 李教授的大多数学生
{ most my friends [×]
{ most Professor Li's friends [×]

{ **most** time [√] 大部分时间
{ **most** of my time [√] 我的大部分时间
{ **most** of Professor Li's time [√] 李教授的大部分时间
{ most my time [×]
{ most Professor Li's time [×]

▶▶▶ 但可以说:**most** young students 大多数青年学生, **most** Arabic countries 大多数阿拉伯国家, **most** lost time 失去的多少好时光。

④ most other 还是 most another。

"most other＋复数名词"是正确结构,但"most another＋单数名词"则是错误的。例如:

Like most other children, she is fond of candy. 就像大多数儿童一样,她喜欢吃糖。

⑤ "most＋名词"不同于"most of the ＋名词"。

"most＋名词"表示泛指,"most of the＋名词"表示特指,该名词后常有表示范围的词,这种词有时也可能在上下文中。例如:

> **Most students** like sports. 大多数学生喜爱运动。(泛指)
>
> **Most of the students** here like sports. 这里的学生大都喜爱运动。(特指)
>
> **Most girls** enjoy dancing. 大多数女孩喜欢跳舞。(泛指)
>
> **Most of the girls** in this class enjoy dancing. 这个班上大多数女孩喜欢跳舞。(特指)
>
> A: What do they eat there? 那里的人吃什么?
>
> B: **Most of the people** eat rice rather than potatoes. 大多数人吃米,不吃土豆。

(2) 作副词。

① 作"非常"解,相当于 very,但 most 在这个意义上不能用于否定句、疑问句或条件从句中。例如:

The waitress always acted **most** graciously. 那位女服务员总是非常和蔼可亲。

She will **most** probably give up the plan. 她十有八九会放弃那个计划。

> It is not a most enjoyable party. [×]
>
> Is it a most enjoyable party? [×]
>
> If it is a most enjoyable party, I'd like to go there next time. [×]

▶▶▶ 上面三句中的 most 都是误用,须改为 very。

② most 不同于 mostly。

most 可表示"非常",见上文;mostly 意为"大部分(for the most part)"。例如:

The men at the party were **mostly** fairly young. 参加聚会的人大都很年轻。

A rattlesnake hunts **mostly** at night. 响尾蛇大都在夜间觅食。

What she said is **mostly** correct. 她的话大部分是对的。

(3) 作名词或代词。

① most 单独使用时,前面不用 the,但如果其后有短语或从句修饰,则前面要有 the。例如:

Most has been wasted. 大多数都浪费掉了。

That is **the most** that could be said against her. 对她不利的话也仅此而已。

Try to get **the most** out of life. 要尽可能活得有意义、有价值。

Some people died in the accidents, but **most** were saved. 一些人在事故中丧了命,但大多数人获救了。

② most＋人称代词宾格,most 前不用 the。例如:

Most of them have strong views on politics. 他们大多数人都有着固执的政治观点。

It happened twenty years ago. I've forgotten **most of** it. 那件事发生在 20 年前,细节我差不多都忘了。

③ "most of＋the/one's＋复数名词"意为"大多数","most of＋the/one's＋单数名词"意为"大部分",这种结构中的 most 前不用 the,谓语动词的数同名词的数一致。例如:

He has visited **most of** the scenic spots in Nanjing. 南京的大多数景点他都游览过。

Most of his theories have proved valuable. 事实证明,他的大多理论都是有价值的。

Most of his talk deals with western economy. 他的谈话大部分都是关于西方经济的。

比较:

> **most of** the films 大多数电影
>
> **most of** the film 这部电影的大部分
>
> **Most** (of his writing) **is** rubbish. (他写的)大部分东西是垃圾。
>
> **Most** (of the shops) **were** shut. 大部分(商店)都关门了。

④ "most of the＋动名词"和"most of the＋时间名词"也是惯用结构。例如:

Mother did **most of the cooking**. 做饭的活儿大都由母亲包了。

The party continued through **most of the night**. 聚会一直进行到大半夜。

I did **most of the reading** while she did **most of the writing**. 我基本上是在阅读,她基本上是在写作。

Father being out **most of the time** made Mother busy **most of the day**. 父亲大部分时间在外面使得母亲几乎整天忙个不停。

（4）most 构成的惯用短语。

① at（the）most 至多,最多。

There is only **at most** room for one person. 最多也只能容得下一人。

② for the most part 多半,大部分,大多数情况下。

The virgin forest is, **for the most part**, dark and wet. 原始森林里多半又昏暗又潮湿。

For the most part they sat in silence. 他们大部分时间都静静坐着。

③ make the most of 充分利用,尽量利用。

You have only one more chance, so **make the most of** it. 你只有一次机会了,要好好利用。

You should be outside **making the most of** the sunshine. 你应该到户外尽量多晒太阳。

14 such lovely hills 还是 so lovely hills——such 的用法和结构

（1）such 作定语。

such 用作定语,可以组成多种十分有用的句型结构,现归纳如下:

① such a/an＋形容词＋单数可数名词。例如:

such a lovely hill 这么可爱的小山　　　　　　**such** a liar 这样一个撒谎者

such a fierce dog 这样凶的一条狗　　　　　　**such** a small matter 这么小的一点事

② such＋形容词＋复数可数名词。例如:

such lovely hills 这么可爱的小山　　　　　　**such** great men 这样伟大的人

③ such＋形容词＋不可数名词。例如:

such cold weather 这么寒冷的天气　　　　　　**such** useful knowledge 这样有用的知识

④ such a＋单数可数名词＋as-从句。例如:

他推荐的这么一位作家

{ **such** a writer **as** he recommended（as 作宾语）

{ **such** a writer **as** was recommended by him（as 作主语）

Such a good time **as** we had will be no more. 我们曾经的好时光不会再有了。

⑤ such＋复数可数名词＋as-从句。例如:

such writers **as** Helen Keller and Jack London 像海伦·凯勒和杰克·伦敦这样的作家（后省了 are, as 作表语）

他推荐的那样的作家

{ **such** writers **as** he recommended（as 作宾语）

{ **such** writers **as** are recommended by him（as 作主语,注意 be 动词的单复数）

{ Avoid **such** people **as** are selfish. 勿与自私之人为伍。

{ 但:Avoid **those** people **who** are selfish.

{ Do not trust **such** men **as** praise you to your face. 勿相信当面恭维你的人。

{ ＝Do not trust **those** men **who** praise you to your face.

⑥ such＋不可数名词＋as-从句。例如:

such knowledge **as** his（is）如他那样的知识（as 作表语）

如他提到的那样的知识

{ **such** knowledge **as** he mentioned（as 作宾语）

{ **such** knowledge **as** is mentioned by him（as 作主语）

⑦ 可数单数名词＋such as＋单词/句子。例如:

a writer **such as** he 像他那样的一位作家

像他推荐的那样一位作家
{
a writer **such as** he recommended＋that 从句

a writer **such as** was recommended by him
}

{
He is not a man **such as** I admire. 他非我钦佩之人。

＝He is not **such** a man **as** I admire.
}

{
I can't find a book **such as** I want. 我找不到想要的书。

＝I can't find **such** a book **as** I want.
}

A time **such as** this comes only once. 像这样的机会千载难逢。

A man **such as** he will surely succeed. 像他这样的人肯定会成功的。

Such as you see is all that we have. 你所看到的就是我们所有的家当。(as 作从句宾语)

He is not **such** a fool **as** he looks. 他不是看上去的那样傻。(as 作从句表语)

{
Such men **as** knew Catherine thought she was a beauty. 认识凯瑟琳的男人都认为她是个美人。(as 作从句主语)

Such men **as** Catherine knew were successful in politics. 凯瑟琳认识的男人都是政治上飞黄腾达的人。(as 作从句宾语)
}

⑧ 复数名词＋such as＋单词或句子。例如：

writers **such as** Helen Keller and Jack London 像海伦・凯勒和杰克・伦敦那样的作家

像他推荐的那样的作家
{
writers **such as** he recommended (＝ **such** writers **as** he...)

writers **such as** are recommended by him
}

We prefer boys **such as** him. 我们更喜欢像他那样的男孩子。(用 he 也可,但很正式)

This dress suits **such** tall ladies **as** her. 这件衣服适合像她那样个子高的女士。

⑨ 不可数名词＋such as＋单词或句子。例如：

knowledge **such as** his 如他那样的知识

如他提到的知识
{
knowledge **such as** he mentioned

knowledge **such as** is mentioned by him
}

【提示】

① 在 no such book, no such thing 等表达方式里不可在 such 后加上 a,因为 no＝not a 或 not any,已包括不定冠词 a。such 应放在 a/an 之前,但放在 some, any, no, every, many, all, few 之后。比较：

There is **no such** thing as that. 没有像那样的那种事。

一些这样的人		所有这样的人	
some of such people [×]		all of such men [×]	
some **such** people [√]		all **such** men [×]	

没有这样的书。 / 我从没遇见过这样的人。
{
There is none such book. [×]

There is **no such** book. [√]
}
{
I've never met any such a man. [×]

I've never met **any such** man. [√]
}

② so＋形容词＋a/an＋单数可数名词。比较：

我从没见过这么美的山峦。
{
I've never seen **so lovely a hill**/**such lovely hills**. [√]

I've never seen so lovely hills. [×]
}

{
so useful knowledge [×]

so cold a weather [×]
}

(2) such 作主语。

Such is life. 生活就是这样。

Such were his words. 他的话就是这么说的。

Such is my comment on the book. 这就是我对本书的评价。

Such as respect others will be respected. 敬人者人敬之。

Such was the situation we were facing. 这就是我们当时面临的形势。

Such being the case，they could do nothing but give up. 情况是这样，他们只得放弃。

We'd like to see some models if **such** are available. 如果有的话，我们想看看模型。

I may have hurt her feelings，but **such** was certainly not my intention. 我可能伤害了她的感情，但这当然不是故意的。

A victory had been predicted and **such** indeed was the result. 有人预言会获胜，果然不出所料。

Such as have plenty will never want for friends. 富在深山有远亲。（＝Such people as/Those who）

（3）such 作宾语。

If you need assistants，you can have **such**. 如果需要，你可以有助手。（＝some）

Such snakes as these are rare here，but you can find **such** there. 这样的蛇这儿很罕见，但那儿你能找到一些。

（4）such 作表语或补语。

The problem is not **such** as can be easily solved. 这个问题不是轻而易举就能解决的。

I hope the rain is not **such** as to cause flood. 我希望雨不会造成洪涝灾害。

She is not a film star but she thinks herself **such**. 她并不是电影明星，但她自认为是。

Since you are his elder brother，show yourself as **such**. 你既然是兄长，就得像个兄长的样子。

His manner was **such as** to offend everyone he met. 他的态度很恶劣，见谁得罪谁。

The situation is **such** that agreement is unlikely. 情况这样不妙，达成协议是不大可能的。

Never call a man a thief till you can prove him **such**. 能证明一个人偷了东西时才可说他是贼。

The old man wants a study，and he makes his bedroom **such**. 老人想要一间书房，就用卧室兼作书房了。

（5）such 用于感叹句中。例如：

He is **such** a fool! 他多傻！（＝What a fool he is!）

Such a clever girl! 多聪明的女孩呀！（＝What a clever girl!）

We have had **such** a good time! 我们玩得多么开心啊！（＝What a good time we have had!）

（6）such 用于并列分句的后一分句中，对前一分句进行解释，说明原因，两个分句用逗号隔开。例如：

He believed her words，he is **such** a fool. 他真傻，竟相信了她的话。（＝so foolish）

Even the lake froze up，it was **such** a cold day. 天气真是太冷了，就连湖里都结了冰。（＝so cold a day）

（7）"such ... as to do sth."可以表示程度，意为"那样……以致"。例如：

She is not **such** a bad woman **as to** ill-treat the boy. 她不至于坏到去虐待那个男孩。

It was **such** strong wind **as to** blow the roof off. 风么大，把房顶都掀掉了。

（8）such 还可以修饰名词等表示不明指的人或物。例如：

He left it undone for **such and such** reasons. 他因这样或那样的理由没能把它完成。

They talked about **Mr. such-a-one**. 他们谈到了某某先生。

【提示】

① so-and-so 也表明不指明的人或物。例如：

Mr. **So-and-So** 某某人，Room No. **so-and-so** 某某房间，in the year **so-and-so** 在某年，act **so-and-so** 以某种方式行事

② such as 表示"例如"时，后面不要再用 etc. 或省略号。例如：

I have read some of his novels，**such as** *Vanity Fair*. 我读他的一些小说，比如《名利场》。（不说 such as *Vanity Fair*，etc.）

▶▶ 表示全部列举时，要用 that is，namely，viz.，i.e.，不用 such as。

③ as such 意为"作为……,身为……,本身"。例如:

John is her son and **as such** he should take care of her. 约翰是她儿子,理应照顾她。(=as her son)

A gentleman wants to be treated **as such**. 有身份的人想得到与身份相符的礼遇。(=as a gentleman)

He is not against the suggestion **as such**. 他并不反对这个建议本身。(=itself)

④ 下面三种结构均正确,可换用。

塔很高,令我们晕眩。

The height of the pagoda was **such as** to make us dizzy.

Such was the height of the pagoda **that** it made us dizzy.

The pagoda was **so high as to** make us dizzy.

⑮ 不可以说 Of the three girls, the former is ...

the former... the latter 意为"前者……后者",指两个人或物,不可用于三者,可作主语或宾语。former 作形容词意为"从前的,先前的,前任的",作前置定语。the former 和 the latter 有时候也可单独使用。例如:

Lack of space forbids **the former** alternative. 由于地方不够,前者只能舍弃。

He has lost much of his **former** authority. 他往日的权威几乎丧失殆尽。

Of the two girls, **the former** graduated from Fudan University, **the latter** from Nanjing University. 这两个女孩,前者毕业于复旦大学,后者毕业于南京大学。

He can speak both English and Russian, but has a better command of **the latter**. 他会说英语和俄语,而俄语说得更好。

她有三个兄弟:亨利、吉姆和杰克,最后一个是位画家。

She has three brothers, Henry, Jim and Jack; the latter is a painter. [×]

She has three brothers, Henry, Jim and Jack; **the last** (the last mentioned) is a painter. [√]

⑯ Rain or shine, it's the same to me. ——same 的用法和结构

(1) same 的前面通常应有 the, the same 可以作主语、表语、宾语或定语。例如:

He did just **the same**. 他也做了同样的事。(宾语)

Look! They are exactly **the same**. 瞧! 他们几乎一模一样。(表语)

The fish is twice as big but **the same** shape. 这条鱼大一倍,但形状都一样。(定语)

The same has happened to his wife. 他妻子也发生了同样的事。(主语)

(2) same 的惯用结构有: the same ... as(接从句,从句谓语常省略), the same ... with(接宾语), the same ... that(接从句,从句谓语一般不省略), in the same way that(接从句,亦可用 as), at the same +地点+where(接从句,亦可用 that), at the same time when(接从句,亦可用 that)。例如:

It's **the same with** him. 他的情况也一样。

She was about **the same age as** Linda. 她跟琳达年纪差不多。

I study in **the same** school **with** her. 我和她在同一所学校。(=as she)

Treat others **in the same way that**/as you want yourself to be treated. 待人如待己。

She started on the trip **at the same time that**/when I did. 她与我同时开始了旅程。

He once lived **in the same flat where**/that she lived. 他曾经和她住在同一个公寓里。

They met at **the same place as**/that they met last month. 他们在上个月见面的地方会了面。

We started off **the same day as**/that she arrived. 她到达的当天我们就动身了。

He went out **the same way as**/that he'd got in. 他从进来的原路出去了。

I found she was staying in **the same** hotel **as** I (was). 我发现她和我住在同一家旅馆里。

He's made **the same** mistakes **as** (he did) last time. 他犯了同上次一样的错误。

Here the tradition is dying out **the same as** it is dying out elsewhere else. 在这里,这个传统正在被人遗忘,正像在别处一样。

【提示】如果 as, that, when, where 所引导的从句省略了谓语等,则只能用 the same ... as

... 结构,这时的 as 表示"同一个"或"同样的"两种意义;这种 as 仍为关系代词,不是介词,如上文中的前两例。再如:

他和她上同一所大学。
He attends the same college **that/as** she does.
He attends the same college **as** she.（不用 that）

她和他在同一所学校读书。
She studies in the same school **where/that** he studies.（same 可省去）
She studies in the same school **as** he.（不用 that）

(3) 在比较严格的意义上,下面两个结构含义不同:

the same...that... →同一个(指同一个人或物)
the same...as... →同样的(指性质、种类、意义、程度相同)

It is **the very same song**（that）I heard this morning. 这就是我今天上午听的那首歌。

He is **the same boy**（that）I traveled with this summer. 他就是今年夏天我们一起旅行的男孩。

This is **the same** picture **that** she drew. 这就是她画的那幅画。（同一幅）
This is **the same** picture **as** she drew. 这幅画同她画的那幅一样。（不是同一幅）

▶▶▶ 下面几句含义相同:

He lives in the **same room that** John lives in.
He lives in the **same** room **where** John lives.
He lives in the **same** room **with** John. 他和约翰住在同一个房间。

She graduated from the university at the **same age as** Mary.
She graduated from the university at the **same** age **with** Mary. 她和玛丽大学毕业时年龄一样大。

He paid the **same** price **as** coffee.
He paid the **same** price **that** he had paid for coffee. 他付的钱和付咖啡的钱一样多。

【提示】

① the same ... that 结构中的 same 起强调作用,the same 和 that 均可省,句意不变;而 the same ... as 中的 same 不可省,as 若省略则会引起句意变化。例如:

This is **the same** watch **that** I bought. 这正是我买的那块表。（= This is the watch that I bought. = This is the same watch I bought. ）

This is **the same** book **as** I lost. 这本书和我遗失的那本书是一样的。
This is **the same** book I lost. 这正是我遗失的那本书。
This is the book as I lost. [×]

② the same 表示"同一个"时,the 可用 this, that, these, those 代替,如 this same book。same 构成的短语有:one and the same(= the very same,完全一样,后接名词), all/just the same(还是,仍然), at the same time(在同一时间,可是)。比较:

She did **same as** she was told. 她按照被告知的那样做了。（same as 表示 just as 正像,same 为副词）

She did the **same as** I. 她同我做的是一样的(事)。（the same 表示"同样的事"）

▶▶▶ 上面 **16** 中的句子意为:"下雨也好,天晴也好,对我来说都没有区别。"细加品味,便可悟出这句话中的禅意哲理,正暗合我国宋朝著名禅师天门慧开那首名诗中的意境:"春有百花秋有月,夏有凉风冬有雪,若无闲事挂心头,便是人间好时节。"

17 each other, one another 和 one after another

(1) each other 通常用于两个人或物的场合,one another 通常用于超过两个人或物的场合,但这两个词现在可以交换使用,意思不变,常作宾语,也可作状语,但不作主语。例如:

The students should unite and help **one another**. 学生们应当团结互助。

These two were great enemies to **one another**. 这两人是死对头。

They took places opposite **each other** at the table. 他们在饭桌对面的座位上坐了下来。

He looked farther away, to where the sea and sky met **one another**. 他向远处那海天相接的地方望去。

(2) each other 的所有格形式为 each other's, one another 的所有格形式为 one another's, 用作定语。例如:

They visited **each other's** homes. 他们相互拜访了对方的家。

They all tried on **one another's** caps. 他们都试戴了对方的帽子。

They know **each other's** weak points. 他们都知道各自的弱点。

The bandits used knives to cut **one another's** throats. 歹徒用刀子相互割喉管。

We students can borrow **each other's/one another's** books. 我们学生可以彼此借书。

(3) each other 还可以分开使用,这时, each 常作主语或同位语, other 前面要加定冠词 the, 常作宾语。有时候,one another 也可以分开使用。例如:

They **each** helped **the other**. 他们互帮互助。

They talked **one** with **another**. 他们彼此交谈着。

Each willed **the other** to say first. 每人都让别人先说。

The **each** waited for **the other** to go first. 他俩都等着对方先走。

We **each** thought **the other** was angry. 我们俩都以为对方生气了。

One car after **another** overtook us. 一辆又一辆车超过了我们。

Each has something to say to **the other**. 每人都有话对另一个人说。

We **each** know how **the other** is getting along. 我们每人都知道对方的情况。

(4) each other 也可表示三个或三个以上人或物之间的关系,用作宾语或状语,有时相当于"among/between+反身代词"。例如:

The three women looked at **each other**. 那三位女士面面相觑。

The birds fought **each other** for the food. 鸟儿们争抢食物。(=among themselves)

They settled the matter **each other**. 那件事他们私了了。(=among themselves)

(5) one after another 在句中常作宾语或状语,也可作主语,作主语时,谓语动词用单数或复数均可。例如:

She asked **one** question **after another**. 她问了一个又一个问题。

They walked into the room **one after another**. 他们一个接一个走进了房间。

One after another has/have gone out of the cinema. 人们一个接一个出了电影院。

【提示】在某些用法中,one another 不可用 each other 替换。例如:

One after **another** stood up and left. 人们一个接一个地站了起来,离开了。

They won **one** victory after **another**. 他们取得了一个又一个胜利。

The horses are following **one another**. 马一匹跟着一匹。

One sheep is following **another**. 羊一只跟着一只。

They shared the money **one** with **another**. 他们把钱平分了。

18 many, much 和 a lot (of)

many 和 much 作定语多用于否定句和疑问句, a lot (of) 用于肯定句。例如:

Many are called, but few are chosen. 召来的人许许多多,选中的却寥寥无几。

Much will have more. 有钱嫌少,没完没了。

We don't have **much** time left. 我们剩下的时间不多了。

Do you have **many** friends? 你有许多朋友吗?

He has **a lot of** money. 他有很多钱。

19 several 的用法

(1) several 意为"几个,若干"(three or more),不超过四、五个。a few 同 several 近义,但 a few 表示 a small number (of),意为"少数",所表示的数目或数量要比 several 多些。一周的时间可以说 a few days,但不能说 several days;可以说 a few of the six hundred workers,但一般不说 several of the six hundred workers。several 单独作主语时,谓语动词可用单数或复数。

例如：

Several fishes/fish in the lake every week. 每周都有几个人在这个湖里钓鱼。

Several of you **have** seen him. 你们中有几人已经见过他了。（本句要用复数谓语动词）

（2）several 表示"不同的，各自的"时，可修饰单数名词或复数名词。例如：

Each has his **several** idea. 每人都有不同的想法。

They all had their **several** duties to perform. 他们都有不同的职责要履行。

They went their **several** ways, each minding his own business. 他们各走各的路，各管自己的事。

⑳ We all have 还是 We have all

在以 be、have、助动词、情态动词结尾的句子中，all、both 等作主语同位语的不定代词要放在 be、have、助动词、情态动词之前，而不可放在其后。例如：

Have you **all** a computer? 你们都有一台电脑吗？

We **all** have. 我们都有。

They are **both** from England. 他们两人都来自英国。

How clever they **both** are! 他们两人都是多么聪明啊！

Tom and Jack can **both** speak Chinese. 汤姆和杰克两人都说汉语。

They **both** can. 他们俩都会说。

【提示】always，often 等副词也具有类似的用法区别（参阅第六讲）。例如：

Does it **often** rain here? 这里常下雨吗？

Yes, it **often** does. 是的，常下。（不可说 it does often）

She is **always** ready to help others. 她总是乐于助人。

She **always** is. 她总是这样。（不可说 She is always.）

㉑ none 的用法

（1）none 用作代词，指代人或物（复数名词或不可数名词），意为"没有一个，没有一点儿"。例如：

None can do it. 这事无人能做。（指人）

None can be done. 什么也做不了。（指物）

None but the brave deserves the fair. 英雄才能配美人。

Have you any red wine? —No. We have **none**. 你们有红葡萄酒吗？——不，没有。

Have you any English novels? —No. I have **none**. 你有英语小说吗？——不，没有。

I was going to offer you some cake but there's **none** left. 我本想请你吃些蛋糕，但一点也没剩。

There are **none** so blind as those who will not see. 没有比视而不见的人更瞎了。

Lily had some knowledge of traditional Chinese medicine, but I had **none**. 莉莉对中医有所了解，而我一点也不懂。

（2）"none of ＋名词/代词"是常用结构。例如：

None of them know the answer. 他们谁也不知道答案。（作主语）

He met **none of** his friends. 他没遇见一位朋友。（作宾语）

Is he a bore? He is **none of** those things. 他讨人厌吗？他根本不讨人厌。（作表语）

We **none of** us understand the lecture. 我们谁也听不懂这个讲座。（同位语）

None of my friends phone me any more. 我的朋友全都不再给我打电话了。

None of his promises were kept. 他的承诺没有一个兑现的。

She has **none of** her sister's selfishness. 她一点儿也没有她妹妹的自私心。

I like **none of** the paintings. 这些画我一幅也不喜欢。

None of the money is mine. 这些钱没有一文是我的。

She had **none of** her mother's beauty. 她妈妈的美貌她一点儿也没有。

【提示】下面句中的"none of ＋名词"表示强调：

None of your impudence. 不得放肆。

It's **none of** your business. 这不关你的事。

He is **none of** my friend. 他根本就不是我的朋友。（not ... at all）

She is **none of** the happiest. 她很不幸福。(=very unhappy)

Her handwriting is **none of** the best. 她的书法很差。

(3) none but 和 none other than 相当于 nobody/none except。例如：

None but a noble man can do like that. 只有高尚的人才会那样做。(=No one except)

She has told it to **none other than** John. 那件事她只对约翰说了。(=nobody except)

None but he could have been capable of such strength and courage. 只有他才有这样的力量和勇气。

The mystery guest turned out to be **none other than** the President. 神秘嘉宾不是别人,正是总统本人。

(4) 用作副词,"none＋the＋比较级＋because/for"表示"并不因为……就……"。例如：

He seems **none the worse for** his experience. 这次经历后,他似乎一点也没有变坏。

She looks **none the better for** her holiday. 她度假后看上去身体一点也没有好转。

I've read the instruction book from cover to cover, but I'm still **none the wiser**. 我已经将说明书从头看到尾,但仍然不明白。

She is **none the happier for** her wealth.

She is **none the happier because** she is wealthy. 她虽富有但却不幸福。

Man is **none the greater for** his high position.

Man is **none the greater because** he is in high position. 人并不因身居高位就伟大。

【提示】"all＋the＋比较级＋because/for"表示"因……而更加……"。比较：

She is **all the happier for** her wealth. 她因富有而更加幸福。

＝She is happier because of her wealth.

The room is **none the more comfortable for** its fine decorations. 这房间并不因其精美的装饰而更舒适。

The room is **all the more comfortable for** its fine decorations. 这房间因其精美的装饰而更加舒适。

(5) none the less 意为"还是,仍然",相当于 nevertheless。例如：

I can't swim. **None the less**, I'll try to cross the river. 我不会游泳,可我还是要试着过河。

He had apologized to her, but she was **none the less** angry. 他已经向她道歉了,但她依然很生气。

It's not cheap, but I think we should buy it **none the less**. 那不便宜,但我认为我们还是应该买。

(6) none too 和 none so 意为"不太,一点也不",相当于 not very。例如：

The supply is **none too** great. 供应品不丰富。

You arrived **none too** soon. 你到得很不早了。

I am **none so** fond of playing football. 我不太喜欢踢足球。

It is **none so** expensive. 这不太贵。(=not very)

The book is **none too** easy. 这本书很难。(=very difficult)

They spent the night **none too** happily. 他们那个夜晚过得很不快活。(=very unhappily)

I was **none too** pleased to have to take the exam again. 我得重考一次,一点也高兴不起来。

6. 疑问代词

1 用于指人的疑问代词有:who(主格),whom(宾格),whose(所有格),用于指物的疑问代词有:what(主格、宾格),用于指人或物的疑问代词有:which(主格、宾格)

Who knows? 谁知道?

Who/Which is right, you or he? 你和他谁/哪个对?

Whose is/are better? 谁的更好?(作主语)

Whose are you using? 你在用谁的?(作宾语)

Who/Whom will she send the letter to? 她要把信寄给谁?(作介词宾语时,用 who 比 whom 多)

2 疑问代词引导的疑问句称为特殊疑问句。有些疑问代词具有形容词特征,可用作定语

Which book do you like best? 你最喜欢哪本书?

What time is it now? 现在几点了?

3 疑问代词 what, which, who, whom 有其对应的带有-ever 的强调形式

Whatever did you see? 你究竟看见了什么？（whatever 是 what 的强调形式）

Whichever book is hers? 到底哪本书是她的？（whichever 是 which 的强调形式）

Whoever told you that? 到底是谁告诉你的？（whoever 是 who 的强调形式）

Whomever did you give the letter to? 你究竟把信给谁了？（whomever 是 whom 的强调形式）

【提示】这类疑问代词也可用作缩合连接代词，相当于 any thing(s) that, any one(s) that 或 any person(s) who 等；有时还可以引导让步状语从句，相当于 no matter ...。例如：

He did **whatever** he could do. 他尽力而为。（＝anything that）

Whoever comes is welcome. 谁来都欢迎。（＝any person who）

You can take **whichever** you like. 你想拿哪个就拿哪个。（＝any one that）

I shall do it **whatever** happens. 那件事无论如何我都要做。（＝no matter what）

Whoever says so, it's not true. 不论是谁说的，这都不是事实。（＝no matter who）

You can go out of the forest **whichever** path you take. 你不管走哪条小道都能走出森林。（＝no matter which path）

7. 反身代词

1 反身代词的一般用法

反身代词常用作宾语、状语或同位语，作同位语时表示强调。例如：

I teach **myself** English. 我自学英语。（不用 me，指同一人，作宾语）

The child burnt **himself**. 那孩子烫了自己。（作宾语）

I cut **myself** shaving this morning. 我今天早上刮胡子时把脸刮破了。

Mary asked Bob to invite **himself**. 玛丽让鲍勃不请自去。

Don't excuse **yourself**. 不必道歉。（宾语）

You **yourself** did it. 那是你本人做的。（同位语）

He is hospitality **itself**. 他非常客气。（同位语）

The President came **himself**. 总统亲自来了。（谓语后）

She looked at **herself** in the mirror. 她对镜自照。（介词宾语）

He wrote the letter **himself**. 他亲笔写了那封信。（状语）

He spent all day by the fire, talking to **himself**. 他整天都待在火炉边自言自语。

The president will chair the meeting **himself**. 总统将亲自主持这个会议。（状语）

They got out of the lake and dried **themselves**. 他们从湖里上来，擦干身子。（作宾语）

His name is James, but he usually calls **himself** Jim. 他的名字叫詹姆斯，但他通常称自己为吉姆。

The impetus came from the committee and not from **themselves**. 动力来自委员会，不是来自他们自己。（介词宾语，表示强调）

Men like **ourselves** must work hard. 我等芸芸众生必得辛勤劳作才是。（介词宾语）

The matter concerned no one but **himself**. 这件事只同他本人有关。（介词宾语）

Jack **himself** is to blame. 该受责备的是杰克自己。（＝Jack is to blame himself.）（同位语）

Myself, I wouldn't do such a thing. 我自己是不会做这种事的。（同位语，主语前）

I showed Jane **herself** the photo. 我让简亲自看了那幅照片。（同位语，宾语后）

I **myself** might have done things differently. 要是我自己也许会用不同的方式行事了。（同位语，主语后）

【提示】

① 反身代词在句中可有不同的位置，下面三句含义相同：

Alice **herself** has watered the flowers. （位于主语后最常见）

Alice has **herself** watered the flowers.

Alice has watered the flowers **herself**. 艾丽斯亲自浇了花。

② 反身代词可以强调不同的成分。例如：

Jack **himself**, but not his brother, painted the door. 油漆门的是杰克本人,不是他兄弟。(强调主语 Jack)

Mary loves Jack **himself**, not his wealth. 玛丽爱的是杰克本人,不是他的财富。(强调动词宾语 Jack)

It's not easy for Jack **himself** to design the house. 要杰克自己设计这所房子不那么容易。(强调介词宾语)

③ 下面一句中,反身代词有歧义:

Bill went to see the artist **himself**.

比尔亲自去看画家。

比尔去看画家本人。

④ 如果主语和宾语不是同一人或物,就不能使用反身代词。另外,还要保持反身代词同其所代表的先行词在人称及数方面的一致。

比较:

Amy bought **her** a new bike. 埃米给她买了一辆新自行车。(her 指另一人)

Amy bought **herself** a new bike. 埃米给自己买了一辆新自行车。(herself 指 Amy 本人)

She saw **her** in the mirror. 她从镜子里看到了她。(另一人)

She saw **herself** in the mirror. 她照镜子。(同一人)

They blamed **themselves** for the failure. 他们为这次失败而责备自己。

They blamed **each other** for the failure. 他们为这次失败而互相责备。

⑤ 表示位置的介词后,一般不用反身代词作宾语。例如:

Have you any money on **you**? 你身上带钱了吗?

We have a bright future before **us**. 我们前途光明。

She sat down beside **him**. 她在他旁边坐了下来。

She closed the door after **her**. 她随手关上了门。(不用 herself)

He looked about **him**. 他向四周看了看。(不用 himself)

2 反身代词用在 avail, behave 等动词后

在 avail, behave, absent, adapt, busy, help, enjoy, hurt, conduct, blame, pride, make, deport, bethink(想起), compose(镇静), divorce(分裂), demean(行为), comport(举止), plume(自夸), bear(举止), bestir(激动), betake(致力于), ingratiate(讨好), repeat, kill, content, reproach, deceive, praise, express, contradict, free, wash, feed, dress, check, control, overwork, hide, trouble, overstretch, introduce, pledge, exert等动词后可用反身代词作宾语。例如:

seat oneself＝be seated 坐下

amuse oneself＝be amused 自娱自乐

Make yourself at home. 请随便些。

He often **contradicts himself**. 他常常自相矛盾。

He **pledged himself** to do it. 他保证做那件事。

John never **exerts himself**. 约翰从来不肯下功夫。

Soon he **composed himself**. 他不久就平静下来了。

Pull yourself together. The future is bright. 振作起来吧,未来是美好的。

He **overstretched himself** to buy that villa. 他用了过多的钱买那幢别墅。

He **distinguished himself** as a great scientist. 他是一位杰出的科学家。

She refused to **identify herself with** the new organization. 她拒绝支持这个新组织。

He **busied himself with** answering letters. 他忙着回复信件。

Polly is only four, but she can **feed herself**. 波莉只有四岁,但能自己吃饭了。

He **behaved himself** fairly well at college. 他在大学里表现良好。

Not a single student **absented himself from** the lecture. 无一名学生缺席讲座。

We should never **divorce ourselves from** the masses. 我们决不能脱离群众。

He swore to **avenge himself on** the enemy. 他发誓要向敌人报仇。

Can you **express yourself** in English? 你能用英语表达自己吗？

Please **help yourself to** some meat. 请吃些肉。

He **reproached himself** for his behaviour that evening. 他为那天晚上的行为责备自己。

The boy can **wash himself** and **dress himself** now. 这个男孩现在能够自己洗澡、自己穿衣服了。

You must **avail yourself of** every opportunity to speak English. 你必须利用一切机会说英语。

Jim **prides himself on** his ability to speak several languages. 吉姆以能说几门外语而自豪。

【提示】在下列动词后，反身代词常可省略：hide, worry, adjust, prepare, prove, wash, dress, empty, behave, qualify 等。例如：

The soldier **hid** (himself) in a well. 那个士兵藏在一口井中。

Jane **dressed** (herself) quickly. 简很快就穿好了衣服。

The river **empties** (itself) into the sea. 这条河流进大海。

He **qualified** (himself) for the office. 这个职位他很称职。

Behave (yourself) now! 现在放规矩点！

He **proved** (himself) to be a coward. 他原来是个胆小鬼。

I have gradually **adjusted** (myself) to the noisy life downtown. 我已经渐渐习惯了市中心的嘈杂生活。

They **prepared** (themselves) for a long wait. 他们做好了长时间等待的思想准备。

Don't **worry** (yourself) about your son; he is old enough to take good care of himself. 别为你儿子操心了，他已经长大了，会照顾好自己的。

{ He usually **shaves** in the morning. 他通常早上刮胡子。
{ Do you **shave yourself** or go to the barber's? 你自己刮胡子还是请理发师？

{ He used to **wash himself** in the evening. 他过去常常在晚上洗澡。
{ He **washes** twice a day. 他每天洗两次澡。

{ She **engaged herself** to attend the meeting. 她答应去参加会议。
{ She **engaged** to pay back the money. 她答应还钱。

比较：

{ apply **oneself** to 专心致志于　　　　　{ avail **oneself** of 利用
{ apply for 求职，用于　　　　　　　　　{ avail sb. nothing 徒劳

{ conduct **oneself** like a lady 举止大方　　{ deport **oneself** like a gentleman 作风正派
{ conduct the campaign 指挥作战　　　　　{ deport sb. to ... 流放

3 talk oneself hoarse 中的反身代词

在这种结构中，反身代词后的补语表示某一动作所引起的后果。例如：

The boy cried **himself** hoarse. 那个小男孩哭得嗓子都哑了。

They quarreled **themselves** red in the face. 他们吵得面红耳赤。

The baby cried **himself** blind. 那婴儿哭得睁不开眼。

She cried **herself** to sleep. 她哭着睡着了。

She worked **herself** ill. 她工作累病了。

The man ran **himself** out of breath. 那人跑得上气不接下气。

They talked **themselves** hoarse. 他们说得嗓子都哑了。

They talked **themselves** asleep. 他们谈着谈着睡着了。

He drank **himself** under the table. 他醉倒在地。

The sky has rained **itself** out. 阴雨连绵，天都下干了。

【提示】有些"动词＋反身代词"结构可以同"be＋v-ed"结构互换，前者强调动作，后者强调状态。例如：

{ 他在山里迷了路。　　　　　　　　　　{ 她烦得要死。
{ He **lost himself** in the hills.　　　　　{ She **bored herself** to death.
{ He **got/was lost** in the hills.　　　　　{ She **was bored** to death.

4 find oneself in a dilemma 中的反身代词

在这种结构中,反身代词后的补语往往表示主语处于某种不自觉的状态。例如:

They found **themselves** in a dilemma. 他们进退两难。

He heard **himself** apologizing to Jane. 他不知不觉地向简赔不是。

Linda found **herself** thinking. 琳达不知不觉地深思起来。

He caught **himself** making the same grammatical mistake. 他发现自己又犯了同样的语法错误。

5 make a show of oneself 中的反身代词

反身代词还用于某些成语中。例如:

He made a show of **himself** before the public. 他当众出丑。

Don't make a nuisance of **yourself**. 不要惹人厌。

▶▶▶ 其他如:make a pig of oneself 狼吞虎咽, hug oneself 沾沾自喜, kick oneself 严厉自责, keep oneself to oneself 不与他人往来。

6 beside him 不同于 beside himself

某些介词后既可以用宾格人称代词,也可以用反身代词,前者用于本义,后者用于转义或隐喻。例如:

He had Diana **beside him**. 他有黛安娜在他身旁。(在他旁边)

He was **beside himself** with rage. 他气得大发雷霆。(发狂,失常)

He saw a plane **above them**. 他看见他们上方有一架飞机。(在他们上方)

He is a bit **above himself**. 他有点儿自高自大。(自高自大)

He had no money **with her**. 他身边没有钱。(身边没有钱)

He was pleased **with herself**. 他洋洋得意。(洋洋得意)

比较:

He wished to have a room **to himself**. 他希望有一间自己的房间。(独自)

The door seemed to open **by itself**. 那扇门好像是自己打开的。(自动地)

He did it all **by himself**. 那件事是他一个人做的。(独自一人)

The enemy will not perish **of himself**. 敌人是不会自行消灭的。(自行地)

7 Caroline is not quite herself 的含义

反身代词还可以用作表语,表示某种身体状况等。例如:

Caroline is not quite **herself** today. 卡罗琳今天身体不适。(身体不适)

Well, you're **yourself** again. 哦,你康复了。(康复)

The boy will be **himself** in no time. 这男孩会很快康复的。(很快康复)

Now I feel more **myself**. 我感觉好多了。(感觉好多了)

Be **yourself**! 振作起来!

8 表示比较时,用在 like, than, as 后

He is much taller than **myself**. 他比我高许多。

She is quite as well educated as **ourselves**. 她受的教育不如我们好。

The photo is not quite like **yourself**. 这张照片不大像你本人。

He is about the same age as **herself**. 他的年纪几乎和她一样大。

9 between ourselves——反身代词构成的惯用语

(1) between ourselves 意为"咱们私下说说,你我之间",相当于 between you and me。例如:

It was what I would call, **between ourselves**, a bribe. 你我私下说说,这是不折不扣的贿赂。

All this is **between ourselves**, so don't let anyone else know about it. 这一切都只限你我之间,所以不要告诉任何人。

Strictly **between ourselves**, do you think she is fit for the job. 咱们私下里说说,你认为她做这项工作合适吗?

(2) "to+oneself"意为"为单独所用,独自享用"。例如:

He wished to have a study **to himself**. 他希望能有一间属于自己的书房。

It is decided that they may keep three cars **to themselves**. 已决定他们可以拥有三辆车。

（3）for oneself 意为"为自己，独自，亲自"。例如：

You have to decide **for yourself**. 你得自己决定。

Be it right or wrong, you have a right to judge **for yourself**. 不管是对是错，你有权自己决定。

（4）of oneself 意为"自动地，自发地，自愿地"。例如：

The accident did not happen **of itself**. 这个事故是不会自动发生的。

She won't give up **of herself**. 她是不会自动放弃的。

It will grow **of itself**. 它会自然生长的。（＝naturally）

She apologized **of herself**. 她主动表示了道歉。（＝voluntarily）

（5）by oneself 意为"单独地，独自地，独立地"（alone, without help from others, automatically），前面可加 all 表示强调。例如：

He will be **by himself** tomorrow. 他明天独自在家/在办公室。

She decorated the house all **by herself**. 她完全一个人装修了房子。

Can the machine work all **by itself**? 这台机器能自行运转吗？

比较：

He did it **himself**. 他独立做那件事。（没有别人帮助）

He did it **of himself**. 他自愿做那件事。

I decorated the room **by myself**. 我自己一个人装修的房间。（没有别人的帮助）

I decorated the room **myself**. 我自己装修的房间。（自己做的，不是他人做的）

（6）in oneself 意为"本人，本身，本性"。例如：

He is a kind man **in himself**. 他本身是一个善良的人。

That is a good suggestion **in itself**. 那本身是一个好主意。

Simplicity is **in itself** a form of beauty. 简洁本身就是一种美。

10 反身代词作主语

反身代词可以作独立主格结构中的逻辑主语，在口语中，也可借助 or, nor, and 等连词同其他名词一起作主语，也用于省略结构中作主语，相当于主格代词。例如：

"Who did it?" "**Myself**." "谁干的?" "我。"

Herself in poor health, she still carried on the experiment. 她虽然身体不好，但仍继续那项试验。

Ourselves not rich，we should practise economy. 我们并不富裕，应该厉行节约。

His wife and **himself** helped to organize the conference. 他和他妻子都帮忙筹备会议。

Neither Lucy nor **herself** came to the concert. 露茜和她本人都没有来听音乐会。

Yourself and your students have been invited. 你和你的学生们都在邀请之列。

My friends and **myself** used to take a stroll at the foot of the hill at dusk. 我和朋友们过去常常黄昏时在山脚下漫步。

11 hurt him 和 hurt himself

反身代词在句中作宾语或表语时，指代的必须是该句的主语本身，若不是其本身，则不可用反身代词。比较：

He hurt **him**. 他伤害了他。（两人）

He hurt **himself**. 他伤害了自己。（一人）

8. 代词的一些其他用法

1 those 常用作后接定语从句中关系代词的先行词

She was among **those** who saw the accident. 她是目睹那起事故的人之一。

He invited all **those** who had ever given him help in the past. 他邀请了所有那些过去曾给过他帮助的人。

2 抽象名词＋itself

itself 可以放在一个抽象名词后，用来加强该名词的含义，这种结构相当于"all＋抽象名词"或"very＋形容词"。例如：

He is courage **itself**. 他非常勇敢。

She is tidiness **itself**. 她非常整洁。

Mr. Brown is prudence **itself**. 布朗先生非常审慎。

⎰She is beauty **itself**. 她是个大美人。　　⎰He is kindness **itself**. 他非常仁慈。

⎨＝She is **all** beauty.　　　　　　　　⎨＝He is **all** kindness.

⎱＝She is **very** beautiful.　　　　　　⎱＝He is **very** kind.

3 one, it 和 that 作替代词的用法和差异

(1) one/ones 只能代替可数名词,that 可以代替可数名词或不可数名词;it ＝ the/this/that/my...＋名词,所指的名词就是前面提到的同一物;that＝the＋名词,所指的名词与前面提到的为同一类,但非同一物;it 和 that 为特指同法。one＝a＋名词,所指的名词与前面提到的为同一类,但非同一物,是同类中的任何一个,为泛指;the one 表示特指的另一物。例如:

The climate of my native town is not so warm as **that** of Hainan Island. 我家乡的气候不如海南岛的气候暖和。

She doesn't like this pen,she likes **the one** you lent to Jim. 她不喜欢这支钢笔,她喜欢你借给吉姆的那支。(不用 that)

⎰砖墙比土墙要牢固得多。

⎨A wall made of bricks is much firmer than that of mud. [×]

⎱A wall made of bricks is much firmer than **one** of mud. [✓]

(2) 如果所代替的是指物的单数可数名词,可以用 that 或 the one。例如:

⎰她喜欢这个座位胜过窗边的那个。

⎨She preferred the seat here to **that** near the window. [✓]

⎱She preferred the seat here to **the one** near the window. [✓]

(3) one 可以指代人或物,it 一般代替一个具体的事物,that 只能代替物,不能代替人。例如:

The new plan is better than the old **ones**. 新方案比旧方案好。(物)

The performance was wonderful; I like **it** very much. 表演很精彩,我很喜欢。(物)

A young man and an old **one** are walking down the road. 一个青年和一位老人正在路上走着。(人)

The book is less interesting than **that** you lent me last month. 这本书没有你上个月借给我的那本有趣。(物)

(4) one 可以同定冠词或不定冠词连用,可以有前置定语或后置定语;that 不可有前置定语,但通常有后置定语。例如:

The book is **an easy one**. 这本书容易。

The paper she wrote is better than **that he read**. 她写的论文比他读过的那篇好。

She is looking for a house; she likes **one with a garage**. 她在寻找一处房子,她喜欢带有车库的。

(5) 在 such ... as 和 too ... to 结构中,可以用 a one 这样的形式。例如:

The river is **too wide a one** for him **to** swim across. 这条河太宽了,他游不过去。

The film is **such a one as** appeals very much to the public. 这是一部很受公众欢迎的电影。

(6) a one 意为"大胆的人,古怪的人,爱好者,1 号尺码"等。参阅有关部分。例如:

He is **a one**. 这人真怪。(相当于 odd)

She is **a one** for films. 她是个电影迷。

The man took **a one** in/on shoes. 那人买了 1 号尺码的鞋。

You are **a right one**, telling him the truth. 你真傻,把事实告诉了他。(相当于 a fool)

He is **a one** criticizing the government in public. 他真大胆,竟公开批评政府。(相当于 bold)

You are **a one** telling that joke in front of the teacher. 你真大胆,竟敢在老师面前讲那种笑话。

【提示】one 或 ones 不可直接同名词所有格、形容词性物主代词和数词连用,必须要有其他修饰语。例如:

你的新词典似乎比玛丽的旧词典厚。

　Your new dictionary seems thicker than Mary's one. [×]

　Your new dictionary seems thicker than **Mary's old one.** [√]

4 no one, none, some one, every one 和 any one

(1) no one 单独使用相当于 nobody,可作主语或宾语,作单数看待。no one 后可以接 of 短语,既可指人,也可指物;也可以把 no one of...看作是 not a single of(一个也没有)的强调形式,其中 one 是数词,不是不定代词。例如:

No one can give you what you do for yourself. 求人不如求己。

No one of the guests needs introduction. 客人都不需介绍。

No one of the rules and regulations is strictly observed. 规章制度无一严格遵守。

No two of our fingerprints are identical. 根本没有两个人的指纹是完全相同的。

He was left alone, with **no one** to look after him. 他一个人孤单单的,没有人照顾。

No one of my friends is so diligent as Andy. 我的朋友中没有一个像安迪那样勤奋。

No one of the powers transferred to the federal government was improper. 移交给联邦政府的权力没有一项是不妥的。

No one of Thomas Hardy's novels contains more of the facts of his own life than *A Laodicean*. 在托马斯·哈代的小说中,没有一部比《冷漠的人》包含有更多其自身的经历了。

(2) none 和 some one, every one, any one 可以指人,也可以指物,根据后面介词 of 的宾语或上下文而定。例如:

　None of them have/has left. 他们都没有离开。

　No one of them has left. 他们没有一个人离开。

None of these books are/is good. 这些书都不好。

None of the girls came to the party. 女孩子们都没有来参加聚会。

You said the books were on the desk but **there were none** there. 你说书在桌子上,但那里一本也没有。

【提示】nobody 虽然相当于 no one,但不能说 nobody of sb. 。例如:

　Nobody of us is free. [×]

　No one of us is free. [√]我们没有一人空闲。

　Nobody is free. [√]没人空闲。

5 All men are not honest 的含义

Every scientist is not a genius. 并不是每个科学家都是天才。

All of us can't understand the poem. 我们大家并不都能够理解这首诗。

Both answers **are not** right. 两个答案并不都正确。

▶▶▶ 当主语是 all,both,everyone 或主语由 all,both,every 修饰时,谓语的否定通常为部分否定,意为"并非……都,并不是每个……都,两个……并不都"。all...not...(三者以上)并非都……,both...not...(两者)不全都……,every...not...(三者以上,侧重全体)不是每个都……,each...not...(三者以上,侧重个体)不是每个都……。全部否定用 nothing,nobody,none,not,neither 等。上句可译为"并非所有的人都是诚实的"。(参阅"否定"章节内容。)

6 人称代词作主语但用宾格形式的几种情况

(1) 日常口语中,如果人称代词孤立地在不带谓语的句中作主语,习惯上用宾格。例如:

　A:Who told her the news? 谁把消息告诉她的?

　B:**Me.** 我。

　A:I'll go to the West Lake this weekend. What about you? 我这个周末去西湖。你呢?

　B:**Me,** too. Let's go together. 我也去。我们一起去吧。

(2) 日常口语中,如果人称代词用作带有强烈情感色彩(惊奇、反诘、轻蔑、厌烦等)的句子的主语,通常用宾格。例如:

　You stole the money. **Me?** 你偷了钱? 我?

Me appologize to him? Nothing doing. 我向他道歉? 没门儿。

Do you love him? **Me** love him! 你爱他吗? 我会爱他!

What could I do? **Me**, a helpless girl. 我一个弱女子,能做什么呢?

What! **Me** accept a present from him? I never even speak to him. 什么! 我接受他的礼物? 我可从来没和他说过话呢。

A: Susan, go and join your sister cleaning the yard. 苏珊,去同你姐姐一起打扫院子。

B: Why **me**? John is sitting there doing nothing. 为什么我去? 约翰坐在那儿什么也不做。

(3) 同其他名词并列作句中的主语时,人称代词可用宾格,为非正式用法。例如:

John and **me** have got ready for the journey. 约翰和我已做好去旅行的准备。

(4) 在 here be 或 there be 结构中,人称代词可用宾格。例如:

There used to be two other experts and **me**, doing the experiment. 先前有两个专家和我做这项实验。

(5) 在某些表示意义上转折或补充说明的句子中,人称代词可用宾格。例如:

We were left on the island and **me** with little food and no money. 我们被留在了岛上,我没有吃的,也没有钱用。

(6) 如果有形容词作人称代词的定语,该人称代词可用宾格,实际上已转化为名词。例如:

Ambitious **me** had no worry then. 雄心勃勃的我那时候无忧无虑。

I'd like to be friends with the optimistic **you**. 你很乐观,我想同你交个朋友。

This **her** you look at is in her teens. 你看见的她是十几岁的时候。

Poor little **him** had to beg food in the streets in those years. 那些年里,他这个可怜的小不点儿不得不在街上乞讨食物。

7 as much as he 和 as much as him

I blame you **as much as he**.

I blame you **as much as him**.

▶▶▶ 这两个句子虽一字之差,但表示的意思却不同。第一句相当于 I blame you as much as he does.(我像他一样地责备你。)第二句相当于 I blame you as much as I blame him.(我责备你像责备他一样。)

8 no 能否用作代词

no 可作形容词、副词或名词,但不可用作代词。例如:

男孩子们没有生病的。

No of the boys was sick. [×]

None/**No one** of the boys was sick. [√]

无人在场。

No any men were present. [×]

No men were present. [√]

▶▶▶ no=not a 或 not any,故用 no 时,其后不再用 a 或 any。

9 something 和 somebody 也可以用作名词

(1) 在下列句子中,something 和 somebody 不是代词,而是名词,表示特殊意义(参阅上文):

He is really **something**. 他确实了不起。

He felt the presence of an unknown **something**. 他感到有某种重要的事情要发生。

He thinks he's **somebody**, but really he's nobody. 他自认为自己了不起,但实际上什么也不是。

(2) something 有时也可用作副词。例如:

He is **something** like his father. 他有些像他父亲。

This happened **something** more than five years ago. 这件事大约发生在五年前。

10 you, they 和 we 泛指"人们"时的差异

(1) you, they 和 we 可用来泛指"人们",具有类指作用。用 we 时语气亲切,通常包括说话人和听话人在内的"人们"。例如:

We do not see our own faults. 人们往往看不见自己的缺点。

We have no right to destroy the planet. 我们没有权利破坏地球。

Some of **us** waste our/their time. 我们有些人浪费时间。

We saw in the previous chapter how this situation had arisen. 在上一章我们看到这种情况是怎样发生的。

We must be conscientious in **our** work if **we** value **our** careers. 如果我们珍惜自己的职业就必须工作认真。

（2）用 you 时一般指听话人，也可指包括说话人和听话人在内的任何人，口气也很亲切。例如：

You never can tell. 谁也说不清楚。

You learn from experience. 人们从经验中学习。

If **you** run after two hares，**you** will catch neither. 追赶两只兔子的人一只也逮不到。

You can't learn to drive a car by reading books about. 光看书谁也学不会开车。

（3）用 they 来泛指"人们"时，就把说话人和听话人都排除在外。they say，they tell me 常用来代替 people say 或 it is said，意为"人家说，据说"。they 可指"政府，当局，警察"等；they 还常用来避免使用被动语态。例如：

They grow rice in this part of the country. 该国的这个地区种水稻。（＝Rice is grown . . .）

They say that she is a born musician. 人们说她是个天生的音乐家。（＝It is said that she . . .）

They don't make such furniture nowadays. 现在人们不做这样的家具了。

I see **they**'re threatening to put up taxes again. 我明白他们又在威胁提高税收了。

If you want to see the old temple，**they** will tell you that you need to have a guide. 你要是想看一下那座旧寺庙，人家会说你需要有一个向导带路。

【提示】

① he 可指一般人，常用在 he who，he that 结构中。例如：

He who hesitates is lost. 犹豫者必失良机。

He that works hard will succeed. 勤奋的人必将成功。（＝any person）

He who lives in a glass house should not throw stones. 自己有缺点，就不该说别人。

② one 也可表示泛指，这时，不用来特指某人或特定的一批人。凡是重复 one 和 one's 的地方，通常可用 he 和 his 取代。例如：

One must be patient if **he** wants to succeed. 要想成功必须有耐心。

One is never too old to learn. 活到老学到老。

One should do one's duty. 人应该尽职尽责。

One never knows what may happen. 谁也不知道可能会发生什么事。

这里说汉语。

We speak Chinese here. ［✓］

One speaks Chinese here. ［✕］

11 something of, nothing of, anything of 和 much of

这几个词组常表示程度，参阅有关章节。例如：

She is **something of** a music. 她略懂音乐。

Is he **anything of** a scholar? 他有点学问吗？

He is very **much of** a scholar. 他很有学问。

【提示】 a bit of, a little of 和 a great deal of 也有这用法。例如：

He is **a bit of** everything. 他什么都懂一点。

I have seen **little of** him late. 我最近很少见到他。

He has **a great deal of** the statesman in him. 他很有政治家的才能。

12 a lady who I believe is reliable 不同于 a lady whom I believe（to be）reliable——关系代词疑点

（1）一般而论，who 引导从句作主语，whom 引导从句作宾语，但在具体的上下文中，有时很难辨别它所引导的是定语从句还是插入语，因而也就产生了该用 who 还是该用 whom 的问题。例如：

A：She is a lady **who I believe** is reliable. 我认为她是个值得信赖的女士。

B：She is a lady **whom I believe**（to be）reliable.

▶▶▶ 这两个句子都能成立,但是结构不同。句 A 中的 I believe 是插入语,可以去掉,句子仍能成立:She is a lady who is reliable. who 作定语从句的主语,不可用 whom。句 B 实际上相当于两个独立分句 She is a lady. 和 I believe her (to be) reliable. 组合成一句便将宾格 her 换为宾格 whom,置于定语从句之首,其中的 I believe 不是插入语,若把它作为插入语去掉,句子便不成立:She is a lady whom (to be) reliable. 再如:

> The soldier who we supposed was killed came out alive. 我们原以为阵亡的士兵活下来了。(we supposed 作插入语)
>
> The soldier whom we supposed (to be) killed came out alive. (we supposed 为定语从句的主谓成分)

(2) whom 和 which 可以用作定语或状语。

whom 和 which 在其所引导的定语从句中一般作主语或宾语,但也可在它的前面加上适当的介词,作定语、表语或状语。在"介词＋whom/which"结构中,介词的选用必须依据词的搭配关系,要符合惯用法。例如:

This is the girl **for whom** he laid down his life. 这就是那个女孩,他为了救她而英勇献身。(状语)

Do you know the method **by which** the computer works? 你知道计算机的工作原理吗?(状语)

The university has over 15,000 students, **of whom** 80% are from East China. 这所大学有 15 000 多名学生,80%来自华东地区。(定语)

The apartment has five rooms, the smallest **of which** serves as a study. 这套公寓有五个房间,最小的一个用作书房。(定语)

She was scared by the fantastic speed **at which** the car ran. 汽车的惊人速度使她感到害怕。(状语)

Twenty men and women lost their lives in the plane crash, **among whom** was the prince himself. 有 20 名男女在飞机失事中丧生,其中包括王子本人。(表语)

▶▶▶ "介词＋whom/which"结构中的谓语动词多为不及物动词,若是及物动词,则必须有宾语。

⑬ we 的特殊意义

人称代词 we 可以表示:①政府高级官员或国王、女王等在发表演说或文告中往往用 we 代替 I 或 me,相当于汉语的"朕";②一般作者、说话人或演讲者用 we 代替 I,以避免突出个人;③在广告或招贴中,we 可指代"本公司,本店"等;④在具体语境中,we 可指代车辆、剧院、船只、报章、所属物等;⑤对病人或小孩讲话时用 we 代替 you,以示安慰。参阅上文。例如:

This kind of shoes is handled by **us**. 这种鞋属于我店经营。

Now, **we** must be a brave boy and stop crying. 喏,乖孩子,别哭了。

We are satisfied with your services. 朕对你们的服务甚为满意。(国王自称)

We will disclose it in today's paper. 我们将在今天的报上披露此事。(报纸编辑)

In the following chapter, **we** shall discuss international relations. 在接下来的一章中,我们将讨论国际关系。

We are not interested in the possibilities of defeat. 朕对失败的可能性不感兴趣。(We＝I,称为 the Royal We)

⑭ hers of him 的含义

Jim has a low opinion of Alice, but it can't be any worse than ____.

A. her of him   B. him of her   C. hers of him   D. she does

上题应选 C。前句说"吉姆对艾丽斯评价不高",后句中的 it 指代 Jim's opinion of Alice,选用 hers of him,句意为:Jim's opinion of Alice can't be any worse than Alice's opinion of Jim. 吉姆对艾丽斯的评价不可能比艾丽斯对吉姆的评价更糟。(即:吉姆对艾丽斯看法不好,而艾丽斯对吉姆看法更糟。)

⑮ this 和 that 能否作形式主语或形式宾语

this 和 that 是指示代词,也可作连词,引导从句,但这两个词通常不作形式主语或形式宾语。例如:

I believe that my duty to see you through the crisis. ［×］

I believe **it** my duty to see you through the crisis. ［√］我把帮助你渡过危机视为自己的责任。

16 self 的用法

(1) self 是可数名词,复数为 selves,可以单独使用,通常用作动词宾语或介词宾语,也可作主语或表语,意为"自我,自身,本人,自己,品质,性质,私欲,个人的正常状态"等。例如:

I'm always my **self**. 我依然故我。

Her true **self** was revealed. 她的本性暴露了。(品质)

Self does not bring happiness. 私欲不会带来幸福。(私欲)

He looked like his old **self**. 他看上去跟以前一样。(状态)

Sid was not his usual smiling **self**. 西德不像往常那样笑容满面了。

Her words are not directed at his own **self**. 她的话不是针对他本人的。(本人)

He put his whole **self** into the job. 他把全部身心都投入了工作。(自己)

He was beginning to feel like his old **self** again. 他又开始感到自己和以前一样了。

She thought more of others and less of **self**. 她替别人着想多,替自己着想少。

Ah! That's more like your own **self**. 啊！这才更像你自己。

(2) self 可以加在名词前,中间有连字号,构成名词,如:**self**-expression 自我表现,**self**-control 自我控制,**self**-defense 自卫,**self**-rule 自治。self 可以加在形容词前,中间有连字号,构成形容词,如:**self**-reliant 依靠自己的,**self**-sufficient 自给自足的,**self**-contradictory 自相矛盾的,**self**-conscious 不自然的。self 可以加在分词前,中间有连字号,构成形容词,如:**self**-taught 自学的,**self**-governed 自治的,**self**-supporting 自立的,**self**-made 靠个人奋斗成功的,**self**-denying 忘我的。

He is a **self-made** millionaire. 他是个白手起家的百万富翁。

I swear, I shot him in **self-defence**. 我发誓我开枪打死他是出于自卫。

Jerry's pretty **self-conscious** about his weight. 杰里对自己的体重颇为敏感。

In those years the farm was largely **self-sufficient**. 那些年,这个农场基本上是自给自足的。

It is difficult to keep your **self-respect** when you have been unemployed for a long time. 你在长期失业之后就很难保持自尊了。

17 somebody else's 和 who else's

(1) else 常同复合代词 somebody, anybody, something, somewhere, nothing, anything 等一起使用。somebody else 的所有格为 somebody else's。例如:

The dictionary is not mine. It is **somebody else's**. 这部词典不是我的,是别人的。

(2) else 还常同疑问词一起使用,位于其后。who else 的所有格是 who else's。例如:

When else can I try again? 我什么时候还能再试？(＝At what other time)

How else can you do it? 你还能用别的什么方法做？(＝In what other way)

If this pen is not yours, **who else's** can it be? 如果这支钢笔不是你的,那它会是谁的呢？

▶▶▶ 下面两句也是正确说法:

There is **not much else** to do. 没有别的什么要做。

There is **little else** to enjoy. 没有什么别的可供娱乐。

【改正错误】

1. The fact <u>that</u> she was <u>foreign</u> made <u>that</u> difficult for her to get a job <u>in that country</u>.
　　　　　A　　　　　　B　　　　　C　　　　　　　　　　　　　　D

2. <u>Being</u> a parent is not always easy, and being the parent of a child <u>with special needs</u> often carries with
　A　　　　　　　　　　　　　　　　　　　　　　　　　　B

<u>him</u> <u>extra</u> stress.
　C　　D

3. Chinese parents think <u>less</u> of money when <u>one</u> comes to <u>educating</u> <u>their</u> chidren.
　　　　　　　　　　　　A　　　　　　　B　　　　　　C　　　D

4. My grandma still treats me like a child. She can't imagine my grown up.
   　　　　　A　　　　　B　　　　　　　　　　　　　　　　　C　　D

5. Toys of the children today hardly bear any resemblance to those of us when we were little kids.
   　　　　　　　　　　　A　　　　B　　　　　　　　　C　　　　　　　　　　D

6. When you go abroad for further education, you may find your accent might be different from
   　　　　A　　　　　　B　　　　　　　　　　　　　　　　　　　　　　　　　　　　　C
   everybody's else's there.
   　　　D

7. Frank is one of those people who I always believe do one's best even in the most difficult situations.
   　　　　　　　　　A　　　　B　　　　　　　　　　　　C　　　D

8. In their hearts, some American women think it is men's business to make money and they to spend it.
   A　　　　　　　　　　　　　　　　　　　　B　　　　C　　　　　　　　　　　　　D

9. Some of the stamps on the table belong to me, while the rest are his and her.
   A　　　　　　　B　　　　　　　　　　　C　　　　　　　　D

10. Our neighbors gave us a baby bird yesterday that hurt it when it fell from its nest.
    　　　　　　　　　A　　　　　　　　B　　C　　　　　D

11. Swimming is my favorite sport. There is something like swimmimg as a means of keeping fit.
    　　　　　A　　　　　　　　　　　B　　　　　　　　　　C　　　　　　D

12. Neither side is prepared to talk to another unless we can smooth things over between them.
    　　　　　　A　　　　　　　　B　　　C　　　　　　　　　　　　　D

13. Helping others is a habit, that you can learn even at an early age.
    　　A　　　　　　　　B　　　　　　　C　D

14. Everything that's important is that you are doing your best and moving in the right direction.
    　　A　　　　　　　　B　　　　　　　　　C　　　　　　　　D

15. He had lost his temper and his health in the war and never found neither of them again.
    　　　　　A　　　　　　　　　　　　　　　　B　　　　C　　　　　D

16. I felt so bad all day yesterday that I decided this morning I couldn't face the other day like that.
    　　A　　　　　　　　　　B　　　　　　　　　　　　　　　　C　　　　D

17. To know more about the British Museum, you can use the Internet or go to the library, or all.
    A　　　　　　　B　　　　　　　　　　　　　　　　C　　　　　　　　D

18. — What do you think of the performance today?
    　　　　　　A

    — Great! Anybody but a musical genius could perform so successfully.
    　　　　　B　　　　C　　　　　　　　　　D

19. The number 9.11 is a special number, which I think, that will be remembered by the Americans
    　　　　　　　　A　　　　　B　　　　　　　　　　　　　　　　　　　C
    forever.
    D

20. Think about what you really care about, and set goals to accomplish that matters to you.
    　　　　A　　　　　B　　　　　　　C　　　　　　D

21. Tens of trees were cut down during the night, but no one knew whom.
    A　　　　　　　　B　　　　　　　C　　　D

22. They did a survey of how many students spent on job hunt and found the expense varying
    　　A　　　　　B　　　　　　　　C
    from person to person.
    D

23. The manager decides to give the job to whoever he believes have a strong sense of duty.
    　　　　　　　A　　　　　B　　　C　　　　　　　D

24. You'd better continue to use the same spelling of your name as one you used in your application.
    　　　　　A　　　　　B　　　　　　　C　　　　D

25. None of the tires on the motorcycle looks any better than the other.
    A　　　　　B　　　　　C　　　D

26. Once every student had done the experiment to their own satis faction, the professor judged
    A　B　　　　　　　　　　　　　　　　　C

the results.
　　　D
27. The manager refuses to accept either of the five new proposals made by the contractors.
　　　　　　　　　　　A　　　　B　　　　　　　　　　　　C　　　D
28. The men and women who pushed the frontier westward across America probally never thought of
　　　　　　　　　　　A　　　　　　　　　　　　B　　　　　　　　　C
them as brave pioneers.
　D
29. Edward understands the most of the calculus equations，but he wants to study them again before
　　　　　　　　　　　A　　　　　　　　　　　　　　　B　　　　　　　C　　　　　　　D
the test.
30. While the total number of farmers tilling the soil is barely half what they were in 1959, the size of
　　　　　A　　　　　　　　　　　　　　　　　　　B　　　　　　　C
the average farm has tripled.
　　D

【答案】

1. C(it)	2. C(it)	3. B(it)	4. C(me)
5. C(ours)	6. D(everybody else's)	7. C(their)	8. D(theirs)
9. D(his and hers)	10. C(itself)	11. B(nothing)	12. B(the other)
13. B(one)	14. A(All)	15. C(either)	16. C(another)
17. D(both)	18. B(None)	19. B(one)	20. D(what)
21. D(by whom)	22. B(how much)	23. B(those who)	24. C(the one)
25. A(Neither)	26. C(his)	27. B(any)	28. D(themselves)
29. A(most of)	30. C(it was)		

第四讲 介 词(Preposition)

一、分类

1. 简单介词

指由一个单词构成的介词,简单介词也可能由形容词、副词、名词、连词等转变而来,常用的有:by, in, after, on, at, past, since, till, until, over, opposite, off, near, of, with, up, under, toward(s), through, like, from, for, down, during, except, but, beyond, between, besides, beside, beneath, below, behind, before, among, along, against, above, across, about, amid(st), onto, underneath, unlike, around, round, next, despite, than, save 除……之外。

He wrote **by** candlelight. 他在烛光下写作。

She paused **in** admiration of the beautiful view. 她驻足观赏美景。

The ground **beneath** us was a bank covered with grass. 我们脚下是长着青草的河岸。

The wine can be drunk **before**, **during** and **after** a meal. 这种酒在饭前、饭中及饭后饮用均可。

From behind her desk she heard them passing in the garden. 她从书桌后听见他们从花园中走过。

The orchard is just **up** this road **about** a mile **past** the school **on** your left. 果园就在这条路边,离左边的学校约有一英里远。

▶▶▶ 这些介词有静态和动态之分,或兼有两态。比较:

$$
\begin{cases}
\text{in} \to 静态(在……内):read in the study 在书房里读书 \\
\text{into} \to 动态(进入):walk into the study 走进书房
\end{cases}
$$

across
$$
\begin{cases}
静态(在……的另一边):The villa is \textbf{across} the river. 别墅在河对岸。 \\
动态(从……一边到另一边):A swan is flying \textbf{across} the lake. 一只天鹅正飞过湖面。
\end{cases}
$$

alongside
$$
\begin{cases}
动态(在……旁边,与……一起):The children ran \textbf{alongside}, screaming farewells. \\
\quad 孩子们一边跟着跑,一边大声喊再见。 \\
静态(在……旁边):He had two acres of land \textbf{alongside} a cherry orchard down the \\
\quad valley. 他在山谷低处的樱桃园旁有两英亩土地。
\end{cases}
$$

【提示】除 near 外,介词没有比较级和最高级的形式。例如:

Who comes **nearest** her in wit? 谁在智力上最接近她?

Call me again **nearer** the time of the party. 晚会快开始的时候,再叫我一声。

Why don't you move your chair **nearer** mine? 你为什么不把椅子挪得离我近一些呢?

In fact this computer cost **nearer** two thousand dollars. 事实上,这台计算机差不多花了 2,000 美元。

2. 以现在分词形式和过去分词形式结尾的介词

这类介词由分词演变而来,常用的有:excepting 除……外, including 包括, regarding 关于, barring 除……外, concerning 关于, touching 关于, considering 就……而言, saving 除外, respecting 关于, pending 在……期间/在……以前, failing 如果没有/若无……时, following 在……以后, wanting 无/缺, given 如果考虑到。

I want to ask your advice **concerning** one or two questions. 我想就一两个问题征求你的意见。

Barring any last minute problems, we should finish the job tonight. 除非最后一分钟出问题,否则今晚我们应该能完成任务。

The investigation was reorganized, **following** the resignation of the prime minister. 在首相辞职后,调查进行了重新组织。

3. 合成介词

这类介词由两个单词组合而成,凝聚力强,连写,已成为独立的单词,常用的有:into 进入, outside 在……外, within 在……内, without 没有, throughout 遍及/贯穿, inside 在……内, upon 在 ……上, alongside 在……旁边/沿着, notwithstanding 虽然。

He grew up overnight **upon** starting school. 上学后,他一下子长大成熟了许多。

I don't care what you do **outside** working hours. 我并不在意你上班时间之外做什么。

Throughout his career his main concerns have been with foreign affairs. 在整个职业生涯中,他主要从事外交事务。

4. 短语介词

短语介词是短语性的固定介词搭配,可以由"介词+名词+介词","介词+介词","介词+动词", "形容词+介词","副词+介词"等构成,常用的有:out of 从……里面/从……中, but for 要不是, ahead of 在……前, according to 根据, apart from 除……外, along with 同……一起, because of 由 于/因为, together with 同……一起, as to 关于/至于, save for 除了, in front of 在……前面, in place of 代替, on behalf of 代表, near to 靠近, instead of 替代/而不, next to 紧靠旁边/贴近, on account of 由于/鉴于, owing to 由于/因为, as regards 关于, with regard to 关于, in regard to 关于, prior to 在……前, in view of 考虑到, in spite of 尽管, in accordance with 根据, by means of 用/依 靠, as from 自……起, as for 至于, apart from 除……外/若无, except for 除……外, as concerns 关 于, as compared with 同……相比, for want of 因为缺乏, at the cost of 以……为代价, over against 在……对面/正对着, down to 下至/直至, away from 离开, irrespective of 不顾, with a view to 旨 在/目的是, on the point of 正要……之际, in the event of 如果发生/万一, for the sake of 为了, by way of 经由/通过, up to 一直到, thanks to 由于/多亏, previous to 先于, due to 由于, devoid of 毫 无……的, in return for 作为……的报答/交换, with the exception of 除了, in between 在……之间, without regard to 不考虑,不顾。

Mary was **close to** tears. 玛丽快要落下泪来了。

The village was uncomfortably **close to** the river. 这个村庄靠近河流,令人不安。

He knew that he was **up against** a powerful political force. 他明白自己遇到了强大的政治势力。

She continued to care for her father **up till** the time of his death. 她一直照顾父亲直到他去世。

The country road **ahead of** us was rather muddy. 我们前面的乡村道路泥泞不堪。

He got a lot of fun **out of** sweeping dead leaves in the yard. 他觉得清扫庭院中的枯叶挺有乐趣。

Henry always does whatever he pleases **without regard to** the feeling of others. 亨利做事总是随心所欲,从不考虑别人的感情。

Different methods are used **depending on** what results are required. 根据所需的结果采用不同的方法。

In between school and university I did a two-month crash course in spoken English. 在中学毕业后到上大学之前这段时间,我上了两个月的英语口语速成班。

Mrs. Newman was composed, eager, and **on top of** every situation. 纽曼夫人从容而热情,凡事都能应付自如。

At length, **save for** an occasional rustle, the wooden hut was silent. 终于,小木屋里安静下来了,只有偶尔发出的沙沙声。

▶▶ 要注意的是,短语介词中的搭配都是固定的,不可随意变更,如 by means of 不可说成 by means to。

【提示】短语介词不同于介词短语。短语介词是用作介词的短语(如 with a view to),不可独立使用,本身不能作句子成分,后面要跟名词、动名词或代词等;介词短语是由介词+宾语构成的短语(如 with a view to buying a car),本身可作句子成分,如作定语、状语等,可独立使用。比较:

They lived **among the hills.** 他们住在山中。(among the hills 是介词短语,作状语)

I will help you **for the sake of our friendship.** 为了我们的友谊,我是愿意帮助你的。(for the sake of 是短语介词,for the sake of our friendship 是介词短语,作状语)

I'll take this one **for want of a better.** 没有更好的,我就拿这一个。(for want of 是短语介词,for want of a better one 是介词短语)

5. 介词和副词

英语中,有少量介词和副词同形。短语动词中若有这类双重词性的词,有介词宾语者为介词,无介词宾语者为副词。比较 off:

The wedding is **off**. 婚礼取消了。

He took a day **off**. 他休息了一天。

The town is only two miles **off**. 小城就在两英里之外。

She turned **off** into a side road. 她拐进了一条岔道。

The price was already 20% **off**. 价格已打了八折。

The joke didn't quite come **off**. 那个笑话没有得到预期效果。

The college entrance examination is only three days **off**. 三天后就要高考了。

▶▶▶ 以上句中 off 用作副词

The book is **off** the shelf. 书从架子上掉下来了。

He is **off** duty today. 他今天不值班。

The cover is **off** the box now. 盒盖掉了。

It is not far **off** ten o'clock. 现在差不多10点钟了。

The baby is three days **off** one year old. 这婴儿再过三天满周岁。

He is two years **off** fifty. 再过两年他就满50岁了。

The ship was blown **off** her course. 轮船被风吹离了航线。

The hotel is only 300 meters **off** the coast. 这家旅馆离海边只有300米。

You'll pay 10% **off** the price if you buy both. 如果你两件都买的话,可以便宜10%。

Two buttons have come **off** your coat. 你的上衣掉了两个扣子。

▶▶▶ 以上句中 off 用作介词

比较:

There was no water left, so he had to go **without**. 没有水剩下了,所以他只得渴着。(副词)

He went **without** water for two days. 他两天没有喝水。(介词)

6. 从"天边的草原"看英语介词使用的复杂性

1 英语介词虽然数量不多,但用法还是颇为复杂的。就以汉语中的"的"为例,英语中没有固定的与之相对应的词,绝不等同于 of 或 's 所有格。在不同的词组结构中,"的"字往往要译为不同的介词或其他词,视内在含义而定。比如:"天边的草原"要译为 the grassland on the horizon,用 on,而"南山的竹"要译为 the bamboos at the southern hill,用 at

▶▶▶ 比较下面"的"的译法:

路旁的野花→ the wild flowers **on** the roadside	哈尔滨的夏天→ the summer **in** Harbin
墙上的窗户→ the window **in** the wall	博物馆的入口→ the entrance **to** the museum
柏拉图的著作→ the works **by** Plato	英语写的论文→ the paper **in** English
作诗的天赋→ the talent **for** writing poetry	水中的月→ the moon reflected **in** water
早晨的太阳→ the rising sun **in** the morning	历史的见证→ the witness **to** history
描述自然风光的书→ a book **on** natural scenery	岸边的垂柳→ the willows **on** the shore
穿过森林的小路→ the path **through** the woods	汉白玉的雕像→ a statue **in** marble
山中的寺庙→ the temple **in** the hills	脾气暴躁的人→ a man **with** a hot temper
追逐名利的人→ a man **after** fame and gain	不屑一顾的人→ a man **beneath** notice
复原无望的人→ a man **beyond** hope of recovery	路上的一个坑→ a hollow **in** the road
人口的减少→ a decrease **in** population	篱笆上的一个洞→ a hole **in** the fence
两国间的战争→ a war **between** the two countries	树上的鸟儿→ the birds **in** the tree
对自由的渴望→ a longing **for** freedom	对她不利的证据→ the evidence **against** her

墙上/面上的裂缝→ a break **in** the wall/surface　　臂上的伤→ the wound **in** one's arm

月光下的散步→ a walk **in** the moonlight　　河对岸的村庄→ the village **beyond** the river

山脚下的小溪→ the stream **at** the foot of the hill　　年轻时的梦想→ the dream **in** youth

地下的财宝→ the treasure **beneath** the ground　　年逾古稀的老人→ an old man **past** seventy

废墟中的野花→ the wild flowers **amid** the ruins　　他身后的好名声→ a good name **behind** him

蓝天下的群山→ the mountains **against** the clear blue sky

2 同一介词可以与不同的动词搭配,不同的介词也可以与同一动词搭配

He lives		the river. 他住在河边。
She sat		the window. 她靠窗坐着。
A car ran		them. 一辆车从他们旁边驶过。
She went		him without saying anything. 她默默无言地从他身边走过。
They came	**by**	the nearest road. 他们抄近路来。
He entered		the back door. 他从后门进入。
They travelled		land. 他们陆上旅行。
He worked		day. 他白天工作。
The price fell		3 percent. 价格下降了 3%。
They sell		the pound. 他们按磅出售。

	on the sea. 船在海上航行。
	out of the harbor. 船驶出码头。
	into the harbor. 船驶进码头。
	under the bridge. 船在桥下航行。
	across the Atlantic. 船横渡过大西洋。
	towards the island. 船驶向那个岛。
	up the river. 船驶向河的上游。
The ship sailed	**by** the river. 船靠岸行驶。
	down the river. 船驶向下游。
	past the lighthouse. 船从灯塔旁驶过。
	against the wind. 逆风行船
	before the wind. 顺风行船
	for Shanghai. 船驶向上海
	to the mouth of the river. 船驶到河口。
	with the tide. 涨潮时开船。

7. 从"从……开始"看英语介词表述的精确性

"从……开始"无论是"从今天开始"、"从8点钟开始"、"从南京开始",汉语中一个"从"字足矣,但这个"从"字绝不可一概译为英语的"from"。英语中介词的使用是非常严格而精确的,汉语中的同一个词往往要用不同的英语介词表述,试以"从"字为例。

The winter vacation **begins from today**. 寒假从今天开始。

The meeting **began at eight o'clock**. 会议从8点钟开始。

He **began** his career **by doing odd jobs**. 他是从打零工开始起家的。

Let's **begin with this lesson**. 让我们从这一课开始。

The movement **began at Beijing**. 这次运动是从北京开始的。

Our school **begins in September**. 我们从9月份开学。

Charity **begins at home**. 行善从家庭开始。

Her illness **started with a slight fever**. 她的病是从轻微发烧开始的。

To protect the environment, **start with me**. 保护环境,从我做起。

The mid-term examination will **begin on Monday**. 期中考试将从星期一开始。

The exhibition **began on March 15, 2013**. 展览自2013年3月15日开始。

Starting at age 40，blood pressure should be measured every five months. 从 40 岁开始,应该每五个月量一次血压。

二、位置

1. 介词通常位于名词或代词前

The book is **beyond** her. 这本书她读不懂。

The man is **beneath** contempt. 那人为人所不齿。

The retired general lived in a small castle three miles **past** the village. 那位退役将军住在村庄过去三英里的一座小城堡里。

2. 在某些结构中,介词可以放在句尾

1️⃣ 在"介词+whom/ which/ what/ whose"结构位于句首的疑问句中,介词常可放在句尾

Who is she talking **to**? 她在同谁谈话?

Which hotel did you stay **at**? 你住在哪家宾馆?

Which desk did you put the book **on**? 你把书放在哪个桌子上了?

2️⃣ 定语从句中位于 that/ whom/ which 之前的介词也可以放在句尾

在这种情况下,关系代词可以省略。但介词不可放在 that 前面,而必须放在句尾,that 可省略。例如:

She is the teacher (whom, that) I once worked together **with**. 她是一位教师,与我做过同事。

This is the kind of life (that, which) he is used **to**. 他已习惯了这种生活。

3️⃣ 某些 wh-词引导的名词性从句中,关系代词为介词宾语位于从句句首时,介词应后置

I don't know what you are driving **at**. 我不知道你是什么意图。

Money is what he is badly in need **of**. 他急需的是钱。

I wonder whose room he was **in**. 我不知道他在谁的房间里。

I don't know what he looks **like**. 我不知道他长得什么样。

4️⃣ 动词不定式作状语,需要介词同句中主语构成介宾关系时,介词应后置

The lake is safe to swim **in**. 在这个湖里游泳安全。

The table lamp is bright enough to read **by**. 这个台灯很亮,看书没有问题。

5️⃣ 动词不定式作定语,需要介词同动词不定式所修饰的名词构成介宾关系时,介词应后置

It is the key to open the box **with**. 这就是开那个箱子的钥匙。

In those days he even didn't have any money to buy food **with**. 在那些日子里,他甚至连购买食物的钱都没有。

They pledged their newly borrowed house for a loan to do business **with**. 他们以刚购置的房屋作为抵押,弄到一笔贷款来做生意。

3. 在某些"(不及物)动词+介词"结构中,介词紧跟动词后

在这种结构中,宾语不可放在动词和介词之间,只能放在介词后面。

The thief **broke into** the house. 盗贼闯进了屋子。

She **looked after** her brother. 她照看弟弟。

He **takes after** his mother. 他像他母亲。(不可说 He takes his mother after.)

三、介词的宾语

1️⃣ 介词的宾语不仅限于名词和代词,还可以是其他词类或句子等

(1) 名词。例如:

The car ran **into a wall**，and two men were killed. 汽车撞到了墙上,两人身亡。

I shall answer you **concerning your request**. 关于你的请求,我将给予答复。

The park is home **to half of the world's population of gorillas**. 这个公园是世界上一半大猩猩的家。

That is a building constructed **of wood，metal，concrete，etc.** 那是一幢用木材、金属和混凝土

等建成的建筑物。

Human affairs are all subject **to changes and disasters**. 人世间,事不由己,变迁灾祸,难以预料。

We walked **through the woods** under a roof of leafy boughs. 我们走过亭亭如盖的树林。

It was **towards sunset** on a cool autumn day. 那是秋日一个微凉的黄昏。

They trudged westward, day and night, **over dusty roads and roaring rivers**, **under hot suns and cold rains**, **through green valleys and windy wastelands**. 他们向着西方,艰苦跋涉,日夜兼程,走过尘土飞扬的道路,渡过咆哮的河流,经受着烈日的曝晒和冷雨浇淋,穿过青翠的山谷和朔风怒号的荒原。

(2) 代词。例如:

She is interested **in it**. 她对此感兴趣。

Wherever he went, he carried the photo **with him**. 他无论到哪里,都将那幅照片随身带着。

(3) 形容词。例如:

Your plan is far **from perfect**. 你的计划远不完美。

I have advised him **in private**. 我私下劝过他。

In short,I have done my best. 总之一句话,我已经尽了全力。

The bridge is anything **but safe**. 这座桥一点也不安全。

▶▶ in, from, but, near, instead of 等后可用形容词作宾语。

(4) 副词。例如:

She came **from afar**. 她自远方来。

He shouted **from below**. 他从下面喊叫。

We have trusted her **till recently**. 我们直到最近还一直相信她。

I can't see the tower clearly **from here**. 我从这里看不清楚那座塔。

They have never seen each other **since five years ago**. 他们五年来一直未见过面。

She received them coldly **instead of warmly**. 她接待他们不热情,很冷淡。

▶▶ from, since, except, till, until, instead of 等后可用副词作宾语。

(5) 动名词。例如:

He insisted **on doing** it that way. 他坚持要那样做。

She spent the morning **in reading**. 她把上午的时间用在了读书上。

He entered the room **without taking** off his hat. 他进了房间,没脱下帽子。

Instead of attempting to save one species at a time, they are trying to save a complete natural environment. 他们努力拯救整个自然环境,而不是在一段时间内只力图拯救一个物种。

As for being adopted, I have no desire to find my real parents. 我是养子,可我并不想去找我的生身父母。

▶▶ in, on, without, instead of 等后可用动名词作宾语。

(6) 不定式。例如:

He did nothing **but cry**. 他只是哭个不停。

I would sooner die **than yield**. 我宁死也不屈服。

She could do no otherwise **than (to) wait**. 她只能等待,别无他法。

He couldn't do anything **except wait** for the reply. 他只能等待答复。

He knew better **than to trust** the hypocrite. 他很明智,不会相信那个伪君子的。

▶▶ but, besides, except, than 等后可用不定式作宾语。

(7) 介词短语。例如:

She often studies **till after midnight**. 他常常学习到下半夜。

They came **from across the river**. 他们自河对岸来。

She read **till into the night**. 她读书到深夜。

The temperature dropped **to over zero centigrade**. 气温降到刚过零度。

He suddenly appeared **from behind the door**. 他突然从门后面出现了。

▶▶ to，since，from，except，till，until，across 等后可用另一个介词(短语)作宾语。

（8）数词。例如：

In nine out of ten he won't come. 他十有八九不来了。

The students walked there **in twos and threes**. 学生们三三两两在那边走着。

（9）疑问词＋不定式。例如：

I have informed her of **when to start**. 我已经通知她何时动身。

That depends **on which** method **to take**. 那取决于采用何种方法。

The problem **of how to get** enough money is difficult to settle. 怎样弄到足够的钱的问题难以解决。

（10）疑问词引导从句。例如：

He does not care **about who will be promoted**. 他不在乎谁将被提升。

I have no idea **as to what he will do there**. 我不知道他将在那里做什么。

That depends **on whether he has persistence**. 那取决于他有没有耐力。

She asked to be informed **of which university was the best for her**. 她请求被告知她上哪一所大学最好。

The night was dead quiet **save/except that a bird flew from tree to tree occasionally**. 夜静极了，只有鸟儿偶尔在树间飞过。

I got myself a table at **what was said to be the best restaurant in town**. 我在人称全城最佳餐馆定了一桌。

（11）that 引导的从句。例如：

I would go with you **but that I am too busy**. 要不是太忙，我会同你一起去的。

She is not happy **notwithstanding that she is rich**. 尽管很富有，但她并不幸福。

Man differs from other animals **in that man can laugh and speak**. 人与其他动物的不同之处是人能说会笑。

2 介词后的其他结构

He is away from home **with his children alone**. 他不在家，孩子们孤苦伶仃。（名词＋形容词）

With the sun down, night came on. 太阳落了山，夜来临了。（名词＋副词）

He left home **without a cent in his pocket**. 他离家时口袋里一个子儿都没有。（名词＋介词短语）

His success depends **on him/his working hard**. 他的成功取决于他的努力。（代词＋现在分词）

They parted from each other **without a word said**. 他们一句话也没说就分了手。（名词＋过去分词）

He wandered about **without anything to do**. 他四外游荡，无所事事。（代词＋不定式）

She stayed late **with a lot of letters to write**. 她有许多信要写，待到很晚。（名词＋不定式）

The night was beautiful **with the moon shining brightly**. 月亮朗朗地照着，夜色美极了。（名词＋现在分词）

The soldiers returned **with a man bound up in rope**. 士兵们返回了，带着一个用绳子捆绑的人。（名词＋过去分词）

He stayed there three years **with Jim his only friend**. 他在那里待了三年，只有吉姆一个朋友。（名词＋同位语）

3 值得注意的是，除了 in that, except that, save that, but that, notwithstanding that 外，that 引导的从句不可直接作介词的宾语，必须在介词和 that 之间加上先行词，一般是 it

你可以放心，你的需要会被满足的。

You can count on that your needs will be satisfied. [×]

You can **count on it that** your needs will be satisfied. [√]

你尽管放心，他们会遵守承诺的。

We may depend upon that they will do as they have promised. [×]

We may **depend upon it that** they will do as they have promised. [√]

4 能作介词宾语的形容词是不多的，常见于下列固定词组中

in common 共同

in common with 与……相同

in earnest 认真地

in full 充分地/全部地

for the worse 恶化/变坏

for the better 好转

at（the）most 至多

in brief/in short 简言之/总而言之

for short 简称/缩写

for sure/certain 肯定地

of late 最近

at least 至少

to the good 有好处/净增

in bad（with sb.）失去……欢心

to the contrary 相反的/地

at（the）longest 至多/指日期

in the right 正确的/有理的

to the full 尽量地/充分地

in the red 亏损/出现赤字

on the whole 总的来说/大体上

in vain 徒劳/无效

on the sly 偷偷地/秘密地

in the open 在户外/公开地/在露天

in the wrong 错的

far from＋adjective 远远不……

in the rough 大体上/未完成

for good 永久地/一劳永逸地

in the raw 处于自然状态的/裸露的

from bad to worse 越来越坏/每况愈下

in particular 尤其/特别

for better or worse 不论好坏/不管怎么样

at（the）latest 最迟

at one's/its＋best ... 处于最……状态

at large 逍遥法外/一般的

of old 昔日的/很久前

in the clear 按（两边之间的）内宽计算/无嫌疑/无罪/还清债务

The hall is 50 meters **in the clear**. 大厅内宽为 50 米。

The suspect is now **in the clear**. 那个涉嫌者已被解除了嫌疑。

He is 200 dollars **in the red** this month. 他这个月亏损 200 美元。

Having paid the money, she is now **in the clear**. 钱已还清,她现在不欠债了。

With that business he netted 1,000 dollars **to the good**. 那项业务他净赚了 1 000 美元。

They pledged to stand together **for better or worse**. 他们发誓同风雨,共患难。

The project will be finished in a month **at the longest**. 这项工程最多一个月便可完成。

【提示】介词短语作另一介词的宾语是常见的语言现象,如:

from behind the hill 从山后面

till after dinner 到晚饭后

since before the war 自战前以来

from below the river 从河的下游

from behind the tree 从树后面

till after sunset 太阳落山后

from among the crowd 从人群中

till after examination 到考试后

from under the table 从桌子下面

up to about midnight 大约到午夜

till about last Sunday 直到大约上星期天

till after six 直到 6 点钟后

for above ten days 10 多天

from before sunrise 从日出前

from among these books 从这些书中

from over the sea 从海上

from behind the bookshelf 从书架后面

till after sunrise 直到日出后

from beneath the desk 从书桌下面

from under one's spectacles 从眼镜后面

from behind the curtain 从幕后

from before World War Two 自第二次世界大战前

buy it at over five dollars 用 5 美元多买它

drive at from 80 to 100 miles an hour 以每小时 80 英里到 100 英里的速度行驶

be done by from ten to twenty students 由 10 名至 20 名学生做的

sell for under twenty dollars 以低于 20 美元的价格卖

His happiness, however, sprang **from within** himself, and was independent of external circumstances. 然而,他的欢愉乃出自深心,不受外界环境的影响。

A kitten sprang **from under** the bush. 一只小猫从树丛里蹿了出来。

比较:

{
What is he **drawing**? 他在画什么?(what 作动词宾语)
What is he **drawing on**? 他在什么上面画?(what 作介词宾语:在……上画)
}

四、介词的句法功能

介词与其他词类或成分结合后方能在句子中充当语法成分,构成介词短语。介词短语可以作定语(须后置)、状语、表语、宾语补足语、另一介词的宾语,间或作主语等。例如:

He is a man **of integrity**. 他是个正直的人。(定语)

Her eyes were tired **from long reading**. 由于长时间阅读,她的眼睛疲劳了。(状语)

He rented a flat **with views over the river**. 他租了一套看得见临河风景的房间。(定语)

The skyscraper **in the distance** is a five-star hotel. 远处那幢摩天大楼是一座五星级宾馆。(定语)

Between the man I had been and that which I now became there was a very notable difference. 在以前的我和如今转变了的我之间,出现了一个非常明显的不同之处。(状语)

To reach the port of heaven, we must sail sometimes **with the wind** and sometimes **against it**. 为了到达天堂的港口,我们势必有时顺风航行,有时得逆风行舟。(状语)

The smell of the wet garden wafted in **through** the window. 花园中湿润的气息从窗口飘了进来。

In all probability,he will decline your invitation. 他极有可能谢绝你的邀请。(状语)

The decision is **of great importance** to me. 这项决定对我极为重要。(表语)

They found the machine **in a bad state**. 他们发现那部机器损坏严重。(宾语补足语)

A pretty girl appeared **from behind the curtain**. 一个漂亮女孩从帘子后面出现了。(介词宾语)

On purpose or not on purpose is of great difference. 故意还是无意区别甚大。(主语)

Between five or six(**chairs**)will be enough for them. 五六把(椅子)就足够他们用了。(主语)

A conceited man always thinks himself **above others**. 自大的人总认为自己高人一等。(宾语补足语)

From freezing to boiling is 180 degrees on the Fahrenheit scale. 在华氏温度表上从冰点到沸点相差180度。(主语)

Never at a loss for a word,he was an excellent speaker. 他是个杰出的演说家,说起话来滔滔不绝。(状语)

Beyond the plains the mountains were brown and bare. 平原外的山峦,呈现出一片光秃秃的褐色。(状语)

The profit of books is **according to** the sensibility of the reader. 书本的益处取决于读者的感受力。(表语)

Hundreds of new products are **on display** in the shop windows. 商场橱窗里展出了数百种新产品。(表语)

五、常见介词用法例解

1. about

They gathered **about** the desk. 他们围聚在书桌旁。(在……周围)

He felt weak **about** the knees. 他感到膝部无力。(在……部位)

I hadn't enough money **about** me then. 我当时身上没有足够的钱。(在……身边)

There is something queer **about** him. 他身上有种怪异的东西。(状貌,属性)

He has read **about** the adventure. 他读过那个冒险故事。(关于)

What the hell are you **about**? 你到底在干什么?(从事)

There is a mature wisdom **about** him. 这人颇有大智。(在……性格中)

Bob is really keen **about** the trip. 鲍勃真是热衷于这次旅行。(涉及,关于)

She is smart **about** business. 她经商很精明。(涉及)

Make yourself easy **about** it. 对这件事你尽可放心。(关于)

She left on or **about** the eighth of May. 她大约是在5月8日前后离开的。(在……前后,大约)(a little more or less)

▶▶ about 构成的惯用短语：

① be **about** to 正要……，正打算……

They **are about to** leave. 他们即将动身。

② How **about**...？（你觉得）……怎么样？（你认为）……好吗？

How about a cup of tea? 来一杯茶怎么样？

③ What **about**...？……好吗？……怎么样了？（建议或询问消息）

What about a walk? 散散步好吗？

What about your new job? 你的新工作怎么样？

2. above

The water was already **above** our knees. 水已经浸过我们的膝盖上面了。（在……的上方）

The coat cost **above/over/more than** $10. 这件外套价格超过10美元。（多于，超过）

He is **above** me in rank. 他的级别比我高。（〈在级别上〉高于，优于，重于）

The book is **above** my understanding. 这本书我读不懂。（超乎……之所及）

He is **above** doing such things. 他不屑于做这种事情。（不屑于）

The hotel was on the hill **above** the town. 宾馆坐落在市镇上方的小山上。

a five-percent commission **above** expenditure 开销之外的5%的佣金（除去，在……之外）

The ship sank just **above** the island. 船在群岛正北方沉没。（在……北方）

He ran to the first building **above** the factory. 他朝工厂前方的第一幢楼房跑去。（比……更远）

Oxford is **above** Henley on the Thames. 牛津与亨雷比，在泰晤士河更上游处。（从……往上游）

The road **above** the village leads to the churchyard.村子那边的公路通往教堂墓地。（在……的那边）

▶▶ above 构成的惯用短语：

above all 尤其是，最重要的是	**above** suspicion 无可怀疑
above/beyond praise 赞美不尽	**above** question 不容置疑
above reproach 无可厚非	**above** criticism 无可指责
above the average 超过一般水平	**above/beyond** price 价值连城
above one's income/means 入不敷出	be **above** oneself 兴高采烈
above/beyond dispute 无争论余地	**above/beyond** comprehension 不可理解
above/beyond one's capabilities 超过某人的能力	**above** one's head/understanding 不可理解

3. after

He will return **after** three o'clock. 他将在3点钟后返回。（在……以后）（时间）

Shut the door **after** you, please. 请随手关门。（在……后面）（位置）

Day **after** day he worked on. 他日复一日地辛劳着。（接着）

After what has happened, he refused to accept it. 鉴于所发生的事，他拒绝接受它。（鉴于，由于）

After all his efforts, he failed at last. 尽管做出了种种努力，他最后还是失败了。（尽管）

All men seek **after** happiness. 所有的人都追求幸福。（追求，追赶，搜寻，询问）

She asked **after** your health. 她问起你的健康状况。（关于）

The child was named **for/after** his uncle. 这孩子起的是他叔叔的名字。（按照）

His actions are not **after** our expectations. 他的行为与我们的期望不符。（与……一致，符合）

He takes **after** his mother. 他像他母亲。（像）

After water, food is the most important for human life. 食物是除水之外对人类生命最为重要的东西。（〈地位、重要性〉低于，次于）

It is a large hall fitted up **after** the Roman style. 这是一个以罗马风格装饰的大厅。（以……为模仿对象）

The museum was built **after** the plans of an American architect. 这座博物馆是按一位美国建筑师的设计建造的。（根据，仿效）

▶▶ after 构成的惯用短语：

after all 毕竟,到底(作状语)	day after day 日复一日
one after another 接二连三	page after page 一页又一页地
year after year 年年岁岁	wave after wave 一波又一波地
bus after bus 公共汽车一辆接一辆	time after time 一次又一次
week after week 一周又一周	door after door 挨家挨户
month after month 月月	one after the other 逐一

4. against

My house stands **against** the church. 我们的房子正对着教堂。(向着,正对着)

Can you show any evidence **against** him? 你能出示任何对他不利的的证据吗?(对……不利)

It was a race **against** time. 这是与时间的赛跑。(以……为竞争对手)

The building was insured **against** fire. 这幢大楼保了火险。(以……为抵御/抵抗对象)

Ants stored up food **against/on** the winter. 蚂蚁为冬天贮藏食物。

He saw a woman leaning **against/on** a pine tree. 他看见一个女的倚靠在一棵松树上。(倚,靠)

You should balance what you spend **against** what you earn. 你应该量入为出。(以……为标准)

The rates **against** U. S. dollars have dropped. 美元的比率下降了。(以……为交换对象)

The rain was beating **against/on** the window. 雨敲打着窗户。(碰撞,触)

Don't cross the street **against** the red light. 勿闯红灯。

The sunset was charming **against** the clear blue sky. 在蔚蓝的天空下,落日非常壮美。(以……为背景)

The resolution was adopted by a vote of 92 in favour to 9 **against** it. 决议以 92 票赞同,9 票反对获得通过。(逆,反)

Our steel output is 3,000 tons this month as **against** 2,500 tons last month. 我们的铜产量上个月是 2 500 吨,而这个月是 3 000 吨。(和……对比)

He was recalling the icy river, the lonely spiral of chimney smoke **against** the vast snow-land, and the muddy country road in early spring. 他想起了那条冰冷的河,天边雪野上的那缕孤烟,还有早春乡间泥泞的小路。

比较:

The boat is sailing **against** the stream. 小船逆流而上。

The boat is sailing **with** the stream. 小船顺流而下。

The ship struck **against** a reef. 船触了礁。

The ship struck **on** a reef. 船在礁上搁浅了。

They fought **against** the enemy. 他们同敌人战斗。(强调困难大,敌人有优势)

They fought **with** the enemy.

We should take steps to provide **against** accidents. 我们应该采取措施预防事故。(provide against 为……预防,指灾难、意外、恶劣天气等)

He provided **for** his family by working in a mill. 他靠在一家工厂做工养全家。(provide for 养活,为……做准备)

5. at

She lives **at** No. 15, 20 Lane Park Street. 她住在帕克大街20弄15号。(〈地点〉在……里,在……上)(比较: She lives **on** Park Street.)

The dog barked **at** the old man. 狗朝那位老人叫。(向,朝)

He retired **at** 60. 他 60 岁时退休的。(〈时间〉在……时刻,在……岁时)

The storm was **at** its worst. 风暴正肆虐着。(处于……状态)

He drank the wine **at** a gulp. 他把酒一饮而尽。(以……方式)

Please go out **at** the back entrance. 请从后门出去。(经由,通过)

I found her **at** her desk. 我发现她正伏案工作着。(忙于,从事于)

He was not **at** the party last night. 他昨晚没出席聚会。(出席,参加)

The tea is sold **at** the rate of 60 dollars a pound. 茶以每磅 60 美元的价格出售。(以……价格)

The boat went **at** a speed of eighty miles an hour. 小船以每小时 8 英里的速度行驶。(以……速度/程度)

The parents rejoiced **at** the news of his success. 父母听到他成功的消息非常高兴。(因为,由于)

At a sign from him, she stopped talking. 他打了个手势,她就不说话了。(作为对……的反应)

We can see the tower **at** a distance. 我们从远处能看到那座塔。(从相隔〈一段距离〉的地方)

She stood **at** ten paces from Jack. 她站的地方离杰克有 10 步远。(在……距离处)

He did it **at** her request. 他是应她的请求做的。(按照,应)

She is a genius **at** music. 她是音乐天才。(在……方面)

She's weak **at** maths. 她数学差。(状态关系)

He's quick **at** learning. 他学得快。(在……方面)

The man is strong **at** heart. 那人意志坚强。(状态关系)

We drank **at** the brook. 我们就小溪饮水。(有意识地靠近)

She is **at** it day and night. 她夜以继日忙个不停。(忙于)

He laboured **at** the problem till midnight. 他研究那个问题直到半夜。(忙于)

Arrange the matter **at** your own convenience. 你自己方便的时候来安排这件事吧。(根据)

Teaching is a job **at** which one will never be perfect. 教学这项工作谁都难以做到十全十美。(be perfect at 为习惯搭配)

▶▶▶ at 构成的惯用短语:

affected **at** 感动	**moved at** 感动	**at the sight of** 看到
at the news/sound of 听到	**at** (one's) **leisure** 在闲暇时	**at the thought of** 想到
at a drought 一口气	**at liberty** 闲暇,自在,随意	**at peace** 和平,心情平静
at large 自由自在	**at home** 安适	**at its height** 盛极,顶点
at stake 在危险中	**at bay** 陷入绝境	**at one's wit's end** 智穷才尽
at the zenith 在高峰状态	**at anchor** 停泊	**at a standstill** 停顿
at an end 结束	**at rest** 休息,静止	**at a loss** 迷惑,茫然
at sea 茫然	**at fault** 迷惑	**at sixes and sevens** 混乱
at one's will 随意	**at random** 随便地	**at intervals** 时时
at one's summons 听凭使唤	**at dawn** 在黎明	**at dusk** 在黄昏
at one's service 任人使用	**at length** 详细地	**at hand** 不远,在身边
at least 至少	**at the risk of** 冒险	**at half price** 半价
at any rate 至少	**at most** 至多	**at cost** 照原价
at a cost 亏本	**at a trot** 快步	**at all events** 不管怎样
at one stroke/blow 一下子	**at a bargain** 廉价	**at full speed** 以全速
at the earliest/latest 最早/迟	**at the point of** 就要	**at a profit** 获利
at the risk of 冒……的危险	**at one's discretion** 随……之意	**at arm's length** 一臂之遥
at some distance 有些距离	**at a long distance** 距离遥远	**at one's disposal** 任人支配
at the expense of 以……为代价	**at one's beck and call** 任人支配	
at (one's) **ease** 在安乐中,放心	**at a mile's distance** 一英里的距离	
at one's convenience 在……方便时	**at one's mercy** 任人支配,由……摆布	
at (one's) **command** 依……的命令		

【提示】"敲门"既可以说 knock at the door,也可以说 knock on the door,但 knock at 多用于"门",而 knock on 还可用于其他事物,如:knock on the desk, knock on the window。

6. before

He died **before** the war. 他在战前就离开人世了。(〈时间〉在……之前)

We should put quality **before** quantity. 我们应该重质量而非数量。(〈顺序、重要性〉先于)

He paused **before** the door. 他在门前停了下来。(〈位置〉在……前面)

True men choose death **before** dishonor. 真正的人宁死而不受辱。(〈宁可……而〉不愿……)

A bright future lies **before** you. 光明的前程在等待着你。(等待着)

比较：
before long 不久
long before 很久以前

He will return **before long**. 他不久就会回来的。

He left his hometown **long before**. 他很久以前就离开家乡。

7. beyond

The stars are **beyond** number. 星星数也数不清。

The villa is **beyond** my means. 这幢别墅我买不起。

Good advice is **beyond** price. 良言无价。

His conduct is **beyond**/**above** suspicion. 他的行为不容怀疑。

The question is **beyond**/**above** our comprehension. 这个问题我们理解不了。

There is a chemical plant **beyond**/**past** the hill. 山的那边有一家化工厂。

There is a village **beyond** the river. 河那边有一个村庄。(〈空间〉在……的那一边)

He has gone **beyond** seas. 他去海外了。(〈空间〉在……以外)

He stayed **beyond** the hour of welcome. 他待的时间太长,惹人厌了。(迟于,晚于)

The situation is **beyond** his control. 局势非他所能控制。(超出,非……可及)

He is **beyond** this kind of thing. 他不屑干这种事情。(〈品质、习性〉超脱于)

He did nothing **beyond** what he was told to do. 他只做让他做的事。(除……以外)

Beyond the town, there are open fields. 在城那边是开阔的田野。(在……那一边,越过)

She lives **beyond**/**above** her income. 她的生活入不敷出。(范围、限度超出)

▶▶▶ beyond 构成的惯用短语：

beyond words 难以言喻	**beyond** belief 难以置信
beyond all hope 毫无希望	**beyond** dispute 无可争议
beyond one's grasp 力所不及	**beyond** (all) doubt 无可怀疑
beyond criticism 无可非议	**beyond** controversy 无可争论
beyond belief 不可信	**beyond** reproach 无可厚非
beyond description 无法描绘	**beyond** redemption 不可救药
beyond all question 毫无疑问	**beyond** expression 无法形容
beyond expectation 意外地	**beyond** measure 非常,极度地
beyond all things 第一,首先	**beyond** one's power 力所不及
beyond (all) comprehension 不可理解	**beyond** control 难以控制,不受控制
beyond comparison/compare 无可比拟	**beyond** the help of the doctor 无法医治
beyond human endurance 非人所能忍受	

8. but

常用在 no, nothing, nobody, all 等词后,与 except 同义,表示"除……以外"。

Nobody saw it **but** me. 除我之外,没有人看见它。

She could do nothing **but** wait. 她只能等待。

He is the best student **but** one in the class. 他是个优秀学生,在班上名列第二。

▶▶▶ but 构成的惯用短语：

① but for 要不是,如果没有

   But for your help, he would have failed. 要不是你的帮助,他会失败的。

② nothing but 只是,不过是

   That's **nothing but** a joke. 那只不过是个玩笑而已。

③ anything but 决非

   He is **anything but** a scholar. 他决非是什么学者。

④ all but 几乎,差不多

He was **all but** drowned. 他差点淹死了。

⑤ cannot but 只好,不能不（后接动词原形）

He **cannot but** agree. 他不得不同意。

⑥ the last but one/two/three 倒数第二/三/四

He was **the last but one** to arrive. 他是倒数第二个到的。

9. by

He was sitting **by** the door. 他站在门旁。（在……旁）

The ship sailed south **by** east. 船朝南偏东方向航行。（〈方向〉偏于）

They came **by** the nearest road. 他们由最近的路来的。（通过,经由）

She ought to be there **by** now. 她此刻该到那里了。（到〈某时〉之前）

We work **by** day and sleep **by** night. 我们白天劳作,夜晚休息。（在……的时候）

He had two girls **by** his first wife. 他的第一任妻子给他生了两个女儿。（由……所生）

The parcel was sent **by** hand. 包裹是由专人送的。（方式）

He caught the thief **by** the coat. 他抓住了小偷的外套。（握,抓）

There is not enough light to read **by**. 光线不够亮,不能看书。（通过,凭,以）

I met her **by** chance. 我是偶然遇见她的。（由于）

Never judge a man **by** his looks. 切勿以貌取人。（根据,按照）

They sell the apples **by** the pound. 他们按磅卖苹果。（按……计算）

He moved along inch **by** inch. 他一寸一寸地向前移动。（〈一个〉接着〈一个〉）

She is taller than you **by** a head. 她比你高一头。（以……之差）

He swore **by** God. 他以神的名义起誓。（以〈神〉的名义）

Do as you would be done **by**. 待人如待己。（对待）

He is a scholar **by** temperament. 他有学者气质。（就〈职业、本性、气质〉来说）

He wrote an article to remember her **by** when she died. 她去世时,他写了一篇文章来纪念她。

She deals well **by** her classmates. 她待她的同学们很好。（对,向）

We should do our duty well **by** our friends. 我们应当对我们的朋友尽到责任。（对,向）

He is a teacher **by** profession. 他的职业是教师。（按,根据）

▶▶▶ by 构成的惯用短语:

by rule 按规则	year **by** year 年复一年	**by** degrees 逐渐地
step **by** step 逐步	little **by** little 渐渐地	**by** express 以快件
by airplane 乘飞机	**by** chance 偶然	**by** virtue of 凭借
by request 应邀	**by** good luck 侥幸	**by** mistake 弄错
by turns 轮流	larger **by** half 大一半	**by** boat 乘船
by way of 经由	too many **by** one 多一个	**by** far 远,……得多
by force 用武力	**by** heart 熟记	**by** persuasion 凭说服
by wholesale 批发	**by** sight 仅识其面	**by** auction 拍卖
by contract 承包	**by** post 邮寄	reduce **by** half 减少一半
by appointment 约定	**by** means of 用……	**by** accident 偶然,意外地
Mary **by** name 名叫玛丽	**by** retail 零售	honest **by** nature 天性诚实
a teacher **by** profession 职业是教师		a grocer **by** trade 职业是杂货商
by all means 用一切手段,当然可以		

10. for

I did it only **for** you. 我只是为了你才做那件事的。（〈目的〉为了）

He is the man **for** the job. 他是适合这项工作的人。（〈对象,用途〉给,适合）

Red **for** danger is universally accepted. 红色代表危险是被普遍认可的。（代,替）

He strove **for** a lofty ideal. 他为崇高理想而努力奋斗。（努力）

He has a liking **for** painting. 他喜欢绘画。（爱憎）

She has a good ear **for** music. 她能够欣赏音乐。（能力）

I shall stay here **for** a week. 我将在这里待一周时间。（时间）

They walked **for** about six miles at a stretch. 他们一口气走了六英里。（距离）

The flowers died **for** lack of water. 花因缺水枯死了。（原因）

The scenery is too beautiful **for** words. 景色美得无法形容。（too/enough ... for 结构）

She sold the bike **for** twenty *yuan*. 她以 20 元的价格卖了自行车。（价格，交换）

For one hero there are a dozen cowards. 英雄面前必有许多懦夫。（比较，对照）

You'll have to answer **for** the consequences. 你必将要为后果负责。（保证，责任）

Today is hot **for** April. 就 4 月而言，今天很热。（就……而言）

For all her wealth, she is not happy. 她虽然富有，但并不幸福。（虽然）

The class trains students **for** electronic engineers. 这个班培养学生当电气工能师。（为得到，为成为）

Strive **for** the best and prepare **for** the worst. 作最坏的打算，争取最好的结果。（愿望，准备）

The opening ceremony was arranged **for** nine o'clock. 开幕式定于 9 点钟开始。（在……时间）

They set out **for** the seaside town in the early morning. 他们一大早就动身去那座海滨小城了。（向，往）

▶▶▶ for 构成的惯用短语：

cut out **for** 有……才能	bound **for** 启程往	**for** all 尽管，虽然
for all I know 就我所知	**for** certain 的确	**for** life 终身
for the present 暂时	**for** good 永远	**for** the moment 暂时
answer **for** 负责	**for** the time being 暂时	**for** days/years 多少天/年
for ever 永远	watch out **for** 警惕	hope **for** 希望得到
care **for** 关心，照顾	**for** instance 例如	**for** example 例如
for a minute 一会儿	**for** sale 出售	**for** a long time 长时间
for a year or two 一两年	long **for** 渴望	**for** a few minutes 几分钟

11. from

He trembled **from** fear. 他吓得发抖。（由于）

She has been sick **from** youth. 她自年轻时候就患病。（从……起，始于）

He is sprung **from** royal blood. 他是皇家血统。（从……来，出自）

The artist was always out painting **from** nature. 这位艺术家常外出写生。（从，根据）

The wine is made **from** rice. 这酒是米酿造的。（〈不可见原料〉由……制成）

The situation has turned **from** bad to worse. 局势每况愈下。（〈情况、状态的改变〉从）

They parted **from** each other at the station. 他们在车站分了手。（分离，隔离）

He can't refrain **from** laughing. 他止不住大笑起来。（免除，阻止，排斥）

He is old enough to know right **from** wrong. 他已长大了，懂得是非了。（区别）

She died **from** a wound. 她受伤而死。（因……而，因患……疾病而）

▶▶▶ from 构成的惯用短语：

from afar 从远处	**from** above/below 自上/下	**from** now on 从现在起
from bad to worse 每况愈下	**from** top to bottom 彻头彻尾	

比较：这与我们想的不同。

It is different **from** what we thought.（最普遍）
It is different **to** what we thought.（英式英语）
It is different **than** what we thought.（美式英语）

12. in

He was wounded **in** the leg. 他腿部受了伤。（在……里面）

He'll come back **in** one year. 他一年后回来。（在……之后）

The man was blind **in/of** one eye. 那个男的一只眼瞎。（在……方面）

It is a book **in** Chinese literature. 这是一本关于中国文学的书。（关于）

He is **in** liquor. 他醉酒了。(〈状态〉处于……之中)

She is **in** business now. 她现在经商。(〈职业、活动〉从事于)

They came **in** threes and fours. 他们三三两两地来了。(〈形式、方式〉以，按照)

Please underline the words **in** red ink. 请用红笔在这些词的下面画线。(〈材料〉用，以)

The man **in** glasses is his father. 戴眼镜的是他父亲。(穿着，戴着)

There is only a probability of one **in** ten. 可能性只有十分之一。(〈数量、程度、比例〉以，按)

What did you give him **in** return? 你给了他什么作为回报？(为了，作为)

She speaks **in** a quiet voice. 她说话的声音很平静。(用〈声音、语言〉)

The beast **in** him roared. 他野性大发。(含有，具有)

We saw her mother **in** her. 我们在她身上看到了她母亲的影子。(具有，含有)

She is smart **in** all things. 她做什么都出色。(涉及，在……方面)

It is not bad **in** quality. 它质量上不差。(在……方面)

He is strong **in** chemistry. 他化学很好。(在……方面)

He is quick **in** action. 他很快采取了行动。(在……方面)

There is a hole **in** the floor. 地板上有一个洞。

The nurse dressed the wound **in** his arm. 护士给他包扎了臂上的伤口。

The President is easy **in** conversation. 总统谈话平易近人。(在……方面)

She saw **in** the man the qualities she admired. 她在那人身上看到了她所欣赏的品质。(〈能力、性格〉在……身上)

比较：

I believe **in** you. 我信任你。(have trust in)
I believe you. 我相信你的话。(what you have said)

【提示】in 有一种用法，语法上称为"同一性"，指 in 联系的两个名词所指相同。例如：

We lost a great philosopher **in** Professor Smith. 我们失去了史密斯教授这样一位大哲学家。

They saw **in** the king a tyrant. 他们认为那个国王是个暴君。

I have found a good friend **in** Tom. 我找到了汤姆这样一位好朋友。

They had a great loss **in** Ruth. 他们失去露丝，承受了很大损失。

▶▶▶ in 构成的惯用短语：

in chorus 合唱	**in** whispers 低语	**in** full dress 盛装
in disguise 假扮	**in** mourning 穿丧服	**in** white 穿白衣服
in spectacles 戴着眼镜	**in** high feather 兴高采烈	**in** a rage 盛怒
in violation of 违反	**in** anger 愤怒	**in** hope 在希望中
in despair 失望	**in** fun 开玩笑	**in** luck 幸运
in distress 悲痛	**in** comfort 在安乐中	**in** trouble 处于困境
in the blues 忧郁	**in** any event 无论如何	**in** conclusion 总之
in pain 在痛苦中	**in** tears 流泪	**in** alarm 惊惶
in wonder 惊奇	**in** horror 恐惧	**in** fear 在恐惧中
in a fog 困惑	**in** safety 在安全中	**in** need 在患难中
in dilemma 进退维谷	**in** debt 负债	**in** good order 秩序良好
in good repair 情况良好	**in** chores 混乱	**in** confusion 零乱
in one's way 妨碍	**in** disorder 混乱	**in** haste 匆忙
in sickness 患病	**in** a fever 发烧	**in** fashion 流行
in vogue 流行	**in** the air 传播	**in** force 在施行中
in operation 在施行	**in** touch 联系	**in** progress 在进行中
in labor 在分娩中	**in** love 恋爱	**in** public 公开地
in session 在开会/庭	**in** use 在使用中	**in** ruins 荒废
in doubt 怀疑	**in** secret 秘密地	**in** earnest 认真地

in the right 正确	in the wrong 错误	in print 在印制
in width 在宽度方面	in length 在长度方面	in flower 开花
in shape 在形式上	in (full) bloom 盛开	in blossom 盛开
in heaps 堆积	in rows 一排排	in the bud 含苞待放
in the raw 在自然状态	hand in hand 手携手	in broad daylight 在白昼
in search of 寻求	in miniature 小型的	in pursuit of 追求
in favor of 赞成	in addition 另外	in brief 简单地说
in essence 本质上	in fact 事实上	in disrepute 声名狼藉
in the event of 万一	in general 一般来说	lie in 在于……
in possession of 占有	in short 总之	in line with 按照
in other words 换言之	in particular 特别是	in stock 有货
in support of 支持	in turn 依次	in part 部分地
in respect to 关于	in the open 在露天	in quest of 寻求
in no time 马上	in all 总计	in regard to 关于
in the light of 根据	absorbed in 专心于	in the main 基本上
in time 及时	indulged in 沉溺于	in vain 徒劳
in times to come 在将来	in opposition to 与……相反	engaged in 从事于
immersed in 沉湎于	in the eyes of 在……看来	in terms of 用……的术语,根据
in good time 及时,及早	in no/time at all 马上,立刻	in one's time 在(某人)年轻时
in the nick of time 在关键时刻	in a good/bad mood 心情好/不好	
in a good/bad temper 脾气好/坏	in a good/bad/ill humor 心情极佳/不佳	
in high/low/poor spirits 情绪高昂/低沉	in astonishment/surprise 惊奇	
in good condition 情况良好	in good/poor health 健康/健康不佳	
in black and white 白纸黑字	in hand 在进行中,在考察中	
in every respect 在每一方面	in twos and threes 三三两两地	
in large/small quantities 大/小量的	in memory of 为纪念……而	
in honour of 对……表示敬意	in reward for 作为……的报酬	
in behalf of 为……的利益	in token of 作为……的表示	
in revenge for 作为……的报复	in all proportions 按各种比例	
in connection with 和……有关	in due course 在适当时候	
in the interest(s) of 为了……的利益	in view of the fact that 鉴于……这一事实	
in (the) course of time 经过一段时间后,终于	in no/less than no/next to no time 立刻,马上	

13. into

She married **into** an influential family. 她嫁入了权贵人家。(进,入)

The boy bumped **into** the door in darkness. 这男孩在黑暗中撞在了门上。(朝,向,触及)

They talked far **into** the night. 他们一直谈到深夜。(持续到;直到)

The saplings have grown **into** big trees. 幼苗已经长成了大树。(成为,转为)

He will go **into** business after graduation. 他毕业后将经商。(从事)

2 **into** 18 is 9. 2 除 18 等于 9。(除)

14. of

He is a friend **of** my brother's. 他是我兄弟的一个朋友。(〈属于〉……的)

The house is made **of** stone. 这房子是石头造的。(可见原材料)(由……制成)

The shirt is made **of** silk. 这件衬衫是丝织的。(由……制成)

The matter is **of** great significance. 这件事意义重大。(具有某种性质、状况)

He is a giant **of** a man. 他犹如巨人一般。(相似)

The manager thought highly **of** your work. 经理高度评价你的工作。(关于)

She is swift **of** foot. 她走路快。(在……方面)

I did it **of** necessity. 我是出于需要做的。(因……)

The trees are bare **of** leaf in winter. 冬天树木光秃秃的没有叶子。(除去,分离,剥去)

He was born **of** a royal house. 他出身王族。(来自)

The city **of** Nanjing is very beautiful. 南京城很美。(同位关系)

Her father died **of** cancer. 她父亲死于癌症。(由于)

He did it **of** his own accord. 他是自愿做的。(自动,自愿)

He is a musician **of** talent. 他是个天才音乐家。(修饰关系)(＝a talented musician)

I know **of** such a man. 我听说过这么一个人。(涉及)

His wife is a lady **of** virtue. 他的妻子是位贤淑女士。(有)

It is a coat **of** many colours. 这是一件彩色上衣。(有)

It is a quarter **of**/**to** eight. 现在是 8 点差一刻。(差……几点)

He is patient **of** hearing. 他听人讲话很耐心。(在……方面)

He is strong **of** will. 他意志坚强。(在……方面)

The porter is slow **of** foot. 这搬运工走得慢。(在……方面)

The old man is hard **of** hearing. 这位老人耳朵有点聋。(在……方面)

The mayor is easy **of** access. 市长易于接近。(在……方面)

He is keen **of** scent. 他嗅觉灵敏。(在……方面)

She told **of** days gone by. 她讲那过去的日子。(关于)

His hard hands and sunburnt face told **of** labor and endurance. 他粗糙的双手,被太阳晒黑的脸庞表明他十分辛苦,非常耐劳。(关于)

She wants two months **of** seventeen. 她差两个月就 17 岁了。(差……几岁)

My brother wants one year **of** being full age. 我弟弟差一年就到成年了。(差……几岁)

▶▶▶ of 构成的惯用短语：

ease sb.**of** 减轻	**of** oneself 靠自己,自动地	a man **of** wealth 富人
cure sb.**of** 治愈	relieve sb.**of** 解除,减轻	lighten/free sth.**of** 减轻
absolve **of** 赦免,免除	heal sb.**of** 治疗	break sb./oneself **of** 戒除
break **of** 分离	rid **of** 解除,免除	clear/wash **of** 清除
bereave **of** 夺去	strip/divest **of** 剥夺	plunder **of** 抢夺
ignorant **of** 不知道	cheat **of** 骗取	defraud/fleece **of** 诈取
conscious **of** 意识到	devoid **of** 没有,空的	empty **of** 空的
scared **of** 受惊的	aware **of** 意识到	unaware **of** 没有意识到
ashamed **of** 羞耻的	sensible **of** 意识到	unconscious **of** 没有意识到
regardless **of** 不顾	fearful **of** 害怕	frightened **of** 害怕
doubtful **of** 怀疑	shy **of** 害羞的	apprehensive **of** 恐惧的
indicative **of** 表明	mindful **of** 注意,在乎	unmindful **of** 不注意,不在乎
dubious **of** 怀疑	certain **of** 肯定	uncertain **of** 不肯定
of one's own accord 自愿	wasteful **of** 浪费	frugal **of** 节约
dispose/dispossess **of** 剥夺	reckless **of** 不顾	economical **of** 节约
suspicious **of** 怀疑	irrespective **of** 不顾	representative **of** 代表,表现
expressive **of** 表示	prodigal **of** 浪费	suggestive **of** 表现
boastful **of** 吹嘘	forgetful **of** 忘记	desirous **of** 渴望
envious **of** 羡慕	careful **of** 小心	tolerant **of** 忍受
hopeful **of** 希望	jealous **of** 妒忌	scant **of** 缺乏
neglectful **of** 忽略的	inclusive **of** 包括	guilty **of** 犯……过失
characteristic **of** 有……特点	proud **of** 自豪	hopeless **of** 无希望
intolerant **of** 不能忍受	wary **of** 小心的	cautious **of** 警惕
observant **of** 遵守	sick **of** 厌烦的	tired **of** 厌烦

deserving of 值得	contemptuous of 蔑视	capable of 能够
typical of 典型	sparing of 缺乏,不足	

of one's own free will 出于自己的意志　　　　of one's own choice 出于自己的选择
a palace of a house 宫殿般的房子　　　　　　a mountain of a wave 山一般的浪
a man of great learning 有学问的人　　　　　a man of courage 勇敢的人
a matter of great importance 一件极重要的事　a matter of no importance 一件无关紧要的事

15. on

He laid his hand **on** her shoulder. 他把手搭在她的肩上。(〈接触、支承〉在……上)

There is a cottage **on** the lake. 湖边有一栋别墅。(靠近,在……旁)

They made war **on** the enemies. 他们对敌人开战。(反对,针对)

We live **on** wages. 我们靠工资生活。(靠,根据)

Jack was **on** morning shift. 杰克值上午班。(处于……情况中,在从事……中)

On entering the room I saw her. 我一走进房间就看见了她。(在……的时候)

He wrote a paper **on** Dickens. 他写了一篇关于狄更斯的论文。(关于,触及)

Jim was imprisoned **on** suspicion. 吉姆因有嫌疑被监禁了。(由于)

She is **on** the committee. 她是委员会的成员。(是……的成员)

I heard the news **on**/**over** the radio. 我在广播中听新闻。(以……的方式)

Have you identity papers **on** you? 你带有身份证件吗? (带在身上)

The work is organized **on** a different plan. 这项工作是根据另一套计划组织进行的。(根据,按)

The book will be mailed free **on** request. 索要时这本书将免费寄上。(根据,按)

On investigation some curious facts came to light. 在调查过程中,一些古怪的事实浮出了水面。
(在……的时候,在……后立即)

▶▶▶ on 构成的惯用短语:

on parade 游行	**on** thorns 心烦	**on** edge 紧张
on duty 值班	**on** guard 警戒	**on** leave 休假
on strike 罢工	**on** the market 出售	**on** behalf of 代表
on hire 出租	**on** view 展出	**on** display 展示
on trial 受审	**on** half pay 支半薪	**on** a trip 旅行
on a picnic 野餐	**on** the wing 飞行,传播	**on** the way 在旅途中
on account of 由于	**on** the ebb 退缩,减弱	**on** the rise 上涨
on the increase 增加	**on** the alert 警惕	**on** fire 失火,愤怒
on the watch 戒备,注意	**on** the decline 在下降	**on** the carpet 在讨论中
on the point of 濒于	**on** the contrary 相反地	**on** purpose 故意
on the average 平均	**on** hand 在场,现在在手头	**on** holiday/vacation 度假
on the brink of 正要……的时候	**on** the verge of 处于……的边缘	
on the margin of 接近……的边缘	act **on** principle 按原则办事	
on condition that 在……条件下	**on** this understanding 在此条件下	
on such terms 根据这样的条件	have effect **on** 对……有影响	
on second thoughts 三思之后	**on** pins and needles 坐立不安	
on the one hand 一方面	**on** the other hand 另一方面	
on the ground(s) of 基于……的理由	**on** the wane 正在衰落,正在亏缺	
on one's mind 压在心头而牵肠挂肚	have sth. **on** good authority 从可靠方面获悉某事	

16. out of

The wounded took a piece of candy **out of** the box. 那男孩从盒子里拿出一块糖。(从……里面)

Such things will happen in nine cases **out of** ten. 这种事十次就有九次会发生。(从……中)

The wounded is not yet **out of** danger. 伤者还没有脱离危险。(脱离)

The family is **out of** food. 这个家庭缺乏食物。(缺乏,没有)

The plane flew **out of** sight. 飞机飞出了视界。（越出……之外）

The man cheated the boy **out of** his money. 那个男人骗走了男孩的钱。（丧失）

We make furniture **out of** wood. 人们用木头制作家具。（用……制成）

He did it **out of** kindness. 他出于好意做的。（出于，由于）

We talked her **out of** her wrong plan. 我们劝说她放弃了错误的计划。（放弃）

▶▶▶ out of 构成的惯用短语：

out of fear 出于恐惧	out of necessity 出于必要	out of charity 出于仁慈
out of pity 出于同情	out of revenge 出于报复	out of control 失去控制
out of patience 不耐烦	out of date 过时	out of sorts 不适
out of work 失业	out of season 不合季节	out of trouble 摆脱麻烦
out of hearing 听不见	out of hand 失去控制	out of politeness 不合礼节
out of doubt 确定无疑	out of temper 发怒	out of proportion to 不匀称
out of step 不一致	out of tune 走了调	out of wedlock 未婚的
out of print 绝版	out of balance 失去平衡	out of stock 缺货
out of harmony 不和谐	out of gear 失调，脱节	out of carelessness 由于粗心
out of action 失去作用	out of breath 上气不接下气	out of character 不相称，不适当
out of place 不适当，不相称	out of the ordinary 不平凡	out of kindness 出于好意
out of shape 健康不佳，变形	out of one's power 力不能及	out of question 毫无疑问
out of accord with 与……不一致	out of the question 不可能，成问题	
out of sympathy with 出于……的同情	out of touch with 与……脱离接触	
out of one's element 不得意，不适应		

比较：

{ out of sight 看不见 { in sight 看得见	{ out of danger 脱险 { in danger 在危险中	{ out of hand 失控 { in hand 在控制下
{ out of debt 不负债 { in debt 负债中 { into debt 负债	{ out of fashion 不流行 { in fashion 在流行中 { into fashion 流行起来	{ out of trouble 脱离困境 { in trouble 在困境中 { into trouble 陷入困境
{ out of one's way 避开 { in one's way 妨碍	{ out of order 杂乱 { in order 秩序井然	{ out of practice 疏于练习 { in practice 在练习中

17. to

The house looks **to** the south. 房子朝南。（朝，向，往）

There are ten miles **to** the nearest village. 离最近的村庄有 10 英里。（离）

She stayed here **to** the end of March. 她在那里待到 3 月末（到，直到）

Reading is **to** the mind what exercise is **to** the body. 读书之于心灵犹如锻炼之于身体。（对于）

He is slow **to** anger. 他不易生气。（倾向于，趋于）

The front door opened **to** her hoot. 她按汽车喇叭，前门应声而开。（对，应）

She lost her sight **to** the disease. 她因疾病而失明。

The poor man drank himself **to** death. 那个可怜的人酗酒而死。（〈程度〉到）

The door **to** the office is very thick. 办公室的门很厚。（属于，归于）

The wine is second **to** none. 这酒再好也没有了。（比）

The dish is not **to** his taste. 这菜不合他的口味。（与……一致）

They danced **to** the music. 他们伴着音乐跳舞。（随同，伴随着）

Let's drink **to** his health. 让我们为他的健康干杯。（为了）

To my amazement，he canceled the meeting. 使我惊异的是，他取消了会议。（〈结果〉致使）

It wants a quarter **to** eleven by my watch. 我的表差一刻钟 11 点。（差……几点）

A father should be good **to** his children. 做父亲的要善待他的孩子们。（对于）

The beef is good **to** the taste. 这牛肉味道很好。（对于）

He is blind **to** his own mistakes. 他对自己的错误视而不见。（在……方面）

The car does 30 miles **to** the gallon. 这车耗每加仑油可行驶 30 英里。（每）

▶▶▶ 注意下列句中 to 的用法：

He was a painter **to** the royal court. 他是宫廷画师。（属于）

He is a nephew **to** a millionaire. 他是一位百万富翁的侄子。（与另一人的关系）

There were red curtains **to** the bed. 这张床有红色的帘子。（附加）

Her father is a gardener **to** the university. 她父亲是这所大学的园艺工人。（归属）

The famous scientist is an honour **to** his country. 那位著名科学家是国家的荣耀。（归属,附着）

The face is the gateway **to** your personality. 脸是了解你的性格的窗口。

Don't let past mistakes close the door **to** opportunity. 不要让过去的错误堵死了机会之门。

Marriage is not the only route **to** happiness. 婚姻不是通往幸福的唯一途径。

This job isn't a path **to** riches. 这工作不能致富。

She can recite all the words **to** *As Time Goes By*. 她能背诵《当时光流逝》的全部歌词。

She played the piano **to** my solo. 我独唱,她钢琴伴奏。

It is possible to use these pictures as keys **to** the unconscious. 用这些图画去研究失去意识的人是有可能的。

▶▶▶ to 构成的惯用短语：

to the contrary 相反	to a degree 非常	due to 由于
according to 根据	to the good 有好处	accustomed to 习惯于
compare to 对比	as to 关于,至于	to one's taste 合胃口
in addition to 除……外	with reference to 关于	to one's face 当……面
to one's credit 值得赞扬	prefer to 宁可	to one's utmost 尽力
to and fro 来回地	frozen to death 冻死	burnt to death 烧死
to one's advantage 有利于	to one's regret 使人后悔	moved to tears 感动得流泪
to one's joy 使人快乐	to one's satisfaction 使人满意	to one's disappointment 使人失望
to one's shame 使人丢脸	to one's benefit 对……有益	to one's relief 使人安心
to some extent 在某种程度上	attached to 附属	to a certain extent 在一定程度上

18. under

They slept **under** the stars. 他们睡在星光下。（在……下面）

The sum is **under** what has been expected. 总数低于预期。（少于,低于）

The road is **under** repair. 那条路在维修。（在……期间）

He did it **under** the pretence of ignorance. 他借口无知做了那件事。（藉,以）

They were **under** orders to leave. 他们被命令离开。（受制于）

The man walked **under** a heavy load. 那个男的负着重物走着。（在……重压下）

Under present conditions no progress is possible. 在目前情况下不可能有变化。（在……〈情况、条件〉下）

He learned Spanish **under** his mother. 他在母亲的指导下学习西班牙语。（〈职位、权力〉低于,在……指导下）

▶▶▶ under 构成的惯用短语：

under discussion 在讨论中	**under** sail 在航行
under cultivation 在耕作中	**under** the plow 在耕种中
under fire 被攻击	**under** repair 在修理中
under way 在行动中	**under** construction 在建设中
under investigation 在调查中	**under** examination 在试验中
under trial 在试验中	**under** consideration 在考虑中
under the hammer 在拍卖	**under** the weather 不舒服,身体不爽,酒醉
under orders 奉命	**under** a cloud 受嫌疑,处于窘境

under difficulties 在困难中

under control 在控制下

under age 未成年

get **under** 制服

under one's wings 受保护

serve **under** 在手下任职

under the direction of 在……指挥下

under the vows of 在……誓约之下

under the yoke of 受……支配

under the auspices of 在……主办下

under the name of 以……名义

under the pretence of 以……为托词

under the plea of 以……为借口

under the necessity of 迫于需要

under one's thumb 受某人控制

under the patronage of 在……保护之下

under the treatment of 由……治疗

under three days 不足三天

boys of ten and **under** 10 岁和 10 岁以下的男孩

under/in the guise of 装扮成,在……的幌子下

under the circumstances 在这种情况下

under the supervision of 在……监督下

under the control of 在……控制之下

under the command of 在……统率之下

under the care of 在……照顾下

under the protection of 受……庇护

under the influence of 在……影响下

under the mask of 在……幌子下

under the pretext of 以……为借口

under a false name 用化名

keep **under** 抑制,征服

under a pseudonym 用假名

under no necessity of 不需要

under the heel of 在……蹂躏下

under the rule of 受……的统治

under the guidance of 在……领导下

under one's charge 由某人照顾

children **under** eight 8 岁以下的男孩

under the cloak/veil of 伴扮,以……为托词

19. **with**

He lived **with** his sister. 他同姐姐住在一起。(和……在一起,同)

He sympathizes **with** the little girl. 他同情那个小女孩。(在……一边,支持)

She is a woman **with** a hot temper. 她是个脾气火暴的女人。(具有,有……特征)

It rests **with** you to decide. 这由你来决定。(由……负责)

Have you any money **with** you? 你身上有钱吗?(在……身上)

With that remark, he left the room. 他那样说着,就离开了房间。(随着)

What will you buy **with** the money? 你将用这笔钱买什么?(用,以)

Her face was white **with** fear. 她的脸吓得煞白。(由于)

How are you getting along **with** your new job? 你的新工作进展如何?(对于,至于)

With all his faults, he is an honest man. 虽然有缺点,但他是个诚实的人。(尽管,虽然)

She didn't dare to sleep **with** the windows open. 她不敢开着窗子睡。(伴随情况)

She is clever **with** the needle. 她针线活做得好。(在……方面)

He is blind **with** anger. 愤怒使他昏了头。(原因)

The cat is **with** young. 猫怀胎了。(状态)

The mare is **with**/in foal. 马怀驹了。(状态)

He is a man **with** a sense of humor. 他是个有幽默感的人。(有)

That is a big house **with** seven rooms. 那是一幢有七个房间的大房子。(有)

The country abounds **with** fruits. 这个国家盛产水果。(有)

The area abounds **with** rain. 这个地区雨量丰沛。

▶▶▶ with 构成的惯用短语:

with reserve 有保留

with one accord 一致地

with a view to 为了

with a firm hand 坚决地

with care 小心地

with a light heart 轻松地

endowed **with** 赋予

with open arms 热情地

with a will 坚定地

with a smile 微笑着

with pleasure 高兴地

with difficulty 困难地

with roar 吼叫着
with a growl 咆哮着
with half a heart 半心半意地
tremble with fear 恐惧得发抖
in connection with 与……相连
in contact with 与……有联系
comparable with 与……相比
in accordance with 与……一致
a coat with two pockets 一件有两只口袋的上衣
a room with two windows 一间有两扇窗户的房间

in touch with 与……接触
in line with 与……一致
in harmony with 与……协调
with a heavy heart 心情沉重地
with the exception of 除……之外
shake with laughter 笑得全身抖
with all one's heart 一心一意地
with a book in hand 手里拿着一本书
a book with a green cover 一本有绿色封面的书

六、时间、地点、原因、关于、方法、价格、特性、进行等的介词（短语）用法要点

1．表示时间的介词

1 at

（1）at 表示某一时刻，past 表示"过几分"，to 表示"差"几分；美式英语中可用 after 代替 past，可用 of 代替 to。例如：

at seven o'clock 在 7 点钟

at 5:30 p.m. 下午 5 点 30 分

at nine minutes **to/of** four 4 点差 9 分

at eight minutes **past/after** two 两点过 8 分

at fifteen（minutes）**to/of** eleven 11 点差 15 分

It is a quarter **to** four by my watch. 我的表是 4 点差一刻。

▶▶ five，ten，fifteen，twenty 等整数后的 minute 可省。

（2）表示进餐的时间。例如：

at breakfast 在吃早饭   **at** lunch 在吃午饭

at supper 在吃晚饭   **at** dinner 在吃饭

（3）表示一天中的某个时间点，如子夜、破晓、日出、正午、日落等。例如：

at midnight 在午夜   **at** daybreak 在拂晓   **at** dawn 在黎明

at sunrise 在日出时   **at** noon 在正午   **at** sunset 在日落时

at nightfall 在黄昏   **at** midday 在中午

比较：

{ **at** the middle of the month 在月中（指 15 号前后）

{ **in** the middle of the month 在月中（指 10 号至 20 号）

（4）由表示"某一点"时间，引申为表示"一……就"这一瞬间概念。例如：

at first sight 一看见   **at** the mention of 一提到

at a glance 一看就   **at** the thought of 一想到

She went pale **at** the news. 她一听到那个消息脸就白了。

The baby cried **at** the sight of its mother. 婴儿一看见母亲就哭了起来。

He felt proud **at** the thought of his son's achievement. 他一想到儿子的成就便感到自豪。

I fell in love with the cottage **at first sight**. 我一看见那个小屋就喜欢上了它。

He'll tell if the diamonds are genuine **at a glance**. 他一看便能认出这些钻石的真假。

（5）表示"频率，顺序"。例如：

at times 有时   **at** intervals 不时地

at first 起初   **at** the fourth attempt 在第四次尝试时

The phone rang **at** regular intervals all afternoon. 整个下午每隔一定时间电话铃就响一次。

（6）表示"正在做……，处于……中"，指状态。例如：

at table 在吃饭   **at** cards 在玩牌   **at** dinner 在吃饭

at leisure 空闲	at school 在上课	at odds 不和
at the theater 在看戏	at one's ease 过得舒适	at pleasure 随意
at the telephone 在打电话	at war 在交战中	at the desk 在读书、写作、办公
at the height 在高潮/正酣	at fault 不知所措	

Burt found himself **at odds** with his colleagues. 伯特发现自己与同事们意见不合。

(7) 表示"样子,态度"。例如:

at/in one sitting 一口气	at a bound 一跃	at a stroke 一举
at a mouthful 一口	at a blow 一击之下	

I sat down and read the whole book **at one sitting**. 我坐下来,一口气看完了这本书。

2 in

in 表示较长的时间,一个较长过程(period of time),如年、月、日、周、季节、上午、下午等。例如:

in 2016 在 2016 年	in a year 在一年中
in two weeks 在两周内	in (the) autumn 在秋天
in March 在 3 月里	in the Tang Dynasty 在唐朝
in the morning 在早晨	in the late afternoon 在傍晚
in one's childhood 在童年时代	in the raining season 在雨季
in the flower of youth 在青年时代	in (the) eighteenth century 在 18 世纪

比较:

In the middle of March the flowers will be in bloom. 花在 3 月中旬开放。
At the middle of March the flowers will be in bloom. 花在 3 月 15 日左右开放。(＝around March 15th)

【提示】人生时段的表示法:**in** the flower of youth 在青春时期,**in** the spring of life 在年轻时代,**in** the flush of life 在青春时代,**in** the school days 在学生时代,**in** one's youth 在……年轻时代,**in** the prime of life 在壮年时代,**in** one's old age 在……晚年,**in** one's life/time 在……一生中,**in** all one's life 在……整个一生中。

比较:

In no time we got everything ready, didn't we? 我们很快就把一切都准备好了,不是吗?
At no time in his life has he been braver than in that case, hasn't he? 他一生从来没有像那一回那么勇敢,不是吗?

She had her operation **last May**. 她去年 5 月做的手术。
She had her operation in **May last**. (英式英语)
She had her operation **May last**. (美式英语)

3 on

(1) 特定的某一天。例如:

on Monday 在星期一	on April 5 在 4 月 5 日
on New Year's Day 在元旦	on New Year's Eve 在除夕
on the tenth of May 在 5 月 10 日	on Christmas Eve 在圣诞夜

比较:

The teacher will grade papers **next Monday**. 老师下周一评卷子。
The teacher will grade papers **on Monday next**. (英式英语)
The teacher will grade papers **Monday next**. (美式英语)

(2) 某一天的早晨、中午或晚上。例如:

on a cold night 在一个寒冷的夜晚
on a quiet evening 在一个宁静的晚上
on the eve of the great war 在大战前夜
on the morning of July 6(th) 在 7 月 6 日上午
on a dull afternoon of April 在 4 月里一个沉闷的下午

【提示】如果 morning, afternoon, evening 和 night 前面有 early 或 late 等修饰词,或者这些词前有表示具体钟点的名词,通常要用 in。例如:

Late in the afternoon of a chilly day in February, he was sitting in the room alone over his wine. 2 月里一个寒冷的日子,傍晚时分,他一人独坐在房间里饮酒。

At about three o'clock in the morning of the next day, he reached the town. 次日早上 6 点钟左右,他到达了那座小城。

(3) "on＋动名词"结构中的 on 相当于 as soon as, when,指前后紧接的时间关系,意为"刚一……就,在……之时",通常只有 reach, arrive, hear, see, slip, snatch 这类非延续性动词才可用于此结构,延续性动词一般不可。on 可用 upon 替代,"on＋动名词"可为"on＋名词(动作名词)"替代。当然,这种用法中的 on 也可省略,只用现在分词。例如:

On hearing the bad news, she burst into tears. 听到那个消息,她泪流满面。

到达宾馆时,他受到了市长的迎接。

On arriving at the hotel, he was greeted by the mayor.

Arriving at the hotel, he was greeted by the mayor.

On his arrival at the hotel, he was greeted by the mayor.

4 of

of 表示时间用"of＋a/an＋周日、早晨、下午、黄昏"结构,多指一种经常性的、反复发生的行为,即"一般……,通常……",也可表示"在某个周日"等。

of 还构成 of old(从前,往昔)、**of** late(近来)、**of** late/recent years(近年来)、in days **of** old(从前)等表示时间的词组。例如:

He usually takes a walk by the river **of an evening**. 他通常在晚间到河边散散步。

What do you do **of a Sunday**? 你星期天通常做什么?(＝on Sundays)

I have not heard from her **of recent years**. 我近年来没收到她的信。

She often recollects days **of old**. 她时常回忆往昔的岁月。

She often came **of a Tuesday**. 她常在星期二来。

He comes **of an afternoon**. 他常在下午来。

The days have been getting colder **of late**. 最近天气越来越冷了。

The baby was born **of a Friday**. 这婴儿是在星期五出生的。

【提示】

① wide of 和 short of 为固定搭配。例如:

The shot went **wide of** the mark. 枪远没有击中目标。(离……远)

He was ten miles **short of** the village. 他离那个村庄有 10 英里远。(＝distant from)

② ask of, beg of, inquire of, demand of, require of 等中的 of 意为"向……,从……"。例如:

He **demanded** too high a price **of** me. 他向我要价太高。

I have done everything that was **required of** me. 一切要我做的我都做了。

5 during 和 in 的差异

(1) 表示一段时间时,during 和 in 有时可以换用。例如:

She did a lot for the army **during/in the war**. 她在战争中为部队做了很多事。

What did he say **during/in my absence**? 我不在时他说了什么?

(2) during 强调动作的连续性,指"在整个过程中",时间较长。如果表示的是习惯性的或持续性的动作,或指的是一项活动,在与 visit, meal, concert, service, voyage, stay, illness, storm 等名词连用时,一般只用 during。in 则指一时性动作或短暂动作,强调某事具体发生的时间,如表示时间段则可长可短。例如:

It was over **in the twinkling of an eye**. 这一霎眼工夫就结束了。

During my stay there, it always rained. 我在那里时,老是下雨。

He worked in a chemical plant **during 2006**. 他 2006 年在一家化工厂工作。

The shop was closed **during the whole of August**. 这家商店整个 8 月都不营业。

Not a word did they exchange **during the meal**. 吃饭的时候,他们谁也没说一句话。

She was in the headquarters **during the war**. 她战时在司令部工作。("在司令部"为持续状态)

He was deeply impressed by what he had seen **during the visit**. 游览中所见给他留下了深刻的印象。

He stayed with his parents **in the summer holidays**. 他暑假时同父母在一起。(一段时间)

I went to see her **in the summer holidays**. 我暑假时去看她了。(一个时间点)

(3) 同 spring, summer, autumn, winter 四季名词连用时,during 表示特指,其后的名词前必须有定冠词 the 或 my, his, these 等代词;in 可以表示特指或泛指。例如:

In(the)autumn I like to go mountain-climbing. 秋天,我喜欢去爬山。(泛指)

During the autumn he took a trip to the hills every day. 秋天里,他每天都去山里远足。(特指,今年秋天)

In the autumn of 2011 I planted an orange tree in the backyard. 在 2011 年的秋天,我在后院里种了一棵柑橘树。(特指)

比较:

He awoke several times **during the night**. 他夜间醒了好几次。(在夜间)

He was awake all **through the night**. 他整夜都醒着。(整夜间)

6 during 和 for 的差异

(1) during 概指一段不大确定的时间,for 则表示一段具体的时间,指某一动作持续多久,常同几小时、几周、几个月、几年等数目字连用。比较:

He lived in a wooden hut by the sea **for the month of July**. 整个 7 月他都住在海边的一间小木屋里。(整整一个月自始至终)

He was in the countryside **during July**. 7 月,他在乡下。(可能中间有中断)

He writes **during the night**. 他夜间写作。(习惯性动作)

He will stay here **for the night**. 他今晚留在这里。(整个一晚)

He wrote **for one night**. 他写了一整夜。

He wrote **during the night**. 他在夜间写作。(但不一定整夜都在写)

I worked there **for four weeks**. 我在那里工作了四个星期。(连续工作)

I worked there **during the holiday**. 我假期在那里工作。(不一定全部时间都在那里工作)

(2) 虽然有时候 during 和 for 可换用,但如要表示某一状态或动作在某一具体时间内连续不断,就必须用 for,而不用 during。例如:

They talked **during/for** most of the night. 他们谈了大半夜。

We've known each other **for five years**. 我们相识已有五年了。(不可用 during)

(3) for 还可表示将某事安排在某时间、某日期,而 during 则不可。例如:

I've made an appointment **for** 18th October. 我已经约定了 10 月 18 日见面。

The party has been planned **for** July 12th. 晚会定于 7 月 12 日举行。

The final examination is fixed **for** the day after tomorrow. 期终考试定于后天举行。

7 after 和 in 的差异

"after+表示时间点的词"表示具体的某时、某日、某月、某年后,after 后还可接某一具体事件;in 后接表示一段时间的词。in 引导的短语所在句中的谓语动词,如果是非延续性动词的一般将来时或过去将来时,如 go, come, start, arrive, open, close, elect, see, mary 等,in 表示"在……之后";如果谓语是延续性动词,如 live, sleep, clean 等,或者是"完成"意义的非延续性动词,如 finish, complete, fulfil, accomplish 等,in 表示"在……之内"。例如:

She will arrive **in** twenty minutes. 她将在 20 分钟后到。

I'll see you **in fifteen minutes**. 我将在 15 分钟后见你。

He'll come back **in one year**. 他将在一年后回来。

She's going up to London **in three days' time.** 她三天后去伦敦。

Can you finish the job **in five days**? 你能在五天内完成这项工作吗?

He could get that essay done **in a couple of hours**. 他能在几小时内完成那篇文章。

They will fulfil the task **in six weeks**. 他们将在六个星期之内完成这项任务。

A new treaty will be signed **after the first of May**. 新条约将在5月1日后签署。(5月1日是一具体日子)

A new treaty will be signed **in a few weeks**. 新条约将在几周后签署。("几周"为一段时间,sign为短暂性行为,in 作"在……以后"解)

She will learn to drive **after next Sunday**. 她将在下星期天以后学开车。("下星期天"为一时间点)

She learnt to drive **in six months**. 她在六个月内就学会了开车。("六个月"指一段时间,learn为持续性行为,in 作"在……之内"解)

如果谓语是 be 动词,be 用一般现在时或一般过去时,in 可以表示"在……之内"或"在……之后";be 用一般将来时或过去将来时,in 表示"在……之后"。例如:

The class is **in five minutes**. 五分钟之内就要上课了。

Repayment is due **in thirty days**. 付还款项 30 天后到期。

In an hour there was a telegram back. 一小时后回了电报。

Dinner will be ready **in ten minutes**. 晚饭将在 10 分钟之后准备好。

We'll all be dead **in a hundred years or so**. 百年后我们都已不在人世了。

I'm just setting off so I should be with you **in half an hour**. 我刚要出发,所以我可以在半个小时后到你那里。

【提示】

① 在与 first, only 等词或与最高级连用时,或者在否定句中,in 都是表示"在……之内"。例如:

Wheat harvest was **the best in several years**. 小麦收成是几年中最好的。

It can't be done **in five days**. 这五天内做不完。

② 但在某些情况下,延续性动词和非延续性动词可以转换。例如:

She saw him several times **in a month**. 她一个月之内好几次见到他。(saw 与表示反复的 several times 连用,转化为延续性动词)

She is 60 **in a year**. 她一年以后就 60 岁了。(is=will become,转化为表示状态的非延续性动词)

③ 注意下面的表示法:

He will be away **within a week**. 他将在一个月内离开。(明确表示"在……以内"多用 within)

The project will be completed **in two months' time**. 这项工作将在两个月之内完成。

④ 如果表示"在过去某一时间之后",用 in 或 after 均可。例如:

The concert began **in/after** ten minutes. 音乐会在 10 分钟后开始了。

8 in 和 for 的差异

表示将来时,in 用于肯定句,for 用于否定句;表示一段时间时,美式英语用 in,英式英语用 for。比较:

The moon will set **in about one hour or so**. 月亮将在一个小时左右落下。

The moon will not set **for about one hour or so**. 一个小时左右月亮不会落下。

It is the coldest winter **in/for ten years**. 这是 10 年来最冷的冬天。

【提示】表示延续一段时间时,用 in 和 for 意义往往有所不同。比较:

She stayed in the country **for the summer**. 她整个夏天都是在乡间度过的。(=She stayed in the country from the beginning to the end of the summer.)

She stayed in the country **in the summer**. 她夏天曾经在乡间住过。(probably not for the whole summer)

▶▶▶ 但在否定句中,表示没有发生某事,用 in 和 for 没有差别。例如:

He didn't eat anything **for/in** two days. 他两天没吃东西。

9 since 和 after 的差异

since 后面接的是某一时间点,表示从过去某一时间点延续到现在或过去,主句谓语动词要用完成时态,但当句子主语是 it 时,也可用一般现在时。after 作介词或连词可以表示时间,同过去时或将来时连用,但不能和现在时间发生关系,不能同现在完成时连用。例如:

It is/has been five weeks since he started on the journey. 他去旅行已有五个星期了。

He has served as manager of the company **since four years ago**. 他从四年前就担任这家公司的经理。

他毕业后就在这家工厂工作了。

After her graduation, she has worked in the factory. ［×］

Since her graduation, she **has worked** in the factory. ［√］

After her graduation, she **worked/will work** in the factory. ［√］

自离家后她就没有男朋友。

She is without a boyfriend since leaving home. ［×］

She has been without a boyfriend **since leaving home**. ［√］

我已有两年没去那里了。

I have never been there since two years. ［×］（two years 为一段时间）

I have never been there **for two years**. ［√］

10 after, behind 和 later 的差异

  (1) after 表示"在某一时间点、时间段或事件过去之后"，常用于过去时，但也可用于将来时；behind 表示"迟于，落后于"；after 表示时间先后的顺序，也可表示某钟点过多少分。behind 还可表示位置，意为"在……的后面"。例如：

    Just **after breakfast** she arrived on her bicycle. 早饭刚过，她就骑着自行车到了。

    He continued the researches **soon after the failure**. 失败后不久他就继续研究工作了。

    The train pulled in **behind the usual time**. 火车进站晚点了。

    These traditional beliefs are all **behind the times**. 这些传统观点都过时了。

    A tower stands **behind the building**. 一座塔耸立在大楼后面。

    He was still weak **after a long illness**. 长期生病之后，他身体很虚弱。

    She was fully prepared **after a year and half**. 一年半后，她做好了充分准备。

    We'll have to stay here until **after/past** twelve o'clock. 我们要在这里待到 12 点钟过后。

    It is ten **after/past** seven. 现在是 7 点 10 分。

    Don't stay out **after/past/beyond** eleven o'clock. 不要在外面待过 11 点。

    The work was several days **behind** the schedule. 这项工作比原计划延误了几天。

    The train is twenty minutes **behind** time. 火车晚点 20 分钟。

    She was **behind/after** time. 她误时了。

  (2) later 用于表示一段时间的名词短语后面，可用于过去时或将来时，指以某个时间点为起点，经过一个时间段，到某个时间点，意为"……之后，过了……"。例如：

    She returned **a little while later**. 她过了一会儿就返回了。

    They will meet at the same place **six months later**. 六个月后，他们将在同一个地点见面。

    They left the hotel at seven o'clock and **two hours later** a storm overtook them. 他们 7 点离开旅馆的，两个小时后遇上了暴风雨。

11 to, till 和 until

  (1) 在 from ... to 结构中，to 可以同 till, until 换用。例如：

    I studied at the university **from** 2008 **to/till/until** 2012. 我 2008—2012 年在那所大学读书。

    He was on guard **from** eight o'clock **till/to/until** half past twelve. 他从 8 点至 12 点半值班。

  (2) 在表示"离某一事情还有多少时间，把……推迟到某一时间"时，可用 to 或 till。例如：

    It is only half an hour **to/till** supper. 离晚饭只有半个小时了。

    He postponed the visit **to/till** next month. 他把拜访时间推迟到了下个月。

  (3) until 为正式用语，可用于句首表示强调；till 在口语中常用，一般不用于句首。另外，till 和 until 后不可接地点名词。例如：

    Until last month, I knew nothing about it. 直到上个月，我对那件事一无所知。

  (4) till, until 可以同表示一段时间的延续动词（如 wait）连用，而 by 则同非延续动词（如 go）连用，但 by 有时可同 be, have 等状态动词连用。例如：

By the time the fruits are ripe，we'll have stayed here for a whole year. 果子成熟的时候，我们就将在这里待整整一年了。

I'll stay here **till/until the end** of June. 我将在这里待到 6 月底。

I won't stay here **till/until the end** of June. 我在这里待不到 6 月底。

I'll stay here by the end of the June.［×］

12 by

by 意为"在/到……之前，不迟于……"。例如：

He ought to be back **by this time**. 他此刻该回来了。

They were all tired out **by noon**. 到中午他们都疲倦极了。

The documents need to be ready **by next Friday**. 文件最迟需在下星期五准备好。

The task will be finished **by noon tomorrow**. 这项任务将在明天中午前完成。

They moved all the stones away **by the third day**. 到了第三天，他们就把所有的石头都移开了。

The job won't be done **by/until next Sunday**. 这工作下星期天才能完成。

We'll have left **by Friday**. 到星期五我们就已经离开了。

We won't have left **by Friday**. 星期五之前我们不会离开的。

She will be here **by eight o'clock**. 她 8 点钟之前会到这儿。

She will be here **till eight o'clock**. 她将在这儿待到 8 点钟才走。

13 as

as 表示时间，意为"在……时"。例如：

As a boy, Tom was very naughty. 汤姆小时候很淘气。（＝When he was a boy，...）

As a college student，he was admired by many girls. 上大学时，他为许多女孩所爱慕。（＝When he was a college student，...）

14 inside of

inside of 意为"在……时间内"，是美式英语。例如：

The school authorities will announce the decision **inside of** a week. 校方将在一周内宣布这项决定。

I think the moon will rise **inside of** an hour. 我想月亮在一个小时内就会露脸儿的。

15 with＋名词

这种结构也可表示时间，意为"一……就，随着"。例如：

The red flag began to rise **with** the national anthem. 红旗随着国歌升起。

The dogs ran towards the target **with** the bell. 狗一听到铃声就朝目标跑去。

16 from 和 since

只表示某个情况或动作从某个时候开始，用 from；若同现在完成时连用，表示持续至说话时刻的情况或动作开始于某个时候要用 since，不可用 from。例如：

He **studied** philosophy **from** the age of ten. 他从 10 岁就开始学习哲学。

They **have known** each other **since** childhood. 他们自幼年时代就认识。

▶▶▶ 但：know sb. from a child or a boy 习惯上只用 from，不用 since。

17 as from 和 as of

"as from，as of，on and after＋时间名词"意为"从……日起"；"beginning＋时间状语"意为"从……起"；from and inclusive 意为"从……起"。另外，还可用 inclusive 或 exclusive 表示强调。例如：

Beginning in May, the timetable will be changed. 从 5 月开始，时刻表将会变动。

The road will be open to traffic **on and after March 2nd**. 这条路将从 3 月 2 日起通车。

The treaty takes effect **as of/from July 4**. 条约将从 7 月 4 日起生效。

The supermarket will be closed **from and inclusive today**. 这家超市将从今天起关闭。

比较：

from March to June inclusive 3 月和 6 月都包括在内

from March to June exclusive 3 月和 6 月都不包括在内

【提示】

① Sundays，mornings 等亦可作时间状语，表示反复的动作。例如：

He works in the garden **Sundays**. 他星期天常在花园里劳作。(＝on Sundays)

② 表示一次连续多少时间可用"数词＋straight/successive/consecutive＋名词"结构，也可用"(for)＋数词＋running"结构，running 可换成 on end, in row, at a stretch, in succession 等。例如：

She ran ten miles **at a stretch**. 她一口气跑了 10 英里路。

He has worked on the design **six successive days/six days in succession.** 他已连续六天做这个设计。

18 come Christmas 的含义

come Christmas(到过圣诞节的时候)是一种习惯用法，为虚拟语气的倒装句型，相当于 when Christmas comes。其他如：come May(到 5 月)，come next week(到下周)等。例如：

The maple trees will turn deep red **come late autumn**. 深秋时节，枫叶会变得通红通红。

2. 表示地点和位置的介词(短语)

1 at, in 和 on

(1) at 表示较狭窄或较小的地方(小村庄，小城镇)，in 表示较大的地方(大城市，大的空间)。例如：

I met her **at** the bus stop. 我在公交车站接她。

She is still living **in** Nanjing. 她还住在南京。

There are a great many islands **in** the Pacific. 太平洋中有为数众多的岛屿。

They arrived **at** the famous town in South Jiangsu at dusk. 他们黄昏时到达苏南那座著名小镇。

比较：

The tree looks like an umbrella **at a distance**. 那棵树远看像一把伞。(at a distance 意为"在稍远的地方")

I saw a tree **in the distance**. 我看见远处有一棵树。(in the distance 意为"在远处")

(2) 门牌号码前用 at，road 前用 on 为美式英语，用 in 为英式英语。street 前用 in 或 on。比较：

in the street 为英式英语

on the street 为美式英语

Alice lives **at** 103/number 103 Wall Street. 艾丽斯住在华尔街 103 号。(在华尔街 103 号)

The accident happened **in**/**on** this street，not **on** that road. 事故发生在这条街上，不是发生在那条路上。

(3) 把某个机构看成一个机关或组织时用 at，看成一个具体的地方时用 in。比较：

Her father works **at** Fudan University. 她父亲在复旦大学工作。

Her father lives **in** Fudan University. 她父亲住在复旦大学。

She is **at** Oxford. 她在牛津读书。

She is **in** Oxford. 她在牛津居住/工作/逗留。(live, work or stay in the city of Oxford)

John is still **at** college. 约翰还在上大学。(英式英语)

John is still **in** college. (美式英语)

Her daughter studies **at** Oxford University. 她女儿在牛津大学读书。

He is a postgraduate **at** Yale. 他是耶鲁大学的研究生。

Peter is doing extremely well **in** college. 彼得在大学成绩好极了。

His father teaches **in**/**at** a university. 他父亲在一所大学任教。

They've got two children **at** school，and one **at** university. 他们有两个孩子在上中学，一个上大学。

比较：

Are you still living **in school**? 你还是住校吗？

He taught **in a school**. 他在一所学校任教。

They were satisfied with conditions **at the school**. 他们对学校的条件感到满意。

(4) 用在地点、地名前，at 把某处视为空间的一点，in 表示在某一范围之内。例如：

He was not **at** his office. 他不在办公室。

They left their luggage **at** the station. 他们把行李存放在火车站了。

The meeting was held **at/in** the hotel. 会议是在这家旅馆召开的。

They met **at** the teaching building. 他们在教学楼会面。

He spent the whole morning studying **in** the teaching building. 他整个上午都在教学楼里学习。

The Huanghe Pagoda **at** Wuhan is one of the most famous historical sites **in** China. 武汉的黄鹤楼是中国最著名的古迹之一。

There are a lot of institutes of higher learning **in** Wuhan. 武汉有众多高等院校。

He'll be **at** the theater at 8：30. 他将在 8 点半到达剧院。

There are 1,000 seats **in** the theater. 这家剧院有 1 000 个座位。

Jane is **at** the cinema. 简在看电影。（抽象概念，"在看电影"）

Jane is **in** the cinema, not outside **in** the street. 简在电影院里，不在大街上。

(5) at 可以表示"有意、有目的"的行为。比较：

She sat **at** the desk. 她坐在桌旁。（可能写字、读书，有目的）

She sat **beside/by** the desk.（无目的）

(6) 有时用 in 和 at 均可，但着重点不同。例如：

谁住在那个房子里？

Who lives **in** that house?（着重点在房屋）

Who lives **at** that house?（着重点在人）

(7) on 意为"在……上"，表示上下两者紧贴在一起，即某物"接触"在另一物之上，也可表示靠于一条线上；in 表示"在……之中"。比较：

He put the book **on** the desk. 他把书放在书桌上。（放在桌面上）

He put the book **in** the desk. 他把书放在书桌里。（放在抽屉里）

She sat **on** a stool. 她坐在凳子上。（坐在凳子的面上）

She sat **in** an armchair. 她坐在手扶椅里。（手扶椅很深，有深陷于椅中的意思）

There is a picture **on** the wall. 墙上有一幅画。

There is a window **in** the wall. 墙上有一扇窗。（在墙内）

She wore a smile **on** her face. 她面带微笑。（面部表情）

She was wounded **in** the face. 她伤了脸部。（伤有深度）

He was lying **on** the /his bed. 他在床上躺着。（躺在床上，不一定睡觉，可能在看书）

He was **in** bed with a bad headache. 他头痛得厉害而卧床。（因伤、病而卧床）

The patient lay **in** the bed, shrunken. 病人躺在床上，干瘪不堪。（人小则床大）

Dalian is a city **on** the sea. 大连是一座海滨城市。

The town is **on** the Yangtze River. 那座小城位于长江边上。

Is she.**in** the photograph? 照片中有她吗？（表示摄影用 in）

The window looks out/opens **on** the street. 窗户朝向大街。（on 表示"下临，向着"，不用 in）

There is a funny story **in** today's paper. 今天的报纸上有一则有趣的故事。（表示报纸用 in）

▶▶▶ "照镜子"要说 look in/into the mirror 或 look at oneself in the mirror，不说 look at the mirror。

(8) 同一段言语里对于同一名词，也有前后分别使用 at, on, in 的情况，比如所谈由远到近，由世界范围到一国一地等。例如：

They would stay a few days **at** the farm. Their son was working **on** the farm. 他们将要在农场上住几天。他们的儿子正在农场上干活。

At St Petersburg I went to a farm house. I could not imagine how a saddle of English mutton could find itself at a dinner **in** St Petersburg. 在圣彼得堡，我来到一个农家，真是难以想象，在圣彼得堡吃饭时竟会有一块英国羊脊肉出现在那里。

(9) 同一单词与不同介词搭配构成的短语含义区别：

She saw something floating **on** the sea. 她看见什么东西在海面漂着。（on the surface）

She saw something swimming **in** the sea. 她看见什么东西在海里游着。（under water）

The ship has been two months **at sea**. 这条船已在海上航行了两个月。

I was **at the sea** for half a month this summer. 今年夏天我在海边过了半个月。

I'm all **at sea** with the maths homework. 我完全不知道这些数学作业怎么做。

There is a beautiful picture **on the door**. 门上有一幅很美的图画。

A little girl stood **at the door**, crying. 一个小女孩站在门口哭。

He found a hole **in the door**. 他发现门上有一个洞。

The cold rain is beating **on the window**. 冷雨敲窗。

They are having a chat **at the window**. 他们在窗边聊天。(看作一点)

A face appeared **in the window**. 窗子里出现一个面孔。(看作一范围)

The president's talk on race relations hit the nail **on the head**. 总统有关种族关系的讲话十分中肯。

A stone struck him **on the head**. 一块石头击中了他的头部。

I can do the figures **in my head**. 我可以心算这些数字。

Fish begins to stink **at the head**. 鱼臭先臭头。

Make sure to keep it **in a safe place**. 一定要把它放在安全的地方。

I can't be **in two places** at once. 我不能一身分到两处。

We had supper **at her place**. 我们在她家吃了晚饭。

He bought the car **on the spot**. 他立即买下了那辆汽车。

Now we're really **in a spot**! 现在我们确实陷入了困境。

They met **at the stated spot**. 他们在约定的地点相见。

The Smiths lived **in/on Baker Street**. 史密斯一家住在贝克大街。

The man **in the street** cannot be expected to know of it. 不能指望普通人了解此事。

The snow lay thick **on the street**. 街上积雪很厚。

We'll find ourselves **on the street** if we don't pay the rent. 如果我们不付租金,我们将会流落街头,无家可归。

She sat down **on a black chair** by the window. 她坐在窗边的一把黑色椅子里。

She leaned back **in her chair**. 她往椅背上一靠。

Professor Smith was **in the chair**. 史密斯教授任主席。

There is a swimming pool **at the back of the garden**. 房子的后面有一个游泳池。(在……范围之外)

There is a long table **in the back of the house**. 房子的后部有一个长桌。(在……范围之内)

I usually buy all my vegetables **at the market**. 我所需要的蔬菜通常都是在市场里购买。(at the market 在市场,照市价)

Some new drugs will be **on the market** this month. 一些新药本月将上市。(on the market 出售,上市)

Thousands of different computer games are **in the market**. 成千上万套不同的电脑游戏在出售。(in the market 在市场,正要出售)

I met Miss Lin **at the library**. 我在图书馆遇到林小姐的。(馆门口、馆内、馆附近)

I met Miss Lin **in the library**. 我在图书馆里遇到林小姐的。(馆内)

Did you have anything **in mind** for her present? 你有没有想过送什么礼物给她?(记得,想到某事)

He has something **on his mind**. (为某事担忧,犹如重物压在心头)

2 on 和 underneath

underneath 是 on 的反义词,意为"在……下面,在……底下",有"某物紧贴在另一物的底下"之意,即两者相接触;underneath 也可表示不接触,还可表示抽象意义上接触。例如:

Light hides **underneath** the dark. 光明藏在黑暗的下面。

Underneath the carpet is a wooden floor. 地毯下面是木地板。

A cat was sleeping **underneath** the table. 一只猫在桌子底下睡着了。

Have you looked **underneath** the bed? 床底下你看过了吗?

There is a piece of paper **underneath** the dictionary. 词典的下面有一张纸。

The ball rolled **underneath** the table. 球在桌子底下滚过。/球滚到了桌子底下。

We don't know what it looks like **underneath** the paint. 我们不知道油漆底层是什么样子的。

It is said that there is a secret hall **underneath** the house. 据说这房子底下有一个秘密的大厅。

3 under 和 over

(1) under 和 over 表示位置时是一对反义词,表示的是一种垂直概念,指"在正下方,正上方",一般没有接触的含义。例如:

There are some chairs **under** the tree. 树下有一些椅子。

The boat passed **under** several bridges. 小船在几座桥下穿过。

The ball rolled **under** the roof. 球滚到了房顶底下。/球在房顶下滚动。

She put the chair **under** the table. 她把椅子放到桌子下面。

The lamp hung **over** the table. 灯悬于桌子的上方。

He lived **over** a bakery. 他住在面包店的上面。

(2) over 和 under 还可以表示"上级,下级";under 可以表示"(位置)在……脚下"。另外,over 还有"覆盖,横过,超过,通过,跳过,爬过,正从……上面越过,控制"等含义。例如:

He is **over** us. 他是我们的上司。

We are **under** him. 我们是他的下级。

The horse was **over** the fence. 马跳过了篱笆。

He climbed **over** the wall. 他爬过了那堵墙。

Our school stands **under** the hill. 我们学校位于山脚下。

She put a hankerchief **over** her face. 她用一块手帕遮住了脸。(覆盖)

There is a bridge **over** the river. 河上有一座桥。(横过)

He paid **over** 20 *yuan* for the shirt. 他买这件衬衫花了二十多元钱。(超过)

He had absolute control **over** the organization. 这个组织完全在他的掌控之下。(控制)

▶▶▶ 可以说 have a book under one's arm,feel under the pillow for sth.

4 above 和 below

(1) above 和 below 表示位置时是一对反义词,above 意为"高于",below 意为"低于",两者既不表示相互接触,也不表示上下垂直,仅表示"在……的上方"和"在……的下方"。例如:

The plane is flying **above** us. 飞机正在我们上方飞。(在上面的天空中)

The sun has sunk **below** the horizon. 太阳落下了地平线。

Our house is **below** the hill. 我们的房屋在山脚下。

The strange sound came from **below** the stairs. 那奇怪的声音来自楼下。

(2) below 还表示"数量少于,气温低于,比……差"等;above 还表示"在……以北/北面"。例如:

The circulation of the magazine has slumped to **below** 1,800 copies. 该杂志的销售量已下降至 1 800 本以下。

Your reading speed is **below** the average. 你的阅读速度低于平均水平。

The ship sank just **above** the island. 船在那座岛以北沉没。

比较:

{ He found a wallet **under** a chair. 他发现椅子下面有一个钱包。(垂直线的下面)
{ It is **below** the sea level. 它低于海平面。

{ The ship is **under** the bridge. 那条船在桥下。(在桥的正下方)
{ The ship is **below** the bridge. 那条船在桥的下游。

【提示】有时,所指的位置含义模糊时,below 和 under 可换用。例如:

We are lying **below**/**under** the stars. 我们躺在星空下。

The cables have been laid **below**/**under** the sea. 电缆已被铺设在海底。

5 above 和 over

(1) above 只表明位置高于某物或在某物的上方,但不一定垂直在上;over 表示垂直在上,意为"在……正上方"。例如:

The electric fan is **above** me. 电扇在我的头顶上。

The electric fan is **over** me. 电扇在我的正上方。

Her office is **above** mine on the third floor. 她的办公室在我的办公室的上面三楼。(并非垂直的上面)

Her office is just **over** mine. 她的办公室就是我办公室上头的那间。(指垂直的上面)

(2) 一般说"高于",用 above 和 over 均可。例如:

The plane is **above**/**over** our heads. 飞机就在我们的上面。

The sky **above**/**over** us is deep blue. 我们头顶上的天空蔚蓝蔚蓝的。

He hung the map **above**/**over** the blackboard. 他把地图挂在黑板的上方。

Look at the eagle **above**/**over** our heads. 看看我们上方的那只鹰。

(3) 表示数量的"在……之上",用 above 和 over 均可。例如:

I've lost **above**/**over** 3 kilos in weight. 我的体重已减了三千克多。

The ship measures **above**/**over** 100 feet long. 这条船有 100 英尺长。

He stayed there for **above**/**over** three weeks. 他在那里待了三个多星期。

Above/**Over** two hundred people were killed in the plane crash. 有两百多人在这次空难中丧生。

Children **above**/**over** 12 are not allowed in the swimming area. 12 岁以上的儿童不得进入这个游泳区。

She spent **above**/**over** three thousand dollars in buying the second-hand car. 她花了 3,000 美元买下了这辆二手车。

【提示】表示收入、重要性、价值等"在……之上",要用 above,不用 over。例如:

Her income is **above** the average. 她的收入超过一般水平。

He valued his honour **above** his life. 他珍视名誉胜过生命。

6 beneath

(1) 在表示"在……下"这层意义上,beneath 可以指垂直的上下关系和不垂直的上下关系,也可以表示上下接触的意思。因此,可以同 below, under 和 underneath 换用。例如:

She was standing **beneath**/**under** a cherry tree. 她坐在一棵樱桃树下。(垂直关系)

The box was buried **beneath**/**underneath** the dry leaves. 盒子埋在枯叶的下面。(上下接触)

Far **beneath**/**below** the mountain was a sea of forest. 在远处的山下,是一望无际的森林。(非垂直关系)

比较:

The water **beneath** the bridge is two meters deep. 桥下面的水有两米深。

The water **below** the bridge is two meters deep. 桥下游的水有两米深。

(2) beneath 还用于抽象意义,表示"不值得,不屑,有失……的身份"等。例如:

Don't do anything that is **beneath** you. 不要做有失身份的事。

Such a gossip is **beneath** contempt. 这种流言蜚语不屑一顾。

What he said is **beneath** notice. 他的话不需理睬。

Lying! That would be **beneath** my dignity. 撒谎! 那可是有失我身份的事。

7 at, by 和 beside

at 表示有目的地接近,一般有接触的意思。beside 较正式,表示"挨着的",与所比较的人、物是并行的,不一定接触。by 强调前、后、左、右的近旁,不一定与所比较的人、物并行。例如:

She lives **by** the school. 她家住在学校附近。

The bookstore is **beside**/**by** the post office. 书店在邮局旁边。

An old man is sitting **beside**/**by** the table. 一位老人正坐在桌旁。

The girl stood **by**/**beside** her mother. 女孩站在她母亲身旁。

We parked the car **beside** the sports hall. 我们把车停在体育馆旁边。

He placed his hat on the chair **by** the fire. 他把帽子放在火炉旁的椅子上。

The young couple took a walk **by** the lake every evening. 这对年轻夫妇每天晚上沿湖边散步。

To those who **stand by** me, I shall always **stand by** my promise. 对那些支持我的人,我将恪守诺言。(stand by 可以表示"支持,遵守")

She will be waiting for you **at** the school gate at eight o'clock tomorrow morning. 她明天上午 8 点钟在校门口等你。

The girl is **at** the well. 女孩在井边。(有目的,有意:表示"汲水,洗衣")

There is a willow tree **by** the well. 井边有一棵柳树。(自然,偶然)

▶▶ 另外,beside 还有"与……无关,与……相比"的含义。例如:

His proposal is **beside** the point. 他的建议不在点子上。

Beside this splendid mansion, that wooden building looks shabby. 同这座富丽堂皇的大厦相比,那个木质结构的建筑显得非常破旧。

8 near, next to 和 close to

near 意为"在……附近,靠近"(not far from,close to);next to 意为"紧挨着,紧靠着"(immediately beside,in the closest place to);close to 表示"靠近,在……附近,接近"。例如:

She went and sat **next to** him. 她过去坐在他身旁。

Don't go **near** the dog. 不要靠近那条狗。

We have a park **close to** us. 我们附近有一个公园。

He is **close to** sixty. 他快 60 岁了。

No birds or animals came **near** the lake. 没有鸟或动物靠近那个湖。

Some birds are flying **near** the tower. 一些鸟儿在那座塔附近飞来飞去。

They chose a spot **close to** the river for their picnic. 他们选择了一个离河不远的地方野餐。

▶▶ 另外,next to 还有"几乎"的意思;在表达喜欢或不喜欢时,还可用 next to,以此引出第二选择。例如:

I knew **next to** nothing about her. 对她我几乎一无所知。

Next to Nanjing, I like Hangzhou. 我最喜欢南京,也喜欢杭州。

▶▶ 用于本义时,near 和 near to 常可换用,可用其比较级和最高级形式 nearer 和 nearest,还可被副词 quite,so,very 等修饰。例如:

He lives **nearest** (to) the factory. 他住的地方离工厂最近。

She was **very near** (to) tears. 她快要哭出来了。

▶▶ 但是,near 用于转义或作副词用时,不可换为 near to。例如:

She is **near** death. 她快死了。

The project is **near** completion. 工程快要完工了。

The bottle is nowhere **near** full. 瓶子一点也不满。(near 前可以有 nowhere,nothing,anything,anywhere 等词)

▶▶ near to 可表示"对……亲密",near 则不能。比较:

She is **near** the manager. 她在经理旁边。

She is **near to** the manager. 她同经理关系密切。(on intimate terms with)

【提示】opposite 和 opposite to 在表示位置时常可换用。例如:

The bell tower is **opposite** (to) my home. 钟楼在我家对面。

9 before, in front of, at the front of 和 ahead of

(1) before 用于"某人前"(在现代英语中也可用于某物前),其反义词是 behind;in front of 用于某物前或某人前。例如:

The tea has been set **before** her. 茶已端到了她面前。

She stood **before** the door leading to the backyard. 她站在通向后院的门前。

A big pine tree stood **in front of** the temple. 寺庙的前面有一棵大松树。

He is sitting **in front of** us. 他坐在我们前面。
= He is sitting **before** us.

(2) in front of 和 ahead of 指空间时常可换用,但指时间时只能用 ahead of。例如:

他们走在老师的前面。
They walked **in front of** their teacher. [√]
They walked **ahead of** their teacher. [√]

我们能够提前完成工作。
We can finish the work in front of time. [×]
We can finish the work **ahead of** time. [√]

比较:
I always prefer to travel **in the front of** the car. 我坐汽车总爱坐在前头。(在内部空间的前部)
Who's the girl **at the front of** the queue? 排在队伍前面的那个女孩是谁?(在外部空间的前面)

⑩ behind 和 after

(1) behind 表示方向、位置的先后,after 表示时间的先后;但表示"随在……后"时,两者均可用。例如:

The sun went **behind** a cloud. 太阳躲到了云层后面。
Behind there is a garden. 后面是个花园。
Please turn off the light **after/behind** you. 请随手关灯。
Rain comes **after/behind** the wind. 风来雨就来。
He left immediately **after** the meeting. 他开完会后立即就离开了。
The students came out of the concert hall one **behind** another. 学生们一个紧跟着一个走出音乐厅。
The students came out of the concert hall one **after** another. 学生们顺次走出音乐厅。(或:陆陆续续)

(2) behind 还可表示一些引申意义。例如:

He is **behind** the bars. 他被关在监牢里。
Malice lay **behind** his smile. 他笑里藏刀。
The whole country was **behind** the president. 全国都支持总统。
The dean put the proposal **behind** him. 校长对此建议不予考虑。
The treaty was signed **behind** the curtain. 这项条约是秘密签订的。
He was an important man **behind** the scenes in this negotiation. 在这次谈判中,他是幕后的重要人物。
Never say anything **behind** a person's back that you couldn't say to his face. 有话就当面讲,切莫人后说三道四。

⑪ at the back of 和 back of

at the back of 相当于 behind、at the rear of;back of 是 at the back of 的缩写,两词常用于比喻中。例如:

There is a pond **back of** the shop. 商店的后面有一个池塘。
I wonder what is **at the back of** the problem. 我想知道这个问题的背景。
They have found out what was **back of** the incident. 他们已弄清了事故发生的原因。
At the back of/Behind/At the rear of the building lies a small garden. 大楼的后面是一个小花园。

⑫ about, round 和 around

表示"在……周围"时,about 指的是"靠近……的周围,大概的周围,含混的周围",不表示"把……团团围住";round 和 around 指的是一种"完全的周围,封闭的周围"。另外,around 通常表示静态的位置,round 既可表示静态的位置也可表示动态的动作。例如:

The students sat **about** the desk. 学生们坐在桌旁。（泛指在附近）

The students sat **round/around** the desk. 学生们围桌而坐。（强调围桌而坐，静态）

They walked **round** the lake. 他们绕着湖走。（动态）

The ship sailed **round/around** the world. 这艘船作了环球航行。（环绕某物为中心运动，两者皆可用）

The bandits crowded **about** the woman whose back was to the wall. 那女的背靠着墙，匪徒们围着她。（不可用 round 或 around）

▶▶▶ about 还有"在……各处，向……各处"等意；about 表示"在……附近"时，不如 near 明确。例如：

Flowers dotted **about** the fields. 田野里开满了花。

He lived somewhere **about** the Jinling Hotel. 他住在金陵饭店附近。

They wandered **about** the town at dusk. 暮色中，他们在小城里到处走走。

【提示】表示"在……附近，在各处"时，用 about，round 和 around 均可。例如：

Is there a bank **about/round/around** here? 这儿附近有银行吗？

Books were scattered **about/round/around** the room. 房间里到处都散落着书。

They have branches dotted **about/round/around** the country. 他们的分支机构遍布全国各地。

13 about, with, by 和 on

(1) 表示"带有，持有"时，可以用 with，on 和 about。例如：

Have you any money **with/on/about** you? 你身上带钱了吗？

(2) 但是，差别还是有的。on 表示"身上带着，手头有"，指口袋、衣服中带有（have sth. in sb.'s pockets or clothes），作宾语的常是"笔、钱、手帕"等小件物品。带小件物品除可用 on 外，还可用 about（强调地点）和 with（强调随同）；但表示携带较大的物品，如 typewriter，umbrella，recorder 等时，则要用 with；用 by 强调"在手头"；表示人有某种异常或偶然的情况要用 about，而物有某种异常或偶然的情况用 with，表示某人身上所固有的东西要用 in。例如：

There is something wrong **with** her. 她的情况有些不对。

Something has gone wrong **with** the machine. 机器出毛病了。

The ring was found **on** his person. 在他身上找到了戒指。

There is something noble **in** him. 在他身上有某种高尚的东西。

There is something strange **about** her. 她有些怪异。

He hasn't any changes **about** him. 他没带零钱。

You'd better have a good dictionary **by** you. 你手头最好放一个好词典。

He took a computer **with** him when going on a journey. 他外出旅行时带着电脑。

(3) 表示"身上有什么"，可以说 have sth. with sb. 或 have sth. on or about sb.；但如果动词不是 have，而是 take，carry，bring，则只能用 with，不能用 on 或 about。例如：

Don't forget to **take** the dictionary **with** you. 不要忘了把词典随身带着。（不可用 on 或 about）

14 for, from, to, towards 和 by

(1) for 表示目的地的方向，常与 sail，embark，set out，depart，start，leave，bound 等连用；from 表示动作的起点。例如：

They are leaving **for** Nanjing tomorrow. 他们明天要动身去南京。

The ship is bound **for** Hong Kong. 这条船驶往香港。（不用 to）

The warship is making **for** the harbor. 战舰正开往港口。（不用 to）

She left **from** Boston. 她离开了波士顿。

She left **for** Boston. 她动身去波士顿。

(2) to 表示动作的目的地，作"到达"解，常与 run，fly，walk，drive，ride，come，go，march，move，proceed，return 等连用；towards 指"朝着某个方向"，没有"到达"的意思。towards 和 toward 用法相同，前者多用于英式英语，后者多用于美式英语。例如：

He flew **to** Washington last week. 他上周飞到华盛顿去了。（飞到）

He walked **towards** the post office. 他向邮局走去。(走向)

He walked **to** the post office. 他走到邮局。(走到,不可用 for)

Father went **to** town. 父亲进城去了。

Father went **towards** town. 父亲朝着城里走去。

(3) 表示静止的方向时,to 和 towards 可以换用;to 可以表示主观意志,而 towards 一般不表示主观意志。例如:

The window looks **to/towards** the west. 窗户朝西。

He turned his gun **to** the guard. 他把枪口对着卫兵。(主观意志)

Her seat was **towards** mine. 她的座位对着我的座位。(无主观意志)

(4) by 表示方向时,有"偏于"的含义。例如:

The boat is sailing north **by** east. 船正向北偏东方向驶去。

The car went south **by** west. 车朝南偏西方向行驶。

比较:

The man shouted **to** her. 那人对着她喊。(提醒注意危险)

The man shouted **at** her. 那人冲着她使劲喊。(可能 angrily)

He ran **at** the girl with a knife. 他拿着刀奔向那个女孩。(at 有"对准,逼近"之意)

He ran **to** the girl, holding a bunch of flowers in his hand. 他手里拿着一束花朝那个女孩跑过去。(to 表示"方向,结果")

The fly flew **to** a plate. 苍蝇飞向一只盘子。

The fly flew **on** a plate. 苍蝇在盘子上面飞来飞去。

The fly flew **onto** a plate. 苍蝇落在了一只盘子上。

15 in 和 into

in 意为"在内",表示一种静止状态或一定范围内的动作;into 表示由外向内的动作。例如:

There is a toy **in** the box. 盒子里有一个玩具。(静止状态)

He put the money **in** the drawer. 他把钱放在抽屉里。(一定范围的动作)

He jumped **into** the cave to see what had happened. 他跳进洞穴中看看发生了什么事。(由外向内)

He walked **into** a police station. 他走进了警察局。

He walked **in** a police station. 他在一个警察局里走着。

Tell him to run **into** the room, please. 请告诉他跑到那房间里去。

Tell him not to run **in** the room, please. 请告诉他不要在房间里乱跑。

▶▶▶ 但是,在同 go,put,throw,disappear 等连用表示由外向内的动作时,用 in 或 into 均可。例如:

The spy threw the paper **in/into** the fire. 那间谍把文件扔进了火中。

Put your wallet **in/into** your pocket. 把钱包放在口袋里吧。

She got **in/into** the car and drove away. 她上了车,开走了。

The monk went out **in/into** the rain and disappeared **into/in** the woods. 和尚走进雨中,消失在树林里。

【提示】同样,on 表示状态,onto 表示动作,但在 jump 等动词后,用 on 或 onto 均可。比较:

他扶她上公共汽车。

He helped her on the bus. [×]

He helped her **onto** the bus. [√]

He jumped **on/onto** the horse. 他跳上马。

She placed the gloves **on/onto** the chair. 她把手套放在椅子上。

16 inside 和 within

(1) inside 表示"进入到里面",into 只表示"由外向内"这一动作;inside 有"被围在内"的含义,比 in 更强调,着重与"外面"(outside)对比;inside 还可表示"在……的内侧",in 则不能。例如:

John came **into** the study. 约翰来到书房。(跨过门槛入书房)

John came **inside** the study. 约翰进入书房里。(进入书房内部)

A girl was standing **inside** the door. 一个女孩站在门内。(门内侧)

He was lucky to be **inside** the car when somebody threw stones at them. 有人朝他扔石头时，他幸好在车里。

（2）inside 通常指小的空间范围，within 多指大的空间范围。例如：

I know what's **inside** the bag. 我知道包里是什么东西。

He lived **within** a castle for two years. 他在一座城堡里住了两年。

（3）在表示时间、距离时，inside 和 within 均可表示"不超过"(not beyond, in less than)；在美语中还常用 inside of。例如：

John will leave **within**/**inside**/**inside of** an hour. 约翰将在一小时内动身。

He was **within** ten miles of his home. 他离家不到 10 英里。

She finished the work **within**/**in** two hours. 她两小时内完成了工作。

⎰ 飞机场离我们学校有 40 英里。
⎱ The airport is within forty miles to/from our school. 〔×〕
  The airport is **within** forty miles of our school. 〔√〕

17 into 和 inside

into 和 inside 均可表示动态，含义基本相同，但 into 的空间可以较深，inside 的空间通常相对较小且封闭。另外，inside 可以表示静态。例如：

She went quickly **into**/**inside** the drawing-room. 她快步走进客厅。

Don't let the dog come **inside**/**into** the house. 不要让狗进入房子。

The jewels were locked away **inside** the safe. 珠宝都锁进了保险箱。(不用 into)

She stood just **inside** the door of the bookstore. 她就站在书店的入口处。(不用 into)

He left the key **inside** an envelope. 他把钥匙放在一个信封里。(不用 into)

The explorers went **into**/**inside** the cave one by one. 探险队员们一个接着一个进了山洞。

18 out of 和 outside

out of 和 outside 均可表示由里到外的活动，意为"到……的外面，由……向外"，也可表示"在……外边"。例如：

People walked **out of**/**outside** the hall after the meeting. 会议结束后，人们走出了大厅。

The children ran **out of**/**outside** the classroom as soon as the bell rang. 铃一响孩子们就跑出了教室。

⎧ The policemen are running **outside**/**out of** the building.
⎨ 警察朝大楼外面跑去。
⎩ 警察在大楼外面跑着。

【提示】

① outside 还可表示"超出……的界线"，而 out of 则不可。例如：

It's quite **outside** my experience. 我完全没有这方面的经验。

② out of 侧重结果，而 outside 侧重动作方向。比较：

⎰ At last he was **out of** the rain forest. 他终于走出了雨林。(已不在雨林中)
⎱ He was walking **outside** the rain forest. 他正在走出雨林。(尚在雨林中)

⎰ Peter went **outside** the house to look for his sister. 彼得向房外走去，去找他妹妹。
⎱ Peter went **out of** the house. 彼得到房外去了。

19 along, across, by, through, beyond 和 past

（1）along 意为"沿着"，同动态动词连用，指一条线平行；across 则指两条线交叉，一条线从另一条线上横过。比较：

⎰ He walked **along** the road. 他沿路走去。
⎱ He walked **across** the road. 他横穿过路。

（2）along 可以同静态动词连用，还可表示"在空间的某一点上，在某一段空间上"。all along表示强调；along here 表示"朝这儿……"，along there 表示"朝那儿……"。例如：

There are trees **all along** the road. 路两边都是树。

The swallow flew **along there**. 燕子朝那边飞去了。

The famous writer lives **along** the street. 那位著名作家住在这条街上。

There are prosperous towns and villages **along** the railway. 铁路沿线有繁荣的城镇和乡村。

(3) across 的含义与 on 有关,表示动作是在某一物体的表面进行的,指从一端到另一端或成十字交叉穿过,参见上文;through 的含义与 in 有关,表示动作从物体中间穿过,这个动作是在三维空间进行的,四面八方均有东西;by 则表示从某物或某人的旁边经过,past 则表示路过、途径、在……更远处。例如:

He swam **across/over** the river. 他游过了河。

She helped an old man **across/over** the street. 她帮助一位老人过街。

There is a path **across/through** the fields. 有一条小路穿过田野。

A swallow flew **through/in** the air. 一只燕子从空中飞过。

The school is **past** the village. 过了这个村庄就到那所学校了。

Will you be going **past** my house on your way home? 你回家的路上会经过我家吗?

The hospital's over there, just **past** the post office. 医院就在那边,在邮局刚过去一点儿。

> She walked **across** the square. 她穿过广场。
> She walked **through** the square. 她从广场中间穿过。
> She walked **by** the square. 她从广场旁边走过。
> She walked **past** the square. 她路过广场。

▶▶▶ 注意下面几句所用介词不同:

The thief came into the room **through** the window. 小偷是从窗户进入房间的。

She went **by** the library on her way to the station yesterday. 她昨天在去火车站的路上路过图书馆。(不用 through)

The lake was frozen, so they could go **across** the ice. 湖结了冰,所以他们能从冰上过去。(不用 through)

They hoped to walk **through** the forest before sunset. 他们希望能在太阳落山前穿过树林。(不用 across)

(4) across 可以表示"在……的对面或另一边"(on the other side from here);beyond 和 past 则指"在……对面或另一边再过去一些地方"(on the farther side),比 across 更远;across 可以用来指从"细而长"的物体(如河流)的一侧到另一侧,而 through 则不可。例如:

She lives just **across** the street. 她就住在街的对面。

They live **beyond/past** the river. 他们住在河对岸再过去一些地方。

The magnificent building **across** the road is a six-star hotel. 路对面的那座宏伟的大楼是一个六星级的宾馆。

> 他们游过了河。
> They swam through the river. [×]
> They swam **across** the river. [√]

(5) 在表示"架空"的意思时,across 强调"横过"(crosswise of),over 则着重"屹立"(rising above the surface of)。例如:

> 河上有一座桥。
> There is a bridge **across** the river. (桥与河横成十字形,跨河的两岸)
> There is a bridge **over** the river. (桥屹立于河面之上)

▶▶▶ 注意下面三句的搭配及含义:

The judge lives **across** the street **from** my house. 那位法官住在我家对过的街上。

He traveled **across** the country. 他游遍了全国。(= throughout)

We should make friends with people **all across** the world. 我们应该同全世界的人交朋友。

⑳ through, over 和 throughout

表示空间上的"遍及"时,throughout 比 through 和 over 更加强调;也可以说 all through, all over。

例如：

Discontent went **through** the country at that time. 当时国人都怨声载道。

The books lay scattered **all over** the floor. 地板上到处都散落着书。

The visitors were shown **over** the factory. 来访者被领着参观工厂。

The pictures can be transmitted by satellite **throughout** the world. 图片能够通过卫星传遍世界。

比较：

> She traveled **through** America. 她穿过/经过/游遍美国。
> She traveled **throughout** America. 她游遍美国。

【提示】如果"遍及"的宾语是"某个抽象范围"，而不是"空间、区域"，则只能用 over。例如：

Her researches spread **over** several branches of the subject. 她的研究延伸到这个专题的几个分支。

up 和 down

(1) 表示动作时，up 指"由下而上"，down 指"由上而下"。例如：

The path zigzags **up** the hill. 小径曲曲折折通向山顶。

> The car was running **up** the hill. 车在往山上开。
> The car was running **down** the hill. 车在往山下开。

> They swam **up** the river. 他们游向河的上游。(逆流而上)
> They swam **down** the river. 他们游向河的下游。(顺流而下)

(2) 表示静止的空间位置时，up 意为"在⋯⋯高处，在⋯⋯上面"；down 意为"在⋯⋯下面"。例如：

> The town is situated **up** the river. 这座小城位于河流的上游处。
> The town is situated **down** the river. 这座小城位于河流的下游处。

(3) 从乡下到城市、从南方到北方、从沿海到内地、从市区到宅区用 up；从城市到乡下、从北方到南方、从内地到沿海、从宅区到市区用 down。例如：

She went **down** south for winter. 她南下过冬。

He went **up** north for summer. 他北上避暑。

I shall go **up** to town. 我将进城去。

He will go **down** the coast for his holidays. 他将去海滨度假。

Henry lived **up** town and came **down** town every day. 亨利住在住宅区，每天来商业区上班。

> They have gone **down** to the country. 他们下乡去了。
> They have gone **up** country on business. 他们因公去内地了。

(4) up 有"欢乐"的意味，指情绪的高涨；down 有"忧伤"的意味，指情绪的低落。例如：

> She warmed **up** when hearing the good news. 听到这个消息，她高兴起来。
> She broke **down** when hearing the sad news. 听到这个消息，她的精神垮了。

> His spirits went **up**. 他情绪高起来了。
> He is **down** in spirits. 他情绪消沉。

(5) up 表示速度的"快、高"；down 表示速度的"慢、低"。例如：

The car speeded **up** to 140 kilometers per hour. 车子加速到每小时 140 公里。

The car speeded **down** to 40 kilometers per hour. 车子减速到每小时 40 公里。

(6) up 表示情况的"好转、上升"；down 表示情况的"差、劣、下降"。例如：

> Jim has come **up** in the world. 吉姆飞黄腾达起来了。
> Jim has gone **down** in the world. 吉姆败落了。

> Things are looking **up**. 情况在好转。
> He is **down** and out. 他一败涂地。

(7) up 表示"扩大、增加、增强"；down 表示"缩小、减少、减弱"。例如：

> The fire was burning **up** brightly. 火烧得旺起来了。
> The fire was burning **down**. 火快要熄了。

> Numbers kept going **up**. 数目不断增加。
> Numbers kept going **down**. 数目不断减少。

(8) up 表示"有生气、有力、健康";down 表示"疲乏、无力、生病"。例如：

She is old but she keeps **up**. 她虽已年迈,但精神很好。

She is **down** with influenza. 她患流感病倒了。

With the spring coming, he is picking **up**. 随着春天的来临,他的身体好了起来。

His health ran **down** to a dangerous level. 他病势沉重,非常危险。

(9) 在表示静止的空间位置而不表示具体方向时,up 和 down 可换用,意为"在……较远的那一端"。例如：

Hans lives just **up** the street. 汉斯住在街道的那一头。

You can find a supermarket **down** the road. 你可以在马路的那一头找到一家超级市场。

【提示】

① 在不明确具体方向而只表示"沿路、街、巷"行进时,up 和 down 可换用,相当于along。例如：

He saw an old man walking slowly **up**/**down** the street. 他看见一位老人缓缓地沿着大街走去。

② up the street/road 含有"朝着街道/道路的上方或较高的方向走去",而 down the street/road 含有"朝着街道/道路的下方或较低的方向走去"。

(10) up and down 表示"上下往返、来来去去"的运动。例如：

The monkey jumped **up and down** the trees. 猴儿在树下跳上跳下。

He has looked **up and down** for the pen. 他找那支钢笔上上下下都找遍了。

(11) 在 glance down, look down 等词组中,down 含有"从头到尾浏览"的意思。例如：

He has been in the habit of **glancing down** the main content before reading aloud. 他一向习惯于先浏览一下主要内容才大声朗读。

In reading a newspaper, he likes to **look down** the news column first. 读报时,他喜欢先浏览一下新闻版。

㉒ from 和 off 的差异

(1) 在"离开,与……分离"这层意义上,表示陆上距离时,from 和 off 可换用;表示海上距离时,只能用 off。例如：

The square is about 500 meters **from**/**off** my house. 广场离我家约有 500 米。

The ship sailed about 40 miles **off** the sea. 船在离海岸 40 英里的地方行驶。

(2) 相互粘连在一起的两物分开或被分开时,用 off;使处在一起(并非粘连)的两物分离时,用 from。例如：

The cover has come **off** the book. 这本书的书皮掉了。

She was wiping sweat **off** her face. 她擦去脸上的汗水。

He took the dictionary away **from** Jack. 他从杰克那里拿走了词典。

(3) far from 作表语时意为"离……远,远不,远非,不仅……",作状语时置于句首,意为"不仅……(而且……)"。这种用法的 from 不可换为 off。例如：

That was **far from** the truth. 那绝不是事实。

Her hands were **far from** clean. 她的手很不干净。

Nell was very **far from** poor; he was wealthy. 内尔不仅不穷,而且很富有。

Far from speeding up, the car came to a halt. 汽车不仅没有加速,反而停了下来。

㉓ between, among/ amongst, amidst 和 amid

(1) between 一般用于两者,among 用于三者或三者以上,amongst 意同 among,为书面语。例如：

Between two evils it's not worth choosing. 两坏之间无选择。

Butterflies fluttered **among** the flowers. 蝴蝶在花丛中飞舞。

Hangzhou is **among** the most beautiful cities in China. 杭州是中国最美的城市之一。

There was a low brick wall **between** our garden and the field beyond. 我们的花园和外面田地之间有一道矮砖墙。

A cat was found crouching **amongst** a hoard of cardboard boxes. 发现一只猫蜷缩在一些硬纸

盒中间。

They were fully aware of the dangers of flying **among** high mountains. 他们非常清楚在崇山峻岭中飞行的危险性。

(2) between 有时也可用于三者或三者以上,强调其中每两者之间的相互关系或差别。例如:

There will be a clash **between** the three tribes. 这三个部落之间将发生一场冲突。

She doesn't eat anything **between** meals. 她除三餐外不吃任何东西。(早餐与午餐之间,午餐与晚餐之间,晚餐与早餐之间)

The boy has already known the difference **between** gases, solids and liquids. 这个男孩已经知道气体、固体、液体之间的差别了。

(3) 如果表示地理上明显、准确的位置,用 between 指处于三者或三者以上之间,不用among。例如:

Luxemburg lies **between** Belgium, Germany and France. 卢森堡位于比利时、德国和法国之间。(卢森堡与比利时,卢森堡与德国,卢森堡与法国)

(4) 如果三者或三者以上用 and 连接;表示两者的并列,用 between,不用 among。例如:

The city lies **between** a river and hills. 那座城市位于一条大河与群山之间。(大河为一方,群山为另一方)

(5) 表示地位基本相同的"共有、共同、分配"等概念时,用 between 可以指两者或两者以上,指两者以上时,意同 among。例如:

The big cake was divided **between**/**among** the members of the club. 大蛋糕分给了俱乐部成员。

They four settled the question **between**/**among** them. 他们四人在他们之间解决了问题。

Between/**Among** the three companies, the factory was built up on time. 在三家公司的通力合作下,工厂如期建成了。(在通力合作下……)

比较:

钱被平均分给了我们八个人。

The money was divided equally **between** the eight of us. (强调每人有份,八人均作为个体看)

The money was divided equally **among** the eight of us. (强调范围,八人为整体)

Father **divided** the cake **among** the children. 父亲把蛋糕分给孩子们。(他自己不吃)

Father **divided** the cake **with** the children. 父亲和孩子们一起分享蛋糕。(他自己也吃)

Just between ourselves, he agreed to lend us the money. 私下说说,他同意借钱给我们。

This is strictly **between** ourselves. 这事你知我知,不得外传。

I hope that nothing ever comes **between** them. 我希望他们之间不产生隔阂。

(6) between 表示的"在……之间",可以指时间、距离、空间、程度、数量等;between 还可表示"合作,合伙"。例如:

It took place **between** 9:30 and 10:30 a.m. 它发生在上午 9 点半到 10 点半之间。

He is a man **between** fifty and sixty. 他的年龄介于 50 岁到 60 岁之间。

They caught eight fish **between** them. 他们共同合作,逮到八条鱼。

The amusement park is **between** ten and fifteen miles from here. 游乐场离这里有 10 到 15 英里的距离。

The project will cost **between** five and eight million dollars. 这项工程的花费在 500 万到 800 万美元之间。

(7) between … and 表示"既……又,又……又,由于……一系列的事"等。例如:

It is something **between** a cup **and** bowl. 这个东西既像杯子又像碗。

Between astonishment **and** despair she hardly knew what to do. 她既惊恐又绝望,不知道如何是好。

Between cooking, washing, sewing, **and** writing, she was very busy. 她要做饭、洗衣服、做衣服、写作,因而忙得不可开交。

(8) amid(st)后可接复数可数名词和集体名词,也可以接表示质量、性质等的不可数名词;而

between 和 among 只能接指人或物的可数名词,不能接抽象单、复数名词。例如:

We walked **amidst** the rain. 我们行走在雨中。

The ship sailed **amidst** the storm. 船在风暴中航行。

He stood firm **amidst** temptations. 他面对种种诱惑,不为所动。(不可用 between 或 among)

They groped **amidst** the darkness. 他们在黑暗中摸索。(不可用 between 或 among)

The actress left the hall **amid(st)** general applause and laughter. 女演员在人们的喝彩欢呼声中离开了大厅。(不可用 among)

When asked where to find a wineshop, the shepherd boy points at a distant hamlet nestling **amidst** apricot blossoms. 借问酒家何处有,牧童遥指杏花村。

Amid(st) the stillness, we could hear the occasional ringing of the church bells. 寂静之中,我们偶尔能听到教堂的钟声。

The villa stood **amid(st)/among** the snow-covered pine trees. 那栋别墅坐落在白雪覆盖的松树林中。

Betty sat quietly **amid** the uproar, reading. 贝蒂在喧闹中静静地坐着读书。

I realized, **amid** all her chatter, that she had changed a lot. 从她的唠叨中,我意识到她已经变了许多。

The baker's was at the end of street, **amid** a swarm of shops. 那家面包店就在大街的尽头,在一片店铺中。

She grew up on a dairy farm set **amid** the woody valleys to the south of city. 她是在这座城市南面树木葱郁的山谷中的牛奶场上长大的。

(9) 另外,among 多用来表示"在友好的、善意的事物中",amidst 多用来表示"在困难、危险或敌对中",有"在……包围中"的含义。例如:

She felt at ease **among** her father's friends. 她在父亲的朋友之间感到很轻松。

He found himself **amidst** enemies/the waves/difficulties/dangers/the snow/the dead/life's sorrow/many interruptions/the storm. 他发现自己身处敌群中/四周巨浪滔天/身处危险之中/为大雪所困/在死人堆里/身处困境/受到诸多干扰/四周风暴肆虐。

She was sitting **amid(st)** the ruins. 她坐在废墟中。

(10) among 表示处于易分辨的事物中,amidst 表示处于混杂的事物中。例如:

He saw his father **among** the crowd. 他在人群中看见了父亲。

The spy is **amidst** the crowd. 间谍在人群中。

(11) among 表示在同类中,amidst 表示在异类中。例如:

The church stands **among** farms. 教堂建在农田当中。

I could hear voices coming from somewhere **among** the bushes. 我能听到灌木丛中某个地方传来的声音。

她被发现在死人堆里。
She was found **among the dead**. (在同类中:她也死了)
She was found **amidst the dead**. (在异类中:她还活着)

【提示】注意下面几种结构:

This is **among the best** novels ever written by him. 这是他写的最优秀的小说之一。(one of the best)

Among other things, the estate was also divided among his brothers and sisters. (除……以外还……) 除了其他东西外,地产也分给了他的兄弟姐妹们。

They discussed, **among others**, the criticism of their opponents. (= among other things) 除了其他问题外,他们还讨论了反对派的批评意见。

Antony, **among others**, said that the proposal was out of the question. 安东尼像其他人一样,也说该建议难以施行。

The guards are selected **from among** the best soldiers. 卫兵是从最优秀的士兵中选出来的。

24 on to 和 onto

(1) 表示"到……上",两者可换用。例如:

He climbed **on to**/**onto** the roof top. 他爬到屋顶上。

The cat jumped **onto**/**on to** the chair. 猫跳到椅子上。

(2) on 用作副词,表示"在前,向前面,继续"等时,后如果跟 to,要分开写。例如:

He swam **on to** the island. 他继续朝前游,游到那个岛上。

The thief climbed **on to** the roof. 窃贼爬上了屋顶。

They fought **on to** final victory. 他们战斗到最后胜利。

Keep right **on to** the end of the road. 继续一直沿着这条路走到尽头。

She went **on to** fame and wealth. 她接着便名利双收了。

(3) to 为不定式的一部分时,要分开写。例如:

They went **on to** discuss the matter. 他们接着讨论那件事。

He went **on to** succeed. 他接着便成功了。

3. 表示原因或理由的介词

1 of

(1) of 同 die 连用,表示疾病、中毒、悲伤、冻、饿等(thirst, heat, grief, poison, a fall, the bite of a snake, disappointment, old age, cancer, consumption, cholera 等)。例如:

The old man died **of** liver trouble/poison. 老人死于肝病/中毒。

His son having been killed in the war, the man died **of** a broken heart. 儿子阵亡了,那人伤心而死。

(2) of 还可以表示生病的原因或情绪上的原因,如害怕、骄傲、欢心、厌倦、羞愧、向往等。例如:

He is sick **of** drinking too much. 他饮酒过度,病倒了。

The illness came **of** a high fever. 这病是由高烧引起的。

The little girl is fond **of** flowers. 这小女孩喜欢花。

Never get tired/weary **of** life. 决不要厌倦生活。

2 from

from 表示因伤或事故而死亡,也可表示不明的死因(wound, overwork, weakness, carelessness, tortures, drinking too much wine 等)。例如:

She died **from** poverty/a wound. 她死于贫困/受伤。

The man died **from** some unknown cause. 那男人的死因不明。

She died **from** loss of blood. 她死于失血过多。

The failure resulted **from** his laziness. 失败是由于他的懒惰造成的。

【提示】同 hunger, a disease, wounds, a wound 等连用时,用 die of 和 die from 均可。例如:

She died **of**/**from** a disease. 她死于疾病。

3 for

for 表示某种内在的、心理上的原因,常同表示喜、怒、哀、乐等抽象名词连用,或为了某一目的、事业的原因;或奖赏、处罚的原因。例如:

He trembled **for** fear. 他吓得浑身发抖。

He will reward you **for** your help. 他将酬谢你的帮助。

He can't see the wood **for** the trees. 他是见树不见林啊。

She died **for** the freedom of her people. 她为了人民的自由而献身。

He said it **for** fun, but they took him seriously. 他是开玩笑说的这话,他们却当真了。

4 with

with 表示由外界影响到内的原因,既可指生理上的,也可指感情上的原因。例如:

The man bent **with** age. 那人年迈背驼。

She was shivering **with** cold. 她浑身发抖。

He is mad **with** joy/shame. 他欣喜若狂/羞得无地自容。

Some of the workers died **with** fatigue. 有些工人累死了。

They were dead tired **with** a day's walking. 走了一天的路程,他们都疲惫不堪。

5 through

through 表示偶然或消极的原因或动机,常同 neglect, negligence 等连用。例如:

She lost her job **through** carelessness/neglect of duty. 她因粗心/玩忽职守而丢了工作。

A lot of children died **through** lack of proper nourishment. 许多儿童死于营养不良。

She read the novel **through** curiosity. 她出于好奇读那部小说。

比较:

He fell ill **from** eating unclean food. 他因吃了不洁食物而生了病。(自我,自然的原因)

One may feel weak **from** lack of sleep. 人会因睡眠不足而浑身无力。

It happened **through** his negligence. 这是因他的疏忽而引起的。(消极,偶然的原因)

The mistake was made **through** her fault. 差错是由她的失误引起的。

▶▶▶ 但 through 有时也可表示积极、正面的原因。例如:

He attained his goal **through** persistence and hard work. 他通过坚持不懈的努力达到了目的。

6 by

by 表示凶杀、暴力的原因,也可以表示手段或方法,有时相当于 by reason of,有时相当于 by means of。参阅下文。例如:

The tyrant died **by** sword. 那个暴君死于刀剑之下。

The guard died **by** violence. 那名卫兵死于暴力。

The general died **by** his own hand. 将军自杀身亡。

He passed the test **by** cheating. 他靠作弊通过了考试。

She took your pen **by** mistake. 她错拿了你的钢笔。

He caught up with them **by** taking a short cut. 他抄近路赶上了他们。

7 in

in 也可以表示原因,多指主观方面的原因。例如:

She rejoiced **in** her success. 她为自己的成功而高兴。

The evil man died **in** his boots. 那恶人暴死了。

He died **in** harness. 他工作时死去了。

He cried **in** pain. 他痛得大叫。

8 at

at 常同表示"喜、怒、吃惊"等的词连用,表示感情上、感觉上的原因或理由。例如:

He is pleased **at** your telling the truth. 你告诉了他实情,他很高兴。

We wonder **at** the fine scenery. 我们为美景所陶醉。

She grieved/rejoiced **at** the news. 那消息使她悲伤/欣喜。

【提示】over 常同 cry, laugh, rejoice, lament, mourn, weep 等连用,表示情绪的原因。例如:

She grieved **over** her misfortune. 她为自己的不幸而伤心。

They rejoiced **over** the victory. 他们为胜利而欣喜。

9 on

on 所表示的原因指依据或条件。例如:

She came **on** my invitation. 她应我的邀请而来。

I gave up the job **on** her advice. 我按她的建议放弃了那项工作。

He agreed to do it **on** that condition. 他根据那个条件才同意做的。

He was sentenced to prison **on** a charge of theft. 他因盗窃罪而被判入狱。

10 due to

due to 在传统英语中只可用作表语,但是现在用作状语已为人们所接受,相当于 owing to,强调把原因归于某事物。例如:

His death was **due to** natural causes. 他是自然死亡。

These are the accidents (which are) **due to** carelessness. 这些是由粗心而引起的事故。

Due to repairs, the museum will be closed to the public. 博物馆将因维修而关闭。

The trip was delayed **due to** the bad weather. 由于天气糟糕,旅行被耽搁了。

⑪ owing to

owing to 通常用作状语,但也用作表语。例如:

I missed my flight **owing to** a traffic hold-up. 由于交通堵塞,我误了班机。

Owing to his lacking in experience, John failed this time. 由于缺乏经验,约翰这次失败了。

These errors are **owing to** his neglect. 这些差错都是由于他的疏忽造成的。

She arrived late **owing to** the storm. 她因遭遇暴风雨来晚了。

⑫ because of

because of 一般作状语,不作表语;但是如果主语是指某一个事实,而不是一个名词,because of 也可用作表语。例如:

He retired last month **because of** illness. 他因病上个月退休了。

Her return to home was **because of** her mother's illness. 他是因母亲生病而返家的。

She gave up the chance merely **because of** her lacking enough money. 她仅仅因为缺乏足够的钱就放弃了这个机会。

He has dropped out of school; that was **because of** his poor health. 他退学了,那是因为他身体状况不好。

It was largely **because of** this that 500 men fled from the country. 主要是因为这个原因,约有 500 人逃离了这个国家。(为 Five hundred men fled from the country largely because of this. 的强调句)

【提示】on account of 的意义和用法与 because of 大致相同。例如:

On account of his bad conduct, the boy was dismissed from school. 因为表现不好,这个男孩被学校开除了。

Fish died in the lake; that is just **on account of** water pollution. 湖里的鱼死了,那正是因为水被污染了。

⑬ thanks to

thanks to 只能作状语,不作表语,意为"亏得,幸亏,由于"。例如:

Thanks to the timely rain, the farmer had a bump year. 由于雨下得及时,这位农夫有了个丰收年。

Thanks to the new findings, we now know more about the ancient empire. 由于新的发现,我们现在对那个帝国知道得更多了。

【提示】on account of, because of 和 owing to 后接 that 从句时,必须在 that 前加 the fact。例如:

Her health is failing **on account of the fact that** she lacks exercises. 由于缺乏锻炼,她的体质下降了。

He couldn't walk as fast as others **owing to the fact that** his leg was wounded. 由于腿受了伤,他走路不像别人那样快。

⑭ out of

out of 表示出于某种心理、感情因素等(kindness, spite, sympathy, jealousy 等)。例如:

He did it **out of** sympathy. 他这样做是出于同情。

She said it **out of** jealousy. 她这样说是出于嫉妒。

4. 表示"关于、至于"的介词

① in regard to, with regard to, regarding 和 as regards

in regard to 和 with regard to 中的 to 为介词,不是不定式符号,to 不可改用其他词。regarding 后不可加 to, as regards 中的 s 不可省。例如:

He spoke to me **regarding** his future. 他同我谈到了他的将来。

In my opinion, she is no artist at all **as regards** dancing. 依我看,她的舞跳得不怎么样。

With regard to future oil supplies, the situation is uncertain. 关于未来石油供应问题,情况尚不确定。

With/In regard to studying English, you should read widely and speak more. 关于学习英语,你应该多说多讲。

2 concerning, respecting 和 touching

这三个词都是正式用语,意义上相当于 about, with regard to。concerning 还可同 as 连用,构成 as concerning,也可以说 as concerns。例如:

What is your opinion **concerning** the election? 你对于这次选举有何看法?

He refused to answer questions **concerning** his private life. 他拒绝回答有关他私生活的问题。

He has a lot to say **touching** the education in the West. 关于西方的教育,他有许多话要说。

Respecting your salary, we shall come to a decision later. 关于你的薪水,我们晚些时候将作出决定。

As concerning/As concerns the reason of the failure, he refused to give any comment. 关于失败的原因,他拒绝作任何评论。

3 with respect to, in respect of, with/ in reference to, in connection with 和 in the matter of

这几个词通常可以换用。with respect to,with reference to 中的 to 为介词;in the matter of 后一般接具体的物件。例如:

The refrigerator is good **in respect of** quality. 就质量而言,这台冰箱很好。

This is especially true **in respect of** the Asian countries. 亚洲国家的情况尤其如此。

He is senior to me **in respect of** service. 就工作年头来说,他比我资格老。

I have nothing to say **with reference to** your complaints. 对于你的抱怨我无话可说。

She asked me many questions **in connection with** life in Africa. 她问了我许多关于非洲生活的问题。

With/In reference to compiling the dictionary, Professor Smith has given us some advice. 关于编写这本词典,史密斯教授给了我们一些建议。

He has everything he needs **in the matter of** food, clothes and other living necessities. 食物、衣服和别的生活必需品,他应有尽有。

With respect to your other proposals, I am not able to give you our decision. 关于你的其他建议,我现在还无法告诉你我们的决定。

The discussion **with respect to** the economic situation lasted for two days. 有关经济形势的讨论持续了两天。

With reference of your recent advertisement, I'm writing to request further details. 关于贵方最近的广告,现特函查询详情。

The police are interviewing two men **in connection with** the robbery. 警察正在查问与抢劫案有关的两个人。

4 about, on 和 of

(1) about 和 on 均可表示"关于"。about 多用于口语,随便提及,内容可能较笼统。on 用于较正式的讨论、议论,所述题目或主题需详加阐发,如讲学、讲演、写作等。

about 常同下列动词连用:talk, know, tell, read, write, quarrel, argue, think, sing, hear, speak, agree, disagree 不同意,等。

on 常同下列动词连用:comment 评议,debate 辩论,remark 评说,touch 论及,reflect 沉思,discourse 论述,enlarge 详述,dwell 详谈,ponder 默想,lecture 演讲,等。

She is singing **about** the happy life on the grassland. 她在歌唱草原上的幸福生活。

Did you hear **about** the fire? 你听说过起火的事吗?

We often disagree **about** politics. 我们经常对政治问题有不同的见解。

They were arguing **about** how to spend the money. 他们就这笔钱怎么花而争论不休。

The children are writing **about** their winter holidays. 孩子们在写他们的寒假见闻。

She lay awake, thinking **about** the money. 她躺着,睡不着,心里想着那笔钱。

He spoke to his mother **about** the way he had been treated. 他向母亲说起他所受到的待遇。

The professor lectured **on** the exploitation of the moon. 这位教授演讲的主题是月球的开发。

Everyone remarked **on** his absence. 大家对他的缺席议论纷纷。

She sat quietly, meditating **on** the day's events. 她静静地坐着,思考着当天发生的事。

He dwelt **on** the importance of physical exercise. 他详述了体育锻炼的重要性。

The committee has known **about** the leak for three months. 委员会得知泄露的情况已有三个月了。

> It is a textbook **on** Chinese history. 这是一本中国历史读本。
> It is a book for children **about** animals. 这是一本关于动物的少儿读物。

> She gave a lecture **on** modern art. 她作了有关现代艺术的演讲。
> They had a telephone conversation **about** the travel. 他们就旅行的事进行了电话交谈。

(2) of 表示"关于"时,其宾语是直接关联的人或事,而 about 的宾语则通常是有关人或事的情况。下列动词均可同 of 或 on 搭配,含义上有时有差别:read,write,hear,speak,know,think,talk 等。例如:

> People are beginning to **talk about** her. 人们开始议论起她来了。
> They are **talking of** going abroad. 他们正谈着去国外。

> She **spoke of** you. 她提到了你。
> She **spoke about** you. 她讲了你的事。

> I **know of** one company that makes these things. 我听说有一家公司生产这类物品。(公司本身)
> I **know about** the company. 我了解这家公司。(有关这家公司的情况,如销售、声誉等)

> I'm very keen to **learn about** the town's history. 我很想了解这座小城的历史。(细节)
> We were all saddened to **learn of** her death. 听到她的死讯,我们都很难过。

> I have **heard about** the space program. 我听人说过那个太空计划。(知其细节)
> I have **heard of** the space program. 我听说过那个太空计划。(只是知道此事)

5 as to 和 as for

(1) as to 和 as for 均可用于全句或分句的句首,作"至于"解。例如:

As to/As for her mother, I do not know her at all. 至于她母亲,我根本不认识。

As for/As to my past, I'm not telling you anything. 至于我的历史,我什么都不会告诉你。

You can have a bed; but **as for/as to** the children, they will have to sleep on the floor. 有一张床给你,至于孩子们,他们就得睡在地板上了。

(2) 在句中作"关于,至于,依照"解时,要用 as to,不用 as for。例如:

I have no doubt **as to** your ability. 至于你的能力,我毫不怀疑。

They were correctly placed **as to** size and color. 它们是按照大小和颜色正确地放置好的。

Have you the least notion **as to** what it means? 你知不知道它是什么意思?

I'm willing to read this book, but **as to** publishing it, it's a different matter. 我愿意读一读这本书,至于出版它,那是另一回事了。

He is very uncertain **as to** whether it's the right job for him. 关于他是否适合做这项工作,我实在拿不准。(as to 可省)

【提示】在用于包含怀疑、争论和问题的句子中,最好用 about,on 或 of 代替 as to。例如:

I have no information **about** her plans. 关于她的计划,我一无所知。

5. 表示方法、手段或工具的介词

1 by

by 相当于 by means of 或 by dint of,意为"凭,靠,以";注意下面三种结构:

> by+通信工具(无冠词,单数)→通信方式
> by+交通工具(无冠词,单数)→交通方式
> by+其他名词(无冠词,单、复数)→抽象的方式、方法

The letter was sent **by express**. 这封信寄的快件。

It was sent **by hand**, not **by post**. 它是专递的,不是邮寄的。

The twins were brought up **by hand**. 这对孪生儿是喝牛奶长大的。

She sent the message **by radio**. 她用无线电发送了这一消息。

They came **by air** and left **by ship**. 他们乘飞机来,坐船去。

Will they go **by sea** or **by land**? 他们将从海上去还是陆上去?

The man lives **by literary hackwork**. 那人靠贩卖平庸文字为生。

It is slower to send a letter **by sea mail** than **by air mail**. 海邮信件比航邮要慢。

▶▶ 其他如：by parcel post 以邮包方式，by radio 通过无线电，by messenger 通过信使，by underground/tube/subway/metro 乘地铁，等。例如：

Judged **by the appearance**，she can't be over forty. 从外表看，她不可能超过 40 岁。

By their standards，these goods are not fit to be imported. 按照他们的标准，这些货物不宜进口。

【提示】

① by 后也可用数词或动名词。例如：

Please divide the amount **by** 4. 请把该数除以 4。

He lived **by cheating others**. 他靠骗人生活。

We can enjoy life better **by coming** closer to nature. 亲近大自然，我们就能更好地享受生活。

② 如果不用 by，而是用 in，on 等表示通信方式，须在名词前加 the，表示交通方式，须在名词前加 a，an，the 等。例如：

Everyone **on the plane** was frightened. 飞机上所有的人都非常惊恐。

She managed to be **on the first train** to Nanjing. 她设法坐上了去南京的头班火车。

The general is **on/in this ship**. 将军在这条船上。

⌈ I told her the news **by phone**. 我是打电话通知她那个消息的。

⌊ They are talking **on the phone**. 他们在用电话交谈。

They exchanged views ⌈ **by telephone**. 他们通过电话交流了意见。
　　　　　　　　　　│ **on the telephone**.
　　　　　　　　　　│ **over the telephone**.
　　　　　　　　　　⌊ **through the telephone**.

She goes to work ⌈ **by bus**. 她坐公共汽车上班。
　　　　　　　　　│ **in/on a bus**.
　　　　　　　　　⌊ **in/on the bus**.

③ 注意下一句：She rarely talks to strangers **in buses**. 在公交车上，她很少同陌生人说话。

④ 无遮盖物的交通工具前用 on，如：on a bike。有遮盖物的交通工具前用 in，如：in a taxi。有遮盖物且里面空间大可以走动的交通工具前用 in 或 on，如：in/on the train。

⑤ 比较：

⌈ 他在火车上看见了那个女孩。　　　　　　　⌈ 他是乘 11 点 20 分的火车到的。
│ He saw the girl by train. ［×］　　　　　│ He arrived by/on 11:20 train. ［×］
⌊ He saw the girl **in/on a train**. ［✓］　　　⌊ He arrived by/on the 11:20 train. ［✓］

⌈ They went there **by train**. 他们乘火车去那里的。
⌊ They went there **by the afternoon train**. 他们乘下午的火车去那里的。(要加 the)

▶▶ by 构成的惯用语：

by surprise 出其不意　　　　**by right(s)** 按理　　　　**by heart** 熟记

by rote 死板地　　　　　　　**by no means** 决不　　　　**by force** 凭武力/强迫

by leaps and bounds 飞快地　**by word of mouth** 口头　**by all means** 一定/务必

by halves 不完全地/半途而废　**by any means** 总之/无论如何　**by trade/profession** 职业是……

by fair means or foul 不择手段　**by rule and line** 按程序/正确地　**by hook or by crook** 不择手段地

by rule of thumb 凭经验/不根据理论　　　　**by way of** 取道/通过/以……方式

Jane is a lawyer **by profession**. 简以律师为业。

Don't learn things **by rote**. 学东西切莫死板。

Never do anything **by halves**. 做事切莫半途而废。

They carried out the experiment **by rule and line**. 他们按程序进行那项实验。

❷ with 和 by 的差异

（1）with 表示所使用的具体工具或手段，by 表示方法、方式。在被动语态中，用 by 表示行为者，用 with 表示工具。例如：

He peeled the apple **with a knife**. 他用小刀削苹果。

We hear **with our ears**. 我们用耳朵听。

He brushed back his hair **with his hand**. 他用手把头发向后捋了捋。(使用的具体手段)

These socks were knitted **by hand**. 这些袜子是手工做的。(手工做，表示方式)

The mother took the girl **by the hand**. 母亲拉着女孩的手。(侧重身体上的部位)

他们是从后门进来的。

They came in with the back door. [×]

They came in **by** the back door. [√](表示方式)

他赤手空拳杀死了那条疯狗。

He killed the mad dog by bare hands. [×]

He killed the mad dog **with** bare hands. [√](表示具体手段)

那只猫被一块落下的砖砸死了。

The cat was killed with a falling brick. [×]

The cat was killed **by** a falling brick. [√](动作的执行者)

窗户被石头砸破了。

The window was broken by a stone. [×]

The window was broken (by somebody) **with** a stone. [√](stone 为使用的具体工具)

比较：

His mother struck him **with** the hand. 他母亲用手打了他。(他母亲的手打他)

His mother struck him **by** the hand. 他母亲打了他的手。(他的手被他母亲打)

(2) with 表示有形的器皿、工具或具体的内容，by 表示无形的手段，后接动名词表示某种方式。例如：

街道由电灯照明。

The streets are lighted **with** electric lights. (有形的电灯)

The streets are lighted **by** electricity. (无形的电)

首相以人是自己的创造者开始了他的演讲。

The Prime Minister began his lecture **with** a remark that man was his own making. (with 表示说的具体内容)

The Prime Minister began his lecture **by** remarking that man was his own making. (by 表示 lecture 是如何开始的，为一种方式)

(3) with 可以引出抽象的行为者，如情感、意见、思考、状态、疾病等，而 by 则不可。例如：

He was struck **with** horror. 他惊恐万分。

She was attacked **with** liver trouble. 她患肝病。

The baby was seized **with** influenza. 这婴儿患流感。

3 on

(1) 表示"靠、以(食物)"。例如：

She lived **on** pension. 她靠退休金生活。

Don't live **on** your parents. 不要依赖父母生活。

Cows live **on** hay. 牛以干草为食。

These monkeys live **on** wild fruits. 这些猴子以野果为生。

He fed the tigers **on** fresh meat. 他给老虎吃新鲜的肉。

You can't live **on** ice cream alone. 你不能只靠吃冰糕过活。

We can't live **on** rice and water forever. 我们不能只是靠大米和水过日子。

Owls feed **on** mice and other small animals. 猫头鹰以老鼠和其他小动物为食。

Many cars nowadays run **on** lead-free petrol. 如今许多汽车以无铅汽油为燃料。

(2) 注意 on 的结构：

$\begin{cases} 在火车/公共汽车上 \\ \textbf{on}/\textbf{in} \text{ the train/bus} \rightarrow 特指 \\ \textbf{on}/\textbf{in} \text{ a train/bus} \rightarrow 泛指 \end{cases}$

(3) on foot, on horseback, on tiptoe 都是固定说法,介词不可变换。例如:

Did he come **on** foot or **on** horseback? 他是步行还是骑马来的?

She came into the room **on** tiptoe. 她悄悄地进了房间。

(4) 注意下面的比喻说法:

Disease comes **on** horseback but goes off **on** foot. 病来如山倒,病去如抽丝。

She was **on** tiptoe to hear from her father. 她急切地盼望着父亲的来信。(渴望,急切地想)

There is a plot **on** foot to overthrow the government. 有人正在密谋推翻政府。(正在……)

He crept out of the cave **on** hands and knees. 他爬出了洞穴。

The boy is **on all fours** looking for a coin. 这男孩爬着找一枚硬币。

(5) on 构成的惯用语:

on business 因公	**on** file 存档	**on** the spot 当场
on deck 准备就绪	**on** the level 诚实公正	**on** faith 毫不怀疑地
on thorns 如坐针毡	**on** ice 冷藏/把……搁置起来	**on** the crook 不正当地
on orders 遵照命令	**on** the sly 偷偷地/秘密地	**on** credit 用赊欠的方法
on the stroke 准时地	**on** one's mettle 奋发/激励	**on** the trot 连续地/忙个不停
on end 竖着/继续不断地	**on** schedule 按预定时间/准时	**on** pins and needles 坐立不安
on one's knees 跪着/屈服	**on** good authority 有确实可靠的根据	
on one's last legs 行将就木/垂死挣扎	**on** one's good behavior 表现很好	
on one's feet 站起来/恢复健康	**on** approval 供使用的/包退包换的	
on call 随叫随到的/随时可支付的	**on** equal terms 以平等关系/按平等条件	
on paper 以书面形式/表面上/在筹划中	**on** one's own 独立地/主动地/自愿地	
on parole 作出不逃跑的保证以后获释	**on** one's own account 独自地/自担风险地	
on one's honor 以自己的信誉担保	**on** one's coat tails 靠……的威望/沾……光	

on demand/application/request 承索即可/提出要求就可

on the spur of the moment 即席地/凭一时冲动

His hair stood **on end** at hearing the sound. 听到声响,他吓得头发竖了起来。

I heard it **on good authority**. 我听到的这个消息是可靠的。

The air-conditioner was bought **on approval**. 这台空调买下时讲好包退包换的。

The money is payable **on call**. 这笔钱可随时支付。

He started a business **on his own account**. 他自担风险开办了一家公司。

She did it **on her own**, not **on orders**. 她做那件事是自愿的,不是强迫的。

4 in

$\begin{cases} \text{in} + \text{pen/pencil/ink}(单数,无冠词) \rightarrow 书写的方式 \\ \text{with} + \text{a pen/pencil} \rightarrow 书写的工具 \\ \text{with pen and ink} \rightarrow 书写的工具(两个或两个以上名词并列使用时,常不用冠词,不说 with a pen} \\ \text{and ink)} \end{cases}$

He proofread the material **in red ink**. 他用红钢笔校对材料。

Please write your name **in ink**, not **in pencil**. 请用墨水写下你的名字,不要用铅笔写。

They were told to write the article **with pen and ink**, but not **with a pencil**. 他们被告知用钢笔写这篇文章,不要用铅笔写。

$\begin{cases} \text{She wrote it } \textbf{with a pen}. \text{ 她是用一支钢笔写的。(工具)} \\ \text{She lives } \textbf{by her pen}. \text{ 她笔耕为生。(方式)} \end{cases}$

▶▶ in 还可以表示行为的方式,意为"以……,按照……";也用于表示表达的方法,指用某种语言、原料等。例如:

They talked **in a low voice**. 他们低声谈着。

The house was built **in Spanish style**. 这房子为西班牙风格。

Deal with the case **in a proper way**. 用适当的方式处理这件事。

The book was written **in Chinese**. 本书是用中文写的。

Please bound the book **in hardback**，not **in paperback**. 请将这本书精装，不是平装。

比较：

这座桥的桥墩是石头造的。

The piers of the bridge are **of stone**. (强调其外形特色,可见石料)

The piers of the bridge are **in stone**. (强调制成物品的材料,用的是石头,不是砖头)

▶▶ 再如：a statue **in bronze** 青铜铸像，the furniture **in nanmu** 楠木家具，the figure **in marble** 大理石塑像，a portrait **in oils** 油彩画像。

【提示】through 表示方法、手段时常同 by 换用。例如：

The book was sent to her **through** the post/by post. 书是邮寄给她的。

He gained success **through**/**by** painstaking efforts. 他通过艰苦的努力获得了成功。

比较：

这是一张水墨画。

The picture is painted **in ink**. (强调状态：a picture in ink 一幅水墨画)

The picture is painted **with ink**. (强调绘画手段：用 ink 而非用其他颜料)

6. 表示价格、比率、标准、对比、速度的介词

1 at

at 可以用来表示价值、价格、比率或速度。例如：

The apples are sold **at two yuan** a jin. 苹果每斤两元钱。

The house was valued **at 90,000 dollars**. 这栋房子估价为 9 万美元。

The car is running **at full speed**. 车子正全速行驶。(full speed 前不用冠词)

The car car is running **at a/the speed** of 120 kilometres an hour. 车子正以每小时 120 公里的速度行驶。(at a /the speed of 中的 a 或 the 不可省)

The car is running **with great speed**. 车子正高速行驶着。(with 和 speed 连用时中间不可有冠词)

The goods were sold **at reasonable prices**. 货物以合理的价格出售。

The clock strikes **at regular intervals**. 钟按时敲响。

【提示】

① at 表示代价、单价，或表示按……出售、买进；for 表示"花……钱买，以……价钱买"，指总价钱。比较：

She bought the fish **at two dollars** a jin. 她每斤两美元买的鱼。(单价)

She bought the fish **for twenty dollars**. 她买鱼花了 20 美元。(总价)

② at 的宾语可以是具体的钱数，也可以是抽象的价格，如高价、平价、好价、低价(a good, high, fair, low price)；for 意为"交换"，表示以钱(用多少钱)易货(买多少货)，相当于 in exchange for，其后的宾语可以是具体的钱数，也可以是其他名词，但不能是 price。例如：

He bought the bikes **at a low price**. 他低价买下了这些自行车。(不用 for)

He sold the car **at a good price**. 他的汽车卖了高价。(不用 for)

She did the work **for nothing**. 她做那个工作没得到报酬。(不用 at)

She sold the car **for/at 8,000 dollars**. 她的汽车卖了 8 000 美元。(可用 at)

She paid 8,000 dollars **for the car**. 她付了 8 000 美元买了这辆汽车。(不用 at)

▶▶ at 构成的惯用语：

at a run 跑步	**at a stretch** 一口气地	**at any rate** 无论如何
at a fast pace 快速	**at any price** 无论代价如何	**at a snail's pace** 缓慢地
at a sitting 一下子/一口气地	**at a foot's pace** 以步行速度	
at a dash 一鼓作气/一气呵成地	**at one stroke** 轻而易举/一蹴而就	

at the cost of 以……为代价/牺牲   **at intervals/at intervals of** 隔一会儿

at a discount 打折扣/有保留地/无销路   **at all costs/at any cost** 不惜任何代价/无论如何

at the expense of/at sb.'s expense 由……负担费用/使……受损失

He finished the work **at a dash**. 他一鼓作气完成了工作。

The books are **at a discount** there. 那里的书打折。

The bridge can't be built **at one stroke**. 这座桥不是一下子就能建成的。

He succeeded，but **at the expense of** others. 他成功了,却损害了别人。

2 by

　　by 用来表示度量单位或标准,意为"以……计,按……计算"。by 后表示计量单位的名词一般是单数,名词前要加 the;但表示计量单位的若是数词,也可用复数,这时不可加 the;另外, by retail(零售), by wholesale(批发), by auction(拍卖)等中的名词前不可加 the。例如:

　　Eggs are sold **by the dozen**. 鸡蛋论打卖。

　　Meat is sold **by the catty**. 肉论斤卖。

　　We are paid **by the month**，not **by the day**. 我们是按月付酬的,不是按天付。

　　These goods are sold **by retail** but those goods are sold **by wholesale**. 这些货物零售,但那些货物批发。（美式英语中说 at retail, at wholesale）

　　　　{ 这些货物以百计。
　　　　　The goods are counted **by the hundred**.
　　　　　The goods are counted **by hundreds**.

▶▶▶ by 还可表示数量、空间、时间等的相差。例如:

John is my junior **by four years**. 约翰比我小四岁。

He missed the target **by an inch**. 他一英寸之差未击中目标。

The pole is long **by three feet**. 这个杆子长三尺。

Today's temperature is below yesterday's **by two degrees**. 今天的气温比昨天的低 2℃。

3 than

　　than 表示可用作介词表示"比",可以说 than whom。例如:

　　Her house is bigger **than** mine. 她的房子比我的大。

　　He is a person **than whom** I think no one is more polite. 我觉得他这人比别人都更有礼貌。

▶▶▶ than 构成的惯用语:

no further than 不远于……   no/little less than 不少于

no less ... than 与……一样   no/little better than 简直是/完全是

less than/less ... than 少于/与其说……倒不如说   would sooner/rather ... than 宁愿……而不

　　【提示】注意下面的句子:

　　How **else** could she go **than** by bike? 除了骑自行车,她还能怎样去呢?

　　He is **no more** able to do it **than** I am. 他和我一样,也不能做这件事。

4 to

　　(1) to 表示比较常用在 senior, junior, inferior, superior, prior, anterior, posterior 等后;在 prefer...to...结构中,注意搭配的不同,如果 prefer 后接不定式,要把 to 改为 rather than。例如:

　　　　She came to see me **prior to** her departure. 她在动身前来看我。

　　　　Her release is **junior to** his by one year. 她比他提前一年被释放。

　　　　I **prefer** tea **to** coffee. 我喜欢茶胜过咖啡。（后皆为名词）

　　　　I **prefer** going out **to** staying at home. 我宁愿外出而不愿待在家里。（后皆为动名词）

　　　　I **prefer to** settle it at once **rather than** delay it until tomorrow. 我宁愿立即解决这件事,而不愿拖到明天。（后皆为不定式,注意,rather than 后不加 to）

　　(2) to 还可以表示"比,对比,(增加)到……,(减少)到……,配给"等。例如:

　　　　The interest rate has been reduced **to** 5%. 利率已减少至 5%。

Fifty *jin* of meat is packed **to** each box. 50 斤肉装一箱。

They won the game with the score of ten **to** seven. 他们以 10 比 7 赢了那场比赛。

The ratios of 5 **to** 10 and 50 **to** 100 are the same. 5 比 10 和 50 比 100 的比率是相同的。

▶▶▶ 在"A … to＋B as/what C … to D"结构中，to 表示"比喻，比较"。例如：

Parks are **to** the city what/as lungs are **to** the body. 公园对于城市犹如肺对于人一样。

Reading is **to** the mind what exercise is **to** the body. 读书之于心灵犹如锻炼之于身体。

【提示】to 所表示的"比，对比"，指的是"比率"，如要强调"比较"，要用 against 或 as against。另外，against 还有"相映，衬托"的含义。例如：

Flowers look more beautiful **against** green leaves. 在绿叶的映衬下，花儿显得格外美。

He was elected chairman by a majority of 100 votes **against** 50. 他以 100 票对 50 票当选为主席。

They won 20 gold medals this year **as against** 15 last year. 他们今年获得 20 枚金奖，去年获 15 枚。

5 above

表示比较时，above 指"(等级、职位)高于，(质量、价值)胜于、重于，(品质、行为)超越、胜过、不至于"等。例如：

A colonel is **above** a major. 上校(军衔)高于少校。

Health is **above** wealth. 健康比财富重要。

John is **above** meanness. 约翰决不吝啬。

The mayor is **above** taking bribery. 市长决不会受贿。

She is **above** him by one grade at college. 她在大学里高他一个年级。

Her good character is **above** suspicion. 她的好品行不容置疑。

The jewellery is **above** price. 这件珠宝价值连城。

Never get **above** yourself over your success. 切勿自视过高。

7. 表示特性、属性的介词

1 of

表示特性、属性时，of 有如下结构(参阅有关章节)：

名词＋of＋抽象名词或具体名词＝相应的形容词＋名词

be of＋抽象名词＝相应的形容词

of＋a/an＋名词→表示不同事物的共同特性

of＋a/an＋形容词＋名词→表示人或物的某种特性

a man **of** wealth＝a wealthy man 富人

a lady **of** virtue＝a virtuous lady 贤淑的女子

a girl **of** wisdom＝a wise girl 聪明的女孩

a woman **of** years＝an old woman 老太太

Your suggestion is **of value** to us. 你的建议对我们很有价值。(＝valuable)

The case is **of great importance**. 这件事非常重要。(＝very important)

Birds **of a feather** flock together. 物以类聚，鸟以群分。(羽毛相同，同类)

The machines are **of a kind**. 这些机器为同一类的。

He is a man **of an unyielding spirit**. 他是个顽强不屈的人。

【提示】

① 在 be of age/color/height/help/no use/length/size/shape/width/thickness 和"名词＋of＋the same age/that length …"结构中，of 常可省略。例如：

The two girls are (of) the same height. 这两个女孩同样高。

The spring leaves are (of) a deep green. 春天的树叶是深绿色的。

The book is (of) much help to me. 这本书对我帮助很大。

He bought two pairs of shoes (of) the same size. 他买了两双尺码相同的鞋。

Please give me a pole (of) that length. 请给我一个那样长的杆子。

② "of＋动名词/名词"和"of one's own＋动名词(偶尔用名词)"均可作表语，表示"具有"，指具有

某种性质、特点等。要注意的是,在"of＋动名词"结构中,动名词同句子主语构成主谓关系,而在"of one's own＋动名词"结构中,动名词同句中主语构成动宾关系。例如:

When three men are **of one heart**, earth can be changed into gold. 三人一条心,黄土变成金。(主谓关系)

Mark is **of different thinking**. 马克有不同的看法。(＝Mark thinks differently. 主谓关系)

The tool has proved **of great assistance**. 这件工具证明很有用。(主谓关系)

The garden is **of her own designing**. 花园是她自己设计的。(动宾关系)

The dictionary is **of her own compiling**. 这部词典是她自己编写的。(动宾关系)

Life is a web **of his own weaving**. 生活是他自己织就的。(动宾关系)

These vegetables are **of her own growing**. 这些蔬菜是她自己种的。(动宾关系)

Much of the disaster is **of man's own making**. 许多灾难是人类自己造成的。(＝Man makes much of his own disaster. 动宾关系)

▶▶▶ of 构成的惯用短语:

catch sight **of**	catch/get hold **of**	at the risk **of**	in want **of**
in view **of**	in support **of**	in search **of**	in fear **of**
in quest **of**	in aid **of**	in/the face **of**	in favor **of**
for lack/want **of**	catch a glimpse **of**	in honour **of**	in/within sight **of**
in witness **of**	in praise **of**	in/the hope **of**	in anticipation **of**
in explanation **of**	at the sight **of**	at the mention **of**	in defiance **of**
in appreciation **of**	in receipt **of** 收到(作表语)	on receipt **of** 一收到(作状语)	

I am **in receipt of** your payment. 我收到了你的付款。

The crops died **for lack** of water. 庄稼因缺水而枯死了。

The men left for the west **in search of** gold. 男人们到西部淘金去了。

He could stand **in witness of** what had happened. 他能够为发生的事作证。

They went their own way **in disregard of** our warnings. 他们不顾我们的警告而一意孤行。

2 with

表示特性、属性时,with 后通常接具体名词,偶尔也可接抽象名词,表示人或事物的具体形状、特征。例如:

It is a dictionary **with** a blue cover. 这是一本蓝色封面的词典。

He bought a coat **with** two pockets. 他买了一件有两只口袋的外衣。

We are building socialism **with** Chinese characteristics. 我们正在建设有中国特色的社会主义。

比较:

我身边没带钱。

I have no money of me. [×]

I have no money **with** me. [√](表示"随身携带"用 with 或 on,不用 of)

8. 表示感觉、感情活动、感情状态的介词

1 about 指感情、感受时涉及具体的人或物

She's so worried **about** her exams. 她很担心自己的考试。

He seems to be pleased **about** the results. 看来他对结果很满意。

You needn't worry **about** your weight. 你不必担心体重。

Helen is anxious **about** travelling on her own. 海伦为自己一个人出去旅行感到担心。

Sam was really disappointed **about** not being able to go. 萨姆对自己去不了着实感到失望。

He is sick **about** failing the test. 他因考试不及格而难过。

They were bitter **about** losing their jobs. 他们为失去工作而愤愤不平。

The parents are angry **about** the decision to close the school. 家长们对关闭学校的决定很气愤。

The little boy is curious **about** the world around. 这个小男孩对周围的世界感到好奇。

Antony has never been particularly concerned **about** what other people think of him. 安东尼对别

人如何看待自己从来不太在意。

2 at 指短暂地感受事物或短暂地处于某种情绪,也可表示某种感受状态

Don't be sore **at** me. 别生我的气。

You may come or go **at** pleasure. 你来去随意。

I was annoyed **at** his carelessness. 我对他的粗心很恼火。

We were amused **at** the joke. 我们听到这个笑话很逗乐。

He grew angry **at** her words. 他听了她的话立刻就动怒了。

She was glad **at** the news. 这个消息让她高兴。

I'm deeply grieved **at** the sad news. 我听到这一噩耗极为悲痛。

He is delighted **at** her success. 他为她的成功而感到欣慰。

He was totally confused **at** his error. 他出了错,根本不知道怎么办才好。

I am quite **at** a loss what to do next. 我全然不知下一步该怎么做。

She felt puzzled **at** his explanation. 对他的解释她感到困惑。

We were shocked **at** their terrible working conditions. 看到他们如此恶劣的工作条件,我们大为吃惊。

They became anxious **at** the sudden change of weather. 天气突然变化,使他们立刻焦虑起来。

The job was new to him and for several days he was **at** sea. 对他来讲,这是一个新的工作,有好些天他都不知所措。

He was enchanted **at** the beautiful scenery. 他一看见那美丽的风景就被迷住了。

She was a little upset **at** his words. 听到他的话她有些不安。

3 for 指让人动感情、产生感受的人或物,带有一定的方向性,也表示间接的原因

I am glad **for** them both. 我为他们俩高兴。

He feared **for** the future. 他对未来的事感到担心。

My heart bleeds **for** him. 我为他痛心。

He is ambitious **for** fame. 他渴望成名。

The man is greedy **for** power. 那个人是个官迷。

He is thirsty **for** knowledge. 他渴望知识。

A mother's love **for** her child is great. 母爱是伟大的。

He shares your enthusiasm **for** painting. 他同你一样爱好绘画。

Bart felt a great affection **for** the old man. 巴特对这位老人有很深的感情。

She's still grieving **for** her dead husband. 她仍然为去世的丈夫悲伤。

Young people are·anxious **for** excitement and adventure. 年轻人渴望刺激和冒险。

I have the greatest respect **for** his judgment. 我非常钦佩他的眼光。

Ian longs **for** some excitement,something new. 伊恩渴望刺激,渴望新鲜。

She was angry with him **for** not having done anything. 她气他什么也不做。

I have a lot of sympathy **for** her; she brought up the children on her own. 我非常同情她,她是一个人把孩子们抚养成人的。

4 in 表示沉浸在某种情感、感受中

She looked at me **in** horror. 她惊恐地看着我。

She shook her head **in** disbelief. 她不相信地摇着头。

He withdrew **in** indignation. 他气愤地退了出来。

The boy cried out **in** distress. 那男孩痛苦地哭喊着。

Don't waste time **in** useless regrets. 不要在无用的悔恨中浪费时间。

The whole family was **in** grief at his death. 他的死使全家人都沉浸在悲痛之中。

His father hardly ever shouted at him **in** anger. 他父亲几乎从不怒气冲冲地对他喊叫。

The child looks as though it is **in** pain. 这孩子看样子很痛苦。

I'm not really interested **in** pop music. 我对流行音乐不太感兴趣。

She waited **in** anxiety for his return. 她焦急地等待着他的归来。

He lay awake all night **in** torment. 他一整夜都没有睡着,在痛苦中煎熬。

The kids rushed down to the beach, shrieking **in** delight. 孩子们高兴地尖叫着冲向沙滩。

I'm disappointed **in** you! How could you have lied like that? 你真让我失望! 你怎么能那样撒谎呢?

⑤ of 表示感情、感觉的直接原因、对象

She was ashamed **of** having lied to her father. 她为自己对父亲撒谎感到很内疚。

We are fully aware **of** the gravity of the situation. 我们充分意识到了形势的严重性。

He was sensible **of** the trouble he had caused. 他意识到了自己造成的麻烦。

She was conscious **of** her shortcomings. 她知道自己的弱点。

He was doubtful **of** her good intentions. 他怀疑她是否真怀好意。

Her colleagues were envious **of** her success. 同事们都羡慕她的成功。

We'll be glad **of** your company. 我们很高兴有你做伴。

I'm really sick **of** housework. 我对家务活厌倦透了。

He was disappointed **of** promotion. 他对晋升已不抱希望。

She died **of** love. 她因爱情而死。

⑥ to 表示使人感到或陷入某种感情、感受

Much **to** my surprise, they offered me the job. 使我非常惊奇的是,他们把那份工作给了我。

To Beth's great joy, she was awarded first prize. 贝思得了一等奖,这使她非常高兴。

To her great disappointment, it rained on the day of the picnic. 使她大为失望的是,野餐那天下起了雨。

Then **to** our delight, the moon appeared from behind the clouds, round and bright. 使我们快慰的是,月亮从云层后面出来了,又圆又亮。

Much **to** my regret, I will be unable to attend your wedding. 非常遗憾,我不能参加你的婚礼。

To my deep indignation, I found him a liar. 让我很气愤的是,我发现他撒谎。

I learned **to** my sorrow that her health was deteriorating. 使我非常伤心的是,她的健康状况在不断恶化。

⑦ with 表示带着某种感情、感受,由于某种感情、感受,也指感情、感受所及的直接对象

He was trembling **with** fear. 他吓得发抖。

The little girl jumped **with** joy. 这个女孩高兴得跳了起来。

She was speechless **with** indignation. 他气得说不出话来。

She was beside herself **with** grief. 她悲痛欲绝。

She was shivering **with** cold. 她冷得颤抖。

I was hoarse **with** cheering. 我欢呼得声音嘶哑了。

He was thrilled **with** horror. 他感到恐怖。

She went purple **with** rage. 她气得脸色发紫。

I'm perfectly satisfied **with** your arrangements. 我对你的安排十分满意。

He said goodby **with** great regret. 他非常难过地告别了。

Jack was trembling **with** anxiety. 杰克由于焦躁不安而发抖。

She tormented herself **with** jealousy. 她由于嫉妒而折磨自己。

The man is distressed **with** debts. 那人为债务而苦恼。

She was angry **with** him for having broken his promise. 她因他违背诺言而生他的气。

She was delighted **with** the house in every way. 她对这所房子各方面都满意。

I have to say we're disappointed **with** your work. 我不得不说,你的工作让我们很失望。

9. 引出间接宾语的介词

在一个句子中,如果间接宾语置于直接宾语之后,则须在间接宾语前加上 to, for 等介词。

① 用 to 引出间接宾语的动词

这类动词一般表示"给予(give),传达(communicate)"的含义,常用的有:bring, throw, award, accord，pay，lend，teach，read，tell，show，return，write，promise，send，give，pass，hand，suggest，relate，whisper，submit，point out，mutter，shout，mention，say，introduce，repeat，express，dedicate，explain，disclose，announce，dictate，communicate，describe，demonstrate，assign，grant，leave，sell，allow，deny，recommend，telephone，quote，cable，cause，refuse等。例如：

The teacher **dictated** a short poem **to** the class. 老师给全班口述了一首短诗。

She **allowed** one apple **to** each boy. 她分给每个男孩一个苹果。

The ruler **denied** the right **to** the people. 统治者剥夺了人民的权利。

他递给她一杯咖啡。
He **offered her** a glass of beer.
He **offered** a glass of beer **to** her.

他们热烈欢迎客人们。
They **accorded the guests** a warm welcome.
They **accorded** a warm welcome **to** the guests.

【提示】wish, owe 等一般不用 to 引出间接宾语。例如：

I owe **her** a lot of money. 我欠她很多钱。（一般不说 owe a lot of money to her）

He wished **you** a happy marriage. 我祝你婚姻幸福。（一般不说 wish a happy marriage to you）

2 用 for 引出间接宾语的动词

这类动词一般表示"为，替"的含义，常用的有：make，order，find，spare，save，play，sing，paint，fetch，buy，do，cook，get，build，fix，keep，choose，reserve，book，call，cash，catch，change，cut，prepare，reach 等。例如：

你帮她个忙好吗？
Will you **do her** a favor?
Will you **do** a favor **for** her?

她为他订购了一个蛋糕。
She **ordered him** a cake.
She **ordered** a cake **for** him.

【提示】

① 有些动词如 fetch，sell，save，bring，get，leave，sing，do，read 等的间接宾语，可用 to 或 for 引出，但含义往往不同。比较：

Fetch the book **to** me. 请把那本书拿给我。
Fetch the book **for** me. 请替我去拿那本书。

He sold all the pictures **to** me. 他把画全卖给了我。
He sold all the pictures **for** me. 他为了我（的缘故）把画全卖了。

She left 5,000 dollars **for** him. 她为他留下 5 000 美元。（暂时外出，为他留下）
She left 5,000 dollars **to** him. 她为他遗留下 5 000 美元。（死后，为……留下……遗产）

② 有些间接宾语须由别的介词引出。例如：

Class A plays a game of chess **with** Class B. A 班同 B 班进行了一场棋赛。

Don't play tricks **on** the children. 不要捉弄孩子们。

She asked a question **of** the teacher. 她向老师问了一个问题。

I bear no grudge **against** anybody. 我对谁都没有怨恨。

He struck a heavy blow **at/against** the door. 他朝门上狠狠地击了一拳。

比较：

我们把房间彻底打扫了一下。
We **gave** the rooms **a thorough cleaning.** [✓]
We gave a thorough cleaning to the rooms. （不妥）（指物的名词一般不用 to 引出作间接宾语）

他给坐在树下的男孩子们讲了一个故事。
He **told** a story **to** the boys sitting under a tree. [✓]
He told the boys sitting under a tree a story. （不妥）（间接宾语比直接宾语长时不可置于直接宾语前）

③ dictate，disclose，express，explain，point out，attribute，describe 等动词的间接宾语，不论置

于直接宾语前还是置于直接宾语后,均须由 to 引出,且不可用其他介词。例如:

他向他们透露了一个秘密。
He disclosed them a secret. [×]
He disclosed **to them** a secret. [√]
He disclosed a secret **to them**. [√]

他把成功归功于她的关心和帮助。
He attributed his success her care and help. [×]
He attributed **to her care and help** his success. [√]
He attributed his success **to her care and help**. [√]

10. 表示进行意义的介词

介词 at, in, on, under 等可与一些名词(多为动作名词)搭配,表示正在进行的意义,或表示处于某种状态、活动之中,大都相当于进行时态所表示的动作。

1 at+名词

at table 在吃饭	**at** issue 在讨论中	**at** press 在排印中
at work 在工作中	**at** play (儿童)在玩耍	**at** war 在交战中

The cows are **at grass**. 母牛在吃草。(are eating grass)
The field is **at flood**. 田地被水淹了。(being flooded)
The book is **at press**. 书正在印刷。(being printed)

2 in (the)+名词(+of)

in dispute 在争议中	**in** bloom 开着花	**in** play 在转动
in pursuit (of) 在追赶	**in** motion 在运动	**in** use 在使用中
in the act of …在……过程中	**in** (the) process of 在……过程中	**in** (the) course of 在……过程中

The flowers are **in full bloom**. 花儿正盛开着。(are fully blooming)
The car is **in full play**. 车子正高速行驶。(running at full speed)
He was caught **in the act of** stealing. 他在行窃时被抓个正着。

3 on (the)+名词

on service 在服役	**on** holiday 在度假	**on** tour 在度假
on fire 着火	**on** leave 在休假	**on** strike 罢工
on vacation 在度假	**on** show 在展出	**on** sale 在售
on display 在展出	**on** trial 在受审	**on** duty 在值班
on guard 在站岗	**on** call 待命	**on** parade 游行
on the run 在奔跑	**on** the wing 飞翔/传播	**on** the increase 在增长
on the decrease 在减少	**on** the decline 在衰退	**on** the ebb 在退落
on the mend 在好转	**on** the air 在播送	**on** the fly 在飞行
on the carpet 在审议	**on** the anvil 在讨论	**on** the stocks 在建造
on the move 在活动	**on** the watch 提防着	**on** the look-out 留神
on the go 四处奔走	**on** the turn 在转变	**on** the alert 警觉
on the rise 在上涨		

Spring is **on the wane**. 春意阑珊。
The soldiers were **on the run**. 士兵们在跑着。
The country's economy is **on the decline**. 该国的经济在衰退。
The hunter is **on the track of** a tiger. 猎人正追着一只老虎。
The kettle was **on the boil**. 壶里的水正沸腾着。(=The water in the kettle was boiling.)

4 under+名词

under use 在使用中	**under** test 处于试验阶段	**under** development 发展中
under construction 在建设中	**under** repair 修理中	**under** consideration 在考虑中
under observation 在观察中	**under** way 在进行中/在开往	**under** discussion 中讨论中

under attack 受到攻击　　　　under examination在检查中　　　under treatment 治疗中

under review 在检查中　　　　under deliberation 在考虑之中　　under arms 在备战

The phenomenon is **under observation**. 这种现象正在观察中。

The boat is **under way** for the island. 小船正驶往那座岛。

七、介词和介词短语的惯用法难点

1. 一些用法剖析

1 besides, except (that), except for, excepting, but/ but for/ but that, apart from, save, barring

(1) besides 表示"除了……还有"(＝in addition to)。例如：

Besides Li Ming, there are many other students attending the meeting. 除了李明,还有许多别的学生参加了会议。

(2) except 表示"除去,不包括",强调所排除的"不包括在内",一般表示同类之间的关系,常同 nothing, all, none, nobody, any 等不定代词以及 every 连用。例如：

They all went there **except** Mark. 除了马克,他们都去那里了。(马克没去)

He goes to work every day **except** Sunday. 除了星期天,他每天都上班。(星期天不上班)

She saw nothing **except** snow. 她目之所及,皆是茫茫白雪。(nothing except＝nothing but＝only)

▶▶▶ except 经常接名词或代词,但也可接副词、介词短语、不带 to 的不定式或从句等。例如：

She looked everywhere **except here**. 除了这里,她哪儿都找了。

You may drop in at any time **except at noon**. 除了中午外,你可以在任何时间来坐坐。

He had no time for relaxation **except during the holiday**. 除假期外,他没有放松的时间。

He is a capable man **except** that he has not enough experience. 他很能干,只是经验不足。

He has done everything you wanted **except water the flowers**. 除了没浇花外,其他你要求的他都做了。

【提示】besides 含有肯定意味,应与 a few, a little 连用；except 含有否定意味,应与 few, little 连用。比较：

> She has **few** friends **except** you. 除你之外,她没有别的朋友。(她唯一的朋友)
> She has **a few** friends **besides** you. 除你之外,她还有几个朋友。(她朋友中的一个)

(3) except for 也表示"除……以外",指对某种基本情况进行具体的细节方面的修正。它同 except的区别是：except for 后所接的词同句子中的整体词(主语)不是同类的,指从整体中除去一个细节、一个方面；而 except 后所接的词同整体词(主语)一般是同类的,指在同类的整体中除去一个部分。例如：

The coat is ready **except for** the buttons. 上衣全做好了,只差扣子没缝。

This will do **except for** the width. 这很好,只是宽了点。

Your writing is good **except for** a few grammar mistakes. 除了几处语法错误外,你的作文写得很好。(作文同错误不是同类物)

The road was empty **except for** a few cars. 除了几辆汽车外,路上空荡荡的。(路和车辆不同类)

The room is in good condition **except for** a few dirty spots on the wall. 除了墙上有几处污渍外,房间状况很好。(room 和 spots 不同类)

There was silence, **except for** the singing of birds. 除了鸟鸣外,一片寂静。(silence 和 singing 不同类)

比较：

> They looked for it everywhere **except** in the kitchen. 他们到处都找了,除了厨房里没找。(everywhere 和 in the kitchen 均属地点,是同类词,故用 except)
> The book is well-written **except for** the poor printing. 这本书写得很好,只是印得不怎么样。(book 和 printing 不是同类词,故用 except for)

【提示】

① except for 有时表示"除去为了"。例如：

He didn't give her money **except for** books. 除了买书的钱外,他不给她别的钱。

② except for 也可代替 except,在句首只能用 except for。例如：

　除约翰外,我们都将参加学校运动会。

　We shall all take part in the school sports **except**（for）John.

　Except for John,we shall all take part in the school sports.

（4）excepting 和 except 同义,但 excepting 多用在句首,还可同 no,without,always 等词连用,except 则不可。excepting 后一般只用名词或代词。例如：

She answered all the questions **excepting** the last one. 她回答了所有的问题,最后一个除外。

Dogs are not allowed here,**always excepting** guide dogs. 狗不得入内,但是导盲犬例外。

We all may make mistakes,**without excepting** the saint. 我们都会犯错误,圣人也不例外。

The family like to take a walk in the evening,**always excepting** the handicapped Mary. 这家人喜欢在晚间散步,可残疾的玛丽总是不去。

▶▶▶ 下面三句中的 not excepting 和 without excepting 常可换用：

　Everyone has to observe the rules,**not excepting** the principle. 我们都得遵守规章,校长也不例外。

　We all passed the exam,**without excepting** the worst students. 我们都通过了考试,包括最差的学生。

　Everyone,**not excepting** myself,must share the blame. 人人都得承担责任,我也不例外。

（5）but for 和 except for。but for 同虚拟语气连用,except for 一般同陈述语气连用,但有时也同虚拟语气连用,相当于 but for,if it were not for。例如：

But for the sun,nothing **could** live on the earth. 若是没有太阳,地球上就不会有任何生物。

Your paper **is** all right **except for** a few misprints. 你的论文很好,只是有几处印刷错误。

But for these exceptions the meeting **would** have been finished an hour ago. 要不是几次中断,会议一个小时前就开完了。

She **would have left** her husband years ago **except for** the children. 要不是为了孩子,她几年前就会离开她丈夫了。

Except for you,he **would be** dead by now. 要不是你的话,他现在早不在人世了。

　But for the bad weather we should have had a pleasant journey. 要不是天气不好,我们的旅程会很愉快的。

　Except for the rain,we had a pleasant journey. 除了天气不好外,我们的旅程很愉快。

（6）but that 和 except that 后的从句一律用陈述语气,其前的主句用陈述语气,但也时也用虚拟语气,这时,可以看成是主句后的条件从句表达了隐含条件(参阅有关章节)。例如：

I **know** nothing about her **except that** she sometimes **walks** by the lake at dusk. 我对她的情况知道的不多,只是知道她有时候黄昏时分在湖边散步。

I **would do** it right now except that I **am** too busy. 要不是太忙的话,我会马上做这件事的。（＝if I were not very busy）

I **would have arrived** earlier **except that** it **rained** hard. 要不是下大雨的话,我会早些到的。（＝if it hadn't rained hard）

（7）but 也可表示"除……外",用法同 except 基本相同(除外的不算在内,其余都或都不)。but 和 except 后都可以跟动词不定式作宾语。但要注意的是,如果谓语动词是 do,but 后所接的动词不定式不带 to,否则 to 不可省。例如：

There was no one there **but** Jim. 当时只有吉姆在那里。

All **but** the captain was rescued. 除船长外,大家都获救了。

She bought everything **but** wine. 她除了酒什么都买了。

What can she do **but** go? 她除了走还能做什么呢？

He had no choice **but/except** obey. 他只能服从。

Tom did nothing **but** play. 汤姆只是玩。

No one **but** he/him understood her words. 除他外谁也听不懂她的话。

He could do nothing **but/except tell her the truth**. 他只有把事实真相告诉她。

They had no choice **but/except to delay their trip**. 他们别无选择，只得推迟旅行。

比较：

John **did** nothing **but/except wait** in the room. 约翰只是在房间里等。（did 为主要谓语动词）

Nothing **remained** for her to do，**but/except to clean** the dishes. 除了洗盘子外，没有什么留待她做了。（句中 do 不是主要谓语动词，主要谓语动词是 remained，故须用 but/except to）

▶▶ but 通常与 all，every，everybody，anywhere，no，nobody，nothing，who，what，where 等意义确定的、绝对的不定代词或疑问代词等连用，但不可同 some 或 many 等意义不确定的词连用，可以说 all but him，但不可以说 some but him 或 many but him。下面三句意思相同：

They go to school every day $\left\{\begin{array}{l}\text{but Sunday. 除了星期天外，他们每天上学。}\\ \text{except Sunday.}\\ \text{save Sunday.（极正式文体中）}\end{array}\right.$

▶▶ 但：The park is never opened to the public **except/save** on holidays. 这个公园只是在节假日才向公众开放。（本句中不可用 but，因为句中没有上述代词）

【提示】

① but 和 except 作介词时不可用于句首，而 except for 和 excepting 则可以。例如：

$\left\{\begin{array}{l}\text{除了约翰外，我们都赞同。}\\ \text{But John, we all agreed.}\ [\times]\\ \text{We all agreed but John.}\ [\checkmark]\\ \textbf{Except for}\ \text{John, we all agreed.}\ [\checkmark]\end{array}\right.$

② but 后可跟代词、名词、形容词、数词、介词短语等。例如：

She's anything **but** considerate. 她根本就不体贴。

The car is anything **but** slow. 这辆车一点也不慢。

He looks anything **but** well. 他气色很不好。

He is anything **but** a scholar. 他根本算不上学者。

Put it anywhere **but** on the floor. 把它放在哪里都可以，但不要放在地板上。

I know them all **but** two. 他们中除了两人外，其他的我都认识。

There was no direct route **but** through the center of the town. 除了穿过市中心外，没有别的直路。

③ "but ＋人称代词"后紧跟谓语时，人称代词多用主格，否则多用宾格。比较：

$\left\{\begin{array}{l}\text{只有她对这项建议感兴趣。}\\ \text{No one }\textbf{but she}\text{ showed interest in the proposal.}\\ \text{No one showed interest in the proposal }\textbf{but her.}\end{array}\right.$

(8) apart from 意为"除……外"，它既可以表示 besides 的意思，也可以表示 except 或 except for 的意思。例如：

Apart from a flat tyre, he had faulty brakes. 他的车不但漏气，而且刹车也有毛病。

He has done good work, **apart from** a few slight faults. 除了一些微小的欠缺之外，他的工作做得很好。（＝except for）

The orphan had no one to take care of him **apart from** his uncle. 除了叔叔之外，那个孤儿没有人照顾。（＝except）

Apart from the occasional visit, what does Alan do for his kids? 阿伦除了偶尔去探望一下，还为孩子们做些什么呢？

There were three others present at the meeting **apart from** Mr. Jackson. 除了杰克逊先生外，还有另外三个人参加了会议。（＝besides）

(9) save 表示"除……外"，save for 相当于 except for，bar 和 barring 表示"除……外，除非"，均

为较陈旧用语。例如:

He answered all the questions **save** one. 除了一个问题外,他回答了所有问题。

The whole class **save** Jack arrived on time. 全班除杰克外,都按时到达了。

She had failed in everything **save** grammar. 除了语法外,她各门课都不及格。

Barring a delay, the train will arrive at 5:30. 除非晚点,火车将在5点半到达。

The stage was empty **save for** a few pieces of furniture. 舞台上空荡荡的,只有几件家具。

The street was deserted **save for/except for** a few cars. 街上没有行人,只有几辆汽车驰过。

I agree with you, **save** that you've got one or two details wrong. 我同意你的看法,除了一两处你弄错的细节外。

No work's been done in the office today, **bar** a little typing. 除了打点字,今天在办公室里没做什么事。

Are there any other letters for me, **barring** the one on my desk? 除了我书桌上的那封信外,还有我的信吗?

2 after all, in spite of, despite, for all, with all, regardless 和 notwithstanding

这是几个常用的表示让步的介词或短语介词,后面一般只能接词组,不能接句子。despite 本身就是表示让步的介词,但也可以说 in despite of 或 despite of,相当于 in spite of。regardless 后面必须有 of,notwithstanding 后不能有其他介词;for all one's … 和 with all one's … 意为 in spite of,这里的 all 有"全部,一切"的含义。例如:

Regardless of danger, he climbed the cliff. 他不顾危险,攀上了悬崖。

Notwithstanding the heavy snow, they still marched on. 他们冒着大雪前行。

After all our advice, he insisted on doing it. 尽管我们劝了他,他仍然坚持要做那件事。

They are determined to do so **regardless of** what the law says. 不管法律上有什么规定,他们决定这样做。

The train pulled out of the station as scheduled **in spite of** the heavy snow. 尽管天下大雪,火车还是按时开出了。

She delivered the speech **despite** her serious illness. 尽管她患重病,但仍然发表了演说。

For all his faults, he is still an honest and able man. 虽然他有缺点,但仍不失为一个正直而有能力的人。

He failed **with all** his intentions to win the support of the people. 尽管他用心良苦,想获得人民的支持,但最终还是失败了。

【提示】

① 表示"尽管"的 for all 后有时也可跟 that 从句,或省去 that,直接跟从句。例如:

He is really a kind-hearted man **for all** (that) he has a hot temper. 尽管他脾气不好,但他确是一个善良的人。

② for all one knows, for aught one knows, for anything one knows, for all anybody knows 中的 all 不是表示"尽管",而是相当于 as far as,指的是一种限度,意为"亦未可知",含有"并不确知,没有把握"的意思。例如:

It is true **for all I know**. 就我所知,这是真实的。(但是否真实,也难说)

For aught we know, the meeting will be delayed. 会议将要延期,也未可知。

For all anybody knew he still lived in the small mountain village. 人们可能都认为他仍然住在那个小山村里。(但并不确知)

③ for all I care 意为"我不在乎,与本人无关"。例如:

She may stay or leave **for all I care**. 她可以留下或离开,我才不管呢。

You may change your plan **for all he cares**. 你可以改变你的计划,他才不在乎呢。

3 a train for Nanjing 和 a train to Nanjing

for 只表示"向……目的地",没有到达之意。to 则表示"到达",有"到达……目的地"的意思。比较:

There will be **a train for Nanjing**. 将有一列火车开往南京。(向南京开出的列车,仅说明向南京方向开的车,南京不一定为停靠站)

There will be **a train to Nanjing**. 将有一列朝南京方向开去的火车。(开到南京去的列车,南京为停靠站)

4 be married by 和 be married to

She was **married by her mother**. 她母亲将她嫁了出去。

She was **married to Professor Smith**. 她嫁给了史密斯教授。

▶▶▶ married by 中的 married 是及物动词,意为"使……结婚,把……嫁给",by her mother 为动作的执行者。married to 中的 married 是形容词,be married to 是惯用短语,意为"嫁给"。

5 by fire 和 with fire

The building was destroyed **by fire**. 房子被火烧毁了。

The building was destroyed **with fire**. 房子被人用火烧毁了。

▶▶▶ 第一句的意思是"被火烧毁",火为动作的执行者,故用 by。第二句的句意实际是:The building was destroyed by someone with fire. 意为房子被烧是有人放火的。fire 表示工具,故用 with。比较:

The park is surrounded **by trees**. 公园为树木所环绕。

The park is surrounded **with trees**. 公园被人用树木环绕起来。(by someone)

6 named after/ for one's uncle 和 named by one's uncle

The boy was named **after/for his uncle**. 那个男孩是以他叔叔的名字起名的。

The boy was named **by his uncle**. 那个男孩的名字是他叔叔起的。

▶▶▶ named after 中的 after 意为"仿照……样式,模仿……方式",美式英语常用 for 代替 after。named by 中的 by 表示动作的执行者。例如:The temple is built **after the model of Greece**. 这个寺院是依照希腊式样建造的。

7 by the pen 和 with a pen

He lives **by the pen**. 他靠笔耕/写作生活。

He marked a stroke **with a pen**. 他用钢笔划了一划。

▶▶▶ by the pen 具有抽象意义,表示笔墨生涯,写作为生。with a pen 中的 with 表示工具,pen 为普通名词,指具体的笔。

8 like one's father 和 as one's father

He talked to her **like her father**. 他像父亲一样跟她谈话。

He talked to her **as her father**. 他作为父亲跟她谈了话。

▶▶▶ like her father 意为 in the same way as her father,即:像一位父亲一样,但并非她父亲。as her father 则表示 in the capacity of her father,指以她父亲的身份,事实上也就是她的父亲。比较:

She died **as a hero**. 她作为英雄而死去。

She died **like a hero**. 她英雄般地死去了。

He acted **as a teacher**. 他当老师。(他本人是老师)

He acted **like a teacher**. 他的举止像个教师。(他本人不是老师)

She treated me **as an intimate friend**. 她待我如密友。(她是我的密友)

She treated me **like an intimate friend**. 她待我就像密友一样。(她不是我的密友)

They chatted **as old friends**. 他们老友相聚,闲聊着。(他们是老朋友)

They chatted **like old friends**. 他们闲聊着,就像老朋友一样。(他们不是老朋友)

【提示】

① 作介词,在"像,如同"这层意义上,as 和 like 在下面几种情况下可以换用:在同位语结构中,在 be dressed as/like 等类似的结构中,在系表结构中,在某些不及物动词后。例如:

The shock to her was one **as/like** that of a thunderbolt. 对她的打击犹如晴天霹雳。

He works hard **as/like** a bee. 他如蜜蜂般辛勤劳作。

He lived alone by the lake **as/like** a hermit. 他如隐士般独自住在湖边。

Some birds,**as/like** swans and swallows, migrate to the south in winter. 有些鸟,如天鹅和燕

子,冬天飞往南方。

② 但在下面的系表结构或固定搭配中,只可用 like,不能用 as。

It doesn't **look like** rain. 看上去不会下雨。(look like 为固定词组)

That's just **like** her. 她就是那样的人。(like 意为"符合……的特点")

What's he **like**? 他是怎样一个人?

You shouldn't do it **like that**. 你不应该那样做。(like that 为固定搭配)

He was scared **like anything**. 他吓得像什么似的。(like anything 为固定搭配,其他如 like devil,like hell 等)

③ as 作为介词表示"作为"时,不可用 like 替代。例如:

He worked **as** a door-keeper. 他当看门人。

She used the books **as** a pillow. 她用书当枕头。

④ as 用作连词、关系代词或副词时,不可用 like 替代;同样,like 用作动词、形容词、副词、名词时,也不可用 as 替代。例如:

Like attracts **like**. 物以类聚。

Boy **as** he was, he behaved like a girl. 他虽然是个男孩,行为举止像个女孩。

9 in the corner, on the corner 和 round the corner

There is a flower shop **on/at/round the corner of that street**. 那条街的拐角处有一个花店。

A tall tree stands **at the corner of the street**. 一棵高高的树立在街角上。

The war was over and peace was just **round the corner**. 战争结束了,和平在望。

He saw an old man sitting **in the corner of the room**. 他看见一位老人坐在房间的角落里。(房间的里面)

▶▶ in the corner 指室内的角落,on the corner 指街道的转角处,round the corner 意为"……即将来临,很快就要发生,在拐角周围"。比较:

商店就在拐角上。
{ The shop is situated **on the corner**. (多用于美式英语)
{ The shop is situated **at the corner**. (多用于英式英语)

【提示】on 和 in 均可用于海洋、海域名称前。用 on 时重在"表面"的观念,用 in 时重在"范围"的观念。例如:

那场战斗是在加勒比海进行的。
{ The battle was fought **on** the Caribbean Sea. (在海面上)
{ The battle was fought **in** the Caribbean Sea. (在海中)

10 someone to talk with 中的 with 不可省略

Can you find **someone to play chess with**? 你能找到下棋的人吗?

I'd like to have **someone to talk** with. 我想找人谈谈。

This is the best **flat to live in** for an old man. 对于一个老人来说,这是最好的公寓。

(1) 动词不定式作后置定语时,有时与被修饰的词有动宾关系。如果不定式为及物动词,则直接放在被修饰的词后面即可。例如:

I want to borrow **a novel to read**. 我想借一本小说看。

(2) 但是,如果不定式为不及物动词,则不能同其被修饰的词构成动宾关系,这时,就要在不定式的后面加一个适当的介词,构成及物性的不定式短语。有时候,动词虽是及物性的,但同被修饰词在逻辑上不构成动宾关系,也需要加上适当的介词,句子才能成立(参阅有关章节)。例如:

He is the man to rely **on**. 他是个可以依靠的人。

This is the chair for you to sit **on**. 这把椅子是给你坐的。

The paper is too flimsy to **write on**. 这纸写字容易划破。

The cloth is sufficient to make a dress **out of**. 这布足够做一件套裙的。

It was a lovely place she loved to write **about**. 这是她喜欢描写的地方。

He desires nothing but a quiet room to study **in**. 他别无所求,只想找间安静的房间学习。

This table is not meant for you to stand **on**. 这张桌子不是让你站的。

In the basement there were so many things to hide **among**. 地下室里堆放着许多可以藏身的杂物。

The police have found the gun that she was shot **with**. 警察找到了打死她的那支枪。

This is the pan that I boiled the milk **in**. 这就是我煮牛奶的锅。

They set up a monument to remember him **by**. 他们建起一座纪念碑来纪念他。

What was once more than a place to live looked hardly worth living **in**. 曾几何时,它曾经是天堂,曾经是乐园,看上去几乎不宜居住了。

I kept always too books in my pocket, one to read, one to write **in**. 我口袋里经常带着两本书,一本是读的,一本是写的。

He told her he would return to America and borrow enough money to get married **on**. 他告诉她他要回美国借足够的钱结婚。

I've marked on the order the time they should hand it in **by**. 我在订单上注明了他们把它送还的最后期限。

When you find it hard to go forward, you will take a step backward to recover the road you have come **along**. 不能往前走的时候,就要退几步,替自己找回已经走过的路。

(3) 在下面一句,不定式修饰的是 place, live 后不加介词。

It is our duty to make the world **a better place** for all animals **to live**. 我们有责任让我们的世界变得更加美好,让所有的动物都有安乐的家园。

11 to the east of 和 in the east of

in 表示方向时,有"在其中"的含义,即"在……境界之内";to 则表示"在其外"的含义,即"在……境界之外";on 表示"与……境界相接";at 表示"在……境界外",其结构是:

地点 + $\begin{cases} \text{be} \\ \text{lie} \\ \text{be situated} \\ \text{be located} \end{cases}$	+(距离)+ **in the** $\begin{cases} \text{east} \\ \text{west} \\ \text{south} \\ \text{north} \end{cases}$	+地点→在界内
地点 + $\begin{cases} \text{be} \\ \text{lie} \\ \text{be situated} \\ \text{be located} \end{cases}$	+(距离)+ **to the** $\begin{cases} \text{east} \\ \text{west} \\ \text{south} \\ \text{north} \end{cases}$	+地点→在界外
地点 + $\begin{cases} \text{face+地点} \\ \text{be bounded} \end{cases}$	+ **on the** + $\begin{cases} \text{east} \\ \text{west} \\ \text{south} \\ \text{north} \end{cases}$	→与……相接
地点 + be **at the** + $\begin{cases} \text{east} \\ \text{west} \\ \text{south} \\ \text{north} \end{cases}$	+of+地点→在边(界)外	

Japan lies **to the east of** China. 日本位于中国的东面。(指在中国的境外)

Japan lies **in the east of** Asia. 日本位于亚洲的东部。(指在亚洲境内)

China is boarded **on the north by** Russia. 中国北边与俄罗斯接壤。

Taiwan is **at the east of Fujian Province**. 台湾在福建省的东边。（指在省外）

China faces the Pacific **on the east**. 中国东临太平洋。（指中国东面边界与太平洋相接）

Sri Lanka is a country **at the south of India**. 斯里兰卡是印度南边的一个国家。（指印度境外）

The tower is located five miles **to the north of the village**. 那座塔位于村子北方五英里处。

比较：

朝鲜位于中国的东北方向。

North Korea is **on the northeast of** China.（用 on，强调靠近）

North Korea is **to the northeast of** China.（用 to，强调有距离）

她坐在他的右边。

She is sitting **on his right**.（用 on 表示靠得很近：在他的右边，并靠近他身旁）

She is sitting **to his right**.（用 to 表示有距离：在他的右边，但不在身旁）

日本在亚洲的东边。

Japan is **in** the east of Asia.（英）

Japan is **at** the east of Asia.（美）

12 既可以说 in Shanghai，也可以说 at Shanghai

(1) 上海是个大城市，一般应该说 in Shanghai。但是，如果把大城市仅仅看作地图上的一个点，就可以用 at，所谓赫赫名都视若微斑，而偏僻村舍自成方圆。例如：

When you are **at Rome**, do as Rome does. 入乡随俗。

I was **at Washington DC** a year ago. 一年前我在华盛顿。

The English king was crowned **at Paris**. 这位英国国王是在巴黎加冕的。

(2) 如果把一个建筑物或一组建筑物看作一个机关，就用 at，看作具体的建筑物，则用 in(参阅有关章节)。例如：

She studies **at Nanjing University**. 她在南京大学读书。

She lives **in Nanjing University**. 她住在南京大学。

比较：

他们坐在草地上。

They sat **on** the grass.（指草浅，坐在表面上）

They sat **in** the grass.（指草深，坐在草丛中）

(3) 如果到达地是行程计划所经的地点而只作短暂停留，则用 at；如果到达地是目的地或作长久住则用 in。例如：

The ship will touch **at Japan**. 这艘船将在日本靠一下岸。

They stopped first **at Shanghai**, then **at Tokyo** on their way to San Francisco. 他们在去旧金山的途中先在上海停留，后又转经东京。

After a stopover **at Beijing**, I arrived **in Shanghai**, and reunited with my family. 在北京停了一下，我就到达上海和家人团聚了。

Our plane will stop **at London** on its way to New York. 我们的飞机在去纽约途中将在伦敦停一下。

13 in accord with 和 in accordance with

in accord with 意为"与……一致/相符"，in accordance with 意为"遵照"，不可混淆。例如：

What he did is not in **accord with** what he said. 他言行不一。

They are required to do everything **in accordance with** the regulations. 他们被要求做任何事均按规定办。

14 according as 和 in proportion as 后接从句

according as 和 in proportion as 是复合连词，后接从句，意为"据，视……而定"，"依……的程度"，相当于 to the extent that。in proportion as 还表示"愈……愈"。例如：

She is happy or sad, **according as** she wins or loses. 她或喜或悲，视她赢或输而定。

According as Jim said, John got promoted last month. 据吉姆说，约翰上月被提拔了。

One gains skill **in proportion as** one practices. 练习得越多,就越熟练。

You may drink brandy or beer **according as** you prefer. 随你的喜好,你可以喝白兰地或啤酒。

The business will prosper **according as** it is well managed. 这事业的兴旺,将取决于它的优良管理。

One will reap **in proportion as** one sows. 有播种才有收获。

Men are happy **in proportion as** they are virtuous. 品德越高尚的人越幸福。

In proportion as a country grows in wealth,its people will live more happily. 国家愈富强,人民就愈幸福。

They will be praised or blamed **according as** their work is good or bad. 他们会受到表扬或责罚,依其工作好坏而定。

【提示】in proportion to 后跟名词,表示"按……的比例,和……比较起来,与……成正比"。例如:

The door is narrow **in proportion to** its height. 就其高度而言,这门太窄了。

Imports will be **in proportion to** exports. 进口将与出口成正比。

His pay is **in proportion to** his work. 他的报酬与其工作成正比。

The size of the furniture should be **in proportion to** the size of the room. 家具的大小应同房间的大小成比例。

15 open the door to her 和 open the door for her

两者因一介词之差,句义有所不同。比较:

He opened the door **to** her. 他给她开了门。(她敲了门或按了电铃,他来开门)

He opened the door **for** her. 他替她开了门。(她手里提着东西不能开门,他替她开门)

There is a poem **on** Page 90. 90 页上有一首诗。(在……页上)

Open the book **at** Page 90. 把书翻到第 90 页。(具体位置)

Turn the book **to** Page 90. (turn ... to 结构)

It is a lesson **to** him. 这对他是一个教训。(主观上认为,警告)

It is a lesson **for** me. 这对我是一个教训。(客观上感到,对己有益)

16 pleased with 和 pleased at

(1) with 表示的是状态,后接某人。at 表示动态,后接动名词或动作名词,相当于表示原因的不定式。例如:

I am quite **pleased with** the young man; he is very honest. 我很喜欢这个年轻人,他很诚实。

I am much **pleased at** your coming. 你来了我很高兴。(=to see...)

We are **pleased at** what you said. 你的话使我们很满意。(=to hear...)

比较:

She was **pleased at** the performance while watching it. 她观看表演时很愉快。(强调动作,露出十分高兴的神情)

She was **pleased with** the performance after watching it. 她观看表演后很愉快。(强调状态,感到高兴)

(2) 后接抽象名词时,用 at,with 均可。例如:

We are **pleased at/with** their victory. 我们为他们的成功而感到欣喜。

▶▶ 注意下面两句中的介词:

He was pleased **by** flattery. 别人的恭维他很受用。(被动语态)

I don't know what he is so pleased **about**. 我不知道他为什么事而欣喜。(某种不确定的东西,谓语为表语)

17 with hand 还是 with the hand

可以说 on hand, in hand, by hand, at hand, off hand, out of hand, from hand to hand,但不能说 with hand。同 with 连用时,需在 hand 前加 the 或其他限定词,如 write with the hand, work with one's hands 等。by hand 是惯用习语,hand 前不用限定词,意为"用手操作"(manually, using the hand or hands),以区别于其他方式操作。例如:

The letter was delivered **by hand**. 这封信是由人传交的。(不是通过邮局寄来的)

The paper was written out **by hand**. 这篇文章是手工抄写的。(不是打印的)

18 for some shirts 还是 for buying some shirts

(1) for 可以用来表示目的,但其宾语必须是名词,不能是动名词。例如:

> 她去店里买些衬衫。
> She went to the shop for buying some shirts. [×]
> She went to the shop **for** some shirts. [√]
> She went to the shop **to buy** some shirts. [√]

(2) for 表示"用于什么目的"(be used for)时,后面又可接动名词。例如:

A scale is used **for weighing** goods. 秤用于给货物称重量。

Is that cake **for eating** or just **for looking at**? 那个蛋糕是供吃的呢,还是供看的呢?

19 sing to perfection 和 sing to the violin

介词 to 可以表示程度,意为 to some extent; sing to perfection 意为"唱得极好",相当于 sing to the extent of perfection。例如:

She laughed **to** her heart's content. 她尽情地笑。

He was soaked **to** the skin. 他浑身湿透了。

The building is filled **to** capacity. 大楼里挤满了人。

I shall do it **to** the best of my ability. 我将竭尽全力而为。

The lecture bored him **to** death. 演讲使他厌烦死了。

▶▶▶ to 还可以表示方式,意为 accompanied by, according to 伴随/按照; sing to the violin 意为"在小提琴的伴奏下"。例如:

The girls were dancing **to** the music. 女孩子们伴着音乐起舞。

The party opened **to** the strains of *The Moonlight*. 晚会在《月光曲》的音乐声中开始。

The map is drawn **to** scale. 这幅地图是按比例绘制的。

20 a moral to the story——介词 to 的关联作用

to 可以表示某种关联、联系,意为"对于"。例如:

There is a moral **to** the story. 这个故事有其寓意。

There stands a monument **to** the heroes. 那边耸立着一座英雄纪念碑。

Where is the key **to** this lock? 这把锁的钥匙在哪里?

Can you find a match **to** him? 你能找到同他相匹敌的人吗?

They set up a statue **to** the martyr. 他们为那位烈士立了一尊雕像。

Hope is a stimulus **to** labor. 希望激发人们去勤奋工作。

▶▶▶ 其他如:index **to** the book 书的索引,sequel **to** the novel 小说的续篇,preface **to** the book 书的前言,successor **to** the king 国王的继承人,ambassador **to** a foreign country 驻外大使,等。

21 as follows 的用法

as follows 可视为 as what follows 的省略,意为"如下",常作表语。句中主语无论是单数还是复数,as follows 均不变。例如:

The address is **as follows**. 地址如下。

The article reads **as follows**. 这篇文章的内容如下。

The reasons are **as follows**. 理由如下。

【提示】the following 意为"下面,如下所述",常作主语。例如:

The following is her answer. 下面即是她的回答。

22 on the top of 和 at the top of

(1) 表示"在……的顶部"时,这两个短语意义基本相同,常可换用。只是 on the top of 强调"在……的上面"(on the very summit of),重在表面;而 at the top of 表示"在……的顶部"(somewhere near the top of),重在位置;另外,on the top of 中的 the 常可省去,但 at the top of 中的 the 不可省。例如:

She was standing **at the top of** the hill. 她站在小山的顶部。

There stood a flag **on the top of** the hill. 山顶上立着一面旗帜。

There is a tower **on (the) top of** the hill. 山上有座塔。

(2) 用作比喻意义时,两者不可换用。on the top of 可以表示"而且,除此之外"等,at the top of 可以表示"以……全速,以最高(成绩、声音等)"。例如:

He was running **at the top of** his speed. 他以最快的速度跑着。

She graduated **at the top of** her class. 她毕业时是班上成绩最优的学生。

He lost his job and **on top of** that his wife left him. 他失业了,而且他的妻子又离他而去。

She gave me a meal and **on top of** that, money for the journey. 她招待我吃饭,此外,还为我提供了旅行所需的钱。

John was **on top of** the world when he found out that he was enrolled at the college. 约翰得知自己被那所大学录取了,感到万分高兴。

▶▶ 但:The naughty boy is sitting **on the top of** the table. 那个调皮的男孩站在桌面上。(这个句子只能用 on the top of,因为表示的是"在……的平面上")

㉓ at a speed 和 with speed

speed 前可用 at,也可用 with,但有比较固定的搭配关系。比较:

at→**at** top speed, **at** (a) high speed, **at** full speed, **at** (a) low speed, **at** (an) ordinary speed, **at** a reasonable speed, **at** a safe speed

with→**with** speed, **with** great speed, **with** all speed, **with** breathless speed, **with** incredible speed, **with** all possible speed, **with** amazing speed

They are traveling **at a speed** of 150 miles an hour. 他们正以每小时 150 英里的速度行进。

She finished the job **with amazing speed**. 她以惊人的速度完成了工作。

㉔ born of a rich family 和 born to a rich family

比较:

她生于富贵之家。

She was **born of** a rich family. (强调出身富贵)

She was **born to** a rich family. (强调命中注定,生到一个富贵之家)

She was **born in** a rich family. (强调地点,也可以说 born into)

㉕ on the face 和 in the face

既可以说 slap sb. on the face,也可以说 slap sb. in the face。用 on 表示事物的表面相接触,指触到了脸部;用 in 表示在某个范围内,脸部像一个"框框",拳头就落在这个框框之中。例如:

触到上面
- pat the girl **on the head** 拍女孩的头
- hit the man **on the back** 打那个男人的背
- beat him **on the nose** 揍他的鼻子

在范围内
- strike him a blow **in the face** 在他的脸上打一拳
- beat him **in the chest** 击他的胸部

㉖ five days after his departure 还是 after five days of his departure

departure 为 depart 的名词形式,意为"离开,动身",是非延续性的行为,所以,不可说 after five days of his departure,因为 departure 不可能连续五天。"他离开五天之后"要说成 five days after his departure。同样,"他到达五天之后"要说 five days after his arrival,不可说 after five days of his arrival。但"等了五天之后"要说成 after five days of waiting,"休息了五天之后"要说成 after five days of rest,因为 waiting 和 rest 都是延续性的行为。

㉗ Where does he come from 中的 from 可否省略

(1) where 可以用作疑问副词、疑问代词或连接代词。用作疑问副词时,where 不可同 from 连用。例如:**Where** did he get the dictionary? 他从哪里弄到那部词典的?

(2) where 用作疑问代词或连接代词时,可以同 from 连用,from 也可以省去。但是 come from 短语中的 from 和 from where 结构中的 from 一般不可省。比较:

Where did he get the ticket（from）? 他从哪里弄到票的？（where 为疑问代词,作 from 的宾语,from 可省,但 from 省去后,where 便成为疑问副词了）

Where does he come **from**? 他是哪里人？（from 不可省）

That's **where** he got the ticket（from）. 那就是他弄到票的地方。（where 为连接代词,作 from 的宾语,from 可省）

That's **where** he comes **from**. 他就是那里人。（from 不可省）

This is the place **from where** the river branches out. 这就是河流分叉的地方。

【提示】在非正式语体中,where 还可以同 to、at 等介词连用,这种用法的 where 为疑问代词。例如:

Where is he going **to**? 他要去哪里？

Where did you stay **at** last night? 你昨天夜里待在哪里？

28 in a way 和 in the way

（1）in a way 可以表示:①在某种程度上,从某种意义上说（to some extent, to some degree）;②以某种方式（in a manner）;③担心,兴奋,正在生气或激动。例如:

They look alike **in a way**. 他们看起来有些相像。

He is **in a way** about his wife's illness. 他担心着妻子的病。

She spoke **in a way** that reminded him of his mother. 她说话的方式使他想起了母亲。

（2）in the way 可以表示:①妨碍,使人不便;②在途中,在路上;③在手头,在场。例如:

He always keeps a dictionary **in the way**. 他手头总是放着一本词典。

I shall go to the seaside tomorrow if there is nothing **in the way**. 如果没有什么事情妨碍的话,我明天将去海滨。

When you travel to the south, please drop in on her **in the way**. 你去南方旅行的时候,请在途中顺便看看她。

29 at one's age 和 of one's age

at one's age 意为"在某人的年龄上,在某人的年龄时",通常用作表语或状语;of one's age 意为"具有某人的年龄,同……年龄一样大",通常用作定语或表语。at one's age 中的 at 不可省略,而 of one's age 中的 of 则常可省略。例如:

When I was **at your age**, I lived in the countryside. 我像你这个年龄的时候,住在农村。（表语）

At your age you should know more. 你这么大应该知道得更多。（状语）

He has a daughter（of）**your age**. 他有一个女儿,年龄同你一样大。（定语,of 可省）

She is（of）**your age**. 她同你年龄一样大。（表语,of 可省）

【提示】表示"同……年龄一样大"还可用 of an age 或 of the same age 表示。例如:

这两个女孩年龄一样大。

The two girls are **of an age**. （of an age 中的 of 习惯上不省）

The two girls are **of the same age**. （of the same age 中的 of 可省）

【提示】

① 比较下面短语中 on(强调表面)和 at(强调位置)的不同含义:

on the side of the road 在路边上

at the side of the road 在路边

on the bottom of the sea 在海底的上面

at the bottom of the sea 在海的底部

② 有时 on 和 at 可以换用,意义上几乎没有区别;但有时则不可换用。例如:

在田边→**on/at** the edge of the field

在战争的边缘→**on/at** the edge of the war

They are still **on the edge of starvation**. 他们仍在饥饿的边缘上。（比喻说法,不可用 at）

③ on 仅指具体事物的表面,而 at 除表示位置外,还往往表示"有目的,有意识"做某事。例如:

There are some trees **on the river**. 河边上有些树。

The fishermen are **at the river**. 渔民们在河上(捕鱼)。

There is a piece of red paper **on the window**. 窗户上有一张红纸。

She is standing **at the window**. 她正站在窗边（远眺）。

There is a picture **on the door**. 门上有幅画。

He saw some servants standing **at the door**. 他看见一些服务员站在门口（等客人）。

There is nothing to be seen **on the sea**. 海面上什么也看不见。

The ship is **at the sea**. 船在海上（航行）。

㉚ on Sunday, on Sundays 和 on a Sunday

（1）on Sunday 和 on Sundays 均可表示"每逢星期日，每逢星期天"，常可换用。但有时候，on Sunday 可以表示过去或将来的一个星期日，而 on Sundays 则不可。例如：

He goes fishing **on Sunday/on Sundays**. 他每逢星期天去钓鱼。

He went fishing **on Sunday**. 他星期天去钓鱼了。（不用 on Sundays）

He will go fishing **on Sunday**. 他星期天将去钓鱼。（不用 on Sundays）

（2）on a Sunday 表示"在任何一个星期日"或"在某一个星期日"。例如：

He arrived **on a Sunday**. 他是在某一个星期天到达的。

It's a great pleasure to walk into the hills **on a Sunday**. 星期天步行到山里去很有乐趣。

【提示】of a Sunday 为口语体，稍古，相当于 on Sunday。on Sundays 在美式英语中也说成 Sundays。另外，Sunday 的有关用法也同样适用于其他周日。例如：

She goes downtown **of a Sunday**. 她星期天进城。

He stays at home **Sundays**. 他星期天待在家里。

He will leave **on Sunday**. 他将在星期天动身。

㉛ 既可以说 get on the bus, 也可以说 get into the bus

同一概念，美式英语和英式英语往往用不同的词表达，介词上的不同也是一个方面。例如：

我看见她上了公共汽车。

I saw her **get on the bus**. （美）

I saw her **get into the bus**. （英）

大约在 11 点钟开始下起雪来。

It began to snow **around eleven o'clock**. （美）

It began to snow **about eleven o'clock**. （英）

他在同母亲谈话。

He is **talking with** his mother. （美）

He is **talking to** his mother. （英）

他们好多年没来这里了。

They haven't been here **in years**. （美）

They haven't been here **for years**. （英）

她在家吗？

Is she **home**? （美）

Is she **at home**? （英）

▶▶▶ 其他如：

在周末

on the weekend（美）

at the weekend（英）

在学校

be **in** school（美）

be **at** school（英）

上飞机

come **on** a plane（美）

come **in** a plane（英）

与浪费所作的斗争

a fight **on** waste（美）

a fight **against** waste（英）

㉜ on the tree 和 in the tree

The apples **on the tree** are red. 树上的苹果红了。

I heard birds singing **in the tree**. 我听见鸟儿在树上鸣唱。

上面例句中 on the tree 表示苹果露于枝条外面，in the tree 表示鸟隐于枝叶里面。其他如：

She saw some young men rowing **on the lake**. 她看见一些年轻人在湖上划船。（水上划船用 on）

She saw some young men swimming **in the lake**. 她看见一些年轻人在湖里游泳。（水中游泳用 in）

There are some ducks **on the river**. 河里有一些鸭子。（身子在水面上）

He often goes swimming **in the river**. 他常去河里游泳。（身子浸在水中）

They saw some pine trees **on the hills**. 他们看见小山上有一些松树。（山的表面上）

They lost their way **in the hills**. 他们在山中迷了路。（在山中）

{There's some meat **on** the plate. 盘子里有一些肉。（在盘子之上）

{There's some meat **in** the dish. 碟中有一些肉。（在浅碟之中）

33 in part 和 in parts

  in part 意为"部分地，有些"，相当于 partly，to some extent；in parts 意为"分开地，分成几个部分"，相当于 separately。例如：

  You are **in part** right. 你部分正确。

  The moon-cake was cut **in parts**. 这只月饼被切成了几个部分。

34 in number 和 in numbers

  in number 意为"在数目上，总计"；in numbers 意为"许多(a lot)，分册/期"。例如：

  They have an advantage **in number**. 他们在人数上占优势。

  They are fifty **in number**. 他们总共 50 人。

  The dictionary comes out **in numbers**. 这部词典分册出版。

35 in place 和 in places

  in place 意为"在适当的位置上，适宜的"；in places 意为"到处，有几处"。例如：

  Her remark was not **in place**. 她的话说得不合适。

  The books are **in place** on the shelves. 书架上的书都放得井井有条。

  He saw meadows **in places** in the town. 他在这个小城里看到到处都是草地。

36 in one 和 in ones

  in one 意为"一身而兼……职，合为一体"；in ones 意为"一个接一个地"。例如：

  He is cook, gardener and chauffeur all **in one**. 他身兼三职，既是厨师、园丁，又是司机。

  People came into the cinema **in ones**. 人们一个接一个地走进电影院。

37 on high 和 high on

  on high 意为"在高处，在天空"(in the sky)；high on 意为"热心于，喜欢"(fond of)。例如：

  Some balloons are flying **on high**. 高空中飞着一些气球。

  He is **high on** classical music. 他非常喜欢古典音乐。

38 for all 和 all for

  for all 意为"尽管"；all for 意为"完全同意"。例如：

  For all his failures, he did not lose heart. 尽管他数次失败，但他并没有丧失信心。

  We are **all for** the suggestion. 我们都赞同这项建议。

39 in tune 和 tune in

  in tune 意为"(意见)一致，和睦，调子准确"；tune in 意为"收听(广播)，收看(电视)"。例如：

  He can't sing **in tune**. 他唱不准调子。

  She likes to **tune in** to Radio Beijing. 她喜欢收听北京电台的广播。

  All the family were **in tune** and nobody ever quarreled. 全家人都很和睦，没有人吵过架。

40 in cash 和 cash in

  in cash 意为"有现款，以现款(付)"；cash in 意为"兑成现款，赚到钱"。例如：

  Please pay **in cash**. 请用现款付。

  Which of you are **in cash**? 你们哪一个有现款？

  She **cashed in** the bonds. 她把债券兑换成了现款。

  It was a good chance, so he **cashed in**. 那是一个好机会，所以他赚了钱。

41 in drink 和 drink in

  in drink 意为"喝醉"；drink in 意为"吸收，欣赏，倾听"。例如：

  There is no doubt that he is **in drink**. 他毫无疑问是喝醉了。

  He was **drinking in** her words. 他在倾听她的话。

  The crops **drank in** the rain. 庄稼吸收雨水。

  She sat there **drinking in** the beauty of the woodland scene. 她坐在那里，欣赏着森林景色的秀美。

42 in trust 和 trust in

in trust 意为"代管，由人代管"；trust in 意为"相信，信赖"。例如：

The money was held by the bank **in trust** for her children. 这笔钱由银行为她的孩子代管。

He **trusted in** his friends to get him out of the difficulties. 他相信他的朋友们能使他摆脱困难。

43 on order 和 in order

on order 意为"订购，预订"；in order 意为"整齐，依次，按……顺序，情况正常，适当的"。例如：

The air conditioners are **on order** but they have not been delivered. 空调已订购，但尚未提货。

The books are not **in order**. 这些书很乱。

I shall call them **in order**. 我将依次叫他们。

The machine is **in good order**. 这台机器状态良好。

It is not **in order** to ask her to go there. 要她去那里是不适当的。

44 on sight 和 in sight

on sight 意为"一看见……就，只要……即（付）"；in sight 意为"被看见，看得见的，临近"。例如：

She can play music **on sight**. 她一看见乐谱就能演奏。

It is a draft payable **on sight**. 那是一张见票即付的汇票。

Success is **in sight**. 成功已经指日可待。

Land has come **in sight**. 看得见陆地了。

45 in spirit 和 in spirits

in spirit 意为"在精神上，在内心"；in spirits 意为"兴高采烈"，也说成 in high spirits。例如：

I am always with you **in spirit**. 精神上我永远同你在一起。

She is vexed **in spirit**. 她内心很苦恼。

He is always **in spirits**. 他总是兴高采烈的。

46 in a sense 和 in all senses

in a sense 意为"从某种意义上来讲，大致"；in all senses 意为"在任何意义上来说"。例如：

What he said is **in a sense** true. 他的话在某种意义上是对的。

It is important to practise economy **in all senses**. 从任何意义上讲，厉行节约都是重要的。

47 in a word, in word 和 in words

in a word 意为"简言之，总而言之"；in words 意为"表面，在口头上"；in word 意为"用语言"。例如：

In a word, he has tried his best. 总之，他已尽了最大努力。

She can't express her idea **in words**. 她难以用言语表达自己的思想。

He is a friend **in word** only. 他只不过是个表面上的朋友而已。

48 可以说 switch on the TV，但不可说 switch on the gas

switch on（打开）和 switch off（关上）仅用于电器用品，而不可用于表示"打开"或"关上"水龙头或煤气阀等非电器用品；而 turn on 和 turn off 既可用于电器用品，也可用于水龙头或煤气阀等非电器用品。比较：

switch on/off $\begin{cases} \text{the TV} \\ \text{the light} \\ \text{the radio} \end{cases}$ turn on/off $\begin{cases} \text{the gas} \\ \text{the water} \\ \text{the lid} \end{cases}$

turn on/off

▶▶▶ 比较下面介词的习惯用法：

get on 上/get off 下→the bus 公共汽车, the train 火车, the ship 船, the plane 飞机
get in 上/get out of 下→the canoe 独木舟, the car 小汽车, the taxi 出租车

▶▶▶ 可以说 get down from the plane，但一般不说 get down the plane；可以说 get into a taxi，但不说 get onto a taxi。

49 for the asking 的含义及用法

for the asking 表示"只要要求（就能得到）"，相当于 if one only asks。这里的 asking 为动名词，整个短语仅作状语，位于句尾，asking 也可以是其他动名词。例如：

You may have it **for the asking**. 你要就给你。

It's yours **for the asking**. 你要就是你的。

The catalog may be had **for the asking**. 目录函索即赠。

The teacher said her advice was free **for the asking**. 老师说她有问必答。

The gold is to be had **for the digging**. 只要挖掘就能得到黄金。

50 along with 和 together with

（1）along with 表示"配合，步调一致"，强调两者在作用上、性质上的密切关系。例如：

We must have a powerful army，and **along with** it a powerful navy and a powerful air force. 我们必须有支强大的陆军，同时还必须有强大的海军及强大的空军。

（2）together with 表示"一起"，只表示空间和时间上的联系。例如：

She，**together with** her mother，went to the party. 她同母亲一起参加了晚会。

2. 比较与鉴别——中国人学英语常见问题介词与介词短语

We'll be with you **at New Year**. 新年我们将和你一起过。（泛指节日、节气，用 at，如 at Christmas）
We'll be with you **on New Year's Day**. 元旦那天我们将和你在一起。（指节日那天或节日的上午、下午、晚上用 on，如 on the evening of Christmas Day）

At the end of the year there was a great deal to do. 年终时有许多事情要做。（表示年、月、周、日的开端用 at）
I hope everything will turn out all right **in the end**. 我希望最后一切都好。（表示一个过程的结束）

It seemed like a good idea **at that time**. 这在当时似乎是一个好主意。（at 指时间点）
He buried himself in his work **in all that time**. 那段时间，他埋头工作。（in 指时间段）

Patt's been **on holiday** for the last two weeks. 帕特两周来一直在休假。（on holiday 指时间较长的"度假"）
He'll go to Europe **in summer holiday**. 暑假他将去欧洲。

Rain fell **at intervals** throughout the night. 夜里一直在断断续续地下雨。（有间隔地，断断续续地）
We can get some drinks **in the interval**. 我们可以在幕间休息时喝点什么。（课间、剧场休息期间）

He only weighed three pounds **at birth**. 他出生时只有三磅重。
He was strangled **in birth**. 他一生下来就被扼死了。

This used to be a very pretty valley **at one time**. 这里曾经是一处非常美丽的山谷。
They didn't have computers **in his time**. 他那个时代没有电脑。

Saul entered Yale **at the age of** 15. 索尔 15 岁考上了耶鲁大学。（或 at 15 years of age）
He won the prize **in his sixth year** at school. 他上六年级时获了奖。
She became blind **in her old age**. 她晚年失明了。

His mother was a beauty **in her day**. 他母亲当年是个美人儿。
He left the village **on a raining day**. 他在一个雨天离开了那个村子。
Computer games are quite popular with children **at the present day**. 目前，电脑游戏很受孩子们的喜爱。

At night the temperature dropped below zero. 温度在夜间降至零度以下。
The baby woke up twice **in the night**. 婴儿夜里醒了两次。
They travelled **by night** and slept during the day. 他们夜间旅行，白天睡觉。
The meeting was held **on the night of April 5th**. 这个会议在 4 月 5 日夜里举行。
He left home **on a starless night**. 他是在一个没有星星的夜晚离开家的。

Hundreds of people working in the factory streamed out **at evening**. 夜幕降临，在这家工厂工作的数百人蜂拥而出。（强调时间的短暂，可以说 at evening, at morning）
They started off **in the evening**. 他们是在晚上动身的。
They started off **on the next evening**. 他们是在第二天晚上动身的。

He **ran at** his wife with a knife. 他拿着刀向他妻子扑来。（恶意）
He **ran to** his wife and kissed her. 他朝妻子跑过来吻她。（善意）

We **admire** him **for** his success. 我们钦佩他的成就。

We **admire at** his success.

He is patient **towards** others. 他对别人很有耐心。（patient towards/to/with 对……有耐心）

He is patient **of** hardships. 他忍受了艰难困苦。

We took a rest **in the shade**. 我们在树荫下休息了一会儿。（不能说 under the shade）

We took a rest **under the shade** of the tree. 我们在那棵树荫下休息了一会儿。

The man **grasped** the money and ran away. 那人抓了钱就逃跑了。

The man **grasped at** the money and was caught by the hand. 那人去抓钱时,手被抓住了。

The guests sat **at table**. 客人坐下吃饭。

The guests sat **at a table** talking and drinking coffee. 客人坐在桌旁,说着话,喝着咖啡。

The little boy **guessed at** a riddle. 那个小男孩在猜谜语。

The little boy **guessed** a riddle. 那个小男孩猜中了谜语。

He said nothing **about** the failure. 关于这次失败的详情他没说什么。

He said nothing **of** the failure. 对这次失败他没说什么。

They talked **about** buying a new house. 他们谈论要买一幢新房子。

They talked **of** buying a new house. 他们说起要买一幢新房子。

They talked **over** the question last night. 他们昨天夜里详细谈了这个问题。（详细,再三）

I know nothing **about** the book. 我不知道这本书的内容。

I know nothing **of** the book. 我不知道这本书。

A pear fell **on** the ground. 一个梨子落在地上了。（on 表示落下的位置）

A pear fell **to** the ground. 一个梨子落到了地上。（to 表示运动的方向）

The boy **caught** the ball with his left hand. 那男孩用左手抓住了球。

The boy **caught at** the ball. 那男孩想抓住球。（向……抓去）

I **differ from/with** her on the matter. 在那件事上我和她意见不同。（表示"和……意见不同",可用 from、with）

Gold **differs from** silver. 金子和银子不同。（表示"和……不一样",要用 from）

We are **at peace** with the neighboring countries. 我们与邻国友好相处。（at peace 和平地,无战争地）

I wish you'd leave me **in peace**. 我希望你不要打扰我。（in peace 安静地,不被打断地）

He **walked into** the house. 他走进房子。

He **walked in** the house. 他在房间里走着。

The clothes are **proper for** the occasion. 这衣服是适合这种场合的。（proper for 适合的,适当的）

The weather is **proper to** the south in early summer. 这天气是南方初夏所特有的。（proper to 特有的,固有的）

You may go or stay **at pleasure**. 是走是留,悉听尊便。（at 〈one's〉pleasure 随意,随某人的愿望）

"Will you come?" "**With pleasure**, madam." "你愿意来吗?""非常愿意,夫人。"（with pleasure 很乐意,愉快地）

He departed **for** Nanjing. 他到南京去了。

He departed **from** Nanjing. 他离开南京了。

She bought the computer **from** the store. 她从商店里买了那台计算机。

She bought the computer **of/from** her colleague. 她从同事那里买了一台计算机。（从某人买得某物,用 of 或 from）

He **got out of** the bus. 他从公交车里出来。

He **got off** the bus. 他从公交车上下来。

There is something of a scholar **about** her. 她看上去像个学者。（about 指外貌）

There is something of a scholar **in** her. 她有些学者的气质。

I shall **send** a doctor at once. 我将立即派医生去。

I shall **send for** a doctor at once. 我将立即派人请医生来。

She **sat up for** her husband. 她不睡,等着丈夫。

She **sat up with** her husband. 她没睡,陪着丈夫。

The boy trembled **for** fear. 这男孩吓得发抖。

The boy obeyed **from** fear. 这男孩因为害怕服从了。

The woman was **dressed in** white. 那妇女穿着白色衣服。(be dressed in 穿着)

The windows were **dressed with** pictures. 窗户是用画装饰的。(be dressed with 装饰)

He **fired at** the policeman. 他朝警察开枪。

He **fired on** the ship. 他朝那条船开枪。(船、城市、要塞等要用 on)

He **fired** his gun **at/on/upon** the enemy. 他朝敌人开枪。

The cloth is measured **by the inch**. 布是按英寸计算的。

The bus missed our car **by inches**. 公交车差一点撞着我们的车。(差一点)

The wounded soldier was moving along **by inches**. 受伤的战士缓慢地向前移动。(缓慢地)

She is taller than him **by an inch**. 她比他高一英寸。

He is reading a book **by** an explorer. 他在读一本一位探险家写的书。

He is reading a book **of** an explorer. 他在读一本关于一位探险家的书。(或:他在读一本一位探险家收藏的书。)

The bird disappeared **into** the woods. 那只鸟飞进树林,不见了。

The bird disappeared **in** the woods. 那只鸟在树林里不见了。

She was **delivered from** danger. 她摆脱了危险。

She was **delivered of** a child. 她生了一个小孩。

There is a tree **on/at the top** of the hill. 山顶上有一棵树。

Jim is **at the top** of the class. 吉姆是班上的优等生。

The car is running **at the top** of its speed. 汽车正以最快的速度行驶。

I feel **on top** of the world today. 我今天高兴极了。

I'm delighted **at** your success. 我为你的成就而感到高兴。(对象)

My sister is delighted **with** the award. 我妹妹因得奖而喜气洋洋。(对象)

I'm delighted **at** seeing her. 见到她我很高兴。(引起某种情绪的原因)

Sam got angry **with** Jack. 萨姆生杰克的气。(angry with sb.)

Sam got angry **at** losing the wallet. 钱包丢了,萨姆很是气恼。(angry at doing sth.)

Sam was angry **about** the decision. 萨姆对那个决定很是气愤。(angry about sth.)

The burglar got into the house **with ease**. 这盗贼轻而易举地就进入屋内。(轻易,毫不费力地)

He was **at ease** about the matter. 他对这件事很放心。(放松,自在)

I have informed them **by word of mouth**. 我已经口头通知他们了。

Tell us exactly what happened **in your own words**. 用你自己的话告诉我们到底发生了什么事。

Who was that you were **talking** to at the party? 晚会上与你说话的那一位是谁?

Bob was **talking with** a pretty woman from the English Department. 鲍勃正在同来自外语系的一位漂亮女士谈话。

He **talked on** the importance of laying a solid foundation. 他讲述了打下坚实基础的重要性。

We were just **talking of** the most exciting books that we have read recently. 我们刚才在谈论最近读到的最精彩的书。

He crossed the river **in a boat**. 他乘船过了河。

He was two days **on the boat**. 他在船上待了两天。

He went to the island **by boat**. 他乘船去了那个岛。

They were both **in the same boat**. 他们的处境相同。(不可用 on)

A bomb was placed **on the train**. 有人在火车上放了一枚炸弹。

She went to Shanghai **by train**. 她乘火车去了上海。

Hardly anyone enjoys sitting **in a train** for hours. 几乎没有人乐意在火车上坐好几个小时。

It was biting cold **in trains**. 火车车厢里极度寒冷。

The man is **blind in/of** one eye. 那人瞎了一只眼。

The man is **blind with** fury. 那人由于愤怒而丧失了理智。

The man seemed to be **blind to** the consequences of the decision. 那人似乎对这一决定的后果熟视无睹。

He is **deaf in/of** one ear. 他一只耳朵聋。

He is **deaf to** music. 他不懂音乐。

He is **deaf to** my advice. 他对我的建议充耳不闻。

I'd like to **think about** your suggestions before I give a definite answer. 我要考虑一下你的建议，才能给出明确的答复。

I can't **think of** living in a place which has no seasons. 我无法想象在一个没有季节的地方生活。

She has **thought** deeply **on** life and death. 她深入思考过有关生与死的问题。

She is going to **speak about** classical music. 她打算说一说古典音乐。

He **spoke of** the government's plans for the unemployed. 他说到了政府解决失业问题的计划。

He's been asked to **speak on** the future of education. 他被邀请作未来教育的报告。

Sally would like to **speak with** you for a minute. 萨莉想同你谈一会儿。

I think I **speak for** everyone here when I say I wish you all the best. 我向你表示最好的祝愿，我想我的话代表了大家的心意。

The old man doesn't often get a chance of **speaking to** young people. 这位老人同年轻人说话的机会不多。

Catherine **spoke in** French. 凯瑟琳用法语发言。

Only one MP **spoke against** the bill. 只有一位下院议员反对那项提案。

I feel **for** him. 我可怜他。

I feel **with** him. 我和他有同感。（或：同情他）

She is **sick for** home. 她怀念家乡。

She is **sick of** listening to them argue all the time. 一天到晚听他们争论，她感到很厌烦。

She felt **sick at** failing the examination. 她很遗憾考试没及格。

She is **sick about** losing the game. 她对输了这场比赛感到很遗憾。

The magician can make the box big or small **at will**. 这个魔术师可随意让盒子变大变小。

They set to work **with a will**. 他们起劲地干起来。

I'm going **of my own free will**, no one has ordered me to go. 我是自愿要去的，没有人命令我。

We always take it **in good will**. 对于这种事，我们总是从善意方面来理解。

Jack's been really annoying me and I think he's doing it **on purpose**. 杰克一直让我很烦，我想他是故意那么干的。

They worked day and night **for the purpose of** finishing the work earlier. 为了早些完成工作，他们夜以继日干活。

I would not go downtown **with/for the mere purpose of** buying a hat. 我不会只为买一顶帽子而进城。

She has used her musical talents **to good purpose**. 她成功地发挥了她的音乐才能。

I have tried hard for him, but all **to no/little purposes**. 我已为他尽力，可是毫无结果。

She spoke **to the purpose**. 她说话很中肯。

She did it **by herself**. 她独自做了那件事。

She found the secret out **for herself**. 她亲自查出了事实真相。

She awoke **of herself** at five this morning. 她今天早上 5 点钟自然醒了。

Mary knew the answer to the problem, but she kept it **to herself**. 玛丽知道问题的答案，但她却不对人讲。

She is **good at** table tennis. 她擅长打乒乓球。

She is **good on** the piano. 她钢琴弹得好。

Fresh air is **good for** health. 新鲜空气对健康有益。

The dish is **good to** the taste. 这道菜味道好。

She is **good with** her students. 她待学生好。

It's **good of** you to do it for me. 你为我做那件事真是太好了。

Jim is **apt in** studies. 吉姆很善于学习。

Jim is **apt with** the tool. 吉姆能熟练使用这种工具。

Jim is **apt for** feats of strength. 吉姆武功很好。

A catalogue will be mailed free **on request**. 索要时目录将免费寄上。

The bus stopped there **by request**. 公共汽车应要求在那里停了。

The bill was payable **at sight**. 这账单是见单当即付款的。

When we got to the beach，there wasn't a soul **in sight**. 我们到达海滩时一个人也看不见。

She is **in the cotton business**. 她做棉花生意。

She flew to Paris **on official business**. 她因公务飞到巴黎去了。

She is **in business** for herself. 她自行经商。

At that time the woman's son was **at the front** in Berlin. 这名妇女的儿子当时在柏林前线。（强调"地点"）

The woman with child sat **on the front**. 孕妇坐在前面。

She is **ill from** want of sleep. 她因为睡眠不足而病倒了。（from 表示直接的原因）

She was taken **ill through** grief. 她由于悲伤而病倒了。（through 表示消极的原因）

He is **engaged in** various business activities. 他参加各种商业活动。（be engaged in 参加，忙于）

He is **engaged to** an American girl. 他同一位美国姑娘订了婚。（be engaged to 和……订婚）

We often swim **in the river/in the lake**. 我们经常在河里/湖里游泳。

Ships sail **on the river/on the lake**. 船在河里/湖里航行。

There is a river **in the picture**. 图画中有一条河。

There is a pencil **on the picture**. 图画上面有一支铅笔。

I was quite **at fault**. 我当时完全不知所措了。

You are very much **in fault**. 你大错特错了。

【提示】某些表示情感、感受的形容词，可以与不同的介词搭配，表示相同的含义。例如：

She was **sad with/at/for** his death. 他的去世使她很伤心。

They are **indignant at/about/over** the increased prices. 他们对物价上涨感到很气愤。

【改正错误】

1. Then I <u>made faces</u> and jumped <u>as</u> a monkey <u>in order to</u> make the baby <u>laugh</u>.
   　　　　A　　　　　　　　B　　　　　　　C　　　　　　　　　　D

2. Mother will be back <u>after</u> three hours. <u>After</u> supper，I will go to <u>meet</u> her <u>at the station</u>.
   　　　　　　　　　　A　　　　　　　　B　　　　　　　　　　C　　　　　D

3. Japan lies <u>in the east</u> of Asia and Mongolia lies <u>in the</u> <u>north</u> of China.
   　　　　　A　　　　　B　　　　　　　　　　　　　C　　　D

4. <u>Except</u> a good income，the workers are interested <u>in</u> the <u>working</u> conditions <u>in the firm</u>.
   　A　　　　　　　　　　　　　　　　　　　B　　　　C　　　　　　　D

5. Her uncle will be back <u>from</u> New York <u>in</u> a few days，and I'm afraid he <u>will have</u> some trouble <u>with</u>
   　　　　　　　　　　A　　　　　　　B　　　　　　　　　　　　　C　　　　　　　　D
   finding our new house.

6. I feel that <u>one of</u> my main duties <u>for</u> a teacher is <u>to help</u> the students to become <u>better learners</u>.
   　　　　　A　　　　　　　　B　　　　　C　　　　　　　　　　　　　C

7. Scientists are convinced <u>by</u> the <u>positive</u> effect of laughter <u>on</u> physical and mental <u>health</u>.
   　　　　　　　　　　　A　　　　B　　　　　　　　C　　　　　　　　　D

8. Kevin, who had expected how it would go with his son, had a great worry in his mind.
　　　　　A　　　　　　　　B　　　　　　C　　　　　　　　　　　　　　　D

9. Fred suddenly saw Sue across the room. He pushed his way across the crowd of people to get to her.
　　　　A　　　　　　B　　　　　　　　　　　　　　　　C　　　　　　　　　　　D

10. It saves time in the kitchen to have things you use a lot upon easy reach.
　　A　　　　　　　　　　　B　　　　　　　　　C　　D

11. Would you mind not picking the flowers in the garden? They are to everyone's enjoyment.
　　　A　　　　B　　　　　　　　C　　　　　　　　　D

12. Nowadays some hospitals in big cities refer to patients as name, not case number.
　　A　　　　　　　　　B　　　　　　　C　　　　　　D

13. My father warned me for going to the West Coast because it was crowded with tourists.
　　　　　　　A　　　　　　B　　　　　　　　C　　　　　D

14. The dictionary is just what I want, but I don't have enough money by me.
　　　　　　A　B　　　　　　　　　C　　　　D

15. It is illegal for a public official to ask people for gifts or money in exchange of favors to them.
　　　A　　　　　　　　　B　　　　　C　　　　D

16. In ancient times, people rarely traveled long distances and most farmers only traveled so far as the
A　　　　　　　B　　　　　　　　C　　　　　　　　　D
local marekt.

17. Modern equipment and no smoking are two of the things I like at working here.
　　　　A　　　　　B　　　C　　　　　　D

18. If you really have to leave during the meeting, you'd better leave across the back door.
　　　A　　　　　B　　　　　　　　　　C　D

19. Animals suffered at the hands of man in which they were destroyed by people to make way for
　　　　　　A　　　　　B　　　　　　　　　　　C
agricultural land to provide food for most people.
　　　　　D

20. John, my old friend, phoned me this morning, and we agreed with a time and place to meet.
　　A　　　　　　　　　　　　　　　　B　C　　　　　　D

21. Some days ago, Ellen told me that Elizabeth had already achieved success at her wildest dreams.
　A　　　　　　B　　　　　　　C　　　　　　D

22. You have no idea how she finished the relay race for her foot wounded so much.
　　　A　B　　　　　　　C　　　　　　D

23. Leaves are found on all kinds of trees, but they differ greatly by size and shape.
　A　　B　　　　　　　　　C　D

24. This is a junior school. You should go to a senior school to girls of your age.
　　　A　　　　　　　B　　C　　D

25. Pleasant music is often played among classes to make students refreshed and relaxed for a while.
　A　　　　　B　　　　　　　　C　　　　　D

26. Sorry, Madam. You'd better come tomorrow or the day after tomorrow because it's at the visiting hours.
　　　　A　　B　　　　　　　　　C　D

27. Scientists are working ahead of time in order to find a cure for bird flue as soon as possible.
　　　A　　B　　　　　　　C　　　　D

28. Although he is often tired with his work, he is never tired with his job. In fact, he enjoys it.
　　　A　　　　　　B　C　　　　D

29. Despite what I have been told about the native people's attitude towards strangers, at any time did
A　　　　　　B　　　　　　C　　　　D
I come across any rudeness.

30. Though he is in his late sixties, the well-known biologist begins each day in a sense of adventure and
　　　A　　　　B　　　　　　　　C
a sense of curiosity.
　　D

【答案】

1. B(like)	2. A(in)	3. C(on)	4. A(Besides)
5. D(in)	6. B(as)	7. A(of)	8. D(on)
9. C(through)	10. D(within)	11. D(for)	12. C(by)
13. A(against)	14. D(on/with)	15. D(in exchange for)	16. D(as far as)
17. D(about)	18. D(by)	19. B(in that)	20. B(on)
21. D(beyond)	22. C(with)	23. D(in)	24. C(for)
25. B(between)	26. D(beyond)	27. A(against)	28. C(tired of)
29. D(at no time)	30. C(with)		

第五讲　形容词(Adjective)

一、分类

　　这里的分类是多角度、多层面的，从功能、结构、特性等方面加以综合考察，摆脱了传统语法的框框，以开阔读者的视野，达到更全面、更高层次上的认识和掌握。

1. 多功能形容词

　　这里所说的多功能形容词，指可以作前置定语和后置定语的形容词，或既能充当定语又能充当表语、宾语补足语或主语补足语的形容词，为数众多。例如：

I feel **sick**. 我感到恶心。（表语）
That is a **sick** man. 那是个病人。（前置）
The news made me **sick**. 这消息使我感到难过。（宾语补足语）

the best **possible** means 尽可能好的办法（前置）
the best means **possible**（后置）
It is **possible** that he will come. 他可能会来。（表语）
That made it **possible** for us to fulfil the task on time. 那样就让我们能够按时完成任务。（宾语补足语）

It is a **healthy** baby boy. 这是一个健康的男婴。（前置）
I've been perfectly **healthy** until now. 我的身体一直以来都非常健康。（表语）
Doing exercise will make you **healthy**. 经常锻炼能使身体健康。（宾语补足语）

Well，do have a **pleasant** weekend. 好啦，周末愉快。（前置）
Nick seemed very **pleasant** on the phone. 尼克在电话里好像很和气。（表语）
She was found very **pleasant**. 大家觉得她非常和蔼可亲。（主语补足语）

positive proof 确凿的证据（前置）
proof **positive**（后置）

the **total** sum 总数（前置）
the sum **total**（后置）

the **following** years 以后的年月（前置）
the years **following**（后置）

last June 去年 6 月（前置）
June **last**（后置）

the only **suitable** house 唯一合适的房子（前置）
the only house **suitable**（后置）

the only **passable** path 唯一通行的小路（前置）
the only path **passable**（后置）

at the **appointed** hour 在约定的时间（前置）
at the hour **appointed**（后置）

in the **preceding** chapter 在上一章中（前置）
in the chapter **preceding**（后置）

in the **available** time 在可利用的时间内（前置）
in the time **available**（后置）

a new **acceptable** proposal 一个可接受的新建议（前置）
a new proposal **acceptable**（后置）

the finest **obtainable** dictionary 可以买得到的最好的词典（前置）
the finest dictionary **obtainable**（后置）

the **opposite** shop 对过的商店（前置）
the shop **opposite**（后置）（但要说：the **opposite** direction 相反的方向）

in **past** weeks 过去的几个星期（前置）
in weeks **past**（后置）

the best **imaginable** way 能想象出的最好方式（前置）
the best way **imaginable**（后置）
endure many hardships **imaginable** 吃尽了苦（后置）

【提示】

① 下面两个短语中的 past 位置不可颠倒：

in the **past** month 在过去的一个月中（past 前有定冠词 the）
for a long time **past** 过去很长时间（不可说 a past long time）

② next，last 与基数词连用时，next，last 可以同基数词互换位置。例如：

the **last three** questions to answer
the **three last** questions to answer 最后要回答的三个问题

the **next** five
the five **next** 后五个

③ 形容词化的分词作定语时，前置一般指某种比较永久的性质，强调状态。比较：

She saw **broken windows** here and there. 她看见到处都是破烂的窗户。（性质）
The **window broken** by the boy has been replaced. 被男孩打破的窗户已经替换过了。（动作）

He doesn't like **screaming children.** 他不喜欢吵吵嚷嚷的孩子。
Who is the boy **screaming**? 那个在大声吵嚷的男孩是谁？

④ involved（有关的）同 party 或 parties 连用时，可前置或后置，意义相同。

⑤ 程度形容词表示本意时，有些可作表语。例如：

It was a **complete** victory. 这是一次全胜。
The victory was **complete.** [√]

It was a **total** destruction. 这是彻底的毁坏。
The destruction was **total.** [√]

It is **total** nonsense. 完全是一派胡言。
The nonsense is total. [×]（total 这里用作引申义，表示强调）

⑥ 比较：

on Friday **next** 下星期五
但要说：**next** Friday

on Thursday **last** 上星期四
但要说：**last** Thursday

in time **past** 过去
但要说：the **past** history 过去的历史

for a month **previous** 前一个月
但要说：the **previous** experience 先前的经历

⑦ 可以用作前置或后置的形容词还有：adjoining, errant, desired, aggregate, transitive 等。参阅有关部分。

⑧ 形容词修饰 thing 时有时可后置。注意下面的前置定语和后置定语：

She is an expert on **things theatrical**. 她在戏剧方面很擅长。

Things **unreasonable** are never durable. 不合理的事情长不了。
unreasonable conduct 悖理行为
unreasonable child 不讲道理的任性孩子

all things **English** 所有英国的东西（English 要后置）
all those **English** books 所有那些英语书（English 要前置）

Monday to Thursday **inclusive** 星期一到星期四（首尾两天均包括在内，inclusive 要后置）
an **inclusive** fee 一切包括在内的费用（inclusive 要前置）

flat land 平地，**sharp** knife 锋利的刀，**major** illness 大病，**minor** illness 小病（flat 等要前置）
B **flat** 降 B 调，B **sharp** 升 B 调，B **major** B 大调，B **minor** B 小调（flat 等要后置）

⑨ 下面是一些复合形容词，其中有的是多功能形容词，有的则是前置形容词（参阅下文）：

hand-made 手工的
deaf-mute 聋哑的
a heart-shaped box 心形盒子

new-born 新生的
absent-minded 漫不经心的
all-girls school 女子学校

healthy-minded people 思想健康的人　　much-travelled people 游历很广的人

a sour-faced man 表情忧郁的男人　　bitter-sweet memories 快乐而悲伤的记忆

a get-rich-quick scheme 发财快的计谋　　a hard-to-please girl 难以取悦的女孩

a gold-rich mountain 遍布黄金的大山

a four-bedroomed house 每个房间配四张床的房子

in the turn-of-the-century China 在世纪之交的中国

a God-wants-to-save-his-soul-but-cannot-find-it man 一个卑劣无耻之徒

2. 前置定语形容词

指只能用作前置定语（或在特定意义或用法中只能用作前置定语）的形容词。

1 -most 类

指以词尾-most 结尾的形容词，如 utmost, foremost, innermost 等。

2 elder 类

指以-er 结尾的形容词，如：elder(eldest)，inner, other, upper, lower, latter, former, outer, hinder, lesser 等。例如：

the **inner** tube 内胎　　the **outer** covering 外层覆盖物

the **lower** Yangtze Valley 长江下游地区　　the **lower** slopes of the mountain 山下部的坡

她哥哥 16 岁。　　　她是他从前的老师。

Her **elder** brother is sixteen. [√]　　She is his **former** teacher. [√]

Her brother is elder. (×)　　The teacher is former. [×]

3 daily 类

包括 daily, weekly, monthly, yearly；也包括 very, express, extreme 等。例如：

a **monthly** magazine 每月一期的杂志/月刊　　the **very** end 末端，尽头

this **very** minute 就现在　　the **very** thought 一想到

the **very** thing 正是它　　an **extreme** enemy 不共戴天之敌

extreme poverty 赤贫　　**express** instructions 特别指示

express train 快速列车

His **weekly** pay is 500 *yuan*. [√]他每周的酬金是 500 元。

He is paid **weekly**. [√]

His pay is weekly. [×]

4 -en 类

指以词尾-en 结尾的形容词，如：wooden, leaden, golden, silken, earthen, woolen, brazen, ashen, flaxen 等表示物质的形容词。例如：

This is a **wooden** house. 这是一栋木头房子。

She bought some **silken** garments. 她买了一些丝绸衣服。

【提示】有些多功能形容词，在某种特定意义上只用作前置定语。例如：

her **late** husband 她已故的丈夫　　a thorough **rest** 绝对静养

five **clear** days 整整五天　　a **plain** defeat 彻底失败

a **cool** hundred 整整 100 元　　a **bad** liar 蹩脚的撒谎者

a **pure** waste of time 完全浪费时间

his **right** shoe 穿在他右脚上的鞋（不可说：the shoe that is right）

the **right** side of cloth 布的正面（不可说：the side of cloth that is right）

3. 后置定语形容词（包括其他词）

指在用作定语时，须放在被修饰的词之后的形容词（包括某些副词），可分为下面几种情况。

1 少数形容词或分词习惯上或在某种意义上后置作定语

常用的有：general, immemorial, martial, royal, singular, plural, extraordinary(特派的)，presumptive等。例如：

blood **royal** 王族　　　　　　Queen **Regnant** 执政女王

knight-errant 游侠
a poet laureate 桂冠诗人
Asia Minor 小亚细亚
heir apparent 当然继承人
President elect 当选总统
Brown major/minor 大/小布朗
postmaster general 邮政部长
Lords Temporal 英上议院世俗议员
from time immemorial 远古以来
a devil incarnate 魔鬼的化身
the third person singular 第三人称单数
Alexander the Great 亚历山大大帝
consul/consuls general 总领事
Governor-General（英）总督
hope eternal 永恒的希望
the third person plural 第三人称复数
architecture proper 狭义建筑学(不包括装饰、雕刻、管道等)
Harcourt，Brace & World，Incorporated/Inc. 哈考特股份有限公司
an ambassador extraordinary（and plenipotentiary）特命全权大使

astronomer Royal 皇家天文台台长
President designate 当选总统
secretary-general 秘书长
letters patent 专利证书
God Almighty 上帝
a court martial 军事法庭
the body politic 国家
an attorney general 司法部长
notary public 公证人
a fee simple 无条件继承的不动产
accounts payable 应付账目
Richard the Lion-Hearted 狮心查理
penny dreadful 廉价惊险小说
Goodness gracious! 天哪！
Afred the Great 阿尔弗莱德大王
Penguin Group Limited/Ld. 企鹅集团有限公司

②　一些表示方位和时间等的副词习惯上后置作定语

常用的有：below，else，abroad，here，home，now，there，today，above，tomorrow，out，apart 等。例如：

the weather tomorrow 明天的天气
the meeting yesterday 昨天的会议
the stay overnight 过夜的停留
the trip abroad 去国外的旅行
customs there 那里的风俗
my friend here 我这里的朋友
a step forward 前进的一步
the photo above 上方的照片
the Powers above 天上的众神

the way home 回家的路
the way out 出路
the direction back 返回的方向
the discussion afterwards 其后的讨论
the sentence below 下面的句子
in the years ahead 在未来的岁月里
the way ahead 前方的路
a life apart 分居生活

One day apart seems like three years. 一日不见，如隔三秋。

▶▶▶ 但要说：an away game 客场比赛

【提示】

① upstairs 和 downstairs 常后置，但也可前置，例如：

⎰ the hall downstairs 楼下的厅堂
⎱ the downstairs hall

⎰ the telephone upstairs 楼上的电话
⎱ the upstairs telephone

② home 和 journey，return 等连用时，也可前置；backstage 修饰名词时可前置或后置。例如：

⎰ the journey home 返家的旅程
⎱ the home journey

⎰ the noise backstage 后台的声音
⎱ the backstage noise

⎰ the return home 回家
⎱ the home return

③　由前缀 a-构成的形容词作定语时要求后置

常见的有：afraid，alive，alone，alike，ashamed，asleep，afloat，awake 等。例如：

He is the only man awake at that time. 他是当时唯一醒着的人。
A bright moon hung over the sea asleep. 安睡中的大海上高悬着一轮明月。
The house ablaze was next door to him. 失火的房子在他家隔壁。

The boat **afloat** was not seen by the enemy. 漂流的小船没有被敌人发现。

{
他是地震后村中唯一活着的人。
He is the only alive man in the village after the earthquake. [×]
He is the only man **alive** in the village after the earthquake. [√]
}

4 修饰由 no，some，any，every 构成的复合不定代词的形容词要求后置

something **funny** 有趣的东西　　　　　　anybody **present** 任何出席的人

nothing **interesting** 没什么有趣的

Anyone **drunk** is not allowed to drive. 任何醉酒的人都不能开车。

He is thinking of somewhere **new** to visit. 他在考虑去某个没有去过的地方玩玩。

The country will boycott everything **Japanese**. 该国将要抵制一切来自日本的东西。

I like the duality of things — **something Western** with **something Asian or African**. 我喜欢事物的两面性————些西方的元素和一些亚洲或非洲元素相结合。

5 形容词用来修饰呼语时可以后置

Mother **dear** 亲爱的母亲　　　　　　My lady **sweet** 亲爱的夫人

6 某些形容词作非限制性定语时可以后置

The boy，**silent**，stood at the door. 那个男孩一声不吭地站在门旁。

The woman，**nervous**，walked past me. 那位妇女神情紧张地从我身边走过。

7 形容词由连词连接成对使用,有时可以是三个或三个以上形容词并列,须后置,有时是出于修辞上的考虑

It was March，**balmy and warm**. 阳春三月,草长莺飞。

It was an accident **pure and simple**. 这完全是一桩偶然事故。

He bought a set of furniture，**simple and beautiful**. 他买了一套家具,简朴而美观。

They arrived at a place **dirty，gloomy and desolate**. 他们来到了一处肮脏、阴暗、荒凉的地方。

Father and son differed in matters **political and religious**. 父子俩在政治和宗教问题上意见相左。

The mistake was due to carelessness，**pure and simple**. 这个错误完全是由于粗心造成的。

They placed her，**dirty and cold**，beside the king. 他们把浑身冰凉、满是污秽的她放在了国王的身旁。

I like any boy **both honest and intelligent**. 诚实又聪明的孩子我都喜欢。

In Australia the Asians make their influence felt in businesses **large and small**. 在澳大利亚,亚洲人让人感到他们在大大小小的企业上都有影响。

The future stretched ahead like the shore，**long and desolate**. 未来的时日犹如那海岸向前延伸着,漫长而荒凉。

A more conclusive answer about life on Mars，**past or present**，would give researchers invaluable data. 关于火星上存在生命的更具结论性的答案,不管是曾经存在过还是现在尚存,都会给研究人员提供极有价值的资料。

In those rolling prairies and gold-rich mountains，a new，freer man was born，**restless and independent，endlessly optimistic，hard-working and unafraid**. 在那些绵延起伏的大草原上,在那些遍布黄金的高山中,一种更自由的新人诞生了。他们没有依赖的陋习,充满活力,永远乐观,工作勤奋,无所畏惧。

The oddly brilliant flowers，**crimson，yellow and purple**，still blossomed. 那些绚丽的花朵,绯红的,黄色的,紫色的,依然红红火火地开着。

The man，**by then nervous and trembling**，opened the letter. 那人这时又紧张,又颤抖,打开了信。

It was something at once **wonderful and simple**. 它是那种既精彩又简单的东西。

The naked hills and plains produce nothing either **profitable** or **ornamental**. 那光秃秃的丘陵平原,不论有利的还是装饰性的东西都长不出来。

All things，**good and bad**，go by us like a torrent. 一切事情,无论好坏,都犹如一条奔流经过我们身边。

The first faint noise of gently moving water broke the silence, **low and faint and whispering**, faint as the bells of sleep. 潺潺流水隐隐约约的响声打破了寂静，喁喁细语隐隐约约，隐约得犹如睡梦里的钟声。

In the bed of the river there were pebbles and boulders, **dry and white in the sun**. 河床里有鹅卵石或大圆石头，在阳光下又干又白。

These words are the products of years of work by authors **famous and obscure**. 这些文字是历代知名的和默默无闻的作家们的产品。

The Irish writer Oscar Wilde was also known for his most unusual clothing and eccentric behaviour, **social and sexual**. 爱尔兰作家奥斯卡·王尔德也因他的奇装异服和怪异的社交及性行为而出名。

Here in the train there is the sound of youth, **loud and alive**. 车厢里洋溢着朝气蓬勃的嘹亮的青春声音。

Down the hair fell upon her shoulders, **dark and rich**. 她的一头乌黑浓密的秀发立刻泻落双肩。

He sat there watching the autumn hills, **so changelessly changing**, **so bright and dark**, **so grave and gay**. 他坐在那里极目四望，觉得秋日的山峦，既始终如一，又变化多端，既光彩夺目，又朦胧黑暗，既庄严肃穆，又轻松愉快。

I have never seen a face so **happy, sweet and radiant**. 我从没见过如此幸福、甜美、光彩照人的面容。

【提示】这种后置定语可以是限制性的或非限制性的。例如：

He gave an explanation (that is) **simple and straightforward**. 他作了一个简单而坦率的解释。（限制性，相当于限制性定语从句）

The problem, **pure and simple**, is renting a house. 简单而明确的问题是租一所房子。（非限制性，相当于非限制性定语从句）

⑧ 形容词短语（或带有介词的词组、不定式短语等）一般要后置

the amount of money **available for spending** 可供花费的钱

the diets **useful for weight loss** 对减肥有效的饮食方式

He has resumed the travel **necessary to add depth and color to his novels**. 他已经重新开始旅行，为了给他的小说增加深度和色彩，这次旅行是必要的。

I walked in so pure and bright a light, gilding the withered grass and leaves, **so softly and serenely bright**. 我在这般清澈明媚的日光中散步，枯草败叶都染上了金色，灿烂而显得柔和明净。

You would want to let your eyes rest long on the things **dear to you**. 你会让你的目光久久停留在你喜爱的东西上面。

Have you found a man **suitable for the work**? 你找到适合这项工作的人了吗？（形容词＋介词短语）

There are men (who are) **much more capable than he is**. 有人比他能干得多。（形容词比较级＋than）

That is a hall **eight meters long and seven meters wide**. 那是一个八米长、七米宽的大厅。（数量词＋形容词）

It was an army **ten thousand strong**. 那是一支一万人的军队。（数量词＋形容词）

I didn't know she was a woman **so difficult to please**. 我不知道她竟是这样一个难以取悦的女人。

It was a conference **fruitful of results**. 这次会议极有成效。

She is a woman **deserving of sympathy**. 她是个值得同情的女人。

Soldiers **normally timid** don't fight well. 平日胆小的士兵不善战。

John is a businessman **greedy for money**. 约翰是一个贪婪的商人。

Alice is the only girl **faithful to him**. 艾丽斯是唯一对他衷心的女孩。

It is a matter **hard to deal with**. 这件事很棘手。

I know of a lady **ready to help us**. 我听说有一位女士愿意帮助我们。

It is the time **suitable to say it**. 是适合把它说出来的时候了。

It is a building **ten stories high**. 那是一幢10层高的楼房。

She is a girl **taller than you**. 她是一个比你高的女孩。

Any man(who is) **brave enough to walk** across the desert is a hero. 任何有勇气步行穿过沙漠的人都是英雄。

He is a man(who is) **so noble and strong-minded that** even his enemies admired him. 他高尚,有着坚强的意志,即使他的敌人也佩服他。

A man **so difficult to please** must be hard to work with. 如此难以取悦的人必定难以共事。

In the doorway there stood a man, **tall, handsome but a little too thin**. 门口站着一个男的,个儿高高的,清清秀秀的,略显瘦削。

【提示】某些形容词如果本身有修饰语,有时可前置或后置,意义上没有变化。例如:

$\left\{\begin{array}{l}\text{a } \textbf{500 meter-high} \text{ building 一幢 500 米高的大楼} \\ \text{a building } \textbf{500 meters high}\end{array}\right.$

$\left\{\begin{array}{l}\text{a } \textbf{three-hundred-mile-long} \text{ river 一条 300 英里长的河} \\ \text{a river } \textbf{three hundred miles long}\end{array}\right.$

$\left\{\begin{array}{l}\text{a } \textbf{difficult} \text{ job to do 一项难做的工作} \\ \text{a job } \textbf{difficult} \text{ to do}\end{array}\right.$

$\left\{\begin{array}{l}\text{a } \textbf{more complicated} \text{ problem than the previous one 一个比前面的问题更复杂的问题} \\ \text{a problem } \textbf{more complicated} \text{ than the previous one}\end{array}\right.$

$\left\{\begin{array}{l}\textbf{so good} \text{ a chance as not to be missed 一个不能失去的好机会} \\ \text{a chance } \textbf{so good} \text{ as not to be missed}\end{array}\right.$

$\left\{\begin{array}{l}\text{a } \textbf{by no means irresponsible} \text{ man 绝对不是不负责任的人} \\ \text{a man } \textbf{by no means irresponsible}\end{array}\right.$

9 前后置定语的两点补充说明

(1) 不定式作定语须后置,但用连字符的不定式被动式要前置;分词短语一般后置,但过去分词短语有时可以前置;用连字符的介词短语要前置。例如:

　　a **much-to-be-longed-for** place 一个非常令人向往的地方

　　an **impossible-to-be-satisfied** wish 一个不能满足的愿望

　　a **never-to-be-forgotten** face 一个难忘的面容

　　an **unheard-of** miracle 前所未闻的奇迹

　　an **after-supper** talk 一次晚饭后的谈话

　　a **quarter-past-eight** train 一趟 8 点一刻的列车

▶▶ 注意下面的分离式定语:

　　There an accident happened **of a very extraordinary kind**. 那里发生过一个非常事件。

(2) 一般来讲,前置定语形容词同中心结构紧密,表示该中心词的较永久的特征,而后置定语形容词多表示暂时的特性。参阅本章下文。比较:

$\left\{\begin{array}{l}\text{rivers } \textbf{navigable} \text{(有时)可以通航的河流} \\ \textbf{navigable} \text{ rivers 可以通航的河流}\end{array}\right.$

$\left\{\begin{array}{l}\text{the stars } \textbf{visible} \text{(在特定情况下)能看见的星星} \\ \text{the } \textbf{visible} \text{ stars(在一般情况下)能看见的星星}\end{array}\right.$

$\left\{\begin{array}{l}\text{the finest air-conditioner } \textbf{available} \text{ 能够买到的最好的空调} \\ \text{the finest } \textbf{available} \text{ air-conditioner 最好的可以买到的空调}\end{array}\right.$

$\left\{\begin{array}{l}\text{actor } \textbf{suitable} \text{ 适合某种角色的演员(本人不一定常演戏)} \\ \textbf{suitable} \text{ actor 合适的演员}\end{array}\right.$

$\left\{\begin{array}{l}\text{He is a man } \textbf{insane}. \text{ 他是个一时失去控制怒火万丈的人。} \\ \text{He is an } \textbf{insane} \text{ man. 他是个疯子。}\end{array}\right.$

4. 表语形容词

　　指用作表语的形容词,可分为如下几类。

1 以前缀 a-开首的形容词

　　这类形容词有:afraid, alive, ablaze, alike, asleep, aware, awake, akin, adrift, afire, aflame, alert, afloat, afoot, aground, ajar, askew, athirst, abloom, agape, aghast, aglow, agog, alone, amiss, ashamed, aslant, alight, astir, astray, averse, awash, aloof, aslope, akimbo 两手叉腰的, awhirl 旋转着的, awry 错的/弯曲的, 等。例如：

The sky was **aglow** with the setting sun. 晚霞满天。

My mother and I are **alike** in many ways. 我和我母亲长得很相像。

Sam continued as if nothing was **amiss**. 萨姆继续下去，就好像一切都正常。

The whole village was **astir** as the visitors arrived. 客人来到时，全村为之轰动。

His house got **afire** and burned down. 他的房子失火烧塌了。

His clothes were all **awry**. 他的衣服歪七扭八。

The work is well **afoot**. 工作进展得很顺利。

Susan's face was **alight** with joy. 苏珊一脸的喜悦。

The sailor was **adrift** on a raft for a whole week. 那水手在木筏上整整漂流了一个星期。

It's late fall and the hills are **alive** with color. 正值晚秋时节，山峦披上了五彩缤纷的盛装。

The trees were **aflame** with autumn leaves. 树上满是火红的秋叶。

His mouth was **agape** in horror. 他吓得嘴巴张得大大的。

His cheeks were **aflame**, his body was **aglow**. 他的双颊在燃烧，他的身体在发热。

The roofs were **aflutter** with flags. 屋顶上全是飘着的旗帜。

The wooden house was quickly **ablaze**. 那木头房子很快就烈焰腾腾了。

It has been raining for a whole week and the streets are **awash**. 已经下了整整一个星期的雨，街道都被水淹了。

Enjoy a cup of wine while you're **alive**; don't care if your fame will not survive. 且乐生前一杯酒，何须身后千载名。

She is **asleep**. 〔√〕她睡着了。
She is an asleep girl. 〔×〕

【提示】

① alive 等可作后置定语，而且当它们本身带有副词修饰时，还可作前置定语。例如：

a really **alive** town 一个生机勃勃的市镇　　the fully **awake** patient 完全醒着的病人

a really **alive** student 一个非常活跃的学生　　the exactly **alike** brothers 十分相像的兄弟

a somewhat **afraid** boy 一个有点害怕的男孩　　the half **asleep** girl 半睡半醒的女孩

a very much **ashamed** boy 一个很害羞的小男孩

② 这类形容词（短语）可用作状语，可用某些副词修饰，可有自己的比较级或最高级（用 more 和 most），有些可后接介词短语、不定式短语或从句。例如：

Alone, he did not care much about food. 他孤单一人，不大为食物操心。

Their work is **well afoot**. 他们的工作进展良好。

He felt **more ashamed** than ever. 他越发感到惭愧。

Of the two, he is **more afraid** of the snake. 两人中，他更怕蛇。

Her face was **ablaze with happiness**. 她面颊红润，洋溢着幸福。

The old man is **more alive** than a lot of young people. 这位老人比许多年轻人更有活力。

③ aloof, alert 可随意用作前置定语。例如：

He's a very **aloof** man. 他是一个很冷淡的人。

There stands an **aloof** house. 那里有一幢孤零零的房屋。

She is an **alert** girl. 她是一个很机灵的女孩。

④ afoot, adrift 也可作补语或后置定语。例如：

She saw a boat **adrift** down the river. 她看见一条小船漂向河的下游。

There is a scheme **afoot** to raise taxes. 正在执行一项计划来增加税收。

⑤ afraid, alike 等表语形容词常用 much, very much 修饰，但在美式英语中亦可用 very 修饰；有些表语形容词要用与其习惯搭配的副词修饰。例如：

He is **fast** asleep. [√]他熟睡着。

He is **sound** asleep. [√]

She is **fully** aware of the difficulties. [√]她对所面临的困难一清二楚。

She is **quite** aware of the difficulties. [√]

He is **very much** alone. 他非常孤独。

He is **all** alone. 他很孤独。

She is **fully** awake. 她完全醒着。

She is **wide** awake.

2 well, worth, liable, subject, content, bound, ill, sunk, drunk, sure, unable 等词

She is **content** with her job at the moment. 她目前对自己的工作非常满意。

Many passengers were **unable** to reach the lifeboats. 许多乘客无法够到救生艇。

The interest is **exempt** from income tax. 利息收入免征所得税。

The film is **worth** seeing. [√]这部电影值得看。

This is a worth film. [×]

He is **well**. [√]他身体好。

He is a **healthy** man. [√]他很健康。

He is not a **well** man. [√]他这人身体不好。(well 表示身体状况可作定语)

她是个病人。

She is a **sick** person. [√]

She is an **ill** person. [×]

但：They are mentally **ill** people. 他们是精神病患者。(前有副词修饰时,ill 可作定语,表示"生病的")

【提示】

① 注意 ill 用作前置定语的含义:ill luck 厄运, ill wind 逆风, ill news 坏消息,等。

② well 可用 very 修饰,但不可用 much 或 very much 修饰。例如:

I'm **very** well. [√]我很好。

I'm much/very much well. [×]

5. 静态形容词与动态形容词

静态形容词描绘人或物的静态特征,如:short, small, easy, deep, ugly, beautiful, liquid, straight 等。英语形容词大多数都是静态的。

动态形容词指那些带有动作含义的形容词,为数不多,有以-able 结尾的形容词(大多有被动意义),有以-ous, -ful, -some, -ive 结尾的形容词,有分词转化来的形容词以及表示人的性格、特征的形容词,常见的有:adorable, contemptible, credible, disagreeable, reliable, respectable, tiresome, attractive, creative, helpful, conceited, patient, naughty, kind, impatient, good, funny, witty, thoughtful, talkative, tactful, stupid, stubborn, serious, friendly, foolish, extravagant, enthusiastic, cruel, clever, careless, careful, brave, awkward, ambitious, abusive, generous, faithful, complacent, calm, cheerful, dull, gentle, hasty, impudent, irritable, irritating, jealous, lenient, loyal, mischievous, nice, noisy, obstinate, playful, reasonable, rude, sensible, shy, slow, spiteful, timid, tidy, suspicious, unfaithful, vain, vicious, vulgar, wicked, troublesome, unscrupulous, untidy, greedy, childish, wise, modest, silly, bold 等。静态形容词和动态形容词在用法上有所不同。

1 动态形容词可以与 be 动词的进行时搭配,而静态形容词则不可

You're **being** very spiteful. 你这样说是十分恶毒的。

She **is being witty**. [√]她这会儿很风趣。

She is being beautiful. [×]

The girl **is being sweet**. [√]那女孩在撒娇。

The road is being wide. [×]

He is **short** in stature. [√] 他个子矮小。

He is being short in stature. [×]

2 动态形容词可以用于以 be 动词开头的祈使句,而静态形容词则不可

Be **careful**! [√] 小心些!

Be tall! [×]

Be **wise**! 明智些!

Be **modest**! 谦虚点!

Don't be **noisy**! 不要大声喧哗!

Don't be **silly/foolish/stupid**! 别干傻事!

Don't be **shy/timid**! 不要害羞!

Be **brave/bold**. 勇敢些。

Be **patient**. 耐心些。

3 动态形容词可用于使役结构,而静态形容词则不可

She persuaded him **to be generous/patient**. [√]她劝他慷慨些/耐心些。

He persuaded her to be pretty. [×]

4 动态形容词常用于"It is+形容词+of..."结构,静态形容词常用于"It is +形容词+for ...结构"

It is **kind/cruel of you** to do that. 你那样做真是太善良/残忍了。

It is **easy for us** to finish the work. 完成这项工作对我们来说不难。

【提示】动态形容词和静态形容词都可用在以 how 开头的感叹句中。例如:

How **dull** the novel is! 这本小说多么索然无味呀!

How **small** the cat is! 这猫多小啊!

5 动态形容词作表语时可与 for ... sake 结构连用,也可与表语的附加语连用,而静态形容词则不可

She was careful only **reluctantly**. [√] 她只是勉强当心一些。

She was tall only reluctantly. [×]

She was polite **for his sake**. [√] 她为了他的缘故表示出了礼貌。

She was tall for his sake. [×]

【提示】

① 动态形容词用于进行时态,表示人在某种情况下的行动,是一种暂时的变化着的特征和状态,表现说话人的批评、抱怨、惊讶、谴责、赞扬等情感(参阅第九讲)。例如:

You are **being cruel**. 你可真够残忍的。(相当于 Don't be so cruel!)

You are **being careless**. 你这样太不当心了。(相当于 Don't be so careless! Be careful!)

② tall, young, smart 等静态形容词,不可用于祈使句,但在某些语境中可同 be 的进行时连用,具有动态性,表示某种暂时变化着的特征或状态。例如:

She is **being young** today. 今天,她尽量显得年轻一些。(相当于 She is making an effort today to appear younger.)

The boy is **being tall** in the presence of his little friends. 这个男孩在他的小朋友面前尽量显得更高一些。(相当于 The boy is trying to look taller in the presence of his little friends.)

His brother, usually careless about his clothes, **is being smart** in his new suit. 他哥哥通常不修边幅,现在穿上了新衣服,尽量显得更潇洒一些。(相当于 ... is trying to look smarter in his new suit.)

③ 有些形容词兼有动态性和静态性。difficult 作动态形容词时,意为"刁难,与人为难";hard 作动态形容词时,意为"苛刻,严厉"。例如:

He is **being difficult**! 他在刁难人!

Don't be so **difficult**! 不要那样刁难人!

He is **being hard** on me. 他待我很苛刻。

Don't be so **hard** on me. 不要待我这样苛刻。

6. 只能作定语不能作表语的形容词

1 某些独一性或起强调作用的形容词,某些有极端、绝对性质的形容词,如 only, mere, sheer, utter 等(但 firm, true, certain, complete等在某些意义上可用作表语,参见上文)

a **mere** child 只是个孩子   the **only** reason 唯一的理由

on a **certain** day 在某一天   a **true** scholar 真正的学者

a **firm** friend 忠贞不渝的朋友   the **sole** argument 唯一的论点

a **real** hero 真正的英雄   the **chief** excuse 主要的借口

sheer hypocrisy 十足的虚伪   an **outright** lie 彻头彻尾的谎言

utter failure 彻头彻尾的失败   a **definite** date 确切的日期

entire confidence 完全的信任   an **absolute** fool 绝对的傻瓜

plain greed 十足的贪婪   a **complete** stranger 完全的陌生人

the **very** end 真正的目的   the **principal** objection 主要的异议

Their children are an **utter** delight. 他们的孩子真令他们快乐。

He is a **certain** winner. 他是个当然的胜利者。

比较:

  He is a **complete** fool. [√]他是个十足的傻子。

  The fool is complete. [×]

  但:The work is **complete**. [√]工作完成了。

2 某些源自名词等的形容词

criminal law 刑法   a **medical** college 医学院

an **atomic** scientist 原子专家   **suburban** houses 郊区的房子

a **billiard** room 台球室   **nuclear** weapons 核武器

  That is an **electric** blanket. [√]那是一个电热毯。

  The blanket is electric. [×]

  She is a **maiden** lady. [√]她是一位老小姐。

  She is maiden. [×]

【提示】woolen 即可作前置定语,也可作表语。例如:

She bought a **woolen** sweater. 她买了一件毛线衣。

Is that suit **woolen**? 那套衣服是毛料的吗?

3 某些分词形容词

beloved,increased,bygone,coming 等由分词转化来的形容词。例如:

the clouds of the **coming** storm 暴风雨前的乌云

an **increased** awareness of the risks 对危险越发清醒

She returned at last to her **beloved** country. 她最终回到了自己热爱的祖国。

These buildings reflect the elegance of a **bygone** era. 这些建筑反映了以往时代的典雅。

▶▶▶ 通常只用作定语的形容的还有:

advance 先头的	middle 中间的	burnt 烧伤的	wooden 木制的
drunken 醉酒的	spoilt 宠坏的	western 西方(向)的	westerly 西方(向)的
northern 北方的	northerly 北方(向)的	eastern 东方的	easterly 东方(向)的
fore 前面的	orderly 整洁的	outdoor 户外的	various 各种各样的
signal 显著的	off-peak 非高峰期的	outboard 船外的	offside 越位的
off-street 离开街道的	everyday 每日的	joint 共同的	in-service 在职的
lay 非专业的/非神职的	goodish 还好的	live 活的	lone 无人烟的/孤独的
arch 顽皮的/诡诈的	underground 地下的	mimic 模拟的/假装的	motive 发动的/运动的
whole-hearted 全心全意的		wild-cat 不切实际的/盲目的	
insurgent 起义的/造反的		outgoing 出发的/开朗的/即将离开的	
would-be 冒充的/自称的		apres-ski 滑雪后的	

【提示】英语中有些形容词，既可作定语，也可作表语，但表示的意思往往不同。比较：

He's very **fond** of country music. 他非常喜欢乡村音乐。
He gave her a **fond** look. 他深情地看了她一眼。
A **fond** mother may spoil her child. 溺爱孩子的母亲会把孩子惯坏。

I'm **pleased** to hear about your new job. 听说你找到了新工作，我很高兴。
He had a **pleased** look on his face. 他脸上露出了满意的笑容。

The sports centre is **near** to my college. 体育中心离我就读的大学不远。
She is a **near** relative of mine. 她是我的一个近亲。

Concerned parents approached the school about the problem. 焦虑的家长就此问题着手与校方联系。
The parents **concerned** were invited to the school. 有关的家长被邀请到了学校。

He is **conscious** of his shortcomings. 他知道自己的弱点。
He made **conscious** effort to be friendly. 他刻意表示友好。

The dress is **proper** to the occasion. 这服装在这种场合穿很合适。
The problem **proper** is not complex. 问题本身并不复杂。

He is a **responsible** man. 他是个负责任的人。
The man **responsible** was arrested. 相关负责人被捕了。

I'm **glad** to be back again. 我非常高兴又回来了。
He has brought us some **glad** tidings. 他给我们带来了好消息。
This is a **glad** day for us. 这是一个很令我们高兴的日子。

The software firm **involved** has gone bankrupt. 牵扯此事的软件公司已经破产。
She told me an **involved** story about her family. 她向我讲述了有关她家庭的非常复杂的故事。

He felt **faint** for lack of enough rest. 他因睡眠不足而感到头昏。
He had a very **faint** hope of success. 他成功的希望非常渺茫。

Her **late** husband is a scientist. 她已故的丈夫是一位科学家。
She was **late** for the meeting. 她开会迟到了。

He is a very **indifferent** tennis player. 他是个很一般的网球运动员。
He is very **indifferent** to what others say about him. 他对别人说什么根本不在意。

She had a **particular** reason for giving up the plan. 她放弃那项计划有着特别的理由。
She was very **particular** about dressing. 她对穿着很挑剔。

The plane is **due** to arrive at five o'clock. 飞机预定 5 点到达。（scheduled）
He handled the matter with **due** care and attention. 他非常细心地处理了那件事。（proper, suitable）

I'm **sorry** to have said it. 说了那话我很抱歉。
What a **sorry** situation! 多么可悲的境况啊！

Her future looks **golden**. 她的前途一片光明。
the **golden** sunshine 灿烂的阳光

7. the in party——介词可用作形容词

英语中有些介词，可放在名词前起形容词的作用，作定语。例如：

1 above
　　the **above** sentence 上面的句子　　　　　for the **above** reasons 根据上述理由
2 outside
　　an **outside** door 外边的门　　　　　　　an **outside** wrapping 外包装
3 in
　　an **in** door 往里开的门　　　　　　　　the **in** party 执政党
　　That's the **in** place to go now. 现在那里是个时髦的去处。
4 inside
　　the **inside** cover 封二　　　　　　　　　an **inside** seat 内侧座位
　　For **inside** circulation only. 仅供内部传阅。

5 down

　a **down** platform 下行列车月台　　　make a **down** payment 付现金

　feel **down** about sth. 对……感到沮丧

6 off

　off hours 业余时间　　　　　　　an **off** season 淡季

　feel **off** 感觉不舒服　　　　　　　an **off** chance of 可能性极小

7 after

　in **after** years 在以后的岁月里　　an **after** cabin 后舱

8 through

　a **through** train 直达列车　　　　a **through** ticket 通票

　a **through** bolt 贯穿螺栓　　　　a **through** telephone 直通电话

8. 复合形容词

　　复合形容词有多种合成方式,中间通常用连字号"-"连接,但也有不用连字号的,视习惯等而定。postgraduate 和 homemade 等常用复合形容词,一般不用连字号;a thirty-minute talk, self-made等要用连字号;有些复合形容词用不用连字号均可,如:hand-shake 或 handshake, hand-writing paper 或 handwriting paper 等;还有些复合形容词不用连字号且分开写,如:high level lecture 等。复合形容词表示一个长时间的特点或性质,而不表示短暂性的动作,通常用作定语,修饰名词,但有时也用作表语或补语。

1 名词/代词＋形容词/形容词＋名词

　sea-sick 晕船的　　　　　air-tight 不透气的　　　　blood-thirsty 残忍的
　ice-cold 冰冷的　　　　　duty-free 免税的　　　　　carefree 无忧无虑的
　snow-white 雪白的　　　　apple-green 苹果绿的　　　world-wide 世界性的
　shake-proof 防震的　　　　water-tight 不漏水的　　　air-sick 晕飞机的
　interest-free 免利息的　　fire-proof 防火的　　　　home-sick 想家的
　grass-green 草绿色的　　　brand-new 全新的　　　　water-resistant 防水的
　jet-black 乌黑发亮的　　　lead-free 无铅的　　　　knee-deep 膝盖深的
　dust-proof 防尘的　　　　all-mighty 万能的　　　　nuclear-free 无核(区)的
　accident-prone 容易出事的　sound-proof 隔音的　　　top-heavy 头重脚轻的
　trouble-free 没有麻烦的　　rock-hard 坚如磐石的　　sea-green 海绿色的
　class-conscious 有阶级觉悟的　self-righteous 自以为是的　brick-red (wall) 砖红色的(墙)
　class-conscious 有阶级觉悟的　toll-free 对方付费的(电话)　world-famous 世界闻名的
　full-time (job) 专职(工作)　fast-food (restaurant) 快餐(店)
　midnight-blue (cap) 黑蓝色的(帽子)

2 名词/代词＋名词＋-ed

　iron-willed 意志坚强的　　ox-eyed 大眼睛的　　　　honey-mouthed 甜言蜜语的
　chicken-hearted 胆小的　　gold-cornered 镶金边的　　cotton-patted coat 棉衣
　apple-shaped 苹果形状的　　stone-hearted 铁石心肠的　gold-laced 有金饰带的
　muddle-headed 糊涂的　　　lion-hearted 勇敢的　　　silver-haired 银发的
　hook-nosed 钩鼻子　　　　horn-rimmed 有角质架的　　self-willed 固执的
　bull-necked 脖子短而粗的　scar-faced 脸上有疤的　　self-centred 自私的

3 名词/代词＋现在分词

　这类复合形容词,同被修饰词为主谓宾关系或主谓状关系。

　law-abiding 守法的　　　　　　　time-consuming 耗费时间的
　self-sacrificing 自我牺牲的　　　blood-curdling 令人寒心的
　face-saving 顾面子的　　　　　　ship-building (factory) 造船(厂)
　English-speaking 说英语的　　　　peace-freedom/loving 爱好自由/和平的
　flower-selling (girl) 卖花(姑娘)　heart-rending (story) 令人心碎的(故事)

pleasure-seeking 寻欢作乐的
soul-stirring 感人肺腑的
man-eating 吃人的
atom-smashing 分裂原子的
autumn-flowering 秋天开花的
flesh-eating 食肉的
record-breaking 破纪录的
self-locking 自动上锁的
labour-saving 节省劳力的
trouble-making 捣乱的
earth-shaking 翻天覆地的
sun-bathing 晒日光浴的
self-registering 自己记录式的
book-reviewing（essays）书评（文章）
breath-taking（workers）歇着的（工人）
house-keeping（girl）管家的（女孩）
town-planning（bureau）城市规划（局）
self-defeating（policy）自拆台脚的（政策）

epoch-making 划时代的
fault-finding 喜欢挑剔的
fact-finding 调查研究的
self-regulating 自我调节的
mouth-watering 令人垂涎的
top-ranking 职位最高的
money-worshipping 拜金的
oil-bearing（crops）油料（作物）
oath-taking 发誓的
self-deceiving 自欺欺人的
sleep-walking 梦游者
ocean-going 远洋的
paper-cutting（machine）切纸的（机器）
night-walking（patient）夜游的（病人）
rice-living（people）靠吃米生活的（人）
dress-making（shop）做女服的（店铺）
horse-riding（general）骑马的（将军）

4 名词／代词＋过去分词

这类复合形容词同被修饰词大多为被动性的主谓关系。

weather-beaten 饱经风霜的
snow-covered 雪覆盖着的
ice-covered 结冰的
self-taught 自学成才的
heart-broken 伤心的
hand-made 手工制作的
moss-covered 布满青苔的
water-cooled 水冷（机器）
one-sided 片面的
time-honored 长久存在的
tongue-tied 结结巴巴的
air-conditioned 有空调的
mass-produced 成批生产的
silver-plated 镀银的
bow-legged 膝盖向外弯的
double-breasted 双排扣的
right-angled 直角的
sunburnt 晒黑的
moon-lit（scene）月光下的（景色）
famine-stricken 遭受饥荒的
a tree-lined（avenue）林荫（大道）
horse-drawn（cart）马拉的（车）
candle-lit（room）烛光照亮的（房间）
custom-built（shoes）定做的（鞋）
careworn 饱经忧患的

heart-felt 衷心的
machine-made 机器制作的
poverty-stricken 贫困的
hand-written 手抄的
state-owned 国有的
god-forsaken 上帝抛弃的
tailor-made 裁缝定做的
sugar-coated 糖衣的
sun-lit 充满阳光的
sun-tanned 晒得黑黑的
breast-fed 吃人奶长大的
duty-bound 有责任的
left-handed 用左手的
man-made 人造的
panic-stricken 惊慌失措的
double-barrelled 双筒的（猎枪）
hand-picked 亲自挑选的
hand-operated 手工操作的
self-made 靠自己努力成功的
thunder-struck 吓坏了的，遭雷击的
homemade 本国造的，家里做的
home-brewed（wine）家酿的（酒）
love-stricken（girl）热恋中的（女孩）
trade-related（laws）有关贸易的（法律）

5 形容词／数词＋名词

这类复合形容词表示被修饰词的特征、品质、时间、距离等。

present-day 当前的
first-rate 第一流的
second-rate 二流的
full-length 全身(像)
one-way 单向(通行)的
front-page 头版的
full-scale 全力(进攻)的
fine-manner 举止优雅的
a five-day (match) 为期五天的(比赛)
a three-hour (meeting) 三小时的(会议)
a four-week (holiday) 四周的(假期)
white-collar (worker) 白领(工人)
five-star (general) 五星(上将)
ten-dollar (note) 10 美元的(钞票)
high level lecture 高水平的讲座
500-meter (dash) 500 米(赛跑)
an eighteen-century (novel) 18 世纪的(小说)

high-speed 高速的
bare-foot 赤脚的
half-price 半价的
loose-leaf 活页的
late-night 深夜的
last-minute 最后一分钟的
long-distance (call) 长途(电话)
low grade criteria 低级标准

second-hand 二手的
first-class 头等的
deep-sea 深海的
top-secret 绝密的
part-time 部分时间的
long-range 远程的
high-grade 高级的,优等的
poor class district 贫民区
a tenth-floor (flat) 位于 10 层的(公寓)
an eight-foot (hole) 八英尺深的(洞)
a ten-acre (plot) 10 英亩的(田地)
a seven-year-old (girl) 七岁的(女孩)
ten-speed (bicycle) 10 速(自行车)
good quality cloth 优质布料
foreign style villa 外国风格的别墅
a twenty-minute (walk) 20 分钟的(步行)
a ten-kilo bag of flour 一袋 10 公斤重的面粉

6 形容词/数词＋名词＋-ed

这类复合形容词同被修饰词为定语或表语关系。

double-faced 两面派的
teen-aged 十几岁的
good-natured 好脾气的
grey-haired 白发的
absent-minded 心不在焉的
loose-tongued 多嘴而泄密的
short-sighted 近视的
white-haired 白毛/发的
smooth-surfaced 表面光滑的
evil-minded 心地险恶的
middle-aged 中年的
one-sided 单方面的
good-humored 情绪很好的
far-sighted 眼光远大的
tight-fisted 吝啬的
open-handed 慷慨大方的
old-fashioned 老式的
soft-hearted 软心肠的
short-tempered 急躁的
four-wheeled 四轮的
six-roomed 六个房间的
simple-minded 头脑简单的
tender-hearted 有恻隐心的
light-fingered 爱小偷小摸的
clear-headed 头脑清楚的
fine-grained 颗粒细小的
soft-footed 脚步很轻的
warm-blooded 温血的(动物)

long-tailed 长尾的
good-mannered 有礼貌的
bad-tempered 坏脾气的
long-armed 长臂的
four-legged 四条腿的
high-prized 昂贵的
wholehearted 全心全意的
long-legged 长腿的
noble-minded 品格高尚的
ill-starred 不幸的,倒霉的
ill-humored 情绪不好的
hard-faced 板着面孔的
light-headed 头晕的
strong-minded 坚强的
tough-minded 意志坚强的
good-tempered 脾气好的
short-handed 人手短缺的
high-heeled 高跟的
warm-hearted 热心的
slow-footed 腿脚慢的
hot-tempered 急性的
odd-shaped 奇形怪状的
light-hearted 心情轻松的
narrow-minded 心胸狭窄的
kind-hearted 心地善良的
flat-footed (man) 平脚底的(人)
cross-eyed (girl) 斗鸡眼的(女孩)
thick-skinned 对批评侮辱不太敏感的

eight-sided 有八边的
round-faced 圆脸的
bare-footed 赤脚的
tender-skinned 皮肤细嫩的
one-eyed 独眼的
small-sized 小型的
blue-eyed 蓝眼睛的
clean-minded 心地纯洁的
cool-headed 头脑冷静的
cold-blooded 残忍的
heavy-handed 笨拙的
hard-headed 冷静的,理智的
near-sighted 近视的
sweet-tempered 脾气好的
level-headed 头脑冷静的
broken-hearted 心碎的
slow-witted 笨/蠢的
deep-seated 牢固的
swollen-headed 自命不凡的
medium-sized 中型的
moderate-sized 大小适中的
giant-sized 身材魁梧的
muddy-headed 糊里糊涂的
open-minded 心胸开阔的
smooth-tongued 花言巧语的
flat-chested 扁平胸的

two-faced (fellow) 两面派的(家伙)　　　three-cornered（hat）三角(帽)
eight-lined (expressway) 八车道的(高速公路)

7 形容词＋现在分词

这类复合形容词同被修饰词常为主系表关系。

good/nice-looking 漂亮的　　　　　　　sweet-smelling 好闻的
bad-smelling 难闻的　　　　　　　　　ill-fitting 不合身的
weak-sounding 微弱跳动的　　　　　　close-fitting 紧身的
soft-sounding 声音柔和的　　　　　　high-sounding 高调的,夸大的
easy-going 随和的　　　　　　　　　young-looking 看上去很年轻的
bright-shining 明亮的　　　　　　　cheap-looking 看起来很便宜的
thorough-going 彻底的　　　　　　　smooth-running 运转平滑的
fine-sounding 好听的　　　　　　　smooth-talking 花言巧语的
ordinary-looking 看上去普通的　　　familiar-sounding（name）听起来熟悉的(名字)

8 形容词＋过去分词(有些也可看成是"副词＋过去分词")

blue-painted 漆成蓝色的　　　　　high-born 出身高贵的
new-built 新建的　　　　　　　　American-born 在美国出生的
new-born 新出生的　　　　　　　true-born 嫡出的,十足的
ready-made 现成的　　　　　　　fresh-caught 刚捕到的
fresh-baked 刚烤出来的　　　　　ready-cooked 烧好的
new-made 新做的　　　　　　　　clean-shaven 胡须剃得光光的
full-grown 长大了的　　　　　　foreign-born 在国外生的
native-born 本地生的　　　　　　foreign-manufactured 外国造的
gilt-edged/gilt-edge 金边的　　　thorough-bred 受过良好教育的
old-established 创办已久的,存在已久的　French-built 法国建筑风格的
American-equipped 美式装备的　　new-laid（eggs）刚下的(鸡蛋)(＝newly-laid)
Chinese-educated 在中国受教育的

9 副词＋形容词

ever-green 常绿的　　　　all-round 全能的　　　　too-rapid 太快的
over-critical 批评过多的　over-credulous 过于轻信的　over-busy 太忙的,多管闲事的

10 副词＋名词

off-hour 休息时间的　　　uphill 上山的　　　　　off-key 不协调的
offhand 即席的,随便的　　off-price 销售优惠价的　outsize 超大型的
off-campus 校园外的　　　off-peak（交通)非高峰的　off-guard 失去警惕的
outside 外面的　　　　　off-budget 预算外的　　offshore 离岸的,近海的

11 副词＋现在分词

这类复合形容词同被修饰词为主谓状关系。

ever-lasting 持久的　　　　on-coming 即将来到的　　out-going 离去的
well-meaning 善意的　　　far-reaching 深远的　　ever-increasing 不断增加的
hard-working 勤奋的　　　fast-retreating 快速撤退的　far-seeing 有远见的
long-suffering 长期受难的　late-flowering 迟开花的　never-ending 不断的
rapidly-rising 快速上升的　home-coming 归家的　　high-ranking 高级的
hard-wearing 耐磨的　　　long-lasting 耐用的　　off-putting 令人不快的
long-standing 由来已久的　fast-moving 动作快的　　long-running 持续很久的
ever-blooming 四季开花的　long-playing（records）密纹(片)　ill-meaning 恶意的
never-failing 从不失信的,及时的　frequently-occurring 经常发生的
forth coming（book）即将出版的(书)　never-ending（dispute）无休止的(辩论)
quickly-cured（patient）很快治愈的(病人)　fast-spreading（news）迅速流传的(消息)

12 副词＋过去分词

这类复合形容词同被修饰词为主谓状关系,主动或被动。

newly-built 新造的	wide-spread 广泛流传的	westbound 向西开的
well-read 学识渊博的	low-cut 领口开得很低的	long-lived 长寿的
well-bred 有教养的	well-cut 剪裁精良的	well-behaved 表现好的
well-meant 善意的	well-nourished 营养好的	well-known 著名的
half-baked 半生不熟的	ill-written 写得不好的	ill-fed 食不饱腹的
low-paid 报酬低的	widely-used 广泛使用的	half-closed 半关着的
ill-mannered 举止粗鲁的	much-needed 非常需要的	not-yet-ended 尚未结束的
much-praised 备受赞扬的	well-grounded 理由充足的	outspoken 心直口快的
well-dressed 穿着讲究的	well-informed 消息灵通的	well-balanced 均衡的
often-repeated 常被重复的	badly-wounded 重伤的	long-awaited 被期待已久的
overfed 吃得过多的,过胖的	badly-managed 管理不良的	ill-clad 衣着破烂的
strangely-formed 形状奇怪的	ill-printed 印得不好的	well-equipped 装备精良的
well-intentioned 用心良苦的	well-founded 有根据的	well-built 结实的,体格健美的
above-mentioned 上面提到的	long-established 长久存在的	far-fetched 牵强的,不自然的
long-remembered 长久记着的	better-trained（persons）受过更好训练的(人)	

a long-drawn-out struggle 长期进行的斗争　a smartly-dressed man 一位穿着考究的男子
strongly-motivated youngsters 动力很强的青年　a cautiously-worded statement 措辞谨慎的声明
badly-lighted（room）光线昏暗的(房间)　well-cultivated（fields）精耕细作的(田地)
a simply-furnished house 一幢陈设简单的房子

▶▶▶ 下面这些"副词＋过去分词",应看作形容词词组:

a richly deserved honor 应得的荣誉　　newly married couple 新婚夫妇
superbly cut clothes 剪裁出色的衣服　　highly developed industry 高度发达的工业
well brought up children 教养好的孩子　　a powerfully built man 一个身材魁梧的男子

13 形容词＋形容词

red-hot 炽热的	dark-green 深绿色的	grey-green 灰绿色的
purple-red 紫红色的	wideawake 清醒的	bloody-red 血红的
orange-green 橘绿色的	yellow-green 黄绿色的	reddish-brown 黄褐色的
bluish-green 绿中带蓝的		

14 过去分词＋介词

unthought-of 没有想到的	unpaid-for 没付款的	longed-for 被渴望的
uncalled-for 未被请求的	unlooked-for 非期待的	most-talked-about 谈得最多的
yet-unheard-of 尚未听说过的	undreamed-of 连做梦也没想到的	

15 动词／过去分词＋副词

made-up 编造的	see-through 透明的	carry-on 随身携带的
built-in 嵌入的	get-tough 强硬的	rolled-up 卷起来的
unlived-in 没人住的	dressed-up 乔装打扮的	bombed-out 被炸毁的
stuck-up 趾高气扬的	rundown 年久失修的	built-up 盖满房子的
cast-off 丢弃的	broken-down 破旧不堪的	laid-back 冷静放松的
take-away（meals）外卖的(饭食)	take-home（wage）扣税后的(实际收入)	

drive-in（cinema）开车进去的(电影院)

The **well-known** and **iron-willed** statesman made a speech, **well-grounded** and carefully worded, and it would have a **far-reaching** influence on the world. 那位有着钢铁般意志的著名政治家发表了一个演说,该演说论述充分,措辞严谨,将会对世界产生深远的影响。

Sunny people are not necessarily **well-to-do** people. 乐观的人未必就是有钱人。

There was a **deer-caught-in-the-headlights** look in her eyes. 她的眼神,像小鹿给车头灯照个正着

的样子,极度惊惶。

The **weather-beaten** general, a **self-taught** and **clean-minded** man, fought a heroic battle against the **blood-thirsty** tyrant on the **snow-covered** plains. 将军自幼饱读兵书,侠肝义胆,身经百战,在冰天雪地的平原上,同那个嗜血成性的暴君进行了一场殊死决战。

I could hear the **I-wish-I-had-thought-of-that** sentiment in his voice. 从他的声音中,我能听出一种"如果我能想到这一点该多好"的感叹。

▶▶ 其他类型的复合形容词还有:

break-neck 危险的(动词＋名词)　　　　freezing-cold 冰冷的(现在分词＋形容词)
roadside 路边的(名词＋名词)　　　　　steaming-hot 滚烫的(现在分词＋形容词)
Chinese-English (dictionary) 汉英(词典)(名词＋名词)
heart-to-heart (talk) 推心置腹的(谈话)(名词＋介词＋名词)
such-and-such (a place) 某某(一个地方)(代词＋连词＋代词)
out-and-out (liar) 十足的(说谎大王)(副词＋连词＋副词)
touch-and-go (situation) 一触即发的(形势)(动词＋连词＋动词)
far-away (village) 遥远的(村庄)　　　　hard-up 经济困难
all-out 全力以赴的　　　　　　　　　three-piece 三件套(的衣服)
twin-engine 双引擎　　　　　　　　　well-to-do 富裕的
well-off 宽裕　　　　　　　　　　　day-to-day news 每日新闻
down-to-earth 讲究实际的　　　　　　out-of-date information 过时的信息
an out-of-the-way place 荒僻的地方　　a face-to-face talk 面对面的谈话
an out-of-print book 绝版书　　　　　up-to-standard product 符合标准的产品
a wait-and-see policy 观望政策　　　　a step-by-step development 逐步发展
one-to-two-year-old boys 一两岁的男孩　a get-rich-quick measure 快速致富的措施
an on-the-spot investigation 一次现场调查　a difficult-to-operate machine 难操作的机器
take-it-or-leave-it attitude 无所谓的态度　nothing-can-be-done attitude 无所作为的态度
a life-and-death struggle 一场生死攸关的斗争
up-to-date ideas on education 有关教育的现代理念
a never-to-be-forgotten face 令人难以忘怀的面容
an out-and-out conservative 一个彻头彻尾的保守分子

9. 主动意义形容词和被动意义形容词

1 从意义上看,形容词有主动与被动之分。以-ing 结尾的形容词一般具有主动意义,以-ed结尾的形容词一般具有被动意义(参阅本讲下文)

　　She found him to be a very **promising** young man. 她觉得他是个很有希望的青年。
　　These are the **reserved** tickets. 这些是预订的票。

2 以-ful, -ive, -ous, -ory, -ant 等后缀结尾的形容词一般表示主动意义,以-ible, -able, -worthy等结尾的形容词一般表示被动意义

　　The **pleasant** girl is **respectful** to others. 那可爱的姑娘尊重人。(可爱的,尊敬人的)
　　Salt is a **soluble** matter. 盐是一种可溶物质。(可溶解的)
　　The man is **trustworthy**. 那人可以信赖。(可信赖的)
　　The conditions are not **acceptable**. 这些条件不能接受。(可接受的)
　　The stars are **visible** now. 现在看得见星星了。(看得见的)

3 有些形容词可表示主动和被动两种意义,视具体场合而定

　　{ He was **sensible** of the danger. 他觉察到了危险。(觉察到的,主动)
　　{ Her worry was **sensible** from her face. 从她的脸上看得到忧伤。(可觉察到的,被动)
　　{ She cast a **suspicious** look at me. 她猜疑地向我看了一眼。(猜疑的,主动)
　　{ He is a **suspicious** character. 他是个可疑的人。(可疑的,被动)

4 有些形容词总是表示主动意义,而另一些形容词则总是表示被动意义

{She is **affectionate** to him. 她爱他。(=She loves him)(主动)
{She is **dear** to him. 她为他所钟爱。(=She is loved by him)(被动)

10. 由现在分词转换而来的-ing 形容词

1 英语中有相当数量的现在分词,逐渐演变成了形容词,大都是品质形容词,可作定语或表语,有时可用于比较级和最高级,其原始词为及物动词,因而具有及物性,表示主动意义

这类-ing 形容词常用的有:exciting, charming, frightening, confusing, convincing, amazing, alarming, boring, appalling, menacing, refreshing, pleasing, surprising, tiring, relaxing, astonishing, disturbing, overbearing, revolting, depressing, misleading, encouraging, annoying, shocking, interesting, astounding, tempting, threatening, humiliating, rewarding, welcoming, inspiring, enchanting, demanding, challenging, overwhelming, amusing, embarrassing, disappointing等。例如:

I have had a **refreshing** sleep. 我睡了一个解乏的好觉。

Her **revolting** behaviour angered him. 她那使人厌恶的行为激怒了他。

She gave a **convincing** speech. 她作了颇具说服力的发言。

He is **overbearing** in his relations with his staff. 他专横地对待下属。

The flowers on the hillside are **pleasing**. 山坡上的花儿赏心悦目。

The answer is most **satisfying**. 回答非常令人满意。

{The news from the front is very **disturbing**. 来自前线的消息令人极为不安。
{They are discussing the **disturbing** developments. 他们在讨论令人不安的事态发展。

2 还有一些-ing 形容词具有不及物性,通常作定语,不作表语,也不用于比较级或最高级

常用的有:rising, living, existing, remaining, dying, falling, outgoing, becoming, balding, impending, neighboring, bleeding, increasing, ruling, prevailing, dwindling, diminishing, ailing, bursting, reigning, booming, ageing, governing 等。例如:

Here is the **remaining** water. 这里是剩下的水。

Blue is a very **becoming** color on her. 她穿蓝色衣服非常好看。

They lived in a **neighboring** town. 他们住在邻近的一个小镇上。

Those are the **prevailing** fashions in dress. 那些是流行的服装式样。

They were not aware of the **impending** disaster. 他们没有意识到即将降临的灾祸。

He saw a **balding** head thinly sparkled with grey hairs. 他看到了一个秃头,稀稀落落有几根白发。

The **outgoing** mails are being classified and packed. 准备寄出的邮件正在分类打包。

The company has been doing **booming** business this year. 这家公司今年生意兴隆。

These incidents were caused by **increasing** unemployment. 这些事件是因失业人数不断增加而造成的。

▶▶▶ 还有一些-ing 形容词,不是由现在分词变来,与动词无关,常用的有:enterprising, trying, engaging, ongoing, oncoming, appetizing, promising, forthcoming, pressing 等。例如:

enterprising youngsters 有进取心的年轻人　　　an **engaging** smile 迷人的微笑

the **oncoming** twilight 即将来临的黄昏　　　an **appetizing** smell 引起食欲的香味

a **promising** beginning 有希望的开端　　　a **pressing** issue 紧迫的问题

the **forthcoming** holidays 即将到来的假期

a series of **ongoing** scientific studies 一系列正在进行的科学研究

We have had a **trying** time. 我们度过了一段艰难的时光。

11. 由过去分词转换而来的-ed 形容词

1 大部分-ed 形容词都是由及物动词的过去分词演变而来,具有被动含义,多为品质形容词,可作定语或表语,有时可用于比较级和最高级;这里也包括那些不以-ed 结尾的过去分词演变而来的形容词

常用的有:pleased, puzzled, amused, alarmed, delighted, agitated, excited, disillusioned, shocked, tired, worried, bored, contented, appalled, disgusted, disappointed, depressed, satisfied, troubled, distressed, confused, embarrassed, astonished, completed, decided, covered, complicated, dressed, discouraged, distinguished, devoted, wounded, unknown, unqualified, unexpected, unmarried, married, reserved, qualified, offended, finished, illustrated, crowded, interested, deserted, continued, contrived 等。例如：

He gave a **satisfied** smile. 他满意地笑了笑。

She remained **unmarried** all her life. 她一生未婚。

He became **disillusioned** with the future. 他对前途感到无望。

The **frightened** horse began to run. 受惊的马开始跑起来。

Her **agitated** knocking at the window went unheeded. 没人搭理她急切的敲窗声。

He had a **worried** look on his face. 他面带愁容。

The **interested** spectators cheered him on. 兴致勃勃的看客为他欢呼打气。

He looked even more **depressed**. 他看上去更为忧郁。

2 还有一些-ed形容词为类属形容词,常作定语,有时也可作表语,但不用于比较级或最高级

常用的有：closed, broken, dried, armed, divided, fixed, paid, boiled, known, wasted, licensed, canned, infected, painted, trained, united, classified, required, improved, haunted, condemned, integrated, concentrated, abandoned, hidden, reduced, loaded, torn, watered, established。例如：

He mourned for the **wasted** opportunities. 他为错过的机会感到痛心。

He is a **trained** gardener. 他是一个受过训练的园艺师。

They had **canned** food for lunch. 他们午饭吃了罐头食品。

He sat with a look of **fixed** attention on his face. 他坐着,脸上露出专注的神态。

Established customs are hard to change. 形成的习俗不易改变。

There is said to be **hidden** treasure here. 这里据说有秘藏的财宝。
The tomb lies **hidden** in the deep woods. 那座墓藏于森林深处。

3 还有一类-ed形容词,其含义与相关动词有所不同

常用的有：mixed, advanced, attached, determined, noted, marked, guarded, disposed, pointed, veiled。例如：

She is a **determined** lady. 她是一位意志坚定的女士。

He gave a **guarded** answer to the question. 他对那个问题给予了谨慎的回答。

The patient showed a **marked** improvement. 病人的病情在显著好转。
It **marks** a new stage in history. 它标志着历史上的一个新阶段。

Advanced techniques have been introduced. 引进了先进技术。
They soon **advanced** to the borderline. 他们不久就推进到了边境线。

He is a **noted** scholar. 他是一位著名学者。
Note how I did it. 注意我刚才是怎么做的。

It is a **veiled** threat. 这是一种含蓄的威胁。
Morning fog **veiled** the river. 晨雾笼罩着河面上。

She is very **attached** to her daughter. 她十分喜欢她的女儿。
She **attached** a label to a suitcase. 她把标签贴在衣箱上。

12. "名词＋-ed"构成的形容词

有一类形容词是由"名词＋-ed"构成的,通常用作定语。例如：

a **skilled** politician 老练的政治家   a **gifted** musician 有天赋的音乐家

a **detailed** plan 详细的计划   a **flowered** lawn 开花的草地

gloved hands 戴手套的手   a **high-principled** man 高尚的人

a **salaried** employee 支薪雇员   **winged** creature 有翼动物

a heavily **bearded** man 长一把大胡子的人

The **horned** snails lay stretched out on grey stones with their houses on the backs. 长着触角的蜗牛驮着各自的窝棚,在青石上伸展开来。

In our fast **paced** world, nothing seems constant. 在这个快节奏的世界上,没有任何东西是永恒

不变的。

二、功能

1. 作定语

Food and sex are human being's **fundamental** demand(s). 食、色，性也。

Half the building was in flames. 整幢大楼有一半着火了。

He is the greatest writer **alive**. 他是健在的最伟大的作家。

Someone **else** has done it. 别人已做了这事。

Camels are **tough**，**hardy** creatures. 骆驼是强健耐劳的动物。

It is a very **remarkable** experience. 那是一次了不起的经历。

There are **many fewer** regulations governing cosmetics. 管理化妆品的法规减少了不少。

Yellow leaves in hills began to fall，whirling in the **late** autumn wind. 时已深秋，山山黄叶飞。

The **surest** road to failure is to do things mechanically. 做事呆板必然导致失败。

The **few** survivors were sent to the hospital immediately. 为数不多的几个幸存者被立即送往医院了。

That's **very** Hongkong，where you have East and West co-existing. 那是很有香港特色的，在香港东西方文化是共存的。（very 这里表示"十足的，完全的"）

▶▶ 注意下面几个作定语的形容词的含义：

a **heavy** eater 吃得多的人（＝somebody who eats heavily）

a **poor** soldier 差劲的兵（＝one who acts poorly as a soldier）

a **mad** doctor→$\begin{cases}精神病医生\\患精神病的医生\end{cases}$　　an **English** teacher→$\begin{cases}英语教师（可能是中国人）\\英国人教师\end{cases}$

a **criminal** lawyer→$\begin{cases}刑事律师\\犯罪的律师\end{cases}$　　a **deaf and dumb** teacher→$\begin{cases}教聋哑学生的教师\\又聋又哑的教师\end{cases}$

2. 作补语

形容词作主语补足语和宾语补足语时，可以表示其现状、状态，也可以表示某一动作的结果（如 knock sb. senseless），并常用在表示"认为，看待"的动词如 believe，prove，consider 等后。例如：

The news made her very **sad**. 这消息使她非常悲伤。（宾语补足语）

I remember him **young**. 我记得他年轻的时候。（宾语补足语）

The Internet has made the global village **possible**. 互联网使地球村成为可能。（宾语补足语）

Don't leave it **half-finished**. 不要做一半就不管了。（宾语补足语）

Her life has been made **worth** living. 这使她的生活有了意义。（主语补足语）

The bottle was found **empty**. 发现这瓶子是空的。（主语补足语）

She came home **sick**. 她回家来生病了。（主语补足语）

The farmer sold the oranges **green**. 橘子还是青的，农民就卖了。

He likes to drink wine **hot**. 他喜欢喝热酒。

They picked the apples **ripe**. 他们摘苹果时，苹果已经熟了。

He beat her **black and blue**. 他把她打得青一块紫一块。（本句可改为被动语态）

The cries of the cuckoo bird made him **homesick**. 他听见布谷鸟声，思乡之情油然而生。（宾语补足语）

The facts proved his accusation **groundless**. 事实证明他的指责是毫无根据的。

【提示】下面两个句子的 young 可以看作表语，die 和 marry 为半系动词；但这里的 young 也可看作主语补足语。

The scientist died **young**. 这位科学家英年早逝。

Don't marry **young**. 不要早婚。

3. 作状语

形容词（短语）可作状语，其位置可以是句首、句中或句末。形容词作状语，有时可以看成是"being＋形容词"结构或 when，if，because 等从句的省略，表示时间、方式、原因、伴随、让步、强调、条件等。形容词作状语有时对主语进行解释,说明主语是什么一种情况。形容词作状语可以修饰整个句子,有时也可修饰单个副词。例如:

Curious, the children went into the cave. 出于好奇,孩子们进了山洞。(原因)

Speechless, they sat in the corner, smoking. 他们没有说话,只是坐在角落里抽烟。(方式)

Silent and alone, I mounted the west tower. 无言独上西楼。

His gaze travelled around **irresolute**. 他直盯盯的目光,犹豫不决地调转过来。

His dark hair waved **untidy** across the face. 他乌黑的头发蓬乱地遮在脸上。

Stony-faced, the policewoman asked the driver to show his driving licence. 女警察板着脸,要求司机出示驾照。(方式)

Unhappy with the result, he decided to do more experiments. 他对结果不满意,决定做更多的实验。(原因)

She was in her own world, **quiet**, **secure**, unnoticed, unnoticing. 她在自己宁静、安全的小天地里,不为人注意,也不注意他人。

A girl stood before him in midstream, **alone and still**, gazing out to sea. 他面前有位少女一个人静静地站在溪流中间,出神地望着大海。

He arrived at the mountain village, **tired and dusty**, on Sunday night. 星期天夜里,他来到了那个山村,风尘仆仆,精疲力竭。

Strange, the boy fell off the tree and was not hurt. 很奇怪,这个男孩从树上掉了下来,竟然没有伤着。(修饰句子)

Most important, all the delicate pieces of equipment are home-made. 所有的精密仪器都是国内制造的,这非常重要。(修饰句子)

Nervous, she walked down the dark corridor. 她忐忑不安地在漆黑的走廊里走着。

She smiled a warm and friendly smile, **glad of my company**. 她热情友好地微笑着,很高兴我和她做伴。

Full of excitement. the children looked forward to going on a picnic. 孩子们万分兴奋,盼望着去野餐。

Enthusiastic, they can turn out 300 units a day. 热情高涨时,他们一天能生产 300 个部件。(时间)

Flushed and breathless, he bounded in through the gate. 他涨红了脸,上气不接下气,从大门口蹿了进来。

I walked along the path, **awash with second thoughts**. 我沿着小路走着,脑中浮想联翩。

Ripe, the oranges will sell at a good price. 橘子熟了将能卖个好价钱。(时间)

Alice tiptoed to the bed, **careful not to wake the baby**. 艾丽斯踮着脚走到床边,小心别弄醒宝宝。(方式)

Eager to see the sunrise, they got up at four. 他们渴望看日出,4 点钟就起了床。(原因)

Cheerful and warm-hearted, she gave help to a lot of people. 她阳光而热心,给过很多人帮助。(伴随,起补充说明的作用)

Large or small, all countries are equal. 不论大小,国家皆为平等。(让步)

Afraid of being late, she got up at five o'clock in the morning. 担心迟到,她早上 5 点钟就起了床。(原因)

Breathless, she rushed in through the back door. 她气喘吁吁地从后门跑了进来。(伴随情况)

Anxious for quick decision, they met three times a day. 他们急于想作出决定,一天碰了三次面。(原因)

Energetic and enthusiastic, he plunged into the new work. 他精力充沛,热情高涨,投入了新的工作。(说明主语的状态)

Angry with him, she complained all day. 她生他的气,整天抱怨个没完。

Unable to reply, he pretended not to hear me. 他回答不了,就装着没听见我的话。

Young, rich and pretty, Jane has a lot of boy friends. 简正值豆蔻年华,富有而漂亮,有一大堆男朋友。

Ready to fight them, he stood unmoved. 他已做好准备同他们打斗,站着一动不动。

Penniless, he wandered here and there. 他身无分文,到处流浪。

Angry, his father beat him. 他父亲生气了,打了他。

Eighty years old, she is still very active. 她年已八旬,仍然很活跃。

Sad to say, I cannot see her any more. 说来伤心,我再也见不到她了。

Needless to say, he is the best student in the class. 不用说,他是班上最优秀的学生。

Young in years, he is old in experience. 他年纪不大,但经验丰富。

He approached, **careless of danger**. 他不顾危险,靠近了。

He fought hard, **unable to get out**. 他左突右冲,但就是出不去。

He was lying under the tree, **exhausted**. 他躺在树下,疲惫不堪。

He gaped **round-eyed**. 他张大着嘴,双目圆睁。(句子短时可不加逗号)

She fell down **unconscious**. 她倒了下去,昏过去了。

He acted **strange**. 他的行为怪异。

She gazed at him **speechless**. 她盯着他,一声不吭。

I'm sure he sleeps **average** well. 我相信他和平时一样睡得香甜。

She glanced with disgust at the cat, **quiet**. 她厌烦地瞥了一眼那只猫,那只猫一动也不动。

比较:

> **almighty** awful 糟糕透顶　**almighty** hungry 饿得要命(作副词)
> the **almighty** dollar 万能的金钱　**Almighty** God 全能的神(作形容词)

【提示】

① 某些形容词作状语时,句中位置较灵活,若位于主语后,强调性较弱,若位于句尾,则强调性最强。比较:

> 他悲伤而疲惫,睡了一整天。
> He, **sad and tired**, slept all day. (弱)
> He slept all day, **sad and tired**. (强)

> 她心情紧张,面色苍白,匆匆走上楼去。
> She, **nervous and pale**, hurried up the stairs. (弱)
> She hurried up the stairs, **nervous and pale**. (强)

② 有些形容词如 funny, strange, curious, odd, important, surprising, remarkable 等作状语时,表示的是评注性的说明,是说话者的某种看法,前面可加 more 或 most,可转换为 It is ... that 句型。例如:

Funny, he pretends to know what he doesn't know. 好笑,他不懂装懂。

Surprising, she got a first in the competition. 令人吃惊的是,她竟在比赛中得了第一名。

Curious to relate, he became a rich man overnight. 说来奇怪,他竟一夜之间成了富翁。

Most wonderful of all, they got married at last. 最令人高兴的是,他们最终结了婚。

True, he has done his best. 的确,他尽了最大努力。

More remarkable, he has made a breakthrough in his research. 更值得注意的是,他的研究获得了突破。

③ 比较:

> **Unhappy**, Peter gave up a promising career in law. 彼得放弃了很有前途的律师职业,他很不开心。(Peter was unhappy...)
> **Unhappily**, Peter was not able to complete the course. 很遗憾,彼得不能修完这门课程。(It is a pity that...)

④ bitter 等亦可用作副词,修饰形容词作状语,如:**bitter** cold 酷寒,**dead** asleep 熟睡,**dead** sure 铁定,**awful** sick 病得厉害,**precious** hot 太热,**terrible** rude 极为粗野,a **real** good time 好时光。

4. 作表语

1 两个或两个以上表示并列关系的性质形容词作表语时,最后一个形容词之前要加 and

Life was **cheap** during the war. 在战争中,生命简直不值线。

The day was **cold and windy**. 那天很冷,风又很大。

The man was **tall,dark,and handsome**. 那人又高又黑又英俊。

② 表示"是,在"的系动词要求用形容词作表语

常用的有:remain 保持,keep 持续,continue 继续,stay 保持,stand 位于,lie 位于,等。例如:

He **remained silent** at the meeting. 他在会上一言不发。

The book **lay open** on the table. 书本翻开着放在桌子上。

③ 表示"变成,成为,证明"的系动词要求用形容词作表语

常用的有:grow 变得,turn 变得,prove 证明,get 变成,go 变成,run 很快变成,come 果然变成,等。例如:

Her dream has **come true**. 她的梦想实现了。(不可用 truly)

Full of fear, the boy's blood **ran cold**. 这男孩吓得血都凉了。

The leaves **turned red,orange** and **yellow** in the autumn air. 树叶在秋天变成了红、橙、黄几种颜色。

这消息证明是确凿的。
{ The news proves correctly. [×]
{ The news proves **correct**. [√]

④ 感觉、感官动词要求用形容词作表语

常用的有:appear 看上去,look 看起来,sound 听起来,smell 闻起来,taste 尝起来,feel 摸起来,等。例如:

它听起来很好。
{ It sounds nicely. [×]
{ It sounds **nice**. [√]

比较:

{ The pig has grown **quickly**. 这头猪长得很快。(状语 quickly 描述 grow 的"速度,过程")
{ The pig has grown **fat**. 这头猪长得很肥。(表语 fat 描述 grow 的"静态结果")

{ She looked **angrily** at him. 她生气地看着他。
{ She looked **angry**. 她看上去很生气。

5. 作主语

形容词可以用作主语,往往成对使用,具有名词化的特点。例如:

Rich and poor were sitting cheek by jowl in the audience. 穷人和富人并肩坐在那里听讲。

Onward and upward was the course she set. 不断向前,不断向上,这就是她确定的道路。

Old and young joined in the discussion. 老老少少都参加了讨论。

Rich or poor meant the same to him. 贫富对他都一样。

Careful and careless are as different as fire and water. 细心和粗心就如水火不容。

Wet or dry will make little difference to them. 干或湿对他们都没有什么关系。

Both **young** and **old** in the village came to the party. 村中老老少少都来参加了聚会。

You decide if you think **famous and influential and powerful** are closely related, or different. 如果你以为有声誉、有影响和有权力三者是紧密相连或可以划分的话,那么,随你决定吧。

【提示】名词化的形容词还可以作表语、宾语和同位语。例如:

They can't tell **right** from **wrong**. 他们不辨是非。

Children should be taught to know **good** from **bad**. 应该教育孩子们知道好坏。

We nursed their **sick** and fed their **hungry**. 我们护理他们的病人,为饥饿者提供食物。

They **poor** have become rich now. 他们那些穷人现在也富起来了。

There is only a **five-year-old** in the room. 房间里只有一个五岁的孩子。

6. 作感叹语

有些形容词可用作感叹语,表示某种情绪。例如:

Very good! Say it again. 很好! 再说一遍。

Wonderful! Sing us another song. 太棒了,再给我们唱一首歌。

Stupid! He must be crazy. 愚蠢! 他一定是疯了。

Shocking! I've never heard of such a thing. 太耸人听闻了! 我从没听见过这样的事。

三、从 heavy 和 strong 看英语形容词的多义性

英语中有些形容词,一词多义,意蕴丰富,词义(引申义)可多达几十种。这类形容词,译成汉语时,要在透彻理解原文的基础上,用贴切的汉语形容词加以转述,以求做到"信,达"。下面以 heavy 和 strong 为例,说明英语形容词含义的丰富性和汉语译文的灵活性。

★ **heavy**(根义:重的,沉重的)

a **heavy** case 沉重的箱子 　　　　heavy footsteps 沉重的脚步声

a **heavy** fog 浓雾 　　　　　　　a **heavy** cold 重感冒

heavy traffic 拥挤的交通 　　　　**heavy** rain 大雨

a **heavy** smoker 烟瘾大的人 　　　a **heavy** eater 食量大的人

heavy losses 严重亏损 　　　　　heavy storms 猛烈的暴风雨

heavy fine 巨额罚款 　　　　　　heavy reading 读起来枯燥乏味

a **heavy** day 非常忙碌的一天 　　　a **heavy** winter coat 冬天穿的厚大衣

heavy sky 阴沉的天空 　　　　　a **heavy** sea 汹涌的大海

a **heavy** meal 不易消化的饭菜 　　heavy fragrance 浓浓的香味

heavy irony 辛辣的讽刺 　　　　　a **heavy** heart 沉重的心情

a **heavy** firing 猛烈的火力 　　　　a **heavy** fighting 激战

a **heavy** applause 热烈的鼓掌 　　　a **heavy** investor 巨额投资者

a **heavy** thinker 思考深沉的人 　　a **heavy** silence 沉寂

a **heavy** fate 悲惨的命运 　　　　heavy news 令人忧虑的消息

a **heavy** politician 显要的政治家 　a **heavy** matter of state 国家大事

a **heavy** father 严父 　　　　　　a **heavy** play 一出严肃的戏

a **heavy** road 崎岖的路 　　　　　a **heavy** style 枯燥冗长的文体

a **heavy** vote 大量的得票 　　　　heavy foliage 密叶

a **heavy** schedule 排得很紧的日程表 　a **heavy** advertising 大登广告

the damp **heavy** atmosphere 潮湿闷热的空气

under **heavy** police guard 在警察的森严戒备下

a large,**heavy**-featured woman 粗眉大眼的高大女子

★ **strong**(根义:强壮的,强大的)

a **strong** man 强壮的人 　　　　　strong reasons 充分的理由

a **strong** wind 强劲的风 　　　　　a **strong** opponent 劲敌

a **strong** woman 坚强的女性 　　　have **strong** nerves 神经坚强

a **strong** leader 强有力的领导人 　strong emotions 强烈的情绪

strong sense of duty 强烈的责任感 　strong support 坚定的支持

a **strong** bond 牢固的关系 　　　　strong evidence 确凿的证据

strong coffee 浓咖啡 　　　　　　a **strong** subject 擅长的学科

strong light 强光 　　　　　　　strong wine 烈性酒

strong spring tides 汹涌的春潮 　　a **strong** smell 浓浓的味道

a **strong** dollar 坚挺的美元 　　　strong language 脏话

a **strong** chance 极大的可能性 　　strong features 轮廓分明的容貌

a **strong** stand 坚定的立场 　　　have **strong** eyes 眼力敏锐

strong rope 结实的绳子 　　　　　a **strong** majority 绝大多数

a **strong** supporter 积极的支持者 　a **strong** will 坚强的意志

a **strong** argument 有力的论据 　　a **strong** faith 坚定的信仰

strong demand 巨大的需求

a **strong** prejudice 强烈的偏见

strong measures 强有力的措施

a **strong** microscope 高倍显微镜

a **strong** contrast 强烈的对比

strong butter 有臭味的黄油

a **strong** case 极具说服力的案例

strong foreign reserves 雄厚的外汇储备

a **strong** southern accent 浓重的南方口音

have **strong** links with 同……关系密切

strong perfume 浓烈的香水

a **strong** poison 剧毒品

strong cheese 气味刺鼻的干酪

a **strong** resemblance 极像

a **strong** economy 实力雄厚的经济

strong criticism 激烈的批评

a **strong** situation 动人的场面

a **strong** bank 资本雄厚的银行

a pair of **strong** scissors 一把结实的剪刀

the **strong** cast of actors 强大的演员阵容

四、级

1. 形容词级的构成

1 -er 和-est 型

单音节形容词和部分双音节形容词在词尾加-er 和-est 构成比较级和最高级。例如：

原级	比较级	最高级
bright	brighter	brightest
narrow	narrower	narrowest
thin	thinner	thinnest（双写 n）
simple	simpler	simplest（直接加 r 或 st）
pretty	prettier	prettiest（先变 y 为 i）
grey	greyer	greyest

【提示】以-er 和-est 结尾的形容词,在加上 im-, un-等否定前缀后,仍加-er 和-est 构成比较级和最高级。如：unhappy→unhappier→unhappiest,其他还有 unlucky, untidy, ignoble 等。

2 more 和 most 型

多音节形容词在原级前面加 more 和 most 构成比较级和最高级。例如：

原级	比较级	最高级
digestible	more digestible	most digestible
important	more important	most important
amiable	more amiable	most amiable

【提示】

① 下面的形容词通常加-er, -est(但 y 结尾的词要先变 y 为 i)或加 more, most 构成比较级和最高级,但有时只有一种变化形式,属于惯用法或特定情况:steady, sunny, humble, tender, snowy, bitter, sleepy, shallow(浅的), rocky(多岩的), often, risky, stupid, rainy, naughty, pleasant, misty, quiet, likely, holy, handsome, hilly, foggy（朦胧的）, clumsy, windy, worthy, thorny(多刺的), cloudy, uneasy, chilly, severe, angry, concise, showy, shady(多荫的), precise(精密的), stormy, stony, cozy(舒服的), lively, kingly, dingy, timely, beastly, friendly, eager, sober, slender, ample, brittle, nimble, stable, agile, mobile, senile, dismal, distinct, exact, civil, profound, prompt, cross, plain 等。

② 劣等、差等比较用 less 和 least,表示"较不,最不"。如:short→less short（＝longer）→least short(＝longest), small→less small (＝larger)→least small (＝largest), easy→less easy→

least easy。

Jack is **less** tall than Jim. 杰克没有吉姆高。（＝not so tall as）

He is the **least** diligent boy in the class. 他是班上最不用功的孩子。

③ sly 和 shy 有两种变化形式：

sly $\begin{cases} \text{slier, sliest} \\ \text{slyer, slyest} \end{cases}$ shy $\begin{cases} \text{shier, shiest} \\ \text{shyer, shyest} \end{cases}$

④ trustworthy 要加-er 和-est：trustworthy→trustworthier→trustworthiest

③ 变化不规则的比较级和最高级

原级	比较级	最高级
little	less（比较少的） lesser（次要的）	least
old	older/elder	oldest/eldest
far	farther/further	farthest/furthest
bad/ill/evil	worse	worst
good/well	better	best
late	later（较迟） latter（后者的）	latest（最近的，最新的） last（最后的）
near	nearer	nearest（最近的） next（紧接着的，下一个）
many/much	more	most

(1) farther 和 farthest 不同于 further 和 furthest，further 现在多用作原级形容词,意为"进一步的",也用作动词,意为"促进"。例如：

She has gone abroad for **further** study in English literature. 她已出国深造英国文学。

They are doing their best to **further** the cause of world peace. 他们正竭尽全力促进世界和平。

They have conducted **further** investigations about the murder. 他们对这桩谋杀案进行了进一步的调查。

$\begin{cases} \text{at the } \textbf{farther/further} \text{ end of the street 在街道的另一头（表示"更远的"）} \\ \text{at the } \textbf{farther/further} \text{ bank of the river 在河的对岸} \end{cases}$

(2) older 和 oldest 不同于 elder 和 eldest,前者多指年龄、时间、年代的长久,后者指兄弟姐妹之间的长幼关系。例如：

Henry is **older** than Jim and is the **eldest** of the three brothers. 亨利比吉姆年龄大,是三兄弟中的老大。

Her **elder** sister is three years **older** than she. 她姐姐比她大三岁。

▶▶▶ elder 还可以表示"资格老的,极具权威的"等含义,如：an **elder** journalist 一位资深记者,an **elder** thinker 一位博大精深的思想家,**elder** sages 睿智的哲人。

(3) less, lesser 和 least

① less 表示"较少的",用作形容词,为 little 的比较级,也可作名词、副词或介词。例如：

a month **less** three days 一个月差三天

He has **less** trouble this year. 他今年麻烦少一些。（但要说 fewer troubles）

She has **less** chance than he. 她的机会比他少。（但要说 fewer chances）

I can't take a penny **less**. 我一分钱也不能少。

He has never met anyone **less** attractive. 他从没遇到过更缺乏吸引力的人。

He was imprisoned for **less**. 他为小事被关进监狱。

He did it **less** carefully than she. 他做这件事没有她细心。

② lesser 表示"次要的/地,较小的/地",可用作形容词或副词。例如:

It is a **lesser** matter. 这是一件小事。

He chose the **lesser** evil of the two. 他选择了两个祸害中较小的一个。(＝smaller)

She is one of the **lesser**-known American writers. 她是不太知名的美国作家之一。

③ least 可以作形容词或副词,是 little 的最高级,表示"最少(地)",也可用作名词。例如:

He has the **least** knowledge of maths in class. 他在班上数学知识最少。

It happened just when we **least** expected it. 事情发生在我们最料想不到的时候。

He worked hardest but is paid **least**. 他工作最努力,但报酬最低。

Buy the one that costs the **least**. 买最便宜的那一个。

Her salary is the **least** here. 这里她的工资最低。

The **least** you can do is to say "sorry" to him. 你起码要对他说句"对不起"吧。

比较:

They did not deserve the praise, **least of all** Jack. 他们不值得受到称赞,杰克更不值得。

(least of all 用于否定句)

They deserved the praise, **most of all** Jack. 他们值得受到称赞,杰克最值得。(most of all 用于肯定句)

4 加后缀-most 构成的最高级

英语中有少量最高级是由形容词、副词、名词＋-most 构成(中古英语的残留现象),这类形容词没有比较级,大多表示空间、位置,如:under, lower, top, fore, back, rear, mid, middle, after, nether, head, end, sea, stern, left, centre, bottom, front, right 等;有的表示方向,如:eastern, western, southeastern 等。例如:

lowermost 最低的	aftermost 最后面的	midmost 正中间的
easternmost 最东的	rightmost 最右边的	headmost 最前面的
seamost 最靠近海的	undermost 最下面的	middlemost 最中间的
foremost 最前面的/最重要的	northwesternmost 最西北的	bottommost 最底部的/最尽头的

【提示】个别表示空间的形容词或副词,如 up, in, out,可加-er 构成比较级,加-most 构成的最高级,但这些词的比较级和最高级只能作前置定语,不可用于比较。例如:

up→upper→upmost/uppermost 最上面的

in→inner→inmost/innermost 最里面的,最深处的

out→outer 离中心较远的→outmost/outermost 最外面的,离中心或里面最远的

2. 没有比较级和最高级的形容词(包括某些副词)

有些形容词和副词一般不用来比较,本身已具有无法比较的含义,有下面几种情况。

1 表示"完全、特别"等意义的绝对性状形容词/副词

这类词有:excellent(ly), faultless(ly), perfect(ly), thorough(ly), total(ly), whole/wholly, full, empty, meaningless, harmless, illiterate, immortal, impossible, inevitable, invaluable, unskilled, unripe, unendurable, omnipresent 无所不在的, final 最后的, fatal 致命的, hopeless 无望的, fatherless 无父的, motherless 无母的, almighty 全能的, universal 普遍的, unanimous 一致的, absolute(ly)绝对的/地, complete(ly)完全的/地, entire(ly)完全的/地, unprecedented(ly)无前例的/地, utter(ly) 完全的/地, relative 相对的, 等,包括其他带有前缀或后缀 in-, im-, un-, ill-, -less 的形容词。例如:

the **absolute** nonsense 一派胡言　　　　her **entire** salary 她的全部工资

a **complete** stranger 素不相识的人　　　a **universal** need 普遍需求

他是个完人。

He is a most faultless man. [×]

He is a **faultless** man. [✓]

2 表示"极限、主次"等的形容词/副词

这类词有:chief(ly), extreme(ly), infinite, main, maximum, minimum, major, interior, exterior, ulterior, minor, ultimate, everlasting, basic, fundamental, primary, first, wonderful, principal, preliminary, all-seeing, all-knowing, eternal, supreme, utmost, subordinate(ly)下级的/地, 等。例如:

> the **chief** excuse 主要借口　　　　　　the **principal** source of income 主要收入来源
>
> the **main** reason 主要原因　　　　　　a **minimum** dose 最小剂量

③ 表示"几何形状"等的形容词

这类词有:angular 角形的, circular 圆形的, level 水平的, oblong 长方形的, oval 椭圆形的, round 圆形的, square 方形的, vertical 垂直的, horizontal 水平的, triangular 三角形的, rhomboid 长菱形的, straight 直的, hollow 中空的,等。

> an **oblong** box 长方形的盒子　　　　　**vertical** lines 竖线条

④ 表示"处所、方位、时间"的形容词/副词

这类词有:ahead, daily, weekly, here, now, present, then, there, forward, backward, outside, bygone, future, once 等。

> a **bygone** era 过去的时代　　　　　　**forward** planning 事先计划

【提示】eastern, left, front, right, back, middle 等词虽没有比较级,但可以加-most构成最高级。参见上文。

⑤ 表示"状态"的形容词

这类词有:ashamed, ashore, asleep, averse, awake, blind, deaf, dumb, dead, naked, agape 目瞪口呆的, afloat 漂浮的, aghast 吓呆的, alight 烧着的,等。

> **dumb** animals 不会说话的动物　　　　a **naked** foot 赤脚

⑥ 表示"性质、材料、国籍"等的形容词

这类词有:American, atomic, economic, fascist, golden, Marxist, scientific, industrial, chaste, false, illegal, sufficient, mortal, sea-blue, void, simultaneous 同时的, contemporary 当代的, spiritual 精神的, earthen 泥土做的, sonic 声音的, wooden 木制的, woolen 羊毛制的, silken 丝的, silky 丝绸的/柔和的, silvern 银制的, metallic 金属的,等。

> a **wooden** bench [√]木头长凳
> a more wooden bénch [×]

【提示】某些这类形容词表示转义时,可用于比较级或最高级。例如:

Her version of the book is **more wooden** than yours. 这本书她的译文比你的译文更生硬。

> a **rather wooden** performance 相当呆板的表演
> a **more wooden** performance 更为呆板的表演
> the **most wooden** performance 最为呆板的表演

⑦ 表示"独一无二"的形容词

这类词有:matchless, unique, mere, only, single, sheer, sole, unparalleled, invincible 战无不胜的, unrivaled 无敌的,等。

> the **sole** heir 唯一继承人　　　　　　an **only** child 独生子女

⑧ 表示强调的形容词/副词

这类词有:barely, favorite, hardly, own, scarcely, simply, very 等。

> a **favorite** restaurant 最喜爱的餐馆　　my very **own** car 我自己的汽车

⑨ junior 等词

下面几个形容词没有比较级和最高级,要同 to 连用,而不同 than 连用:junior, senior, inferior, superior, prior, posterior, anterior, subsequent, previous。参见下文。

【提示】

① 如果不强调某些这类形容词的严密性,只表示接近某种状态,或用于转义、比喻义时,亦可有比较级和最高级,但应慎用。例如:

The essay is **more perfect** than that one. 这篇文章比那篇文章更完美。(nearer to perfection)

Her cup is **fuller** than yours. 她的杯子比你的更满。(nearer to the fullest)

Here seemed to me a **more perfect** beauty than had ever come to me in my loveliest dreams of beauty. 呈现在我眼前的这一美的形象比我在最美好的梦境中所见过的更美。

② complete 一词用于表示程度、数量上"完完全全的,彻底的",不用于比较级,也不用 very 修饰。例如:

I have **complete** confidence in my friend. 我对朋友有绝对的信任。

We are in **complete** agreement. 我们完全同意。

▶▶ complete 表示某事、某工程的"完成,完工,终了",不用于比较级,也不用 very 修饰。例如:

The new railway has been **complete**. 新铁路已经完工。

The autumn harvest was **complete**. 秋收结束了。

▶▶ complete 表示"完整的,整个的,全部的",指两者中一个比另一个更完整,一个比另一个包括的更多些,可用于比较级,也可用 very 修饰。例如:

This price list is **more complete** than that one. 这个价目表比那个更全。

I have a **more complete** edition of *Lu Xun's Selected Works*. 我有更全版本的《鲁迅选集》。

▶▶ complete 表示 through 这种含义时,可用 very 修饰。例如:

We followed his **very complete** instructions. 我们完全遵从他的指示。

【提示】英语中有些名词可以表示最高级意义,如:height 最高点/顶点,top 最高点/最高度,summit顶点,supremacy 最高权力/最高地位,forefront 最前面,acme 顶点/极点,extremity 尽头/末端,zero 最低点,minimum 最小量,maximum 最大量,等。例如:

She has reached the **acme** of her career. 她已到达了事业的顶峰。

He always stands in the **forefront** in time of danger. 在危险的时候,他总是站在最前面。

No one questions his **supremacy** as an expert in this field. 作为这个领域的专家,他的最高地位无人质疑。

3. 加 more 和 most 构成比较级和最高级的单音节形容词和双音节形容词

1 由分词转化成的形容词

She is more **pleased** than her mother. 她比她母亲更高兴。

He is more **worn** than others. 他比别人更加疲惫。

You are more **learned** than he. 你比他更有学问。

▶▶▶ 其他如:tiring, astonishing, shocking, discouraging, charming, tired, astonished, shocked, discouraged, charmed 等。

2 描述某种特征、品质或具有强调意义的形容词

有时,比较不是在两个人或两个事物之间进行,而是描述同一个人或同一样东西本身,意为"胜于,更多的是……而不是,与其说是……不如说是",强调对比。例如:

He is **more vain** than **proud**. 与其说他高傲,不如说他虚荣。

The soldier is **more strong** than **bold**. 这个士兵与其说勇敢,不如说强壮。

He is **more shy** than **unsocial**. 他与其说是不爱交往,不如说是害羞。

She is **more lucky** than **clever**. 她与其说聪明,不如说幸运。

He is **more narrow** than **biased**. 说他偏见,不如说他狭隘。

The man is **more good** than **bad**. 那人并不那么坏,还是比较好的。

Jim was **more nice** than **wise**. 吉姆只顾面子上好看,却吃了亏。

She was **more sorry** than **angry** at the news. 听到这个消息,她不是气愤而是感到惋惜。

▶▶▶ 其他还有:wrong, real, like, fond, glad, common, wicked, polite, mad, free, dense, clear, calm, fit, frank, drunk, vague, true, cheerful, active, cautious, crooked, constant, grotesque, antique, pale, mild, huge, scarce 缺乏的, keen 热心的, sound 健全的, grave 严肃的, right 正确的, 等。

【提示】

① 某些双音节形容词在句中不是描述同一人或同一样东西,但强调对比,也常用 more, most 构成比较级和最高级。例如:

He found it **more easy** to remember picturesque details than other facts. 他感到如画的情节比其

他事实更容易记住。

Sophia is **more wealthy** than he thought. 索菲娅比他想象的更为富有。

② long，high，thick，wide 等表示度量的形容词，在此结构中仍加-er，-est 构成比较级和最高级。

　　例如：

The window is **higher** than it is wide. 窗户的高度比宽度大得多。

③ 一些以两个辅音字母结尾的单音节形容词

The director is more **just** than others. 主任比别人更为公正。

The place is more **worth** visiting. 这个地方值得一游。

Mother is more **strict** with her than Father. 母亲对她比父亲更严格。

④ 表示国籍的形容词，转义表示该国人的行为举止时

She is **more English** than the English. 她比英国人更具英国人风度。

His accent is **more French** than yours. 他的法国口音比你的法国口音更重些。

⑤ 通常能用作表语的双音节形容词如 alive, aware, afraid, alone, alike, apart, content 等

He is **more aware** of the danger than you. 他比你对危险更为清醒。

She is **more content** to do the work than before. 她做这项工作比以前更加满意了。

⑥ 单音节形容词作后置定语或宾语补足语时

We've never met a man **more kind and brave** than he is. 我们从没见过比他更善良、更勇敢的人。

She found it **more easy** to read this book. 她觉得读这本书更容易些。

⑦ 当形容词不是用作比较，而是强调其本身所表示的含义时

He prefers a **more sweet** type of beer. 他喜欢喝一种比较甜的啤酒。

They are **most keen**. 他们都非常热心。

⑧ 由一个单音节或双音节形容词加另一个形容词或分词构成的复合形容词关系密切时

short-sighted 短视的→more short-sighted→most short-sighted

up-to-date 现代化的→more up-to-date→most up-to-date

cold-blooded 冷酷的→more cold-blooded→most cold-blooded

It is difficult to find a **more kind-hearted** man than he is. 找到比他心肠更好的人难了。

He is the **most public-spirited** man of them all. 他是他们中最有公益精神的人。

▶▶▶ 其他如：far-fetched, out-of-fashion, home-sick, plain-spoken 等。

▶▶▶ 复合形容词关系松散时，或第一个词是 deep, large, well 等为人所熟知的单音节词，通常就在该词后加-er 和-est 变为比较级和最高级。例如：

large-sized 大型的→larger-sized→largest-sized

hard-working 勤劳的→harder-working→hardest-working

The belief here is even **deeper-rooted**. 这种信仰在这里更为根深蒂固。

▶▶▶ 其他如：fine-looking, long-cherished, long-established, soft-spoken, wide-read, long-lasting 等。

▶▶▶ 以 well 等构成的复合词有些有两种比较级和最高级。例如：

well-known 著名的	→	better-known more well-known	→	best-known most well-known
well-behaved 表现好的	→	better-behaved more well-behaved	→	best-behaved most well-behaved
old-fashioned 过时的	→	older-fashioned more old-fashioned	→	oldest-fashioned most old-fashioned

▶▶▶ 但只能说：well-to-do 富有的→more well-to-do→most well-to-do。以 bad 构成的复合词，也只有一种比较级和最高级形式。例如：bad-tempered 脾气坏的→worse-tempered→worst-tempered

⑨ 在"the ...，the ..."结构中，同 more 或 less 连用时；在 more 连用表示强调的结构中

The more old he is, **the more wise** he becomes. 他年纪越大越睿智。

The less timid you are, **the more bold** you are. 你越是不害怕，就越勇敢。

Henry had grown **more brave**; he was certainly more of a man. 亨利越发勇敢了，他更像个男子汉了。

10 more highly 还是 highlier

由"形容词＋-ly"构成的副词,要加 more 和 most 构成比较级和最高级,常见的有:slowly, tightly, widely, wrongly, highly, firmly, dearly, directly, fairly, rightly, nearly, deeply, closely, cleanly, clearly, loudly, quickly, lowly, kindly 等。例如:

Of all her novels, this one is praised **most highly**. 在她所有的小说中,这一本评价最高。

She began to speak **more quickly**. 她开始说得更快了。

▶▶ 但:She came the **earliest** of all. 所有人中她来得最早。(early 是以-y 结尾,需加-er, -est)

【提示】

① 几个形容词同时修饰一个名词时,可以使用同一种形式,要么都加-er 和-est,要么都加 more 和 most。例如:

The manager may be the **most free, most lucky, most energetic, most far-sighted** and **most kind-hearted** man I've ever seen. 这位经理可能是我见过最自由、最走运、最精力充沛、最有远见、最善良的人。

She is the **falsest, meanest** and **shallowest** woman in the world. 她是世界上最虚伪、最卑劣、最浅薄的女人。

② 如果-er, -est 形式和 more, most 形式并用,通常是-er, -est 形式在前;如果 more, most 形式在前,后面的比较级和最高级也要用相同的形式。例如:

The rooms have become **brighter** and **more comfortable**. 房间变得更明亮、更舒适了。

The rooms have become **more comfortable** and **more bright**. 房间变得更舒适、更明亮了。

③ more 或 most 后可以跟几个并列形容词。例如:

This may be the **most moving, interesting** and **inspiring** book I've ever read. 这可能是我读过的最动人、最有趣、最激励人的书。

▶▶ 下面四句含义相同:

这座山的高度在世界上位居第二。

It is **the second highest** mountain in the world.

It is **the highest mountain but one** in the world.

It is **the next highest** mountain in the world.

It is **the next to the highest** mountain in the world.

▶▶ 下面六句含义相同:

他是运气最好的孩子。

He is **the most fortunate of** all the children.

He is **the most fortunate among** all the children.

He is **more fortunate** than **all the other** children. (He's one of them.)

He is **more fortunate** than all the children. (He's not one of them.)

He is **as fortunate as** any child.

No child is **so fortunate as** he.

④ 形容词最高级作表语强调人或物自身的属性、品质,不同他人他物比较,常不用定冠词。例如:

Hang the photo where light is **best**. 把这张照片挂在光线最亮处。

He is **richest** who is content with the least. 知足者最富有。

Plain speaking is **best** when the minds are made up. 主意既已打定,直言不讳最好。

The school is **strongest** on mathematics. 这所学校以数学教学为最好。

The housewife is **busiest** at the weekend. 这位家庭主妇周末最忙。

Vegetables are **best** when they are fresh. 蔬菜新鲜的时候最好。

Beef is **nicest** slightly underdone. 烧得最好的牛肉是略带生味的。

He swam across the river from where the river is **deepest**. 他从河水最深的地方游了过去。

⑤ 形容词最高级有时有"即使"的含义。例如:

There is no **smallest** doubt. 毫无疑问。

The **slightest** neglect would bring us trouble. 最小的疏忽也会给我们带来麻烦。

⑥ most 作 very 解时，不重读。比较：

> She was (the) ′**most** eloquent at the speech contest. 在演讲比赛中，她的演讲最为雄辩。(most 重读)
>
> She was **most** eloquent at the speech contest. 在演讲比赛中，她的演讲非常雄辩。(most 不重读)
>
> ′**Most** learned professors joined the society. 大多数博学的教授都参加了那个协会。(most 重读)

⑦ 非正式文体中，形容词最高级可用于两者之间的比较，表示选择等。例如：

This is the **best** of the two methods. 这是两种方法中最好的一个。

She has two children; her **oldest** daughter is fifteen. 她有两个孩子，大女儿今年 15 岁。

⑧ 注意下面的结构：

She smiled **her pleasantest** (smile). 她尽情地笑了。(同源宾语)

She spoke **in the softest of voices**. 她说话声音非常柔和。(强调结构)

⑨ 下面比较结构中的倒装是正确的，这时，than 或 as 从句中的谓语省略了，要把助动词放在主语前面：

She can earn more money **than can Jack**. 她能挣比杰克更多的钱。

He understands the teacher better **than does anyone else** in the class. 他比班上任何其他学生都更能理解老师。

She speaks English as fluently **as does an Englishman**. 她说英语像英国人一样流利。

⑩ 比较级形容词可以表示"同样……"或"最……"。例如：

He is **no younger than** his wife. 他同他妻子年纪一样大。(=as old as)

She is **taller than** anyone else in the class. 她比班上其他人都高。(=the tallest)

⑪ 最高级形容词可以表示原级的意思。例如：

She is none of **the youngest**. 她已年迈了。(=She is old.)

⑫ 最高级后跟有表示比较范围的成分时，前面的 the 不可省。比较：

> First impressions are (**the**) **deepest**. 第一印象是最深刻的。(the 可省)
>
> This river is **the deepest** of all. 这条河是最深的。
>
> I find Jack (**the**) **most** industrious. 我发现杰克最勤奋。(the 可省)
>
> Jack is **the most** industrious of us. 杰克是我们中间最用功的。(the 不可省)

五、位置

1. 形容词作定语时，通常放在被修饰的名词前

That's an almost **impossible** thing. 那是几乎不可能的事。

David is a highly **intelligent** student. 戴维是个非常聪明的学生。

These are somewhat not **easy** jobs. 这些是不太容易做的工作。

She has **red** hair and a **pale**, **freckly** complexion. 她长着一头红发和一张苍白、雀斑点点的脸。

They went on with their work after a rather **short** delay. 很短的耽搁之后，他们又继续工作了。

2. 形容词短语作定语放在名词后

This is a book **necessary for every student**. 这是每位学生的必读书。

A man with a noble heart never bows before difficulties, **great or small**. 一个心灵高尚的人决不向困难低头。

3. 形容词放在以-thing, -one, -body 等结尾的复合代词如 someone, something, anything, everything, nothing 等后

There is nothing **wrong** with the watch. 这块手表没什么毛病。

Don't do anything **rash**. 别鲁莽行事。

【提示】有时亦见到形容词置于 something 之前的情况，这时 something 前有定冠词修饰，这种用法的 something 可视为名词化了。例如：

There was **the mysterious something** glowing with faint blue in the distance. 远处有某种神秘的东

西,发出微弱的蓝光。

4. 当形容词(一个或数个)与其他词类共同修饰一个名词时,在意义上同名词关系最密切的词最靠近该名词

一般排列次序:

① 冠词或指示形容词(a, an, the, this, that, these, those, etc.)

② 所有格(my, our, John's, etc.)

③ 序数词(first, second, third, etc.)

④ 基数词(one, two, three, etc.)

⑤ 表示特性或性质的词(good, pretty, etc.)

⑥ 大小、长短、高低(little, big, long, etc.)

⑦ 年龄、温度、新旧(young, hot, warm, etc.)

⑧ 形态、形状(round, square, etc.)

⑨ 颜色(red, white, blue, brown, etc.)

⑩ 国籍、地区、出处(British, southern, Italian, etc.)

⑪ 物质、材料(wooden, rocky, tin, woolen, etc.)

⑫ 用途、类别、目的、与……有关(medical, writing, etc.)

1 大小+形状

a small round table 一张小圆桌　　　　**a big oval** mirror 一个很大的椭圆形镜子

2 大小、长短、高低、形状+颜色、温度、新旧

a little brown bowl 一只褐色的小碗　　　**a long hot** summer 一个漫长而炎热的夏天

a tall white building 一座高大的白色建筑　　**a wonderful new** factory 一座漂亮的新工厂

a little, yellow, ragged, lame, unshaven beggar 一个要饭的,身材短小,面黄肌瘦,衣衫褴褛,瘸腿,满脸胡髭

3 年龄、新旧+颜色

a new pink blouse 一件新的粉红色罩衫　　**a dirty old brown** shirt 一件又脏又旧的褐色衬衫

4 颜色+and+颜色

a blue and **white** flag 一面蓝白相间的旗帜

a red, blue and **white** carpet 一条红、蓝、白三色相间的毯子

5 大小、形状、年龄、颜色+国籍、地区、出处、材料

the ancient Chinese alchemists 中国古代的炼金术士

these tall young American policemen 这些身材高大的年轻美国警察

a beautiful large green Chinese carpet 一条漂亮的大的绿色的中国地毯

various city social problems 各种各样的城市社会问题

the first beautiful little white Chinese stone bridge 第一座美丽的中国小白石桥

a useful big white wooden box 一个实用的白色大木箱

the blue April sky 4 月的蓝天

an old, hale and white-haired professor 一位精神矍铄白发苍苍的老教授

This **pretty little Spanish** girl is Linda's cousin. 这位漂亮的西班牙小姑娘是琳达的表妹。

Ten strong young Chinese students are required to take part in the boat race. 10 个体强力壮的年轻中国学生被要求参加划船比赛。

6 其他词+材料、物质形容词或名词

a round brown wooden table 一张褐色的圆木桌

a useful oblong tin box 一个有用的长方形的锡盒

the beautiful old European cities 漂亮而古老的欧洲城市

a luxurious fibre glass pleasure-boat 一艘豪华的玻璃纤维制成的游船

a homemade, patterned woolen carpet 有图案的国产地毯

The **little white wooden** house smells as if it hasn't been lived in for years. 那个白色的小木屋散发

出一种气味,好像许多年没有人居住了。

7 其他词＋用途、类别形容词、名词或现在分词

a valuable old French writing desk 一张贵重的古老的法国写字台

a plastic garden chair 一把塑料花园椅子

an expensive Japanese sports car 一辆昂贵的日本赛车

8 其他词＋用作形容词的名词

the clear blue morning sky 晴朗而蔚蓝的晨空

a new pleasure boat 一条新游船

9 其他词、国籍、出处＋颜色等

the delicious French red wine 醇香扑鼻的法国红葡萄酒

all the ten strong young Chinese boy students 所有十个年轻力壮的中国男学生

the first three fine big old red English stone plantation houses 头三幢漂亮的旧的英式大红石头农场房子

10 普通／描绘性形容词居前,特殊／特征形容词居后

a clean spacious airy room 一间干净的宽敞的通风良好的房间

the girl's beautiful long black hair 那女孩漂亮的黑色长发

hundreds of red，beautiful roses 几百朵美丽的红玫瑰

a weak small spare old man 一个瘦弱的小老头

great medical inventions 医学上的重大发明

a new international economic order 国际经济新秩序

a beautiful old brown French handmade kitchen cupboard 一个漂亮的古老的棕色的法国手工制作的食橱

She has blossomed into **an attractive intelligent young** woman. 她已长成一个漂亮、聪慧的年轻女子。

11 出处＋过去分词

a Chinese-made plane 一架中国制造的飞机

12 现在分词＋出处

a fast-running Japanese sports car 一辆速度快的日本赛车

13 big 居前, little 居后

a big tall soldier 一个身材高大的士兵　　　　**a nice little** hotel 一座宜人的小旅馆

14 时间、地点名词居前

the local economic situation 地方经济形势　　　　**the annual financial** report 年度财政报告

15 表示品质或质地的词居前,包括过去分词

a gifted young college student 一个天赋极高的年轻大学生

some well-known Russian writers 一些著名的俄国作家

the classic tasty French food 传统的可口的法国菜

a nice hot dinner 热腾腾的美餐

16 动名词紧放在名词之前

the far-away twinkling stars 遥远的闪烁的星星　　　　**audio-visual teaching** aids 视听教具

17 little, young 和 old 同名词关系密切时紧放在其前

the noble old man 那位高尚的老人　　　　**a calm little** girl 一个镇静的小女孩

several angry young students 几个愤怒的年轻学生

18 little 居 old 之前

a little old man 一个身材矮小的老人

19 beautiful 居 new 之前,而 ugly 居 new 之后

a beautiful new chair 一把漂亮的新椅子　　　　**a new ugly** chair 一把难看的新椅子

20 同类形容词——读音短的在前,读音长的在后

a blue and white glass vase 一个蓝白相间的玻璃花瓶

a low gentle continuous noise 一种低沉的、若断若续的声音

a lovely，intelligent girl 一个聪慧可爱的女孩

a brave hard-working people 勤劳勇敢的人民

a tired，hungry，（and）**sleepy old** man 一个疲惫不堪、饥肠辘辘、昏昏欲睡的老人

【提示】

① 有些形容词,排列位置不同,意义也不同。比较:

> **a German criminal** lawyer 一位德国刑事律师(分类性)
> **a criminal German** lawyer 一位犯有刑事罪的德国律师(描绘性)
> **American dirty** magazines 美国的淫秽杂志(分类性)
> **dirty American** magazines 被弄脏了的美国杂志(描绘性)

② 有些形容词位置可以互换。例如:

> **a thin dark** face 一张又瘦又黑的脸
> **a dark thin** face

③ 有些同性质表示并列关系的形容词常用逗号或 and 隔开。例如:

a **true and loyal** and **personal** friendship 一种真正的忠诚的个人友谊

a **handsome and daring** hero 一位英俊而勇敢的英雄

a **red；white** and **blue** flag 一面红白蓝三色旗

a **tall，plain，shy** man 一个衣着朴素而略显羞怯的高个子男人

> a **sweet，kindly** girl 一个甜美、友善的女孩
> a **sweet** and **kindly** girl

④ 表示不同方面属性,并非并列关系的形容词,不用 and 连接。例如:

a **pretty red silk** dress 一件漂亮的红绸女衣

a **weak small spare** old lady 一个瘦弱的老太太

a **beautiful large round** jar 一个漂亮的大圆坛子

certain large Chinese chemical plants 某些大型的中国化工厂

⑤ 有些固定说法须用 and 或连字号。例如:

hard and **fast** rules 严格的制度

⑥ 副词修饰形容词时要前置。例如:

the **highly effective pain-relieving** drug 高效止痛药

that **nearly dark** room 那个几乎黑暗的房间

5. responsible 等作定语时既可前置也可后置,但含义不同

有些形容词如 responsible,present,involved 等作定语时既可前置也可后置,但含义往往不同。参阅上文。例如:

> the issues **involved** 有关的问题
> an **involved** plot 复杂的情节

> the **due** consideration 适当的考虑
> the bill **due** 需付的账单

> men **fresh** from other places 新来乍到的人
> a **fresh** chapter 新的一章

> the measure **adopted** 所采取的措施
> an **adopted** child 被人收养的孩子

> all people **concerned** 所有有关人士
> a **concerned** look 关切的/焦虑的神情

> the **interested** pupils 感兴趣的学生
> the doctors **interested** 有关的医生

> **equal** pay 相同的报酬
> a man **equal** to the task 胜任这个任务的人

> the best textbook **known** 已知的最好课本
> the best **known** textbook 最有名的课本

> a doctor **responsible** 主管医生(应负责任的,承担责任的)
> a **responsible** doctor 可靠的医生(可以信赖的,有责任感的)

> the members **present** 在座的各位成员(后置,表示"出席的,现场的,在这里")
> the **present** members 现在的成员(前置,表示"现在的,现有的")
> the present situation 当前的形势

the students **absent** 缺席的学生

look at something in an **absent** way 茫然若失地看着……

the very **elect** generals 出类拔萃的将军们(前置,意为"精选的,卓越的)

the president **elect** 当选总统(后置,意为"当选而尚未就职的")

a **proper** place 一个合适的地方(前置,意为"合适的,恰当的")

China **proper** 中国本土(后置,意为"本身的,严格意义上的")

the mountain **proper** 山本身

a **proper** mountain 一座真正的山(不是小丘)(前置,意为"真正的")

This is the best English dictionary **known**. 这是所知的最好的英语词典。

This is the best **known** English dictionary. 这是最有名的英语词典。

六、形容词的一些难点句型及难点用法

下面所述的某些结构或用法,同样也适用于副词,因而个别例句涉及副词。

1. "as＋原级＋as"和"not＋so/as＋原级＋as"

前者意为"和……一样",表示肯定意义,为等量比较;后者意为"不及……",表示否定意义,为不等量比较。两个 as 之间通常为表示数量、程度、性质的词,如 many, much, little, few, good, tall 等。例如:

The tree is **as tall as** the building. 这棵树和那幢楼一样高。

There is **as much** milk as (there is) water in the bottle.

He knows **as little** about music as I know about painting.

Your coffee is **not so/as good as** mine. 你的咖啡质量不如我的好。

I watched him become **as tender and caring** a father as he was a son. 我看着他从一个温柔、体贴的儿子成长为一个同样温柔、体贴的父亲。

I do not see but a quiet mind may live **as contentedly** there, and have **as cheering** thoughts, **as** in a palace. 我只看到,一个安心的人,在那里也像在皇宫中一样,生活得心满意足而富有愉快的思想。

Shakespeare's plays were **as much** the offspring of the long generations who had pioneered his road for him, **as** the discoveries of Newton were the offspring of those of Copernicus. 莎士比亚的戏剧是为他开辟道路的多少代人的果实,正如牛顿的发现也是哥白尼的发现的果实。

比较:

This river is **as long as** that one. 这条河同那条河一样长。(long 为形容词)

You can stay here **as long as** others did. 你可以像其他人那样在这里住那么久。(long 为副词)

We shall succeed **as/so long as** we try our best. 只要我们尽到最大努力,就会成功。(as long as 为一个整体,引导条件状语从句可移到句首,意为"只要,如果")

▶▶▶ 下面是一个歧义句,试加以分析:You can live here as long as you like.

She walked in silence **as far as** the seashore. 她静静地一直走到海边。(far 为副词,as far as 不是一个整体,意为"直到……那么远")

She walked in silence **as far as** she saw the light house. 她默默地一直走到能看到灯塔。(as far as 不是一个整体,far 为副词,意为"直到……那么远")

He is no scholar at all **as far as** I know. 就我所知,他算不上什么学者。(as far as 为一整体,作连词,引导条件状语从句,亦可换用 so far as,这种从句也可放在句首)

【提示】

① 当 as...as 与表示重量、数量、时间、距离、价格等计量名词连用时,往往并不表示比较,而是构成一个形容词词组,意为"重达……,多达……,高达……,远至……"等。例如:

The river is **as deep as** 10 meters. 这条河深达 10 米。

Frosts often occur **as late as** May. 往往到 5 月份还有霜。

The grass spreads **as far as** the sky. 芳草碧连天。

The process could take us **as little as** three hours. 这个过程我们仅需要三个小时。(as little as

表示数字惊人的小）

② 需要特别注意的是,as ... as 结构后要直接跟表示时间、距离等的名词,不可插进介词。

这首诗是早在五世纪写的。

The poem was written as early as in the fifth century. ［×］

The poem was written **as early as** the fifth century. ［√］

③ 副词 quite 常可用来修饰 as ... as 结构。例如:

The book is **quite as interesting as** you expect. 这本书就像你期望的一样有趣。

He didn't study **quite as hard as** others. 他不像别人那样学习刻苦。

④ 注意下列结构及含义:

She works **as** happily **as** plays. 她愉快地工作,尽情地玩。

＝She works **as** happily **as** she plays happily.

He is **as** brave **as** wise. 他既勇敢又聪明。

＝ He is **as** brave **as** he is wise.

The lady is **not so** witty **as** she is pretty. 那女士相貌美丽,但不太风趣。

The man is **not so** wise **as** he is witty. 那人很风趣,但欠明智。

The courtyard is **as wide as** it is long. 这个庭院长度和宽度相等。

The room is **as** clean **as** clean can be. 这房间极为干净。(＝extremely clean)

The car is **as** good **as** anything. 这车好得不得了。(＝as you please, as ever was seen, as you could wish)

2. as ... as 结构的短语

as...as 结构可以用来表示比拟和比喻,在修辞上称为明喻。喻体可以是人、职业、事物、性质、自然现象、动物、植物等,用其某一属性、特点与某一抽象概念相比较,突出相同点或相似点,增强表达效果,使本体更加形象、生动,更具感染力。下面将 as...as 结构的常用短语加以归类。

1 as ... as ＋人、职业

as rich **as** a Jew 非常富有

as thick **as** thieves 非常亲密

as grave **as** a judge 严如法官

as happy **as** a king 像国王一样快乐

as innocent **as** a baby unborn 清白无辜

as hungry **as** a hunter 非常饥饿

as old **as** Adam 极其古老

as jolly **as** a sandboy 非常快活

as sober **as** a judge 非常冷静

as weak **as** a baby 非常弱小

as wise **as** Solomon 非常聪慧

as drunk **as** a lord 酩酊大醉

as grasping **as** a miser 像守财奴一样贪婪

2 as ... as＋物质、事物

as heavy **as** lead 像铅一样沉重

as cheap **as** dirt 贱如泥土

as steady/firm **as** rock 安如磐石

as fair **as** a rose 像玫瑰一样美

as hard **as** iron 坚如铁石,严厉

as quick **as** lightening 像闪电一样快

as clear **as** crystals 一清二楚

as light **as** a feather 像羽毛一样轻

as thin **as** lath 骨瘦如柴

as dull **as** lead 非常愚钝

as straight **as** an arrow 像箭一样直

as sweet **as** honey 像蜜一样甜

as bold **as** brass 厚颜无耻

as bright **as** a button 非常聪明

as brittle **as** glass 像玻璃一样易碎

as dead **as** a doornail 死定了

as deaf **as** a post 全聋

as dead **as** mutton 完全死了

as chaste **as** ice 冰清玉洁

as clean **as** a new pin 非常整洁

as clear **as** a bell (声音)像钟声一样清晰

as cold **as** ice/marble/a stone 冰冷

as comfortable **as** an old shoe 毫不拘束

as crooked **as** a corkscrew 极不正直

as common **as** dirt 像尘土一样平凡

as different **as** chalk from cheese 完全不同

as fat **as** butter 像黄油一样富有脂肪

as fine **as** silk 像绸缎一样漂亮

as thick **as** porridge 像粥一样稠

as changeable **as** a weathercock 变化无常

as dull as ditch-water 枯燥无味,令人厌烦

as dumb as a statue 像塑像一样沉默

as easy as pie 极其容易,非常简单

as fit as a fiddle 非常健康

as free as the air/the wind 自由自在

as flat as a board/a pancake 非常平坦

as good as a play 像戏剧那样有趣

as hard as nails 像钉子一样结实

as handsome as paint 美丽如画

as hot as fire 像火一样热

as good as gold 很乖,可靠

as hot as pepper 像胡椒一样辣

as hard as flint 毫不留情

as light as air 无忧无虑

as keen as mustard 极其热情

as light as a kite 像风筝一样轻

as like as chalk and cheese 根本不同

as loose as a rope of sand 十分松散

as plain as pikestaff 十分明显

as pretty as a picture 美丽如画

as rigid as a stone 像石头一样坚硬

as round as a ball 像球一样圆

as safe as houses 非常安全

as scarce as hen's teeth 非常稀有

as hard as a brick 硬如砖块

as salt as fire 极咸

as smart as paint 非常聪明伶俐

as soft as down/butter 非常柔软

as sound as a bell 非常健康

as stiff as a poker 笔直,生硬

as sour as vinegar 像醋一样酸

as straight as a die 非常老实

as sure as a gun 千真万确

as tall as a maypole/steeple 非常高

as tight as a drum 爱钱如命,烂醉如泥

as tough as leather 像皮革一样坚韧

as true as steel/flint 忠实可靠

as unstable as water 反复无常

as warm as wool 像羊毛一样温暖

as white as a sheet/ashes 苍白

as wide as poles apart 相差甚远

as small as a pin's head 像针尖一样小

as plain as the nose on your face 非常清楚

as quiet as the grave/the tomb 非常安静

as regular as clockwork 像钟表一样有规律

as sharp as a razor/a knife 非常锋利,非常厉害

as numberless as the sands 像沙粒一样数不完

as handy as a pocket in a shirt 非常方便

as deep as a well 像井一样深,难以接近或理解

as motionless as a statue 像尊塑像一样纹丝不动

as dry as a bone/biscuit/paper/dust 十分枯燥,干透了

as smooth as glass/butter/velvet 像玻璃/奶油/天鹅绒一样光滑

as like as an apple to an oyster 根本不同,毫不相像

as welcome as flowers in May 像五月里的鲜花一样受欢迎

as black as coal/ink/pitch/soot 像煤/墨/沥青/烟垢一样黑

3 as...as＋自然现象

as white as snow 洁白如雪

as right as rain 完全正常

as black as thunder 怒气冲冲

as bright as day/noonday 像白天一样明亮

as clear as day 显而易见,极其明白

as loud as thunder 像雷声一样响

as black as night 漆黑,昏黑

as open as the day 光明磊落

as quick as a flash 快如闪电

as dark as midnight 漆黑

as swift as lightening/the wind 快如闪电/风

4 as...as＋动物名词

as brave/bold as a lion 像狮子一样勇敢

as busy as a bee 像蜜蜂一样忙碌

as fierce as a tiger 像老虎一样凶狠

as stupid as a donkey 像驴一样笨

as fat as a pig 胖得像猪

as blind as a bat 像蝙蝠一样瞎撞

as timid as a hare 像野兔一样胆怯

as ugly as a toad 像蛤蟆一样丑

as gentle/mild as a lamb 温顺得像只羔羊

as patient as an ox 像牛一样有耐心

as greedy/sly as a wolf 像狼一样贪婪/狡诈

as cunning as a fox 像狐狸一样狡猾

ar graceful as a swan 像天鹅一样优美

as proud as a peacock 像孔雀一样高傲

as cheerful/gay as a lark 像百灵鸟一样欢快

as obstinate as a mule 像骡子一样倔犟

as stupid as an ass 笨得像猪

as black as a raven 像乌鸦一般黑

as faithful as a dog 忠诚如犬

as tame as a chicken 像小鸡一样驯服

as close as an oyster 守口如瓶

as cowardly as a rat 胆小如鼠

as cross as a bear 脾气很坏

as dead as a herring 死得像鲱鱼一样僵硬

as drunk as a mouse/a sow 烂醉如泥

as fast as a hare 像野兔一样快

as fleet as a deer 快捷如鹿

as gaudy as a peacock 像孔雀一样华丽

as harmless as a dove 像鸽子一样温和

as tricky as a monkey 像猴子一样诡计多端

as hoarse as an old crow 嗓音非常嘶哑

as hungry as a hawk/a wolf 非常饥饿

as innocent as a dove 洁白无辜

as keen as a hawk 目光犀利

as lean as an alley cat 骨瘦如柴

as lively as a cricket 非常活跃

as mad as a March hare 非常疯狂

as merry as a cricket 像蟋蟀一样快活

as melancholy as a cat 非常忧郁

as slow as a snail/a tortoise 像蜗牛/乌龟一样迟缓

as nervous as a cat/a kitten 像猫/小猫一样紧张不安

as mute as a fish/a mouse 噤若寒蝉

as nimble as a squirrel 十分敏捷

as playful as a kitten 像小猫一样好玩

as plump as a partridge 像鹧鸪一样丰满

as poisonous as a toad 非常恶毒

as poor as a church mouse 一贫如洗

as quiet as a mouse 像老鼠一样偷偷摸摸

as scared as a rabbit 大惊失色

as sleek as a cat 像猫一样圆滑诌媚

as slippery as an eel 像鳝鱼一样滑

as snug as a bug in a rug 非常舒服

as solemn as an owl 像猫头鹰一样严肃

as strong as a horse/a lion 健壮如牛

as surly as a bear 怒气冲冲

as tame as a cat 像猫一样温顺

as tender as a chicken 像小鸡一样温顺

as vain as a peacock 像孔雀一样虚荣

as watchful as a hawk 像鹰一样机警

as weak as a kitten 十分弱小

as wet as a drowned rat 湿得像一只落汤鸡

5 as... as＋植物

as green as grass 幼稚无知

as like as two peas 一模一样

as fair as lily 美如百合

as cool as a cucumber 泰然自若

as welcome as the roses in May 很受欢迎

as different as apples and nuts 像苹果和坚果一样不同

as fresh as a rose/flowers in May 青春焕发,充满活力

as fresh as a daisy 精神饱满

as plentiful as blackberries 数量众多,俯拾皆是

as brown as a berry (皮肤)像熟浆果一样黑里透红

as bitter as wormwood 苦如黄连

as ripe as cherry 像樱桃一样红润丰满

6 as... as＋death, life, time, fortune, sin 等

as fickle as fortune 反复无常

as large as life 明明白白,栩栩如生

as miserable as sin 十分悲哀

as old as time/hills 非常古老

as pale as death/ashes/a ghost 面无人色

as easy/simple as ABC/pie 极其简单,非常容易

as still as death 死一般的寂静,纹丝不动

as sure as death 不可避免,肯定无疑

as silent as the dead 一片死寂

as ugly as sin/a toad/a scarecrow 极其丑陋

3. 比较级与 than 连用,用于两者之间的比较,意即"比……更"

这种结构有时已非单纯的比较,另有含义,注意译文。另外,than 后可接名词、代词(主格或宾格)、形容词、动名词、不定式、副词、介词短语或从句。例如:

She made **fewer** mistakes **than** you (did). 她比你犯的错误少。

He has **less** copper coins **than** you have gold coins.

The room is **longer than** it is broad. 这个房间的长大于宽。

She is **more** mother **than** wife. 她是贤妻,更是良母。

It is **more** a lie **than** the truth. 这不是事实,而是谎话。

It will do you **more** bad **than** good. 它对你害多益少。

She knows **more** about history **than** I know about literature. 她对历史的了解比我对文学的了解要多。

It is **easier** to do it yourself **than**（to）explain it to her. 你自己做这件事比向她解释清楚让她做更容易。（to 常省略）

At this period she was **happier than** she had ever been. 这个时期，她比以往任何时候都更幸福。

He was **more** lucky **than** clever. 与其说他聪明，不如说他幸运。

This is **more** amusing **than** sitting in an office. 这比坐在办公室里有趣得多。

He is a man **than** whom no one is **more** fit for the job. 没有比他更适合干这项工作的人了。

She spent **more** money **than** she could earn. 她花的钱比挣的多。

It is **more than** she can understand. 这非她所能理解。

Criticism from friends is **more** helpful **than** flattery. 朋友的批评意见比恭维奉承更有益。

A child who lives in a bad environment will develop the intelligence **less than** one who lives in rich and colorful surroundings. 生活在差的环境中的儿童培养出来的智力低于生活在丰富多彩环境中的儿童。

These questions of Jamie's were **more** puzzling **than** profitable. 杰米的这些问题没有什么用处，却难以回答。

【提示】

① 比较级用于否定结构意为"最……不过"。参见下文。例如：

There's **nothing better**. 最好不过了。

Nothing cheaper. 再便宜不过了。

The situation **couldn't** be **worse**. 形势再糟不过了。

He **wouldn't** care **less**. 他再漠不关心不过了。（根本不关心）

I have **never** felt **less** like speaking to him. 我从未如此不想同他讲话。

You could give her **no greater** pleasure. 你使她再满意不过了。

② 下面句子中的 than 可以看作关系代词，有时相当于 than what。例如：

There is **more** in it **than** meets the eye. 它的内涵较表面要深。（＝than what）

There may be **more** importance in it **than** would seem. 它的重要意义可能要比看上去大。（＝than what）

He has now a **better** house **than** belonged to him before. 他现在所拥有的房子比以前的更好。（＝than that which）

There are **more** wonders in heaven and earth **than** are dreamt of. 天地间的奇迹比人们所梦想的要多得多。（＝than what）

He meant **more than** was said. 他话中有话。

He ate **more than** was good for him. 他吃得太多，不利于健康。

She is **more** cautious **than** is supposed. 她比设想的更为谨慎。（＝than what）

The medicine is **more** effective **than** is expected. 这药比希望的更有效。

She is **prettier than** can be imagined. 她比想象的还要美。

③ 比较级形容词所修饰的名词有时可省略，也可用 one 或 ones 代替。例如：

He carried a big bag and she carried a **smaller one**. 他提着一个大包，她拿着一个小一点的。

The bigger boys fetched water and **the small**（boys）swept the floor. 大男孩们提水，小男孩们扫地。

The more fortunate（people）should help the **less fortunate**（people）. 运气好的人应帮助运气差的人。

④ 比较下面的句子：

> She is more diligent than **any other student** of Class One. 她是一班最勤奋的学生。（她本人是一班的）
>
> She is more diligent than **any student** of Class One. 她比一班的任何同学都勤奋一些。（她本人不是一班的）

I am taller than any other boy in your class. [×](句义不合理,改为 any boy)

I am the tallest boy in your class. [×](句义不合理,改为 in my class)

She is more cleverer than you. [×](比较级不可重复,去掉 more)

4. "the＋最高级＋in/of"结构用于三个以上的人或物之间的比较

This is **the oldest** house **in** the neighbourhood. 这是该地区最古老的房子。

She is **the youngest of** the family. 她是家中最小的(女儿)。

She is one of the **most famous** actresses **in** the world. 她是世界上最著名的女演员之一。

Sam is **the quickest** runner **of** the five. 萨姆是五人中跑得最快的。

【提示】最高级的比较范围还可用 among(在……之中),of all(在所有的……之中),on(在……之中)表示。例如:

He is **the eldest among** them. 他是他们中年纪最大的。

She is **the most diligent** student **among** them. 她是他们中间最勤奋的学生。

Of all colors, I like green **best**. 在所有的颜色中,我最喜欢绿色。

He is **the most successful of all** my friends. 我所有的朋友中,他成就最大。

She is **the most experienced on** the committee. 她是委员中经验最丰富的。

He is **the best player on** the team. 他是队上最优秀的队员。

5. "比较级＋and＋比较级"结构表示逐渐增加或减少

Our country is getting **stronger and stronger**. 我们的祖国越来越强大。

The weather is getting **warmer and warmer**. 天气越来越热了。

She looks **less and less** beautiful. 她越来越不美。

【提示】下面几种结构也表示"越来越……",多为书面语。例如:

The plane rose **higher** and **still/yet higher**. 飞机飞得越来越高。

The sound grew **faint** and **more faint**. 声音变得越来越微弱。

The wind was blowing **harder** and **ever/steadily harder**. 风刮得越来越大。

Her heart was beating **quick** and **quicker**. 她的心跳得越来越快。

6. 形容词比较级可用 much, far, hardly, no, a lot, still, ever, a little, two times, a great deal 等修饰;副词比较级可用 much, a little, still, far, a lot 等修饰

The book is **a little** more difficult than that one. 这本书比那本书稍难。

Your bicycle is **far** better than mine. 你的自行车比我的好多了。

There is a **yet** harder problem. 还有一个更难的问题。

A **still** more diligent student he is. 他是一个更为勤奋的学生。

That made her **all the** more famous. 那使她更为出名。

They made **ten times** more cars this year than they did last year. 他们今年的汽车产量是去年的10倍。

▶▶▶ 修饰比较级的词还有:many times, a bit, somewhat, slightly, by far, even, greatly, decidedly, inconceivably 等。

【提示】形容词比较级后没有名词时,可用 a great deal 或 much 修饰,形容词比较级后有名词时,要用 much 修饰,不可用 a great deal 修饰。例如:

That book is **a great deal/much** easier. 那本书容易多了。

She's feeling **a great deal/much** more healthy than she was. 她感觉比以前好多了。

那项工作难得多。

That is a **much** more difficult job. [√]

That is a great deal more difficult job. [×]

7. 在 senior, junior 等形容词后要用 to,不用 than

这类形容词有:senior 年长于,junior 年幼于,superior 优于,inferior 次于,prior 先于,previous 先于,subsequent 随后的,posterior 后于,anterior 早于、先于。上述形容词相应的名词如 seniority, juniority, superiority, inferiority, priority, posterity, anteriority 也表示比较意义,但均不用 than。例如:

We are **inferior to** others in many respects. 我们在许多方面不如人家。

This engine is **superior to** that one. 这台发动机(质量)优于那一台。

Her arrival at the town is **posterior to** that of others. 她比其他人后到达那个小城。

That was an event **anterior to** the outbreak of the war. 那是战争爆发以前的事。

She had a **superiority over** her friends. 她有比她的朋友优越的地方。

He is ten years **her senior**. (＝He is her senior by ten years.) 他比她大 10 岁。

8. 如果一个句子中含有两个比较结构,在一个比较结构未完之前,不要插入另一个比较结构

至少可以说,这块表与我丢失的那块一样好。

This watch is as good, if not better than, the watch I lost. [×]

This watch is **as good as**, if not **better than**, the watch I lost. [√]

至少可以说,这是我看过的最有趣的电影之一。

This is one of the most interesting, if not the most interesting, films I have ever seen. [×]

This is one of **the most interesting films** I have ever seen, if not **the most interesting**. [√]

9. "too＋形容词或副词＋to do"结构具有否定意义,表示"太……不能,太……不会"

在这种用法上,too 意为"in a higher degree than is allowable or required(太,过分,超过了所允许或需要的程度)"。例如:

It's **too late** for us to catch the train. 太晚了,我们赶不上火车了。

She is **too careless to** have noticed it. 她太粗心了,不可能注意到那一点。

I was **too** stunned **to** feel angry or even betrayed yet, **to** think of wasted years or wasted feelings.
由于太震惊了,我竟感觉不到愤怒或被人背叛,也想不到自己浪费了多少岁月,浪费了多少感情。

▶▶▶ 这种结构相当于 so...that...not 或 so...as not to,上两句可改为:

It is **so** late **that** we **can not** catch the train.

She is **so** careless **as not to** have noticed it.

▶▶▶ too ... to 结构有时可用反义的形容词,改为 enough to 结构,上句可改为:

She is **not careful enough to** have noticed it.

▶▶▶ 有时候,当 too ... to 结构中的不定式既可作及物动词,又可作不及物动词时,含有 too ... to 结构的句子往往产生歧义。例如:

The man is **too selfish to** help.

＝The man is **too selfish to** help others. 这个人太自私了,不会帮助别人。

＝The man is **too selfish to be helped** by others. 这个人太自私了,别人不肯帮助他。

She is **too good a woman to kill**.

＝She is **too good a woman to kill** others. 她是个好人,不会杀人的。

＝She is **too good a woman for others to kill** her. 她是个好人,别人不会杀她的。

【提示】

① too ... for 也表示否定,相当于 too ... to,意为"太……不适合"。例如:

He is **too** young **for** the work. 他太年轻,干不了这项工作。

The place is **too far for** a one-day holiday. 那个地方太远了,一天的假期去不了。

② 有些"形容词＋不定式"含有肯定意义,而有些"形容词＋不定式"则含有否定意义,相当于"too
＋形容词＋to do"或"so＋形容词＋that...can't"结构。比较:

The stone is **light** to move. 石头很轻,搬得动。(＝light enough to move)

The stone is **heavy** to move. 石头很重,搬不动。(＝too heavy to move)

The wall is **low** for her to climb. 墙很矮,她爬得上。(＝low enough for her to climb)

The wall is **high** for her to climb. 墙很高,她爬不上。(＝too high for her to climb)

The river is **narrow** for us to swim across. 河很窄,我们游得过去。

The river is **wide** for us to swim across. 河很宽,我们游不过去。

③ too ... to do 表示的是否定含义,这种结构亦可加以变更,表示肯定含义。有两种方法:一是在
too 前加 not,构成 not too ... to do,通过否定整个 too ... to do 结构而表示肯定含义,意为"并

不太……所以能……"；另一个方法是在不定式 to do 前加 not，通过否定不定式而表示肯定含义，意为"太……不会不……"。例如：

> The book is **not too** difficult **to** read. 这本书并不太难读。
> She is **not too** angry to speak up. 她不太生气，能够说出话来。

> He is **too** kind **not to** be stupid. 他太善良了，难免有些愚蠢。
> She is **too** careful **not to** have noticed it. 她那么细心，不会没注意到那个。
> The man is **too** ambitious **not to** make another try. 那人雄心勃勃，不会不再作努力。

10. 如果 too 前面有 only, all, not, but, never, simply, just 等词，too 后面是 eager, anxious, pleased, kind, willing, apt, ready, inclined, glad, quick 等词，too ... to 句型表示肯定概念

在这种用法上，too 意为"extremely，very（非常）"。例如：

He is **too ready to** promise. 他总是轻易许诺。

She is **only too** glad to help you. 她非常乐意帮助你。

You know **but too well to** hold your tongue. 你深知少说为妙。

He has seen **too much** of the world **not to** do better. 他深谙世事，知道如何做更好。

One is **too apt to** overlook one's own mistakes. 人们总是很容易忽视自己的缺点。

比较：

> She was **too** frightened to move. 她吓得不敢动。
> She was **too much** fatigued to move. 她累得走不动了。

第一句中用 too 修饰 frightened，因为 frightened 虽为过去分词形式，但实际上已经形容词化了；第二句中用 much 修饰 fatigued，不可用 too，因为 fatigued 仍是动词性质较强的过去分词，too much 中的 too 是修饰 much 的。一般而言，too 或 very 修饰的过去分词是已经形容词化了的，相当于一个形容词，much 则用以修饰动词性质较强的过去分词。再如：

> I'm **very**/**only too** pleased to meet you. 我非常高兴同你会面。
> He is **too much** shocked to say anything. 他惊得说不出话来。

11. not so much A as B 和 more A than B

1 not so much A as B 是部分否定结构，意为"与其说 A，不如说 B"

James is **not so much** a writer **as** a reporter. 詹姆士与其说是作家，不如说是记者。

The oceans **do not so much** divide the world **as** unite it. 海洋与其说是分离了世界，倒不如说是连接了世界。

2 more A than B 为部分否定结构，意为"与其说 B 不如说 A"。注意这个句型与 not so much A as B 所强调重点的位置不同（参阅"否定"章节）

She is **more** shy **than** unsocial. 与其说她孤僻，不如说她太腼腆。

The administrator is a "trained" man who is **more** a specialist **than** a generalist. 管理人员是"受过培训"的人员，与其说是通才，不如说是专家。

【提示】英语中有多种结构可以表示"与其说……倒不如（说）……"。例如：

He is a scholar **rather than** a businessman. 与其说他是个商人，倒不如说他是个学者。（rather than）

The man is **rather** mean **than** selfish. 那人与其说他自私，不如说他卑鄙。（rather ... than）

He is **more** mad **than** stupid. 与其说他愚蠢不如说他疯狂。（more ... than）

It is **more** a poem **than** a picture. 与其说那是一幅画，倒不如说那是一首诗。

Better to light a candle **than** to curse the darkness. 与其咒骂黑暗，不如点燃一根蜡烛。（better ... than）

A man's worth lies **not so much** in what he has **as** in what he is. 一个人的价值与其说在于他拥有什么，不如说在于他是怎样一个人。（not so much ... as 强调后者）

He was **less** hurt **than** frightened. 他与其说受了伤，倒不如说受了惊吓。（less ... than）

They came here **not** to free you，**but rather** to slave you. 他们来这里与其说是解放你们，不如说是奴役你们。（not ... but rather）

12. worth, worthy 和 worthwhile

1 worth 是表语形容词，后接名词、动名词或代词，worth 有时也可以作名词

It was **worth** ten dollars. 它值 10 美元。

The book is **worth** reading. 这本书值得读。

They're expensive, but they are **worth** it. 它们很贵，但物有所值。

They bought fifty thousand dollars' **worth** of equipment. 他们买了五万美元的设备。

▶▶▶ 接动名词时，句中主语即是动名词（短语）意义上的宾语，因此可判断下面两句的正误：

{ **The film** is worth **going to see**. ［✓］这部电影值得去看。

The event is not worth looking forward. ［✕］（应说 looking forward to）

▶▶▶ 另外，be worth one's salt 意为"有能力，称职"；be not worth a damn/a hoot/a straw/a cent意为"毫无价值"。例如：

What he has done shows that he is **worth his salt**. 他的作为表明他称职。

What he said was not **worth a damn**. He didn't know anything about the subject. 他的话毫无价值，他对这个专题一窍不通。

【提示】worth 后的动名词不可再有宾语；若动词不能用于被动语态，其动名词形式不可用作 worth 的宾语。例如：

He thought a merchant was worth being. ［✕］

The book is not worth reading it. ［✕］

2 worthy 作定语修饰名词时表示"有价值的，可敬的"

We should live a **worthy** life. 我们应该过一种有价值的生活。

He is a **worthy** man. 他是个可敬的人。

▶▶▶ worthy 与 of 连用，后面可以接名词，其结构是：

{ be worthy of ＋名词

be worthy of＋动名词被动式

be worthy＋不定式被动式

{ 这本书值得认真研读。

The book is **worthy of** careful study.

The book is **worthy of being** studied carefully.

The book is **worthy to be** studied carefully.

3 worthwhile 意为"……是值得（花时间和精力）的"，后面一般不接动名词或动词不定式

The novel is worthwhile reading. ［✕］

The plan is worthwhile to be considered. ［✕］

应改为：It is **worthwhile** reading the novel. 这部小说值得读。

It is **worthwhile** to consider the plan. 这个方案值得考虑。

▶▶▶ 上面两个句子中的 reading 和 to consider 虽放在 worthwhile 之后，但实际上它们都是句子的主语，句首的 it 只是形式主语。上面两个句子也可以改写成：

Reading the novel is **worthwhile**.

To consider the plan is **worthwhile**.

▶▶▶ 另外，worth while 也表示"值得"，while 这里是名词，作 worth 的宾语，可用于下列句型：

{ 这个工厂值得设立。

It is **worth while** to set up the factory.

It is **worth while** setting up the factory.

To set up the factory is **worth while**.

Setting up the factory is **worth while**.

▶▶▶ 但不可说：The factory is worth while setting up.

【提示】worth one's while 也是常用短语，后可接不定式或动名词。例如：

It is well **worth your while** to track down/tracking down these treasures. 这些宝藏值得你去搜寻。

13. drink the coffee hot 还是 hotly

He **drank** the coffee **hot**. 他喝热咖啡。

She **fell** to the ground **unconscious**. 她倒在地板上,失去了知觉。

▶▶ He drank the coffee hot 等于 He drank the coffee when it was hot。这里的 hot 说明 coffee 的情况,不可用 hotly。She fell to the ground unconscious. 等于 She fell to the ground and then was unconscious. 句中的 unconscious 说明主语 she 倒地后的状态,不可用 unconsciously。比较:

She **fell** to the ground **heavily**. 她重重地倒在地上。(句中的 heavily 是副词,修饰 fell,说明她是怎样倒地的)

14. more than happy to see you 的含义

She will be **more than happy** to see you. 她见到你会非常高兴的。

▶▶ 句中的 more than 意为"非常……,岂止……",表示程度的加强,没有比较意义。再如:

He is **more than satisfied** with your work. 他对你的工作非常满意。

She was dressed **more than simply**. 她穿得岂止是朴素而已。(简直近乎破烂)

He is **more than** honest. 他十分谦逊。(＝extremely honest)

She is **more than** obliged to you. 她万分地感谢你。

He would **more than** give you advice. 他给你的不只是建议。(＝would do more than that)

15. be kind of sb. to do sth. 和 be difficult for sb. to do sth.

It **was** very **kind of him to lend** me some money. 他非常友善,借给了我一些钱。

It **was** very **difficult for him to lend** me some money. 要他借钱给我很难。

上面两个例句结构相同,但一句用 of,一句用 for,不可换用。在类似的结构中,究竟是用 of 还是用 for,可以用下述规则加以鉴别:把句子中的 it, of 或 for 去掉,将表示 sb. 的词作句子的主语,表语不变,后接不定式,组成一个句子。若该句子是正确的,则原句中用 of,若该句不正确,则用 for。第一个例句可以改成:

He was very **kind to lend** me some money. (这个句子是正确的,故第一个例句用 of。)

而第二个例句如果改成:

He was **very difficult to lend** me some money. (这个句子是错误的,因此第二个例句要用 for。)

但如果作主语的人不是逻辑主语,而是逻辑宾语,则此句型正确。例如:

He is difficult to **satisfy**. 他这人难以满足。

Dobie is impossible to **deal with**. 多比很难缠。

1 "It is＋形容词＋of＋代词＋不定式"是一种使用率很高的句型,它表示说话人对客观事物的高兴、惊讶、懊悔、难过等情绪,表现的是人的性格、品质或特征等;这种句型实际上相当于感叹句,多用于日常话语中;能用于这个句型的形容词都是表示感叹情绪的

这类形容词主要有五类:

① 表示褒贬义:decent, polite, brave, ingenuous, careless, selfish, greedy, crazy, mad 等。

② 表示聪明或愚蠢:clever, brilliant, wise, silly, stupid, absurd, dumb, foolish, unwise 等。

③ 表示心情、心地善良或卑劣等:generous, unselfish, nice, kind, sweet, good, wonderful, jolly, thoughtful, thoughtless, considerate, friendly, handsome, wicked, bad, unkind, naughty, inconsiderate, abominable, rude 等。

④ 表示正误:correct, right, wrong, incorrect 等。

⑤ 以-ing 结尾的形容词:annoying, boring, trying 等。

It is extraordinarily **friendly of you to do** it for me. 你为我做那件事,真够朋友。

It was **wrong of you to say** like that. 你那样说话就不对了。

It was **foolish of him to waste** so much time. 他浪费这么多时间是愚蠢的。

It was **boring of Jim to make** so much noise. 吉姆弄出这么大的声响真讨厌。

It is very **good of you to go** to so much trouble on our behalf. 我们给你添了这么多麻烦,真是

太感谢了。

"It is＋形容词＋of＋sb.＋to do sth."句型的转换

本句型可以转换为下列句型：

How＋形容词＋it＋is＋of sb.＋to do sth.！
How＋形容词＋of sb.＋to do sth.！
形容词＋of sb.＋to do sth.（口语中）
Sb.＋is＋形容词＋to do sth.
That is＋形容词＋of sb.＋to do sth.

It was **stupid of him not to take** her advice. 他没有听她的劝告，真是愚蠢。

How stupid it was of him not to take her advice!

How stupid of him not to take her advice!

Stupid of him not to take her advice.

He was **stupid** not to take her advice.

That's very **stupid** of him not to take her advice!

Isn't it **stupid** of him not to take her advice!

"It is＋形容词＋for sb.＋to do sth."句型是一个陈述句，表示说话人对客观事件（for sb. to do sth.）的决断性，多用于正式、庄重的场合

用于此句型的形容词大致有两类：

① 表示难易程度、用处：hard, difficult, easy, possible, impossible, dangerous, useful, useless 等。

② 表示判断、意念：advisable, common, unusual, enough, unheard-of, reasonable, normal, vital, strange, natural, necessary, essential, important, sad, convenient 等。

"It is＋形容词＋for sb.＋to do sth."结构常可转换为"To do sth. is＋形容词"结构；有时还可转换为"It is＋形容词＋that-从句"结构，视具体的形容词而定

It is not **good for you to live** alone. 独居对你不好。
For you to live alone is not good.

It is **necessary for us to read** more. 我们很有必要读更多的书。
It is **necessary** that we should read more.

▶▶▶ 但：

要他借钱给你很难。
It is **difficult for him to lend** you the money. ［✓］
It is difficult that he should lend you the money. ［✕］

"It is＋形容词（＋for sb. / of sb.）＋do sth."结构可以转换为"Sth. is＋形容词＋to do"句型，这时，不定式的逻辑主语要用 for 引导

能用于这种转换的形容词主要有：good, hard, nice, easy, difficult, sad, strange, wonderful, possible, impossible, convenient 等。例如：

It is **good** (of you) to read those books. 读那些书（对你）很有益。
Those books are **good** (for you) **to read**.

It is **convenient** to walk to the school. 步行去学校很方便。
The school is **convenient to walk to**.

It is **impossible** to settle the matter. 不可能解决这个问题。
The matter is **impossible to settle**.

【提示】

① 这种用法中的不定式不可用被动式，参阅第十讲。

② fun, a pleasure 等名词作表语时，亦可作此转换。例如：

It is **fun** for us to be with Mary. 我们跟玛丽在一起很好玩。
Mary is **fun** for us to be with.

It is **a pleasure** for me to talk with Jim. 同吉姆说话我感到很快乐。

Jim is **a pleasure** for me to talk with.

16. **gold** 和 **golden**

golden 是 gold 的同根形容词,均可作定语,但含义不同。参阅有关章节。比较:

a **gold** watch 一只金表(金质的)

gold crown 金冠

golden memories 美好的回忆

golden hair 金色秀发

golden hours 幸福时光

golden age 黄金时代

golden sunset 瑰丽的晚霞

golden days of our youth 我们年轻时的黄金岁月

golden buttons 金黄色的纽扣

golden saying 金玉良言

golden boy 成功的男孩

golden girl 红极一时的女孩

golden rule 金科玉律

golden sea of wheat 金色的麦浪

golden velvet curtains 金色的丝绒窗帘

a **golden** opportunity 千载难逢的好机会

▶▶▶ 其他如:

silk stockings 丝袜子

silken skin 细嫩的皮肤

a **silky** voice 圆润的噪音

a **lead** pipe 一根铅管

a **leaden** sky 阴暗的天空

a **rain** coat 雨衣

a **rainy** day 雨天

a **stone** roof 石头砌的屋顶

a **stony** silence 一阵冷淡的沉默

the **stony** word 令人心碎的消息(that he died)

a **silver** coin 银币

the **silvery** light of the moon 银色的月光

silvery voice 银铃般的声音

a **color** photograph 彩色照片

color scheme 色彩设计

colorful paintings 色彩斑驳的绘画

colorful past 辉煌的过去

colorful clouds 彩云

colorful life 多彩的生活

a **colorful** career 丰富多彩的生涯

colorful costumes 色彩鲜艳的服装

a **colorful** display of flowers 色彩缤纷的花展

a **colorful** character/figure 有趣且不同寻常的人

the most **colorful** part of town 城里最富有特色的地方

wood carving 木雕

wood furniture 木制家具

wood pulp 纸浆

a **wood**(en) floor 木地板

a **wood**(en) bowl 木碗

a **wood**(en) chair 木椅

a **wood**(en) spoon 木调羹

wooden fence 木篱笆

wooden smile 呆板的笑

a **wooden** look 呆滞的目光

a **wooden** performance 呆板的表演

a **wooden** stare 呆滞的凝望

17. **as . . . as any**, **as . . . as can be** 和 **as . . . as ever**

as...as any 相当于 as...as ever lived,意为"不弱于,杰出的";as...as...can be 意为"无以复加",表示强调;as...as ever 相当于 as...as before,意为"和以前一样"。例如:

He is **as** wrong **as** wrong **can be**. 他大错特错了。

She is **as** green **as** green **can be**. 她是毫无经验的生手。

Her trust in you is **as** firm **as before**. 她对你的信任和以往一样坚定。

He is **as** great a mathematician **as any**. 他是一位非常杰出的数学家。(不比任何人差)

He is **as** great a mathematician **as ever lived**.

18. **She is as kind as her brother is honest** 的含义

1 as . . . as . . . 可用于表示两个人或物不同性质的比较,表示程度相等或相当,意为"……而……"

The prisons are **as** over-crowded **as** the farmlands are empty. 监牢里人满为患,而土地则无人耕种。

He was **as** experienced **as** his brother was **green**. 他经验丰富,而他兄弟却涉世未深。

He was **as** handsome **as** his wife was beautiful. 他长得非常英俊,他的妻子也长得非常漂亮。

上面的句子意为:她弟弟很诚实,而她则很友善。

2 as . . . as 还可以表示同一个人或物的比较,多表示不同性质,意为"既……又……"等

She is **as** kind **as** honest. 她既诚实又友善。

His confession turned out to be **as** absurd **as**(it was)false. 他的供词荒唐而虚假。

The problems are **as** numerous **as**(they are)trivial. 问题又多又繁琐。

The news was **as** unexpected **as**(it is)welcome. 消息来得突然,但受人欢迎。

The hall is **as** long **as**(it is)wide. 这个厅长宽尺寸一样。

19. as such, as soon as not 和 (just) as ..., so ...

1 as such 意为"照此,本身,作为,名副其实地";as soon as not 相当于 more willingly,意为"更愿意"

I don't oppose the suggestion **as such**. 就这个建议本身来说,我并不反对。

If you behave like a fool, you will be treated **as such**. 如果你做傻事,人家就会把你当成傻子对待。

I'd like to join the expedition **as soon as not**. 我倒是更愿意参加这次探险活动。

2 "(just) as ..., so ..."结构意为"正如……也,犹如……一样",表示的是比拟关系

as 引导的是含有比拟意义的方式状语从句,so 相当于"in the same way, in the same proportion",引导主句。这种结构有如下几个特点:①as 前可加 just,表示强调;②as 从句可以居前,也可以居后,在前时用逗号同主句隔开,在后时不用逗号;③as 从句居前时,主句常用倒装结构;④"as ..., so ..."结构可用"what ..., that ..."结构替换,但要注意前者用 so 引导主句,后者用 that 引导主句;⑤有时候,引导主句的 so 可以省略,这时主句不可倒装。例如:

In the world, **as** some are very rich, **so** others are very poor. 在这个世界上,正如有些人很富一样,有些人很穷。

Reading is to the mind **as** food is to the body. 读书对于人的思想来说犹如食物对于身体一样。(主句在前,这时要省去 so)

As fire tries gold, **so** does adversity try courage. 正如火可以试金一样,逆境也可以考验人的勇气。

Just **as** rust eats iron,(**so**)care eats the heart. 正如锈能腐蚀铁一样,烦恼也能伤神。

As men live, **so** they die. 有生必有死。

As you sow, **so** will you reap. 种瓜得瓜,种豆得豆。

As you make your bed, **so** must you lie on it. 自作自受。

{ **As** bees love sweetness, **so** flies love rottenness. 正像蜜蜂喜甜蜜一样,苍蝇爱腐臭。
{ **What** bees love sweetness, **that** flies love rottenness.

比较:

{ **As** I wouldn't be a slave, **so** I wouldn't be a master. 正如我不愿做奴隶一样,我也不愿做奴隶主。(as ..., so ...结构)
{ **As** I wouldn't be a slave, I wouldn't be a master. 因为我不愿意做奴隶,所以我也不愿意做奴隶主。(as 引导原因状语从句,相当于 because)

20. as well 和 as well as

1 as well 是副词短语,意为"也,同样地好","as well+不定式"位于句中,意为"还是……为好"

She is a painter, and a poet **as well**. 她是画家,也是诗人。

It's cloudy. It would be **as well** to take an umbrella. 是个阴天,最好带把伞。

He scored 99 out of a possible 100. No other one in the whole regiment could shoot **as well**. 他在最高分 100 环中打了 99 环,全团中没有其他任何人也能打得那么准。

2 as well as 是连词,可以连接代词、名词、形容词、动名词等,具有多种含义,且位置可以变动

as well as 作连词用时,强调的一般是前项,故相当于 in addition to+后项;但有时候,as well as 相当于 and 和 both ... and ...,前后项均强调。as well as 连接主语时,谓语动词应同前项保持一致。例如:

The house is well-decorated **as well as** large. 这所房子不仅大,而且装饰得漂亮。(强调前项)

Justice, **as well as** the law, demands the criminals be severely punished. 正义和法律要求严惩这些罪犯。(前后项均强调)

She **as well as** you likes the book. 你和她都喜欢这本书。(前后项均强调)

Work in moderation is healthful **as well as** agreeable. 适度的工作既有益于身体又令人愉悦。

As well as damaging his own reputation, he brought misery to his family. 他不但毁了自己的名声，而且还给家庭带来了灾难。

Regular exercise can strengthen the mind **as well as** the muscles. 经常性的锻炼既可健身，又可益智。

Exercises that challenge the brain **as well as** the body may provide further benefits. 对大脑和身体产生激励作用的运动可能给人带来更多的益处。

As well be hanged for a sheep **as** for a lamb. 窃钩者诛，窃国者侯。（与其……毋宁）
＝Better be hanged for a sheep than for a lamb.

比较：

Her car runs **as well as** yours. 她的车子跑得和你的一样好。（well 是副词，相当于 smoothly，as...as 为同等比较结构）

Her car broke down **as well as** yours. 不仅你的车子而且她的车子也坏了。（as well as 为连词，意为"不仅……而且……"，可转换为：Not only your car but also her car broke down. Both your car and her car broke down. Besides your car, her car broke down.）

3 as well as 同 not 连用时，as well as 前面的词为否定，而后面的词为肯定

We **won't** go to Hangzhou for sightseeing **as well as** you. 你们将去杭州观光，而我们将不去。

We **as well as** you won't go to Hangzhou for sightseeing. 和你们一样，我们也不去杭州观光。

You **have not** realized the importance of English grammar **as well as** she. 她认识到了英语语法的重要性，而你却没有。

You **as well as** she have not realized the importance of English grammar. 你和她一样都没有认识到英语语法的重要性。

He didn't apply for the position **as well as** his colleagues. 他没有申请那个职位，而他的同事们却申请了。（本句中的 as well as 强调 he，相当于 like，意为 His colleagues applied for the position, but he didn't. He didn't apply for the position like his colleagues.）

He, **as well as** his colleagues, didn't apply for the position. 他和他的同事们都没有申请那个职位。（as well as 强调两者，相当于 and，意为 Neither he nor his colleagues applied for the position.）

▶▶ 区别下面两句：

She sings **as well as** playing the violin. 她不仅拉小提琴，还唱歌。（as well as 为连词）
＝She not only plays the violin, but also sings.

She sings **as well as** she plays the violin. 她唱歌同她拉小提琴一样好。（well 为副词，as 为连词）
＝Her singing is as good as her playing.

4 as well as 作连词时，后面可跟动名词，但不可跟动词原形、不定式或句子

她不仅断了腿，而且还伤了臂。
As well as break her leg, she hurt her arm. ［×］
As well as breaking her leg, she hurt her arm. ［√］

他们不仅讨论了那件事，还作出了决定。
They discussed the matter as well as they made the decision. ［×］
They discussed the matter **as well as making** the decision. ［√］

21. as likely as not 和 as often as not

as likely as not 意为"很可能"；as often as not 和 more often than not 均意为"往往，经常"。例如：

He will succeed **as likely as not**. 他很可能会成功。

As often as not the buses are late in peak hours. 公共汽车在高峰时间往往脱班。

22. as much, as many, as much as, as good as 和 as best we/you can

1 as much 和 as many 均可表示同样的数目，前者用于不可数名词（the same amount of），后者用于可数名词，意为"一样多"（the same number of）。as much 还可以表示同样的事情，意为"也，同样，相应"

Please give me **as much** again. 请再给我那么多。（多一倍）

She bought three pounds of tea and **as much** sugar. 她买了三磅茶叶和三磅糖。

We talked about three hours; it seemed to me **as many** minutes. 我们谈了三个小时,在我看来好像是三分钟。

These are not all the stamps I have. There are **as many** in my bedroom. 这并非我所有的邮票,卧室里还有这么多。

He was not qualified for the job and I had expected **as much**. 他做这工作不称职,我料到会这样。

He thought **as much**. 他也是这么想的。

I found him rather careless and said **as much** to him. 我发现他有点粗心大意,就如实地对他讲了。

2 as much as 表示:①和……一样多;②几乎等于,与……同类;③和……一样,与……同一程度;④尽……那么多,多达

I have **as much** money as he. 我的钱同他的钱一样多。

He is **as much** a hypocrite as Tartuffe. 他跟塔图夫一样是个伪君子。

I like you **as much** as he. 我喜欢你如同他喜欢你一样。

It was **as much** of a success as I expected. 这正如我期望的那样成功。

Take **as much** as you need. 你需要多少就拿多少。

The building is **as much** as 350 feet high. 这幢楼高达 350 英尺。

It is **as much** your fault as your wife's. 这既是你的过错,也是你妻子的过错。

It was **as much** as we could do to save her life. 我们尽了最大努力才挽救了她的生命。(＝all)

He gave me a look **as much** as to say "Mind your own business." 他看了我一眼,好像是说"少管闲事"。(＝as if)

3 as good as 表示"简直是,(实际上)等于,与……无异,和……一样"

He **as good as** told me so. 他就是这么告诉我的。(＝virtually)

Will she be **as good as** her word? 她是否会言而有信?

【提示】前面有 like, as 时,只用 so many。例如:

He regarded his books **as so many** friends. 他把自己的书看作同样多的朋友。

They toiled all day long **like so many** beasts of burden. 他们像那么多驮畜一样整天干活。

4 as best we/ you can 表示"尽最大努力,竭力"

We must depend upon ourselves to make our own way **as best we can**. 我们一定要依靠自己竭尽全力走自己的路。

23. more than 和 more ... than ...

1 more than 后可接名词、动词、形容词、动名词、过去分词和从句等,具有多层含义

It is **more than** I can tell. 我说不了。(超过)

Their action was **more than** justified. 他们的行动是完全有理由的。(非常)

This **more than** satisfied me. 这令我非常满意。(十分,极为,非常)

What we are doing today is **more than** donating some money. 今天我们所做的不只是捐一些钱。(不仅是,不只是)

He **more than** hesitated to promise that. 他对于答应做那件事,岂止是踌躇而已。(简直是拒绝了)(岂止,何止)

There are few things I enjoy **more than** taking a walk in the woods. 几乎没有什么事情比在树林中散步更让我高兴的了。

I was **more than** a little curious about the whole business. 我对整个事情非常好奇。(不止,超过)

She is **more than** pretty. 她何止是漂亮。(不可用 prettier)

You are **more than** welcome! 非常欢迎你!

I **more than** saw it, I touched it too! 我不仅仅是看见它了,我都摸到它了。

He is **more than** unfair. He is mean. 他岂止是不公平,他是卑鄙。

2 more ... than 可以作"与其说……不如说,不是……而是"解,为不同程度的比较,意为"A 的程度超过或比不上 B 的程度"

He was **more amused than** angry. 他没有生气,只是感到好笑。

He is **more** a fool **than** a rogue. 与其说是无赖,不如说他是无知。

His hair is **more** dark **than** grey. 他的黑发尚多于白发。

He is **more** brave **than** wise. 他有勇无谋。

She is **more** sorrowful **than** happy. 与其说她高兴,不如说她忧伤。

The man is **more** kind **than** wise. 那人善良有余,智慧不足。

The windows are **more** wide **than** high. 这些窗子的宽度比高度要大。

The typing is **more** neat **than** accurate. 字打得很整洁,但不够准确。

He is **more** kind **than** intelligent. 他不是智者,而是仁人。

He is **more** a knave **than** a fool. 与其说他蠢,不如说他坏。

Jack is **more** honest **than** silly. 杰克与其说是傻,还不如说是诚实。

He is **more** of a poet **than** a king. 与其说他是一个国君,不如说他是一个诗人。

She was **more** the product of her family traditions **than** of her environment. 与其说她是受了环境的影响,还不如说她是受了家庭的影响。

The man was regarded as **more** a nuisance **than** a threat. 那人没有被看成一种威胁,只是令人讨厌罢了。

24. not so much . . . as, not . . . so much as 和 not so much as

① 前两个词意为"与其说……还不如说"或"更多的是……而不是",more . . . than, better . . . than, rather . . . than, not . . . but 也都可以表达这个意思

Man is limited **not so much** by his tools **as** by his vision. 与其说人是受到工具的限制,倒不如说是受到视野的限制。

I find the great thing in this world is **not so** much where we stand,**as** in what direction we are moving. 我发现在这个世界上关键的问题主要不是我们处于何地,而是我们朝向什么方向前进。

It was **not** her beauty **so** much **as** the look she gave me that fascinated me. 与其说是她的美貌,不如说是她朝我看的那种眼神,更使我着迷。

It **wasn't so much** his appearance I like **as** his personality. 与其说我喜欢他的外表,倒不如说我喜欢他的品格。

He is **not** a politician **so much as** a common rogue. 与其说他是一个政客,还不如说他是一个普通的流氓。

【提示】

not so much A as B
＝less A than B
＝not A, but rather B
＝more B than A

经验表明,成功与其说是由于能力,毋宁说是由于热忱。

Experience shows that success is **not so much** due to ability **as** to zeal.
＝Experience shows that success is **less** due to ability than to zeal.
＝Experience shows that success is due to zeal **rather than** to ability.
＝Experience shows that success is **more** due to zeal **than** to ability.

② 在 not so much . . . as . . . 句型中,as 有时可改用 but

③ not so much as 意为"甚至连……都不"。not even, without even, never so much as, without so much as 也都是这个意思

She can **not so much as** write her own name. 她甚至连自己的名字都不会写。

He would **not so much** as look at her. 他连看她一眼都不看。

She took it **without so much as** saying "Thank you". 她拿了它,连一声谢谢都没说。

④ 但要注意,not so much that . . . as that 和 not so much that . . . but that 则意为"倒不是……而是"

It **wasn't so much that** he dislikes the book **as that** he just doesn't understand it. 倒不是他不喜欢这本书,而是他看不懂。

25. other than 的几种含义

other than 在具体的上下文中有四种含义。other than 作"除外"解时,常可同 no, not, never, nothing, hardly 等连用;other than 后可接代词、名词、副词或不定式(other than 前的谓语动词为 do 时,不定式不带 to,否则要带 to)。

1 除外,除了

He hasn't anything left **other than** these books. 除了这些书,他一无所有。(名词)

No one **other than** Jim came to her help. 帮她的只有吉姆。(名词)

There was nothing they could do **other than** spend the night in the temple. 他们只得在庙里过夜。(不带 to 的不定式)

There was no choice **other than** to walk on against the wind. 只得顶风前行。(带 to 的不定式)

Other than this, I know nothing about it. 除了这一点,别的我一无所知。(代词)

2 不是

She bought some books **other than** novels. 她买了几本书,但都不是小说。

He seldom appears **other than** happy. 他很少有看上去不高兴的时候。(other 相当于 otherwise)

We can not pretend to be **other than** we are. 人的真实自我不是可以掩饰的。(other 相当于 otherwise)

3 只能,只有

She can do no **other than** smile. 她只能笑笑。

He can hardly be **other than** comforting himself. 他只能安慰自己。

I cannot read the long letter **other than** cursorily. 这封长信我只能草草地读一下。

I could write the article **other than** hurriedly. 我只能匆匆忙忙地写了那篇文章。

4 与……不同

What really happened is quite **other than** what you think. 真正发生的事情同你想的大不相同。

She can't do **other than** I have done. 她能做的同我已经做的不会不同。

{ I do not wish her **other than** she is. 我不希望她改变现状。
= I do not wish her **different from** what she is.

【提示】

① no other than 和 none other than 意为"正是,就是",表示某种惊讶,none other than 更为文气。例如:

It was **no other than** the manager himself. 正是经理本人。

The woman who sent him the flowers was **none other than** the girl he saved twenty years ago. 给他送花的那位妇女正是他 20 年前所救的女孩。

② no other ... than 表示"除去,除外"。例如:

She has **no other** friend **than** you. 除你之外她没有朋友。

He has **no other** man to fall back on **than** you. 他只有你可以依靠。

She went downtown with **no other** purpose **than** to buy some English books. 她进城没有别的目的,只是想买几本英语书。

③ nothing other than 意为"仅仅,只不过";与 nothing but 或 nothing except 同义,但更为文气。例如:

He had **nothing other than** a piece of cheese for supper. 他晚饭仅有一块乳酪。

Ten years ago, the city was **nothing other than** a small unknown village. 10 年前,这座城市还只不过是一个不知名的小村庄。

④ nothing else than 表示"除……之外",not ... anywhere than 表示"除在……之外",not ... otherwise than 表示"只有,唯有",均是强调说法。例如:

He couldn't do **otherwise than** accept the terms. 他唯有接受这些条件。

He could **not** have behaved **otherwise than** he did. 他别无他法,只能这样行事。

You **won't** find this kind of tree **anywhere than** in this mountain. 除了在这座山里,别处找不到

这种树。

His failure was due to **nothing else than** his own carelessness. 他的失败完全是因为他自己粗心大意。

26. last but one，last but not least 和 the last＋不定式

1 last but one 意为"倒数第二"，last house but three 意为"倒数第四家"，next turning but one 意为"第二个转弯处"

比较 {
Jane lives in the **last house but one** in the street. 简住在这条街上的倒数第二家。
Jane lives in the **next house but one**. 简住在隔壁的隔壁。
}

2 last but not least 意为"虽是最后的但并不是最不重要的"

Oh, yes, **last but not least**, each of us should carry some plastic bags for storing waste things. 哦，对了，最后但并非最不重要的一点，每个人都应该带一些塑料袋以备装垃圾用。

3 the last＋名词可以表示"最不值得，最不合适，最不可能，决不会"等

That's **the last thing** he should do. 他千万不该做那种事。

He is **the last man** I want to see. 我最不愿意见到他。

I'm **the last person** in the world they'd be afraid of. 全世界他们最不怕的人就是我了。

You should be **the last man** to talk about your own contributions. 你最不应该谈论自己的功劳。

27. last week 和 the last week

last week 指过去的一周，即"上一周"。同样，last month 指过去的一月，即"上个月"，其起讫以周、月等的正规起讫时间为准，与之相连的谓语动词用过去时。the last week 指一直延续到当前的一周时间，也就是包括今天在内的七天时间；the last month 指包括今天在内的 30 天时间，与之相连的谓语动词要用现在完成时。the last week/month/year … 相当于 the past week/month/year …。比较：

{
I was quite busy **last week**. 我上周非常忙。（＝during the week before this one）
I have been quite busy **the last week**. 我过去七天来一直很忙。（＝the past week）（＝during the seven days up to today）
}

{
Last year saw great changes in the world. 去年，世界发生了很大变化。（＝the year up to last December）
The last year has been one of great changes. 过去的 12 个月中发生了巨大的变化。（＝the twelve months up to now）
}

【提示】last summer 既可以指今年夏天（在秋天说），也可以指去年夏天（在春天说）；last Thursday 既可以指本星期四，也可以指上星期四，据说话时的具体时间而定。例如：

I saw her **last Wednesday**. 我（本周）星期三看见过她。（＝on Wednesday last，＝on Wednesday of this week）

I saw her **last Wednesday**. 我上周星期三看见过她。（＝on Wednesday last，＝on Wednesday of last week）

▶▶▶ 另外，last winter, last Saturday, last December 只能有一种含义："去年冬天"，"上星期六"，"去年 12 月"。习惯上说 last night, last evening，但要说 yesterday morning, yesterday afternoon。

▶▶▶ 同样要注意 next 和 the next 的差别。next year, next month 和 next week 指紧跟在本年、本月和本周的下一日历年、月和周，而 the next year, the next month 和 the next week 则指从现在（今天）算起的 365 天，30 天和 7 天，不一定恰好是某一日历年，某一日历月或某一日历周。比较：

He will be free **next week**. 他下周有空。（the week after this one）

He will be free for **the next week**. 他在接下来的一周内有空。（the seven days starting today）

28. costly 是形容词还是副词

1 有些词常因词尾是 -ly 而被认为是副词，但实际上是形容词，或在现代英语中用作形容词。这类形容词有些表示人的特征、气质、性格，有些表示事物的特征、状态、状况等

这类形容词常见的有：

manly 男子气概的   goodly 相当大的   lonely 孤独的

ugly 丑陋的   earthly 世俗的   costly 昂贵的

childly 孩子似的　　　　　fatherly 父亲般的　　　　motherly 慈母般的

soldierly 英勇的　　　　　brotherly 兄弟般的　　　grisly 恐怖的

miserly 吝啬的　　　　　　wifely 妻子似的　　　　comradely 同志般的

unholy 不信神的　　　　　comely 漂亮的　　　　　portly 肥胖的

wily 诡计多端的　　　　　burly 粗鲁的　　　　　curly 卷曲的

bubbly 多泡的　　　　　　elderly 年长的　　　　unruly 不守规矩的

bodily 肉体的　　　　　　melancholy 忧郁的　　　prickly 多刺的

unscholarly 没有学问的　　wooly 毛的　　　　　　crumbly 易碎的

unmanly 无男子气概的　　homely 俭朴的,不漂亮的　bastardly 卑鄙的,私生的

princely 王子的,高贵的　　measly 麻疹的,无价值的　bristly 长满钢毛的,易怒的

grandfatherly 爷爷(似)的,慈爱的　　　unearthly 非人间的,超自然的

weatherly 有顶风能力的,适浪的　　　grandmotherly 祖母(似)的,溺爱的

He is an **unmanly** fellow. 他不像个男子汉。

What are **wifely** duties? 什么是做妻子的责任?

Our **earthly** pleasures are transient. 我们在人世间的欢乐是短暂的。

A **portly** old gentleman stood in the doorway. 一位发福的老先生站在门口。

He's always been a bright and **lively** child. 他向来是个聪明活泼的孩子。

The speech met with a **chilly** reception. 这次演讲的反应很冷淡。

It's a **miserly** 4% pay rise. 只是区区 4% 的加薪。

Prickly brambles grew on either side of the path. 小路两边长着多刺的灌木。

He was a **wily** politician. 他是个老奸巨猾的政客。

The cottage had a warm, **homely** feel. 那间小屋给人一种温暖而舒适的感觉。

Allen's the one with long dark **curly** hair. 那个留着又长又黑的卷发的是艾伦。

The landlord was **niggardly** about repairs. 房东在维修方面很吝啬。

These **unruly** children are in his class. 那些难管教的孩子在他班上。

Joe left his clothes in a **disorderly** heap. 乔把他的衣服乱七八糟地堆成一堆。

▶▶▶ manly, fatherly, motherly 和 brotherly 在古英语中也用作副词。

2 有些以 -ly 结尾的词,既可作形容词,也可作副词

worldly {a. 尘世的,世故的 / ad. 世故地

timely {a. 及时的,适时的 / ad. 及时地,适时地

heavenly {a. 天国的,超凡的 / ad. 至高无上地,极其

friendly {a. 朋友(般)的,友善的 / ad. 友好地,朋友般地(另有 friendlily)

lovely {a. 可爱的,心灵美的 / ad.〈口〉漂亮地,极妙地

womanly {a. 妇女的,女子气的 / ad. 女人般地

scholarly {a. 学者的,学者风度的 / ad. 学者似地

cowardly {a. 胆小的,胆怯的 / ad. 胆小地,卑怯地

beastly {a. 野兽的,野蛮的 / ad.〈口〉非常,极

lowly {a. 地位低的,谦卑的 / ad. 低地,低等地

likely {a. 可能的,合适的 / ad. 很可能

masterly {a. 熟练的,巧妙的 / ad. 熟练地,巧妙地

kingly {a. 国王的,高贵的 / ad. 君主似地

silly {a. 傻的,无聊的 / ad. 愚蠢地

untimely {a. 不适时的,不是时候的 / ad. 不合时宜地,过早地

lordly {a. 贵族气派的,高贵的 / ad. 贵族般地,高傲地

sickly {a. 有病的,令人作呕的 / ad. 病态地

unfriendly {a. 不友好的,冷漠的 / ad. 不友好地,不利地

oily {a. 油的,谄媚的 / ad. 油滑地,讨好地

sightly {a. 悦目的,好看的 / ad. 悦目地,好看地

stately	*a*. 堂皇的,庄重的 *ad*. 〈罕〉威严地,宏伟地
mannerly	*a*. 举止优雅的 *ad*. 举止优雅地
chilly	*a*. 相当冷的,不友好的 *ad*. 寒冷地,冷淡地
rascally	*a*. 流氓的,卑鄙的 *ad*. 卑鄙地,卑劣地
ghostly	*a*. 鬼似的,苍白的 *ad*. 鬼似地,苍白地
north-westerly	*a*. 西北的,从西北来的 *ad*. 向西北,从西北

orderly	*a*. 整齐的,守秩序的 *ad*. 依次地,有条理地
deathly	*a*. 致命的,死一般的 *ad*. 极其,死一般地
godly	*a*. 虔诚的,神的 *ad*. 虔诚地
ungainly	*a*. 笨拙的,难看的 *ad*. 笨拙地,不优雅地
easterly	*a*. 东方的,向东的 *ad*. 向东,从东面
westerly	*a*. 西方的,向西的 *ad*. 向西,从西面

比较:

foxly	*a*. 如狐的,狡猾的
foxily	*ad*. 狡猾地

lonely	*a*. 孤独的,孤单的
lonelily	*ad*. 孤独地,孤单地

3 有些以-ly 结尾的词,还可用作名词

elderly:(总称)到了晚年的人,较老的人

woolly(美 wooly):(常作 woollies)毛线衣,羊毛内衣

godly:(the godly)信徒们,善男信女

bubbly:〈英俚〉香槟酒

easterly:东风

We should allow the **elderly** to prolong their working lives. 我们应该让上了年纪的人延长工作年限。

The winter **woollies** are of fine quality. 这些冬天的羊毛内衣质量优良。

The **lovely** but **lonely** girl smiled a **friendly** smile when the **scholarly** lodgentleman gave her the **timely** help. 当那位儒雅的老先生给了她及时的帮助时,那可爱而孤单的女孩友好地笑了笑。

29. A is to B what X is to Y

这个句型意为:A 之于 B 犹如 X 之于 Y。本句型的变体主要有:

A is to B as X is to Y.

A is to B what X is to Y.

As X is to Y, so is A to B.

What X is to Y, that is A to B

What X is to Y, A is to B.

As X stands for Y, so A stands for B. (均用 stands)

A stands to B as X stands to Y. (均用 stands)

A is to B the same thing as X is to Y.

A is to B the relation that X is to Y.

A is among B what X is among Y. (均用 among)

Leaves are to the plant **what** lungs are to the animal. 叶之于植物犹如肺之于动物。

As the lion is the king of beasts,**so** is the eagle king of birds. 犹如狮为兽中之王,鹰为鸟中之王。

Reading is to the mind **what** food is to the body. 读书之于精神犹如粮食之于身体。

Face is important to man **as** the bark is to the tree. 人要脸,树要皮。

The brush is to the painter **what** the piano is to the musician. 画笔之于画家犹如钢琴之于音乐家。

Poetry is to prose **what** dancing is to walking. 诗歌之于散文,犹如跳舞之于步行。

Taste is to writing **what** tact and good breeding are to manners. 风格之于作品,正像机敏和良好的教养之于举止一样。

What the blueprint is to the builder the outline is to the writer. 提纲之于作家,就像蓝图之于建筑师一样。

What the leaves are to the forest **that** to the world are children. 树叶对于森林,正像儿童对于世界一样。

The man who cannot be trusted is to society **what** a bit of rotten timber is to a house. 不能信赖的人对于社会,正如朽木对于房屋一样。

Shakespeare is to literature **what** Beethoven is to music. 莎士比亚对文学的贡献如同贝多芬对音乐的贡献。

Air is to man **what** water is to fish. 空气之于人犹如水之于鱼。

Engines are to machines **what** hearts are to animals. 发动机之于机器犹如心脏之于动物。

室之于人,犹如巢之于鸟,穴之于兽。
{ **As** the house is to the man，**so** is the nest to the bird and the cave to the animal.
＝**What** the nest is to the bird and the cave to the animal，**that** is the house to the man.

{ Food is to men **as** oil is to machines. 食物之于人,犹如油之于机器。
＝Food is to men **what** oil is to machines.
＝**As** oil is to machines，**so** is food to men.
＝**What** oil is to machines，**that** is food to men.
＝**What** oil is to machines，food is to men.
＝**As** oil stands for machines，**so** food stands for men.
＝Food **stands for** men as oil stands for machines.
＝Food is to men **the same thing as** oil is to machines.
＝Food is to men **the relation that** oil is to machines.
＝Food is **among** men what oil is **among** machines.

【提示】注意下面几种结构:

A woman **without** a man is **like** a fish **without** a bicycle. 女人用不着男人,就像鱼用不着自行车一样。

A home **without** love is **no more** a home **than** a garden **without** flowers. 没有爱情的家庭不能算家,正如没有花的园子不能算花园一样。

Do not conceive that fine clothes make fine men **any more than** fine feathers make fine birds. 不要以为衣着漂亮的人就是好人,正如羽毛美丽不一定就是好鸟一样。

30. not so . . . but/but that/but what 和 not such a . . . but

1️⃣ 这两个词组意为"不是如此……以至于不"

He is **not** such a fool **but that** he can see it. 他还没有愚蠢到连这个都不懂。

No task is so difficult **but what** we can accomplish it. 不管任务多困难,我们都能克服。

Who knows **but what** it may be so? 谁能说不会这样呢?

2️⃣ not but that 和 not but what 可以表示让步,相当于 although

I can't help him, **not but what** I pity him. 我不能帮助他,虽然我同情他。

3️⃣ 与 nothing, deny, doubt 等否定词连用时, but, but that 和 but what 相当于 that

Nothing shall hinder **but/but that/but what** I will accomplish my purpose. 没有什么东西能阻止我达到目的。

4️⃣ 有时, but that 可引导条件状语从句,作"如果……不"解

But that I saw it, I could not have believed it. 要不是我亲眼看见,我是不会相信的。

31. none/not the＋比较级

这种结构意为"不因……而更……些"。例如:

A good tale is **none the worse** for being twice told. 好故事虽再讲也不厌。

I'm afraid he's **none the wiser** for your explanation. 你的解释并没使他有所开窍。

32. as＋人或物＋go

本结构意为"就……一般而论"。例如:

She is a qualified nurse, **as nurses go**. 就一般护士而论,她是合格的。

He is a good teacher, **as teachers go**. 就一般教师而言,他是一个好教师。

33. all the＋比较级

这种结构意为"更加"。例如：

You will be **all the better** for your failures and mistakes. 你会因失败和错误而成熟起来。

A long delayed home letter is **all the more welcome**. 姗姗来迟的家书弥足珍贵。

With such an economic policy, the rich will become **all the richer**. 有了这项经济政策,富人将会更富。

【提示】

① 这种结构中有时也可不用 all,而用 so much, none 等。例如：

　If he doesn't come, **so much the better**. 他不来了更好。

　Although he explained again and again, I was **none the wiser**. 尽管他反复解释,我仍然不懂。

② 这种结构中的 all 等有时也可不用。例如：

　When spring came, she felt **the younger** for it. 春天来临时,她觉得自己更加年轻了。

　I'm not **the less grateful** for your help. 对你的帮助我更加感激。

34. at one's/its/the＋最高级

这种结构意为"最佳/糟,非常……,十分……"。例如：

Spring is **at its best** now. 春光正明媚。

The poem shows him **at his best**. 这首诗是他的最佳作品。

Nanjing is **at its best** in autumn. 南京秋天最美。

He is **at his worst**, for he failed in the competition. 他状态很差,考试没通过。

He is **at his happiest** in the writing of war novels. 他写战争小说最拿手。

At that time absolute monarchy was **at its most powerful**. 当时,君主专制政权权力非常强大。

Our maths teacher is always **at his most patient**. 我们的数学老师总是十分耐心。

Although it is a full moon, shining through a film of clouds, the light is not **at its brightest**. 虽然是满月,天上却有一层淡淡的云,所以并不分外明亮。

This is fire **at its most fanciful and mysterious**. 这是最奇妙而又无比神秘的炉火。

The garden is **at its best** in spring. 花园中景色最美的时候在春天。

When the wind is in the west, the weather is **at the best**. 风从西边来,最佳气候到。

35. be desirous 不同于 be desirable——主动意义形容词和被动意义形容词

1 英语中有些成对的同根形容词,其中一个表示主动意义,另一个表示被动意义

主动意义形容词多用于指东西,如 the astonishing news（令人吃惊的消息）;被动意义形容词多用于指人,如 the astonished boy（受惊吓的男孩）。以-ing 结尾的形容词多表示主动意义,以-ed 结尾的形容词多表示被动意义。

比较下列两类形容词：

主动意义	被动意义
envious 羡慕别人的	enviable 令人羡慕的
expressive 富于表情的	expressible 可表达出来的,可表白的
forgetful 健忘的	forgettable 可忘记的
persuasive 有说服力的	persuasible 可说服的
respectful 表示尊敬的	respectable 值得受尊敬的
tolerant 容忍的,容许的	tolerable 可容忍的,可忍受的
contemptuous 轻蔑的	contemptible 可轻蔑的,可鄙的
perceptive 有洞察力的	perceptible 可使人发现的,显而易见的
desirous 渴望的	desirable 值得得到的,合人心意的
painful 令人痛苦的	pained 感到痛苦的

主动意义	被动意义
pleasant 令人愉快的	pleased 感到愉快的
tiresome 令人厌倦的	tired 感到厌倦的
delightful 令人高兴的	delighted 感到高兴的
satisfactory 令人满意的	satisfied 感到满意的
frightful 可怕的	frightened 感到害怕的
disappointing 令人失望的	disappointed 感到失望的
embarrassing 使人困窘的	embarrassed 感到困窘的
interesting 令人感兴趣的	interested 感兴趣的,有私心的
amusing 有趣的	amused 感到有趣的
shocking 令人吃惊的	shocked 受惊的
credulous 轻信的	credible 可信的
dangerous 危险的	endangered 遭到危险的
harmful 有害的	harmed 受害的
shameful 可耻的	ashamed 感到惭愧的
troublesome 令人烦恼的	troubled 感到忧虑的
astonishing 令人吃惊的	astonished 受惊的
disgusting 令人讨厌的	disgusted 感到厌烦的
annoying 令人讨厌的	annoyed 感到厌烦的
fascinating 有吸引力的	fascinated 被吸引住的

The question is rather **perplexing**. 这个问题令人困惑。（主动意义）
He felt **perplexed**. 他感到困惑。（被动意义）
John is **desirous** of traveling to Hangzhou. 约翰渴望到杭州去旅游。（主动意义）
For Henry, nothing is more **desirable** than taking a walk in the evening. 对亨利来说,没有什么比在晚间散步更惬意的了。（被动意义）

2 有些形容词既可表示主动意义,也可表示被动意义

常用的词如:curious, fearful, joyful, comfortable, doubtful, suspicious, difficult, clear about sth.（主动:对……了解）, clear to sb.（被动:为……所知）, familiar with（主动）, familiar to（被动）等。例如:

★difficult 困难的,艰难的;令人感到困难的
She is a **difficult** person to get along with. 她是一个难以相处的人。
Don't be so **difficult**! 不要刁难人!
That is a **difficult** task. 那是一项困难的工作。

★suspicious 多疑的,对……感到怀疑的;令人怀疑的,可疑的
He is **suspicious** of her intentions. 他对她的意图感到怀疑。
He is supposed to be a **suspicious** character. 他被认为是一个可疑分子。

★doubtful 对……有怀疑的;难以预测的
I am **doubtful** of his words. 我对他的话感到怀疑。
The country has a **doubtful** future. 这个国家前途未卜。

【提示】少数-ing结尾的形容词既不表示主动意义,也不表示被动意义,没有使役性含义。例如:
a **demanding** father 一位要求严格的父亲　　a **knowing** smile 一个会意的微笑
a **calculating** woman 一个工于心计的女人　　an **understanding** glance 一个会心的眼色

36. 形容词和同根名词作定语时意义往往不同

- a **wonder** book 一部充满奇事的书
- a **wonderful** book 一部奇妙的书

- an **education** expert 一位教育专家
- an **educational** film 一部教育影片

- **heart** disease 心脏病
- **hearty** applause 热烈的掌声

- **rose** garden 玫瑰花园
- **rosy** prospects 美好的前景
- **rosy** cheeks 红润的脸颊
- **rosy** attitude 乐观的态度

- **production** cost 生产成本
- **productive** writer 多产作家

- a **horror** film 一部恐怖影片
- a **horrible** film 一部令人感到恐怖的影片

- a **Japan** visit 一次对日本的访问
- a **Japanese** visit 一个日本人的访问

- an **art** gallery 美术馆
- **artistic** level 艺术水平

- **geography** lesson 地理课
- **geographic** difference 地区差别

- **youth** problem 青年问题
- **youthful** appearance 富有朝气的面容

▶▶▶ 注意下面一对词的重音和词义：
- a boy-'lover 一个少年情人（boy 具有形容词性质，相当于 a youthful lover）
- a 'boy-lover 一个热爱男孩的人（＝one who loves boys）

▶▶▶ 比较（参阅有关章节）：

flower 花→flowery 花似的,辞藻华丽的（a **flowery** speech）

word 字,词→wordy 唠叨的,冗长的（a **wordy** document）

silver 银→silvery 银色的,清亮的（**silvery** moonbeams）

world 世界→worldly 尘世的,俗气的（a **worldly** woman）

worm 虫→wormy 被虫蛀的,多虫的（a **wormy** apple）

color 颜色→colorful 金色的,彩色的（a **colorful** balloon）

- a **heavy** weight 沉重的负担,重负
- a **heavy**weight 重量级拳击手

37. a sleepless night 长夜不眠人——转移形容词

有些形容词作定语时，似乎指甲，实为指乙，尤指所涉及的人所具有的某种品质、性质或状况，这种形容词称为转移形容词（transferred epithets）。转移形容词为英语修辞格的一种，主要有 3 种情况：①用描绘人或事物的词修饰抽象事物；②把人的特征转移到物上；③用描写 A 事物的词来描写 B 事物。例如：

She passed a **sleepless** night. 她彻夜无眠。（＝She couldn't sleep at night. 不眠的不是 night,而是 she）

The farmer homeward plods his **weary** way. （＝The weary farmer homeward plods his way. 疲倦的不是 way,而是 the farmer）

It was a **wise** decision. 那是一个明智的决定。（＝The man was wise who made the decision. 明智的不是 decision,而是做出决定的人）

He stood at a **respectful** distance. 他敬而远之。

She had a **chaste** nose. 她有一个圣洁的鼻子。

He smiled an **obsequious** smile. 他献媚地微笑着。

She typed the letter word by **painful** word. 她一个字一个字吃力地打着那封信。

After an **unthinking** moment，I put my pen into my mouth. 我一不留神,把钢笔放在嘴里了。

Lazy clouds drifted across the sky. 白云缓缓飘过天际。

He had some **cheerful** wine at the party. 聚会时他喝了一些让人浑身来劲儿的酒。

I think I can see now the anxiety upon her face，the **worried** impatience. 我觉得我现在还能看到她脸上担心而又焦虑的神情。

The boy threw a **nervous** glance at the teacher. 那男孩紧张地看了老师一眼。

She watched the procession pass with **amused** contempt. 她一脸逗乐瞧不上眼的神情,观望着大队人马纷纷走过。

Miserable wrinkles began to appear between her eyebrows and around her mouth. 悲惨的皱纹在她两眉头间和嘴角出现了。

A **nervous** silence was followed by **nervous** laughter. 先是一阵局促不安的沉默,接着是局促不安的干笑。

The enemy fled in a **blind** haste. 敌人仓皇逃走了。

Mother whispered, throwing a **reassuring** arm round my shoulder. 母亲亲切地搂着我的肩膀小声安慰我。

He made a **trembling** confession to the police. 他战战兢兢地向警察招供了。

He looked at me with an air of **surprised** disapproval. 他带着一种吃惊的、不以为然的神情看着我。

The man looked at her with **embarrassed** delight. 那人既尴尬又高兴地看看她。

The **indefatigable** bell was sounding in the distance. 远处传来了那不知疲倦的钟声。

They exchanged **smiling** words. 他们微笑着交谈。

▶▶▶ 其他如:

the **poor** law 济贫法	**sick** leave 病假
shed **grateful** tears 感激涕零	a **startled** cry 惊叫
empty silence 静得空旷	**angry** brow 怒容
nervous hours 紧张时刻	**pleasant** surprise 又惊又喜
trembling terror 吓得发抖	**wise** choice 英明的选择
startled shriek 吃惊地尖叫	**thirsty** field 干渴的土地
lame excuse 站不住脚的借口	**numb** astonishment 惊得麻木
puzzled frown 困惑地皱眉	**wide-eyed** answer 睁大眼睛回答
pitiless cold 寒气逼人	**delighted** smile 因高兴而面带笑容
drunken fury 因喝醉酒而发怒	**treacherous** smile 笑里藏刀
smiling reply 笑着回答	**grey** peace 灰色的宁静
protesting chair 坐上去发出声音的椅子	**dry** humour 冷面幽默
treacherous ice 貌似坚厚实则易破的冰	her **dying** wish 她临终的愿望(when dying)
take a **tearful** leave 洒泪告别(tearfully)	**blind** charity 给盲人的施舍
give some **parting** advice 临别赠言(when parting)	her **married** life 她结婚后的生活
in **embarrassed** silence 忐忑不安,默然不语	in **speechless** despair 心灰意冷,一声不吭
his **widowed** life 他的鳏居生活	**insane** hospital 精神病院
give some **whispered** instruction 悄悄地叮嘱	give a **nodding** agreement 点头同意
in a **grown-up** way 以成人的方式	**anxious** hours 焦虑中度过的时刻
in **cheerless** isolation 凄凉孤独	**sleepy** language 梦话
hostile shoulder 敌意的肩膀	**delighted** eyes 喜悦的目光
relaxed silence 无拘无束的沉默	
cry in **delighted** surprise 惊喜地喊叫(delightedly and surprisedly)	

38. The higher the mountain, the greener the pines. 其山愈高,其松愈绿

"the+比较级……, the+比较级"结构意为"越……越……""愈……愈……"。一般是从句在前,主句在后;但有时也可主句在前,从句在后,这时,主句里的"the+比较级"置于谓语动词之后,而不应放在句首,比较级前的 the 有时亦可省去,译为汉语时,仍是先从句,后主句。这种结构有时也会出现并列从句或并列主句。这种结构中从句和主句之间的逗号可用可不用(参阅上文)。例如:

> **The more** learned a man is, **the more** modest he usually is. 一个人越有学问,往往越谦虚。
>
> The man is usually **the more** modest, **the more** learned he is.
>
> **The more** learned a man is, **the more** modest is he.
>
> **The more** learned, **the more** modest.

The more people there are **the merrier** it is. 人越多越热闹。

The smaller the mind, **the greater** the conceit. 心胸愈窄,人愈自大。

The earlier you start, **the faster** you walk, **the sooner** you will get there.

Advice is like snow: **the softer** it falls, **the longer** it dwells in the mind and **the deeper** it sinks into the mind. 忠告像雪花一样:来得越缓和,留在心里越长久,沁人心脾也越深。

The better the books **the more** delightful the company. 书越好,读来越津津有味。

The greater the power, **the more dangerous** the abuse. 权力越大,滥用职权的危险也就越大。

The nearer the dawn, **the darker** the night. 越接近黎明,也越加黑暗。

The higher the mountain, **the lower** the vale. 山越高,谷越深。

The higher the price, **the better** the quality. 价格越高,质量越好。

The higher the mountain, **the purer** the air. 山愈高,空气愈纯净。

The more you eat **the fatter** you get. 你吃得越多就越胖。

The more I read the book, **the better** I like it. 这本书我越读越喜欢。

The more he thought about it, **the more bitterly** he regretted it. 那件事他越想越后悔。

The more I listened, **the more bored** I became. 我越往下听越厌烦。

The more noble (a man is), **the more humble** (he is). 人越是高尚,越是谦虚。

The sooner (it is), **the better** (it is). 越快越好。(可省略主语和系动词)

The higher the monkey climbs, **the more** you'll see its behind. 猴子爬得越高,你越可以看清它的屁股。

They became (the) **hungrier the further** they went into the forest. 他们向森林里走得越远,肚子就越饿。

⎧ **The more** one has, **the more** one wants. 越有钱,越贪钱。
⎩ One wants **the more**, **the more** one has.

【提示】

① 在 the more … the more 句型中,如果主句的主语是名词,尤其是较长的名词或名词短语,常用倒装结构。例如:

    The harder you practice, **the better is the result.** 你越是勤学苦练,效果越好。

    The more trees we plant, **the better** is the environment. 我们种的树越多,环境就越好。

    The longer you stay on the island, **the greater are your chances of finding the buried treasure.** 你在岛上逗留的时间越长,找到宝藏的可能性就越大。

② 这种结构中的第一个 the 是关系副词,意为 in whatever degree, to what extent, by how much;第二个 the 是指示副词,意为 to that extent, by so much。

39. 词汇意义表示的比较

1 用 next to, over, above 表示

    The price of wisdom is **above** rubies. 智慧的价值重于宝石。

    This decision is **next** in importance to that one. 这项决定不及那项决定重要。

2 用 choose … before, prefer … to, preferable to, preference for … to 表示

    She **chose** A **before** B. 她宁选 A 而不选 B。

    Jim has a **preference** for English **to** Japanese. 吉姆喜欢英语胜过日语。

    He **preferred** doing it alone **to** leaving it to others. 他宁愿自己做这件事也不愿留给别人。

3 用 junior, senior, superior, inferior, posterior, anterior 等,同 to 连用

    She is three years **junior to** him. 她比他小三岁。

    They are **superior** in morale **to** their enemy. 他们的士气比敌人高昂。

4 用"the+比较级+比较范围 of the two"结构

    Your suggestion is **the more valuable of the two.** 你的建议是两者中更有价值的。

    She is the **more beautiful of the two sisters.** 她是两姐妹中长得较美的一个。

40. 比较级和最高级的常用修饰语

比较级和最高级前加修饰语,可使所表达的意思更为精确。

★ 比较级的修饰语有:

① as/so … as 结构修饰语:just, almost, nearly, quite, nowhere, nothing near, nowhere near, twice, nothing like, four times, exactly, not half, a hundred-fold 100 倍。

② more than 结构修饰语:表示"一些"→a bit, a little, slightly, somewhat。

③ 表示"得……多"→far, a great deal, greatly, a lot, much。

④ 表示"更"→still, yet, even, all, rather。

⑤ 表示倍数→a head, an inch, three times。

⑥ 表示"并不",用于否定句中→no, not any, hardly any。

⑦ 表示"一些",用于疑问句中→any。

以上这些修饰语置于比较级之前。

★ 最高级的修饰语有:

① 要求置于最高级定冠词之前的→by no means, nearly, almost, much, far, quite, really, nothing like, nowhere near。

② 要求置于最高级之后的→ever, yet。

③ 要求置于定冠词和最高级之间的→second, third, next。

He is **nothing like** so stupid as you think. 他并不像你想的那么蠢。

The prize brought **far** fewer deaths and injuries on the road. 奖赏使交通伤亡人数大幅度下降。

The movie wasn't **half** as entertaining as the book. 这部电影远不如原书好看。

Louise is **nearly** as tall as her mother. 露易丝几乎和她母亲一样高。

He is **nowhere near**/**nothing like** the cleverest student in the class. 他绝不是这个班最聪明的学生。

This is **about** the most expensive car in the world. 这大概是世界上最贵的汽车了。

This book is **a great deal** more interesting than that one. 这本书比那本书有趣得多。

Tom is **a head** taller than Jim. 汤姆比吉姆高一头。

This is the biggest oil field **yet**/**ever** discovered. 这是迄今发现的最大的油田。

The bridge is the **third** longest one in China. 这座桥的长度在中国名列第三。

【提示】

① still 有时可置于比较级之后,其条件是:比较级单独使用,后没有 than 从句,也不跟被其所修饰的词,词尾为-er 或者是变化不规则的比较级。例如:

This river is wide but that river is **wider still**. 这条河很宽,而那条河更宽。(=still wider)

She laughed **louder still** when she saw the funny monkey. 看到那只滑稽的猴子,她笑得更响了。(=still louder)

② by a great deal, by much, by ten minutes 等由 by 组成的副词短语修饰比较级时,应置于句末。例如:

He is cleverer than her **by much**. 他远比她聪明。

The story is funnier than that one **by a great deal**. 这个故事比那个故事有趣得多。

They came earlier than us **by ten minutes**. 他们比我们早来 10 分钟。

③ very 可以修饰形容词最高级,用于加强语气。例如:

It is **the very** best book I've ever read. 这是我读过的最好的书。

She won't arrive till 10 a.m. **at the very earliest**. 她最早要到上午 10 点钟才能到达。

This cake ought to be good, because I used **the very best** butter. 这蛋糕应很可口,因为我用了上上好的奶油。

Their journey to **the very deepest** point on the earth makes us realize how much of the world still remains to be explored. 他们到地球表面上最深处所作的旅行,使我们意识到世界上还有很多很多地方依然有待探索。

41. 绝对最高级和相对最高级

有些最高级形式并不是表示比较,而是表示强调,以加强语气,意为"非常,十分,极其"等,相当于 very, extremely,这种用法的最高级称为绝对最高级。绝对最高级前多用物主代词,也可用 the,并可用不定冠词,常用于下列结构中:物主代词+最高级,物主代词/the+最高级+名词,be+of+the+最

高级,the＋最高级＋of＋名词。例如:

She laughed **her heartiest**. 她尽情地大笑起来。(物主代词＋最高级)

He expressed **his deepest gratitude** to you in the letter written in **the kindest terms**. 那封信言语恳切,表达了他对你的深切谢意。(物主代词或 the＋最高级＋名词)

His temper was **of the worst**. 他的脾气非常坏。(be＋of＋the＋最高级)

The moon shone **at its brightest**. 月光非常明亮。

At her most sorrowful, she will have a good cry. 她极度悲伤时,会大哭一场。

They parted **the best of friends**. 他们很友好地分手了。(the＋最高级＋of＋复数名词)

She suffered **the cruelest of torture**. 她遭受了极大的折磨。(the＋最高级＋of＋单数名词)

They talked in a **most friendly** atmosphere. 他们在极其友好的气氛中谈话。(most＋原级)

▶▶ 相对最高级前面一般要有 the,后面常有地点、时间状语(可省),表示某一限定范围内的比较。例如:

> She is **the most** kind (of these girls). 她是(这些女孩子中)最善良的。(相对)
> She is **most** kind. 她非常善良。(绝对)

> It is **a most** easy job. 这是一项非常容易的工作。(绝对＝very easy)
> It is **the easiest** job. 这项工作最容易。(相对＝easier than other jobs)

> He is **a most** strict teacher. 他是一位非常严格的老师。(绝对＝very strict)
> He is **the strictest** teacher. 他是一位最严格的老师。(相对＝stricter than other teachers)

▶▶ 但在不同的上下文中,不带 the 或带 the 的最高级有时可以是绝对最高级或相对最高级。例如:

> This passage is **the most** difficult. 这篇文章最难。(相对＝This passage is more difficult than others.)
> This passage is **most** difficult. (相对)这篇文章最难。(绝对)这篇文章非常难。(＝This passage is very difficult.)

This paragraph seems (the) **easiest**. (相对)这一段最容易。(绝对)这一段非常容易。

(The) **Most** intelligent, Mary came out first. (相对)玛丽最聪明,得了头名。(绝对)玛丽非常聪明,得了头名。

42. 最高级意义的多种表示法

1 never＋such/ so＋原级＋名词

I have **never** seen **such a glorious sunrise**. 我从没见过这样壮观的日出。

Never before have **so many people** taken to the streets to protest against police brutalities. 从没有这么多的人走上街头,抗议警察的暴行。

2 as＋原级＋as ever

He is **as great** a philosopher **as ever** breathed. 他是最伟大的哲学家。

He was **as brave** a man **as ever** lived in the country. 他是这个国家无与伦比的勇士。

3 否定词(not, never 等)＋比较级(＋than)

He who wishes to be wise, **cannot do better than** enquire into the past experience of mankind. 求智的最好方法是研究人类过去的经验。

Bob ran the 100 meters in 9.91 seconds, and I **have not** seen **better** this year. 鲍勃 9.91 秒跑了 100 米,这是我今年见到的最快的速度。

The achievement **cannot** be **better**. 这项成绩对我就是最最好的了。

He likes **nothing better**. 他最喜欢这个。

4 比较级＋than any other＋名词

He is **cleverer than any other student** in the class. 他比这个班的其他学生都聪明。

She sang **better than anyone else** in the country. 她在这个国家歌唱得最好。

5 否定词＋so/ as＋原级＋as

To my mind, **no** (other) experience is **so valuable as** the experience gained with one's own sweat and blood. 我认为,没有任何经验比用自己的血汗换来的经验更珍贵了。

No one is **so blind as** those who won't see. 视而不见的人眼最瞎。

6 more＋形容词＋than the＋同一形容词构成的名词

The vase is **more valuable than the valuables**. 这个花瓶价值连城。

He is **more Russian than the Russian**. 他是地地道道的俄罗斯人。

7 单数名词＋of＋同一名词复数

Confucius is the **teacher** of **teachers**. 孔子是万师之表。

Grain is the **treasure** of **treasures**. 粮食是最为宝贵的东西。

8 more than 等结构

She is **more than pretty**. 她十分漂亮。(more than＋原级形容词)

This **more than satisfied** her. 这使她十二分的满意。(more than＋动词)

He is **all courage itself**. 他浑身是胆。(all＋抽象名词＋itself)

He is **as prudent as anything**. 他非常谨慎。(as＋原级＋as＋anything)

The man is **all skin and bone**. 这人骨瘦如柴。(all＋名词)

She is **as thirsty as thirsty can be**. 她口渴得不得了。(as＋原级＋as＋同一形容词或副词的原级＋can be)

【提示】某些原级形容词和名词亦可表示最高级意义,如 bottom, maximum, minimum, foremost, summit, prime, utmost, supreme, acme, perfection, crest, top, extreme 等;有些副词和动词也可表示最高级意义,如 all in all, last, chiefly, above all, wholly, through, completely, minimize, climax等;定冠词 the 可以重读,表示"最好的,最典型的"等含义。例如:

These goods are sold at **bottom** price. 这些商品卖的是最低价。

The matter is of **sovereign** importance. 这件事意义最重大。

Winning the prize **climaxed** his life. 获得这个奖是他一生中最辉煌的成就。

The child is her **all in all**. 她最疼爱这个孩子。

She is ′**the** girl of all others for the job. 她是最适合做这项工作的女孩。

Professor Li is ′**the** specialist in the field. 李教授是这个领域中最为出色的专家。

43. 不表示最高级意义的最高级形式

下面几种结构中的最高级形式表示"非常,很,极为"等,相当于 very, extremely,有些是固定搭配。

1 the＋最高级＋of＋不可数名词,表示"非常,极为"

She wrote **the most** beautiful of **poetry**. 她写下了非常优美的诗篇。

He is in **the best** of **health**. 他身体非常健康。

She listened with **the greatest** of **attention**. 她非常注意地听着。

2 of＋the＋最高级,表示"非常,极为"

Her explanation is **of the clearest**. 她的解释极为清楚。(＝very clear)

The flower is **of the most beautiful**. 这花非常美。(＝very beautiful)

The improvement is **of the slightest**. 改进非常小。(＝very slight)

3 the＋最高级＋of＋复数名词或表示复数意义的词(重复前面的形容词),表示"非常,极为"

It is **the most popular** of **popular** songs. 这是非常流行的歌曲。

He is **the most honest** of **honest** men. 他是极为诚实的人。

She is **the luckiest** of **the lucky**. 她是非常幸运的。

He is **the most humble** of **the humble**. 他为人极为谦恭。

He is **the wickedest** of **the wicked**. 他为人极其卑劣。

He is **the most dangerous** of **enemies**. 他是极其危险的敌人。

The two are **the best** of **friends**. 这两人是非常要好的朋友。

She spoke in **the softest** of **voices**. 她以极为柔和的声音讲话。

The girl had **the sweetest** of **smiles**. 那女孩笑得非常甜美。

He was born in **the richest** of **families**. 他出身于非常富有的家庭。

4 be 动词＋at＋物主代词/the＋最高级＋状语(可省);这种结构表示"非常,极为"等(参阅有关部分)

She was **at her happiest** when she heard the news. 她听到这个消息非常高兴。

He is **at his most cheerful** today. 他今天非常快活。

He is **at his worst** in singing. 他极不善于唱歌。

Autumn is **at its best**. 秋色多娇美。

Her father is **at his best** in poem. 她父亲写诗很拿手。

▶▶▶ 有时,这种结构中最高级后也可加名词,也可有变体。例如:

Her fortunes are **at their lowest ebb**. 她时运不济。（非常不好）

He is **at his saddest moment**. 他此刻极度悲伤。

The party was **at its highest**. 晚会正处于高潮。（加名词）

The hurricane is **at its/the fiercest**. 风暴非常猛烈。

⑤ 及物动词＋物主代词＋最高级＋宾语(可省)＋状语。这种结构表示"非常,更……"等

He **smiled his pleasantest** at the news. 听到这消息,他开怀大笑。

The wind **blew its fiercest** now. 此刻风刮得很大。

The singing **reached its loudest** then. 那时歌声更加嘹亮。

She **sang her sweetest**（song）at the party. 她在晚会上唱得非常好。

⑥ 其他情况

I will make you my **best** man. 我要请你当我的伴郎。

I spent the **best** part of an hour. 我们等了将近一个小时。

She devoted life's **best** energies to education. 她把一生的主要精力都用于教育事业了。

I spent the **best** part of the day cleaning the kitchen. 我一天的大部分时间全花在清扫厨房上了。

44. 不表示比较级意义的比较级形式

His **better** half does all the housework.家务全由他的妻子做。

Nobody will be **the wiser**. 谁也不懂得。

More than that could be fatal. 这岂止是生死攸关而已。

I'm **wiser than** to believe your story. 我没那么傻,才不会相信你说的那一套。

That's **more than** I can tell you. 这我可不能告诉你。

You might have been **more careful**. 你太不细心了。

I give you credit for being **more sensible**. 你真是不懂事。

If you want to get up so early in the morning then **more fool** you! 如果你想在早晨起得那么早,那你真是傻透了!

45. most, a most 和 the most

① most 有时并不表示最高级,而是表示"非常",相当于 very, extremely,这种用法的 most 不重读,前面不可加 the,但要加 a(参见上文)

He is **a most** careful man. 他是一个非常仔细的人。

He is **a most** tall man. 他个子很高。（不用 tallest）

She is **a most** wise leader. 她是一个非常英明的领导人。（不用 wisest）

② most 不重读,前面不加 a,也不加 the,后跟复数名词或不可数名词,仍然表示"非常"

They are **most** careful men. 他们是非常仔细的人。

He has **most** valuable stamps. 他有非常珍贵的邮票。

Most easy work will be done by girls. 女生将要做非常容易的工作。（不可说 easiest）

This is **most** dirty water. 这是非常脏的水。

③ most 重读,前面不加 a 或 the,表示"大多数的"

Most learned professors hold such views of life. 大多数博学的教授你对生活持此看法。（most 重读）

Some **most** learned professors hold such views of life. 一些非常博学的教授们对生活持此看法。（most 不重读）

The most learned professors hold such views of life. 最博学的教授对生活持此看法。（the most 为最高级）

4 -est 构成的最高级,前面不加 the,修饰复数名词或不可数名词,也可表示"非常,极为"这类意思,这时最高级要重读

The custom has existed since **'earliest** days. 这个风俗很久以前就存在了。

It is a matter of **'greatest** importance. 这是一件极为重要的事情。(＝very important)

She owes you **'deepest** gratitude. 她对你非常感激。(＝very grateful)

5 有时,最高级前加 the 也表示"非常,极为"

He has **the best** opinion about you. 他对你的看法很好。(＝very good)

She treated the boy in **the cruelest** way. 她待那个男孩很残忍。(＝very cruel)

6 形容词性物主代词(his, my...)和指示代词(some, any...)等后的最高级有时也表示"非常,极为"

Her rudest remark irritated him. 她非常粗鲁的话把他激怒了。(＝very rude)

Every faintest sound will be recorded. 非常微弱的声音都会被记录下来。(＝very faint)

46. 形容词最高级可用于自我比较

The sun is **most beautiful** at dawn. 太阳在早晨最美。(不需加 the)

She looks **most attractive** in the summer dress. 她穿着夏装最迷人。

Crabs are **fattest** in late autumn. 深秋时节螃蟹最肥。

The lake is **deepest** here. 这儿湖水最深。

Cross the stream where it is **shallowest**. 蹚水过河走浅处。

The ripest peach is **highest** on the tree. 熟透的桃子长在树上最高处。

She **looked prettiest** that evening. 她那天晚上最漂亮。(＝She looked prettier that evening than at any other time.)

47. "see＋little/much/less/enough/a lot 等＋of"表示看见某人的频率

I saw **little** of Mary. 我很少见到玛丽。(＝I seldom saw Mary.)

I saw **much** of Mary. 我经常看见玛丽。(＝I often saw Mary.)

I saw **quite a lot** of Mary. 我见玛丽的次数很多。

I have seen **enough** of Mary. 我见玛丽的次数多得很。

I saw **nothing** of Mary last month. 我上个月从没见到过玛丽。

I have seen **much less of** Mary recently. 我最近见到玛丽的次数少多了。

比较:

It was **the first** I saw of Mary. 这是我第一次见到玛丽。

It was **the last** I saw of Mary. 这是我最后一次见到玛丽。

He has come to see **the last of** Mary. 他来向玛丽告别。

48. "be＋little/more/less/much 等＋of"表示某种程度的肯定与否定

He is **much of** a professor. 他是个名副其实的教授。(＝He is quite a professor.)

He is **little/nothing of** a professor. 他算不上什么教授。(＝He is hardly a professor.)

That is **not enough of** a good book. 那算不上是一本好书。

He is **more of** a scientist **than** a writer. 与其说他是作家,不如说他是科学家。

＝He is **less of** a writer **than** a scientist.

＝He is **rather** a scientist **than a** writer.

It is **too much of** a good thing. 这件事是好事,但做过了头。

You cannot have **too much of** a good thing. 好事越多越好。

【提示】

① 这种结构也可用作比较。例如:

He's **more of** a patriot **than** others. 和别人比起来,他更爱国。

He's **less of** a fool **than** you thought. 他并不像你想的那样傻。

Bill is **more of** a sportsman **than** Jack. 比尔比杰克更有体育道德。

② 这种结构有时有歧义。例如:

He is not **much of** a scholar.

他不是一个很好的学者。

他没有受过多少教育。

49. (all) the 或 so much the＋比较级结构

"(all) the＋比较级"或"so much the＋比较级"结构意为"因……而更加，因……反而更"，the 为副词，相当于 by so much。这种结构后必须有表示条件、原因或伴随情况的状语，该状语可由 for，as，with，because 或 that 引起。"none the＋比较级＋for"可视为这种结构的否定式，意为"并不因……而更，虽……而并不更"，有 in spite of，even 等义。例如：

I respect him **all the more for** his criticism. 他批评了我，我也因而更尊敬他。

She pretended not to see him, which made him **all the more angry**. （原因隐含在主句中）

The man is **none the happier for** all his wealth. 那人并不因富有而快乐些。

He felt **so much the happier** that he was given such a heavy task. 被赋予这样艰巨的任务，他反而感到更加高兴。

The dog chased the rabbit, but it ran **all the faster**. 狗追兔子，而兔子跑得更快了。（because the dog chased it）

She is **the happier with** her old bike stolen. 她对旧自行车被盗根本不当回事。

＝She is **none the less happy with** her old bike stolen.

比较：

Helen looks **all the more beautiful for** her simple dress. 海伦因穿着朴素而更娇美。

（＝because...）

Helen looks **none the less beautiful for** her simple dress. 海伦虽穿着朴素，但依然娇美。

（＝although...）

50. food enough 并不完全等同于 enough food

enough 作副词时，应放在所修饰的形容词、副词或动词的后面，而不能放在前面；enough作形容词时，放在所修饰的名词前后均可。但是，enough 作形容词修饰名词前置或后置所表示的意思有时并非完全一样，还是有一些差异的。比较：

He wanted to **make enough** money to go abroad. 他想挣足够的钱出国。

He made **money enough** to go abroad. 他挣得足够的钱够出国了。（＝He made so much money that he could go abroad.）

▶▶ enough 前置表示目的，后置则表示结果。例如：

She is **fool enough** to believe his words. 她竟糊涂得相信他的话。

He was **man enough** to admit his mistakes. 他有勇气承认自己的错误。

He was **scholar enough** to explain the phenomenon. 他很有学问，能解释这种现象。

They are not **fools enough** to believe him. 他们不会那么蠢，不会相信他的。

当 enough 修饰 fool、man 等表语名词时需后置，这时，fool、man 等不是指具体的人，而是表示该名词所包含的那种性质，相当于 foolish，manly。这种用法的 fool 和 man 前不可用冠词。

He carried **enough food** to last a month.

He carried **food enough** to last a month.

▶▶▶ enough 前置表示"够"，指从数量或数目上达到所需的最低限度，上面第一句意为"食物只够一个月用的"。enough 后置表示"足够"，含有"绰绰有余"(and to spare)的意思，第二句可以解释为"他只打算外出半个月左右，但带的食物却可以吃上一个月"。再如：

You needn't work so late into the night; you have **time enough**. 你不必工作得太晚，你有的是时间。（time enough＝a lot of time）

The man had **cheek enough** for anything. 那个家伙什么事都干得出来。（表示不好的品质时，enough要置于名词后）

▶▶▶ 有时候，用不用 enough 均可，但句子意义有所不同。比较：

She was **careful** to write the paper well. 她很用心,为的是把那篇论文写好。(目的)

She was **careful enough** to write the paper well. 她非常用心,把那篇论文写得很好。(结果)

He is **lucky** to have such a daughter. 他有这样一个女儿是幸运的。

He is **lucky enough** to have such a daughter. 他幸而有这样一个女儿。

【提示】

① 下面几个句子中的 enough 不可省,因为 enough 是说明程度的,有了这个程度,才有后面不定式引出的结果。

The yard is **wide enough** for them to play in. 院子足够大,可供他们在里面玩耍。

The lake is **narrow enough** to swim across. 湖不宽,游得过去。

He is **sensible enough** to change his mind. 他很明智,改变了主意。

② enough 表示"数量多寡,够不够",修饰复数名词作定语时,必须前置。例如:

Do you have **enough chairs**? 你有足够的椅子吗?

Short of money, he didn't buy **enough books**. 由于缺钱,他没有买到足够的书。

③ 同 and to spare 连用时,enough 必须后置。例如:

He has **time enough** and to spare. 他有足够的时间。

There is **space enough** and to spare for more furniture in the house. 房子里还有多余的空间放更多的家具。

④ 比较:

He hasn't **enough big rooms** for them to live in. 他没有足够的大房间供他们住。(enough 修饰 big rooms,作定语)

He hasn't **big enough rooms** for them to live in. 他没有足够大的房间供他们住。(enough 修饰 big,作状语)

You haven't read **enough books** in the past few mouths. 在过去几个月里,你读的书不够多。(enough 修饰 books 作定语,表示数量多少)

You haven't read books **enough** in the past few months. 过去几个月中,你不常读书。(enough 修饰 read books,表示频率,作状语)

⑤ 同 only, just, scarcely, barely, hardly 等连用时,enough 通常要放在名词前。例如:

She had **only enough money** to pay the bill. 她的钱仅够付账单的。

There is **just enough food** for them to eat. 食物刚好够他们吃的。

He has **hardly enough time** to read these books. 他简直没有足够的时间来读这些书。

51. the taller of the two

对两者进行比较时,可以用"the＋形容词/副词比较级＋of＋比较对象"结构,相当于"比较级＋than"结构;但要注意,这种结构中的比较级前要加 the,含有选择的意思。参阅有关部分。例如:

The picture is **the prettier of** the two. 两张图画之间,这一张更漂亮。

Jim is **the cleverer of** the two boys. 在这两个男孩中,吉姆更聪明。

This is **the wider of** the two rooms. 两个房间相比,这一个更大。

You may take **the longer of** the two pencils. 你可以拿两支铅笔中更长的一支。

【提示】

① 在某些含有比较级的惯用词组中,常用定冠词。参阅上文。例如:

He is **all the better** for his failure. 他失败了反而更好。

She is **none the wiser** for all your explanation. 尽管你作了解释,但她还是不明白。

If you try again, **so much the better.** 如果你再试一下,就更好了。

② 有时在形容词或副词比较级前用定冠词表示强调,意为"越发,愈加"。例如:

He worked **the harder** after the failure. 他失败之后越发努力了。

She is **the more careful** after the accident. 那次事故之后,她愈加小心了。

③ 最高级也可以表示比较级意义。例如:

This is **the shortest** of the two roads. 这是两条路中比较短的一条。

52. nice and warm 所表示的含义

在"nice，good，fine，rare，lovely，fatal，bright 等＋and＋另一形容词"结构中，and 前后的形容词不是并列关系，而是从属关系，第一个形容词实际上起副词作用，相当于 very，quite，completely，thoroughly，对第二个形容词加以强调。本结构 and 后偶尔也可以是副词。这种用法常用于书面语。例如：

The room is **nice and warm**. 这房间很暖和。（＝very warm）

The room is **nice and clean**. 这房间非常干净。

The old lady is **nice and healthy**. 这位老太太非常健康。

The tea is **good and strong**. 这茶很浓。

The tree is **fine and tall**. 这棵树很高。

She looks **rare and happy**. 她看起来很高兴。

The President's speech was **nice and short**. 总统的发言很简短。

Those apples are **good and ripe**. 那些苹果都熟透了。

The door-keeper was **good and angry**. 看门人很生气。

The pagoda stands **nice and high**. 那座塔高高地耸立着。

The man was **good and mad**. 那人完全疯了。

The grass on the river bank is **fine and tall**. 河岸上的草长得高高的。

It is **lovely and cool** in the room. 房间里很凉爽。

Have one of these oranges—they're **nice and juicy**. 吃个橙子吧，汁很多的。

I like my tea **nice and hot**. 我要热茶。

She is **fine and tall**. 她是高挑个儿。

I am **big and busy**. 我特别忙。

He is a **good and bad** boy. 他是个很坏的小子。

They are all **fine and hard-working**. 他们都很用功。

He pushed Sam **good and hard**. 他用力把萨姆推了一下。

The house stood **nice and high**. 那房子很宽敞。

It is **high and dry** talk. 这话很空洞。

The car goes **nice and fast**. 这车跑得很快。

The dog is **good and dead**. 那条狗真死了。

He has reached a **good（and）old** age. 他已高龄。（very old）

She studied **good and hard**. 她学习非常努力。

The hole is **good and deep**. 这个洞极深。

The road is **good and long**. 这条路很长。

He drove his car **good and fast**. 他车子开得飞快。

The plane is flying **nice and low**. 飞机飞得很低。

It is **nice and cool** in the shade of the tree. 树荫下很凉快。

The room is **nice and cosy**. 这房间很舒适。

They are **nice and friendly**. 他们非常友好。

He hit the boy **good and hard**. 他把那个男孩狠揍了一顿。

Bill knew **good and well** that Jack broke the glass. 比尔非常清楚，是杰克打破的玻璃。

Don't rush me; I'll do it when I'm **good and ready**. 别催我，我完全准备好了就会做的。

He was **rare and hungry** after a whole day's work. 他工作一整天后饿极了。

I got up **bright and early**. 我大清早就起床了。（bright 只同 early 搭配）

Loss of health cripples our efforts, so that we cannot accomplish many of the **good and great** things we might have done. 失去健康会大大削弱我们的努力，使我们无法完成本来可能早已完成的许多非常重要的事。

53. many required courses 还是 much required courses

在"-ed 分词＋名词"前用 many 还是用 much,取决于修饰-ed 分词还是修饰名词;若修饰-ed 分词,要用 much,若修饰复数可数名词,要用 many。比较:

That is a **much damaged** truck. 那是一辆严重损坏的卡车。(much 修饰 damaged)

There are **many damaged trucks** along the road. 路旁有许多损坏的卡车。(many 修饰 damaged trucks)

He is a **much frightened** child. 他是个受到很大惊吓的孩子。(much 修饰 frightened)

There are **many frightened children** in the corner. 墙角里有许多受惊的孩子。(many 修饰 frightened children)

54. slow in doing sth. 和 slow to do sth.

有些形容词(包括某些名词和动词)后可接介词短语或不定式,表达的意思往往不同。比较:

He is **slow in answering** her. 他迟迟不给她回信。

He is **slow to answer** her. 他不太愿意给她回信。(unwilling)

She is **interested in studying** Chinese history. 她对研究中国历史很感兴趣。(经常性的动作)

She is **interested to study** Chinese history. 她很想研究中国历史。(表示愿望,尚未研究)

I will be most **interested to hear** your personal views on the situation. (极想知道)

He is **ashamed of doing** it. 他因做了那件事而感到羞耻。(做过了)

He is **ashamed to do** it. 他觉得羞耻而不愿做那件事。(尚未做)

She **failed in obtaining** a scholarship. 她想获得学位,但没能成功。

She **failed to obtain** a scholarship. 她没能获得学位。

He can't forgive her **neglect in writing** the address. 他不能原谅她因为疏忽而把地址写错了/写得不清楚。(写了)

He can't forgive her **neglect to write** the address. 他不能原谅她因为疏忽而没有写地址。(没写)

55. a good loser 和 a good thief

英语中有些形容词作表语时表示其本意,而作定语时则往往表示转意;这种用法的词包括某些颜色形容词,注意译文。例如:

She is a **light** sleeper. 她总是睡得不熟。

The man is a **bad** liar. 那人是一个蹩脚的撒谎者。

He is a **good** loser. 他是个输得起的人。

He is a **good** thief. 他是一个高明的/厉害的小偷。

He is a **bad** teacher. 他不善于教书。(＝not much of a teacher)

She is a **good** learner. 她善于学习。

He is a **good** doctor. 他是一位高明的医生。

Father gave him a **good** beating. 父亲狠狠地揍了他一顿。

It is a **good** week's march. 那是整整一个星期的行军。

The **heavy** news came to her two days later. 两天后她听到了那令人忧虑的消息。

He is still a **green** hand in handling such things. 处理这样的事情他还是个新手。

▶▶▶ 其他如:

red tape 官样文章	**brown** paper 牛皮纸	a **black** sheep 害群之马
a **good** match 劲敌	a **bad** sailor 晕船的人	a **good** sailor 不晕船的人
a **heavy** smoker 烟瘾大的人		a **bad** workman 技艺差的工匠
a **practical** joker 玩恶作剧者		a **bad** nurse 工作不积极的护士
a **bad** worker 活儿干得差的人		a **poor** correspondent 很少写信的人
a **poor** swimmer 不擅长游泳的人		a **wrong** candidate 选错了的候选人
a **great** eater 贪吃的人/能吃的人		a **poor** speaker 不擅长辞令的人
a **true** professor 一位名副其实的教授		a **good** listener 耐心倾听人讲话的人
heavy rock music 旋律强烈的摇滚乐		

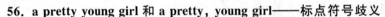

56. a pretty young girl 和 a pretty, young girl——标点符号歧义

有时候,句意受到标点符号的直接影响,用不用标点符号大不相同。比较下列各组句子:

There is **too** much work to do. 工作多得做不完。

There is，**too**，much work to do. 还有很多工作要做。

He saw a **pretty** young girl. 他看见一个相当年轻的姑娘。(pretty 作副词,修饰 young,相当于 quite，rather)

He saw a **pretty**，**young** girl. 他看见一个年轻漂亮的姑娘。(pretty 为形容词,同 young 并列,修饰 girl)

Henry，my brother is waiting for you outside. 亨利,我弟弟在外面等你呢。(Henry 为呼语,与 you 为同一人)

Henry，**my brother**，is waiting for you outside. 我的弟弟亨利正在外面等你。(Henry 和 my brother 为同位语,是同一人,you 为另一人)

He **left** his sweetheart feeling very lonely. 他使他的情人感到非常孤独。(left 为使役动词, feeling 为宾语补足语)

He **left**，**his sweetheart** feeling very lonely. 他离去了,他的情人感到非常孤独。(his sweetheart ... 为独立主格结构)

He **left** his sweetheart，**feeling** very lonely. 他离开了他的情人,感到非常孤独。(feeling ... 为分词短语,修饰主语 He,表示一种伴随情况)

He showed her a photo **which**（that）upset her. 他给她看了一张照片,这张照片使她心烦。(限制性定语从句,先行词为 a photo)

He showed her a photo，**which** upset her. 他给她看了一张照片,这使她感到心烦。(非限制性定语从句,先行词为整个主句)

57. kind 和 kindly

1 这两个词均可作形容词用,意为"和善的,仁慈的,亲切的",但 kind 偏重指人的同情心与慷慨的品质,而 kindly 则多指人的秉性

Taking a blind man across the street is a **kind** act. 带盲人过街是一种善举。

We should be **kind** to animals. 我们应该善待动物。

He was **kindly** by nature. 他天性友善。

She was of a **kindly** disposition. 她待人亲切。

2 kindly 还可用作副词,意为"好心地,亲切地",用在请求的话语中时,表示"劳驾,请……"。kind 没有这种用法

She **kindly** spoke to him. 她亲切地对他说。

He behaved **kindly** towards his patients. 他对待病人很友善。

Will you **kindly** not interrupt us when we're talking about serious matters? 我们在说正事,请别打扰好吗?

58. alone，lonely 和 lonesome

1 alone 可作副词或形容词

(1) 作副词用时,表示两层意思:①"单独一个人,独自地",相当于 by oneself,要放在动词后面;②"只有,仅仅",要放在有关的词后面。例如:

Mother was sitting **alone** when I came in. 我进来时,母亲一个人独坐着。

He is too young to travel **alone** at present. 他现在还小,不能独自出去旅游。

He **alone** foresaw the danger. 只有他预见到了危险。

They could hardly get along upon his wages **alone**. 他们仅靠他的工资难以过活。

(2) alone 作形容词用时,常用作表语或补足语,亦表示两层意思:①"独自一人的,孤单一人的";②"(几个人)单独在一起,唯一的(人或物)"。例如:

I am anxious about leaving Jim **alone** in the house. 把吉姆一个人留在房子里,我有些担心。

She was really **alone** in the world except for an invalid aunt. 除了一位残疾的姑妈外,她在这

个世界上是孤单无依的。

We were **alone**, so we could talk freely. 我们单独在一起，所以可以海阔天空地聊天。

They were not **alone** in supporting the measure. 他们不是唯一支持那项措施的人。

▶▶▶ alone 构成的短语有：let alone 更不用说，let/leave sb. alone 不打扰/莫管/别惹。

② lonely 是形容词（副词为 lonelily），可作定语或表语，表示两层意思：①寂寞的、孤独的，指因缺少友谊、同情、朋友或在人迹罕至的地方而感到忧虑或悲伤；②无人居住的，荒凉的

He felt extremely **lonely** in those **lonely** years. 在那些寂寞的岁月里，他感到非常孤独。

At heart, he is a **lonely** man. 在内心深处，他是一个孤独的人。

That is a **lonely** mountain village. 那是一个荒凉的山村。

The ship sailed by a **lonely** island. 船从一个无人居住的荒岛旁经过。

③ lonesome 为形容词，作表语或定语，常可同 lonely 换用，但 lonesome 所表示的孤寂、孤独的程度更强，含有"凄惨（dreary）"的意味

She is **lonesome** without the children. 孩子们不在时，她感到很寂寞。

This is the most **lonesome** part of the island. 这里是这个岛上最为荒凉的地方。

【提示】lone 是形容词，意为"孤零零的（一个）"，只作前置定语。例如：

In the cloudy sky only one **lone** star could be seen. 在多云的天空中只能看见一颗孤星。

There is a **lone** tree in the garden. 只有一棵树孤零零地站在院子里。

59. compared with/to 前面用原级还是用比较级

compared with/to 意为"同……相比"，前面要用形容词或副词原级，或不用形容词、副词，比较的是两者的不同，如大小不同，多少不同等，一般不表示程度的差异。表示程度的差异要用"比较级＋than"结构。例如：

This fish is **big compared with** the one you caught just now. 同你刚才捕到的那条鱼相比，这条鱼算大的了。（两条鱼大小不同，即这条鱼大，那条鱼小）

Steel output increased 5% this year, **compared with** 3.5% last year. 同去年增产3.5%相比，今年的钢产量增加5%。（产量的不同，即今年多，去年少）

比较：

He is **rich compared with** most villagers. 同大多数村民相比，他算富裕的人。
He is **richer than** most villagers. 他比大多数村民都富裕。
He is **comparatively rich**. 他较富裕。（comparatively 后要用原级，不用比较级）

60. can't/couldn't＋比较级

这种结构意为"再……不过，不可能更……"。例如：

I **can't** agree **more**. 我完全同意。/我再同意不过了。

The weather **couldn't** be **worse**. 天气再坏不过了。

He **couldn't** have done **better**. 他做得再好不过了。

This **could** give her **no greater** pleasure. 这使她再高兴不过了。

比较：

He **couldn't** care **more**. 他非常介意。/他非常关心。
He **couldn't** care **less**. 他一点也不介意。/他一点也不关心。

61. less than ten dollars 还是 fewer than ten dollars

一般来讲，less than 修饰不可数名词，fewer than 修饰可数名词，均表示"少于"。但是，如果复数可数名词不强调其——可数，而是表示一个整体单位、一段时间或一段距离，指的是度量，则要用 less than，因为度量是一个不可数的抽象概念。例如：

She earns **less than ten dollars** a day. 她一天挣不到10美元。

They bought **less than three tons** of steel. 他们买了不到三吨钢。

He had **less than fifteen miles** to go. 他还有不到15英里要走。

▶▶▶ 如果名词的可数性较为明显，用 fewer 或 less 均可。例如：

Fewer/Less than fifty students came to the party. 来参加聚会的不到50名学生。

【提示】no less than 后常接复数可数名词。例如：

No less than ten trees were blown down by the wind. 被风刮倒的不少于10棵树。

62. 表示最高级意义的几种特殊结构

下面几种结构表达的是最高级意义，即在某种程度上或某方面达到极限或最大限度：①as＋原级＋as any；②as＋原级＋as...can be；③nothing/no＋so＋原级＋as...，nothing/no＋比较级＋than...；④比较级＋than any other/anything else；⑤never＋比较级。例如：

She is **as bright as any** in the school. 她是学校里最聪明的学生。

He is **as happy as** happy **can be**. 他幸福无比。

Nothing is **more** precious **than** health. 健康的身体是最宝贵的。

No one is **so** deaf **as** those who won't listen. 充耳不闻者最聋。

She is **more careful than any other/anyone else**. 她比任何人都要细心。（她最细心）

I've **never** read a **more interesting** novel. 我从来没读过比这更有趣的小说。（这本小说最有趣）

【提示】谚语中的 it is...that 结构也可以表示最高级意义。例如：

It is a long lane **that** has no turn. 最坏的事也会有转机。

It is a good horse **that** never stumbles. 再好的马也会有失蹄的时候。

63. higher animals 还是 high animals——higher 并非总是表示"更高"

"higher＋名词"有时表示"高级，高等，高深"，没有"更高"的比较含义。例如：

higher court 高级法院　　**higher** grades 高年级　　**higher** degree 高级学位

higher animals 高等动物　　**higher** education 高等教育　　**higher** learning 高深的学问

higher mathematics 高等数学　**higher** institution 高等教育机构　**higher** primary school 高级小学

higher nervous activity 高级神经活动

It is a **higher** education examination program for the self-taught. 这是一个高等教育自学辅导考试班。

64. 名词表示的比较

superiority, inferiority, priority, juniority, majority, minority, seniority 等以-ority 结尾的名词，具有比较级和最高级的含义，后常跟介词 to 或 over。例如：

Young people were in the **majority** at the meeting. 这次会议上年轻人比较多。

Boys are in the **minority** at the dance class. 舞蹈班上男孩子比较少。

It will make you feel her **superiority** and your **inferiority**. 这将会使你感到她比你优越，你不如她。

Humans have intellectual **superiority** over other animals. 人类比其他动物更具智力优势。

Roosevelt decided that the war in Europe would take **priority** over the war in the Pacific. 罗斯福决定欧洲战场将比太平洋战场得到优先考虑。

Banks normally give **priority** to large businesses when deciding on loans. 银行在发放贷款时，按常规优先考虑大企业。

She felt that two years' **seniority** over Jim gave her right to advise him. 她觉得比吉姆大两岁使她有权劝告他。

65. 英语"比例、比率"的表示法

英语中表示"比例、比率"有着固定的短语或结构，主要有如下几种：

1 be in proportion (to) 成比例，成正比

The length and height of the museum **are in proportion**. 这个博物馆的长度和高度是成正比的。

Her weight **is in proportion to** her height. 她的体重与身高成比例。

He **is not** paid **in proportion to** the number of his work days. 他的收入同他工作的天数不成正比。

2 be out of proportion (to) 不成比例

His expense **is out of proportion to** his income. 他的开支同收入不成比例。

3 in the proportion of 按……比例

The paint should be made **in the proportion of** one part of paint to two parts of water. 涂料应该按照一份颜料两份水的比例配制。

4 the ratio of A to B is A 与 B 的比率为

The ratio of water to milk is 3 to 1. 水和牛奶的比例是 3 比 1。

5 the ratio between A and B is A 与 B 之间的比率是

The ratio between attackers and defenders is 2 to 1. 攻方和守方的比率是 2 比 1。

6 be in the ratio of 成……之比

Mix sand and cement **in the ratio of** two to one. 用两份黄沙对一份水泥的比率拌和。

7 have/ show a ratio of 比率为

The girls and boys **show a ratio of** 4 to 1. 女生和男生的比率为 4 比 1。

8 be in direct ratio to 与……成正比

Her income is **in direct ratio to** her work. 她的收入同她的工作是成正比的。

9 be in inverse ratio to 与……成反比

This insecticide is **in inverse ratio to** water. 这种杀虫剂逆比例兑水。

66. 以-ic 和-ical 结尾的形容词

1 有些形容词的词尾可以是-ic 或-ical,词义上几乎没有变化

artistic(al), geographic(al), specific(al), cynic(al), algebraic(al), arithmetic(al), egotistic(al), fanatic(al), strategic(al), mechanic(al), tactic(al), biographic(al), chemic(al), lexic(al), mathematic(al), zoologic(al), academic(al), dramatic(al), emphatic(al), fantastic(al), linguistic(al), phonetic(al), pathetic(al), systematic(al), tragic(al), semantic(al), majestic(al), domestic(al), domic(al), dogmatic(al), analytic(al), synthetic(al), aerodynamic(al), Buddhistic (al)等。这类词中,有些以-ical 结尾是较古老的英语,如:tragical, fantastical, majestical等,现已罕用。这类词常用-ic 形式。

2 有些形容词只能以-ical 结尾,另外一些只能以-ic 结尾

topical, grammatical, medical, radical, surgical, typical, musical, athletic, catholic, public, electronic, schizophrenic

3 有些形容词,-ical 形式比-ic 形式含义更多

$\begin{cases} \text{critic→批评的,挑剔的} \\ \text{critical→批评的,爱挑剔的,评论(性)的,审慎的,决定性的,严重的} \end{cases}$

$\begin{cases} \text{logic→逻辑的} \\ \text{logical→逻辑(上)的,逻辑学的,符合逻辑的,可以推想而知的} \end{cases}$

$\begin{cases} \text{physic→自然哲学的,(古)自然的,物理的} \\ \text{physical→自然的,自然科学的,物质的,物理的,物理学的,肉欲的} \end{cases}$

4 有些以-ical 和-ic 结尾的词词性不同

$\begin{cases} \text{medic→卫生员,医科学生,实习医生(名词)} \\ \text{medical→医学的,内科的(形容词)} \end{cases}$

5 有些以-ical 和-ic 结尾的词,含义往往不同

classic performance 一流的演出→classical architecture 古典建筑

comic masterpiece 喜剧杰作→comical behavior 滑稽/好笑的行为

economic miracle 经济奇迹→economical arrangements 节俭的安排

politic person/choice 精明的人/明智的选择→political opinions 政见

lyric poet 抒情诗人(抒情的,一种诗体)→lyrical words 赞誉的话语(充满赞扬的)

electric bell 电铃(由电操纵或由电产生的)→electrical engineer 电气工程师(与电有关的)

historic building 历史性建筑(有历史意义的)→historical studies 历史学研究(有关历史的,历史上的)

6 这类形容词转化为名词或副词时,一般用-ical 词尾

comicality 滑稽(不是 comicity), mechanicalness 技工(不是 mechanicness), historically 历史地(不是 historicly), economically 经济上(不是 economicly)。

▶▶▶ 但:catholic 可有两种副词形式:catholically, catholicly。

七、常用形容词词义对比

alike 相像的,同样的(表语)
like 像……一样的

asleep 睡着的(表语,后置定语)
sleepy 瞌睡的(表语,定语)

considerate 考虑周到的
considerable 相当的

distinct 清晰的,不同的
distinctive 有特色的

defective 有缺点的
deficient 缺乏的

honorable 可尊敬的
honorary 名誉上的

imminent 紧迫的
eminent 著名的

popular 流行的
populous 人口稠密的

industrious 勤劳的
industrial 工业的

opposite 相对的
opposing 反对的

gracious 亲切的
graceful 优雅的

flexible 灵活的
changeable 可变的,多变的

scarce 稀罕的
bare 少许的

elementary 初步的
fundamental 基本的

initial 最初的
preliminary 初步的

rigorous 严格的
severe 严厉的

thankful 感谢的
grateful 感激的

final 最终的,最后的
definite 确切的,肯定的

successful 成功的
successive 连续的

dependable 可信赖的
dependent 依赖的(on)

dangerous 危险的
endangered 遭到危险的

frightful 令人害怕的
frightened 受惊的

harmed 受害的
harmful 有害的

tired 感到厌倦的
tiresome 令人厌倦的

exhaustive 彻底的
exhausting 使人筋疲力尽的

weary 疲倦的,厌倦的
wearing 使人厌倦的,疲倦的

satisfied 令人满意的
satisfactory 令人满意的

troublesome 令人烦恼的
troubled 感到忧虑的

payable 应支付的
rewarding 值得做的,报答的

shameful 可耻的(指事)
ashamed 感到惭愧的(指人)

favourite 喜欢的,宠爱的(作定语)
favourable 有利的,顺利的

credulous 轻信的
credible 可信的(creditable 值得赞扬的)

delightful 令人高兴的
delighted 感到高兴的(delicious 美味的)

efficient 效率高的
proficient 熟练的(sufficient 足够的)

eligible 合格的
illegible 字迹不清的(illegal 非法的)

invaluable 无价的,昂贵的
valueless 无价值的(priceless 贵重的)

▶▶▶ 其他:

tasty 可口的
tasteful 品味高雅的

social 社会上的
sociable 爱交际的

seasonal 季节性的
seasonable 应时的,及时的

poisonous 有毒的
poisoned 中毒的

unborn 尚未诞生的
unbearable 不堪忍受的

unqualified 不合格的
disqualified 被撤销资格的

uncomfortable 不舒服的
discomfortable 痛苦的

preventive 预防的
preventable 可预防的

natural 自然的,天然的
native 本地的,生来的

proud 骄傲的
haughty 傲慢的

luxurious 奢侈的
luxuriant 繁茂的

royal 皇家的
loyal 忠诚的

judicial 法庭上的
judicious 明断的

forced 强迫的
forcible 有力的,能说服的

last 最后的
latest 最近的

former 先前的
formal 形式上的

eventful 多事的
eventual 最后的,结果的

funny 好笑的
queer 奇怪的

exceeding 非常的
excessive 过度的

late-president 已故总统
ex-president 前任总统

enduring 持久的,耐久的
endurable 可忍受的

different 不同的
indifferent 漠不关心的

courageous 勇敢的
encouraging 有鼓励性的

colored 有色的
colorful 色彩绚丽的

cultural 文化的
cultured 有教养的

magic 魔术的,魔力的
magical 神奇的,不可思议的

homely 朴素的,不美的
homelike 如家的,舒适的

skilled 熟练的,需要技能的
skillful 巧妙的

first 第一(次序)
foremost 第一(品质)

bimonthly 两个月一次的
semimonthly 半个月一次的

whole 完整的
wholesome 合乎卫生的,有益健康的

disinterested 公正无私的
uninterested 冷漠的,不关心的

amicable 友善的
amiable 好脾气的,和蔼可亲的

considerate 体贴的
considerable 值得重视的,相当大的

constructive 建设性的(suggestion)
constructional 构造上的

next 下,再(次序)
nearest 最接近的(距离、关系)

content 满意的(表语)
contented 满意的(定语,表语)

cheap 便宜的(品质不佳)
inexpensive 价廉的(可能物美)

incapable 不能的(天生能力的缺乏)
unable 不能的(做事能力的缺乏)

inhuman 残忍的(无人性的)
unhuman 非人类的(非人间的)

rightful 正当的(依据法律或习惯)
righteous 公正的(公平而合乎正义)

lovable 可爱的
loving 亲爱的
lovely 美丽的(外表)

correct 正确的
corrective 矫正的

unorganized 未加以组织的
disorganized 无组织的,杂乱的

decisive 果断的,决定性的
decided 无疑的,确定的

ancient 古代的
antiquated 落伍的

dear 昂贵(不合理)
costly 贵重(合理)

contagious 传染性的
infectious 传染性的(间接)

married 已婚的
marriageable 适合结婚的,到结婚年龄的

contrary 相反的
contradictory 相矛盾的,好争辩的

negligent 怠慢的,疏忽的
negligible 可以忽略的,无关紧要的

merry 快乐的(充满笑声和乐趣)
lucky 幸运的,侥幸的

idle 闲散的,懒惰的(不做事)
lazy 懒惰的(不勤勉)

complete 完全的(量)
thorough 彻底的(程度)

lesser 较小/少的(价值、重要性)
less 较小/少的(数量)

understanding 聪明的,富于理解力的
understandable 可(被人)了解的

twofold 两倍的("数字+fold"表示倍数)
treble 三倍的

triumphal 凯旋的,成功的(事物)
triumphant 成功的,得意洋洋的(人)

beautiful 美丽的(美貌、艺术美)
handsome 英俊的,漂亮的(男子仪表堂堂)

official 官方的,职务上的
officious 多管闲事的

memorable 值得纪念的
memorial 以资纪念的

ceremonial 仪式方面的
ceremonious 拘于俗仪的

perfect 完美的(质)
pretty 美丽的(柔美)

noted 著名的(=reputed)
notorious 声名狼藉的

dissatisfied 不满意的(抱怨)
unsatisfied 不满意的(不满足)

【改正错误】

1. On his way home, Jim met a very ill man, so he sent him to hospital.
   A　　　　　　　　　　B　　C　　　　D

2. It was raining heavily. Little Mary felt cold, so she stood closely to her mother.
   A　　　　　B　　　　　　　　　C　　　　　　　D

3. On a small marble table in the center of her room stands an ancient little exquisite brown Chinese
   A　　　　　　　B　　　　　　　　C　　　　　　　D
   porcelain vase.

4. It's high time you had your hair cut; it's getting too much long.
   A　　　　B　　　　　　　C　　D

5. We were in a such anxious rush when we felt that we forgot the airline tickets.
     A   B   C   D

6. The man who lost the key hoped the finder would turn it to official anyone.
        A   B   C   D

7. Since taxi-fare in the city may run as high that twenty dollars, I suggest that you take a bus.
   A   B   C   D

8. The new stadium being built for the next Asian Games will be as three times big as the present
             A   B   C   D
one.

9. Frost occurs in valleys and on low grounds frequently than on adjacent hills.
     A   B   C   D

10. Her manner and attitude toward him were quite same as they had always been.
                 A   B   C   D

11. They say Jack is unfriendly. And I think he is shyer than unfriendly.
   A   B   C   D

12. Mr. Brown asked us to write no more than a two thousand-word essay on individual differences
               A   B   C
in second language learning.
D

13. Mr. Black is very happy because the clothes made in his factory have never been most popular.
               A   B   C   D

14. If the manager had to choose between two, he would say John was better choice.
 A   B   C   D

15. This crop does not do well in soils rather than the one for which it had been specially developed.
              A   B   C   D

16. How much good she looks without her glasses!
     A   B   C   D

17. Of those fashionable coats, she chose the less expensive.
 A   B   C   D

18. Never had Peterson a more difficult journey than that he took across the snow-capped Rocky
 A   B   C   D
Mountains.

19. He worked very late last Sunday. He went to bed, coldly and hungrily.
        A   B   C   D

20. The old man was puzzled by the fact that the less medicine he took, the best he seemed to be.
              A   B   C   D

21. While tidying the room, Jim found the small fine plastic toy bought for him as a birthday present.
   A   B   C   D

22. You'd better go and buy some tomatoes for the dinner party, for you see, there are far more
        A   B   C
tomatoes left in the basket than I imagined.
D

23. Everyone will agree that food in the south is as good as any other region in the country.
    A   B C   D

24. The Education Ministry suggests teachers should receive further education to catch up with the
         A   B   C
late development.
D

25. Mr. Smith said that their first trip to the seaside town was the most interesting one, but their
                          A   B   C
second one was even more interesting.
D

26. —Are you feeling any better now?
              A

—Yes, <u>very happy</u> than ever and I have become <u>thinner and thinner</u> since I <u>joined</u> the health club.
          B   C   D

27. My parents <u>always</u> made me feel <u>well</u> <u>about</u> myself, <u>even when</u> I was twelve.
                        A   B   C   D

28. Mark sounds very much <u>interesting</u> in the job, <u>but</u> I'm not sure <u>whether</u> he can manage it.
              A   B   C   D

29. Can you <u>believe</u> that in <u>such</u> a rich country <u>there should be</u> <u>such</u> many poor people?
                    A   B   C   D

30. <u>The more</u> I think about her, <u>the more reasons</u> I <u>find</u> for loving her <u>as far as</u> I did.
          A   B   C   D

【答案】

1. B(very sick man)   2. D(close)

3. D(an exquisite little antique brown Chinese porcelain)   4. D(much too long)

5. D(such an anxious rush)   6. D(anyone official)   7. C(as high as)

8. C(three times as big as)   9. C(more frequently than)   10. B(the same as)

11. D(more shy(同一人或物的两种性质,通常只用"more + 形容词"形式))

12. B(a no more than two-thousand word)   13. D(more popular)

14. D(the better choice)   15. B(other than)   16. B(better)

17. D(the least expensive)   18. C(the one (that 多用于 that of 结构))

19. D(cold and hungry)   20. C(the better)   21. B(fine small plastic)

22. C(far fewer)   23. D(that of any other region)   24. D(latest)

25. B(A most interesting)   26. B(much happier)   27. B(feel good)

28. B(interested)   29. D(so)   30. D(as much as(尽量多))

第六讲　副　词(Adverb)

一、分类

在**意义**上,副词可以分为时间副词(now, late)、地点副词(here, up)、程度副词(very, so)、频率副词(often, rarely)、方式副词(fast, easily)、态度副词(maybe, honestly)和逻辑连接副词(hence, however)等。

在**功能**上,副词可以分为一般副词(there)、疑问副词(when)、连接副词(how, where)、关系副词(as, why)和解释性副词(namely, for example, i.e.那就是, e.g.例如, viz 即)等。

关系副词引导定语从句,连接副词引导主语从句、表语从句、宾语从句或不定式等,这里仅举数列,详见有关章节。例如:

Why she committed suicide is still a mystery. 她为何自杀仍是个谜。(主语从句)

I'd like to know **how** she did it. 我想知道她是怎样做的。(宾语从句)

It's **where** the spring thaw normally begins. 春天的脚步通常是从这里开始的。(表语从句)

That is the place **where** he was arrested. 那就是他被捕的地方。(定语从句)

Ask her **when** to open it. 问她什么时候把它打开。(不定式)

二、构成

1. 大部分副词由相应的形容词加上后缀-ly 构成,但注意有变化

1 一般情况

| slow→slowly | dear→dearly | cool→coolly |
| bad→badly | final→finally | exact →exactly |

2 -y 结尾的词

happy→happily	angry→angrily	sturdy→sturdily
noisy→noisily	merry→merrily	greedy→greedily
patchy→patchily 七拼八凑地		

▶▶▶ 少数词得留 y,直接加-ly。例如:wry→wryly　spry→spryly

▶▶▶ 少数词有两种变化形式。例如:shy→shyly/shily　gay→gayly/gaily　dry→dryly/drily

3 -le 结尾的词,省去-e 再加-y

subtle→subtly	noble→nobly	single→singly
profitable→profitably	suitable→suitably	simple→simply
able→ably	idle→idly	comfortable→comfortably

▶▶▶ 例外情况:supple→supplely

▶▶▶ "元音＋le"结尾的词,直接加-ly。例如:

| sole→solely | pale→palely | vile→vilely |
| stale→stalely | servile→servilely | fragile→fragilely |

▶▶▶ 例外情况:whole→wholly

4 -ue 结尾的词,去掉-e,再加-ly

| true→truly | due→duly |

5 -e 结尾的词,直接加-ly

| complete→completely | wise→wisely | wide→widely |

lone→lonely　　　　loose→loosely　　　　definite→definitely

6 -ic 结尾的词,加-ally

economic→economically　　historic→historically　　tragic→tragically

phonetic→phonetically　　automatic→automatically　　democratic→democratically

optic→optically 光学上　　romantic→romantically　　scientific→scientifically

prolific→prolifically　　scenic→scenically　　tactic→tactically 战术上

climatic→climatically 气候上　　rhythmic→rhythmically　　fantastic→fantastically

energetic→energetically　　fanatic→fanatically

▶▶▶ 例外情况：public→publicly 公开地　　politic→politicly 狡猾地

7 -ly 结尾的词,去掉-y,加-ily

melancholy→melancholily　　manly→manlily　　lonely→lonelily

chilly→chillily

8 -ll 结尾的词,只加-y

full→fully　　ill→illy 恶劣地　　dull→dully

still→stilly 寂静地

9 "其他词类＋-ly"构成的副词

first(序数词)→firstly　　　　over(介词)→overly

most(不定代词)→mostly　　　　according(形容词)→accordingly

determined(过去分词)→determinedly　　matter-of-fact(短语)→matter-of-factly

kind-hearted(形容词)→kind-heartedly　　ill-natured(形容词)→ill-naturedly

marked(过去分词)→markedly　　lingering(现在分词)→lingeringly

2. 有些副词由介词或地点名词加后缀-ward(s)构成,意为"向/朝……"

forward(s)、backward(s)、downward(s)、northward(s)、upward(s)、stationward(s)、leftward(s)、homeward(s)、onward(s)、inward(s)、sunward(s) 向阳地

3. 有些副词是由名词加后缀-wise 构成的,表示位置、方向、状态、有关等意义

sidewise、clockwise、crabwise、coastwise、money-wise、saleswise、taxwise、lengthwise、educationwise、weatherwise、corkscrew-wise

【提示】

① 有少数副词加后缀-ways, -long, -ling(s)构成。例如：

sideways, lengthways, headlong, sideling(s)

② 有些副词加 a-, here-, there-, where-构成。例如：

　away, ashore, aside
　herein (in this), hereby, hereafter
　therein (in that), thereby, thereafter
　wherein (in which/in what), whereby, whereon

4. 某些以名词等加-ly 构成的词,既可作副词,也可作形容词

1 hourly

Their average **hourly** earnings are 20 *yuan*. 他们每小时的平均收入是 20 元。(形容词)

The guards shifted **hourly**. 卫兵每小时换一次岗。(副词)

2 weekly

a **weekly** payment of 100 *yuan* 每周 100 元的报酬(形容词)

They met **weekly**. 他们每周碰一次面。(副词)

3 yearly

a **yearly** meeting 年会(形容词)

The interest is normally paid once **yearly**. 利息通常每年付一次。(副词)

4 leisurely

He walked **leisurely** along the road. 他在路边悠闲地走着。(副词)

He often takes a **leisurely** walk in the garden in the evening. 晚间,他常常在庭院里轻松地散散步。(形容词)

▶▶ 其他如:

daily paper 日报	**quarterly** review 季刊
publish **daily** 每天出版	meet **quarterly** 每季开会一次
the **nightly** skies 夜空	**fortnightly** publication 两周一次的刊物
appear **nightly** 夜间出现	perform **fortnightly** 每两周表演一次
monthly salary 月薪	**ghostly** laugh 可怕的笑声
come **monthly** 每月来一次	**ghostly** pale 鬼似的苍白
worldly knowledge 人情世故	**jolly** life 舒心愉快的生活
worldly-wise 善于处世	**jolly** good 非常好
cleanly room 清洁的房间	**deadly** poison 烈性毒药
cut **cleanly** 干净利落地切	**deadly** serious 极为认真
kindly heart 慈悲心肠	**lively** girl 活泼的女孩
speak **kindly** 亲切地说	step **lively** 轻快地走

The band performed **nightly**. 乐队每晚都演出。

I'm listening to the **nightly** news broadcast. 我在听晚间新闻广播。

▶▶ manly,costly 等"名词＋-ly"构成的词只用作形容词,参阅第五讲。另外,monthly 月刊,daily 日报,weekly 周报,quarterly 季刊,bimonthly 双月刊,等,还可作名词用,如 *Beijing Weekly*《北京周报》。

5. alike 是形容词也是副词

英语中有些副词带有前缀 a-,这类词有些同时也是形容词,如:alone,adrift,astray 迷路,aslant 倾斜,afoot 徒步,aboard 在船上,abroad,askew 歪斜,ahead 等。例如:

They think **alike**. 他们有同样想法。

The ship was **adrift** on unknown seas. 那艘船在陌生的海域漂流。

The setting sun shone **aslant** across her face. 夕阳斜照在她的脸上。

The boy has gone **astray**. 那男孩走上了邪路。

She went to the station **afoot**. 她是步行去车站的。

6. 具有两种形式的同根副词

有些副词具有两种形式,一种与形容词同形,一种是形容词加后缀-ly 构成的。这两种形式的副词有时含义相同或略有不同,有时则意义完全不同。

1 hard 和 hardly

It is raining **hard**. 雨正下得很大。(猛烈地)

He works very **hard**. 他工作很努力。(努力地)

She listened **hard**. 她仔细地听。(仔细地)

The victory was **hard**-won. 胜利来之不易。

The economy was **hard** hit. 经济受到沉重打击。

The little girl cried **hard**. 这小女孩哭得很厉害。

I can **hardly** understand you. 我简直听不懂你的话。(几乎不)

2 clean 和 cleanly

I **clean** forgot about it. 我把它全忘了。(完全地,彻底地)

The man got **clean** away. 那人逃得无影无踪。

He is **clean** out of food. 他完全没有东西吃了。

They played the game **clean**. 他们十分规矩地进行了这场比赛。

The knife cuts **cleanly**. 这把刀切东西很整齐。

He pulled one cork **cleanly**, but the other crumbled. 他顺利地取出一个塞子,但另一个却弄碎了。(利索地,顺利地)

【提示】 cleanly 作"清楚地"解时,读作[ˈklɪnlɪ],也可用作形容词,作"爱清洁的"解,读作[ˈklenlɪ],如 a **cleanly** cat 爱干净的猫。

3 late 和 lately

　　Very **late** at night,I got a phone call. 深夜,我接到了一个电话。(晚,迟)

　　I have **lately** received a number of letters about this. 我最近收到了一些关于此事的信件。(最近)

4 most 和 mostly

　　The head is the **most** sensitive part of the body. 头部是身体最敏感的部位。(最)

　　The snake hunts **mostly** at night. 蛇大多在夜间捕食。(主要地)

　　The guests are **mostly** friends of the bride. 客人大部分是新娘的朋友。(大多数地)

5 close 和 closely

　　He stood **close** to the wall. 他靠近墙站着。(靠近)

　　He was following **close** behind. 他紧跟在后面。(近)

　　Watch what I do **closely**. 细心观察我所做的。(细心地)

　　The prisons were **closely** guarded. 犯人受到严密监视。(严密地)

6 dead 和 deadly

　　dead sure 确确实实　　　**dead** tired 疲乏至极　　　**dead** ahead 正在前面

　　dead drunk 酩酊大醉　　　stop **dead** 突然停下

　　He was **deadly** pale. 他死一般地苍白。

　　She is **deadly** sleepy. 她极为困倦。

7 sharp 和 sharply

　　look **sharp** 注意　　　　　sing **sharp** 用升半音唱

　　We arrived at the airport at ten **sharp**. 我们 10 点钟准时到达机场。(准时)

　　At the crossroads,we turned **sharp/sharply** to the left. 在十字路口,我们向左急转。(急剧地)

　　(作"急剧地,突然地"解时,用 sharp 和 sharply 均可)

8 slow 和 slowly

　　The workers decided to go **slow**. 工人们决定怠工。(slow 通常与 go,drive,walk 等动词连用,置于动词之后,其他动词多同 slowly 连用,slowly 在句中的位置较灵活)

　　She drove the car **slow** into the garage. 她慢慢地把车开进车库。

　　Speak **slowly**,please. 请慢点说。

　　⎰She awakened **slowly**. 她慢慢地醒来了。
　　⎨She **slowly** awakened.
　　⎱**Slowly** she awakened.

▶▶ 但在下面几句中,用 slowly 和 slow 均可:

　　How **slowly/slow** time passes! 时间过得多慢呀!

　　Go **slow/slowly**,we're coming to a sharp turn. 慢点开,我们到了一处急转弯。

　　You'd better go **slow/slowly** in reaching a decision. 作决定时要慎重,不可操之过急。

9 right 和 rightly

　　All went **right**. 一切顺利。(好)

　　He went **right** away. 他立即就走了。(立即)

　　Go **right** home at once! 直接回家去!(直接)

　　I haven't read the book **right** through. 我还没有读完这本书。(完全地)

　　The book is **right** in front of her. 那本书就在她面前。(恰好)

　　I **rightly** guessed that he wasn't coming. 我没猜错,他不来了。(正确地)

　　He **rightly** guessed it. 他猜得对。(正确地)

▶▶ 注意,作"正确地"解时,right 和 rightly 均可用,right 只能放在动词后,rightly 放在动词前后均可。

　　例如:He guessed **rightly/right**. 他猜得对。

10 firm 和 firmly

Stand **firm**. 要站得稳。

Always hold **firm** to your beliefs. 要永远坚守自己的信仰。

He **firmly** believes that. 他坚信那一点。（坚定地）

Fix the nail **firmly** in the wall. 把钉子在墙上钉牢。（牢固地）

11 fair 和 fairly

We must play **fair**. 我们应该公平竞争。（公正地）

She hit him **fair** on the nose. 她正好打在他的鼻子上。（恰好）

They've dealt **fair** and square with him. 他们待他很公正。（公平地）

She told the facts **fairly**. 她客观地说明了事实。（不感情用事或不带偏见地）

He was **fairly** beside himself with joy. 他欣喜若狂。（相当地，非常）

fairly well 相当好
fairly good

12 easy 和 easily

get off **easy** 没受多大惩罚

Take it **easy**. 不用急。/慢慢来。

Take it **easy** on her. 对她不要太严厉。

Go **easy**. 别急。

Easy said，**easy** go. 轻诺者往往失信。

Easy come，**easy** go. 来得快，去得急。

Stand **easy**! （口令）稍息!

Easier said than done. 做比说难。

I can **easily** finish it today. 我今天就能轻易地完成。（容易地）

He is **easily** satisfied. 他很容易满足。（容易地）

It is **easily** the best hotel. 这无疑是最好的旅馆。（无疑）

We found the shop quite **easily**. 我们很容易就找到了那家商店。

13 wide 和 widely

The possibilities are **wide** open. 各种可能性都是大门敞开的。

He stands with legs **wide** apart. 他叉开腿站着。（宽阔地，张得很开）

Her mouth is **wide** open. 她的嘴张得老大。（完全地）

It went **wide** from the right point. 它从目标偏过去了。（偏斜地）

They differed **widely** in opinion. 他们的意见分歧很大。（很大地，在很多地方）

Canning is the most **widely** used method of food preservation. 罐装是最广泛使用的食品保护方法。（广泛地）

14 sure 和 surely

"Can I sit here?" "**Sure**." "我可以坐在这里吗?" "当然可以。"

It **sure** was a mystery. 这的确是个谜。（的确）

He will **surely** succeed. 他一定会成功的。（一定）

You don't want to hurt his feelings **surely**. 你当然不想伤害他的感情。（当然）

15 loud 和 loudly

Don't speak so **loud**. 说话声音别这么大。（loud 指音量的大小，常同 talk，speak，sing，laugh 等连用）

He shouted **loud** and long, but no one came. 他大声喊了很长时间，但没有人来。

Tell the children not to speak so **loudly**. 告诉孩子们别这么大声叫。（loudly 指发音时用力的强度，具有"大叫，呼号"等含义，有时相当于 noisily，常指"令人不快的噪音"）

He is snoring **loudly**. 他鼾声如雷。

She is **loudly** dressed. 她打扮得花枝招展。（花哨地）

Please read out **loud**/**aloud**. 请大声朗读。（"朗读"不可用 loudly）

▶▶▶ 但下面两句均正确:

> 他说话声音洪亮而且清楚。
> He spoke **loud** and **clear**. (口语)
> He spoke **loudly** and **clearly**. (书面语)

16 deep 和 deeply

(1) 表示静止状态的具体深度一般用 deep,修饰形容词或动词表示抽象深度则用 deeply。例如:

She stood there, her feet **deep** in the grass. 她站在那儿,双脚深陷在草丛中。

He lived **deep/deeply** in the woods. 他住在森林深处。

He was **deeply** moved by her words. 他被她的话深深地打动了。

I enjoy it **deeply**. 我非常喜欢它。

She was **deeply** grateful to you for your help. 他对你的帮助非常感激。

(2) 在 work **deep** into the night, drink **deep**(痛饮), **deep**-rooted eyes(深陷的眼睛)等词组中,不用 deeply。

▶▶▶ 有时两者可以换用,如:go **deep/deeply** into the woods 深入林中, go **deep** into the matter 深入探讨。

He is **deep/deeply/heavily** in debt. 他债台高筑。

> dig **deep** 深挖
> dig **deeply**

> She is **deep** in love. 她在热恋中。
> She is **deeply** in love.

17 near 和 nearly

The holiday is drawing **near**. 假期临近了。(接近,指时间和空间)

He's **nearly** as tall as his father now. 他现在几乎和他父亲一样高了。(几乎,差不多)

18 round 和 roundly

Turn your chair **round** and face me. 转过你的椅子,面对着我。(转过来)

He was **roundly** criticized by the teacher. 他受到了老师的严厉批评。(狠狠地)

19 free 和 freely

The dog ran **free** on the farm. 狗在农场上四处乱跑。(无约束地)

The horse broke **free**. 马挣脱了。(松开着)

He admitted the mistake **freely**. 他直率地承认了错误。(直率地)

They walked **freely** in the park. 他们在公园里闲逛着。(自由地)

> The books are given away **free**. 这些书是免费赠送的。(免费)
> The books are given away **freely**. 这些书大量地赠送。(大量地、慷慨地)

20 clear 和 clearly

He climbed **clear** to the top of the tree. 他一直爬到树顶。(一直地,完全地)

Stand **clear** of the doors of the train. 不要站在列车门口。(避开,不碰上)

The incident remained very **clearly** in her mind. 那个事件清晰地留在她的脑海里。(清楚地,清晰地)

The time is **clearly** ripe for it. 做这件事的时机显然成熟了。(显然)

▶▶▶ clear 也可以表示"清楚地",但前有程度副词修饰时,只能用 clearly。比较:

> 他说得很清楚。
> He speaks very clear. [×]
> He speaks very **clearly**. [√]

21 short 和 shortly

You'd better cut **short** your talk. It's late. 你最好把话说得简短些,天已晚了。(简短)

He said he would be back **short**. 他说他不久就会返回。(不久)

She answered him **short/shortly** when he asked her. 他问她时,她回答得很不耐烦。

22 flat 和 flatly

knock sb. down flat. 把某人击倒在地(平直地)

They went **flat** against orders. 他们断然违抗命令。(断然地)

He's **flat** broke. 他彻底破产了。(完全地)

He finished writing the letter in twenty minutes **flat**. 他写完那封信正好用了 20 分钟。（正好）

He kept singing **flat**. 他继续用降调唱。（用降调）

She **flatly** refused his demand. 她坚决拒绝了他的要求。（坚决地）

He told her **flatly** that he wouldn't pay the cost. 他坦率地告诉她，他不会付费用的。（坦率地）

㉓ cheap 和 cheaply

He bought it **cheap** and sold it dear. 他买得便宜卖得贵。（便宜地）

I never thought he would act so **cheap**. 我从没想到他的行为会如此卑鄙。（卑鄙地）

The bike was **cheaply** bought. 这辆自行车买得便宜。（便宜地）

He escaped **cheaply**. 他轻易逃走了。（轻易地，相当于 easily）

She buys **cheaply**. 她买得便宜。

【提示】cheap 和 cheaply 都可以表示"便宜地，廉价地"，但 cheap 只能用于动词之后，不可用于动词前，并常同 sell, buy 连用，而 cheaply 则可用于动词前面或后面。比较：

乘火车去那座城市很便宜。
The train takes you to the city **cheaply**. ［√］
The train takes you to the city cheap. ［×］

它卖得便宜。
It was **cheaply** sold. ［√］
It was cheap sold. ［×］

㉔ first 和 firstly

the **first** three days 头三年（最初的，开始的）

You'd better phone her **first**. 你最好先给她打个电话。（先）

I **first** met her in a small village. 我是在一个小村庄上初次遇见她的。（初次）

She said she would resign **first**. 她说她宁愿辞职。（宁可）

Firstly he explained some sentences; secondly he gave a brief comment on the whole essay. 他首先解释了一些句子，接着对整篇文章作了简要评述。（第一、首先，用于列举）

㉕ rough 和 roughly

rough 作副词常用在一些短语中，roughly 则表示"大致上，粗略地，粗暴地"。例如：

treat sb. **rough** 粗暴地对待某人　　sleep **rough** 露宿
live **rough** 过苦难生活　　　　　　travel **rough** 因陋就简地旅行
cut it **rough** 生气　　　　　　　　play **rough** 要粗暴态度

Roughly speaking, he earned about 800 dollars last month. 大致说来，他上个月挣了 800 美元。（大致地）

Those homeless children slept **rough** on the street. 那些无家可归的孩子露宿街头。

Don't argue with him, he will cut it **rough**. 别跟他争论了，他会生气的。

I will tell you **roughly** what I think of it. 我将把我对这件事的想法大致同你说一下。

He pushed her **roughly** away. 他粗暴地把她推开了。

▶▶▶ rough 只能用在动词后面，roughly 则可以用在动词前面或后面。

㉖ pretty 和 prettily

The wind blew **pretty** hard. 风刮得很大。（相当，十分，相当于 rather）

She was **prettily** dressed. 她穿得很漂亮。（漂亮地）

He was **prettily** punished. 他受到了应有的惩罚。（合宜地）

He answered the teacher **prettily**. 他很有礼貌地回答了老师。（有礼貌地）

▶▶▶ 注意下面短语的含义：pretty well/nearly 差不多/几乎。例如：

It's **pretty well** impossible to climb the mountain in winter. 在冬天爬那座山几乎是不可能的。（几乎）

㉗ false 和 falsely

false 作副词用于 play someone **false**（对……不忠，欺骗）短语中，其他情况用 falsely。

judge sb. **falsely** 错误地判断某人（错误地）

She played anyone **false** who trusted her. 凡是信任她的人都被她骗过。

His memory played him **false** in this matter. 他在这个问题上记错了。

She spoke **falsely**. 她讲的话是假的。

The man was **falsely** accused. 那人被诬告了。

He treated me **falsely**. 他待我很虚伪。（虚伪地）

28 new 和 newly

new-fallen snow 新落的雪（新，新近）

It is a **newly** built factory. 这是一个新建的工厂。（新近地）

They are a **newly** married couple. 他们是新婚夫妇。（最近）

It is a **newly**-painted door. 这是新漆的门。（重新，再一次）

new-won freedom 刚赢得的自由

newly-won freedom 失而复得的自由

【提示】new 作副词用时，表示"新，新近"，常同过去分词构成复合词，中间一般有连字号，再如：**new**-laid eggs 新下的蛋，**new**-found land 新发现的大陆，**new**-born baby 新生婴儿，**new**-planted crops 新种的庄稼，a **new**-found friend 新交的朋友，**new**-mown hay 刚割下的草。

29 last 和 lastly

last-born 最后生的（最后）

He came **last**. 他最后来的。（最后地）

When did you see her **last**? 你上一次见她是什么时候？（上一次，最后一次）

Lastly, I want to thank the hostess for her consideration. 最后，我要感谢女主人的盛情款待。（最后一点，最后）

30 even 和 evenly

Even a child can say it. 这即使是一个孩子也会说。（甚至，即使）

It is an **even** worse mistake. 这甚至是更为严重的错误。（甚至更）

The goods are **evenly** distributed among them. 物品均分给了他们。（平均地）

He spread the butter on the bread **evenly**. 他把奶油均匀地涂在面包上。（均匀地）

31 express 和 expressly

You'd better send the letter **express**. 你最好用快件寄这封信。（用快件寄运）

He came here **express** to see her. 他特意来这里看她的。（特意地）

I **expressly** told him what to do. 我明确地告诉他要做什么。（明确地，清楚地）

The book is **expressly** written for college students. 这本书是专为大学生编写的。（专门地）

32 bright 和 brightly

The stars shine **bright**. 星光灿烂。（明亮地，只能同 shine 连用，并放在 shine 后面）

The lamps are shining **brightly**. 灯明亮地照着。（明亮地）

The floor is **brightly** painted. 地板油漆得很鲜亮。（鲜艳地）

33 full 和 fully

sit **full** in the sun 就坐在太阳底下（直接地）

hit sb. **full** on the nose 正好打在某人鼻子上（正好）

He is **fully** aware of it. 他完全知道那一点。（完全地）

The children are **fully** fed. 孩子们都吃得饱。（充分地）

I can't **fully** describe her face. 我不能确切地描述她的面容。（确切地）

【提示】注意下面的习惯用法：**full** ripe 全熟了，**full** many 很多，**full** well 很好，turn **full** around 直转过来，look **full** at sb. 直盯着某人，**full** in the centre 正当中，know **full** well 非常了解。

34 just 和 justly

He did it **just** for fun. 他那样做只是为了好玩。（只是，仅仅）

They **just** caught the bus. 他们差一点误了公共汽车。（勉强地，差一点就不）

The moon has **just** come out. 月亮刚刚升起。（刚刚）

He lived **just** in this room. 他就住在这个房间里。(正好,恰恰正是)
She was treated **justly**. 她受到了公正待遇。(公正地)
He was **justly** punished for the crimes. 他受到了惩罚,是罪有应得。(应得地)
I wonder **just** how good he is at spoken English. 我不知道他的英语口语好到什么程度。

㉟ dear 和 dearly

He paid **dear** for the computer. 那台电脑他买得很贵。(昂贵地)
She sold her property very **dear**. 她高价出售了财产。(高价地)
He loves her **dearly/dear**. 他深情地爱着她。(深情地)
Victory was **dearly** bought. 胜利的代价是高昂的。(昂贵地)
He'd **dearly** like to see you. 他非常想见你。(非常)
She paid **dear/dearly** for her mistake. 她为自己的错误付出了昂贵代价。

【提示】

① dear 作"昂贵地"解时,常同 sell, buy, pay, cost 等连用,只能放在动词后面;dearly 作"昂贵地"解时,用其比喻意义。

② hold something **dear/cheap** 珍视/轻视某物,这里 dear 和 cheap 为形容词。

㊱ sound 和 soundly

The boy is still **sound** asleep. 那男孩仍在酣睡着。(酣畅地)
Their football team was **soundly** beaten by ours. 他们的足球队被我们打得惨败。(重重地,严厉地)

她睡得很香。
She was sleeping **sound**. (口语)
She was sleeping **soundly**. (书面语)

㊲ direct 和 directly

He flew **direct** to New York. 他直飞纽约。(径直地,表示路程或时间)
They are not **directly** affected. 他们没受到直接影响。(直接地)
He answered me very **directly**. 他很干脆地回答了我。(直截了当地)
The bookstore is **directly** opposite the shop. 书店刚好在商店对面。(正好)
He will come **directly**. 他马上就来。(马上,立刻)

▶▶▶ 可以说 Answer me **direct/directly**. 马上回答我。

㊳ inward 和 inwardly

The door opened **inward**, not outward. 这门向内开,不向外开。(向内,向中心,只可放在动词后)
bleed **inwardly** 内出血(在内部)
Inwardly, he doesn't like her. 在内心里,他并不喜欢她。(在内心)
He spoke **inwardly**. 他低声细语。(小声地,暗自地)

㊴ fine 和 finely

He talked **fine**. 他说得好听。
I like it **fine**. 我很喜欢这件东西。
The coat suits me **fine**. 这件外套我穿很合身。(很好)
He cut up the vegetables very **fine**. 他把蔬菜切得很碎。(细小地)
She is a **finely** dressed woman. 她是个衣着优雅的女人。(雅致地)
You did **finely**. 你做得好极了。(极好地)
The prices have been **finely** calculated. 价格被仔细地权衡过。(仔细地)

▶▶▶ 比较不同的用法:**fine**-spoken 说得好,**fine**-drawn 画得好,**fine**-spun 纺得细;**finely** ground pepper 磨得很细的胡椒粉,**finely** chopped meat 切得很细的肉。

㊵ foul 和 foully

He played **foul**. 他犯规。(违反规则地)
He was **foully** murdered. 他被人卑鄙地谋杀了。(卑鄙地)

㊶ light 和 lightly

sleep **light** 睡得不熟

travel **light** 轻装旅行

Don't take it **lightly**. 对此不可等闲视之。

㊷ smooth 和 smoothly

smoothly 表示"平稳地,顺利地,顺畅地"。smooth 作副词含义基本上与 smoothly 相同,更强调状态的平稳、顺利。例如:

All our arrangements ran **smoothly**. 我们所有的安排都进行顺利。

It'll take about three hours, if everything goes **smoothly**. 如果一切顺利的话,大约需要三个小时。

The road to success never did run **smooth**. 成功之路从来就不是一帆风顺的。

㊸ thick 和 thickly

thick 作副词强调状态或结果,或用于 thick and fast(大量而急速地)短语中;thickly 表示方式,意为"稠密地,密集地"。

It is a **thickly** settled region. 这个地区人口稠密。

The smoke came **thickly** round the firemen. 消防队员四周浓烟滚滚。

My heart beats **thick**. 我的心跳得厉害。

Slice the cheese **thick**. 把奶酪切厚一些。

She spread peanut butter **thick** on the bread. 她把面包涂上厚厚的花生酱。

Competition entries have been coming in **thick and fast**. 参赛的作品纷至沓来。

㊹ square 和 squarely

square 表示"成直角地,直接地,果断地"。squarely 表示"正好,恰好,公正地,诚实地,完全地,端端正正地"。

He turned and faced her **squarely**. 他转过身来径直面对着她。

The report puts the blame **squarely** on the government. 这份报告毫不含糊地指责政府。

One should act **squarely**. 一个人做事应该诚实。

She looked him **square** in the eye and said no. 她直视着他的眼睛说不。

The path turned **square** to the left at the foot of the hill. 小路在山脚下成直角向左拐去。

The children sat **square/squarely** on their seats. 孩子们端端正正地坐在座位上。

He jammed his hat **square/squarely** on his head. 他把帽子端端正正地扣在头上。

㊺ double 和 doubly

double 作副词表示"(因眼睛有问题)看到重影,两倍地,双重地,双层地,双双地,下弯地";doubly 表示"(数量、程度)加倍地,在两个方面"。例如:

I was feeling dizzy and seeing **double**. 我感到头晕,看东西都是双的。

He was bent **double** from decades of labor in the fields. 由于长期田间劳动,他的身子弓得厉害。

She folded the carpet **double**. 她把地毯对折起来。

The trees were almost bent **double** in the wind. 树木被风吹得快要折断了。

Be **doubly** careful when driving in fog. 在雾中开车要倍加小心。

You are **doubly** mistaken. 你是错上加错。

㊻ fresh 和 freshly

fresh 作副词表示"刚,才";freshly 表示"精神饱满地,强劲地,新鲜地",也表示"刚,才"。例如:

fresh-caught fish 刚捕来的鱼　　　　**freshly** ground pepper 刚磨的辣椒粉

freshly made sandwiches 刚做好的三明治　　**freshly** baked bread 刚烤出的面包

freshly washed hair 刚洗过的头发　　　a **freshly** green leaf 鲜绿的叶子

freshly planted seeds 刚播下的种子　　**freshly** gathered peaches 刚摘的桃子

I'm **fresh** back. 我才回来。

The shirts have been **freshly** washed and ironed. 这些衬衫都是刚洗过才熨烫的。

{ **fresh**-ground coffee 刚磨好的咖啡

{ **freshly**-ground coffee 重新磨过的咖啡(可不加连字号)

47 large 和 largely

large 作副词表示"很大地,夸大地,顺风地";largely 表示"大半,大部分,主要地,大规模地"。例如:

He wrote **large**. 他字写得很大。

They sailed **large**. 他们顺风航行。

The man talked **large**. 那人吹牛。

He drank **largely**. 他酗酒。

They built **largely**. 他们大兴土木。

He lived high and expended **largely**. 他生活奢侈,挥霍无度。

Her success is **largely** due to sheer hard work. 她的成功主要是靠踏踏实实的苦干。

48 quiet 和 quietly

quiet 作副词表示"安静地,悄悄地";quietly 表示"轻声地,安静地,文静地,寂静地,在暗中,不张扬地"。例如:

They talked **quiet**. 他们轻声谈话。

She walked **quiet**. 她轻轻走路。

I slipped **quietly** out of the back door. 我悄悄地溜出了后门。

He was **quietly** courteous to the staff. 他对员工温文尔雅,彬彬有礼。

Harold **quietly** admired her honesty. 哈罗德暗暗钦佩她的诚实。

他躺着一动不动,直到危险过去。

He lay **quiet** until the danger was over. (口语)

He lay **quietly** until the danger was over. (书面语)

【提示】

① 在句首或动词前面时,应用带-ly 的副词。例如:

Slowly, she walked towards the graveyard. [√] 她缓步走向墓园。

She **slowly** walked towards the graveyard. [√]

She slow walked towards the graveyard. [×]

② 与形容词同形的单个副词不可在强调句中作被强调部分。例如:

她说得十分清楚。

It was clear that she spoke. [×]

It was **clearly** that she spoke. [√]

但:It was **loud and clear** that she spoke. [√] 她说得又响亮又清楚。

③ greatly 通常被用来修饰动词,除有时修饰形容词比较级或类似的词如 superior, inferior 等外,一般不修饰形容词。例如:

这本书有趣极了。

The book is greatly interesting. [×]

The book is **very**/**fairly** interesting. [√]

This car, manufactured at a price **greatly higher** than that car, is **greatly superior** in many respects. 这辆车的造价比那辆车高得多,在多方面都大为优越。

I **greatly** appreciate your suggestions. 我极为赞赏你的建议。

She was **greatly** frightened of him. 她很怕他。

④ 有些这类副词,修饰动词有时不需加-ly,但在修饰形容词、介词、现在分词或过去分词时,却要加-ly,常见的有 high(ly), direct(ly), wide(ly), tight(ly)。当然,这些副词另外还各自有其特定的用法,参阅本章其他部分。比较:

He will communicate with you **direct**. 他将直接同你交谈。

He was **directly** affected by the disaster. 他受到了那种病的直接侵害。(不用 direct)

7. 可用作副词的名词

有些名词在一些固定词组中可用作副词,作状语。例如:

bottle feed 人工喂养	**day** dream 做白日梦	**pitch** black 漆黑的
ice-cold 冰冷的	**stone** deaf 全聋的	**dog** tired 特别累的
dirt cheap 便宜透了	**skeleton** thin 骨瘦如柴	

8. 可用作副词的形容词

有些形容词有时可用作副词,常见的有 good, rare, pretty, right, plenty, damned, precious, dead 等。例如:

dark red 深红的	**white** hot 白热化的	**dead** drunk 酩酊大醉
tight shut 紧闭	**devilish** cold 极冷	**dead** tired 疲惫不堪
nice and fast 非常快	**tight**-fitting 紧身的	**icy/bitter** cold 冰冷的
mighty clever 非常聪明的	**right** glad 非常高兴	**precious** good care 倍加小心
amazing fine girls 很漂亮的女孩		

▶▶▶ 其他如:**burning** hot, **biting** cold, **soaking** wet, **pale** blue, **greyish** green, **mighty** fine, **plain** stupid, **plumb** crazy, **awful** sorry, stop **cold** 突然停止不动, play it **cool** 保持冷静,等。例如:

She pays her rent **regular**. 她定期付房租。(＝regularly)

They charge **extra** for wine. 酒另收费。

9. 与介词同形的副词

1 英语中大部分介词同时也可用作副词,其区别是:作介词时接宾语,作副词时不接宾语

The bird hopped **off** the branch. 鸟从树枝上跳下来。(介词)

The paint was peeling **off**. 油漆在脱落。(副词)

There is peak **beyond** peak. 层峦叠嶂。(介词)

On the distant horizon is a range of mountains. What is **beyond**? 遥远的天际是群山。山那边是什么?(副词)

2 这类副词可用作表语、定语、状语,宾语补足语等

The birds flew **off**. 鸟儿飞走了。

He slept **out** last night. 他昨晚睡在外面。

I'll be **along** in a minute. 我一会儿就来。

The tire is **down**. 车胎瘪气了。

The water is **down**. 水退了。

The milk is **off**. 牛奶坏了。

The conference was **on**. 会在开着。

You're **out** this time. 这次你错了。

What's **on**? 现在有什么节目?

The treaty is **off**. 协定失效了。

The clouds **above** began to disperse. 上方的云开始消散了。

Everybody was **down** on him then. 当时大家都看不起他。

When I got there, I found nobody **about**. 我到那儿时发现四周没人。

What kept you **up** so late? 什么使你这么晚还没睡?

We stayed up until midnight to see the old year **out** and new year **in**. 我们都熬到半夜才睡,辞去旧岁,迎来新年。

10. 形、副同形的词

有些词既可作形容词,又可作副词,如 clean, late, well 等。

1 clean

She is so **clean** and tidy. 她干净而有条理。

He is **clean** from misdeeds. 他没有劣迹。

The thief got **clean** away. 盗贼逃得无影无踪。

She **clean** forgot to switch the oven on. 她完全忘了把炉子打开。

2 late

late spring 暮春　　　　　　**late** snow 残雪　　　　　　**late** in life 晚年

late premier 前任总理　　　　a **late** train 末班火车　　　a **late** marriage 晚婚

the **latest** news 最新消息　　　in one's **late** thirties 三十七八岁

the **late** President Nixon 已故的尼克松总统

He kept **late** hours. 他睡得很晚。

He sometimes came **late** to class. 他有时上课迟到。

Roses flowered **late** this year. 今年玫瑰花开得晚。

3 wide

wide shoulders 肩膀宽阔

a man of **wide** information 知识面广的人

He sat there looking up, his eyes **wide** with pleasure. 他坐在那里仰望着,双目炯炯,充满喜悦。

His guess is **wide** of the fact. 他的猜测与事实相差甚远。

He left the office door **wide** open. 他让办公室的门大开着。(固定词组)

She is **wide** awake. 她醒透了。(醒透了,机警)(固定词组)

The bullet went **wide** of the mark. 子弹打飞了。

▶▶▶ widely 意为"在很大程度上,范围广阔地",用法较灵活,参阅上文。例如:

He has traveled **widely**. 他游历很广。(不可说 travel wide,但可以说 travel far and wide。far and wide 为习惯用语)

The **widely** known man had read **widely** and so the conversation between him and the President ranged **widely**. 那位名人博览群书,因而与总统之间的谈话涉及范围很广。

4 well

think **well** of sb. 对某人有好感

She is very **well**. 她身体很好。

Everything is **well** with him. 他诸事顺利。(顺利的,良好的)

It is all very **well** to leave now, but who is to look after the girl? 现在离开固然很好,但谁来照看这个女孩呢?("It is all very well+不定式"意为"固然很好……但",是一种反语,表示不赞同、不满意)

He booked the room **well** in advance. 他提前很多天就订了房间。(程度)

Clean the house **well** before you move in. 搬进来前好好把房子打扫一下。(彻底地,好好地)

He took the joke **well**. 他对这笑话不介意。

Well done! 做得/干得/写得好!

5 tight

My shoes are too **tight**. 我的鞋子太紧。

The joint is completely **tight**. 这个节点不漏水。(不漏水气)

My chest feels rather **tight**. 我的胸口感到很难受。(难受的)

He has a **tight** schedule today. 他今天的时间排得满满的。

That is a **tight** game. 那场比赛势均力敌。

He could conceal his nervousness in **tight** situations/in a **tight** corner. 他在危急关头能够掩饰自己的紧张情绪。(困难的,危险的)

The girl sat **tight** until her mother came back. 女孩坐着不动,直到母亲回来。(坐着不动,不可用 tightly)

【提示】在动词和过去分词前要用 tightly,在动词后面,可用 tight 代替 tightly。比较:

　┌ 成群成簇的房子拥挤不堪。
　│ The clusters of houses **tightly** packed together.
　└ The clusters of houses are packed **tight** together.

6 slow

slow fire 文火　　　　　　a **slow** poison 慢性毒药　　　　**slow** music 曲调舒缓的音乐

a **slow** town 落伍的市镇　　be **slow** of speech 说话慢　　be **slow** to learn sth. 学得慢

be **slow** of hearing 重听　　a **slow** night 过得很缓慢的夜晚　be **slow** at maths 不擅长数学

a **slow** book 一本索然无味的书　　　　be **slow** in understanding 领悟力不强

She is **slow** of comprehension. 她的理解力很迟钝。

He is **slow** at accounts. 他不善于算账。

He is **slow** to show his anger. 他不轻易动怒。

How **slow** would you like me to play? 你要我弹得多慢?

You should go **slow** in what you are doing. 你应该谨慎从事。(go slow 意为"小心地,谨慎地";也表示"慢慢地走")

7 sharp

the **sharp** teeth 锋利的牙齿　　**sharp** footprints 清晰的脚印　　**sharp** eyes 锐利的眼睛

a **sharp** nose 尖鼻子　　　　a **sharp** pain 剧烈的疼痛　　　a **sharp** desire 强烈的愿望

a **sharp** appetite 强烈的食欲　　a **sharp** turn 急转弯　　　　a **sharp** contrast 鲜明的对比

a **sharp** crack of a twig 小树枝折断时的清脆声响

the C **sharp** minor prelude C 小调序曲(sharp 指半高音,minor 指小调)

She arrived at seven o'clock **sharp**. 她 7 点整到的。(准,正)

The road turned **sharp** left. 路向左急转弯。(急速地)

She sang **sharp**. 她唱半高音。(唱高半音)

We'll have to look **sharp** or we'll never get there in time. 我们得抓紧些,不然就不能及时赶到那里了。(赶快)

Look **sharp**! The train is coming. 当心,火车来了。

She looked **sharply** at him. 她目光锐利地看着他。(目光锐利地看——不用 sharp)

He spoke **sharply** to the old woman. 他对那位老太太很尖刻。(说话很厉害——不用 sharp)

8 quick

a **quick** reply 即刻答复　　　　**quick** eyes 慧眼　　　　**quick** ears 耳朵灵

a **quick** temper 急性子　　　a **quick** boy 伶俐的小男孩　　be **quick** at work 做事干净利落

a **quick** wit/mind 急智/头脑转得快　　be **quick** of sight/hearing 眼睛尖/听觉灵敏

He got rich **quick**. 他很快就发财了。

Please come **quick**! 请快点来。(动词后)

Tell me **quick**. 马上就告诉我。(宾语后)

You'll have to act **quick**. 你得行动快。

【提示】quick 和 quickly 均可作副词,与表示动作的动词连用时,常可换用,尤其是在口语中。但在下面一句中,须用 quickly 与 accurately 连用,以便和谐:

He works **quickly** and **accurately**. 他工作又快又精确。

▶▶▶ 在 speak **quickly**, **quickly** open the window 中要用 quickly。

9 high

the **high** wind 劲风　　　　　　　the **high** voice 尖声

high living 奢侈的生活　　　　　**high** summer 盛夏

high anxiety 极度悲伤　　　　　be in **high** spirits 兴高采烈

have a **high** opinion of sb. 高度评价某人/器重某人

the **high** cliffs of the island 岛上高高的悬崖(程度高的)

high social status 很高的社会地位(地位高的)

high-quality products 高质量的产品(质量好的)

▶▶▶ high 和 highly 均可作副词,high 表示具体的高度,但与某些动词搭配也可表示抽象的高,如:aim high 目标远大,live high 过富裕生活,run high 激昂,play high 下高赌注,常位于动词或宾语之后;highly 只表示程度,指抽象的高。例如:

He can jump as **high** as two metres. 他能跳两米高。

He held his head **high**. 他高昂着头。

He sang **high** and clearly. 他放声高歌，歌声激扬。

People's enthusiasm is running **high**. 人们的热情在高涨。

The case is **highly** complex in detail. 这个案子极为复杂。

It's **highly** amusing. 这极有趣。

He spoke **highly** of her. 他高度赞扬她。

He is **highly** paid. 他薪酬优厚。

They are **highly**-educated people. 他们是受过高等教育的人。

She is **highly** delighted at the news. 她听到这个消息非常高兴。

10 flat

a **flat** lie 弥天大谎　　　a **flat** tire 没气的车胎　　　feel **flat** 感觉无聊

a **flat** basket 浅的篮子　　a **flat** denial 断然否认　　　a **flat** market 市面萧条

fall **flat** 不成功/不理想　　the **flat** surface 平整的表面　　knock a man **flat** 把某人打倒在地

lay a town **flat** 把一个城市夷为平地　　　the **flat** writing 不尽如人意的作文

fall **flat** on the floor 直挺挺地倒在地板上

▶▶▶ 作副词用时，flat 意为"绝对地，断然地，降半音地，平直地，正好"；flatly 也是副词，意为"断然地，绝对地，完全地"（positively），常同 oppose, refuse 等连用。参阅上文。例如：

The general went **flat** against the order. 将军断然抗命。

He was told to sing **flat**. 他被要求低半音唱。

She ran the 80-metre in 10 seconds **flat**. 她 80 米跑了 10 秒整。

He **flatly**/**flat** rejected my demand. 他断然拒绝了我的要求。

She told him **flat** she would go her own way. 她斩钉截铁地对他说要走自己的路。

11 fine

a **fine** view 美景　　　　　**fine** hair 细发　　　　　**fine** features 姣美的面容

a **fine** musician 优秀的音乐家　　not to put too **fine** a point on it 坦率地说

The weather will stay **fine** tomorrow. 明天天气会继续晴好。

He is doing **fine**. 他一切顺利。

▶▶▶ finely 也是副词，参阅上文。再如：a **finely** moving girl 举止优雅的少女，a **finely** restored temple 修复得很好的寺庙。

12 dead

dead water 死水　　　　　a **dead** cigar 熄灭的雪茄　　　**dead** laws 已废除的法律

the **dead** silence 万籁俱寂　　**dead** letters 无法投递的信件　　be **dead** to all reason 不可理喻

the **dead** phone 失去效能的电话机

▶▶▶ dead 作副词用时，意为 exactly, completely（完全，绝对）。例如：

stop **dead** 站着一动不动

You are **dead** wrong. 你全错了。

You are **dead** right. 你完全正确。

He is **dead** tired. 他极为疲倦。

The boy is **dead** asleep. 这男孩在酣睡。

The man is **dead** drunk. 那男的酩酊大醉。

I am **dead** sure/certain. 我完全可以肯定。

▶▶▶ deadly 既是副词也是形容词，作副词时，意为"死一般地，非常地，严重地"；作形容词用时，意为"致命的（fatal）"。例如：

a **deadly** poison 剧毒，a **deadly** enemy 死敌，a **deadly** weapon 凶器，a **deadly** man 毒辣的人

The matter is **deadly** serious. 这件事非常严重。

13 fast

a **fast** train 快车　　　　drive **fast** 开快车　　　　a **fast** dye 不褪色的染料

a **fast** life 放荡的生活　　take a **fast** hold of 握紧　　**fast** communications 快速交流

It is raining **fast**. 在下大雨。

He is **fast** asleep. 他睡得很熟。

Don't make friends with those who live **fast**. 勿同生活放荡之人交友。

He is a man holding **fast** to principles. 他是一个坚持原则的人。

Don't play **fast** and loose with her affections. 不要玩弄她的感情。

Fast bind，**fast** find. 放时系牢靠，取时跑不了。(＝Safe bind, safe find. Sure bind, sure find.)

14 hard

drink **hard** 狂饮　　　　**hard** rocks 坚硬的岩石　　**hard** questions 难题

hard attack 猛烈的攻击　work **hard** 努力工作　　a **hard** heart 冷酷的心

a **hard** teacher 严师　　a **hard** line 强硬路线　　**hard** evidence 铁证如山

hold sth. **hard** 紧握某物　breathe **hard** 呼吸困难　snow **hard** 雪下得很大

be **hard** on sb. 对某人严厉/苛刻　　　hit sb. /sth. **hard** 猛击某人/某物

be **hard** behind sb. 紧跟在某人的后面　　a long and **hard** day 漫长而繁忙的一天

have a **hard** time 经历一段困难时期

15 low

low income 低收入　　buy **low** 低价购买　　**low** taste 低级趣味

talk in a **low** voice 低声谈话　play **low** tricks 耍手腕　　the **low** lights 昏暗的灯光

be in **low** spirits 情绪低落　　**low** thoughts 不健康的思想　a man of **low** birth 出身低微的人

entertainment of **low** sort 低级娱乐　　a **low** fellow 下流的人

have a **low** opinion of sb. 对某人评价甚低/瞧不起某人

She bent **low** in front of the photo. 她在照片前深深地鞠躬。

The candle is burning **low**. 蜡烛快要燃尽了。

As the stock of money is running **low**，he has to play **low**. 由于存款即将用完，他只能小赌了。

▶▶▶ lowly 作形容词意为"低下的，谦卑的"，作副词意为"低声地，谦恭地，低下地"。例如：

She has a **lowly** opinion of herself. 她很自谦。

They are **lowly** paid. 他们收入微薄。

The two men were talking **lowly**. 那两个人在低声谈话。

A number of trades, previously thought of as **lowly** ones, began to receive more attention. 很多以前被认为是低下的行当，开始引起越来越多的注意了。

16 straight

live **straight** 清白地做人　　**straight** conduct 正直的行为　　keep **straight** 洁身自好

go **straight** ahead 一直向前　fly **straight** to Paris 直飞巴黎　a **straight** answer 直截了当的答复

come **straight** to the point 开门见山　　a long and **straight** road 又长又直的路

get the house **straight** 把房子收拾整齐　　tell sth. **straight** out 把……直说出来

17 sound

a **sound** sleeper 酣睡的人　　a **sound** beating 痛打　　the **sound** wall 坚固的墙壁

be mentally **sound** 心理健康　the **sound** advice 中肯的劝告　a **sound** investment 稳妥的投资

a **sound** friend 诚实可靠的朋友　　　a **sound** manager 判断力强的经理

a **sound** argument 理由充足的论据

{ 他睡得正香。

He is **sound** asleep. (固定说法中用 sound)

He is sleeping **soundly**. (soundly 用法较灵活)

18 short

a **short** speech 简洁的发言　　　　a **short** temper 爱要脾气

take a **short** cut 走近路　　　　　　Maddy for **short** 简称 Maddy

be **short** of humour 缺少幽默感　　　　　be a year **short** of fifty 差一年满50岁

be **short** with sb. 对某人粗鲁/无情无义　　short of robbery/murder 除了抢劫/杀人外

the shop giving **short** weight 骗秤头的商店　　fall **short** of one's expectations 未达到所期望的目标

be **short** of sleep/men/money 睡眠不足/缺少人手/缺钱

He wanted to cut **short** the lecture. 他想缩短讲演的内容。

Don't tell Henry **short**. 不要小看亨利。

He stopped **short**. 他突然停了下来。

19 right

answer **right** 回答正确　　　　　　　　the **right** side of the street 街道的右边

a **right** decision 正确的决定　　　　　　the **right** person for the work 做这项工作的合适人选

The hotel is **right** on the beach. 旅馆就坐落在海滨。

The pistol's **right** there near the bed. 手枪恰好在床边。

The ball hit him **right** on the nose. 球正打在他的鼻子上。

The party began **right** after her arrival. 她一到晚会就开始了。

Turn **right** at the corner. 在拐角处朝右转。

Things done by halves are not done **right**. 做事马马虎虎不会做得完美。

20 pretty

a **pretty** garden 漂亮的庭院　　　　　　a **pretty** face 姣美的面容

pretty music 动听的音乐　　　　　　　a **pretty** boy 清秀而有气质的男孩

a **pretty** state of affairs/a **pretty** mess 一团糟

▶▶▶ 作副词用时,pretty 作 quite, rather 解,参阅上文。再如:

I'm **pretty** certain she enjoys it. 我确信她喜欢它的。

She is **pretty** well. 她身体很好。

21 loud

a **loud** voice 嗓音洪亮　　　**loud** music 吵人的音乐　　　a **loud** denial 断然的否认

He is thinking out **loud**. 他一边想着,一边自言自语地说着。

She laughed out **loud** at the thought. 那个念头使她不禁大笑起来。

【提示】在同 laugh, shout, speak, talk 连用时,一般用 loud,较少用 loudly。

22 just

a **just** price 公平的价格　　　a **just** man 公正/正直的人　　　a **just** reward 正当的报酬

just suspicions 有理由的怀疑　　　**just** weights 精确的砝码　　　a **just** claim 正当的要求

She had **just** moved in. 她刚刚搬进来。(a very short time ago)

That is **just** what l wanted to hear. 那正是我要听的。(exactly, precisely)

He **just** caught the train. 他正好赶上那班火车。(barely)

She **just** passed the exam. 她考试刚及格。(almost not)

Isn't that **just** wonderful! 那真是太妙了!(very, completely)

The telephone rang **just** as he entered the room. 电话就在他进房间时响了。(at this/that very moment)

▶▶▶ justly 意为"正义地,公正地"。例如:

I believe l have acted **justly**. 我相信我的行为是正当的。

He was **justly** punished for the crime. 他的罪行受到了应有的惩罚。

23 fair

fair dealings 公平交易　　**fair** play 公正的竞争　　make a **fair** copy 誊清　　a **fair** decision 公平的决定

We can trust him to play **fair**. 我们可以相信,他是会遵守规则的。

He told me **fair** and square what his position was. 他直截了当地把他的立场告诉了我。

They settled the quarrel **fair** and square. 他们公平合理地解决了这一争端。

【提示】在固定词组 play fair, fight fair, fair and square 中用 fair,其他场合一般用 fairly。例如:

He was **fairly** treated. 他受到了公正的对待。

She is a **fairly** good singer. 她是个不错的歌手。（quite，rather）

He acts **fairly** by all men. 他对谁都一视同仁。

24 clear

a **clear** conscience 良心清白　　　a **clear** mind 清晰的头脑　　make **clear** sth. 阐明某事

a **clear** voice 清亮的声音　　　　a **clear** color 鲜亮的颜色　　the **clear** weather 晴好的天气

a **clear** afternoon 空闲的下午　　make oneself **clear** 把……说清楚

clear morning air 清新的晨间空气　　be **clear** of the ground 离开地面

get a **clear** hundred from the deal 那次交易净收入 100 元

The children were asked to stay **clear** of the fire. 孩子们被告知离火远一点。（not touching）

The man threw her **clear** on the floor. 那人一下子把她摔倒在地板上。（完全地）

What is important is not to keep **clear** of the difficulties，but to face them. 重要的不是逃避困难，而是正视它们。（隔开）

▶▶ clearly 也是副词，意为 distinctly，obviously。例如：

I haven't really ever thought **clearly** about this division. 对这个决定我还没有想清楚。（清楚地）

Clearly，they've got to define their policies. 显然，他们得解释其政策。（显然）

25 easy

an **easy** job 轻松的工作　**easy** life 舒适的生活　be **easy** on the ear 悦耳　an **easy** pace 从容的步态

▶▶ 在一些习语中，常用 easy 作副词代替 easily。例如：

Easy come，**easy** go. 来得容易去得快。

Easier said than done. 做比说难。

Take it **easy**. You'll recover soon. 别急，你不久就会康复的。

Go **easy** on the salt，it's bad for your heart. 盐对心脏不好，少吃点。

Go **easy** on him for a while，he's got a lot of family problems. 暂且饶了他，他有很多家庭问题。

26 early

an **early** bus 早班公共汽车，have an **early** breakfast 吃了一顿较早的早饭

She always goes to bed **early** and gets up **early**. 她总是早睡早起。

She is an **early** riser. 她是个早起的人。

She arrived **early**. 她到得早。

27 ill

He behaved **ill**. 他举止失当。

Ill news runs apace. 恶事传千里。

She never spoke **ill** of others behind their backs. 她从不在背后说人家的坏话。

28 little

He had **little** spare time. 他很少有空闲时间。

He rests too **little**. 他休息得很少。

She **little** knows that the police were after her. 她一点也不知道警察在追缉她。（＝not all all）

29 much

She wasted **much** money that way. 她那样浪费了许多钱。

They did not talk **much**. 他们谈得不多。

30 only

He was the **only** man present. 他是唯一在场的人。

I can **only** stay a little while. 我只能待一会儿。

31 half

I haven't said **half** the things I wanted to say. 我的话还没说一半。

The house is **half** empty. 这房屋一半空着。

I didn't **half** like it. 我非常喜欢它。

32 long

live **long** 活得长　　　　a **long** walk 长时间的散步　　　　a **long** memory 长久的记忆

wait **long** 长久等待　　　　**long**-awaited chances 期待已久的机会

33 enough

enough proof 充足的证据　　be old **enough** to understand sth. 年龄足够大能理解某事

34 far

be **far** from 远离　　　　**far** gone 远去　　　　　　　　thus **far** 至今

see **far** 看得远　　　　a man of **far** sight 有远见的人

at the **far** end of the room 在房间的尽头　　　look **far** into the future 看到遥远的未来

35 close

close friends 密友　　　**close** relatives 近亲　　　in **close** contact with 与……联系密切

stand **close** together 紧靠着站在一起　　live **close** by the woods 住在森林附近

36 wrong

be in the **wrong** 错了　　　a **wrong** choice 错误的选择　　　　go **wrong** 出错

▶▶▶ 在动词后面,可用 wrong 代替 wrongly,但在动词前只用 wrongly,如:guess **wrong/wrongly** 猜错。

I **wrongly** believed her. 我错误地相信了她。

He was **wrongly** accused. 他被诬告。

37 last

the **last** meeting 上次会议,the **last** chapter 最后一章

He came **last**. 他最后到的。

I **last** had a cigarette six years ago. 我最后一次吸烟是六年前。

38 through

go **through** 通过　　　　wet **through** 湿透了　　　　a **through** train 直达列车

be **through** with drugs 戒毒　　think it **through** 彻底想一想　　cooked **through** 完全煮好了

39 past

past experience 过去的经验　　the **past** month 过去的那一个月　　walk **past** 走过去　　run **past** 跑过去

40 farther

walk **farther** 走得更远　　　drift **farther** 漂得更远　　　　**farther** south 更南的地方

on the **farther** side 在远处那边　　at the **farther** end of the hall 在大厅的那头

41 firm

a **firm** grip 紧紧抓住　　　hold **firm** 紧紧抓住　　　　　stand **firm** 坚持下去

a **firm** belief 坚定的信念　　　**firm** leadership 强有力的领导

42 further

further questions 更多的问题　　　a **further** five minutes 再多五分钟

until **further** notice 直至另外通知　　walk **further** 继续步行

sink **further** into debt 债台越筑越高

43 inside

inside information 内部情报　　the **inside** story 内幕　　go **inside** 进去　　stay **inside** 待在里面

44 better

do **better** 做得更好　　　　speak **better** 说得更好　　　be **better** known 更出名

a **better** salary 更高的薪水　　a **better** way 更好的办法

a **better**-quality car 质量更好的汽车

45 cheap

cheap wine 低价劣质酒　　　buy it **cheap** 买得便宜　　　a **cheap** leather coat 便宜的皮衣

sell the furniture **cheap** 家具卖得便宜

46 dear

a **dear** friend 亲密的朋友　　　a **dear** banquet 费用高昂的宴会　　　sell it **dear** 高价出售

47 duty-free

duty-free cigarettes 免税香烟   **duty-free** shop 免税商店   buy it **duty-free** 免税购买

48 extra

extra cost 另外的费用   **extra** blanket 多余的毯子   charge **extra** 额外收费

earn **extra** 额外收入   work **extra** 格外用功   **extra** three meters 再加三米

49 deep

be buried **deep** 被深埋   drink **deep** 痛饮   work **deep** into the night 工作到深夜

At this point the lake is eighty metres **deep**. 此处湖水深达 80 米。

Susan's parents regarded him with **deep** suspicion. 苏珊的父母对他很是怀疑。

Carl was looking **deep** into her eyes. 卡尔深情地凝望着她的眼睛。

I stood **deep** in the crowd. 我站在人堆里。

He can see **deep** into the future. 他能预见遥远的未来。

50 great

a **great** friend 挚友   a **great** beauty 大美人   a **great** decision 重大决定

great patience 极大的耐心   a **great** big fool 十足的大傻瓜

I think you did **great**. 我想你处理得很好。(很好地)

Look，you did **great**. 瞧,你干得很出色。(出色地)

51 big

a **big** river 大河   **big** news 重大新闻   **big** talk 大话

eat a **big** dinner 饱餐一顿   a **big** decision 重大决定

You should take your defeat **big**. 你应该败而不馁。

He ate **big** at noon. 他中午吃得很多。(大量地)

He paid **big**. 他付出了很大代价。(很大地)

The man acted **big**. 那人举止傲慢。

Her new novel sells **big**. 她的那部新小说很畅销。(成功地)

Robert thought **big**. 罗伯特想干一番事业。(怀着雄心)

The man talked **big**. 那人吹牛。

11. 同根形容词和副词

1 eager 表示"着急的"，eagerly 表示"急切地"

He looked **eager**. 他看上去很着急。

He looked **eagerly** out of the window. 他急切地向窗外看。

2 open 表示"开着(的)"，openly 表示"公开地,公然地"

The thief forced the window **open**. 小偷把窗户撬开了。

The thief forced the window **openly**. 小偷竟公然撬窗户。

3 loose 表示"松(开)的"，loosely 表示"灵活地"

The chains worked **loose**. 链条松开了。

The chains worked **loosely**. 链条转动很灵活。

12. any 和 some 等可以用作副词

有些不定代词和指示代词也可用作副词。any 用作副词时,相当于 at all,常用于疑问句、条件句和否定句中;some 用作副词时,相当于 to some extent,常用于肯定句。例如:

That didn't help her **any**. 那对她没有任何帮助。

Did he work **any** last night? 他昨晚做什么工作了吗?

Does our talk disturb you **any**? 我们的谈话对你有什么妨碍吗?

My experience in doing the work helped me **some**. 我做这项工作的经验对我有些帮助。

The patient's condition has improved **some**. 病人的情况有些好转了。

I'll buy it if it is **any** good. 如果有用我就买。

The water is **none** too hot. 水一点也不热。

It **something** surprised her. 这使她有些吃惊。（＝somewhat）

He cares **nothing** for the slander. 他对诽谤毫不在意。（＝not at all）

She slept **none** the whole night. 她整夜都没睡。（＝never）

The story is **that** interesting. 故事非常有趣。（＝so）

She has **some** fifty dollars. 她约有 50 美元。（＝about）

I like baseball **some**. 我有些喜欢棒球运动。

三、功能

1. 作状语，修饰动词、形容词、副词、介词（短语）、数词、代词、前置限定词、连词或整个句子

He runs **fast**. 他跑得快。

The book is **very** interesting. 这本书很有趣。

The bus came **quite** early. 公共汽车来得很早。

White clouds sailed **gently** in the sky. 天上的白云缓缓地飘着。

A dog barked **continuously**. 一条狗时断时续地叫个不停。

She left **shortly** after the meeting. 会议刚结束她就走了。（修饰介词）

He is **much** against the proposal. 他坚决反对这项计划。（修饰介词）

She failed **entirely** through her own fault. 她的失败完全是由自己的失误造成的。（修饰介词）

It is **near** by the bridge. 它就在离桥很近的地方。（修饰介词）

He lives **far** beyond the tower. 他住在那座塔过去很远的地方。（修饰介词）

He fell ill **mainly** because he ate too much. 他病了，主要是因为吃得太多。（修饰连词）

I heard of her **long** before I met her. 在见到她之前，我很早就听说过她。（修饰连词）

They caught him **exactly** when he got off the bus. 他刚下车就被他们抓住了。（修饰连词）

Happily，he was not in the house then. 幸运的是，他当时不在那所房子里。（修饰句子）

Frankly，I don't agree with you. 说实话，我不同意你的意见。（修饰句子）

2. 作表语

表示位置的副词作表语时说明主语的状态或特征（above，across，inside，upstairs 等）；表示动作方向的副词作表语时具有动作意义（up，down，on，in，off，out 等）；时间副词 afterwards，tomorrow 等可作表语；well off，up to 等副词短语可作表语；还有一些其他副词也可作表语。例如：

Time is **up**. 时间到了。（指结束的时间）

The book will be **out** soon. 这本书不久就要出版了。

Spring is **in**. 春天来了。

Jack was **down** with a fever. 杰克因发烧卧床。

The meal was **afterwards**. 吃饭在后。

The Democratic Party is now **in**. 共和党在执政。

Is the fire still **in**? 火还在烧吗？

Oranges are now **in**. 橘子已经上市了。

Is the TV **on**? 电视机开着吗？

A new film is **in**. 一部新影片正在上映。

The Conservative Party is **out**. 保守党下台了。

This kind of cap is **out**. 这种帽子已经不流行了。

What's **up**? 发生了什么事？

He was **up** late last night. 他昨晚睡得很迟。

The gas is **off**. 煤气关上了。

The village is ten miles **off**. 那个村庄在 10 英里之外。

One of the types is **down**. 一只轮胎没气了。

The cream is **off**. 奶油变质了。

You are **off** on that point. 在那一点上你错了。

The meeting will be **tomorrow**. 明天开会。

Her son is **abroad**. 她儿子在国外。

When is your leave **up**? 你休假什么时候到期?

This train is **up**. 这趟列车是北上的。

What is she **about** now? 她现在忙什么?

Frank will be **by** later. 晚些时候弗兰克会经过这里。

The tide is **in**. 涨潮了。

The streetlights are **in**. 街灯亮着。

The roses are **out**. 玫瑰花开了。

The suggestion is **out**. 这个建议是难以实现的。

He was fifty *yuan* **out** in his accounts. 他账上有 50 元差错。

This magazine should be **back** in its old place. 这本杂志应放回原处。

When dad died, our life together was **over**. 爸爸去世了,我们的共同生活就完结了。

The cruel man is **up to** anything. 那个残忍的人是什么都能干得出的。

When you are **down**, you are not necessarily **out**. 当你遇到挫折,并不一定就失去了成功的机会。

I was **up** the next morning before the October sunrise, and **away** through the wild and woodland. 第二天清晨,在 10 月的太阳升起之前,我已经起身,并穿过旷野和丛林。

Robert is never **behind** in his work. 罗伯特做事从不拖拉。

Her office is just **above**. 她的办公室就在上面。

The meeting is **on**. 会议开始了。

The football match is **off**. 足球赛取消了。

Is the water **off**? 自来水关上了吗?

Michael is **through** with his girl friend. 迈克尔与女朋友断绝关系了。

The unemployment rate is **down**. 失业率下降了。

Is there any money **over**? 还有余钱吗?

I'm usually **up** at six in the morning. 我早晨通常 6 点钟起床。

Professor Smith is **up** in English poetry. 史密斯教授精通英语诗歌。

The price is **up** again. 物价又上涨了。

Our winter vacation is **up**. 我们的寒假结束了。

【提示】上面例句中作表语的某些副词,如 up 等,有些英语词典看作形容词。

3. 作定语,修饰名词

副词修饰名词作定语时,常放在名词后,作后置修饰语。例如:

The buildings **around** are of modern style. 周围的建筑具有现代风格。

The students **there** are from France. 那边的那些学生来自法国。

I met her on my way **home**. 我在回家的路上遇见了她。

This is my first day **off**. 这是我休假的第一天。

I saw her the week **before**. 我前一周见到她的。

Her life **abroad** was colorful. 她在国外的生活丰富多彩。

She looked at the lamp **above**. 她看着上面的灯。

▶▶▶ 副词也可作前置修饰语。例如:

He is regarded as **rather** a fool. 他被看成是个大傻瓜。(＝rather foolish)

The **up** train leaves at eight. 北上的列车 8 点钟出发。(＝train that goes up)

We had **quite** a party. 我们玩得很开心。

【提示】

① 副词 only, almost, nearly 等可用于修饰代词,置于代词前,应看作状语。例如:

　　Only she is able to afford a car like that. 只有她能买得起那样的车。

② 副词作定语时,有时出现在 with 和另一名词之间。例如:

The whole summer went past with **scarcely** a drop of rain. 整个夏天过去了，几乎没下一滴雨。

The room was in disorder, with **here** bottles, **there** books. 房间乱糟糟的，到处是瓶子和书籍。

Vast lawns extended like sheets of vivid green, with **here and there** clumps of gigantic trees, heaping up with rich piles of foliage. 草坪宽阔，宛如绿茵，大树参天，互相簇拥，点缀其间，浓荫匝地。

4. 作介词宾语和宾语补足语

某些表示位置的副词可以在 over, out, up, under, from, in, near, on, around, down, along 等后作介词宾语；某些时间副词可以在 by, from, except, before, after, till, since 等后作介词宾语；副词还可作及物动词的宾语补足语或介词 with 和 without 的宾语补足语。例如：

You can leave the goods anywhere **but here**. 你把货物放在哪里都行，但就是不能放在这里。

She looked everywhere **except there**. 她哪儿都找了，就那边没找。

I did not know her **until quite recently**. 我直到最近才认识她的。

It was a quiet night, **with the moon high up** in the sky. 那是一个寂静的夜晚，月亮高悬天幕。

The woman walked along the river **with her head down**. 那女人低着头，沿着河边走着。

Please ask her **in**. 请让她进来。

I went to her room only to find her **out**. 我到她的房间去，却发现她出去了。

【提示】少数副词亦可作动词的宾语。例如：

see **above** 见上文   consult **below** 参阅下文

see **over** 见下文   see **below** for reference 参见下文

5. 作主语

在谓语部分为 does it 的句子中，副词 carefully, slowly 等可作主语。例如：

Carefully does it. 小心就行。

Slowly does it. 慢点就行。

四、位置

1. 程度副词一般放在被修饰的动词、形容词或副词前面

如果实义动词前有情态动词或助动词，程度副词要放在二者之间；如果是 be 动词，程度副词要放于其后。常用的这类词有：just, too, fairly, nearly, awfully, frightfully (= very), utterly, enormously, slightly, exactly, absolutely, perfectly, thoroughly, scarcely, hardly, almost, quite, extremely, completely, deeply, greatly, hardly, definitely, partly, terribly, considerably, comfortably, dreadfully, little, rather, so, very, much 等。例如：

I am **very** happy to be with you. 和你在一起我很愉快。（修饰形容词）

He speaks English **pretty** well. 他的英语说得相当好。（修饰副词）

He **nearly** got run over by a car. 他差点儿被车轧到了。（行为动词前）

I can **hardly** believe what he said. 我很难相信他的话。（情态动词和实义动词之间）

He is **terribly** sorry for his misdeeds. 他为自己的不端行为而深深懊悔。（be 动词后）

She will be **deeply** grateful to you. 她将对你大为感激。

He's very **widely** read. 他博览群书。

She's **fully** satisfied with the present arrangement. 她对目前的安排完全满意。

I would **greatly** appreciate your help. 我十分感激你的帮助。

That **considerably** added to our difficulties. 那极大地增加了我们的困难。

I don't **much** like the film. 我不太喜欢这部电影。

It doesn't **much** matter. 这没有多大关系。

He is **sufficiently** skillful. 他技艺娴熟。

That is **much** the best. 那是再好不过了。

She's **awfully** depressed. 她极为沮丧。

I **half** expected this would happen. 我有些期望这会发生。

This box is **fairly** light. 这个盒子相当轻。

The book is **remarkably** easy. 这本书容易得很。

The room is **comfortably** warm. 这个房间温暖舒适。

It is **dreadfully** cold today. 今天冷得要命。

She ran **incredibly** fast. 她跑得飞快。

I **little** know that he is your father. 我根本不知道他是你父亲。

▶▶▶ quite 同否定词连用时,位于 not 前后意义不同。例如:

I **quite don't** understand him. 我完全不了解他。

I **don't quite** understand him. 我不是很了解他。

We **quite didn't** believe Jim. 我们非常不相信吉姆。

We **didn't quite** believe Jim. 我们有点不相信吉姆。

【提示】

① 副词及被修饰的副词不能同时都以-ly 结尾,以避免语音上的不和谐。例如:

不说:She walked **terribly slowly**.

要说:She walked **terribly slow**. 她走路慢得出奇。

② really, particularly, extremely, awfully, terribly, frightfully, utterly 等常用来替代 very,表示强调。例如:

It's **awfully** cold in here. 这儿非常冷。

She bloomed into an **utterly** beautiful creature. 她出落成一个绝顶美丽的女子。

2. 频率副词通常放在行为动词前

当句中有情态动词、助动词或 be 动词时,频率副词(又称为频度副词)放在这类动词后,常用的有:ever, rarely, often, sometimes, seldom, never, constantly, frequently, occasionally, always, usually 等。例如:

I **often** see her walk in the park. 我常看见她在公园里散步。(行为动词前)

We must **always** remember this. 我们必须永远记住这一点。(情态动词后)

He has **never** been late. 他从不迟到。(助动词后)

She is **seldom** late. 她很少迟到。(be 动词后)

I have **rarely** seen such a beautiful sunset. 我很少看到这么美的落日。

I have **sometimes** thought that I should like to live in the country. 我有时候想去乡间居住。

I'll **never** forget what my mother said. 我永远不会忘记母亲的话。

Women **usually** live longer than men. 女人通常比男人长寿。

【提示】

① still, almost, nearly, never, already, just, always 等程度副词或频率副词可以放在 be, have,助动词和情态动词之前,表示强调,要重读,但被强调的不是 still 等副词,而是 be, have,助动词或情态动词。例如:

He **never** can understand it. 他永远也不能理解这一点的。

She **already** has done her best. 她已经尽了最大努力。

He **really** is unaware of it. 他的确不知晓这件事。

Jane **still** is in the shoe factory. 简还在鞋厂工作。

He **always** has been prudent, and **always** will be. 他一向谨慎,将一如既往。

② 某些频率副词可以放在句首或句尾表示强调。例如:

You won't see her **often**. 你不会常见到她的。

Often I did not see Papa until the evening. 我常常到晚上才见到爸爸。

Sometimes I stay late in the library. 我有时候在图书馆待到很晚。

I'll love you **always**. 我将永远爱你。

③ 当程度副词和频率副词在句中同时出现时,通常是程度副词修饰频率副词。例如:

They **nearly always** spend their holidays in the mountains. 他们几乎总是在山里度假。

3. 方式副词一般放在动词后

1️⃣ 遇到"动词＋介词＋宾语"结构时,方式副词既可置于介词前,也可置于宾语后;在"动词＋宾语"结构中,放在宾语后。常用的有:fast, quickly, quietly, slowly, carefully, angrily, well 等

The girl danced **beautifully**. 姑娘的舞姿很美。

She speaks French **well**. 她的法语说得很好。

He looked at her **angrily**. 他怒视着她。
He looked **angrily** at her.

2️⃣ 在"动词＋宾语"结构中,如果宾语较长,常把副词置于动词之前,以免造成歧义

They **secretly** decided to leave the town. 他们秘密决定离开小镇。("决定"是秘密的)
They decided to leave the town **secretly**. 他们决定秘密地离开小镇。("离开"这一行动是秘密的)

3️⃣ slowly, hurriedly, gladly, loudly, suddenly, quietly, stupidly 等方式副词可置于行为动词前

He **hurriedly** dressed and opened the door. 他匆忙穿上衣服,开了门。

She **slowly** realized the importance of the paper. 她慢慢意识到了这篇论文的重要性。

Wood **suddenly** awoke from a nightmare. 伍德突然从噩梦中醒来。

He **flatly** refused my request. 他断然拒绝了我的要求。

The teacher **quietly** walked into the classroom. 老师静静地走进教室。

He **gladly** accepted the gift. 他高兴地接受了礼物。

I **stupidly** forgot my umbrella and ended up getting soaked. 我糊涂得忘了带雨伞,结果淋得浑身都湿透了。

4️⃣ 某些方式副词放在动词前和放在动词后具有不同的含义

He answered the question **foolishly**. 他的回答是愚蠢的。(不着边际)
He **foolishly** answered the question. 他愚蠢地回答了问题。(意即:他不该回答这个问题)
He behaved **foolishly** at the party. 他在晚会上表现不佳。

The letter was **happily** phrased. 这封信措辞妥当。
I **happily** go for you. 我很荣幸替你走一趟。
We could not **happily** have remained ignorant forever. 我们不能心甘情愿地永远无知。
Happily, the accident was prevented. 这起事故幸好避免了。(评注性副词)
Happily, her injuries were not serious. 幸好,她的伤并不重。

We were then living there **quietly**. 那时我们在那里生活得很安宁。
We were then **quietly** living there. 那时我们安宁地住在那里。

5️⃣ 人、动物或事物有各种各样的行为或变化,需要用不同的方式副词来加以表述

(1) 方式副词→表示状况、状貌。例如:

She danced **gracefully**. 她的舞姿优美。

He refused her demand **politely**. 他有礼貌地拒绝了她的请求。

▶▶▶ 这类副词常用的还有:bravely, quietly, rudely, quickly, fast, well, loudly, humbly, publicly, carefully, violently, formally, skillfully, conscientiously, violently, perfectly, badly, strikingly 令人注目地, graciously 谦和地, casually 漫不经心地, courteously 谦恭地, surprisingly 令人惊讶地, thoroughly 彻底地, gently 文雅的, 等。

(2) 方式副词→表示情感、意愿。例如:

He flung the book on the floor **angrily**. 他气愤地把书扔在地板上。

She didn't do it **purposely**. 她不是故意那样做的。

▶▶▶ 这类副词常用的还有:merrily, warmly, mildly, coldly, gratefully, excitedly, proudly, sadly, calmly, fervently 热烈地, resentfully 愤恨地, willingly, unwillingly, deliberately 含蓄地, contentedly, cordially 真诚地, nervously 不安地, intentionally 有意地, unintentionally 无意地, willfully 故意地, bitterly 悲痛地, determinedly 决意地, delightedly 高兴地, encouragingly 鼓励地, voluntarily 自愿地,等。

(3) 方式副词→表示方法、手段。例如:

He got the money **illegally**. 他以非法手段弄钱。

She told him the news **telegraphically**. 她用电报把这消息告诉他。

（4）某些方式副词可以放在句首,表示强调。例如:

Merrily the kettle is boiling away on the fire. 壶中的水在火炉上欢快地沸腾着。

Slowly faith came back to her. 慢慢地,她又有了信心。

▶▶▶ 这类副词常用的还有:legally 法律上, medically 用医疗手段, microscopically 用显微镜, telescopically 用望远镜, surgically 用外科手术,等。

4. 逻辑连接副词和评注性副词

这两类副词通常位于句首,有时也位于句中或句尾。

1 逻辑连接副词

She was tired out; **accordingly**, we sent her to bed. 她太累了,于是,我们就让她上床歇着。

The composition is all right; there is room for improvement, **however**. 文章不错,但仍有改进的余地。

▶▶▶ 这类副词常用的有:however, otherwise, consequently, namely, nevertheless, accordingly, again, altogether, anyway, correspondingly, conversely, equally, furthermore, hence, meanwhile, moreover, nonetheless, overall, still, thus 等。

2 评注性副词→表示推断

Rightly, he refused her offer. 他拒绝了她的请求,这是对的。

He **wisely** took his friend's advice. 他明智地采纳了朋友的建议。

Seemingly, he is very honest. 他看来很诚实。

Reputedly, the committee has spent over $50,000 on the project. 据说,委员会在这个项目上花了 50 000 多美元。

▶▶▶ 这类副词既修饰全句,也修饰主语,常用的有:artfully, cleverly, correctly, justly, cunningly, incorrectly, reasonably, sensibly, unreasonably, shrewdly, unwisely, prudently, rightly, wisely, supposedly, reputedly 等。

3 评注性副词→表示怀疑或不怀疑、真实或非真实

Obviously, he tried to pervert the truth. 显然,他试图歪曲事实。

She can **possibly** do it all by herself. 她也许能够独自做这件事。

Actually, he is an ideal teacher. 实际上,他是一位理想的老师。

He is **nominally** in charge of the company. 他名义上负责这家公司。

He is **undoubtedly** the greatest musician of the country. 毫无疑问,他是该国最伟大的音乐家。

▶▶▶ 这类副词常用的有:likely, possibly, maybe, conceivably, doubtless, seemingly, arguably, allegedly, supposedly, obviously, undoubtedly, plainly, clearly, manifestly, definitely, certainly, undeniably, decidedly, admittedly, actually, nominally, formally, officially, outwardly, superficially, ostensibly, fundamentally, essentially, basically, naturally, undoubtingly, trustfully 等。

4 评注性副词→表示情感或方式

Confidentially, he is not qualified for the job. 私下说说,他做这项工作不称职。

Unfortunately, it rained hard the whole day. 可惜,那天下了一天的雨。

Luckily, nobody saw her at the moment. 幸运的是,当时没有人看见她。

Thankfully, the hailstones are not enough in numbers or in size to do real damage. 谢天谢地,冰雹个头不大,数量也不多,还不足以造成什么损害。

▶▶▶ 这类副词常用的有:briefly, seriously, honestly, frankly, flatly, candidly, interestingly, amazingly, avowedly 坦白地说, hopefully, privately, bluntly, broadly, roughly, simply, confidentially, unfortunately, funnily, remarkably, curiously, inevitably, unexpectedly, incredibly, regrettably, annoyingly, happily, sadly, luckily, tragically, understandably, preferably, amusingly, thankfully, conveniently, significantly, fortunately 等。

5 评注性副词→表示方面

He's weak **mentally**. 他弱智。

He felt **spiritually** barren. 他精神空虚。

Your argument is **theoretically** sound. 你的论点从理论上讲是站得住的。

He is only in charge **theoretically**. 只是从理论上讲是他负责。

Technically, the pianist gave a very good performance. 从技术上讲,这位钢琴家的演奏很出色。

He's all right **physically**, but he's still very confused. 他身体并没有问题,但脑子仍然十分糊涂。

Despise the enemy **strategically**, but take him seriously **tactically**. 在战略上藐视敌人,在战术上重视敌人。

Boys mature more slowly than girls, both **physically** and **psychologically**. 男孩子比女孩子成熟要慢,无论从生理上和心理上都是这样。

Personally, I don't like the picture. 我个人并不喜欢这幅画。

Generally speaking, it is worth reading. 总的来讲,它值得一读。

▶▶ 这类副词常用的有:personally, generally, literally, figuratively, technically, theoretically, financially, metaphorically, generally speaking, strictly speaking, broadly speaking 等。

【提示】

① 有些评注性副词,既可以修饰整个句子,也可以修饰某一个具体的词,应加以区别。例如:

Clearly she didn't understand what you mean. 很明显,她并没有理解你的意思。(修饰整个句子)

We could see the distant hills **clearly**. 我们能够清楚地看见远山。(修饰谓语动词)

She **naturally** replied at once. 当然,她立即答复了。(修饰整个句子)

She replied **naturally**. 她回答得很自然。(修饰谓语动词)

② 有些评注性副词位置不同,则含义不同。比较:

Actually, he did not know it. 事实上,他不知道那件事。

He **actually** did not know it. 他确实不知道那件事。

Clearly, the situation is more complicated than we first thought. 很明显,局势比我们当初预想的复杂。(评注性副词)

Please speak **clearly**. 请说清楚点。(方式副词)

Naturally, I'll have to discuss this with my wife. 自然我得同我妻子商量一下这件事。

My hair is **naturally** curly. 我的头发生来就是卷的。

She is only in charge **theoretically**. 只是从理论上说,是她负责。

She is only **theoretically** in charge. 她只是在理论上负责。

③ 有些评注性副词表示主动意义,有些则表示被动意义。例如:

Allegedly he was caught shop-lifting in the supermarket. 据说他是在超市偷窃时被抓。

=It was alleged that he was caught shop-lifting in the supermarket. (被动意义)

Amazingly he is well read in the newest of the new books. 令人惊奇的是,他对最新出版的书都十分了解。

=It is amazing that he is well read in the newest of the new books. (主动意义)

▶▶ 形容词(短语)、分词短语、介词短语、不定式短语和句子也可用作评注性状语。这时,形容词(短语)、分词短语和不定式短语通常放在句首,用逗号隔开;句子则可放在句首或句尾,用逗号隔开,有时也可放在句中,用逗号隔开。例如:

To be sure, she is the best student in the class. 可以肯定地说,她是班上最好的学生。(不定式短语)

He is, **so to speak**, very suitable for the job. 可以这样说,他是很适合做这项工作的。(不定式短语)

Sure enough, it began to rain at noon. 果然,中午开始下雨了。(形容词短语)

Worse still, he let out the secret. 更糟的是,他泄露了秘密。(形容词短语)

Strange, the book is nowhere to be found. 真奇怪,那本书哪里也找不到。(形容词)

See you next week, **I hope**. 我希望下周见你。(句子)

The man, **I believe**, is reliable. 我相信那人是可靠的。(句子)

Putting it mildly, he isn't suited to be a teacher. 说得婉转些,他不适合当老师。(分词短语)

▶▶ 其他如:I admit, I think, who knows, they tell me, one hears, I'm sorry to say, I'm sure, it is claimed, God knows, I'm pleased/happy/delighted/glad to say, I fear, it pains me to say, it grieves me to say, there is no doubt, it may interest you to know, it is rumored, it is claimed, it is to be frank, calculating roughly, I'm afraid, in reality, in brief, of course, I dare say, speaking as a layman 说句外行话, as it happens 碰巧/恰好, if you please/like 如果你愿意/劳驾, what's more 而且, at it is/was 事实上, as it were 可以说, what's more serious 更严重的是, what's more important 更重要的是, I hope 我希望, I wonder 我想知道/我不知, you see 你瞧/要知道, in a word 总之, on the whole 总的来说, to be frank 坦率地说, interestingly enough 十分有趣的是,funnily enough 十分滑稽的是, to be honest 老实说, to be fair 公正地说, to tell the truth 说句实话, to be candid 直率地说, to sum up 总而言之, to be blunt with you 老实对你说, to put it bluntly 直截了当地说, to speak frankly 坦率地说,to be exact 准确地说, to make a long story short 长话短说, to make matters worse 更糟的是, strange to say 说来奇怪, worse still 更糟的是, even more important 更重要的是,most important of all 最重要的是, to one's delight/regret/amusement/vexation 使某人感到高兴/遗憾/有趣/恼火的是,等。

5. **时间副词,尤其是表示具体时间的副词,一般位于句首或句尾**

　　常用的有:finally, yet, still, now, soon, lately, shortly, then, recently, presently, already, before, early, late, today 等。某些这类词有时可位于句中(助动词、情态动词、be 动词后)。例如:

He will be back **tomorrow**. 他将明天回来。

Tomorrow I will go downtown. 明天我要进城去。

I've **long** been intending to call on you. 我早就打算拜访你的。

She hasn't **ever** spoken to him. 她从没同他说过话。

Last year they reaped the best harvest **ever**. 他们去年获得了前所未有的好收成。

Mr. Johnson will be with you **momentarily**.约翰逊先生马上就来见你。

The library is **temporally** closed for repair. 图书馆暂时关闭,以便维修。

The truth **finally** dawned on him. 他最终明白了真相。

After several delays we **finally** took off at ten o'clock. 几经耽搁后,我们终于在 10 点钟起飞了。

Finally, to my relief, she brought up the subject of money. 使我松一口气的是,她终于提出了钱的问题。

He wanted to climb to the top, but he **soon** abandoned the idea. 他本来想要爬上顶部,但很快就放弃了这个念头。(本句 soon 也可放在分句主语 he 前或句尾)

I have **lately** seen so little of her mother. 我最近很少见到她母亲。(本句 lately 也可放在句首或句尾)

She was **then** teaching in a middle school. 她当时在一所中学教书。(本句 then 也可放在句首或句尾)

Spring is here and the country is **now** beautiful. 春天到了,乡间景色很美。(本句 now 也可放在 the country 前或句尾)

6. **地点副词通常位于句尾或句首**

1 常用的有:away, abroad, downstairs, everywhere, outside, around, here, there, below, anywhere, somewhere, near, far, up, down 等

The children are playing **upstairs**. 孩子们正在楼上玩。

Here the speaker paused for a while. 演讲人在这里停了一会儿。

2 由其他词或词组构成的地点状语亦可遵循上述原则

She is sitting **at the corner of the garden**. 她坐在公园的一角。

At the corner of the garden there was a very tall tree. 公园的角上有一棵很高的树。

3 几个地点状语连用时,大地方放在最后

She was always sitting **by the statue at the center of the park in the city**. 她总是坐在市内那个公园

中的雕塑旁。

【提示】地点副词修饰动词时,紧跟动词后,位于句中,这当然是正确的。例如:

He has looked **everywhere** for the book. 他到处找那本书。

7. 副词的排列次序

1 地点副词→时间副词,方式副词→时间副词,方式副词→地点副词→时间副词(有时时间副词亦可放在句首)

She sang <u>beautifully</u> <u>in the hall</u> <u>last night</u>. 她昨晚在大厅里唱得很动听。
　　　　方式　　　（地点）　　（时间）

<u>Yesterday</u>, they worked <u>very hard</u> <u>in the fields</u>. 他们昨天在田里辛勤劳作。
（时间）　　　　　　　　（方式）　　（地点）

The students did <u>well</u> <u>here</u> <u>yesterday</u>. 学生们昨天在这里干得很好。
　　　　　　　　方式　地点　　时间

But <u>yesterday</u> <u>because of the snow</u>, I didn't go climbing. 但昨天,由于下雪,我没有去爬山。
　　时间　　　　原因

<u>In order to walk out of the forest</u> <u>before dark</u>, he quickened his steps. 为了在天黑前走出森林,
　　　　　目的　　　　　　　时间

他加快了脚步。

He awoke <u>at midnight</u> <u>to find himself half buried in sand</u>. 他半夜醒来,发现自己半个身子埋在
　　　　时间　　　　　　结果

沙中。

The soldier died <u>in a moment</u> <u>without pain</u>. 那个士兵很快就毫无痛苦地死去了。
　　　　　　　时间　　　　方式

2 具体的→笼统的,小的→大的

I saw the program <u>at ten o'clock</u> <u>yesterday evening</u>. 我昨晚10点钟看了这个节目。
　　　　　　　确切的时间　　　笼统的时间

He is used to taking a walk <u>for an hour or so</u> <u>every day</u> <u>in the evening</u>. 他习惯于每天晚上散步
　　　　　　　　　　持续时间　　频度时间　某一时间

1个小时左右。

They ate <u>in a Chinese restaurant</u> <u>in London</u>. 他们在伦敦的一家中餐馆吃的饭。
　　　　小地点　　　　　大地点

▶▶▶ 但:We heard it **last night, at about 11 o'clock**. 我们昨天夜里听到那个消息的,在大约11点钟。

（补充,追想）

Tomorrow I shall meet you **at nine o'clock**. 明天,我9点钟见你。（强调）

3 run, go, drive+地点副词→方式副词→时间副词

He drove <u>to the bank</u> <u>hurriedly</u> <u>after lunch</u>. 他午饭后匆忙驾车去了银行。
　　　　地点　　　方式　　时间

A:What did the old man say? 老人说了什么。

B:He said he went upstairs **slowly every day**. 他说他每天上楼很慢。

▶▶▶ 另外,两个方式副词一起用时,通常是短的在前,长的在后。例如:

She spoke **slowly** and **sensibly**. 她说得慢而清楚。

8. enough, only 和 even 在句中的位置

1 enough 修饰形容词、副词或动词时,一般位于它们的后面

You will master the skill soon **enough**. 你很快就能掌握这门技术的。

The egg is not boiled **enough**. 这鸡蛋没煮透。

2 only 应紧靠它所修饰的词,不同的位置往往具有不同的意义

Only he lent the book to her. 只有他把书借给了她。（意即:别人没借给她）

He **only** lent the book to her. 他只是把书借给了她。（意即:不是把书送给她）

He lent the book to her **only**. 他把书只借给了她。（意即:没借给其他任何人）

Only I saw her. 只有我看见了她。

I **only** saw her. 我只看见了她。（没看见别人）

$\Big\{$ **Only** he could tell you what happened yesterday. 只有他能告诉你昨天所发生的事。

He could tell you **only** what happened yesterday. 他能告诉你的仅仅是昨天所发生的事。

He could tell you what happened **only** yesterday. 只是到了昨天,他才能告诉你所发生的事。

$\Big\{$ He is **only** a child. 他只是个孩子。

He is **only not** a child. 他简直是个孩子。(only not 表示"简直,几乎")

▶▶▶ 上述各句中的 only 词义本身虽没改变,但因其位置改变了,所限定的对象不同,因而影响到全句意思。再如:

Then why didn't you do it? 那么,你为什么不做呢?

First comes Henry, **then** Alfred. 先来的是亨利,接着是阿尔弗雷德。

I worked in a middle school **then**. 我当时在一所中学工作。

上述各句中的 then 分别居句首、句中和句末,词义也各不相同。

❸ even 应紧靠它所修饰的词,不同的位置往往具有不同的含义

Even the sun has spots. 太阳也有黑斑。

Even the youngest children enjoyed the concert. 甚至连小孩子也喜欢这场音乐会。

This morning she had not **even** come to see them off. 今天早晨,她甚至没来给他们送行。

She couldn't carry **even** her own parcel. 她甚至连自己的包裹都拿不动。

Her daughter is going to have problems finding a job **even** if she gets her A levels. 她女儿即使通过了高级水平考试,以后找工作也成问题。(even 也可修饰句子)

$\Big\{$ He didn't answer **even** my letter. 他甚至连我的信也不回复。

Even he didn't answer my letter. 甚至连他也不回复我的信。

$\Big\{$ She could carry **even** two. 甚至两个,她也能带走。

Even she could carry two. 甚至她也能带走两个。

$\Big\{$ **Even** she disagreed with you. 连她都不同意你的意见。(不要说别人了)

She **even** disagreed with you. 她甚至不同意你的意见。(更不用说支持你了)

9. the way ahead 和 the meal afterwards 中的副词位置问题

有些地点副词和时间副词可以后置修饰名词(参阅上文)。例如:

the way **ahead** 前方的路　　　　the direction **back** 向后的方向

the hall **downstairs** 楼下的大厅　　the trip **abroad** 去国外的旅行

his journey **home** 他回家的旅程　　the sentence **below** 下面的句子

the photo **above** 上面的照片　　　the man **there** 那边的男人

the stay **overnight** 过夜的逗留　　the neighbors **upstairs** 楼上的邻居

the meeting **yesterday** 昨天的会议

▶▶▶ 但 downstairs 等若前置修饰名词,就成了形容词。例如:

an **away** match 客场比赛

in **after** years 在后来的岁月里

the **above** sentence 上面的句子

the **downstairs** part of the house 房屋的楼下部分

a building with ten **upstairs** rooms 有 10 个楼上房间的楼房

10. He didn't actually sit next to her 中副词 actually 的位置和含义

副词修饰动词时,有时放在否定词 not 等之前,也可放在其后,但往往会引起全句句意的改变。另外,某些副词位置不同则含义不同。比较:

$\Big\{$ He didn't **actually** sit next to her. 他真的没有坐在她旁边。(＝It's not an actual fact that he sat next to her.)

He **actually** didn't sit next to her. 实际上,他没有坐在她旁边。(＝The actual fact is that he didn't sit next to her.)

$\Big\{$ He doesn't **definitely** want it. 他不一定想要它。(＝It's not definite that he wants it.)

He **definitely** doesn't want it. 他肯定不想要它。(＝It's definite that he doesn't want it.)

I don't **really** mind the heat. 我并不很在意热天。(＝I do mind，but not too much.)

I **really** don't mind the heat. 我根本不在意热天。(＝I don't mind at all.)

Bullying doesn't **necessarily** work.(＝Bullying doesn't always work.)

Bullying **necessarily** doesn't work. 胁迫从来就不起作用。(＝Bullying never works.)

Anyhow，she works. 不管怎样，她总算工作了。

He works **anyhow**. 他马马虎虎地工作。

Naturally，he spoke. 自然，他说话了。

He spoke **naturally**. 他说话很自然。(姿态)

Thank you **kindly**. 衷心地感谢你。(诚恳，礼貌)

Kindly close the door. 请把门关上。

She **foolishly** spoke. 她竟说了起来，实在不明智。

She spoke **foolishly**. 她把话说得很不明智。

Clearly，he misunderstood me. 很显然，他误解我了。

He didn't understand my meaning **clearly**. 他对我的意思理解得很不透彻。

I failed to **entirely** copy it. 我没能把它全部抄下来。

I **entirely** failed to copy it. 我完全没有把它抄下来。

He said **finally** that he won't do it. 他最后说，他不会做那件事。

He said he hoped **finally** to come to a conclusion. 他说，他希望最终能做出决定。

She didn't die **happily**. 她死得很惨。

Happily，she didn't die. 很幸运，她没有死。(相当于 fortunately)

He pushed the woman away **roughly** with rage. 他十分愤怒，把那个女人粗暴地推开了。

Roughly，he pushed the woman away with rage. 大致来说，他十分愤怒，把那个女人推开了。

I think he will handle the case **personally**. 我认为他会亲自处理那个案子。

Personally，I think he will handle the case. 就我个人而言，我认为他会处理那个案子的。

He told her everything **honestly**. 他把一切都诚实地告诉她了。

Honestly，he told her everything. 说实话，他把一切都告诉她了。

She was **altogether** pleased with her choice. 她对自己的选择十分满意。

Altogether，she was pleased with her choice. 总的来讲，她对自己的选择是满意的。

She spoke to the man **simply**. 她与那人简单地说了几句话。

She **simply** spoke to the man. 她只是与那人说了几句。

Students play volleyball **often**. 学生们经常打排球。

Often students play volleyball. 经常有学生打排球。

He played tennis **badly**. 他网球打得不好。

The house is **badly** in need of repair. 这所房子急需维修。

11. he seldom is 还是 he is seldom

在以 be，have，助动词，情态动词结尾的句子中，often，never，seldom，certainly，just，already，always，really，still，almost 等副词要放在 be，have，助动词，情态动词之前，不可放于其后。例如：

He is **seldom** late for class. 他上课很少迟到。

Yes，he **seldom** is. 是的，他很少迟到。

She has **already** finished writing the paper. 她已经写完了论文。

She **certainly** has. 她的确写完了。

She **still** worked there. 她还在那里工作。

She **still** did. 她还在。

五、副词的一些难点用法

1. just 和 just now

1 just 表示"恰好，刚才，只是"。不过，just 与现在完成时连用时才作"刚才"解。若与其他时态连用，

一般不作"刚才"解

It is **just** twelve o'clock. 刚好 12 点。（恰好，正好）

He is **just** a child. 他只是个孩子。（只是）

We have **just** tried an experiment. 我们刚才做了一项实验。（刚才）

② just now 用于过去时意为"刚才"

I saw him **just now**. 我刚才见过他。

The foreign guests arrived **just now**. 外宾刚到。

③ just now 与现在时连用时，表示对"now"的强调，意为"现在，此刻"

I am busy **just now**. 我此刻正忙。（此句比 I am busy now 的语气强）

2. much/still/even more 和 much/still/even less

much/still/even more 用于表示肯定意味的句子后，much/still/even less 用于表示否定意味的句子后。例如：

He knows little English，**much less** Spanish. 他不懂英语，更不用说西班牙语了。

The boy has to carry 50 *jin*，**much more** the adults. 连孩子都要背 50 斤，更不用说成人了。

3. fairly, quite, rather 和 pretty

① rather，fairly 和 quite 都有"相当，颇"的意思。fairly 主要用于修饰褒义或中性的形容词或副词，如：good, well, fine, nice, bravely, cold, hot, thick, thin 等。rather 主要用于修饰贬义的形容词或副词，如：bad, ugly, stupid, boring 等。quite 常修饰无比较级、最高级的形容词、副词，如：mistaken, dead, right, impossible 等，也修饰 good, bad, tall, recently, reasonable, funny, early, different, ridiculous, sure, happy, frankly, honestly, so, enough 等，还可用于下列结构中：**quite** the best 最好的，**quite** the worst 最糟的，**quite** the most interesting 最有趣的

Jim is **fairly** clever，but Jack is **rather** stupid. 吉姆相当聪明，而杰克却很笨。

Ann did **fairly** well in the exam，but I did **rather** badly. 安考得相当好，我却考得很差。

② 从分量上讲，fairly 最轻，说一部电影 fairly good 可能意为"勉强还可以看"。quite 在分量上比 fairly 稍强，说一部电影 quite good 则表示虽不是最佳影片但值得一看。rather 在分量上又重一些，说一部电影 rather good 则意为胜过多数影片。pretty 在分量上同 rather 差不多，多用于非正式文体。有些形容词为中性词，但用 fairly 或 rather 修饰便具有了褒贬色彩

She played the piano **fairly** well. 她钢琴弹得很好。（虽未达专业水平，但还过得去）

She played the piano **rather** well. 她钢琴弹得相当好。（比一般水平高，比预料的好）

The milk is **fairly** hot. 这牛奶热乎乎的。

The milk is **rather** hot. 这牛奶太烫了。

I **entirely** agree with you. 我完全赞同你。

He is **utterly** dissatisfied with the result. 他对结果极不满意。

▶▶▶ fairly 和 very 均不能用于比较级前；quite 可用于 better 前，但不用于其他比较级前。

4. perfectly, utterly, completely 和 entirely

perfectly 常修饰表示"合意，赞同，正确，自然"等的形容词。utterly 和 completely 常修饰表示"不合意，不赞同，错误，不自然"等的形容词。entirely 可修饰上述两类形容词。

utterly silly 傻透了

entirely satisfied 十分满意	**entirely** unjust 完全不公正
entirely unfit 完全不适合	**entirely** wrong 完全错了
perfectly clear 十分清楚	**perfectly** right 完全正确
perfectly true 完全正确	**perfectly** frank 十分坦率
perfectly calm 十分镇定	**perfectly** happy 非常幸福
perfectly clean 十分干净	**perfectly** sensible 非常明智
perfectly glorious 非常壮丽	**perfectly** correct 完全正确
utterly uninteresting 没有一点趣味	**utterly** miserable 十分悲惨
entirely hostile 十分敌视	**utterly** unreasonable 完全不合理

utterly unworthy of sb. 完全不配某人　　**completely** dissatisfied 非常不满意

completely disillusioned 理想完全破灭了　　**entirely**/**completely** different 完全不同

5. yet, still 和 already

1️⃣ yet 和 still 在句子中的位置不同。yet 位于句尾,常用于否定句和疑问句;still 位于 be 动词后或其他动词、形容词或副词前

He hasn't come **yet**. 他还没有来。

It is **still** dark outside. 外面仍是黑的。(＝up to now)

2️⃣ already 常用于肯定句,有时可用于疑问句(此时表示惊异)或 if 条件句中

I have **already** finished the letter. 我已经写完了信。

Have you finished the letter **already**? 你(竟)写完了信?(真没想到)

If she hasn't seen it **already**, she can come again. 如果她还没有见过它,她可以再来。

3️⃣ 此外,从意义上看,yet 表示"尚,还",带有期望的含意。still 表示"仍然",强调持续性。already 表示"已经",强调行为结果

Is Henry here **yet**? 亨利来了吗?(期待他的到来,但不知是否到了,故询问)

He may be successful **yet**. 他可能会成功的。(暗示虽然暂时失败了,但仍有成功的希望)

{There is **still** hope. 仍然有希望。(希望直到现在一直存在着)
{There is **yet** hope. 希望还是有的。(虽屡遭失败,但成功的希望还是有的)

4️⃣ 在疑问句中,用 already 时希望得到肯定的回答,而用 yet 时则不指望得到明确的答复。still 和 yet 还可同"be to＋动词"连用,强调将来意义,常有否定意义

The time is **yet** to come. 时机未到。

The hottest weather is **still** to come. 最热的天气还没到。(hasn't come)

{Has the ship left **yet**? 船开了吗?
{Has the ship left **already**? 难道船已经开了?

{Hasn't the ship left **yet**? 船还没开吗?
{Hasn't the ship left **already**? 难道船还没开?(应该开了)

6. hardly, barely, rarely 和 scarcely

这四个词意义相近,都是表示否定概念,但也有一些差别。

1️⃣ rarely 意为"难得,不常"(not often)

Rarely have I seen him smile. 我难得见到他笑。

She **rarely** stays up late. 她很少熬夜。

2️⃣ hardly 往往强调能力上有困难,意为"简直不,很难"

He can **hardly** jump over the fence. 他很难跳过那个栅栏。

She is so tired that she can **hardly** continue to write. 她很疲倦,难以继续写下去。

3️⃣ scarcely 往往强调不足,常同 enough, sufficient, any 等表示程度的词连用,意为"不太,几乎,简直没有"

He has **scarcely** any money left. 他几乎没有钱了。

He was **scarcely** well enough to stand up. 他身体不太好,还不能站起来。

4️⃣ barely 与 hardly 和 scarcely 意思相近,意为"几乎,勉强,仅能做到"

He can **barely** support his wife and three children. 他勉强能够养活妻子和三个孩子。

He had **barely** time to catch the train. 他差点没赶上公共汽车。

I hardly/barely/scarcely knew what to do then. 我当时几乎不知道该怎么办。

▶▶ 如果后面跟有 ever, any, at all 等词,只能用 hardly 或 scarcely,不能用 barely。例如:

There's **hardly any** coal left. 几乎没有煤剩下了。

He's **scarcely at all** interested in the book. 他对这本书几乎没有什么兴趣。

7. rather, rather than 和 rather … than

He's **rather a bore**. 他讨人厌。

It's **rather a good** book. ⎫
It's **a rather good** book. ⎬ 那是一本相当好的书。

1 rather 可以放在名词前,意为"相当,有几分"。若名词前没有形容词,rather 通常置于不定冠词前,若名词前有形容词,rather 可置于不定冠词的前面或后面,即"rather＋a/an＋形容词＋名词"或者"a＋rather＋形容词＋名词"。另外,rather 可以修饰某些动词,并可以用在比较级或 too 前

This tree is **rather taller** than that one. 这棵树比那棵树高一些。

Those shoes are **rather too** big for me. 那些鞋子我穿太大。

I **rather** like the book. 我很喜欢这本书。

2 rather than 用作连词,其后的成分表示否定概念,意为"与其……不如,宁可……而不,不是……而是",后面可以接名词、名词短语、介词短语、代词、形容词、副词、动词、不定式、动名词等

名词 ⎰ He is a writer **rather than a teacher**. 与其说他是教师,不如说他是作家。
　　 ⎱ She studied English literature **rather than French literature**. 她研究英国文学,而非法国文学。

代词 ⎰ We are to blame **rather than they**. 该受责备的是我们,不是他们。
　　 ⎱ I, **rather than you**, should take the responsibility. 该负责的是我,而不是你。

形容词 ⎰ The color seems green **rather than blue**. 这颜色似乎是蓝的,而不是绿的。
　　　 ⎱ He is generous **rather than stingy**. 他很慷慨,并不吝啬。

副词 ⎰ The ship sank quickly **rather than slowly**. 船沉得很快,而非很慢。
　　 ⎱ She usually gets up early **rather than late**. 她经常早起,而不是晚起。

动词 ⎧ He ran **rather than** walked. 他跑着,不是走着。(注意时态一致)
　　 ⎪ She wrote **rather than** telephoned. 她写了信,不是打了电话。(注意时态一致)
　　 ⎨ He resigned **rather than** took part in such a dishonest transaction. 他宁愿辞职,也不愿参加这种欺诈交易。
　　 ⎪ She found that the new measure decreased her workload **rather than** increased her workload. 她发现新的措施减轻了她的工作负担,而不是增加了她的工作负担。

不定式
(不带 to) ⎧ **Rather than** cause trouble, he went away. 他宁可走开而不愿惹麻烦。
　　 ⎨ **Rather than** allow the apples to go bad, he sold them at half price. 与其让这些苹果烂掉,他半价处理了。
　　 ⎩ **Rather than have** the radio repaired, she'd like to buy a new one. 与其修理那台收音机,她倒想去买一台新的。

不定式
(不带 to) ⎰ He wanted to swim **rather than** play volleyball. 他想去游泳,不想去打排球。
　　 ⎱ It caused people to think and act **rather than** just stand by. 它使得人们进行思考并且行动,而不是仅仅袖手旁观。

介词
短语 ⎧ They relied mainly on themselves **rather than** on outside help. 他们主要依靠自己,而不是依靠外界的帮助。
　　 ⎨ He went to the park in the evening **rather than** in the morning. 他不是在早上而是在晚上到公园里去。
　　 ⎩ I enjoy being on my own **rather than** in a relationship. 我喜欢独来独往,不喜欢结交朋友。

分词 ⎧ It is snowing **rather than** raining outside. 外面在下雪,不是在下雨。
　　 ⎨ She is laughing **rather than** crying. 她在笑,不是在哭。
　　 ⎩ He has been standing firm **rather than** surrendering. 他一直很坚定,不愿投降。

动名词 ⎧ **Rather than regretting** for the failure, why not try again? 与其为失败而后悔,为什么不再试一次呢?
　　 ⎨ **Rather than being** pessimistic, we should be optimistic. 我们应该乐观,而不应悲观。
　　 ⎩ He prefers going to bed early **rather than burning** the midnight oil. 他喜欢早睡,不喜欢熬夜。

句子 ⎰ It is what he meant **rather than** what he said. 这是他的意思,而话倒没这么讲。
　　 ⎱ He asked me how I found the hole **rather than how I escaped**. 他问我是怎样发现这个洞的,而不是问我怎样逃出来的。

【提示】

① rather than 后接不带 to 的不定式时,通常表示主观上不愿干什么;而后接限定的动词形式(过去式等)时,则表示客观情况的否定。比较:

He left **rather than live** with her. 他离开了,不愿同她住在一起。(主观愿望)

He left **rather than** lived with her. 他离开了,而不是同她住在一起。(客观事实)

② 有时候,rather than 后接不带 to 的不定式或动名词均可。例如:

You could go your own way, **rather than follow/following their footsteps.**

③ rather ... than ... 意为"宁愿……而不,与其说……还不如说",rather 后的成分表示肯定概念,than 后的成分表示否定概念。例如:

It is **rather** pleasant **than** tasteful. 与其说它文雅,不如说它赏心悦目。

I would **rather** you settle the problem in private **than** by law. 我宁愿你把这件事私下了结,而不要去诉诸法律。

He would **rather** remain obscure **than** get fame in such a despicable way. 他宁可默默无闻,也不愿意用这种可耻的手段去沽名钓誉。

8. very tired from long work 和 much tired by long work

Jack was **very tired** from long work. 杰克因长时间工作而感到很累。

Jack was **much tired** by long work. 长时间的工作使杰克疲惫不堪。

▶▶ 有些动词的过去分词习惯上被看成为普通形容词,要求用 very 修饰,而不用 much。常见的这类词有:tired, drunk, amused, troubled, upset, valued, worried, concerned, attached, learned 等。

▶▶ 上面两个例句中的 tired 属于不同的词类。第一例中的 tired 是普通形容词,作表语,故用 very 修饰。第二例中的 tired 是动词 tire(使……疲劳)的过去分词,句子为被动语态结构,故用 much 修饰,very 不能用来修饰动词(参阅有关章节)。

【提示】 在现代英语中,某些由过去分词转化来的形容词可同时用 very, much 或 very much 修饰,这类形容词有:annoyed 困扰的, excited 兴奋的, disappointed 失望的, satisfied 满意的, celebrated 著名的, disgusted 讨厌的, delighted 高兴的, ashamed 感到可耻的, frightened 惊吓的, interested 感兴趣的, dejected 垂头丧气的, surprised 惊讶的, pleased 高兴的, contented 满足的,等。

例如:

她对自己目前的工作很满意。

She is **very** satisfied with her present job.

She is **much** satisfied with her present job.

She is **very much** satisfied with her present job.

9. what a good chance, such a good chance 和 so good a chance, how good a chance

1 such 是形容词,what 是代词,用来修饰名词

结构为:
such/what＋a/an＋单数名词
such/what＋复数可数名词(前无冠词)
such/what＋不可数名词(前无冠词)

▶▶ 上述结构中的名词前面可用形容词作定语。例如:

How did you make **such a mistake**? 你怎么犯这样的错误?

The news gave her **such a shock**. 这消息使她大为震惊。

Is there **such a book** in English? 有这样一本英语书吗?

What wonderful good fortune she was enjoying! 她的运气多好啊!

What nonsense you talk! 你说的是一派胡言!

He has **such a good chance**. 他有这么好的一次机会。(单数)

What a good chance he has! 他有多好的一次机会啊!

It is **such a fine day**. 天气真好。(单数)

What a fine day it is! 多好的天气啊!

{It is **such sweet music**. 音乐真美。（不可数）
What sweet music it is! 多美的音乐啊！

{They are **such good books**. 这些书真好。（复数）
What good books they are! 这些书多好啊！

2 so 和 how 是副词,其后不可接 a 或 an,要先接形容词,然后再接 a 或 an
结构为:so/how＋形容词＋a/an＋单数名词,这种结构中只能用单数可数名词。例如:
I've never seen **so beautiful a girl**. 我从没见过这么美的女孩。
He will never forgive **so terrible an insult**. 他决不会宽恕如此恶劣的污辱。
How tall a tree it is! 这树多高啊！

{He has **so good a chance**. 他有一个好机会。
How good a chance he has! 他有多么好的一个机会啊！

{It is **so fine a day**. 天气好极了。
How fine a day it is! 天气真是好极了!

比较:

{这本书很有趣,你应该读一下。
It's **such an interesting book** that you should read it.
It's **so interesting a book** that you should read it.

{他是个多么聪明的孩子呀！
What a clever boy he is!
How clever a boy he is!

{It is so sweet music. [×](so 不可修饰名词短语 sweet music)
The music is **so sweet**. 这音乐真美。[√](so 修饰形容词 sweet)

{These are how good books. [×](how 不可修饰名词短语 good books)
How good these books are! 这些书真好啊! [√](how 修饰形容词 good)

3 如果被修饰的是复数名词或不可数名词,要用 such,而不能用 so
They are **such** good **students**. 他们都是非常好的学生。
It's **such** valuable **information**. 这是非常有价值的信息。

{我们从没遇见过这样文雅的人。
We've never met so gentle people. [×]
We've never met **such** gentle **people**. [√]

4 如果名词前有 many, much, few, little 等表示数量的词,则要求用 so,不用 such。但是 such 可用于 many, much, a few, a little 等的后面
He has **so much** news to tell us. 他有很多消息要告诉我们。
He has **so few** friends. 他的朋友寥寥无几。

{She has such many friends. [×]
She has **so many** friends. [√]她的朋友真多。
She has **many such** friends. [√]她有许多这样的朋友。

{他有几本这样的书。
He has so a few books. [×]
He has **a few such** books. [√]

【提示】
① 副词 as 和 too 的这种用法与 so 和 how 相同,后面须接形容词原级,再接不定冠词 a/an,再接单数可数名词。例如:
He is **as good a teacher** as any. 他是一位很优秀的老师。
It was **too cold a day** for her to go out. 天气太冷,她没外出。
Money is a wonderful thing, but it is possible to pay **too high a price** for it. 金钱固然是好东西,但是为了钱而付出的代价往往太高了。

② 如果有 no, far, much, all the, none the 等修饰名词前的比较级形容词，也常用这种结构。例如：

He was **no less great** a writer. 他是一位同样伟大的作家。

No more useful a dictionary has ever been written. 没有人写过比这更有用的词典。

He is **no better a scholar** than a primary school pupil. 他跟一个小学生一样没有多少学识。

The man has far **more brilliant a future.** 那人有着更加光辉的前程。

It's **none the less good a meal** than we had yesterday. 这顿饭不比我们昨天吃的差。

He is **no less cautious a person** than his father. 他同他父亲一样谨慎。

That is **scarcely less significant a decision.** 那简直是一个重要的决定。

那是一本比你读过的都好得多的书。
{ It is **a far better book** than you've read. [✓]
{ It is **far better a book** than you've read. [✓]

10. much too cold 还是 very too cold

▶▶▶ 一般说来，very much 修饰动词，quite, pretty, very, fairly 等修饰形容词或副词原级，much, far, rather, a lot, a little 等修饰形容词或副词比较级。但是，副词 too 同比较级一样，要求用 much, far, rather 等修饰，而不可用 very, quite 等修饰。

11. formerly 和 formally

formerly 意为"从前，以前"，formally 意为"正式地"。例如：

Formerly this city was a small village. 这座城市从前是个小村庄。

The conference was **formally** opened yesterday. 会议于昨天正式开始。

12. especially 和 specially

especially 意为"特别，尤其"（to an exceptional degree）；specially 意为"专门地"（for one purpose and no other）。

She is **especially** interested in reading detective novels. 她对侦探小说特别感兴趣。

A committee has been **specially** appointed to look into the matter. 专门成立一个委员会来调查那件事。

13. every day 和 everyday

① every day 是副词短语，意为"每天"，用作状语。everyday 是形容词，意为"平常的，日常的"，用作定语。另外，也可以把 every day 看作 every 修饰 day，意为"每一天"

Every day seemed a year. 度日如年。

This is an **everyday** occurrence. 这是一件平常的事。

② 另外，every day 通常与一般现在时连用，包括过去、现在或将来；但也可同现在完成时连用，指从过去某时到现在一段时间内的"每一天"

Such things do not happen **every day.** 这种事不是每天都发生的。

It has rained **every day** since last Sunday. 自上个星期天以来每天下雨。

14. sometime, some time 和 sometimes

sometime 意为"（将来）什么时候，某个时候，某一天，（过去）某个时候"（at one time or another, at some indefinite time），为副词。some time 是名词短语，意为"一些时间，一会儿"，some 修饰名词 time。some time 有时也可用作副词，意同 sometime。sometimes 意为"有时，间或"（at times, now and then），为副词。例如：

Come over and see us **sometime.** 随便什么时候，请来坐坐。

I shall go to see her **sometime** next month. 我下月某个时候将去看她。

He spent **some time** working in the garden every day. 他每天都花些时间在园子里干活。

I visit the history museum **sometimes.** 我有时去参观历史博物馆。

15. almost 和 nearly

在表示程度或可以衡量的事物时，两者差别不大，只是 almost 在程度上比 nearly 更接近一些，感情色彩更浓，nearly 则更加客观。比较：

The road is **nearly** 80 feet wide. 这条路近 80 英尺宽。

The road is **almost** 80 feet wide. 这条路差一点就/几乎有 80 英尺宽。

He **nearly** got run over. 他几乎被车子轧过。

He **almost** got run over. 他差一点就被车子轧了。

▶▶ 但要注意的是,若不是表示程度或可衡量的事,就只能用 almost,不可用 nearly。例如:

The new computer is **almost** human. 这台新的计算机几乎和人一样灵敏。

What she saw was **almost** too good to be true. 她所见到的好得几乎难以置信。

▶▶ 另外, almost 可以同 no one, nothing, no, none, nobody, never 搭配,而 nearly 则不可;但可以说 not nearly,不可说 not almost。

16. alternately 和 alternatively

alternately 指两者交替或轮流,alternatively 指在两者或两者以上中选择其一。例如:

The manager is **alternately** kind and severe. 经理时而和蔼,时而严厉。

You may **alternatively** say lighted or lit or alight. 你可以说 lighted 或者 lit 或者 alight,三者任选其一。

17. altogether 和 all together

altogether 是副词,意为"总之,完全,总共";all together 是个副词性短语,意为"每个人……都,每一件东西……都,无一遗漏"。在表示"总共"这层意义上,用 altogether 和 all together 均可。例如:

It's **altogether** out of the question. 那是完全不可能的。

The coat cost eighty dollars **altogether/all together**. 那件大衣总共花了 80 美元。

All together/Altogether, there were 20 entries. 总共有 20 个条目。

Altogether, I don't like the picture. 总的来说,我不喜欢这张画。

I don't think we should leave **all together**. 我想我们不应该一起离开。

I put the knives **all together** in the middle of the desk. 我把小刀都放在桌子中间。

18. too much, much too 和 far too

1 too much

(1) 作形容词,修饰不可数名词。例如:

He drank **too much** wine yesterday. 他昨天饮酒太多。

(2) 作副词短语,修饰动词。例如:

He was **too much** bothered by her words. 她的话让他大伤脑筋。

Don't think **too much** of yourself. 不要自以为了不起。

(3) 作名词短语。例如:

You've sent them **too much** of food. 你给他们送去了太多的食物。

Too much has been done. 做的够多了。

【提示】

① too much 还可以放在句尾修饰动词,例如:

She talked **too much**. 她讲得太多了。

② too much 不直接修饰形容词或副词,例如:

It is too much big. [×]

He is running too much fast. [×]

③ too much 有时也可作表语。例如:

That is **too much**; he won't accept it. 那太过分了,他不会接受的。

2 much too 和 far too

(1) "much too＋形容词或副词"实际上是"too＋形容词或副词"的强调形式,修饰形容词或副词原级,以加强语气。例如:

It is **much too** big. 这太大了。

He is running **much too** fast. 他正在飞快地跑。

(2) much too 不能放在 many 或 few 前,而 far too 则可以。例如:

Education remains a dream for **far too** many women in **far too** many countries. 对于太多的国家里太多的妇女来说,接受教育仍然只是一个梦想。

He has got **far too many** books. 他有很多很多的书。

19. all but, all ... but 和 for all

1 all but 意为"简直是,几乎"

The man is **all but** dead. 那个男人跟死了差不多。

He **all but** slipped into the river. 他险些滑进河里。

He **all but** let the cat out of the bag. 他差一点儿泄露了秘密。

2 all ... but 意为"除了……都,全……只"

They were **all** gone **but** Jim. 他们都走了,只有吉姆没走。

He has already withdrawn **all but** 100 dollars. 他已经取了所有的款,仅剩下 100 美元。

3 for all 相当于 in spite of 和 with all,引导让步状语短语或从句

He won't give up **for all** the repeated failures. 虽然屡次失败,但他不会放弃。

For all you say, I still like the book. 不管你说什么,我仍然喜欢这本书。

20. if ever, if any, if at all, if anything 和 ever

1 这几个词组都用作插入语,常同 seldom, few, little 等连用,具有否定意味

if ever 意为"几乎,即使……也"。例如:

He seldom, **if ever**, goes downtown. 他几乎很少去商业区。

She rarely, **if ever**, goes to bed before midnight. 她几乎从来都没有在午夜前睡过觉。

2 if any 为省略语,意为"如果有的话,即使有……也"

Correct the errors in your composition, **if** (there is) **any**. 如果文章里有什么错误的话,请改正。

Few men, **if any**, can make so many inventions as Edison. 像爱迪生那样做出如此多发明创造的人,即使有的话也为数很少。

3 if at all 意为"即使……也"

He knows very little about the subject, **if at all**. 他对这个专题即使了解也很少。

He is little better than a fool, **if at all**. 就算说他比傻子好一点,那也是好得很有限的。

4 if anything 意为"如果说,几乎不,与其说……还不如,至少,正相反"等,相当于 perhaps even, at least, more likely, rather, on the contrary even 等。if anything 通常表示委婉客气或把握性不大,在否定结构之后表示"相反"

If anything, you ought to apologize to him. 你倒是应该向他道歉才是。

Conditions are, **if anything**, improving. 条件至少在改变着。

The ring is worth $ 200 dollars **if anything**. 这枚戒指至少值 200 美元。

She is, **if anything**, a little better today. 如果说情况有什么变化的话,她今天只是稍微好了一点。

He is not diligent; **if anything**, he is rather lazy. 他不勤奋,正相反,他很懒。

He is not mean; **if anything**, he's very noble. 他并不卑鄙,而是很高尚。

True greatness has little, **if anything**, to do with rank and power. 真正的伟大几乎是与地位和权力毫不相干的。

It certainly wasn't an improvement. We were, **if anything**, worse off than before. 这实在不是什么改善,正相反,我们的状况比以前更糟了。

5 ever

(1) 用于否定句、疑问句和条件句中意为"曾经,一旦有机会",相当于 at any time。例如:

If you **ever** see her, tell her to drop in. 你如果见到她,请她来坐坐。

He scarcely **ever** goes to the movies. 他几乎从不去看电影。(= almost never)

(2) 用于 what 等后,意为"究竟,到底"。例如:

What **ever** do you mean? 你究竟是什么意思?(不是 whatever)

How **ever** did she get it done? 她到底是怎样做完那件事的?(不是 however)

(3) 用于含有比较级和最高级的句子中,意为"曾经,以前"。例如:

This is the best poem she has **ever** written. 这是她所写的最好的诗。

It is snowing harder than **ever**. 雪比以前下得更大。

（4）用于强调，常构成 ever so, ever such 短语，相当于 very。例如：

He is **ever so** noble a man. 他是个非常高尚的人。（＝a very noble man）

It did her **ever so** much good. 那对她非常有好处。

The ocean is **ever so** deep. 海洋非常深。

She's **ever such** a nice girl. 她是个非常好的姑娘。

【提示】nothing if not 表示的是肯定概念，相当于 much, very, extremely, above all，意为"极其，尤其，首先，主要特点"，常用来强调作表语的形容词或名词。nothing if not 也可拆开用，意思不变。例如：

He is **nothing if not** cunning. 他极为狡诈。

They are **nothing if not** ambitious. 他们非常有抱负。

She is **nothing**, **if not** friendly. 友善是她的主要特点。

He is **nothing**, **if not** a scholar. 他确实是一位学者。

▶▶▶ 这种句子实质上相当于主从复合句，如上面最后一句意为：He is nothing if he is not a scholar. 参阅"否定"章节。

21. anything but 和 nothing but

anything but 意为"决不是"；nothing but 意为"不过是"，参阅"否定"章节。例如：

That's **anything but** true. 那决不是真的。

Don't worry for my illness; what I need is **nothing but** a few days' rest. 不要为我的病担心，我只要稍微休息几天就会好的。

22. anyhow, anyway 和 at any rate

这三个词均用于对前面所说的内容进行强调。anyhow 意为"但是"，anyway 意为"反正"，at any rate 意为"无论如何"。例如：

It's a pity you failed this time. **Anyhow**, it's also a good thing. Failure is the mother of success. 你这次失败了很令人遗憾，但这也是一件好事，失败是成功之母。

You must get over the hill before sunrise, **at any rate**. 你无论如何得在日落之前翻过山去。

A: This seems to be a poem by Shelley. 这好像是雪莱写的一首诗。

B: No, it's by Keats. 不，是济慈写的。

A: All right, by one of the romantic poets, **anyway**. 好吧，反正是一位浪漫诗人写的。

23. anything like 和 like anything

anything like 意为"有点儿像"，与 not 连用意为"完全不像"；like anything 意为"非常，特别，拼命地"。例如：

Is she **anything like** her mother? 她有点像她母亲吗？

That isn't **anything like** what I want. 那压根儿就不是我想要的。

The thief ran **like anything** when he saw the police. 小偷看到警察拼命地跑。

【提示】anything 构成的词组还有：not come to **anything** 无效/无结果，not care **anything** for 不喜欢/不在乎，not think **anything** of 不在乎/认为没有什么了不起，not amount to **anything** 算不了什么/没有什么了不起，not have **anything** to do with 不来往/与……无关，等。

24. let alone, to say the least, not to speak of, to say nothing of 和 not to mention

① 这几个短语均表示"更不用说"。let alone 后可接名词、动名词、谓语动词、过去分词或介词短语等，但 to say nothing of 和 not to mention 后只能接名词或动名词

The baby can't even walk, **let alone run**. 这婴儿还不会走，更不用说跑了。

There's no time to do the work, **to say nothing of** the cost. 没时间做这项工作，更不用说代价了。

She had scarcely ever talked to a policeman, **let alone** gone out with one. 她几乎从没同一个警察说过话，甭说同警察一同外出了。

No one knew exactly what had happened, **let alone** how it happened. 没有人知道发生了什么，更

不用说怎样发生的了。

The traffic accident had hurt five people, **not to mention** damaging the car. 这场交通事故伤了五人,还毁了车。

▶▶▶ 上面几个短语表示的是进一步的否定,也可以表示进一步的肯定,例如:

Even a middle school student can understand the poem, **not to speak of** a college student. 甚至一个中学生都能理解这首诗,更不用说是大学生了。

▶▶▶ much less 也可表示"更不用说"。例如:

He couldn't stand, **much less** walk. 他不能站立,更别说走了。

② not to say 则与上面的几个短语有些不同,其含义是"虽然不说,姑且不说,虽未达到那种程度"(if not, one might almost say);not to say 连接的前后项一表示肯定,一表示否定,形成对照

It is rather cool, **not to say** cold. 天气虽不能说冷,但也相当凉爽了。

The man is rude, **not to say** mean. 那人虽说不上卑鄙,但至少是粗野的。

The painting is quite charming, **not to say** perfect. 这幅画虽然算不上完美,但也是相当富有魅力的。

比较:

{ She knew French, **not to say** English. 她虽然不懂英语,但尚懂法语。

She knew French, **not to speak** of English. 她懂法语,更不用说英语了。

【提示】在肯定句中,X to say nothing of Y＝not only Y but also X(不但是Y,而且是X);在否定句中,not X, to say nothing of Y＝not X, much less Y(连X也不,更不用说Y了)。比较:

{ She is familiar with French rhetoric, **to say nothing of** French grammar. 她不但熟知法语语法,还熟知法语修辞。(＝as well as)

She is not familiar with French grammar, **to say nothing of** French rhetoric. 她不熟悉法语语法,更不用说法语修辞了。(＝much less)

25. sort of 和 kind of

sort of 和 kind of 不同于 a sort of 和 a kind of,前者意为"有点,有几分",而后者意为"一种,一类";前者作状语,后者作定语。但有时候, a kind of 作定语时亦表示"有点,有几分"。例如:

I **sort of / kind of** thought you might forget. 我有点儿觉得你可能忘了。

The children are **kind of** nervous right now. 孩子们现在有些紧张。

I tried hard to recollect her face; it kept **sort of** coming and going. 我竭力地回想她的面容,它总是时隐时现的。

He felt **a kind of** sympathy for her. 他对她有点同情。

She is **a kind of** scholar. 她有点学者味道。

【提示】of a kind 表示:①"同类的"(of the same class or nature);②"低劣的,不怎么样的"(not very good, scarcely deserving the name)。例如:

He is a scholar **of a kind**. 他是个徒有虚名的学者。

They are two **of a kind**. 他们俩是一类货色。

She served us coffee **of a kind**. 她给我们喝质量低劣的咖啡。

26. what with ... and what with 和 what by ... and what by

前者意为"一半由于……一半由于",后者意为"一方面由于……一方面由于"。例如:

What with hard work and **what with** taking too little care of herself, she fell ill. 一半由于工作太累,一半由于太不注意身体,她病倒了。

What by taking bribes and **what by** extortions, he made a lot of money. 他又受贿又勒索,发了大财。

【提示】这种结构中的第二个 what with 常可省略;with 还可换成 for, through 或 between。例如:

What between drink and (what between) fright, he didn't know much about what happened then. 他当时喝多了,心里又害怕,对发生的事知道的不多。

What for official business and (what for) private business, she had no time for leisure. 她公务和私事缠身,没有闲的时间。

▶▶▶ 注意下面的变体:

The truck arrived late **partly through** the heavy rain and **partly through** the heavy load. 卡车没按时到,部分是因为大雨,部分是因为载货多。

27. how 和 what ... like 的用法比较

1 how 用来询问别人的健康、事物的变化情况以及别人的意见、解释等

How is your father? 你父亲好吗?

How is the supper today? 今天晚饭怎么样?

How was the meeting? 会开得如何?

How about a cup of coffee? 来一杯咖啡怎样?

2 what 用来询问人或事物的本质、性质、天气情况等

What's the weather like this morning? 今天早晨天气如何?

"**What's** the new manager like?""He's a noble man." "新来的经理是怎样一个人?""他是个高尚的人。"

比较:

"**How** is his wife?""She's very well." "他妻子身体怎样?""她的身体挺好。"

"**What's** his wife like?""She's easy-going." "他妻子是怎样一个人?""她非常随和。"

28. such ... as, such ... that 和 such as it is

1 such ... as 中的 as 引导定语从句, such ... that 中的 that 引导结果状语从句

比较:

They talked in **such** simple language **as** children could understand. 他们用连孩子们都能听懂的简单语言谈话。

They talked in **such** simple language **that** children could understand it. 他们用简单的语言谈话,连孩子们也能听懂。

Such girls **as he knew** were singers. 他认识的女孩都是歌手。

Such girls **as knew him** were singers. 认识他的女孩都是歌手。

对于像他们这样的人来说,规章是必需的。

For men **such as** them, the rule is necessary. [√](或单独用 like)

For men such like them, the rule is necessary. [×](不说 such like)

2 such as 有时相当于 those that, such 是先行词, as 是关系代词

Such as wish to leave may do so. 想离开的人可以离开。

3 such as it is 常用于"让步,自谦"等场合,意思是"没有什么价值,数量较少,质量不好"等

You may watch the film, **such as it is**. 你可以看看这部电影,但不怎么样。

I will donate some money, **such as it is**. 我会捐些钱的,尽管钱不多。

29. for all I know, for all I care 和 for all that

1 "for+从句"有 for all one knows, for all one cares, for all one can tell, for aught one knows, for anything one can tell 等形式;这种结构有两种含义:①相当于 as far as one knows, to one's knowledge(就……所知);②表示否定含义,意为"不在乎,与……无关,亦未可知"(used to show ignorance or indifference)

It is a true story **for all I know**. 就我所知,这是一个真实的故事。(=as far as I know)

You may do like that **for all I care**. 你可以那样做,我不在乎。(=I don't care)

She may be rich now **for all/aught he knows**. 她现在可能已经发财了,他不大清楚。(=he doesn't know)

For anything I can tell, she might have left. 她可能已经离开了,我也说不上。

For all I know, he may be still living now. 他现在也许还活着,谁知道呢。

2 for all that 意为"尽管如此"

The man may be dead, but I hate him **for all that**. 那人可能已经死了,但尽管如此,我还是痛恨他。

3 "for all+从句"结构多用于肯定句,若是否定句,要用 as far as one knows

The book is not written by him **as far as I know**. 就我所知,这本书不是他写的。

【提示】for that matter 短语亦可表示"就……而论,至于……"(as far as that is concerned, as regards)。有时候，for that matter 可表示强调，意为"甚至，说真的"(and indeed also)。例如：

For that matter, you should apologize to her. 就那件事而言，你应该向她道歉。

The book will be important to you; and **for that matter**, to anyone who studies ancient philosophy. 这本书对你们是重要的，而且对任何研究古代哲学的人都是重要的。(= and indeed also to anyone . . .)

30. this day week/month/year

在将来时中,该短语意为"一个星期后/下月/明年的今天"；在过去时中,意为"一个星期前/上月/去年的今天"。例如：

We shall discuss it **this day month**. 我们将在下月的今天讨论这件事。

This day year she was in England. 去年的今天她在英国。

▶▶ today week 与 this day week 意义相同,均为英式英语表示法,美式英语则说 a week before today 上星期的今天, a week from today 下星期的今天。

31. so far 和 by far

1 so far 在现在时中意为"到现在为止",在过去时中意为"到当时为止"

So far，everything is going well. 到现在为止，一切正常。

So far no enemy dared to come across the border. 到当时为止，没有任何敌人敢越境。

2 by far 意为"……得多,尤其,更,非常,远远地",用于修饰比较级或最高级,表示数量、程度。by far 放在带定冠词的最高级或比较级前后均可,但通常要放在不带定冠词的比较级后面,也可前置

He is **by far the best student** in the class. 他是班上最最好的学生。

He is **by far the best player** on the team. 他是这个队里的顶尖队员。

This is **the best way by far**. 这是最佳方法。

She is **by far the best actress/the best actress by far**. 她是最优秀的女演员。

This book is **by far better** than that one. 这本书远比那本书好。

She is **more fortunate by far** than he is. 她比他幸运多了。

This book is **better by far/by far better**. 这本书好多了。

He speaks **by far louder** than others. 他说话的声音比别人大得多。

His paintings are **better by far/by far better** than those of any other painter in the city. 他的画比该城里任何其他画家的画都好得多。

She is **by far the more fortunate** of the two. 她是两人中远较幸运的一个。（本句中有表示范围的 of 短语，by far 应前置）

32. no more 和 no longer

1 no more/ not . . . any more 与 no longer/ not . . . any longer 在许多场合都是通用的。no more 表示时间时通常指将来或过去的将来,意为"将来不再,永远不再",谓语动词常用将来时态。no longer 通常表示现在或过去,一般不用于指将来

I shall do it **no more**. 我不会做那个了。（表示将来）

Time lost will return **no more**. 时光一去不复返。（表示将来）

I **won't** go there **any more**. 我永远不再去那里了。（表示将来）

She said she **wouldn't** write him **any more**. 她说她不会再给他写信了。（表示过去将来）

This kind of skirt is **no longer** in fashion. 这种裙子不再流行。（表示现在,有同过去对比的含义）

He knew he **wasn't** rich **any longer**. 他知道自己不再富有了。（表示过去）

She **can not** be trusted **any more/any longer**. 她不再可以依赖了。

比较：

我不再信任他了。

I trust him **no more**. （正式）

I trust him **no longer**. （正式）

I do not trust him **any more**. （口语化）

I do not trust him **any longer**. （口语化）

▶▶▶ 在下面的句子中,not any more 不可换为 not any longer:

He is **not any more** than a mad man. 他只不过是一个疯子罢了。

She is **not any more** foolish than you. 她同你一样都不是傻瓜。

2 no more 还有"也不(nor, neither),死去(dead),再也没有,不更多(表示数量)"等意义,在这些意义上不可用 no longer

I have **no more** to say. 我没有更多的话要说了。

He wants **no more** money. 他不要更多的钱。

She is **no more**. 她已不在人世了。

If you don't do it，**no more** will he. 如果你不做那件事,他也不会做。

A whale is **no more** a fish than a horse is. 鲸和马皆非鱼。

33. much, so much, very much, that much 和 pretty much

1 much 作副词时可单独修饰动词,可用于肯定句、否定句和疑问句中

It doesn't hurt **much**. 不怎么痛。

All this arguing won't help **much**. 这样争论下去起不了多大作用。

Bill doesn't **much** like Chinese food. 比尔不太喜欢中国菜。

I don't **much** care whether we win or lose. 我不大在乎我们是赢是输。

She doesn't eat out **much**. 她在外面吃饭的时候不多。

I don't **much** mind you bringing the dog with you. 我不太介意你把狗带在身边。

Few worried **much** about the changes in the Earth's climate at that time. 当时几乎没有人担忧地球的气候变化。

Nowadays maturity and wider experience are **much** sought after. 当今,人们更注重追求的是成熟的处世态度和广泛的经验。

She **much** enjoys helping with household tasks. 她非常喜欢帮着做家务。

This is a trait I **much** admire in him. 这是他身上我十分欣赏的特征。

He was **much** affected at the sad sight. 他深为这一悲惨的情景所感动。

She said she **much** regretted not being able to help. 她说她爱莫能助,深感遗憾。

I **much**/**very much**/**most** appreciate the young man's literary ability. 我十分赏识这位青年的才学。

I **much** prefer dogs to cats. 比起猫来我更喜欢狗。

Mother **much** approves of my sister's marriage. 母亲很赞成我姐姐的婚事。

She **much** disliked his smoking in the office. 她非常讨厌他在办公室里吸烟。

2 so much, very much, that much 和 pretty much 作为强化性短语,可用于肯定句、否定句和疑问句中

The failure upset him **very much**. 那次失败使他很苦恼。

I've **so much** looked forward to your visit. 我十分热切地盼望着你的来访。

Who hates her **that much**? 谁如此憎恨她?

Take the medicine and it won't hurt **so much**. 吃了这药,就不会那么痛了。

Rhoda **very much** enjoys skiing. 罗达非常喜欢滑雪。

The country **very much** depends on its tourist trade. 这个国家很大程度上依靠旅游收入。

Girls **pretty much** like the same toys. 女孩几乎喜欢相同的玩具。

I **very much** doubt his ability to handle this. 我非常怀疑他处理此事的能力。

She **very much** resented her brother's refusal to help. 她对她哥哥拒绝帮助极为不满。

I **very much** believe that the future is bright. 我深信前途是光明的。

He **very much** regretted missing the opportunity. 他错过这个机会深感可惜。

34. one day 和 some day

one day 可以指过去,也可以指将来;some day 则只指将来。one day 和 some day 指将来的差异是:用 some day 指较容易做到的事,用 one day 指较难发生或偶然的事。例如:

One day people found him dead in the hotel. 一天,人们发现他死在旅馆里。

I hope to visit the town **some day**. 我希望有一天去游览那座小城。

She thinks she will perhaps have a chance to meet him **one day**. 她想,或许将来有一天她有机会同他见面。

▶▶ 注意下面两句的含义:

He is the greatest statesman **of the day**. 他是当代最伟大的政治家。

I haven't seen her for ten years, then **one fine day** she just turned up. 我 10 年没见到她了,后来,突然有一天她来了。

35. more seldom 和 seldom more

1 seldom 意为"不常,难得", more seldom 意为"更不常,更难得", more 修饰 seldom, 为 seldom 的比较级结构

He went downtown **more seldom** than she. 他比她更少进城。

She came here **more seldom** than she used to. 她比过去更难得到这里来。

2 在 seldom more 结构中, seldom 修饰 more, 一般用于 seldom more than 结构中, 意为"难得多于"

He sleeps **seldom more than** six hours a day. 他的睡眠时间每天难得超过 6 个小时。

She comes here **seldom more than** four times a week. 她一周难得来这里 4 次。

36. cold for October 的含义

for 可用来表示"限制"(restriction), 意为"鉴于, 就……来讲"(considering, as regards, in view of), 后接名词。例如:

He is tall **for** his age. 就年龄来说, 他个头是高的。(＝He is tall considering his age.)

It is quite cold **for** October. 就 10 月而言, 这天气是相当冷了。

37. long, for long 和 for a long time

1 long 用作副词, 表示持续时间, 通常用于疑问句、否定句、条件句中

Have you been waiting **long**? 你是不是等了很长时间?

Will you be out **long**? 你出去时间长吗?

Are you staying **long**? 你逗留的时间长吗?

I can't stay **long**. 我不能久留。

The bad weather won't last **long**. 坏天气不会持续很长时间。

If she were to stay here very **long**, Aunt might be cross with her. 如果她长久留在这里, 婶婶会烦她的。

2 long 也可用于肯定句中, 这时一般要放在表示态度、意念等的动词前, 或 will、have 等助动词后

I've **long** admired his courage. 我很久以来就欣赏他的勇气。

I have **long** thought of it as the most enchanting town in the country. 我很久以来就认为它是这个国家是最迷人的小城。

He has never read those books, for he has **long** lost the habit of reading. 他从没读过那些书, 因为他很久就没有读书的习惯了。

▶▶ 注意下面一句:

She stayed there **too long**. 她在那里待得太久了。(long 带修饰语可用于肯定句)

3 for long 和 for a long time 用于肯定句和疑问句中时, 只与延续性动词连用, 两者表达的意思相同

The old man has lived in the house **for a long time/for long**. 老人住在这所房子里已经很久了。

Will she be away **for long/for a long time**? 她会离开很长时间吗?

I can stay here **for long/for a long time**. 我能在这里逗留很长时间。

Are you home **for long**? 你在家的时间长吗?

4 在否定句中, for long 只能与延续性动词连用; for a long time 则可以与延续性或非延续性动词连用, 而且各自表达不同的意思

He didn't speak **for long**. 他发言的时间不长。

I can't stay (for) **a long time**. 我不能长久逗留。(for 可省略)

I haven't been there **for a long time**. 我好久没去那里了。

I haven't received his letter **for a long time**. 我很久没有收到他的信了。(receive 为非延续性动

词,不可用 for long)

He hasn't lived there **for long**. 他在那里住的时间不长。

He hasn't lived there **for a long time**. 很长时间以来他就不在那里住了。（不住那里已经很久了）

She hasn't been back **for long**. 她回来的时间不长。（相当于 She has been back not long. ）

She hasn't been back **for a long time**. 她很久没有回来了。（相当于 For a long time she hasn't been back. ）

She hasn't studied English **for long**. （study 为延续性动词,可用 for long,也可用 for a long time）她学英语时间不长。

她很久没学英语了。

38. not much of a十单数名词

1️⃣ much of 是一个表示程度的短语,常用于否定句,构成"not much of a 十单数名词"结构,意为"不怎么样,不是什么了不起的"

It is **not much of** a hotel. 那家旅馆不怎么样。

He is **not much of** a football player. 他足球踢得不怎么样。

He is **not much of** a scholar. 他算不上什么学者。

2️⃣ 有时候,much of 也可用于肯定结构,意为"相当了不起"等

He is very **much of** a hero. 他很有英雄气概。

39. with 等加某些名词相当于副词

这类词常见的有:

with kindness→kindly	with patience→patiently
with great fluency→fluently	with care→carefully
with ease→easily	with diligence→diligently
with a smile→smilingly	with earnestness→earnestly
with courage→courageously	with a growl→growlingly 咆哮地
with efficiency→efficiently	with pleasure→pleasurably 乐意地
with joy→joyfully 高兴地	with fairness→fairly
with sorrow→sorrowfully	in wonder→wonderfully
in private→privately	in earnest→earnestly
in triumph→triumphantly	in despair→despairingly
in public→publicly	on time→punctually
in fact→really	by chance→accidentally
in time→early enough	by good luck→luckily

40. too, also 和 either

1️⃣ too 和 also 词义基本相同,用于肯定句,作"也,并且"解,但也有一些区别。too 比较口语化,常位于句尾,前面一般有逗号,有时也可位于句中,前后常用逗号隔开

This kind of shirt is made in other cities, **too**. 这种衬衫也是别的城市生产的。

They will, **too**, graduate from the university next year. 他们也将明年大学毕业。

I wonder whether I **too** become one of its victims. 不知道我是否也成为它的一个牺牲品。

2️⃣ also 较正式,一般位于 be 动词、助动词和情态动词之后,行为动词之前;如果句中有一个以上的助动词,also 应放在第一个助动词之后;also 有时也位于句首或句尾

She will **also** join the team. 她也将加入这个队。

He is past ninety years old; **also** he is in pood health. 他已年过九旬,而且身体也不好。

You did her a favor **also**. 你也帮了她个忙。

The leisure center has **also** proved uneconomic. 休闲中心也证明赚不到钱。

We'll **also** be hearing about his research work. 我们还将听到关于他的研究工作的进展。

She speaks English，also Chinese too.
　她说英语,也讲汉语。
　She speaks English，and Chinese **too**.
　She speaks English，（and）**also** Chinese.
　She speaks English，and Chinese **too**.

3 在否定句中用 either,位于句尾;否定句中也可用 too。表示"……也不",常用 not/ never ... either,也可用 too/ also ... not, too ... never, also ... no,这时 too 或 also 通常要放在 be 动词、助动词和情态动词之前

He did not go to the concert，and I **also** did not go. 他没有去听音乐会,我也没去。

He didn't find an answer to the problem，and I，**too**，didn't find. 他没有找到问题的答案,我也没找到。

There were **also no** traffic problems in the South and South West. 南部和西南也没有出现交通问题。（本句中 also 位于 be 动词后）

　她也不会开车。
　She can not drive **either**.
　She，**too**，can not drive.

　我也从没听说过这个名字。
　I have never heard of the name **either**.
　I，**too**，have never heard of the name.

4 also 可用于倒装句中

Also present were the Mayor and Mayoress. 出席的还有市长和市长夫人。

5 too 在美式英语中有时可居句首

Too，your plan will save a lot of time. 你的方案还会节省许多时间。

You will go to the lecture；**too**，I shall go. 你要去听讲座,我也去。

6 说"也不"时,不可在否定的词的后面用 too 或 also

　他没来,她也没来。
　He did not come，and she did not come too. ［×］
　He did not come，and she did not come also. ［×］
　He did not come，and she **also** did not come. ［✓］
　He did not come，and she，**too**，did not come. ［✓］
　He did not come，and she did not come **either**. ［✓］

7 too 可以放在一个词或短语后,表示简单评论

　A：They kicked him out of office. 他们把他开除了公职。
　B：Quite right，**too**. 也该如此。
　A：They've finished mending the bridge. 他们把桥维修好了。
　B：About time，**too**. 也该好了。

【提示】

① 希望得到肯定回答,表示肯定意向时,否定疑问句中的"也不",用 not ... too 表达。例如：
　Won't you come to the party，**too**? 你不也来参加聚会吗？（希望得到肯定回答：Yes，I will.）
　Won't you come to the party **either**? 你也不来参加聚会吗？（只表示疑问）

② too 有时相当于 though。例如：
　I can't do the work well；I have tried my best **too**. 虽然我尽了最大努力,但这项工作我做不好。

③ 下面一句可有两种解释：
　I am an American **too**.
　(和刚才提到的那人一样)我也是一个美国人。
　(除了具有刚才提到的那些特点外)我还是一个美国人。

41. over night 和 overnight

1 over night 是介词短语,意为"一夜,整夜,在前一夜",作时间状语

They stayed **over night** in the open. 他们在户外待了一夜。

2 overnight 可作副词、动词或形容词。副词 overnight 意为"在夜间,在整个夜里,在一夜之间,突然";动词 overnight 意为"过夜",为不及物动词;形容词 overnight 意为"夜间的"

Preparations were made **overnight** for an early start. 整夜都在为早点出发做准备。

He became famous **overnight**. 他一夜之间成名了。

They made an **overnight** tour to the old temple. 他们夜游那座古庙。

She **overnighted** at a small hotel. 她在一家小旅馆过夜。

42. a side 和 aside

1 a side 是副词短语,作状语用,意为"一方,每一边"

They stood ten **a side** on the sports ground. 他们在操场上每一边站 10 人。

2 aside 是副词,意为"在旁边,在一边,到一边"

He laid the book **aside**. 他把书放到一边。

Don't turn **aside** from your chosen path. 不要离开你所选择的道路。

43. want sb. inside 中的 inside 是介词还是副词

在 I want her inside 一句中,inside 用作副词,意为"我想让她进来"。"及物动词+宾语+副词"是一种很简洁的结构。例如:

He has gone to the station to see a friend **off**. 他去了车站,为一个朋友送行。

He helped her **out**. 他帮她渡过了难关。

Please ask him **in**. 请让他进来。

They put the chair **under**. 他们把椅子放在下面。

John wanted to take off the cap, but Mother said, "No, leave it **on**." 约翰想把帽子脱下,但母亲说:"不,还是戴着。"

44. little 作副词的用法

1 little 可以动词

They met very **little**. 他们很少见面。(=rarely)

It matters **little**. 这没有关系。

She knows life too **little**. 她对生活知道得太少。

He **little** cares about it. 他对此不介意。

2 little 同动词 dream, expect, guess, imagine, know, realize, suspect, think 等连用时,表示"毫不,完全不",相当于 not at all

I **little dreamed** that he would come back alive. 我做梦也没想到他会活着回来。

They **little suspect** that their secret has been disclosed. 他们丝毫没想到他们的秘密已被泄露。

I **little realized** that there were so many difficulties. 我一点也没料到会有这么多的困难。

3 little 同 so, as, too, how 连用时作副词

He knows the world **too little** to be a general manager. 他对社会了解太少,当不了总经理。

It shows **how little** she knows life. 这表明她对生活知道得多么少。

He knows the plan **as little** as you. 他对这个计划了解得同你一样少。

4 little 还可修饰形容词或副词

His success is **little** short of a miracle. 他的成功简直就是个奇迹。

He is **little** worried about it. 他对这件事很少担心。(almost not)
He is **a little** worried about it. 他对这件事有些担心。(somewhat)

This book is **little** better than that one. 这本书比那本书好不了多少。
This book is **a little** better than that one. 这本书比那本书好些。

He is **little** richer than before. 他跟从前一样穷。(=almost as poor as)
He is **a little** richer than before. 他比从前富一些。

She borrowed **little** less than 1,000 dollars. 她借的钱几乎不少于 1 000 美元。(=almost as much as)
She borrowed **a little** less than 1,000 dollars. 她借的钱稍少于 1 000 美元。

> She is **little** better today. 她今天仍不见好转。(＝almost as bad as)
> She is **a little** better today. 她今天好一点。

45. nothing 作副词的用法

nothing 可以用作副词，表示"绝不，一点也不"，相当于 not the least，never。例如：

He is **nothing** worried. 他一点也不担心。

I think **nothing** about it. 我对此一点也不在意。

It is **nothing** better. 这没有好些。

It is **nothing** easier. 这没有容易些。

That helps us **nothing**. 那对我们没有任何帮助。

That book is **nothing** so interesting as this one. 那本书一点也没有这本书有趣。

46. 缩合连接副词

有些副词，既起关联作用，又充当先行词，集关系副词与先行词于一身，通常称作缩合连接副词，多引导名词性从句，也可引导状语从句，如：where＝the place where，when＝the time when，why＝the reason why，wherever＝any place where，whenever＝any time when。例如：

That's **where** they found gold. 那就是他们发现黄金的地方。(＝the place where)

We don't know **when** he ran away from home. 我们不知道他什么时候离家出走的。

Come to see us **whenever** you can. 你什么时候有空,就什么时候来看我们。

【改正错误】

1. I am worried very much because I'll miss my flight if the bus arrives lately.
      A   B   C   D

2. Father seldom goes to the gym with us although he dislikes going there.
         A   B C   D

3. I've seldom seen my father very pleased with my progress as he is now.
                 A   B   C   D

4. Playing on a frozen sports field sound like a lot of fun. Isn't it rather risky, also?
     A   B   C   D

5. If a person has not had enough sleep, his actions will give him up during the day.
                 A   B   C   D

6. Although badly hurt in the accident, the driver was even able to make a phone call.
         A   B   C   D

7. Progress so far has been very good. Otherwise, we are sure that the project will be completed
         A   B   C

   on time.
     D

8. I thought she was famous, but none of my friends have never heard of her.
         A   B   C D

9. The children loved their day trip, and they enjoyed the horse ride the most.
               A   B   C   D

10. You're driving too fast. Can you drive slowly a bit more?
         A   B C   D

11. After three years' research, we now have a very better understanding of the disease.
         A   B   C   D

12. With the speed-up of the railway, now you can get to your destination fast by train.
    A   B   C   D

13. The animals that are having winter sleep look as well as dead. You can't wake them up
               A   B   C

    by touching.
      D

14. Other than allow the vegetables to go bad, he sold them at half price.
      A   B   C   D

15. The more you study during the semester, less you have to study the week before exams.
　　　　　A　　　　　　　B　　　　　C　　　　　　　　　　　　D

16. Eating more nutrients than the body needs doesn't make its function better, not more than
　　　A　　　　　　　　　　　　　　　　　　　　　　　　　　B　　　　C
overfilling the oil lamp makes it lighten more brightly.
　　　　　　　　　　　　　　D

17. The heart is much more intelligent than the stomach, for they are both controled by the brain.
　　　A　　　B　　　　　　　　　　　　　　　C　　　　　　　　　D

18. You can't be so careful in making the decision as it was such a critical case.
　　　　　　　A　　　　B　　　　　　　　　　C　　　D

19. My teacher often says that a person should aim highly and never speak high of himself.
　　　　　　　A　　　　　　　　　　　　　B　　　　C　　　　　D

20. Our journey was slow because the train stopped continuously at different villages.
　　　A　　　　　B　　　　　　　　　　　　　C　　　　D

21. A great many teachers firmly believe that English is one of the poorest-taught subjects in high
　　　A　　　　　　　B　　　　　　　　　　　　　　　　C
schools at present.
　　　　D

22. People who get married when both husband and wife are under 20 are as three times likely to get
　　　A　　　　　　　　　　　　　　　　　　　　　B　　　　　C
divorced as other people.
　　　D

23. He got up, walked across the room, and with a sharp quick movement flung the door widely
　　　　　　　　A　　　　　　　　B　　　　　　　　　　C　　　　　D
open.

24. She tried to make it little easier for the pupils to understand.
　　　　　A　　B　　　C　　　　　D

25. To people from the northern parts of the country, tropical butterflies may seem incredible big.
　　A　　　　　　　　　　　　　　　　　B　　　　　　C　　　　　D

26. In other words, the new tenant would pay substantial higher rent than the previous tenant did.
　　A　　　　　　　　　　　　　B　　　　　　　　　　　C　　　　D

27. The Department of Architecture has been criticized for not having much required courses
　　　　　　　　　　　　　　　　　　　　A　　B　　　C
scheduled for this semester.
　　　　　D

28. I couldn't find a coat enough large, and so I took this one.
　　A　　　　B　　　　C　　　D

29. No matter how hard he is working, he will insist on the principle as hardly as he can.
　　　A　　　　　　　　　　　　B　　C　　　　　　　　D

30. The quality control standards for space equipment are very high indeed and some items have been
　　　A　　　　　　　　　　　　　　　　　　B　　　C
rejected as being very unreliable to be acceptable.
　　　　　　　D

【答案】
1. D(late)　　　　　　2. A(sometimes)　　　3. A(so)　　　　　4. D(though)
5. C(give him away)　6. C(still)　　　　　　7. C(Therefore)　8. C(ever)
9. D(most)　　　　　10. D(a bit more slowly)　11. C(far)　　　12. D(faster)
13. C(as good as)　　14. A(Rather than)　　15. C(the less)　16. C(no more than)
17. B(no more)　　　18. A(too)　　　　　　19. B(high)　　　20. C(continually)
21. C(poorliest-taught)　22. C(three times as)　23. D(wide)　　24. B(a little)
25. D(incredibly big)　26. B(substantially)　27. C(more)　　　28. B(a large enough coat)
29. D(hard)　　　　　30. D(too)

第七讲 名 词(Noun)

一、分类

英语名词,可以分为:普通名词(man, city)、专有名词(Tom, China)、集体名词(staff, team)、物质名词(iron, water)和抽象名词(fear, joy)。

英语名词,又可以分为:可数名词(Countable Nouns)和不可数名词(Uncountable Nouns)。普通名词(Common Nouns)和集体名词(Collective Nouns)为可数名词,物质名词(Material Nouns)、抽象名词(Abstract Nouns)和专有名词(Proper Nouns)为不可数名词。在特定场合下,不可数名词可以转换为可数名词(可以有复数或加不定冠词的形式),词义上往往有变化。例如:

iron 铁(物质名词)	an iron 熨斗(普通名词)
money 钱(物质名词)	moneys 金额,款项(普通名词)
youth 青春(抽象名词)	a youth 青年人(普通名词)
post 邮件(集体名词)	a post 职位(普通名词)
necessity 必要性(抽象名词)	necessities 必需品(普通名词)
love 爱(抽象名词)	a love 情侣,所爱的人(普通名词)
Mr. Smith 史密斯先生(专有名词)	a Mr. Smith 某位史密斯先生(普通名词)

⎧business 商业,经营(抽象名词)
⎨a shipping business 一家造船公司(普通名词)
⎩many small businesses 许多小企业(普通名词)

二、性

1. 大多数英语名词没有性(Gender)的区别,只有一个共同的形式

这类名词男性和女性共用,为通性(Common Gender)。例如:artist 艺术家,doctor 医生,professor 教授,scholar 学者,reader 读者,debtor 债务人,buyer 买主,person 人,pianist 钢琴家

2. 有些名词具有性别的不同形式

阳 性	阴 性	阳 性	阴 性
man 男人	woman 女人	buck 雄鹿/兔	doe 雌鹿/兔
uncle 叔叔,伯父	aunt 婶婶,伯母	nephew 侄子	niece 侄女
bridegroom 新郎	bride 新娘	papa 爸爸	mamma 妈妈
horse 公马	mare 母马	son 儿子	daughter 女儿
drake 公鸭	duck 母鸭	husband 丈夫	wife 妻子
bull/ox 公牛	cow 母牛	king 国王	queen 皇后
sir 先生	madam 夫人	gentleman 绅士	lady 淑女
Earl 伯爵	Countess 女伯爵	cock/rooster 公鸡	hen 母鸡
bachelor 未婚男子	spinster 未婚女子	lad 少男	lass 少女
monk 和尚	nun 尼姑	widower 鳏夫	widow 寡妇
wizard 男巫	witch 女巫	colt 小雄马	filly 小雌马
tutor 男家庭教师	governess/tutoress 女家庭教师	stag 雄鹿	hind 雌鹿

阳　性	阴　性	阳　性	阴　性
stallion 雄马	mare 母马	boar 公猪	sow 母猪
bullock 小公牛	heifer 小母牛	sloven 邋遢男人	slut 邋遢女人
gander 雄鹅	goose 雌鹅	Herr〈德〉先生,阁下	Frau 夫人
ram 公羊	ewe 母羊	lord〈英〉大人,阁下	lady 夫人
drone 雄蜂	worker（bee）雌蜂	youth 男青年	young girl 女青年
dog 公狗	bitch 母狗	lover 情人（多指男性）	love 钟爱的人（多指女性）
butler 男管家	housekeeper 女管家	best man 伴郎	bridesmaid 伴娘
Monsieur 先生	Madame 夫人	fiancé/would-be	fiancée/would-be　wife
footman 男仆	maid 女仆	husband 未婚夫	未婚妻
sire 大人,老爷	dame 夫人	friar/Brother 修士	nun/Sister 修女

3. 有些名词在词尾加-ess 等构成阴性

有些名词直接加-ess 构成阴性,以-ter 或-tor 结尾的词改为-tress 构成阴性,以-rer 或-ror 结尾的词改为-ress 构成阴性,以-der 结尾的词改为-dress 构成阴性,但有例外。例如:

阳　性	阴　性	阳　性	阴　性
actor 男演员	actress 女演员	editor 编辑	editress 女编辑
manager 男经理	manageress 女经理	protector 保护者	protectress 女保护人
conductor 男售票员/列车员	conductress 女售票员/列车员	creator 创造者	creatress 女创造者
		sculptor 雕塑家	sculptress 女雕塑家
Count 伯爵	Countess 女伯爵	elector 有选举权的人	electress 女选举人
Duke 公爵	Duchess 女公爵	interpreter 译员	interpretress 女译员
emperor 皇帝	empress 女皇	defender 男辩护人	defendress 女辩护人
Marquis 侯爵	Marchioness 女侯爵	lawyer 男律师	lawyeress 女律师
patron 保护人	patroness 女保护人	astronaut 男宇航员	astronautess 女宇航员
steward 男管家	stewardess 女管家	saint 圣徒	saintess 圣女
Viscount 子爵	Viscountess 女子爵	priest 祭司	priestess 女祭司
heir 男继承人	heiress 女继承人	giant 巨人	giantess 女巨人
host 男主人	hostess 女主人	jew 犹太人	jewess 犹太女人
lion 公狮	lioness 母狮	author 作家	authoress 女作家
poet 诗人	poetess 女诗人	prophet 预言者	prophetess 女预言者
prince 王子	princess 公主	seer 预言家	seeress 女预言家
god 神	goddess 女神（双写 d）	tailor 裁缝	tailoress 女裁缝
Negro〈旧,贬〉黑人	Negress 女黑人	baker 面包师傅	bakeress 女面包师傅
abbot 方丈	abbess 尼姑庵住持	brewer 酿造者	breweress 女酿造者
waiter 男服务员	waitress 女服务员	archer 弓箭手	archeress 女弓箭手
hunter 猎人	huntress 女猎人	panther 美洲狮	pantheress 雌美洲狮
master 主人	mistress 主妇	painter 画家	paintress 女画家
tiger 虎	tigress 雌虎	songster 歌手	songstress 女歌手
baron 男爵	baroness 男爵夫人	tempter 诱惑者	temptress 妖妇
shepherd 牧羊人	shepherdess 牧羊女	porter 看门人	portress 女看门人
leopard 豹	leopardess 母豹	enchanter 巫师	enchantress 女巫
governor 州长	governess 州长夫人,家庭女教师	founder 创建人	foundress 女创建人
		arbiter 仲裁人	arbitress 女仲裁人
mayor 市长	mayoress 女市长,市长夫人	spectator 观众,旁观者	spectatress 女观众,女旁观者

阳 性	阴 性	阳 性	阴 性
citizen 公民	citizeness 女公民	traitor 叛徒	traitress 女叛徒
benefactor 施主	benefactress 女施主	launderer 洗衣工	launderess 洗衣妇
ancestor 祖先	ancestress 女祖先	sorcerer 男巫	sorceress 女巫
monitor 班长	monitress 女班长	murderer 凶手	murderess 女凶手
translator 翻译	translatress 女翻译	procurer 拉皮条者	procuress 老鸨
director 主管,指挥	directress 女主管,女指挥	votary 信徒	votaress 女信徒（去 y）
adventurer 冒险家,投机家	adventuress 女冒险家,女投机家	instructor 教员,大学讲师	instructress 女教员,大学女讲师
preceptor 导师,教师	preceptress 女导师,女校长		

4. 有些名词在词尾加-ette 构成阴性

阳 性	阴 性
usher 领座员	usherette 女领座员
suffragist 主张扩大参政权者	suffragette 鼓吹妇女参政的妇女
undergraduate 大学生	undergraduette 女大学生

▶▶ 其他表示女性的词还有：concubine 姘妇，majorette 男乐队女领队，landgravine 伯爵夫人,等。

5. 惯用于男性的名词和惯用于女性的名词

　　有些名词惯用于男性,其代词用 he, him, his 等对应;有些名词则惯用于女性,其代词用 she, her 等对应。例如:

　　① 惯用于男性的词：general, lawyer, fellow, soldier, sailor, judge, wrestler 等。

　　② 惯用于女性的词：nurse, typist, dressmaker, housekeeper, model 等。

　　③ 拟人化的阳性词（伟大,强大,恐怖）：Ocean 海洋, Storm 风暴, Thunder 雷, Sleep 睡眠, Winter 冬, Summer 夏, Autumn 秋, Death 死亡, Sun 太阳, Revenge 复仇, Murder 凶杀, Hurricane 飓风,Despair 恐怖, Time 时光, Mountain 山, Wind 风, War 战争, Fear 恐惧, Anger 愤怒,等,代词用 he。

　　④ 拟人化的阴性词（柔和,优美）：Moon 月亮, Spring 春天, Night 夜, Nature 大自然, Peace 和平, Hope 希望, Virtue 美德, Truth 真理, Earth 地球, Liberty 自由, Justice 正义, Fame 名声, Victory 胜利, Faith 信仰, Humility 谦恭, Pride 自尊, Mercy 慈悲, Art 艺术, Science 科学, Soul 灵魂,等,代词用 she。

　　The **Sun** shed **his** powerful rays upon the vast plains. 阳光普照在辽阔的平原上。

　　Let **Justice** forever hold **her** sway over the Earth. 让正义永驻人间。

　　The **Moon** is shedding **her** rays upon the ancient battlefield. 月光洒满了古战场。

　　Nature rewards those who love **her**. 大自然回报爱她的人。

▶▶ 船、火车等通常看作阴性。例如:

　　The *Queen Mary* was on **her** maiden voyage then. "玛丽皇后"号当时在作处女航。

▶▶ 国家、都市通常看作阴性。例如:

　　China is proud of **her** rich natural resources. 中国以其丰富的自然资源而自豪。

　　Does **America** know where **she's** going? 美国知道她将走向何方吗?

　　Suzhou is famous for **her** gardens. 苏州以园林著称。

6. 名词前加 he, she, girl 等可以表示性别

　　在现代英语中,对无性别区分的名词一般可通过在该词前加上 he, she, girl, lady, male, female, woman, boy, man 等词来区分性别,有些词则在后面加 man, woman 等区分性别。例如:

student→ { boy student 男生 / girl student 女生 }　　doctor→ { man doctor 男医生 / woman doctor 女医生 }

wolf→ { he-wolf 公狼 / she-wolf 母狼 }　　friend→ { boy/manfriend 男朋友 / girl/womanfriend 女朋友 }

he-goat 公山羊→she-goat 母山羊　　he-ass 公驴→she-ass 母驴

he-bear 公熊→she-bear 母熊　　he-dancer 男舞者→she-dancer 女舞者

he-monster 男怪物→she-monster 女怪物　　he-cousin 堂兄(弟)→she-cousin 堂姐(妹)

bull-elephant 公象→cow-elephant 母象　　he-literature 男性文学→she-literature 女性文学

jackass 公驴→jennyass 母驴　　tom-cat 雄猫→tally-cat 雌猫

peacock 雄孔雀→peahen 雌孔雀　　orphan-boy 孤儿→orphan-girl 孤女

cock-sparrow 雄麻雀→hen-sparrow 雌麻雀　　bull-calf 小公牛→cow-calf 小母牛

dog-otter 雄獭→bitch-otter 雌獭　　dog-fox 雄狐→bitch-fox/vixen 雌狐

landlord 房东→landlady 女房东　　beggar-man 男乞丐→beggar-woman 女乞丐

male reader 男读者→female reader 女读者　　washerman 男洗衣匠→washerwoman 洗衣妇

air-man 飞行家→air-woman 女飞行家　　male monkey 公猴→female monkey 母猴

buck mouse 公鼠→doe mouse 母鼠　　billy goat 公山羊→nanny goat 母山羊

milkman 男送奶人→milkwoman 女送奶人　　tradesman 男商人→tradeswoman 女商人

male frog 雄青蛙→female frog 雌青蛙　　dustman 清洁工→dustwoman 女清洁工

postman 邮递员→postwoman 女邮递员　　man artist 男艺术家→woman artist 女艺术家

kinsman 男同胞→kinswoman 女同胞　　businessman 男商人→businesswoman 女商人

man boss 男老板→woman boss 女老板　　man scientist 男科学家→woman scientist 女科学家

man patient 男病人→woman patient 女病人　　man passenger 男乘客→woman passenger 女乘客

man professor 男教授→woman professor 女教授　　man secretary 男秘书→woman secretary 女秘书

man teacher 男教师→woman teacher 女教师　　man writer 男作家→woman writer 女作家

salesman 男售货员→saleswoman 女售货员　　sportsman 男运动员→sportswoman 女运动员

statesman 男政治家→stateswoman 女政治家　　male model 男模特→model 模特

policeman 男警察→policewoman 女警察　　slave man 男奴→slave woman 女奴

chairman 男主席→chairwoman 女主席　　office boy 男勤杂员→office girl 女勤杂员

baby boy 男婴→baby girl 女婴　　godfather 教父→godmother 教母

stepfather 继父→stepmother 继母　　grandfather 祖父→grandmother 祖母

seal 海豹(泛指)→cow-seal 雌海豹　　whale 鲸(泛指)→cow-whale 雌鲸

rabbit 兔(泛指)→doe-rabbit 母兔　　cock/father bird 雄鸟→hen/mother bird 雌鸟

horseman 男骑手/师→horsewoman 女骑手/师

male nurse 男护士→nurse 护士(nurse, model 通常看作女性)

twin sons 双胞胎男孩→twin daughters 双胞胎女孩

boy classmate 男同班同学→girl classmate 女同班同学

judge 法官(judge, wrestler 通常看作男性)→woman judge 女法官

wrestler 摔跤运动员→woman wrestler 女摔跤运动员

congressman 男国会议员→congresswoman 女国会议员

male/man/boy cousin 表/堂兄弟→female/woman/girl cousin 表/堂姐妹

【提示】

① 表示尊敬时,可用 lady 表示女性,如:lady doctor 女医生,lady judge 女法官,lady artist 女艺术家,但只能用单数形式。

② 注意下面两个表示法:a she-school 一所女子学校,she-poetry 女性诗歌。

7. 某些名词有外来阴性后缀

阳 性	阴 性
hero 男英雄	heroine 女英雄
executor 男执行人	executrix 女执行人
Czar(=Tsar)沙皇	Czarina(=Tsarina)女沙皇
administrator 男行政官	administratrix 女行政官
signor 先生	signora 夫人
testator 男性立遗嘱者	testatrix 女性立遗嘱者
Joseph 约瑟夫	Josephine 约瑟芬
kaiser 德国皇帝	kaiserin 德国皇后
beau 情郎,时髦男人	belle 美女
don 先生	dona 夫人,女士
prosecutor 检查员,公诉人	procecutrix 女检查员,女公诉人
proprietor 所有人,业主	proprietrix 女所有人,女业主
dictator 独裁者,口授者	dictatrix 女独裁者,女口授者
inheritor 继承人	inheritrix/inheritress 女继承人

8. man 可以包括 woman

man 可以包括 woman 在内,统指一切人,代词用 he 和 his。例如:

Man is mortal. 人皆有一死。

Man creates himself. 人创造自己。

Every **man** has his weak points. 人皆有弱点。

A **man** can do no more than he can. 凡事要量力而行。

Man must change in the changing world. 世界在变,人也必须变。

A **man** is known by the company he keeps. 从其交友知其为人。

9. 中性

表示无生命物的名词为中性(Neuter Gender),如 water,snow,love,book 等,常用 it 指代,文学表达中拟人化时也可用 he 或 she。例如:

Everyone is asking for **love** but few seem able to get **it**. 每个人都希望得到爱,但真正能够得爱的人却很少。

三、数

1. 规则名词复数形式

1 -s 类

大多数名词的复数形式(Plural)是在单数名词(Singular)后加-s。例如:

desk 书桌→desks　　day 天→days　　house 房屋→houses

学生们举起了手。

{ The students raised their **hand**. (每人举一只手)

{ The students raised their **hands**. (每人举一只手或两只手)

2 -es 类

以 o,s,x,ch,sh 结尾的名词,在词尾加-es。例如:

hero 英雄→heroes	bush 灌木→bushes	fox 狐狸→foxes
watch 手表→watches	tomato 西红柿→tomatoes	mass 大众→masses
echo 回声→echoes	embargo 禁运→embargoes	negro 黑人→negroes
torpedo 鱼雷→torpedoes	potato 土豆→potatoes	no 否定→noes
veto 否决→vetoes	ass 驴→asses	inch 寸→inches

buzz 嗡嗡声→buzzes　　　　　adz(e)手斧→adzes

Two **noes** make a yes. 否定的否定就是肯定。

The economic collapse had dangerous political **echoes**. 经济崩溃引起政治上的危险反响。

【提示】

① 容易引起错误读音时,则不加-s 或-es。例如:

　　three King Louis 三代路易国王

　　the novels by the Dumas father and son 仲马父子的小说

② 如果词尾的 ch 发 k 音,要加-s。例如:

　　monarch 君主→monarchs　　　　　　stomach 胃→stomachs

　　patriarch 族长→patriarchs　　　　　　epoch 时期→epochs

▶▶▶ 但是有些以字母 o 结尾的外来词或缩写词的复数形式只加-s,如果 o 前面是元音字母,也只加-s。例如:

kilo 千克→kilos　　　　　　　　piano 钢琴→pianos

photo 照片→photos　　　　　　bamboo 竹→bamboos

tobacco 烟草→tobaccos　　　　cuckoo 布谷鸟→cuckoos

dynamo 电动机→dynamos　　　cameo 多彩浮雕→cameos

soprano 女高音→sopranos　　　alamo 三角叶杨→alamos

abrazo 拥抱→abrazos　　　　　bronco 野马→broncos

gringo 外国同志→gringos　　　alto 男高音→altos

casino 俱乐部→casinos　　　　ego 自我→egos

obligato 伴奏→obligatos　　　　two 二→twos

torso 躯干→torsos　　　　　　folio 对开纸→folios

canto 诗的篇章→cantos　　　　embryo 胚胎→embryos

portfolio 文书夹→portfolios　　studio 工作室→studios

zoo 动物园→zoos　　　　　　　Hindoo 印度人→Hindoos

curio 古董→curios　　　　　　　rodeo 竞技表演→rodeos

▶▶▶ 但下面的名词加-s 或-es 均可:zero 零,cargo 货物,volcano 火山,mango 芒果,memento 纪念物,mulatto 穆拉托人,archipelago 群岛,banjo 五弦琴,buffalo,calico 印花布,commando 突击队,grotto 岩穴,halo 晕轮,lasso 套索,tornado 龙卷风,motto 座右铭,portico 柱廊,proviso 附文,mosquito 蚊子,等。

▶▶▶ 下面几个名词有两种变化形式:

buffo 滑稽歌手→buffos/buffi　　　　　cello 大提琴→cellos/celli

solo 独奏曲→solos/soli　　　　　　　taxi 出租车→taxis/taxies

3 y 类

（1）以辅音加 y 结尾的名词,变 y 为 i 再加-es。例如:

　　family 家→families　　　　lady 女士→ladies　　　　fly 苍蝇→flies

▶▶▶ 但有例外,如:dry 禁酒论者→drys, stand-by 声援者→stand-bys

（2）y 前面是元音字母时只加-s。例如:

　　key 钥匙→keys　　　boy 男孩→boys　　　donkey 驴→donkeys　　　guy 人→guys

▶▶▶ 但有例外,词尾为 quy 时须变 y 为 i 再加-es。例如:

　　soliloquy 独语→soliloquies　　　　　colloquy 对话→colloquies

4 f 或 fe 类

（1）有 14 个名词以 f 或 fe 结尾,构成复数时要去掉 f 或 fe 再加-ves,它们是:calf,half,knife,leaf,life,loaf,self,sheaf(捆),shelf,thief,wife,wolf,elf(小鬼),housewife。例如:

　　Their married **life is** happy. 他们的婚姻生活很幸福。（一对夫妻）

　　Their married **lives are** happy. （多对夫妻）

The trees are coming into **leaf**. 树上长出了叶子。

It was autumn and the **leaves** were yellow. 已经是秋天了,树叶变黄了。

（2）scarf 围巾, wharf 码头, staff 旗杆/柄, dwarf 矮子, handkerchief 手帕, turf 草地, hoof 蹄,变为复数时,可以加-s 或去 f 再加-ves。例如：scarf→scarfs→scarves

（3）其他以 f 或 fe 结尾的名词变复数时一般加-s,常见的有：chief 首领, cliff 悬崖, grief 悲哀, belief 信条, reef 暗礁, gulf 湾, brief 纲要, mischief 恶作剧, proof 证据, cuff 袖口, fife 横笛, roof 房顶, safe 保险箱, strife 争斗, sheriff 行政司法长官, tariff 关税等。例如：

proof→proofs   safe→safes   sheriff→sheriffs   tariff→tariffs

▶▶ 比较下列名词复数的不同意义：

staff→staffs 职员/参谋/幕僚→staves 棒/杖

calf→calfs/calves 小牛→calves 小腿

beef→beefs 牢骚→beeves 长成待宰的牛

5 's 类

字母、数字、单词、符号被作为"字"看待时,常加"'s"构成复数。例如：

Your **3's** look like **8's**. 你的 3 看起来像 8。

Dot your **i's** and cross your **t's**. 你不能马虎,一是一,二是二。

He used too many **but's** and **if's**. 他用了太多的 but 和 if。

They'd want to dot the **i's** and cross the **t's** before signing the agreement. 他们要在签订协议之前补充一些细节。

You'll have to mind your **p's** and **q's** if you go to work there. 如果你去那里工作,你得注意自己的言行举止。

Pay attention to your ＋**'s** and －**'s**. 注意你的加号和减号。

6 Smiths 类

（1）有些专有名词变为复数时只加-s。例如：

Kansas City→Kansas Citys 堪萨斯城   Mayor Browns 布朗市长们

Lord Mayors 市长们   Queen Elizabeths 伊丽莎白女王们

Sir Knights 爵士们   King Georges 几位乔治国王

Major Browns 几位布朗少将

several Sir John False Staffs 几位名叫约翰·福斯·斯塔夫的爵士

There are a lot of **Roberts** in the town. 镇里有不少名叫罗伯特的人。

The local people called them **the Leifengs** alive. 当地人把他们称为活雷锋。

I just wanted to save some **Franklins** on parking. 我只是想节省一些泊车费。（100 元的美钞,印有富兰克林头像,泛指金钱）

▶▶ 但：Rocky→Rockies 落基山脉   Sicily→Sicilies 西西里

（2）下列人名及专有名词的复数形式有两种形式：

Charles 查理→Charles→Charleses   Mary 玛丽→Marys→Maries

January 1 月→Januarys→Januaries   February 2 月→Februarys→Februaries

Harry 哈理→Harrys→Harries

He spent two **Februarys** in the south with his parents. 他在南方同父母一起过了两个 2 月。

There are three **Harrys** in the school. 这所学校里有三个叫哈里的。

（3）同一人名、同一头衔可有两种复数形式。例如：

Mr. Smith→the Messrs. Smith→the Mr. Smiths 史密斯先生们

Miss Alice→Misses Alice→Miss Alices 艾丽斯小姐们

Mr. Jackson→the two Mr. Jacksons→the two Messrs. Jackson 两位杰克逊先生

Lady Brown→the Ladies Brown→the Lady Browns 布朗夫人们

the Smith Brothers→the brothers Smith→the Smiths 史密斯兄弟们

John Black, Jr.→the John Blacks, Jr.→the John Black, Jrs. 小约翰·布莱克们

Doctor Anderson→the Doctors Anderson→the Doctor Andersons 安德森博士们→many doctor Andersons 许多安德森博士们

(4) 人名不同,但头衔相同只有一种复数形式。例如:

Dr. Smith and Anderson→Drs. Smith and Anderson 史密斯博士和安德森博士

Professor Black and Brown→Professors Black and Brown 布莱克教授和布朗教授

Mr. Smith and Mr. Brown→Messrs. Smith and Brown 史密斯和布朗二先生

Captain George and Captain Brown→Captains George and Brown 乔治和布朗船长

Miss Mary and Miss Anne→Misses Mary and Anne 玛丽和安妮二位小姐

(5) 人名相同但身份、头衔不同只有一种复数形式。例如:

Mr. , Mrs. and Misses Huntington. 亨廷顿先生、亨廷顿夫人和亨廷顿小姐们

(6) 其他情况。例如:

the three Mrs. Smiths 那三位史密斯太太(Mrs. 一般无复数形式)

Messrs. Brown's works 几位布朗先生的工厂

two Lady Carolines 两位卡罗琳夫人

the Emily sisters 埃米莉姐妹们

the two youngest Miss Helens 那两位最年轻的海伦小姐

Widdowson Brothers 威多逊兄弟公司

2. 不规则名词复数形式

1 ox 等类

有些名词以改变元音的方法变为复数,有些辅音也有变化。例如:

ox 牛→oxen	foot 脚→feet	mouse 鼠→mice
goose 鹅→geese	child 小孩→children	louse 虱→lice
alderman 高级市政官→aldermen	dormouse 睡鼠→dormice	tooth 牙齿→teeth

【提示】

① 当 foot 表示 infantry(步兵),horse 表示 cavalry(骑兵),sail 表示 ship(船)时,表示复数意义亦不作变化。例如:15,000 foot and 5,000 horse 15 000 名步兵和 5 000 骑兵,twenty sail 20 艘船。

② 下面两个复数形式有特殊的含义:

foot→foots 沉淀物,渣滓(=dregs) goose→gooses 弯把熨斗(=iron)

2 deer 类

(1) 有些名词单复数形式相同。例如:

deer 鹿	sheep 羊	swine 猪	means 方式
aircraft 飞机	teal 小野鸭	grouse 松鸡	moose 麋/驼鹿
works 工厂	steelworks 炼钢厂	bellows 风箱	crossroads 十字路口
gasworks 煤气厂	head(牲畜的)头数	brace 对/双	hundred-weight 英担
horsepower 马力	series 系列	species 种类	précis 摘要/要旨
lazybones 懒汉	Chambers 钱伯斯(人名)		Butchers 布切斯(人名)

Jennings 詹宁斯(人名) stone 英石(重量单位,合 14 磅)

carp 鲤鱼(复数形式也可用 carps) cod 鳕(复数形式也可用 cods)

herring 鲱鱼(复数形式也可用 herrings) trout 鲑鱼(复数形式也可用 trouts)

pike 狗鱼(复数形式也可用 pikes) yak 牦牛(复数形式也可用 yaks)

salmon 大麻哈鱼(复数形式也可用 salmons)

She saw **two head** of cattle grazing on the hill and **three brace** of birds twittering in the trees. 她看见两头牛在小山上吃草,三对鸟在树上叽叽喳喳地叫。

Of the **three Chambers**, one is a worker, the other two are college students. 那三个姓钱伯斯的人,一个是工人,另外两个是在校大学生。

Herring/Herrings were once plentiful. 鲱鱼曾经非常多。

【提示】kennel 意为"狗窝,狗舍",表示"养狗场"时常作 kennels,单复同。例如:

He had the dog taken to a **kennels**. 他把狗送到了一家养狗场。

（2）下面这些词是法语词，作单数用时 s 不发音，作复数用时 s 读作[z]：

chassis（汽车等的）底盘　　patois 方言　　corps 队　　rendezvous 约会

faux pas 有失检点的话或行为

（3）下面这些词表示某一国家的人，也是单复数同形：

Chinese 中国人，Japanese 日本人，Swiss 瑞士人，Vietnamese 越南人，Burmese 缅甸人

【提示】

① 比较下面复数形式名词，它们既可表示单数也可表示复数：

one **gallows** 一副绞架

three **gallows** 三副绞架

a golf **links** 一个高尔夫球场

several golf **links** 几个高尔夫球场

write a **précis** 写一个摘要

write several **précis** 写几个摘要

a **species** of grass 一种草

many **species** of wine 多种酒

a busy **crossroads** 一个繁忙的十字路口

several busy **crossroads** 几个繁忙的十字路口

He **is** a lazybones. 他是个懒汉。

They **are lazybones**. 他们都是懒汉。

The steelworks is closed. 这家炼钢厂关门了。

The steelworks are closed. 这些炼钢厂关门了。

That barracks is near. 那个军营不远。

Those barracks are near. 那些军营不远。

Where is the headquarters? 那个司令部在哪里？

Where are the headquarters? 那些司令部在哪里？

a **kennels** 一个养狗场

some **kennels** 一些养狗场

an **innings** 一局（指棒球或板球）

five **innings** 五局

a **series** of important meetings 一系列重要会议

five television **series** 五部电视连续剧

by this **means** 用这种方法

by these **means** 用这些方法

② 直接从汉语译音的名词单复数同形，用斜体。例如：

ten *li* 10 里　　　　fifteen *dan* 15 担　　　　seventy *mu* 70 亩

renminbi 人民币　　　*liang* 两　　　　　　five *yuan* 5 元

③ 下面几个词单复数同形：

Vietcong 越共〈西方报刊用语〉，yen 日元（简写¥或 Y），sen 钱（日本货币名，100 钱＝1 yen）

3 crisis 类

英语中的一些外来词（主要有拉丁语、希腊语、法语、意大利语、俄语、希伯来语）在构成复数时，有些保留了原有的复数形式。例如：

crisis→crises 危机

erratum→errata 勘误表

addendum→addenda 补遗，附录

corrigendum→corrigenda 勘误表

minutia→minutiae 细目

stimulus→stimuli 刺激

diagnosis→diagnoses 诊断

oasis→oases 绿洲

parenthesis→parentheses 括弧

synopsis→synopses 内容提要

alumna→alumnae 女校友

epicardium→epicardia 心外膜

vis→vires（拉）力

datum→data 数据

basis→bases 基础

bacterium→bacteria 细菌

stratum→strata 阶层

ovum→ova 卵、卵细胞

analysis→analyses 分析

axis→axes 轴心

ellipsis→ellipses 日食

hypothesis→hypotheses 假定

alumnus→alumni 校友

arcanum→arcana 秘密

aphis→aphides 蚜虫

ruga→rugae 皱纹

altocumulus→altocumuli 高积云

genus→genera 属

frutex→frutices 灌木

charisma→charismata 神授的权力

vertigo→vertigoes 眩晕

velamen→velamina 膜

mythos→mythoi 神话

jeu→jeux 游戏

monsieur→messieurs 先生

monseigneur→messeigneurs 阁下

sinfonia→sinfonie 交响乐

cognoscente→cognoscenti 鉴赏家

Herr→Herren 先生

lied→lieder 浪漫曲

haver→haverim 伙伴

bacillus→bacilli 杆菌

cantus→cantus 旋律 (单复同)

anthelion→anthelia 幻日

homo→homines 人

logos→logoi 理性

eau→eaux 水

bandeau→bandeaux 细带

Madame→Mesdames 太太

donna→donne 夫人

improvisatore→improvisatori 即兴诗人

kulak→kulaki 富农

volkslied→volkslieder 民歌

wunderkind→wunderkinder 神童

locus→loci 地点，所在地

4 criterion 类

　　少数外来词有两种复数形式，原有的复数形式多为科学用语，英语复数形式多为一般用语或用在口语中。例如：

phenomenon→phenomena, phenomenons 现象

radius→radii, radiuses 半径

cactus→cacti, cactuses 仙人掌

necleus→nuclei, nucleuses 核心

adieu→adieux, adieus 告别

plateau→plateaux, plateaus 高原

bandit→banditti, bandits 匪徒

automaton→automata, automatons 自动装置

frenum→frena, frenums 系带

aquarium→aquaria, aquariums 水族馆

apparatus→apparatus, apparatuses 器械

glottis→glottides, glottises 声门

retina→retinae, retinas 视网膜

organon→organa, organons 研究原则 (哲学)

ganglion→ganglia, ganglions 神经节

imago→imagines, imagoes 成虫

Signora→Signore, Signoras 夫人

Signor→Signori, Signors 先生

focus→foci, focuses 焦点

millennium→millennia, millenniums 一千年

effluvium→effluvia, effluviums 散出，放出

encomium→encomia, encomiums 赞扬

emporium→emporia, emporiums 商场

colossus→colossi, colossuses 巨人，巨像

magus→magi, maguses 魔术家

seraph→seraphim, seraphs 六翼天使

apex→apices, apexes 顶，顶点

libretto→libretti, librettos (歌剧等的) 歌词

tempo→tempi, tempos (音) 速度

stratum→strata, stratums 阶层

criterion→criteria, criterions 标准

symposium→symposia, symposiums 研讨会

terminus→termini, terminuses 终点

syllabus→syllabi, syllabuses 提纲

bureau→bureaux, bureaus 局

antenna→antennae, antennas 天线，触角

trousseau→trousseaux, trousseaus 嫁妆

ultimatum→ultimata, ultimatums 最后通牒

curriculum→curricula, curriculums 课程

beau→beaux, beaus 情郎

pelvis→pelves, pelvises 骨盆

fungus→fungi, funguses 真菌

vortex→vortices, vortexes 漩涡

sovkhoz→sovkhozy, sovkhozes 国有农场

tableau→tableaux, tableaus 舞台造型

matrix→matrices, matrixes 母体

lumen→lumina, lumens 腔

cherub→cherubim, cherubs 天使

gymnasium→gymnasia, gymnasiums 体育馆

sanatorium→sanatoria, sanatoriums 疗养院

serum→sera, serums 血清

octopus→octopi, octopuses 章鱼

incubus→incubi, incubuses 梦魇

narcissus→narcissi, narcissuses 水仙花

helix→helices, helixes 螺旋线

calyx→calices, calyxes 盏，盂

soprano→soprani, sopranos 女高音

uvula→uvulae, uvulas 小舌

dogma→dogmata,dogmas 教务

nebula→nebulae,nebulas 星云

vertigo→vertigines,vertigoes 眩晕

auditorium→auditoria,auditoriums 礼堂

Menshevik→Mensheviki,Mensheviks 孟什维克

dilettante→dilettanti,dilettantes 艺术爱好者

stadium→stadia,stadiums 露天大型体育场

honorarium→honoraria,honorariums 酬金,谢礼

referendum→referenda,referendums 公民投票

hippopotamus→hippopotami,hippopotamuses 河马

memorandum→memoranda,memorandums 备忘录

mademoiselle→mademoiselles,mesdemoiselles 小姐

compendium→compendia,compendiums 概要,纲要

larva→larvae,larvas 幼虫

index→indices,indexes 索引

vertebra→vertebrae,vertebras 脊椎

spectrum→spectra,spectrums 系列,光谱

Bolshevik→Bolsheviki,Bolsheviks 布尔什维克

virtuoso→virtuosi,virtuosos 艺术品鉴赏家

codex→codices,codexes（古书的）抄本,药典

momentum→momenta,momentums 动量,势头

foramen→foramina,foramens（动、植）孔

5 genius 类

少数词的两种复数形式有不同含义,或一种复数形式比另一种复数形式含义更多。例如:

index→indices 指数→indexes 索引

stamen→stamens 雄蕊→stamina 耐久力

formula→formulas 规则→formulae 公式

staff→staves 五线谱→staffs 棒,参谋人员

horse→horses 马匹→horse 骑兵

brother→brothers 兄弟→brethren 教友/同事

genius→genii 妖怪→geniuses 天才

appendix→appendices 附录→appendixes 盲肠

medium→mediums 巫师→media 媒介,方法

foot→feet 两脚→foot 步兵

die→dice 骰子→dies 小方块,模具

shot→shots 射击的次数→shot 进球数,射门

stigma→stigmas（植物学）柱头,烙印→stigmata 斑点,污点

cannon→cannons（指单个的复数）→cannon（"大炮"的总称）

heathen→heathens（指单个的复数）→heathen（"异教徒"的总称）

penny→pennies 数枚一便士的硬币（表示硬币数）→pence 共值几便士（表示币值、数额）

cloth→cloths（多种）布料,抹布,桌布→clothes 衣服

head→heads 头（身体的一部分）→head 牲畜的头数

I have only **pennies** and nickels in my pocket. 我口袋里只有一分和五分的硬币。

Can you lend me 50 **pence** please? 你能借给我 50 便士吗?

这东西只要几便士。

It only costs a few **pence**. [√]

It only costs a few **pennies**. [×]

a bag of **pennies** 一袋一便士的硬币

a 20 **pence** piece 一枚 20 便士的硬币

3. 常用单数形式的名词

1 有生命集体名词

这类名词多用作复数,但有时也可用作单数,视具体情况而定(参阅"一致关系"章节)。例如:

class, crew, couple, committee, enemy, audience, association, family, jury, majority, mob, government, staff, troop, troupe, swarm, shoal, pack, litter, flock, herd, population, humanity,(the)press, opposition team, opposition party(反对党), livestock(牲畜), school(学术界), vermin(害虫),等。

▶▶▶ 但下面几个名词一般要被大于"一"的数词修饰,或只能被十、百、千等整数修饰:infantry 步兵, clergy 牧师, cattle 牛, cavalry 骑兵, police, scum 痞子, personnel 人员, people 人(但作"民族"解时可被"一"修饰)。例如:

500 **cattle** 500 头牛 　　　a few **cavalry** 一些骑兵 　　　five **clergy** 五个牧师

two or three **people** 两三个人 　　　these two **scum** 这两个痞子

one thousand **infantry** 1000 名步兵 　　　ten teaching **personnel** 10 名教学人员

Cattle **were** sold for next to nothing then. 当时卖牛不值钱。

Our livestock **are** not as many as yours. 我们的牲畜没有你们的多。

$\begin{cases} \text{one police} [\times] \\ \text{two \textbf{police}} [\checkmark] \\ \text{two \textbf{policemen}} [\checkmark] 两名警察 \end{cases}$

【提示】

① 可以说 ten **cattle**，two thousand **cattle**，但一般不说 two cattle 或 three **cattle**，而应说 two head of cattle 或 three head of **cattle**。

② "两条船的船员"要说 the **crews** of two ships。

② 无生命集体名词

这类名词中有些是物质名词,包括气体名词、液体名词、药品名称等。例如:

machinery, weaponry, clothing, sweat, poetry, jewelry, sugar, salt, rice, corn, powder, flour, sand, dust, dirt, garbage, grass, hair, furniture, mail, equipment, food, meat, bread, toast, iron, copper, chalk, paper, wood, soap, gasoline, merchandise, scenery, traffic, nature, baggage, foliage 叶子, millinery 女帽, cutlery 刀具, stationery 文具, crockery 陶器, hosiery 针织品, footwear 鞋类, underwear 内衣, glassware 玻璃器皿, hardware 金属器皿, money, codeine 可待因, bunting 旗帜, pastry 糕饼, junk 废弃物, game 猎物, linen 亚麻衣物, stubble 残茬, type 铅字, blood 血统, oxygen 氧气, hydrogen 氢气, 等。

▶▶▶ odor 气味, flavor 味道, beverage 饮料, cocktail 鸡尾酒, vitamin 维生素, antibiotic 抗生素, insecticide 杀虫剂,都是可数名词;sauce 调味液, juice 汁, liquor 酒,都可作可数名词或不可数名词。

③ 抽象名词

这类名词常见的有:

education, homework, knowledge, filth, bravery, photography, correspondence, strength, happiness, laughter, honesty, loyalty, anger, companionship, friendship, promotion, interference, approval, failure, childhood, truth, freedom, wealth, wisdom, ignorance, ease, luck, love, peace, information, intelligence, fun, pleasure, entertainment, recreation, relaxation, sunlight, sunshine, lightning, thunder, weather, geology, chemistry, biology, music, philosophy, darkness, light, heat, electricity, energy, power, youth, age, wit, beauty, room 空间, 等。

▶▶▶ 这类名词为不可数名词,前面不用 many 修饰,后不可加-s,谓语动词用单数。

【提示】有些抽象名词可作集体名词,表示这类名词的具体特点或所指之人。比较:

youth 青春→youth 青年们	age 年老→age 老年人
society 交际→society 社会	audience 谒见→audience 观众
nobility 高贵→nobility 贵族	community 共有→community 公众
painting 绘画→painting 画	priesthood 祭司职位→priesthood 祭司

She knows the secret of keeping her **youth**. 她知道保持青春的秘诀。

$\begin{cases} \text{In our society \textbf{youth} respect \textbf{age}. 在我们的社会中,年轻人尊敬老年人。} \\ \text{The Chinese people have great respect for \textbf{age}. 中国人敬老。(=aged person)} \end{cases}$

$\begin{cases} \text{She possesses both \textbf{wit} and \textbf{beauty}. 她才貌双全。} \\ \text{The \textbf{wit and beauty} were present at the ball. 才子佳人们参加了那个舞会。} \end{cases}$

4. 常用复数形式的名词

① 表示由两个相同部分组成的东西的名词

scissors 剪刀	trousers 裤子	pants 裤子
compasses 圆规	tweezers 镊子	tongs 夹子
pliers 钳子	glasses 眼镜	spectacles 眼镜
shorts 短裤	stockings 袜子	calipers 两脚规
flares 喇叭裤	jeans 牛仔裤	shades 太阳镜

slacks 便裤
breeches 马裤
braces（裤子的）背带

flannels 法兰绒衣服
forceps 镊子
clippers 轧刀，钳子

pyjamas（宽大的）睡衣裤
pincers 钳子
shears 大剪刀

suspenders 吊带
tights 紧身衣裤
trunks 男用运动裤

knickers（女用）扎口短裤
nylons 尼龙长袜
bellows 风箱

binoculars 双筒望远镜
handcuffs 手铐
goggles 风镜

knickerbockers 灯笼裤

2 一些词尾为-ing 的名词（表示"多量"）

savings 储蓄
findings 调查/研究结果
greetings 致敬

surroundings 环境
earnings 薪水
winnings 奖金

lodgings 出租的房间
belongings 所有物，行李
fillings 填充物

clippings 剪下物
tidings 消息
sightings 发现

takings 收入
bookings 预定，约定
diggings 采掘到的矿物

sweepings 扫拢的垃圾
doings 行为，东西
combings 梳下的毛（发）

droppings 滴下物，鸟粪
peelings（削下的）皮，果皮
pickings 搜集物，利润

3 overalls 等常以复数形式出现的名词（有些表示"多量，若干量"）

overalls 工作服
remains 残物
fireworks 焰火

arms 武器
outskirts 郊外
links 河道弯曲处

measles 麻疹
clothes 衣服
headquarters 司令部

amends 赔偿，赔罪
lazybones 懒汉
entrails 内脏

fidgets 烦躁
auspices 赞助
shambles 混乱

cards 纸牌
eaves 屋檐
proceeds 收益

memoirs 回忆录
news 新闻
crossroads 十字路口

the movies 电影（院）
riches 财富
gallows 绞架

dregs 残渣
blues 忧郁
oats 燕麦

fetters 枷锁
arrears 未付尾数
ashes 骨灰

folks 家人
banns 结婚预告
bowels 人肠

archives 档案
congratulations 祝贺词
tropics 热带地区

assets 资产
exports 出口货物
the Customs 海关

commons 平民
intestines 肠
guts 内脏

dues 应付款
odds 差额
living-quarters 住所

effects 个人用品
particulars 细节
rigours 严厉

grassroots 基础
stairs 楼梯
raptures 狂喜

mains 总管道
barracks 兵营
thanks 谢意

oil-colors 油画
movables 动产
corps 军团

respects 问候
compliments 问候
remembrances 问候

valuables 珍贵物品
actualities 现状
drinkables 饮料

annals 编年史
woolens 毛料衣服
munitions 军火

suds 肥皂泡
the Netherlands 荷兰
smithereens 碎片

sweets 糖果
advances 友好表示，求爱
accoutrements 服装，装备

victuals 食物，饮料
the Commons 英国下议院
the Olympics 奥林匹克运动会

accommodations 住宿，膳宿
communications 通信系统

Riches have wings. 财富无常。

The scissors are very sharp. 这把剪刀很锋利。

He has tasted the **sweets** of success. 他尝到了成功的欢乐。

People wear **spectacles** so that they can see better. 人们戴眼镜以便看得更清楚。

We keep our **savings** in the bank. 我们把积蓄存在银行里。

Opening the window, I caught the smell of fresh grass **clippings**. 打开窗户,我闻到了新刈青草的芳香。

Please ensure that you have all your **belongings** when you leave the train. 下火车之前,请先查一下自己的物品是否齐全。

I'm looking for a **doings** to hold up the curtain rail that's fallen down. 我在找样东西,以便把掉下来的挂帘子的横杆支好。

⎰ **The findings** of the investigation will be disclosed soon. 调查结果不久就会披露。
⎱ It is **a** startling **finding** of the research. 这是该项研究的一个惊人发现。(finding 也可用单数)

【提示】
① 下面两句都对:
   A scissors **is** on the table. 一把剪刀在桌子上。
   The scissors **are** on the table. 这把剪刀在桌子上。
② 这类词有些是单复同形,参阅有关部分。

▶▶▶ 还有一些名词在某些固定说法中常用复数形式。例如:

social studies 社会研究	high heels 高跟鞋
human rights 人权	social services 社会服务
current affairs 时事	civil rights 公民权利
race relations 种族关系	winter sports 冬季运动
French fries 炸薯条	modern languages 现代语言
winter crops 越冬作物	social relations 社会关系
road works 道路工程	yellow pages (电话簿中的)黄页部分
the public funds 公债	

5. 复数形式具有特殊含义的名词(表示"多量,若干种类,连续不断,一阵阵"等)

brain 脑→brains 脑力,智能	sand 沙→sands 沙滩/沙漠
authority 权威→authorities 当局	damage 损害→damages 赔偿费
green 绿色→greens 蔬菜	effect 结果→effects 效果,动产
look 脸色,看→looks 面容,美貌	hair 头发→hairs 多根头发
pain 痛苦→pains 辛苦,努力	rain 雨→rains 大雨,几场大雨
spirit 精神→spirits 情绪,酒精	water 水→waters 矿泉水,领海,海水
property 财产→properties 特性	advice 忠告→advices 通知
air 空气→airs 架子	color 颜色→colors 军旗,(各种)颜色
sky 天空→skies 天气,领空	cloth 布→clothes 衣服
corn 玉米→corns 鸡眼	custom 风俗→customs 关税
experience 经验→experiences 经历	force 武力→forces 军队
good 好处→goods 货物	heaven 天堂→heavens 天空
iron 铁→irons 镣铐	letter 信→letters 文学,证书
paper 纸→papers 论文,文件	regard 尊敬,注意→regards 问候
ruin 毁灭→ruins 废墟	wit 机智→wits 理智
wood 木材→woods 森林	work 工作→works 工厂,工程,工事
spectacle 景象→spectacles 眼镜	business 生意→businesses 多家商店
delicacy 微妙→delicacies 山珍海味	disorder 混乱→disorders 小病
part 部分→parts 才能,资料	scale 尺度→scales 天平,尺度
future 未来→futures 期货	draught 通风(装置)→draughts 跳棋
ground 地面→grounds 庭园,理由	import 进口→imports 进口货物
minute 分→minutes 记录,分	moral 教训→morals 道德
nerve 神经,勇气→nerves 胆怯	statistic 统计资料→statistics 统计学
system 制度→systems 系统分析	honor 荣誉→honors 优等,显达

return 回去→returns 利润,盈利

snow 雪→snows 积雪

drawer 抽屉→drawers 衬裤,抽屉

death 死亡→deaths 死亡事例

step 步→steps 一段楼梯

wonder 惊奇→wonders 奇观

depth 深度→depths 深处,底

height 高度→heights 高处

duty 义务→duties 职务

copper 铜→coppers 铜币

potato 土豆泥→potatoes 土豆

term 期间→terms 条件,关系

silk 丝→silks 绢服

land 土地→lands 若干地产

viand 食品→viands 各种食品

fur 毛皮→furs 皮衣

cotton 棉花→cottons 棉制品

soap 肥皂→soaps 各种肥皂

wind 风→strong winds 狂风

fog 雾→fogs 一场场的雾

sweat 汗→sweats 一阵阵的汗

content 含量,要旨→contents 目录,记录

sight 景象,视力→sights 景象

writing 文件→writings 著作

sympathy 同情→sympathies 表示慰问的函电

circumstance 情况→circumstances 环境,处境

beauty 美→beauties（多个）美人,美点,妙处

misery 苦难→miseries 苦难经历

province 省→provinces 地方（与首都相对）

manner 态度,方式→manners 礼貌

breakage 损坏→breakages 损坏的东西,赔偿费

humanity 人性→humanities 人的属性（尤指美德）

advance 前进→advances 预支,进展,献殷勤或求爱

premise 前提（逻辑术语）→premises 房屋,院内,前提

salt 盐,食盐→salts 盐,(特指)泻盐

attention 注意→attentions 殷勤

dew 露水→dews 珍珠,大量的露水

head 头→heads 印有头像硬币的正面

fund 资金→funds 现款

royalty 王权→royalties 王族

chance 机会,偶然→chances 情况,期望

rank 阶层→ranks 兵卒

pleasure 快乐→pleasures 乐趣,乐事

tin 锡→tins 锡罐

rubber 橡胶→rubbers 胶鞋

attainment 得到→attainments 学识

rag 破布→rags 破衣

provision 预备→provisions 粮食,规定

whisker （一根）须→whiskers 连鬓胡子

bread 面包→breads 各种面包

meat 肉→meats 各种肉食

syrups 糖浆→syrups 各种糖浆

mist 雾→mists 一阵阵的雾

frost 霜→frosts 一场场的霜

profit 益处→profits 利润,收益

money 钱→moneys 各种款额

light 灯,光线,亮光→lights 灯

vesper 傍晚→vespers 晚祷

desert 沙漠→deserts 应得的报酬/应

list 表→lists 角斗场

excess 过分→excesses 过分行动

science 科学→sciences 不同门类的科学

physic 药品,泻药→physics 物理学

quarter 一刻钟,四分之一→quarters 住处,营房

There are some **papers** in the drawer. 抽屉里有些文件。

He was in **irons**. 他带着镣铐。

The river rose after heavy **rains**. 几场大雨后河水上涨了。

They showed the old man numerous little **attentions**. 他们对老人殷勤款待,无微不至。

Are **fats** a hazard? 脂肪过多危险吗?

Before her spread the blue **waters** of the sea. 她面前展现出辽阔的、碧蓝的海水。

Few plants could survive in the burning **sands** of the Sahara Desert. 在炽热的撒哈拉沙漠里,很少植物能够存活。

The fields were still covered with lingering **snows**. 田野里仍覆盖着未消融的积雪。

His house was damaged by the high **winds**. 狂风把他的房子摧毁了。

Nature has favored them with good **looks**. 大自然恩赐给他们美貌。

I'm delighted to have the cool **waters** of a brook rush through my open fingers. 我很高兴让小河清凉的流水从我张开的手指间奔流而去。

There is a pond of happiness in every bosom，but the **depths** are seldom probed，每个人的内心都有幸福的源泉，只是深度极少探索过。

A typhoon swept across this area with heavy **rains** and **winds** as strong as 113 miles per hour. 台风裹着狂风暴雨以每小时 113 英里的速度横扫这个地区。

value **honour** above life 视名誉重于生命
He does not aspire to **honors**. 他志不在显达。
She graduated with **honors**. 她以优秀成绩毕业。

What is the **depth** of the lake? 这湖有多深?
The boat sank into the **depths** of the river. 小船沉到河底了。

In what **manner** did you do it? 你怎么做那件事的?
It is bad **manners** to interrupt. 打断别人的话是不礼貌的。
Where are/is your **manners**? 你懂不懂礼貌?

She couldn't sleep for **pain**. 她痛得睡不着。
The artist took great **pains** with the painting. 这位艺术家花大力气画这幅画。

Chance made us acquainted. 机会使我们相识。
How are the **chances**? 形势如何?
The **chances** are against him. 情势对他不利。

Wisdom is better than **strength**. 智慧胜过力量。
I am aware of my **strengths** and weaknesses. 我知道自己的长处和弱点。

Sheep and oxen are roaming over **grass** the wind has battered low. 风吹草低见牛羊。
The prairie fire cannot burn the **grasses** up and spring winds will wake them anew. 野火烧不尽，春风吹又生。

Oscar Wilde was a famous **wit**. 奥斯卡·王尔德是个著名的说话风趣的人。
Her writings spark with **wit**. 她的著作闪烁着才智。
He has quick **wits** to realize what to do in the emergency. 他有应付紧急事件的才智。

Oil does not mix with water. 油不溶于水。
It's an **oil** of very high quality. 这是一种质量非常好的油。
Mostly I paint in **oils**. 大多数情况下，我都用油画颜料作画。

He is too fond of **drink**. 他太爱饮酒。
Drinks were served in the sitting room. 客厅里提供饮料。
They sell ice cream and soft **drinks**. 他们卖冰淇淋和软饮料。
Drinks are on me. 酒钱由我付。

His coat was dusted with **ash** from his cigarette. 他的外套上沾有他吸烟掉下的烟灰。
They scattered their father's **ashes** over the sea. 他们把父亲的骨灰撒进大海里。

The crowd gasped in **horror** as Senna's car crashed. 森纳的车撞毁时，人群吓得屏住了气。
The **horrors** of war were beyond description. 战争的惨状是难以描述的。

They disapprove of sex before **marriage**. 他们不赞成婚前性行为。
One in three **marriages** ends in divorce. 三桩婚姻中就有一桩以离婚而告终。（婚姻，婚礼）

I gave up eating **meat** a few months ago. 我几个月前就不吃肉了。
cooked **meats** 熟肉，cold **meats** 冷冻肉（处理过的肉，不同类的肉）

It seems **a pity** to waste it. 把这浪费了挺可惜的。
It's a thousand **pities** they didn't think of that earlier. 他们没有早些想到那一点，真是太遗憾了。（用于 a thousand pities，加强语气）

He has no **sense** of duty. 他没有责任感。（感觉，意识）
He brought her to her **senses**. 他让她醒了过来。
Have you lost you **senses**? 他难道是疯了?（理智，理性）

The **sky** turned dark just before the storm. 暴风雨将至,天色转暗。(天,天空)

The radio forecast clear **skies** tomorrow. 收音机预报明天天晴。(天气)

They praised her to the **skies**. 他们把她捧上了天。

I only saw the first **part** of the programme. 我只看了那个节目的第一部分。

He is a man of **parts**. 他是个颇有才华的人。

The country imported large quantities of **coffee** every year.该国每年进口大量的咖啡。

Three teas and **a coffee**,please. 请来三杯茶和一杯咖啡。

She felt it was useless to struggle against **fortune**. 她觉得与命运抗争是无用的。

She won **a small fortune** on horses. 她在赛马赌博中赢了一笔钱。

We've had too much **rain** this summer. 今年夏天雨水太多。

The **rains** started early this year. 今年的雨季来得早。

A good rain falls just when it should in spring time. 好雨知时节,当春乃发生。

The warehouse was completely destroyed by **fire**. 仓库全部被火烧毁了。

Thirty people died **in a fire** in downtown area. 市中心的一场火灾烧死了30人。

A true luxury is **a fire** in the bedroom. 真正的奢侈就是卧室里拥有一团炉火。

When the **fog** closed in we couldn't see the top of the hill. 起雾时,我们便看不见山顶了。

We often have had **fogs** here during winter. 这里冬季雾多。

A thin fog drifted through the forest. 树林里飘浮起薄薄的雾。

He was rushed to the hospital but was dead on **arrival**. 他被急速送往医院,但到达时已经死亡。

New **arrivals** in the camp were greeted with suspicion. 新到营地来的人都受到怀疑。

Mr. Smith,**a recent arrival**,is a highly efficient man. 史密斯先生是新到的,工作效率非常高。

▶▶▶ 下面一句有歧义:

She is looking for her **glasses**.

她在寻找她的眼镜。

她在寻找她的玻璃杯。

【提示】

① 上述这些词的复数形式有些既有特殊含义,又保留着原有意义。再如:

kindness 善意→kindnesses 善行   pity 怜悯→pities 不幸

security 安全→securities 证券   friendship 友谊→friendships 表示友谊的事例

time 时间→times 时代,时期,次数,日子,生活,环境

② 有些名词,其单数形式的含义比复数形式多。例如:

people 人,人民,民族→peoples 民族   matter 物质,问题,事情→matters 情况,问题

powder 药粉,火药,粉→powders 药粉   practice 做法,练习,开业→practices 做法

③ 表示"著作,作品"时,常用复数形式 works,但也可以说 a work。例如:

works of literature and art 文艺作品   the **works** of Einstein 爱因斯坦的著作

a **work** of reference 一本参考书

The painting is a fine **work**. 这幅画是一件佳作。

6. 既可用作可数又可用作不可数的名词

1 兼类名词

英语中有些名词属于兼类名词,作不可数名词时表示抽象概念、物质、材料、一般状态或过程,作可数名词时表示具体的人或物,实际的状态或过程。比较:

beauty 美→a beauty 美人   celebrity 名声→a celebrity 名人

will 意志→a will 遗嘱   vision 眼界→a vision 幻影

speech 言语→a speech 演说   variety 变化→a variety 种类

character 性格→a character 人物   conquest 征服→a conquest 被征服之人

curiosity 好奇心→a curiosity 珍品   height 高度→a height 高地

judgment 判断→a judgment 判决   justice 正义→a justice 法官

sight 视力→a sight 壮观，景象　　　　office 公职→an office 办公室

power 权力→a power 强国　　　　　　room 空间，余地→a room 房间

society 交际→a society 学会　　　　　success 成功→a success 成功的人/事

study 研究→a study 研究的问题　　　　philosophy 哲学→a philosophy 一派观点

glass 玻璃→a glass 一只玻璃杯　　　　revolution 革命→a revolution 一场革命

agreement 同意→an agreement 协议　　knowledge 知识→a knowledge(对……的)了解

fir 冷杉木→a fir 冷杉树　　　　　　　pine 松木→a pine 松树

duck 鸭肉→a duck 鸭　　　　　　　　pepper 胡椒粉→a pepper 青椒

wonder 惊奇→a wonder 奇观　　　　　witness 证据→a witness 证人

kindness 仁慈→a kindness 仁慈行为　　painting 绘画→a painting (一张)绘画

composition 作文→a composition 文章　fortune 命运→a fortune 财富

art 艺术→an art 一种艺术　　　　　　authority 权威→an authority 权威人士

worry 担心→a worry 一件令人烦恼的事　distraction 分心→a distraction 令人分心的事

disappointment 失望→a disappointment 失望的事

recommendation 推荐→a recommendation 一封推荐信

His life was **in danger**. 他的生命处于危险中。

The man could be **a danger**. 那人可能是个危险分子。

To his **disappointment**，she did not show up at the party. 令他失望的是，她没有参加聚会。

The so-called new plan was a **disappointment**. 所谓的新计划是一件令人失望的事。

He does much **business** with the firm. 他同那家公司做很多生意。

He is in charge of three different **businesses**. 他掌管三家不同的企业。

A cat prefers **rabbit** to fish. 猫喜欢吃兔肉胜过鱼肉。

He bought four **rabbits** yesterday. 他昨天买了四只兔子。

There is **egg** on your coat. 你的外套上有蛋渣。

He bought dozens of **eggs**. 他买了几十只鸡蛋。

The soup tastes of **onion**. 这汤有洋葱味。

Onions smell. 洋葱味道重。

There is too much **onion** in the salad. 沙拉里洋葱太多。

He likes boiled **chicken**. 他喜欢炖鸡肉。

Don't count the **chickens** before they are hatched. 小鸡未孵出，别先数数。

The house is built of **stone**. 这房子是石头造的。

They threw **stones** at him. 他们向他扔石头。

It gives me much **pleasure** to welcome the delegation. 我很高兴欢迎代表团的到来。

It's a **pleasure** to teach her. 教她真是件乐事。

He has a lot of **pleasures** in life. 他生活中有许多乐趣。

Beauty is but skin deep. 美貌只是一张皮。

She is **an** acknowledged **beauty**. 她是个公认的美女。

This medicine has many **beauties**. 这种药有许多优点。

I have a collection of Shakespeare's **beauties**. 我有一本莎士比亚佳句妙语集。

She was struck by the **beauties** of the city. 她被那座城市的美景迷住了。

Too much **happiness** ends in sorrow. 乐极生悲。

She felt **an** unspeakable **happiness**. 她感到不能言喻的快乐。

He is filled with **wonder**. 他感到十分惊奇。

It's a **wonder** that he survived the aircrash. 他在那次空难中幸存下来，真是个奇迹。

Who can tell the seven **wonders** of the world in ancient times? 谁能说出古代世界七大奇观？

She has bad **sight**. 她视力差。

What a beautiful **sight** it is! 那是一幅多么美的景象啊！

They saw the historical **sights** in London. 他们游览了伦敦的名胜古迹。

He found **gold** in the valley. 他在山谷里找到了金子。

He won an Olympic **gold**. 他赢得一枚奥运会金牌。

The fruit trees are in **flower**. 果树都开花了。

These **flowers** will fade soon. 这些花不久就会凋谢了。

There is too much **talk**. 空谈太多。

She gave several **talks** on careers overseas. 她作了几次关于海外职业生涯的报告。

I dislike idle **talk**. 我不喜欢闲聊。

I'll give them **a talk**. 我将给他们作一次报告。

It has **no relation** to our business. 这同我们的业务没有关系。

He is **a relation** of mine. 他是我的一个亲戚。

The man is chopping **wood**. 那人在砍柴。

The man entered a **wood**. 那人走进了一片树林。

Religion still means a lot to us today. 宗教今天对我们依然重要。

There are several different **religions** in the world. 世界上有几种不同的宗教。

School begins in september. 学校9月开学。

A new **school** is being built there. 那里在建一所新学校。

It's time for **bed**. 该睡觉了。

There are two **beds** in the room. 房间里有两张床。

There is no **democracy** in the country. 这个国家没有民主。

A true **democracy** allows free speech. 真正的民主国家允许有言论自由。

Failure is the mother of success. 失败是成功之母。

The project was a **failure**. 那项工程失败了。

Failure doesn't mean you're **a failure**. It just means you haven't succeeded yet. 失败并不表示你就是一个失败者,它只是表示你还没有成功而已。

Church begins at seven o'clock. 礼拜7点钟开始。

They saw her enter a **church**. 他们看见她进了一座教堂。

They are full of **sympathy** for him. 他们对他充满同情。

They had a natural **sympathy** for him. 他们对他有一种自然的同情。

She folded the vase in **newspaper**. 她用报纸把花瓶包起来。

She is working for a **newspaper**. 她目前在一家报馆工作。

He looked at her with **affection**. 他深情地看着她。

He had a great **affection** for her. 他很喜欢她。

I'll be on **holiday** next month. 我下月休假。

The Spring Festival is a **holiday**. 春节是一个节日。

The government issued a firm **denial** of the rumor. 政府对谣言坚决予以否认。

Denial is useless. 拒绝承认是没有用的。

She's done some beautiful charcoal **drawings**. 她画了一些漂亮的炭笔画。

She's good at **drawing**. 她擅长绘画。

The wall is made of **brick**, not stone. 这堵墙是砖砌的,不是石头的。

The wall is built with **bricks**. 这堵墙是用砖砌的。

I like the **feel** of this cloth. 我喜欢这布料的手感。

The quilt has **a** soft featherly **feel**. 这被子有羽毛般的柔软感觉。

You've got to have **a feel** for music. 你得具备音乐天赋。

Her face still kept its **youth**. 她的面容青春犹存。

Several **youths** and girls are sitting on the river bank. 几个小伙子和姑娘在河岸上坐着。

He bought her a splendid birthday **cake**. 他给她买了一个精美的生日蛋糕。

We had **cake** for breakfast. 我们早餐吃蛋糕。

A white **cloud** floated in the sky. 天空飘着一朵白云。

The top of the mountain was covered with **cloud**. 山顶笼罩在云雾之中。

We need a long **cord** to hang the picture. 我们需要一根长细绳来挂画。

How much **cord** do you need to connect the washing machine? 连接洗衣机你需要多少电线？

The ship ran ashore in a thick **fog**. 这条船于浓雾中在岸边搁浅。

Fog is the sailor's worst enemy. 雾是水手最危险的敌人。

It'll take a lot of **muscle** to move the piano. 搬动这架钢琴得花很大的力气。

Larry develops the **muscles** in his legs by running. 拉里跑步锻炼腿部的肌肉。

The girls were so startled that they did not move a **muscle**. 女孩子们吓得一动也不敢动。

He bought a **pie** for lunch. 他买了一个馅饼当午餐。

He ate too much **pie**. 他馅饼吃得太多了。

There is too much **powder** on her face. 她脸上搽的粉太多了。

He took a stomach **powder**. 他吃了一种治胃病的药粉。

The doctor gave her some **powders** to take. 医生给了她几包药粉服用。

It is an apple **pudding**. 这是一块苹果布丁。

She eats too much **pudding**, that's why she is fat. 她布丁吃得过多，所以很胖。

Her hair was tied up with a **ribbon**. 她的头发上扎了一条丝带。

He bought four metres of red **ribbon**. 他买了四米长的红色缎带。

Puppets are worked by **strings**. 木偶是用线来操纵的。

She tied up the package with a piece of **string**. 她用一根绳子把包裹捆了起来。

Jim sat on a **rock**. 吉姆坐在一块大石头上．

To build the tunnel，they had to cut through 500 feet of solid **rock.** 为了建这条隧道，他们不得不凿穿 500 英尺的坚硬岩石。

Rocks rolling down the side of the mountain hit the train. 从山腰滚下的巨石击中了火车。

The spider was hung by a **thread**. 蜘蛛吊在一根细丝上。

There are **threads** of wool on your dress. 你衣服上有几根绒线。

She sewed on the buttons with some blue **thread**. 她用一些蓝线把纽扣钉上。

One of the connecting **wires** came loose. 一根连线松了。

He'll need some **wire** to connect the battery to the rest of the circuit. 他需要一些电线把电池同其余的线路连接起来。

He handed her two bars of **chocolate**. 他送给她两块巧克力。

Never eat **chocolates** before dinner. 用餐前不要吃巧克力。

He sat there, deep in **thought**. 他坐在那里,陷入沉思中。(思考,思虑)

It's a very tempting **thought**. 这是一个很诱人的想法。(想法,见解)

It is necessary for the students to be exposed to the **thoughts** of the world's best writers. 让学生们了解世界上最优秀作家的思想很有必要。(各种思想)

Chinese **literature** 中国文学

a vast **literature** dealing with the Second World War 关于第二次世界大战的一大批文献

❷ 表示抽象概念

room, mouth, ear, man, family, gentleman, master, knave, mother 等用 enough, more than, less than, thoroughly, fully, too much 等修饰时，这些名词用作不可数名词，表示抽象概念，说明某种性质或程度。例如：

He has **too much family**. 他家累太重。

She was **fool enough** to believe his words. 她傻透了,竟相信他的话。(fool＝foolish)

He felt **the patriot** rise within his heart. 他感到爱国之心油然而生。

He remains **more friend than** enemy. 他依然友好胜过敌意。(＝more friendly than hostile)

He has seen **too much town**. 城市的繁华,他见得多了。

There is **much woman** about him. 他的举止颇带女人气。

She seems to have **too much mouth** and **too little ear**. 她似乎自己讲得多,听别人的意见少。

He was not **blunderer enough** to repeat his mistakes. 他不是一个老出错的人,不会重犯错误的。

He was not **man enough** to admit his mistakes. 他没有勇气承认自己的错误。(句中的 man 指男子气概)

③ 表示比原意范围更广的含义

The ship sank in the **waters** of Atlantic. 那条船在大西洋水域沉没。

They are playing on the **sands**. 他们在沙滩上玩耍。(a stretch of sand 沙地,沙滩)

They were not allowed to fish in Icelandic **waters**. 他们被禁止在冰岛近海捕鱼。(近海)

She saw a boat on the **waters** of the lake. 她看见湖面上有一条小船。

Frequent **frosts** and **snows** delayed their movement. 寒霜大雾不断延迟了他们的行动。

The **dusts** of the dry season stained the ponds. 旱季的尘埃污染了池塘。

The **heats** of the long summer withered the crops. 漫长的夏季炎热把庄稼都打蔫了。

The fish is rarely found in fresh **waters**. 淡水中难得见到这种鱼。(the water of rivers, lakes, etc.)

The Missouri rises high among the **snows** of the Rocky Mountains. 密苏里河发源于落基山的高山积雪。(积雪)

In countless valleys trees soar to the **skies**, and a thousand peaks resound with cuckoos' cries. 万壑树参天,千山响杜鹃。

④ many fruits 和 much fruit

作普通名词用时,fruits 表示不同种类的水果,可以说 many fruits, a fruit 表示一种水果;作物质名词用时,fruit 是总称,没有复数形式,可用 much 等修饰。例如:

She does not eat **much fruit**. 她不大吃水果。

They feed on **fruit**. 他们以水果为食。

There is a **fruit** as big as an apple. 有一种像苹果一样大的果子。

We've got **many fruits** from Hainan Island. 我们从海南岛购来许多种水果。

【提示】fruit 还可用作比喻,表示"成果,果实,报酬"等,可用作单复数。例如:

His knowledge is the **fruit** of long study. 他的学识是长期研究的成果。

Your hard work will bear **fruit** soon. 你的勤勉不久就会得到酬报。

They are enjoying the **fruits** of their victory. 他们享受着胜利的果实。

He has to swallow the bitter **fruits** of war. 他必须咽下战争的苦果。

⑤ fish 和 fishes

fish 作普通名词用时,有单复数之分。a fish 表示"一条鱼",在具体数词 two, three 等后用 fish 或 fishes 均可,但在不定数词 some, several, many, lots of 等后只能用 fish;指许多种类的鱼用 fishes;作物质名词用时,fish 指"鱼肉",不可数。例如:

There are **lots of fish** in the lake. 湖里有许多鱼。

There are some **fish** in the basin. 盆里有几条鱼。

How many **fishes** do you know by name? 你知道多少种鱼的名称?

He likes **fish** very much. 他很喜欢吃鱼。

Fish is cheap now. 现在鱼价便宜。

Will you have a little more **fish**? 再吃点鱼好吗?

他捉了三条鱼。
He caught three **fish**. (多指同一种类的鱼)
He caught three **fishes**. (多指不同种类的鱼)

【提示】fish 还用于许多谚语中,例如:

The best **fish** swim near the bottom. 好鱼在水底。/好东西不易轻易得到。

Never offer to teach **fish** to swim. 切勿班门弄斧。

There's as good **fish** in the sea as ever came out of it. 海里的鱼多着呢。/失去一次机会不要紧。

Fish begins to stink at the head. 臭鱼先臭头。/上梁不正下梁歪。

All is **fish** that comes to his net. 能到手的他都要。/他来者不拒。

A **fish** is caught by its mouth, a man by his words. 鱼死因为贪嘴,人遭殃因为失言。

Fish and guests smell at three days old. 鱼鲜不过三餐,客好不留三天。

Venture a small **fish** to catch a great one. 舍不得小鱼,抓不到大鱼。

Great **fish** are caught in great waters. 要抓大鱼,就下大海。

6 cloth, cloths, clothes 和 clothing

(1) cloth 作不可数名词时,指"布",是总称,如:much **cloth**, three yards of **cloth**, a book with a **cloth** binding;作可数名词时,cloth 指不同种类的布或特殊用途的布,复数形式为 cloths。例如:

a table **cloth** 桌布 　　　　　　　　　a dish-**cloth** 擦盘子布

an oily **cloth** 有油污的布 　　　　　　a hot wet **cloth** 一块湿热布

They sell **cloths**, such as cotton cloth, silk cloth, and woollen cloth. 他们卖多种布,如棉布、丝绸和毛料。

(2) clothes(衣服)永远用复数形式,前不可加 a 或数词,若表示"……套衣服",可以 a suit of, two suits of 表示;clothes 前可加 many, few 这类词,如:a good many **clothes**, a few spare **clothes**;clothes 还可用作定语,如:**clothes** hanger 衣架。clothing 是"衣服"的总称,永远用单数,且用单数谓词动词,若表示"……件衣服",可用 an article of, a piece of 表示。例如:

These sports **clothes are** a bit smaller for him. 这些运动服他穿有点小。

A coat **is** an article of **clothing**. 外套是一件衣服。

7. Please give me one bitters——名词数的概念的兼容性(参阅上文)

1 可数名词可以表示抽象概念

The child is **father** of the man. 从小可以看大。

Spider is the bird's favourite food. 蜘蛛是鸟儿喜爱的食物。(spider 此处指食物)

There is some **goose** left in the bowl. 碗里还剩有点鹅肉。

He was a tall man, red of **face**. 他高个儿,红脸膛。(face 表品质)

2 复数名词可以表示单数概念

Sports is good for health. 运动有益健康。

Defence studies has developed very rapidly. 防御学发展很快。

Rickets is becoming rarer and rarer. 佝偻病越来越少了。

Monkey's **brains** is his favourite dish. 猴脑是他的美食。

How often do you go to the **movies**? 你多久去看一次电影?

It is a light **victuals**. 这是一种易消化的食品。

She had **a busy two weeks**. 她忙了两个星期。

The room is a bit of **a shambles** at the moment. 房间里有些乱。

Please give me **one bitters**. 请给我一杯苦药酒。(bitters 由形容词变来)

John is **friends** with Jim. 约翰和吉姆很要好。(friends 相当于 friendly)

He's just small **potatoes**. 他只不过是个无足轻重的人物。

This process could take **as little as three days**. 这个过程仅需三天时间。

Oats is a crop mainly grown in cold climate. 燕麦是一种主要在寒带种植的庄稼。

Telecommunications has contributed a lot to the progress of mankind. 电信极大地推动了人类的进步。

{ 这部小说有目录吗?

Is there **a contents** in the novel? [✓]

Are there contents in the novel? [✗]

▶▶ 其他如:a full six **hours** 足足六小时,a good two **miles** 足足两英里,a big ten **inches** high 高达 10 英寸,a past **thousands** of years 过去的数千年(整体概念)。

3 物质名词可以表示单数概念或用作可数名词

有些表示物质的不可数名词,转变为可数名词时,表示"一个单位(a unit of)、一个品种(a variety of)、一个类型(a type of)"等。例如:

He ordered a **coffee**. 他要了一杯咖啡。

He drank two **teas**. 他喝了两杯茶。

Give me a **whisky**, please. 请给我一杯威士忌。

Want a **Coke**? 来一瓶可乐吗?

He bought two **gins** in the supermarket. 他在超市里买了两瓶杜松子酒。

He drinks a **yoghurt** every day. 他每天喝一瓶酸奶。

They produce a large range of **cheeses**. 他们生产各式各样的干酪。

It is one of the world's best **tobaccos**. 这是世界上最好的烟叶之一。

He learnt something about how **paints** are mixed. 他学了各种颜料调配的方法。

The cook was an expert at making **sauces**. 这位厨师很擅长制作多种调味汁。

She made wonderful **soups** for the guests. 她为客人做各种美味的汤。

She saw **a smoke** in the distance. 她看到远处有一缕青烟。

The boy was in **a sweat**. 这男孩在出汗。

It is a local **cheese** with herbs. 这是一种当地出产的加了香草的奶酪。

Vegetable cooking **fats** are sold in tins. 各种植物食用油按听出售。

It is a very fine **jam**. 这是一种上好的果酱。

It is a fine toilet **soap**. 这是一种优质肥皂。

She bought a dishwashing **detergent**. 她买了一瓶碗碟洗涤剂。

{ Veal is a very tender **meat**. 小牛肉是一种非常嫩的肉。
{ The waiter served us a selection of cold **meats**. 服务员给我们端上来各种冷盘肉。

{ It is a good **medicine** for colds. 这是一种治感冒的良药。
{ Standing against the wall is a cupboard full of different **medicines**. 靠墙立着一个橱子,上面摆
{ 满了各种药。

{ Brass is a **metal** made from copper and zinc. 黄铜是铜和锌的合金。
{ Copper and silver are both **metals**. 铜和银都是金属。

{ **A faint perfume** of jasmine came through the open window. 从敞开的窗口飘进来一股淡淡的
{ 茉莉花香。
{ It is used in **perfumes**. 它是用来制造香水的。

{ They were impressed by a **wine** from Alsace. 他们对阿尔萨斯产的一种葡萄酒印象深刻。
{ He stocked a wide range of inexpensive **wines**. 他贮存了大量的各种廉价酒。

{ This is a better **bread** than the one I bought the other day. 这种面包比我前天买的那种好些。
{ What **breads** have you got today? 你今天买了哪几种面包?

{ Too many sweet **foods**, like cakes and pasty, may increase your weight. 吃太多的甜食,如蛋
{ 糕、油酥点心,会使体重增加。
{ It is a popular breakfast **food**. 这是一种很受欢迎的早餐食品。
{ It is a **food** for sick people. 这是病号饭。
{ He wrote out a long list of **foods**. 他开出了一个长长的有各种食品的单子。

{ He drank a cold **beer**. 他喝了一杯冰啤酒。
{ Most **beers** are made from barley. 大多数的啤酒都是用大麦酿制的。
{ The man drank four **beers**. 那人喝了四瓶/四种啤酒。

{ She ate three **sugars**. 她吃了三匙糖。
{ How many **sugars** do you need in your tea? 你茶里要放几块糖?

【提示】下面一句有歧义:

{ Here is a little **lamb**.
{ 这儿有一点羊羔肉。(物质名词)
{ 这儿有一只小羊羔。(个体名词)

4 抽象名词的具体化

(1) 抽象名词表示单数概念。

① 表示运动、状况、性质等的抽象名词，可指"一种，一次，一番，一场"等概念。例如：

There arose **a great disturbance** in the crowd. 人群里起了一阵骚动。

He walked with **an air**. 他走路有风度。（an air 指一种风度、气质）

He has **an intense love** of nature. 他热爱大自然。

There's **a hostility** between the two men. 这两人有一种敌对情绪。

There's **a truth** in it. 这里面有点道理。

She takes **a pride** in her birth. 她为自己的出身感到骄傲。

It is **a comfort** to his father. 这对于他父亲是一种慰藉。

The valley possesses **an enchantment** that is universal. 这个山谷有一种谁都会为之着迷的魅力。

We should live each day with **a vigor** and **a keenness** of appreciation. 我们应该怀着一种热望和一种珍惜度过每一天。

There is about her **a simplicity** that is almost elegance. 她身上有一种几乎就是优雅的朴实品质。

Hope still flickered in his heart. 他的心里仍然闪烁着一线希望。

She told me all her **hopes** and fears. 她告诉我她所有的期望和担忧。

He doesn't have **a hope** in hell of winning this game. 他压根儿没有希望打赢这场比赛。

② 表示某种具体的事物或有形的实体。例如：

She didn't put in **an appearance**. 她面都没露。

A darkness came into his eyes and he fell. 他眼前一黑，跌倒了。

He has **a keen intelligence**. 他头脑敏锐。

He got **a thrashing** for his pains. 他辛辛苦苦却换来一顿打。

③ 有些具有动作意义的抽象名词可表示某种过程或一个短暂的动作。例如：

He made a **profound analysis** of the situation. 他对局势作了深入的分析。

He had a **delightful chat** with the manager. 他同经理聊得很快活。

She made a **quick examination** of the patient. 她给病人做了迅速检查。

▶▶▶ 其他如：coolness 凉爽/冷淡, pain 疼痛, panic 恐惧, row 吵架, necessity 需要, bustle 忙乱, ecstasy 狂喜, dread 恐惧，等，也都有这类用法。

(2) 抽象名词表示复数概念。

① 表示具体的行为、事件、现象或状况等。例如：

He tried to determine the relative value of **knowledges**. 他试图确定各种知识的相关价值。

We kept **intelligences** with each other. 我们互通情报。

② 表示"多种，许多"等义。例如：

He is full of **cares** and fears. 他忧虑重重。

A man's life is full of **possibilities**. 人的一生机会多多。

He has made new **advances** in the field. 他在这一领域取得了新的进展。

The man is guilty of some **meannesses**. 那人干过几桩卑劣的事。

There are two **surprises** in the government. 政府中有两个出人意料的人选。

They are the people who pour cold water on all our **enthusiasms**. 对于我们的一腔热情，他们这些人大泼冷水。

5 The soldier had nerve but no nerves 的含义

nerve 和 nerves 均为不可数名词，nerve 表示"勇气，胆量"，nerves 表示"神经紧张"。上句意为"这个士兵有胆量，不紧张"。比较：

They lost **heart**. 他们灰心了。

They lost their **hearts**. 他们倾心于人。（fall in love）

She has no **ear** for music. 她没有欣赏音乐的能力。

She has no **ears** for gossip. 她不屑于听闲言碎语。

He always has an **eye** for good horse. 他一向善相马。

He was the President's **eyes** and **ears** in the campaign. 在竞选运动中他是总统的耳目。

We sleep at **night**. 我们夜晚睡眠。（习惯）

She can't sleep at **nights**. 她夜里有时睡不着。（有些夜间，一时的情况）

6 专有名词可以有复数形式

专有名词有时也可以用复数形式，表示"像……一样的人，几个姓……的人，几个名叫……的人"。

例如：

There are just **a few Manchesters** in the world. 世界上有几个曼彻斯特市。

There are **two Smiths** and **three Marys** in the school. 这所学校里有两个史密斯、三个玛丽。

Shakespeares are rarer than **Napoleons**. 莎士比亚式的人物要比拿破仑式的人物少。

There are **three Wangs** in this class. 这班上有三个姓王的。

I hope there may be many future **Edisons** in our country. 我希望我们国家会出许多爱迪生。

8. 复合名词

复合名词（Compound Nouns）有多种构成形式，有些中间有连字号，有些没有，有些为可数名词，有些为不可数名词。

1 名词 / 代词 ＋ 名词

这类复合名词中，student days（学生时代），food problem（吃饭问题）等可以看作名词作定语修饰名词。

stomach trouble 胃病	traffic light 交通灯	bottle neck 瓶颈
member state 成员国	apple orchard 苹果园	eye-witness 目击者
garden wall 围墙	flight schedule 飞机时刻表	hall table 课桌，餐桌
book review 书评	safety/seat belt 安全带	telephone bill 电话账单
power plant 发电厂	club member 俱乐部会员	blood type 血型
birthday card 生日卡	dinner plate 菜盘	shoe lace 鞋带
speed-reading 快速阅读	birth-control 人口控制	eye drops 眼药水
house agent 房地产经纪人	bicycle theft 自行车盗窃	emergency department 急诊部
brain trust 智囊团	assistant director 助理主任	teen period 十多岁的时期
generation gap 代沟	China Town 唐人街/中国城	China bean 豇豆
house arrest 软禁	India rubber 橡皮	the China visit 对中国的访问
an eagle eye 鹰眼	the lion heart 狮心	the morning hours 早晨的时光
chain store 连锁店	the kitchen door 厨房门	air-conditioner 空调
aircraft-carrier 航空母舰	pen-friend 笔友	baby-sitter 看管人，照顾者
fire station 消防站	fire brigade 消防队	airport shuttle 机场班车
air raid 空袭	fire department 消防队（美）	fire extinguisher 灭火器
car key 车钥匙	bank account 银行账户	fire-engine 消防车
fire-alarm 火警	piano concerto 钢琴协奏曲	fire-bomb 燃烧弹
fire-practice 消防演习	tennis player 网球手	horror film 恐怖电影
afternoon tea 下午茶	tea break 饮茶休息时间	tea-table 茶几
music lessons 音乐课	tea leaf 茶叶	tea party 茶会
battle-cry 口号	bookworm 书呆子	bookmark 书签
bookstall 书摊	bookcase 书架	warehouse 货柜
warlord 战争贩子	orange juice 橙汁	income tax 所得税
season ticket 月/季票	weather station 气象站	paper flower 纸花
cotton goods 棉织品	welcome speech 欢迎词	tomato sauce 西红柿酱
plane ticket 机票	train station 火车站	forest belt 防护林带
box-office value 票房数	feature film 故事片	welcome party 欢迎会
import duty 进口税	head nurse 护士长	hair style 发式
face-cream 面霜	trade deficit 贸易逆差	head librarian 图书馆长

inquiry office 问讯处
identity card 身份证
hand-out 分发的材料
water-lily 睡莲
credit card 信用卡
estate agent 地产经纪人
fireplace 壁炉
science fiction 科幻小说
teahouse 茶馆
cotton wool 药棉
mother tongue 母语
welfare state 福利国家
sound barrier 音障
heart failure 心力衰竭
summer heat 夏天的炎热
business lunch 商务午餐
rock garden 假山园林
college president 大学校长
leather factory 皮革厂
dead list 死亡名单
software upgrade 软件升级
the country church 乡村教堂
gentlemen boarders 男搭伙者
music lover 音乐爱好者
japan table 涂黑色亮漆的桌子
rose cultivation 玫瑰培植
the Japan Open 在日本举行的公开赛
song and dance ensemble 歌舞团
nine penny stamp 9 美分的邮票
oil production cost 石油生产费用
energy supply problem 能源供应问题
the retired list 退休人员名单(retired 作名词)
fish and chip shop 卖炸鱼加炸土豆的小店

handbill 传单
name list 名单
burglar alarm 小偷警铃
self-government 自治
self-determination 自决
health centre 医疗中心
news bulletin 新闻公报
waterway 航道
watch-tower 瞭望塔
nail varnish 指甲油
greenhouse effect 温室效应
space age 太空时代
pocket money 零花钱
shepherd dog 牧羊犬
an angel face 天使般的面容
river views 河上景色
straw hat 草帽
Suzhou girl 苏州姑娘
chain smoker 烟瘾大的人
journey expenses 旅费
teenage hacker 少年黑客
Thames water 泰晤士河水
service charge 手续费
steam engine 蒸汽发动机
press conference 记者招待会
the teen period 青少年时代
the sick ward 病区(sick 为名词)
air-traffic control 空中交通管制
success stories 描写成名致富的小说
ten-o'clock class meeting 10 点钟的班会
child protection work 儿童保护工作
the three-times world champion 三次世界冠军
mountain village school teacher 山村学校教师

taxi stand 出租汽车站
hand-grenade 手榴弹
blood donor 献血者
assembly line 装配件
self-respect 自尊
contact lens 隐形眼镜
police station 派出所
men folks 男亲属
youth hostel 青年旅社
brain drain 人才流失
toilet paper 卫生纸
sign language 手语
death penalty 死刑
baby speech 儿童语言
specialty shops 特色商店
shoe repairer 修鞋匠
welcome speech 欢迎词
paper mill 造纸厂
silk handkerchief 丝绸手绢
design house 设计工作室
car hire concern 汽车租赁公司
employee shareholder 雇员股东
one-parent family 单亲家庭
spirit bottle 酒精瓶
speaker system 音箱
package holiday 全包旅游

film industry's **business** model 电影业的经营模式
Christmas morning exchange of presents 圣诞节早上互赠礼物

【提示】

① 比较：

> a **billiard** ball 台球
> a **billiards** match 台球比赛

② 有些本无单数形式的名词用作前置定语时可用单数形式。例如：

trouser suit 长裤套装 　　　　　　　　　**trouser** press 裤子熨烫机

scissor manufacturer 剪刀制造商 　　　　**pant** suit (女式)裤套装

③ 有些复合名词常用复数形式,参见上文。例如：

luxury **goods** 奢侈品 　　　　　　　　　　social **relations** 社会关系

yellow **pages** (电话簿)黄页 　　　　　　　armed **forces** 武装部队

2 动词＋副词

lookout 留心，注意	runout 逃开，避开	blowup 爆炸
breakdown 损坏，故障	setup 机构，体制	makeup 构成，补充，化装
cutoff 近路，切下的东西	falloff 下降	get-together 联欢会
take-in 欺骗	put-off 推迟	put-on 假装，欺骗
take-off 起飞	standby 支持者，靠山	run-through 浏览，概要
check-up 检查	sit-in 静坐	try-out 试用
lie-down 稍躺一下	breakup 破裂	breakthrough 冲破
turnover 营业额	show-off 卖弄	talk-back 对讲电话

3 副词＋动词

output 结果，成果	outlook 观点，前景	overthrow 推翻，打倒
income 收入	upset 混乱	onset 攻击
overlook 视察，眺望	upkeep 保养，维修	outcome 结果

比较：{ intake 吸入，纳入
take-in 欺骗，欺诈

4 动名词＋副词

bringing-up 养育	setting-up 无线电调定	goings-on 行为，举动
going-over 痛骂，痛打	comings-in 收入	

5 副词＋动名词

onlooking 旁观	ingoing 进入	outfighting 远距离作战
upbringing 抚育	on-goings 行为，事件	

incoming 进来（incomings 表示"收入"）

outgoing 外出（outgoings 表示"支出"）

6 动名词＋名词（名词＋动名词）

sleeping-pills 安眠药	sewing-machine 缝纫机	walking-stick 手杖
skating-rink 溜冰场	bathing-suit 游泳衣	living-room 起居室
waiting-list 等候名单	writing materials 书写材料	working day 工作日
working party 工作小组	sitting-room 起居室	waiting-room 候车室
horse-riding 骑马	sight-seeing 观光	water-skiing 滑水

7 形容词＋名词

red tape 繁文缛节	a white lie 无害的谎言	old hand 老手
a black list 黑名单		

▶▶▶ 其他：

副词＋过去分词：bygone 过去的事/往事，upshot 结果/结局

过去分词＋副词：grown-up 成年人，leftover 剩余/剩饭

to-do 吵闹	well-being 幸福，福利	has-been 过时的人或物
good-for-nothing 废物，无用之人	bring-and-buy sale 慈善性义卖活动	
round-about-face 180 度大转变	might-have-been 本可以成功的人或本可以做到的事	

比较：

{ a **death** march 向着死亡的进军
a **dead** march 哀乐

{ I saw a **baby doctor** in the ward.
我在病房里看见一个样子年轻的大夫。
我在病房里看见一个儿科大夫。

8 greenhouse 不同于 green house

复合名词的重音一般在第一个音节上，"形容词＋名词"的重音一般在名词上。比较下面两组词的不同含义。例如：

greenhouse 温室	green house 绿色房子	red coat 红色的上衣
nobleman 贵族	noble man 高尚的人	blackbird 乌鸦

black bird 黑色的鸟	freemen 自由民	free men 自由的人
blackboard 黑板	black board 黑色的板子	dark-room 暗室(摄影)
dark room 黑暗的房间	bluebird 蓝知更鸟	blue bird 蓝色的鸟
lighthouse 灯塔	light house 明亮的房子	longboat 大艇
long boat 长的船	the White House 白宫	white house 白色的房子
redcoat 英国兵(美国独立战争期间)		

9. 复合名词的复数形式

1 bookshelf 类

中间没有连字号合成名词变为复数时,通常把最后一个词变成复数。例如:

bookshelf→bookshelves 书架	handful→handfuls 几把(之量)
pathfinder→pathfinders 开拓者	telltale→telltales 搬弄是非者
makeshift→makeshifts 权宜之计	toothpick→toothpicks 牙签
brain power→brain powers 智囊团	

【提示】由 man,woman,lord,knight 构成的复合名词变为复数时,如果是偏正关系,两个词通常均要变为复数。例如:

gentleman farmer→gentlemen farmers 乡绅	man-servant→men-servants 男仆
woman doctor→women doctors 女医生	yeoman farmer→yeomen farmers 自耕农
man driver→men drivers 男司机	woman writer→women writers 女作家
man singer→men singers 男歌星	woman servants→women servants 女仆
lord justice→lords justices 上诉法院法官	man-at-arms→men-at-arms 士兵
clergyman-poet→clergyman-poets 教会诗人	
knight commander→knights commanders 高等爵士	

▶▶▶ 但也有少数词只把后一个组成词变为复数,多为动宾关系。例如:

maneater→maneaters 食人者/兽	manslayer→manslayers 杀人者
man-killer→man-killers 杀人的人/物	man-hatere→man-haters 厌世者,厌恶男性者
manhole→manholes 人孔	man-engine→man-engines 载人升降机
woman-hater→woman-haters 厌恶女性者	hangman→hangmen 刽子手

【提示】poet laureate(桂冠诗人)的复数为 poets laureate,laureate 为形容词;lady doctor(女医生)的复数为 lady doctors(女医生)。

2 looker-on 类

用连字号连接的复合名词变为复数时,如果复合词中第一个词是名词或更重要,一般把第一个名词变成复数。例如:

sister-in-law→sisters-in-law 姑姑,嫂子,弟妹	looker-on→lookers-on 旁观者
editor-in-chief→editors-in-chief 主编	man-of-war→men-of-war 战舰
comrade-in-arms→comrades-in-arms 同志	runner-up→runners-up 亚军
bride-to-be→brides-to-be 未婚妻	setting-up→settings-up 调定
stander-by→standers-by 旁观者	father-in-law→fathers-in-law 岳父,公公
passer-by→passers-by 过路人	bill-of-fare→bills-of-fare 菜单
hanger-on→hangers-on 食客,奉承者	going-on→goings-on 行为,发生的事情
letter patent→letters patent 特许证书	knight errant→knights errant 侠客
brother-in-law→bothers-in-law 姐夫,妹夫	mother-in-law→mothers-in-law 岳母,婆婆
coach-and-four→-coaches-and-four 四驾马车	calling-over→callings-over 点名
carriage-and-four→carriages-and-four 四驾马车	
heir apparent→heirs apparent 有确定继承权的人	
maid-of-all-work→maids-of-all-work 什么活儿都干的女仆	
tenant-at-will→tenants-at-will 可随时令其退租的租赁者	

▶▶▶ 但:in-law→in laws 姻亲

比较：

$\begin{cases} \text{second(s) } \textbf{hand} \text{ 秒针（用单数或复数）} \\ \text{minute } \textbf{hand} \text{ 分针（用单数）} \end{cases}$

3 lay-by 类

下面这些复合名词变为复数时，通常把后一个词变为复数：

foot-man→foot-men 男仆，步兵

ox-cart→ox-carts 牛车

sit-in→sit-ins 静坐抗议

close-up→close-ups 关闭，愈合

stand-by→stand-bys 可依赖的人，备用品

tooth-brush→tooth-brushes 牙刷

film-goer→film-goers 爱看电影的人

break-down→break-downs 故障，垮

good-for-nothing→good-for-nothings 饭桶

forget-me-not→forget-me-nots 忽忘我

look-out→look-outs 观察员，监视者

brother-officer→brother-officers 同事官员

slide-rule→slide-rules 计算尺

fellow worker→fellow workers 工友

in-between→in-betweens 中间人或物

stay-at-home→stay-at-homes 不爱外出的人

shoe-maker→shoe-makers 制/补鞋工人

step-mother→step-mothers 继母

lay-by→lay-bys 路旁停车处

grown-up→grown-ups 成年人

touch-me-not→touch-me-nots 含羞草

go-between→go-betweens 媒人

stand-down→stand-downs 停工期

hold-up→hold-ups 拦劫

ten-year-old→ten-year-olds 10 岁的儿童

ne'ver-do-well→ne'ver-do-wells 没有用的人

cure-all→cure-alls 万应灵药

firing squad→firing squads 行刑队

merry-go-round→merry-go-rounds 旋转木马

story-teller→story-tellers 说书人

what-not→what-nots 等等

reach-me-down→reach-me-downs 现成的衣服

4 spoonful 类

有些复合名词有两种复数形式。例如：

lying-in→lyings-in→lying-ins 产期

bird's nest→birds' nests→bird's nests 鸟巢

mouthful→mouthsful→mouthfuls 一口，满口

spoonful→spoonsful→spoonfuls 一勺，几勺

notary public→notaries public→notary-publics 公证人

attorney-general→attorneys-general→attorney-generals 司法部长

court-martial→courts-martial→court-martials 军事法庭

postmaster-general→postmasters-general→postmaster-generals 邮政部长

consul general→consuls general→consul generals 总领事

printer's error→printer's errors→printers' errors 排字错误

peacock's feather→peacock's feathers→peacocks' feathers 孔雀的羽毛

【提示】某些词的两种复数形式含义不同：

bull's eye→bull's eyes 靶心→bulls' eyes 公牛的眼

crow's nest→crow's nests 桅顶望台→crows' nests 乌鸦巢

10. 缩略词

缩略词（Abbreviation）或截首，或截尾，或前后各截去一部分，或几个词合成一个词。例如：

helicopter→copter 直升机

professor→prof 教授

graduate→grad 毕业生

memorandum→memo 备忘录

dormitory→dorm 宿舍

gentlemen's→gents 男厕所

stereophonic→stereo 立体声的

microphone→mike 麦克风

discotheque→disco 迪斯科舞厅

delicatessen→deli 熟食，熟食店

television→tele/telly 电视

limousine→limo 轿车

exposition→expo 博览会

public house→pub 酒吧

submarine→sub 潜艇

influenza→flu 流感

refrigerator→fridge 冰箱   a popular song singer→pop singer 流行歌曲歌手

▶▶▶ 还有首字母缩略词,主要由一个词组中的各主要词的第一个字母组成。例如:

Bachelor of Arts→B. A. 文学士   Master of Arts→M. A. 文科硕士

Doctor of Medicine→M. D. 医学博士 Doctor of Philosophy→Ph D 哲学博士

Doctor of Literature→Litt D 文学博士 sound navigation ranging→sonar 声呐

the United Nations→UN 联合国   the World Bank→WB 世界银行

intelligence quotient→I. Q. /IQ 智商 vertical take off and landing→VTOL 垂直升降

Concise Oxford Dictionary→C. O. D 简明牛津词典

the World Trade Organization→WTO 世界贸易组织

the World Health Organization→WHO 世界卫生组织

International English Language Testing System→IELTS 雅思考试

lightwave amplification by stimulated emission of radiation→laser 激光

【提示】

① 周、月份的缩略词为:Sun., Mon., Tues., Wed., Thurs., Fri., Sat.; Jan., Feb., Mar., Apr., Jun., Jul., Aug., Sept., Oct., Nov., Dec. 。

② 其他某些缩略词和符号:$ 或 $→dollar(s), £→pound(s), /→per(or, for), &→and, c/o→ care of 由……转交, #→number, %→percent, i. e. →that is, etc. →and so on, et al→and others, vs→against, e. g. →for example。

11. 拼缀词

1 newscast 类

这种词是由一个词的一部或全部和另一个词的一部或全部拼缀而成。例如:

mobile＋robot→mobot 移动机器人 international police→interpol 国际警察

boat＋hotel→bo(a)tel 汽艇旅馆 multi-university→multiversity 综合大学

television broadcast→telecast 电视播送 transfer resistor→transistor 晶体管

stagnation inflation→stagflation 滞胀 electro execute→electrocute 上电刑处死

travel catalogue→travelogue 旅游影片/游记 biographical picture→biopic 传记片

communications satellite→comsat 通信卫星 breakfast lunch→brunch 早午餐(一起吃)

motor pedal→moped 助动车 smoke fog→smog 烟雾

teleprinter exchange→telex 传真 Europe Asia→Eurasia 欧亚大陆

American Indian→Amerind 美国印第安人 news broadcast→newscast 新闻广播

helicopter port→heliport 直升机机场 dictate phone→dictaphone 口述录音机

mass culture→masscult 大众文化 medical care→medicare 医疗保险

motorist's hotel→motel 汽车旅馆

International Criminal Police→Interpol 国际刑警组织

2 VIPs 类

(1) 缩略词、拼缀词的复数形式一般加-s。例如:

deli→delis 熟食店   memo→memos 备忘录

IC→ICs 集成电路   POW→POWs/POW's 战俘

MP→MPs/MP's 国会议员 VIP→VIPs/VIP's 要人

yr. →yrs. 年   hr. →hrs. 小时

no. →nos. 号   yd. →yds. 码

two Ph D's/Ph Ds 两个哲学博士

(2) 有些表示度量衡单位等的缩略词,单复数同形。例如:

km. →km. 公里,千米 m. →m. 英里

kg. →kg. 公斤,千克 oz. (ounce)→oz. 盎司

sec. →sec. 秒   in. (inch)→in. 英寸

bbl. →bbl. /bbls. 桶 gm. ＝gram(s) 克

Ib. ＝pound(s) 磅　　　　　　　　ft.→ft. 英尺

v. ＝volt(s) 伏特　　　　　　　　min.→min. 分

w. ＝watt(s) 瓦特　　　　　　　　cm.→cm. 公分，厘米

cal. ＝calorie(s) 卡

（3）有些词的复数形式为重复一个缩略字母。例如：

p.→pp.(＝pages) 页　　　　　　　MS.→MSS.(＝manuscripts) 手稿

l.(line)→ll.(＝lines) 行　　　　　gal.→gall.(＝gallons) 加仑

f.→ff.(following pages) 下页　　　n.→nn.(＝nouns) 名词

S. Peter→SS. Peter and Paul 圣彼得和圣保罗

（4）阿拉伯数字，英文字母等的复数形式一般在数字、字母等后面加-'s 或-s。例如：

s→s's　　　　6→6's　　　　686→686's　　　　perhaps→perhaps's

mind one's **p's** and **q's** 谨言慎行

Your 7**'s** and 9**'s** look alike. 你写的 7 和 9 很相似。

His argument contained too many **if's** and **but's**. 他的话里尽是些"如果"和"但是"。

There are too many **ifs** in the contract. 契约中规定的条件太多了。

Don't use too many **this's** in your paper. 在你的论文中不要使用太多的"这"。

It happened in **1970s**/**1970's**. 它发生在 20 世纪 70 年代。

（5）注意下面的表示法：

the a's（字母 a 的复数）

the s'es（字母 s 的复数）

four 4's/4s　4 个 4

His speech was full of **madam's** and **if I might ask a question's**. 他讲话中频频使用"太太"和"如果我可以提一个问题的话"这类客气话。

He sat there with his **ayes** and **sures**. 他坐在那里光说"是呀""一定呀"的。

12. a bar of chocolate 但 a burst of applause——名词前单位名词的使用问题

单位名词同可数名词和不可数名词搭配，大致可分为四种情况。

1 表示事物、个体事物或抽象事物的单位词

piece 一条/一片/一则/一件/一块/一段/一支/一曲	**a piece of** cake/paper/meat/bacon/ice/bread/land/advice/news/evidence/information/work/coal/chalk/music/luggage（baggage）/wood/kindness/thread/soap/chocolate 一块蛋糕/一片纸/一块肉/一片咸肉/一块冰/一片面包/一块地/一条忠告/一则消息/一条证据/一条信息/一件工作/一块煤/一支粉笔/一曲音乐/一件行李/一块木头/一片善心/一段线/一块肥皂/一块巧克力
item 一件/一桩/一条/一笔/一项	**an item of** news/crime/expense/business/information/programme/expenditure 一条消息/一桩罪行/一笔开支/一桩事务/一条信息/一项计划/一项支出
flight 飞翔的一群/楼梯的一段/齐发	**a flight of** stairs/steps/arrows/rockets 一段楼梯/一段台阶/一阵箭/一阵火箭
grain 一粒/些微/一点儿	**a grain of** rice/sand/salt/common sense 一粒米/一粒沙/一点盐/一点常识
slice 一块/一片	**a slice of** bread/meat/cake/beef/ham/bacon 一块面包/一块肉/一块蛋糕/一块牛肉/一块火腿/一块咸肉

bit 一条/一块/一点	**a bit of** news/wood/bread/grass/trouble/advice 一条消息/一块木头/一点面包/一点草/一点麻烦/一点建议
article 一件	**an article of** clothing/luggage/furniture/luxury 一件衣服/一件行李/一件家具/一件奢侈品
drop 一滴	**a drop of** blood/water/oil/rain/dew 一滴血/一滴水/一滴油/一滴雨/一滴露水
bundle 一捆/一包	**a bundle of** hay/straw/wheat/arrows/papers 一捆干草/一捆稻草/一捆小麦/一捆箭/一包纸
cake 一块	**a cake of** ice/bread/soap/chocolate 一块冰/一块面包/一块肥皂/一块巧克力
head 一头	**ten head of** cattle/sheep/cabbage 10头牛/10只羊/10棵大白菜
lump 一块	**a lump of** sugar/coal/earth(clay) 一块糖/一块煤/一块土
spiral 螺旋形	**a spiral of** mosquito/incense 一群蚊子/一缕烟
suite 一套/一组	**a suite of** clothing/room 一套衣服/一套房间
ear 一颗/一粒	**an ear of** corn/wheat 一粒谷/一粒小麦
block 一组/一群/一块	**a block of** buildings/ice/stone 一组建筑/一块冰/一块石头
collection 一批收集的东西	**a collection of** stamps 一批邮票
display/show 展示/展览	**a display of** fireworks 一阵爆竹
constellation 群集	**a constellation of** stars 一群星星
galaxy 一群/一批	**a galaxy of** stars/ideas 一群星星/一大堆主意
stroke 突来的一击/一举	**a stroke of** good luck 一阵好运
scrap 碎片/少许	**a scrap of** information/gossip/paper 一点信息/一点闲言碎语/一点纸
speck 微粒/一点点	**a speck of** blood/dust 一点血渍/一点灰尘
morsel 一口/一小份	**a morsel of** bread/meat 一点面包/一点肉
strip 一条/一块	**a strip of** cloth/paper/land/board 一块布/一片纸/一块地/一块木板
ball 一团	**a ball of** snow/wool/string/fire 一团雪/一团羊毛/一团线/一团火
bottle 一瓶	**a bottle of** milk/wine 一瓶牛奶/一瓶酒
chain 一系列/一列	**a chain of** events/mountains 一系列的事件/一列群山
bunch 一串	**a bunch of** keys/grapes 一串钥匙/一串葡萄
heap 一堆	**a heap of** ruins/rubbish 一堆废墟/垃圾
line 一行	**a line of** trees/cars 一行树/一行汽车
pile 一堆	**a pile of** books/stones/hay 一堆书/石头/干草

bite 一咬，一口	**a bite of** meat 一口肉	handful 一把	**a handful of** soil 一把泥土
roll 一卷	**a roll of** paper 一卷纸	tubful 一桶	**a tubful of** salt 一桶盐
mouthful 一口	**a mouthful of** rice 一口米饭	spoonful 一匙	**a spoonful of** tea 一匙茶
truckload 一车	**a truckload of** coal 一车煤	shipload 一船	**a shipload of** steel 一舱钢
bar 一块	**a bar of** chocolate 一块巧克力	sheet 一片／一张	**a sheet of** paper 一张纸
atom 微粒／微量	**an atom of** truth 一点真实	loaf 一条	**a loaf of** bread 一条面包
batch 一包	**a batch of** letters 一包信	cluster 一簇	**a cluster of** stars 一簇星星
row 一排	**a row of** seats 一排座位	host 许多／一大群	**a host of** stars 一大群星星
knot 一群／一簇	**a knot of** hair 一簇头发	range 一列	**a range of** hills 一列小山
clump 一丛／一簇／一堆	**a clump of** trees 一丛树	set 一套／一副	**a set of** instruments 一套器械
stack 一堆	**a stack of** rifles 一堆步枪	stock 库存物	**a stock of** goods 一库货物
string 一串	**a string of** pearls 一串珍珠	volley 群射／齐发	**a volley of** shots 一阵弹雨
host 一大群／许多	**a host of** ideas 一大堆想法	instance 例子	**an instance of** loyalty 一个彰显忠诚的实例
breath 气味／呼吸	**a breath of** air 一口吸气	chip 片屑	**a chip of** glass 一片玻璃
chop 一块排骨	**a chop of** lamb 一排小羊排	clod 土块	**a clod of** clay 一块泥土
crop 一熟／收成	**a crop of** wheat 一熟小麦	flake 薄薄的一层	**a flake of** dust 一层灰尘
fleck 微粒／小片	**a fleck of** dust 一点灰尘	joint 大块肉	**a joint of** beef 一大块牛肉
armful 一抱	**an armful of** flowers 一怀抱的鲜花	world 大量／无数	**a world of** trouble 一大堆麻烦
word 话／词句	**a word of** advice 一句忠告	fleet 车队／机群	**a fleet of** trucks 一列卡车

▶▶ 注意下列数量表示法：

a **pinch of** salt 一小撮盐

a **dash of** pepper 一点胡椒粉

a **shaft of** light 一道光

a **thread of** light 一道细细的亮光

a **tuft of** feathers 一撮羽毛

a **torrent of** water 一股激流

a **gush of** water 一股水

a **bushel of** corn 一蒲式耳谷物

a **body/sheet of** water 一片水

a **packet/pack of** cigarettes 一包香烟

a **sum of** money 一笔钱

a **layer of** rich black soil 一层肥沃的黑土

a **thin sheet/layer of** ice 一层薄冰

a **touch of** sugar 一点糖

a **trace of** sadness 一丝凄伤

a **strip of** garden 一个狭长的花园

a **wall of** hostility 一堵敌意的墙

a **jet of** water 喷出的一股水

a **gust of** wind 一阵风

a **spot of** whisky 一点威士忌酒

a **tube of** toothpaste 一管牙膏

a **bundle of** clothes 一包衣服

an **armful of** firewood 一抱柴禾

a **braid of** garlic 一瓣蒜

a **coat of** paint 一层油漆

a **cartload of** timber 一满车木材

a **string of** beads 一串珠子

a **pair of** tongs 一把火钳

a **bat of** butter 一小块黄油

a **pound of** meat 一磅肉

a **yard of** cloth 一码布

a **gallon of** gasoline 一加仑汽油

a **puff of** wind 一阵风

a **carton of** cigarettes 一箱香烟

a **block of** mail 一批邮件

a **sack of** coal 一袋煤

a **length of** cloth 一段布

a **fit of** anger 一顿脾气

a **pack of** cards 一副牌

a **piece of** thread 一根线

a **long piece of** pipe 一根长管子

a **kilogram of** milk 一千克牛奶

a **sheaf of** wheat 一捆麦子

a **packet of** leaflets 一捆传单

a **piece of** artillery 一门大炮

a **tier of** seats 一排座位

a **double handful of** peanuts 一捧花生

a **stretch of** land 一片土地

a **series of** stamps 一套邮票

a **game of** chess 一局棋

a **tin of** tobacco 一罐烟草

a **wheel of** bright moon 一轮明月

a **roll of** film 一卷胶卷

a **puddle of** blood 一摊血

a **blade of** glass 一片玻璃

a **sheet of** tin 一张铁皮

a **plank of** wood 一块木板

a **stick of** hair 一根头发

a **batch of** cakes 一炉糕饼

a **bar of** soap 一条肥皂

a **puff of** smoke 一阵烟

a **bed of** straw 一层稻草

a **ray of** light 一线光亮

a **foot of** cable 一英尺的电缆

a **hectare of** land 一公顷的土地

a **pound of** coal 一磅煤

a **set of** stamps 一套邮票

a **bale of** cotton 一大包棉花

a **pail of** water 一提桶水

a **jar of** oil 一罐油

a **tin of** fish 一罐鱼

a **bouquet of** flowers 一大捆花

a **boxful of** clothes 一箱子衣服

a **cluster of** grapes 一串葡萄

a **bag of** rice 一袋米

a **drink of** wine 一口酒

a **catty of** tea 一斤茶叶

a **foot of** cloth 一英尺布

a **litre of** rice 一升米

a **cake of** soap 一块肥皂

a **row of** new buildings 一排新楼房

a **batch of** trainees 一批受训者

a **half-sack of** potatoes 半麻袋土豆

a **pile of** sand 一堆沙

a **portion of** soup 一份汤

a **pair of** balances 一架天平

a **blade of** grass 一根草

a **spoonful of** sugar 一勺糖

a **blast of** hot air 一股热气

a **bundle of** firewood 一捆柴火

a **branch of** knowledge 一门知识

a **dish of** meat 一盘肉

a **wisp/strand/lock of** hair 一绺头发

a **ream of** paper 一令纸

a **set of** books 一套书

a **row of** trees 一行树

a **large can of** oil 一大罐油

five catties of beef 5 斤牛肉

a **speck of** ink 一点墨水污渍

a **puddle of** oil 一摊油

a **whiff of** fresh air 一点儿新鲜空气

a **cassette of** film 一盒胶卷

a **stick of** chalk 一支粉笔

a **stick of** match 一根火柴

a **heap of** sand/earth 一堆沙/土

a **rock of** stone 一块石头

a **tuft of** hair 一束毛发

a **bundle of** manuscripts 一扎手稿

a **meter of** cloth 一米布

a **kilogram of** sugar 一千克白糖

a **litre of** mineral water 一升矿泉水

a **gang of** tools 一套工具

a **bale of** paper 一大捆纸

a **bucket of** water 一桶水

a **pot of** water 一锅水

a **sack of** flour 一袋面粉

a **roast of** meat 一炉烧肉

an **armful of** firewood 一抱柴火

a **jugful of** milk 一壶牛奶

a **handful of** beans 一把豆子

a mouthful of earth 一嘴泥土

a clot of blood 一血块

a hand of bananas 一串香蕉

a brick of bread 一块砖形面包

a round of beef 一块牛腿肉

three lines of verse 三句诗

a nest of bowls 一套碗

a sip of brandy 一小口白兰地

a box of matches 一盒火柴

a roll of cloth 一匹布

a little square of cloth 一小块布

a useful bit of advice 一点有用的忠告

a plot of vegetables 一块菜地

a layer/cloak/mantle of snow 一层雪

a roll of clothes 一捆衣服

a black plum of smoke 一缕黑烟

an acre of land 一英亩土地

a new lot of chemical fertilizer 新到的一批化肥

A shaft of moonlight came through the window. 一道月光从窗口泻入。

A column of smoke appeared in the valley. 山谷里升起一柱烟。

There is not a shred of truth in his words. 他的话毫无真实之处。

Drops of dew are glittering in the sun. 露珠在阳光下闪着光。

2 表示人群体的单位词(可译为"队,群,列,股,批,组,帮〈贬〉,窝〈贬〉"等)

a party of guests 一群客人

a troop of soldiers 一队战士

a bench of judges 一群法官

a band of brigands 一窝土匪

a pack of rascals 一帮流氓

a gang of thieves 一帮贼

a batch of students 一群学生

a choir of singers 一组歌手

a bevy of ladies 一群女士

a team of players 一组运动员

a host of friends 许多朋友

a board of directors 董事会

a sea of faces 无数的面孔

a troupe of girls 一队女孩

an army of workmen 一大群工人

a horde of savages 一帮野蛮人

a throng of people 一大群人

a nest of bandits 一窝匪徒

a regiment of soldiers 一大批士兵

a posse of policemen 一队警察

a long train of visitors 一长列参观者

a mass of data 大量资料

a file of soldiers 一列士兵

a stream of people 川流不息的人

a gathering of people 一群人

a concourse of people 一群人

a crowd of people 一群人

a galaxy of poets 一群诗人

a clump of people 一群人

a horde of people 一群人

a colony of artists 一群艺术家

a knot of friends 一群朋友

a body of laws 一套法典

a panel of experts 一组专家

a class of students 一个班的学生

a school of artists 一群艺术家

an ocean of things 许多事情

a bunch of thieves 一帮贼

a bevy of actresses 一群女演员

a galaxy of beauties 一群美女

a swarm of bodyguards 一群保镖

a crowd of boys 一群男孩子

a gang of convicts 一群犯人

a troop of demonstrators 一群游行者

a body of electors 一群选举人

a party of film stars 一批电影明星

a bevy of girls 一群女孩子

a horde of guests 一群客人

a group of journalists 一群记者

a horde of lazybones 一群懒汉

a horde/pack of liars 一群说谎者

a team of players 一队运动员

a body of unemployed men 一群失业者

a host of rivals 一大群对手

a swarm of people (密密麻麻的)一群人

a horde of ruffians 一群流氓

a great multitude of people 一大群人

a galaxy of talents 一群才子

a crowd/clump of spectators 一群观众

a pack of thieves 一帮贼

a horde of swindlers 一群诈骗犯

a mob of rioters 一群暴徒

a fresh batch of visitors 一批新客人

a troop of welcomers 一群欢迎者

a bevy of women players 一群女运动员

a mob of angry women 一群愤怒的妇女

a batch of recruits 一批新兵

a multitude of people 许多人

a procession of workers 一长排工人

have a large circle of friends 交游甚广

a procession of children 一群列队行进的孩子

a series of brilliant artists 一位又一位优秀艺术家

a crew of sailors 一群水手

a college of musicians 一群音乐家

a company of youngsters 一群年轻人

a mob of disorderly people 一帮乌合之众

a handful of fascist bands 一小撮法西斯匪徒

A bunch of children are playing by the stream. 一群孩子在溪边玩耍。

A gang of swimmers sunned themselves on the beach. 一伙游泳的人在沙滩上晒太阳。

❸ 表示动物群体的单位词(可译为"群,队,行,窝"等)

a brood of chickens 一窝小鸡

a litter of puppies 一窝幼犬

a shoal of fish 一群鱼

a horde of flies 一群苍蝇

a bevy of birds 一群鸟

a hive of bees 一窝蜜蜂

a college of bees 一大群蜜蜂

a cloud of birds 一大群鸟

a bunch of moneys 一群猴子

a host of monkeys 一大群猴子

a file of birds 一行飞鸟

a flight of birds 一群飞鸟

a colony of bees 一群蜜蜂

a kindle of rabbits 一窝幼兔

a couple of rabbits 一对兔子

a knot of toads 一群蟾蜍

a troop of antelopes 一群羚羊

a pack of hounds/wolves 一群猎犬/狼

a flock of chickens/sheep 一群鸡/羊

a cluster of ants 一群蚂蚁

a school of whales 一群鲸鱼

a swarm of locusts 一大群蝗虫

an army of ants 一大群蚂蚁

a pride of peacocks 一群孔雀

a muster of peacocks 一群孔雀

a cast of hawks 一对鹰

a covey of doves 一群鸽子

a nest of ants 一窝蚂蚁

a caravan of camels 一队骆驼

a train of camels 一列骆驼

a flight of swallows 一群飞燕

a den of foxes 一窝狐狸

a kennel of dogs 一群狗

a sedge of herons 一群鹭

a string of race-horses 一行赛马

five brace of pheasants 五对野鸡

a herd of elephants/cattle 一群象/牛

A flock of swans flew south. 一群天鹅向南飞去。

A pride of lions are lying on the hillside. 一群狮子躺在山坡上。

【提示】某些由动词转化来的名词,也可表示群体,具有动态性,形象而生动。例如:

drove→**a drove of** people 一伙正在移动的人

run→**a run of** salmons 一群游动的鲑鱼

pace→**a pace of** horses 一群缓行的马

watch→**a watch of** nightingales 一群啼叫的夜莺

flow→**a flow of** sightseers 一连串络绎不绝的观光者

gaggle→**a gaggle of** talkative girls/geese 一群叽叽喳喳的女孩子/呱呱叫的鹅

stand→**a stand of** cranes 一群站立的鹤

sounder→**a sounder of** pigs 一群哼哼叫的猪

fall→**a fall of** mandarin ducks 一群落下的鸳鸯

❹ 表示行为、状态的单位词(可译为"一件,一例,一阵,一股"等)

a peal of thunder/laughter/bells 一阵雷声/笑声/铃声

a spell of illness/leisure 生一次病/一段时间的闲暇

a gust of laughter/anger 一阵大笑/大怒

a fit of coughing 一阵咳嗽

an attack of fever 发热

a ray of hope 一线希望

an act of folly/kindness 愚行/善行

a glimmer of hope 一线希望

a salvo of applause 一片欢呼声

a shout of approval 一阵表示赞同的欢呼声

a burst of applause 一阵欢呼声

a flash of lightning 一道闪电

a shower of criticism 一通批评

a flicker of fear 恐惧的闪现

a hint of hope 一丝希望

a sign of disease 疾病的征兆

a whiff of fresh air 一阵清风 | a volley of laughter 一阵笑声

a fit of weeping 一阵哭泣 | a hail of blows 一阵乱打

a fit of acute pain 一阵剧痛 | a fit of enthusiasm 一阵热情

a fit of laughter 一阵大笑 | a flash of hope 一线希望

a flash of wit 灵机一动 | a flash of inspiration 灵机一动

a flash of humor 一阵幽默 | a hail of bullets 一阵弹雨

a flash of merriment 一阵欢乐 | a thrill of joy 一阵快乐

a thrill of horror 一阵恐惧 | a burst of gunfire 一阵开火

a burst of shell 一阵炮弹 | a burst of bomb 一阵炮弹爆炸声

an act of aggression 一次侵略行动 | an act of insult 一次侮辱行为

an act of justice 一次正义行动 | a hail of shells 一阵炮弹

a hail of curses 一阵乱骂 | a breath of fresh air 一阵新鲜空气

a blaze of anger 一阵怒火 | a flood of anger 一阵大怒

a stab of anxiety 一阵焦急 | an outburst of anger 一阵勃然大怒

an outburst of cheers 一阵欢呼声 | a spell/bout of coughing 一阵咳嗽

a flight of fancy 一阵遐想 | a violent fit of coughing 一阵剧咳

a stab of envy 一阵妒忌 | an attack of fever 一次发烧

a burst of flame 一阵火焰 | a gust of fire 一阵烈火

a burst of laughter 一阵笑声 | a display of fireworks 一次焰火表演

a rush of tense work 一阵紧张的工作 | a spell of fine weather 一阵好天气

a burst of hail 一阵雹子 | a bout of high fever 一阵高烧

a stab of joy 一阵欢乐 | a gust of rage 一阵勃然大怒

a bout of malaria 一阵疟疾发作 | a flood of rain 一阵大雨

a gust of rain 一阵暴雨 | a gust of wind 一阵狂风

a column of smoke 一股烟 | a slight gust of wind 一阵微风

a spell of drought 一阵干旱 | a spell of warm weather 一阵温暖天气

【提示】

① 这种结构还可有形容词修饰,但要放在单位词之前。例如:

a shallow pool of water 一汪浅水 | a refreshing pot of tea 一壶提神的茶

a fine piece of sculpture 一件精美的雕刻 | a satisfying bar of chocolate 一块可口的巧克力

a devoted band of young people 一群热心的年轻人

② 上述单位词有些用于引申义。再如:

loads of trouble 一大堆麻烦 | a drop of comfort 一点安慰

a speck of comfort 一丝安慰 | a crumb of respect 一点敬意

an ounce of strength 力量微弱 | a scrap of courage 一点勇气

heaps of worry 忧心忡忡 | tons of evils 无数的罪恶

a grain of sarcasm 一丝讽刺 | a speck of humor 稍许幽默

③ 注意下面的单位词表示动作:

three sips of brandy 喝三口白兰地 | two bites of meat 咬了两口肉

five feeds of fodder 喂五次的饲料 | four shots of powder 打四次的火药

13. But me no buts——名词化问题

其他词类、短语、句子充当名词的现象称为名词化。例如:

The **sick** and the **wounded** were taken good care of. 病人和伤员受到了很好的照顾。(形容词、过去分词)

Her **beloved** has now become an **outcast** and gone through a lot of **sufferings**. 她心爱的人现在成了弃儿,遭受了种种磨难。(现在分词、过去分词)

The boy came on all **fours** to ask for **seconds**. 那个男孩爬了过来,要第二份食物。(数词)

A pinch of probability is worth a pound of **perhaps**. 一点点可能性抵得上一堆假设。(副词)

He is not a **somebody**，but a **nobody**. 他什么也不是,无名小卒一个。(代词)

Motion requires a **here** and a **there**. 运动需要从这一点到那一点。(副词)

Did she say "**for**" or "**against**"? 她说了"是"还是"不"?(介词)

Haw-haws filled the hall. 大厅里充满了呵呵声。(感叹词)

But me no **buts**. 不要再说"但是"、"但是"了。(连词)

Forgotten is forgiven. 忘记就是原谅。(过去分词)

One **today** is worth two tomorrows. 一个今天胜过两个明天。(副词)

Between seven and eight will be all right. 七八点钟可行。(介词短语)

Go and have a **lie down**. 去躺一会儿。(短语动词)

Will **by and by** do? 稍后好吗?(固定词组)

They exchanged a few **how-are-you's**. 他们互相寒暄了几句。(句子)

14. vice-president 和 associate professor——英语"副职"的表示法

1 vice-＋名词(着重职与权)

vice-principal 副校长,副院长   **vice**-chairman 副主席,副会长,副委员长

vice-minister 副部长,次长   **vice**-governor 副省长,副州长

vice-premier 副首相,副总理   **vice**-consul 副领事

vice-president 副总统,副会长,(大学)副校长,副院长

2 deputy＋名词(着重职与权)

deputy mayor 副市长   **deputy** commissioner 副专员

deputy secretary-general 副秘书长   **deputy** consul-general 副总领事

deputy governor 副省长   **deputy** secretary 副书记

deputy director 副主任   **deputy** section chief 副科长

deputy division chief 副处长   **deputy** editor-in-chief 副主编,副总编

deputy chairman/chairwoman 副主席,代理主席,副会长

3 associate＋名词(着重技术等级)

associate professor 副教授   **associate** research fellow 副研究员

associate editor 副主编   **associate** copy editor 副编审

associate physician 副主任医师

4 assistant＋名词(着重技术等级)

assistant manager/director 副经理   **assistant** engineer 助理工程师

assistant research fellow 助理研究员   **assistant** lecturer 助理讲师

assistant editor 助理编辑   **assistant** translator 助理翻译

assistant accountant 助理会计师   **assistant** minister 部长助理

assistant agronomist 助理农艺师   **assistant**/deputy headmaster (中、小学)副校长

assistant professor 助理教授(介于副教授与讲师之间)

【提示】英语"高级"的表示方法

senior engineer 高级工程师   **senior** editor 高级编辑

senior economist 高级经济师   **senior** accountant 高级会计师

senior auditor 高级审计师   **senior** statistician 高级统计师

senior agronomist 高级农艺师   **senior** technologist 高级技师

senior industrial artist 高级工艺美术师

15. a hint of truth 和 loads of friends——修饰名词的前置短语

1 修饰不可数名词或抽象名词的前置短语

下列短语修饰不可数名词或抽象名词(有些表示情感、性质):

not a little，a large/vast/good/great/small amount of，amounts of，a bit of，a high degree of，a trace of，traces of，a touch of，a shade of，an element of，a great measure of，a streak of，a hint of，a flavor/suggestion of，a modicum of，a spice of

traces of gold 少量金子

a shade of difference 一点差别

a great measure of courage 极大的勇敢

a modicum of enthusiasm 一点热情

give sb. **not a little** trouble 给某人许多麻烦

large amounts of this medicine 许多这种药

a high degree of ability 很强的能力

a hint/tinge/flavor/suggestion of truth 一点真实的东西

a touch of salt 一点盐

an element of risk 一点危险

a streak of humor 一点幽默

a spice of malice 一点恶意

a small amount of danger 许多危险

a bit of cake 一点蛋糕

a trace of jealousy 一点嫉妒

2 修饰复数可数名词或不可数名词的前置短语

下列短语修饰复数可数名词或不可数名词(个别可接集体名词)：

lots of，a lot of，plenty of，a variety of，varieties of，an abundance of，a wealth of，a world of，an ocean of，oceans of，tons of，a sight of，a wilderness of，an infinity of，heaps of，a heap of，(large，immense，enormous，small) quantities of，a (large，great，good，small) quantity of，a quarter of，loads of，a load of，masses of，a mass of，the majority of，the remainder of，the rest of，enough of，all of，most of，none of，some of，more of，a bagful of，a basketful of

lots of things 许多东西

lots of food 许多食物

plenty of men 许多人

plenty of imagination 许多想象

varieties of ways 各种方法

varieties of cloth 各种布匹

a wealth of examples 大量的例子

a wealth of knowledge 大量的知识

an ocean of money 大量的钱财

an ocean of replies 大量的复信

tons of times 无数次

tons of money 很多钱

a wilderness of voices 一片嘈杂的说话声

a wilderness of trouble 一大堆麻烦

heaps of places 许多地方

heaps of rubbish 许多垃圾

quantities of native products 大宗土产

quantities of luck 齐天洪福

loads of friends 大批朋友

loads of time 充裕的时间

masses of letters 一堆堆信件

masses of ice 大块大块冰

the majority of doctors 大多数医生

the majority of the damage 大多数损坏

the rest of her clothes 她其余的衣服

the rest of the candy 剩下的糖

all of their activities 他们所有的活动

all of my stuff 我所有的资料

none of the pictures 这些画中没有

None of your impudence! 别厚颜无耻!

more of their plans 他们更多的计划

more of the red wine 更多的红酒

a lot of people 许多人

a lot of time 许多时间

a variety of occupations 各行各业

an endless variety of misery 无穷的不幸

an abundance of good stories 许多好故事

an abundance of cheap coal 许多廉价煤

a world of automobiles 无数的汽车

a world of good 许多益处

oceans of things 许多事情

oceans of love 无限深情

a sight of soldiers 许多士兵

a sight of help 大量的帮助

an infinity of God's mercy 上帝慈悲无量

an infinity of stars 无数星星

a heap of customers 许多顾客

a heap of fun 许多乐趣

a quantity of baskets 一批篮子

a quantity of beer 大量的啤酒

a load of problems 一大堆问题

a load of nonsense 一派胡言

a mass of mistakes 错误百出

a mass of earth 一大块泥土

the remainder of the books 余下的书

the remainder of the money 余下的钱

enough of the bananas 足够的香蕉

enough of the money 足够的钱

most of the blossoms 大部分花

most of the land 大部分土地

some of the villagers 一些村民

some of the milk 一些牛奶

a bagful of books 一袋书

a bagful of rice 一袋米

gallons of tea 大量的茶

gallons of language families 许多语系

gallons of the stuff 许多这种东西

a basketful of flowers 一篮花

a basketful of sand 一篮沙

a quarter of apples 一些苹果/多个苹果

a quarter of the apple 这个苹果的一部分

a quarter of cake 一些蛋糕

❸ 只能修饰复数可数名词的前置短语

下列短语只能修饰复数可数名词：

large/great/small numbers of，a great many，a good many，a (great/large/big/small) number of，a majority of，an assortment of，the generality of，various of，a team of，dozens/hundreds/thousands of

large numbers of people 许多人

a great many soldiers 许多士兵

a majority of workers 多数工人

the generality of voters 大多数选举人

a team of players 一队运动员

a number of years 许多年

a good many books 大量的书

an assortment of tools 各种各样的工具

various of the officers 各位官员

dozens of reference books 几十本参考书

❹ the whole of 所修饰的名词

the whole of 可接单数可数名词、专有名词、集体名词和不可数名词。例如：

the whole of the story 整个故事

the whole of his family 他的全家

the whole of his attention 他的全部注意力

the whole of her savings 她的全部积蓄

the whole of China 全中国

the whole of one week 整整一个星期

❺ part of 所修饰的名词

part of 可接单数可数名词、复数可数名词、专有名词和不可数名词。例如：

part of the house 房子的一部分

part of the time 一部分时间

part/a part of the delegates 部分代表

part of England 英国的一部分

part of the money 一部分钱

❻ a little of 所修饰的名词

a little of 可接不可数名词，this，that，it 或 everything。例如：

a little of wine 一点酒

know **a little of** everything 什么都知道一点

a little of that 那一些

❼ a great/ good deal of 所修饰的名词

a great/good deal of 一般接不可数名词。例如：

a great deal of energy 大量的精力

a great deal of encouragement 许多鼓励

a good deal of concern 许多关怀

a great deal of joy 许多快乐

▶▶▶ 但：a great/good deal of 后也可接复数可数名词，较少用，最好用 a lot of 或 many 取代。例如：

She has **a great deal of** friends. 她有许多朋友。

He caught **a good deal of** fish. 他捕了许多鱼。

❽ 由连字号连接的名词短语、动词短语等，具有形容词性质，常用于修饰名词

face-to-face 面对面的

first-class 一流的

hard-line 强硬的

last-minute 最后一刻的

hand-to-mouth 勉强糊口的

man-to-man 开诚布公的

all-or-nothing 孤注一掷的

hit-or-miss 无周详计划的

a long-drawn-out struggle 长期进行的斗争

undreamed-of wealth 意想不到的财富

tit-for-tat 针锋相对的

heart-and-soul 全心全意的

heart-to-heart 诚恳的

step-by-step 按部就班的

life-or-death 生死攸关的

touch-and-go 危急的

hard-and-fast 不容改变的

hit-and-run 打了就跑的

well-brought-up children 教养好的孩子们

unlooked-for success 意外的成功

⑨ 不定式短语、介词短语等可以用作前置定语，有时可以不加连字号

    an **all day** march 一整天的行军

    a **never-to-be-forgotten** experience 一次永远也忘不了的经历

    a **forever-remembered** love letter 一封永远铭记的情书

    these **not to be avoided** expenses 这些不可避免的开支

    this **in many respects** effective measure 这个在很多方面很有效的措施

    the **for her** very dull job 这个对她来说很单调乏味的工作

    an **all expenses paid** vacation to Italy 费用全包的去意大利的度假

四、所有格

    英语名词有三种格（Case）：主格（Nominative Case）、宾格（Objective Case）和所有格（Possessive Case）。主格用于主语、主语补足语、同位语和称谓；宾格用于动词/介词的宾语、宾语补足语和同位语；所有格表示"……的"，修饰其他名词。

1. 名词所有格（'s genitive）的构成

❶ 's 类

    大多数名词的所有格是由名词加 's 构成的。例如：

    the **boy's** book 那个男孩的书   a **lady's** car 一位女士的汽车

    a **men's** club 男子俱乐部   the **men's** lavatory 男厕所

    her **husband's** footsteps 她丈夫的脚步声

❷ (') 类

    以 -s 结尾的复数名词在 -s 后加（'）构成所有格。例如：

    the **students'** reading-room 学生阅览室   the **Smiths'** house 史密斯家的房子

    a **girls'** school 女子学校   **ladies'** wear 女装

    The **rice fields'** sweet smell promises a bump harvest. 稻花香里说丰年。

❸ 's 或 (') 类

    以 -s 结尾的单数名词可以在词尾加 's 或只加（'），一般发[ɪz]音。例如：

    Dickens's novels/**Dickens'** novels 狄更斯小说（读作['dɪkɪnsɪz]）

    the **actress's** performance/the **actress'** performance 女演员的表演（读作['æktrɪsɪz]）

    St. **James's** Palace/St. **James'** Palace 圣詹姆斯宫（读作['dʒeɪmzɪz]）

    【提示】

    ① 以 -es 结尾的古代人名，只加（'），读音不变。例如：

        Achilles' wrath 阿喀琉斯的愤怒，**Ceres'** rites 刻瑞斯的仪式，**Xerxes'** fleet 薛西斯一世的舰队，**Archimedes'** principle 阿基米德原理，**Socrates'** disciple 苏格拉底的弟子，**Cervantes'** novel 塞万提斯的小说

    ② 以 -is，-as 或 -us 结尾的古代人名，可加（'）或"'s"。例如：

        Adonis'/**Adonis's** hunting 阿多尼斯的狩猎，**Venus'** image 维纳斯的化身，**Judas'** betrayal 犹大的背叛，**Brutus'** bravery 布鲁图的勇敢

    ③ 在某些名人的名字后只加（'），但可有两种读音，如：Kates'（济慈的）读作[kiːts]或['kiːtsɪz]，Yeats'（叶芝的）读作[jeɪts]或['jeɪtsɪz]。

❹ 复合名词类

    复合名词或名词短语等的所有格仅在最后一个词后加 's。例如：

    each other's books 各个人的书   **somebody else's** book 别人的书

    in a week or two's time 一两周的时间   the **Secretary of State's** visit 国务卿的访问

    her **son-in-law's** piano 她女婿的钢琴   the **king of England's** crown 英王的皇冠

    Henry the Eighth's marriage 亨利八世的婚姻   an **hour and a half's** talk 一次半小时的谈话

    Alexander the Great's conquest 亚历山大大帝的征服

    his sister **Mary's** husband 他妹妹玛丽的丈夫

the **University of Harvard's** president 哈佛大学的校长

the Prince of Wales's helicopter 威尔士亲王的直升机

Mr. Zhang the headmaster's speech 校长周先生的演说

The woman you spoke to's husband is a musician. 你跟她说话的那位妇女的丈夫是一个音乐家。
(从句结构)

比较:

$\Big\{$ **Wang's and Zhang's** rooms＝ **Wang's** room and **Zhang's** 王的房间和张的房间(各自的房间)
Wang and Zhang's room 王和张的房间(共有的房间)

$\Big\{$ the **students' and teachers'** speeches (劣)
the **students and teachers'** speeches (优) 学生的发言和老师的发言

$\Big\{$ **his and his sister's** books (劣)
his books and **his sister's** (优)
his books and those of **his sister's** (优) 他的书和他妹妹的书

$\Big\{$ **John's wife's** face (劣)
the face of **John's** wife (优) 约翰妻子的脸

⑤ **'s 或 s'** 类

由首字母构成的缩略词是单数时,后面加 's;为复数时,则加 s'。例如:

an **MP's** salary 英国议会议员的薪水　　　　the **VIPs'** escorts 要人们的警卫

2. 名词所有格的用法

名词所有格主要用于表示有生命东西的名词,但也用于下列场合:

① 表示时间或距离

an **hour's** drive 一小时的行车　　　　　a **mile's** journey 一英里的行程

a **cable's** length 一根电缆的长度　　　　at **arm's** length 一臂之距

the **April's** end 4 月末　　　　　　　last **week's** meeting 上周的会议

journey's end 旅行的终点　　　　　　**today's** paper 今天的报纸

a **week's** food 一周的食物　　　　　　a nine **days'** wonder 轰动一时的事件

a **good day's** work 一整天的工作　　　　five **minutes'** break 五分钟的休息

a good **night's** sleep 甜甜地睡了一夜　　without a **moment's** hesitation 一点儿也没犹豫

② 表示重量

a **pound's** weight 一磅的重量　　　　　five **tons'** steel 五吨钢

③ 表示价值、金额

a **shilling's** worth of sweets 价值一先令的糖果

three hundred **dollars'** worth of clothes 价值 300 美元的衣服

【提示】金额后也可不加 's。例如:

fifty **dollars** worth of books 50 美元的书

about 100 **pounds** worth of food 约值 100 英镑的食品

④ 表示城市、国家、机构、组织

Nanjing's weather 南京的天气　　　　the **country's** wealth 国家的财富

London's fog 伦敦的雾　　　　　　　**China's** oil output 中国的石油产量

the committee's decision 委员会的决定　**Hong Kong's** future 香港的前途

California's Music School 加利福尼亚音乐学校

the **college's** good environment 这所大学的优美环境

Harvard's Department of Economics 哈佛大学经济系

⑤ 用在一些习语中(参见下文)

at one's **wit's/wits'** end 智穷计尽　　　at a **snail's** pace 缓慢地

to one's **heart's** content 尽情地　　　　out of **harm's** way 免受损害

by a **hair's** breadth 千钧一发　　　　　obtain/take a **bird's**-eye view 鸟瞰

at **sword's** points 剑拔弩张

for **God's** sake 看在上帝的分上

for **health's** sake 为了健康

for **precaution's** sake 为了慎重起见

for **pity's** sake 出于怜悯

at **water's** edge 在水边

get one's **money's** worth 花钱花得值

at one's **finger's** ends 对……了如指掌

art for **art's** sake 为了艺术而艺术

for **humanity's** sake 为了人类起见

for **brevity's** sake 出于简洁

everyone's mother's son 人人

at **duty's** call 按照本分的要求

for **friendship's** sake 为了友情

for old **time's** sake 为了老交情

【提示】以清辅音"s"结尾（指发音）的名词的所有格，则直接加（'）。例如：

for **convenience'** sake 为了方便起见

for old **acquaintance'** sake 看在老相识的分上

for **appearance'** sake 为了面子

for **goodness'** sake 看在老天的分上

▶▶ 但也可以说：for **appearance** sake, for **conscience** sake, for **convenience** sake。

6 表示自然现象

the **earth's** evolution 地球的演变

the **sun's** rays 太阳的光线

the **tree's** branches 树枝

Heaven's will 天意

Fortune's favorite 幸运的宠儿

the **river's** bank 河边，河岸

the **moon's** orbit 月球的轨道

nature's pleasures 大自然的乐趣

Nature's works 造化的杰作

the **moon's** shadow 月影

the **mountain's** brow 山脊

Nature's beauties 自然之美

7 表示文化、艺术、交通、科技、工业等

the **film's** significance 电影的重要意义

the **truck's** wheel 卡车的轮子

the **mind's** development 心智的开发

the **book's** importance 这本书的重要性

wisdom's rays 智慧之光

the **car's** engine 汽车发动机

the **novel's** plot 小说的情节

the **factory's** output 工厂的产量

the **brain's** function 大脑的功能

the **car's** history 汽车的历史

life's struggle 生命的奋斗

the **word's** function 这个词的作用

the **industry's** geographical distribution 工业的地理分布

science's contribution to civilization 科学对于文明的贡献

8 表示所有、所属关系

the **Party's** policy 党的政策

John's appearance 约翰的外表

the **university's** students 大学的学生

the **hunter's** story 猎人讲的故事

Jim's friends 吉姆的朋友

the **newspaper's** editorial board 报纸的编辑部

the **young man's** imagination 年轻人的想象力

the **majority's** view 大多数人的意见

9 表示动宾关系

the **writer's** release 作家的释放

the **girl's** rescue 女孩的获救

children's education 儿童教育

the **family's** support 对家庭的支持

10 表示主谓关系

the **guest's** arrival 客人的到达

the **moon's** rising 月亮的升起

my **father's** consent 我父亲的允诺

the **ocean's** roar 海洋之怒吼

the **wind's** sighing 风的叹息

the **girl's** application 女孩的申请

比较：

{ **John's** praise

对约翰的赞扬（John was praised by others.）

约翰对他人的赞扬（John praised others.）

{ **The criminal's** punishment was just. 对那个罪犯的惩罚是正当的。（动宾关系）

My father's punishment was severe when I told lies. 我说谎时，父亲的惩罚是严厉的。（主谓关系）

> The **teacher's** praise gave Jim great pleasure. 老师的表扬使吉姆非常快活。(主谓关系)
> They were all loud in **the teacher's praise** as he was kind to the students. 他们对那位老师大加赞扬，因为他待学生好。(动宾关系)

> They came to **the teacher's** aid. 他们来帮老师的忙。(动宾关系)
> **A friend's** aid helped us tide over the difficulties. 一位朋友的帮助使我们渡过了困难。(主谓关系)

⑪ 表示建筑、设施、家、店铺等

the **barber's** 理发店　　　　　　　　　her **uncle's** 她伯父家

the **florist's** 花店　　　　　　　　　**Wang's** 王家

Mr. Eliot's 艾略特先生家　　　　　a well-managed **baker's** 管理有方的面包店

the **butcher's** 肉铺　　　　　　　　the **chemist's** 药店(英式英语)

the **druggist's** 药店(美式英语)　　　the **grocer's** 杂货店

W. H. Smith's 史密斯家的店铺　　　**Queen's** 女王学院(＝Queen's College)

Johnson's 约翰逊商店(＝Johnson's Shop)　**Wallis'** 沃利斯商店(＝Wallis's＝Wallis)

St. Paul's 圣保罗大教堂(＝St. Paul's Cathedral)

⑫ 表示较高等动物

the **cock's** crow 乌鸦的叫声　　　　the **dog's** bark 狗的叫声

cow's hide 牛皮　　　　　　　　　**lamb's** wool 羊羔的毛

the **horse's** neighing 马的嘶鸣　　　the **lion's** mane 狮鬣

bird's nest 鸟巢　　　　　　　　　**cat's** paw 猫爪

⑬ 表示特点与状态

Jim's folly 吉姆的愚蠢　　　　　　**Alice's** kindness 艾丽斯的善良

Jack's laziness 杰克的懒惰　　　　my **uncle's** good luck 我叔叔的好运气

a **bathroom's** space 洗浴间那样大的地方

⑭ 表示目的与用途

a **girls'** college 女子学院　　　　　**teachers'** union 教育工会

a **children's** hospital 儿童医院(a hospital for children)

⑮ 表示整体与部分关系

the **baby's** eye 婴儿的眼　　　　　**Jack's** leg 杰克的腿

the **lion's** heart 狮心　　　　　　　the **city's** center 城市的中心

the **hill's** foot 山脚　　　　　　　　the **mountain's** top 山顶

the **wood's** edge 森林的边缘　　　　a **pin's** head 针尖

⑯ 表示使用者与被使用物关系

a **cow's** house 牛屋　　　　　　　　**beginner's** lessons 初学者的课程

ladies' dress 女装　　　　　　　　**children's** books 儿童用书

⑰ 表示创造者与创造物关系

Shakespeare's Hamlet 莎士比亚的哈姆雷特　**John's** writings 约翰的作品

Edison's electric light 爱迪生(发明)的电灯　**Mary's** cakes 玛丽的蛋糕

Samuel Johnson's dictionary 塞缪尔·约翰逊的词典

Hemingway's *The Old Man and Sea* 海明威的《老人与海》

⑱ 表示船只

the **ship's** crew/cook/doctor 船员/船厨/船匠　the **vessel's** course/departure 轮船的航道/离港

⑲ 用于"It is＋名词所有格＋不定式"结构中(这是一种较文气的说法)

It is **Peter's** (duty) to do the work well. 做好这项工作是彼得的职责。

It is **Jim's** (privilege) to use the car. 吉姆有权使用这辆车。

It is **man's** (destiny) to work and suffer. 劳作、受苦是人的命运。

It will be **John's** (obligation) to aid them. 帮助他们是约翰的义务。

【提示】

① 表示建筑、设施、时间、自然现象、交通工具等的名词所有格，有些也可用 of 结构，这时着重于 of 后的宾语。例如：

the **hotel's** window 旅馆的窗户 ⎰
= the window of the hotel ⎱

the **sun's** surface 太阳表面 ⎰
= the surface of the sun ⎱

the **sea's** cold embrace 大海冰冷的怀抱 ⎰
= the cold embrace of the sea ⎱

yesterday's carefree days 从前无忧无虑的岁月 ⎰
= the carefree days of yesterday ⎱

today's conveniences 今天的种种便利设施 ⎰
= the conveniences of today ⎱

the **girl's** graceful figure 那女孩的优雅身段 ⎰
= the graceful figure of the girl ⎱

the **glider's** wings 滑翔机的机翼 ⎰
= the wings of the glider ⎱

the **railway's** importance to the local economy 铁路对地方经济的重要性 ⎰
= the importance of the railway to the local economy ⎱

the **dam's** importance to the country's prosperity 拦河坝对于该国繁荣的重要性 ⎰
= the importance of the dam to the country's prosperity ⎱

比较：

a **ship's** carpenter 一名造船工（ship's carpenter 为固定词组）⎰
a carpenter **of** a ship 一条船上的一名木工 ⎱

② 比较下列名词所有格和名词作定语的不同含义：

his **girl's** friend 他女朋友的朋友 ⎰
his **girl** friend 他的女朋友 ⎱

that **idiot's** boy 那个傻子的男孩 ⎰
that **idiot** boy 那个傻男孩 ⎱

③ 名词所有格在表示无生命东西、动物时，常可省去"'s"，成为名词作定语。例如：

the **eagle's** cry→the eagle cry 鹰的叫声　　the **rabbit's** hole→the rabbit hole 兔洞

the **finger's** end→the finger end 指尖　　one **trousers'** pocket→one trousers pocket 一个裤兜

a **newspaper's** office→a newspaper office 报社的办公室

④ 名词所有格中的名词为复数时，"'"常可省略，成为名词作定语。例如：

the **savings'** bank→the savings bank 储蓄银行

the **ladies'** waiting room→the ladies waiting room 女士起居室

⑤ 地名或人名作定语时，一般不用所有格，即直接修饰另一名词。例如：

Waterloo Bridge 滑铁卢大桥　　　　　　**Pearl** Harbor 珍珠港

Lincoln Library 林肯图书馆　　　　　　**the Suez** Canal 苏伊士运河

Victoria Square 维多利亚广场　　　　　**Buckingham** Palace 白金汉宫

the **Washington** Monument 华盛顿纪念馆

▶▶▶ 但有例外：**Mary's** Beauty Shop 玛丽美容院　　**St. Paul's** Cathedral 圣保罗大教堂

Pompey's Theatre 庞贝剧场

⑥ 名词所有格有时后面不跟名词，单独使用，这样的所有格是独立所有格（Absolute Possessive），主要有两种情况。

ⓐ 名词所有格所修饰的中心词有时可省略，以避免重复。例如：

A girl's character is different from a **boy's**. 女孩的性格与男孩的不同。

I prefer **Linda's** to Jim's way of speaking. 我喜欢琳达的说话方式胜过吉姆的。

Hitler's was a policy to conquer the world. 希特勒的政策是征服世界。

ⓑ 名词所有格所修饰的中心词如果表示商店、房屋、建筑物等，常常省略。例如：

I stayed at **Henry's**. 我待在亨利家。

She has been shopping at **Harrods'**. 她在哈罗斯商店购物。

I saw the picture at a large **photographer's**. 我在一家大照相馆看见那幅画的。

She visited **St. James's** (Palace) and **St. Andrew's** (church). 她参观了圣詹姆士宫和圣安德鲁教堂。

He's gone to the **dentist's**. 他去牙医那儿了。（在美式英语中通常用 the dentist 或 the dentist office)

⑳ 名词所有格的歧义

　　有时,名词所有格可能产生歧义,在使用中应加以注意。例如:

▶▶ several **women's** caps：several caps for women 妇女戴的几顶帽子；the caps belonging to several women 几位妇女的帽子

▶▶ an old **man's** car：an old car designed for a man 为男人设计的旧式汽车；the car belonging to an old man 一位老人的汽车；a car designed for an old man 为老年人设计的汽车

　　【提示】下面几个名词所有格不可望文生义:

child's play 极易做的事　　　　　　　　　　　　**men's** images of women 男人心中的女人形象

He is a **lady's** man. 他是个喜欢和女人交往的男人。

㉑ Europe's education 不同于 European education

　　表示洲、国家、地区的名词所有格和相应的形容词均可用来修饰名词,有时意义上没有差别,如"中国的首都"可以说成 China's capital 或 Chinese capital。但是,名词所有格形式往往强调地理、区域概念,而相应的形容词则强调特点、品质等。比较:

欧洲的教育
{ **Europe's** education（强调地理概念）
{ **European** education（强调欧洲教育的特点）

日本的农业
{ **Japan's** agriculture（地理概念）
{ **Japanese** agriculture（特点,与其他国家的农业不同）

中国的领土
{ **China's** territory（地理概念）
{ **Chinese** territory（不是他国的领土）

欧洲文学
{ **European** literature〔✓〕
{ Europe's literature〔✗〕

㉒ members of the same school winning the prize 还是 members of the same school's winning the prize

　　如果动名词前的逻辑主语是名词词组,特别是带有后置修饰语的名词词组,这种名词词组只能用通格,不能用所有格。比较:

他反对同一所学校的人获奖。
{ He objected to members of the same school's winning the prize.〔✗〕
{ He objected to **members of the same school** winning the prize.〔✓〕

　　【提示】下面几种形式都对:

我们在考虑让他去那里。
{ We're considering **his going** there.
{ We're considering **him going** there.（口语）

我想避免使玛丽认为我不愿意帮忙。
{ I want to avoid **Mary thinking** I don't want to help.
{ I want to avoid **Mary's thinking** I don't want to help.

　　但在 postpone, defer, deny 等动词后,动名词前的逻辑主语通常用所有格。例如:

　　He deferred **Mr. Johnson's going** home until next month. 他让约翰逊先生推迟至下个月返家。

㉓ 特指名词所有格和类别名词所有格

　　特指名词所有格指所有格中的名词表示某个特定的人、动物或东西;类别名词所有格指所有格中的名词表示某类人、动物或东西。比较:

特指名词所有格	类别名词所有格
my **brother's** room 我弟弟的房间	a **cat's** paw 猫爪
today's paper 今天的报纸	**Father's** Day 父亲节
China's development 中国的发展	their **dog's** life 他们艰难的生活
those **children's** habit 那些孩子的习惯	the **Master's** Degree 硕士学位

(1) 特指名词所有格前的形容词、指示代词等,修饰该名词所有格;类别名词所有格前的形容词、指示代词等,修饰由名词所有格和中心词构成的整个短语。比较:

特指名词所有格	类别名词所有格
that **dog's** legs 那条狗的腿	those **child's** tricks 那些儿童的小把戏
the **bright moon's** soft rays 明月的银辉	the happy **New Year's** Eve 快乐的除夕
a **child's** dream 孩子的梦想	a very big **children's** reading room 很大的儿童阅览室
clean and beautiful **Hangzhou's** scenery 洁净而优美的杭州风景	two responsible **ship's** doctors 两个负责任的船医

(2) 特指名词所有格大都可用 of 短语替代,而类别名词所有格大都不可。比较:

特指名词所有格	类别名词所有格
the legs **of that dog**	不可说 the tricks of those child
the dream **of a child**	不可说 the life of their dog
the scenery **of clean and beautiful Hangzhou**	不可说 the Degree of the Master

(3) 有些名词所有格既可表示特指,也可表示类别。比较:

That is a **gentleman's** house.
那是一位绅士的房子。(特指＝the house belonging to a gentleman)
那是一所适合绅士住的房子。(类别＝a house suitable for a gentleman)

【提示】名词作定语表示类指。例如:

history teacher 历史教师 **bath** towel 浴巾

stone bridge 石桥 **restaurant** car 餐车

比较:

child laborer 童工(类指)
the child's strange behavior 这孩子的奇怪行为(特指)

The dog's food was taken by the cats. 狗食被猫吃了。(特指给某条狗准备的食物)
The shop sells **dog** food. 这家商店出售狗用食品。(类指,狗用食品,而非人用)

(4) 表示时间的名词如果是特指,常用名词所有格;如果是指类别,常用普通格,即用名词作定语。例如:

this **morning's** lesson 今天上午的课(特指)→her **morning** lesson 她上午的课(类别)
last **autumn's** fine weather 去年秋天的好天气(特指)→an **autumn** trip 秋天的旅行(类别)

3. of 所有格

1 表示同位关系

the Continent **of Asia** 亚洲大陆 the vice **of drunkenness** 酗酒的恶习

the city **of Shanghai** 上海市 the province **of Jiangsu** 江苏省

the vice **of lying** 撒谎的恶习 the sum **of 100 dollars** 100 美元的金额

the name **of Robert** 罗伯特这个名字

2 表示所属关系

the opinion **of the majority** 大多数人的意见 the title **of the book** 书名

3 表示全体和部分关系

part **of the problem** 问题的一部分 some **of the students** 学生中的一些

4 表示动宾关系

the shooting **of the animals** 猎杀动物 the execution **of the prisoner** 犯人的处决

Mary's love **of cats** 玛丽对猫的喜爱 the bird's feeding **of her young** 鸟儿喂幼雏

waste **of time** 浪费时间 the description **of the grassland** 对草原的描写

John's murder **of a rich man** 约翰谋杀一个富人(比较:**a rich man's** murder of John 一个富人谋杀

约翰)

5 表示主谓关系

the departure **of the train** 火车的驶出　　　　the arrival **of the visitors** 访客的到达

for the use **of ladies** 女士专用　　　　　　the decline **of ancient Rome** 古罗马的衰落

比较：

the love **of his wife**

他对妻子的爱(动宾关系)

他妻子对他的爱(主谓关系)

It is the proper study **of mankind**.

这是研究人类的恰当方法。(动宾关系)

这是人类可研究的恰当事件。(主谓关系)

Man's use **of fuels** is rather wasteful. 人类使用能源浪费惊人。(动宾关系)

This room is for the use **of teachers**. 这个房间是供教师用的。(主谓关系)

He was a student **of Madame Curie's**. 他是居里夫人的学生。(所属关系)

He was a student **of Madame Curie**. 他是研究居里夫人的一名学者。(动宾关系)

6 表示原料

the house **of stone** 石头房子　　　　　　a dress **of silk** 丝绸衣服

7 表示来源

a girl **of royal blood** 皇家血统的女孩　　goods **of their own manufacture** 他们自己制作的物品

8 表示内容

a story **of adventures** 历险故事　　　　　an anthology **of English poetry** 英诗选读

9 表示时间

a girl **of fourteen** 14 岁的女孩　　　　　the events **of the decade** 10 年的事件

10 表示素质、质量

a man **of ability** 有能力的人　　　　　　goods **of first-rate quality** 质量一流的物品

11 表示距离、面积、方位

a distance **of 10 kilometers** 10 千米的距离

a territory **of 9,600,000 square kilometers** 960 万平方千米的领土

【提示】

① 在许多情况下,表示人、动物、集体、时间、机构、组织等的名词都可以用 of 所有格代替 's 所有格。例如：

Bernard Shaw's plays 萧伯纳的戏剧(＝the plays **of Bernard Shaw**)

the sunshine **of autumn** 秋天的阳光(＝**autumn's** sunshine)

the debate **of Sunday** 星期天的辩论(＝**Sunday's** debate)

the capital **of the firm** 公司的资本 (＝**the firm's** capital)

the country's safety 国家的安全(＝the safety **of the country**)

the government's decision 政府的决定(＝the decision **of the government**)

an elephant's trunk 象鼻(＝the trunk **of an elephant**)

the report's conclusions 报告的结论(＝the conclusions **of the report**)

the book's author 该书的作者(＝the author **of the book**)

the king's arrival 国王的到达(＝the arrival **of the king**)

America's history 美国的历史(＝the history **of America**)

in my solicitor's possession 由我的律师掌管(＝in the possession **of my solicitor**)

a dog's bark 狗的叫声(＝the bark **of a dog**)

▶▶▶ 但是,在表示类别时,'s 所有格一般不能用 of 所有格代替,参见上文,再如：men's suits(男服)不能改为 the suits of men, a doctor's degree(博士学位)不能改为 the degree of a doctor, children's books(小人书)不能改为 books of children。

▶▶▶ 表示同位关系时,一般只用 of 所有格,比如：the City **of Nanjing** (南京市)不能改为 Nanjing's City, the State **of Ohio**(俄亥俄州)不能改为 Ohio's State。

② 表示无生命的东西一般用 of 所有格。例如：

the future **of the world** 世界的未来　　　the bottom **of the glass** 玻璃杯底

the depth **of the well** 井的深度　　　the cost **of the furniture** 家具的费用

the combination **of theory and practice** 理论和实践的结合

the contributions **of science and technology** 科学和技术的贡献

the window **of the house** 房子的窗户（一般不说 the house's window）

the leaves **of the tree** 树叶（一般不说 the tree's leaves）

③ 后跟定语的名词要用 of 所有格。例如：

the boy's name 男孩的名字→the name **of the boy crying under a tree** 在树下哭的男孩的名字

the worker's proposals 工人的提议→the proposals **of the workers from the steel plant** 钢厂工人的提议

the committee's opinion 委员会的意见→the opinion **of the committee appointed by the President** 由总统任命的委员会的意见

John's success 约翰的成功→the success **of John who used to be her boyfriend** 曾经是她男朋友的约翰的成功

比较：

⎧ the arrival **of a famous scientist who has made great contributions to China's moon exploration** 一位为中国的月球探索作出重大贡献的著名科学家的到来（不可说 a famous scientist's arrival）

⎩ **a scientist's** arrival **which had been expected for a long time** 期待已久的一位科学家的到来（这里不可说 the arrival of a scientist）

④ the young 等表示一类人或物的名词要用 of 所有格。例如：

the mystery of **the unknown** 未知事物之谜（一般不说 the unknown's mystery）

The education **of the young** is of vital importance. 青年的教育事关重要。

The livelihood **of the disabled** should be improved. 残疾人的生计应当改善。

⑤ 表示较低级的动物要用 of 所有格。例如：

the wings **of the fly** 苍蝇的翅膀（一般不说 the fly's wings）

the head **of the ant** 蚂蚁的头（一般不说 the ant's head）

⑥ 含有一系列名词时要用 of 所有格。例如：

a friend **of Jim, Jack and Mark** 吉姆、杰克和马克的朋友

the customs **of Japan or England** 日本或英国的风俗

the arrival **of her daughter and two foreign friends** 她女儿和两位外国朋友的到达

⑦ 含有代词、指示代词要用 of 所有格。例如：

the opinion **of both** 两者的意见　　　the weak points **of all** 人性的弱点

the inside **of this** 这东西的内部

但可说：**one's** opinion 某人的意见，**nobody's** business 无人管的事，**another's** duty 别人的职责。

⑧ 已有名词所有格修饰的名词要用 of 所有格。例如：

a picture **of John's father** 约翰父亲的照片（不说 John's father's picture）

the toys **of Helen's child** 海伦孩子的玩具（不说 Helen's child's toys）

⑨ 表示强调用 of 所有格。例如：

the plays **of Shakespeare** 莎士比亚的戏剧（比 **Shakespeare's** plays 更强调 Shakespeare）

the glory and dream **of the empire** 帝国的光荣与梦想（比 **the empire's** glory and dream 更强调 empire）

⑩ 在某些固定词组中，要用 of 所有格。例如：

instead **of him**, in face **of it**, in the middle **of it**, at the back **of it**, at the end **of it**, on the face **of it**, at the bottom **of it**, on the top **of it**, for the fun **of it**, for the life **of me**, in favor **of her**, in memory **of her**, in sight **of it** 等。

⑪ of 所有格可以表示某种感情色彩。例如：

That will be the ruin **of you.** 那会毁了你的。（警告）

I will break the neck **of you**. 看我拧断你的脖子。(威胁)

I haven't seen the like **of it**. 我从没见过像这样的。

He will be the death **of her**. 他会杀了她的。(＝kill her)

I don't like the air **of him**. 我不喜欢他傲慢的样子。(鄙视，his air 不表示鄙视)

I don't like the sight **of John**. 我不想见到约翰。(厌恶)(比较：John's sight 约翰的视力)

The pride **of you**. 看你的狂样。

⑫ 如果被修饰的名词与其同位语中间有逗号隔开，要用 's 所有格。例如：

Jim's father, an oil worker, retired last month. 吉姆的父亲是一位石油工人，上个月退休了。

Henry's elder brother, a famous scholar, has gone on a lecture tour to America. 亨利的哥哥是一位著名学者，去美国讲学了。

⑬ 's 所有格多着重被修饰语，of 所有格多着重 of 的宾语，这是因为句末重点（后重点）的关系。例如：

Sophia has got her **mother's** graceful figure.

Sophia has got the graceful figure **of her mother**. 索菲娅有着优雅的身段，就像她母亲一样。

⑭ 's 所有格多表示本义，of 所有格可表示转义或喻义。例如：

She heard her **husband's** footsteps. 她听到丈夫的脚步声。

She followed in the footsteps **of her husband**. 她踏着丈夫的足迹继续前进。

⑮ of 所有格与形容词性物主代词往往表示不同的含义。比较：

at the back **of her** 在她身后　　　　　the thought **of him** 对他的想法或思念

at her back 支持她　　　　　　　　　　his thought 他所具有的想法或思想

the death **of her** 致她死亡　　　　　the cheek **of him** 他的厚颜

her death 她的死　　　　　　　　　　his cheek 他的面颊

his biography **of her** 他写的关于她的传记

her biography 她的传记(她写的关于别人的传记或关于她自己的传记)

⑯ 表示所有关系时，名词所有格和通格有时可以通用，意义上没有差别。参见上文。例如：

the **Party's** call ⎫ 党的号召　　　　a **bachelor's** life ⎫ 单身男子的生活
the **Party** call ⎭　　　　　　　　a **bachelor** life ⎭

consumer's goods ⎫ 消费品　　　　a 50 **miles'** journey ⎫ 50 英里的路程
consumer goods ⎭　　　　　　a 50 **mile** journey ⎭

her **life's** work ⎫ 她一生的工作　　a **horse's** tail ⎫ 马尾
her **life** work ⎭　　　　　　　a **horse** tail ⎭

his **eagle's** eye ⎫ 他鹰一般的眼力　Henry's child ⎫ 亨利的孩子
his **eagle** eye ⎭　　　　　　the **Henry** child ⎭

the **six years'** service ⎫ 六个月的服役　a five **months'** baby ⎫ 一个五个月大的婴儿
the **six years** service ⎭　　　　a five **months** baby ⎭

▶▶▶ 但：

a **worker's** family 一个工人的家庭(不是两个工人)

a **worker** family 工人家庭(不是农民家庭)

⑰ 有时，名词作定语可有三种形式，意思相近。例如：

woman liberation→**woman's** liberation→**women's** liberation 妇女的解放

a trade union→**a trade's** union→**a trades** union 工会

4. 双重所有格问题

如果被修饰的名词前有不定冠词、不定代词、指示代词、数词、疑问代词，如 a，an，this，that，these，those，every，several，many，such，another，some，any，no，which，what 等，其后的定语通常要用双重所有格(Double Possessive)的形式表示。本结构中，of 前的名词不能是专有名词，of 后面通常接指人的名词或代词，但也有接动物名词的情况。在此结构中，of 前的名词也可用定冠词 the。例如：

It is no business **of hers**. 这不关她的事。

Any friend **of yours** is welcome. 你的朋友都欢迎。

That is another mistake **of yours**. 那是你的另一个错误。

Some bad habits **of her son's** are hard to get rid of. 她儿子的一些坏习惯难以改掉。

Which novel **of Dickens's** are you going to read? 你要读狄更斯的哪部小说？

I enjoy reading these love poems **of your sister's**. 我喜欢读你妹妹的那些爱情诗。

That lecture **of the new teacher's** is rather dull. 那位新教师的课很枯燥。

Three compositions **of Chopin's** are to be played at the party. 肖邦的三部作品要在聚会上演奏。

Have you heard anything of this new book **of Clinton's**? 关于克林顿的这本新书，你听说什么了吗？

▶▶▶ 但也有不用双重所有格的情况，比较：

This news **of Walter's** is not very good. 沃尔特带来的消息不太好。
This news **of Walter** is not very good. 这个关于沃尔特的消息不太好。

an opinion **of Jim's** 吉姆发表的一种意见或看法
an opinion **of Jim** 别人对吉姆的意见或看法

a bone **of the dog** 狗骨
a bone **of the dog's** 一根狗吃的骨头
a dog's bone 狗吃的骨头/狗的骨头

a story **of Einstein** 关于爱因斯坦的故事/爱因斯坦讲的故事（＝a story about Einstein 或 a story told by Einstein）
a story **of Einstein's** 爱因斯坦讲的故事（＝a story told by Einstein）

他是我哥哥的朋友。
He is a friend **of my brother's**. （one of my brother's friends）
He is a friend **of my brother**. （friendly to my brother）
He is **my brother's** friend. （the only one or the one just talked about）

the **Lord's** Day 星期天
the Day **of the Lord** 世界末日（the Day of Judgement）

the **King's** English 标准英语（the standard English）
the English **of the King** 国王使用的英语（＝the English spoken or written by the King）

【提示】

① 如果 of 前面是 opinion, judgement, criticism, estimate, slander 等具有动作含义的名词，of 所有格表示动宾关系，双重所有格表示主谓关系。例如：

the criticism **of the manager's** 这位经理所提出的批评（主谓关系）
the criticism **of the manager** 对这位经理的批评（动宾关系）

a praise **of the present government** by the *New York Times* 现政府被《纽约时报》的赞扬（of 所有格，动宾关系）
a praise **of** *the New York Times'* to the present government 《纽约时报》对现政府的赞扬（双重所有格，主谓关系）

the slander **of the actress's** 那个女演员（对他人）的诽谤（主谓关系）
the slander **of the actress** （他人）对那个女演员的诽谤（动宾关系）

② 如果 of 前面是 statue, photo, picture, portrait 等名词，of 所有格表示"某人自己的……"，双重所有格表示"某人所拥有的，某人所收藏的"。例如：

a statue **of the late chairman's** 已故主席所收藏的一尊塑像
a statue **of the late chairman** 已故主席的一尊塑像（塑像是他本人）

a picture **of the king's** 国王收藏或所画的一幅画
a picture **of the king** 一幅画国王的画（画的是他本人）

a portrait **of her mother** 她母亲的画像（画的是她母亲，不是别人）

a portrait **of her mother's** 她母亲所拥有的画像中的一幅（所有画像中的一幅，不一定是她母亲的画像）

her mother's portrait 她母亲收藏的画像/她母亲本人的画像/她母亲所画的画像

③ 带有指示代词的双重所有格往往带有爱憎褒贬的感情色彩。比较：

this brilliant idea **of David's** 戴维那绝妙的主意

that fierce wife **of Jack's** 杰克的那个凶老婆

this very inspiring speech **of the President's** 总统那激动人心的演讲

I love this poem **of Shelley's**. 我喜欢雪莱的这首诗。（带有喜爱的感情色彩）

The clever girl **of your brother's** is really lovely. 你兄弟的那个聪明的女孩真可爱。（带有赞美色彩）

Those crimes **of the traitor's** are notorious. 那个叛徒的罪行是众人皆知的。

I tell you that precious son **of yours** was drunk again. 我告诉你，你那宝贝儿子又喝醉了。

her bright eyes 她的明亮的眼睛（客观陈述，无感情成分）

those bright eyes **of hers** 她的一双楚楚动人的明眸

John's big nose 约翰的大鼻子（只说明一个客观事实）

that big nose **of John's** 约翰那个大得可笑或讨厌的鼻子（具有感情色彩）

④ 如果 of 后的名词是名人，通常用 of 所有格，但也有用 's 所有格的情况。例如：

a friend **of President Lincoln** 林肯总统的一位朋友

an old acquaintance **of Einstein** 爱因斯坦的一位老相识

▶▶▶ 注意下面的句子：

This leg of your table's is a bit shaky. [×]（双重所有格中，of 后不接指事物的名词）

This leg **of your table** is a bit shaky. [√]你的这条桌腿有点不稳。

This is a novel of a writer's. [×]（双重所有格中，of 后指人的名词必须是特指的）

This is a novel **of the writer's**. [√]这是那位作家写的一部小说。

She is Mary of Mrs. Brown's. [×]（双重所有格中，of 前的名词不能是专有名词）

She is **Mrs. Brown's** Mary. [√]她是布朗夫人的玛丽。

⑤ 一些习惯用语中的 's 所有格不可换成 of 所有格。参见上文。例如：

in one's **mind's** eye 在心目中/在想念中　　at **death's** door 危在旦夕/面临死亡

a wolf in **sheep's** clothing 口蜜腹剑之人　out of **harm's** way 避免受损害

to one's **heart's** content 痛快地/尽情地　within a **stone's** throw of 在……附近

make a **cat's** paw of sb. 利用某人　　at a **moment's** notice 一经通知（随时）

reach one's **journey's** end 到达目的地　keep sb. at **arm's** length 对某人保持距离/不亲近某人

In my mind's eye, he has been **made a cat's paw of** by a **wolf in sheep's clothing** and unless he tries his best to keep **out of harm's way at a moment's notice**, he will be **at death's door**. 在我看来，他被狡诈之徒利用了，若不立刻警醒，避开祸端，他便死到临头了。

⑥ 主谓关系、动宾关系和所属关系的再比较：

He is gone, but **his** memory remains to guide the living. 他去世了，但生者会长久地怀念他，遵他的教导而前行。（动宾关系：He is remembered. ）

His memory is declining. 他的记忆力在衰退。（主谓关系：He remembers sth. ）

He walked over to the **woman's** aid. 他走过去帮助那位妇女。（动宾关系：to aid the woman）

He walked over for the **woman's** aid. 他走过去向那位妇女寻求帮助。（主谓关系：to be aided by the woman）

People were loud in the **hero's** praise. 人们都在传颂着那位英雄。（动宾关系：The hero was praised. ）

He was drunk with his **father's** praise. 他陶醉在父亲对他的赞扬之中。（主谓关系：His father praised him. ）

John's treatment 约翰的对待（主谓或动宾关系：John's treating others/Others' treating John.）

John's treatment **of the servant** 约翰待他的仆人（主谓关系：John's treating the servant.）

John's treatment **by Mary** 玛丽待约翰（动宾关系：Mary's treating John.）

Mary's judgment 玛丽的评断（主谓或动宾关系：Mary's judging others. /Others' judging Mary.）

Mary's judgment **of David** 玛丽对戴维的评断（主谓关系：Mary's judging David.）

Mary's judgment by David 戴维对玛丽的评断（动宾关系：David's judging Mary.）

David's support/loss 戴维的支持/损失

David's murder/condemnation 戴维的谋杀/谴责 } 主谓或动宾关系

David's opening of a new firm 戴维开的一家新公司

David's summary of the story 戴维对故事的概述 } 主谓关系

the love **of mother for her children** 母亲对孩子的爱（主谓关系）

the love **of mother by her children** 孩子对母亲的爱（动宾关系）

an old sailor's story 一位老水手讲自己的故事/一位老水手的故事

the story **of an old sailor** 别人讲的一位老水手的故事

He has his **father's** hot temper. 他有他父亲的急躁脾气。

＝He has the hot temper **of his father.**

⑦ 双重所有格具有不确定性特点，有时语气上并不那么肯定。

五、名词难点用法

1. percentage 不同于 per cent

1 percentage 意为"百分比，百分率，比例，部分"，是概指，只能用 low, high, large, small 修饰，指百分比的高或低，不能用具体的数字修饰，如可以说 low percentage of birth(出生率很低)，不能说 20 percentage of birth

What is the **percentage** of unemployment in the city? 这个城市的失业率是多少？

A large/small **percentage** of the students came. 大/小部分学生来了。

2 per cent 是两个词，per 为介词，意为"每"，如 per day(每天)，per copy(每本)，cent 意为"百"，per cent 意为"每百中，百分之……"，其前一般要有具体的数字，其后常有 of 短语。因此，指具体的百分比/数只能用 per cent，概指百分比/率的高或低要用 percentage

Fifty **per cent** of the students attended the meeting. 50%的学生参加了会议。（不可用percentage）

That is the highest **percentage**. 那是最高的百分比。（不可用 per cent）

2. humanity 和 humanities

humanity 是不可数名词，指"人性"或泛指"人类"，相当于 human beings generally。humanities 意为"人文学科"，指研究文学、语言、历史等的诸学科。例如：

This is the most common disease of **humanity**. 这是人类最常患的疾病。

There are ten departments in the **humanities**. 文科有 10 个系。

3. not much point 中的 point 问题

point 作"用处"解时，相当于 use，为不可数名词，只能用 little，much 等修饰，不可加 s。例如：

There is not much **point** in giving him advice. 劝告他是没有用的。（不可用 many）

There is little **point** in doing so. 这样做毫无意义。

4. height 和 high

height 是名词，而 high 亦可作名词用，意义却不同于 height。说某人或某物的高度时，只能用 height，常为 in height 结构，不能用名词 high，但可用形容词 high。例如：

这座塔高 100 米。

The tower is 100 meters **in height**.

The tower is 100 meters **high**. （形容词）

▶▶ high 作名词用时，一般作"高潮，高峰，高地"解。例如：

They pushed the movement to a **high**. 他们把运动推向高潮。

Sales have reached a new **high**. 销售额达到新的最高数。

They hit an all-time **high**. 他们创造了历史上最高的纪录。

5. scene 和 scenery

1️⃣ scene 是可数名词,主要表示下面四种意思:①剧中的场景,一场或一段情节;②故事、事件发生的地点、场所;③风景,场面;④争吵,吵闹

The **scene** represents the king's palace. 布景是国王的宫殿。

The sunset made a beautiful **scene**. 落日构成一幅美妙的风景。

Did you make a **scene** with her? 你同她吵架了吗?

The **scene** of the story is Victorian England. 这个故事发生在维多利亚时代的英国。

This is the **scene** of the accident which happened last night. 这就是昨晚发生的那个事故的现场。

There were distressing **scenes** when the earthquake occurred. 地震发生时,到处是凄惨的场面。

The first **scene** in the second act contains a lengthy soliloquy. 第二幕中的第一场有一段很长的独白。

2️⃣ scenery 为集体名词/不可数名词,指户外某一地区整体的自然景色,也可指舞台的整体布景

The **scenery** up at the lake is just breathtaking. 湖上的景色令人陶醉。

The **scenery** pictures a garden in the moonlight. 舞台整体布景表现的是一个月光下的庭园。

比较:

There came a great deal of nervous **laughter**. 传来好一阵胆怯的笑声。(不可数名词)

Look! one boy shouted with a loud **laugh**. 瞧!一个小男孩一边大笑一边大声叫嚷。

They bought a **bottle-filling machine**. 他们买了一个装瓶机。(可数名词)

The factory produced a lot of agricultural **machinery**. 这家工厂生产许多农业机械。(集体名词)

6. rate 和 ratio

1️⃣ rate 表示"速度",如:at a rapid rate, at one's own rate, the rate of speech, at this rate, at the rate of 100 miles an hour, at different rates 等;rate 还表示"率",指各种百分率,如 birth rate(出生率),death rate(死亡率),the rate of production(生产率)等

The **rates** of interest is 6 cents on the dollar. 1 美元利率是 6 厘。

People learn not only in different ways but at different **rates**. 人们不仅学习的方式不同,而且学习的速度也不同。

Any money earned over this level is taxed at the **rates** of 20%. 任何超过这一标准的款项均以 20%税率纳税。

2️⃣ ratio 意为"比,比率,比例",指数学上的比例关系,如 A∶B,结构通常是 the ratio of A to B(A 与 B 之比,A 与 B 的比例)。ratio 是可数名词,复数为 ratios

The **ratios** of 1 to 5 and 20 to 100 are the same. 1 比 5 同 20 比 100 的比例是相同的。

He has sheep and cows in the **ratio** of 10 to 30. 他拥有的羊与牛的比例是 10 比 30。

【提示】其他常见的易混名词有:

tax 税→taxation 课税→duties 关税

success 成功→succession 继承

stairs 室内楼梯→steps 室外楼梯

mission 任务→errand 差事

language 语言→dialect 方言

floor 室内之地→ground 室外之地

express 快车,快信→expression 表达

capital 资本,首都→capitol 议会大厦

customer 顾客→client 诉讼委托人

work 工作→toil 苦工

street 街道→route 路线→boulevard 林荫大道

bloom (不结果实的)花→blossom (结果实的)花

crime (法律上)罪→evil (伦理上)罪→sin (宗教上)罪

desert 沙漠→dessert 甜点

wisdom 智慧→intelligence 智力

habit 习惯→custom 风俗

price 价格→cost 成本

expedition 探险→excursion 远足

principle 原则→principal 校长,本金

sock 短袜→stocking 长袜

profession 专门职业→occupation 一般职业

counsel 忠告→council 会议→consul 领事

translation 翻译→interpretation 口译,解析

flat 分层楼房→dormitory 宿舍→apartment 公寓

message (可数)信息→information (不可数)消息

observance 遵守→observation 观察→observatory 天文台

surroundings（外在的）环境→circumstances（内在的）环境

show（小型）展览会→exhibit 陈列品/展览会→exhibition 博览会

7. a piece 和 apiece

1 a piece 中的 piece 是名词,表示"件,块,片,部分",a piece 意为"一件/一块……",并常用于"a piece of ＋不可数名词"结构中

There's **a piece** missing here. 这里少了一个部件。

He offered her **a piece** of china. 他给了她一件瓷器。

2 apiece 意为"每个,每件,每人",为副词

The apples cost 6 pence **apiece**. 苹果每个卖六便士。

Mother gave us two dollars **apiece**. 母亲给我们一人两美元。

8. a while 和 awhile

1 a while 中的 while 是名词,表示"一段时间,一会儿"。a while 可以用作副词短语,也可以用作名词短语,作宾语

Be quiet **a while**, children. 孩子们,安静一会儿。（作状语）

Just take **a while** to think, and you'll see. 你考虑一会儿就明白了。（作动词宾语）

After **a while** the rain stopped. 过了一会儿雨停了。（作介词宾语）

2 awhile 是副词,意为"一会儿,片刻",相当于用作副词的 a while

Please wait for me **awhile**. 请等我一会儿。

The discussion stopped **awhile**. 讨论暂停了一会儿。

9. a shower of rain——"下雨"的多种表示法

rain 一词可以作名词,也可以作动词;同样是"下雨",但还有"倾盆大雨,毛毛细雨"等的区别。下面是"下雨"的多种表示法。

1 rain 作名词及表示"下雨"的其他名词

a **cloudburst** 大暴雨	a gust of **rain** 一阵雨	a fall of **rain** 一阵雨
a heavy **rain** 一场大雨	a torrential **rain** 大暴雨	a **thunderstorm** 大雷雨
a flood of **rain** 一场滂沱大雨	a storm of **rain** 一场暴风雨	a heavy **downpour** 倾盆大雨
scattered **showers** 零星阵雨	a shower of **rain** 一场倾盆大雨	a drizzling **rain** 毛毛细雨

2 rain 作动词及表示"下雨"的其他动词

It **rained** heavily.

The **rain** fell heavily. ⎫ 天下大雨。

It **rained** hard.

It started to **rain**. ⎫ 天开始下雨。

It began to **rain**.

The **rain** began pouring down. 天开始下大雨。

It has stopped **raining**. ⎫ 雨停了。

It has **rained** itself out.

It is **drizzling**. ⎫ 天在下小雨。

We are having a **drizzling rain**.

The **rain** has passed over. ⎫ 雨过去了。

The **rain** has passed off.

It began to **sprinkle**. 天开始下毛毛雨。

It **rained** intermittently. 雨断断续续地下个不停。

It **rained** periodically. 雨时下时停。

It is **raining** outside, accompanied with thunder and lightning. 外面在下雨,伴随着电闪雷鸣。

10. many, few 等作名词和代词的用法

many, few, much, little, more, most 和 enough 也可以用作名词或代词,现各举几例如下：

You have given him four **too many**. 你多给了他四个。

We need **as many again/twice as many**. 我们还需要这么多。

Apples are sold at **so many** a dollar. 一美元能买这么多苹果。

Many went to the battlefield，but **few** returned. 许多人上了战场，但回来的很少。

The opinion of **the few** is not always wrong. 少数人的意见未必就是错的。

Few of these books are worth reading. 这些书少有值得读的。

There is **much** in it. 这里面大有文章。

I did not see **much** of her. 我很少见到她。

He drank as **much** as three bottles. 他喝了三瓶之多。(＝as much amount as)

This much is enough. 这么多就够了。

He made **much of** the affair. 他把那件事情看得很重要。(＝considered as important)

Little was done the whole day. 整个一天什么也没做。

She gave **much** but got **little**. 她付出的很多，但得到的很少。

I will do what **little** I can. 我将尽力而为。

From **the little** I learned，he is a very responsible man. 就我所知，他是一个很负责的人。

He knows **little of** life. 他对生活知道得很少。

She made **little of** all obstacles. 她蔑视一切障碍。

This is the **most** I can do. 这就是我所能做的一切。(＝all)

She is **at** (the very) **most** seventeen years old. 她至多只有 17 岁。(＝not more than)

He eats **most**. 他吃得最多。

Enough has been done. 做的已经足够多了。

They had **enough** to eat. 他们有足够吃的。

Enough is as good as a feast. 知足者常乐。

She wanted to know **more** of his life there. 她想要知道更多他在那里的生活情况。

11. ten parts water 还是 ten part water

part 可用来表达具体的"几份"，也就是我们习惯上说的地球是"3(份)山 6(份)水 1 份田"的"份"。"1 份"是 one part，"两份"或"两份以上"就要用 parts，parts 后的介词 of 有时可省。例如：

Take **three parts** of sugar，**eight parts** of flour and **ten parts** water. 取 3 份糖、8 份面粉和 10 份水。

Add **one part** vinegar，**three parts** salt and **three parts** sugar. 加 1 份醋、3 份盐和 3 份糖。

12. professor 的用法问题

professor(教授)在美国大学中有 full **professor**(正教授)，associate **professor**(副教授)和 assistant **professor**(助理教授)之分，"客座教授"是 guest **professor**，"荣誉退休教授"是 **professor** emeritus，"英语教授"是 a **professor** of English，"某大学的教授"是"a **professor** in/at＋大学名称"，如"北京大学的教授"是 a professor in/at Beijing University，"某大学的某教授"是"**Professor** X of＋大学名称"，如"复旦大学陆谷孙教授"是 **Professor** Lu Gusun of Fudan University，"文学博士约翰·密尔顿教授"是 **Professor** John Milton，Lit D 或 **Professor** John Milton Lit D，"医学博士乔治·赫伯特教授"是 **Professor** George Herbert，MD 或 **Professor** George Herbert MD。

【提示】"professor＋姓"结构的 professor 不可缩写为 prof.，而"professor＋全部姓名"或"professor＋名字的第一个字母和姓"结构的 professor 可缩写为 prof.。比较：

Professor Lee [√]李教授
Prof. Lee [×]

Professor Albert Lee [√]阿尔伯特·李教授
Prof. Albert Lee [√]
Prof. A. Lee [√]

六、名词的特殊结构

1. all＋抽象名词

"all＋抽象名词"是一种强势结构，相当于"very＋同根的形容词"或"full of＋名词"。例如：

Helen is **all kindness**. 海伦十分善良。(＝very kind)

The story is **all simplicity** itself. 这个故事很简单。

Bob was **all anxiety** the whole night. 鲍勃整个夜晚焦虑不安。

He is **all politeness**. 他很有礼貌。

At that time Jack was **all energy**. 那时候,杰克精力充沛。(=very energetic, full of energy)

Cleanliness is **all importance**. 整洁十分重要。

Jack's face was **all grin and laughter**. 杰克一味咧着嘴哈哈大笑。

In the end，Anton wasn't **all mischief**. 最后,安东尼不算太淘气。

He was **all astonishment** at her words. 听了她的话他十分惊讶。

She was **all anxiety** at the news. 听了这个消息她非常忧心。

Mr. Benson was **all tenderness** to his wife. 本森先生对妻子十分体贴。

He is **all talk**. 他只是空谈。

He said that with **all sincerity**. 他十分由衷地说了那句话。

Andy was **all interest** in Chinese calligraphy. 安迪对中国书法很有兴趣。(=keenly interested)

He pointed out in **all seriousness** that military service was at once a duty and a right. 他严正指出,服兵役既是一项义务又是一项权利。

▶▶▶ 其他如:all wisdom 非常聪明,all heart 热诚待人,all confusion 一片混乱,all gratitude 非常感激,all talk and no deed 只讲不做,all attention 全神贯注,all life 很有生机,all dignity 十分庄重,all cordiality 十分诚恳,all mirth 喜气盎然,all disappointment 十分令人失望,all astonishment 大吃一惊,all condescension 非常谦和,all sweetness 非常亲切,all pleasure 非常快乐,all rage and indignation 怒气冲冲,all certainty 准确无疑,all fairness 十分公正,all glamor 充满魅力。

【提示】在"all+单数可数名词"结构中,该名词前不带冠词,相当于形容词,表示强调,意为"具有……特征、特点的,典型的(showing all characteristics of)"。例如:

She is **all woman**. 她女性味十足。

He is **all farmer**. 他是个地道的农民。

The girl is **all heart**. 那姑娘很温柔。

Jack is **all boy**, playing outdoors all day long. 杰克一身孩子气,整天在外面玩。

One was **all head**, the other **all heart**. 一个很有理智,另一个则非常热诚。

2. all+复数名词

"all+复数名词"也是表示强调。例如:

She was **all smiles**. 她满面笑容。

He is **all wrinkles**. 他满脸皱纹。

He is **all thumbs**. 他总是笨手笨脚的。

He is **all/only/nothing but skin and bone**. 他骨瘦如柴。

My body was **all aches**. 我浑身痛。

He is **all legs**. 他瘦高。

The room is **all precious books**. 这个房间装满了珍贵的书。(all 相当于 full of)

He was a man of few words, but of **all smiles**. 他说话不多,但常常微笑。

Sam was **all smiles and remarks**. 萨姆微笑着,说个不停。

The bird seems to be **all legs and wings**. 这只鸟好像全是腿和翅膀。

When the teacher gave the lecture, the students were **all ears**. 老师讲课时,学生们都全神贯注。

They were **all eyes** when the plane was flying overhead. 飞机在头顶上飞过时,他们都盯着看。

Hearing the news, she was **all tears**. 听到这个消息,她泪流满面。

She stood waiting for the ringing of the bell, **all nerves**. 她坐等着钟声敲响,非常紧张。

3. 抽象名词+itself

相当于"(be) very+该名词所表示的品质形容词"。例如:

She is **tidiness itself**. 她非常整洁。(very tidy)

He is **courage itself**. 他浑身是胆。(very courageous)

She is **beauty itself**. 她是一位绝代佳人。

He is **honesty itself**. 他为人极为诚实。

She is **ignorance itself** in this. 她对此一无所知。

It is **simplicity itself**. 这极为简单。

The man is **cruelty itself**. 那人很残酷。

She is **kindness itself**. 她为人非常和蔼。

He is **punctuality itself**. 他很守时。

She is **diligence itself**. 她很勤奋。

He is **politeness itself**. 他非常客气。

The room looks like **neatness itself**. 这个房间看上去很整洁。

The author was **discretion itself** in the use of words. 作者在用词上十分严谨。

The mistress was **goodness itself**. 女主人非常亲切。

The young writer was **humility itself**. 这位年轻作家极为谦逊。

▶▶▶ 下面一句也是正确说法:The park is a **picture itself**. 这个公园美景如画。

4. of all＋复数名词

这种结构意为"在所有的……中偏偏"。例如:

Why ask me to go, **of all people**? 为什么不叫别人去偏偏叫我去?

It rained that day **of all days**. 偏偏那天下雨了。

Well, **of all things**. 唔,万万想不到。

5. "of＋名词"结构表示强调

the＋单数名词＋of＋相同的复数名词
the＋最高级形容词＋of＋复数名词(the＋形容词)

这种结构意为"其中最……"。例如:

The *Bible* is **the book of books**. 《圣经》是书之经典。

Confucius is **the teacher of teachers**. 孔子是万师之表。

Li Bai is **the poet of poets**. 李白有"诗圣"之美称。

She has **the sweetest of smiles**. 她有着最甜美的微笑。

Her voice is **the softest of the soft**. 她的声音温柔之至。

6. of＋抽象名词

of great＋抽象名词＝very＋形容词
of no＋抽象名词＝not＋形容词(或 un-, -less)

这种结构表示"具有某种性质或特征",of 后的名词通常是 help, value, use, wisdom, wealth, interest, significance, benefit, importance, beauty, character, account 等。本结构中的抽象名词前可用 great, immense, vital, considerable, first, much, little, any, some, no, minor, poor, low, slight 等形容词修饰,表示程度的强弱。例如:

He is a man **of ability**. 他是一个能干的人。(＝an able man)

He is a man **of wisdom**. 他是个聪明人。(＝a wise man)

He is a man **of learning**. 他是个有学问的人。(＝a learned man)

She is a woman **of wealth**. 她是个有钱人。(＝a wealthy woman)

She is seventeen years **of age**. 她 17 岁了。(＝seventeen years old)

I need a man **of experience**. 我需要一个有经验的人。(an experienced man)

The book is **of great value**. 这本书很有价值。(＝very valuable)

She is a woman **of great beauty**. 她是个非常美的女人。(＝a very beautiful woman)

It is a matter **of no importance**. 这件事不重要。(＝an unimportant matter)

It is **of no consequence**. 这无关紧要。(＝unimportant)

It's **of no use**. 这没有用处。(＝It is not useful. 或 It is useless.)

A thing **of beauty** is a joy forever. 美的东西令人愉快。(＝a beautiful thing)

Time is **of no account** with great thoughts. 伟大的思想穿越时空，直至永远。

The tool is not **of much use** here. 这种工具在这里没有多大用处。

The matter is **of little importance**. 这件事无关紧要。

These machines are **of poor quality**. 这些机器质量差。

These two paintings are **of equal value** and **importance**. 这两幅油画具有相同的价值和重要性。

Your advice is **of immense benefit** to me. 你的建议对我极有价值。

7. "with 等＋抽象名词"的含义

with/in/on/by＋(great 或 much)＋抽象名词＝副词。例如：

Please handle **with care**. 小心轻放。(＝carefully)

They discussed the matter **in private**. 他们私下讨论了那件事。(＝privately)

She came **on time**. 她准时来。(＝punctually)

I met her **by chance** in the street. 我在大街上偶然碰到了她。(＝accidentally)

By good luck he didn't marry her. 幸而他没有同她结婚。(＝luckily)

speak English **with great fluency** 英语说得很流利(＝very fluently)

face the setbacks **with calmness** 冷静地面对挫折(＝calmly)

treat her **with kindness** 亲切地对待她(＝kindly)

study **with diligence** 勤奋地学习(＝diligently)

divide the money **with fairness** 公平地分钱(＝fairly)

cry loudly **in despair** 绝望地痛哭(＝despairingly)

discuss the matter **in earnest** 认真地讨论这件事(＝earnestly)

make the promise **in public** 公开作出承诺(＝publicly)

stare at sb. **in amazement** 惊讶地盯着某人看(＝amazedly)

arrive **in time** 及时赶到(＝early enough)

return home **in triumph** 衣锦还乡(＝triumphantly)

insult sb. **on purpose** 故意侮辱某人(＝purposely)

8. enough of a man 的含义

有些名词可同 enough of a，less of a，much of a，more of a 等连用，表示某种比较或强调。例如：

I'm not **enough of a historian** to know. 我还算不上知名历史学家。

He is **enough of a man** to tell the truth. 他有男子汉气度，敢讲真话(manful enough)

He is **less of a fool** than she thought. 他并不像她想的那样傻。(less foolish)

He is **much of a scholar**. 他是个了不起的学者。(very scholarly)

She is **something of a poet**. 她有些诗人气质。(somewhat poetical)

The man is **too much of a coward** to tell the fact. 那个男人是个胆小鬼，不敢说出实情。(too cowardly)

He is **more of a sportsman** than I thought. 他比我想的更具有运动家的高贵品格。(more sportsmanlike)

9. a man of his words 的含义

"a man of his＋名词"意为"一个像他那样有……的人"。例如：

Mr. Wang is **a man of his words**. 王先生是一个守信用的人。

A man of his particular gift should have done great things. 一个像他那样有特殊才能的人本应做出伟大的事情来。

10. to one's＋表示情感的名词

这种结构意为"使人感到……，令人(喜、怒、哀、乐)的是"。本结构多置于句首，也可置于句中，前后可用逗号隔开，也可不用。这种结构中的名词前可用 deep，great 等修饰，to 前可加 much，greatly 等副词，加强语气。本结构可以把两个名词并列使用。本结构的变体是：to＋名词所有格('s)＋情感名词，to the＋情感名词＋名词或代词。用于这种结构的情感名词有：surprise，joy，sorrow，horror，vexation，despair，amazement，regret，shame，admiration，annoyance，puzzlement，distress， astonishment，disgust，amusement，satisfaction，disappointment 等。例如：

To his relief，his daughter was not in danger. 他感到宽慰的是，他女儿没有生命危险。

I found **to my surprise** that the door was unlocked. 我吃惊地发现门没上锁。

They realized **to their horror** that the roof of their house caught fire. 他们惊恐地意识到房顶着火了。

To his disappointment，it rained on the morning of the planned picnic. 使他感到失望的是，原定要去野餐的那天早晨下雨了。

Much to her delight，their casual friendship grew into a mad passion between them. 他们之间的一般友谊变成了热恋，这使她非常高兴。

I heard，**to my regret**，that he gave up halfway. 听说他半途而废了，我感到非常遗憾。

To her great distress，he didn't realize the seriousness of the situation. 使她非常忧虑的是，他没有意识到形势的严重程度。

Greatly to my disgust，he broke his promise. 令我极为反感的是，他说话不算话。

To my great joy and satisfaction，she said she would marry me. 使我十分高兴和满意的是，她说她愿意和我结婚。

To everyone's joy，he succeeded at last. 令大家都高兴的是，他终于成功了。

Her health is improving，**much to the delight of her friends**. 她的身体状况在好转，这使她的朋友们感到非常高兴。

11. "what＋名词"和"what little＋名词"

"what＋名词"意为"所有的都"，"what little＋名词"意为"虽少但全都"。例如：

He donated **what money** he had to the school. 他把所有的钱都捐给了这所学校。

He used **what little influence** he had to make it a success. 他用尽自己的影响去促成那件事。

The leaves were trembling with **what little breeze** there was. 树叶在习习微风中颤动。

12. 在习语中只能用复数形式的名词

有些名词，在固定习语或短语中只能用复数，不能用单数，似乎不通，却是合乎逻辑的。比如：I am good friends with her.（我和她是好朋友。）一句，含有习语 be/make/keep friends with sb.，实际上相当于两个句子：I am friendly with her. She and I are friends. 合二为一便成了上面的结构。再如：

Walls have **ears**. 隔墙有耳。

He was great **pals** with Jim. 他和吉姆是好朋友。

He changed **seats** with the old man. 他同那位老人换了座位。

You have to change **trains** at Nanjing. 你要在南京换车。

▶▶ 常见的需用复数名词的习语有：

hands and **knees** 趴在地上	call sb. **names** 辱骂某人	at one's **fingertips** 了如指掌
take **sides** 支持一方	beat one's **brains** 绞尽脑汁	beat sb. by **miles** 远胜于某人
live up to one's **words** 守信用	the last **words** 临终的话	man of few **words** 寡言之人
take **orders** from 听令于	hold one's **horses** 忍耐	on one's last **legs** 病危
fall on one's **knees** 跪下	out of **woods** 脱离危险	know one's **onions** 内行
eat one's **words** 承认错误	cut **corners** 走近路	change **hands** 转手
behind the **scenes** 幕后	burn one's **fingers** 碰钉子	cry **quits** 同意不再争下去
burst into **tears** 突然哭起来	by **leaps** and **bounds** 突飞猛进	fish in troubled **waters** 浑水摸鱼
in high **spirits** 情绪很高	make **arrangements** 安排	make **preparations** 作准备
ants in one's **pants** 坐立不安	wash one's **hands** of 洗手不干	with open **arms** 热烈欢迎
at all **costs** 不惜代价	go to the **dogs** 去看赛狗/完蛋	give to the **dogs** 丢弃/扔掉
know the **ropes** 懂得秘诀	put on **airs** 摆架子	keep early **hours** 早睡早起
praise to the **skies** 极力称赞	look **daggers** at sb. 对某人怒目而视	
speak **daggers** to sb. 恶言伤害某人	take **things** as they come 坦然面对一切	
like a cat on hot **bricks** 像热锅上的蚂蚁	present one's **credentials** to 向……递交国书	

graduate with **honors** 以优异成绩毕业 　　　expose sb. in his true **colors** 揭穿某人的真面目

【提示】

① 表示"问候、祝愿"等的名词常用复数形式,表示程度的强烈,如:best **wishes** to sb. 对某人最良好的祝愿,express one's **sympathies** to sb. 向某人表示同情,give one's best **regards** to sb. 向某人表示最诚挚的问候,accept one's **condolences** 接受某人的吊唁,pay one's last/final **respects** to sb. 向……凭吊告别,pay one's **respects** (to) 向……表示敬意。

Many happy **returns** of the day! 福寿无疆!

You've won the match? **Congratulations**! 你赢了比赛? 恭喜!

② 有些习语中的名词用单数或复数均可,如:change **foot/feet** 换脚,change **gear/gears** 换挡,take a **liberty/liberties** with 对……放肆。

③ 比较:

by **art** 靠人工	the fine **arts** 美术(包括绘画、雕刻等)
by **arts** 靠诡计	martial **arts** 武术
the Chinese **art** 中国艺术(某一种)	take an **arts** course 选择一门文科课程
the Chinese **arts** 中国艺术(多种)	in spite of the **arts** 尽管要尽计谋
an **art** degree 美术学位	
an **arts** degree 人文学科的学位(文科)	

13. 在习语中只能用单数形式的名词

有些名词在某些习语或上下文中只能用单数,尽管其所在句中的主语是复数形式。这种现象或是约定俗成的,或是名词失去具体意义而表示抽象概念,等等。例如:

They held their **breath** at the strange sound. 听到那奇怪的声音,他们屏住了呼吸。

Half of the enemy soldiers were taken **prisoner**. 有一半的敌军士兵被俘。

They were not **man** enough to face the crisis. 他们没有足够的气魄来面对这场危机。

They all had a **drop** too much. 他们都多喝了酒。(have a drop 或 take a drop 意为"喝点酒")

They all have a sweet **tooth**. 他们都喜欢吃甜食。(a sweet tooth 相当于 a liking for things that are sweet)

▶▶▶ 其他如:make their **home** at 在……安家,make their **head** against tide 逆潮流而动,(they) stand **sentry** 站岗,use their **mind** 动脑筋,(they) lose **face** 丢脸,speak forth their **mind** 直言不讳,turn their **back** on 反对,(they) be **master** of the situation 控制住了局势,(they) be **apprentice** to 当学徒,continue their **way** 继续前进,show their **ticket** 出示票(每人一张票,依次验票)等。

【提示】

① 下面几个句子中的名词用单复数均可:

They had the milk delivered to their **door(s)**. 他们让人把牛奶送上门。

The paraders all raised their **voice(s)**. 游行的人都高喊着口号。

He saw five pupils putting up their **hand(s)**. 他看见五名学生洗了手。

② 有些单位词,如 pair 等,同 1 以上的基数词连用时用单数或复数皆可。例如:

three **pair(s)** of scissors 三把剪刀 　　　　　eight **couple(s)** of dancers 八对舞伴

③ 下列复数形式主语后的名词要用单数形式,各有具体原因:

Four of them gave their **answer** to the question. 他们四人给出了问题的答案。(用单数 answer 表示每人只给出一个答案,如用复数 answers 则可能误解为每人都给出多个答案)

Houses in this area have a front **door** at the front and a back **door** at the back. 这个地区的房子前面有一个前门,后边有一个后门。(用单数 door 表示每栋房子只有一个前门和一个后门,如用复数 doors 则可能误解为每栋房子有多个前门和多个后门)

Camels have a **hump** on their **back**. 骆驼背上有驼峰。(泛指,特点)

Men also wore a long **pigtail** at that time. 那时候,男人也留着长辫子(泛指,特点)

14. much brains 还是 many brains

① 有些抽象名词虽可用复数形式,但仍表示抽象概念,意义上仍是不可数的,只可用 much,不可用

many

 She has suffered **much pains**. 她受了不少苦。(不能说 many pains)

 He is a man of **much brains**. 他是个很有头脑的人。(不能说 many brains)

 He got **much wages** every month. 他每月工资很高。(不能说 many wages)

② 如果复数可数名词是作为一个整体或总体,不是从数方面考虑,而是侧重于量,要用 much 而不用 many,要用 little 而不用 few

 Jim has given me as **much** as **800 dollars**. 吉姆给了我多达 800 美元。

 Mending that light will take **as little as ten minutes**. 修理那盏灯只要 10 分钟就行。

 The director has **three secretaries**, which I think is **too much**. 主任有三个秘书,我想这太多了。

 (本句中的 which 亦可看作指代整个主句)

 We have given him **five books too much**. 我们多给了他五本书。(本句若从数方面考虑,可用 too many)

③ 复数可数名词和不可数名词连用作为一个整体看待时,要用 much,不用 many,谓语动词要用单数

 There was **much books, water and food** in the cave. 洞里有许多书,还有许多水和食物。

 There is now **too much music, pop songs and film stars**. 音乐、流行歌曲和电影明星现在太多了。

七、名词或名词词组作定语所表示的意义和功能

1. 表示时间

 winter vacation 寒假　　　　**evening** paper 晚报　　　　**season** ticket 月票

 day performance 日场演出　　**night** club 夜总会　　　　**Sunday** concert 星期日音乐会

 December fifth lower house election 12 月 5 日下议院选举

2. 表示地点

 sea fight 海战　　　　　**room** temperature 室温　　　**field** house 更衣室

 mountain railway 山区铁路　the **Geneva** conference 日内瓦会议

 a **newspaper** article 报上的一篇文章

 mountain village school teacher 山村学校教师

 Chinese **online** auction company 中国网上拍卖公司

 a **Washington** Hilton Hotel gathering 在华盛顿希尔顿饭店举行的一次聚会

3. 表示目的

 peace conference 和平大会　　a **milk** bottle 奶瓶　　　**wine** cellar 酒窖

4. 表示功能或手段

 a **steam** engine 蒸汽机　　　a **motor** car 摩托车　　　**air** mail 航空邮寄

5. 表示原料或材料

 a **stone** bridge 石桥　　　　**rubber** boots 胶鞋　　　**paper** money 纸币

 an **iron** door 铁门　　　　　**mud** wall 泥墙　　　　**orange** juice 橘汁

 a **puzzle** book 难题集

6. 表示所属或整体与部分

 the **book** cover 书的封面　　a **goat** skin 山羊皮　　　**family** tree 家谱

 team leader 队长　　　　　**board** member 委员会会员　**club** man 俱乐部成员

 violin strings 小提琴琴弦　　the **river** bank 河岸　　　the **table** leg 桌子腿儿

7. 表示种类或方面

 a **tea** merchant 茶叶商人　　**walnut** trees 胡桃树　　　**murder** weapon 凶器

 a **war** novel 战争小说　　　**heart** trouble 心脏病　　　**science** fiction 科幻小说

 book review 书评　　　　　**train** times 火车时刻(表)　**research** project 研究项目

 sand storm 沙暴　　　　　**clay** soil 黏土　　　　　a **drug** addict 吸毒者

▶▶▶ 其他如:gas mask 防毒面具,fire engine 救火车,fire wall 防火墙,fire office 火灾保险公司,

lightning rod 避雷针，**mosquito** bomb 灭蚊弹，**mass** murder 大屠杀，**majority** decision 多数票通过的决定

8. 表示因果

    battle fatigue 战斗疲劳症　　　　**energy** crisis 能源危机

9. 表示身份、特征、性别

    killer shark 杀手鲨鱼　　　**robber** Dick 强盗迪克　　　**supplier** country 原材料供应国

    woman driver 女司机（driver being a woman）　　**man** doctor 男医生（doctor being a man）

10. 名词定语为宾语

    child care 儿童保健　　　an **animal** trainer 驯兽师　　　**adult** education 成人教育

    a **blood** test 验血　　　**music** lover 音乐爱好者　　　**bicycle** theft 自行车盗窃

    space exploration 宇宙探险

11. 名词定语表示职业、职位

    Writer Goodwin 作家古德温　　　**Singer** Mike 歌手迈克　　　**Shepherd** Wood 牧羊人伍德

    Judge Victor 法官维克多

12. 名词定语为逻辑主语

    volcano eruption 火山爆发　　　the **Pentagon** decisions 五角大楼的决定

13. 名词定语为状语

    home computer 家用电脑　　　**holiday** camp 度假营　　　**house** arrest 软禁

    impulse buying 未经计划或细心选择而购买

八、作定语的复数名词

在现代英语中，用作前置定语的复数名词日益增多，下面都是很常见的：

a **savings** bank 储蓄银行	**parcels** post 包裹邮递
an **honors** student 优秀学生	an **honors** gradate 优秀毕业生
a **greetings** telegram 问候电/贺电	a **grants** committee 助学金委员会
the **Deliveries** Department 交货部	the civil **rights** campaign 民权运动
careers guidance 职业指导	**ten thousand pounds** prize 一万英镑奖金
the **Actors** Studio 演员工作室	an **appointments** officer 安排约会的官员
the **Accounts** Department 会计部门	the **signals** room 信号室
parks department 园林局	**examinations** board 考试局
courses committee 课程委员会	a **clothes** peg 衣帽钩
entertainments guide 娱乐指导	a **buildings** program 建筑物工程计划
soft drinks manufacturer 软饮料制造商	**problems** page 刊有有关问题的专页
a **glasses** frame 一副眼镜框	an **appointments** committee 任命委员会
a **reservations** desk 旅行房间预定处	a **500 tons** ship 装载 500 吨的船
a **million dollars** project 100 万美元的工程	**twenty pence** books 20 便士的书
five pounds sugar 五磅糖	**five miles** walk 五英里的步行
Companies Act 公司法	**House Rules** Committee 房产法规委员会
Hotels Association 旅馆协会	**works** manager 工程经理
public relations department 公共关系部	**salts** bottle 盐瓶
Highways Bureau 高速公路局	the **foreign troops** withdrawal 外国军队撤退
the **awards** platform 发奖台	a **pincers** movement 钳形攻势
arms production 武器的生产	**fats** rationing 油脂定量（各种油脂）
weapons sales 武器的销售（多种武器）	**weapons** system 武器系统
the **women's** rights movement 女权运动	**machines** hall 机器展览厅
a **trials** ship 试验舰	**aftersales** service 售后服务

employees cafeteria 员工自助餐厅

commodities fair 商品交易会

backstairs deals 秘密交易

equal terms policy 条件均等政策

competitions paper 竞赛试卷

parcel receivings centres 包裹领取处

sales tax 营业税

arms town 军火城

a big arms budget 大宗军事预算

grassroots opinion 基层群众意见

the cigars bill 雪茄账单

a games period 游戏课

trials bike 越野摩托车

Nominations Committee 提名委员会

the Contagious Diseases Act 传染病法

careers guidance 择业指南

the Wages Act 工资法

medals table 获奖排行榜

ideas men 谋士

a disputes committee 辩论委员会

a new pensions scheme 新抚恤金计划

school examinations board 学校考试委员会

men's reading room 男士阅览室

the servants hall 佣人的住房

women's magazine 妇女杂志

communications revolution 通信革命

communications technology 通信技术

the letters page (报纸)读者来信版

a thirties writer 一位 30 年写作生涯的作家

the City Buildings Committee 城市建筑委员会

the American Standards Committee 美国标准化委员会

scissors grinder 磨刀匠

clothes brush 衣刷

railways sidings 铁路侧线

a headquarters ship 指挥舰

sales depression 商业萧条

works facilities 工程设施

comics readers 连环画读者

men students 男生

a stores check 盘货

soils investigation 土壤勘查

notes printing 钞票印制

the samples depot 样品库

a quick-profits view 快速获利的观点

food-products business 食品商业

the United Nations Charter 联合国宪章

critical materials shortage 关键材料短缺

the resources working party 资源研究小组

the Monopolies Committee 专利委员会

enquiries office 问讯处

elections campaign 竞选

old wives' tale 老妇谈

the ladies waiting room 女士起居室

qualities education 素质教育

calculations machine 收款机

valuables declaration 贵重物品申报

animal rights group 动物权利组织

communications gap 感情隔阂

employments rate 就业率

the "special effects" man 负责"特别效果"的人

mice poison 鼠药

【提示】

① 有些名词作定语时,用单数或复数都可以。例如:

a trouser(s) pocket 女裤, the Custom(s) house 海关, bird(s) nest 鸟巢, woman's/women's college 女子学院, book(s) section 书库, a wage(s) agreement 工资协定, class(es) struggle 阶级斗争, chemical(s) industry 化学工业, an old car(s) problem 破旧车辆问题, textile(s) industry 纺织工业, salary(ies) agreement 薪水协定, a questionary suggestion(s) form 意见调查表

② "师范学院"要译为 a teachers college 或 a teachers' college,但不能说 a teacher college。

③ 要说 a four-foot ladder 一个 4 英尺长的梯子,说人的身高时,常用 feet,也可用 foot,但这里的 foot 表示复数;inches 构成的词组作状语,一般不可用单数。例如:

He is six feet tall. 他 6 英尺高。

She's four foot. 她身高 4 英尺。

George is very tall — he's six foot two. 乔治个头很高,有 6 英尺 2 英寸。

He's five feet/foot seven inches tall/in height. 他身高 5 英尺 7 英寸。

He stood about six feet in his shoes. 他穿鞋身高 6 英尺。

She is long-legged, five-feet-six-inches tall. 她腿很长,身高 5 英尺 6 英寸。

④ 在复合名词中,如果第一个名词的前面有一数词,两者共同作为最后一个名词的定语,第一个名词一般要用单数形式,这时,数词和第一个名词通常用连字符连接。例如:

a **five-year** plan 五年计划　　　　　a **three-act** play 三幕剧

a **four-volume** novel 四卷本的小说　　an **eight-hour** day 八小时一天

a **two-horse** carriage 两匹马拉的马车　a **five-pound** note 五镑的钞票

a **many-act** play 多幕话剧

▶▶▶ 注意,在这类复合名词中,如果最后一个名词前的定语为"数词＋名词＋形容词"结构,定语中的名词通常用复数形式,且前后均要用连字号。例如:

her **six-years-dead** husband 她去世已六年的丈夫

a **four-hundred-feet-high** building 一幢 400 英尺高的大楼

▶▶▶ 但如果定语结构为"数词＋year＋old"或"数词＋mile＋long",其中的名词常用单数形式。例如:

{7 岁的女孩　　　　　　　　　　　{三英里路长的散步
{a **seven-year-old** girl [✓]　　　　{a **three-mile-long** walk [✓]
{a seven-years-old girl [✗]　　　　{a three-miles-long walk [✗]

▶▶▶ 下面三种形式意义相同:

{a **four hours'** trip 四个小时的远足　　{a **three minutes'** delay 三分钟的延误
{a **four hours** trip　　　　　　　　{a **three minutes** delay
{a **four-hour** trip　　　　　　　　{a **three-minute** delay

{**ten years'** service 10 年工龄
{a **ten years** service
{**ten-year** service

⑤ 要说 a **twenty-story/-storey** building 或 a **twenty-storied/-storeyed** building(20 层的大楼),但应该说 **twenty stories** high(20 层楼高)。比较:

{**second** hand 第二只手　　　　　　{a **goods** train 一列货车
{**seconds** hand 秒针　　　　　　　{a **good** train 一列好火车

{**sale** center 商业中心　　　　　　{a **career** woman 职业妇女,有事业心的妇女
{**sales** center 削价商品商店　　　　{a **careers** woman 从事职业介绍的妇女

{**sale** department 销售部门/营业部　　{**plain** people 俭朴的人们
{**sales** department 廉价部　　　　　{**plains** people 平原人

⑥ 比较不同的含义:

{**boy** baby 男婴
{**baby** boy 还在婴孩时期

⑦ **sports** shoes(运动鞋)中的 sports 常被作为复数名词看待,实际上,这种用法的 sports 不是名词,而是形容词,表示"体育运动的,体育运动用的,适合运动时穿的",也可说 **sport** shoes。再如:

a **sports** festival 体育运动节　　　　a **sports** magazine 体育杂志

a **sports** store 运动器材商店　　　　**sports** clothes/wear 运动服

sports page 体育版　　　　　　　a **sports** commentator 体育运动实况广播员

a **sports** meet/meeting 运动会　　　a **sports** field 运动场

sport(s) car 赛车　　　　　　　　**sport**(s) editor 体育新闻编辑

sport(s) shirt 运动衫　　　　　　mass **sport**(s) activities 群众性体育运动

九、名词和形容词作定语的区别

1. snow 和 snowy

英语中有些名词与其同根形容词一样,均可作定语,但有区别。名词作定语的特点是表达简便,保持原有的意义和特性,表示具体物,表明实质;而多以-en, -ous 或-y 后缀构成的同根形容词,大多用于比喻中,有描述、限定作用,表示"像……的,有……的,含有……性质的,具有……能力的"等。参阅

有关章节。例如：

danger signal/money 危险信号/危险工作的额外报酬(具体概念)
dangerous illness/areas 危险的疾病/地区（illness 和 areas 本身是危险的）

sleep scientist 研究睡眠的科学家
sleepy scientist 困倦的科学家

blood group 血型(具体)
bloody battle 血战(比喻)

stone wall 石墙(具体)
stony heart 铁石心肠(比喻)

stone road 石(料)铺的路
stony road 布满石子的路

water canteen 水壶
watery wine 清水般的酒

glass box 玻璃盒
glassy eyes 目光呆滞的眼睛

rain drops 雨滴
rainy days 困难的日子

ink bottle 墨水瓶
inky darkness 漆黑的夜晚

snow mountain 雪山
snowy curtain 雪白的窗帘

snow man 雪人
snowy wall 雪白的墙壁

gold chain 金项链
golden sunshine 金色的阳光

a brass candle-stick 黄铜蜡台
a brazen sky 黄铜色的天空

mountain village 山村/山里
mountainous region 山区(多山)

silk stockings 丝袜
silky hair 如丝般的头发

mud hole 泥坑
muddy floor 沾满泥的地板

fun person 贪玩的人
funny person 有趣的人,滑稽的人

flower pattern 花的图案
flowery pattern 花哨的图案

silver spoon 钥匙
silvery moon 银色的月光

riot police 防暴警察
riotous police 煽动闹事的警察

rose garden 玫瑰园
rosy cheeks 红红的面颊

literature lessons 文学课
literary criticism 文学批评

fish farm 渔场
fishy eyes 呆滞的目光

heart trouble 心脏病
hearty welcome 热情的欢迎

fog light 雾灯
a foggy day/idea 多雾的日子/模糊的想法

wax crayon 蜡笔
waxy petals 像蜡做的花瓣

▶▶▶ 其他情况：

child laborer 童工
childish ideas 幼稚的想法

The Youth League 青年团
youthful days 青年时期

peace talks 和平谈判
peaceful co-existence 和平共处

the greens fields 青菜地
the green field 绿色的田野

pleasure trip 游览
pleasant trip 愉快的旅行

efficiency expert 时效专家
efficient expert 工作效率高的专家

success story 成功的人或事
successful story 写得很成功的故事

convenience food 快餐
convenient food 制作方便的食品

the valuables safe 贵重物品保险箱
the valuable safe 贵重的保险箱

economy measure 节约措施
economic measure 经济措施

news boy 报童
new boy 新来的男孩

art circle 艺术界
artistic level 艺术水平

color film 彩色电影
colorful dresses 色彩鲜艳的服装

geography lesson 地理课
geographical terms 地理名词

beauty shop 美容院
beautiful shop 漂亮的店铺

production plan/quota 生产计划/指标（plan 和 quota 本身不具有生产性质）

productive forces/labor 生产力（forces 和 labor 本身具有生产的能力或性质）

productive writer 多产作家

Chemistry Department 化学系（具体概念）

chemical fertilizer 化肥（fertilizer 本身具有化学性质）

China ambassador （他国）派驻中国的大使

Chinese ambassador 中国派驻外国的大使

China-born American scientist 中国出生的美国科学家

Chinese-born American scientist 美籍华裔科学家

▶▶▶ 有时,名词定语和由名词派生的形容词可以并列使用。例如:

The shop sells **cotton** and **woolen** dresses. 这家商店出售棉毛衣服。

2. lead 和 leaden

oat(oaten)，oak(oaken)，lead(leaden)，hemp(hempen)，wheat(wheaten)，leather(leathern)，flax(flaxen)，beech(beechen)等表示物品材料的名词或形容词,指材料时,均可作定语,意义上一般无差别。例如:

wheat cake 面粉做成的烤饼

wheaten bread 全麦粉面包

oat bread 燕麦面包

oaten noodles 燕麦面条

lead pipes 铅管

leaden roof 铅屋顶

但：**leaden** steps 像铅一样沉重的脚步

3. wool 和 woolen

wool 和 wood 两个词,表示某一类"羊毛"或某一种"木头",常用其名词形式;泛指物品材料,常用其形容词形式。比较:

a Xinjiang **wool** coat 新疆羊毛大衣

a pure **wool** skirt 纯羊毛裙子

woolen blanket/fabrics 毛毯/织品

woolen industry 羊毛工业

a little sandal **wood** box 檀香木制小木盒

wood floor 木地板

wooden shelf/box/bowl 木书架/盒/碗

a rather **wooden** performance 相当呆板的表演

▶▶▶ 但人们常用 birchen(桦木)和 earthen 作定语,不用 birch 和 earth。例如:

birchen furniture 桦木家具　　　　　an **earthen** bed 土炕

4. a China banker 不同于 a Chinese banker

地理名词作定语表示地点,其形容词则表示性质。例如:

a **China** banker 在中国创业的银行家（不一定是中国人）

a **Chinese** banker 中国银行家（一定是中国人,但不一定在中国开业）

the **Turkey** trade 在土耳其做的生意

the **Turkish** trade 土耳其的贸易,与土耳其做的生意

China edition 在中国推销的版本（不一定是中文）

Chinese edition 中文版本

十、American beauty 不一定是"美国美女"——失去本意的名词

英语中有些专有名词或普通名词,与形容词等构成了固定搭配,还有一些合成词,往往有特定含义,不可望文生义而照字面意思理解。这类词常见的有:

American beauty 多年生杂种红玫瑰　　　　French chalk 滑石粉

China rose 月季花　　　　　　　　　　　China town 中国城

Greek gift 图谋害人的礼物　　　　　　　Indian summer 小阳春,返老还童

Dutch comfort 不会使人感激的安慰　　　English disease 软骨病

German measles 风疹　　　　　　　　　German shepherd 德国牧羊犬

British warm 双排纽扣的军用大衣　　　　China ink 墨汁

Spanish castle 空中楼阁,空想

Turkish delight 拌砂软糖

black leg 破坏罢工的工贼

dead eye 神枪手

white hands 清白,纯洁

man-of-war 军舰

Dutch courage 酒后之勇

French crown 秃头

French toast 以牛乳鸡蛋炸出的吐司

Dutch treat 各自付账(的宴会)

Irish promotion 降级

blackball 秘密反对票

Chinese lantern 灯笼

animal courage 蛮勇

Chinese indigo 蓝靛

lady-killer 美男子

Dutch act 自杀

white night 不眠之夜

Indian giving 虚假的馈赠

bad conscience 内疚

bicycle doctor 修理工

a small potato 地位低微的人

blue moon 很长的时间

weight watcher 节食减肥者

from China to Peru 天涯海角

Russian olive 沙枣

Achilles' heel 致命弱点

like an Apollo 风度翩翩

bull's-eye 靶

a lone wolf 孤独的人

a good debt 有把握收回的债

crow's nest 船桅顶上的平台

social disease 性病

red Indians/man/skin 印第安人

a red battle 血战

yellow book 黄皮书(法国政府文件)

yellow press 低级趣味的报刊

white day 吉利的日子

white coffee 加牛奶的咖啡

white alert 空袭解除警报

white way 灯火辉煌的大街

white war 不流血的战争/经济战

graybeard 老人

green hand 生手

green onion 青葱

a grey-mare 胜过丈夫的女人

a stick-in-mud 墨守成规的人

Italian hand 暗中干预

a double talk 不知所云的话

black sheep 害群之马/败家子

white wine 白葡萄酒

busy body 爱管闲事的人

bedclothes 床上用品

French leave 不辞而别

French window 落地长窗

Indian gift 期待还礼的赠品

Dutch uncle 唠叨的老人

redhead 红发人,红头潜鸭

Chinese cabbage 白菜

Chinese linen 夏布

neck and neck 并驾齐驱,不分上下

black death 黑死病

wet night 夜饮,醉酒之夜

white/pink lady (一种)鸡尾酒

cold iron 凶器

Indian file 一列纵队,单行

straight goods 事情的真相,可靠消息

six love 6 比 0

a girl of the old school 守旧的人

the arm of flesh 人力

walking dictionary 知识渊博的人

Indian weed 烟草

Pandora's box 祸害

Cupid's arrow 爱神的箭

cat's-paw 爪牙

monk's-cloth 粗厚方平织物

red-letter day 吉祥喜庆的日子

a good hour 整整一个小时

good wife 主妇

red news 最近新闻

red tape 繁琐拖拉的手续

yellow journalism 黄色新闻

blue book 蓝皮书(英、美政府文件)

white lie 善意的谎言

white feather 懦弱,胆怯

white dew 霜冰

white elephant 累赘而无用的东西

white collar 脑力劳动者/白领

grey day 阴天

grey experience 老练

green bean 青豆

greenroom 演员休息室

a black hat 车站的搬运工

a thinking part 哑角

a copy cat 盲目的模仿者

a whipping boy 代人受罚的人

a child's play 极容易的事

a lady's man 对女人唯唯诺诺的人

greenback 美钞

black coffee 浓咖啡(不加牛奶和糖)

black stranger 完全陌生的人

black art 巫术

black brick 青砖

black dog 沮丧

black carp 青鱼

brown rice 糙米

black flag 海盗旗

brown bread 黑面包

brown study 沉思,出神

black bamboo 紫竹

brown paper 牛皮纸

golden key 贿赂

brown sugar 红糖

silver birch 白桦

blue blood 贵族血统

a poor table 简陋的饭食

black tea 红茶

table finisher 食量大的人

a beautiful table 丰盛的饭菜

dog days 三伏天,大热天

dog fight 混战

apple head 笨汉

cat's meat 给猫吃的肉

a lucky dog 幸运儿

a yellow/sad dog 无赖

a wise apple 傲慢的年轻人

a gay bird 快活的人

salt speech 饶有风趣的演说

apple knocker 庄稼汉,生手

cat's sleep 打盹

better half 妻子

barber's cat 面带病容的人

old bird 老练的人

difficult friend 难于相处的朋友

dog hole 不安全的小煤矿

a queer fish 怪人

a man of heart 有情之人

black eye 被打得发青的眼圈

fish story 可疑的故事

a bull in a China shop 闯祸的粗人

purple passage 辞藻绚丽的段落

wet snow 雨夹雪

goose flesh 鸡皮疙瘩

their dog's life 他们艰难的生活

black-letter day 不吉利的日子

two tons of mistakes 错误百出

dog ear 书的折角

blue stocking 女学者,女才子

white moments of life 佳运之期

White Christmas (下雪的)白色圣诞节

white hair boy 最受宠的孩子

old salt 富有经验的水平

a silver lining 黑暗之中总有一线光明

girl Friday 得力的女助手

green old age 老当益壮

blue Monday 烦闷,沮丧

man Friday 男忠仆

Sunday run 长距离

Sunday best/clothes 盛装

Sunday punch 最厉害的一击

Sunday painter 业余画家

black book 记有黑名单的册子,记过簿

Sunday saint 伪君子

Monday morning quarterback 放马后炮的人

Good Friday 耶稣受难日

Saturday night special 便于用来作案的小手枪

the salt of the earth 高尚的人

Chinese puzzle 中国玩具(七巧板等)

a different cup of tea 另一个问题

Sunday school truth 众人皆知的事实、道理

Irish potato 白马铃薯(以别于 sweet potato 山芋)

white book 白皮书(公开发表国家政府政治、外交等重大问题的文件)

▶▶▶ 下面短语中的名词不可望文生义:

keep a good table 吃得好

sit down to table 坐下吃饭

shake a leg 抓紧时间

play ball with sb. 与某人合作

on the rocks 经济拮据

out of the woods 脱离危机

break the ice 打破僵局

in hot water 遇到麻烦

raise hell 大吵大闹

in the red 赤字

a red ruin 火烧伤

jump a few reds 闯几次红灯

face the music 承担困难/后果　　　　clean the house for 找……算账
on one's hand 由……负责照管　　　　show one's hand 摊牌
fly in the teeth of 悍然不顾　　　　have a sweet tooth 喜吃甜食
count one's thumbs 消磨时间　　　　bite the thumbs at 蔑视
have a long head 有远见　　　　in everyone's mouth 大家都这么说
open one's mouth wide 狮子大开口　　　　hide one's face from 不理睬
not turn a hair 不动声色　　　　get in sb.'s hair 惹恼某人
butterflies in the stomach 神经质的发抖　　　　have a heart 发慈悲
have good lungs 声音洪亮　　　　go fly a kite 滚开
pat sb. on the back 鼓励某人　　　　see the back of sb. 摆脱某人
put on dog 摆架子　　　　count noses 点人数
sour one's cheek 不高兴　　　　grease the palm of sb. 买通某人
shake the elbows 赌博　　　　be in the black 赢利
on the nail 当场　　　　hang a leg 犹豫不决
laugh in one's beard 暗笑,偷笑　　　　speak in one's beard 含糊地说
have two left feet 极为笨拙　　　　have cold feet 害怕,临时畏缩
bring sb. to his knees 使……屈服　　　　have a thick skin 脸皮厚
change one's skin 改变本性　　　　have no voice in the matter 没有发言权
drink sb. under the table 把某人灌醉　　　　paint the town red 寻欢作乐
card up one's sleeve 锦囊妙计　　　　go into red 亏空
shed crocodile tear 猫哭老鼠　　　　go to the green wood 落草
spend money like water 挥金如土　　　　see the red light 觉察危险迫近
suck the orange 吸取脂膏　　　　walk on all fours 爬行
burn one's boats 破釜沉舟　　　　milk the bull 做徒劳无益事
shoot the bull 吹牛,说大话　　　　Irish bull 自相矛盾的话
take the bull by the horns 不畏艰难　　　　turn one's coat 改变立场
wear the pants 掌握大权　　　　tighten one's belt 节衣缩食地度日
fit like a glove 完全相合　　　　pass round the hat 为遭受损失者募捐
hang on sb.'s sleep 依赖某人　　　　with one's pants down 出其不意地
fill one's shoes 接某人的工作　　　　die in one's boots 横死,暴死
dust sb.'s jacket 痛打一顿　　　　on the button 准时
turn up one's sleeves 准备行动　　　　hit below the belt 用不正当手段打击人
up the river 入狱　　　　be hot under the collar 怒火中烧
pull up one's socks 鼓起勇气　　　　cat and dog life 争争吵吵的日子
lick sb.'s boots 奉承某人　　　　have sth. up one's sleeve 暗中有应急的打算
get the boot 被解雇　　　　let the cat out of the bag 泄露天机
take off the gloves to sb. 毫不留情地与人争辩　　　　not a dog's chance 毫无希望,无一丝希望
look two ways to find Sunday 斜着眼看　　　　have one's heart in one's mouth 非常吃惊
wait for the cat to jump 看事态怎样发展　　　　look through one's fingers at 对……假装看不见
wear one's heart upon one's sleeve 十分坦率
cry on sb.'s shoulder 祈求某人的同情,向某人诉苦
fast worker 容易获得异性青睐的人/在恋爱方面进展神速的人
Do you like **high tea**? 你喜欢吃傍晚茶点吗?
He always eats at **high table**. 他饮食考究。
Let's **go Dutch**. 让我们各付各的账吧。
She is indeed **Helen of Troy**. 她可真是红颜祸水。
▶▶▶ 但:

{an acknowledged **American beauty** 一个公认的美国美女
{*American Beauty*《美国丽人》(电影名称)

十一、a dark horse——具有字面和引申双重含义的短语

下面的短语具有不同的字面意义和引申意义：

a night owl 猫头鹰/晚睡的人　　　　　white-headed 白发的/得宠的

red carpet 红地毯/隆重欢迎　　　　　red light（交通）红灯/危险信号

a head start 先起步的马/时间上占优势　a yellow dog 一条黄狗/一个卑鄙的人

a public house 公有的房子/酒店，旅店　a dark horse 黑马/潜力莫测的人或物

a blue ribbon 一条蓝缎带/一个头等奖　on the carpet 在地毯上/受到训斥

kick the bucket 踢了一下木桶/死了　　a good soldier 人品好的战士/表现好的战士

the old chairman 年龄大的主席/昔日的主席　a good writer 人品好的作家/文笔好的作家

a live wire 通电流的电线/生龙活虎的人　a back number 过期的杂志或报纸/过时的人或物

a brilliant actor 才气横溢的演员/演技出色的演员

a colorful cook 打扮花哨的厨师/手艺巧的厨师

a rubber stamp 橡皮图章/做决定草率的人或组织

Brown，Jones and Robinson 布朗、琼斯和鲁宾逊/张三李四

a beautiful dancer 长得美的舞蹈演员/舞姿优美的舞蹈演员

十二、名词的动词化问题

有些词,本属名词,但在现代英语中,却越来越多地用作动词,这就是名词的动词化。名词动词化后,常常表示具有该名词活动特点、性质特征的动作,精炼而又生动。这类名词有如下几类：

① 人体部位词→head，face，hand，eye，shoulder，elbow，stomach，thumb，leg，tiptoe，nose，back，ear，mouth，foot 等。

② 地点处所词→room，house，corner，ground，dam，floor，bridge 等。

③ 时间季节词→summer，winter，weekend，breakfast，lunch 等。

④ 用品物件词→pencil，pen，pocket，veil，glass，machine，gun，sandwich，sponge（用海绵揩拭），sponge on（依赖），machine-gun 等。

⑤ 身份职务词 → master，partner，dwarf，pioneer，volunteer，nurse，pilot，spy，mother，father，doctor，host，man，soldier，officer，lord 等。

⑥ 自然现象词→storm，wind 等。

⑦ 通信交通词→bus，truck，wheel，radio，train 等。

⑧ 物质词→dust，air，oil，salt 等。

⑨ 动物名称词→snake，dog，worm，duck，lobster，ass about（干傻事），bug out（溜走），beetle off（匆忙离开），mouse about（蹑手蹑脚地走），chicken out（畏缩不前），monkey about（瞎弄），cock sth. up（弄糟），duck out of（逃避），horse about（哄闹），louse sth. up（弄糟），fox sb. into（哄骗），bitch（抱怨），parrot（鹦鹉学舌般地复述），pigeon（诈骗），pig it（过夜），rabbit with sb.（同……闲谈），peacock（炫耀），squirrel away（贮存），rat on sb.（密告），wolf down（狼吞虎咽），pony up for（要求得到），hound（追逼），等。

She opened the window to **air** the room. 她打开窗子给房间透透空气。

He **bused** to town. 他坐公共汽车进城。

They **roomed** together for a whole year. 他们一整年同为室友。

I asked him to **pocket** the money. 我要他把钱装入衣袋中。

He **eyed** the woman suspiciously. 他怀疑地打量着那个女人。

She **mothered** the boy for a whole period of ten years. 她抚养那个男孩整整 10 年。

A brook **snakes** east. 一条小溪蜿蜒东去。

They **hounded** the wolf into the forest. 他们把狼追逐进了森林。

He **floored** the old man. 他把那位老人打倒在地板上。

He has his car **serviced** regularly. 他定期保养汽车。

Mr. Smith **authored** a book on modern philosophy. 史密斯先生写了一本关于现代哲学的书。

Her dress is **patterned** upon a new model. 她的服装是仿照一种新的式样做的。

He **noons** for half an hour every day. 他每天午睡半小时。

Dick used to **partner** Mary. 狄克从前与玛丽是同事。

He **wolfed down** three bowls of rice. 他狼吞虎咽了三碗米饭。

She **moused along** in the dark hole. 她在黑暗的洞中蹑手蹑脚往前走。

She **penciled** his words in the notebook. 她用铅笔把他的话记在笔记本里。

The policemen **dogged** his steps. 警察跟踪了他。

He **ducked** his head and went past. 他低下头走了过去。

She has **thumbed** through the new dictionary. 她已翻阅了这本新词典。

The hills were **glassed** by the lake's still surface. 小山倒映在静静的湖水之中。

The hard life has **salted** his hair. 艰难的岁月已使他满头白发。

They **cornered** the thief and caught him. 他们把小偷逼到了墙角,并抓住了他。

Don't **brother** me. 不要称兄道弟的。

She kept on **siring** him. 她不停地称呼他"先生"。

He **positioned** himself by the window to look into the distance. 他站在窗边,向远处眺望。

I have **booked** a ticket for the concert. 我为音乐会预定了一张票。

Don't **pressure** him. 不要向他施加压力。

He **soldiered** in the south twenty years ago. 他 20 年前在南方当过兵。

She **nursed** the patient back to health. 她护理病人使之康复。

He's always **nosing** into other people's business. 他总爱管别人的闲事。

The old man **hammered** a nail into the wall. 老人在墙上钉了一颗钉子。

Doctor that cut before it becomes infected. 赶快把伤口治一下,别让它发炎了。

The wheat will be **earing** up. 小麦该抽穗了。

What sort of people should he select to **man** the government? 他将选择怎样的人员来组阁呢?

He **fingered** his eyes. 他用手指揉眼睛。

He **elbowed** himself into the crowd. 他挤进人群。

The government **tabled** a motion. 政府提出了一项动议。

The sick man couldn't even **stomach** liquids. 这位病人连流质也吃不下。

The spokesman **mouthed** his words carefully. 这位发言人说话字斟句酌。

The traveller **footed** the whole fifty kilometres in one day. 那旅人一天步行了足足 50 公里。

The ship is **heading** east. 船向东航行。

The book **pictured** the world of the future. 这本书生动地描写了未来世界。

The hall can **seat** five hundred people. 这大厅能坐 500 人。

It's healthier to release frustration than to **bottle** it up. 受到挫折之后发泄一场比强忍对健康有利。

The museum is **backed** by hills. 这座博物馆倚山而建。

The wind **bagged** the curtain. 风把帷幕吹得鼓了起来。

She usually **breakfasts** at seven. 她通常 7 点钟吃早餐。

He **dusted** the furniture. 他掸去家具上的尘土。

Einstein **fathered** relativity. 爱因斯坦创立了相对论。

My bicycle goes better since I **oiled** it. 自从我给自行车加油后,它好骑多了。

He **summered** in a temple in the mountain. 他在山中一个庙里度过夏天。

This plant **flowers** in May. 这种植物 5 月开花。

The paint **coated** the wall. 墙壁上涂着漆层。

Stop **monkeying** with the television set! 不要瞎摆弄那台电视机了!

The battle was **officered** by a general. 这场战斗是由一位将军指挥的。

The shepherd **wintered** his sheep in the valley. 牧羊人让他的羊群在山谷里过冬。

It **houses** more books than any other university library. 它的藏书量比任何别的大学图书馆都多。

Ever since she came to live in this town, misfortune has **dogged** her footsteps. 自她来这座小城居住后,接二连三地遭遇到了不幸。

Don't **ass about** that gun. 别瞎摆弄那杆枪。

The man **fished for** fame and honour. 那人沽名钓誉。

They **bitched about** the food there. 他们抱怨那儿的伙食太差。

The fat man **beetled up** the ladder. 那胖子笨拙地爬上梯子。

Don't **dog** me with petty details. 别拿些小事来烦我。

He took the plunge when others **chickened out**. 在别人畏缩不前的时候他断然采取了行动。

Jack isn't ill. He's just **foxing**. 杰克没病。他只是在装样。

He really **cocked** it **up** this time. 这次他确实把事情弄糟了。

Don't try to **duck** cleaning up the kitchen! 别想逃避扫厨房。

The old man saw some children **horsing about** in the snow. 老人看见一些儿童在雪地上跑着玩。

She **parrots** every view her husband has. 她应和着她丈夫的每一个观点。

These homeless children **pigged** together in the mean hut. 这些无家可归的孩子像猪一样挤在简陋的小屋里。

He **pigeoned** them at cards. 他玩牌时欺骗了他们。

She **ratted** on her debts. 她赖账。

He decided to **pony up** the money he owed. 他决定要还清所欠的债。

Her husband denied having any money **squirreled away** in banks. 她丈夫否认在银行里有存款。

I was determined not to be **cowed** by their threats. 我决心不被他们的威胁吓倒。

Andy **fished** in his pocket for a coin. 安迪在口袋里摸找硬币。

We had to **duck** our heads to get through the doorway. 我们只得低下头穿过门道。

Miller was **dogged** by financial worries. 米勒为经济困难而困扰。

Those childproof containers always **fox** me. 那些防止小孩开启的容器总是把我难住。

Stop **horsing** around, you'll break something! 别胡闹了,你会打破东西的!

They were **monkeying** around in the playground and one of them got hurt. 他们在操场上打闹,其中一个受了伤。

The burglar **moused** about for valuables. 窃贼在寻找值钱的东西。

The police **hounded** the murderer all over the country. 警方在全国追捕杀人犯。

Some kids are **larking** about near the baker's. 一些小孩正在面包店旁边嬉闹。

He **hared** off down the road. 他沿着马路飞快地跑掉了。

Nancy may have **peacocked** it a bit. 南希可能有点炫耀它。

They'll kill you if they find out you've **ratted** on them. 如果他们发现是你告发的,他们会杀掉你的。

He **chickened** out of telling Dad he wanted to leave school. 他不敢告诉爸爸他想退学的事。

These pillars have been badly **wormed**. 这些柱子被虫蛀得厉害。

He kept **bitching** at me for waking him up. 他不停地埋怨我把他弄醒了。

These fruit trees **flowered** well. 这些果树花开得很好。

The bicycle needs **oiling**. 这辆自行车需要上油了。

Her address **headed** the letter. 她的地址写在信的开头。

The child **eyed** me with curiosity. 那小孩好奇地看着我。

A dog is **nosing** at the dustbin. 一条狗在垃圾桶旁嗅着。

He's been **rabbiting** with Jack on the phone for twenty minutes. 他同杰克已经在电话里聊了20分钟。

The accountant was accused of **pocketing** some of the society's profits. 这名会计被指控侵吞了协会的部分利润。

The reporters have **nosed out** some interesting facts about the politician's past life. 记者们找到了这位政治家往日的一些趣事。

She **mouthed** something we couldn't hear clearly. 她说了些什么,我们听不清。

The dog **mouthed** a piece of meat from the kitchen and ran away quickly. 狗从厨房里衔了一块肉,迅速跑开了。

The dog **cocked** the ears. 狗竖起了耳朵。

She often **ears** something about someone among her colleagues. 她经常在同事间咬耳朵说人家的事。

He **tongued** a hole through the window paper. 他在窗纸上舔了一个洞。

Stanley **backed** slowly across the stage. 斯坦利缓缓退下舞台。

It is a sunny spot, **backed** by a wall. 这是个阳光充足的地方,后面有一道墙。

We **tea** at four. 我们4点钟吃茶点。

She **fingered** the beautiful cloth with envy. 她羡慕地抚摸着那块漂亮的布。

The little boy **fingered** the thief. 那小男孩指认了小偷。

Tom **fisted** some sweets and went to sleep. 汤姆紧紧抓住几颗糖果,睡着了。

They **fisted** the man black and blue. 他们把那个人打得鼻青脸肿。

He ordered a loads of drinks and then left me to **foot** he bill. 他要了一大堆酒水,然后让我来付账。

They **footed** ten miles in the morning. 他们上午走了10英里。

The traveller was **treed** by a bear. 那旅行者被熊追赶上树躲避。

They saw the teacher coming and **legged** it out of the house. 他们看见老师来了,就从屋里逃了出去。

The hens **treed** early that night. 那天晚上鸡很早就上了树。

I'd like to have my shoes **heeled**. 我想给鞋子钉个后跟。

Jim threw the orange on the ground and **heeled** it. 杰姆把橘子扔在地上并用脚踩它。

The special agents have been **tailing** her for half a year. 特工盯她的梢已有半年了。

The beach **tailed** away to nothing. 海滩逐渐消失得无影无踪了。

The dog **tailed** and ran away. 狗夹着尾巴逃走了。

The peninsula **tongues** southward into the sea. 那个半岛呈舌形向南伸入海中。

I have walked, **jeeped** and explored this area several times in the course of the last three decades. 在过去30年中,我曾数次徒步或乘吉普车考察过这个地区。

Two of his sons were **machine-gunned** to death. 他有两个儿子给机枪打死了。

As I **cradled** the boat, I felt my grandfather's presence. 我抱着小船,觉得爷爷就在身旁。

The light leaps up and hides again, and the room becomes **peopled** with fantasies. 火光忽而闪现,忽而隐灭,屋里渐渐令人想入非非。

Across the bay they found the other boat **beached**. 从湖湾的水面远远望去,他们看见另一条船已经停泊在海滩上。

I **wormed** the secret out of her. 我从她那里渐渐探出了秘密。

That afternoon I **cornered** Jacob in front of the refrigerator. 那天下午,我在冰箱前将雅各布堵住。

十三、形容词、数词的名词化

有些形容词、数词可以用作名词,参见上文。例如:

He stood immovable in a marble **calm**. 他站着一动不动,极为镇定。

Sales have reached a new **high**. 销售额达到新高。

The doctor is carrying out student **medicals**. 医生在给学生进行体检。

Guests arrived in **singles** and pairs. 客人们或单个或成双地到来。

The temperature here has reached a new **low**. 这里的气温降到新的最低点。

They are preparing for the **finals**. 他们在准备期终考试。

She is a **natural** on the piano. 她天生擅长弹钢琴。

The remark cut her to the **quick**. 那话刺痛了她的心。

They are American **nationals** in China. 他们是旅居中国的美国侨民。

They kept indoors in the **dead** of winter. 隆冬季节他们待在室内。

She has passed her **orals**. 她通过了口试。

Many canals in our country were built by the **ancients**. 我国的许多运河是由古人开挖的。

He met a crowd of young **roughs** in the street. 他在街上遇到一群小流氓。

In the **quiet** of the dawn, it sounded like a pistol. 在黎明的寂静中,那声音听上去像有人开手枪。

【提示】注意下面的词类转化:

The future is full of **ifs**. 前途充满许多捉摸不定的因素。

Don't ask the **whys** and the **wherefores** of doing it. 不要问为什么做这件事。

The book tells you the **how** and the **why** of flight. 这本书告诉你飞行的方法和原理。

I'm tired of seeing all these **repeats** on television. 我讨厌看这些重播的电视节目。

十四、名词用作状语

英语中的名词、名词短语或名词固定搭配有时可用作状语,并有前置状语和后置状语之分。名词短语或名词固定搭配作后置状语通常表示时间、程度、方式、条件、位置、数量等。例如:

Mary got to the cinema **twenty minutes** too soon. 玛丽到达电影院早了 20 分钟。(时间名词)

He stayed there **five days**. 他在那里待了五天。(时间名词)

She worked **part time** through college. 她半工半读上完了大学。(时间名词)

The river is **200 meters** wide. 这条河宽 200 米。(数量名词)

The stone weighs **10 tons**. 这块石头重达 10 吨。(数量名词)

You've given her **three dollars** too many. 你多给了她三美元。(数量名词)

The trousers are **two inches** too long. 这条裤子长了两英寸。(数量名词)

He operated the machine **the same way**. 他用相同的方法操作那部机器。(表示方式的名词短语)

They went past **hand in hand**. 他们手挽着手走了过去。(表示方式的名词短语)

She served him **hand and foot**. 她殷勤地为他服务。(表示方式的名词短语)

They dragged him in **head and shoulders**. 他们硬是把他拖了进来。(表示方式的名词短语,意为"用力,采取强硬手段")

He worked hard **head and tails**. 他始终努力学习。(表示时间的名词短语,意为"始终,首尾")

They fell upon him **tooth and nail**. 他们猛烈地攻击他。(表示方式的名词短语,意为"猛烈地,拼命地")

It is raining **cats and dogs**. 大雨倾盆。(这种说法现在已显得太做作,似现代中国人见面时说"汝好"一样不自然)

Summer, they were only in vests and shorts. 夏天,他们只穿背心短裤。

Sam stands **head and shoulder** above his classmates in playing table tennis. 萨姆打乒乓球的水平鹤立全班。

Traffic over there is always heavy, **holidays as well as weekends**. 那里的交通向来拥挤,不论是平时上班的日子还是节假日。

He stood outside **cap in hand**. 他手里拿着帽子站在外面。

She started the fire **first thing** in the morning. 她早上做的第一件事就是生火。

He likes to have it **his own way**. 他喜欢按自己的意思去做。

I shall go **rain or shine**. 不管天晴下雨我都要去。

Not many books excited him and kept him awake **nights**. 没有几本书使他激动不已,彻夜难眠。

Chinese scientists have been growing tomatoes **the size of soft balls**. 中国科学家们已经在培育垒球那么大的西红柿。

It's part of life; 364 **days of the year** it's paradise. **One day** it's not. 这是生活的一部分;这里一年

364 天都是天堂,但有一天不是。

▶▶▶ 其他如:walk side by side 肩并肩走,walk a long way 走很长一段路,serve the people heart and soul 全心全意为人民服务,fall 5 degrees 下降 5 度,measure five hectares 面积为五公顷。

▶▶▶ 名词作前置状语直接放在被修饰的动词前,其特点是:用单数名词,不带冠词,有时是地点名词(Beijing)或国名(China),动词多为被动语态,表示的是方式、程度、工具、地点等意义。例如:

The astronaut **space** walked twenty minutes. 那位宇航员在太空中走了 20 分钟。(＝in space)

The rice was **machine** planted last year. 去年的水稻是机器栽的。(＝by machine)

The dishes have been **heat** treated. 这些菜都热过了。(＝by heat)

The mobile phone is **China** made. 这种手机是中国生产的。

The system is **computer** controlled. 这个系统由计算机控制。

The school is **tree** surrounded. 这所学校四周都是树。

The boy is **breast** fed. 这个男孩是母乳喂养的。

【提示】名词短语还可用作形容词或动词。例如:

She is an **ivory-tower** writer. 她是个关在象牙塔里的作家。

He looks very **ruling class**. 他看上去很有派头。

They were unwilling to allow him to **commander-in-chief**. 他们不愿意让他指手画脚。

十五、名词数的不一致现象

比较下面两句:

He is her **friend**. 他是她的朋友。
He is no longer **friends** with her. 他同她断交了。

在第一句中,He 和 friend 均为单数,是一致的,但在第二句中,He 和 friends 在数上是不一致的。这种名词数的不一致现象多出现在习语中,或出现在某些表示抽象意义的词上。有时主要名词为单数,有时主要名词为复数。例如:

Jack made **faces** with her. 杰克向她做鬼脸。

Her family is mostly **teachers**. 她的家人大都是教师。

The room is **books** and **bottles**. 这房间里到处都是书和瓶子。

He is **pals** with Jim. 他同吉姆是朋友。

Some people use their left **hand**. 有些人用左手。

Women have an **eye** for fashion. 妇女对时尚敏感。

Cats are a good **topic**. 猫是一个很好的话题。

All the students signed their **name**. 所有的学生都签了名。(各自的名字)

十六、名词的大写问题

英语中的专有名词首字母都是需要大写的,参阅"标点符号"一章。例如:

George Washington 乔治·华盛顿(人名)　　Father Martin 马丁神父(宗教头衔)

King David 大卫王(贵族头衔)　　Lord 上帝(神名)

Buddhism 佛教(宗教名称)　　*Vanity Fair*《名利场》(小说名称)

Reader's Digest《读者文摘》(杂志名称)　　*China Post*《中国邮报》(报纸名称)

Venus 金星(天体名称)　　Greece 希腊(民族)

Eiffel Tower 埃菲尔铁塔(名胜)　　Cape of Good Hope 好望角(海洋)

Time-Warner Corporation 时代-华纳公司　　Coca-Cola 可口可乐(商标)

General Motors 通用汽车公司(公司名称)　　Christmas Eve 圣诞夜(节日)

Yellowstone National Park 黄石国家公园(公园)　　Hawaii 夏威夷(州名,岛名)

the Gettysburg Address 葛底斯堡讲演(重要文献)

the mystery of the East 东方的神秘(地理名词,指区域,但指方向时不大写,如 in the east)

▶▶▶ 另外,感叹词"O"要大写,代词"I"永远大写,拟人要大写,家人的称呼可以大写,每行诗的第一个
字母要大写。例如:

Forgive me, **O** Lord! 噢,我的主呀,原谅我吧!

Let **Peace** prevail over the whole world. 让世界充满和平。

Where is **Mother**/mother? 妈妈在哪儿?

Dreams	梦 想
Hold fast to dreams	牢牢笃守着梦想
For if dreams die	梦想倘若死亡
Life is a broken-winged bird	生命便是一只折翅的鸟儿
That cannot fly.	再也无法飞翔。
Hold fast to dreams	牢牢笃守着梦想
For when dreams go	梦想倘若消逝
Life is a barren field	生命便是一片不毛之地
Frozen with snow.	地冻天寒雪茫茫。

十七、名词的主动意义和被动意义

名词亦有主动意义和被动意义的区别。比较:

trainer 培训者 trainee 受训者	addresser 发信人 addressee 收信人
nominator 提名者 nominee 被提名者	examiner 测试者 examinee 受试者
employer 雇主 employee 雇员	dedicator 奉献者 dedicatee 受奉献者
briber 行贿者 bribee 受贿者	promisor 立约人 promisee 受约人
granter 授予者,让与人 grantee 被授予者,受让人	interviewer 接见者 interviewee 被接见者
detainer 拘留者,扣押者 detainee 被拘留者,被扣押者	tester 测试者 testee 受试者
warranter 保证人 warrantee 被保证人	consigner 寄件人,发货人 consignee 收件人,收货人
trustee (财产等)受托人 awardee 受奖者	investigator 调查人 investigatee 被调查者

▶▶▶ 但:

deportee 被驱逐出境者,被判处流放者(被动意义)
devotee 献身者,热心之士,爱好者(主动意义)

【提示】在使用表示动作的名词时,要注意介词的正确使用。例如:

外国军队对这个国家的入侵。
the invasion of the country to the foreign troops. [×]
the invasion of the country **by** the foreign troops [√]

这是由于医生的治疗适宜。
It is due to the proper treatment of the doctors. [×]
It is due to the proper treatment **by** the doctors. [√]

十八、比较与鉴别——通过典型例句对名词的可数与不可数再探讨

A fireplace holds much **charm** on cold winter nights. 在寒冬的夜晚,壁炉很具有吸引力。

Her **charm** of manner made her very popular. 她迷人的风度使她很受欢迎。

Tom still has a certain boyish **charm**. 汤姆仍保有一种稚趣。

The machine worked like a **charm**. 这部机器用起来可神了。

This thriving town has retained the **charm** of rural life. 这座繁荣的小城,还保留着乡村生活的魅力。

He disliked both the heat of summer and the **cold** of winter. 他不喜欢夏天的炎热,也不喜欢冬天的寒冷。

He felt the **cold** of the steel against his cheek. 他感到钢铁冷冰冰地贴着脸颊。

Keep your feet dry so you don't catch a **cold**. 脚保持干燥,就不会感冒了。

Half the boys in the school were absent with **colds**. 这所学校有一半的男孩子都因感冒没来上课。

Rubber is flexible,whereas glass is brittle. 橡胶有弹性,而玻璃易碎。

You will need a pencil,a ruler and a **rubber**. 你将需要一支铅笔、一把尺子和一块橡皮。

We wear **rubbers** when it rains. 下雨时我们穿胶鞋。

She cleared a **space** on her desk for her new computer. 她在书桌上清理出一块空地方放新电脑。

He left some **space** between the lines for the necessary corrections. 他在字里行间留出空白,便于作必要的修改。

The universe exists in **space**. 宇宙存在于太空之中。

How much **space** is there on each disk? 每张磁盘上有多大容量?

It would take up too much **space** to go into detail. 详细论述会占太多的篇幅。

It is an agreement made on the basis of mutual **trust**. 这是在相互信任的基础上达成的一项协议。

The money your father left you will be held in **trust** until you are 21. 你父亲给你留下的这笔钱将要委托他人代管,直到你满 21 岁。

The wealthy man established a **trust** in behalf of his grandchildren. 那富翁为自己的孙子设立了一个财产托管机构。

It is a **trust** we lay on you;we know you will do your best. 这是我们交给你的一项责任,我们知道你会竭尽全力的。

He gathered some **wood** for fire. 他弄了一些木柴生火。

Pine is a soft **wood**. 松木是软质木料。

He often takes a walk in the **woods**. 他常在林中散步。

Our thoughts are expressed by **speech**. 我们的思想是通过话语表达的。

In **speech** we use a smaller vocabulary than in writing. 在口语中我们用的词汇量比在书面语中用得少。

He made a brilliant **speech** about the need for change. 他发表了关于必须改革的精彩演讲。

He spends all of his evenings in **study**. 他把所有的晚间时间都用在了学习上。

The book she has written is the fruit of much **study**. 她写的这本书是她精心研究的成果。

We're doing a **study** into how much time schoolchildren spend watching television. 我们正在进行一项研究,调查中小学生看电视花费的时间。

Go on with your **studies** at college and get a degree. 继续你在大学的学业,拿到学位。

Macbeth is a **study** of evils.《麦克白》是对种种邪恶的探讨。

The **accommodation** of our desires to a smaller income took some time. 使我们的需求与较小的收入相适应颇费了些时日。

The hotel offers **accommodation** for 800 guests. 这家旅馆可为 800 位客人提供膳宿。

They are provided with lighter and more airy office **accommodations**.给他们提供了采光、透风更好的办公室设施。

She opened the window to let in some fresh **air** into the room. 她打开窗户,放一些新鲜空气到房间里来。

He set about his work with an **air** of quiet confidence. 他悠然自信地开始了自己的工作。

Don't put on **airs** with me. 不要向我摆架子。

He whistled an **air** very softly to himself. 他用口哨轻轻地吹着一首曲子。

After a long **talk**, they decided to stop seeing each other. 经过一次长谈之后,他们决定相互不再见面。

Professor Smith gave a series of **talks** about classical music. 史密斯教授作了关于古典音乐的系列讲座。

The two governments had **talks** about their common troubles. 两国政府就他们共同面临的问题举行了会谈。

There is too much **talk** and not enough work being done. 空谈太多,实际干的太少。

Her behaviour caused a lot of **talk** among the neighbours. 她的行为引起了邻里的纷纷议论。

Is that box made of **tin** or iron? 那个盒子是由锡做的还是铁做的?

She bought five **tins** of fruit and two **tins** of beef. 她买了五听水果罐头,两听牛肉罐头。

Students on the course learn about all aspects of **business**. 学这门课的学生要了解商业的各方面知识。

We do a lot of **business** with American companies. 我们和美国的公司有许多业务来往。

The young couple runs an office equipment **business**. 这对年轻夫妇经营一家办公设备公司。

He gives money in **charity**. 他出于恻隐之心慷慨出钱。

None of us would like to live on **charity**. 谁也不想靠施舍过活。

She performed many **charities** among her neighbours. 她在邻居中间做了许多善事。

A free hospital is a noble **charity**. 免费医院是高尚的慈善机构。

The students are putting on a **play** at the weekend. 学生们将在周末上演一部戏剧。

The children spent the whole afternoon in **play**. 孩子们玩了整整一下午。

There came the happy laughter of children at **play**. 传来了孩子们玩耍时欢快的笑声。

I know I'm late, but that's no **reason** to shout at me. 我知道我迟到了,但也没有理由朝我大喊大叫。

His actions showed a lack of **reason**. 他的行为表明他缺乏理智。

People must have a **reason** for saying such things. 人们说这些话肯定有一个理由。

That's one of the **reasons** he always gets on my nerves. 那就是他老让我心烦的原因之一。

I'd like to bring the children if there's **room** in the car. 如果车坐得下,我想带上孩子们。

The old wardrobe takes up too much **room**. 那个旧衣柜太占地方。

It's a very charming **room**. 这是一个非常可爱的房间。

He ate too much **dinner**. 他饭吃得过多。

She cooked us a nice hot **dinner**. 她给我们做了一顿热腾腾的美餐。

The children have to pay for their school **dinners**. 孩子们在学校吃饭必须付钱。

Another urgent problem was that of the **education** of the younger generation. 另一个紧迫的任务是对年青一代的教育。

He has had very little formal **education**. 他几乎没有受过正规教育。

She gave her daughter a first-rate **education**. 她让女儿接受了一流教育。

I assure you that it is an **education** to visit the museum. 我敢向你保证,参观这家博物馆等于接受一次教育。

She wrapped the book in brown **paper**. 她用棕色纸把书包起来。

I need **paper** and a pen to write a letter. 我需要纸和笔来写封信。

The **papers** this factory makes are of excellent grade. 这家工厂生产的各种纸质地优良。

Why don't you put an ad in the local **paper**? 你为什么不在当地报纸上刊登一个广告呢?

The news was all over the Sunday **papers**. 这则消息刊登在所有的星期天报纸上。

I have a stack of **papers** to mark. 我有一摞试卷要批改。

He left some important **papers** in his briefcase. 他把一些重要的文件忘在公文包里了。

He delivered a **paper** on wildlife protection. 他发表了一篇关于保护野生生物的论文。

It is a crowning **victory**. 这是一个巨大的胜利。

The republican won three election **victories** in a row. 共和党一连三次大选获胜。

At last he experienced the joy of **victory**. 他终于尝到了成功的欢乐。

We must fight on; **victory** is in sight. 我们必须继续战斗,胜利已经在望了。

In an upper window of that house I saw a **light** burning. 我看见那屋子楼上有个窗口亮着灯。

Suddenly all the **lights** in the hall went out. 突然大厅里所有的灯都熄灭了。

A faint **light** appeared in the eastern sky. 天刚蒙蒙亮。

I could see a tiny glimmer of **light** in the distance. 我能看到远处有一点微微闪烁的亮光。

Light from the winter sun filled her bedroom. 冬日的阳光洒满了她的卧室。

He's absorbed in **memory** of his childhood. 他沉浸在童年的回忆中。

She played the whole piece through from **memory**. 她凭记忆从头到尾演奏了那支曲子。

These old songs bring back many pleasant **memories** of the old days. 这些老歌使人回想起许多美好的往事。

One of my earliest **memories** is of my father chopping firewood in the yard. 我最早的童年记忆之一就是父亲在院子里劈木柴。

Without **language**, men would be like animals. 没有语言,人就会像动物一样。

He explained to us carefully the **language** of the contract. 他仔细向我们解释合同的措辞。

He can speak several **languages**. 他会说几门外语。

She took up a foreign **language**. 她开始学一门外语。

Lambs are grazing on the riverside. 羔羊在河畔吃草。

They had roast **lamb** with mint sauce for supper. 他们晚饭吃了薄荷汁烤羊肉。

They sacrificed a **lamb** to the gods. 他们用一只羔羊祭神。

My brother is studying **law**. 我弟弟在学法律。

It is against the **law** for children to work before they are fifteen. 儿童在 15 岁以前工作是违法的。

There ought to be a **law** against cutting down trees. 应该制定一部禁止砍伐树木的法律。

Many countries deport foreigners who break their **laws**. 许多国家驱逐触犯他们法律的外国人。

He attempted **suicide** in despair. 他在绝望中试图自杀。

The number of **suicides** has increased. 自杀案件在增加。

The death was a **suicide** by sleeping pills. 死亡事件为服安眠药自杀。

Anyone who expressed any kind of liberal opinion was regarded with deep **suspicion**. 凡是表达过任何自由主义观点的人都受到极大怀疑。

Babbitt has not been able to prove these **suspicions**. 巴比特没能够证实这种种怀疑。

I have a strong **suspicion** that she is not telling the truth. 我很怀疑她讲的是实话。

He reported the **theft** of his passport to the police. 他向警察当局报告自己的护照失窃。

Car **theft** is on the increase. 汽车盗窃犯罪越来越多。

There have been several **thefts** in this area. 该地区发生了好几起偷窃案。

Hide-and-seek is a favourite children's **game**. 捉迷藏是儿童喜爱的一种游戏。

Dan's never liked card **games**. 丹从来不喜欢打牌。

He won three **games** out of five. 他五局三胜。

They returned to the camp, loaded with **game**. 他们满载着猎物返回了营地。

I often have to correct the bad **grammar** of college students. 我经常得纠正大学生们的文理不通。

Take out your English **grammars**. 把你们的英语语法书拿出来。

It is a new French **grammar**. 这是一本新法语语法书。

Throughout **history** the achievements of women have been largely ignored. 历史上妇女的成就在很大程度上被忽略了。

He read **history** extensively. 他广泛地阅读历史书籍。

There is a long **history** behind the castle. 那座城堡背后有一段很长的历史。

More than one hundred scholars are collaborating in writing a **history** of the Qing Dynasty. 100多名学者在通力合作,写一部清史。

Mr. Jones gave a **history** of headaches since childhood. 琼斯先生出示一份记录有自孩童时期患头痛的病历。

He didn't have these patients' **histories** at hand. 他手头没有这些人的病历。

Good judgements are always based on sound practical **experience**. 良好的判断总是基于扎实的实际经验。

She has got much **experience** in salesmanship. 她有丰富的推销经验。

Reaching the top of Mount Tai was an unforgettable **experience**. 登上泰山峰顶是一次难忘的经历。

Babbitt wrote a book about his **experiences** in the Vietnamese war. 巴比特写了一部有关自己越战经历的书。

I haven't much **faith** in this medicine. 我对这种药信心不足。

Once again he has broken **faith** with them. 他又一次对他们失信。

He has an enduring **faith**. 他有着持久的信念。

They had a profound **faith** in the power of truth. 他们对真理的力量深信不疑。

There are people of all **faiths** in the town. 这座小城里各种宗教信仰的人都有。

The general ordered a **retreat**. 将军命令撤退。

The enemy were in full **retreat** on the north bank of the river. 敌军在河的北岸全线撤退。

Our troops seized the city after many advances and **retreats**. 经过反复多次的前进和后撤,我们的部队夺取了那座城市。

The editor praised the paper and suggested only one **change**. 编辑很欣赏这篇论文,只建议对一处做些修改。

Time has brought little **change** to that remote mountainous district. 时间没有使那个偏僻的山区发生多少变化。

Take three **changes** of clothes with you. 带上三套换洗衣服。

Sound travels better in water than in air. 声音在水中比在空气中容易传播。

While working in the garden, I heard a strange **sound** in the kitchen. 在花园里忙着时,我听见厨房里传来奇怪的声响。

Sound of laughter came from the office upstairs. 阵阵笑声从楼上办公室里传来。

An armed **conflict** is at present unavoidable. 目前一场武装冲突在所难免。

We all undergo mental **conflicts**. 人人都有内心的矛盾。

It is not surprising that such a view has led to very considerable **conflict**. 这样一种观点引起很大的分歧,这一点也不奇怪。

Taxi drivers made a **protest** about the rise in the price of petrol. 出租车司机对汽油价格上涨提出抗议。

Student **protests** swept across the nation's campuses. 学生抗议席卷了全国校园。

The result was a mighty demonstration of **protest** by the local people. 结果引起了当地人民声势浩大的抗议示威游行。

He only signed the document under **protest**. 他不情愿地签了这份文件。

An armed **rebellion** broke out the following year. 第二年发生了一场武装叛乱。

The people rose in **rebellion** against the dictator. 人民群起反抗独裁者。

I was starting to realize the full **meaning** of the night's events. 我开始认识到晚上所发生的事件的全部意义了。

The expression has two very different **meanings** in English. 这个短语在英语中有两个完全不同的含义。

He was convicted of **murder**. 他被判谋杀罪。

Sending untrained men into the battle was sheer **murder**. 把未经训练的人送上战场纯粹是让他们去送死。

Two **murders** in April attracted special attention. 4 月份发生的两起凶杀案引起了特别关注。

He disclosed a **murder**. 他揭发了一桩谋杀案。

There is much **noise** in the restaurant. 饭馆里人声嘈杂。

She was awakened by a curious **noise** downstairs. 她被楼下的奇怪声音惊醒了。

Dolphins produce a great variety of **noises**. 海豚会发出各种各样的声音。

This will be a good **opportunity** to explain it to her. 这将是向她解释这件事的好机会。

They had little **opportunity** for obtaining education at that time. 那时候,他们几乎没有受教育的机会。

When you're in college there are lots of **opportunities** for meeting people of the opposite sex. 你上大学时,会有许多机会接触异性。

In the third year of her marriage a second **pregnancy** took place. 在她婚后的第三年,她怀了第二胎。

She had four **pregnancies** in five years. 她五年中怀孕四次。

This drug should not be taken during **pregnancy**. 这种药不应在妊娠期间服用。

She had many **failures** before finding the right methods. 她失败了好多次才找到正确的方法。

It was evident that this policy was a **failure**. 这项政策显然是失败了。

Harry's ambitious plans ended in **failure**. 哈里雄心勃勃的计划以失败告终。

Famine struck several provinces in the north. 饥荒侵袭了北方的几个省份。

Thousands died of **famine**. 数千人死于饥荒。

A bread **famine** broke forth. 发生了食品短缺。

He made a number of high-risk **investments** in the property market during the late 1990s. 20 世纪 90 年代后期他在房地产市场进行了许多高风险投资。

It's a perfectly safe **investment**. 这是一项万无一失的投资。

By careful **investment** of his capital, he obtained a good income. 由于投资慎重,他获得了很好的收益。

They carried out a great number of interior **improvements** to the house. 他们对房子内部作了大量的改进装修。

Much **improvement** has been made in the safety devices of the factory. 工厂的安全设备有了很大的改进。

The new electronic controls are a big **improvement** on the old system. 新型电子控制是对旧系统的一项很大改进。

The news caused much **fear** in the city. 这消息在城里引起很大恐慌。

Starvation is still a real **fear** in the minds of many peoples of the world. 在世界上许多国家的人民头脑中,饥饿仍然是一个实际威胁。

They forgot all their **fears**, all their miseries in an instant. 他们一时间忘记了一切恐惧和痛苦。

He hasn't much **hope** of realizing his wish. 他实现愿望的希望不大。

Parents have high **hopes** for their children. 父母对子女都抱有厚望。

She has long nursed a **hope** that she would see her family again. 长久以来她一直抱着一个希望,那就是再次同家人团聚。

I have good **hope**/strong **hopes** that he will soon be well again. 我衷心希望他很快就康复。

He had a violent **disagreement** with his wife. 他同妻子大吵了一场。

Just because we've had a few **disagreements**, it doesn't mean that we aren't still friends. 仅仅因为我们有过几次意见不合并不能说明我们不再是朋友。

There is considerable **disagreement** between the two stories. 这两种说法很不一致。

This marriage ended in **divorce** in 2001. 这场婚姻于 2001 年以离婚结束。

The data show two **divorces** for every ten marriages. 数据表明每十桩婚姻中就有两件离婚案。

She obtained a **divorce** after years of unhappiness. 数年的不幸福生活之后,她离了婚。

Learning goes on throughout **life**. 学习是一生的事。

The victory cost many **lives**. 这次胜利是许多生命换来的。

Once again we came under **attack** from enemy fighter planes. 我们又一次遭到敌人战斗机的袭击。

He made a big **attack** on the scheme. 他猛烈抨击这项计划。

There have been several **attacks** on foreigners recently. 最近发生了几起针对外国人的袭击事件。

A **war** burst forth between the two countries. 那两国间爆发了战争。

Germany was at **war** with almost all the countries in the world. 德国当时几乎同世界所有国家处于交战状态。

There is not much **doubt** about his guilty. 几乎可以肯定他是有罪的。

A disagreeable **doubt** has arisen in him. 他心中产生了一个不快的疑团。

It is necessary to clear up all **doubts**. 有必要消除一切疑虑。

They made their **escape** from prison. 他们从监狱里逃跑了。

There have been several successful **escapes** from this prison. 这所监狱里曾发生过几起犯人越狱的事件。

He reads love stories as an **escape**. 他读爱情小说作为消遣。

He is filled with **ambition** to become famous. 他一心想成名。

He entertains a high **ambition**. 他抱负远大。

His political **ambitions** still burn. 他的政治野心依然炽烈。

Take these tablets if you are in **pain**. 要是疼痛就服下这些药片。

I've got a terrible **pain** in my left side. 我的左肋痛得很厉害。

She has **pains** in her chest all the time. 她老是胸部痛。

The **death** of his father was a great shock to him. 他父亲的死对他打击很大。

They tried their best to reduce the number of **deaths** on roads. 他们尽最大努力减少交通事故死亡人数。

She had a **death** in her family. 她家中有丧事。

He gave a detailed **analysis** of the week's news. 他对一周的新闻作了详细分析。

The **analysis** of the food showed the presence of poison. 化验表明该食物有毒。

The editorial sparked a **controversy** over human rights. 这篇社论在人权问题上引起一场大辩论。

The proposals to reduce the strength of the army have been the subject of much **controversy**. 削减军事力量的提议招来很多争议。

He expressed a strong **desire** to improve relations. 他表示了改善关系的强烈愿望。

He has not much **desire** for fame. 他无意成名。

It is impossible to satisfy all their **desires**. 要满足他们所有的欲望是不可能的。

She attained success after much **difficulty**. 她经过重重困难之后取得了成功。

We admire him for the way he faces his **difficulties**. 我们钦佩他面对困难的勇气。

It will create an unnecessary **difficulty**. 这将产生不必要的困难。

【改正错误】

1. Most air pollution is caused by the burning of fuel like coal, gas and oil.
   A   B   C   D

2. Everywhere man has cut down forests in order to grow crops, or to use wood as fuel or as building
   A   B   C   D
   material.

3. Polar bears live mostly on sea ice, which they use as platform for hurting seals.
   A   B   C   D

4. One thousand dollars a month is not a fortune but would help cover my living expense.
   A   B   C   D

5. The girl's shoes were covered with mud, so I asked them to take them off before they got into
   A   B   C
   Tom's car.
   D

6. The bicycle's shop is just around the corner and you won't miss it.
   A   B   C   D

7. The shop at the street corner sells child's and woman's clothing.
   A   B   C   D

8. On the wall is a photo of my father who had black hair, but now he has some white hair.
   A   B   C   D

9. In the afternoon I did some baby-sittings, for it is a fun looking after children.
   A   B   C   D

10. The congregation was not numerous last night, but they seemed to be listening attentively to my
    A   B   C   D
    lecture.

11. It is widely believed that the pull of gravity on a falling raindrop changes the drop round shape
    A   B   C
    into a teardrop shape.
    D

12. After he checked up my father's-in-law's heart, the doctor advised him to rest for a few days.
    A   B   C   D

13. Computers can do a great deal work in a short time, but a man can not do much by himself.
    A   B   C   D

14. This article deals with the natural phenomenon which are most interesting to eveyone.
    A   B   C   D

15. The average family in the future will be much smaller than they are now.
    A   B   C   D

16. The Nazi kept those prisoner-of-wars in their concentration camp and killed most of them.
    A   B   C   D

17. Everyone in the little town knows that the Smith's are leaving for New York next Tuesday.
    A   B   C   D

18. We hope that our government should pay more attention to the poor's livelihood.
    A   B   C   D

19. This old friend of John is a well-informed man. He can tell you anything you want to know.
    A   B   C   D

20. Although the town had been attacked by the storm several times, few damages was done.
    A   B   C   D

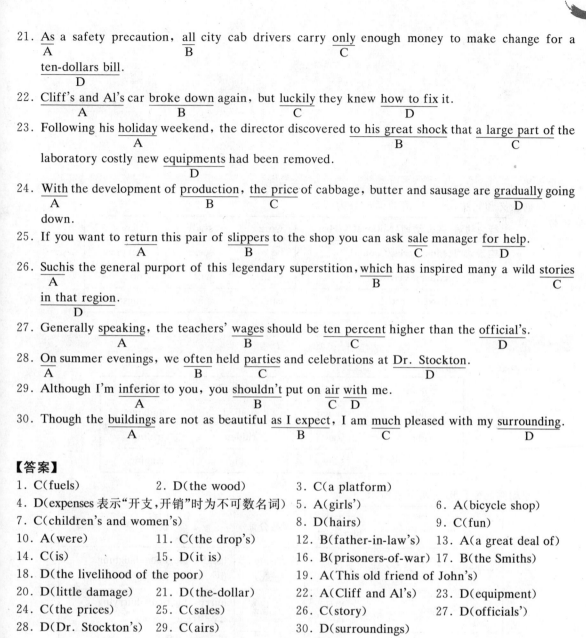

21. As a safety precaution, all city cab drivers carry only enough money to make change for a
    A   B   C
ten-dollars bill.
       D

22. Cliff's and Al's car broke down again, but luckily they knew how to fix it.
         A   B   C   D

23. Following his holiday weekend, the director discovered to his great shock that a large part of the
                    A   B   C
laboratory costly new equipments had been removed.
                       D

24. With the development of production, the price of cabbage, butter and sausage are gradually going
        A   B   C   D
down.

25. If you want to return this pair of slippers to the shop you can ask sale manager for help.
                  A   B   C   D

26. Suchis the general purport of this legendary superstition, which has inspired many a wild stories
      A   B   C
in that region.
      D

27. Generally speaking, the teachers' wages should be ten percent higher than the official's.
              A   B   C   D

28. On summer evenings, we often held parties and celebrations at Dr. Stockton.
      A   B   C   D

29. Although I'm inferior to you, you shouldn't put on air with me.
              A   B   C   D

30. Though the buildings are not as beautiful as I expect, I am much pleased with my surrounding.
              A   B   C   D

【答案】

1. C(fuels)	2. D(the wood)	3. C(a platform)

4. D(expenses 表示"开支,开销"时为不可数名词)　　5. A(girls')　　6. A(bicycle shop)

7. C(children's and women's)　　8. D(hairs)　　9. C(fun)

10. A(were)　　11. C(the drop's)　　12. B(father-in-law's)　　13. A(a great deal of)

14. C(is)　　15. D(it is)　　16. B(prisoners-of-war)　　17. B(the Smiths)

18. D(the livelihood of the poor)　　19. A(This old friend of John's)

20. D(little damage)　　21. D(the-dollar)　　22. A(Cliff and Al's)　　23. D(equipment)

24. C(the prices)　　25. C(sales)　　26. C(story)　　27. D(officials')

28. D(Dr. Stockton's)　　29. C(airs)　　30. D(surroundings)

第八讲　动　词(Verb)

一、分类

根据意义和句法作用,英语动词可分为四类:

行为动词/实义动词(Notional Verbs)	work	study	play
连系动词(Link Verbs/Copula)	be	seem	become
助动词(Auxiliary Verbs)	shall	will	do
情态动词(Modal Verbs)	can	may	must

二、变化形式

绝大多数英语动词都有四种变化形式:

不定式	过去式	过去分词	现在分词
study	studied	studied	studying
ride	rode	ridden	riding
sing	sang	sung	singing

规则动词的变化形式如下表所示:

情　况	过去式 过去分词	现在分词	例　词
一般情况	加 $\begin{cases} \text{-d} \\ \text{-ed} \end{cases}$	加-ing (去 e)	laugh—laughed—laughing live—lived—living
以辅音字母加 y	变 y 为 i 加-ed	加-ing	hurry—hurried—hurrying try—tried—trying
以元音字母加 y	加-ed	加-ing	play—played—playing prey—preyed—preying
以重读闭音节结尾,末尾只有一个辅音字母	双写末尾的辅音字母加-ed	双写末尾的辅音字母加-ing	plan—planned—planning occur—occurred—occurring
以辅音字母 c 结尾	c 后加 k 再加-ed	c 后加 k 再加-ing	traffic—trafficked—trafficking picnic—picnicked—picnicking mimic—mimicked—mimicking frolic—frolicked—frolicking panic—panicked—panicking physic—phyicked—physicking

【提示】

① 有些动词变成过去式、过去分词和现在分词时,英式英语习惯上双写最后一个辅音字母,而美式英语则不双写。例如:

$$travel \begin{cases} travelled(英) \\ travelling(英) \end{cases} \longrightarrow \begin{cases} traveled(美) \\ traveling(美) \end{cases}$$

$$kidnap \begin{cases} kidnapped(英) \\ kidnapping(英) \end{cases} \longrightarrow \begin{cases} kidnaped(美) \\ kidnaping(美) \end{cases}$$

▶▶ 其他如:dial, equal, worship, quarrel, cancel, counsel, model, signal, devil, carol, level, revel, pencil, program, hiccup, initial, label, marvel, panel, pedal, fuel, refuel, rival, shovel, spiral, shrivel, total, stencil, tunnel, unravel 等亦有这种差异。

▶▶ 但:prevail→prevailed→prevailing

② 注意下面 12 个动词的现在分词形式:

lie—lying 躺	die—dying 死亡
tie—tying 系,捆	canoe—canoeing 划/乘独木舟
hoe—hoeing 用锄头锄	toe—toeing 用脚尖踢/踩
dye—dyeing 给……染色	vie—vying 竞争
shoe—shoeing 给……穿鞋	singe—singeing 把……轻微地烧焦
tinge—tingeing/tinging 着色于	eye—eyeing/eying 注视,打量

③ 以 -ee 结尾的动词,直接加 -ing 变为现在分词。例如:

agree—agreeing   see—seeing   flee—fleeing   free—freeing

④ 以 -ue 结尾的动词变为现在分词时大都先去 e 再加 -ing。例如:

pursue—pursuing   sue—suing   construe—construing   imbue—imbuing

▶▶ 这类词有些可去掉或保留 e,如:clue—cluing/clueing, glue—gluing/glueing, blue—bluing/blueing, cue—cuing/cueing 等。

⑤ 有少数动词的过去式和过去分词均有两种形式,常可以通用。例如:

quit 辞职→quit/quitted	bet 打赌→bet/betted
rid 免除→rid/ridded	knit 编织→knit/knitted
wed 娶,嫁→wed/wedded	wet 弄湿→wet/wetted
bid 吩咐,招标→bid/bade(过去分词也可用 bidden)	

⑥ 有少数动词,其过去式和过去分词有英式拼法和美式拼法的不同,英式拼法以 t 结尾,而美式拼法则以 -ed 结尾。例如:

$$burn \begin{cases} burnt, burnt(英) \\ burned, burned(美) \end{cases} \qquad lean \begin{cases} leant, leant(英) \\ leaned, leaned(美) \end{cases}$$

$$dream \begin{cases} dreamt, dreamt(英) \\ dreamed, dreamed(美) \end{cases} \qquad learn \begin{cases} learnt, learnt(英) \\ learned, learned(美) \end{cases}$$

$$leap \begin{cases} leapt, leapt(英) \\ leaped, leaped(美) \end{cases} \qquad spell \begin{cases} spelt, spelt(英) \\ spelled, spelled(美) \end{cases}$$

$$spill \begin{cases} spilt, spilt(英) \\ spilled, spilled(美) \end{cases} \qquad smell \begin{cases} smelt, smelt(英) \\ smelled, smelled(美) \end{cases}$$

⑦ zigzag(作锯齿状)和 humbug(欺诈)这两个词的重音虽在第一个字母,过去式和过去分词仍要双写 g,即:zigzagged, humbugged。

⑧ bias, bus 和 focus 的过去式、过去分词和现在分词可有两种形式,即双写 s 或不双写 s。例如:

$$bias \begin{cases} biased/biassed \\ biasing/biassing \end{cases} \quad focus \begin{cases} focused/focussed \\ focusing/focussing \end{cases} \quad bus \begin{cases} bused/bussed \\ busing/bussing \end{cases}$$

⑨ taxi 的第三人称现在式为 taxis 或 taxies,过去式和过去分词为 taxied。

三、动词的五种句型结构

结　构	例　句
动　词 (不及物)	Birds **fly**. 鸟会飞。 Yellow leaves **are falling** in the autumn air. 秋风中黄叶纷飞。 The candle **flickered**. 烛光摇曳。
系动词＋表语	Her father **is a professor**. 她父亲是一位教授。 She **became angry** at the words. 她听了这些话很生气。 He **seems satisfied** with the new job. 他似乎对新工作很满意。
动词＋宾语	Jane **likes light music** very much. 简非常喜欢轻音乐。 He **decided to give up smoking**. 他决定戒烟。 She **said that she would leave for Paris soon**. 她说她不久将去巴黎。 Like **likes like**. 物以类聚,人以群分。
动词＋间接宾语 ＋直接宾语	Father **bought me a new cap**. 父亲给我买了一顶新帽子。 The girl **asked me where the bookstore was**. 那女孩问我书店在哪里。 He **wrote her a long letter**. 他给她写了一封长信。
动词＋宾语＋补语	I **found the book interesting**. 我发现这本书很有趣。 The teacher **asked the students to hand in their papers**. 老师要学生们把他们的论文交上来。 They **elected him dean of the department**. 他们选他当系主任。

四、短语动词

短语动词(Phrasal Verbs)是由动词加介词、副词或其他词构成的固定词组,其作用和动词相当。有些短语动词相当于及物动词,有些则相当于不及物动词。

1. 动词＋介词

动词加 at, for, from, into, of, to, with 构成的短语动词总是动介型的。这类短语动词相当于一个及物动词,其后必须有宾语,宾语(不管是代词或名词)只能放在介词后,不能放在动词和介词之间。在被动语态中,整个短语动词要作为整体看待,不可拆开或漏缺。例如:

We must **look into** the matter immediately. 我们必须马上调查此事。

The shop **was broken into** by thieves last night. 昨夜盗贼闯进了那家商店。

Anger and bitterness **preyed upon** her for weeks. 她气恼了几个星期。

▶▶▶ 常见的这类短语动词有:

speak of 说到	think about 考虑	think of 想到
refer to 参考	rely on 依靠	see to 注意,保证
send for 派人请	stand for 支持	doubt of 怀疑
laugh at 嘲笑	act on 按照……行动	account for 说明
apply for 申请	amount to 等于	believe in 信仰
attend to 关照	break through 冲破	break into 闯入
come across 遇见	consist of 由……组成	deal with 对付,处理
do without 废除	improve upon 改进	complain of/about 抱怨
look after 照料	look into 调查	object to 反对
operate on 为……动手术	read of/about 读到	approve of 赞成,满意
dream of 梦到	conceive of 想象	add to 增加
adjust to 适应	allow for 允许	agree on/with/to 同意

aim at 瞄准	argue about 争辩	arrange for 安排
ask for 要求	call on 访问	care for 喜欢
comment on 评述	concentrate on 集中	conform to 适合
consent to 答应	contribute to 贡献	dwell on/upon 详述
rely on 依靠	hear of/about 听说	hint at 暗示
take to 喜欢	insist on 坚持	interfere with 干涉
hope for 希望	lecture on/about 教……	listen to 听
pay for 付款	long for 渴望	part with 分手
learn about 得知	pray for 祈祷……	provide for 提供
live on 靠……生活	refer to 意指	rejoice at 高兴
quarrel about/with 争吵	resort to 采取	speak about/on 讲述
enlarge on/upon 进一步讲述	admit to 承认	

【提示】

① The man decided on the train. 为歧义句,有两种含义:❶这人在火车上做出了决定。(on the train 作状语)❷这人决定乘火车。(decide on 为短语动词:resolved to take)

② "动词＋介词"和"动词＋副词"都可以构成短语动词,区别究竟是介词还是副词可用下面三种方法。

第一,考查宾语的位置。如果宾语只能放在短语动词之后,那一定是介词;如果宾语可以放在短语动词中间,那必然是副词。例如:

They all **stand by** you. 他们都支持你。(by 为介词)

She came to **see** us **off**. 她来为我们送行。(off 为副词)

I felt that life was **passing** me **by**. 我感到自己从未受到生活的眷顾。(by 为副词)

第二,考查动词的性质。如果动词是及物动词,其后应是副词;如果动词是不及物动词,其后应是介词。例如:

The wind **blew up** the valley. 风吹过山谷。(blew 意为"吹过",不及物动词,up 为介词)

He **blew up** the bridge. 他炸毁了那座桥。(blew 意为"炸毁",及物动词,up 为副词)

第三,如果是介词,是一种意思,如果是副词,则是另一种意思。例如:

- The flood dashed **down** the hill. 洪水从山上冲下来。(down 为介词,不可说dashed the hill down)
- The flood dashed **down** the dam. 洪水冲倒了大坝。(down 为副词,可以说dashed the dam down)
- They talked **over** the telephone. 他们在电话里谈话。(over 为介词,不可说talked the telephone over)
- They talked **over** the telephone. 他们谈论了那台电话。(over 为副词,可以说 talked the telephone over)
- They got **under** the fire. 他们到达火场下面。(under 为介词,不可说 got the fire under)
- They got **under** the fire. 他们控制了火势。(under 为副词,可以说 got the fire under)

比较下列句中的不同词性(其中有些不是短语动词):

- She left **before** us. 她先于我们离开。(介词)
- She left **before**. 她先离开的。(副词)
- He threw it **outside** the window. 他把它扔到了窗外。(介词)
- He threw it **outside**. 他把它扔了出去。(副词)
- She went **up** the hill. 她上了山。(介词)
- She went **up**. 她上去了。(副词)
- They went **inside** the cave. 他们进入洞中。(介词)
- They went **inside**. 他们进去了。(副词)
- She hid **behind** the door. 她藏在门后。(介词)
- She hid **behind**. 她藏在后面。(副词)
- He rowed them **across** the river. 他把他们划过河去。(介词)
- He rowed them **across**. 他把他们用船划过去。(副词)

They strolled **about** the town. 他们在城里四处闲荡。(介词)

They strolled **about**. 他们四处闲荡。(副词)

He fell **down** the stairs. 他摔下楼梯。(介词)

He fell **down**. 他跌倒了。(副词)

He got in **through** the back door. 他从后门进来的。(介词)

He read the book **through**. 他读完了那本书。(副词)

The cat climbed **up** the tree. 猫爬上了树。(介词)

He got **up** from his chair. 他从椅子上站起来。(副词)

They traveled **along** the sea coast. 他们沿着海岸旅行。(介词)

The crowd moved **along**. 人群向前移动。(副词)

She moved the desk **into** another room. 她把书桌搬进另一个房间。(介词)

She moved the desk **in**. 她把书桌搬进来。(副词,不用 into)

③ 这类动介型短语中的 to 均为介词,后可加名词或动名词,但不可加不定式。例如:

他承认撒了谎。

He confessed to tell a lie. [×]

He **confessed to telling** a lie. [√]

这就等于什么都没做。

This amounts to do nothing. [×]

This **amounts to doing** nothing. [√]

2. 动词＋副词

动词加 away，back，out，ahead，forward，aside 构成的短语动词总是动副型的。这类短语动词有些相当于及物动词,有些则相当于不及物动词。

1 "及物动词＋副词"

这类短语动词相当于一个及物动词,可以用于被动语态,也可以有宾语。但值得注意的是,如果宾语是人称代词(包括 it)或反身代词,其结构是"动词＋代词＋副词";如果宾语是名词,既可以放在副词之前,也可以放在副词之后;如果宾语是不定代词(somebody, anybody, anything, no one 等),通常放在副词之后,但也有放在副词前的情况。例如:

She picked **it** up. [√]她把它捡了起来。

She picked up **it**. [×]

She picked **the book** up. [√]她把书捡了起来。

She picked up **the book**. [√]

We **cut off** their retreat. 我们切断了他们的退路。

She can **lay down** her burden now. 她现在可以把担子放下了。

She **took down** what you said. 她记下你的话。

He **tore up** the letter. 他撕了那封信。

She **locked in** the dog. 她把狗锁了起来。

She **made over** the property to her daughter. 她把财产转让给了女儿。

They **hissed down** the singer. 他们把歌手嘘下了台。

She **walked off** her headache. 她走路把头痛给治好了。

They **laughed down** the speaker. 他们讪笑起哄,把演讲人赶下了台。

▶▶▶ 常见的这类短语动词有:

work out 制订出	win over 说服	wipe out 消灭
turn out 关掉,赶出	turn on 打开	wind up 结束,给……上发条
turn down 拒绝,关小	throw away 扔掉	take over 接管
think over 仔细考虑	back up 支持	give up 放弃
blow up 炸毁	look up 查找	call off 取消
hand out 分发	bring up 抚养	make up 构成

cut off 切断	make out 认出	carry out 执行
point out 指出	give away 暴露	pick up 拣起
find out 查明	put forward 提出	hand in 上交
put off 脱去,除去	ring up 给……打电话	set up 建立
put on 穿上	set aside 留出	see off 为……送行
take off 脱下	rule out 排除	take in 吸收,欺骗

② 不及物动词＋副词

这类短语动词相当于一个不及物动词,这种结构的短语动词不能用于被动语态,也不能接宾语。例如:

The plane **took off** in spite of the fog. 尽管有大雾,飞机还是起飞了。

The war **broke out** in 1980 and lasted eight years. 那场战争于 1980 年爆发,持续了八年。(不能说 was broken out)

▶▶▶ 常见的这类短语动词有:

break down 出故障	come to 苏醒	drop out 退出
give in 让步	knock off 停工	look out 当心
run out 耗尽	show off 炫耀	fall through 失败
fall out 争吵	blow over 结束(storm 等)	come off 成功
come out 出现	make off 逃跑	make up 和好
fall off 下降	pull up 停下	crop up 发生,出现
die away 逐渐消失	pass out 死,不复存在	grow up 长大
look up 改进,有起色	pass away 去世	fall back 后退
turn up 出现	catch on 理解	

【提示】

① 动词＋across, by, round, around, through, over, on, off, down, past, up, without, inside,既可构成动介型短语,也可构成动副型短语;动词同 about, in, down 等多构成动介型短语。另外,动介型短语之间可插入副词,而动副型短语之间一般不可插入副词。例如:

She called **early** on her teacher. 她早早地拜望了老师。(动介型)

He has gone **right** off camping holidays. 他对露营度假已完全失去了兴趣。(动介型)

The boat sailed **slowly** up the river. 小船慢慢地沿河而上。(动介型)

{ He **quickly** put up the map. 他快速把地图挂上。(动副型)

{ He put quickly up the map. [×]

② 比较:

{ He **got over** his illness soon. 他的病很快就好了。(动介型)

{ We'd better **think over** what he said. 我们最好认真考虑一下他的话。(＝think ... over,动副型)

{ It **kept on** raining for a whole day. 下了一整天的雨。(动介型)

{ They were asked to **keep off** the sunlight. 要求他们遮住阳光。(＝keep ... off,动副型)

{ Which uniform did they **march in**? 他们行军穿什么服装?(动介型)

{ Which prisoner did they **march in**? 他们把哪一个罪犯押了进来?(＝march ... in,动副型)

{ He has **gone through** a lot of trouble. 他历经坎坷。(动介型)

{ He will **carry through** the project. 他将把这项工程进行到底。(＝carry ... through,动副型)

{ She was **getting on** the train. 她在上火车。(动介型)

{ She was **getting on** the lid. 她把瓶盖盖上。(＝put on,动副型)

{ You'd better **pass over** it. 你最好不要计较。(动介型)

{ You'd better **pass it over**. 你最好把它递过去。(动副型)

3. 动词＋名词＋介词

这类短语动词相当于及物动词,需要跟宾语,既可作谓语动词,也可作非谓语动词。这类短语动词大多可以构成被动语态,而且常有两种构成方式:把短语动词中的名词用作被动语态句的主语,或把短语动词后的介词宾语用作被动语态句的主语。这类短语动词中的名词前可以有定语;这类短语动词的三个组成部分的词序有时可以变动:名词置句首或介词连同其宾语置句首等。例如:

Those houses were set fire to by the enemy soldiers. 那些房子被敌军放火烧了。

No fault could be found with the paper. 这篇论文无懈可击。

To this she didn't **pay the slightest attention.** 对于这一点,她毫不在意。

The land should be **made rational use of.** 土地应当合理地利用。

The President got off the car and **shook hands with** the ministers. 总统下了汽车,同部长们一一握手。

▶▶▶ 常见的这类短语动词有:

catch sight of 看见	get rid of 摆脱	make fun of 取笑
make use of 利用	pay attention to 注意	take care of 照顾
take part in 参加	find fault with 挑……毛病	give rise to 引起
lose sight of 看不见	put an end to 结束	take advantage of 利用
take notice of 注意到	make much of 重视	keep an eye on 留意
keep pace with 赶上	lay hold of 抓住	lay emphasis/stress on 强调
make a mess of 弄糟	make mention of 提到	make a fool of 愚弄
set fire on 放火	shed light on 说明	take account of 考虑
take heed of 注意	take hold of 抓住	take exception to 除开
lay the foundation(s) of 为……打基础	make friends with 与……交友	
draw sb.'s attention to 使某人注意		

4. 动词＋副词＋介词

这类结构的短语动词相当于一个及物动词。例如:

Please **keep out of** her affairs. 请不要介入她的事情。

The old law must be **done away with.** 旧的法律必须废除。

The old should learn from the young and **keep up with** the times. 老年人应向青年人学习,跟上时代的发展。

▶▶▶ 常见的这类短语动词有:

catch up with 赶上	come down with 患(病)	date back to 追溯到
get along with 与……相处	go on with 继续	live up to 不负于,实现
look forward to 期望	make up for 补偿	run out of 用光
check out of 付账离开	get away with 成功,逃避	listen in to 听(广播)
hold on to 抓住	come up with 得出	cut down on 减少
do away with 废除	get down to 认真从事	get through with 完成
go in for 从事	look down on 轻视	look up to 尊敬
keep away from 避免	stand up for 保卫,支持	put up with 忍受
sit in on 旁听	watch out for 留神	check up on 核对,调查
come in for 得到,受到	drop out of 退出	fill in for 代替
come up to 达到,符合	get back at 向……报仇	keep up with 跟上
go through with 完成	read up on 研究,专攻	break in on 打扰
look in on 访问,看望	face up to 面对	look out for 警惕
turn out for 出席	get through to sb. 使自己被某人理解,打通某人电话	

5. 某些及物动词和"不及物动词＋介词"的含义比较

有些动词,既可作及物动词,也可作不及物动词,但用作"及物动词"是一种意思,而用作"不及物动词＋介词"往往表示另一种意思。例如:

She **answered** me. 她回答了我。
She will **answer for** his safety. 她要为他的安全负责。

He **stabbed** his enemy to death. 他刺死了敌人。
He **stabbed at** his enemy. 他向敌人刺去。
She **attended** the meeting. 她出席了会议。
She **attended on** the wounded. 她照顾伤员。
He **allowed** me to enter the room. 他允许我进入房间。
It **allows of** no delay. 这不可耽搁。
She **asked** the way. 她问路。
She **asked for** more money. 她要更多的钱。
I can't **bear** the sound. 我忍受不了这声音。(＝endure)
She **bears with** his temper. 她对他的脾气很耐心。(＝is patient with)
I **fear** Jim. 我害怕吉姆。
I **fear for** Jim. 我为吉姆担心。
She **called** me. 她叫我。/她给我打电话。
She **called on** me. 她来看我。
She **called to** me. 她向我大声喊。(speak loudly to)
I shall **consult** a lawyer. 我将咨询一下律师。(seek advice from)
I shall **consult with** my friends. 我将同朋友们商量一下。
I can **hear** him. 我能听见他说话。
I haven't **heard from** him. 我没收到他的来信。
I haven't **heard about** him. 我没听说过他的事情。
He **inquired** the reason. 他询问原因。
He **inquired into** the case. 他调查这个事件。
She **escaped** being punished. 她躲过了惩处。
She **escaped from** the prison. 她从监狱逃跑了。
They **entered** the room. 他们进了房间。
They **entered into** a new contract. 他们缔结了一个新条约。
He has just **entered on** a business career. 他刚开始经商。
The doctor **felt** the boy's head. 医生摸了摸那男孩的头。
He **felt for** his pen in the dark room. 他在黑暗的房间里摸着找他的笔。
Don't **offend** him. 不要惹他。
Don't **offend against** the law. 不要违反法律。
I **know** her. 我认识她。
I **know of** her. 我知道她。(不认识)
She **met** her friend at the station. 她在火车站迎接朋友。
She **met with** a great loss. 她遭遇了很大损失。
He **operated** the machine. 他操作机器。
He **operated on** the wounded. 他为伤员做手术。
She **prepared** a lesson. 她备课。
She **prepared for** a journey. 她为旅行做准备。
His eyesight **failed** him. 他失明了。
He **failed in** his business. 他生意失败了。
She **played** music. 她演奏音乐。
She **played with** her little daughter. 她同小女儿嬉戏。
He **read** the paper. 他读报。
He **read of**/**about** the event. 他读到过那个事件。
He **paid** the tax. 他付了税。(款项)
He **paid for** the dictionary. 这本词典他付的钱。(物品)

He **lectured** Jim. 他训斥吉姆。

He **lectured on** the international situation. 他就国际形势发表演讲。

He **spoke** French. 他说法语。

He **spoke of/about** you. 他说起过你。

He **started** the trip yesterday. 他昨天开始旅行。

He **started with** a few dollars and became a millionaire in a few years. 他以几美元起家,几年内就成了百万富翁。

He **told** a joke. 他说笑话。

He **told on** his friends. 他告发了朋友。

They **stormed** the town. 他们攻打了那座小城。

He **stormed at** her. 他对她大发雷霆。

She **tasted** the dish. 她尝了那菜。

She has never **tasted of** peace. 她从未有过安宁。

The soup **tasted of** onion. 这汤有洋葱味。

She **treats** him badly. 她对他不好。

The essay **treats of** modern music. 这篇文章论述的是现代音乐。

He was **watching** a football game. 他在观看足球比赛。

He **watched over** the sheep. 他看守羊群。

He **watched for** an empty seat. 他寻找空位。

She **witnessed** the accident. 她目睹了那次事故。

She **witnessed to** his innocence. 她为他的清白作证。

The town **boasts** a famous tower. 这座小城里有一座著名的塔。

He **boasts of** his son. 他为儿子而自豪。

The dog **bit** the boy. 狗咬了那个男孩。

The dog **bit at** the boy. 狗咬向那个男孩。

He **guessed** the meaning. 他猜出了含义。

He **guessed at** the meaning. 他试图猜出含义。

The dog **snapped** the boy's leg. 狗咬了那男孩的腿。

The dog **snapped at** the boy's leg. 狗朝那男孩的腿咬去。

The thief **snatched** the knife in my hand. 那贼夺走了我手中的刀。

The thief **snatched at** the knife in my hand. 那贼要夺取我手中的刀。

The cavalrymen **charged** the enemy. 骑兵们袭击了敌人。

The cavalrymen **charged at** the enemy. 骑兵们向敌人冲去。

The man **kicked** the chair. 那人把椅子踢了一脚。

The man **kicked at** the chair. 那人朝椅子踢去。

The police have **caught** the jewel thieves. 警方已经捕获了偷盗珠宝的窃贼。

A businessman will **catch at** any chance of making a profit. 商人会想方设法抓住任何赚钱的机会。

6. 同根动词、名词、形容词、副词与介词的搭配问题

英语中有些同根动词、名词、形容词、副词与同一个介词搭配,有些则与不同的介词搭配。

1 与同一个介词搭配

be separated from 与……分离
separation from

triumph over 战胜
be triumphant over

invite to 邀请
send an invitation to

inquire into 调查
make an inquiry into

depend on/upon 依靠
be dependent upon
live dependently upon

2 与不同的介词搭配

pride oneself on 以……自豪
take pride in
be proud of

show compassion for 对……同情
take compassion on
be compassionate to

be fond of 喜欢
have a fondness for

hinder sb. from 阻碍
be a hindrance to

be confident of 相信
have confidence in

have respect for 尊重
be respectful to

be partial to 对……偏袒
show a partiality for

take delight in 以……为乐
be delighted with

be different from/to/than 与……不同
have difference in

have ambition for 对……雄心勃勃
be ambitious of

have an affection for 爱慕
be affectionate to

feel contempt for 瞧不起
be contemptuous of

descend from 为……的后裔
be a descendant of

contrast with 与……对照
be a contrast to

alternate with 与……交替
be an alternative to

according to 根据
in accordance with

sympathize with 同情
show sympathy for
be sympathetic to

have a desire for 渴望
be desirous of

7. 复合动词

复合动词是由两个单词合成的动词,大都由"名词＋动词"构成,有些由"形容词/副词＋动词"构成,还有一些由其他词构成。复合动词大都要用连字号连接,但也有些不带连字号,另一些带不带连字号皆可。复合动词有些用作及物动词,有些用作不及物动词,还有些可用作及物动词或不及物动词。

1 名词＋动词

day-dream 做白日梦	whip-lash 鞭打	baby-sit 看孩子
bottle-feed 人工喂养	eavesdrop 偷听	jaywalk 乱穿马路
drip-feed 静脉输(液)	water-ski 滑水	fire-bomb 用燃烧弹轰击
proof-read 校对	jog-trot 缓步而行	ghostwrite 代写,为人捉刀
lip-read 唇读理解	tape-record 用磁带录下来	pinpoint 指出,确定位置
spring-clean 彻底打扫	sleepwalk 梦游	ice-skate 溜冰
window-shop 浏览商店橱窗	brain-wash 为……洗脑	roller(-)skate 穿四轮溜冰鞋滑行
chain-smoke 一支接一支地吸(烟)	stage-manage 把……安排得有戏剧效果	

2 形容词＋动词

ill-treat 虐待	blacklist 列入黑名单	white-wash 粉刷
short-circuit 发生短路	cross-examine 盘问	short-change 少找钱
dry-clean 干洗		

3 副词＋动词

backtrack 往回走	about-turn 向后转	hard-boil 煮(蛋)至硬
back-pedal 倒退	overeat 吃得过多	overcharge 超额收费
undergo 经历	oversleep 睡过头	deep-fry 炸

4 其他形式

court-martial 军事审判	air-freight 用飞机运输	blow-dry 吹干
stir-fry 炒	tilly-tattle 闲聊	kowtow 磕头,叩头
hitch(-)hike 免费搭车	spin-dry 甩干	dillydally 浪费时间,闲混
criss-cross 往来,交叉	double-cross 欺骗	force-feed 强迫进食
shilly-shally 犹豫不决	pooh-pooh 认为……愚蠢可笑,轻视	

We should not **ill-treat** animals. 我们不应虐待动物。

The police **cross-examined** all those present. 警察盘问了所有在场的人。

Now you have seen how he will **double-cross** you. 现在你看到了他将如何欺骗你。

We have to **dry-clean** these coats. 这些大衣必须干洗。

All the details have been **cross-checked**. 所有的细节都仔细核对过。

He **hitch-hiked** his way to the west. 他一路搭乘便车去西部。

They go **ice-skating** every Saturday afternoon. 他们每个星期六下午去溜冰。

The old granny regularly **baby-sits** for them. 这位老奶奶常定期帮他们看孩子。

She often goes **window-shopping** on Sunday. 她常在星期天去逛商店。

It took her a whole month to **proof-read** the book. 校对这本书整整花了她一个月时间。

Stop **shilly-shallying** and act at once. 不要犹豫不决,马上就干吧。

Animals' tracks **criss-crossed** in the snowy fields. 动物的足迹纵横交叉地印在积雪的田野上。

Don't **back-pedalled** on your commitments. 不要背弃你的承诺。

The election of the president is **stage-managed** to the last detail. 总统选举的整个过程都是周密安排的。

It's time to **spring-clean** the office and open up a few more windows. 是把办公室彻底打扫一番,多开几扇窗的时候了。

He ate too much and **chain-smoked** cheap cigars. 他吃得太多,劣质雪茄不离口。(及物动词)

He was left to **chain-smoke** in the room. 剩下他一个人在房间里一根接一根地抽烟。(不及物动词)

五、从 hold 和 set 看英语动词含义的丰富性

英语中有些动词,一词多义,意蕴非常丰富,词义(引申义)可多达十几个甚至几十个。这类动词译成汉语时,要用贴切的汉语动词译出,既要忠实于原文,又要传神入化。现以 hold 和 set 为例,说明英语动词词义的丰富性和汉语译文的灵活性。

★ **hold**(根义:握,拿)

hold a knife in one hand 手里握着一把刀

hold a meeting 开会

hold sb. tightly 紧紧拥抱着某人

hold sb. guilty 判定某人有罪

hold a table for sb. 为某人保留一张桌子

hold one's interest 保持某人的兴趣

hold sth. dear 珍视某物

hold five gallons of water 盛 5 加仑水

hold sb. by the sleeve 抓住某人的袖子

hold one's breath 屏息

hold the flood waters 挡住洪水

hold a position 据守阵地

hold a service 做礼拜

hold Christmas 过圣诞节

hold one's reputation dear 爱惜名声

hold power 掌权

hold one's promise 守信

hold a good opinion of sb. 对某人有很高评价

(dog) **hold** its tail between its legs (狗)夹着尾巴

hold a cigarette between one's lips 嘴里叼着香烟

hold a half share in the company 拥有该公司一半的股份

(suitcase) **hold** all one's clothes (衣箱)装得下某人所有的衣服

hold an election 举行选举

hold the dish in two hands 手里端着盘子

hold a senior position 担任高级职位

hold sb. hostage 将某人作为人质扣押起来

hold one's weight 承受着某人的重量

hold extreme views 持有极端的观点

hold 500 people 容纳 500 人

hold the dish in two hands 双手端着盘子

hold sb. prisoner 监禁某人

hold one's temper 忍住性子

hold a room 保留房间

hold court 开庭

hold an inquiry 进行调查

hold sb. in contempt 蔑视某人

hold one's reputation cheap 看轻名声

hold the office of mayor 担任市长之职

hold one's attention 吸引某人注意

hold a baby in one's arms 怀里抱着一个婴儿

★ **set**（根义:放,置）

set the tray down 放下果盘	set the tone 定调子
set the trend 引领潮流	set a date 确定日期
set a price 确定价格	set standards 制定标准
set a goal 确定目标	set questions for the examination 出考题
set sb. thinking 引起某人思考	set the alarm clock 拨好闹钟
set a trap 布下圈套	set the table 摆好桌子
set the poem to music 为诗歌谱曲	set a record 创造纪录
set an example 树立榜样	set things right 解决问题
set flowers in a vase 把花插在花瓶里	set a wheel on an axle 把轮子装在轴上
set a place for a guest 为客人安排座位	set the axe to a tree 用斧头砍树
set a fire 放火	set sentries at the gate 在大门口设岗哨
set a hen (on eggs) 使鸡孵蛋	set seeds 下种
set fruit 结果	set a machine in motion 开动机器
set the rules of the game 订立比赛规则	set various exercises 布置各种练习
set a wheel 校正车轮	set one's watch 对表
set one's affections on 热爱某人	set a difficult job for 派给……一项艰巨任务
set the glass in the window 把玻璃嵌在窗框里	set Friday as deadline 规定星期五为最后期限
set the fashion for new-style poems 开创新诗之风	
set the dial to "hot wash" 把调节钮调到"热洗"位置	

六、各类动词使用要点

1. 行为动词(从句法作用、词汇意义等方面综合考察)

1 及物动词

及物动词(Transitive Verbs)一般都带有宾语,可以用于被动语态,如 do, study, make, build, open, convince 等。例如:

The longing to be home **quickened** my steps. 思家心切,我便加快了脚步。

The workers **are building a new railroad**. 工人们在修建一条新铁路。

These cars **are made** in Germany. 这些汽车是德国制造的。

His speech **angered** the audience. 他的讲话激怒了观众。

The graduate employment rate **is expected** to be higher his year than ever. 今年的大学毕业生就业率预期要高于以往。

比较:

She made **a good wife** for him. 她成为他的好妻子。(一个宾语)

She made **him a good wife**. (双宾语,him 为间接宾语,可省,a good wife 为直接宾语,意同上句)

She made **him a good husband**. 她使他成为好丈夫。(make 为使义动词,a good husband 为宾语补足语,him 不可省)

【提示】有些动词通常用作及物动词,但偶尔也用作不及物动词,不带宾语。例如:

His denial did not **convince**. 他的否认不能使人信服。

Some people build while others **destroy**. 有些人建设,而另一些人破坏。

Such a fine meal cannot fail to **please**. 这样一顿好饭菜不能不令人满意。

2 不及物动词

不及物动词(Intransitive Verbs)不能接宾语,也不能用于被动语态,如 come, go, happen, occur, exist, rise, fall, arise 等。例如:

Leaves **fall** when wind blows. 风吹叶落。

Do angels **exist**? 有天使吗?

Panic **rose** in me. 我感到越来越恐慌。

One after another, people told stories from their heart, while Dad **listened** with wet, flashing blue eyes. 一个又一个,大家各自讲述着发自内心的故事,父亲默然地听着,湿润的眼睛里闪烁着晶莹的泪光。

【提示】有些动词通常是不及物的,但在特定情况下也可以用作及物动词。例如:

He **died** a natural death. 他是自然死亡的。

She **wept** herself to sleep. 她哭着睡着了。

The table **dines** ten comfortably. 这张餐桌可宽绰地供10人用餐。

She **screamed** a warning not to touch the electric wire. 她尖叫着警告别碰电线。

They **slept** themselves sober. 他们一觉过后就清醒了。

The tent **sleeps** five people. 这个帐篷可以睡五个人。

(1) 有些动词既可以是及物动词,也可以是不及物动词,使用的场合不同,意思上往往有变化,如:sit, stand, fly, work, mind, air, dress, escape, miss, hang, meet, play, move, press, run, shoot, turn, touch, tend, follow, exercise, hold, count, head, show, win, reflect, propose, cheat, beat, blow, hurt, manage, spread, strike 等。例如:

The trees **moved** in the wind. 树在风中摇曳。
The tale **moved** her to tears. 这故事使她感动得落泪。

The current is **running** strong. 水流湍急。
He **ran** a shop on the street corner. 他在大街拐角处经营一家商店。

Mind, there's a bus coming! 小心,公共汽车开过来了。
The old man **minded** a flock of sheep. 老人照看羊群。

He **proposed** to her on bended knees. 他跪着向她求婚。
He **proposed** a new method. 他提出一种新方法。

He is **standing** at the door. 他在门旁站着。
I can't **stand** that fellow. 我不能容忍那个家伙。
The bus **stands** 45 people. 这辆公共汽车可容纳45人。

He is **working** very hard. 他工作非常努力。
He **worked** the horse to death. 他把那匹马累死了。

(2) 有些动词可以作及物动词,后面带宾语,也可以作不及物动词,后面不带宾语,意思上一般没有变化,常用的有:drink, help, change, clean, draw, lend, save, ride, point, steal, marry, shave, drive, smoke, lecture, sing, wash, write, type, study, learn, iron, spend, eat 等。例如:

The weather **changed** suddenly. 天气突然变了。
Owing to the bad weather the plane had to **change** its course. 由于天气恶劣,飞机不得不改变航线。

The boy often **steals**. 这男孩常偷东西。
Someone **stole** a painting from the museum. 有人从博物馆里偷走了一幅画。

We have **eaten** already. 我们吃过东西了。
He **ate** his sandwich and drank a glass of milk. 他吃了三明治并喝了一杯牛奶。

I could finish the work faster if you would **help**. 如果你肯帮忙,我就可以快些完成这项工作。
God **helps** those who **help** themselves. 自助者天助之。

Baker **married** much above himself in every way. 贝克娶了一个各方面都比他优越的女子。
She **married** money. 她嫁人是为了钱。
He **married** the first girl he went out with. 他和自己初恋的女友结了婚。

(3) 有些动词通常用作及物动词,但其宾语有时可承上省略,这时就成了不及物动词,常用的有:join, know, lead, lose, move, begin, order, pass, sign, notice, aim, accept, fit, phone, ring, strike, push, share, offer, enter, board, gain, serve, watch, approach, answer, choose, judge, remember, forget, search, produce, understand, win 等。例如:

He told me that he had **passed** (the examination). 他告诉我他通过了考试。

The coat **fits** (me) perfectly. 这件上衣(我穿)很合身。

I asked her a question, but she would not **answer** (it). 我问了她一个问题,但她不愿回答。

I shall forever remember your timely help and shan't **forget** (it). 我将永远记着你的及时帮助,不会忘记。

(4) 有些动词通常用作及物动词,但也可用作不及物动词,涉及宾语向主语的转变;有时,这种动词以主动形式,表示被动意义,常用的有:close, open, shatter, break, dry, end, cook, burn, shrink, shut, split, sail, shake, run, start, tear, stop, widen, thicken, quicken, crack, darken, change, diminish, swing, worsen, slow, boil, bend, back, burst, fade, empty, grow, fly, continue, park, spin, improve, roast, rock, stretch, decrease 等。例如:

The weight of snow **bent** the branches. 雪压弯了树枝。

The branches **bent** under the weight of snow. 树枝被雪压弯了。

He **shut** the door with a bang. 他砰的一声关上了门。

The door **shut** with a bang. 门砰的一声关上了。

A stone **shattered** his glasses. 一块石头打碎了他的眼镜。

The glasses will not **shatter**. 这眼镜不会打碎。

He **split** the firewood with an axe. 他用斧头劈木柴。

The firewood **splits** easily. 这木柴容易劈开。

(5) 有些动词可用作及物动词或不及物动词,作及物动词时带宾语,作不及物动词时同介词连用,表义上有些相同,有些不同,常用的有:jump→jump over, enter→enter for, check→check on/up, fight→fight against/with, chase→chase after, roam→roam over, brush→brush over/aside, sip→sip at, leap→leap over, sniff→sniff at, tug→tug at, hiss→hiss at, gain→gain in, nibble→nibble at, play→play against, mourn→mourn for/over 等。例如:

The children are **chasing** each other. 孩子们在相互追赶。

The little girl is **chasing after** a butterfly. 那小女孩在追赶蝴蝶。

She still **mourns** her husband. 她至今还在悼念她的丈夫。

I shall always love Guy and **mourn for** him. 我将永远爱盖伊并悼念他。

He **entered** the university at eighteen. 他18岁进了大学。

He **entered for** the examination. 他报名参加考试。

She **tugged** the door but it wouldn't open. 她用力拉门,但没拉开。

She **tugged at** the door but it wouldn't open.

He **sipped** coffee. 他一口一口地抿咖啡。

He **sipped at** coffee.

Our team **played** the sophomore team yesterday. 我们队昨天同二年级队比赛。

Our team **played against** the sophomore team yesterday.

(6) 相互动词

有些动词后常跟 each other 或 one another,表示相互关系,称为相互动词(Reciprocal Verbs)。有时候,这类动词后也可不跟 each other 或 one another,这时就成为不及物动词。这类动词常用的有:embrace, kiss, marry, consult, fight, hug, cuddle, match 等。例如:

They **embraced** (each other) warmly. 他们热情拥抱。

The lovers **kissed** (each other) and said goodbye. 这对情人亲吻了说再见。

The birds **fought** (each other) for the bread. 鸟儿为面包而争斗。

They **hugged** (each other) and kissed. 他们相互拥抱接吻。

The two colors don't **match** (each other). 这两种颜色不相配。

【提示】

① 有些"动词+with"构成的短语动词后常跟 each other 或 one another 作宾语。例如:

They agreed with **one another** on the matter. 他们在这件事上意见一致。

The two poets have communicated with **each other** for a long time. 这两位诗人相互联系已经很久了。

② 某些不及物动词有向及物动词转化的趋势,如 walk, swim, sleep, laugh, glance, lunch, starve, bow, look, wave, flash, cry, sweat 等。例如:

Her eyes were **flashing** fire. 她的目光中闪烁着热情。

He **sweated** blood and tears in his life. 他一生都在苦苦奋斗。

They **looked** inquiry. 他们露出询问的表情。

She **bowed** her gratitude. 她鞠躬致谢。

We **lunched** her. 我们请她吃午饭。

He **nodded** his consent. 他点头表示同意。

3 动作动词

动作动词又称作动态动词,可分为两种。

(1) 活动动词。

这类动词表示各种持续活动,可用于进行时态,如 do, play, ask, drink, rain 等。

(2) 过程动词。

这类动词表示情况的改变,可用于进行时态,如 turn, become, grow, change 等。

【提示】

① 有些动作动词表示的是短暂性动作,没有持续性,即"一发生就结束"的动作。这类动词一般称为"非延续性动词"或"终止性动词",不能同表示一段时间的状语连用。常见的这类动词有:go, come, leave, arrive, lose, land, catch, join, kill, find, occur, happen, take part in 等。例如:

> 他加入这个俱乐部已经很长时间了。
>
> He has joined the club for a long time. [×]
>
> He **has been a member** of the club **for a long time**. [√]

② 但是,有几个表示去向的非延续性动词,如 go, come, start, leave 等,可以同表示时段的时间状语 for 短语连用。但要注意,这种用法的 for 短语表示的不是句中谓语动词延续的时间,而是该动词动作完成后再做某事所需要的时间,动作结束后的持续状态。例如:

She has come here **for three days**. 她来了这里,要待三天。(=She has come here, intending to stay for three days.)

He has gone to Nanjing **for two weeks**. 他去南京了,要待两周。(=He has gone to Nanjing, intending to stay there for two weeks.)

Simon has left for Paris **for five months**. 西蒙去巴黎了,要在那里待五个月。(=Simon has left for Paris, intending to stay there for five months.)

We are starting for Shanghai **for two weeks**. 我们将启程去上海,在那里待两周。

③ 非延续性谓语动词后有非谓语动词时,可与表示一段时间的状语连用。这时,时间状语所修饰的不是句中的谓语动词,而是非谓语动词。例如:

She went to work there **for two months**. 她去了,在那里工作两个月。(for two months 修饰 to work)

He began to read English **for over an hour**. 他开始读英语,读了一个多小时。(for over an hour 修饰 to read)

④ 如果非延续性谓语动词是否定完成时,表示的是一种状态,可同表示一段时间的状语连用;如果非延续性谓语动词的完成时表示经常重复的行为,可同表示时段的时间状语连用,但应慎用。例如:

She **hasn't taken part in** labour **for weeks**. 她已有数周没有参加劳动了。

I **have often gone** to Beijing **since** 2012. 我自 2012 年常去北京。

⑤ 在不同的语言环境中,有些动词可以作延续性动词或非延续性动词,如 sit, walk, move, run, feel 等。例如:

He **sat** in the grass，watching the sun rising. 他坐在草地上，看着太阳升起。（延续性）

He **sat** in the grass and began to read. 他在草地上坐下，开始读起来。（非延续性）

4 状态动词

状态动词又称作静态动词，表示非活动性的静止状态，一般不用于进行时态。但有些状态动词在某些用法中或转义成为动态动词，又可以用于进行时态。状态动词可分为三种。

（1）感官感觉动词。

这类动词表示的是不自觉的、无意的活动，如 see，feel，hear，taste，smell，notice，sound，look，seem 等。例如：

I **see** a picture on the wall. 我看见墙上有一幅画。

She **heard** her name called. 她听见有人叫她的名字。

He **looked** a little clerk. 他看来像个当小伙计的。

▶▶▶ 但：They **are seeing** sights in the Eastern Suburb. 他们正在东郊游览。

The judge **is hearing** the case. 法官在审理案子。（trying）

He **is hearing** lectures there. 他在那里听讲座。（attending）

（2）心理、情感、状态动词。

这类动词很多，如：believe，consider，desire，despise，dislike，doubt，forget，fear，hate，hope，imagine，know，like，love，mind，object，prefer，remember，suppose，think，understand，want，wish，worship，assume，care，envy，expect，cost，hold，detest，regret，feel（＝think），find（＝consider），mean，interest 等。例如：

我认为他既诚实又勤奋。

I **think** he is both honest and diligent. ［√］

I am thinking he is both honest and diligent. ［×］

【提示】

① 状态动词 know 等不可与 long ago 连用。比较：

I knew her long ago. ［×］

I **got to know** her long ago. ［√］我很久以前就认识她了。

② 心理、情感动词用于进行时态通常改变意义。例如：

Surely you're **imagining** things. 你真是在想入非非。

I am **thinking about** his plan. 我正在考虑他的计划。

I **expect** you're rather tired. 我想你有点累了。（静态）

I **am expecting** a letter from Mary. 我在等待玛丽的来信。（动态）

I **don't think** Ray will mind. 我认为雷不会介意的。（静态）

Wait a minute，I'm **thinking**. 等一下，我正在想。（动态）

Do you **mind** waiting for an hour or two? 等上一两个小时你不会介意吧？（静态）

My sister **is minding** the baby at home. 我姐姐正在家里照看宝宝。（动态）

（3）拥有、关系动词。

这类动词或动词短语表示拥有、归属、组成、包括等意，如：belong to，concern，consist of，contain，cost，deserve，equal，fit，hold/contain，include，involve，lack，matter，need，owe，own，possess，remain，require，resemble，apply to，differ from，weigh，stand for，measure，have，exist，compare，depend on，benefit from 等。例如：

这本书是属于她的。

The book is belonging to her. ［×］

The book **belongs to** her. ［√］

这个房间可以容纳 20 人。

The room **holds** twenty people. ［√］

The room is holding twenty people. ［×］

▶▶▶ 但：They **are holding** a meeting. ［√］他们正在开会。

Lydia **is resembling** her mother as the years go by. 日子一天天过去,莉迪娅长得越来越像她母亲了。(表示一个渐进的过程)

Your foolish behavior **is costing** us dearly. 你的愚蠢行为使我付出了惨重代价。(表示一个渐进的过程)

【提示】有些动词只能表示状态或持续的动作,不可用来表示非延续性动作(瞬间完成的动作),反之亦然。比较:

我在那时才第一次意识到了危险。
I was first aware of the danger only at that time. [×](be 是状态动词)
I first **became** aware of the danger only at that time. [√]

这支钢笔放在桌上已三天了。
The pen has been put on the table for three days. [×](put 是非延续性动词)
The pen has been **lying** on the table for three days. [√]

5 心理使动词

所谓心理使动词,指的是那些使人产生某种心理反应、心理活动的动词。这类动词大都有"使"的意思,但不是"使役动词",不是表示让人做什么,而是表示使人感到怎样,使人产生某种(喜悦、恐怖、沮丧等)心理活动。心理使动词有如下几个特点:

① 主语一般是物(偶尔可以是人),宾语则只能是人。

② 均有-ed 和-ing 两种形式,可作定语和表语。-ed形式作定语和表语时,句中主语或被其修饰的词应是表示人的名词;-ing形式作定语和表语时,句中主语或被其修饰的词一般是表示物的名词,偶尔可以是表示人的名词。

③ 在被动语态中,施动者多由 at,with,in,about 引导,有些情况下也用 by 引导。

④ 这种动词的-ed 形式状态意味强,有些已经形容词化了,可用 rather,more,very,quite 等副词修饰,且可同 feel,seem 等系动词连用。

▶▶▶ 心理使动词有下列几种:

(1) 表示激动、喜悦、满意:excite,fascinate,encourage,delight,please,enchant,charm,relieve,satisfy,thrill 使激动,flatter 使愉快,elate 使得意,amuse 使快乐,transport 使万分激动,interest,strike 使感动等。

(2) 表示惊讶、困惑:puzzle,startle,frighten,bewilder,surprise,amaze,embarrass,overwhelm,shock,horrify,scare,perplex,confuse,astonish,upset,astound(使惊讶),disappoint(使失望),等。

(3) 表示烦躁、厌恶:bore,distress,depress,worry,bother,annoy,irritate,trouble,harass(使折磨),等。例如:

We are **interested** in the film. 我们对这部电影感兴趣。(-ed 形式→人)

The novel is **interesting**. 这部小说很有趣。(-ing 形式→物)

The **satisfied** woman is gone. 那心满意足的女人走了。(-ed 形式→人)

The scenery is really **fascinating**. 风景真迷人。(-ing 形式→物)

He was very **delighted at** the news. 消息使他非常高兴。

The girl was **enchanted with/by** the picture. 女孩被那幅画给迷住了。

【提示】

① 在日常口语中,有少数几个状态动词用于进行时,表示婉转语气。例如:

I'm **hoping** you'll like the book. 我希望你喜欢这本书。

How **are** you **liking** the weather here? 你觉得这里的天气怎样?

What **are** you **wanting**? 你想要什么呢?

Were you **wanting** to see me? 你想要见我吗?

② feel,hurt,ache 有时可用一般现在时或现在进行时,含义不变。例如:

My head **aches**/**is aching**. 我头痛。

I **don't feel**/**am not feeling** very well. 我感觉不太好。

My leg still **hurts**/**is still hurting**. 我的腿还在痛。

2. 连系动词

英语连系动词可分为两类：完全连系动词(complete link verb)和不完全连系动词(incomplete link verb)。完全连系动词只有 be，通常表示"是，存在"。不完全连系动词共有 40 多个，表示感觉、变化等，描述主语的特征、性质、身份或状态。下面讲述的是不完全连系动词。

1 连系动词的三种词汇意义

(1) 表示某种持续状态，如：rest, stand, lie, keep, remain, continue, stay, loom, hold 等。

He told me to **keep** calm under all circumstances. 他告诉我在任何情况下都保持冷静。

It **stayed** fresh. 它仍然很新鲜。

He **stayed** young. 他依然年轻。

The paper **stayed** blank. 这纸上依然空白。

He **remained** silent. 他缄默不语。

He **held** aloof. 他孤高。

The old man would never **rest** idle. 这位老人永远也闲不住。

The disease **rests** mysterious. 这种疾病依然不为人所知。

The leaves **kept** red for a long time. 那些叶子很长时间都是红红的。

This rule **holds** good at all times and places. 这条规则不分时间地点都有效。

The weather will **continue** fine for some days. 天气将会连续几天晴好。

The plot now **stood** revealed. 这个阴谋现在已被揭露出来。

The committee **stands** divided on this issue. 委员会在这个问题上有分歧。

The tree leaves **stood** still. 树叶纹丝不动。

The middle-aged man **sat** rooted in the chair. 那中年男子一动不动地坐在椅子上。

I'm trying to cut his hair but he won't **keep** still. 我在为他理发，但他动个不停。

(2) 表示具有某种性质、特征、处于某种状态，如：sit, smell, sniff, live, look, sound, marry, mean, break, bleed, lick, feel, eat, ring, seem, play 假装是, moan, die, cut, buy, appear, shine, taste, awake, read, stand 等。

I dare say I **stand** innocent of any wrong. 我敢说，我没有任何过错。

The actress **looked** her part. 那位女演员演得出神入化。

He **looked** the joy he felt. 他流露出由衷的快乐。

She doesn't **look** her age. 她看上去不像她的实际年龄那么大。

The coin **rang** false. 这枚硬币的响声表明它是伪币。

He **appears** a normal person. 他看来是一个正常的人。

He **smells** offensive. 他让人闻着讨厌。

She **awoke** angry at his calling her. 他的电话把她惊醒了，她很生气。

The trees **stood** red, orange and yellow all over the hills. 满山遍野到处都是红色的、橙色的和黄色的树。

During the late winter all trees but the pine, the bamboo and the plum **seem** dead. 在隆冬时节，除松、竹、梅外，所有的树都仿佛枯死了。

The plan does not **sound** reasonable. 这个计划听起来不太合理。

(3) 表示动词的动作和过程所产生的结果，或状态的开始，逐渐具有某种性质，如：burst, cook, go, grow, stop, run, rise, wear, prove, pass, wash, wax, turn, fly, flush, fall, drop, dawn, draw, blush, burn, become, stain, take, work, grow, get, freeze, come, plead, slam, turn out, come in, come off 等。

She **blushed** crimson at seeing him. 她一看见他脸就通红了。

Her dream has **come** true. 她的梦想实现了。

The leaves have **turned** red in the hills. 山里的树叶红了。

It's **becoming** a serious problem. 它正成为一个严重问题。

He **became** very fond of her. 他变得非常喜欢她。

He **proved** a true friend. 事实证明,他是个真正的朋友。

People **go** purple with rage. 人们会因为暴怒而脸色发紫。

The bottle **came** open in my bag. 我包里的那个瓶子盖开了。

Then the writer **got** busy. 而后作家就忙着创作了。

Working from home **proved** a real advantage after my daughter was born. 女儿出生后,我发现在家工作真的非常便利。

The new method **proved** highly effective. 新方法证明行之有效。

It will **come** right in the end. 最终会好的。

Lucy was **getting** homesick. 露茜越来越想家了。

He **got** to be friendly. 他变得友好了。(=became)

She **went** lame. 她的腿瘸了。

The river **went** dry. 河流干涸了。

It **went** rotten. 它朽了。

The bill **came** due. 账单到期了。

She is **coming** eighteen. 她快 18 岁了。

The seam **came** unseen. 线缝绽开了。

The prices **ran** high. 价格高涨。

Provisions **ran** short. 供应不足。

The business does not **run** smooth. 企业运转不顺利。

He **fell** dumb. 他沉默了。

He **fell** (a) prey to evil dreams. 他常常受到噩梦折磨。

The spear **fell** wide of the wolf. 矛未刺中狼。

The house **fell** into decay. 房子已经破烂不堪。

The rent **fell** due. 租金到期了。

The post **fell** vacant. 这职位空缺。

She **fell** thinking. 她陷入了沉思。

The wound **proved** fatal. 伤结果是致命的。

It **turned out** correct. 它结果是正确的。

It **turned out** rainy/a rainy day. 结果下雨了。/结果是个雨天。

He **came off** second best. 他得了第二名。

The tool **came in** useful. 这件工具证明很有用。(=prove)

The milk has **frozen** solid. 牛奶冻成了固体。

The wealthy man **died** heirless. 那富翁身后无嗣。

The plan **went** unheard and unnoticed. 这个计划无人听,也无人理睬。

The room **struck** comfortable when she entered. 她进来感觉房间很舒适。

2 连系动词的五种语法结构

(1) 连系动词＋形容词。这类结构最多,常用的连系动词有：split, ring, make, wear, flush, come, wax, sound, return, look, feel, buy, lie, rest, smell, wash, fall, burst, burn, eat, lick, sit, turn, remain, taste, shine, read, keep, drop, break, draw, hold, prove, take, stop, sell, play, grow, dawn, blow, appear, bleed, cut, go, mean, seem, stand, run, marry, free, cook, become, awake, fly, continue, rise, stain, work 等。例如：

The meat **cooked** tender. 这肉烧得嫩。

The soldier **lay** flat on the ground. 那个士兵直挺挺地躺在地上。

The sun **rose** red. 太阳升起红艳艳。

He **came** home dog-tired. 他回到家时疲惫不堪。(= When he came home, he was dog-tired.)

He **sat** there dumb. 他坐在那里一言不发。

She **died** young/poor/miserable. 她死时年纪轻轻的/很贫穷/很惨。

She **died** very rich. 她死时很富有。

The criminal **dropped** dead. 那个罪犯倒下死了。

He **dropped** asleep. 他不知不觉睡着了。

She **stood** there irresolute, not knowing what to do. 她犹豫不决地站在那里，不知如何是好。

She **left** arrogant and **came** back modest. 她离开时很傲慢，回来时却很谦虚。

He **returned** more diligent than before. 他回来时更勤奋。

He **married** young/old. 他结婚早/晚。

My patient is **wearing** thin. 我渐渐变得不耐烦了。

The box was **worn** white. 箱子已磨得发白。

His promise **rang** false to me. 他的诺言在我听来不够诚实。

The orange **appeared** sound, but was rotten. 那橘子看样子很好，但是里面烂了。

The maple leaves of the Xiangshan Mountain **glowed** red in the sunlight. 香山红叶在阳光中闪耀着红光。

The rope **fell short**. 绳子短了。

The horse **fell lame**. 马腿瘸了。

He **arrived** safe. 他平安到达了。

She **awoke** tired. 她醒来时感到很累。

The door **blew** open. 门被风吹开了。

The audience **fell** silent. 观众静下来了。

He **played** dumb. 他装哑。

The day **dawned** misty. 天亮时雾蒙蒙的。

The day **dawned** cloudy. 天亮时，天空阴沉沉的。

One of the tigers **broke** loose. 一只老虎从笼子里跑出来了。

Misfortune never **comes** single. 祸不单行。

The fire **burned** bright. 火烧得很旺。

The moon **hung** low. 月亮低垂。（low 也可看作副词）

The bird **glided** peaceful. 鸟儿自在地蹦跳着。

She **blushed** red. 她羞得脸红。

She **lives** poor. 她生活贫困。

He **ruled** supreme. 他说一不二。

The snow is **falling** thick. 大雪纷飞。

It **gleamed** white. 它闪着白光。

The sun **shines** bright. 阳光灿烂。

You can **rest** assured that I will do my best. 你放心，我会尽力。

The plan did **seem** feasible. 这计划的确看来可行。

Baby **sleeps** easy at night. 宝宝夜里睡眠好。

She **spoke** sensible. 她说话很明智。

It **stands** two meters high. 它有两米高。

He **stood** firm on his pledge. 他坚守誓言。

She **stood** still/motionless. 她一动不动地站着。

The fire is **burning** low. 火势减弱了。

He **talked** big/funny/silly. 他吹牛/说话滑稽/说蠢话。

She **walked** lame. 她走起路来一瘸一瘸的。

The post **fell** vacant. 这个职位空缺。

The old couple **sat** silent beneath the old tree. 老两口默默地坐在老树下。

There was no human sound and only the moon **shone** bright on the window screen. 人悄悄，帘外月胧明。

The door suddenly **flew** open. 门突然开了。

Everything will **come** clear in the end. 最后一切都会清楚的。

Computer skills **come** natural to him. 电脑技能对他来说很容易。

He decided to **stay** single in his twenties. 他二十几岁就决定独身。

The paint **smells** bad. 这油漆气味难闻。

Your coat **feels** wet to me. 我摸了你的外衣,是湿的。

It is now late autumn and the trees **stand** yellow all over the mountains. 时值晚秋,众山黄叶飞。

The drama **rings** true. 这戏演起来很逼真。

It was a clever excuse but it didn't really **ring** true. 这是个巧妙的托词,但听起来不真实。

For a whole week I **continued** angry with my brother. 我整整一个星期在生我弟弟的气。

Half the sky **burns** red. 半边天烧红了。

In this city, it **stays** light till nine p.m. in summer. 夏季,这座城市到晚上九点天才黑。

The once sweet smelling area now **smelled** horrible. 曾经芳香怡人的地方已经变得臭气熏天。

The dining-hall **smelled** greasy. 餐厅散发出油污气味。

The carpet has **worn** thin. 地毯磨薄了。

Her face **flamed** redder with embarrassment. 她窘得脸更红了。

He **flushed** crimson with anger. 他气得满脸通红。

The potatoes have **burned** black. 土豆烧煳了。

The little girl soon **dropped** asleep. 这小女孩很快就睡着了。

The supply of water in the city is **running** low. 这座城市的供水越来越短缺。

The stream has **run** dry. 那条小溪已经干涸了。

Peter **waxed** angry. 彼得变得发怒了。

His dark hair **waved untidy** across his broad forehead. 他蓬乱的黑发覆盖在宽阔的前额上。

★ feel

He **felt** dizzy in the morning. 他早晨感到头晕。

The water **feels** hot. 水摸起来很热。

It **felt** pleasant taking a walk in the evening. 晚间散散步很愉快。

▶▶▶ 常同 feel 连用的形容词有：sure, sorry, right, fit, gloomy, well, sick, comfortable, miserable, shy, happy, soft, warm, smooth, lonely, weak, ill, guilty, sympathetic, proud, hot, dizzy, pleasant 等。

★ get

It's **getting** late. 天晚了。

He's **getting** fat. 他胖起来了。

They **got** restless. 他们焦躁不安。

She **got** homesick. 她想家了。

▶▶▶ 常同 get 连用的形容词有：late, fat, homesick, restless, dark, bald, worse, chilly, angry, well, deaf, ready, tired, hateful, wet, dry, impatient, light, stout, used to 等。

★ go

go American 美国化

His eyes **went** green with envy. 他的两眼充满妒意。

The black hair is **going** grey. 黑发正在变成白发。

She **went** pale at the news. 听到那个消息,她的脸变得苍白。

The children must not **go** hungry. 孩子们不能挨饿。

He has **gone** dead tired. 他累得要命。

Fish soon **goes** bad in hot weather. 热天鱼很快变坏。

The horse has **gone** lame in one hind leg. 这匹马的一条后腿瘸了。

Many species have **gone** extinct. 许多物种已经灭绝了。

The magazine is to **go** commercial. 这份杂志准备商业化经营。

The grass is **going** green. 草变绿了。

He **went** bald at the age of fifty. 他 50 岁时就谢顶了。

The old man has **gone** quite deaf. 那位老人的耳朵已经很聋了。

The wood has **gone** rotten. 这木头腐朽了。

The telephone has **gone** dead. 电话不通了。

The company **went** broke last month. 这家公司上个月破产了。

In the countryside boys under six usually **go** naked in summer. 在乡下,六岁以下的男孩子夏天通常不穿衣服。

▶▶▶ 常同 go 连用的形容词有:mad, blind, sick, deaf, wrong, bad, green, grey, pale, hungry, dead, lame, broke, extinct, sour, purple, insane, bald, bankrupt, independent, dry, sentimental 等。

★ **grow**

His cold is **growing** worse. 他的感冒越发严重了。

The wind **grew** fiercer. 风刮得更大了。

The sea is **growing** calm. 大海变得平静起来。

The dispute **grew** more violent. 争执越发激烈了。

▶▶▶ 常同 grow 连用的形容词有:cold, old, thin, big, grey, restless, uneasy, fat, dark, serious, intimate, hot, tall, angry, rich, weak, loud, worse, fierce, violent, calm 等。

★ **keep**

She knew she must **keep** calm. 她知道她必须保持镇静。

The weather is **keeping** fine. 天气很好。

I wish those children would **keep** quiet. 我希望那些孩子保持安静。

▶▶▶ 常同 keep 连用的形容词有:fit, well, cool, warm, close, happy, up-to-date, near, calm, fine, quiet, clear 等。

★ **look**

She **looked** reflective then. 那时她看上去若有所思。

He is not a big man, but he **looks** strong. 他个头不大,但看起来很强壮。

He **looked** younger than at their first meeting. 他比他们第一次见面看上去年轻了。

The dishes **looked** inviting. 菜肴看上去很诱人。

In the fog everything **looks** vague. 在雾中一切东西都显得模糊。

He **looks** young for his age. 就年龄来说他看着很年轻。

The old halls **looked** mysterious and distant. 古殿显得遥远而神秘。

The clouds often **look** red or golden at sunset. 夕阳西下时,云常呈红色或金黄色。

It cost seven pounds, tasted vile, **looked** expensive. 这花了我七英镑,难喝死了,就是摆阔的样子货。

▶▶▶ 常同 look 连用的形容词有:tired, fit, nervous, pale, good-humoured, well, good, excellent, promising, strong, sad, happy, worried, pretty, friendly, apologetic, reflective, vague, inviting, young, red, golden, mysterious 等。

★ **remain**

He **remained** single all his life. 他一生独身。

She **remained** unmarried till forty years old. 她直到 40 岁还没有结婚。

Her face **remained** expressionless. 她的脸上没有表情。

▶▶▶ 常同 remain 连用的形容词有:calm, open, active, inactive, silent, lean, single, unmarried, expressionless 等。

★ **prove**

His story **proved** false. 他说的证明是假的。

This picture **proved** satisfactory. 这幅画证明是令人满意的。

The search **proved** fruitless. 搜寻毫无结果。

Recitations generally **prove** very dull and unrewarding. 背诵往往非常枯燥而且收效甚微。

▶▶▶ 常同 prove 连用的形容词有：correct，incorrect，easy，difficult，sound，useful，useless，effective，satisfactory，unsatisfactory，interesting，fatal，false，fruitless，dull，unrewarding 等。

★ **lie**

Now, in the early morning, he **lies** stiff and motionless. 现在,就在黎明,他僵硬地躺着动弹不了。

Spring tide with rains flows fast before evening falls and alongside the ferry a boat **lies** wild by itself. 春潮带雨晚来急,野渡无人舟自横。

The man **lay** senseless at the roadside. 那人毫无知觉地躺在路边。

It's a pity to let it **lie** waste like that. 让它荒芜着很可惜的。

A girl **lay** dead at the street corner. 一个女孩倒在街角处死了。

The book **lay** open on the desk. 书翻开着放在桌子上。

The snow **lay** thick on the ground. 地上积雪很厚。

The theft **lay** heavy on his conscience. 那次偷窃使他良心不安。

▶▶▶ 常同 lie 连用的形容词有：idle，stiff，motionless，senseless，waste，wild，dead，open，thick，heavy 等。

★ **run**

This engine has **run** hot. 引擎发烫了。

The river **ran** dry. 这条河干涸了。

The shirt **runs** small. 这件衬衫小了。

He has **run** short of money. 他缺钱了。

The tide is **running** strong. 潮水涨了。

Her feelings **ran** high. 她的感情奔放。

The weeds **run** wild on the river bank. 野草在河岸上疯长。

▶▶▶ 常同 run 连用的形容词有：cold，loose，high，low，mad，rife，short，wild，dry，small，strong，hollow 等。

★ **taste**

The milk **tastes** sour. 这牛奶有酸味。

The pear **tastes** delicious. 这梨味道很好。

The fruit **tastes** bitter. 这果子是苦的。

▶▶▶ 常同 taste 连用的形容词有：good，horrible，bad，sweet，terrible，sour，delicious，bitter 等。

★ **smell**

Roses **smell** sweet. 玫瑰花闻起来很香。

The air **smelt** damp and musty. 空气中有种潮湿的霉味。

The book **smells** old. 这本书闻起来有年头了。

▶▶▶ 常同 smell 连用的形容词有：sour，good，nice，sweet，old，damp 等。

★ **sound**

The adventure **sounds** interesting. 这冒险经历听起来很有意思。

The idea **sounds** marvellous. 这主意听起来妙极了。

That story of yours doesn't **sound** very likely. 你说的那些话听起来似乎不大可信。

The tune **sounds** pleasant. 这曲调很悦耳。

The music **sounds** sweet to me. 这音乐我听起来很动听。

Their expressions of sympathy **sound** hollow. 他们的同情显得很虚伪。

His voice **sounded** resentful. 他的声音听起来好像很愤恨的样子。

▶▶▶ 常同 sound 连用的形容词有：silly，suspicious，true，grave，right，sweet，good，interesting，marvelous，likely，pleasant，resentful，hollow 等。

★ **turn**

The leaves have **turned** yellow. 树叶变黄了。

His hair **turned** grey overnight. 他一夜白了头。

She has **turned** quarrelsome. 她变得有些爱吵架。

She **turned** pale at his words. 听到他的话，她的脸变得苍白。

Gradually the surrounding farmland **turned** residential. 渐渐地，附近的农田变成了住宅区。

The sun rose and the sea **turned** gold. 太阳升起了，大海变成了金色。

The weather **turned** cold when the autumn wind blows bleak and with dew-drops frozen into frost，the leaves shiver and fall. 秋风萧瑟天气凉，草木摇落露为霜。

The grass **turned** brittle and brown，and it cracked beneath your feet. 草变得脆硬枯黄，走在脚下会发出噼啪噼啪的声响。

▶▶▶ 常同 turn 连用的形容词有：nasty，red，scarlet，black，green，sour，chilly，cold，giddy，crimson，yellow，grey，pale，gold，warm，brittle，brown 等。

(2) 连系动词＋名词/代词。常用的有：return，seem，stand，prove，remain，flush，make，play，look，live，draw，die，blush，become，turn，fall，commence 等。例如：

He **came out** a different man. 他完全变成了另一个人。

He **came off** a loser/winner. 他最后失败了/成功了。

She **emerged** a victor. 她成了胜利者。

He **lived** a bachelor. 他单身。

She **did** cook and **did** host. 她烧菜，又招待客人。

She **acted** hostess. 她作女主人。

Mr. Smith had to **turn** cook on Sundays. 史密斯先生星期天得下厨房。

Sam **remained** cook. 萨姆一直当厨师。（职业名词作表语可不加冠词）

She **remained** headmaster of the school. 她还是学校校长。

We all **remain** seekers. 我们大家依然是探索者。

He **went** apprentice to a trade. 他当了学徒，学一门手艺。

He **fell**（a）**prey** to the plague. 他死于瘟疫。

She **commenced writer** in the early nineteenth century.

She **turned** traitor/writer. 她成了叛徒/当了作家。

He **turned** robber merely for revenge. 他为了报复才成了强盗。

Is it wise for a general to **turn** politician? 将军从政明智吗？

It **seems** to me a good idea. 这在我看来似乎是一个好主意。

He **seems** an unusually clever boy. 他似乎是一个绝顶聪明的男孩。

It **sounds** a very good song. 这听起来是一首很好的歌曲。

She **sounds** a proud woman. 她听起来像是一个傲慢的女人。

He **looks** a scholar. 他看上去像个学者。

He **looks** a reliable man. 他看上去是个可靠的人。

I'll **stand** his friend. 我将依然是他的朋友。

He **lived** and **died** a bachelor. 他一生一世一直是个单身汉。

The man **looks** a perfect fool. 那人看起来是个十足的傻瓜。

It **remained** a complete mystery. 这一直完全是一个谜。

Air pollution **remained** a problem. 空气污染一直是一个问题。

Don't **act** the fool. 别发傻了。

The signature **proved** a forgery. 这个签名被证明是假冒的。

It **proved** a difficult task. 它证明是一项艰巨的任务。

He **proved** a rude man. 事实表明他是一个粗野的人。

He's **getting** quite a lad now. 他就要长成大小伙子了。

His dream has now **become** a reality. 他的梦想已变成现实。

The girl's face **went** a very pretty pink. 女孩的脸变成了漂亮的粉红色。

Her face **went** the color of cream. 她的脸变成了乳白色。

He **sounded** every inch the headmaster he was. 他俨然一副校长派头。

I **average** about six cups of tea a day. 我平均每天喝大约六杯茶。

They tried to **look** somebodies. 他们想法子使自己看上去是几位人物。

(3) 连系动词＋副词。常用的有：pass，keep，fly，prove，flush，continue 等。例如：

They **kept** together in the struggle. 他们一起战斗。

The girl **flushed** up at the words. 听了那些话,那女孩羞红了脸。

(4) 连系动词＋分词。常用的有：come，become，get，feel，lie，look，prove，stand，seem，appear，grow，pass，remain，rest 等。例如：

The small town **remained** unchanged. 小城风貌依旧。

The door **swings** shut. 门砰的一声关上了。

He **stood** playing the guitar. 他站着弹吉他。

He **sat** cross-legged. 他盘腿而坐。

He **passed** unnoticed. 他走过时没人看见。

She **entered** dressed in red. 她进来了,一身红衣。

She **lay** shivering. 她躺着浑身发抖。

All her letters **went** unanswered. 她所有的信都没有回音。

The fine songs **went** unheard. 美好的歌声无人倾听。

It **lay** hidden in the hills. 它隐于深山中。

They **departed** unseen. 他们离开了,没有人看见。

At last the truth **became** known. 最后真相大白了。

The hall soon **became** crowded. 大厅里不久就挤满了人。

He **felt** disheartened. 他感到失望。

She **felt** insulted. 她感到受了侮辱。

There's nothing to **get** excited about. 没有什么可激动的。

I'm **getting** bored with his talk. 我对他的讲话感到厌倦了。

These thieves must not **go** unpunished. 决不能让这些盗贼逍遥法外。

The book **remains** unfinished. 这本书还没有写完。

The fields **lay** covered with snow. 田野里覆盖着厚厚的积雪。

The valley **lay** spread before us. 山谷一览无余地展现在我们面前。

The children **appeared** amused by the story. 孩子们似乎被那个故事给逗乐了。

My landlord did not **seem** hurried or excited. 我的房东好像既不慌张,也不激动。

For more than a week my pen has **lain** untouched. 我的笔已经个把星期躺在那里没有被碰了。

She had an old black cat who generally **lay** coiled. 她有一只老黑猫,这猫时常蜷缩卧着。

After all my care in packing, the clock **arrived broken**. 尽管我包得非常小心,这个钟到达时还是坏了。

The great ocean of truth **lies** all undiscovered before us. 真理的汪洋大海展现在我们面前而还没有被发现。

They **got** talking. 他们说了起来。

Then they **got** chatting together. 他们接着在一起聊了起来。

She **grew** a little excited. 她变得有点激动。

He **grew** dissatisfied with the work. 他对这工作不满意了。

John didn't **look** convinced. 约翰显得不太自信。

She **looked** rather offended. 她显得很生气。

The gate **remained** closed all day long. 大门整天关着。

He **remained** standing for two hours. 两个小时他一直站着。

She **seemed** inclined to go there. 她似乎想去那里。

He **seemed** lacking in imagination. 他似乎缺乏想象力。

The seam **came** unsewn/unstitched. 衣缝开线了。

He **died** beloved, revered and mourned by millions of people. 他去世了,受到亿万人们的尊敬、爱戴和悼念。

The meat **smells** burnt. 肉闻起来烧焦了。

(5) 连系动词＋介词短语。常用的有：read, sound, split, stand, appear, shine, smell, seem, grow, continue, keep, look, prove, remain, taste, come 等。例如：

The man **appeared** at his ease. 那人好像很自在。

It doesn't **read** like an article written by a boy of eleven. 这读起来不像是 11 岁的男孩写的文章。

He **lay** on his breast/on his back/on his side. 他俯卧着/仰着/侧身躺着。

His account almost **sounds** like science fiction. 他的描述听起来几乎像科幻小说。

She **seems** in bad mood. 她似乎情绪不佳。

He **seems** on the watch to control himself. 他似乎很注意控制自己。

He is always **running** out of money before payday. 他总是没等到发薪日就把钱用光了。

The agreement shall **remain** in force for a period of five years. 这个协议有效期为五年。

The country will **remain** in a state of chaos if it fails to solve its food shortage problem. 如果不能解决粮食短缺问题,这个国家将会仍然处于混乱之中。

It **went** out of fashion years ago. 这好几年前就不时兴了。

She **fell** into a doze. 她打起盹来了。

He has **fallen** into a bad habit. 他沾染了一种坏习惯。

The town now **lay** in ruins. 那座小城现已成为一片废墟。

【提示】

① 连系动词通常不用进行时态,但 look, go, run 等少数连系动词可以。例如：
- You **look** well today.
- You're **looking** well today. 今天你看来精神挺好。

② 连系动词可有自己的非限定形式。例如：
He sat down, **feeling** quite exhausted. 他坐了下来,感到很疲倦。

③ 连系动词可以有逻辑上的主语和表语。例如：
I find you **growing** younger. 我觉得你越发年轻了。

④ look, seem, appear 等可接 as if/though 引导的从句作表语。例如：
It **seems as if** it is going to snow. 好像要下雪了。
It **looks as though** he might be tired. 他看上去像是累了。

⑤ 连系动词可用反身代词作表语。例如：
You're not **looking yourself** today. 你今天看上去不太舒服。

⑥ 常用 go 指人的生理变化(**go** deaf),常用 become 表示人的感情变化(**become** worried)。

⑦ go 表示坏的变化(**go** bad),好的变化用 come(**come** true)。

⑧ become 指最终变化结果(**become** famous),用 grow 表示渐变过程或其他情况的变化(**grow** old, **grow** impatient)。

⑨ come 强调变化的结果(**come** loose),turn 强调变得和以前不同(**turn** red)。

3 flush crimson——连系动词的固定搭配

某些词与连系动词构成固定搭配,已成为惯用习语,参见上文。例如：

go wrong 出毛病　　　　　　　　　　　**go** dead (电话)中断,(电池)用完

go white (脸色)发白 　　　　　　go bald 头秃

break free 挣脱,从……跑出 　　　wear smooth 磨得光滑

run wild 疯长 　　　　　　　　　ring true 听起来真实

come loose 松开 　　　　　　　　come right 没有问题

flush crimson (脸)发红 　　　　　lie waste 荒芜

【提示】有些连系动词同时也是实义动词,但要注意用法上的区别:作连系动词用时,后跟形容词或名词,作实义动词用时,后可跟副词。比较:

The sponge **feels soft**. 海绵摸起来很软。
He **felt** her head **carefully**. 他关切地摸了摸她的头。

The oil is **running short**. 油快要用完了。
The car is **running rapidly**. 汽车在飞速行驶。

The soup **tastes delicious**. 这汤味道很美。
The man **tasted** the wine **suspiciously**. 那人疑惑地尝了尝酒。

Tom **appeared** quite **agitated**. 汤姆似乎很激动。
A strange idea **appeared suddenly** in her mind. 她的脑海中突然闪现出一个奇怪的想法。

比较:

She married **young**. 她结婚早。(＝She was young when she was married. (young 是形容词,为系表结构)

She dresses **young**. 她打扮得很年轻。(＝She dresses youthfully.)(young 是副词,为动状结构)

他回来了,伤心而凄惨。
He returned, **worried and wretched**. (动状结构)
He returned **worried and wretched**. (系表结构)

4 John left a boy, and came back a husband and father 的表层和深层

　John left **a boy**, and came back **a husband and father**. 约翰走时还是个孩子,回来时可就拖家带口了。

▶▶ 上句中 left a boy 不是"留下一个男孩",而是表示:When he left home, he was a boy. came back a husband and father 意为:When he came back, he had already got married and became a father.

▶▶ 这种句子可以看成是"谓语＋补语"结构,补语可由名词、形容词、现在分词、过去分词充当,表示主语的状态、身份性质或某种结果。这种用法的动词多为不及物动词,个别及物动词也可用于本结构。这类动词在语法上起连系动词的作用,也可看作半连系动词,上文所列举的某些例句也属于这种用法,可参阅。例如:

Mr. Jones **crumpled** to the floor **unconscious**. 琼斯先生倒在地板上不省人事。(不用 unconsciously)

The water goes in dirty and **comes out clean**. 进去的是脏水,而出来的是洁净水。(不用 cleanly)

She **went home disappointed**. 她失望地回家了。

He **left** school **a good student**. 他离开学校时品学兼优。

He **came** home **a famous scholar**. 他返家时已是著名学者了。

He **left** the town **a poor boy**. 他离开小城时是一个贫穷的孩子。

He **came** back **a new man**. 他回来时已全然变了个人。

He **walked** out of the court **a free man**. 他走出法庭时成了自由人。

They **parted the best of friends**. 他们分别时已是好朋友了。

He **died a millionaire**. 他死时已是身价百万。

He **returned a rich man**. 他回来时成了富人。

She **died a prisoner**. 她死于狱中。

She **sat** there **a patient**. 她坐在那里,病了。

He **went an enemy** and **returned a friend**. 他走时是仇敌,回来时成了朋友。

He **lived a saint**, and **died a martyr**. 他生为圣徒,死为烈士。

She **came** home **cheerful**. 她回家时兴高采烈。

He **left** home a **bricklayer**. 他离开家时是一个泥瓦匠。

Bob **went** away **angry**. 鲍勃怒气冲冲地走了。

He **lost** his mother **young**. 他从小就没了母亲。

Dad **grew up poor**. 爸爸是在贫困中长大的。

He **went** to bed **a poor man** and the next morning he **woke up** a millionaire. 他上床睡时还一贫如洗,第二天早晨醒来却成了百万富翁。

We **leave** them **the better** and **the brighter**, with a firmer step, and the determination to win through our difficulties. 离开他们时,我们豁然开朗,步伐坚定,并带着战胜一切困难的决心。

He **reached** home **damp** after playing football. 踢完球后,他回到家里浑身是汗。

3. 助动词和情态动词

助动词和情态动词都是"辅助性"或"帮助性"动词,不能独立使用,而是用来帮助构成不同的时态和语态,表达不同的意念。助动词和情态动词的基本区别是:助动词本身没有词义,有数和人称的变化,大都有与相应时态的变化形式,但 shall,will 只有 should 和 would 变化形式;情态动词本身有词义,表示说话者的某种情态,没有人称和数的变化,may,can 有变化形式 might 和 could,而 must 无任何变化形式。

助动词和情态动词的共同特点是:构成一般疑问句、反意疑问句、否定句、虚拟语气等,并可用作替代词。助动词和情态动词的用法详见下文。

4. 可用名词作宾语补足语的动词

这类动词常用的有:call, count, believe, consider, feel, appoint, leave, keep, make, crown, select, choose, nominate, name, find, prove, elect, think, certify, confess, declare, deem, hold, imagine, presume, proclaim, suppose, brand, vote, christen, term 等。参阅下文。例如:

He died, **leaving** her **an orphan**. 他离开了人世,留下她成了孤儿。

He **proved** himself **an able man**. 他证明自己是个能干的人。

People **branded** him **a thief**. 人们把他称作"贼"。

They **crowned** him **king**. 他们立他为王。

They **christened** the ship **"The Conqueror"**. 他们把船命名为"征服者"。

The critics **voted** the drama **a success**. 评论家公认这个话剧很成功。

He **termed** himself **a professor**. 他自称教授。

5. 可用形容词作宾语补足语的动词

这类动词常用的有:lay, set, turn, let, cut, buy, like, push, boil, beat, dye, cry, shout, keep, paint, drive, see, pull, swallow, have, believe, build, call, certify, render, declare, consider, deem, find, get, leave, hold, prefer, make, proclaim, presume, profess, pronounce, reckon, prove, wish, want, think, send, report, suppose, imagine, strike, sweep, tear 等。参阅下文。例如:

He **laid** himself **flat** on the ground. 他直挺挺地躺在地上。

She won't **have** him **idle**. 她不让他闲着。

The news **struck** us **dumb**. 这消息使我们哑口无言。

Her remark **rendered** him **speechless**. 她的话使他无话可说。

The police **reported** the roads **clear** of snow. 警方报告路上的积雪已被清除。

Set your hat **straight**. 把你的帽子戴正。

The swindler **bled** the old man **white**. 骗子把那个老人的钱都诈光了。

They **held** her **responsible** for the damage. 他们认为她应对损坏负责。

I **like** my tea **strong**. 我喜欢喝浓茶。

He **slept** himself **sober**. 他睡了一觉清醒过来了。

Have your money **ready**. 把钱准备好。

6. 可接同源宾语的动词

某些动词,包括少数不及物动词,后可接同源宾语,常用的有:dream, sigh, think, die, smell, smile, laugh, sleep, breathe, live, titter, blow, strike, fight, nod, look, swear, run, say, pray, bow，stare 等。

同源宾语的特点是：①多数同源宾语在词源和意义上与谓语动词相同,但有些同源宾语与谓语动词词形不同,或意义接近,或隐约相关;②同源宾语可有形容词修饰,有些亦可用冠词或形容词性物主代词修饰;③有些同源宾语可以用复数;④有些同源宾语可以转换为副词或介词短语等;⑤同源宾语前的形容词为最高级时,同源宾语可以省略。例如:

He **tittered an infuriating** titter. 他发出恼怒的窃笑。(同源,有定语)

She **sighed** a deep sigh of relief. 她深深地叹了口气,如释重负。(同源,有前后置定语)

She **smiled** a friendly smile and **bowed** a little bow. 她友好地笑了笑,轻轻鞠了一躬。(同源,有定语)

She **slept** a peaceful/sound sleep and **dreamed** a happy dream. 她睡了一个好觉,做了一个美梦。(同源,有定语)

He **fought** a hard fight. 他进行了一场苦斗。(同源,有定语)

She closed her eyes and **wished a** wish. 她闭上眼睛许了一个愿。(同源)

She **swore** a false oath. 她赌了个假咒。(意义接近,有定语)

He didn't **sleep** a wink. 他一点也没睡着。(意义接近)

It **blew** a heavy/hard gale. 刮起了大风。(意义接近,有定语)

He **thinks** a noble thought. 他思想高尚。(意义接近,有定语)

Think happy thoughts and you'll feel better. 想些高兴的事,你会感觉好些。

She **struck** a fatal blow at the man. 她给了那个男人以致命的一击。(意义接近,有定语)

She **sniffed** a pleasant smell of rose. 她闻到玫瑰的香味。(意义接近,有前后置定语)

He **nodded** his consent. 他点头表示同意。(隐约相关)

Jim **shouted** his disapproval. 吉姆大声喊叫表示不同意。(隐约相关)

She **looks** her thanks. 她面带几分谢意。(隐约相关)

As for the one who **lives** life like a floating cloud，he takes a lot from the world but gives little in return. 浮生如梦的人,从这个世界拿走的很多,而给这个世界的却很少。

She **smiled** a tender smile. 她温柔地笑了笑。

He tossed in his sleep and **dreamed** bad dreams. 他辗转反侧,噩梦接二连三。

He **laughed** a brief laugh. 他短促地大笑一声。

She **dreamed** a rosy dream. 她做了一个美梦。

Father sat there，**smoking** a long smoke. 父亲坐在那里,长时间地吸烟。

He **laughed** a flattering laugh. 他奉承地大笑起来。

She **smiled** a faint smile. 她轻轻地微笑。

He **laughed** a little short ugly laugh. 他短暂地、丑恶地大笑一声。

She **smiled** a shy nervous smile. 她羞怯而忐忑不安地笑了笑。

He **dreamed** a curious but wonderful dream. 他做了一个奇妙的梦。

Happiness lies in loving, in **wishing** her wishes and **thinking** her thoughts. 幸福就在爱情之中,望她之所望,想她之所想。

The dusk invades the high tower, where someone **sighs** a longing sigh. 暝色入高楼,有人楼上愁。

Whoever **lives** true life, will **love** true love. 过着正直生活的人都挚爱真正的爱情。

He **thought** some unkind thoughts. 他心中起了邪念。

Animals in the traps can **die** a slow and agonizing death. 落入陷阱中的动物会在痛苦中缓慢死去。

He **thought** great thoughts. 他志向远大。

Only a life **lived** for others is a life worthwhile. 只有为别人而活的人生才是值得的。

The man **wailed** a loud, animal wailing. 那人野兽般大声嗥叫着。(动名词)

She **prayed** an earnest prayer. 她诚心诚意地祈祷。(＝pray earnestly)

He **died** a glorious death. 他死得光荣。(＝die gloriously)

She **bowed** her agreement. 她点头表示同意。(＝She expressed her agreement by bowing.)

He is now **living** a happy life. 他现在过着幸福生活。

He **tried** a hard try. 他奋力尝试。

He **bowed** his thanks. 他鞠躬表示感谢。

She **smiled** approbation. 她微笑着表示赞同。

He **stared** his surprise/amazement. 他瞪着眼睛表示惊讶/惊异。

We **talked** soldier talk for an hour. 我们同士兵谈了一个小时。

She **smiled** a warm and friendly smile. 她热情友好地微笑着。

I **smiled** the fakest smile I had. 我勉强挤出我仅有的一点笑容。

He **fought** a clean fight. 他干净利落地干了一仗。

He **wept** bitter tears. 他痛哭流涕。

His life's race is nearly **run**. 他的人生之旅快要结束了。(被动语态)

The man **breathed** his last (breath). 那人断气了。(省略)

She **ran** her fastest (race). 她跑得最快。(省略)

She **sang** her sweetest (song). 她的歌喉最动听。(省略)

He **fought** her best (fight). 他打了个大胜仗。(省略)

He **shouted** her loudest (shout). 他用最大的声音喊叫。

【提示】

① 在意义、词形、词根上与谓语动词相同,称为同源宾语,而在词形、词根上与谓语动词不同,仅在意义上接近或隐约相关,称为准同源宾语。同源宾语一般不可用于被动语态,而准同源宾语通常可用于被动语态。例如:

He **laughed** a hearty laugh. 他纵情大笑。

A hearty laugh was laughed by him. [×]

The two teams **played** a friendly game. 这两支队友好地比赛了一场。

A friendly game **was played** by the two teams. [√]

This is the real life of English, for the sake of which those wars were waged and bloody battles **fought**. 这才是真正的英国生活,为了它,人们才去发动战争,才会血染疆场。

② 同源宾语可以倒装,置于句首,表示强调。例如:

Such a life she **lived**. 她过的就是这样一种生活。

A scornful laugh **laughed** he. 他轻蔑地笑了笑。

七、一些主要助动词和情态动词的用法

助 动 词	情 态 动 词
be (is, am, are, was, were, been, being)	can, could
have (has, had, having)	may, might
do (does, did)	shall, should (ought to), will, would
shall (should), will (would)	dare, need, must (have to), used to

【提示】

① be able to, be about to, be afraid to, be apt to, be bound to, be sure to, be willing to, be unwilling to, chance to, happen to 等可看作半助动词。

② 下文一并探讨的也包括 had better/best, would rather/sooner 等。

1. be

"be＋动词不定式"可以表示下面几种意思。

1 命令或指示

No one **is to enter** the room without permission. 不经允许,切勿入内。

The books **are not to be taken** out of the reading room. 不得将书拿出阅览室。

2 计划或安排(相当于 be going to)

A new bridge **is to be built** over the river soon. 这条河上不久就要架一座新桥。

The expedition **is to start** in a week's time. 探险队预定一周后出发。

3 可能或不可能(相当于 may, can)

This kind of tree **is to be found** in that forest. 在那片森林里能够找到这种树。

He **was** often **to be seen** taking a walk on the path. 在这条小路上经常可见到他散步。

4 应该或不应该(相当于 should, ought to)

What **is to be done**? 该怎么办?

Such people **are to be criticized**. 这种人应该受到批评。

In future you **are not to go** out alone. 以后你不要一个人出去。

5 表示后来发生的事,可以用来表示一种命运或注定

The worst **is** still **to come**. 最坏的还在后头。

He **was to regret** the decision. 他有一天会后悔做出这一决定的。

This I **was** only **to learn** later. 这一点我只是以后才知道的。

He didn't know that he **was to become** rich later on. 他不知道他后来会富有。

They said good-bye, little knowing that they **were** never **to meet** again. 他们告了别,根本没想到永不再相见。

6 表示"如果想……",用于条件状语从句中

If you **are to watch** the sunrise, you'll have to get up early. 如果你们想看日出,就得早起。

If we **are to win** the match, we'll have to train even harder. 如果我们想要赢得这场比赛,我们得更刻苦地训练。

7 用于习语

Where **am I to go**? 我该向何处去?

What **am I to do**? 我该怎么办?

【提示】

① be 还可用作实义动词,表示动作。例如:

The conference will **be** in a month. 会议一个月后举行。(take place)

What must be, must **be**. 天意不可违。/该发生的事总是要发生的。

How long ago **was** it? 这是什么时候的事了?(happen)

I think, so I **am**. 我思故我在。

When is the ceremony to **be**? 典礼什么时候举行?

The meeting has already **been**. 会已经开过。

Whatever **is** is right. 存在的就是合理的。

Can such things **be**? 可能有这样的事吗?

② "have/has been+不定式"可以表示"去做了某事"。例如:

I've **been to see** the flower show. 我去看过花展了。

He's **been** two times **to see** her. 他去看过她两次了。

③ "was/were+不定式完成式"可以表示"本来打算……,本来要……(而结果则没做)"。例如:

He **was to have attended** the meeting, but he fell ill. 他本来要参加会议的,但是生病了。(因此没参加)

They **were to have visited** the factory, but a heavy downpour spoiled their plan. 他们本打算参观那个工厂的,但一场大雨给搅了。

2. have to 和 must

have to 和 must 在表示"必须"这个意思时是很接近的,但也有一定的区别。

1 have to 比较强调客观需要,表示因客观环境或事态促使而不得不做某事;must 强调主观看法,表示主观上认为有必要做某事

我必须再学一门语言。
I **must learn** another language.（主观想法：I want to）
I **have to learn** another language.（客观需要：身为一名外交官）

You **must be** back before 10 o'clock. 你必须在 10 点钟前返回。（叮嘱或命令）
You **have to be** back before 10 o'clock because the train is to leave at 10:05. 你必须在 10 点钟前返回，因为火车 10 点 5 分开。（客观需要）

吉姆得每天早晨修面。
Jim **has to shave** every morning.（长着一脸大黑胡子）
Jim **must shave** every morning.（军人服从命令）

She **must** do it herself. I shan't help her. 她必须自己做，我不会帮她的。（说话人的意志）
She **has to** do it herself. She has got no one to help her. 她不得不自己做，无人帮她。（客观情况使得）

你得留下来吃晚饭。
You **must** stay for supper.（because I want you to）
You **have to** stay for supper.（because there's nowhere else to go to）

Someone **must have lost** the game. 估计一定是谁输了。
Someone **had to** lose the game. 反正必定要有输家。

You **have only to** say a word, and she will do everything for you. 你只需说一个字，她就会为你做一切。（同 only 连用）

2 must 可以表示"偏偏，偏要"，指不愉快的事，而 have to 一般不可

After I gave her my advice, she **must** go and do the opposite. 我给她出了主意后她偏反着干。
Just when I was going out, someone **must** knock at the door. 我正要外出，偏偏有人敲门。
Must you trouble him, just when he is busy doing the cooking? 他在做饭，你干吗偏要打扰他？
Though she **didn't need** to, she **must** go. 虽然她不用去，她却偏要去。
You don't **have to** come again, but you **must**. 你不必再来，可是你执意要来。
The rain was bad enough, then it **must** snow. 下雨就算糟糕的了，接着老天偏偏又下起雪来。

3 have to 多表示义务或习惯动作；must 则用于表示一种重要或急迫的事情

We **have to** care for the young. 我们得关心青年一代。（义务）
She **has to** be at the office before eight every day. 她每天都要在 8 点钟前到达办公室。（习惯）
You **must** go to the manager at once, or you'll be dismissed. 务必马上去见经理，不然你会被开除的。（急迫的事情）

4 have to 可用于不同的时态，可同情态动词和助动词连用，可用于被动语态，后面有时可跟不定式进行式；must 一般用于现在时，但也可以表示将来的情况，在间接引语中也可以表示过去。在现代英语中，即使不是在间接引语中，must 有时也可表示过去的情况；have to 和 must 均可用于 there be 句型

I **have to/must** leave now. 我现在得走了。
We'll **have to** buy another TV set. 我们得再买一台电视机。
She **is** always **having to** make decisions. 她要经常做出决定。
I **am having to** stick to my principle. 我必须坚持自己的原则。
There **has to** be some reason for the delay. 这一耽搁一定有某种缘由。
He **has had to** reconsider his position. 他不得不重新考虑他的立场。
If it hadn't been for his help, she **would have had to** leave. 如果不是他帮助，她就得不离职了。
She **may have to** stay there longer. 她可能不得不在那里待更长时间。
First **I'd have to** say something about the background. 首先我必须说一下有关背景。
All the weapons **have to** be moved away before dawn. 所有这些武器都必须在天亮前移走。
They **had to** put off the sports meet because of the bad weather. 天气不好，他们只得取消运动会。
It'll have to be finished before noon. 这事得在中午以前完成。

We **shall have to** be going. 我们得走了。

The world is a small place now and people **are having** to learn to live peacefully with their neighbours. 这世界现在是个小地方了,人们正迫不得已学着同邻居们和平相处。

People **are having to** fetch water from a stream two miles away. 人们正不得不从两英里外的小溪中取水。

I'm sorry to **have to** cancel the plan. 我很抱歉,不得不取消这一计划。

It'll **have to** be done all over again. 这得重新做。

We **had to** be doing something. 我们得做点什么。

People **had to** be reminded of the danger that night. 那天夜晚,必须提醒人们注意危险。

He's **been having to** force himself to talk. 他必须一直强迫自己说话。

It wouldn't be good for him to **have to** do it that way. 他非得那样做,是不大好的事。

Having to reach the town before dawn, they had to walk on despite the heavy rain. 他们必须在天亮前到达那个小城,所以不得不冒着大雨前行。

He said that the work **must** be finished within two weeks. 他说这项工作必须在两周内完成。

There **must** be a day for revenge. 总有报仇的那一天。

They had no way out. They **must** fight to the end. 他们已陷入绝境,必须战斗到底。

⑤ must 还可以表示一种推断和揣测,实况估计必然;have to 也可用于实况估计,指势态,表示"必要,必然,必然性",肯定性很强;不是绝对肯定时,要用 must,不用 have to

This **must** be Jim's pen. 这一定是吉姆的笔。

You **must** be joking. 你准是在开玩笑。

There **must** be something wrong with the machine. 机器准是出了毛病。

He **must** be coming this moment. 他这会儿准在来。

She **must** be living in the country this week. 她本周一定住在乡下。

He **must** remain single until today. 他准是独身到今天。

Poverty **must** follow after a long war. 长期战争之后必然是贫穷。

Must there be some good reason for his resignation? 他辞职一定有某种切实缘由吗?

Mustn't there be another reason for his saying such things? 他说这样的话肯定没有别的原因吗?

These lines **have to** be Shakespeare's. 这些诗句一定是出自莎士比亚笔下。(绝对肯定)

There **has to** be a reason. 一定有个原因。(绝对肯定)

Peter **has to** be home by now. 彼得现在准到家了。(绝对肯定)

The vase **had to** be there. 花瓶一定要放在那里。

Somebody **had to** lose the game. 反正一定要有人输。

There doesn't **have to** be an answer to every question. 不一定所有的问题都有个答案。

They don't **have to** be hungry now. 他们现在不一定就饿了吧。

He **has to** know it, because my raincoat has my name in it. 他不会不知道,因为我的雨衣反面有我的名字。

他想必是个诗人吧。

He **must** be a poet. [✓](表示推测)

He has to be a poet. [✗]

⑥ "must+动词完成式"表示对过去情况的揣测,"must+动词完成进行时"表示对一直以来在进行的情况进行推测,而 have to 则无这种用法

I can't find my key. I **must have left** it in the bus. 我找不到钥匙了,一定是丢在车上了。

The essay **must have been written** by a woman. 这篇散文一定是一个女子写的。

She **must have read** the book sometime in the past, or she couldn't have answered the question so well. 她一定在过去某个时候读过这本书,不然,这个问题她不会回答得这么好的。

I saw his car went past followed by a police car. They **must have been doing** at least 180 kilometres an hour. 我看见他的车飞驶而过,后面跟着一辆警车。他们当时的速度肯定至少在每小

时 180 千米。

You **must have been thinking** of something. 你一定在想心事。

Someone **must have been smoking** here. 一定有人在这里抽烟了。

He **must have completed** his work；otherwise，he wouldn't be enjoying himself by the seaside. 他准是完成了工作，不然的话，他不会在海边玩得那么开心的。

7 must 可以表示客观必然性，意为"必然(会)，总是会"，而 have to 则不可

What **must** be will be. 注定要发生的事总要发生。

Competition **must** happen. 竞争总会发生。

Truth **must** be out. 真相总会大白。

Winter **must** be followed by spring. 冬天过后一定是春天。

8 "had had to ＋动词原形"可用于表示过去情况的虚拟条件句中

If I **had had to** do the work，I should have done it in a different way. 如果我不得不做这项工作，我会以不同的方式去做。(＝had been obliged to)

If I **had had to** run the factory，I would have had it run by able men. 如果我得管理这家工厂的话，我就会让它由能人管理。(＝had been obliged，forced)

9 在虚拟条件句或主句中，可用 must 代替 had to，would，should 等

If I **must** marry her，I would certainly regret it some day. 如果我必须同她结婚的话，我有一天肯定会后悔的。(＝had to)

If you were more careful，things **must** be better. 如果你更仔细些的话，情况会更好些。(＝would surely)

【提示】

① 在现代英语中，have to 的否定式和疑问式既可以按照助动词的变化规则构成，也可以按照行为动词的变化规则构成。例如：

He **doesn't have to** wear glasses for reading. 他读书不必戴眼镜。

Why **did** you **have to** do it? 你为什么不得不做那件事？

What **do** we **have to** do to get her out of the difficulty? 我们要怎么做才能使她从困境中解脱出来？

　Have you to finish the job before supper? 你得在晚饭前做完这项工作吗？
　Do you **have to** finish the job before supper?

　He **hadn't to** work so late. 他不必工作到这么晚。
　He **didn't have to** work so late.

▶▶ 在英式英语中，也常用 haven't got to，意为"不必"，可指现在或将来。例如：

　I **don't have to** go now. 我现在不必走。
　I **haven't got to** go now. (got 在口语中也可省略)

② have got to 常可同 have to 换用，但有时表示不同的含义。比较：

　There **has to/has got to** be some mistake. 一定是出了错。
　There **has not to/has not got to** be any mistake. 不一定出了错。

　他必须隔天向总部报告一次。
　He **has to** report to the headquarters every two days. (例行公事，习惯动作)
　He **has got to** report to the headquarters every two days. (一道指示或命令，必须每两天报告一次)

▶▶ 另外，作"有"解时，have got 和 have 通常可以换用的，have got 更口语化，但有时表示不同的含义。比较：

　The man **has** a blind eye. 那人有一只眼瞎了。
　The man **has got** a blue eye. 那人有一只眼被打青了。

③ "have to＋动词完成式"表示"必须在某时之前做完某事"。例如：

You **have to have passed** exams in ten subjects before you get a degree. 你必须通过 10 门课程的考试后才能拿到学位。

④ must not 和 need not

must not 表示禁止,是说话人强有力的劝告或命令,意为"一定不要,不准,不可";在回答由 must 引导的问句时,如果是否定的回答,表示"不必,没有必要",不能用 mustn't,而要用 needn't 或 don't have to。例如:

You **mustn't** leave us. 你一定不要离开我们。

You **mustn't** forget to post the letter. 你可别忘了寄那封信。

You **mustn't** breathe a word of this to anyone. 你千万不要对任何人说这件事。

Must I **not** have a voice in the matter? 在这件事上我还一定不能有意见吗?

We must hurry, we **mustn't** be late. 我们得快走,我们不能迟到。

{ You **must not drive** fast. 你不能开快车。(路险或有速度限制)
  You **needn't drive** fast. 你不必开快车。(时间充裕)

{ You **must not tell** others. 不准告诉别人。(警告)
  You **needn't tell** others. 不必告诉别人。(没有必要)

⑤ must needs 和 needs must

needs 为副词,相当于 necessarily, of necessity。must needs 和 needs must 均可表示"必须,必定,不得不",这层意义上可以通用;但 must needs 还可表示"偏偏,偏要",含有讥讽、不满的意思,而 needs must 则一般不表示这层意思。例如:

I **must needs** go there now. 我现在非到那里去不可。(可用 needs must)

Needs must when the devil drives. 情势所迫,只得如此。

She **must needs** go away when I want her. 我正需要她时,她却偏偏要离开。(不可用 needs must)

The telephone **must needs** ring when I went to bed. 我上床睡觉时偏偏有人来电话。(不可用 needs must)

⑥ must 的三种不同否定形式。比较:

{ He **must be** on the sports ground. 他一定在操场上。(表示推测,意为"一定,准是")
  He **can not be** on the sports ground. 他不可能在操场上。

{ He **must get up** at five. 他有必要5点起床。(表示有必要,意为"应当,必须")
  He **need not get up** at five. 他没有必要5点起床。

{ He **must park** the car here. 他必须把车停在这里。(表示命令,意为"必须")
  He **must not park** the car here. 他不准把车停在这里。(不允许)
  He **need not park** the car here. 他不必把车停在这里。(可以停在别的地方)

⑦ 注意下面一个歧义句:

{ You **mustn't** sleep till next morning.
  = You **mustn't** sleep as late as next morning. 你不能一直睡到第二天早上。
  = You **mustn't** fall asleep till next morning. 你要到第二天早上才能睡。

3. 助动词 need 和行为动词 need

need 指主语的主观特需情况而使之必要,可以作助动词,也可以作行为动词。作助动词时,need 没有人称和数的变化,后接不带 to 的不定式(动词原形),否定式为 need not 或 needn't。作行为动词时,need 同别的行为动词一样,有人称和数的变化,后接带 to 的不定式,否定式要在前面加 do not 或 don't(doesn't, didn't),疑问句用 do(does, did)提问。

1 助动词 need 常用于否定句中或含有否定意义的句子中

You **need not** do anything here. 你在这里什么也不必做。

He never **need** know. 他不需要知道。(=He never needs to know.)

She **need** hardly/scarcely say anything to him. 她几乎不需要对他说什么。

I don't think he **need** come. 我认为他不需要来。(=I think he need not come.)

It **needn't** always be my fault. 不一定总是我的过错。

She **need** only wait. 她只需等待就行。(=She need not do anything.)

There is no more that **need** be done. 没有更多需要做的了。(=No more need be done.)

She goes there oftener than **need**. 她没有必要去那里那么多次。(=She need not go there so often.）

② 助动词 need 常用于疑问句中

Need I repeat it? 要我重复一下吗?

There **need** be no hurry, need there? 不必匆忙,是吗?

You **needn't** do it at once, **need** you? 你不需要马上就做,是吗?

What else **need** I do? 还需要我做什么?

Need he have worked so hard? 他需要那么辛苦吗?

If love between the two can last long, why **need** they stay together night and day? 两情若是长久时,又岂在朝朝暮暮!

③ 助动词 need 可以用来表示过去情况,用于过去时中

You **need** not go there last night. 你昨晚不必去那里的。

Need she go downtown yesterday? 她昨天需要进城吗?

He told her that she **need** not wait for him. 他告诉她不必等他。

④ 助动词 need 也用于 if, unless 等引导的状语从句中

If I **need** start early, I will. 如果需要早点动身,我会早点动身。

I wonder whether I **need** advise him. 我不知道是否需要劝他。

I won't write her unless I **need** write her. 除非需要给她写信,否则我不会给她写信。

⑤ 助动词 need 可用于虚拟语气中

If life were a dream, one **need not** be too earnest. 如果人生是一场梦,就不必太认真。

If she had been there with him, he **need not have suffered** so much. 如果她同他在一起的话,他就不必受那么多苦了。

⑥ need not be 和"need not have＋过去分词"表示"不一定"

It **need not be** true. 这不一定真实。(It may be true, or not.)

The man **need not be** thirty. 那人不一定 30 岁。(He may be thirty, or not.)

A man **need not be** happy though he is rich. 富有的人不一定幸福。(may be, or not)

He was there then, but he **need not have stolen** the money. 他当时在那里,但他不一定偷了钱。(may have or may not have)

He travelled a lot, but he **need not have visited** the Great Wall. 他旅游到过许多地方,但不一定参观过长城。(may have or may not have)

⑦ "need have＋过去分词"可用于比较结构中

She was more careful than she **need have been**. 她不必那么小心的。

He drove faster than he **need have done**. 他没有必要把车开那么快。

The road was wider than it **need have been**. 路不必要那么宽。

⑧ "need not have＋过去分词"还可表示"不必做某事,却做了"

You **need not have borrowed** the money. 你本来不必借那笔钱。(But you did.)

The weather turned out to be fine yesterday. I **needn't have taken** the trouble to carry my umbrella with me. 结果昨天是个晴天,我不必自找麻烦带雨伞的。

You **need not have asked** her about it. 你本不必问她那件事的。(但是问了)
You **did not need to ask** her about it. 你不必问她那件事。(也没问)

Father sent me the book, so I **didn't need** to write to him for it. 父亲把那本书寄来了,所以我不必为此给他写信了。(信没写＝I did not)
Father sent me the book, so I **needn't have written** to him for it. 父亲把那本书寄来了,所以我本不该为此再写信给他的。(信已写＝But I did write)

She **didn't need** to come. 她不必来的。(实际也没来＝She did not come.)
She **needn't have come**. 她本来不必来的。(但是来了＝But she did.)

【提示】

① 在 will 或 shall 表示的将来时中,要用行为动词 need。例如:

You will never **need to** worry about him. 你永远也不必为他担心了。

You will **need to** say nothing. 你什么也不必说。

② 助动词 need 通常用于疑问句和否定句中,在肯定句中常用 must, have to, should, ought to 等。例如:

"**Need** you do it right now?" "I **needn't**, but he **must**. " "你需要马上就做吗?""我不需要,但他必须。"

③ have no need to, don't have to, haven't got to, be not bound to 等也可以表示 needn't 的含义。例如:

> I **needn't** talk with him. 我不必同他谈话。
> = I **have no need to** talk with him.
> = I **don't have to** talk with him.

④ 比较:

> She **doesn't need to be told**. She has already known it. 不需要告诉她,她已经知道了。(客观情况使得告诉她没有必要:她已经知道)
> She **needn't be told**. We should keep it secret from her. 不必告诉她,这件事我们应该对她保密。(主观上不愿告诉)

> 肯定有人在说谎。
> Someone needs to be telling lies. [×]
> Someone **must**/**has to be telling** lies. [√]

4. ought to

ought 没有词形变化,通用于所有人称,可以用于现在时、过去时和将来时,同带 to 的不定式连用,否定式为 ought not/oughtn't to,读作['ɔːtnt],疑问式把 ought 放在主语前。

1 表示理应做的事,应该做的事,意为"应该,应当"

You **ought to** study hard. 你应该努力学习。(= It is your duty to study hard.)

You **ought to** read the book. 你应该读这本书。(= It will do you good to read the book.)

He said she **ought not to** be his wife. 他说她不该成为他的妻子。

He will say that you **ought to** do your best and who **ought not**? 他会说,你应尽全力,谁不该尽全力呢?

Such a sentence **oughtn't to** be used here. 这个句子不应在这里使用。(= It is not proper to use such a sentence here.)

2 表示推测,可译为"应是,应该,会是"

He is honest, so what he said **ought to** be true. 他很诚实,因此他的话该是真实的。

It is already twelve o'clock. Lunch **ought to** be ready. 现在已经是 12 点,午饭应该好了。

He **ought to** have written the letter by now. 他现在该把信写好了。(现在以前的动作)

He **ought to** have made a lot of money. He did business many years. 他经商数年,应该赚了许多钱。

3 "ought to have+过去分词"常表示一个与过去事实相反的情况,肯定式表示"应该做某事而没有做",否定式表示"不应做某事却做了"

It is too late. You **ought to have taken** the chance then. 现在太晚了,你本该当时就抓住机会的。(But you didn't.)

He has suffered a lot these years. He **ought to have followed** my advice. 他这些年吃了许多苦,他本应听从我的劝告的。

His wife is vain and selfish. He **oughtn't to have married** her. 他妻子虚荣自私,他本不该娶她的。

4 "ought to have+过去分词"还表示过去更早的时间应该如何

I think he **ought to have resigned** last year. 我想他去年就应该辞职的。

She came last Friday. But she **ought to have come** three days before. 她是上周五来的,但她应该早三天来。

She refused to marry him and many of her friends think she **ought to have refused** to marry him. 她拒绝嫁给他,她的许多朋友都认为她理应拒绝他。(She did refuse him.)

【提示】

① ought to 与 must, have to, should 的含义比较接近,但不完全相同。ought to 表示义务或责任,用以提醒某人注意其义务,指出一个正确、明智的行为。must 强调的是主观愿望,指必须做什么,牵涉到说话人的权威。have to 则表示由某种情况、环境所迫而不得不做某事。should 同 ought to 同义,ought to 口气稍重一些,在生活交际中多用 should;另外,ought to 有时有针对性,而 should 则表示一般的忠告。比较:

You **ought to** respect the old. 应该尊重长者。(正确的行为)

You **must** do it at once. 你必须立即做这件事。(含有说话人的权威性)

We'll **have to** reconsider the matter. 我们务必重新考虑这件事。(情况所迫:发现有新的问题,有差错)

We **should/ought to** do more for the country. 我们应多为国家出力。(义务,责任)

{We **ought not to** tell lies. 我们可不应该说谎话。(针对性强)
{We **should not** tell lies. 我们不应该说谎话。(忠告)

② 表示"必然"时,ought to 的语气不如 must 那么肯定。比较:

{This is where the gold deposits **must** be. 这里一定有黄金。
{This is where the gold deposits **ought to** be. 这里应该有黄金。

③ 在美式口语中,ought to 在疑问句和否定句中可省去 to。例如:

You **oughtn't buy** the car. 你不应该买那辆车。

Ought we **stop** now? 我们现在应该停下来吗?

5. "used to+动词原形"和"be/become/get used to+动名词/名词"

"used to ['juːstə]+动词原形"表示一种过去的习惯、过去的例行活动或方式,一个与现在情况相反或现在已不存在的过去状况、情况,意为"过去常常,以前曾经",否定式为 used not to/usedn't to,疑问式把 used 放在主语前,也可用 did 引起。"be/become/get/grow used to+动名词/名词"意为"习惯于……,对……习惯"。例如:

She **didn't used/use to** come.   ⎱
She **usedn't to** come.   ⎰ 她过去不常来。

Didn't he **used/use to** get up early?   ⎱
Usedn't he **to** get up early?   ⎰ 他过去不是常早起吗?

Didn't there **used/use to** be a church at the corner of the street? 这条街的拐角处从前不是有一座教堂吗?

I'm **used to** dealing with matters of this sort. 我习惯于处理这类事情。

【提示】 used to 还可以同 often, never, always 连用。例如:

He **often used to** work late at night. 他过去常工作到深夜。

She **always used to** get up at four o'clock in the morning. 她过去总是早晨 4 点起床。

6. shall

除在一般将来时中用于第一人称外,shall 还有如下用法。

1 表示征求意见或请求指示

Shall we meet in the evening? 咱们晚上见好吗?

How **shall** I start the machine? 怎样开动这部机器?

【提示】 shall 只表示"愿意按对方的指示去做",而 may, might 或 can 表示"征求对方的同意",意为"行不行,好不好,可以不可以"。比较:

{**Shall** I come in? 你要我进来吗?
{**May/Might/Can** I come in? 我可以进来吗?

{**Shall** I buy the dictionary? 要我买那本词典吗?
{**May/Might/Can** I buy the dictionary? 我可以买那本词典吗?

{**Shall** I go there tomorrow? 要我明天去那里吗?
{**May** I go there tomorrow? 我明天去那里好吗?

2 用于第二、三人称,要重读,不可缩写,表示意图、意志、允诺、命令、预言、命运或必然结果等;但 shall 所表示的意志是说话人的意志,而非句子中主语的意志。在法律、条约、协定等文件中,shall 表示义务、规定等

You **shall** have a lot of money. 你会有很多钱的。(＝I shall give you a lot of money.)(意图,允诺)

You **shall** arrive there before sunset. 你们要在日落前到达那里。(意图,命令)

You **shall** not smoke. 不准抽烟。(禁止＝I forbid you to . . .)

Each citizen **shall** carry his identification card when travelling. 旅行时每个公民务必带上身份证。(规定)

If you don't behave yourself,you **shall** be punished. 如果你行为不规矩的话,你会受到惩罚的。(威胁)

The task **shall** be finished by Sunday. 任务会在星期天前完成。(允诺)

The child **shall** trouble you no more. 这孩子不会再打扰你了。(允诺)

She **shall** get this paper in the evening. 她会在晚上得到这篇论文。(允诺)

The day **shall** come. 那一天一定会来的。(决心)

He **shall** get what he deserves. 他会受到惩罚的。(警告)

Death is certain to all;all **shall** die. 死必临万物;万物皆会死。(命运)

Better days **shall** soon follow. 更好的日子即将来临。(预言)

He **shan't** come here. 我不会让他来。(威胁)

The time **shall** come when they **shall** be avenged. 为他们报仇,指日可待。(意志)

I will join the expedition team,and no one **shall** stop me. 我要参加探险队,谁也不能阻止我。(意志)

There **shall** be no photographs taken here. 此处禁止拍照。(禁止)

All **shall** be well. Jack **shall** have Jill. 一切都会好的。有情人将终成眷属。(必然结果)

You say you will not go there,I say you **shall** go there. 你说你不愿去那里,我说你一定要去那里。(要求)

He **shall** never have ease that all men please. 谁要想讨人人喜欢,就一时也不得安然。(客观规律)

As a man sows,so **shall** he reap. 种瓜得瓜,种豆得豆。(客观规律)

Who touches pitch **shall** be defiled. 玩火者必自焚。(必然结果)

POWs **shall** not be ill-treated. 战俘不得受虐待。(法律用语)

3 用于修辞性问句

Who **shall** believe him? 谁会相信他呢?(＝Nobody will believe him.)

What else **shall** a man desire? 作为人,还会有什么别的奢望呢?(＝A man can desire no more.)

7. will 和 would

will 和 would 除在将来时态中用于第二、三人称(will 用于一般将来时,would 用于过去将来时)外,还有如下用法。

1 表示请求(这时 will 和 would 通用,而 would 更委婉,也可用 won't)

Will you give her the letter? 你把这封信给她好吗?

Would you please tell me your telephone number? 请把你的电话号码告诉我好吗?

Won't you sit down? 请坐下好吗?

2 表示习惯、倾向、固有性质;will 用于一般的习惯、倾向或表示固有性质,would 用于描述过去的习惯或例行的活动。would 同 used to 的区别是:would 用于回想过去,强调过去某种特定情况下的活动,是完全过去的事情,同现在没有联系;would 表示重复的活动,不表示状态。used to 强调过去的习惯性动作或状态,但如今已不存在,与现在的情况形成对比,既可表示过去持续的状态,也表示过去重复的行为

People **will** talk. 人总会说闲话。

Jealousy **will** spoil friendship. 嫉妒会破坏友谊。

A drowning man **will** catch at a straw. 快淹死的人连一根稻草也会抓。

An Englishman **will** show you the way in the street. 英国人在街上是会给你指路的。（英国人一般都会这样做）

Murder **will** out. 纸包不住火。/杀人总要败露。

Truth **will** prevail. 真理总要取胜。

Accidents **will** fall. 事故总会发生的。

Oil and water **will** not mix. 油和水不相溶。

Oil **will** float on water. 油总是浮在水上。

Boys **will** be boys. 男孩子总归是男孩子。

He **used to** be a heavy smoker. 他从前是个大烟鬼。（现在不再吸烟）

Father **used not to** be so forgetful. 父亲先前不这么忘事的。（父亲现在好忘事）

Sometimes he **will** wander in the hills all afternoon. 有时他会整个下午在山里漫游。

A wise man changes his mind, but a fool never **will**. 聪明人会改变主意，但傻子不会。

他会读书到深夜。
{ He **will** often read deep into the night. （现在习惯）
{ He **would** read deep into the night. （过去习惯）

她常在 6 点起床。
{ She **used to** get up at six in the morning. [✓]（重复的行为）
{ She **would** get up at six in the morning. [✓]

人们过去认为地球是扁的。
{ Man **used** to think that the earth was flat. [✓]（持续状态）
{ Man would think that the earth was flat. [×]

【提示】would 可以表示不规则的习惯，used to 则不可。例如：

He **would** sit there for hours sometimes, doing nothing at all. 有时候，他会在那里一坐就是几个小时，什么也不做。

That's exactly like Jack—he **would** lose the key. 杰克就是那样，他老是丢钥匙。

Sometimes she **would** take a walk in the neighboring woods. 有时候，她会在附近的森林里散散步。（不用 used to）

In those days, whenever I had difficulties, I **would** go to Mr. Shen for help. 在那些日子里，每当我遇到困难，总会去向沈先生求助。（不用 used to）

3 表示推测

It **will** be Mr. Wang knocking at the door. 敲门的该是王先生吧。

That **would** be in 2012, I think. 我想那可能是在 2012 年。

It **would** be about ten o'clock when he left home. 他离开家时大概 10 点钟。

She **will** have heard of the accident. 她想必已经听到那个事故了吧。

You **won't** know the woman in red. She is our new neighbor. 你不会认识那个穿红衣服的女士的。她是我们的新邻居。

You **will** not be familiar with these rare plants. 这些稀有植物你们可能不熟悉。

Sorry to be late. You **will** have been waiting for some time. 对不起我来迟了。你想必等了一些时候。

【提示】will 表示推测时没有 must 把握大，should 也可以表示推测，但比 will 把握略小，其程度由低到高为：might→may→could→can→should→ought to→would→will→must。比较：

{ That **will** be Roger, no doubt. 没问题，那准是罗杰。（相当大的可能）
{ That **would** be Roger, I expect. 我想，那或许是罗杰。（不很大的可能）

4 表示命令、强迫等（只用 will，通用于所有人称）

All **will** arrive before 7:45. 所有人员务必在 7 点 45 分之前到达。

I **won't** allow her to do that. 我不会让她做那件事的。

5 表示意愿或固执坚持，用于非人主语时，表示一时的倾向

She **won't** lend me the money. 她不愿把钱借给我。

He is the man who **will** go his own way. 他是一个特立独行的人。

I **won't/shan't** give up halfway! 我决不半途而废!

She **will** have her own way. 她执意自行其是。

He **will not** stop acting the fool. 他坚持没完没了地干那种蠢事。

I **won't** argue with you. 我不会同你争辩的。

I **would** have a good cry. 我简直想大哭一场。(feel inclined to)

My pen **won't** write. 我的钢笔现在写不出字来。

The window **won't** open. 这窗子打不开。

The door **won't** shut. 这门关不上了。

比较:

He **will** do it, whatever might happen. 不管发生什么,他都要做这件事。(主语 He 坚持要做)

He **shall** do it, whatever might happen. 不管发生什么,他都必须做这件事。(我们坚持要 He 做)

6 表示能力(拟人化)

The hall **will** seat 1,000 people. 这个大厅能容纳 1 000 人。

That was a strong horse. How much **would** it carry? 那是一条很强壮的马,它能驮动多重的东西?

7 表示客观事实

Fish **will** die out of water. 鱼离开水就会死。

Birds **will** build nests. 鸟会筑巢。

8 表示意图或允诺

I **will** trouble you for the dictionary. 我想麻烦你把那本词典递给我。

You **will** have your share. 你会得到你那一份的。

I **won't** let you down. 我决不会让你失望。

9 表示拒绝,用 won't

I **won't** listen to your nonsense. 我不会听你的胡说八道。

The dog **won't** stop barking. 那狗不住地叫。

I urged him to do it, but he **wouldn't** hear of it. 我催促他做那件事,但他就是不听。

10 will do 或 would do 表示"(解决问题)就行,就可以"

Either pen **will** do. 哪支钢笔都行。

That **will** do. 那就行了。

Will the dictionary **do** for a gift? 这本词典用作礼物行吗?

It **would** not do. 那不行。(指过去)

It **would** not do to work too late. 工作太晚不行。

11 用于让步状语从句中,表示"不管……",相当于 no matter ...,常用倒装结构

Say who **will**, nobody believes it. 不管谁说也没有人相信。

Go where you **will**, I will accompany you. 不管你去哪里,我都将陪伴着你。

Come what **would**, I would go my own way. 不管发生什么,我都会走自己的路。

Read which book you **would**, you should read it carefully. 不管读哪本书,都要细心读。

Speak how fast he **will**, I can understand him. 不管他说得多快,我都能听得懂。

Let the matter be what it **will**, I won't lose heart. 不管情况怎样,我也不会灰心的。

Be it as difficult as it **will**, I will solve it. 不管它多么难,我都要加以解决。

Make money how/as you **will**, it should be spent wisely. 不论你怎样挣钱,都应该花得明智。

Live with whom you **will**, you should keep your room clean and tidy. 不管同谁住在一起,你都要保持房间干净、整洁。

12 will 在 if 从句中的运用

在含有 if 从句的主从复合句中,如果 if 引导的条件状语从句表示的是一般将来时或过去将来时,不可用 will 或 would,而要用一般现在时或一般过去时代替。但是,will 可用于 if 从句中表示各种

"愿望",这些愿望包括"请求,意愿,拒绝,同意,允许,能够,坚持,选择,计划"等。例如:

If you **will** come into the hall, the meeting will begin soon. 请到大厅里来,会议快要开始了。(请求)

If you **will** make another try, I shall do everything possible to help you. 如果你愿意再试一次的话,我愿尽一切可能帮助你。(意愿)

If he **won't** go with you, I shall ask somebody else. 如果他不肯同你一起去的话,我将另找他人。(拒绝)

If you **will** agree with me, I shall tell you everything about it. 如果你同意我的观点,我将把一切都告诉你。(同意)

If you **will** not come late again, I shall let you in. 如果你答应不再迟到的话,我就让你进去。(允诺)

If anyone **will** find a cure to the disease, it will be a wonder. 如果有人能够治好这种病的话,那将是一个奇迹。(能够)

If you **will** do it like that, you will fail. 如果你坚持要那样做的话,你会失败的。(坚持)

If you **will** buy bread, I shall buy beer. 如果你买面包,我就买啤酒。(选择)

If you **won't** lend money to him, please let me know. 如果你不打算把钱借给他的话,就让我知道。(计划)

【提示】

① 在下面的句子中,would 有"可能"的含义:

I **wouldn't** dream of it. 我做梦也不会想到。

That's what he **would** do. 他会那么做的。

You **wouldn't** know. 你不会知道的。

② 比较:

The student **will** be rewarded. 这位学生将会受到奖励。(单纯将来)
The student **shall** be rewarded. 这位学生会受到奖励。(允诺)

I **shall** die when I am old. 我老了就会死去。(单纯将来,自然规律)
I **will** die. I am tired of life. 我想死,我对生活厌倦了。(说话人的愿望)
You **shall** die because you are found guilty of murder. 你被发现犯了谋杀罪,你必死无疑。(说话人的意志,=You must die.)

I **shall** hear some new songs. 我将听一些新歌。(单纯将来)
I **will** hear some new songs. 我想要听一些新歌。(主观愿望)

Perhaps I **shall** fail, but I **will** try. 也许我会失败,但我一定要努力。(shall 表示单纯将来,will 表示意愿)

I suggest he **shall** try and if he **will** try, he **shall** succeed. 我建议他试一下,如果他愿意试,他会成功的。(第一个 shall 表示意愿,指 I 有意愿要他试;will 表示 he 的意愿,相当于 is willing to try,第二个 shall 表示结果或命运)

8. had better/best＋动词原形,would rather＋动词原形,would rather/sooner＋动词原形＋than＋动词原形,would rather＋虚拟式从句

1 had better/best 结构意为"最好,应当",否定式为 had better/best not,疑问句把 had 放在主语前。这个结构用于现在时或一般将来时,通用于所有人称(had 不是过去式)

Had he **better** leave at once? 他最好马上动身吗?

You **had better not** go by air. 你最好不要乘飞机去。

I think we **had best** go. 我想我们还是去的好。

2 would rather 意为"宁愿,宁可",后接动词原形,否定式为 would rather not,疑问句把 would 放在主语前。would rather/ sooner ... than 意为"宁愿……而不",than 后面接动词原形(不带 to)。would rather 后面接从句时要用虚拟式

What **had** we **better** do? 我们最好干什么?

Hadn't we **better** leave now?
Had we **better not** leave now? } 我们现在离开不好吗?

Better say yes, if he asks you. 如果他问你,最好说是。(省去 had)

Wouldn't you **rather** work here? 你不愿在这里工作吗?

I'd better be going now. 我想我最好走。(可用进行时)

【提示】had better 和 would rather 后可用动词完成式,表示过去未完成的动作。例如:

You **had better have done** that. (当时)你最好把那件事做完。(并没有做完)

She **would rather have been** a painter. 她本来宁愿当一名画家的。(但没能)

9. can,could 和 be able to(指人体力、智力、性格上的主观可能,也指性质上可能)

1 表示许可。can 表示许可时,是 may 在非正式场合的替代词

You **can** borrow two books at a time from the library. 你一次可以从图书馆借 2 本书。

Mother said we **could** do anything we wished. 母亲说我们想要干什么都行。

2 表示能力。can 表示能力时(即有某种知识和技能而能办到),可与 be able to 换用,但在将来时和完成时中必须用 be able to 结构;表示经过努力而成功地办到了某个具体的事情时,只能用 be able to,不可用 can。这种用法的 be able to 相当于 succeed in 或 manage to。另外,can not 比 cannot 更强调。缩写式 can't,英式英语中读作[kɑ:nt],美式英语中读作[kænt]

你会打字吗?

{ **Can** you type?
{ **Are** you **able to** type?

她爬不上那座山。

{ She **couldn't** climb the mountain. (没有能力爬,因而也没爬)
{ She **was not able to** climb the mountain. (尝试爬过,但没能爬上去)

I'm sure we **shall be able to** get you a job soon. 我确信我们很快就会给你找一份工作。

He **has been able to** finish the work on time. 他能按时完成工作。

I **haven't been able to** get a driving licence. 我一直未能弄到驾驶证。

He said he **had been able to** keep calm. 他说他一直能够保持冷静。

After years of hard work he **was able to** win the prize. 经过数年的艰苦努力,他终于获了奖。(不可用 could)

She wasn't sure whether she **would be able to** jump over the stream. 她不能肯定能否跳过那条小溪。

▶▶ 但是,当 can 表示 will 的含义或表示允诺(permission)等时,can 可以用于将来时中,在表示将来的 if 或 when 引导的从句中,也可以用 can。例如:

Can you come to the meeting tomorrow? 你明天能来参加会议吗?(=Will you ...?)

You **can** go with him next Sunday. 你可以下星期天同他一起去。(=You are permitted ...)

If you **can** pass the exam tomorrow morning, I shall buy you a gift. 如果你能通过明天上午的考试,我就给你买一个礼物。

I'm sure the little girl **can** draw beautiful pictures one day. 我相信这个小姑娘总有一天会画出漂亮的画。

【提示】can 可以表示事物或抽象事物的"能,能够"。例如:

A single spark **can** start a prairie fire. 星星之火,可以燎原。

Perseverance **can** sometimes equal genius in its results. 毅力在效果上有时能同天才相比。

This machine **can** perform two million calculations per second. 这台机器每秒能够运算两百万次。

3 表示可能性,常用于疑问句和否定句中,指"某事是否是事实";在肯定句中用 may,也可用 could

Can it be true? 这可能是真的吗?

Can he be so selfish? 他可能这么自私吗?

Can she be living there? 她可能会住在那里吗?(=Is it possible ...)

Can the hall seat a thousand people? 这大厅能坐下 1 000 人吗?

比较:

Can the story be true? 这个故事可能是真的吗?

It **may** be true. 这可能是真的。

It **could** be true. 这可能是真的。

It **may** not be true. 可能不是真的。

It **must** be true. 一定是真的。

It **cannot** be true. It **must** be false. 不可能是真的,一定是假的。

4 表示温和的命令或批评

You **can** go and fetch some water. 你去打点水来。(＝I want you to ...)

You **can** clean the windows,John. 约翰,你擦窗户吧。

You **could** read more in future. 你今后要多读书。

You **could** be more cautious. 你要更谨慎些。

You **could** have done better. 你应该做得更好才是。

5 用于修辞性问句,表示某种情绪

What **can** satisfy her? 什么能满足她呢?(不满)

What else **can** you say? 你还能说什么呢?(不耐烦)

How **can** I do such a thing? 我怎能做这样的事情呢?(难办)

How **could** I know? 我怎么能知道呢?

How **could** you be so silly? 你怎么能干这种傻事呢?

6 be able to 可同情态动词或某些系动词连用,并可用于非谓语动词中

She **might be able to** play the role. 她也许能扮演这个角色。

You **should be able to** choose your own course. 你应该能选择自己的道路。

Mary **seemed able to** voice their criticism. 玛丽似乎能说出他们的意见。

He regretted **not being able to** bring forth new evidence. 他对不能提供新的证据感到非常遗憾。

I should like to be able to carry out the investigation. 我希望能够进行这项调查。

【提示】can't help, couldn't bear 等习语中的 can't 或 couldn't 不能变成 be able to,因为 can't help 等表示的是不自觉的行为,而 be able to 表示的总是自觉的、有意识的行为。另外,be able to 作谓语时,主语通常只能是人,且一般不用于被动语态,下面两句是错误的:

The weather was able to clear up.

The fire was not able to be put out.

① could 是 can 的过去式,除具有 can 的各种功能外,还可以用来比较委婉、客气地提出问题或陈述看法。例如:

Could you come a little earlier? 你早点来好吗?

I am sorry I **couldn't** lend you the book now. 对不起,我现在不能把书借给你。

② can 和 could 还可以表示对态势的设想,指人或物的特点,人或物的固有性能、倾向、经常态势,可译为"有可能,有时会"等。例如:

It **can** be very misty in this area. 这个地区有时会大雾弥漫。

He **can** be very friendly at times. 他有时候会很友好。(并不是一贯友好)

He **could** be very proud. 他有时会很骄傲。

A woman **can** do anything when jealous. 女人妒意大发时什么都干得出来。

The weather there **can** be extremely hot. 那里的天气有时会非常热。

Lightening **can** be dangerous. 闪电有时会很危险。

Data of this kind **can** be valuable. 这种资料有时会很有用。

The island **can** be very warm in October. 这座岛在 10 月也常很暖和。

He **can** tell awful lies. 他常会编造些弥天大谎。

Man **can** be as cruel as wild beasts. 人有时会像野兽一样残忍。

Measles **can** be quite dangerous. 麻疹有时会很危险。

Children **can** be very trying. 孩子们有时会让你很伤脑筋。

The bad-tempered man **can** be quite charming when he wishes. 那个脾气暴躁的人愿意时可以很温和。

Bill **could** be pretty trying when a child. 比尔小时候往往让人大伤脑筋。

The railways **can** be improved. 铁路是能够改善的。

He **can have gone off** whenever the car isn't there. 无论什么时候,只要车不在那里,他都可能出去了。

When aroused, he **could** be terrible. 谁惹了他,他有时会大发脾气。

比较:

A friend **can** betray you. 朋友有时会出卖你。(客观态势的设想)

A friend **may** betray you. 有一个朋友可能会出卖你。(一时的实况估计)

③ "can/could ＋have＋过去分词"有时相当于"may/might＋have＋过去分词",意为"可能",can 是 could 的口语体,语气上较婉转。"can not have＋过去分词"和"could not have＋过去分词"均可表示"过去不可能"。参阅本讲其他部分。例如:

John **can/could have been** seriously **hurt** in the accident. 约翰可能在那次事故中受了重伤。

Can they **have missed** the train? 他们可能是没有赶上火车吗?

She **couldn't have heard** you knocking at the door. 她可能没有听到你敲门。

He **couldn't have been swimming** all day. 他不可能整天都在游泳。

④ 肯定的推测用 must,否定的推测用 cannot,参阅上文。比较:

What she says **must** be true. 她说的一定是真的。

What she says **cannot** be true. 她说的一定不是真的。

⑤ can be 和 could be 后可接 possible 作表语。例如:

Can it **be** possible? 这是可能的吗?

It **can't be** possible. 这是不可能的。

Could it **be** possible that he dialed a wrong number? 他可能拨错了号码吗?

⑥ possible 的副词形式 possibly 也可同 can 或 could 连用,表示强调等。例如:

I **can't** possibly do it. It's against the law. 我不可能做这事的,这是违法的。

10. may(指客观各方给予主语的可能)

1 表示许可,允许,常译为"可以"(正式场合)

You may take the book home. 你可以把这本书带回家去。

Candidates **may not** bring reference books into the examination room. 考生不准带参考书进入考场。(表示说话人不许可,相当于 We don't permit ...)

People **may not** pick flowers in the park. 人们不得在公园里攀折花木。

Visitors **may not** feed the animals. 游人不得给动物喂食。

I **may** come in, **mayn't** I? 我可以进来吗?(I suppose I may.)

2 表示可以做或可能发生的事

Anybody **may** get ill. 人人都会生病。

They **may not** be there today. 他们今天可能不在那里。

Fools **may** ask questions more than wise men **can** answer. 傻子问的问题聪明人也可能回答不了。

One **may** live a hundred years, but **cannot** live three hundred. 人可能会活到 100 岁,但活不到 300 岁。(不用 may not)

比较:

The pipe **may be** blocked.

这条管道可能被堵塞了。(实况的估计,已实现)

这条管道可以被堵起来。(主观的许可,尚未实现)

【提示】

① 在肯定陈述句中,表示主观可能和客观可能的 may,可用于对人或物一时特定动作实况的估计,也可用于对人或物固有性质、经常态势的估计;而表示主观可能的 can,在肯定陈述句中,

所指的是人或物固有性质或能力,因而不可用于对一时特定动作实况的估计。例如:

A situation like this **can/may** occur from time to time. 像这样的情况可能会时不时地发生。(事物的固有性质,可能性的估计)

今天下午可能下雨。
{ It **may/might/could** rain this afternoon. [✓]
  It can rain this afternoon. [✗]

这样的情况现在也可能正在发生。
{ A situation like this **may** be occurring now. [✓]
  A situation like this can be occurring now. [✗]

他可能正在河里游泳。
{ He **may** be swimming in the river. [✓]
  He can be swimming in the river. [✗]

比较:
{ Our club finances **can** be improved. 我们俱乐部的财务状况还可以改善。(尚有问题存在)
  Our club finances **may** be improved. 我们俱乐部的财务状况说不定可以改善。(已经有了改善的提案)

② 在疑问句和否定句中,can 可用于一时实况的估计。例如:

Can she be working now? 她现在可能在工作吗?

Can it be raining tonight? 今晚可能下雨吗?

He **can't** be working at this time. 这个时候,他不可能在工作。

What **can** he doing in the room? 他可能在房间里做什么呢?

Where **can** she have gone? 她可能去哪儿了呢?

比较:
{ **Can** he be coming? 他可能来吗?
  May he come? 他可以来吗?

③ may 在一般疑问句和特殊疑问句中有时也可用于一时实况的估计,这时,或表示强烈疑惑,或带有惊奇、质问等感情色彩。例如:

May we be doing her an injustice? 我们究竟会不会是在使她受委屈呀?

④ 比较:
{ What **can** it mean? 这可能是什么意思呢?
  What **may** it mean? 这究竟是什么意思?

⑤ may 表示"可能"时一般不用在疑问句中,而以 can, be likely to 等替代。例如:

Is he **likely** to win the match? 他有可能赢这场比赛吗?

他现在可能同南希在一起吗?
{ **Can** he be with Nancy? [✓]
  May he be with Nancy? [✗](may 在一般疑问句中用于征询许可,表示"可以……吗?")

3 表示祝愿

May Heaven protect you! 愿上天保佑你!

May our friendship live long. 愿我们的友谊长存。

May you be happy! 愿你幸福!

Long **may** you live! 愿你长寿!

May you have many happy years together! 祝你们幸福长寿!

Happy **may** your birthday be! 祝你生日快乐!

May God bless you! 愿上帝赐福给你!

4 用在表示目的的状语从句中

Get up early so that we **may** catch the train. 早点起床,以便赶上火车。

They work hard in order that they **may/will/can** live a better life. 他们辛勤地工作,以便能过上

更好的日子。

She went by air that she **might/should/could** arrive earlier. 她乘飞机去,以便早些到达。

He died that she **might** live. 为了她能活着,他死了。

⑤ 用在表示让步的状语从句或分句中,可译为"尽管"

Whoever he **may** be, he should obey the rules. 不管他是谁,都应遵守规则。

Come what **may**, I'm prepared for it. 不论发生什么,我都有所准备。

He would work diligently, however rich he **might** be. 不管多么富有,他都会勤奋工作。

A man **may** smile and smile and be a villain. 笑中可能藏刀。/面善者可能心毒。(＝A man may be a villain though he smiles and smiles.)

【提示】

① 比较:

They **mayn't** go swimming. 他们不可以去游泳。(I do not permit them.)(不许可,否定 may)

They may **'not go** swimming. 他们可以不去游泳。(I permit them not to)(否定 go)

They **'may not** come if it rains. 如果下雨,他们就可能不来。(It is probable that they won't come if it rains.)

They **mustn't** go swimming. 他们一定不能去游泳。(责令不得去)

② might 是 may 的过去式,在表示"可能"这个概念时,may 和 might 是可以换用的,但 might 表示较多的怀疑,可能性较小,或者表示更婉转的语气,比较:

吉姆可能会借钱给你。

Jim **may** lend you the money. (可能性较大)

Jim **might** lend you the money. (可能性较小)

Might I ask a question? 我可以问一个问题吗?(较婉转)

③ 回答 May I...? 问句时,may not 意为"不可以",表示拒绝、不允许;回答 Can ...? 问句时,may not 意为"可能不";may not 还可以表示"可以不"。例如:

"May I sit here?" "No, you **may not**." "我可以坐在这儿吗?""不,你不可以。"

You **may not** tell her that. 你可以不把那件事告诉她。(也可以表示:你不可把那件事告诉她。)

"Can the story be true?" "It **may** be, or **may not** be." "这个故事是真的吗?""可能是,也可能不是。"(不用 can)

11. "may well＋动词原形"和"may/might（just）as well＋动词原形"

"may well＋动词原形"意为"理应,有足够的理由"(have good reason to)。"may/might as well ＋动词原形"用来建议或劝说某人采取某种行动,有时相当于 had better,常译为"还不如,不妨"。例如:

He **may well** be proud of his son. 他大可以他的儿子为荣。

She **may well** say so. 她说得对。(有足够的理由这样说)

It is very late, so you **may/might as well** go to bed. 夜深了,你还是去睡吧。

No one will eat the food; it **might just as well** be thrown away. 没人会吃这食物,还是扔掉算了。

You **might as well** throw your money into the sea as lend it to him. 借钱给他还不如把钱扔进海里。(＝Lending him money is like throwing it into the sea.)

She **might just as well** teach a bull to climb a tree as teach the boy to behave. 她教那个男孩懂礼貌,比公牛爬树还难。(可加 just)

12. should

① 用于疑问句或感叹句中,表示意外、惊异等情绪,可与 what, how, why, who 连用,这类疑问句不需要回答,有些相当于修辞性问句

Why **should** I fear? 我会害怕?(＝I don't fear at all.)

Why **should** you beat the boy? 你为什么打那孩子?(＝You shouldn't beat the boy.)

What **should** I see but misery? 所见皆是一片凄惨。(＝I could see nothing but misery.)

What **should** she do but cry for help? 除了呼救她还能做什么呢?(＝She could do nothing but cry for help.)

Should we stand by and do nothing? 我们袖手旁观什么也不干吗?(＝We shouldn't stand by and do nothing.)

Should you be so silly? 你会这么傻吗?(＝You are not so silly.)

{A：Mary，what will he do? 玛丽,他会做什么呢?
B：What **should** he do? 他还能做什么呢?(What he will do is obvious.)

How **should** I know? 我怎么会知道?

Why **should** you be worrying? 你为什么要担心?

Who **should** come in but the manager himself! 进来的正是经理本人!

▶▶▶ 下面一句中有一词用得不妥,请改正:

Why was it that the manager would go back on his words?

2 用在某些状语从句中

He took a taxi to the station so that he **should** not miss the train. 他坐出租车去车站,以免误了火车。(这类状语从句也可根据需要,用 might 或 could)

They removed and buried all the machines for fear (that) the enemy **should** make use of them. 他们移走并掩埋了所有的机器,以免为敌人所利用。

3 表示应该做,且有一种道义上的责任

I **should** help him because he is in trouble now. 我应该帮他,因为他现在身处逆境。

You **should** do it because you have promised to. 你应该做,因为你答应做的。

比较:would 常用来解释为什么没做某事。例如:

I **would** go to the football match but the weather is too bad. So I won't. 我要去看足球赛的,但天气太糟,所以就不去了。

I **would** do it but I have something too urgent to be delayed. 我要做这件事的,但却有事必须立即处理。

4 意为"可能,该",表示对现在情况、将来情况或过去情况的某种推测

He **should** arrive at noon. 他该在中午到达。

Jim **should** be at home. 吉姆可能在家。

He **should** be taking a bath now. 他可能正在洗澡。

They **should** have finished the work by tomorrow. 到明天他们就可能完成工作了。

They **should** have reached the town by now. 他们现在应该已经到达那座小城了。

【提示】

① 这种用法的 should 均可用 ought to 替代。

② 比较:

{The children **should** be home by now. 孩子们现在该到家了吧。(语气轻,should 通常不重读)
The children **ought to** be home by now. 孩子们现在应该到家了。(语气重,更为肯定,ought 通常要重读)

{She **shouldn't** be there.
她不会在那里。
她不应该待在那里。

5 should 在下列结构中表示惊讶、忧虑、惋惜、欢欣等情绪

{I'm surprised/perplexed/sorry/content/satisfied/glad＋that-从句
I'm afraid/anxious/uneasy/worried＋lest-从句

{I think it important/consider it a pity/consider it a good joke＋that-从句
I can not imagine/believe/bear＋that-从句

{I regret/rejoice＋that-从句
It worries me/astonishes me/perplexes me/makes me angry＋that-从句

{It is proper/likely/probable/possible/unthinkable/urgent/right/natural/incredible＋that-从句
It is a pity/a marvel/a misfortune/no wonder＋that-从句

He is anxious lest she **should** be ill again. 他担心她再生病。

It's understandable that he **should** do it that way. 他那样做是可以理解的。

It is a marvel that she **should have survived** the disaster. 她竟从那场灾难中活过来了,真是个奇迹。

I can't bear that he **should** speak ill of me. 他竟说我的坏话,我难以容忍。

I consider it a good joke that he **should** marry such a woman. 他竟同这样一个女子结婚,真是个笑话。

It worries me that he **should** be so lazy. 他竟如此懒,真使我担心。

比较:

It is astonishing that he **should have committed** the same mistake. 他竟犯了相同的错误,真令人吃惊。(表示惊讶的情绪)

It is astonishing that he **has committed** the same mistake. 令人吃惊的是,他犯了相同的错误。(表示事实情况,用陈述语气)

It is a pity that she **should have failed** in the entrance examination. 她没考上,真是可惜。(现在感到遗憾,没考取是过去的事)

It was a pity that she **should have failed** in the entrance examination. 她没考上,真是可惜。(过去感到遗憾,没考取是过去的事)

I'm sorry that she **is** so selfish. 她这样自私,我很难过。

I'm sorry that she **should** be so selfish. 她竟如此自私,我很难过。(强调情况出人意料)

It's unfair that this **should** happen to me. 这样的事发生在我身上,太不公平。(同时,现时,以后)

It's unfair that this **should have happened** to me. 这样的事竟然发生在了我身上,太不公平。(过去,已发生)

【提示】than that 引导的比较从句以及由 why 或 where 引导的从句,也常用 should,表示某种情绪。例如:

Nothing is worse than **that** we **should** lose heart. 没有比灰心更糟的了。

There is no reason why he **should** refuse the suggestion. 他没有理由拒绝这项建议。

6 should 用在独立的 that 或 O that 句子中

That he **should** be so stubborn! 他竟如此固执!(相当于省略了 I'm sorry)

That things **should** come to this! 竟落到这种地步!

That a man **should** be so cruel! 人竟会如此残忍!

O (that) life **should** be so hard! 生活竟如此艰难!

O (that) he **should** die so young! 他竟英年早逝!

7 should 用在结果状语从句中,表示"竟会……",含有某种强烈情绪

Who is he that he **should** be so arrogant? 他是谁,竟如此傲慢?

What have I said that you **should** get angry? 我说了什么竟使你生气了?

How long have you worked that you **should** be so tired? 你干了多长时间的活竟这么累?

How far have you run that you **should** be sweating all over? 你跑了多远竟满身大汗?

Where is your manners that you **should** laugh at a cripple? 你竟嘲笑一个跛子,还懂礼貌吗?

How many books has he read that he **should** know so much? 他读了多少书,竟知道这么多东西?

Is he a beast of burden that you **should** expect him to work all day long? 你竟要他整天干活,难道他是一头驮畜吗?

What a noble man he is, that he **should** prefer death rather than betray his country? 他宁死也不叛国,多么高尚的人啊!

▶▶▶ 关于 should 在虚拟语气中的用法,参见"虚拟语气"一章。

13. 助动词 dare 和行为动词 dare

dare 表示意志上的主观可能,意为"敢于",指在勇气、胆量上可能。dare 既可用作助动词,又可用作行为动词。作助动词用时,dare 通用于所有人称,否定式为 dare not,后接动词原形;作行为动词用时,dare 的否定式是 don't/doesn't/didn't dare,过去式是 dared,现在完成式是 have dared,后接带

to 的动词不定式,但有时可省。

1 "助动词 dare＋动词原形"通常表示现在或将来时间,可用于肯定句、否定句、疑问句或 if/unless 等引导的从句

He **dare** go deep into the mountains alone. 他敢于一个人到深山里去。

She **dare** say what she thinks. 她敢于说出自己的想法。

He **dare** not criticize her. 他不敢批评她。(＝daren't criticize her)

She never **dare** speak in public. 她不敢在公众面前讲话。

I scarcely **dare** think of it. 我简直不敢这么想。

I don't think he **dare** laugh at her. 我认为他不敢嘲笑她。(＝I think he dare not laugh at her.)

How **dare** you do such a thing? 你怎么敢做这样的事?

You **daren't** jump down, **dare** you? 你不敢跳下来,是吗?

I wonder whether she **dare** disclose the secret. 我不知道她是否敢泄露秘密。

2 助动词 dare 有时也可用于过去时中

Nobody **dare** go there then. 当时没有人敢去那里。
＝Nobody **dared** to go there then.

She was so frightened that she **dare** not move a bit. 她非常害怕,一动也不敢动。

I told her I **dare** do anything to save her. 我告诉她,为了挽救她我敢做任何事情。(＝dared to do anything)

3 dare 同 shall, will, should, would, was, have, had 连用时,后面要加 to

I **will not dare to** climb the tree. 我不敢爬那棵树。

He **would never dare to** do it. 他永远也不敢做那件事。

They **have never dared to** swim in the lake. 他们一直不敢在那个湖里游泳。

4 "dare have＋过去分词"表示过去敢做某事

Dare he **have done** it two years ago? 他两年前敢做这件事吗?

He **daren't have left** without your permission. 没有你的同意,他是不敢离开的。

5 dare 可用于虚拟语气中

If you **dare** walk across the desert, you would be a hero. 如果你敢步行穿过沙漠,你就是个英雄。(＝dare to walk across)

They **daren't have bullied** you if you had been powerful. 如果你们强大的话,他们就不敢欺负。(＝wouldn't have dared to bully you)

6 dare 用作行为动词时,常用作及物动词,表示"敢于,敢冒,敢于面对,向……挑战",后可跟名词、代词或不定式。dare to do sth. 中的 to 可省

I **dare** you to do it. 量你也不敢。

He **dares** any difficulties. 他敢于面对任何困难。

He **dares** me to jump over the wall. 他激我跳过那堵墙。(to 不可省)

I **dared** him to go near the dog. 我问他敢不敢走近那条狗。

He **dared** (to) swim in the river. 他敢于在那条河里游泳。

She **did not dare** (to) speak of it. 她不敢说那件事。

She **has never dared** (to) tell her mother that. 她从不敢把那件事告诉母亲。

【提示】

① How dare you/he ...? 表示"愤怒,谴责"之意,不表示疑问。例如:

How **dare** you call him a liar? 你怎敢说他撒谎?

② I dare say 或 I daresay 为惯用语,意为"我想,我以为"。例如:

She will keep her word, **I dare say**. 我想她会守信用的。

I daresay she will come. 我以为她会来的。

③ 用作助动词时,dare 在现代英语中也可以有过去式,为 dared。例如:

No one **dared** speak of it at that time. 当时没人敢提这件事。

How **dared** you ask such a question? 你怎么敢问这样的问题？

I never **dared** stay long, because I was afraid she might think me a bore. 我不敢待得时间太长，因为我怕她厌烦。

How **dared** you offend him? 你怎么敢惹他？

Dared you accuse him of dishonesty then? 你当时敢指责他不诚实吗？

14. 情态动词＋动词完成式(may, must, should … ＋have＋过去分词)

1 may/ might＋动词完成式

(1) 此结构常用于推测过去的行为，表示"可能已经"。例如：

She **may have said** so. 她可能这样说过。

He **may have received** the letter last week. 他可能上周就已经收到那封信了。

She **may have finished** it last Friday. 她上周五可能就完成了。

It **might have been** last October. 那可能是去年 10 月的事。

She said that he **might have missed** the plane. 她说他可能误了航班。

She **may have had** a serious accident. 她可能出了严重事故。

Swallows **may have gone**, but there is a time of return. 燕子去了，有再来的时候。

Peach blossoms **may have fallen**, but they will bloom again. 桃花谢了，有再开的时候。

(2) "may have＋过去分词"也可表示将来某时之前可能已经完成、结束的情况。例如：

He **may have left** when you get there. 你到达那里时，他可能已经离开了。

She **may have died** before he returns. 在他回来之前，她可能已经死了。

(3) "might have＋过去分词"也可表示现在的情况，表示推测。例如：

He **might have arrived** now. 他现在可能已经到达了。

She **might have got up** now. 她现在可能已经起床了。

(4) "might have＋过去分词"还可表示过去应该做而没做的事，或未做的事。例如：

You **might have asked** him to your wedding. 你当时满可以邀请他参加你的婚礼的。

He **might have tried** this medicine. 他本可以试试这种药的。(But he did not.)

The proposal **might have been refused**. 这个建议本该拒绝的。(But it was not.)

I **might have taken** another path. 我本可以走另一条路的。(But I did not.)(遗憾)

I **might have got** into trouble. 我险些弄出麻烦来。(But I did not.)

比较：

{ You **might have considered** his suggestion. 你本应考虑一下他的建议的。

You **may have considered** his suggestion. 你可能已经考虑过他的建议了。

{ She **may have told** him the truth. 她也许已经把事实真相告诉他了。

She **might/could have told** him the truth. 她本该把事实真相告诉他的。

2 can/could＋动词完成式

(1) 表示过去能做而没做的事，有一种对过去未付诸实施的事情的惋惜，或提出委婉的批评。例如：

He **could have walked** out of the desert. 他本来能够走出沙漠的。

You **could have been** more careful. 你本可以更细心的。

In those circumstances we **could have done** better. 在那样的情况下，我们本来可以做得更好的。(但没有做得更好)

(2) 推测过去的某种行动，表示"可能"，可同过去时间状语连用。例如：

Where **can/could** she **have gone**? 她可能到哪里去了呢？

Jack **could have taken** the bag, he was there alone. 杰克可能拿了那个包，当时只有他在那里。

Could you **have left** your bag in the dining-hall? 你可能把包丢在餐厅里了吧？

Can he **have done** such a foolish thing? 他会做这样的傻事吗？(＝Is it possible …)

Can she **have lost** the money? 她可能丢了那笔钱吗？(＝I doubt whether …)

Nobody but the naughty boy **could have done** such a thing. 只有那个淘气的男孩可能做出这样的事来。

I **couldn't have been** more than six years old when the accident happened. 这个事件发生时，我不可能超过 6 岁。

Can he **have played** me a trick? 他可能对我耍花招吗？

Can she **have come** last night? 她昨晚可能来了吗？

Can he **have finished** writing the book by now? 他现在可能写完那本书了吗？

Can/could he **have gone** off with some friends? 他可能跟朋友们出去了吗？
Yes，he may/might have. 也许。

比较：
It **can't have been** there. 那东西不可能曾经放在那里。
It **couldn't** be there. 那时那东西不可能在那里。

【提示】"can't/couldn't＋动词原形"可以用来表示否定推断。例如：He **can't be** over fifty. 他不可能超过 50 岁。

3 must＋动词完成式

表示对过去行为的推断，具有较大的可能性，意为"一定……，想必……"。例如：

She **must have gone** through a lot. 她一定吃过很多苦。

【提示】must＋动词原形→对现在的推测；must be＋现在分词→对未来或现在正在进行的推测。例如：

She looks happy；she **must be having** a good time. 她看上去很高兴，一定玩得很开心。（现在正在）

It **must be raining** tomorrow according to the radio. 广播里说明天会下雨的。（未来）

4 "needn't＋动词完成式"和 didn't need/ have to do

（1）"needn't＋动词完成式"表示一种已经做过的但并无必要的行为。参阅上文。例如：

You **needn't have watered** the flowers，for it is going to rain. 你本来不必浇花的，因为天要下雨了。（但是浇了）

We **needn't have told** him the news because he knew it already. 我们本不必告诉他消息的，他已经知道了。

A：Catherine，I have cleaned the room for you. 凯瑟琳，我已经把你的房间打扫好了。
B：Thanks. You **need't have done** it. I could handle it myself. 谢谢。你不必打扫的。我能够自己做的。

（2）didn't need/have to do 结构表示没有必要做某事，实际上也没有做。例如：

I **didn't need to clean** the windows. My sister did it. 我不必擦窗，我妹妹擦了。（我没有擦）

We **didn't need to carry** his luggage；his brother carried it himself. 我们没有必要为他搬行李的，他弟弟帮他搬了。

5 should＋动词完成式

（1）此结构的肯定式表示应该做的事而没有做，否定式表示某种行为不该发生但是发生了。例如：

You **should have given** her more help. 你应该多给她一些帮助的。（但没有给）

She **shouldn't have left** the hospital so soon，for she had not yet recovered. 她本不该那么早就离开医院的，因为她还没有康复。

比较：
I **should have done** it. 那件事我本该做的。（因自己没做某事而责备自己）
I **would have done** it. 那件事我本想做的。（想做但未能做或没去做）

He **should have passed** the driving test easily.
他本应该轻而易举地通过驾照考试的。
他应该已经轻而易举地通过了驾照考试。

（2）表示推测，意为"可能"，但可能性较小。参阅上文。例如：

He **should have finished** the work by now. 他现在该把工作完成了。

I think they **should have arrived** by this time. 我想他们现在该到了。

（3）should have thought 有时意为"认为，以为"，相当于 should think，但表示更为委婉、谦逊或不肯定的语气。这类表示法还有 should have liked, should have preferred 等。例如:

I should have thought it fairly good. 我以为它是很不错的。

I should have thought you might take this into consideration. 我认为你要把这个考虑进去。

There are a lot of things I **should have liked** to ask you. 有许多事我想问你。

I should have preferred her to do it in her own way. 他倒是希望她以自己的方式处理此事。

A:Can you type? 你会打字吗?
B:Certainly. 当然啦。
A:Well, I **should have thought** you couldn't. 哦,我本以为你不会的。

I should have thought she wouldn't agree. 我本来认为她不会同意的。

A:I think he is lacking in experience. 我想他缺乏经验。
B:**I shouldn't have thought** so. 我却不这么认为。

(4)在下面一句中,"should have+过去分词"用于虚拟语气:

Had you written him, you **should have known** the details. 你要是写信给他,你就会知道具体细节了。

(5)表示意外、不满或轻微的批评。例如:

You **should have told** me this earlier. 你本该早些告诉我这件事。

He **shouldn't have done** it so carelessly. 他不该这样草率做事。

That it **should have come** to this! 事情怎么会闹到这种地步!

With all her money she **should have worried** about five dollars! 她那么有钱,居然会为五美元发愁!

Who **should have been** her husband but Palmer! 除了帕尔梅,谁会娶她呢?

6 ought to+动词完成式

此结构表示某种过去应该做而没有做的事,或被忽略未做的某种明智行为,其否定式则表示不该做但却做了某事。例如:

You **ought to have returned** the book earlier. 你本应该早些还书的。(还晚了)

You **ought to have informed** me at once. 你本应该立即通知我的。

Your son **ought to have been** a painter. 你儿子本来应该当画家的。

You **ought to have refused** her at the beginning, but now it is too late. 你本应一开始就拒绝她的,但现在太晚了。

I **ought not to have done** it. 我本不该做那件事的。

【提示】这里的 ought to 也可以用 should 代替。比较:

Can/Could he have read the book? 他可能读过那本书吗?
He **may/might have read** the book. 他也许读过那本书。
He **should/ought to have read** the book. 他应该读过那本书。
He **must have read** the book. 他一定读过那本书。
He **can't have read** the book. 他不可能/决不会读过那本书。

15. 情态动词+动词进行式和完成进行式

这两种结构表示:"应当正在……,可能正在……,也许正在","应当一直在……,可能一直在……,也许一直在……"等。例如:

He can't be serious. He **must be joking**. 他不可能是当真的,一定是在开玩笑。

She **might be** still **thinking** of you. 她可能还在想着你呢。

He **must have been working** hard these years. 这些年来他一定是非常努力的。

▶▶▶ 比较→对现在活动的推测:

She **could**/might **be telling** lies. 她可能在说谎。

What **can**/could she **be doing** now? 她现在会做什么呢?

Can she **have been waiting** for you so long? 她可能等了你那么久吗?

The entrance to the tunnel **may be being blocked**. 隧道的入口可能正在封闭起来。

She **may/might be watering** the flowers. 她可能在浇花。

She **should/ought to be watering** the flowers. 她应该在浇花。

She **must be watering** the flowers. 她一定在浇花。

She **can't be watering** the flowers. 她不可能在浇花。

▶▶▶ 比较→对一直在进行的活动的推测：

He **may have been studying** the subject for years. 他也许数年来一直在研究这个专题。

He **may/might have been pulling** our leg. 他可能一直在愚弄我们。

Can he **have been writing** the paper for months? 难道他几个月来一直在写论文吗？

八、难点动词和动词短语的用法探讨

1. see 和 look，hear 和 listen

　　see 和 hear 是感觉感官动词,表示的是一种不自觉的、无意的感觉,人们有视力就能看见(see),有听觉就能听见(hear)。see 和 hear 一般不用于进行时态。look（at）和 listen（to）是动作动词,表示的是有意的动作,强调"看"和"听"这两个动作,并不表示"看"或"听"的结果。例如:

Look at the sky. Can you **see** anything moving? 请往天上看,你能看见什么东西在移动吗?

I'd like to **hear** what you have to say. 我想听听你的意见。（听取）

Please **hear** me out. 请听我说完。

None are so deaf as those who will not **hear**. 充耳不闻者最聋。（倾听）

She stood at the door and **listened** but **heard** nothing. 她站在门旁听着,但什么也没听见。

Listen to the speaker please. Can you **hear** what he is talking about? 请注意听演讲,你能听见他在谈什么吗?

【提示】see 和 hear 可转义成为动作动词,又可以用于进行时态。例如:

They were **seeing** the guests off when we got there. 我们到达时,他们正在为客人们送行。

The manager is **hearing** our opinions. 经理正在听取我们的意见。（听取）

The judge is **hearing** a case. 法官在审理案件。（审理）

2. lay 和 lie

原形	过去式	过去分词	现在分词	中文意思	用　　法
lie	lay	lain	lying	躺,位于	不及物动词
lie	lied	lied	lying	说谎	不及物动词
lay	laid	laid	laying	放置,产卵	及物动词

The university **lies** in the east of the city. 这所大学位于城市的东部。

A vast field of bamboos **lay** before him. 一大片竹林呈现在他的面前。

It's Sunday. Many people are **lying** on the grass in the garden enjoying the sun while some workers are busy **laying** bricks across the river. 星期天,许多人在公园里的草地上躺着晒太阳,而河的对面,一些工人正忙着砌砖建房。

3. arise，rise 和 raise

原形	过去式	过去分词	现在分词	中文意思	用　　法
arise	arose	arisen	arising	出现,发生,兴起	不及物动词
rise	rose	risen	rising	上升,起身	不及物动词
raise	raised	raised	raising	举起,提高,唤起,饲养	及物动词

The price **rises**. 物价上涨。

They **raised** pigs. 他们养猪。

Raise your hands. 举起手来。

The sun having set down, a mist **arose**. 太阳落山后起了雾。

The old man **rose** from his seat and embraced the young man **raised** by him twenty years before. 老人站起身,同他 20 年前抚养过的那个年轻人紧紧拥抱。

4. hang 的用法

原形	过去式	过去分词	现在分词	中文意思	用　法
hang	hung	hung	hanging	吊,挂	及物动词
	hanged	hanged	hanging	绞死	及物动词

He **hung** his clothes on the wall. 他把衣服挂在墙上。

The murderer was **hanged** and the dead was avenged. 杀人犯被绞死了,为死者报了仇。

5. say, tell, speak 和 talk

1 say 指用语言表达思想,意思就是"说",强调说的内容,可接单词、词组或句子,也可接直接引语

He **said** something nice about you. 他说了一些对你有利的话。

She **said** that she wouldn't come. 她说她不会来的。

She **said** to me, "Please come tomorrow." 她对我说:"请明天来。"

My watch **says** 6:30. 我的表是 6 点半。

【提示】say 不能接表示某种语言的词作宾语,但可以接 good morning, good evening, good night, hello, prayer, grace 等作宾语。例如:

Say **grace**. 做祷告。

> Do you say French? [×]
> It is not easy to say English well. [×]
> How do you **say** that in French? [√]这用法语怎么说?
> She asked me to **say** it in Japanese. [√]她要我用日语说。

2 tell 意为告诉某人关于某种情况或事情,后面可接双宾语(单词、词组或句子),常接的名词有:the truth, lies, a secret, a story, a joke, the news, the facts 等

He **told** the students a story. 他给学生们讲了一个故事。

He **told** us about the affair. 他告诉了我们那件事。

【提示】tell 还有"辨别"的意思,例如:**tell** the good from the bad 辨别/分清好坏。tell 可用于"tell＋宾语＋不定式"结构,但 say 则不能。可以说 **say** a word, **say** a name, **say** a sentence, **say** a phrase,但要说 **tell** the time, **tell** the address, **tell** your age, **tell** the number, **tell** the result, **tell** the difference, **tell** fortunes 算命,等。例如:

Can you **tell** the twins **apart**? 你能辨认出这对双胞胎吗?

Tell her to wait. 叫她等着。

3 talk 指同某人谈话或谈论某人某事,一般结构是:talk to/with sb. about sth.。talk 还常同 nonsense, sense, rubbish, business, Chinese, the situation, slang 等连用

He **talked with** me about music. 他同我谈论音乐。

She **was talking to/with** a friend. 她在同一位朋友谈话。

They **talked** Chinese. 他们讲汉语。(用汉语谈话)

They **talked** slang. 他们用俚语讲。

He **talked** a heap but truly **said** nothing. 他讲了一堆话,却实在言之无物。

4 speak 可以用作及物动词和不及物动词,表示说某种语言时是及物动词,在表示"说话"这个动作或说起某人某事时,是不及物动词,一般结构为:speak about/ of sth., speak to sb.

He can **speak** several languages. 他能说几国语言。

She **spoke** to me about it last night. 她昨晚同我谈了那件事。

When I walked past the window, I heard them **talking with** each other. 我从窗子旁边走过时,听到他们在谈话。

【提示】说谎话只可用 **tell** a lie,不可用 say, speak;说实话可用 **tell/speak** the truth,不可用 say。

6. sit，set 和 seat

原　形	过去式	过去分词	现在分词	中文意思	用　法
sit	sat	sat	sitting	（使）坐	及物动词 不及物动词
set	set	set	setting	安放，调整 下沉	及物动词 不及物动词
seat	seated	seated	seating	（使）……坐， 容纳	及物动词

The old man often **sat** by the fire on winter evenings. 那位老人常在冬天的晚上坐在火炉旁。

The waiter **is setting** the table. 服务员在摆餐具。

The hall can **seat** an audience of 3,000. 这个大厅可容纳 3 000 名观众。

Please **seat** yourself. 请坐。（＝Please be **seated.**）

The hostess had the chairs **set** before asking her guests to be **seated**. 女主人把椅子放好，请客人们坐下。

【提示】seat 后面可跟反身代词，也可用于被动语态。

7. allow，permit 和 let

　　这三个词都是及物动词。allow 和 permit 意为"允许"，用法相近，permit 稍正式一些，两者均可以事物名词作主语。

① allow/ permit＋宾语＋带 to 的动词不定式

They do not **allow/permit people to fish** in the lake. 他们不允许别人在这个湖里钓鱼。

The plan **allowed** an hour for lunch. 计划安排一个小时吃午饭。

Circumstances do not **permit** me to leave. 情势不允许我离开。

② allow/ permit＋动名词

They do not **allow/permit smoking** in the room. 他们不允许在这个房间里吸烟。

③ let 意为"让"，口语中常用，这层意义上一般不用于被动语态，其接续结构是：let＋宾语＋不带 to 的动词不定式

Please **let me say** something more. 请让我再说几句。

【提示】在被动语态中，allow 和 permit 一般不可用不定式或非人称 it 作主语。例如：

湖中禁止垂钓。
To fish is not allowed in the lake. ［×］
Fishing is not **allowed** in the lake. ［√］

不许说人坏话。
It is not permitted to speak ill of others. ［×］
Speaking ill of others is not **permitted.** ［√］

▶▶▶ 有这种特点的动词还有 advise，recommend，encourage，authorize 等。

8. agree 的用法

① agree＋带 to 的动词不定式

They **agreed to take** him along. 他们同意把他带着。

② agree＋介词

（1）agree about：涉及讨论的题目或表示对（某物，某事）的价值、重要性有一致的看法。例如：

They never **agreed about** politics. 关于政治问题，他们总是意见不一致。

Teachers **agree about** the value of praise. 教师都认为表扬具有重要的价值。

People of all walks of life **agree about** the importance of giving superiority to the development of education. 各界人士对于优先发展教育的重要性有着共识。

（2）agree on：确定某件事情、某个日期、某个条件，或在某方面意见一致。例如：

They have **agreed on** the date for the next meeting. （已经确定了）

We **agree on** the basic policies. 我们在基本原则方面有一致意见。

（3）agree to：同意某项建议、计划。例如：

Will he **agree to** your proposal? 他会同意你的建议吗？

（4）agree with：同意某人或某人的观点、意见、想法、分析、解释等。例如：

I **agree with** your views on the matter. 我同意你在那件事上所持的观点。

I don't always **agree with** him. 我并不总是同意他的意见。

【提示】

① agree with 还可以表示"适合，与……一致"。例如：

The clothes of this color don't **agree with** her. 这种颜色的衣服她穿不合适。

What you have said does not quite **agree with** the fact. 你所说的跟事实不尽相符。

② agree on 和 agree to 可用于被动语态，但 agree with 和 agree about 不可用于被动语态，下面一句是错误的：

You are quite agreed with by her.

9. fit, match 和 suit

1 fit 和 suit 均可表示"适合，合适"，但用法有所不同。fit 指的是尺码、大小的"适合"，suit 则是指款式、花色、程度的"适合"。例如：

A size 12 dress should **fit**. 12 号的连衣裙应该很合身。

This pair of shoes does not **fit** me. 这双鞋我穿不合脚。

I'm not sure if pink **suits** me. 我不知道自己穿粉红色是否合适。

That new haircut **suits** you. 那种新发式很适合你。

Red and black are colors that **suit** him very well. 红黑两色是很适合他的颜色。（not fit）

你的衣服很合适。
- Your clothes **fit** you.（尺码合适，不大不小）
- Your clothes **suit** you.（穿着好看，款式和花色都合适）

2 match 表示"相配，相称，协调"(If two things match, they look good when they are put together, because they are similar in colour or style.)。例如：

The curtains and wallpaper **match** perfectly. 窗帘和壁纸搭配得十分完美。

I need to find some shoes to **match** my purse. 我需要一双和我的手提包相称的鞋。

These gloves do not **match**. 这两只手套不配对。

10. fall, feel 和 fell

原 形	过去式	过去分词	现在分词	中文意思	用 法
fall	fell	fallen	falling	落下,减弱	不及物动词
feel	felt	felt	feeling	摸,感觉(到)	(不)及物动词
fell	felled	felled	felling	砍伐,打倒	及物动词

The leaves **fall** in autumn. 秋天叶落。

Snow **feels** cold. 雪摸起来是冷的。

I **feel** the house shaking. 我感到房屋在晃动。

She **felt** grief for the failure. 她因失败而感到悲伤。

The **fallen** tree was **felled** by an old man. 那棵倒下的树是被一位老人砍伐的。

11. clash, crash, crush 和 smash

crush 常作为及物动词，也可为不及物动词，其余三个词既可作及物动词又可作不及物动词。clash：（刀剑、铃铛等）碰撞，冲突，（意见等）抵触；crash：（发出猛烈声音地，尤指汽车、飞机）撞击，坠毁，（使）破碎；crush：压（碾）碎（指用压力 pressure），压倒，击溃；smash：打碎（器皿等），粉碎（阴谋，侵略）。例如：

The car **crashed** into a wall. 汽车撞到了墙上。

This machine is used to **crush** wheat grain to make flour. 这台机器用于把小麦磨成面粉。

Our troops **clashed** with the enemy soldiers for several days and finally **crushed** them. 我军同敌人一连激战了数天,最终把他们击溃了。

12. assure 和 ensure

1 assure 意为"使……相信,使……放心",指为别人解除某种顾虑,使别人相信而作出承诺,后须接人称代词或指人的名词,其结构为 assure sb. of sth. 或 assure sb. ＋that-从句

I can **assure** you of his honesty. 我可以向你保证他是诚实的。

I can **assure** you that he is safe now. 我向你保证他现在是安全的。

2 ensure 意为"保证",后不能跟人,而要跟事物名词、抽象名词或动名词,表示对某种行为、结果有把握,其结构为:ensure sth.,ensure＋that-从句或 ensure doing sth.。

We can **ensure** his safety. 我们能够保证他的安全。

I **ensure** doing the work well. 我保证把工作做好。

I **ensure** that the work shall be finished on time. 我保证这项工作按时完成。

【提示】

① ensure 还可表示"使安全,保护",结构为:ensure sb. from/against sth. 保护某人免受;还可表示"保证给",结构为:ensure to/for sb. sth. 保证给某人某东西。例如:

He **ensured** the old man **from** being killed by the enemy. 他保护那位老人免遭敌人的杀害。

I can't **ensure** to/**for** him everything he asks for. 我不能保证给他所要的一切。

Although he couldn't **ensure** my success, he **assured** me that he would give whatever help I needed. 他虽然不能保证我一定成功,但是他让我放心,他会提供一切帮助。

② insure 意为"保险",指对人或物作经济上的保险;表示"给……保险,以防……"时,用 insure …against,不可用 from。例如:

She has **insured** her life. 她已经为自己保了人寿险。

She has **insured** the house **for** 3,000 dollars. 她用 3 000 美元为那所房子保了险。

He has **insured** the building **against** fire and theft. 他已经给这幢楼房保了火险和防盗险。

13. damage, destroy, hurt, spoil, wound 和 injure

injure 为及物动词,其他几个词为可作及物动词或不及物动词。damage:损害/坏(有仍可修复、弥补的含义);destroy:(彻底地)摧毁,毁掉,打破(希望、计划);hurt:伤害(感情、身体某部位),疼痛;spoil:破坏,糟蹋(计划、参观、旅游等),惯坏(小孩);wound:使受伤(多指枪伤或刀伤);injure:伤害(one's pride, reputation, feeling),损害,指一时难愈之伤。

I am sorry to **have hurt** your feelings. 伤害了你的感情,我很难过。

You have **destroyed** all her life and all her hopes. 你毁了她的一生,使她所有的希望都破灭了。

14. arouse 和 rouse

两者均为及物动词。arouse:引起,唤起,常跟一个抽象名词作宾语(怀疑、兴趣、同情等);rouse:唤醒(睡觉的人),激发(热情),唤起(使振作起来)。

The noise **roused** me out of a sound sleep. 吵闹声把我从沉睡中唤醒了。

The man's strange behaviour **aroused** suspicion in the policeman's mind. 那个人的奇怪行为引起了警察的怀疑。

15. begin, start, commence 和 resume

这四个词均可作及物动词或不及物动词。begin 和 start 为普通用语,commence 较正式。begin 和 start 作"开始"解时,用法相近,后面可接动词不定式或动名词(接不定式时指某次具体的活动,接动名词时指经常性的活动);commence 后面一般接动名词;resume 表示"继续做……,重做……",后接名词或动名词,不接不定式。比较:

> 她准备继续工作。
> She prepared to resume to work. [×]
> She prepared to **resume working**. [√]

他们 4 月 15 日开始造那座桥。

They **began/started** to build the bridge on April 5th.

They **commenced building** the bridge on April 5th.

【提示】在下列场合,只能用 start,不能用 begin:

① 表示"动身,启程"。例如:

He **started** at six in the morning and arrived there at mid-night. 他早上六点动身,于午夜到达。

② 表示(机器)"开始工作"。例如:

The car **won't start**. 这车子发动不起来。

③ 表示"开动"(机器)。例如:

Can you **start** this type of truck? 你会开这种型号的汽车吗?

16. enter, enter into 和 enter upon

enter 意为"进来",为及物动词,后面不用介词;enter 表示"开始(谈话、讨论)"(begin to talk or discuss)或"参与"(engage in, take part in)时,为不及物动词,要同 into 连用。enter into 意为"达成,进行,缔结(契约、婚约等)",常跟表示抽象概念的词,如 discussion,agreement,argument 等。enter upon 意为"从事,开始,获得"。例如:

He **entered** the room without being seen. 他进了房间,没有人看见。

I **entered into** correspondence with her ten years ago. 我 10 年前开始同她通信。

He **entered into** negotiations with his business rivals. 他开始同商业对手们谈判。

The book is **entering upon** a fourth edition. 这本书正在出第四版。

He has **entered upon** a new career. 他开始了新的职业生涯。

The two countries **have entered into** a new trade agreement. 这两个国家已经达成了一项新的贸易协定。

17. get 的用法

① get+宾语

在这种结构中,get 通常意为 receive 收到,obtain 获得,fetch 拿来,take 拿。例如:

I **got** her letter yesterday. 我昨天收到了她的信。

② get+形容词

表示某种状态的变化,意思同 become 相似。例如:

When you **get** old, your memory **gets** worse. 人老了,记忆力会减退。

③ get+现在分词

They **got** talking. 他们谈起来了。

④ get+过去分词

这种结构与"be+过去分词"相似,相当于被动语态。例如:

His leg **got** broken in the car accident. 他的腿在一场车祸中断了。

They **got** caught in the rain. 他们淋了雨。

⑤ get+宾语+形容词/分词/不定式

这种结构表示"使……变得,使……移动,使……做,使……被做(用过去分词)"。例如:

I can't **get** my feet warm. 我没法使脚暖和起来。

Can you **get** the car going? 你能把车开动起来吗?

I shall **get** Mr. Wang to do it for me. 我将让王先生给我做那件事。

I **got** my watch repaired yesterday. 我昨天让人把表修了。

【提示】有时候"get+宾语+过去分词"并不表示"要某物被别人做",而是表示"经历……,遭受……"。例如:

They got their roof **blown off** in the storm last night. 昨晚的暴风雨把他们的房顶掀掉了。

18. have 的用法

常用结构：
- have＋宾语＋不带 to 的动词不定式
- have＋宾语＋现在分词
- have＋宾语＋过去分词

这三种结构有下面几种用法。

1 使某人或某物做某事,使某物/某事被(他人)做

He **had** everybody fill out a form. 他让所有的人都填了表。

She **had** us laughing all through the meal. 在吃饭过程中,她使我们始终笑个不停。

I **had** my films developed. 我把胶卷让人给冲洗出来了。

If you don't get out of my house I'll **have** you arrested. 如果不离开我的房子,我就让人把你抓起来。

【提示】

① 在 have＋sth. ＋done 结构中,句子主语与实际动作执行者的关系有三种情况:同一个人,不是同一个人,可能是同一个人或不是同一个人。例如:

He is too old to **have** the book completed. 他垂垂老矣,这本书写不完了。(同一个人)

He is going to **have** the bad tooth pulled out. 他要去拔牙。(不是同一个人)

She **has** her car cleaned twice a week. 她每周洗刷两次汽车。(同一个人或不是同一个人)

② have＋sb. ＋doing sth. 结构表示正在进行的、尚未完成的动作;have＋sb. ＋do sth. 结构表示已经完成的动作。比较:

I **had** her typing out the paper. 我让她正在打出那篇论文。

I **had** her type out the paper. 我让她打出了那篇论文。

2 经历某个事件或行动,遭遇……(句子的主语不是动作的执行者)

He **had** his left hand cut off when operating the machine. 他在操作这部机器时左手被切掉了。

It's lovely to **have** people smile at you in the street. 在街上,人们朝你微笑是件非常愉快的事。

She **had** two pens missing. 她丢了两支钢笔。

3 拒绝接受,不允许(won't have),相当于 don't allow/ permit sb. to do sth. 或 forbid sb. to do sth.

I won't **have** you do/doing that again. 我决不会让你再做那件事。

They won't **have** their land turned into a battlefield. 他们决不允许把他们的家园变成战场。

4 静态的 have 不同于动态的 have

(1) 作静态动词用时,have 意为"有",疑问句可用 Have you …? Have you got …? Do you have …? 三种形式;否定句可用 haven't, haven't got, don't have 三种形式;但静态动词 have 不可用于进行时态或被动语态。例如:

你有妹妹吗?
Have you a sister?
Have you **got** a sister?
Do you **have** a sister?

我没有妹妹。
I **haven't** a sister.
I **haven't got** a sister.
I **don't have** a sister.

简在楼上有一个房间。
Jane **has** a room upstairs. [√]
Jane is having a room upstairs. [×]
A room is had by Jane upstairs. [×]

(2) 作动态动词用时,have 的意义相当于实义动词 eat, take, catch, wear, get, receive, obtain, experience, meet with, earn 等,通常可用于进行时态或被动语态。动态 have 的疑问句要用 Do you have …? 形式,否定句要用 don't have 形式。例如:

She is **having** a baby. 她怀孕了。(＝is expecting …)

There was nothing to be **had**. 什么也得不到。(＝obtained)

A good time was **had** by us. 我们度过了一段美好时光。

Do you **have** lunch at twelve? 你 12 点吃午饭吗?(不可说 Have you lunch …? 或 Have you got lunch …?)

He didn't **have** a good sleep. 他没睡好。(不可说 He hadn't a . . .)

He **had** supper at seven. 他 7 点吃的晚饭。(不可说 He had got . . .)

19. marry 的用法

① marry 后一般不用介词,但在 get married 和 be married 后可用介词 to,不可用 with

她嫁给了一个工人。

She married with a worker. [×]

She **married** a worker. [√]

She **got married to** a worker. [√]

② marry 可以表示"使成婚(cause to take in marriage)",与 to 连用

She **married** her daughter to a rich man. 她把女儿嫁给了一个富人。

③ marry 用于转义时,可表示"把全部精力给予……,使密切结合在一起"等义

She is **married** to her research. 她全力以赴地进行研究工作。

Common interests **married** the two parties. 共同的利益使两党紧密地联合在一起。

She **married** money. (＝married a rich man)

④ marry 也可用作不及物动词,其名词形式为 marriage (to)

She **married** late in life. 她结婚很晚。

His **marriage** to an heiress is a tragedy. 他同一个财产继承人结婚是一场悲剧。

他结过婚没有?

Is he **married**? [√]

Has he married? [×]

Has he been married? [×]

20. prefer 的用法

① prefer＋动名词,表示"更喜欢某种"活动

"Do you like ball games?" "No，I **prefer** swimming." "你喜欢球类运动吗?" "不,我喜欢游泳。"

② prefer＋动词不定式,表示在某个特定场合"宁愿,更喜欢"

I **prefer** to go out for an outing this afternoon. 我今天下午想出去郊游。

③ prefer＋动名词＋to＋动名词,表示在两者之间更喜欢哪一种

He **prefers** sailing **to** swimming. 他喜欢航海胜过游泳。

④ prefer to＋动词不定式＋rather than＋不带 to 的动词不定式,意为"宁愿……而不"

He **prefers to** stay at home **rather than** go out. 他宁愿待在家里而不出去。

⑤ prefer＋动名词＋rather than＋动名词,表示"宁愿……而不"

She **prefers** remaining single **rather than** having a family. 她宁愿独身,而不愿有家累。

21. refrain 和 restrain

refrain 表示抑制自己不做某事,常用结构是 refrain from doing sth.。restrain 表示"抑制,遏制",既可以表示抑制自己(restrain oneself，one's tears or anger),也可以表示阻止他人做某事(restrain sb. from doing sth.)。例如:

On hearing the joke，she couldn't **refrain from** laughing. 听到这个笑话,她不禁大笑起来。

If you can't **restrain** your dog **from** biting people，you'd better shut him up. 如果你不能阻止你的狗咬人,就最好把它关起来。

22. look，seem 和 appear

look 强调由视觉得出的印象,意为"看上去,看起来"。seem 表示根据某种情况、状态或迹象所作出的判断,这种判断可靠性较大。appear 表示外表给人的印象,这种印象可能是靠不住的、虚假的。例如:

He **appears** to be your friend but I doubt if he is. 他看来好像是你的朋友,但我怀疑他是否真是。

It **seems** as though there is no way out of our difficulty. 似乎没有办法让我们摆脱困境。

He **looks** very strong. 他看上去很强壮。

【提示】

① look 的常用结构为：look＋形容词或分词，look＋名词，look＋介词短语

② seem 的常用结构为：seem＋名词，seem＋介词短语，seem＋形容词或分词，seem＋不定式，It seems＋that 从句

③ appear 的常用结构为：appear＋形容词或分词，appear＋介词短语，appear＋不定式，It appears ＋that 从句

23. replace 和 substitute

这两个词的意思都是"代替"，都是及物动词，但搭配结构不同：substitute＋宾语＋for，replace＋宾语＋by。比较：

他们用红球代替蓝球，看看婴儿是否会注意到。

They **substituted** red balls **for** blue balls to see if the baby would notice.

They **replaced** blue balls **by** red balls to see if the baby would notice.

24. avenge 和 revenge

avenge 意为"报仇"，多指出于义愤或正义感为某人的死、受侮辱或被伤害而报仇，avenge 后面的名词应该是受害者(one's brother, one's friend 或 one's death)。revenge 多指为自己受侮辱、伤害而进行报复，后面常接反身代词，也可接 defeat, injustice 等。例如：

He **avenged** his father on the murderer. 他为父亲向凶手报了仇。

He **revenged** himself on his enemy by burning down his house. 他为报复而焚烧了仇人的房子。

25. remember, remind 和 recall

remember 意为"记得，记起，记住"，所记起的是以前知道或经历过的事，通常指无意记起。remind 意为"提醒某人注意某事，使……想起了"，结构为 remind sb. of sth.；"提醒某人做某事"结构为 remind sb. to do sth. 或 remind sb. that 从句。"remind＋宾语＋about"意为"提醒"。recall 意为"回想起，回忆起"，表示一种有意识的回想。例如：

The picture **reminds** her of the village where she once spent her holidays. 这幅图画使她想起了她度假时曾住过的那个村庄。

That suddenly **reminded** her that she had promised to come. 这突然使她想起她曾答应要来的。

I **reminded** the driver that we hadn't got any petrol left. 我提醒司机说，车里没有油了。

In case I forget，please **remind** me about it. 如果我忘了，请提醒我。

It is Jim who **reminded** me to post the letter. 是吉姆提醒我寄那封信的。

I can't **remember** what happened then. 当时发生的事我记不得了。

I can still **recall** her face. 我还能回想起她的面容。

▶▶▶ 下面四种结构表达同一个意思：

我记得见过她。

I **remember** seeing her.

I **remember** having seen her.

I **remember** to have seen her.

I **remember** that I have seen her.

26. prohibit 和 forbid

这两个动词意思都是"禁止"，均为及物动词，但用法不同。

prohibit＋宾语＋from doing sth.

forbid＋宾语＋不定式

They **prohibited** children **from** swimming in the river.

They **forbade** children **to** swim in the river. 他们禁止儿童在那条河里游泳。

27. settle 和 solve

这两个动词的意思都是"解决"。但所接的宾语有所不同。

solve a problem/a mystery/a puzzle/difficulties, etc.

settle a question/an argument/a quarrel/a matter/an affair/a claim，etc.

They **settled** their quarrel in a friendly way. 他们以友好的方式解决了争端。

It was no easy thing for him to **solve** the difficulty. 要他解决那个困难远非易事。

28. borrow, lend 和 loan

borrow 意为"借来",指从别人那里把某物借入。lend 意为"借出",指把某物借给别人。loan 意为"贷款给……",指银行贷款、国际贷款,但在美语中意同 lend。例如:

He **borrowed** fifty dollars from Mary last week. 他上周向玛丽借了 50 美元。

Would you please **lend** me your umbrella? 请把伞借给我用一下好吗?

The bank has **loaned** much money to the company. 银行借贷给那家公司一大笔钱。

29. "do, make, take, give, have＋名词"构成的习惯说法

这几个动词常同某些名词连用,表示一个动作,名词前有时加 a/an, some 或 one's,有时名词用复数形式。

★ **do**

do bedroom	do one's best	do credit	do one's duty
do engineering	do favor	do one's hair	do harm
do flowers	do fiction	do good	do the host
do honor	do one's lessons	do service	do typing
do sums	do a translation	do evil	do a kindness
do business	do one's bit	do one's utmost	do teeth
do dishes	do windows	do vegetables	do fish
do science	do cooking	do military service	do sketches
do no reading	do talking	do knitting	do one's shopping
do one's thinking	do some studying	do some sightseeing	do some telephoning
do much washing	do most of the talking		

★ **make**

make amends	make an appointment	make arrangements	make a bed
make a change	make a copy	make a decision	make a demand
make a difference	make a face	make a discovery	make an effort
make an excuse	make a fire	make a fortune	make friends
make a fuss	make a gesture	make a guess	make haste
make a journey	make a living	make a mistake	make a profit
make progress	make a report	make a success	make war
make advance	make bread	make tea	make generalization
make a bow	make money	make peace	make noise
make a promise	make a speech	make a turn	make contribution
make acquaintances	make allusion	make answer	make apology
make appeal	make appearance	make arrest	make attack
make attempt	make choice	make comment	make comparison
make confession	make concession	make dash	make deal
make detour	make display	make distinction	make enquiry
make error	make examination	make experiment	make explanation
make fight	make go	make hit	make impression
make investigation	make inspection	make mention	make mess
make love	make motion	make mockery	make move
make objection	make observation	make preparations	make pretence
make proposal	make protection	make provision	make purchase
make recovery	make remark	make reference	make reply
make research	make resolution	make scene	make sacrifice

make search	make signal	make slip	make start
make stay	make statement	make trip	make study
make stride	make suggestion	make translation	make visit

★ **take**

take advantage	take aim	take care	take step
take charge	take a degree	take effect	take turn(s)
take a fancy	take fright	take heart	take heed
take one's leave	take a liberty	take a liking	take notice
take an oath	take offence	take stand	take pains
take a picture	take a photo	take a seat	take steps
take action	take bath	take break	take control
take stand	take grip	take inspection	take lead
take nap	take look	take note	take pity
take place	take pride	take power	take revenge
take risk	take sip	take shape	take one's chance
take vacation	take trip	take (the) trouble	take an examination
take (some) exercise	take vote	take the opportunity	

★ **give**

give analysis	give cry	give sign	give sigh
give smile	give account	give approval	give groan
give beating	give answer	give gasp	give advice
give title	give consent	give kiss	give kick
give jump	give hint	give shout	give injection
give laugh	give pull	give report	give slap
give scream	give nod	give lecture	give sketch
give support	give start	give speech	give talk
give shriek	give wash	give welcome	give warning
give chuckle	give blow	give glance	give lesson
give message	give instruction	give bad news	give homework
give hug	give kick	give recital	give reply
give performance	give concert	give evidence	give example
give punch	give scowl	give ring	give shot
give squeeze	give thought	give play	give summary
give consideration	give offence	give polish	

★ **have**

have chat	have drink	have lie	have rest
have bath	have dance	have go	have cry
have wash	have win	have ride	have shave
have shower	have look	have run	have row
have love	have talk	have think	have laugh
have fear	have celebration	have dream	have wish
have try	have fight	have dislike	have dispute
have respect	have smoke	have quarrel	have interview
have swim	have sleep	have success	have discussion
have walk	have good time	have argument	have kindness
have cigarette	have bad temper	have conversation	

Do you often **have** colds? 你常患感冒吗？

He **gave** a deep sigh. 他深深地叹了一口气。

I think I could **make** a guess at it. 我想我可以猜一猜。

This report **makes** heavy reading. 这篇报告读起来枯燥乏味。

Have you **done** your teeth? 你刷过牙了吗？

I have to **do** some studying. 我得学习一会儿。

She was **doing** her hair when I got in. 我进去时她在梳头。

Did you **do** science at school? 你在学校学科学吗？

I usually **do** the windows on Sunday. 我通常在星期天擦窗户。

She **did** no reading that night. 她那天晚上没看书。

The waitress is **doing** the room. 女服务员在打扫房间。

They **did** the temple last Saturday. 他们上星期六参观了那座寺庙。

He **did** some telephoning in the morning. 他上午打了几个电话。

She **does** fish very well. 她鱼烧得好。

The group is **doing** *Macbeth* this week. 这个剧团本周要上演《麦克白》。

She was found **doing** the flowers. 发现她在插花。

They **do** the guests well. 他们把客人招待得很好。

He **did** the journey in five hours. 他在路上开了五小时车。

She **did** the beef. 她炖了牛肉。

He **did** Hamlet last night. 他昨晚扮演哈姆雷特。

I'm **doing** modern language. 我在学现代语言。

She wanted to **do** her face before the party. 她想在宴会前化妆。

The book was **done** into a play. 这本书已被改编成戏剧。

Can you **do** today's crosswords? 你能填对今天的字谜吗？

We **did** five miles in our walk. 我们步行了五英里。

The hairdresser will **do** you next. 理发师接着就给你理发。

He **does** three years for theft. 他因偷盗服刑三年。

The butcher **did** me —— the meat was underweight. 肉贩骗了我——那肉分量不足。

She **does** lovely oil portraits. 她能画优美肖像油画。

He has **done** an article on the black hole. 他写了一篇关于黑洞的文章。

We **did** two concerts last month. 我们上个月听了两场音乐会。

She **did** England in three weeks. 她在英国游览了三个星期。

比较：

She is **doing** the bowls. 她正在洗碗。
She is **making** the bowls. 她正在制碗。

Has he **done** the tables? 他把桌子擦好了吗？
Has he **made** the tables? 他把桌子做好了吗？

They **made** an example of the boy.
他们把这个男孩树为榜样。[×]
他们惩罚这个男孩以儆他人。[√]

She **made** him a good wife.
她使他成为一个好妻子。[×]
她成为他的好妻子。[√]

【提示】在某些名词前，do, take 和 make 可以换用，如：**make/do** a copy 复制一份，**make/do** the translation，**make/do** an experiment，**do/make/work** wonders，**make/take** a trip 等。

30. know, know of 和 know about

I **know** him. 我认识他。（亲自和他认识的，直接的认识）

> I **know of** him. 我知道他。（听别人说起过他，间接的了解）
> I **know about** him. 我了解他。（非常清楚其为人、学识等）

> I **know nothing of** the matter. 我对这件事全不知道。（表示存在）
> I **know nothing about** the matter. 我不知道这件事的内情。（表示详情）

31. hear from, hear of 和 hear about

hear from 意为"接到信件，电话等"（get a letter, telephone call, etc. from）。hear of 意为"听说过，获得消息，知其动静"（get news of, receive a report about）。hear about 亦表示"听到，听说"，常可同 of 换用，但是表示听到更加详细的情况（a fuller knowledge of the details）。例如：

I haven't **heard from** her for a long time. 我好久没有收到她的信了。

I **hear from** America every week. 我每星期都有美国的信。

I have never **heard of** him. 我从来没有听说过他。

They were shocked to **hear of** his death. 得知他的死讯他们非常震惊。

It was not until a week later that we **heard about** what had happened. （不可用 hear of）

I **heard of** him，but I didn't **hear about** him. 我听说过他的名字，关于他的详细情况我没听说过。

比较：

> Have you **heard of** my sister? （Have you received any news of her? Has anyone mentioned her to you?）
> Have you **heard about** my sister? （What has she done? Do you know what has happened to her?）

32. take one's place 和 take the place of

take one's place 意为"到达特定的位置，被看成是"；take the place of 表示"代替"。例如：

Please **take your place** at the table. 请入席吧。

George has **taken the place** of Jack as captain of the ship. 乔治代替杰克当了船长。

The novel will **take its place** among the best works in world literature. 这部小说将被看成是世界文学中的最佳作品之一。

33. run to 和 run at

run to 指"向……跑过来"；run at 指"向……扑过去"。例如：

He is **running to** the boy. 他向那个孩子跑过来。

He is **running at** the boy. 他向那个男孩扑过去。

再如：

> She **caught** my hand and held it tightly. 她抓住我的手紧紧握住。
> She **caught at** a rope，but missed it. 她想抓住绳子，但没有抓住。（＝try to catch）

> He **shot** a bird. 他打死了一只鸟。（＝kill with a gun or an arrow）
> He **shot at** a bird，but missed it. 他朝鸟开枪，但没打中。（＝aim or fire with a gun or an arrow）

> Jim **threw** the ball **to** Jack. 吉姆把球扔给杰克。
> Jim **threw** the ball **at** Jack. 吉姆用球砸杰克。

> He **struck** her. 他打了她。（hit）
> He **struck at** her but missed. 他朝她打去，但没打着。（attempt to strike）

> He asked to **stick** a notice on the door. 他要求在门上贴一个告示。（贴上）
> He **sticks at** the work all day long. 他整天劳作不息。（坚持）

> The man is **shouting to** her. 那个人同她说话声音很大。
> The man is **shouting at** her with rage. 那个人气愤地冲着她大声喊叫。

【提示】在某些动词后，to 表示动作的善意性，at 则表示动作的非善意性。例如：

She donated money **to** the Red Cross.

The tiger made **at** the woman. 老虎向那女人扑过来。

They fired **at** her but missed. 他们朝她开枪，但没有打中。

> They all laughed **to** each other heartily. 他们都会心地笑了。
> The shameful act was laughed **at** by the people. 那可耻的行为遭到众人的耻笑。

34. compare sth. to 和 compare sth. with

compare sth. to 意为"把……比作"；compare sth. with 意为"拿……与……相比，比较"。注意，表示"与……相比，比较"时，用 compare with 和 compare to 均可。例如：

He **compared** the poet **to** a bird. 他把诗人比作鸟。

He **compared** Shelley **with/to** Keats. 他把雪莱和济慈相比较。

35. improve in 和 improve on

improve in 意为"改进"；improve on/upon 意为"比……好"。例如：

He is certainly **improving in** his spelling. 他的发音的确有提高。

The second edition greatly **improves on** the first edition. 第二版远比第一版好得多。

36. think about 和 think of

think about 意为"考虑"；think of 意为"想起，回想(过去的事)"。例如：

Jane is **thinking about** quitting the job. 简在考虑辞去工作。

Whenever he **thinks of** the sad experience, his heart sinks. 每当他回想起那悲惨的遭遇，他就心情沉重。

37. touch at 和 touch on

touch at 意为"停靠"；touch on 意为"提到"。例如：

The ship **touched at** Shanghai Harbor this morning. 船今天早晨停靠上海港。

The lecturer **touched on** Hemingway in his talk. 演讲人提到了海明威。

38. clean 和 clear

1 作动词用时，clean 多指清洗衣物污垢，整理房间等；clear 多指清理废物、障碍物等，也用于比喻中

The farmers are **clearing** the weeds from the fields. 农民正在田里拔草。

He **cleared** his throat and began to sing. 他清了清喉咙，开始唱歌。

Mother had my clothes **cleaned** and ironed. 母亲把我的衣服洗了、熨了。

2 作形容词用时，clean 指人或物的干净、清洁，也指人的纯洁、清白；clear 指物的清楚明白，清澈明亮，天气晴朗或心情开朗等

The meaning of the phrase is not quite **clear**. 这个短语的含义不是很清楚。

He has a **clean** conscience. 他良心清白。

3 词组 clean up 意为"收拾，整顿"，而 clear up 除表示"收拾"外，还有"弄清，澄清，开朗，放晴"等含义

Nurse has to **clean up** after supper. 保姆得在晚饭后收拾一下。

He has **cleared up** the rumor. 他已经澄清了谣言。

The sky is **clearing up**. 天放晴了。

▶▶▶ 另外要注意 clean ... of ... 和 clear ... of ... 结构，均意为"清除"。例如：

A lot of people came out to **clear** the street **of** snow. 许多人上街清除积雪。

39. abound in 和 abound with

这两个短语均有"很多，丰富"之意。abound in 相当于 be rich in，abound with 相当于 be rich with；abound in 用于褒义，abound with 有时含贬义。例如：

The region **abounds in** natural resources. 这个地区自然资源丰富。

The house **abounded with** rats in the past. 这所房子里过去老鼠成灾。

The country **abounds in** opportunities. 这个国家里到处都有机遇。

▶▶▶ 也可以说：

Natural resources **abounded in** the region.

Rats **abounded in** the house in the past. (此句不可用 with，为动物名词作主语)

▶▶▶ 下面几组句子意思相同，但表达方式不同，前句为动态句，后句为静态句：

这个湖产鱼很多。
Fish **teem in** this lake.
The lake **is teeming with** fish.

火车上挤满了人。
People **jammed into** the train.
The train **was jammed with** people.

海滩上到处都是海浴的人。

Bathers **are swarming on** the beach.

The beach **is swarming with** bathers.

40. happen, chance, take place 和 occur

（1）happen 最常用，指偶然或意外的事。例如：

The murder **happened** in a remote mountain village. 谋杀案发生在一个遥远的山村。

（2）chance 指极为巧合或偶然的事。例如：

The man he killed **chanced to** be his long lost brother. 他杀死的男人碰巧就是他早已失散的兄弟。

（3）take place 常指预定要发生的事，还表示"举行"。例如：

The wedding **took place** some two months ago. 婚礼大约是在两个月前举行的。

（4）occur 为较正式的用语，常有具体的时间或地点等条件，还有"突然产生某种想法"的意思。例如：

Eight fires **occurred** this month in the city. 这个城市里本月发生了八起火灾。

A new idea has **occurred** to him. 他突然有了个新的想法。

41. insist on 和 persist in

insist on 指在思想上或语言上"坚持认为，坚持说"；persist in 指在行动上坚持做下去。例如：

The teacher **insisted on** the importance of mastering a foreign language. 老师强调了掌握一门外语的重要性。

He **persisted in** carrying on the experiment in spite of all kinds of setbacks. 他不顾种种挫折，坚持进行这项试验。

42. look, look like 和 be like

look 在疑问句中表示询问对某人或某物的印象，在陈述句中表示说话人对某人或某物的印象；look like 在疑问句中表示询问某人或某物像什么，在陈述句中表示说话人认为某人或某物像什么；be like 在疑问句中询问某人的外表、品行或某物的情况，在陈述句中表示说话人的判断。比较：

How does he **look**? 他看来怎样？

He **looks** very strong. 他看来很强壮。

What does he **look like**? 他看来像是什么样的人？

He **looks like** an honest man/a poet. 他看来像是个诚实的人／一个诗人。

What is he **like**? 他是个什么样的人？

He is just **like** anybody else. 他和别人完全一样。

43. owe 的用法

owe 的常用结构有：owe＋间接宾语＋直接宾语，owe＋宾语＋to＋名词/代词，owe it to ... that 等，意为"欠钱，欠人情债，应当给予，归功于，全靠"等。例如：

I **owed** him 100 *yuan*. 我欠他 100 元。

I **owe** a great deal to my mother. 母亲对我情深似海。

I **owe** you my best thanks. 我非常感谢您。

He **owed** a lot of money to the neighbor. 他欠了邻居一大笔钱。

She **owed it to** him **that** she tided over the difficulties. 多亏他的帮助，她才渡过了难关。

【提示】

① owe 作"归功于"解时，不可接双宾语，要用 owe sth. to ... 结构。例如：

我把我的成功归于他。

I **owe** him my success. ［×］

I **owe** my **success to** him. ［√］

② owe 表示"欠（债等），怀有"时，可接双宾语。例如：

He owes **nobody ill will**. 他对谁都没有恶意。

44. make 构成的惯用语

make 是英语中的"万用词"之一,搭配关系极强。参阅上文。例如:

make sense of 了解……的意义	**make** mention of 提到
make a point of doing 坚持(做某事)	**make** a note of 把……记下来
make use of 利用	**make** a man of 使……成人或成才
make an end of 结束	**make** a good job of 做好或处理好
make a convenience of 利用	**make** a day of it 花整整一天时间干……
make a mess of 把……弄得一团糟	**make** little of 认为……无关紧要
make light of 把……不当回事/藐视	**make** heavy weather of 把……搞得复杂化
make head or tail of 弄明白某事(用于否定句)	**make** an exhibition of oneself 出洋相
make an ass of 闹出笑话/出洋相	**make** a monkey of 愚弄……
make much of 重视/吹嘘/理解	**make** nothing of 轻视/不懂
make the most/best of 充分利用	**make** a pretence of 假装
make a success of 使……成功	**make** fun of 戏弄/嘲笑
make a habit of 养成……习惯,经常做	**make** trial of 试用/试验
make a go of sth. 把……办成/使……成功	**make** a practice of 习惯做法
make a meal of 把……当饭吃/把……做得太过分	**make** a fool of 愚弄

I can't **make sense of** what he said. 我不明白他的话。

She **made little of** her illness. 她把病不当回事。

The boaster ended up **making an ass of** himself. 吹牛的人最后使自己出了丑。

I can not **make head or tail of** it. 这件事我弄不明白。

He was angry to realize that he **had been made a convenience of**. 意识到自己被利用了,他大为愤怒。

He tried to **make a man of** his son. 他尽量想把儿子培养成一个真正的男子汉。

45. The poem doesn't translate well——形式主动、意义被动的动词

有些英语句子,主语在逻辑上是动作的承受者,但谓语动词却要用主动形式。这类句子中的主语多为事物名词,但也可以是人或动物,谓语动词表示主语的特定动作,后常跟一个表示主语特征、性状的状语(参阅"被动语态"章节)。常用的这类动词(短语)有:peel, pour, work, wash, tear, lock, last, digest, dry, fill, blow, close, iron, read, burn, spoil, count, act, strike, draw, make, wear, write, photograph, move, end, finish, feel, clean, catch, add up, translate, divide, dress, drive, shave, sail, polish, smoke, unlock, undo, steer, spoil, open, let, look, wind up, work out, adjourn 中止/休会,等。例如:

The meeting **adjourned** at eleven. 会是 11 点散的。

The dinner **finished** with a song. 宴会以一首歌曲结束。

What does a snake **eat** like? 蛇吃起来什么味道?

A porcelain sink **cleans** easily. 搪瓷水池易洗干净。

Dogs don't **drown** easily. 狗不容易淹死。

This kind of cake doesn't **break** evenly. 这种蛋糕掰不匀。

The figures **add up** correctly. 这些数字加起来正确。

The book **reads** easily. 这本书容易读。

These leaves **dry** very slowly. 这些树叶干得慢。

She **photographed** well. 她很上照。

The clock **winds up** at the back. 这只钟从后面上发条。

The door **unlocks** easily. 这门容易开。

Food **spoils** quickly in summer. 食物在夏天变质快。

The car **steers** easily. 这部车易驾驶。

The flat **lets** on a monthly basis. 这套公寓按月出租。

She **dresses** well. 她很会打扮。

The house **divides** into seven rooms. 这套房子分成七个房间。

Meat **keeps** longer in cold weather. 肉在冷天保存的时间长些。

The book **sells** well. 这本书销路很好。

This cloth **washes** easily. 这布易洗。

The liquor **drinks** well. 这酒好喝。

The window won't **shut**. 窗户关不上。

This **compares** favorably with that. 这个比那个好。

The door won't **lock**. 门锁不上。

The plan **worked out** with success. 计划很成功。

【提示】若无状语,这类句子有些不成立,下面的句子是错误的:

This novel sells. (要加 well 等)

Your pen writes. (要加 quite smoothly 等)

46. see through sb. 不同于 see sb. through

see through sb. 意为"看穿,识破"(see the true meaning/nature/character of);see sb. through 意为"给予经济支持,帮助渡过难关"(help sb. to come through the difficulties),并可在 through 后加 trouble, difficulties, crisis 等词。see sth. through 还可表示"办完,把……进行到底"(carry out to the end)。例如:

She will **see through** him sooner or later. 她迟早会看穿他的。

She will **see** him **through** his trouble. 她会帮助他渡过难关的。

She will **see** him **through**. 她会支持他到底。

She is determined to **see** the work **through**. 她决心把这项工作做好。

47. escape prison 不同于 escape from prison

1 作"逃出、脱离、漏出、逸出"(get free, get away, find a way out)解时,escape 为不及物动词,同 from, out of 连用

He has **escaped from** prison. 他越狱了。(从监狱里逃跑了)

Some gas **is escaping from** the pipe. 煤气正从管道里漏出来。

2 作"免除、避免、未被……注意、忘记"(avoid, be unnoticed by, be forgotten by)解时,escape 为及物动词,后接名词或动名词

He **escaped** prison. 他没进监狱。

He narrowly **escaped** being caught. 他差一点被抓住。

Her unusual behavior **escaped** their attention. 她的反常行为没有引起他们的注意。

The children all **escaped** measles. 孩子们都没出疹子。

The secret **escaped** her lips. 她泄露了秘密。

48. live on, feed on, live by 和 live off

1 live on 意为"以……为食,靠……生活"(have as one's food or income from),可用于人或动物,on 后面跟名词,可以是食物、工资或钱。feed on 后跟名词,一般用于指动物。live by 意为"靠……生活",后可跟名词或动名词,指的是生存的方式(the means of life),靠捕鱼,靠打猎,还是出卖苦力等

They **live** chiefly **on** rice. 他们以米饭为主食。

This kind of bird **feeds on** worms. 这种鸟吃昆虫。

The old man **lives on** credit. 那位老人借债度日。

She **lives on** 100 dollars a month. 她每月靠100美元生活。(on what she earns)(挣的钱)

He **lived by** fishing then. 他当时以捕鱼为生。

He **lives by** his pen. 他笔耕为生。

She **lives by** running a small shop. 她靠经营一家小商店生活。

He **lives by** the sweat of his brow, not **by** cheating. 他以劳力生活,不是靠欺骗。

2 live off 常以地点名词作宾语,强调生活的来源(have as the source of food or income)

The farmers **live off** the land there generation after generation. 农民们世世代代靠那里的土地

为生。(things grown there)

He told them to **live off** the mountain. 他告诉他们要靠山吃山。(things grown in the mountain)

Those living near water **live off** the water. 靠水吃水。

【提示】不强调"来源"时,live on 和 live off 可换用。例如:She **lived on/off** wild fruits then. 她那时靠吃野果生存。

49. call sb. names 和 call sb.'s name

① call sb. names 为固定习语,总是用复数形式 names,意为"骂人"

They lost their tempers easily and **called one another names**. 他们动不动就要脾气,相互谩骂。

I heard the woman **calling him some bad names**. 我听见那女人对他大肆叫骂。

② call sb.'s name 意为"叫某人的名字,点某人的名字",name 有单复数变化

The manager **called their names** in turn. 经理依次点了他们的名。

Being good friends, we could **call our names** each other. 我们是好朋友,可以互称彼此的名字。

50. make up 和 make up of

① make up 是"动词+副词型短语",意为"组成,形成,占"

Nine players **make up** a team. 九名队员组成一个队。

The workers **make up** 40 percent of the population. 工人占人口的40%。

② make up of 常用于被动语态,为 be made up of,意为"由/被……组成",句中主语为整体,of 后为个体成员

A team **is made up of** nine players. 一个队由九名队员组成。

Society **is made up of** different kinds of people. 社会是由各种各样的人组成的。

This **is made up of** three parts. 这由三个部分组成。

▶▶▶ 上面三例中的 of 均不可漏掉,否则就是病句。

51. born 还是 borne

① 作"负荷,忍受"等解时,bear 是及物动词,过去式为 bore,过去分词为 borne;作"生出,结果"解时,bear 可作及物动词和不及物动词,过去式为 bore,过去分词为 born 或 borne

Women **bear** children. 妇女生小孩。

He **bore** the expenses of five students. 他负担五个学生的生活费用。

The manager has **borne** himself manfully. 那位经理有男子汉气概。

② 表示"出生(于),诞生(作表语),天生的(作定语或表语),有生之年"等含义时,只用 born,这种用法不可同 by 连用

She was **born** in 2010. 她生于2010年。(不可说 by sb.)

He is a **born** genius. 他是一个天生的英才。(仍然在世)

He is **born** a fool. 他是个天生的笨瓜。(也许已不在世)

She has been happy in her **born** days. 她有生以来都是幸福的。

New arts have been **born** in the course of history. 在历史的进程中,新的艺术不断诞生。

③ 表示"生出(小孩),(小孩)被生出"时,用 borne,可用于主动语态或被动语态,常同 by 连用

She has **borne** him a son and a daughter. 她为他生了一双儿女。

The boy was **borne** by his second wife. 这个男孩是他的第二任妻子生的。

This is one of the children **borne** to him by his first wife. 这是他第一任妻子为他生的孩子之一。

▶▶▶ "生小孩"可有多种表示法,比较下列句子:

She **bore** him many children. [√]她为他生了一大堆孩子。

She has **borne** him many children. [√]她已经为他生了一大堆孩子。

She **gave birth to/had/delivered/was delivered of/was brought to bed of** a child yesterday. [√]她昨天生了一个孩子。

She bore a child last night. [×](小孩仍在母亲怀抱中)

The tree bore some fruits yesterday. [×](所结的果实仍在树上)

52. winded，wound 和 wounded

wind 作"吹，嗅出，使呼吸急促"解时，读作[wɪnd]，过去式和过去分词皆为 winded；wind 作"蜿蜒，缠绕，上发条"解时，读作[waɪnd]，过去式和过去分词为 wound [waʊnd]；wound 意为"伤害，受伤"，读作[wʊnd]，过去式和过去分词为 wounded。例如：

The hunter **winded** his horn. 猎人吹响了号角。

They _____（winded，wounded，wound）their way through the forest.（试判断）

She has _____（wounded，winded，wound）her watch.（试判断）

53. bid 和 bade

bid 作"出价，投标，叫牌"解时，可作及物动词和不及物动词，过去式、过去分词均为 bid；bid 作"命令，嘱咐，致意"解时，为使役动词，过去式为 bade，过去分词为 bidden。例如：

He **bid** 100 dollars for the vase. 那个花瓶他出价 100 美元。

She **bid** at the auction. 她在拍卖中出价竞买。

I **bade** him wait and see. 我嘱咐他等着瞧。（一般不用 to）

The soldiers did as they were **bidden**. 士兵执行了命令。

We **bade** him farewell. 我们向他告别。

They **bid** on the new bridge. 他们投标建那座新桥。

54. shone 和 shined

shine 作"照耀"解时，为不及物动词，过去式和过去分词均为 shone；作"擦亮"解时，为及物动词，过去式和过去分词均为 shined。例如：

The moon **shone** bright last night. 昨夜月色皎洁。

The housewife **shined** the windows this morning. 家庭主妇今天上午擦了窗户。

55. free ... of 和 free ... from

1 free ... of 意为"使……免除（工作、责任），（从精神上或头脑中）去掉，摆脱（担忧、思想、想法）"

The letter should **free** your mind **of** worry. 这封信会使你摆脱担忧。

She has been **freed of** the work. 她被免除了那项工作。

2 free ... from 意为"从……释放（set ... free），使……免于（税、债务、威胁等）"

She **freed** the birds **from** the cage. 她把鸟从笼中放出来。

They are trying to **free** the world **from** the threat of war. 他们正努力使世界免于战争的威胁。

▶▶ 另外，free 还作形容词用，be free of 意为"大方，慷慨"，be free from 表示"是无……的，没有"。比较：

He is **free of** his money. 他用钱大方。
The house is **free from** rats. 这所房子没有老鼠。

56. feel for 和 feel with

feel for 意为"同情"，feel with 意为"与……有同感"。例如：

I **feel for** her. 我同情她。
I **feel with** her. 我与她有同感。

57. teach sth. for sb. 和 teach sth. to sb.

teach sth. for sb. 意为"代替某人教"，teach sth. to sb. 意为"……教某人"。例如：

I **teach** maths **for** him. 我替他教数学。（他病了）
I **teach** maths **to** him. 我教他数学。（他是我的学生）

58. 能否说 go place 或 go places

go 通常用作不及物动词，但是可以同 place 或 places 连用，这时 place 或 places 泛指"地点，地方"，为习惯用法，不需要加 to。例如：

What **place** has she **gone**? 她去了什么地方？

He is **going places** this morning. 他今天上午要去好几个地方。

There is no **place** to go. 无处可去。

再如：

It is a good **place** to read. 这是读书的好地方。(不加 in 或 at)

It is a quiet **place** to rest. 这是可供休息的安静地方。

It is a right **place** to build a library. 这里是建图书馆的合适场所。

59. take turns 和 take one's turn

1 take turns 意为"轮流,交替",意同 in turns

They **took turns** to chair the meeting. 他们轮流主持会议。

We shall **take turns** in weeding the garden. 我们将轮流给花园除草。

2 take one's turn 意为"依次获得机会,轮班",turn 要用单数,不可说 take one's turns,另外,wait one's turn 意为"等待机会",也不可说 wait one's turns

They **took their turn** to keep watch. 他们轮班站岗。

We should **take our turn** in buying tickets. 我们应该依次排队买票。

I know they are **waiting their turn**. 我知道他们正在等待机会。

60. hear and tremble——"动词+动词"构成的习惯用语

英语中有些习惯用语是"动词+动词"构成的,前后两个动词有些是同义动词,有些是反义动词,有些表示动作的先后,等。这种习语结构简洁精炼,有些可译为汉语相应的成语。例如:

hem and haw 踌躇不决	cut and contrive 精打细算
forgive and forget 既往不咎	dot and go one 一瘸一拐
live and learn 学无止境	hit and miss 不计成败
touch and go 一触即发	chop and change 变化无常
divide and rule 分而治之	come and go 来来往往
ebb and flow 荣辱兴衰	give and take 公平交换,相敬相让
pinch and scrape 省吃俭用	fetch and carry 当差打杂
peak and pine 消瘦憔悴	hit and run 逃之夭夭,打了就跑
dine and wine 宴饮款待	bill and coo 谈情说爱
wait and see 观望待机	share and share alike 平均分享
hear and tremble 洗耳恭听,烂熟于心	wear and tear 耗损磨难
wash and wear 洗后不烫就可以穿(的)	rise and shine 起床

They have a **wait-and-see** way of dealing with difficulties. 他们对付困难的办法是等着瞧。

He is facing a **touch-and-go** situation. 他正面临着一触即发的形势。

Both sides must be ready to **give and take** to reach an agreement. 要达成协议,双方都要做些让步。

61. finish, complete 和 end

1 finish 和 complete 均可表示"完成,完结",但内在含义有些不同。finish 意为 bring sth. to an end, stop doing sth.,指"结束做某事,做完了某事",后接名词或动名词,不可接不定式

He has **finished** the work. 他做完了工作。

She has **finished** writing the paper. 她已写完了论文。

2 complete 常表示 bring sth. into a whole, add what is missing or needed to form a finished whole, 指"使完整,使圆满",尤指文学艺术作品的完成或工程的竣工等,后接名词

She needed one more stamp before her collection is **completed**. 她收集的邮票还差一张就成套了。

He is trying to **complete** his collection of Shakespeare's plays. 他要收集全套的莎士比亚戏剧。

比较:

Have you **finished** the novel? 你读完那部小说了吗?(=finished reading)

Have you **completed** the novel? 你写完那部小说了吗?(=finished writing)

The new school will be **completed** next month. 新学校下个月竣工。(不可用 finish)

3 end 为普通用词,指一种活动因达到目的而自然结束或因某一原因突然中止,可指作业、演讲、争论、旅行、战争或生命等的结束、终止,并可用作及物动词或不及物动词

The game **ended** in a draw. 比赛以打成平局结束。

He **ended** his letter with good wishes to the family. 他以向全家问好结束他的信。

His unexpected visit **ended** our discussion of the problem. 他突然来访中断了我们对那个问题的讨论。

62. break into，burst into，burst out 和 break out

这几个短语动词虽然都表示"突然……起来"，但用法上有差别。比较：

break into＋名词（tears, cheers, flames, rage, song, applause, laughter, a run, roars of laughter）：突然（哭，欢呼，燃烧，发怒，唱，鼓掌，大笑，跑，大笑）起来

burst into＋名词（leaf, blossom, a storm of abuse, laughter, flames）：突然（长出了叶子，开了花，辱骂，大笑，燃烧）

burst out＋动名词或介词短语（crying, laughing, cheering, into threats, in perspiration）：突然（哭，大笑，欢呼，威胁，出汗）

break out＋动名词或介词短语（crying, laughing, cheering, in curses, into threats, in a rage of sobs）：突然（哭，大笑，欢呼，咒骂，威胁，啜泣）

The horse **broke into** a gallop. 马突然小跑起来。

The trees seemed to have **burst into** leaf overnight. 树似乎一夜之间长出了叶子。

She **burst out** crying. 她突然大哭起来。

He **broke out** into threats. 他突然威胁起来。

63. lit 和 lighted

lit 和 lighted 均为动词 light 的过去式和过去分词，lit 更为常用。在名词前作定语时多用 lit，也可用 lighted；在被动语态中可用 lit 或 lighted；在副词后要用 lit；在 light up/upon 短语中，过去式和过去分词要用 lit。例如：

The sky **lit** up at sunset. 日落时晚霞满天。

She handed the **lit** match to Jim. 她把点着的火柴递给了吉姆。

One large lamp **lit**/**lighted** the hall. 一盏大灯照亮了大厅。

Hearing the good news, her face **lit** up. 听到这个好消息，她面露喜色。

The corridors are **lit**/**lighted** by artificial light. 走廊里仅靠人工照明。

a **lit**/**lighted** candle 点燃的蜡烛

a freshly **lit** cigarette 刚点燃的烟

a dimly **lit** room 灯光昏暗的房间

64. 英语中的动物拟声词

英语同汉语一样，有相当数量的拟声动词，不同的动物所发出的叫声往往不同，也就要用不同的拟声动词来表达。比如：云雀（lark）的"欢唱"要用 warble 或 sing，而喜鹊（magpie）"喳喳"则要用 chatter。下面是一些常用的动物拟声动词，注意观察与不同的动物搭配。

bleat→lamb, goat（羔羊咩咩，山羊咩咩）

chatter→magpie（喜鹊喳喳，猴子吱吱）

croak→raven, frog（乌鸦哑哑，青蛙呱呱）

cry→swan（天鹅鸣叫）

coo→dove（鸽子咕咕）

growl→tiger, bear（虎啸，熊吼）

gobble→turkey（火鸡鸣叫）

howl→wolf, jackal（狼嚎，豺嚎）

honk→wild goose（雁鸣）

quack→duck（鸭子呱呱）

mew→cat（猫喵喵，还可用 purr）

roar→lion, bear, tiger（狮吼，熊吼，虎啸）

whoop→crane（鹤唳）

trumpet→elephant（大象叫）

sing→nightingale, lark（夜莺鸣叫，云雀鸣叫）

bay→hound（猎犬汪汪）

bray→horse, ass（马嘶，驴嘶，还可用 hee-haw）

caw→crow（乌鸦哑哑）

crow→cock（公鸡喔喔）

cluck→hen（母鸡咯咯，还可用 cackle, chuck）

cackle→goose（鹅嘎嘎，还可用 goggle, gabble）

grunt→camel（骆驼叫）

hiss→snake（蛇咝咝）

neigh→horse（马嘶，还可用 whinny, snort）

squeak→mouse（老鼠叽叽，还可用 peep）

pip→chicken（小鸡叽叽，还可用 cheep）

squeal→pig（猪嚎，还可用 grunt）

talk→parrot（鹦鹉学舌）

warble→lark（云雀鸣叫、欢唱）

bellow→bull, cattle, ox (牛哞哞,公牛哞哞,还可用 low)

hoot→owl (猫头鹰叫,还可用 screech, whoop, scream)

bark→fox, dog (狐狸叫,狗叫,dog 还可用 growl, yelp, whine)

yelp→puppy, dog, fox (小狗汪汪,狗汪汪,狐狸叫)

twitter→swallow, bird (燕子呢喃,鸟儿唧唧,还可用 chirp)

gibber→monkey, ape (猴子啼叫,猿啼,还可用 chatter)

chirp→bird, insect, cricket (鸟儿唧唧,虫鸣,蟋蟀鸣叫,还可用 chirrup)

scream→hawk, eagle, seagull, vulture, peacock (鹰叫,海鸥鸣叫,秃鹰鸣叫,孔雀鸣叫)

drone→beetle, bee, mosquito, fly (甲虫唧唧,蜜蜂嗡嗡,蚊子嗡嗡,苍蝇嗡嗡,还可用 buzz, hum)

In the field a lamb was **bleating** for its mother. 田野上一只小羊羔咩咩地呼唤着它的母亲。

The gunshot made the monkeys **chatter** in alarm. 枪声使猴子们受了惊,吱吱乱叫。

She heard the owls **hooting**. 她听到猫头鹰在叫。

The bee **buzzed** from flower to flower. 蜜蜂嗡嗡地从一朵花飞向另一朵。

I heard the larks **warbling** in the clear spring sky. 我听到云雀在春天的晴空中欢唱。

He heard the doves **cooing** in the woods. 他听见树林里鸽子的咕咕声。

The wild ducks started **quacking** loudly when I threw them some bread. 我向野鸭扔面包时,它们响亮地嘎嘎叫起来。

I was woken up in the early hours by a bird **twittering** just outside my window. 我清早就被窗外一只叽叽喳喳的小鸟弄醒了。

65. 拟人化的动词

英语中有些动词,如 see、witness、greet、bring、beckon、betray、grip、tell、find、tempt、accompany 等,通常总是以人作主语,表示人的所见、所为。但有时候,这类动词也可以用事物或抽象概念作主语,使之具有人的能力或特征,为动词的拟人化用法,表达更为生动、形象。例如:

The summit **saw** them at 6 o'clock. 他们在 6 点钟到达峰顶。

The small town **witnessed** the death of many people in the earthquake last month. 在上个月发生的地震中,这座小城里有许多人死亡。

A wave of cigar smoke **accompanied** Anthony in. 安东尼进门时带进一缕雪茄烟雾。

Youth **sees** him on a job and in love. 进入青年期,他工作了,恋爱了。

The early part of the 20th century **saw** more great inventions. 20 世纪初期,有更多的伟大发明问世了。

Dusk **found** her crying in the street. 黄昏时分,她在街上哭泣。

The past year **witnessed** great changes in the city. 在过去的一年里,这座城市发生了巨大的变化。

May 2009 **found** me working in an electronics firm. 2009 年 5 月我在一家电子公司工作。

The sight of the clear streams **tempts** me to retire to the country. 一看见那清澈的小溪,我便顿起归隐乡间之意。

The sight of the light, even in the distance, **brings** warmth from the window all the way to the heart. 远远望见那盏灯,温暖便从窗口一直注入心底。

The gathering dark often **finds** me hastening home in a hurrying crowd. 暮色中匆匆的人群中,总有我赶路的身影。

The furrows ploughed by time **tells** us about his past frustrations and setbacks. 岁月刻下的皱纹向我们讲述了他往昔的坎坷人生。

The word **escapes** me at the moment. 我一时想不起这个词了。

Fear suddenly **gripped** me when it was my turn to speak. 轮到我说话时,我突然惊慌起来。

The old lady's graceful appearance **betrayed** her previous easy days. 这位老太太举止优雅,可以看出,她从前过着非常优裕的生活。

Responsibilities **beckoned**, and we all headed off to work. 想到工作在召唤,我们便都干活去了。

Western culture has **witnessed** at least three grand historical epochs of seeking. 西方文化史上至

少有三次规模宏大的探索时代。

A brief climb along a nearby wooded trail **brought** us to a hilltop that faced west. 沿着附近的林中小路，我们向上没爬多远就来到了山顶，面朝西。

My room，always dust-free，**greets** me with a pleasant look whenever I return home. 我的小屋总是纤尘不染，回家时，便总有一种欢欣的感觉。

66. redress 不同于 re-dress

英语中某些动词或名词，用不用连字符"-"，在含义上有所不同。比较下列各组词。

★ {redress：改正，校正，赔偿，补救
re-dress：重给……穿衣，重修整

The company offered the man a large sum of money to **redress** the harm which they had done him. 该公司给了那人一大笔钱，以赔偿对他的伤害。

They **re-dressed** shop windows to attract customers. 他们重新装饰了商店橱窗以吸引顾客。

★ {react：作出反应，起作用
re-act：重演，重做，再做

She didn't look up or **react** in any way. 她既没有抬头，也没有作出任何反应。

He **re-acted** the part of Hamlet this time. 他这次重演了哈姆雷特这一角色。

★ {remark：评议，注意，觉察，陈述
re-mark：重新给……打分数，重新标号

Several people **remarked** upon the fine quality of the product. 有几个人谈论了该产品的优良质量。

The teacher **re-marked** his test paper and gave him a passing mark. 老师重改了他的试卷，给了他一个及格分数。

★ {reform：改革，改造，改良
re-form：重新形成，重新塑造

He spent years trying to **reform** the world. 他花了许多年时间，力图改造世界。

The organization has recently been **re-formed**. 这个组织最近重新改组了。

★ {represent：代表，表示，象征
re-present：再赠送，再提出，再演出，再陈述

The blue lines on the map **represent** rivers. 地图上的蓝线代表河流。

He **re-presented** his complaints to the Head Office. 他再次向总公司陈述自己的不满。

★ {recreate：调剂……的身心，消遣，娱乐
re-create：再创造，再创作，再现

Children like to **recreate** outdoors. 儿童喜欢去户外游戏。

The opportunity could not be **re-created**. 这机会无法重新创造。

★ {rejoin：回答，反驳
re-join：与……再结合，重新加入

"You are not always right"，she **rejoined**. "你不总是对的，"她反驳说。

The members of our family will be **re-joined** on the Mid-autumn Festival. 我们一家人将在中秋节团聚。

★ {reclaim：使悔改，改造，开垦
re-claim：要求恢复，要求收回

They **reclaimed** the waste land. 他们开垦了荒地。

He **re-claimed** his lost property. 他要求收回失去的财产。

★ {release：释放，放出，免除，发表，发行
re-lease：再出租，重租赁

The prisoner was **released**. 俘虏被释放了。

The apartment was **re-leased** a month later. 这套公寓一个月后又重新出租了。

★ { recede：退却，后退，降低
re-cede：归还，交还

The coast **receded** as we sailed away. 我们扬帆出海，陆地渐渐往后退去。

The new government **re-ceded** the conquered territory. 新政府归还了被占领土。

★ { resound：回响，反响，回荡
re-sound：(使)再发声，(使)重发音

The beating of gongs and drums **resounded** to the skies. 锣鼓声响彻云霄。

Tom was asked to **re-sound** the word. 汤姆被要求重发这个词的音。

★ { resign：辞职，引退，听任
re-sign：再签(名)，再签署

He **resigned** from his post. 他辞职了。

He **re-signed** with *Life.* 他再度签约为《生活》杂志工作。

★ { recreation：娱乐，消遣
re-creation：再创造，再创作

Gardening is one of his **recreations**. 园艺是他的消遣之一。

This novel is his **re-creation**. 这是他重新创作的小说。

九、某些动词的搭配关系

这里对动词搭配关系的考察是多层面的，也是一般的基本用法，但语言的使用是丰富多彩的，并不排除有例外用法，特说明。

1. 动词＋宾语＋by/on/in＋the＋身体部位等

常用的有：catch 抓住，pull 拉，shake 握，seize 抓住，hit 打，take 抓住，等。例如：

The child **pulled** his mother **by** the coat. 那个孩子拉住母亲的外衣。

The two men **shook** each other **by** the hand. 两个人握了握手。

She **caught** him **by** the arm. 她挽着他的臂膀。

The ball **hit** the girl **on** the nose. 球打在女孩的鼻子上。

He was **wounded in** the leg. 他的腿部受了伤。

▶▶▶ 在上述结构中，定冠词 the 不能换成物主代词，不能说 seize him by his arm。

2. 动词＋宾语＋from

常用的有：absent 缺席，defend 防护，discourage 阻止，dismiss 解散，discriminate 区别，release 释放，distract 转移，divert 转移，inhibit 阻止，prohibit 阻止，shield 遮蔽，stop 停止，rescue 拯救，forbid 阻止，save 保存，choose 挑选，delete 删除，deter 阻止，dispense 免除，dissuade 劝阻，excuse 使……免除，keep 阻止，prevent 阻止，protect 保护，restrain 抑制，separate 分离，tell 分辨出，deliver 拯救，preserve 保护，free 免于，hinder 阻碍，等。例如：

They have taken various measures to **prevent** the disease **from** spreading. 他们已经采取各种措施来阻止这种疾病的蔓延。

We should **inhibit** ourselves **from** wrong desires and impulses. 我们应该抑制自己的邪念和冲动。

The President **dismissed** the mayor **from** his office. 总统解除了市长的职务。

She **dissuaded** her husband **from** buying the car. 她劝丈夫别买汽车。

They **defended** the city **from**/**against** the attack. 他们保卫城市免遭攻击。

【提示】

① 这种结构中动名词前的 from 也常可省略。例如：

I stopped them (from) talking. 我让他们中止了谈话。

It prevented her (from) coming here. 这使她没来这里。

His small size prohibits him (from) becoming a policeman. 他个头矮，当不了警察。

② 有时，from 的省略会引起意义的变化，如 prevent ... from doing sth. 和 keep ... from doing sth. 表达基本相同的意思，但 prevent ... doing sth. 却不同于 keep ... doing sth.，前者的

doing 为动名词,其结果是否定的,后者的 doing 为分词,其结果是肯定的。另外,keep ... from doing 和 keep ... doing sth. 表达的含义也不相同。例如:

What he said **kept** her **worrying**. 他的话使她非常担心。

What he said **kept** her **from worrying**. 他的话使她不再担心了。

Cold weather **kept** the plants **from budding**. 寒冷的天气使植物不能发芽。

Warm weather **kept** the plants **budding**. 温暖的天气使植物不断发芽。

3. 动词＋宾语＋for

常用的有:qualify oneself 使有资格, apologize to 向……道歉, apply to 适用于, blame 指责, compensate 补偿, count 指望, depend 依靠, rely on 依靠, forgive 原谅, praise 称赞, recommend 介绍……加入, remember 记住, take 当作, thank 感谢, turn to 求助于, reprove 责备, criticize 批评, punish 惩罚, scold 责备, mistake 误认为, ask 要求, excuse 原谅, reward 报答, search 搜查,等。例如:

You should **compensate** her **for** her loss. 你应该赔偿她的损失。(赔偿)

He **depended** on his mother **for** everything. 他一切全靠母亲。

The weather **has taken** a turn **for** the better/worse. 天气好转了/变糟了。

The far-sighted always **take thought for** tomorrow. 有远见者总是为将来着想。

He **recommended** me **for** party membership. 他介绍我入党。

We shall forever **remember** him **for** his great contributions to the country. 我们将永远铭记他对国家的贡献。

4. 动词＋宾语＋into

常用的有:argue 说服,frighten 恐吓,reason 说服,talk 说服,persuade 劝说,cheat 蒙骗,force 强迫,deceive 欺骗,bribe 贿赂,等。例如:

She tried to **reason** me **into** joining their society. 她试图说服我加入他们的协会。

He **frightened** the child **into** telling him the place where gold was buried. 他恐吓那个孩子,使他说出金子埋藏的地方。

5. 动词＋宾语＋of

常用的有:notify 通知, assure 确信, break oneself 改正, disburden 卸下重担, discharge 放出, drain 使耗尽, clear 清除, ease 使安心, strip 剥去, instruct 指导, divest 剥夺, suspect 怀疑, persuade 劝说,accuse 指控, cheat 骗取, convince 使……信服, expect 期待, deprive 剥夺, relieve 解除, remind 提醒, rob 抢夺, warn 警告, cure 治愈, inform 告知, rid 除去, advise 通知, dispossess 使失去, acquit 宣告无罪, convict 定罪,等。其他类似结构:be dull 在……差, be brisk 在……强, be ashamed 羞于。例如:

She has **broken** herself **of** the bad habit. 她改掉了坏习惯。

His words **disburdened** my mind **of** worries. 他的话使我如释重负。

The war has **drained** the country **of** resources. 战争耗尽这个国家的资源。

They **cleared** the street **of** snow. 他们清除了街上的积雪。

They **warned** her **of/against** the man. 他们提醒她防备那个男人。

This **convinced** us **of** his honesty. 这使我们相信他确实是诚实的。

The scoundrel **cheated** the boy **of** his money. 那个恶棍骗了孩子的钱。

They **divested** the man **of** his office. 他们罢了这个人的官。

Though **dull of** memorizing, she is **brisk of** understanding. 虽然记忆力不好,但她理解能力强。

6. 动词＋宾语＋with

常用的有:busy 忙碌, find fault 找错, endow 赋予, deposit 存放, class 分类, beset 围攻, acquaint 使熟悉, credit 把……归给, entrust 托付, familiarize 使熟悉, occupy 占据, stock 储备, arm 武装, charge 指控, combine 结合, fill 装满, furnish 提供, 装备, present 赠送, provide 供应, supply 供应, trouble 打扰, associate 联想, confuse 混淆, compare 比较, help 帮助, load 装载, oblige 施恩惠于, favor 赐助, trust 委托, serve 供给, bother 打扰,等。其他类似结构:be seized, be taken up, be thick, be through, be popular, be ill, be gratified, be gone, be disappointed, be pleased, be skillful, rest content, be fraught 充满, 等。例如:

They **entrusted** him **with** the task. 他们把任务交给他。

He **credited** her **with** the success. 他把成功归于她。

They **classed** him **with** the best poets. 他们把他归入一流诗人之列。

Nature has **endowed** him **with** great ability. 他天赋很高。

He **furnished** them **with** the daily necessities. 他为他们提供日常用品。

He was **charged with** murder. 他被控犯谋杀罪。

The air is **thick with** smoke. 空气中烟雾弥漫。

7. 动词+宾语+in

常用的有:encourage, gain, employ, involve, invest, differ from, sympathize with 等。其他类似结构:be deficient, be honest 等。例如:

He **encouraged** me **in** doing the work. 他鼓励我做这项工作。

She **gained** 5 pounds **in** weight. 她的体重增加了五磅。

The case **involved** him **in** trouble. 这个案子使他陷入困境。

He **instructed** her **in** poetry. 他教她诗歌。

He **sympathized with** her **in** her afflictions. 他对她的苦难表示同情。

8. 动词+宾语+on/upon

常用的有:force, bestow, lavish, confer, impose, congratulate, consult, enjoin 叮嘱, plume oneself 自夸, lay(the blame)等。例如:

He **consulted** the lawyer **on/about** the case. 关于这个案子,他咨询了律师。

The court **inflicted** the death penalty **on** the murderer. 法庭判处杀人犯死刑。

Don't **lay** the blame **on** her. 不要怪罪她。

Father **enjoined** honesty **on** his son. 父亲叮嘱儿子做个诚实的人。

9. 动词+双宾语

1 英语中有些及物动词可以带两个宾语,称为双宾语及物动词(ditransitive verb)。这类动词有一类称为"给予型动词(give verb)",总是把指人的间接宾语放在指物的直接宾语前

(1) 某些这类动词,其间接宾语可以后置,由介词 to 引起,变成介词短语。

常用的有:cause, return, bid, telephone, quote, advance, deal, forward, lease, loan, mail, rent, repay, serve, accord 给予, assign 分配, award 授予, bring 带来, deny 否认, do 给予, give 给, grant 授予, hand 交给, lend 借给, offer 提供, owe 欠, pass 传给, pay 付给, post 寄, promise 许诺, read 读, recommend 推荐, refuse 拒绝, render 给予, sell 卖, send 寄送, show 显示给……看, teach 教, tell 告诉, throw 扔, write 写, take 需要, remit 免除/减轻/汇寄, 等。例如:

Their distinctive styles **granted them fame and fortune**. 他们的独特风格给他们带来了荣誉和财富。

He has **rendered us great help** in the past few years. 过去几年来他给了我们许多帮助。

I **quoted her** the *Bible*. 我给她引用《圣经》里的话。

They **awarded him a gold medal**. 他们授予他一块金牌。(= They awarded a gold medal to him.)

{ The old man **showed the students the tragedy of war**. 老人让学生们了解战争造成的悲剧。
{ The old man **showed the tragedy of war to the students**.

{ I **own my parents a lot**. 父母的恩情似海深。
{ I **own a lot to my parents**.

{ I **wish each and all success**. 我祝愿大家都取得成功。
{ I **wish success to each and all**.

{ She **advanced me some money**. 她预支给我一些钱。
{ She **advanced some money to me**.

He **denied his son nothing**. 他儿子要什么,他给什么。
He **denied nothing to his son**.

Father **refused me permission**. 爸爸没有应允我。
Father **refused permission to me**.

(2) 某些这类动词,其间接宾语可以后置,由介词 for 引导,变为介词短语

常用的有:cash, cook, find, build, fix, cut, book, fetch, get, order, design, keep, mix, paint, set, sing, secure, win, draw, prepare, pour, leave, pick, buy, make, reserve, guarantee, play, gain, earn, choose, peel 等。例如:

The scandal has **got the politician a bad reputation**. 丑闻使这个政客声名狼藉。

She **played us some classical music**. 她给我们演奏了一些古典音乐。
She **played some classical music for us**.

He **left his children a small fortune**. 他给孩子们留下一小笔财产。
He **left a small fortune for his children**.

I **called her a taxi**. 我给她招呼来一辆出租车。
I **called a taxi for her**.

The airlines **charge students half price**. 航空公司向学生收半价。
The airlines **charge half price for students**.

She **bought her mother a new wardrobe**. 她为母亲买了一个新衣柜。
She **bought a new wardrobe for her mother**.

Can you **spare me an extra ticket**? 你能多给我一张票吗?
Can you **spare an extra ticket for me**?

I'll **save you the room**. 我将把这个房间留给你。
I'll **save the room for you**.

She **picked the children apples**. 她为孩子们摘苹果。
She **picked apples for the children**.

He **prepared them a good meal**. 他为他们备了一顿美餐。
He **prepared a good meal for them**.

2 某些双宾动词,后跟两个直接宾语,称为"双直接宾语及物动词(two direct-object transitive verb)",指人的直接宾语总是放在指物的直接宾语前面。这类动词后通常不用 to 或 for 引导指人的直接宾语,但有时可用其他介词

这类动词常用的有:ask, answer, bet, envy, hit, save, excuse, spare, forgive, wish, cost, fling, flash, shoot, bear, pardon, fine, strike, lose, grudge, charge, kiss, keep, drop, mean, call, suffer 允许, begrudge 勉强允许/妒忌/羡慕,等。例如:

He **flung them charges of corruption**. 他指责他们腐败。(charges of corruption at them)

He still **bore her a grudge**. 他仍然怨恨她。(a grudge against her)

We **wished her a safe journey**. 我们祝她一路平安。

I **wish the cruel man ill fortune**. 我愿那个残忍的家伙碰上厄运。

His neglect of duty **lost him the position**. 他的玩忽职守使他失去了职位。

They **forgave him his offences**. 他们宽恕了他的过错。

No one can **forbid us the future**. 任何人都不能阻碍我们走向未来。

I **envy you your good luck**. 我羡慕你的好运气。

He **pardoned her little faults**. 他原谅了她的小缺点。

They **kissed each other goodbye**. 他们相互吻别。

He **meant you no harm**. 他对你没有恶意。

The accident **cost him his life**. 那次事故使他丧了命。

He **shot her a scornful look**. 他鄙夷地望了她一眼。

比较:

He **wrote a letter to me**. 他给我写了一封信。

He **wrote a letter for me**. 他代我写了一封信。

He **sold the car to me**. 他把车卖给了我。

He **sold the car for me**. 为了我,他把车卖了。

Her father **left the money to her**. 她父亲遗留下这笔钱给她。

Her father **left the money for her**. 为了她,她父亲才留下这笔钱。

她为我们树立了榜样。

She **set an example to us**.

She **set an example for us**.

10. 动词+名词/代词+动词不定式

常用的有:bid, smell, listen to, desire, intend, long for, hope for, mean, suppose, suspect, appoint, authorize, beg, bring, challenge, charge, command, compel, decide, determine, direct, drive, enable, equip, invite, lead, oblige, press, prompt, recommend, require, send, teach, tell, tempt, train, trouble, trust, urge, worry, assist, encourage, forbid, hate, instruct, leave, like, love, need, spur, stimulate, dare, bribe, prepare, ask 要求, allow 允许, cause 使, expect 期望, feel 感觉, force 迫使, get 劝说, have 使,让, hear 听见, help 帮助, let 让, make 使, notice 注意, observe 观察到, order 命令, permit 允许, prefer 宁愿, remind 提醒, request 要求, want 要, watch 观看, wish 希望, petition 向……请愿/要求, 等。例如:

I would **love him to come**. 我愿意让他来。

His confession **brought others to confess**. 他的招供促使别的人也招了供。

What **decided/determined her to abandon** her family? 是什么使她抛弃家庭的?

The manager **expected us to do** the duty in our work. 经理期望我们在工作中尽职尽责。

They **had Mr. Smith lead** the expedition team. 他们让史密斯先生率领远征队。

The policeman **signed him to stop**. 警察做了个手势,让他停下。

He **took her to mean** that she would not agree. 他以为她的意思是她不会同意。

We all **thought him to be** a wealthy man. 我们都认为他是个富人。

He **thought the dictionary to belong** to Anna. 他认为那本词典是安娜的。

I **hope for her to win** the match. 我希望她比赛能赢。

I was **longing for her to go**. 我正盼着她走。

I shouldn't **care for her to come**. 我不愿意让她来。

She's **counting on you to help** her through. 她在指望你帮她渡过难关。

The police **made us empty** our pockets. 警察让我们把口袋掏空。

She **left the children to take care of** themselves. 她任随孩子们自己照顾自己。

I **require you to speak of** this to no one. 我要求你不要把这件事同任何人说。

He **needs you to tackle** the problem. 他要求你解决这个问题。

I **find the children here to be** happy and cheerful. 我发现这里的儿童幸福快乐。

I should **like you to type** this paper at once. 我想请你把这篇论文立即打出来。(=I request you to type this letter at once.)

We **planned for the teachers to go** sightseeing in Hawaii this summer. 我们计划让老师们今年夏天去夏威夷观光。

They **appointed her to catalog** the new books in the library. 他们指定她对图书馆的新书进行分类。

They **prepared the students to go** on an expedition to the Antarctic. 他们训练这些学生,准备让他们去南极探险。(prepare 的动作及于人或物,不加 for)

They **prepared for the students to go** on an expedition to the Antarctic. 他们在进行准备,为这些学生去南极探险。(prepare 的动作不直接及于人或物,要加 for)

▶▶▶ 但是, aspire, plan, hope, start, demand, agree, suggest, propose, consent, object, insist on 等后不可用不定式作宾语补足语。例如:

她要求我做那件事。
She demanded me to do that. [×]
She **asked me to do** that. [√]

我希望她加入我们。
I hoped her to join us. [×]
I **hope for her to join** us. [√]
I **wished her to join** us. [√]

他同意我们坐在角落上。
He agreed us to sit in the corner. [×]
He **allowed us to sit** in the corner. [√]

【提示】give 作"使，令"解时，可用于 give sb. to understand (that) 结构。例如：

She **gave me to understand** that there was some sort of secret attached to it. 她使我了解到有某种秘密与此事相关。（She was given to ...）

He **gave them to understand** that he had seen much of the world. 他使他们知道，他是个见过世面的人。

11. 动词＋名词/代词＋分词

常用的有：declare，feel，find，get，have，hear，keep，notice，see，smell，watch，set，understand，make，stand，acknowledge，admit，catch，discover，dislike，encourage，favour，like，mind，observe，prevent，remember，stop，need，require，want，wish 等。例如：

We shall **get the work done** as early as possible. 我们将尽早完成工作。

He **heard someone singing** in the room. 他听见房间里有人在唱歌。

Leave well done. 适可而止。

He can **make himself understood** in English. 他能用英语表达自己。

He **acknowledged** himself **defeated**. 他承认自己失败了。

The chairman **declared** the meeting **closed**. 主席宣布会议结束。

I **should like** this matter **settled** in this way. 我想把这件事这样解决。

I **caught her napping**. 我正好发现她在打瞌睡。

I won't **have you saying** such things. 我不能让你说这种话。

Please **make your view known**. 请让大家听听你的看法。

He **left water running** all night long. 他任凭水整夜哗哗地流。

I don't **want women meddling** in my affairs. 我不想让女人掺和我的事情。

She **felt herself falling** in love. 她觉得自己正坠入情网。

The victory **sent their spirits rising**. 胜利使他们的情绪高涨。

I **saw her knocked down** by a car. 我看见她被车撞倒。

I **heard him criticized** many times. 我听到他多次受到批评。

He **smelt something scorched**. 他闻到什么东西烧焦了。

He **had her daughter educated** in England. 他让女儿在英国受的教育。

He soon **had them all laughing**. 他一会儿就使他们开怀大笑。

His behaviour **set people talking**. 他的行为使人们议论纷纷。

This question **set me thinking**. 这个问题使我深思。

The smoke **started her coughing**. 烟气使她咳嗽不止。

We **got him talking** about his war experiences. 我们让他说起了他的战争经历。

A phone call **brought her hurrying** to Shanghai. 一个电话使她急急忙忙赶往上海。

I **found her cooking** supper. 我发现她在做晚饭。

They **found two of the four windows smashed**. 他们发现四扇窗户中有两扇被砸坏了。

I don't **want you getting into trouble**. 我不想让你有麻烦。

He **wanted his eggs fried**. 他想把鸡蛋煎着吃。

They **kept the fire burning** all night. 他们让火烧了一整夜。

She **kept the money locked up**. 她把钱锁起来。

I **felt a great weight taken off** my mind by his promise. 听了他的承诺，我感到心中一块石头落了地。

Two days' talk **left them still divided** on some issues. 谈了两天，他们在一些问题上仍有分歧。

The wolves' howling **left him trembling** with fear. 狼嚎声使他十分恐惧,浑身发抖。

I don't **like you meddling** in my affairs. 我不喜欢你干预我的事。

The general **ordered the captives released**. 将军命令释放战俘。

【提示】

① 上述动词中,acknowledge, allow, conceive, declare, consider, desire, need, order, require, want, wish 等常接过去分词作宾语补足语;feel, discover, like, watch, have, find 等可接现在分词或过去分词作宾语补足语;leave, start, send, stop, prevent 等常接现在分词作宾语补足语。

② set, get, leave, have 等可用于 v+sb.+(to) do sth. 和 v+sb.+doing sth. 结构,但前者表示坚持做某事,是一种蓄意性使役;后者表示按照意图和打算做某事,是一种意向性使役。比较:

I should like to **have him do** Hamlet. 我想坚持让他扮演哈姆雷特。

I should like to **have him doing** Hamlet. 我想让他扮演哈姆雷特。

I shall **leave him to carry** the luggage. 我将设法让他去搬行李。

I shall **leave him carrying** the luggage. 我将交给他去搬行李。

③ 下面两个句子,用不定式表示有意志的行为,用动名词表示无意志的行为,是一种结果:

He **set Henry to do** the work. 他坚持让亨利做这项工作。

Her words **set us laughing**. 她的话使我们大笑起来。(不可说 set us to laugh)

12. 动词＋名词/代词＋形容词

常用的有:set, send, get, want, prefer, bring, beat, cut, drive, dye, push, hold, put, strike, boil, bore, turn, pull, kick, throw, fling, bang, sweep, tear, hold, consider 认为, find 发现, imagine 想象, keep 保持, leave 使……处于某种状态, like 喜欢, make 使得, paint 油漆, prove 证明, render 使变为, wish 祝, 等。例如:

The news **struck me dumb**. 那消息使我哑口无言。

He **boiled the egg hard**. 他把鸡蛋煮老了。

The music **drove her mad**. 音乐使他迷狂。

It **bored me stiff**. 这使我烦透了。

He **beat her black and blue**. 他打她打得青一块紫一块。

He **painted the door red**. 他把门漆成红色。

She **found the book very interesting**. 她发现那本书很有趣。

The pot **calls the kettle black**. 五十步笑百步。

He tried to **get the people interested** in the matter. 他没法使人们对这件事感兴趣。

The barking of the dog **brought me awake**. 狗的叫声使我难以入眠。

The blow **rendered her unconscious**. 这一击使她失去了知觉。

A good night's rest will **set you right**. 一夜安眠就会使你好起来的。

I **like my coffee much stronger**. 我喜欢更浓些的咖啡。

He **polished it very smooth**. 他把它擦得很光滑。

She **dyed the cloth blue**. 她把布染成蓝色。

He **holds his reputation dear**. 他很重视自己的名誉。

Facts have **proved these worries groundless**. 事实证明这些担心是毫无根据的。

The judge **pronounced the man not guilty**. 法官宣布那人无罪。

The doctor **pronounced the man dead**. 医生宣布那人已死亡。

I **like my room tidy**. 我喜欢房间整洁。

I **prefer my tea strong**. 我喜欢喝浓茶。

I **want it ready** today. 我希望今天把它准备好。

It **bored me stiff**. 它烦死我了。

It almost **sent him mad**. 这几乎使他发疯。

She **pushed the window open**. 她把那扇窗推开。

13. 动词＋名词/代词＋名词

常用的有:appoint 任命,call 把……叫做,consider 视为,count 认为/看作,elect 选举,leave 留给,make 使……成为,name 给……取名,nominate 提名,think 认为,等。例如:

She **named the boy Jack**. 她给男孩取名叫杰克。

Call a spade a spade. 直言不讳。

They **considered him an idiot**. 他们认为他是傻子。

He **felt it his duty**. 他觉得这是他的责任。

They **appointed him chairman** of the committee. 他们任命他为委员会的主席。

He often **wishes himself a millionaire**. 他常常希望自己能成为百万富翁。

He **professed himself an expert** in this field. 他声称自己是这个领域的专家。

You may **call me what you like**. 你喜欢叫我什么就叫我什么。

She **counted it a great honor** to be invited to the meeting. 应邀出席会议,她认为是极大的荣幸。

Her accent **proclaimed her a Southerner**. 她的口音说明她是南方人。

The plane crash **left her an orphan of an early age**. 这次飞机失事使她小小年纪成为孤儿。

The explorers found **the island a scene of desolation**. 探险的人发现那座岛一片荒凉。

> They **called Bill a waiter**.
>
> 他们为比尔叫来了一个侍者。(带双直接宾语)
>
> 他们把比尔叫做侍者。(waiter 为宾语补足语)
>
> 他们叫了比尔——一个侍者。(waiter 为同位语)

14. 动词＋反身代词＋介词

1 这类动词称为反身动词(reflexive verbs)

absent oneself from 缺席	present oneself at/for 出席
bend oneself to 热衷于	concern oneself with 关心
dress/clothe oneself in 穿	occupy oneself with 忙于
resign oneself to 听任	apply oneself to 致力于
accustom oneself to 习惯于	worry oneself about 为……烦恼
perfect oneself in 使自己精通	lose oneself in 对……入迷
indulge oneself in 沉迷于	give oneself to 热衷于
enrol oneself in 参加	dedicate oneself to 献身
adapt oneself to 适应	avail oneself of 利用
break oneself of 改掉……习惯	devote oneself to 致力于
help oneself to 随意吃	pride oneself on 因……而自豪
revenge oneself on 报复	associate oneself in 从事于
remove oneself from 离开	prepare oneself for 为……准备
oppose oneself to 反对	justify oneself for 为自己辩护
ingratiate oneself with 讨好	free oneself of 摆脱
defend oneself against 防御	bother oneself about 对……操心
abandon oneself to 沉溺于	addict oneself to 沉溺于
confine oneself to 局限于	engage oneself to 同……订婚
rid oneself of 除去	deliver oneself of 说出
bethink oneself of 考虑	familiarize oneself with 精通
amuse oneself with/by 以……自娱	distinguish oneself by 因……而扬名
engage oneself in 从事于	address oneself to 着手……,向……讲话
busy oneself with/in/over/about 忙于	

It was very hard for him to **break himself** of the bad habit. 要他改掉那个坏习惯是很难的。

I'd like to **avail myself of** this opportunity to express my heartfelt thanks to you. 我想借此机会,向你们表示衷心的感谢。

② 这类动词有些只跟反身代词,而不用介词,如:adopt, behave, ask, blame, compose, deceive, enjoy, exert, express, hide, force, kill, introduce, repeat, seat, hide, strain, wash, stretch, dress 等

> Let me **introduce myself**. I'm Major Smith. 让我自我介绍一下,我是史密斯上校。
>
> Mother told him to **behave himself**. 母亲告诉他乖一点。
>
> She **hid herself** behind the door. 她躲在门后面。
>
> He **killed himself** two years later. 他两年后自杀了。
>
> The old man was too weak to **dress himself**. 那位老人身体太虚弱,不能自己穿衣服。
>
> John was very stubborn and didn't like to **repeat himself**. 约翰很固执,说过的话不肯重复。

③ 某些这类动词也可省略反身代词

> **Dress** quickly, John. 约翰,快点穿衣服。
>
> Go there and **wash yourself**, Jack. 杰克,去那里洗一洗。
> He usually **washes** before going to bed. 他睡觉前通常要洗一下。

15. 动词＋宾语＋副词/介词短语

常用的有:sit, hear, get, show, take, think, set, send, find, elbow, put, suppose, drive, place, consider, make, bring, lay, imagine, lead, see 等。例如:

> **Keep the study in good order**. 把书房保持清洁。
>
> She **put the magazine on the desk**. 她把杂志放在书桌上。
>
> He **sat the cat on the grass**. 他把猫放在草地上。
>
> The news **put her at ease**. 这消息使她放心了。
>
> She **elbowed her way through the crowd**. 她慢慢挤过人群。
>
> I **consider him above sixty**. 我认为他已年过六旬。
>
> He **found her in a serious condition**. 他发现她情况危急。
>
> Please **make yourself at home**. 请随便些。
>
> They were happy **to see the old year out** and **the new year in**. 他们欢欢喜喜辞旧岁迎新年。
>
> I cannot stand by and **see an old man in pain**. 一位老人在遭受痛苦,我不能袖手旁观。
>
> The hunter **brought him** safely **out of danger**. 猎人带着他安然脱离了险境。

16. 宾语补足语前加 to be 的动词

take, know, discover, observe, recognize, understand 等后的宾语补足语前通常要加 to be。例如:

> I **know her to be** honest. 我觉得她诚实。
>
> I **discovered him to be** reliable. 我发现他可靠。
>
> I **observed him to be** one of our men. 我观察到他是自己人。
>
> I **understood her to be** willing to accept the conditions. 我认为她愿意接受这些条件。

17. 宾语补足语前可用可不用 to be 的动词

常用的有:fancy, feel, deem, prove, judge, imagine, hold, call, assume, guess, find, think, suppose, believe, consider, presume, profess, proclaim, declare, pronounce, wish, avow 等,其后的宾补前可用可不用 to be。例如:

> She **held/found the plan** (to be) impractical. 她认为这个计划行不通。
>
> He **imagined himself** (to be) on a small island. 我想象自己在一个小岛上。
>
> She **thought him** (to be) a coward. 她认为他是个胆小鬼。
>
> I **guess her age** (to be) 20. 我猜她年方二十。(或:I guess her age at 20.)
>
> They **judged his visit** (to be) a great success. 他们评价他的访问极为成功。
>
> They **proved him** (to be) a liar. 他们证明他撒谎。
>
> They **proclaimed him** (to be) a traitor. 他们声明他是叛徒。

18. 宾语补足语前用 as 等的动词

常用的有:count, accept, look upon, regard, picture, treat, see, define, describe, label, appoint, certify, characterize, choose, class, consider, deem, elect, esteem, intend, proclaim, rate，reckon，refer to，use，hire，employ，classify，interpret，view，summarize，remember，look up to 等，其后的宾语补足语前要加 as；assume，imagine，recognize 等后的宾语补足语前有时也用 as，视具体情况而定；take 后还可用 for 或 as，mistake 后用 for。例如：

She **employed him as** an adviser. 她聘请他当顾问。

He **counted the man**（as）dead. 他认为那个男人死了。

They **labeled her**（as）a thief. 他们认为她是贼。

She **pictures the day as** near in the future. 她想象那一天为时不远了。

They **appointed nine o'clock as** the hour to begin. 他们指定 9 点钟开始。

I **imagined him as** a rascal. 我想象他是个无赖。

He **mistook me for** my brother. 他把我误当成了我弟弟。

They **classed him as** a first-rate scholar. 他们把他归入一流学者之列。

The bank **certified her accounts as** correct. 银行确认她的账目正确。

In the play she **characterized herself as** a fine artist. 在这出戏中，她出演一位优秀艺术家。

She **took it as** a trifle. 她觉得这是小事一桩。
I **took him for** better than he was. 我原以为他不错，但实际上不然。

【提示】appoint，consider，elect，reckon，choose，represent，nominate，acknowledge，crown，render，designate，name 等后可直接用名词短语、"as＋名词短语"或"to be＋名词短语"作宾语补足语。例如：

I **acknowledged** him（as/to be）the greatest statesman of the century. 我承认他是本世纪最伟大的政治家。

We **elected** him（as/to be）our representative. 我们选他为我们的代表。

The committee **named** him（as/to be）a member of the touring team. 委员会指定他为巡回工作队队员。

They **chose** her（as/to be/for）their spokesman. 他们选定她为发言人。

19. 不接 that-从句的动词

常用的有：watch，catch，enable，appoint，permit，refuse，care for，apply for，long for，hope for，plan for，listen to，look at，sign 等，这些动词后不接 that-从句。例如：

他示意要我们停下。
He signed that we stopped. [×]
He **signed**（for/to）**us to stop**. [✓]

他看月亮升起。
He watched that the moon rose. [×]
He **watched the moon rise**. [✓]

她渴望/计划/希望约翰来。
She longed/planned/hoped for that John should come. [×]
She **longed/planned/hoped for John to come**. [✓]

他申请让萨姆来。
He applied for that Sam should come. [×]
He **applied for Sam to come**. [✓]

【提示】long for，aim for，call for，ask for，hope for，wait for，plan for，don't care for 后可接"宾语＋不定式"。例如：

I **don't care for people to know** my family life. 我不愿意人们知道我的家庭生活。

I **shouldn't care for Andy to fix** it. 我不愿意让安迪来修理它。

20. 可接 that-从句的动词

常用的有：say，explain，think，consent，mind，demand，hope，anticipate，ensure，submit，stipulate，rule，write，testify，reflect，reckon，remark，repent，reply，retort，reason，realize，protest，predict，move，hint，point out，maintain，inform，indicate，grant，gather，foresee，find out，disclose，demonstrate，confide，bet，assure，argue，answer，announce，allege，affirm，add，accept，require，deserve，arrange，catch on，look out 等。这类动词中有些还可带间接宾语 sb. that ...，但大多不用不定式作宾语补足语。例如：

I'll **look out** that he does not cheat me. 我要当心不受他的骗。

She would **catch on** that she is not qualified for the job. 她会慢慢认识到她做这项工作是不称职的。

He had **required** that she should accompany him to London. 他要求她陪他去伦敦。

He said that he really didn't **deserve** that she should be so kind. 他说她待他那么好,真是受之有愧。

他要我把那个故事讲给他听。
- He demanded me to tell him the story. [×]
- He **demanded** that I should tell him the story. [√]

我同意他做这项工作。
- I consented him to do the work. [×]
- I **consented** that he should do the work. [√]

我们保证工作会如期完成。
- We can ensure the work to be done in good time. [×]
- We can **ensure** that the work shall be done in good time. [√]

21. 接间接宾语＋that-从句的动词

常用的有:tell, remind, notify, inform, assure, persuade, convince, ask, satisfy, show, write, promise, warn, instruct, teach, petition 等。这类动词有些必须带间接宾语,如 tell 等,有些则可以不带间接宾语,如 promise 等。例如:

He will **show them** that he is not fated to be a failure. 他将向他们表明,他并非命中注定就是个失败者。

She **wrote her father** that she would be back before Christmas. 她给父亲写信说,她将在圣诞节前回来。

He **promised me** that he wouldn't conceal anything from me. 他承诺什么都不瞒我。

The clouds **warned us** that a storm was coming. 乌云提醒着我们,一场暴风雨就要来了。

My agent **instructs me** that I still owe him three thousand dollars. 我的代理人向我说明,我还欠他 3 000 美元。

The teacher **taught the children** that they should love their country. 老师教导孩子们要爱国。

My friend in Canada **notified us** that he was coming here on a visit. 我在加拿大的朋友告诉我他将来这里游览。

They **petitioned the local authority** that better bus service (should) be provided. 他们请求地方当局提供更好的公共汽车服务。

Carla failed to **persuade us** that she was innocent. 卡拉没能使我们相信她是无辜的。

I managed to **convince him** that the story was true. 我设法使他相信,那个故事是真实的。

他告诉我说他处境困难。
- He told that he was in trouble. [×]
- He **told me** that he was in trouble. [√]

他提醒我得把那重做一遍。
- He reminded that I had to do it again. [×]
- He **reminded me** that I had to do it again. [√]

他使我确信那是一桩好买卖。
- He assured that it was a good bargain. [×]
- He **assured me** that it was a good bargain. [√]

【提示】assure, convince, inform, persuade, remind, warn, inform 可用于 v＋sb.＋of sth. 结构。inform sb. 后的介词还可以是 about 或 as to, warn sb. 后的介词还可以是 against 或 about。例如:

She **assured me of** her help. 她让我确信她会帮助的。

He **persuaded us of** the truth of the report. 他使我们相信这份报告的真实性。

Jane **informed me of** the change of her address. 简告知了我她的地址的改换。

I **warned her about** those stairs. 我提醒她要注意那几级楼梯。

I **warned him of**/**against** the danger. 我警告他有危险。

His father **warned him against** such a risky investment. 他父亲告诫他不要进行风险那么大的投资。

22. 可带可不带间接宾语的动词

常用的有：beg，instruct，advise，write，promise，order，command，warn，show，teach，petition 等。例如：

I **ask** (of him) that he will lend her a hand. 我要他帮个忙。

I **promised** (her) that I should tell her the secret. 我答应会把消息告诉她的。

I **beg** (of her) that she will keep it secret. 我请求她对那件事保密。

She **wrote** (me) that she would come back. 她写信(给我)说她要回来。

He **instructed** (us) that we should obey the rules. 他告诉我们要遵守规章制度。

23. 可以接动名词、不定式的动词

形式：动词＋$\begin{cases} \text{doing} \\ \text{to do} \end{cases}$

常用的有：start，try，plan(on)，omit，neglect，love，decline，continue，commence，begin，cease，attempt，aim (at)，endure 等。例如：

I can't **endure to stay** behind. 我受不了落在后面。

She can't **endue being disturbed** in her work. 她受不了工作被干扰。

He **planned on doing** it next month. 他计划下个月做这件事。

She **planned to subscribe** to many magazines. 她计划订许多杂志。

He **aimed to win** first place. 他志在得第一名。

He **aimed at becoming** a painter. 他立志成为一名画家。

▶▶ 某些这类动词后接动名词或不定式意义不同，参阅有关章节。

24. 可以接不定式、宾语加不定式补足语的动词

形式：动词＋$\begin{cases} \text{to do} \\ \text{sb. to do} \end{cases}$

常用的有：yearn (for)，prepare (for)，long (for)，help，get，dare，bother，apply (for)等。例如：

She **dared him to jump over** the wall. 她激他跳不过那堵墙。

He **yearns John to come** back. [×]

He **yearns to see** her again. [√]他渴望再见到她。

He **yearns for John to come** back. [√]他渴望约翰回来。

25. 可以接宾语加不定式补足语、that-从句的动词

形式：动词＋$\begin{cases} \text{sb./sth. to do} \\ \text{that-从句} \end{cases}$

常用的有：notify，order，know，persuade，remind，suppose，tell，urge，request，state，suppose，suspect，warn，judge，instruct，entreat，discover，direct，convince，command，charge，assume，show，deem，sense，reveal，prove，guess，declare 等。例如：

She **assumed him to mean** mischief. 她认为他居心不良。

She **assumed** that he meant mischief.

She **entreated me to have** mercy on her. 她恳求我怜悯她。

She **entreated** that I have mercy on her.

26. 可以接动名词、宾语加不定式补足语的动词

形式：动词＋$\begin{cases} \text{doing} \\ \text{sb. to do} \end{cases}$

常用的有：permit，forbid，leave off，count on，depend on，rely on 等。例如：

I **counted on** his **coming**. 我没指望他来。

I **counted on** him **to come**.

The regulations **forbid smoking** here. 规章禁止在这里抽烟。

The regulations **forbid** you **to smoke** here.

He has **left off trading** in clothes. 他已不再卖衣服了。

He has **left off to trade** in clothes. 他已放弃原来所干的事,卖衣服去了。

27. 可以接动名词、that-从句的动词

形式：动词＋ $\begin{cases} doing \\ that\text{-从句} \end{cases}$

常用的有：wonder（at）, own（to）, object（to）, recollect, recall, marvel, insist（on）, imagine, fancy, ensure, explain, dream（of）, deny, confess, consider, complain（of）, comment（on）, boast（of）, appreciate, anticipate, admit, acknowledge, doubt, mention, suggest 等。例如：

He **confessed** to **having lied**. 他供认撒了谎。

He **dreamt** that he had a beautiful garden. 他梦想有一个美丽的花园。

He **dreamt of** a gold ring. 他梦想有一枚金戒指。

He **owned to having done** wrong. 他承认做错了事。

I **own** I was weak. 我承认我很弱。

28. 可以接不定式、宾语加不定式补足语、that-从句的动词

形式：动词＋ $\begin{cases} to\ do \\ sb.\ to\ do \\ that\text{-从句} \end{cases}$

常用的有：pray, arrange（for）, say（for）, trust, wish, expect, pledge, determine, desire, decide, beg, ask, resolve 等。例如：

I **trust to hear** good news from her. 我相信会听到她的好消息。

The facts **resolved** him **to act** at once. 情势使他下决心立即行动。

He **resolved to be held** up by nothing. 他决意不为任何事所阻。

He **resolved** that nothing should hold him back.

29. 可以接动名词、宾语加不定式补足语、that-从句的动词

形式：动词＋ $\begin{cases} doing \\ sb.\ to\ do \\ that\text{-从句} \end{cases}$

常用的有：report, recommend, believe（in）, allow, advise 等。例如：

She **reported seeing** a spy. 她报告发现了一个间谍。

She **reported** a house **to have been broken into**. 她报告说一栋房子被抢劫了。

She **reported** him **to have left**. 她报告说他已经离开了。

She **reported** that he had left.

30. 可以接不定式、that-从句的动词

形式：动词＋ $\begin{cases} to\ do \\ that\text{-从句} \end{cases}$

常用的有：swear, undertake, rejoice, pretend, promise, presume, learn, hope, demand, claim, agree, guarantee 等。例如：

I **agree** that he should come next week. 我同意他下周来。

I **agree to divide** even. 我同意平分。

He **swore to abide** by the rules. 他发誓遵守规定。

He **swore that** he would abide by the rules.

31. 可以接动名词、不定式、that-从句的动词

形式：动词＋ $\begin{cases} doing \\ to\ do \\ that\text{-从句} \end{cases}$

常用的有：deserve，dread，fear，forget，mind，propose，regret，remember，think（of），consent（to）等。例如：

I never **think of his acting** so rudely. 我从没想到他竟如此鲁莽行事。

I **thought to arrive** early but I couldn't. 我打算早点到的,但没能够。

Everyone **thought** that he was an idiot. 人人都认为他是个白痴。

He **deserves to be praised/praising**. 他值得表扬。

He **deserves** that we should hold him in honor. 他值得我们尊敬。

Please **mind to get up** early. 请注意早起。

Mind you don't slip. 当心别跌倒。

I wouldn't **mind having** a try. 我不介意试一下。

32. 可以接动名词、不定式、宾语加不定式补足语的动词

形式：动词＋ { doing / to do / sb. to do

常用的有：want，need，like，bear 等。例如：

I **like walking/to walk** by the lake. 我喜欢在湖边散步。

I **like people to tell** the truth. 我喜欢人们讲真话。

She couldn't **bear** { **seeing** him badly treated. 她受不了看见他受到如此虐待。 / **to see** me get up so late. 她不能容忍看见他起床这么晚。 / **me to be** unhappy. 她受不了我不幸福。

33. 可以接动名词、不定式、宾语加不定式补足语、that-从句的动词

形式：动词＋ { doing / to do / sb. to do / that-从句

常用的有：require，prefer，hate，mean，intend 等。例如：

She **preferred** { **taking** a walk in the hills. 她喜欢在山里散步。 / **to take** a walk in the hills. / **you to take** a walk in the hills. 她喜欢让你在山里散步。 / **that** you should take a walk in the hills.

You do not **require to get married**，do you? 你并不怎么想结婚,是吗?

They **required me to appear** in court. 他们要求我出庭。

He **required that** we should do it right now. 他要求我们马上做这件事。

It **requires washing**. 这需要洗了。

34. 可以把直接宾语或间接宾语变为主语的双宾动词

这类动词主要有：pass，charge，forgive，forbid，afford，prophesy，deliver，vouchsafe，bequeath，advance，do，hand，carry，ensure，concede，sell，take，read，put，make，return，write，throw，sing，prescribe，wire，yield，remit，telegraph，mete out，cook，call，set，promise，serve 等。例如：

She **cooked him eggs**. 她为他煮鸡蛋。

Eggs were **cooked** for **him**.

He was **cooked eggs**.

He **served me a trick**. 他对我耍了一个花招。

A trick was **served**（on）me.

I was **served a trick**.

Jim **called me a taxi**. 吉姆为我叫了一辆出租车。

A taxi was **called** for **me**.

I was **called a taxi**.

▶▶▶ 可以把直接宾语变为主语的双宾动词有:cast,intend,impose,mean,bestow,bet,shoot,strike 等。例如:

She cast **him a glance**. 她瞟了他一眼。
A glance was cast(at)**him**. [√]
He was cast a glance. [×]

It means **you no harm**. 它对你没有伤害。
No harm is meant you. [√]
You are meant no harm. [×]

▶▶▶ 可以把间接宾语变为主语的双宾动词有:fine,excuse,banish,dismiss,lead 等。例如:

他们把他驱逐出王国。
They **banished him the realm**.
He was banished(from)**the realm**. [√]
The realm was banished him. [×]

他们罚他 100 美元。
They **fined him 100 dollars**.
He was fined 100 dollars. [√]
100 dollars was fined him. [×]

35. 用于"v＋sth.＋to＋sb."结构的动词

这类动词有传递型和告知型两种,如:move, ship, deliver, carry, convey, transfer, transport, dispatch, transmit, say; state, declare, announce, signal, suggest, mention, express, report, demonstrate, point out, explain, describe, interpret, entrust, admit, confess, propose, acknowledge 等。

我演示给他看机器是如何工作的。
I **demonstrated him** how the machine worked. [×]
I **demonstrated to him** how the machine worked. [√]

我们把重要计划委托给她。
We **entrusted her** our important plans. [×]
We **entrusted our important plans to her**. [√]

他每天给我们送信。
He **delivers us letters** every day. [×]
He **delivers letters to us** every day. [√]

【提示】下列动词可用于 v＋sth.＋to＋sb. 结构,也可用于 v＋sb.＋sth. 结构:take, show, teach, recommend, telephone, promise, bid, read, wish, tell, write, post, throw, hand, take, bring, send, pass 等。例如:

我答应给她立即答复。
I **promised her** an immediate reply.
I **promised** an immediate reply **to her**.

36. 动词＋with

某些表示"占据、充满、盛产、布满"意义的动词,指人(常含贬义)、动物、昆虫、声音、水等的大量存在,如:teem, abound, swarm, infest, hop, crawl, run, flow, stream, trickle, echo, resound 等,常同 with 连用,一般结构为"地点主语＋v＋with＋宾语"。若将该结构中的宾语转换为主语也是成立的,但要变换介词,结构为"主语(原结构的宾语)＋v＋in/down/across …＋地点宾语(原结构的主语)"。这类动词可用于进行时态,表示正在或继续。例如:

The road to success **is paved with** adversities. 通往成功的路上铺满了坎坷。
The clear sky **was dotted with** fluttering larks. 天气晴朗,碧空里星星点点的云雀翩翩起舞。
The night sky **was set with** myriads of stars. 无数星星点缀着天空。
The basement **is stocked with** traditional toys. 地下室里堆满了传统玩具。

It **is studded with** diamonds. 上面镶满了钻石。

The yard **swarms with** butterflies. 庭院里飞满了蝴蝶。

The river **is flowing with** polluted water. 这条河里流淌的是全是污水。

The sitting-room **was hopping with** fleas. 这起居室里满是跳蚤。

Her cheeks **were streaming with** tears. 她泪流满面。

The yard **is infested with** mosquitoes. 院子里蚊子猖獗。
Mosquitoes **infest** the yard. （infest 为及物动词，后不用介词）

The girl's hair **is crawling with** vermin. 那女孩的头发里爬满了虱子。
Vermin **is crawling in** the girl's hair.

The place **was hopping with** fleas. 这个地方到处是跳蚤。
Fleas **were hopping in** the place.

His cheeks **were trickling with** tears. 他的两颊流满了泪水。
Tears **were trickling down** his cheeks.

The river **was flowing with** polluted water. 这条河里尽是污水。
Polluted water **was flowing in** the river.

The valley **echoed with** gun shots. 山谷里回响着枪声。
Gun shots **echoed in** the valley.

The woods **resounded with** birds' song. 森林里百鸟争鸣。
Birds' song **resounded in** the woods.

The river **teems with** crabs. 这条河盛产蟹。
Crabs **teem in** the river.

The hole **swarms with** bats. 洞里有许许多多的蝙蝠。
Bats **swarm in** the hole.

The field **abounded with** vermin. 田里有大量的害虫。
Vermin **abounded in** the field.

The area **abounds with** rain all the year round. 那个地方一年四季雨水充沛。
Rain **abounds in** the area all the year round.

【提示】"形容词＋with"也可表示"充满，布满"。例如：

The bus **was thick with** people. 公交车里挤满了人。

The air **was thick with** smoke. 空气中烟雾弥漫。

The streets **were rife with** rumors of the President's resignation. 大街小巷都充斥着有关总统辞职的谣传。

37. 常见的动词错误接续和正确接续对照

下面是常见的动词错误接续结构，试加以比较并熟记。

错误接续	正确接续
consider（sb.）to do	consider doing
would like doing	would like to do
don't agree doing	don't agree to do
refuse doing	refuse to do
propose to doing	propose to do
think doing	never think to do
know doing	know how to do
don't doubt whether	don't doubt that

错误接续	正确接续
allow to do	allow sb. to do
sign＋that-从句	sign sb. to do
catch sb. do	catch sb. doing
look at＋that-从句	look to it＋that-从句
hope/expect doing	hope/expect to do
propose/suggest sb.＋that-从句	propose/suggest（to sb.）＋that-从句
arrange a car to meet sb.	arrange for a car to meet sb.
pretend doing	pretend to do/to be doing
fail doing	fail to do
resume to do	resume doing
finish to do	finish doing
stop sb. to do	stop sb. from doing
involve to do	involve doing
hinder to do	hinder doing
suspect to do	suspect sb. to do
require to do	require sb. to do，require doing
suggest/advise to do	suggest/advise doing
love sb. to do	like/prefer sb. to do
say sb. to do	say for sb. to do
hope sb. to do	hope for sb. to do
don't allow to do	don't allow doing
hasten doing	hasten to do
promise doing	promise to do
anticipate to do	anticipate doing
inform/tell＋that-从句	inform/tell sb.＋that-从句
order/send/tell to do	order/send/tell sb. to do
look at/watch＋that-从句	look at/watch sb. do
demand/say sb. to do	demand/say to do
demand/arrange sb.＋that-从句	demand/arrange＋that-从句

比较：

他提议去那里。
{ He proposed to going there. [×]
{ He **proposed** to go there. [✓]

你现在想吃饭吗？
{ Would you like having dinner now? [×]
{ Would you **like to have** dinner now? [✓]

他认为她会来。
He considered her to come. [×]
He **considered** that she should come. [√]

务必把一切准备好。
Look at that everything is ready. [×]
Look to it that everything is ready. [√]

我喜欢让你去。
I love you to go. [×]
I **like/prefer** you **to go**. [√]

我希望她得第一名。
I **hope for her to come** out first. [√]
I hope her to come out first. [×]

Grandma **said for me to come** to fireside. [√]奶奶说，让我到火炉边来。
He **is said to** know the secret. [√]据说他知道该秘密。

他后来证明自己是一名优秀的棋手。
He later **showed himself to be** an excellent chess player. [√]
I showed him to be an excellent chess player. [×]

她打手势让我们进去。
She **signed us to go** inside. [√]
She signed that we went inside. [×]

我们预计，敌人将设法夺取那座桥。
We **anticipated that** the enemy would try to seize the bridge. [√]
We anticipated the enemy to seize the bridge. [×]

他们看着太阳落入大海。
They **watched the sun sink** into the sea. [√]
They watched that the sun sank into the sea. [×]

霍华德在读我的私人信件时恰好让我给撞见了。
I **caught Howard reading** my private letters. [√]
I caught Howard to read my private letters. [×]

她要求见主编。
She **demanded to see** the editor-in-chief. [√]
She demanded me to see the editor-in-chief. [×]

我同意他继续留下来。
I **consented that** he should stay on. [√]
I consented him to stay on. [×]

Mind you don't say anything to offend him. [√]当心不要说任何得罪他的话。
I don't **mind you bringing** your dog with you. [√]我不介意你把狗带在身边。
I don't mind you to bring your dog with you. [×]

客观情况不允许我离开。
Circumstances do not **permit me to leave**. [√]
Circumstances do not permit that I should leave. [×]

彼得（对我）说让他一个人待着。
Peter **said** (to me) **to leave** him alone. [√]
Peter said me to leave him alone. [×]

The rules **require us to report** monthly. [√]规章制度要求我们每月作一次报告。（客观情况"要求"）
The matter **requires to be handled** carefully. [√]这个事情需要谨慎处理。（客观情况"需要"）
He **required me to do** the work. [√]他要求我做这项工作。
I require to do the work. （不妥）（"我"的主观行为）

【改正错误】

1. Since the ditch is <u>full of</u> water，it <u>must rain</u> <u>last night</u>.

　　　A　　　　B　　　　　　　C　　　D

2. He was a good <u>swimmer</u>, so he <u>could swim</u> to the river bank <u>when</u> the boat <u>sank</u>.

　　　　　　　A　　　　　　　B　　　　　　　　　　C　　　　　D

3. You <u>can't see</u> me at the party last week. I was <u>on a business trip</u> <u>then</u>.

　　　A　　　　　　　B　　　　　　　　C　　　　D

4. The earth <u>can have been</u> a <u>better</u> place if we had <u>all</u> known the importance of <u>protecting</u> the

　　　　　A　　　　　　　B　　　　　　　　C　　　　　　　　　　D

environment.

5. <u>Professor Junes</u> will give us a lecture <u>on</u> the Western culture，but <u>when and where</u> hasn't <u>decided</u> yet.

　A　　　　　　　　　　　　　B　　　　　　　　　　C　　　　D

6. — Mr. Gordon asked me <u>to remind</u> <u>you of</u> the meeting this afternoon. Don't <u>you</u> forget it !

　　　　　　　　　A　　　B　　　　　　　　　　　　　C

— Ok，I <u>don't</u>.

　　　　D

7. — Excuse me，sir. <u>Would you</u> do me a favor?

　　　　　　　　　A

— Of course. <u>What is it</u>?

　　　　　　　B

— I <u>would wonder</u> if you could tell me how to <u>fill out</u> this form.

　　　C　　　　　　　　　　　　　　　D

8. <u>One</u> of the few things you <u>must</u> say about English people <u>with certainty</u> is that they talk <u>a lot</u> about the

　A　　　　　　　　　B　　　　　　　　　　C　　　　　　　　D

weather.

9. He did not regret <u>saying</u> <u>what</u> he did but felt that he <u>would express</u> it <u>differently</u>.

　　　　　　　A　　B　　　　　　　　　C　　　D

10. Some people <u>who</u> don't like to talk much are <u>not necessarily</u> shy；they <u>should</u> just be <u>quiet</u> people.

　　　　　A　　　　　　　　　　　B　　　　　　　C　　　　D

11. We <u>needn't have proved</u> great <u>adventures</u>, but we have done the greatest march <u>ever made</u> in the <u>past</u>

　　A　　　　　　　　　B　　　　　　　　　　　　C　　　　D

ten years.

12. The traffic is <u>heavy</u> these days, I <u>must arrive</u> <u>a bit</u> late, so could you <u>save</u> a place?

　　　　　A　　　　　　　B　　　C　　　　　　　D

13. What a pity! <u>Considering</u> his ability and experience，he <u>must have done</u> <u>better</u>.

　　　A　　　B　　　　　　　　　　　　C　　　D

14. I was <u>on the highway</u> when this car went past <u>followed by</u> a pollce car. They <u>would have done</u> at least

　　　A　　　　　　　　　　　　B　　　　　　　　　　C

150 km <u>an hour</u>.

　　　　D

15. It <u>has been announced</u> that candidates <u>may</u> stay in their <u>seats</u> until all the papers <u>have been</u> collected.

　　A　　　　　　　　　　　B　　　　　　C　　　　　　　　D

16. <u>According</u> to the air traffic rules, you <u>would</u> <u>switch off</u> your mobile phone <u>before</u> boarding.

　A　　　　　　　　　　　　B　　C　　　　　　　　D

17. The weather <u>turned out</u> to be <u>fine</u> yesterday. I <u>need have taken</u> my umbrella <u>with me</u>.

　　　　A　　　　　B　　　　　C　　　　　　　D

18. Emergency line operators must always <u>become</u> calm and <u>make sure</u> that they get <u>all the information</u>

　　　　　　　　　　　　　A　　　　　B　　　　　　　C

they need to <u>send help</u>.

　　　　D

19. I <u>didn't see</u> him <u>in</u> the meeting room this morning. He <u>shouldn't have spoken</u> at the meeting.

　A　　　　B　　　　　　　　　　　C　　　D

20. You <u>might as well</u> have sent a <u>message</u> to us. You <u>didn't need</u> have come here <u>yourself</u>.

　　　A　　　　　　　B　　　　　　　C　　　　　　　D

21. The bookstore that was used to stand at this corner was destroyed during the bombing in 1940.
              A   B   C   D

22. To become a member of the civic association，one need only attend three meetings and to pay his fees
    A   B   C
regularly.
  D

23. You are quite right；I'm inferring in my comments that McGraw had not ought to have broken in the
          A   B   C
room without my permission.
     D

24. Had I known about his computer program，a huge amount of time and energy had been saved.
  A   B   C   D

25. Mr. Bush is on time for everything. How may it be that he was late for the opening ceremony?
         A B   C   D

26. Sir，you won't be sitting in this waiting room. It is for women and children only.
        A   B   C   D

27. The doctor recommended that you wouldn't swim after eating a large meal.
               A   B   C   D

28. No statement was issued after yesterday's talk，but it is thought that the two parties might be reaching
              A   B   C   D
an agreement.

29. Mrs. Miller had rather spend the entire summer in the heat of New York City than travel with her
          A   B   C   D
cousins to Maine.

30. The house was to be ready today but as there has been a builders' strike it is still only half-finished.
         A   B   C   D

【答案】

1．C(must have rained)	2．B(was able to)	3．A(can't have seen)
4．A(could have been)	5．D(hasn't been decided)	6．D(won't)
7．C(was wondering)	8．B(can)	9．C(would have expressed)
10．C(may)	11．A(may not)	12．B(might)
13．C(might have done)	14．C(must have been doing)	15．B(shall)
16．B(should)	17．C(need't have taken)	18．A(stay)
19．C(couldn't have spoken)	20．C(needn't)	21．B(used to)
22．C(pay)	23．C(oughtn't to)	24．D(would have been saved)
25．C(can)	26．A(mustn't)	27．B(shouldn't)
28．D(might have reached)	29．A(would rather spend)	30．A(was to have been ready)

第九讲 时 态(Tense)

一、英语各种时态构成表

Simple present   present continuous   past simple   past continuous

	一般时态	进行时态	完成时态	完成进行时态
现在	play plays	am/is are } playing	has have } played	has have } been playing
过去	played	was were } playing	had played	had been playing
将来	shall will } play	shall will } be playing	shall will } have played	shall will } have been playing
过去将来	should would } play	should would } be playing	should would } have been played	should would } have been playing

二、一般现在时(The Simple Present/ The Present Indefinite Tense)

1. 构成

用动词原形,第三人称单数有变化。基本变化规则是:一般情况加"-s",以辅音加"y"结尾的词把"y"改为"i",再加"-es"(但元音加"y"结尾的则直接加"-s"),以"o, s, x, ch, sh"结尾的词在词尾加"-es"。动词 be 的变化形式是 is, am, are;动词 have 的变化形式是 have, has。

2. 功能

1 表示习惯的、永久性的或反复发生的动作(常同 every day, often, sometimes, usually, always, twice a month, every week, on Sundays, occasionally, normally, generally, weekly, now and then, every so often, as a rule, rarely 等状语连用)

He seldom **eats** meat. 他很少吃肉。

I **never sit** up late into the night. 我从不晚睡。

She **always takes** a walk in the evening. 她常在晚间散步。

The world always **makes** way for the dreamer. 这世界永远会为追求理想的人让出一条光明大道。

2 表示特征、能力或现时的情况或状态

She **loves** music. 她喜欢音乐。

Contradictions **exist** everywhere. 矛盾处处存在。

They **don't speak** French here. 这儿不讲法语。

She **lives** in a villa at the foot of the hill. 她住在山脚下的一栋别墅里。

Those eventful months and years **are** still vivid in my memory. 忆往昔峥嵘岁月稠。

People **enjoy** reading about the rich and famous. 人们喜欢阅读有关富人和名人的书。

【提示】下面是一个歧义句:

She **can't bear** children.

她不能生育。

她受不了孩子们的嬉闹。

3 表示普遍真理、事实,也用在格言中

The earth **moves** round the sun. 地球绕太阳转。

Water **boils** at 100℃. 水的沸点是100℃。

No man but **errs**. 人非圣贤,孰能无过。

Pride **goes** before a fall. 骄者必败。

Spring **follows** winter. 冬天过后就是春天。

A stitch in time **saves** nine. 小洞不补,大洞吃苦。

Time and tide **wait** for no man. 时不待人。

Life **is** transient. 人生如朝露。

The seeds of the future **lie** in the present. 未来发展的萌芽存在于现在。

A bird in hand **is** worth two in the bush. 一鸟在手胜过二鸟在林。

Months ago we sailed ten thousand miles across this open sea, which **is** the Pacific, and we met no storms. 数月前,我们在公海——太平洋——上航行了10 000英里,没有遇到任何风暴。(地理名词)

4 在由 when, if, after, before, although, as, as soon as, the minute, the next time, whether, even if, in case, though, till, until, unless, so long as, where, whatever, wherever 等引导的表示时间、条件、比较等状语从句中,用一般现在时代替一般将来时

I'll tell her **when she comes tomorrow**. 她明天来的时候我会告诉她的。

You will surely succeed **if you try your best**. 功夫不负有心人。

I'll go **where you go**. 你去哪儿我也去哪儿。

I shall tell her **the minute she gets** here. 她一到那里我就告诉她。

I shall have a good time **whether I win or lose**. 我不论输赢都会很快活。

In the future I shall do **as she says**. 将来我要按她说的去做。

The earlier you leave, the earlier you'll be there. 你动身越早,到那里越早。

The next time you come, he will be a grown-up. 你下次来的时候,他就长大成人了。

Whatever happens, you should keep cool-headed. 不论发生什么,你都应该保持冷静。

You can drink as much as you **like** tomorrow, but not tonight. 明天你喝多少都行,但今晚不行。

When the grass **dies** back in autumn, these flowers will fade. 当青草在秋天枯萎时,这些花儿就会凋谢了。

【提示】

① 表示原因、结果、程度、目的等的状语从句,一般不可用一般现在时代替一般将来时。比较:

她伤得很重,恐怕要死了。

She is so badly injured that she probably dies. ［×］

She is so badly injured that she **will** probably **die**. ［√］

② 在 let's see, let's assume, I hope, I suppose 等后,用一般现在时和一般将来时均可。例如:

Let's see who **finishes**/**will finish** the work first. 咱们看看谁第一个完成工作。

Suppose the boy **loses**/**will lose** his way. 假如这小男孩迷了路怎么办。

Let's assume there **is**/**will be** a heavy rain. 让我们假设有一场大雨。

I hope she **gets**/**will get** everything ready before Friday. 我希望她在星期五之前把一切都准备好。

③ 在某些句子结构中用一般现在时和一般将来时均可。例如:

He'll be on the same train as you **are**/**will be**. 他将同你乘坐同一趟火车。

She will perhaps come earlier than you **do**/**will**. 她也许会比你来得早。

④ 如要表示"将来条件决定现在结果",从句和主句所指的时间不同,if从句要用将来时,主句用一般现在时。例如:

If she **won't** arrive before half past eight, there's no point waiting. 如果她8点半之前到不了,再等就没有意义了。

If she **won't be** here before noon, there's no need to rush. 如果她中午以前不会来到,现在就没

有必要着急了。

⑤ 在 if 条件从句中可用情态动词 will。例如：

If the car **won't** start, call me any time. 如果车子发动不起来,随时叫我。

If he **won't** tell us the truth, we'll ask his classmates. 如果他不愿意告诉我们实情,我们将问他的同学。

比较：

If you **will wait** a moment, I'll go and tell the manager that you are here. 如果你愿意等一会儿,我就去告诉经理你在这里。

If you **wait** a moment, I'll let you in. 如果你等一会儿,我就让你进去。

5 表示现在瞬间

一般现在时可以用来描述动作的完成与说话的时间几乎是同时的这种情况,常用于体育运动的实况报道、戏法表演、技术操作表演等的解说词。例如：

I **declare** the meeting open. 我宣布,会议开幕。

Now, look, I **open** the box. 喏,看着,我打开盒子了。

As I **write**, the war has broken out. 在我写作的时候,战争已经爆发了。(= At the time of writing)

Demonstrator: Now I **put** the cake mixture into this bowl and **add** a drop of vanilla essence. 示范者:我现在把蛋糕配料放进这个碗里,加一点味精。

6 表示过去时间

一般现在时可以用来表示不确定的过去时间,只限于为数不多的动词,如:hear, tell, say, forget 等;也可穿插现在进行时等来叙述往事,以增加描写的生动性和真实感,亦称作历史现在时。例如：

That **is** long, long ago. 那是很久很久以前的事了。

I **hear** he has come back from Japan. 我听说他从日本回来了。

Jane **tells** me you are entering college next year. 简告诉我,你明年要上大学了。

Julia **says** you told her to buy the book. 朱莉娅说你让她买这本书的。

Oh, I **forget** what he said. 哎呀,我忘了他的话了。

We **learn** from the radio that a severe snowstorm hit France. 我们从广播里获悉,一场严重的暴风雪袭击了法国。

Last week I **am** in the sitting-room with my wife when this chap next door **staggers** past and in a drunken fit **throws** a brick through our window. 上周我和妻子正在起居室里,隔壁的那个家伙摇摇晃晃地从房屋外面经过,突然发起了酒疯,朝我们的窗户扔进了一块石头。

比较：

他们告诉我你已经同意了。

They **tell** me that you've agreed to it. (用一般现在时,强调现在的事实或结果)

They **told** me you've agreed to it. (用一般过去时,强调未指明的过去时间)

7 表示将来时间

一般现在时可用于指将来时间,表示按时间表将要发生的动作或事件,或者事先安排好的动作。能这样使用的动词有:be, arrive, begin, come, start, depart, end, leave, go, sail, stop, return, dine, finish, open, close 等。例如：

A: When **does** he **leave** for the south? 他何时动身去南方?

B: He **leaves** next week. 他下周动身。

Is there a film tonight? 今晚有电影吗?

I **write** my paper tomorrow. 我明天写我的文章。

Tomorrow **is** Christmas Day. 明天是圣诞节。

The meeting **begins** at 2:00 in the afternoon and **ends** at 5:00. 会议在下午2点开始,5点结束。

They **meet** at supper. 他们晚饭时会面。

When **does** the ship **sail**? 船什么时候起航?

She **retires** next month. 她下个月退休。

How long **does** he **stay**? 他待多久?

Exams **begin** on Tuesday. 考试将于星期二开始。

I **am** in the office all day tomorrow. 我明天一整天都在办公室。

The contract **expires** in 2060. 合同将于 2060 年到期。

Who **comes** next? 下一个该谁了?

The parcel **arrives** the day after tomorrow. 包裹后天寄到。

When **does** she return from the holiday? 她什么时候度完假回来?

The plane **takes off** at eight and **arrives** in Beijing at eleven. 飞机 8 点起飞,11 点到达北京。

Look at the timetable. Hurry up! Flight 4026 **takes** off at 18:20. 看看时刻表。快点! 4026 航班 18 点 20 分起飞。

【提示】suppose, assume, know, decide 等后的宾语从句,一般现在时可表示较近的将来。例如:

I hope that you **spend** the summer here with us. 我希望你在这里同我们一起过夏天。

I suppose you **don't** do the work until next month. 我以为你要到下周才会做这项工作。

Tomorrow at this time we'll know who **is** elected. 我们明天这个时候就会知道谁当选了。

They will meet to decide who **speaks** at the meeting. 他们将见面决定谁在会上发言。

Assuming it **rains** tomorrow, what shall we do? 设想明天下雨怎么办?

▶▶ 另外,一般现在时和现在进行时都可以表示将来,但前者多表示非个人的计划,指按时间安排将发生的事,而后者则一般表示说话人自己打算要干什么。比较:

I **leave** tomorrow. 我明天动身。(a plan not necessarily made by me)

I **am leaving** tomorrow. 我打算明天动身。(I have decided to leave.)

We **start for** Shanghai tomorrow morning. 明天上午我们去上海。(已计划好不变)

We **are starting for** Shanghai tomorrow morning. 明天上午我们将去上海。(打算,容有变动)

▶▶ 比较下面的不同时态:

Tomorrow **is** Sunday. 明天是星期天。(日历的规定)

Tomorrow **will be** Sunday. 明天将是星期天。(单纯未来)

你今晚有空吗?

Are you free this evening? (随便问问)

Will you **be** free this evening? (语气认真:如果有空,可否……)

8 在新闻标题、历史简介、小说章节标题或小说、电影、戏剧情节介绍和幻灯、图片的说明中,常用一般现在时

I Have A Chance 我有一个机会(小说的章标题)

US President **holds** talks with British Prime Minister. 美国总统同英国首相举行会谈。

American Ambassador **leaves** Beijing. 美国大使离开北京。

At rise, the stage **is** dark. It **is** two thirty in the morning. 幕启,舞台一片昏暗。凌晨 2 点 30 分。(舞台说明)

The Queen **arrives** for the opening ceremony. 女王到来主持开幕式。(照片说明)

EX-PRESIDENT DIES 前总统逝世(标题)

Bank Robbery:Robbers **take** $10,000. 银行劫案:匪徒抢走 10 000 美元。

DNA **Leads** to Arrest in New York Killing. DNA 帮助逮捕发生在纽约的凶杀罪犯。

9 用来表示强硬语气、严厉警告或指点道路

You **mind** your own business. 你只管闲事。

Either he **leaves** or you **leave**. 要么他离开,要么你离开。

If he **does** that again, he **goes** to prison. 你要是再那样做就要坐牢。

You **finish** the work before ten o'clock tomorrow. 你明天上午 10 点前完成工作。

Into bed you **go**! 你快睡觉!

You **take** the first turning ahead, then **cross** a bridge and you **see** the city library. 前面转一个弯,

然后过桥,你就会看见城市博物馆了。

⑩ 代替现在完成时

动词 learn, hear, see, understand, read, forget 等表示"已知,已忘"时,可用一般现在时代替现在完成时;"it be＋时间＋since ..."结构可用一般现在时代替现在完成时。例如:

I **forget**/**have forgotten** her name. 我忘了她的名字。

I **understand**/**have understood** what he wants. 我理解了他要什么。

It **is**/**has been** years since I enjoyed myself so much as yesterday. 我已有很多年没有像昨天那样痛快了。

⑪ 用于延续性动词或静态动词,表示持续状态、心理活动、爱憎、知觉等

The contract **holds** good. 合同有效。

John **loves** nature. 约翰喜欢大自然。

The material **feels** soft. 这材料摸上去很软。

I **don't owe** anything to anybody. 我谁也不欠。

⑫ 表示仍旧有影响的已故人物的言行或状态,或引用书面材料

Confucius **regards** sex as human. 孔子视性为人之常情。

Chaucer **writes** that love is blind. 乔叟写道,爱情是盲目的。

Nietzsche **advocates** the doctrine of Will to Power. 尼采宣扬权力意志论。

Shelly says, "If winter comes, can spring be far behind?"雪莱说:"冬天到了,春天还会远吗?"

Darwin **thinks** that natural selection is the chief factor in the development of species. 达尔文认为自然选择是物种进化的主要因素。

Dostoevsky **draws**/**drew** his characters from sources deep in the Russian soil. 陀斯妥耶夫斯基用植根俄罗斯土壤深处的真实形象来描绘他的人物。

⑬ 用于定语从句或宾语从句中表示将来

这种用法中,主句动词词义使从句自然指将来情况,有时属于习惯用法。本用法中的主句常用一般将来时。例如:

He will give you anything you **ask** for. 你要什么他就会给你什么。

Anyone that **comes** will be warmly welcome. 谁来都会受到热烈欢迎。

She won't forgive anyone who **steals** flowers in her garden. 她不会宽恕任何从她花园里偷花的人。

A quarrel will arise as to who **rules** the country. 关于谁来统治这个国家,将会引发一场争吵。

Anyone who **does** it will get a gift. 谁做谁得礼品。

Call me later and tell me what you **think** then. 稍后给我打电话,把你那时的想法告诉我。

I'll be grateful for whatever help you **offer** me. 对于你给我的任何帮助,我都会很感激的。

I might come—I'll see how I **feel** tomorrow. 我也许会来——我要等明天看看身体怎样。

Please see that the room **is straightened up** before you leave. 你离开之前务必把房间整理好。

【提示】如果主句不指将来,只有从句指将来,从句谓语动词要用将来时。例如:

I don't know when he'll be back. 我不知道他什么时候回来。

I wonder if I'll recognize Philip after all these years. 过了这些年,我不知道是否还认得菲利普。

⑭ 一般现在时与一般过去时的连用

有时候,在同一个复合句中,会出现一般现在时和一般过去时连用的现象,这是因为所取的时间点不同。例如:

As the town **does not have** any entertaining places to go, we **spent** the evening treating the foreign friends to some real Chinese food. 由于小城里没有什么娱乐场所可去,我们就请外国朋友们吃正宗的中国菜,晚上就这么消磨了。(从句用一般现在时 does not have 表示这个小城长期的客观情况,一般过去时 spent 则表示过去的某次行为动作)

三、现在进行时(The Present Continuous/ Progressive Tense)

1. 构成

is/am/are＋现在分词

2. 功能

1 表示现在正在进行的动作或发生的事

The kettle **is boiling**. Shall I make tea? 水开了,沏点茶好吗?

Is the sun **shining**? 出太阳了吗?

It's **blowing** hard. 风挺大。

It **is snowing** outside. 外面在下雪。

公共汽车开过来了。
Here **comes** the bus! (习惯用法)
The bus **is coming**. (强调现在的情景)

2 表示现阶段正在进行的动作或发生的事

John **is losing** his hair. 约翰近来脱发了。

She **is learning** English at college. 她目前在大学里学英语。

He **is taking** physics this semester. 他这个学期在修物理。

I **am taking** the medicine three times a day. 我一天吃三次药。

She **is** generally **going** to bed at 11 these days. 她这些日子通常 11 点睡。

Tourist villages **are sprouting** along the desert shore. 度假村正沿着荒凉的海岸雨后春笋般冒出来。

Age **is**/**was telling** on her. 她渐渐老了。

3 表示某个按最近的计划或安排将要进行的动作,或即将开始或结束的动作

常用的这类动词有:go、leave、come、arrive、land、meet、move、return、start、stay、stop、do、dine、give、have、pay、join、punish、spend、sleep、take、change、fly、work、wear、see、lunch、play 等。例如:

I **am publishing** a book this year. 我计划今年出一本书。

I'm **changing** my hotel. 我打算换旅馆。

These shoes **are going**. 这双鞋子快要穿破了。

Paul **is rising** at 4 tomorrow. 保罗明天 4 点起床。

She's **having** a baby in January. 她 1 月份生孩子。

I'm **seeing** my solicitor tomorrow. 明天我将见我的律师。

They're **getting** married in June. 他们 6 月份结婚。

The Browns **are coming** to dinner. 布朗夫妇要来吃饭。

We're **having** some guests over tonight. 我们今晚有客人来。

As soon as we get back home, I'm **leaving**. 我们刚回到家,我就要离开了。

The President **is meeting** us tomorrow. 总统明天要接见我们。

The rock **is falling** over. 那块石头就要落下来了。

The man **was drowning**. 那人快要淹死了。

Imagine I'm **seeing** the *Mona Lisa*. 你想想啊——我终于要见到《蒙娜·丽莎》这幅画了。

We **are starting** work at eight for the whole winter. 整个冬天我们都将是 8 点钟上班。

When a bird **is dying**, its cry is pitiful. 鸟之将死,其鸣也哀。

We're **leaving** for the West tonight. 我们打算今晚动身到西部去。

Because the shop **is closing down**, all the T-shirts are sold at half price. 这家商店快要关闭了,所以这儿所有的 T 恤衫都半价出售。

I'm **going**. 我要走了。

She **is dying**. 她奄奄一息了。

The sun **is setting**. 太阳就要落山了。

When **are** you **starting**? 你什么时候动身?

A：Are you still busy? 你还在忙吗？

B：Yes，I am just **finishing** my work，and it won't take long. 是的，我快要完成工作了，时间不会长。

比较：

你路过商店时请来坐坐。

When you **pass** by the shop，please drop in.（任何时候）

When you **are passing** by the shop，please drop in.（将来某时）

【提示】现在进行时表示将来，有时含有"决心"的意思。例如：

I'm not **leaving** tomorrow. 我明天不走了。

I'm not **staying** with you. 我不同你在一起了。

I'm **taking** part in it. 我也要参加。

When I grow up，I'm **flying** to the moon. 我长大了要飞到月球上去。

4 动作动词的进行时与 always，forever，continually，constantly 等连用，表示重复的动作，这种动作可能使人感到不满、厌倦或觉得不合情理，有时表示赞赏、满意

It's **always raining** here. 这里老是下雨。

Jim **is always coming** late for class. 汤姆总是上课迟到。

She **is always scolding** me. 她总是没完没了地数落我。

He's **always making** troubles for his friends. 他老是给朋友们制造麻烦。

He **is perpetually interfering** in my affairs. 他老是干预我的事。（不满）

She's **constantly changing** her mind. 她老是改变主意。（不满）

The man **is always boasting**. 那人老爱吹牛。（厌倦）

She's **always helping** others. 她总是爱帮助别人。（赞赏）

The students **are making** progress constantly. 学生们在不断进步。（满意）

5 care，mind 等表示感觉、精神活动等的状态动词不用于进行时

(1) 有些表示感觉、感情、情绪、精神活动、拥有关系等的动词，一般不用于进行时态，常见的这类动词有：understand，remember，wonder，cost，have，resemble，exist，appreciate，care，desire，fear，detest，hate，like，love，mind，want，know，hope，wish，agree，believe，expect，forget，prefer，mean，respect，perceive，realize，recognize，please，need，recollect，concern，consist，matter，seem，appear 显得，signify 意指，think 认为，intend 意欲，forgive 宽恕，differ 不同于，despise 轻视，dislike 不喜欢，adore 爱慕，represent 代表，result 导致，stand 位于，remain 停留，own 拥有，look 看似，lie 位于，hold 持有，contain 包含，depend on 依靠，belong 属于，等。例如：

She is preferring reading to television. [×]（应改为 prefers）

I am seeming to hear someone calling. [×]（应改为 seem）

▶▶▶ 但是，上述某些词在表示无意识的动作时，不能用于进行时态，而表示有意识的动作时，又可以用于进行时态。比如"see"这个动词，作"看见"解时是无意的动作，不能用于进行时态，但作"接见，访问，处理，查看，浏览"等解时，又可以用于进行时态，在谈到"看电影，看戏剧"时，也可以用于进行时态。例如：

Do you **see** the rainbow? 你看见彩虹了吗？（无意）

The manager **is seeing** the applicants this morning. 经理今天上午约见求职的人。（有意）

They **are** now **seeing** the city. 他们正在这座城里游览。（有意）

Don't worry，I **am seeing** you home. 不要担心，我会送你回家的。（有意）

They **are seeing** an English film now. 他们在看一部英语电影。（＝watching）

He's **seeing** the doctor now. 他现在在看医生。

I'll **be seeing** Kate home after the party tonight. 今晚聚会后我将陪送凯特回家。

They **have been seeing** each other for a year. 他们交朋友谈恋爱已有一年光景。

比较：

It **weighs** 50 kilos. 它重达 50 千克。

He **is weighing** himself now. 他在称体重。

She **measures** 70 centimeters round the waist. 她的腰围量起来 70 厘米。

She **is measuring** the hall. 她在测量这个大厅。

She **heard** the bird sing. 她听见了鸟鸣。

She **is hearing** a case. 她在审理一个案子。(＝is judging)

The students **are hearing** a lecture. 学生们在听讲座。(attend)

I **am** not **hearing** as well as I used to. 我现在的听力不如从前了。(听觉)

She **hates** him. 她恨他。

She **is hating** him. 看得出她恨他。(＝showing visible signs of hating him)

She **feels** worried. 她感到担心。

She **is feeling** for the way out. 她在摸索着出去的路。(＝is groping for)

She **smells** trouble. 她感到出问题了。

She **is smelling** the flower. 她嗅着花。

She doesn't **mind** it. 她不介意这件事。

She **is minding** the baby. 她在照看婴儿。(＝is looking after)

She doesn't **care for** red. 她不喜欢红色。

She **is caring for** the wounded. 她在照顾伤员。(＝is taking care of)

She **appears** happy. 她看上去很高兴。

She **is appearing** on the platform. 她出现在讲台上。

She **has** a new car. 她有一辆新车。

Her words **are having** a bad result. 她的话正产生一种坏的效果。(＝are producing)

She **holds** half share in the firm. 她拥有该公司的一半股份。

She **is holding** a book in her hand. 她手里拿着一本书。

The music **sounds** sweet. 这音乐听起来很美。(状态)

Why is the driver **sounding** his horn? 那个司机为什么按喇叭?(动作)

The cake **tastes** nice. 这糕饼味道不错。(状态)

He's **tasting** the tea. 他在品茶。(动作)

What do you **think** of the book? 你觉得这本书怎么样?(看法)

What **are** you **thinking** about? 你在想什么?(思维,思考)

He **looks** good-humored. 他看上去很幽默。(状态)

He's **looking** about for a new house. 他在寻找一处新房子。

He **fits** the post. 他适合这个职位。

He **is fitting** together a lot of parts. 他在把许多零件装配在一起。

The town **lies** near the lake. 这座小城位于湖边。

Some people **are lying** under the tree. 一些人在树下躺着。

A piano **stands** against the wall. 靠墙有一架钢琴。

He **is standing** on a rock. 他站在一块岩石上。

The hut **sits** in the middle of the forest. 小屋位于森林的中部。

Some birds **are sitting** on the wires. 一些鸟落在电线上。

▶▶ 另外,某些非延续性动词也不可用于进行时;常见的这类动词有:admit, decide, end, allow(允许), refuse, consent(答应), permit, receive, determine(决心), resolve(解决), deny, promise, accept, complete 等。例如:

He **is denying** that he has seen the wallet. [×](应改为 denies)

▶▶ 在现代英语中,某些感觉动词即使表示无意识的动作,也可用于进行时态。例如:

Now, we **are seeing** a subtle and unmistakable turning away from such things as books. 当前,我们正目睹一个不易觉察却毫无疑问存在的慢慢背离书籍这类事物的倾向。

(2) 状态动词用于进行时,表示某种思想、情绪、行为反复发生,且含有不满、厌恶、烦躁、赞叹等感情色彩,常同 always, forever, continually, constantly, all the time 等连用。例如:

She **is always doubting** my words. 她总是怀疑我的话。

He's **forever imagining** dangers that don't exist. 他老是想象一些并不存在的危险。

He **is always thinking** of doing more for the people. 他总是想着要为人民多做些事。

He **is always losing** his keys. 他老是丢钥匙。

He **is continually reminding** me of what I owe him. 他老是提起我欠他的钱。

In this school everyone's **losing** money these days. 这所学校里近来人们不断丢钱。

He's **always wanting** to do something he shouldn't do. 他总是想干他不该干的事。

She's **continually falling** ill. 她接二连三地闹病。

I'm **continually forgetting** names. 我老是忘记人家的名字。

He's **always finding** fault with me. 他总是找我的茬。

I'm **always meeting** Sam in the library. 我总会在图书馆碰到萨姆。

The car's **always breaking** down. 这辆车总是坏。

They're **constantly complaining** about working conditions. 他们总是抱怨工作条件。

He **is continually distrusting** others. 他总是不相信人。

She **is forever displeasing** people. 她老是得罪人。

She **is always differing** from her colleagues. 她老是跟她的同事闹意见。

(3) 状态动词用于进行时,可以强调某一具体时间的特殊状态,或某种暂时的心理状态或活动,亦表示某种感情、认识、思维的发展过程,有时表示"刚刚开始,即将开始"等。例如:

The soup **is tasting** better now. 这汤现在尝起来不错。(强调与刚才的汤不同)

She's **understanding** you better now. 他现在更能理解你了。

I'm actually **hearing** her voice. 我真的听到她的声音了。

He's **finding** that the man is difficult to deal with. 他渐渐发现那个人很难对付。

I'm **remembering** her more and more. 我慢慢记起她了。

Things **are looking** a little worse. 情况显得有些不妙了。

I'm **forgetting** my English. 我的英语开始忘了。

Food **is costing** more. 食品贵起来了。

That **is mattering** less to me. 那对于我更无关紧要了。

You're **proving** a different person. 你看起来像换了一个人。

I'm **losing** my hair. 我的头发渐渐掉落了。

We're **having** a scene. 我们这里正在大闹一场。

I'm **not having** any more of your nonsense. 我不许你胡说八道。

She's **having** a baby in March. 她 3 月里要生孩子了。

Now I'm **remembering**. 现在我想起来了。

I'm **feeling** the old these days. 近来我开始怕冷。

Jane **is resembling** her mother more and more. 简长得越来越像她妈妈了。

It seems as if I **am knowing** him for the first time. 我好像第一次才真正了解他了。

Something is wrong with her eyes. She **is seeing** double. 她的眼睛有问题,看东西重影。

I've settled in now and I'm **liking** my new work very much. 我安顿了下来,越发喜欢我的新工作了。

American dollars no longer buy all good things, and we **are** slowly **beginning** to realize that our proper role in the world is changing. 美元不再能买到所有的好东西了,我们开始慢慢意识到,我们在世界上的作用正在发生变化。

【提示】某些心理状态动词可以表示"差一点,几乎"的含义,相当于 nearly, on the point of。例如:

She **was believing** what the scoundrel said. 她差点儿听信了那个恶棍的话。

I **am forgetting** that I have read the book. 我差点忘了曾读过那本书。

(4) 一些表示愿望的动词如 desire，long，wish，want，wonder 等，以及表示爱憎好恶的动词如 like，love，dislike，hate 等，可用进行时表示强烈的感情色彩。例如：

He **was wishing** to see her again. 他渴望再见到她。

Are you **fearing** to see her? 你害怕见她吗？

 A：How **are** you **liking** Nanjing? 你觉得南京如何？（初步印象）

 B：Why！I'm simply **loving** her. 哦！我简直爱上她了。

6 be 的进行时

连系动词 be 的进行时加动态形容词可表示暂时出现的某种情况或品质，显出某种样子。其特点是：主语通常是人，偶尔也可以是拟人化的事物，后接动态形容词，有时也接现在分词或名词。这种结构为一种修辞手法，起强调作用，多含讽刺、厌烦、不满等意，尤指主语的故意装模作样，有时也表示人们一时的行为。常用的这类形容词有：good，gentle，careless，foolish，hasty，nice，slow，tidy，witty，wicked，thoughtful，shy，naughty，greedy，faithful，careful，calm，loyal，enthusiastic，kind，sensitive，talkative，untidy，brave，dull，generous，rude，suspicious，unfaithful，troublesome，stupid，reasonable，jealous，disagreeable，awkward，attentive，cruel，funny，impatient，patient，timid，stubborn，noisy，friendly，clever 等。例如：

You **are being** foolish. 你在干蠢事。（平时并不糊涂）

He **is being** quite helpful to us. 他现在对我们有很大帮助。（平时并无帮助）

The boy **is being** naughty. 这孩子又淘气了。

The car **is being** difficult. 这回这汽车真难对付。

She **is being** friendly today. 她今天很友好。（做出"友好"的举止，也许内心并不真诚）

He **is being** modest. 他现在表现得很谦虚。（只是做做样子）

He **is being** a nice boy today. 他今天真是一个好孩子。

She **is being** polite to you. 她只是故意对你和善而已。

I know I'm **being** selfish. 我知道我这样做是自私的。

He's **being** serious. 他此刻是当真的。

You **are** not **being** polite. 你这可不大客气呀。

I think you **are being** unfair. 我想你不够公平。（不满）

He's **being** a fool. 他在干傻事。

The little boy **is being** a nuisance again. 这小男孩又成淘气鬼了。

He's **being** afraid. 这会儿他倒装害怕。

She's **being** happy. 这会儿她假装高兴。

You're **not being** wise to say that. 你那么说并不聪明。

She **is** always **being** angry about nothing. 她总是大冒其无名之火。

The girl **is being** sweet. 那女孩是自作多情/在撒娇。

John **is being** critical. 约翰是在有意挑剔。

You're **being** self-conceited. 你表现得很自负。

You're **being** hard on me. 你现在对我很苛刻。

You're **being** too modest. 你表现得过于谦虚。

You **are being** careless. 你现在是太粗心了。

Tom **is being** tall in the presence of his classmates. 汤姆在他的同学面前正尽力使自己显得高一些。

I **am being** fair to both sides. 我正在留意做到对双方都公平。

He **was being** the unreasonable one. 他当时真不讲道理。

He thought he **was being** a capable man. 他认为自己是一个很能干的人。（讽刺）

You **are being** laughing at me！你是在故意嘲笑我！

You're **being** annoying. 你真烦人。

Professor Smith **is being** young today. 今天，史密斯教授尽量显得年轻一些。（make an effort to appear young)

You **are being** very patient with him. 你对他真耐心。

He **was being** terribly energetic. 他当时非常积极。

You **were being** stupid. 你当时真傻气。(＝behaving stupidly)

He **was being** always fault-finding. 他总是吹毛求疵。(厌烦)

I'm not **being** hard on anybody. I'm **being** reasonable. 我这样做不是对谁苛刻,我是理智行事。

Henry **is being** slow, and I wonder why he **is being** slow. 亨利有意慢慢腾腾,我对此感到纳闷。(本句 is being 表示"有意如此")

I wondered if this was a joke, if Jimmy **was being** his usual comical self. 我想这是不是玩笑,吉米本性喜欢逗乐,现在是不是像平时一样在搞笑。

比较:

She's sick. 她病了。(＝ill)

She's **being** sick. 她恶心。/她在装病。

He's a careful person. 他是个细心的人。(一贯)

He's **being** careful. 他这次很细心。(现在)

He is very kind. 他很善良。(个人品质)

He is **being** kind. 他倒发起善心来了。(一时的表现)

▶▶▶ 注意下面一句 being 的含义:

You don't know how happy she has been and **being**. 你不知道她一向是并且现在仍然是多么幸福。

7 表示反复多次或习惯性动作

The boy **is hitting** the dog. 那男孩在一个劲地打狗。

The train **is arriving** late almost every day this winter. 今年冬天,火车几乎每天都晚点。

He **is starting** work at seven for the whole summer. 他整个夏天都是在 7 点钟开始工作。

Someone **is kicking** away at the door. 有人在不停地踢门。

I'm **seeing** a lot of Mary these days. 这些日子我常常见到玛丽。

I **was going** to the theater then. 那时我常常看戏。

Jim **is nodding** his head. 吉姆频频点头。

Why **is** she **blinking** her eyes? 她为什么老眨眼睛?

The bird **is jumping** up and down in the cage. 那鸟在笼子里跳上跳下。

We **are eating** only vegetables and fruits during the summer. 我们夏天只吃蔬菜和水果。

She **is complaining**, **grumbling**, **cursing** all the time. 她不停地诉苦,发牢骚,咒骂。

8 表示原来设想"将发生而未发生"的情况,有希望落空、不耐烦、引以为憾等含义

She **is** always **coming** to see me. 她总是说要来看我。(但从没来过)

I'm **supposing** everything is OK. 我本以为一切都会很好的。

He's always **taking** me to the seaside. 他总说要带我到海边去。(却至今没做到)

He **is speaking** at the meeting, but he is afraid he can't come. 他要在会上讲话的,但他恐怕来不了。

【提示】完成进行时和过去进行时也有这种含义。例如:

We **have been going** to Washington for years. 我们多年来一直想去华盛顿的。(但从没去过)

We've **been coming** to see you for ages. 我们很久就想来看你,可一直没能来。

I **have been going** to have the house decorated for months. 我几个月来一直想把房子装修一下。

I **was going** to phone you, but I didn't have time. 我本想给你打电话的,可苦于没有时间。

9 描写一种状态或状况,具有某种感情色彩

I **am missing** you dreadfully. 我非常想念你。

My head **is splitting**. 我头痛欲裂。

Henry, I **am telling** you. It is your fault. 听着,亨利,这是你的错。

I'm **dying** of the cold. 我冻得要命。

I'm simply actually **hearing** her voice. 我都听到她的声音了。

I'm **aching** all over. 我浑身都疼。

He **is playing** us a trick. 他在耍我们呢。

We **are losing** our friends. 我们把朋友都得罪了。

You **are** now **waiting** to be killed. 你是在等死。

This **is killing** me. 这等于要我的命。

How fast **is** he **forgetting** his shame! 他多么快就忘了他的耻辱啊!

New varieties **are appearing** all the time. 新品种不断涌现。(欣喜)

比较:

> I **forget** her name. 我不记得她的名字了。(事实或结果)
> I **am forgetting** her name. 我差一点忘了她的名字。(刚才的心理状态)

> You **don't eat** much. 你饭量不大。(一般情况)
> You're **not eating** much. 多吃些,别客气。(现在的情况,有感情色彩)

⑩ wonder, hope 等少数动词的进行时可以表示婉转语气

I'm **wondering** if I may come a little late. 不知道我可否晚点来。

I'm **hoping** you'll give us some suggestions. 希望你能给我们提一些建议。

What **are** you **wanting**? 你想要什么呢?

I'm **hoping** you will come. 我希望你能来。

⑪ 表示较为温和的命令

现在进行时可以表示命令、拒绝、不同意,通常只指一次性动作。例如:

You're **sitting** over there. 你到那边坐去。

You're **not going**. 你不要去。

Don't **be grumbling**. 不要发牢骚。

You're **not borrowing** any more of the books. 不准你再借书了。

You **are** not **leaving**, George. 乔治,你不要走。

I **am** not **letting** him do this. 我决不让他做这个。

Don't stand idle. You're **helping** her a little. 不要闲着,你要帮她一下。

【提示】

① 在下面的句子中,to be doing 表示即将做的事或即将发生的动作:

He resolves **to be finishing** the job. 他决心尽快完成工作。

She wants **to be talking** with you. 她想要同你谈一谈。

I am eager **to be drinking** something. 我很想喝点什么。

He longs **to be going** home. 他渴望回家去。

You have **to be dressing** for the party. 你得为参加聚会打扮一下了。

You ought **to be reading** the book. 你应该读读这本书。

② 一般将来时也可以表示命令、叮嘱,表示的往往是多次性动作,但也可以表示一次性动作,语气较强。例如:

Will the children be quiet? 孩子们,安静一些好吧!

You **won't** say it again. 你不许再说那个。

You **will** take the medicine every three hours. 你要每隔三个小时吃一次药。

⑫ 表示两个动作进行对比

She **is crying**, but he **is laughing**. 她在哭,而他在笑。

While they **are climbing** up, we **are climbing** down. 他们在爬上,我们在爬下。

They **are sympathizing** with you, but **not speaking** ill of you. 他们是同情你,不是说你的坏话。

⑬ 表示情况的变化(与先前不同)

Last month Nancy went to work every other day, but this month she **is going** to work every day.
南希上月每隔一天上班,但是这个月她每天都上班。

Michael came to China a year ago and now he's **speaking** Chinese fluently. 迈克尔一年前来中国

的,现在他能说很流利的汉语了。

⑭ 表示两个动作是同一动作

He who helps others **is helping** himself. 助人就是助己。

If you insist on doing it, you **are doing** a foolish thing. 如果你坚持要做那件事,你就是做一件傻事。

In doing it that way, you **are wasting** time and money. 你那样做就等于浪费时间和金钱。

⑮ 表示在刚刚过去的时间中发生的动作

What **are** you **talking** about? 你们谈了些什么呀?

Every sentence I'm **explaining** to you is a model. 我给你们解释的每一个句子都是范例。

⑯ 对前面说的话进行归纳、阐释、评述

She is silent. She **is thinking** the matter over. 她默不作声,她在考虑那件事。

When I say that, I'm **telling** you the truth. 我那样说是把事实真相告诉你。

Anyone who neglects his duty **is asking** for trouble. 不论谁,玩忽职守就是自讨苦吃。

You say you didn't smoke in the office. You're just **shifting** blame onto someone else. 你说你没有在办公室里吸烟,你这是把责任推卸给别人。

The student is addicted to computer games. He's **ruining** his prospects. 那个学生沉迷于电脑游戏,他这是在自毁前程。

⑰ 表示任何一个时刻都可以正在进行的动作(泛指一切时间)

Whenever I go into the park, the birds **are singing**. 我不论什么时候到公园里去,鸟儿都在鸣唱。

When children **are doing** nothing, they **are doing** mischief. 孩子闲着无事就会淘气。

⑱ 表示一个被动的动作

The book **is printing**. 书在印刷。(＝is being printed)

Nothing **is doing**. 没在干什么。(＝is being done)

The dictionary **is compiling**. 词典在编写中。

Our breakfast **is making** ready. 早饭在做。

A museum **is building** by the lake. 湖边在建造一座博物馆。

Some debt **is owing** her. 欠她一些债。

【提示】

① 这种进行时也可在将来时或过去时中表示被动。例如:

Nothing **will be doing**. 将不做什么。

A house **was constructing**. 当时在建一幢房子。

② 下面句子中的-ing形式为形容词,表示特点,而非动作:

A page **is missing**. 少了一页。

Something **is wanting**. 缺少点什么。(＝absent)

She **is deserving** of your help. 她值得你帮助。(＝worthy)

He **is lacking** in will power. 他缺乏意志力。

The dress **is not becoming** here. 这套衣服在这里穿不合适。

③ 注意下面句子结构所表示的进行时:

He often **lies reading**. 他常常躺着读书。

He **is lying reading**. 他正躺着读书。

She **sits singing**. 她坐着唱歌。

She **is sitting singing**. 她正坐着唱歌。

They **stand chatting**. 他们站着聊天。

They **are standing chatting**. 他们正站着聊天。

The birds **went flying** in the park. 鸟在公园里四处飞。

⑲ 现在进行时有时可以表示否定意义或言外之意

You **are wasting** time! 别浪费时间了!(不耐烦)

You **are telling** me! 不用你说!(我早知道了)

Now you **are talking**. 这还差不多。

3. 现在进行时和一般现在时的用法比较

1 暂时性动作和经常性动作

> 这台计算机工作状态极佳。
> The computer **is working** perfectly. (暂时性)
> The computer **works** perfectly. (经常性)

> For this week we **are starting** work at 7:30. 本周我们 7 点半上班。(临时安排)
> We **start** work at 7:30. 我们 7 点半上班。(经常性)

> His car has broken down. He's **going** to work by bike. 他的汽车坏了,要骑自行车上班。(暂时性)
> He **goes** to work by bike. 他骑自行车上班。(经常性)

> 她在大学里学习英语。
> She **is studying** English at the university. (强调现阶段)
> She **studies** English at the university. (说明事实)

2 持续性动作和短暂性动作

> The bus **is stopping**. 公共汽车渐渐地停下来。
> The bus **stops**. 公共汽车停了下来。(迅速停车)

3 永久性动作和短暂性动作

> The city **lies** at the foot of the hill. 这座城市位于山脚下。(永久性)
> People **are lying** on the beach. 人们在海滩上躺着。(一眼望去,暂时性)

> She **lives** in Nanjing. 她家住南京。(永久性)
> She **is living** in Nanjing. 她暂住南京。(短时间居住)

4 带有感情色彩和不带感情色彩

> 简在公司里工作很出色。
> Jane **is doing** fine work in the company. (赞扬)
> Jane **does** fine work in the company. (事实)

> When **will** you **be paying** the money? 不知你几时能还钱?(婉转)
> When **do** you **pay** the money? 你几时还钱?(生硬)

> 他总是找茬。
> He always **looks** for faults. (事实)
> He's always **looking** for faults. (不满)

> 你今天感觉怎样?
> How **do** you **feel** today? (一般询问)
> How **are** you **feeling** today? (关切)

4. 可以表示进行时的词或短语

1 带前缀 a- 的单词

有些带前缀 a- 的单词表示进行意义,大都相当于现在分词,表示主动,如:agape 张大着嘴,asleep 睡着的, awake 醒着的, ajar 半开着, ablaze 燃烧的,astir 活动着的, awash 被浪潮冲打的, afloat 漂着的/在流传中, aglow 发亮的,等。例如:

She saw the tower **ablaze**. 她看见那座塔着火了。(=burning)
He stood **agape**. 他站着,嘴大张着。(=gaping)
The boat was **afloat**. 小船漂流着。(=floating)

2 某些短语

(1) 有些短语表示进行意义,相当于现在分词,表示主动;还有些短语表示某动作在进行的过程中,如 in course of 等。例如:

on the watch 在看守,在值班
on the decline 在下降
on the wane 在衰退
on the increase 在增加
on the decrease 在减少
on strike 在罢工

on the boil 在煮	on the march 在行进
on the look-out 在寻找	on the prowl 在徘徊
on tour 在旅行	on tramp 在徒步旅行
on the gamble 在赌博	on the laugh 在大笑
on the whimper 在啜泣,在埋怨	on the way 在路上,在进行
on the drink 在喝酒	on the advance 在前进
on the rise 在上升	on the ebb (潮水等)在退落
at work 在工作	at rest 在休息
at play 在玩耍	at prayer 在祈祷
at feed 在进食	at table 在进餐(时)
in a roar 在吼叫	the sheep at browse 在吃草的羊
in motion 在运动	in study 在学习(＝at study)
in the fight 在作战	in process of 在……过程中
in course of 在……过程中	in flight 在逃跑
in the fight 在作战	in a quiver 在颤抖
all of a tremble 浑身打颤	

She is **at prayer**. 她在祈祷。(＝praying)

The criminal was **all of a tremble**. 罪犯浑身颤抖。(＝trembling all over)

The troops are **on the march**. 部队在行进。(＝marching)

The spy is **in the act of** taking photographs. 那个间谍在拍照。(＝taking photographs)

The curtain cannot keep out the patter of rain, and springtime is **on the wane**. 帘外雨潺潺,春意阑珊。

(2) 有些短语含有进行意义,多表示被动,相当于分词的被动式。例如：

under construction 在建设	under discussion 在讨论
under study 在研究	in dispute 在讨论
in preparation 在准备	in rehearsal 在排练
in operation 在手术	in course/process of building 在修建
in negotiation 在谈判	on sale 在出售
on exhibition 在展出	on show 在展出

The party is **in preparation**. 聚会在准备中。(＝being prepared)

A new library is **in course of building**. 一座新图书馆正在建造中。(＝being built)

四、一般过去时(The Simple Past/ The Past Indefinite Tense)

1. 构成

动词的过去式

2. 功能

1 表示过去某个特定时间或某一段时间发生的动作或情况

这种用法的过去时间可以是指明的,也可以是不指明的。例如：

He never **smoked**. 他以前从不吸烟。

The skies **cleared** after lunch. 午饭后天放晴了。

The foreign guests **visited** Shanghai last spring. 这些外国客人去年春天访问过上海。

We **had** a grand view of a sea of clouds when we **climbed** to the top of the Yellow Mountain. 我们爬上黄山之巅时,看到了云海的壮观景象。

2 在表示时间或条件等的状语从句中代替过去将来时

We would not leave **until she came back**. 她回来我们才会离开。

She told me that she would not go with us **if it rained the next day**. 她对我说,如果次日下雨她就不同我们一起去。

I didn't go to the party that evening as I **started** off on the journey at dawn. 那天晚上我没有去参加聚会,因为我黎明时要出发去旅行。

3 表示现在时间

这种用法使句子在语气上较为婉转客气,能这样用的动词为数不多,如:hope, wish, want, wonder, think, intend 等。例如:

I **didn't know** you were here. 我不知道你在这里。

I **hoped** you would come and have dinner with us. 我希望你能来和我们一起吃饭。

I **thought** I might come and see you later this evening. 我想我可以在今晚晚些时候来见你吧。

Did you want to see me now? 你现在想见我吗?

I **wondered** if you'd look after my mother when I'm absent. 不知我不在时你能否照顾一下我母亲。

> 你要见我吗?
> **Did** you wish to see me? (委婉)
> **Do** you wish to see me? (较生硬)

4 表示将来发生的事或过去将来发生的事

It will be a great thing for the future generations to know that I **laid** down my life here for the country. 未来的人们知道我在这里为国捐躯了,那会多好啊!

She said that the investigation **started** the next day. 她说调查次日开始。

She told me that school **opened** on the following day. 她告诉我,学校将在次日开学。

5 表示过去的习惯动作

When she **was** in the city, she often **went** to the Central Supermarket. 她在这座城市期间,常去中央商场。

Wherever he **travelled** in those years, he **wrote** down what he saw and heard. 那些年里,他每到一个地方旅行,总会把所见所闻记下来。

6 表示某种感情色彩

You **asked** for it! 你这是自找! (责备)

I **told** you so. 我早就告诉过你。(你就是不听)

Did you ever hear of such a thing? 你听见过这种事吗? (当然没有)

7 一般过去时、一般现在时和现在完成时几组句子差异的比较

> Who **is** the woman in the picture? 照片上这个妇女是谁? (不知已去世,故用 is)
> She **was** my mother. 她是我母亲。(用 was 表示已去世)

> 她父亲是个化学家。
> Her father **was** a chemist. (生前,已去世)
> Her father **is** a chemist. (尚健在)

> 那就是我要说的。
> That's all I **had** to say. (要说的话都说了)
> That's all I **have** to say. (说是说了,但仍言之未尽)

> 你觉得舞蹈怎么样?
> How **did** you like the dancing? (舞蹈已看完)
> How **do** you like the dancing? (仍在看的过程中或随便谈谈)

> 见到你真高兴。
> It **was** so nice to see you. (见面后离别时)
> It **is** so nice to see you. (刚见面时)

> 她总是那样。
> She always **was** that way. (过去一贯如此)
> She always **is** that way. (总是那样)

> 莎士比亚是《哈姆雷特》的作者。
> Shakespeare **was** the author of *Hamlet*. (皆属过去)
> Shakespeare **is** the author of *Hamlet*. (不朽的作品使作者永生)

简今天上午做了许多事。

Jane **did** a lot of work this morning.（话是当天下午或晚上讲的）

Jane **has done** a lot of work this morning.（仍是上午，话是中午以前讲的）

你看过《奥赛罗》这部电影吗?

Did you see the film *Othello*?（此片已不在放映）

Have you **seen** the film *Othello*?（此片目前仍在放映）

I never **liked** her. 我从来就不喜欢她。（相当于 have never liked）

I never **like** her. 我绝不喜欢她。

How **did** she paint the wall? 她怎么刷的墙?（站在桌子上还是在梯子上）

How **has** she **painted** the wall? 她把墙刷成什么样子了?（什么颜色）

Where **did** I put my wallet? 我把钱包放在哪儿了呢?（当时）

Where **have** I put my wallet? 我把钱包放在哪儿了呢?（现在在哪儿呢）

What **is** her name? 她叫什么名字?

What **was** her name? 你刚才说她叫什么来着?（＝What did you say her name was?）

He told me this morning that he's only eighteen. 他今天上午告诉我他只有 18 岁。（今年的情况）

He told me last year that he **was** only eighteen. 他去年告诉我他只有 18 岁。（去年的情况）

【提示】个别特别出名的人，可用两种时态。例如：

Kant **was**/**is** one of the greatest philosophers in the world. 康德是世界上最伟大的哲学家之一。

Brahms **is**/**was** the last great representative of German classicism. 勃拉姆斯是德国古典音乐最后一个伟大的代表。

五、过去进行时(The Past Continuous / Progressive Tense)

1. 构成

was/were＋现在分词

2. 功能

1 表示过去某一时刻或某阶段内正在发生的动作

He **was playing** table tennis at five yesterday afternoon. 他昨天下午 5 点钟在打乒乓球。

The students **were** still **singing** when the teacher stepped in. 老师进来时学生们正在唱歌。

While we **were watching** TV, she **was talking** on the phone. 我们看电影时，她在打电话。

We **were expecting** you yesterday. 我们昨天一直在等你。（贯穿整个昨天）

We **were talking** about your book this morning. The book is excellent. 我们今天上午一直谈论着你的书，那本书好极了。（用来打开话题）

【提示】上下文清楚时，时间状语也可省略。例如：Oh, I **was talking** to myself. 噢，我刚才在自言自语呢。

2 不与时间状语连用可以表示逐渐的变化或发展

The wind **was rising**. 起风了。

It **was getting** dark. 天渐渐黑下来了。

3 用在条件或时间状语从句中表示过去将来正在进行的动作

She told me to wake him up if he **was sleeping**. 她告诉我如果他睡着了就叫醒他。

4 表示某种持续动作作为背景(一个画面，一种情景)，以此引出一般过去时表示的新动作

Soon the whole town **was talking** about it and he was plunged into remorse and shame. 不久，全城的人都对那件事议论纷纷，他陷入惶恐与羞愧之中。

The day dawned and the birds **were singing**. 黎明时分，鸟鸣声一片。

The baby **was crying**, and suddenly the crying stopped. 婴儿在啼哭，突然间哭声停止了。

The girl quickly swallowed the food she **was chewing**. 那女孩迅速吞下了正在咀嚼的食物。（相当于 had been chewing）

Alice left the room, where she **was reading** a novel by Defoe. 艾丽斯离开了房间，她在那里读着

雨果的一部小说。(相当于 had been reading)

I was leaving the office when the telephone rang. 我正要离开办公室,电话铃响了。(含意外之意)

The rain **was falling**. The procession **was going**. Suddenly a thundering explosion was heard. 雨正下着,队伍在行进,突然听见一声巨大的爆炸声。

⑤ 描绘一片景象

It was a summer morning in the country. The sun **was** just **rising**. A gentle wind **was blowing**. Some birds **were singing** merrily, flying from tree to tree. A young man **was taking** a walk on the meadow between two streams. And in the fields beyond, farmers **were plowing** or **weeding**. 这是乡间的一个夏日清晨。太阳刚刚升起。一阵微风吹过。一些鸟儿欢快地鸣唱着,在树林间飞来飞去。有一位青年,在位于两条小溪间的草地上散着步。远处的田野里,乡民们在耕地或除草。

⑥ 表示按计划安排过去将要发生的动作,过去的预想

I thought you **were leaving**. 我原以为你要走的。

They **were leaving** for New York a few days later. 几天后他们要动身去纽约。

She **was departing** the next month. 她下个月离开。(＝plan to depart)

At the end of the week he phoned to say that he **was returning**. 他在周末打电话来说他就要回来了。

Ten of them **were coming** for the meeting. 他们有 10 个人要来参加会议。

He knew that the plane **was taking off** in ten minutes. 他知道 10 分钟后飞机就要起飞了。

Her parents **were intending** her to be a teacher, but she made up her mind to be a painter. 她父母原先想让她当教师,可是她下定决心要当画家。

⑦ 与 forever, continually, always, constantly 等连用,表示某种感情色彩

She **was always changing** her mind. 她老是改变主意。(不满)

My mother **was constantly** praising her. 我母亲总是表扬她。

She **was forever grumbling**. 她老是发牢骚。

She **was always making** mistakes. 她老是出错。

He **was always thinking** of others. 他总是为别人着想。

【提示】下面的句子也表示某种感情色彩:

He **was fighting** with the whole world. 他在同整个世界作对呢。

What a happy time they **were spending**! 他们过得多么快活啊!

⑧ 表示婉转语气,用以提出请求,只限于 want, hope, wonder 等动词

I was wondering if you could help me. 不知你能否帮个忙。

I was hoping you could send me the book. 我一直希望你能把那本书寄给我。

I was wondering if you'd look after my dog while I'm away? 我想知道我不在时你能不能帮我照看一下狗?

⑨ 表示动作的未完成性

过去进行时可以表示动作的未完成性,即对某事了解得不全面,希望得到更详细的情况。例如:

{ A: Another expressway will be built between Shanghai and Nanjing. 上海和南京之间将另建一条高速公路。
 B: Yes, I **was reading** about it in the newspaper. 是的,我在报纸上才看到。

{ A: Did you hear about the new space program? 你听说过那个新的太空计划了吗?
 B: Yes, Professor Li **was telling** me the other day. 是的,李教授前天还跟我谈到过。

{ A: Do you know he's been arrested? 你知道他被捕了吗?
 B: Yes, Mark **was telling** me about it in the morning. 是的,马克今天上午还跟我说起这事。

⑩ 表示继续刚刚中断的谈话,用于日常生活中

As I **was saying**, we'd better leave things as they are until the police arrive. 正如我刚才说的,在警察到来之前,我们最好保持现场原样。

As I **was telling** you, the boy took his stubbornness from his father. 正像我刚才告诉你的,这男孩的犟脾气是他爸爸传给他的。

As I **was saying**, bus services should meet the needs of suburbs. 正如我刚才说的,公共汽车服务应适应郊区的需要。

As I **was telling**, money is a wonderful thing, but it is possible to pay too high a price for it. 正如我刚才对你所说的,钱固然是好东西,但是为了钱而付出的代价往往太高了。

As he **was telling** me, we must depend upon ourselves to make our own way as best we can. 正如他所告诉我的,我们必须依靠自己竭尽全力走自己的路。

⑪ 表示最近过去的事情(为一种说话口气比较随便的用法)

I **was hearing** Frank had entered the college. 我刚听说弗兰克上大学了。

I **was asking** what you thought of it. 我在问你的想法。

Jane **was telling** me about it this morning. 简今天上午告诉我那件事的。

⑫ 表示将来的猜想情况,有时表示不耐烦等情绪

I thought you **were** never **coming**. 我以为你总不会来了。

I'd rather you **were going** at once. 我宁愿你立即走。

If the students **were leaving** tonight, I'd like to go with them. 如果学生们今晚就走,我想同他们一起走。

【提示】过去进行时的时间关系也可由上下文或具体情景表示。例如:It **was raining** hard, but no one stopped working. 雨下得很大,但没有人停止工作。

⑬ 表示过去未实现的愿望或打算

She **was coming**. 她本来要来的。

I **was seeing** her tomorrow. 我本来打算明天会见她。

He **was watching** the play yesterday, but he was too busy. 他昨天本来要看那场戏的,可是太忙了。

I **was going to** phone you, but I just didn't have time. 我本想给你打电话的,但就是没有时间。

The basketball match **was taking place** the next day, but it had to be cancelled because of the heavy rain. 篮球赛原定第二天举行的,但因大雨只得取消。

⑭ 表示对比

He **was not sitting** idle, he **was making** preparations. 他没有闲坐着,他在做准备。

While the children **were playing** in the shade, their parents **were working** in the scorching sun. 孩子们在树荫下玩耍,而他们的父母却在烈日下劳作。

⑮ 表示原因

I didn't hear what you said; I **was looking** at the picture. 我没有听见你的话,我在看那幅画。

I haven't finished my homework yet, I **was helping** my mother in the kitchen all day yesterday. 我还没完成作业,我昨天一整天都在帮妈妈干厨房活。

⑯ 对所说的话进行强调

在小说的对话中,有时引述动词不用一般过去时,而用过去进行时,意在强调所说的话,语气较重,且更为生动。例如:

A:"Did they catch her?" Mary **was asking**. "他们抓住她了吗?"只听得玛丽问道。
B:"No, she escaped." Tom told her. "没有,她逃走了。"汤姆告诉她。

A: Do the students enjoy reading the novel? 学生们喜欢读这部小说吗?
B:"Some of them do," she **was saying**. "But others don't." "有些人喜欢,"她说道,"但是别的人不喜欢。"

⑰ 过去进行时和一般过去时的用法比较

(1)过去进行时可以表示过去反复做的动作,而一般过去时表示只做一次的动作。例如:

She **was waving** her hand. 她不断地挥手。
She **waved** her hand. 她挥了挥手。

The frog **was jumping up** and down. 青蛙不断地跳着。
The frog **jumped up** and down. 青蛙跳了一下。

She **was nodding**. 她不停地点头。
She **nodded**. 她点了点头。

(2) leave，arrive，start，begin，die 等的过去进行时表示"刚刚开始，快要完成，即将……"，而一般过去时表示"已经……"。例如：

I **was starting** to write a letter when the phone rang. 我刚开始写信，电话铃就响了。

The effect of the drinks **was beginning** to fade. 酒意正在开始消失。

But to Annie, it **was beginning** to seem the opposite. 但是安妮已经开始觉得事情恰恰相反了。

The train **was stopping**. 火车快要停了。 | She **was dying**. 她快要死了。
The train **stopped**. 火车停了。 | She **died**. 她死了。

He **was leaving**. 他快要离开了。
He **left**. 他离开了。

(3) 过去进行时表示正在进行尚未完成的动作，而一般过去时则表示已完成的动作。例如：

They **were talking** about it. I didn't want to disturb them. 他们在谈那件事，我不想打扰他们。
They **talked about** it and made a decision. 他们谈了那件事，做出了决定。

She **was making** preparations for the journey then. 她当时在为旅行做准备。
She **made** all the preparations for the journey in one day. 她花了一天时间就为旅行做好了准备。

She **was writing** a letter at nine last night. 她昨晚9点钟在写信。
She **wrote** a letter and posted it. 她写好了信就寄走了。

(4) 过去进行时同 forever，always，frequently 等连用，略带感情色彩，而一般过去时则表示客观陈述。例如：

She **was** forever **complaining** about her job. 她老是对她的工作提出抱怨。（厌烦）
She **complained** about the weather. 她抱怨天气。（客观表述）

He's always **leaving** his clothes on the floor! 他老把衣服扔在地上！（责备）
He **left** his clothes on the floor. 他把衣服放在地上。（客观表述）

His sister **is** always **helping** others. 他妹妹总是帮助别人。（赞扬）
His sister **helped** the old man up the stairs. 他妹妹帮那位老人上楼。（客观表述）

(5) work，feel，wait，rain，snow，wear，cough 等动词，不表示动作完成，有时用一般过去时和过去进行时均可，意思上没有什么差别。例如：

He **was working** all day yesterday. 他昨天整整干了一天。
He **worked** all day yesterday.

It **was snowing** the whole night. 下了一夜的雪。
It **snowed** the whole night.

She **was waiting** from morning till night. 她从早一直等到晚。
She **waited** from morning till night.

She **was wearing** the overcoat the whole day. 她整天都穿着那件大衣。
She **wore** the overcoat the whole day.

I **wasn't feeling** well that night. 那天夜里我感到不舒服。
I **didn't feel** well that night.

六、现在完成时(The Present Perfect Tense)

1. 构成

have/has＋过去分词

2. 功能

1 表示过去所发生的动作或事情对现在的影响或产生的结果，着眼点在现在

现在完成时常与不确定的过去时间状语连用，表示"已发生"或"未发生"，如：yet, just, before, recently, once, lately, of late 等；也同表示频度的时间状语连用，如：often, ever, never, sometimes, twice, on several occasions 等；也同包括现在时间在内的时间状语连用，如：now, today, this morning, this month, this year 等；但现在完成时不能同特定的过去时间状语(in 2012，last year 等)连用。例如：

She **has lost** her wallet. 她的钱包丢了。(现在没钱花了)

He **has laid** the table. 他把桌子摆好了。(可以吃饭了)

He's **bought** a car. 他买了车了。(现在有车了)

I've **forgotten** his telephone number. 我忘了他的电话号码了。(没法同他联系)

I **haven't seen** much of her **lately**. 我最近很少见到她。

He's **been** over Africa. 他曾经走遍了非洲。(＝He knows Africa very well)

Why **haven't I seen** you **all these months**? 我怎么这么多月没看见你呢？

She's **recovered** from her illness. 她已经康复了。(目前健康状况良好)

Have you **eaten yet**? 你吃过饭了吗？(现在你饿不饿？再吃点好吗？)

We've **had** too much rain **this year**. 今年雨水太多。(庄稼都淹了)

The past **has vanished** like smoke. 往事如烟。/逝者往矣。

I **have heard** John say something against you **on several occasions**. 我多次听到约翰说些对你不利的话。

I **haven't finished** reading the book **yet**，so I can't return it to the library. 我还没有把书读完，因此不能把它还给图书馆。

She was sleepless many nights. She **has been** very tired and can't concentrate at all. So she decides to go to see the doctor. 她很多夜晚都失眠，很疲乏，精力根本集中不了，因此决定去看医生。(同其他时态连用)

【提示】every day 是副词短语，既可同一般现在时连用，表示"每天"，也可同现在完成时连用，指从过去某时到现在一段时间内的"每一天"。例如：

It **has snowed** here **every day** since last Sunday. 自上个星期天开始，这里每天下雪。

She **has thought of** you **every day** for years. 她这么多年来每天都在想念你。

He **takes** a walk **every day**. 他每天散步。

2 表示一个从过去某个时间开始，延续到现在，并可能延续下去的动作

常同表示包括现在时间在内的一段时间状语连用，如：so far, up to now, since last year, for a long time, up till now, up to present, all along, all my life, for ages, all day, during the past/last five years, for/in the past/last few years, these few days/weeks/months/years 等。例如：

He **has worked** here **for over twenty years**. 他在这里工作已有二十多年了。

She **has been** away from school (during) the last few weeks. 最近几周，她一直没有到校。

I **have studied** here only this last month. 只是这一个月来，我在这里学习。

Up to now, we **have received** no news from her. 我们至今没收到她的消息。

【提示】

① 下面句中 in 相当于 for，为美国和加拿大英语，常用于否定句中：

He hasn't been here **in** four months. 他有四个月没来这里了。

It hasn't rained **in** some time. 已有些时候没下雨了。

I haven't seen her **in** a long time. 我很久没见她了。

② 比较：

He has not been here **for two years**. 他两年没来这里了。(已有两年没来过)

He has not been here **two years**. 他在这里不到两年。(已来了将近两年)

▶▶ 下面是一个歧义句，试加以分析：

She **hasn't studied** English for two years.

③ 同 today, this morning, this week 等时间状语连用，表示这些时间未过去之前已完成的动作，或表示由过去到现在这段时间发生的动作。例如：

She **has written** the letter **today**. 她今天已经写好了信。(The letter is to be written today and she has written it.)

I **have taken** a trip into the hills **this week**. 我本周已经去山里远足过。(It has been decided that I take a trip into the hills once a week.)

She **has spent** her vacation **this year**. 她今年已经度过假了。(She has already spent the vacation she is to spend this year.)

Have you **seen** her today? 你今天见到她了吗?

3 某些非延续性动词(动作一开始便结束的动词),在现在完成时中,不能同表示一段时间的状语连用
常见的这类动词有:come, go, begin, start, become, arrive, get(到达,收到), reach, leave, join, end, die, find, lose, fall, jump, knock, marry 等。参阅"动词"章节。例如:

Peter has got married for six years. [×]

Peter **got married six years** ago. [√]彼得六年前结的婚。

Peter **has been married** for **six years**. [√]彼得结婚六年了。

(1) 有些非延续性动词可以与 since(自从)连用,用于现在完成时,表示重复的动作或状态。例如:

I **have met** her often since I moved here. 自从我搬到这里来,我经常遇见她。

They **have gone** fishing five times since last spring. 自去年春天以来,他们去钓了五次鱼。

(2) 有些非延续性动词可以与 since 或 for 连用,或在否定结构中用于现在完成时,表示过程或结果。例如:

The city **has changed** greatly since 2012. 自2012年以来,这座城市发生了很大变化。

Since last I wrote to you, something serious **has occurred**. 自我上次给你写信以来,已经发生了一些严重的事情。

The two presidents **have met** for three hours. 两位总统会晤了三个小时。

What's happened since last Sunday? 自上星期天以来发生了什么事情?

The enemy **has given** them a lot of trouble since last April. 自去年四月以来,敌人给他们制造了很多麻烦。

Since when **has** the food **begun** to decay? 食物什么时候开始腐烂的?

I **have left** the window open since early morning. 我自一大清早就把窗户打开了。

Since when **have** you **become** interested in raising birds? 你什么时候开始对养鸟产生兴趣的?

I **have changed** my address since last year. 自去年以来我就换了地址。

Twenty thousand copies of the book **have been sold** out since its first printing in 2009. 这本书自2009年出版以来已经销售了两万册。

He **has** never **touched** beer for a whole week. 他有整整一个星期没沾啤酒。

I **haven't bought** anything for a year. 我有一年没买过任何东西。

比较:

He **changed** his mind last Friday. 他上星期五改变了主意。(单纯的过去动作,与现在无关)

He **has changed** his mind since last Friday.他从上星期五就改变了主意。(强调结果:他现在的主意可不是上星期五以前的主意了)

他们自昨天就开始学习新课了。

They have begun a new lesson since yesterday. [×]

They **have begun to study** a new lesson since yesterday. [√](study 为延续性动词,句中的重点显然是 to study,而不是 have begun, have begun 已相当于助动词)

He has got her letter since last month. [×]

He **has got to like** her since last month. 他自上个月就喜欢上她了。[√](like 为延续性动词,重要性大于 has got, has got 已相当于助动词)

【提示】

① 下面句中的非延续性动词是同 for 短语连用的,但这里的 for 短语不是表示句中的谓语动词延续了一段时间,不表示"经历",而是表示谓语动词发生后的情况,for 或表示 not before, only after,或表示"目的"。

He **has gone for two days**. 他走了,将离开两天。(= He has gone and will be away for two days. 而不表示"他走两天了")

She **has come for a week**. 她来了,要待一个星期。(＝She has come and will stay here for a week. 而不表示"她来了一个星期")

The plane won't **take off for forty minutes**. 飞机要过 40 分钟才起飞。(＝only after forty minutes, in forty minutes)

She **won't be back for three months**. 三个月后她才回来。(＝not before three months, only after three months)

They **won't leave for two hours**. 他们两小时后才离开。(＝in two hours, only after two hours)

② 有的非延续性动词,可以同 since 连用,用于现在完成时,但不可与具体时间或日期连用。例如:

I have graduated from college since 2011. [×]

I **have graduated** from college **since then**. [√]自那以后,我就大学毕业了。

4 在 after, as soon as, if, till, when 等引导的状语从句中,用现在完成时代替将来完成时

Let's go out **as soon as the rain has stopped**. 雨一停我们就去吧。

I shall go to see you when I **have finished** my work. 我做完工作就去看你。

If he **hasn't gone** to bed when you see him, tell him to give me a ring. 如果你见到他时他还没有睡,让他给我打个电话。

【提示】

① 下面两句中的现在完成时也表示将来完成的动作:

If he comes to see me, tell him I **have gone** into the hills. 如果他来看我,就说我到山里去了。

There is one more question, then I **have done**. 再提一个问题,我就问完了。

② 比较:

When I **have studied** the book I'**ll write** a report on it. 我研读完这本书后,将写一个报告。(代替将来完成时)

When I **have studied** a book I **write** a report on it. 我研读完一本书后就写一篇报告。(仅表示动作的完成)

5 "It/ This is/ will be the first/ last/ second/ third ... time that ..."结构中的从句要求用现在完成时

This is **the first time** that I'**ve heard** her sing. 这是我第一次听她唱歌。

It/This is **the second time** we'**ve met** each other. 这是我们第二次见面了。

▶▶ 这类结构中的完成时,有时可以表示行动上虽未完成但思想上却已完成的动作。例如:

This is the first time I'**ve flown** to London. 这是我第一次飞往伦敦。(说话时飞机可能尚未起飞)

▶▶ 也可以说:

It's the first good novel I'**ve seen** for ages. 这是我很久以来见过的第一部优秀小说。

6 "It/ This is the best/ worst/ most interesting＋名词＋that ..."结构中的从句要求用现在完成时

It is the **best** film I'**ve ever seen**. 这是我所看过的最好的一部电影。

This is the **most interesting** novel he has ever written. 这是他所写的最有趣的一部小说。

7 I haven't heard from her since she lived in Nanjing 的含义

由 since 引导的时间状语从句,不论用的是延续性动词或状态动词的一般过去时,还是非延续性动词的一般过去时,通常都表示动作的完成或结束。since she lived in Nanjing 意为"自从她离开南京以来"。再如:

She has written to me frequently **since I was ill**. 自从我病愈以来,她常给我写信。

Since she was at Beijing University, it has gone through great changes. 自她离开以来,北京大学已发生了很大变化。

▶▶ 如果把这类 since 从句中的一般过去时改为现在完成时,所表示的状态与动作就意味着延续至今。参见下文。例如:

It's a long time since he **lived** there. 他不住那里已经很久了。

It's a long time since he **has lived** there. 他住在那里已经很久了。

It is already five years since he **was** in the army. 他离开部队已经五年了。

It is already five years since he **has been** in the army. 他参军已经五年了。

8 since 引导的时间状语从句也可用现在完成时

如果由 since 引导的状语从句的动作或状态延续至今,通常要用现在完成时。这种用法中 since 表示的不是动作的结束,而是动作的延续。例如:

She has never been to see him since he **has been** ill. 他生病以来她从没来看过他。

I haven't seen him since I've **been** back. 我回来后还没有见过他。

They haven't had any trouble since they **have lived** there. 他们自住在这里就没遇到什么麻烦。(仍住在这里)

They had the deepest affection for the old professor since they've **known** him. 他们自认识那位老教授以来就对他怀有深深的崇敬之情。

【提示】

① since+一段时间+ago

不能说 since ten years,因为 since 后只能接过去某一点时间,即:since+过去一点时间(a point of time in the past),不可接一段时间(a period of time);可以说 since 1993, since World War Two,但不能说 since two years, since three months。若 since 后是一段时间,应该同 ago 连用,如:since two years ago, since five minutes ago。比较:

他自五个星期前就在这里了。

He has been here since five weeks. [×]

He has been here **since five weeks ago**. [√]

② since 也可用作副词,意为"后来,现在已"。例如:

The temple was burnt down in 1938 and has **since** been rebuilt. 这座庙宇于 1938 年被烧毁,后来又重建了。

9 表示某人的经历或已故某人的言论、某国的作用对现在和将来具有长久现实意义和深远影响

John **has gone** through a lot. 约翰经历丰富。

Li Bai **has left** us great poems. 李白给我们留下了伟大的诗篇。

Newton **has explained** the movements of the moon from the attractions of the earth. 牛顿解释了月球受地球引力作用的运动情况。

Europe **has had** a great impact on the development of world history. 欧洲在世界历史的进程中产生过重大影响。

【提示】注意下面两句中时态的意义:

Mao Zedong **has been called** a great thinker. 毛泽东被称为伟大的思想家。(斯人已逝,但影响长存)

Nanjing **has been visited** by Zhou Enlai several times. 周恩来数次到过南京。(那里的人们至今仍然怀念他)

10 现在完成时可以表示反问口气(与 when 连用)或感情色彩

When **have I been treated** like this? 我什么时候吃过这一套?

Now you've **done** it! 你这可闯下祸了!

11 现在完成时可同 long ago 连用

现在完成时有时可以同 long ago 连用,这样用的 long ago 或为事后想到的添补之词,或指比较笼统的过去,或表示结果。有时,现在完成时还可以同具体过去时间连用,为添补之词。例如:

Michael's **gone long ago**. 迈克尔早就去世了。

I've **sold** the car—a month ago. 我的车卖了,已有一个月了。

I **have ceased** to write poems **long ago**. 我早已不写诗了。

He's **gone** and **started** his own business **long ago**. 他很久以前就离开去经营自己的事业了。

The Chinese female volleyball team **has defeated** the Japanese **on Friday**. 中国女子排球队星期五打败了日本队。

12 现在完成时可以表示过去重复的动作

Eight times he **has tried** and eight times he **has failed**. 他试了八次,八次都失败了。

My mother **has** always **gone** to work by bus. 我母亲一向坐公共汽车上班。

⑬ 现在完成时可以表示过去的经验、事件,同 when, while, after 从句连用

We **have** often **studied** together when I **have been** in Paris. 我在巴黎时我们常在一起学习。

Sometimes when I **have been** in low spirits, I **have remembered** her. 有时我心情不好,就会想起她。

I **haven't studied** French when I was at school. 我上学时没有学过法语。

The manager **has been sacked** after the fire killed 10 women workers. 那场火灾烧死 10 名女工后,经理被撤职了。

⑭ think ... +should/ would 型完成时从句

think, hope, expect 的过去式之后,加上"should/would+完成式",常表示期望、希望落空,没有实现。比较:

> I thought you **would** know that. 我当时想你会明白的。
> I thought you **would have known** that. 我本来以为你会明白的。(谁知你竟然没弄清楚)

⑮ 现在完成时可同进行时未完成的动作进行对比

I don't care what **he is doing** or **has done**. 我不在乎他正在做什么或已做了什么。

Everything in the world **is changing** or **has changed**. 世界上的一切都正在改变或已经改变。

⑯ get 的现在完成时

get 的现在完成时是 have/has got,美式英语中用 gotten。have/has got 在口语中往往仅是一个现在完成时的形式,表示现在或将来的意义,实际相当于 have/has,当"有"解,但常有很灵活的译法。有时,have/has got 相当于 have/has to,当"必须"解。例如:

I **haven't got** a car. 我没有汽车。

Have you **got** a thermometer? 你有体温表吗?

I think she's **got** a lot of money. 我想她有许多钱。

Why **hasn't** he **got** any savings? 他为什么没有储蓄?

What **have** you **got** against the plan? 你对这个计划有什么反对意见?

She's **got** a new dress on. 她穿新衣服了。

I've **got** a bad toothache. 我牙痛得厉害。

Have you **got** the dictionary there? 词典在你那里吗?

He's **got** no time. 他没有时间。(=He has no time.)

It **has got** to be done at once. 这得马上就做。(=It has to be done at once.)

We **have got** to go there next weekend. 我们下周末得去那里。(=We will have to go there next weekend.)

▶▶▶ have 或 has 有时也可省略。例如:You **got** to rewrite the paper. 你得重写这篇论文。

3. 几组时态比较

> She **has gone** to Beijing. 她到北京去了。(不在这里)
> She **has ever been** to Beijing. 她曾经到过北京。(现已返回)

> She **has gone**. 她已经去了。(不是没去)
> She **is gone**. 她不在。/她缺席了。(句中的 gone 表示状态)

> The door **has been closed**. 门被关上了。(动作)
> The door **is closed**. 门是关着的。(状态)

> He **has come**. 他已经回来了。
> He **is come**. 他来了。(=He is present.)

> The snow **has melted**. 雪已经融化了。
> The snow **is melted**. 雪化了。(melted 表示状态,意为"看不见雪了")

> He **has been** there once. 他曾经到过那里一次。(曾经,一次)
> We've all **been** young once. 我们都有过年轻的时候。(曾经)
> He once **lived** in Geneva. 他曾经一度住在日内瓦。(从前一度)

She **comes** from Nanjing. 她是南京人。

She **has come** from Nanjing. 她从南京来。（不一定是南京人）

You **read** very well. 你朗读得很好。（具有朗读的才能或刚才读得好）

You **have read** very well. 你朗读得很好。（仅指刚刚完成的动作）

4. 现在完成时和一般过去时几组句子差异比较

　　使用现在完成时重在说明现在的情况，表示过去与现在的关系，强调结果；一般过去时则只涉及过去的行为或状况本身。有时候，说话意图不同，要用不同的时态。比较下列句子：

你讲完了吗？

Have you **finished**?（如你已讲完，我想接着讲）

Did you finish?（不知我刚才发言时你是否讲完话了）

你听到他那样说了吗？

Have you ever **heard** him say that?（是否知道）

Did you ever hear him say that?（什么时候听说的）

你听说过这样的事吗？

Have you ever **heard** of such a thing?（认真提问，希望回答）

Did you ever hear of such a thing?（修辞问句，不要求回答）

我外出时谁来过这里？

Who**'s been** here while I was out?（发现有人来过：东西被人动过）

Who **was** here while I was out?（一般提问）

我做了什么使他这么生气？

What **have** I **done** to make him so angry?（认真提出问题，且对方仍在生气）

What **did** I **do** to make him so angry?（过去生气，现在则不一定）

我的主要目的就是找到真正的解决方法。

My chief purpose **has been** to find out a real solution.（一直在努力）

My chief purpose **was** to find out a real solution.（过去的努力）

She **has lived** in Paris for twenty years. 她已在巴黎住了 20 年。（她仍活着，住在巴黎或刚离开）

She **lived** in Paris for twenty years. 她在巴黎住了 20 年。（她已故去）

I've **chosen** some novels for you. 我为你选了几本小说。（你有小说读了）

I **chose** some novels and bought them. 我挑选了几本小说买下了。

We've **learnt** a lot from you. 我们从你那里学了很多东西。（深表感激）

We **learnt** a lot during our stay there. 我们在那里时学了很多东西。（只谈当时的情况）

Has she **got** up? 她起床了吗？（着重现在）

Did she **get** up early this morning? 她今天早上起床早吗？

We've **got** no news from her. 我们没有得到她的消息。（不知情况如何）

We **got** news from her last night. 我们昨天夜里得到她的消息的。（有确切时间状语，单纯指过去）

Have you **invited** him? 你邀请他了吗？（活动尚未举行）

Did you **invite** him? 你邀请他了吗？（活动已举行过）

Who **has taken** the pen away? 谁把钢笔拿走了？（强调找不着了）

Who **took** the pen away? 谁把钢笔拿走了？（只问是谁拿走了钢笔）

I've **lost** the ring. 我把戒指丢了。（仍在找）

I **lost** the ring. 我把戒指丢了。（也许已找回，也许没有找回）

I **haven't seen** him this afternoon. 我今天下午没有见到他。（现在仍是下午）

I **didn't see** him this afternoon. 我今天下午没有见到他。（现在已不是下午）

We **haven't gone** anywhere this autumn. 今年秋天我们哪儿也没去。（现在仍是秋天）

We **didn't go** anywhere this autumn. 今年秋天我们哪儿也没去。（现在已不是秋天）

I've just **seen** Professor Grant. He told me the marks. 我刚刚见过格兰特教授，他告诉了我的分数。

I **have seen** him this May. 我 5 月见到他了。（未出 5 月）

I **saw** him this May. 我今年 5 月见到他了。（5 月过后当年内）

I **have lived** in the country for the summer. 我整个夏天一直住在乡下。（持续到现在）

I **lived** in the country through/for the summer. 整个夏天我都住在乡下。（过去一段时间）

He **has** never **been** in love before. 他从没恋爱过。

You can put it that it **was arranged** before. 你可以说这是事先安排好的。

他父亲一生残疾。

His father **has been** an invalid all his life.（现在还活着）

His father **was** an invalid all his life.（现在已经去世）

【提示】

① have done 常可用于祈使句表示命令，但如同所有的祈使句一样，仍然表示将来的意义，相当于 stop, get rid of 等。例如：

Have done with your tricks. 不要再耍手腕了。

You are grown up now and **have done** with the bad habit. 你现在已经长大了，改掉那个坏习惯吧。

② 有时可用 be 代替 have，后跟的过去分词起形容词作用，表示一种状态。例如：

She **is** just **arrived**. 她刚到。（＝here）

He **is come**. 他来了。（＝here）

He **is returned**. 他回来了。（＝back）

She **is gone** there two weeks. 她在那里两周了。（＝She is there two weeks.）

The sun **is risen**. 太阳升起了。（＝up）

The leaves **are fallen**. 树叶落了。

He is **got** into bed. 他上床睡了。

They **are prepared** to fight against the flood. 他们已准备好同洪水战斗。

③ have been 后可接不定式。例如：

I **have been to see** the exhibition. 我去看过展览了。

④ these days, nowadays, just now 一般不用于现在完成时。

Children **are** much healthier **these days**. 如今，儿童的健康状况更好了。

Trains **are** comfortable **nowadays**. 而今，坐火车很舒适。

I **saw** her **just now**. 我刚刚见到她的。

七、现在完成进行时（The Present Perfect Continuous / Progressive Tense）

1. 构成

have/has＋been＋现在分词

2. 功能

1 现在完成进行时表示一个从过去某时开始发生，一直延续到现在并可能延续下去的动作

Jim **has been seeing** about a visa for you. 吉姆一直在想办法给你弄一张护照。

Since she left home, I **haven't been sleeping** at all well. 自她离开家后，我一直睡得很不好。

I've **been waiting** for an hour but she still hasn't come. 我已等了一个小时，但她还没有来。

Aren't you tired? You've **been working** here all day. 你不累吗？你都在这里干了一整天了。

I **have been cycling** to work for the last two weeks. 这两个星期以来我一直骑车上班。

How long **have** you **been doing** this work? 你做这工作多久了？

How long **has** it **been raining**? 雨下了多久了？

Now that she is out of job, Lucy **has been considering** going back to school, but she hasn't decided yet. 露茜失业了，一直在考虑着重返校园，但还没决定。

I won't tell the student the answer to the math problem until he **has been working** on it for more than an hour. 那名学生解这道数学题超过一个小时还解不出来，我才会告诉他答案。

2 表示动作刚刚结束（有时指出结果）

I've **just been waving** good-bye to her. 我一直挥手向她告别。

They **have been talking** about the book. 他们一直在谈这本书。

He is dead drunk. He **has been drinking** with his friends. 他酩酊大醉,刚才在同朋友们喝酒来着。

My clothes are wet. I've **been walking** in the rain. 我的衣服湿了,我一直走在雨中。

A: Where have you been? 你去那儿了?

B: I've **been watering** flowers in the garden. 我去花园里浇花了。

3 表示某种感情色彩

Who's **been telling** you such nonsense? 谁告诉你这种无稽之谈的?（气愤）

Too much **has been happening** these days. 这些日子发生的事情太多了。（多事之秋）

You **have been deceiving** me. 你一直在骗我呢?（气愤）

You **have been giving** me everything. 你给了我一切。（感激）

4 表示过去某种愿望未实现,某种企图、希望落空,含有遗憾、不耐烦等情绪

He **has been telling** me. 他一直想告诉我。（He has tried to tell me.）

She **has been advising** me. 她一直想劝我。（But she did not succeed.）

They **have been going** to build a bridge over the lake for years. 数年来,他们一直想在湖上建一座桥。（但未能实现）

He **has been going** to have the leaking tap fixed for the few days. 几天来,他一直想把那个漏水的水龙头修理一下。（却总没抽出时间修理）

They **have been going** on an expedition to the woods for a week. The weather has been terrible all the time. 他们一周来一直想去森林中探险而没有去成,天气一直很糟。

5 表示一个过去动作对现在的影响或造成的结果（相当于现在完成时）

He **has been doing** too much work. 他做的工作太多了。（现在病倒了）

Who's **been insulting** you? 谁欺侮你了?（对方可能在哭）

He's **been smoking** again. 他又吸烟了。（闻到身上有烟味）

The room stinks. Someone's **been smoking** in here. 屋里有烟味,有人在这里抽烟了。

The girl's eyes are red. She **has been crying**. 那女孩的眼睛红红的,她一直在哭着。

I **have been telling** him to study harder. 我一直告诉他学习要更加刻苦。（He should have passed the exam this time, but he failed.）

6 表示重复（指断断续续,而非一直不停）

We've **been discussing** the matter several times this year. 我们今年已数次讨论过那件事。

I **have been bidding** goodbye to some friends today. 我今天同好几个朋友告了别。

We've all along **been making** mistakes like this. 我们一直犯这样的错误。

She **has been phoning** Jim every night for the past two weeks. 两个星期以来她每天晚上给吉姆打电话。

Has he **been making** trouble? 他是不是一直在制造麻烦?

3. 现在完成进行时和现在完成时的用法比较

1 区别A

现在完成时强调的是某个刚刚完成的动作,或某个过去的动作对现在的影响或产生的结果,也可表示延续性;现在完成进行时则强调动作的延续性,有时表示临时性质。例如:

I **have thought** it over. 我已经考虑过这件事了。

I **have been thinking** it over. 我一直在考虑这件事。

She **has put** coal on the fire. 她已经在炉子上加了煤。（这件事已结束）

She **has been putting** coal on the fire. 她刚才在炉子上加煤。（一直在做这件事）

Be careful! Jim **has been painting** the door. 当心!吉姆一直在油漆门呢。（油漆尚未干）

Jim **has painted** the door. 吉姆油漆了门。（油漆可能已干）

他父亲教数学已经10年了。

Her father **has taught** maths for ten years. （是否延续下去,视上下文而定）

Her father **has been teaching** maths for ten years. （并将延续下去）

▶▶▶ 但是,有少数动词（work, live, teach, study 等）的现在完成时和现在完成进行时所表示的意思是

差不多的。

2 区别 B

现在完成进行时可以表示动作的重复；现在完成时一般不表示重复性，但同 always, often 等连用时有时也表示重复的动作，见上文。例如：

Have you **been meeting** him recently? 你最近常同他见面吗？

Have you **met** him recently? 你最近见到他吗？

3 区别 C

现在完成进行时有时含有感情色彩；现在完成时一般表示平铺直叙，但有时也带有感情色彩，见上文。例如：

What **have** you **been doing**? 你一直在干什么来着？（惊异）

What **have** you **done**? 你干了什么？（仅是一个问题，让对方回答，也可表示惊异）

I **have been wanting** to hear from you for long. 我很长时间以来就盼望着你的信。（亲切，礼貌）

I **have wanted** to hear from you. 我一直盼望着你的信。

亨利工作得有条不紊。

Henry **has been doing** his work regularly.（表扬）

Henry **has done** his work regularly.

谁吃了我的橘子？

Who's **been eating** my oranges?（不满，已吃光）

Who's **eaten** my oranges?（未吃光）

我等你已有两个小时了。

I **have been waiting** for you for two hours.（口语化，可能不耐烦）

I **have waited** for you for two hours.（说明一个事实）

4 区别 D

在否定结构中，现在完成进行时否定时间状语，而现在完成时则否定谓语动词。例如：

She **hasn't been speaking** since nine o'clock. 她不是从 9 点钟开始讲话的。（＝She has been speaking not since nine but since half past nine.）

She **hasn't spoken** since nine o'clock. 从 9 点起她一言未发。

5 区别 E

love，know 等状态动词通常用于现在完成时，不用于现在完成进行时。例如：

He **has loved** Helen since he was in middle school. 他自中学时代就爱上了海伦。（不说 He has been loving ...）

They **have known** each other for ten years. 他们相识已经 10 年了。（不说 They have been knowing ...）

八、过去完成时(The Past Perfect Tense)

1. 构成

had＋过去分词

2. 功能

1 表示在过去某个动作或某个具体时间之前已经发生、完成的动作或情况

They **had got** everything ready before I came. 在我来到之前，他们已经把一切准备好了。

By the end of last week she **had written** two papers. 到上周末，她已经写了两篇论文。

I could see from her face that she **had received** some good news. 从她的脸上我可以看出她有什么高兴事儿。

2 过去完成时常用在有 hardly, scarcely, barely, no sooner ... than 等副词的句子中

这种结构表示"刚刚……就，不等……就"。例如：

She **had hardly/scarcely gone** to bed when the bell rang. 她刚刚睡下铃就响了。

No sooner had they **left** the building than a bomb exploded. 他们刚一离开大楼，炸弹就爆炸了。

③ intend, mean, hope, want, plan, suppose, expect, think 等动词的过去完成时可以用来表示一个本来打算做而没有做的事

这种用法也可表示过去未曾实现的设想、意图或希望等,含有某种惋惜。例如:

I **had intended** to call on you yesterday, but someone came to see me just when I was about to leave. 我本来昨天要去看你的,但是刚要出门就有人来访。(＝intended to have called on)

We **had meant** to tell her the news but found that she wasn't in. 我们本想把消息告诉她的,但是发现她不在家。(＝meant to have told)

Later she explained:"I **had thought** that he had died ten years ago, but now I know that he is still living."后来她解释说:"我本以为他 10 年前就去世了,但现在知道,他仍然活着。"

He **had wanted to help** you but he had no time then. 他本想帮助你的,但当时没有时间。(＝wanted to have helped)

He **had been inclined** to be an artist. 他本想当一名艺术家的。

▶▶▶ 注意下面句子的含义:

You **had better have gone** there with her. 你本来最好跟她去那里。(但没去,未被接受的劝告)

⌈ I **should like to** visit the island. 我想去参观那个岛。(现在的愿望,将来想去)
⎟ I **should like to have visited** the island. 我要是参观过那个岛多好。(现在的遗憾,没参观过那个岛)
⌊ I **should have liked** to have visited the island. 我本想参观那个岛的。(过去的愿望)

【提示】

① after 从句表示过去时间的动作先后关系时,可用一般过去时或过去完成时。例如:

Jane went out to the park after she **had read/read** the paper. 简读完了报就外出去公园了。

② when 从句表示过去时间时,有时一般过去时和过去完成时可换用。例如:

When the teacher **had arrived/arrived**, they stopped talking. 老师到了,他们就不说话了。

③ before 引导从句表示过去时间时,主语中上述两种时态可换用。例如:

Before he came, he **had discussed/discussed** it with the manager. 他来之前已经同经理讨论过那件事。

④ 如果主句中包含了过去完成时,从句中一般过去时和过去完成时可换用。例如:

They said that Jack **had been sent** to prison because he **had robbed/robbed** the bank. 他们说杰克因抢银行而坐牢了。

⑤ 历史事实通常用一般过去时表示。例如:

They learned that President Lincoln **led** the American Civil War. 他们知道林肯总统领导了美国内战。

He **told** the students that Hitler **killed** millions of Jews. 他告诉学生们,希特勒杀害了数百万犹太人。

⑥ 过去完成时可以代替一般过去时,表示惊奇。例如:

I saw her coming, but in a minute, she **had disappeared**. 我看见她来了,但一转眼就不见了。

They wanted to keep it a secret, but a few days later, everyone **had known** it. 他们想把它保密的,可是没过几天,人人都知道了。

④ 表示"过去的将来"某一时刻之前已经完成的动作

She made up her mind to go on trying until she **had succeeded**. 她决心继续努力直到成功。

The plane would take off as soon as it **had stopped** raining. 雨一停飞机就要起飞了。

⑤ 表示过去某一时刻之后发生的动作

常同 then, in two weeks 等连用。例如:

Something struck her eyes. She **had fallen** to the ground. 有东西击中了她的眼睛,她倒在了地上。(省去 then)

⑥ 表示对后来动作的影响

他在饭前吃了些东西。

He **had eaten** something before taking dinner. (So he had no appetite at dinner.)

He **ate** something before taking dinner. (He might have his usual appetite at dinner.)

休息几天后,她感觉好多了。

She **felt** better after she **had taken** a few days' rest. (Feeling better is the result of taking a few days' rest.)

She **felt** better after she **took** a few days' rest. (Feeling better may not be the result of taking a few days' rest.)

7 时间状语可由上下文表示

The office was quiet. Everybody **had gone** home. 办公室里静悄悄的,大家都回家了。

I **had wanted** to see her. So I went to see her this autumn. 我很久以来都想去看她,因此今年秋天我去了。

Who **had** last **seen** the explorer? What **had happened** to him? 谁最后一次见到那位探险家?他发生了什么事?

He died last summer. They **had got** no chance to see each other even once for twenty years. 他去年夏天去世了,他们 20 年里没有一次见面的机会。

8 hope, expect, think, want 等词的过去完成时常用于比较结构中

He did better than we **had thought**. 他做得比我们原想的要好。

Things went more smoothly than we **had hoped**. 事情进展得比我们希望的还要顺利。

The result was better than we **had expected**. 结果比我们预料的还好。

The TV play wasn't as interesting as we **had wanted** it to be. 这部电视剧没有我们希望的那样有趣。

9 first/ second/ third/ last time 同过去完成时连用

It was the first time he **had lost** the game. 这是他第一次比赛输了。

It was the third time he **had dined** out with her. 这是他第三次同她外出吃饭。

This was the second time he **had escaped** from prison. 这是他第二次越狱逃跑了。

10 描绘一种景象、背景(同过去进行时连用)

The day **had dawned**. A thin mist **was hanging** over the fields. Cocks **were crowing** here and dogs **were barking** there. Soon the sun would rise. 拂晓时分,田野里飘荡着一层薄雾,远远近近,传来了鸡鸣和犬吠声。太阳不久就要升起了。

九、过去完成进行时(The Past Perfect Continuous/ Progressive Tense)

1. 构成

had been＋现在分词

2. 功能

1 表示过去某个时间之前一直在进行的动作

这个动作可能刚结束,可能延续下去,也可能不延续下去,上下文清楚时,可省略时间状语。例如:

She said that she **had been typing** a paper before I came in. 她说我进来之前她一直在打一篇论文。

The heavy snow **had been falling** for three days. The fields were all white. 一连下了三天大雪,田野里是白茫茫的一片。

He gave her one of the pills he **had been taking** for stomachache or something like that. 他给了她一粒药丸,那是他一直用来治疗胃痛或类似什么病的。

He **had been writing** this novel up to that time. 直到那时他一直在写这部小说。(有时间状语)

She **had been studying** English before entering the college. 她上大学以前一直在学英语。(有时间状语)

She was then fifteen years old. She **had been staying** with her grandmother. 她当时 15 岁,之前一直同奶奶在一起。(有时间状语)

They **had been talking** about the matter. 他们一直在谈那件事。(没有时间状语,但隐含在上下文中)

It **had been raining** hard. 雨一直下得很大。（没有时间状语）

She went to bed at twelve. She **had been waiting** for him for four hours. 她在 12 点上床了。她一直等了他四个小时。（动作不再持续）

They stopped quarreling. They **had been quarreling** for a whole hour. 他们不吵了。他们已经吵了整整一个小时。（动作不再持续）

> She was sixty. She **had been writing** the novel since she was thirty. 她已 60 岁了，自 30 岁起她就写这部小说了。(At sixty she was still writing the novel.)
>
> He came home at eleven. She **had been waiting** for him for two hours. 他 11 点回家来的，她已等了他两个小时。(At eleven she did not wait any more.)

2 表示反复的动作、企图、情绪、最近的情况等

You **had been giving** me everything. 你对我真是有求必应。（感激）

He **had been thinking** about the plan. 他最近一直在考虑这项计划。

He **had been telling** you this. 他多次跟你说这件事。(＝He has told you this many times.)

She **had been investigating** the cause of the accident. 她试图调查那次事故的原因。(＝She has tried to investigate the cause of the accident.)

I **had been studying** the meaning of the poem. 我一直在研究这首诗的含义。(But I was not able to understand it.)

【提示】

① 在否定句中通常用过去完成时代替过去完成进行时。例如：

They **had not swum** in the river for a long time. 他们很长时间没去那条河里游泳了。（一般不说 They had not been swimming ...）

② 比较：

> The girl **had cleared up** the room, so it was very tidy. 女孩已经把房间打扫过了，所以很整洁。
>
> The girl **had been clearing up** the room, so we had to wait outside. 女孩一直在打扫房间，所以我们不得不在外面等着。

③ 过去完成进行时后可接 when 引导的从句，含有"突然"的意思。例如：

He **had been lying** in bed a few minutes when the door bell rang. 他刚躺在床上几分钟，突然门铃响了。

They **had only been talking** for five minutes when a stranger stepped in. 他们刚谈了不过 5 分钟，一个陌生人走了进来。

十、一般将来时(The Simple Future / The Future Indefinite Tense)

1. 构成

shall/will＋动词原形(shall 用于第一人称；will 用于第二、三人称，也用于第一人称)

2. 功能

1 表示将要发生的动作或存在的状态

I **shall be** late home tonight. 我今晚会晚回家。

He **will graduate** from Harvard University next year. 他明年哈佛大学毕业。

2 表示将来反复发生的动作，也表示倾向、习惯、必然发生的事

Spring **will come** again. 春天会重返人间。

Oil and water **will not mix**. 油和水不能混合。

These things **will happen**. 这样的事总会发生的。

The students **will have** five English classes per week this term. 本学期学生每周将要上五节英语课。

3. 可以表示将来时的其他结构或时态及其用法

1 be going to＋动词原形

这种结构表示决定、打算要做什么事，或有迹象表明即将发生、可能会出现什么情况，有趋势，注定会，不限于指人的活动。例如：

I **am going to buy** a new coat this winter. 今年冬天我打算买一件新大衣。

Look at the cloud! It's **going to rain**. 瞧那乌云,天要下雨了。

The ice **is going to break**! 冰就要破了!

The car **is going to turn** over. 车要翻了。

There **is going to be** a thunderstorm. 将有一场雷暴。

Is it **going to be** fine tomorrow? 明天天会晴吗?

Tomorrow **is going to be** another cold day. 明天天气仍然很寒冷。

I'm **going to live** in the country when I retire. 我退休后要到乡下去住。

The moon **is going to come** out soon. 月亮快要升起了。

I think I'm **going to have** a cold. 我觉得我要感冒了。

Watch it! That wall **is going to fall**. 当心! 那堵墙要倒了!

The house **is going to collapse**. 这房子快要塌了。

It's **going to be** very hot tomorrow. 明天将很热。

Are you **going to be gone** long? 你要离开很久吗?

What's **going to become** of her? 她会怎样呢?

Tonight **is going to be** a great night in the history of mankind. 今晚将永载史册。

The journey **is going to be** difficult. 这次旅行将极为艰难。

This question **is going to be** very complex. 这个问题将会很复杂。

I'm **going to be** better next week. 下周我会好起来了。

You're **going to get** scolded. 你会受到责备的。

She's **going to have** a hard time. 她将会有一段艰难的日子。

Jack feels he's **going to fail** the entrance examination. 杰克觉得他通不过入学考试。

We're **going to** crash. 我们要撞车了。

I'm **going to be** sick. 我要吐了。

Look out! The water **is going to boil** over. 当心,水要溢出来了。

Look out! The bomb **is going to explode**. 注意,炸弹就要炸了。

Be careful! You're **going to break** the branch! 小心,你快要把树枝弄断了。

【提示】

① 注意下面的句子:

I **was going to see** you after work, but I won't be able to now. 我本打算下班后去看你的,但现在看来,我不能去了。(过去当时的打算,预计)

She **had been going to meet** you at the airport, but her car broke down. 她本想去机场接你的,可是她的车子坏了。(had been going to do 表示"过去打算做而没做成的事")

She **had been going to take** her son to the concert that night, but she had a headache. 她那晚本打算带儿子去听音乐会的,但她头痛没有去。

He's **been going to write** the paper for months. 他几个月来一直想写那篇论文。(have been going to do 表示"一直打算做某事")

He's **been going to have finished** writing the book by the time he is fifty. 他一直想在他50岁之前写完这本书的。(be going to have done sth. 表示"打算在……之前完成某事")

I'm **going to be traveling** for a month. 我要出去旅行一个月。(be going to 后可接不定式进行式)

I'll **be going to have** my own ways from now on. 从现在起,我要按自己的方法行事。(be going to 可用将来时形式)

② 比较:

　She's **going to arrive** late for the meeting.
{
　这次开会,她会迟到的。(他人的客观预计)
　这次开会,她打算迟些到。(她本人的主观意向)

③ be going to do 可用于指将来的条件从句中,表示预定发生、打算做的事。有时,be going to do

也可用于带条件从句的复合句的主句中，表示某条件下预计必定发生某种情况。例如：

If he comes, there's **going to be** trouble. 要是他来，准出乱子。

I'm **going to resign** if things don't improve. 如果情况没有好转，我将要辞职。

You **are going to find** yourself in difficulty if you carry on like this. 如果你继续这样下去，你会身陷困境的。

If you're expecting sympathy from her, you're **going to be disappointed**. 如果你想得到她的同情，你要失望的。

If you're **going to file** a lawsuit against the oil company, you'd better consult the lawyer. 如果你要对那家石油公司提起诉讼，你最好咨询一下律师。

④ be going to 可表示"早已决定或打算"。例如：

I **was going to buy** a car. Would you agree? 我早就想买一辆车，你同意吗？

⑤ be going to 通常用于动态动词，也用于 have 或 be，但一般不与静态动词连用，如 think, hope, want, believe, like, hear, know, forget, hate, interest, understand, wonder, belong, prefer 等。但某些静态动词转而表示动态，或为了加强语气等，又可用于 be going to 结构。例如：

I'm going to hate the weather here.（一般不说）

She's never going to forget it.（一般不说）

He is going to like the food.（一般不说）

I wonder if he's going to know you.（一般不说）

The TV play is going to interest you.（一般不说）

He's **going to know** the secret. 他一定要把那个秘密弄清楚。（find out）

You're **going to hate** the weather here.（我看）你会讨厌这里的天气的。（客观预计，可用于状态动词）

He failed in the exam; he knew he **was going to** when he looked at the test paper. 他没考及格，他一看试卷就知道考不及格。

The voters **aren't going to like** him. 选民不会喜欢他的。

I'm **going to be** 30 next week. 我下周就满 30 岁了。

⑥ be going to 有时可以表示建议、询问或命令。例如：

What **are** we **going to do** about it? 关于那件事我们该怎么办呢？

Don't regret over it. We're **going to** have another try. 不要后悔了，我们再试一次吧。

You're **going to stop** sirring me. 你不要总叫我"先生"了。

You **are going to do** as I tell you. 你必须按我说的办。

You're **going to rise** early tomorrow morning. 你明天早上要早起。

Now you're **going to hurry**. 现在你要快点了。

What's **going to become** of her? 她会怎样呢？

2 be going to 和 will 的比较

(1) will 表示说话人认为、相信、希望或假定要发生的事，不含任何具体时间，可以指遥远的将来；而 be going to 指有迹象表明某事即将发生或肯定会发生，表示客观事情的发展。例如：

Listen to the wind. We **are going to have** a rough crossing. 听那风声，我们横渡时一定困难很大。

There **is going to be** a quarrel between them, I think. 看来他们两人要发生争吵了。

I believe China **will become** one of the richest countries in the world. 我相信，中国将会成为世界上最富的国家之一。

He **will get** better. 他的病会好的。（即认为最终会恢复健康，而不是马上恢复健康）

He **is going to get** better. 他的病就要好了。（指有恢复的迹象）

Don't stand on that rock. It's **going to fall**. 不要站在那块岩石上，它要倒了。（迹象）

Don't stand on that rock. It **will fall**. 不要站在那块岩石上，它会倒的。（因果关系）

(2) be going to 和 will 均可表示"意图"，但事先考虑过的意图用 be going to，不是事先考虑的意图用 will。比较：

〔 A：Why have you torn the letter into pieces? 你为什么把信撕了?
〔 B：I **am going to rewrite** it. 我准备重新写。(事先考虑的,不用 will)
〔 A：It is really a big stone. 这的确是一块大石头。
〔 B：I **will help** you to move it. 我来帮你搬一下。(非经考虑的,不用 be going to)

(3) be going to 可以用在条件状语从句中表示将来,而 will 不能。例如:

If you **are going to attend** the meeting, you'd better leave now. (不用 will)

【提示】will 表示"意愿,坚持,拒绝,推论"时,可用于条件句中,参阅有关部分。例如:

If you **will** listen to me, I'll give you some advice. 如果你愿意听我的,我就给你提些建议。

③ 现在进行时

某些动词的现在进行时可以表示按计划或安排将要发生的事,预计要发生的事,或最近将要发生的事。常用的有:join, play, eat, work, return, take, wear, meet, move, sleep, have, do, stay, arrive, leave, speak, start, come 等。例如:

We **are having** a meeting this morning. 我们今天上午要开一个会。(计划)

The plane **is taking off** at 10. 飞机将于 10 点起飞。

I'm **having** porridge for supper. 我晚饭吃粥。

What time **is** she **leaving**? 她什么时候走?

She's **having** puppies soon. 这狗儿不久就要生崽了。

We **are getting** married in April. 我们 4 月结婚。

Allen's **not going** far in literature. 艾伦搞文学前途不大。

John's **joining** the army next week. 约翰下周入伍。

I'm **taking** Jane out for dinner tonight. 今晚我要带简出去吃饭。

We **are moving** to a new hotel this evening. 今晚我们要搬到一家新的宾馆去。

She's **lecturing** on Shakespeare's sonnets next. 接下来她将讲述莎士比亚的十四行诗。

I'm **planting** more apple trees in the coming spring. 来年春天我将种植更多的苹果树。

I'm **meeting** Jack at the station at four tomorrow afternoon. 我明天下午 4 点钟要去车站接杰克。(含有约好的含义)

▶▶▶ 现在进行时可用于 if 从句中表示将来。例如:

If it **is snowing** in the afternoon, we'll stay indoors. 如果下午下雪,我们就待在室内。

▶▶▶ 事物名词 meeting, concert, train 等作主语时,要用一般现在时表示将来,而不用进行时。例如:

The train **leaves** at 8:15. 火车 8 点 15 分开。

The meeting **starts** at 3 in the afternoon. 会议在下午 3 点开始。

【提示】

① be going to 表示说话前考虑过的意图(intend),现在进行时表示事先安排的动作(plan)。比较:

〔 玛丽和简今晚要见面。
〔 Mary and Jane **are going to meet** tonight. (have an intention to)
〔 Mary and Jane **are meeting** tonight. (have arranged this)

② 有迹象表明将要发生某一动作,不是人安排的动作,要用 be going to,不用现在进行时。例如:

I feel dizzy, I think I **am going to faint**. 我感到晕眩,我想我要昏倒了。(不可说 I am fainting. I am to faint. I shall faint.)

〔 我忍不住要哭。
〔 I'm afraid I'm **crying**. [×]("感到要哭"不是人安排的)
〔 I'm afraid I'm **going to cry**. [√]

〔 树叶快要落了。
〔 The trees are losing their leaves soon. [×]
〔 The trees **are going to lose** their leaves soon. [√](树落叶非人所确定的自然现象)

④ be+不定式

(1) 这种结构或表示计划、安排,或用来征求意见。例如:

Am I to take over his work? 我是不是要接管他的工作？

The highway **is to be opened** in May. 这条公路5月通车。

The President **is to have** a holiday. 总统将休假。

When **is** the opening ceremony **to be**? 开幕式什么时候举行？

They **are to be married** in October. 他们打算10月结婚。

There **are to be** several high-ranking officials at the conference. 将有几名高官出席会议。

There **is to be** another demonstration tonight. 今天晚上还要进行游行示威。

The hotel **is to be** ninety-eight storeys in height. 这家饭店将高达98层。

We **were to have gone** away last week but I was ill. 我们本打算上周走，可是我病了。（用不定式完成式表示"本来打算"）

▶▶ 但是，如果不是人、人世所能安排的动作，就不能用 be to do 句型表示将要发生。例如：

今晚会有很好的月光。
There is to be a bright moon tonight. [×]（某夜是否有月光，非人所能安排）
There **is going to be** a bright moon tonight. [√]

他要胖起来了。
He's to be fat. [×]
He's **going to be** fat. [√]

(2) 表示应该怎么做或应该发生什么，也表示命令、禁止、义务或可能性（表示情态意义），接近 should，could，must，ought to，have to 等。例如：

What **am I to tell** her when she finds out? 要是她发现了，我将怎样对她说呢？（should）

You **are to be blamed** for your carelessness. 都怪你粗心，闹成这样。（should）

He is more **to be pitied** than blamed. 他更应该得到怜悯而不是责备。（should）

The children **are to be** in bed when we get home. 我们到家时，孩子们就得睡觉。（must）

Nobody **is to know**. 不可让任何人知道。（must）

You **are not to smoke** in the room. 你不可在房间里抽烟。（must）

No one **is to leave** the office without permission. 不经允许，任何人不得离开办公室。（may,can）

Suppose he comes here，What **am I to tell** him? 假如他来这里，我该对他说些什么？（should）

Am I to understand that you're coming? 我理解，你明天来，对吗？

In future you **are not to go** out alone. 你今后不得一个人出去了。（must）

Not a cloud **was to be seen**. 一丝云也看不见。（could）

We Chinese people **are not to be bullied**. 我们中国人是不容欺辱的。（can）

Not a sound **was to be heard**. 一点声音也听不见。

We searched everywhere but the ring **was not to be found**. 我们哪儿都找了，但就是找不到那枚戒指。（could）

(3) 表示不可避免将要发生的事，必然要发生的事，后来将发生的事。例如：

Better days **are** soon **to follow**. 好日子肯定会很快来到。

The worst **is** still **to come**. 更糟的还在后头。

This I **was** only **to hear** later. 这事我后来才知道。

The best **is** yet **to be**. 最好的还在后头呢。

What **is to become** of him? 他会怎样呢？

I **am** yet **to see** her smile. 我一定还会看到她的笑脸的。

He **was** never **to see** his children again. 他再也见不到他的孩子们了。

The discovery **is to have** a major effect on the treatment of heart disease. 这个发现对心脏病的治疗将产生重大影响。

As a young man he didn't know that he **was to become** famous later on. 他年轻时没有想到自己后来会成名。

(4) 用于 if 条件句，表示"如果想，设想"，相当于 want to，should 等；也可用于带 if 条件句的复合

句的主句中;还可用于 if 引导的虚拟条件句中。例如:

If we **are to be** there in time，we'll have to hurry up. 如果要及时赶到那里,我们得抓紧时间。

If anyone **is to hear** you，you must speak up. 如果让大家都听得见,你就必须大声讲。

If the moon **were to come** out，they could set off tonight. 要是月亮出来了,他们今晚就能动身。

What **am I to say** if she asks me about the money? 要是她问到那笔钱,我该怎么说呢?

If anyone **were to faint** from the heat，send him to hospital at once. 如果有人热昏了,就立即送往医院。

Stronger measures are needed to protect the environment if mankind **is to survive**. 如果人类要继续生存下去,就需要采取更强有力的措施来保护环境。

5 be about＋不定式

这种结构表示即将发生的动作,句中不可用表示未来时间的状语。例如:

He is **about to be transferred** there. 他即将被调往那里。

Sit down everyone. The film's **about to start**. 大家坐下,电影马上开始。

I met her in the doorway just as she **was about to go** away. 她正要离开时,我在门口遇见了她。

演讲就要开始了。
The lecture **is about** to begin. 〔✓〕
The lecture is about to begin soon. 〔✕〕

6 一般现在时

be 动词以及 come, go, begin, leave, sail, arrive, return, start, stop, end, open, stay 等的一般现在时,可以表示将来时间,指根据规定预计要发生的动作或事态。例如:

When **does** the show **begin**? 表演什么时候开始?

I'm busy tomorrow. 明天我将很忙。

The new term **starts** on 18th February. 新学期 2 月 28 日开始。

We **have** dinner with the Smiths on Friday. 我们星期五将同史密斯夫妇一起吃饭。

7 on the point/ verge/ eve/ brink of

表示即将发生的事。例如:

He is **on the point of** making a round-the-world tour. 他即将去周游世界。

The country is **on the brink of** disaster. 那个国家正处于灾难的边缘。

The two countries are **on the verge of** war. 这两个国家正濒于战争。

8 be about to 和 be not about to 的差异

be about to 意为"正要,马上就……",be not about to 意为"不愿意,不打算",两者不可混淆。例如:

He **is about to** come out. Please wait a moment. 他马上就出来,请等一会儿。

John **is not about to** do that again. 约翰不愿意再做那件事了。(＝not willing to)

I **am not about to stop** when I'm so close to success. 我已成功在即,不愿停下来。

9 几种结构的比较

比较下面句子的不同含义:

I **shall sail** for the desert island. 我将航行到那个荒岛上去。(单纯未来)

I **will sail** for the desert island. 我想要航行到那个荒岛上去。(意愿)

I **sail** for the desert island next week. 我下周航行到那个荒岛上去。(计划)

I **am sailing** for the desert island next Friday. 我下周五航行到那个荒岛上去。(事先安排,较随便的说法)

I **am to sail** for the desert island. 我要航行到那个荒岛上去。(事先安排,较正式)

I **am about to sail** for the desert island. 我就要航行到那个荒岛上去。(快发生的事)

I am **on the point of** sailing for the desert island. 我即将航行到那个荒岛上去。(即将发生的事)

I **shall be sailing** for the desert island. 我就要航行到那个荒岛上去了。(随意亲切的说法)

【提示】

① will 的否定用法可以表示拒绝做某事,用于物时,好像无生命的物有了意志力。例如:

The door **won't** shut. 这门关不上。

② will/would 重读,可表示批评或不满的意味。例如:

The boy **will** leave his toys about. 那孩子总是把玩具到处乱扔。

③ will I? 和 will we? 可以用来回答对方的询问,表示"当然可以,那还用问"等,有时也可表示对将来事实的询问。例如:

A:Will you do me a favour? 帮个忙好吗?
B:**Will I**? Of course I will. 当然可以。

A:You will try again, won't you? 你要再作努力,是吗?
B:**Will I**? 那还用问。

Jim, what **will I** say to her? 吉姆,我向她说些什么呢?

比较:

Will we stay here over the night? 我们将在这里过夜吗?(表示询问,相当于 Do you know whether we will stay here over the night?)

Shall we stay here over the night? 我们在这里过夜吗?(表示建议,相当于 Do you want to stay here over the night?)

④ shall 和 will 常可缩写为 'll,但当它们位于句首、句尾或跟在 one, someone, none, people 等后时,不可缩写,表示强调时也不可缩写。例如:

People **will** live better in the future. 人们将来会生活得更好。

You **will** regret it some day. 你有一天肯定会后悔的。(强调)

十一、将来进行时(The Future Continuous/ Progressive Tense)

1. 构成

shall/will be＋现在分词

2. 功能

1 表示将来某个时刻或某一段时间里正在进行的或持续的动作

What **will** you **be doing** this time tomorrow? 明天这个时候你将在做什么?

I **shall be reviewing** my lessons while he is writing a report. 他写报告时,我将在复习功课。

The ship **will be sailing** at noon. 中午时,这艘船将正在航行。

She **will be working** on her doctoral dissertation during May. 整个 5 月她将全部用来写她的博士论文。

(1) 一般将来时既可表示"将来",也可表示"意志,意图",而将来进行时则表示"纯粹的将来",指说话者一种无意图的动作。比较:

Tom **won't cut** the grass. 汤姆拒绝割草。(有意图)
Tom **won't be cutting** the grass. 汤姆将不割草。(无意图,仅陈述一个事实)

I'll **do** my best. 我愿尽最大的努力。/我将尽最大的努力。(意愿或将来)
I'll **be doing** my best. 我将尽最大的努力。(纯粹的将来)

I hope it **won't rain** tomorrow. 我希望明天不下雨。(只表示将来的情况)
It's raining. I hope it **won't be raining** tomorrow. 雨正下着,我倒希望明天不下雨。(强调持续性)

(2) 将来进行时可以表示较近的将来,也可表示较远的将来。例如:

I'll **be finishing** it soon. 我一会儿就完。

Perhaps nobody **will be smoking** in forty years. 也许 40 年后没有人吸烟了。

(3) 上下文清楚时,也可省去时间状语。例如:

They **will be reaching** the summit. 他们就要到达山顶了。

You'll be hearing from me. 你就等我的信吧。

2 代替一般将来时

将来进行时可用来代替一般将来时,表示一种已经决定或肯定的动作或情况,或表示某动作将继续而未完成。例如:

I'll be seeing Mr. Jackson tomorrow. 我明天要见杰克逊先生。

The plane **will be arriving** soon. 飞机快要到了。

The minister **will be giving** a talk on current affairs. 部长将就时局作发表讲话。

Stop the child or he**'ll be falling** over. 止住那孩子,不然他就跌落了。

Tomorrow is my day on duty, so I **shan't be coming** home. 明天我值班,所以就不回家了。

I'll be taking my holidays soon. 我不久就要度假了。

Well,I think **I'll be going**. 哦,我看我该走了。

I'll be driving to Shanghai at the weekend. Can I give you a lift? 我周末开车去上海,你搭我的车吗?

I'll be writing to Peter and I'll tell him about it. 我将给彼得写信,把这件事告诉他。

George **will not be coming**. He has an important meeting to attend. 乔治不来了,他有一个重要会议要参加。

③ 用将来进行时询问别人的计划、打算,比用一般将来时更显礼貌;也可表示较缓和的命令或碰巧发生的事

Will you **be staying** here long? 你在这里待的时间长吗?

Will you **be getting** home late? 你回家晚吗?

What **will** you **be having** for lunch? 你午饭吃什么?

When **shall** we **be meeting** again? 我们何时才能再见面呢?

When **will** you **be paying** back the money? 你何时还钱呢?

You'll be coming at six o'clock. 你要在6点来。

Will you **be having** supper with us this evening? 今天晚上你同我们一起吃晚饭吗?

Will you **be putting** on another play soon? 你们不久就会上演另一个戏剧吗?

Will you **be using** your car tomorrow? If not, can I borrow it? 你明天用车吗? 要是不用,我可以借用吗?

比较:

Will you **be coming** to the dancing party? 你能来参加舞会吗? (是否碰巧也能参加)

Will you **come** to the dancing party? 你来参加舞会好吗? (邀请)

④ 静态动词用于将来进行时,强调持续状态为一时进行的,或为短暂行为,或刚刚开始

The flashlight **will be needing** new battery soon. 手电筒就要换电池了。

She**'ll be owning** her own house next. 她就要拥有自己的房子了。

You'll be forgetting your own name next. 这样下去,你会连自己的名字都忘掉的。

What's your sister like? I **shall be knowing** her at Nanjing University. 你妹妹什么模样,我要在南京大学认识一下。

【提示】时间状语从句和条件状语从句一般不用将来进行时。例如:

If you **are standing** at the corner of the street when I pass, I shall give you a lift into town. 如果我路过时你站在街角上,我将让你搭便车进城。(不说 will be)

⑤ 表示某种可能和推测,有"我料想,我估计"的含义

She **will be telling** you about it tonight. 今晚她会告诉你相关此事。

They **won't be wanting** this. 他们不会要这个的。

The roses **will be coming** out soon. 玫瑰花不久就会开了。

You **will be making** a mistake. 你会出错的。

The sun **will be setting** in a minute. 太阳一会儿就该落下去了。

【提示】下面句中的 will 应看作情态动词,不表示将来,而表示现在,意为"大概,想必",常同 now 连用。例如:

They**'ll be expecting** you now. 他们现在大概在等着你呢。

It's only eleven o'clock. She **won't be having** lunch now. 现在才11点,她不会在吃午饭。

6 表示原因或结果

You may use my pen. **I won't be needing** it. 你可以用我的钢笔,我不用了。(原因)

Catch the man or he**'ll be running** away. 抓住那人,要不他就逃跑了。(结果)

If you don't come, they **will be wondering** what has happened to you. 你如果不来,他们就会怀疑你出了什么事。(结果)

Please don't come at four this afternoon. **I'll be having** a meeting then. 请不要在今天下午4点钟来,我那时要开会。(原因)

7 用于表现将来动作的情景,使语言生动、形象,带有感情色彩(这种用法多用于带时间状语从句或条件状语从句的主句中)

We **shall be thinking** of you. 我们会想念你的。

Shall I be disturbing you? 我会打扰你吗?

I'll be loving you forever. 我将永远爱你。

It **will be snowing** hard before we get there. 我们到达那里前,雪会下得很大。

Come on, or the dinner **will be getting** cold. 快一点,不然饭就会凉了。(表示某种提醒、警告)

When we reach Nanjing it **will** probably **be raining**. 我们到达南京时,很可能赶上下雨。

The children **will be being** very quiet then. 那一会儿工夫,孩子们将非常安静。

I'll be having a few guests tomorrow. 明天我有几位客人。(委婉,因而不能脱身)

If I'm late, mother **will be getting** uneasy. 如果我晚了,母亲会担心的。

In a few minutes I **shall be seeing** her, **talking** to her, **telling** her that I like her. 过一会儿,我就要见到她了,要和她说话,要告诉她我喜欢她。

8 表示将来某动作迟于所安排的另一次动作

He is going to take a stroll in the park, and then he **will be watering** the flowers. 他要在公园里溜达溜达,然后浇浇花。

We are studying Chapter I this week, and later we**'ll be studying** Chapter Ⅱ. 我们本周学第一章,而后学第二章。

This term will end in July and I **will be going** back home in the country. 7月本学期结束之后,我就要回到乡下的家里。

十二、将来完成时(The Future Perfect Tense)

1. 构成

shall/will have+过去分词

2. 功能

1 表示将来某时之前或某动作发生之前已经完成的动作

I **shall have finished** it by next Friday. 到下周五我就把它完成了。

She **will have written** it tomorrow at noon. 明天中午她就会写好了。

They **will have been graduated** from the university before she returns from abroad. 在她从国外回来之前他们就会大学毕业了。

2 表示一个持续到将来某时或某动作发生之前的动作

By next Monday, she **will have studied** here for three years. 到下周一,她在这里学习就要满三年了。

The concert will begin at half past eight. They **will have played** half an hour when you arrive. 音乐会将在8点半开始。你到达时,他们就将已演奏半小时了。

Next month I **shall have worked** here for five years. 到下个月,我就已经在这里工作五年了。

3 表示对现在或将来可能已完成动作的推测,对过去实况的推测

She **will have arrived** by now. 她这时可能已经到了。(=It is likely that she has arrived by now.)

It is seven. He **will have got** up. 现在是7点钟,他可能已经起床了。

He is a somebody now. He **will have forgotten** his old friends. 他现在是个要人了,可能把老朋友都忘了。

I know her father, Professor Smith — you'**ll have heard** of him. 我认识她父亲,史密斯教授——你可能听说过他吧。

You'**ll have heard** that China will launch another spaceship. 中国将要发射另一艘宇宙飞船,你可能已经听说了。

They **would have got** everything ready, I suppose. 我想他们可能已经把一切都准备就绪了。(用 would 比 will 语气更为委婉,主要用于第二、三人称)

I met her once after graduation. That **will have been** around October, 2009. 毕业后我遇见过她一次,那大概是在 2009 年 10 月。

十三、将来完成进行时(The Future Perfect Continuous / Progressive Tense)

1. 构成

shall/will have been+现在分词

2. 功能

表示将来某时、某事之前已在发生的动作,一直延续到将来某一时间,是否延续下去,要视上下文而定,常同表示将来某一时间的状语连用。例如:

By the time the sun sets, they **will have been working** on the farm for six hours. 太阳落山时,他们在农场上干活就将有六个小时了。

It **will have been snowing** for a whole week if it snows again tomorrow. 如果明天还下雪的话,雪就要下整整一个星期了。

【提示】将来完成进行时也可以表示推测,含有"料想,大概"的意思。这种用法的 will 应看作情态动词。例如:

It is early spring. Birds **will have been flying** back. 现在是早春了,鸟儿该飞回来了。

They **will have been having** a holiday last week. 他们上周大概在度假。

Sorry to be late. You **will have been waiting** for some time. 对不起,我来迟了。你大概已经等了些时候了吧。

十四、过去将来时(The Past Future Indefinite Tense)

1. 构成

should/would+动词原形

2. 功能

1 表示从过去某时看来将要发生的动作或存在状态

He said that he **would wait for** us at the bus stop. 他说他要在车站等我们的。

She hoped that they **would meet** again someday. 她希望将来有一天他们能再见面。

2 表示过去的某种习惯性行为,只用 would

Whenever we had trouble, he **would come** to help us. 每当我们遇到困难时,他总会给予帮助。

In snowy evenings I **would sit** with Grandpa by the stove, listening to him reading poems, with my eyes fixed on his pink lips while he was reading. 我每每在大雪中的黄昏里,伴着祖父围坐在火炉边,听着他读着诗篇,看着他读着诗篇时微红的嘴唇。

【提示】表示过去将来时的几种结构

① was/were going to do。这种结构表示准备、计划做某事,或将要发生某事。例如:

I **was going to** buy a car then. 我当时正打算买一辆车。

She **was not going to** do anything that evening. 那天晚上她不准备做任何事。

There **was going to** be a thunderstorm. 将要有雷暴。

When they arrived the plane **was** just **going to** take off. 飞机正要起飞时他们到了。

比较:

He **was going to** leave when you arrived. 你到达时他正准备离开。(正要)

He **was going to** come last night, but it rained. 他本打算昨天晚上来的,但是天下雨了。(打算,没实现)

② was/were about to do。这种结构表示"正要,即将"。例如:

She waited until he **was about to** leave. 她等着一直到他准备离开。

He **was about to** say something more, and then checked himself. 他还想说几句,却又止住了。

He **was about to** be transferred to a seaside town. 他正要被调往一座海滨小城。

③ was/were on the point of doing。这种结构表示"正要……时"。例如:

She **was on the point of** leaving when we came in. 我们进来时,她正要动身。

She **was on the point of** winning when she stumbled and fell. 她正要获胜时摔了一跤。

④ was/were due to do。这种结构表示"定于(某时做某事)"。例如:

The ship **was due to** leave at midnight. 船定于午夜起航。

He **was due to** graduate in the next half of the year. 他将于下半年毕业。

The talk **was due to** last for three days. 谈话将要进行三天。

They **were due to** sign a treaty in May. 他们将于 5 月签订一项协议。

⑤ 过去进行时。go, come, leave, take off 等少数动词可用过去进行时表示过去将要发生的情况。例如:

They said they **were leaving for** England soon. 他们说他们不久就将动身去英国。

A lot of people **were coming** to watch the fireworks. 有许多人要来观看焰火。

We were told that the plane **was taking off** in ten minutes. 我们被告知飞机十分钟后就要起飞了。

She told mother that she **was going** to a dance with Tom. 她告诉母亲,她要同汤姆一起去参加一个舞会。

⑥ was/were to do。这种结构表示曾计划做某事,如果计划的事情没有实现,要用不定式完成式。比较:

She said she **was to take up** the position. 她说她要承担这个职务。(intended to)

She said she **was to have taken up** the position, but later changed her mind. 她说她本打算承担这个职务的,但是后来改变了主意。(intended to, but did not)

▶▶▶ was/were to do 有时表示"后来结果,注定"的含义,并非单纯地指过去的将来。例如:

At that time he did not know that quitting the job **was to become** the turning point in his life. 那时候他不知道,辞去这项工作成了他生活的转折点。

Few men understood Einstein's theories when first published, but they **were to change** our whole view of the universe. 爱因斯坦的理论刚发表时,很少有人能够理解,但是,这些理论后来却改变了我们对宇宙的整个看法。

十五、过去将来完成时(The Past Future Perfect Tense)

1. 构成

would have+过去分词

2. 功能

表示从过去某个时间看将来某时之前已经完成的动作。例如:

He said that they **would have arrived** by seven o'clock. 他说他们在 7 点钟前就会到达。

She told me that she **would have finished** typing the letter before I came back. 她告诉我,在我回来之前她就会把信件打好的。

She knew by the time she arrived he **would have gone** back to his home village. 她知道她到达时他已经返回家乡了。

I thought Judy **would have graduated** from the college by then. 我想届时朱迪就已经大学毕业了。

【提示】

比较下面两句的含义:

$\begin{cases} \text{I } \textbf{would have liked} \text{ to see the play. 我当时很愿意看这出戏。（过去愿意,当时未能实现,不是过} \\ \text{去将来完成时）} \\ \text{I } \textbf{would like} \text{ to see the play. 我很愿意看这出戏。（现在愿望,现在、将来或许能实现）} \end{cases}$

十六、过去将来进行时(The Past Future Continuous / Progressive Tense)

1. 构成

should/would be＋现在分词

2. 功能

表示从过去某时看将来某时正在进行的动作或计划中的事,常用于宾语从句中。例如:

She said she **would be looking** after you. 她说她会照顾你的。

He said he **would be setting** off on the 9 o'clock train. 他说他将乘 9 点的火车出发。

She didn't know when she **would be seeing** us again. 她不知道她什么时候才会再见到我们。

The children were excited. Next Friday we **would be flying** to New York. 孩子们都很兴奋。下周五我们就会飞往纽约了。

He asked me what I **would be doing** when he came the next day. 他问我当他第二天来的时候我会在做什么。

【提示】

① 下面句中的 would be standing 表示过去的惯常做法:

When the noon bell rang, I **would** race breathlessly home. My mother **would be standing** at the top of the stairs, smiling down at me. 中午放学铃响,我就一口气往家跑。母亲总是站在门前台阶的最高层,笑盈盈地望着我。

② 上下文清楚时,可省略时间状语,并可用于状语从句、定语从句及独立句中。例如:

She would come to see you off as you **would be leaving** home. 你离开家时,她将来为你送行。

The bridge they **would be building** was the first longest in the world. 他们将要建的桥是世界第一长桥。

It had to come to the surface in daylight, so that it would be easily found by the mother ship which **would be waiting** for it. 它得在天还亮着时浮上海面,这样就容易为等候在水面上的母舰发现。

The plane took off. John **would be flying** to America. 飞机起飞了,约翰要飞往美国。（独立句中）

十七、过去将来完成进行时(The Past Future Perfect Continuous / Progressive Tense)

1. 构成

should have been＋现在分词

2. 功能

表示从过去某一时间开始一直延续到过去将来某一时间,是否延续下去,视上下文而定。例如:

She said that by the end of the year she **would have been studying** here for three years. 她说到今年年底,她就已经在这里学习三年了。

【提示】过去将来完成进行时可以表示推测,有"想必,大概"的含义,这种用法的 would 应看作情态动词。例如:"Have you found the necklace?" He asked her; he knew she **would have been worrying** about it. "你找到那条项链了吗?"他问她。他知道那件事她会一直放心不下的。

十八、时态呼应(Sequence of Tenses)

英语从句(特别是宾语从句)中的谓语动词的时态,常常受到主句谓语中动词时态的影响和制约,这种现象称为"时态呼应"。时态呼应的基本规则如下。

1. 如果主句中谓语动词的时态是现在时或将来时,从句可以根据需要选用时态

I know who **is/was/will be/has been** in charge of the work. 我知道谁是/曾/将/一直负责此工作。

I will tell you how they **got/will get** the information. 我将告诉你他们是怎样/将要怎样得到情报的。

2. 如果主句中谓语动词的时态是一般过去时,则从句要用过去有关时态

I didn't know where he **was**. 我不知道他在哪里。

I thought she **was taking** a bath then. 我以为她当时在洗澡呢。

She promised that she **would give** me whatever help I needed. 她许诺给我提供任何帮助。

The foreign guests told me that they **had learnt** a lot during their stay in China. 这些外国客人告诉我说,他们在中国逗留期间学到了很多东西。

3. 如果从句表示的是客观事实、真理或一个人/物的经常性的特点或习惯,其时态通常用一般现在时,不受主句时态的影响

The teacher told the children that the sun **is** the center of the solar system. 老师告诉孩子们,太阳是太阳系的中心。

Did he say that the plane **takes** off at 8:30? 他是不是说这次航班八点半起飞?(特点)

Mother told me that honesty **is** the best policy. 母亲告诉我诚实是上策。(谚语)

Our teacher said that handsome **is** that handsome **does**. 老师说,善行胜于美貌,美德为人称道。(谚语)

He said that he usually **reads** the newspaper before going to bed. 他说他睡觉前通常看看报纸。(习惯)

Mary told father that Jack **is** always **finding** fault with her. 玛丽告诉父亲说,杰克老是挑她的错。(经常性的特点)

比较:

She said that she **goes** to work at seven every morning. (每天早上7点钟上班的习惯至今未变)
She said that she **went** to work at seven every morning. (每天早上7点钟上班是过去的习惯,现已改变)

他宣布他6月份结婚。
He announced that he **is getting** married in June. (理当属实)
He announced that he **was getting** married in June. (扬言如此,能照办吗?)

他说天气好转他就来拜访我们。
He said he **will visit** us when the weather **is** finer. (相信天气会好转,他也真要来)
He said he **would visit** us when the weather **is** finer. (天气自然会好转,他说要来,那就等看看他来不来吧)
He said he **would visit** us when the weather **was** finer. (天气会不会好转,他会不会来,都未可知)

彼得说他就要来了
Peter said he**'s coming**. (真的要来)
Peter said he **was coming**. (真情未知)

4. 如果从句表示的仍然是现在或将来的时间,其时态不受主句的影响

She told me that her father **is** still **operating** on the patient. 她告诉我她父亲仍在给病人做手术。(现在仍在做)

She said that she **is flying** to Sydney next week. 她说她下周飞往悉尼。(尚未飞往悉尼)

This morning I met a man who **is flying** a kite over there. 在那边放风筝的就是我今天早上遇到的那个人。

He said he**'ll be** back tonight. 他说他今晚回来。

She told me that she **is** a manager in the firm. 她说她是这家公司的一个经理。(现在仍然是)

He said that they **will sign** a new treaty next Monday. 他说他们将在下星期一签订一个新的协议。

比较:

她说她感觉不太好。

She said she **was not feeling** well. (过去的情况)

She said she **is not feeling** well. (刚才说的,现在仍感觉不佳)

He told me that he **was going** on the journey that evening. 他告诉我他那天晚上出发去旅行。

He told me that he **is going** on the journey this evening. 他告诉我他今天晚上出发去旅行。

她想知道琼斯先生发生了什么事。

She wanted to know what **had happened** to Mr. Jones. (过去问过去的情况)

She wanted to know what **has happened** to Mr. Jones. (刚才问现在的情况)

【提示】下面几个从句中可用两种时态,但如果强调现在的情况,则用一般现在时更好:

How did you know that I **was/am** Peter? 你怎么知道我是彼得?

She said she **was/is** going tomorrow. 她说她明天去。

The teacher said that money **was not/is not** everything. 老师说金钱并不是万能的。

How did you know she **lived/lives** here? 你怎么知道她住在这里?

Did you say you **loved/love** the house? 你是说你喜欢这所房子吗?

Did you say you **had/have** no money left? 你是说你没有钱了吗?

5. as...as 和"比较级+than"结构不受主句时态的影响

这种比较从句可根据实际情况选用时态。例如:

$$\left.\begin{array}{l} \text{She does the work} \\ \text{She did the work} \\ \text{She will do the work} \end{array}\right\} \text{as carefully as} \left\{\begin{array}{l} \text{I do.} \\ \text{I did.} \\ \text{I shall do.} \\ \text{I have done.} \\ \text{I had done.} \end{array}\right.$$

He is more diligent $\left\{\begin{array}{l} \text{than you are. 他比你更勤奋。(现在)} \\ \text{than you were in middle school. 他比你在中学时更勤奋。(过去)} \end{array}\right.$

6. 在一些情况下,为表达思想的需要,要对时态进行调整,特别是在状语从句和定语从句中,这时时态就不需要呼应

The man who spoke at the meeting **is** his elder brother. 在会上发言的人是他哥哥。

In the past, she liked to go downtown by bike, but now she seldom **does**. 她从前喜欢骑自行车去商业街,但是现在很少这样做了。

7. 一般现在时在时态呼应中的几种特殊用法

① as, than 等后的从句用一般现在时代替一般将来时

我们知道,如果主句是一般将来时,在由 if 和 unless 等引导的条件状语从句中以及在由 before、when, after, until 等引导的时间状语从句中,要用一般现在时表示将来的时间概念,用一般过去时表示过去将来,这个规则也适用于由 as, than, whether 和 where 等引导的从句。例如:

I'll go **where he goes**. 他到哪儿,我也到哪儿。

I will have a good time **whether I win or lose**. 赢也罢,输也罢,我都会玩个痛快。

He'll probably be on the same plane **as I am tomorrow**. 他明天很可能跟我乘同一架飞机。

② 如果主句谓语是一般将来时,句中宾语从句或定语从句的谓语用一般现在时表示将来

If you don't come tomorrow, I will go to your house and find out **why you're not at work**. 如果你明天不来,我就要到你家里弄清楚你为什么不上班。

The man **who marries his daughter** will need to be tough, fast-moving, and quick-thinking. 谁要想娶他的女儿,必须身体健壮、行为果断、才思敏捷。

③ 在 I don't care, I don't mind, It doesn't matter, It's not important 等结构后,多用一般现在时,通常不用将来时

I don't care **whether he comes or not**. 我才不管他来不来呢。

It doesn't matter **who goes there in his place**. 谁代他去都没有关系。

8. 由于时间着眼点的不同,并列谓语或并列句中可以用不同的时态

Truth **is** great and **will** prevail. 真理是至高无上的,必将获胜。

I respect you now and always **will**. 我现在尊敬你,永远会尊敬你。

She never **can** nor **shall** forget your goodness. 她不能也不会忘记你的好意。

I've never **known** any girl as pretty as you and I never **shall**. 我从未结识过像你这样漂亮的姑娘,而且以后也不会了。

I was, **have** always **been**, and **will** forever **be** your devoted friend. 我过去是,现在一直是,将来永远是你忠实的朋友。

We were,we **are** and we **will be** your strong supporters. 我们过去是,现在是,将来也是你坚强的支持者。

【提示】比较下面句子的不同时态及含义:

He **will do** the work better than you **did.** (你所做的)
He **will do** the work better than you **have done.** (你已经做的)
He **did** the work better than you **did.** (你做的)

【改正错误】

1. He also <u>conceived</u> that the solar system and the universe <u>would come</u> into existence <u>by</u> a natural
         A   B   C
   process and would disappear <u>one day</u>.
                       D

2. If she doesn't tell him <u>the truth</u> now, he'll simply <u>keep on</u> <u>asking</u> her until she <u>will</u>.
                       A   B   C   D

3. The Minister of Finance <u>has not been</u> so popular <u>since</u> he <u>had raised</u> taxes to <u>such</u> a high level.
                          A   B   C   D

4. While people may <u>refer to</u> television for <u>up-to-the</u> minute news, it is unlikely that television
                      A   B
   <u>replaced</u> the newspaper <u>completely</u>.
     C   D

5. As a young man he <u>did not</u> know that he <u>was going to</u> become famous <u>later on</u>.
    A   B   C   D

6. I'm glad that Frank decided to <u>come to</u> the party <u>because</u> we <u>don't see</u> him <u>for several years</u>.
                             A   B   C   D

7. She <u>intended to</u> clean out the <u>spare</u> room last week, but she was <u>too much</u> <u>occupied</u> at that time.
        A   B   C   D

8. "You <u>are</u> very clever <u>today</u>" would indicate that <u>this</u> was <u>unusual</u>.
       A   B   C   D

9. It seems oil <u>leaked</u> from this pipe for some time. We'll <u>have to</u> <u>take the machine apart</u> to put it
            A   B   C
   <u>right</u>.
    D

10. They <u>still</u> wonder <u>whether</u> their life <u>will change</u> considerably <u>by the year</u> 2060.
         A   B   C   D

11. The teacher <u>has gone</u> over the <u>problems</u> <u>for some times</u> before the students took <u>the exam</u>.
               A   B   C   D

12. <u>When he retires</u>, Professor Smith <u>will be teaching</u> here for over thirty years, <u>but</u> his classes are
        A   B   C
    never <u>dull</u>.
        D

13. The conveniences that Americans desire <u>reflect</u> <u>not so much</u> a leisurely lifestyle as a busy lifestyle
                                      A   B
    <u>in which</u> even minutes of time <u>were</u> too valuable to be wasted.
      C   D

14. When the policemen <u>found</u> the body of <u>the lost child</u>, he <u>had already died</u> for <u>about</u> five days.
                     A   B   C   D

15. By the time educators introduced reforms in education there has been a serious decline in
    　　　　A　　　　　　　　　　　　　B　　　　　　　　　　　C
achievement in fundamental subjects.
　　　　　D

16. We all knew that we would never have the equipment we needed for our experiments unless we
    　　　　　　　　　　A　　　　　　　　　　　　　　　　B　　　　　　　　　　　　　　C
make it ourselves.
　D

17. After making the experiment for five days he suddenly realized that he has been using the wrong
    　　A　　　　　　　　B　　　　　　　　　　　　　　　C　　　　　　　　D
method.

18. Whenever he will go he takes the pistol with him, and he believes he can get a sease of security.
    　　　　　　A　　　　　　　　　　　B　　　　　　　　　C　　　　　　　　　　D

19. John applied three times before he had been finally admitted to the university.
    　　　A　　　B　　　　　　　　C　　　　　　　　D

20. The changes that took place in the last thirty years would have seemed completely impossible to
    　　　　　　　A　　　　　　B　　　　　　　C
even the most brilliant scientists at the turn of the 19th century.
　　　　　　　　　　　　　D

21. Jack would rather that his girl friend had worked in the same department as he does.
    　　　A　　　　　　　　　　　B　　C　　　　　　　　　　　D

22. It was not until then that I came to know that knowledge has come only from practice.
    　　A　　　　　　　B　　　　　　　　　　　　C　　　D

23. You will hardly believe it, but this is the fifth time tonight someone telephoned me.
    　　　A　　　　B　　　　　　　　C　　　　　　　　D

24. Floods and bad farming over the years ruin a land that had once been rich and made it miserably
    　　　　　　　　　　A　　　　　B　　　　C　　　　　　　　D
poor.

25. Every few years, the coal workers have had their lungs X-rayed to ensure their health.
    　　　A　　　　　　　　B　　　　　　C　　　　　　　　D

26. Teenagers will damage their health because they play computer games too much.
    　　A　　B　　　　　　　C　　　　　　　　　　D

27. I called Jack many times yesterday evening, but I couldn't get through. Her brother talked on the
    　　　　A　　　　　　　　　　　　　B　　　　　C
phone all the time.
　　D

28. Daniel's family will enjoy their holiday in the mountains this time next week.
    　　　A　　　　B　　　　　　C　　　D

29. I went along the street looking for a place to park my car when the accident happened.
    A　　　B　　　　　　　　C　　　　D

30. She no sooner got to the office than she got down to writing the report for her manager.
    A　　　　　　　　　　B　　　C　　　　　　D

【答案】

1. B(had come)　　　　2. D(does)　　　　3. C(raised)　　　4. C(will replace)
5. C(was to)　　　　　6. C(haven't seen)　　7. A(had intended)　8. A(are being)
9. A(has been leaking)　10. C(will have changed)　11. A(had gone)　12. B(will have taught)
13. D(are)　　　　　　14. C(had already been dead)　　　　　15. C(had been)
16. D(made)　　　　　17. D(had been using)　18. A(goes)　　　19. C(was)
20. A(have taken place)　21. B(worked)　　　22. C(comes)　　　23. D(has telephoned)
24. C(was once rich)　25. B(have)　　　　26. B(are damaging)　27. C(was talking)
28. A(will be enjoying)　29. A(was walking)　30. A(had no sooner got)

第十讲 被动语态(Passive Voice)

一、构成

英语有两种语态:主动语态(Active Voice)和被动语态(Passive Voice)。主动语态表示主语是谓语动作的执行者/施动者(agent),被动语态表示主语是谓语动作的承受者/受动者(recipient),其构成为"be＋过去分词"。例如:

They **will widen** the road. 他们将拓宽道路。(主动)
The road **will be widened**. 道路将被拓宽。(被动)

Granny **takes care of** the baby. 奶奶照看宝宝。(主动)
The baby **is taken care of** by Granny. 宝宝由奶奶照看。(被动)

Privileges **must be done away with**. 特权必须废除。

The matter **will be dealt with** as soon as possible. 这事将尽快处理。

1. 被动语态各种时态形式表

	一般时态	进行时态	完成时态
现在	am/is/are＋asked	am/is/are＋ being asked	has/have＋been asked
过去	was/were＋asked	was/were＋being asked	had been asked
将来	shall/will＋be asked		shall/will＋have been asked
过去将来	should/would＋be asked		should/would＋have been asked

The horizon of life **is broadened** chiefly by the enlargement of the heart. 生活的地平线主要是随着心灵的开阔而变宽广的。(一般现在时)

Hill slopes **are cleared** of forests to make way for crops. 山坡上的树林都被砍光了,用来种庄稼。(一般现在时)

That day **is pictured** as far in the future. 人们看来,那一天还遥遥无期呢。(一般现在时)

They **were given** a warm send-off. 他们受到热烈的欢送。(一般过去时)

As I walked along the street, my mind **was flooded** by waves of nostalgia. 我走在这条街上,怀旧之情澎湃心间。(一般过去时)

Their wedding **will be held** in the church. 他们的婚礼将在教堂里举行。(一般将来时)

Mailed out automatically, the e-mail **will be received** by all the club members. 电子邮件自动发出,所有的会员都会收到。(一般将来时)

I'm afraid I **am being followed**. 恐怕我被人跟踪了。(现在进行时)

We had to take a detour. The road **was being repaired**. 我们得绕行,这条路在维修。(过去进行时)

The case **has** recently **been tried**. 案子最近已经审过了。(现在完成时)

All the tickets **had been sold out** when they arrived. 他们到达时,所有的票已经售完。(过去完成时)

They were told that the result **would be announced** the next week. 他们被告知,结果将在下一周宣布。(过去将来时)

2. 情态动词的被动语态

含有情态动词的谓语变为被动语态时,结构为:

一般式:情态动词(can, could, may, might, must, should, need 等)＋be＋过去分词

完成式:情态动词(can，could，may，might，must，should，need 等)＋have been＋过去分词

This **can be done** by hand. 这可以手工做。

This **mustn't be neglected**. 这一点不可忽视。

It **needn't be mentioned** in your talk. 这一点你在谈话中不必提及。

The environment **should be improved**. 环境应当改善。

The project **might have been completed** earlier. 这项工程本可以早些完工的。

Such a situation **could have been changed**. 这种状况本可以改变的。

They **shouldn't have been told** about the plan. 这个计划是不应当告诉他们的。

Lost health **may be replaced** by temperance or medicine. 失去的健康可以靠节制或药物而复得。

3. be going to 等不定式结构的被动形式

这类不定式结构的被动形式为：

$$\left.\begin{array}{l}\text{be going to/ought to/be to/be bound to/be sure to}\\ \text{be certain to/be due to/be about to/have/has to/had to}\end{array}\right\}+\text{be}+过去分词$$

The patient **ought to be operated on** at once. 这病人应当立即动手术。

The flowers **ought to be watered** every other day. 这些花应隔天浇一次水。

The meeting **is going to be held** next week. 会议将于下周举行。

Other problems also **have to be faced**. 还需面对其他问题。

It'll **have to be proofread** once more. 这得重新校对一遍。

Such people **are to be punished**. 这种人应受到惩罚。

Not a cloud **was to be seen**. 看不到一丝云。

The thief **is sure to be caught**. 那个小偷一定会被抓住的。

They **are certain to be given** more care. 他们一定会得到更多的关照。

The enemy **is bound to be defeated**. 敌人一定会被打败。

The book **is due to be published** in the coming spring. 这本书将在来年春天出版。

The decoration **is about to be finished**. 装修即将结束。

Another railway **is going to be built** in this area. 这个地区将修建另一条铁路。

The trip **is to be cancelled** because of the bad weather. 由于天气恶劣,旅行将要被取消。

二、被动语态使用要点

1. 不及物动词不能用于被动语态

appear，rise，die，happen，occur，lie，depart 等都属此类动词。例如：

Many accidents **occur** in the home. 许多事故都发生在家中。

The train for Shanghai will **depart** from platform 5. 开往上海的火车将从 5 号站台发车。

Smoke **rose** from the chimney. 烟从烟囱中冉冉升起。

2. 表示状态的动词不能用于被动语态

英语中有些动词(短语动词)不是表示动作,而是表示某种状态或情况,有"拥有、容纳、适合、缺少、明白"等意,这类动词不能用于被动语态。这类动词有些是及物动词。常见的有:lack，fit 适合，mean，hold，have 有，flee，owe，total，resemble，cost，equal，contain，suit，comprise，become，last，possess，benefit，befit，suffice，suffer，befall 降临，fail，consist of，look like，feel like，belong to 等。例如：

The book **costs** 10 *yuan*. 这本书 10 元。

What's **become of** her? 她后来怎样了?

This sort of behavior hardly **becomes** a person in your position. 这种行为与你所处的地位简直不相符。

Jane **resembles** her mother. [√] 简长得像她母亲。

Her mother is resembled by Jane. [×]

{Sam **lacks courage and intelligence**. ［√］萨姆缺乏能力和智慧。
Courage and intelligence are lacked by Sam. ［×］

{It **feels like** a potato. ［√］它摸起来像个土豆。
A potato is felt like. ［×］

{The house **belongs to** a rich man. ［√］这房子是属于一个富人的。
A rich man is belonged to the house. ［×］

【提示】

① 当 have 作"吃,接收,经历,度过"解时,虽用作行为动词,但一般不用于被动语态。例如:

{She **has had** lunch. ［√］她吃过午饭了。
Lunch has been had by her. ［×］

② 当 have 作"得到,获得,欺骗,享受"解,或同某些介词、副词结合构成及物性短语动词时,可用于被动语态。例如:

She **has been had** in the dealing/over the bargain. 她在那项交易/买卖中受骗了。

The ticket **can be had** for the asking. 票索要即得。

The young man **was had up** by the boss. 那个年轻人被老板叫走了。（＝was summoned）

A good time **was had** by them all. 他们都玩得很快活。（had＝enjoyed）

③ become of 不可用于被动语态。例如:

Whatever will **become of** Walter when his wife dies? 如果妻子死了,沃尔特会怎样呢?

④ catch 表示"挂住,夹住,钩住"时不可用于被动语态,但可以说 get caught。例如:

His shirt **caught** on a wire fence. 他的衬衣被铁丝栅栏钩住了。（不可说 was caught）

The kite **caught** in the tree. 风筝被树挂住了。（不可说 was caught）

但: My finger **got caught** in the car door. 我的手指被车门夹了一下。

⑤ add up to(合计达,总起来说)不可用于被动语态。例如:

The expense **added up to** more than five thousand dollars. 开销总计达 5 000 美元。（不可说 was added up to）

3. 某些动词的进行时可以表示被动意义

常见的这类词有:bake, owe, brew, cook, print, bind, do, make 等。例如:

The meat is **cooking**. 肉在煮着。

The cakes are **baking**. 蛋糕在烘。

The tea is **brewing**. 茶在煮。

The money is still **owing**. 那笔钱仍欠着。

Bolts are **making** in this shop. 车间里正在制造螺钉。

The bridge is **building**. 桥正在修建。（＝is being built）

The book is **printing**. 这本书正在印刷。

Apples **are selling** cheaply. 苹果卖得很便宜。（＝are being sold）

The cow **was milking**. 那头牛正在挤奶。（＝was being milked）

Drums and gongs **are beating**. 敲锣打鼓。（＝are being beaten）

The eggs **are frying**. 蛋正在煎。

The dictionary is **binding**. 词典在装订。

Some clothes **are airing** on the fence. 篱笆上晾着一些衣服。

A new film **is showing** in town. 城里在放一部新影片。

The guns are **firing**. 枪炮正在开火。

Trumpets are **sounding**. 号角在吹响。

A grand ceremony is **preparing**. 一个盛大的仪式正在准备中。

Some measures are **taking**. 正在采取一些措施。

My work is **finishing**. 我的工作在完成。

The ship is **fitting up**. 船在组装中。

The house is **completing**. 房屋正在完工。

The book is **reprinting** already. 这本书又在重印了。

Their new products **are selling** like hot cakes. 他们的新产品正在热销。

Potatoes **are cooking**. 土豆在煮。

4. 不及物动词构成的短语动词能否用于被动语态

① 及物动词构成的短语动词总是及物性的,故可以用于被动语态(注意不可省掉或漏掉介词或副词),如 win over, give up, ask for, make mention of 等。但是,不及物动词构成的短语可以是及物性的,也可以是不及物性的;不及物性的短语动词不可用于被动语态,如 look up, look down 等(参阅本讲下文)

> 情况看来有好转。
> Things **are looking up**. [√]
> Things **are being looked up**. [×]

② 不及物动词构成的及物性短语动词则可以用于被动语态

The problem **has been gone into**. 这个问题已经研究过。

The ground **has been sat on** and the bed **has been slept in**. 地上有人坐过,床上有人睡过。

【提示】pay attention to, take care of 等动词短语可以有两种被动语态形式。例如:

> 局势将受到关注。
> The situation **has been paid attention to**.
> Attention **has been paid to** the situation.

> 伤员得到了很好的照顾。
> The wounded **are taken good care of**.
> Good care **is taken of** the wounded.

> 屋子里被弄得一塌糊涂。
> The house **has been made** a mess of.
> A mess **has been made** of the house.

③ 可用于被动语态的常用动词短语

listen to 听从	live in 住其中	agree on/to 同意	sleep in 睡其中
insist on 坚持	pay for 付……的钱	talk of 谈到	laugh at 嘲笑
look after 照看	look for 寻找	make a fool of 捉弄	set fire to 放火烧
look up to 尊敬	look upon 看待	look forward to 期待	frown on/at/upon 不赞成
speak to 同……说话		look upon as 把……看作	
look (sb.) up and down 上下打量(某人)		take no notice of 不注意	

Gambling **is looked upon** as a sin. 赌博被看作犯罪。

The man **was looked up and down**. 那人被上上下下打量着。

That **is agreed on** by all. 大家都赞同那一点。

He **is being made a fool of**. 他在被人捉弄着。

The bed **hasn't been slept in** yet. 这张床还没有人睡过。

The cave **was** once **lived in** by the explorers. 这个山洞曾被探险的人住过。

He is a man who **is** always **listened to**. 他是个总能让人言听计从的人。

His retirement is very much **looked forward to** by his daughter. 他女儿非常盼望着他退休。

Bill has been **looked up to** for his courage and determination. 比尔因其勇敢果断而一直受人敬重。

She **has been looked upon** with distrust by her colleagues. 她总是被同事以不信任的态度看待。

Even though divorce is legal it **is** still **frowned upon**. 尽管离婚是合法的,但人们仍不太喜欢。

A straightforward answer **is insisted upon**. 坚持要给予明确答复。

【提示】

① speak for 表示"订购,预订"时可用于被动语态;用于 speak for itself/themselves 表示"不言而喻,不辩自明"时,不可用于被动语态。例如:

The first 200 cars off the production line **have** already **been spoken for**. 第一批 200 辆汽车刚下生产线便被订购一空。

> 这一事实不言自明。
> The fact **speaks for** itself. [✓]
> Itself is spoken for by the fact. [✗]

② care for 表示"喜欢,想要"时不用于被动语态,表示"照顾"时,可用于被动语态。例如:

The children **are being** well **cared for** by her. 孩子们受到了她的精心照料。

> 我不喜欢那种颜色。
> I don't **care for** that color. [✓]
> That color isn't cared for by me. [✗]

4 不可用于被动语态的常用动词短语

① 动词＋名词→take place 发生

② 动词＋介词→aim for 瞄准/计划,agree with 同意,admit of 有……的余地,adjust to 适应,come to 涉及,become of 结果是,accord with 与……一致,abound in 富于,consist of 由……组成,get to 到达,walk into 走进

③ 动词＋副词→get back 返回,face out 坚持到底,answer back 顶嘴,have on 穿上,turn out 结果是/证实,run out 结束/用光/耗尽,break out 爆发

④ 动词＋名词＋介词→set sail for 扬帆起航,give way to 让位,have a hand in 插手,give place to 让位

⑤ 动词＋副词＋介词→keep up with 跟上

They all **agreed with** me. 他们都同意我的观点。

She **got to** the airport one hour ahead of time. 她提前一个小时到达机场。

They **walked into** the hall one by one. 他们一个接着一个走进了大厅。

> 他同他父亲顶嘴。
> He **answered** his father **back**. [✓]
> His father was answered back. [✗]

> 这个委员会有 10 名成员。
> The committee **consists of** ten members. [✓]
> Ten members are consisted of the committee. [✗]

> 我的家乡发生了巨大变化。
> Great changes **have taken place** in my hometown. [✓]
> Great changes have been taken place in my hometown. [✗]

5 rain 等不及物动词,有时也可用作及物动词(参阅第八讲)

Sometimes it **rains** small fish. 有时候天上下小鱼。

The game was **rained off**. 比赛因下雨取消了。

The meeting was **rained out**. 会议因下雨停开了。

A wheat crop **has been rained out**. 小麦收成被连续雨天糟蹋了。

I was completely **snowed** by his Southern charm. 我完全被他那种南方人的魅力蒙骗了。

We were **snowed in** for five days last month. 上个月我们被大雪围困了五天。

6 reach 等及物动词,在某层意思上不可用于被动语态

> 他们最终达成了协议。
> They **reached** an agreement at last. [✓]
> An agreement **was reached** at last. [✓](reach 表示"达成"可用于被动语态)

> 他们黎明时到达了山顶。
> They **reached** the hilltop at dawn. [✓]
> The hilltop was reached by them at dawn. [✗](reach 表示"到达"时不可用于被动语态)

5. 主动形式表示被动意义的词

1 某些感官动词或系动词加形容词可以表示被动意义,如:look, smell, taste, feel, prove, wear, sound 等

The flower **smells** sweet. 花闻起来很香。

The dish **tastes** delicious. 菜吃起来非常可口。

The cloth **feels** very soft. 这种布摸着很柔软。

The stones **have worn** smooth. 石头都磨得光滑了。

2 某些行为动词后加副词(有些可不加副词)可以表示被动意义,如:wash, write, sell, read, open, cut, lock, peel, pack, play, shut, spot, split, strike, record, act, clean, draw, iron, keep, photograph 等

This type of recorder **sells** well. 这种型号的录音机销路很好。

That kind of shirt **washes** very well. 这种衬衫很耐洗。

Ripe apples **peel** easily. 熟了的苹果削皮容易。

The plays won't **act**. 这些戏不宜上演。

Nylon **dries** quickly. 尼龙织物干得快。

It **eats** well. 这东西吃上去味道好。

The door won't **shut**. 这门关不上。

The novel **reads** well. 这部小说易读。

The door **opens** with difficulty. 这扇门很难开。

The wood won't **burn**. 这木头烧不着。

Water **heats** rapidly. 水容易烧热。

The meat **cuts** easily. 肉容易切。

Soft fruit **bruises** easily. 细嫩的水果容易被碰损。

Her coat **caught** in the door. 她的上衣钩在门上了。

This kind of shirt **cleans** easily. 这种衬衫容易洗干净。

The work does not **pay**. 这项工作是没有报酬的。

The essay **reads** smoothly. 这篇散文读起来很流畅。

This kind of shoes **wears** comfortably. 这种鞋穿着很舒适。

Most academic books don't **sell** well. 大多数学术著作不好卖。

These pigs **kill** well. 这些猪出肉率高。

Mosquitoes **kill** easily when incubating. 蚊子产卵时易于消灭。

A girl's skin **bruises** easily. 女孩子的皮肤易擦伤。

The stream **fishes** well. 这条小河里有很多鱼可钓。

The flat **lets** for 3,000 *yuan* a month. 这套公寓每月租金 3 000 元。

The photograph probably won't **enlarge** well. 这张照片放大了可能不好。

This kind of engine **dismantles** easily. 这种引擎易于拆开。

This belt **won't buckle**. 这根腰带扣不上。

His voice **carries** well. 他的声音传得远。

The chimney **draws** well. 烟囱很畅通。

The beef **ate** surprisingly tender. 那牛肉吃上去嫩极了。

Damp wood will not **fire**. 潮湿的木头烧不着。

The cow **milks** well. 这头母牛出奶率高。

The brake **grips** well. 刹车很灵。

Dry wood **lights** easily. 干木柴容易点燃。

The car **handles** easily. 这车子开起来很灵便。

The wheat **grinds** well. 这麦子很好磨。

These small cans will **pack** well. 这些小罐头包装很方便。

She **persuades** easily. 她容易被说服。

These fruits **pick easily**. 这些果子容易摘下。

This kind of cloth **creases** easily. 这种布容易起皱。

An egg **crushes easily**. 蛋容易压碎。

Cheese doesn't **digest easily**. 干酪不易消化。

This metal **burnishes** well. 这种金属容易擦亮。

The button won't **clasp**. 这扣子扣不上。

The mud **brushes off** easily. 这泥一刷就掉了。

These plastic bags **carry** easily. 这些塑料袋携带方便。

The clothes have **worn** thin. 衣服已经穿薄了。

The shoes **wear** long. 这鞋子耐穿。

The car **drives** easily. 这辆车很好开。

This kind of cake **eats** short and crisp. 这种饼吃起来很松脆。

The poem **reads** full of a sparkling pleasure. 这首诗读起来是极大的享受。

Her voice **records** well. 她的声音录下来真好听。

Betty doesn't **frighten** easily. 贝蒂不那么容易受惊吓。

My hat **blew off**. 我的帽子被风吹掉了。

This book **sells** big. 这本书很畅销。

This paper **tears** easily. 这种纸一撕就破。

These clothes **iron** easily. 这些衣服容易烫平。

Ripe apples **pick** easily. 熟了的苹果容易摘。

The wood **splits** easily. 这木头容易劈开。

That play **screens** badly. 那个剧本不适于拍电影。

These carpets don't **stain**. 这类地毯不容易弄脏。

Much dust has **blown** in. 刮进来很多尘土。

Fish doesn't **keep** well. 鱼不易保鲜。

比较：

{ He **does not photograph** well. 他不上照。

He **has not been photographed** well. 他的相片没有照好。

{ The box **doesn't lock**. 这个箱子锁不上。（箱子本身的性质）

The box **was not locked**. 这个箱子没有上锁。（箱子当时的状态）

{ The door **opened**. 门开了。（强调门自身开了）

The door **was opened**. 门被打开了。（强调被人打开了）

{ The theory **proved** to be correct. 那个理论证明是正确的。（含有自身"证明"的特征）

The theory **was proved** to be correct. 那个理论被证明是正确的。（被人证明）

3 want, deserve, need, require, repay, stand, take, won't bear 和 worth 等词的后面可以用动名词的主动形式表示被动意义

这时，动名词与句中的主语有动宾关系，若动名词是不及物的，应加适当的介词。例如：

The book is **worth reading**. 这本书值得一读。

This point **deserves mentioning**. 这一点值得提到。

The coat **requires mending**. 大衣需要补了。

The children **need looking after**. 孩子们需要照看。

The table **wants cleaning**. 这张桌子该擦了。

The rule will **take some learning**. 这规则需下点工夫才能学会。

That won't **bear thinking** of. 那是不堪想象的。

The ceiling **needs painting**. 天花板需要油漆了。

The house **wants rewiring**. 这房子需要重装电线。

The document **needs signing** by the manager. 这份文件需要由经理签名。

The machine **needs oiling** after cleaning. 这台机器清洗后要加润滑油。

④ 某些作表语的形容词后,用不定式主动形式表示被动意义(参阅"动词不定式"中的被动语态部分)

The rock is hard **to break**. 这块岩石很难打碎。

She is easy **to approach**. 她平易近人。

The fish is not fit **to eat**. 这鱼不易吃。

He is hard **to please**. 他难以取悦。

The passage is difficult **to read**. 这一段很难读。

6. 被动语态结构和系表结构的比较

"be+过去分词"可以是被动语态结构,也可以是"系动词+表语"结构,其区别在于:被动语态表示动作;而系表结构则表示主语的特点、状态或性质。例如:

Their faces **were turned** toward the volcano. 他们的目光都被火山吸引住了。

We **were** strangely **drawn** to him. 我们奇怪地被他吸引住了。

His memory **is treasured** in the hearts of his friends. 朋友们怀念着他。

The gate to the garden **was closed** by a girl. 花园的门被一个女孩关上了。(被动语态强调动作)
The gate to the garden **was closed**. 花园的门关着。(系表结构强调状态)

The novel **is written** by a young writer. 这部小说是一位青年作家写的。(被动语态强调动作)
The novel **is well written**. 这部小说写得好。(系表结构强调特点)

The door **was closed** all day long. 门整天关着。(系表结构)
The door **was closed** earlier than usual. 门比平常关得早。(被动语态)

The project **was not completed** yet. 工程尚未完工。(系表结构)
The project **was completed** within a year. 工程一年就完成了。(被动语态)

She **was run down** by a cyclist. 她被骑自行车的人撞倒了。
The doctor told her that she **was run down**. 医生说她的身体太虚弱了。

The game **was played out** although the light was bad. 虽然光线不佳,比赛还是坚持到底。
He's not the writer he was. He's **played out**. 他写作不如从前了,已经江郎才尽。

① 如果过去分词前有 too, very, so 等程度副词修饰,该结构常为系表结构

The man **was too frightened** to stand up. 那男的吓得站不起来。

I **am very surprised** at your words. 你的话使我大为吃惊。

She **was so worn out** that she couldn't move one step further. 她疲惫不堪,连一步也走不动了。

They **have** always **been so wrapped up** in their own affairs that they have never noticed time passing. 他们只埋头于自己的事务,全然不注意时间在流逝。

② 如果过去分词前后有 much, too much, so much, very much 修饰,该结构为被动语态

She **was discouraged too much** to make another try. 她彻底泄了气,不想再作努力/不敢再试一次。

He **was so much shocked** that he couldn't utter a word. 他极为震惊,连一句话也说不出来。

③ -ed→被动语态, -en→系表结构

有些动词的过去分词有两种形式,一般说来,以不规则形式的分词或-ed结尾的分词构成被动语态,以-en结尾的分词构成系表结构。比较:

She **was struck** by a snake. 她被蛇咬了。(被动)
She **was stricken** with fever. 她发烧了。(系表)

Father gets **shaved** every other day. 父亲隔天刮一次脸。(被动)
Father **was** clean **shaven**. 父亲的面修得很干净。(系表)

④ 一般现在时的"be+过去分词"多为系表结构

一般说来,一般现在时的"be+过去分词"为系表结构,因为被动语态不常用一般现在时(只有表示经常性、习惯性或多次重复的动作,或讲述科学真理时才用一般现在时被动语态)。比较:

The matter **was decided** at the meeting. 这件事在会上决定了。(被动)
The matter **is decided**. 这件事决定了。(系表)

The glass **was broken** last night. 玻璃杯昨天夜里打破的。（被动）

The glass **is broken**. 玻璃杯破了。（系表）

其他如：

The field **is covered** with snow. 田野里白雪茫茫。

The building **is completed**. 大楼完工了。

Where **is** the king **buried**? 国王埋在哪里？

All the seats **are occupied**. 所有的座位都有人坐。

All **is lost**. 一切都完了。

He **is** now **locked** in loneliness. 现在他陷入孤独不能自拔。

He **is** well **experienced** in the ways of the world. 他深谙世事。

5 "名词＋-ed"构成的词作谓语时为系表结构

由名词加-ed构成的词如 diseased, talented, skilled 等，由过去分词加前缀-un 构成的词如 unexpected, unwritten, unbroken 等，也包括 downhearted 等，虽形为过去分词，但实为形容词。这类词出现在 be 后只能是系表结构。例如：

Her leaving was **unexpected**. 她的离开不在意料之中。

The law is **unwritten**. 这项法律没有行诸文字。

His liver is **diseased**. 他的肝脏有病。

He is **downhearted**. 他十分沮丧。

6 过去分词是反身动词或表示心理、感情、从事……活动、处所等时，为系表结构(参阅下文)

The meadow **was bathed** in sunlight. 草坪沐浴在阳光中。（bathed itself 沐浴）

The way **was lost** in the woods. 路消失在树林中。（lost itself 消失）

She **is seated** in an armchair. 她坐在手扶椅里。

The troops **are stationed** in the open. 部队驻扎在野外。

The school **is located** at the foot of the hill. 那所学校位于山脚下。

The university **is situated** in the suburbs. 那所大学在郊区。

She **is dressed** in the white shirt. 她穿着白衬衫。

He **was puzzled** about it. 他对那件事感到困惑。（为……困惑）

The boy **was scared** out of his wits. 那男孩吓得不知所措。

He **was charged** with the task of keeping social order. 他担负着维护社会治安的任务。（charge himself with）

7 过去分词是表示"必然性，趋向性，意向，决心"等意义的动词，为系表结构

The bus **is destined** for Nanjing. 班车开往南京。

He **is doomed** to failure. 他注定要失败的。

She **is** quite **decided** about it. 她对这件事十分果断。

He **is resolved** to become an artist. 他决心当一名艺术家。

▶▶ 其他如：be set on doing sth., be disposed to do sth. (愿意)等。

【提示】

① 被动语态句中可使用 soon, fast, slowly, rapidly, quickly 等表示时间、速度的副词，而系表结构则不可。例如：

The girl was **quickly** dressed by the nurse. 那个女孩很快就由保姆帮忙穿好了衣服。（被动）

The girl was **simply/neatly** dressed. 那个女孩穿着很朴素。（系表）

② 被动语态结构不能同形容词并列使用，而系表结构则可以。例如：

They **were married** at the church. 他们在教堂结的婚。（被动）

They **were married** and happy. 他们结了婚，很幸福。（系表）

③ 系表结构常可同副词 very, quite, rather, more 等连用，被动语态则不可。例如：

The house was **quite** deserted after the old couple died. 老两口死后，这房子就废弃了。（系表）

He felt **rather** downcast and annoyed with his failure. 他为失败感到沮丧，非常气愤。（系表）

8 "be+不及物动词的过去分词"为系表结构

有些不及物动词(包括个别及物动词)的过去分词说明动作产生后的结果或状态,同 be 连用为系表结构,表示主动意义。这类动词常见的有:go,come,become,arrive,set,gather,fade,stop,do,agree,read,mistake,retire,return,flee,bear,change,advance,fall,grow,overgrow,determine,prepare,marry 等。例如:

Her money **is** all **gone**. 她的钱都花光了。

The guests **are arrived**. 客人们都到了。

The moon **is risen**. 月亮升起来了。

The sun **is set**. 太阳落下去了。

The leaves **are fallen**. 树叶落了。

The weeds **are grown** in the fields. 田里长满了野草。

They **are agreed** on that point. 他们在那一点上意见一致。

He's **prepared** for the worst. 他已准备好应付最坏的情况。

The enemy soldiers **were fled**. 敌兵逃跑了。

Her attitude **has been changed**. 她的态度变了。

He **is** quite **mistaken**. 他是大错特错了。

The city **is fallen**. 那座城市沦亡了。

The seed has a tenacious force that will not stop growing until it **is grown**. 种子有韧性,不发芽长大誓不罢休。

The cottages of that valley **are not gathered** into villages, but two or three together or lonely among their fruit-trees on the hillside. 谷地的农舍并不集成村落,而是三两簇聚,要不就孤零零的,淹没在山腰的果树丛中。

【提示】

① "be+root,accustom,unite,graduate,strand(搁浅),tilt 等的过去分词"亦属系表结构,表示主动意义。例如:

Their boat **was stranded** on the rock. 他们的船撞上礁石搁浅了。

John **was graduated** from Oxford with honors in chemistry. 约翰作为化学优等生从牛津大学毕业了。

② "be+过去分词"结构表示主语的状态时,不能带有疑问副词 when,where,也不可有明显的时间或地点状语。例句:

She is to be retired next month. [×](is to be retired 应改为 is to retire)

I don't know when the flower was faded. [×](was faded 应改为 faded)

9 be+表示占据、充满意义的过去分词+with,为系表结构

英语中有一部分动词表示"占据,充满,遍及"等意义,其过去分词常同 with 连用,以地点作主语,构成"地点主语+be+过去分词+with+名词宾语"结构;这种结构不是被动语态,而是系表结构,表示"占据,充满"的状态或结果。常用的这类过去分词有:crowded,crammed,laden,packed,thronged,overrun,overcrowded,overgrown,dotted,infested,grown over,loaded,jammed,stuffed,piled,heaped,littered,filled,studded,marked,stained,sheeted,coated,adorned,decorated,ornamented,spotted,splashed,sprinkled,crowned 等。例如:

The mountainside **was dotted with** flowers. 山坡上开满了野花。

The house **is crowded with** furniture. 屋子里挤满了家具。

The floor **was piled with** books. 地板上堆满了书。

The river bank **is littered with** rough stones. 河岸上到处是乱石。

The sky **was studded with** stars. 天空中布满了星星。

The door **was** thickly **coated with** paint. 门上涂上了厚厚的漆。

Her face **is marked with** smallpox. 她脸上长满了麻子。

The lake **is dotted with** boats. 湖里星星点点到处是船。

His clothes **was splashed with** mud. 他衣服上尽是泥。

The mountain **is crowned with** snow all the year round. 这座山上长年覆盖着积雪。

The old ruins **were invested with** romance. 那古老的废墟笼罩着传奇的气氛。

The lake **is** well **stocked with** fish. 这个湖里鱼很多。

Hotels **are crowded with** visitors seeing the sight here. 旅馆里挤满了到这里游览的宾客。

The trees **are laden with** brown leaves. 树上长满了褐色的树叶。

Buses here **are** always **crowded with** passengers. 这里的公共汽车总是挤满乘客。（相当于 be thick with passengers）

The dormitory **is infested with** mosquitoes. 宿舍里蚊子猖獗。

I staggered along the street which **was strewn with** sand and seaweed. 我摇摇晃晃沿街走去，大街上遍地都是沙子和海草。

The lake **was lined with** villas, their illuminated windows beaming quietly toward the dark blue sky. 湖岸上，立着灯窗明亮的别墅，向暗蓝的天空静静地微笑着。

The clear blue sky **was dotted with** fluttering larks. 天气晴朗，碧空里星星点点的云雀在翩翩飞舞。

Even though my heart **is filled with** tender feelings，but with whom can I share them? 便纵有千种风情，更与何人说？

The grass **was streaked** and **spangled with** pale sunlight. 草地上还剩些淡淡的阳光，一条一缕，星星点点的。

The air **was filled with** the chirping of cicadas，but not a human voice was heard around. 满耳蝉声，静无人语。

【提示】thick，heavy，wet，black 等形容词亦可同 with 连用，表示"占据，遍及"的概念。例如：

The square **was black with** people. 广场上黑压压的都是人。

The air **is thick with** dust. 空气中充满灰尘。

The air **was heavy with** moisture. 空气湿度很大。

🔟 rest，remain，feel，lie，stand 等＋过去分词，一般为系表结构

这种结构表示"状态"。例如：

The door **remained closed** all day. 门整天都关着。

She **felt worried**. 她感到担心。

He **felt encouraged**. 他觉得受到了激励。

He **stood prepared** for the law-suit. 他准备着诉讼。

He **lies buried** here. 他葬在这里。

She **stood accused** of a crime. 她被指控有罪。

I **stand assured** of her innocence. 我确信她无罪。

He **stood bewildered** for a while. 他困惑了一会儿。

He **felt depressed**. 他感到沮丧。

I **feel convinced** that he is trustworthy. 我相信他是可靠的。

The matter **remained undecided**. 这件事悬而未决。

She **remained unmarried** all her life. 她一生未婚。

The spy **remained concealed** ten years. 那个间谍藏匿了 10 年。

The treasure **has lain buried** here for centuries. 财宝在这里埋了几个世纪。

You can **rest assured** that the work is well done. 你尽管放心，这工作会做好的。

⓫ grow，become＋过去分词，一般为系表结构

这种结构表示"转变"。例如：

She **grew irritated**. 她变得不耐烦了。

The road **became blocked**. 路被挡住了。

She **grew alarmed** at his behavior. 她为他的行为忧虑。

The wound **became infected**. 伤口感染了。

At last the fact **became known**. 最后事实真相大白了。

Suddenly the sky **became overcast** with clouds. 突然，天空乌云密布。

I've **grown accustomed** to living here. 住在这里我已经习惯了。

She **grew frightened**. 她害怕了。

I have **become acquainted** with her. 我开始了解她了。

7. 被动语态中的几个常用介词用法比较

by(agents)表示动作的执行者或施动力；with(tools)表示用某种工具；of(materials)表示由某种原料制成(制成品可见原料)；from(substance)表示源于某种物质(制成品不可见原料)。比较：

{ **seized by** a man 被人捉住   **covered by** a lid 被盖子盖住
{ **seized with** a fever 发烧   **covered with** a lid 用盖子盖着

{ The bridge **is made of** stones. 这座桥是石头造的。
{ The wine **is made from** rice. 这酒是用米酿造的。

{ The article **was written by** Jack. 这篇文章是杰克写的。(施动者)
{ The pencil **was sharpened with** a knife. 铅笔是用小刀削的。(工具)

{ 他们因雨而被迫待在室内。
{ They were driven indoors **with** the rain. [×]
{ They **were driven indoors by** the rain. [√](把物比拟为人)

{ 她的土地用铁丝网围了起来。
{ Her land **is fenced by** barbed wire. [×]
{ Her land **is fenced** (by someone) **with** barbed wire. [√]

{ 那条蛇被人用一个大棍子打死了。
{ The snake **was killed by** a big stick. [×]
{ The snake **was killed** (by someone) **with** a big stick. [√]

{ The room **was lighted by** electricity. 房间由电照明。[√](施动力)
{ The room **was lighted with** electric lights. 房间用电灯照明。[√](工具)

Her clothes **were soiled with** mud. 她的衣服上沾满了泥。(某种物质)

The house **is surrounded by** trees. 房子四周都是树。(把物比作人)

The hall **is crowded with** people. 大厅里挤满了人。(把人比作物)

She **was killed with** a sword. 她被剑刺死了。(by someone)

{ The whole village **was laid waste by** fire. 整个村庄都被火烧毁了。(火为施动者)
{ The whole village **was laid waste with** fire. 整个村庄被人放火烧毁了。(火为工具、方式)

{ The dog **was struck dead by** a stone. 那条狗被一块石头砸死了。(石头为施动者)
{ They dog **was struck dead with** a stone. 那条狗被人用石头砸死了。(石头为工具)

{ She **was struck by** a thief. 她被小偷打了一下子。(被动语态)
{ She **was struck with** terror. 她十分惊恐。(状态)

{ The old lady **was attended by** a nurse. 这位老太太由一名护士服侍。(被动语态)
{ The old lady **was attended with** danger. 这位老太太遇到了危险。(状态)

{ He **was delighted by** the news. 他听到这个消息很高兴。
{ He **was delighted with** the novel. 他喜欢这部小说。

{ We **were surprised by** his sudden disappearance. 他的突然失踪使我们大为吃惊。
{ We **were surprised at** finding the house empty. 发现房子空着，我们都大为吃惊。

{ She **was overcome by** weariness. 她筋疲力尽。
{ She **was overcome with** sorrow. 她十分悲伤。

{ He **was accompanied by** his daughter. 他由女儿陪着。
{ He had a headache **accompanied with** fever. 他头疼发烧。

▶▶ 另外，被动结构/系表结构后也可视具体情况接其他介词。例如：

You are wanted **on** the phone. 有你的电话。

He is known **to** everybody. 他无人不知。

He is scolded **for** his carelessness. 他因疏忽而受到斥责。

▶▶▶ 有时候,可用 of 代替 by,为一种较古的用法。例如:

She was beloved **of** everybody. 她受到大家的爱戴。

He was devoured **of** a dragon. 他被一条龙吞吃了。

【提示】

① by 短语并不总是表示动作的执行者。例如:

A policeman **is known by** the clothes he wears. 警察可以从他穿的服装认出来。(by 表示方式)

He **was** much **flattered by** her asking him to dinner. 她请他吃饭,他很惬意。(by 表示原因)

The snow **was piled** high **by** the door. 门旁的雪堆得高高的。(by 表示处所)

A workman **is known by** his work. 匠工在于活儿巧。

A tree **is known by** its fruit. 树木由其果实而出名。

② 下列句子变成被动语态时,要用 with,不用 by,因为这里指的是"某种材料":

Paint covered the door. 门上有油漆。

The door **was covered with paint**.

Smoke filled the house. 房间里烟雾弥漫。

The house **was filled with smoke**.

③ 在 do wrongs to sb., pay attention to the question, tell sth. to sb., deal a heavy blow to sb. 等结构中,to 是不可省的,但在被动语态中,to 则常常省去。例如:

Attention has been paid the question by the manager. 那个问题引起了经理的注意。

No more has been told him than that. 告诉他的只有那些。

A heavy blow was dealt the enemy by our army. 我们军队给了敌人沉痛打击。

There were only **two days left her** of her holiday. 她的假期只剩下两天了。

She told him **the wrongs** that **had been done her** in those years. 她跟他说了那些年里她受的种种冤屈。

▶▶▶ 但是在 be forgiven sb. 结构中,则不可用 to。例如:

The offences were **forgiven her**. 原谅了她的过错。

The fault has been **forgiven him**. 原谅了他的过错。

▶▶▶ 在主动语态中,这类结构中的 to 有时可省,尤其在口语中。例如:

Please **give it**(to) **her**. 请把它给她。

Please **show it**(to) **me**. 请把它给我看看。

They know the lesson better than you have **explained it**(to) **them**. 他们对那篇课文的理解比你向他们解释的更透彻。

8. 祈使句的被动语态

肯定祈使句的被动语态结构为:let＋宾语＋be＋过去分词;否定祈使句的被动结构为:Don't let＋宾语＋be＋过去分词＝Let＋宾语＋not＋be＋过去分词。例如:

Let us do it at once. 让我们立即做吧。

Let it be done at once.

Move the table into the corridor. 把桌子搬到走廊上去吧。

Let the table be moved into the corridor.

Do one thing at a time. 一次做一件事。

Let one thing be done at a time.

Don't trust her. 别相信她。

Don't let her be trusted.

Don't forget to water the flowers. 别忘了浇花。

Let it not be forgotten to water the flowers.

＝Don't let the flowers be forgotten to be watered.

Don't let him do it. 别让他做这件事。

Don't let it be done(by him).

【提示】

① 疑问代词作主语时,改为被动语态要用"by＋特殊疑问句"结构。例如:

Who invented the machine? 谁发明了这部机器?

By whom was the machine invented?

Which team won the match? 哪个队赢了比赛?

By which team was the match won?

Who has won the prize? 谁得了奖?

By whom has the prize been won?

② 疑问代词作宾语时,改为被动语态要用疑问代词作主语。例如:

Whom did you meet there? 你在那里遇见了谁?

Who was met by you there?(较少用)

What have you done to improve the quality? 你们为提高质量做了什么?

What has been done by you to improve the quality?

③ 反义疑问句改为被动语态时,把宾语变为主语。例如:

John broke the vase, didn't he? 约翰打破了花瓶,是吗?

The vase was broken by John, **wasn't it**?

They are building a library, aren't they? 他们在建一座图书馆,是吗?

A library is being built by them, **isn't it**?

He can jump over the wall, can't he? 他能跳过那堵墙,是吗?

The wall can be jumped over by him, **can't it**?

9. 不定式符号 to 在被动语态中不可省

在主动语态中,如果感官动词和使役动词后的宾语补足语是动词,这个动词前往往不带 to,但在被动语态中要带 to。例如:

I saw her **pass** by the window. 我看见她从窗前经过。

She was seen **to pass** by the window.

The boss made Jim **work** overtime. 老板让吉姆加班加点干活。

Jim was made **to work** overtime.

10. 被动语态的转移问题

v＋sb.＋to do sth.是一种复合宾语结构,表示"请求"(ask, expect),"禁止"(don't mean, don't intend)可以转换为多种被动句,可以把不定式的逻辑主语 sb.变为句子主语,也可以把宾语 sth.变为句子主语,还可以把 sth.变为句子的宾语,后用不定式被动式,构成双重被动结构。例如:

They asked us to discuss the proposal at once. 他们要我们立即讨论那项建议。

We **were asked** to discuss the proposal at once.

The proposal **was asked** to be discussed at once.(双重被动)

They asked the proposal **to be discussed** at once.

We persuaded Jim to help Mary. 我们劝吉姆帮助玛丽。

Jim **was persuaded** to help Mary.

Mary **was persuaded** to be helped by Jim.(双重被动)

We persuaded Mary **to be helped** by Jim.

I **don't mean** him to stand on the sofa. 我不是让他站在沙发上的。

He **is not meant** to stand on the sofa.

The sofa **is not meant** for him to stand on.

The sofa **is not meant** to be stood on by him.(双重被动)

We **don't intend** children to see the film. 我们不想让儿童看这部电影。

Children **are not intended** to see the film.

The film **is not intended** for children to see.

The film **is not intended to be seen** by children. （双重被动）

【提示】

① 有时候,双重被动结构中的第二个被动式不是不定式,而是过去分词。例如:

The gate **was ordered closed**. 大门被命令关上了。

They **were found surrounded** by the enemy. 发现他们被敌人包围了。

Two tigers **were reported killed** by the hunters. 据报道有两只老虎被猎人杀死了。

The sailor **was believed deserted** on the island. 据信那名水手被抛弃在荒岛上了。

The tall tree **was seen blown down**. 有人看见那棵高高的树被风刮倒了。

② 此结构中作宾语补足语的不定式短语不可变为句子主语。例如:

Everyone expected Jane **to marry Jim**. 大家都希望简嫁给吉姆。

Jane to marry Jim was expected by everyone. ［×］

Jane was expected by everyone **to marry Jim**. ［√］

③ 主动语态中带双宾语时,如果把指物的宾语变为被动语态中的主语,指人的宾语前要加介词 to 或 for, to 或 for 有时可省去。例如:

He **was given** a cake. 给了他一块蛋糕。

A cake **was given** (to) him.

She **was bought** a new shirt. 给她买了一件新衬衫。

A new shirt **was bought** for her.

The door **was denied** (to) her. 不允许她进门。

The drowning man clung to the rope which **was thrown** (to) him. 溺水的人抓住扔给他的绳子。

They **granted** her a day off. 他们准许给她一天假。

A day off **was granted** (to) her.

The children **were shown** the tragedy of war. 给孩子们看战争造成的悲剧。

The tragedy of war **was shown** (to) the children.

He **was left** some cake for supper. 给他留下一些蛋糕用作晚餐。

Some cake **was left** (for) him for supper.

④ 主动语态中带双宾语时,如果把指人的宾语变为被动语态的主语,指物的宾语前通常要加介词 for 或 to, for 或 to 有时可省。例如:

I **envy** you your good fortune. 我羡慕你运气好。

You're **envied for** your good fortune.

They **excused him** his late arrival. 他们原谅了他的迟到。

He **was excused for** his late arrival.

We **pardoned her** her little faults. 我们原谅了她的小过错。

She **was pardoned** (for) her little faults.

⑤ fine(罚款)在被动语态中只可用指人的名词、代词作主语。例如:

他们罚他 50 美元。

They fined **him fifty dollars**. ［√］

He **was fined fifty dollars**. ［√］

Fifty dollars were fined him. ［×］

⑥ forgive, pardon, envy, excuse 在被动语态中多以指人的名词、代词为主语,间或也可以事物名词作主语。例如:

他们宽恕了他的过错。

They **forgave** him his offences.

He **was forgiven** (for) his offences.

His offences **were forgiven** him.

▶▶▶ 一般来说,保留 to 或 for 的情况较多。另外,如果间接宾语前有定语修饰,或强调间接宾语时,则 to 或 for 不可省。例如:

The dictionary **was given to** Mary's brother. (to 不可省,brother 前有 Mary's 修饰)

Ample warning was given **to** him,not **to** me. (to 不可省,表示强调)

11. "get+过去分词"可以构成被动语态

get 常同 marry, beat, break, damage, tear, strike, hurt, paint, invite, dress, arrest, catch, confine, delay, divorce, elect, drink, drown, kill, lose, repair, hit, engage, promote, kick, hang, wound, offend 等动词的过去分词连用,构成被动语态。get 加过去分词表示的被动语态一般指动作的结果而非动作本身,常指"最后终于,突然发生"等意。例如:

John and Jane **got married** last month. 约翰和简上个月结了婚。

Jack **got thrown out** of college for failing his exams. 杰克因考试不及格而被开除出校。

Finally the car **got repaired**. 汽车终于修好了。

They **got caught** in the storm. 他们碰上暴风雨了。

Finally he **got elected**. 最后他被选上了。

We all **got soaked**. 我们全身都湿透了。

She **got hurt** in the leg. 她伤了腿。

I **got rained on** as I was coming to work. 我来上班的路上被雨淋了。

They **got lost** in the forest. 他们在森林里迷路了。

The man **got kicked** in the head. 那人头上被人踢了。

The corrupt official **got hanged**. 那个腐败官员被处以绞刑。

The gifted poet **got drowned** in the sea. 那位天才诗人在海上溺水而亡。

He **got promoted** last month. 他上个月晋升了。

Those drug smugglers **got punished**. 那些毒品走私分子都受到了惩罚。

I never **got sent** overseas. 我始终没有被派往海外。

He **got stung**. 他被蜇了。

He **got fined** pretty heavily. 他遭到重罚。

【提示】

① get 型被动语态一般都能用 be 型被动语态替代,但有些 be 型被动语态可用 get 型被动语态替代,有些则不行。下面句中的 be 型被动语态不可由 get 型被动语态替代:

She **was born** in a small village. 她出生在一个小村庄里。

The bridge **is being built**. 那座桥正在建造中。

② "get+过去分词"构成的被动语态句,后面一般不用 by 短语表示执行者,但也有用的情况;而 "be+过去分词"构成的被动语态句,后通常用 by 短语,表明执行者,有时也可以省略。例如:

She **got dressed by** her elder sister. 她由姐姐给她穿衣服。

The hunter **got eaten by** a tiger. 那猎人被老虎吃掉了。

The cat **got run over by** a car. 那只猫被一辆汽车给轧着了。

The old man nearly **got hit by** a taxi. 那位老人差点被出租车撞上了。

Unfortunately they **got carried away by** the victory. 不幸的是,他们被胜利冲昏了头脑。

I **got shouted by** some idiot for walking past his house. 一个白痴冲着我大喊大叫,就因为我路过他的房子。

An optimist is a man who **get treed by** a lion, but enjoys the scenery. 乐观主义者是这样一种人:他被狮子逼得上了树,可是还会坐在树顶上欣赏风景。

③ "get+过去分词"不能用于间接宾语作主语的被动句中,而"be+过去分词"则可以。例如:

给了老人一大笔钱。
{ The old man **was offered** a large sum of money. [✓]
{ The old man got offered a large sum of money. [✗]

④ 带现在分词作宾语补足语的句子可改为被动语态,但带动名词作宾语的句子不能改为被动语

态。例如：

> 学生考试作弊被抓个正着。
> The students **were caught cheating** at exams. [✓]
> The students were hated cheating at exams. [✗]

⑤ "seem 或 appear＋过去分词"可以构成被动语态。例如：

She **seemed annoyed** by his words. 她似乎被他的话激怒了。

He **seemed embarrassed** by the question. 他似乎被这个问题弄得很尴尬。

The house **appears occupied** by a painter. 这房子好像被一位画家占用了。

比较：

She **seemed annoyed**. 她好像生气了。（系表结构）

The house **appears occupied**. 这房子似乎无人住。（系表结构）

⑥ "get＋过去分词"有时具有感情色彩或言外之意。例如：

He **got taught** a lesson. 他被教训了一顿。（有"活该"之意）

How did the window **get closed**? 窗户怎么关上了？（有"不该关上"之意）

⑦ "get＋过去分词"有时表示开始进入某种状态,而"be＋过去分词"则只表示存在的状态。例如：

> 她累了。
> She **got tired**. （有开始感到疲倦的含义）
> She **was tired**. （只表示"她累了"）

⑧ "look＋过去分词"一般为系表结构。例如：

He **looked worried**. 他看上去忧心忡忡。

She **looked worn** out. 她看上去疲惫不堪。

12. 11 种不能变为被动语态的句子结构或情况

1 如果动词的宾语是反身代词或相互代词,不可变为被动语态

The girl can already **dress herself**. 那女孩已经能自己穿衣服了。

They often **help each other**. 他们经常互相帮助。

▶▶ 但可以说:Each **is helped** by the other.

2 如果动词的宾语为主语身体的一部分,不可变为被动语态

On hearing the news, he couldn't believe his **ears**. 听到那个消息,他难以相信自己的耳朵。

He shook his **head** at my suggestion. 他对我的建议直摇头。

She cried her **eyes** out. 她哭得眼睛都肿了。

▶▶ 但也有例外,下面的被动句不涉及行为的发出者：

Her eyes were fixed upon the picture. 她凝视着那幅画。

3 如果动词的宾语是同源宾语,或是表示行为、态度的宾语,不可变为被动语态

He smiled a forced **smile**. 他勉强笑了笑。

She dreamt a sweet **dream**. 她做了一个甜美的梦。

He **nodded assent**. 他点头表示同意。（assent 表示一种态度）

> The girl **smiled her thanks**. [✓]那女孩微笑着表示感谢。
> Her thanks were smiled by the girl. [✗]

▶▶ 准同源宾语通常可以变为被动语态。例如：

Life must **be lived**. 日子总得过。

The battle was fought on the sea. 仗是在海上打的。

4 某些动词和宾语构成一个固定词组,不能变为被动语态

常见的有:speak one's mind, lose one's heart, do one's best, make a face, keep watch, keep words, take one's place, make up one's mind, make room, take one's time, make bed, take notes, lose patience, touch bottom, take up arms, accept battle, keep silence, take heart, take flight, change color, change trains 换车,make a scene 吵架, keep one company 陪同, take office 就职, take one's leave 告辞,等。

▶▶▶ 有些"动词＋名词＋介词"也不可用于被动语态,如:set foot on, keep company with, take leave of, set eyes on, join hands with, give ear to, bear witness to 等。例如:

She **caught a very bad cold**. 她患重感冒。

He made her **eat her words**. 他使她承认说错了话。

⑤ 如果 enter, reach, leave, join 等的宾语是表示处所、地点(国家、团体、组织、军队等),不能变为被动语态

He left **the army** in 2011. 他 2011 年离开了部队。

She entered **the hall** gracefully. 她优雅地走进了大厅。

They **reached** the frontier town at midnight. 他们于午夜到达那座边境小镇。

⑥ 如果动词的宾语是动名词或不定式,不能变为被动语态

He likes **to watch** the sunrise on the veranda. 他喜欢在阳台上看日出。

She started **singing** at the bell ring. 铃一响,她就开始唱了起来。

▶▶▶ 但少数已名词化的动名词可用于被动语态;feel, think, desire, decide, agree, suppose 等少数动词以不定式作宾语时,可变为以 it 作形式主语的被动语态。例如:

⎧ Almost everybody likes swimming. 几乎人人都喜欢游泳。
⎨
⎩ Swimming **is liked** by almost everybody.

⎧ Many people desire to have the tower rebuilt. 许多人都希望重建这座塔。
⎨
⎩ It **was desired** (by many people) to have the tower rebuilt.

⑦ 如果谓语时态是将来进行时或完成进行时,不能变为被动语态

She **will be watering** the garden this time tomorrow. 她明天这个时候将正在浇花园。

The students **have been cleaning** the hall since 3 o'clock in the afternoon. 学生们自下午 3 点钟就在打扫大厅了。

⑧ 表示重量、大小、数量、长度、程度的名词宾语不可变为被动语态的主语

⎧ 这块石头一吨重。
⎨ The stone **weighs a ton**. [✓]
⎩ A ton was weighed by the stone. [✗]

⑨ 含有 had rather, would rather 或情态动词 dare 的句子不可变为被动语态

⎧ 我宁愿现在就做。
⎨ I **would rather do** it now. [✓]
⎩ It would rather be done by me now. [✗]

▶▶▶ 但可以说:It had better be done now. 这最好现在就做。

⎧ 他不敢做那件事。
⎨ He **dare not do** it. [✓]
⎩ It dare not be done. [✗]

⑩ 虚指 it 作宾语时不可变为被动语态的主语

⎧ 他会把那件事查明的。
⎨ He will **find it out**. [✓]
⎩ It will be found out by him. [✗]

⑪ 其他情况

某些意念动词或关系动词一般只用主动形式。某些关系动词只可把直接宾语变为被动语态句的主语。例如:

⎧ 他对我怀恨在心。
⎨ He **bears** me a grudge. [✓]
⎩ I am borne a grudge by him. [✗]

这个花瓶花了我 90 美元。

The vase **cost** me ninety dollars. [√]

I was cost ninety dollars by the vase. [×]

Ninety dollars was cost me by the vase. [×]

她欠裁缝 30 美元。

She **owed** the tailor thirty dollars. [√]

Thirty dollars **was owed** to the tailor. [√]

The tailor was owed thirty dollars. [×]

13. 只用不定式被动语态的句子

下列句子一般只用不定式被动语态：

Much remains **to be done**. 还有许多要做。

You are **to be congratulated**. 应该祝贺你。

He is determined **to be obeyed**. 他一定要别人听从他。

Children like **to be praised**. 儿童喜欢受人表扬。

She wants that **to be done** again. 她想要把那个再做一次。

It leaves much/nothing **to be desired**. 尚有许多有待改进之处。/完美无缺。

14. "be十过去分词"构成的惯用语

下面这些句子,形式上虽是被动语态结构,但实质上其中的过去分词大多都已形容词化了,构成系表结构,成为使用频率很高的惯用语。

1 表示喜悦

I **am pleased/delighted/rejoiced** to see her again. 我再次见到她很高兴。

She **was transported** with joy on hearing the news. 她听到这个消息欣喜若狂。

We **were enchanted** with the waterfall. 我们给瀑布迷住了。

He **was fascinated** with the sweet tune of the melody. 那优美的旋律使他陶醉了。

I **am amused** with the story. 我给那个故事给逗乐了。

He **is contented** with your work. 他对你的工作很满意。

She **is gratified** with her job. 她对自己的工作很满意。

2 表示习惯

He **is used/accustomed** to getting up early. 他习惯于早起。

The man **is given** to sleeping in the open. 那人习惯于睡在野外。

He **is addicted** to gambling. 他沉湎于赌博。

He **was inured** to a life of self-restraint. 他习惯于过一种自我克制的生活。

She **has been adapted** to the new life. 她已适应了新的生活。

3 表示疲倦、厌倦

He **is bored** with this kind of job. 他厌倦了那种工作。

He **is fatigued** with the whole day's toil. 一天的辛苦劳作使他疲惫不堪。

I **am disgusted** with her behavior. 我讨厌她的行为。

They **were** completely **exhausted**. 他们精疲力竭了。

She was **done up/knocked up** after the whole day's work. 干了一整天的活她累垮了。

He was almost **fagged out** after the long ride. 长时间的乘骑几乎把他累垮了。

She **was spent** with walking the whole day in the rain. 在雨中走了一整天,她极其疲惫。

4 表示延宕

She was **held up** by the heavy traffic. 她因交通严重堵塞而受阻。

The plane **was delayed** half an hour. 飞机晚点半个小时。

The road **was obstructed/blocked** for two hours. 道路堵塞/封闭了两个小时。

He **was hindered** from coming. 他受阻没能来。

5 表示苦恼

The girl **is** easily **upset** emotionally. 这女孩情绪易波动。

I **am vexed/offended** at his rude behavior. 他的粗鲁行为使我大为光火。

She **was harassed** at her son's misdeeds. 儿子的不良行为使她很苦恼。

He **was annoyed/disturbed/disappointed/discouraged/depressed** to hear the news. 听到那个消息他很烦心/很不安/很失望/很泄气/很沮丧。

6 表示惶惑

She **was bewildered** by his words. 他的话使她很困惑。

He **was perplexed/puzzled** as to why she did so. 她为什么那样说我感到困惑不解。

I **got confused** by the silly question. 我被那个愚蠢的问题给弄糊涂了。

We **were confounded** to hear it. 我们听到那件事很是困惑。

7 表示惊讶

He **was startled** to hear of her illness. 听到她生病的消息他大吃一惊。

We **were** all **astounded** at what he said. 他的话使我们都大感惊异。

She **was astonished/surprised/alarmed/amazed/frightened/horrified/scared** to hear the strange voice. 听到那个奇怪的声音她非常吃惊/害怕。

I **am shocked** to see a boy climbing up the high pole. 看见一个男孩爬上高高的杆子我大为吃惊。

8 表示生病

She **was seized** with a bad cold. 她患了重感冒。

He **was confined** to the bed with a cold. 他因感冒卧病在床。

Her right lung **is affected**. 她的右肺感染了。

She **has been troubled** with headache for many years. 她许多年来一直被头痛所困扰。

9 表示状态等

He **is involved in** debt. 他深陷债务。

The fields **were bathed** in moonlight. 田野笼罩在月色中。

The old building **was shrouded** in rain. 老建筑笼罩在烟雨中。

He **is** now **convinced** of the truth of her words. 他现在相信了她的话的真实性。

The mountain **is capped** with snow all the year round. 这座山的山顶终年积雪。

The car **is equipped** with air conditioning. 这辆车装有空调。

It is a pity that she **was involved** in the matter. 他卷进了那件事很是遗憾。

The girl **was lost** in the novel. 这女孩读小说入了迷。

They **were drunk** with victories over the enemy. 他们沉浸在战胜敌人取得胜利的欢乐中。

The thunder **was accompanied** with lightning. 电闪雷鸣。

Three children **were born** to them. 他们生了三个孩子。

She **is worried** about his safety. 她为他的安全担心。

He **is opposed** to the measure. 他反对这项措施。

When the distant hill **is enveloped** in clouds and mist, I know it is a sign of rain. 当远山笼罩在云雾中时,我知道那是下雨的征兆。

She **is persuaded** of the news. 她相信这个消息的真实性。

He **is concerned** with the present situation. 他关注当前的局势。

The committee **is made up of** ten persons. 这个委员会由 10 人组成。

I **am acquainted** with his sister. 我认识他妹妹。

She **is experienced** in worldly affairs. 她很懂人情世故。

▶▶▶ 其他如:be surrounded/fenced/besieged/compassed 包围,be stained/tarnished/mired/contaminated 弄脏/污染,等。

10 表示从事……工作等

She **is buried** in the research. 她埋头于研究工作。

He **is absorbed** in study. 他潜心于学习。

I **have been engaged** in the work. 我一直在从事这项工作。

They **are devoted** to the cause. 他们献身于这项事业。

He **is occupied** in/with a new job. 他忙于一项新的工作。

【提示】上述某些过去分词后面如果是 by 短语,表示施动者,则"be＋过去分词"结构为被动语态。例如:

She **was shocked** by the bad news. 她被坏消息震惊了。

The country **is** still **occupied** by the aggressors . 这个国家仍被侵略者占领着。

▶▶▶ 但:The temple **is surrounded** by many trees. 这座寺庙周围有许多树。(表状态,为系表结构,尽管有 by 短语)

15. 双重被动句

双重被动句指的是:句中谓语动词和其后的不定式均为被动结构,句子主语既是谓语动词的承受者,又是不定式动作的承受者。下面三种句子可以变为双重被动句:

{ 主语＋谓语动词＋不定式＋宾语
{ 主语＋谓语动词＋that 从句
{ 主语＋谓语动词＋宾语＋不定式被动式

{ She offered to buy a computer for me. 她提出要给我买一台电脑。
{ A computer **was offered to be bought** for me. [✓]
{ A computer was offered to buy for me. [✕]

{ I think that she has read the book. 我想她读过这本书。
{ She **is thought** by me **to have read** the book. [✓]
{ The book **is thought** by me **to have been read** by her. [✓]
{ The book is thought by me to read by her. [✕]

{ I want the flowers to be watered this afternoon. 我想要这些花今天下午浇浇水。
{ The flowers **are wanted to be watered** this afternoon. [✓]
{ The flowers are wanted to water this afternoon. [✕]

【提示】intend, hope, decide, suggest, propose, imply, announce 等后虽然可跟 that 从句,但不可变为双重被动式,只可改为由 it 作形式主语。例如:

{ He decided that we would leave during the night. 他决定夜间离开。
{ **It was decided** that we would leave during the night. [✓]
{ We were decided to leave during the night. [✕]

16. 变为被动语态时引起语义变化的动词

一般来讲,主动语态和被动语态转换时,不会引起语义上的改变,但某些动词由主动变为被动时,则会引起语义上的变化。比较:

{ He **can't teach** the boy. 他没有能力教这孩子。(＝He is unable to teach the boy.)
{ The boy **can't be taught**. 这孩子没有能力学。(＝The boy is unable to learn.)

{ I **shall pay** the money today. 我今天将要付那笔钱。(be going to pay)
{ The money **shall be paid** today. 那笔钱今天就必须付。(must be paid)

{ I **suppose** you know the answer. 我以为你知道答案的。(I think or guess)
{ You **are supposed** to know the answer. 你应该知道答案的。(You are expected to)

{ People **don't do** such things twice. 人们不再次做这种事情。(陈述语气)
{ Such things **are not done** twice. 这种事情不许再次发生。(命令语气)

{ Why **wouldn't** Jim **ride** the white horse? 吉姆为什么不愿骑这匹白马呢?
{ Why **wouldn't** the white horse **be ridden** by Jim? 这匹白马为什么拒绝让吉姆骑呢?

17. 可以说 The case was looked into,但不可说 The house was looked into

有些动词短语(动词＋介词),用其本义时,不可用于被动语态;用其转义或在某层意思上,可用于被动语态。例如:

They looked into the case. 他们调查了这个案子。

The case **was looked into**. [√](look into 用于转义,意为 examine, investigate)

She looked into the house. 她朝房子里看。

The house was looked into. [×](look into 用于本义,"朝里看")

He arrived at the expected result. 他达到了预期结果。

The expected result **was arrived at**. [√](arrive at 用于转义,意为 gain, achieve)

He arrived at the railway station. 他到达了火车站。

The railway station was arrived at. [×](arrive at 用于本义,"到达")

The police have gone through all the rooms. 警察搜查了所有的房间。

All the rooms **have been gone through** by the police. [√](go through 用于转义,意为 search)

The piano won't go through the narrow entrance. 过道太窄,钢琴过不去。

The narrow entrance won't be gone through by the piano. [×](go through 用于本义,意为 pass through)

The murder case **was gone into**. 这桩谋杀案被调查了。[√](调查)

The room was gone into. [×](走进)

Things are **looking up**. 情况看来在好转。[√]

Things are being looked up. [×]

He worked in a bank and was often **looked up** by relatives or friends. 他在银行工作,经常有亲戚朋友来找。[√](找寻,看望)

When it **comes to** politics I know nothing. 关于政治我一窍不通。[√]

When politics is come to I know nothing. [×]

No conclusion **has been come to** yet. 还没有得出任何结论。(达成,得出)

【提示】注意下面句子的正误:

Jane looked at Tom. 简看着汤姆。

Tom was **looked at**. [√](look at 为固定动词短语,黏合力强)

Jane lived with Tom. 简同汤姆住在一起。

Tom was lived with. [×](live with 两词关系松散,黏合力不强)

三、被动语态的使用范围

1. 不知道或不必指出动作的执行者

The cup **is broken**. 杯子破了。

The audience **is asked** to keep silence. 观众被要求保持安静。

The meeting **is scheduled** for April 6th. 会议定于 4 月 6 日举行。

Raincoats **are sold** in the shop. 这家商店出售雨衣。

2. 强调动作的承受者

A new subway will be built in the city. 城里将建一条新地铁。

Mr. Li was elected chairman of the committee. 李先生被选为委员会的主席。

The first prize **was won** by Henry. 一等奖被亨利得了。

3. 出于策略、婉转、礼貌等不提出动作的执行者

Any suggestion or criticism **is** heartily **appreciated**. 真诚欢迎任何意见或批评。

About that project, much **has been said** but little **has been done**. 关于那项工程,说的多做的少。

That plan **was** generally **considered** not practical. 这个计划被普遍认为不切实际。

You **are** cordially **invited** to the ceremony. 热忱邀请阁下参加这次典礼。

Customers **are requested** not to touch the exhibits. 顾客请勿触摸展品。

4. 避免变更主语,以求行文通顺

She gave a lecture on modern American poetry and **was** attentively **listened to**. 她作了一个关于美国现代诗歌的演讲,很受欢迎。

The old professor wheeled himself to the platform and the students warmly applauded him. （不简洁）

The old professor wheeled himself to the platform and **was warmly applauded** by the students. 老教授手摇轮椅来到讲台上，受到学生们的热烈欢迎。（简洁、连贯）

5．it＋be＋过去分词＋that-从句

这是一种惯用结构，常用的动词有：say, report, expect, allege, prove, suppose 等。例如：

It **is reported** that gold has been found there. 据报道那里发现了黄金。

It **is said** that the original painting has been **destroyed**. 据说原画已经毁掉了。

It **is expected** that prices will go down. 预计物价将会下跌。

It **was alleged** that the child was kidnapped. 据称那个孩子被绑架了。

It **is feared** that the plane crashed somewhere off the coast. 恐怕那架飞机在海岸外某处坠毁了。

It **is believed** that he is the manager of three different businesses. 据信他是三家不同公司的经理。

6．be＋过去分词＋不定式

He **is considered to be** an authority in the field. 他被认为是这个领域的权威。

It's **supposed to be** most valuable. 据说它非常有价值。

He **was said to have disclosed** the secret. 据说他泄露了秘密。

They **were reported to be sailing** in the Pacific. 据报道他们正在太平洋上航行。

She **is thought to be** a good singer. 她被认为是一个优秀歌手。

He **is rumored to have escaped** into the mountains. 谣传他逃到山里去了。

He **is alleged to have bribed** government officials. 据称他贿赂过政府官员。

The good weather **is expected to last** another week. 好天气预计还要持续一周。

One-eighth of our warm air **is claimed to be** lost through the windows. 房间暖气的八分之一据称是从窗户走漏的。

This is the school where the kids **are alleged to break** windows all day long. 据说这就是孩子们整日砸窗户的学校。

7．there＋be＋过去分词

There is said to be a secret tunnel beneath the building. 据说这幢大楼下面有一条秘密通道。

There are supposed to be wild animals in the hills. 这山里应有野生动物。

There are known to be thousands of snakes on the island. 据了解，那座岛上有成千上万条蛇。

【提示】

① 有些时候，被动语态会给人一种冷淡、疏远、公事公办的感觉，或者可信度并不那么强。比较：

Aunt **is taking care of** the child. 姑妈在照看孩子。（主动，熟悉，亲切）

The child **is being taken care of**. （被动，疏远，冷淡）

Mother **told** me that. 母亲告诉了我那个。（主动，可信度强）

I **was told** about that on the train. （被动，可信度小）

② 被动句中的 by 短语有时可以省去，但如果 by 短语是句子的重点所在，或者没有 by 短语则句义不完全时，则不可省。例如：

The tool was made **by my father**. 这件工具是父亲制作的。（the tool 为已知事物，my father 为新的信息，是重点所在，不可省）

The meeting was followed **by a short interval**. 会后是短暂的间歇。（by a short interval 不可省，否则句义不清）

③ 在被动句中，by 短语通常位于过去分词之后；但如果有间接宾语或同其他状语并列使用时，则 by 短语通常位于其后。例如：

She was given **a new pen by her father**. 她父亲给了她一支新钢笔。

Taking a walk is considered **a good exercise by most people**. 大多数人都认为散步是一项好运动。

They are watched **naturally very closely by the soldiers**. 他们很自然被士兵严密监视着。

▶▶▶ 下面一句把 to her sister 放在句尾,是对其进行强调,为尾重句:

The cap was given **by me to her sister**. 这顶帽子是我送给她妹妹的。

四、被动意义的其他表示法

1. 名词的被动意义

1 由及物动词转化而成的动作名词或动作者名词,仍具有及物性,与 by、for、名词所有格或代词所有格等连用,或被另一名词修饰,可表示被动意义,有意义上的逻辑宾语

the **conquer** of Europe 征服欧洲	children's **education** 儿童教育
the journalist's **release** 记者被释放	her **affection** of/for children 她对儿童的爱
her **love** of her father 她对父亲的爱	the **punishment** of the offender 对罪犯的惩罚
a **love** of freedom 热爱自由	the **love** of liberty 爱自由
a **lover** of nature 热爱大自然的人	a dress **designer** 服装设计师
a music **lover** 音乐爱好者	bicycle **theft** 自行车盗窃
a landscape **painter** 风景画家	a language **learner** 学习语言的人
a **preference** of/for the country 喜欢乡村生活	the **management** of the firm 公司的管理
his **rejection** of the offer 他对这项提议的拒绝	a **teacher** of English literature 教英国文学的人
my **admiration** of Einstein 我对爱因斯坦的敬慕	the army's **defeat** of the rebels 军队击败反叛者

the **arrest** of the spy by the police 间谍被警方逮捕

her **hatred** of/for corrupt officials 她对贪官的愤恨

the enemy's **defeat** by our army 我们的军队击败敌人

an **admirer** of the beautiful woman 这位漂亮女子的仰慕者

the **theft** of 800 dollars from the office 从办公室内偷走 800 美元

My **tolerance of noise** is limited. 我对噪声的忍耐是有限的。

He was worried about Jim's **dismissal** from school and overjoyed at Helen's **praise** by the teacher.
他为吉姆被学校开除而忧心,为海伦受到老师的表扬而高兴。

- I have the greatest **respect for his judgement**. 我非常钦佩他的眼光。(被动含义)
- With his decisive handling of the dispute, he has won the **respect of everyone**. 由于果断处理了纠纷,他赢得了大家的尊敬。(主动含义)

- Germany's **occupation** of Paris in World War Ⅱ (主动)二战时德国对巴黎的占领
- Germany's **occupation** by another country at the end of World War Ⅱ (被动)二战末期德国被另一个国家的占领

the **love** of her husband	the engineer's **praise**
对她丈夫的爱(被动)	对这位工程师的赞扬(被动)
丈夫对她的爱(主动)	这位工程师对某人的赞扬(主动)
the policeman's **punishment**	the sailor's **help**
警察受惩罚(被动)	对水手的帮助(被动)
警察惩罚别人(主动)	水手对某人的帮助(主动)
the doctor's **examination**	the **slander** of the minister
医生接受检查(被动)	部长(对他人)的诽谤(主动)
医生检查病人(主动)	(他人对)部长的诽谤(被动)
the doctor's **permission**	the **slander** of the minister's
医生的被允许(被动)	部长(对他人)的诽谤(主动)
医生的允许(主动)	

2 以-ee 结尾的名词常含被动意义

employee 雇员,examinee 受试/审者,nominee 被提名者,addressee 收信人,dedicatee 被呈献者

▶▶▶ 但:escapee 逃亡者,refugee 避难者,absentee 缺席者,goatee 山羊胡子,bootee 幼儿毛线鞋,coatee (妇女和小孩的)短上衣。

比较：

abandoner 遗弃者 abandonee 被遗弃者	franchiser 给特许权的人 franchisee 被特许经营人
consulter 征求意见者 consultee 顾问	grantor 授予者 grantee 被授予者
alienator 转让人 alienee 受让人	loaner 债权人 loanee 债务人
debtor 债务人 debtee 债权人	obligor 施惠人 obligee 受惠人
consigner 发货人 consignee 收货人	payer 付款者 payee 收款人
promiser 许诺者，立约人 promisee 受约人	investor 投资者 investee 接受投资者
guarantor 保人 guarantee 被保人	truster 嘱托人 trustee 受托人
offerer 发盘人 offeree 受盘人	merger 吞并者 mergee 被吞者
endorser（支票）背书人 endorsee 被背书人	patentor 专利授予者 patentee 被授予专利者
remitter 汇款人 remittee 汇款领取人	assessor 估产人 assessee 被估产人

vendor＝person who vends 卖主
vendee＝person to whom something is sold 买主
trainer＝person who trains 训练员
trainee＝person who is trained 受训练的人

2. 形容词的被动意义

以-ible，-ble，-able 和-worthy 结尾的形容词一般都具有被动意义，如：pardonable, soluble, forgivable, indestructible, trustworthy 等。另外，ready, familiar, welcome, dear, ridiculous 等形容词也含有被动意义。例如：

She is **dear** to me. 我很爱她。（＝I love her very much.）

He looked absolutely **ridiculous** in those trousers. 他穿那些裤子是显得极为可笑的。

I suppose a little over-excitement is **forgivable** under the circumstances. 我认为在那种情况下有点过分激动是可以原谅的。

3. 介词的被动意义

介词 on, in, under, above, beyond, for, past 等加名词可以表示被动意义。例如：

past bearing 无法忍受	**on** trial 受审
at command 受指挥	**on** display 展出
out of control 失控	**in** question 被讨论
in/within sight 看得见	**under** repair 被维修
out of sight 看不见	**under** spell 受吸引
on sale 待售	**past** all reason 不可理喻
in print 在印刷	**past** mending 不可修补
in use 被使用	**past** belief 不可置信
for rent 出租	**in** preparation 在准备中
on the carpet 在审议中	**under** discussion 在讨论中
past comprehension 不可理解	**past** cure 不可救药
beyond description 难以描述	**above** suspicion 无可置疑

under consideration 在考虑中	**past** control 不可控制
under attack 受到攻击	**under**(one's)control 受(某人)控制
under treatment 在治疗中	**under**(one's)influence 受(某人)影响
beyond saving 不可救药	**past** understanding 不可理解
beyond compare 无可比拟	**beneath** contempt 为人不齿
beyond belief 不可信	**beneath** notice 不屑一顾
beyond dispute 无可辩驳	**beyond** cure 无法治好
beyond endurance 不可忍受	**beyond** words 无法表达
beyond all praise 怎样称赞也不过	**beyond** reproach 无可指责
under a dictatorship 在……统治下	**beyond** criticism 无可批评
under examination 在检查中	**under** lock and key 锁起来
under water 被淹没	**under** review 在考虑中
under fire 受到攻击	**under** study 在研究中

Some of the national habits are bad **beyond description**. 某些民族陋习恶劣得难以形容。
Karen waved until the car was **out of sight**. 卡伦不停地挥手,直到汽车看不见为止。
Mary fell **under his spell** within minutes of meeting him. 玛丽见到他几分钟后就被他的魅力迷住了。

4. 副词的被动意义

　　"be+副词"有时可表示被动意义。例如:
The party is **on** for tonight. 聚会今晚举行。
The wedding's **off**. 婚礼取消了。(=called off)
A jazz festival will be **on** at the weekend. 爵士音乐节将在周末举行。(=put on)

5. 动词性词组或短语动词的被动意义

　　英语中有些动词性词组或短语动词含有被动意义,如:pass for 被认为(be accepted as),come out 被出版(be published),fall for 被迷住(be attracted),come apart 被拆开(be separated),come down 被拆毁(be demolished),come in 被采用(be introduced),get the sack 被解雇,catch it 受责备,give place to 被代替(be succeeded,be replaced)等。例如:
The book **came out** last month. 这本书是上个月出版的。
He would **pass for** an American very easily. 他很容易被人当作是美国人。
The old house **came down** at last. 这座旧宅终于被拆毁了。
Despair will **give place to** hope. 绝望将被希望取代。

【改正错误】

1. Whenever Jim <u>supposes</u> to <u>make an appointment</u> with me, he <u>alway</u> says he is <u>too</u> busy.
　　　　A　　　　　　B　　　　　　　　　C　　　　　　　　　　　　　　D

2. <u>Because</u> the farms produce <u>less food</u>, some products <u>must bring</u> from other <u>lands</u>.
　　A　　　　　　　　　　B　　　　　　　　　　C　　　　　　　D

3. The word "plastic" <u>comes from</u> the Greek word "plasticos" and <u>uses</u> to describe something <u>which</u>
　　　　　　　　　　A　　　　　　　　　　　　　　　　　B　　　　　　　　　　　　C
<u>can be shaped</u> easily.
　　D

4. He wanted the information <u>to be treated</u> as confidential, but it <u>made</u> <u>public</u> at a press conference.
　　　　　　　　　　　　A　B　　　　　　　　　　　C　　D

5. <u>Great as</u> Newton, many of his ideas <u>have been changed</u> today and are <u>modifying</u> by the work of
　　A　　　　　　　　　　　　　　B　　　　　　　　　　　　　C
scientists of <u>our time</u>.
　　　　　　D

6. The little boy <u>was made use</u> by the drug-pusher <u>to carry</u> drugs <u>into</u> the country.
　　A　　　　　B　　　　　　　　　　　C　　　　　D

7. If the work <u>will be finished</u> <u>by the end</u> of the year is delayed, the <u>construction</u> company
　　　　　　　　A　　　　　　　B　　　　　　　　　　　　　　　　C

will be fined.
    D

8. A river may be dammed and when that does a large pressure of water is built up behind the dam.
        A   B   C   D

9. The riot is said to be caused by the local government's negligence of the people's welfare.
            A   B   C   D

10. This kind of glasses manufactured by experienced craftsmen is worn comfortably.
      A   B   C   D

11. Would you please keep silent? The weather report is broadcast and I want to listen.
     A   B   C   D

12. Although the deadline for the meeting is coming, a lot of preparatory work is still expected to do
                A   B   C
to make everything go well.
            D

13. The number of deaths from heart disease will be reduced greatly if people persuade to eat more
      A   B   C
fruits and vegetables.
      D

14. No decision is made about any future appointment until all the candidates have been interviewed.
    A   B   C   D

15. As the years passed, many occasions—birthdays, awards, graduations—are marked with Dad's
 A   B   C   D
flowers.

16. Sarah, hurry up! I'm afraid you can't have time to get changing before the party.
        A   B   C   D

17. The church tower which is restored will be open to tourists soon. The work is almost finished.
          A   B   C   D

18. Five of the 12 bronze animal heads have returned to China, with seven other ones still missing.
                   A   B   C   D

19. The new dictionaries are very useful. They are sold well and have been sold out already.
               A   B   C   D

20. My money has been run out. I must go to the bank to draw some of the savings out before I have
       A   B   C
none in hand.
    D

21. The manager entered the office and was happy to learn that four-fifths of the tickets were booked.
                    A   B   C   D

22. I should like very much to have gone to that party of theirs, but I'm not invited.
   A   B   C   D

23. The project which seems to be very attractive requries more labor than have put in because it is
              A   B   C
extremely difficult.
   D

24. According to some theories deriving from psychoanalysis, life is supposedly easier and
    A   B
more pleasant when inhibitions are overcome.
     C   D

25. A book may compare to your neighbor; if it be bad, you can't get rid of it too early; if good, it
      A   B   C
cannot last too long.
      D

26. He was made wait for over an hour in the heavy snow because of the delay of the bullet train.
        A   B   C   D

27. When visiting those European countries, I sometimes found it difficult to make myself
      A   B   C

understand.
　　　　D

28. By signing this application, I ask that an account <u>is opened</u> for me and a credit card <u>issued</u> as I
　　A　　　　　　　　　　　　　　　　　　　B　　　　　　　　　　　　C　　D

request.

29. He had spread his sails and pursued his way, <u>thinking</u> that none <u>but</u> those <u>who</u> had been taken up
　　　　　　　　　　　　　　　　　　　　　A　　　　　　　B　　　C

<u>left alive</u>.
　D

30. Because radio communication <u>had been failed</u> <u>once</u> before, I was afraid the men in the plane
　　　　　　　　　　　　　　　A　　　　　B

<u>might lose</u> touch with the <u>crew</u> on the platform.
　　C　　　　　　　　　D

【答案】

1. B(is supposed)	2. C(must be brought)	3. B(is used)
4. C(was made)	5. C(are being modified)	6. B(was made use of)
7. A(to be finished)	8. B(is done)	9. A(to have been caused)
10. C(wears)	11. C(is being broadcast)	12. C(is still expected to be done)
13. C(are persuaded)	14. B(will be made)	15. C(were marked)
16. C(get changed)	17. B(is being restored)	18. A(have been returned)
19. B(sell)	20. A(has run out)	21. D(had been booked)
22. D(was not invited)	23. C(has been put)	24. B(derived)
25. A(may be compared)	26. A(to wait)	27. D(understood)
28. B(be opened)	29. D(were left alive)	30. A(had failed)

第十一讲　动词不定式(Infinitive)

一、构成与特征

动词不定式是动词的一种非限定形式,由"to+动词原形"构成,在句中起名词、形容词或副词的作用,同时也保留动词的一些特征,可以带宾语、状语或宾语补足语等。例如:

He tried **to work out the problem in five minutes**. 他试图在五分钟之内算出这道题。(带宾语和状语)

This country, my country, is a place of dreamers who have the faith and the will **to make dreams come true**. 这个国家,我的祖国,是一片让那些有信心和意志让梦想成真的人梦寐以求的国土。(带宾语和补足语)

I am sorry **to have kept** you waiting. 对不起,让您久等了。(完成时)

I am glad **to have been given** a chance to visit your country. 我很高兴有机会访问贵国。(完成时,被动语态)

不定式在许多场合具有情态意义。作主语时,相当于一个带有情态动词的主语从句;作定语时,相当于一个带有情态动词的定语从句;作宾语时,相当于一个带有情态动词的宾语从句;作目的状语时,相当于由 so that 或 in order that 引导的目的状语从句。例如:

It is right for her **to say** so. 她这样说是对的。(=It is right that she should say so.)

He has a lot of work **to do**. 他有许多工作要做。(=... that he should/must do.)

I don't know where **to get** the ticket. 我不知道在哪里能弄到票。(=... where I could get the ticket.)

She opened the door for the children **to come in**. 她开了门,让孩子们进来。(=... so that the children might come in.)

二、功能

1. 作主语

To think of you makes me old. 思君令人老。

To know oneself is difficult. 人能自知,实属不易。

To hesitate means failure. 犹豫不决就意味着失败。

To talk to her is to talk to a wall. 同她谈是对牛弹琴。

To know everything is to know nothing. 样样皆通,样样稀松。

To do this is to cut the foot to fit the shoe. 这样做是削足适履。

To see what is right and fail to do it, is want of courage. 见义不为,是谓无勇。

To be good at fighting is not to be civilized. 善于打斗,并非文明表现。

To be human is to err. 瓜无滚圆,人无十全。

To be working all day long is a bore. 整天干活使人厌倦。(不定式进行式)

To love and to be loved is the greatest happiness one can get. 爱他人并为他人所爱是人生最大的幸福。

To be learned in literature is such a different thing from liking it. 精通文学和喜欢文学完全是两码事。

For him to admit his mistakes is not easy. 要他承认错误是不容易的。(带逻辑主语)

For her sister Mary to study music is a proper choice. 要她妹妹玛丽学习音乐是恰当的选择。(带逻辑主语)

For there to be so few people in the streets at this time of the day is unusual. 这个时候,街道上行人这么少,真是不正常。(there be 结构)

To have known you is a privilege. 认识了你真是荣幸。(不定式完成式)

Never to offend anyone is his principle. 不得罪人是他的原则。(带副词)

Never to have made any mistake is impossible. 从不犯错误是不可能的。(带副词)

How to make our life longer is a big problem. 怎样使我们活得更长久是个大问题。(带连接副词)

▶▶▶ 不定式(短语)作主语时,往往由 it 代替它作形式主语,不定式移至谓语之后,这种情况多见于口语中。例如:

It means failure **to hesitate**. 犹豫不决就意味着失败。

It's hard **to restore** a broken mirror. 破镜难圆。

It would be silly **to believe** him. 相信他是愚蠢的。

It's unlike him **to be late**. 他可不是迟到的那种人。

How does **it** feel **to be on your own**? 自由自在的感觉怎样?

It's a virtue **to admit and overcome** one's own shortcomings. 正视并克服自己的缺点是一种美德。

It's a shame **to say** like that. 那样说话是可耻的。(It+be+名词+不定式)

It takes two **to make** a quarrel. 两个人才吵得起来。(It+动词+宾语+不定式)

It would be wrong **for people to marry** for money. 人们为钱而结婚是错误的。(It+be+形容词+for 短语+不定式)

It was annoying **of Jim to lose** my bike. 吉姆把我的自行车弄丢了令人生气。(It+be+形容词+of 短语+不定式)

It is against my principles **to do** such a thing. 做这样的事是违反我的原则的。(It+be+介词短语+不定式)

▶▶▶ 考查下面两句谚语:

$\begin{cases} \text{Better be envied than pitied. 令人嫉妒胜似令人怜悯。} \\ \textbf{To be envied} \text{ is better than to be pitied.} \\ \textbf{It} \text{ is better } \textbf{to be envied} \text{ than to be pitied.} \end{cases}$

$\begin{cases} \text{Better buy than borrow. 买比借强。} \\ \textbf{To buy} \text{ is better than to borrow.} \\ \textbf{It} \text{ is better } \textbf{to buy} \text{ than to borrow.} \end{cases}$

【提示】

① 不定式作主语时,在很多情况下都可用动名词替代。例如:

Hesitating means failure.

Thinking of you makes me old.

Knowing oneself is difficult.

▶▶▶ 但是,如果作主语的不定式是固定说法,或表示较强烈的对比,或某些具体情况等,通常不用动名词替代。例如:

To err is human. 没有不犯错误的人。(不说 Erring is human.)

To respect others is to be respected. 尊重别人就是尊重自己。

To love is to be loved. 爱别人就是被人爱。

To forgive is to be forgiven. 原谅他人就是原谅自己。

To love nature is to love mankind itself. 爱自然就是爱人类。

To teach is to learn. 教即是学。

To finish this job in one day is impossible. 要是一天之内完成这项工作是不可能的。(某次具体情况)

② 有时候,作主语的不定式相当于一个条件从句。例如:

$\begin{cases} \textbf{To love} \text{ others is to be loved. 爱人即爱己。} \\ =\text{If you love others, you will be loved by others.} \end{cases}$

To build an expressway across the country requires a lot of money. 建一条贯通全国的高速公路需要很多钱。

＝If you build an expressway across the country, it will require a lot of money.

To see her is to love her. 见了她就会爱上她。

＝If one sees her, one will love her.

③ 如果作主语的不定式短语是"及物动词＋宾语",常可以把这个宾语转换为主语,而把不定式移到句尾。例如:

To revise the poem took her two weeks. 修改这首诗花了她两周时间。

The poem took her two weeks to revise.（the poem 是 revise 的逻辑宾语）

To talk with Helen is interesting. 同海伦谈话很有趣。

＝**Helen** is interesting to talk with.

To build this museum requires one million dollars. 建造这个博物馆需要 100 万美元。

The museum requires one million dollars to build.

To deal with the matter is hard. 处理这件事很难。

The matter is hard to deal with.

To decorate the room cost me 4,000 *yuan*. 装修这个房间花了我 4 000 元。

＝**The room** cost me 4,000 *yuan* to decorate.

2. 作表语

1 表示目的

To live is **to do** something worthwhile. 活着就是要做一些有价值的事情。

The next step is **to make sure** that you know exactly what is required. 下一步你要真正弄清楚需要的是什么。

The purpose of the exchange program is **to promote** the understanding between the two countries. 这项交流计划旨在促进两国之间的相互了解。

The purpose of education is **to develop** a fine personality in children. 教育的目的是发展儿童完美的品格。

The important thing in life is **to have** a great aim, and the determination to attain it. 人生最重要的事情就是要有一个伟大的奋斗目标和为实现这一目标的决心。

【提示】下面是一个歧义句:

His object is **not to eat**.
他的目的不在吃饭。
他的目的就是不吃饭。

2 表示事态发展的结果、预期的结果、不幸的命运或预言

She's **to be admired**. 她应该受到敬重。

You **are to die** at ninety-eight. 你会在 98 岁时去世。

One **is to struggle** for one's living. 人要为自己的生存奋斗。

To do it is **to ruin** yourself. 做那事只会毁掉你自己。

To criticize them is **to make** enemies. 批评他们就是结怨。

To become a slave is **to give up** one's freedom. 当奴隶就是放弃自由。

Man **is to live** a better life in the next century. 人类在下一世纪会生活得更好。

He **was to perish** in a shipwreck and **to leave** a wife and two children. 后来他在一次船只失事中死了,留下了妻子和两个孩子。

The girl was born during the illness of his father whom he **was never to see**. 那个女孩是在她父亲病重期间出生的,她再也见不到自己的父亲了。

You must speak out, if we **are to remain** friends. 如果我们还想继续做朋友的话,你就必须痛痛快快地把话都说出来。

3 用于第一人称疑问句,表示征求意见

What **am I to say** if they ask me the question? 要是他们问我这个问题，我该怎么回答呢？

What **am I to do** if I have no money? 如果没有钱，我该怎么办呢？（＝What should I do if ...）

④ 用于被动语态，相当于 can/could, should, ought to, must,具有情态意义

The regulations **are to be observed**. 规章制度必须遵守。（must）

Gossips **are to be dreaded**. 人言可畏。

You **are to be** rewarded. 你应受奖励。（should）

He **is not to be feared**. 不应怕他。（should not be）

It's nowhere **to be found**. 哪儿也找不到它。（can't be）

This kind of grass **is to be seen** everywhere. 这种草哪儿都能见到。（can be）

These books **are not to be sold**. 这些书不应卖掉。（ought not to be）

Men **are not to be measured** by inches. 人不是可以用身高来衡量的。

Love and cough **are not to be hidden**. 爱情像咳嗽一样是隐藏不住的。

He **is to be congratulated** on his brilliant discoveries. 他作出了重大贡献，应该祝贺。（ought to）

⑤ 表示"同意，安排，命令，决定，劝告，意愿，禁止"等

They **are to marry** next week. 他们下周结婚。（安排）

He **is to give up** drinking. 他务必要戒酒。（命令式劝告）

Children **are not to smoke**. 儿童不准吸烟。（禁止）

Nobody is **to know**. 不应让任何人知道。（禁止）

The man is guilty and **is to undergo** ten months' imprisonment. 那人犯了罪，要处以 10 个月的监禁。（决定）

You must be patient and persistent if you **are to succeed**. 要想成功，就必须有耐心，有毅力。（愿望）

⑥ 不定式作表语，可用主动形式表示被动意义

She is **to blame**. 她应该受到责备。

The house is **to let**. 该房屋出租。

A great deal **is yet to do**. 还有许多事要做。

The result **is** not long **to see**. 结果不久就会看到。

Something **is** still **to find out**. 有些东西还有待查明。

Little **remains to do**. 没有什么可做的了。

3. 作动词宾语

I can't afford **to take** flying lessons. 我付不起飞行课程的费用。

She longed **to go back** to her hometown. 她渴望返回家乡。

He refused **to be photographed**. 他拒绝让人拍照。

She deserved **to be praised**. 她值得受表扬。

I can't bear **to look back**. 往事不堪回首。

I **trust to hear** good news from you. 我相信能听到你的好消息。

He **arranged to meet** her there. 他安排在那里见她。

He **swore to abide** by this principle. 他发誓恪守这一原则。

I prefer **to call off** the meeting on account of our director's absence. 因为主任不在，我认为还是取消会议好。

▶▶ 下列动词适合接不定式作宾语（大约 90 个）：

afford, arrange, bear, beg, care, commence, demand, dislike, endeavour, fear, forget, hate, hesitate, like, love, mean, neglect, pledge, prefer, propose, resolve, threaten, undertake, venture, contrive, condescend, contract, aspire, hasten, plot, proceed, agree 同意, consent 同意, decline 拒绝, refuse 拒绝, offer 提出, promise 答应, choose 选择, decide 决定, determine 决心, attempt 试图, intend 企图, manage 设法, fail 失败, ask 要求, hope 希望, want 想要, expect 指望, long 渴望, wish 希望, tend 倾向于, desire 希望, seek 寻求, claim 声称, plan 计划, prepare 准备, learn 学会, mean 意欲,打算, volunteer 自愿, pretend 假装, dare 敢于, 等。

【提示】

① feel, find, judge, make, think, believe, consider 等动词后如果是不定式作宾语, 补语是形容词 (间或是名词), 常用 it 作形式宾语, 把不定式后移。例如:

I find **it difficult to work** with him. 我发现同他共事很难。

I believe **it best to leave** the matter entirely to his discretion. 我相信这件事由他决定处理最好。

He thought **it a great pity not to have invited** her. 他认为没邀请她是个极大的遗憾。

She made **it a rule to get up** at five. 她通常在 5 点钟起床。

I judge **it useless to be arguing** with him. 我认为同他争辩没有用。

I supposed **it a great pity for Henry to do** such a silly thing. 我认为亨利做这样的傻事真是太可惜了。

She regards **it as of great importance for the Chinese to learn from** other countries. 她认为中国人向别的国家学习十分重要。

They considered **it little use to spend** more money on it. 他们认为在那上面多花钱毫无用处。

② think 后有时也可跟不定式作宾语, 在疑问句和否定句中用得较多。例如:

I never **thought to meet** you here. 我没想到在这里遇见你。

Did he **think to find out** the truth? 他想弄明白事实真相吗?

I did not **think to find** you two here. 我没料到会在这里碰到你们俩。

I **thought to arrive** early but I couldn't. 我很想早些到, 可是早不了。

I **think to buy** a new dictionary. 我想买一本新词典。(相当于 I think I shall buy a new dictionary.)

③ care 在否定句、疑问句和条件句中可接不定式作宾语。例如:

She **doesn't care to spend** much time with her relatives. 她不喜欢花太多时间跟亲戚在一起。

Would you **care to hear** my opinion of her? 你愿意听听我对她的看法吗?

If you **care to meet** him, I'll call him right now. 如果你想见他, 我马上就给他打电话。

You might **care to look** at the painting. 他也许愿意看看这幅画。(相当于省略了条件句)

Anyone who **cares to come** will be welcome. 谁愿意来都欢迎。(who 从句相当条件句)

④ but, except, besides, than, save 作介词表示"除……外"时, 可用不定式作宾语。参阅下文。例如:

Nothing remains but **to die**. 除了死没有别的办法。

It had no effect except **to make** her angry. 这毫无结果, 只能惹她生气。

He did nothing for them save **give** them some old clothes. 除了给他们一些旧衣服外, 他没有为他们做什么。

4. 作宾语补足语

I wrote him **to come** at once. 我写信要他马上来。

He likes his wife **to dress** well. 他喜欢妻子穿得漂亮。

I don't want there **to be** another mistake. 我不想再出现错误。

I like there **to be** a park here. 我喜欢这里有一个公园。

I don't like them **to be fooling** around. 我不喜欢他们四处游荡。

I wished for the dictionary **to be revised**. 我希望这本词典修订一下。

All depends upon her not **to lose** heart. 一切都在于她不灰心。

I've arranged for the ship **to be unloaded**. 我已安排卸船。

What caused her **to give up** her studies? 什么使她辍学?

He proved himself **to be** a hero. 他证明自己是个英雄。

I'll get someone **to do** it for you. 我将找人帮你做这件事。

She asked me **to answer** the phone in her absence. 她要我在她不在的时候接电话。

The company advertised for a doctor of philosophy **to be** the editor-in-chief. 这家公司登广告聘用一名哲学博士担任主编。

I prefer him **not to come**. 我宁愿他不来。

I wish it **to be finished** before Friday. 我希望这工作在星期五之前完成。

I understood her **to say** she would cooperate. 我理解她说的意思是愿意合作。

I couldn't bear her **to be** unhappy. 她不幸福,这我受不了。

She meant him **to paint** the door white. 她的意思是让他把门漆成白色。

He promised me **to decorate** the house. 他答应我装修房子。

Bill thought the pen **to belong** to John. 比尔以为这支钢笔属于约翰。

The situation requires (of) us **to quicken** our economic reform. 形势要求我们加快经济改革。

They taught me **to be strong** and **follow my heart**. 他们教我学会坚强,学会听从自己的心声。

The baby wants to be born and she wants **it to be born**. 娃娃想出来,她也想把娃娃生出来。

In many shops, the customer had to wait for someone **to wait upon** him. 在许多商店,顾客得静候店员的招呼。

She e-mailed him **to make** a move to resolve the dispute. 她给他发了电子邮件,要他采取行动来解决争端。

▶▶ 下列表示"指示,愿望,感觉"等的动词(短语)后可用不定式作宾语补足语:

challenge, drive, enable, forbid, hate, inform, like, mean, recommend, require, tempt, accustom, appoint, assign, assist, authorize, bid (sb. to do, sb. do), bribe, bring, call on, coax, coerce, commission, condemn, empower, entice, entitle, equip, fit, have (sb. do), impel, implore, incite, induce, motion to, wish for, depend upon, telephone, advertise for, arrange for, let (sb. do), listen to (sb. do), look at (sb. do), make (sb. do), oblige, prompt, send, sentence, sign, train, worry, inspire, lead, bear, promise, wait for, ask 要求, request 要求, tell 告诉, invite 邀请, force 迫使, compel 迫使, press 迫使, get 使得, cause 引起, beg 乞求, wish 希望, prefer 宁愿, want 想要, intend 打算, expect 期望, encourage 鼓励, advise 劝告, persuade 说服, instruct 指示, allow 允许, permit 允许, remind 提醒, urge 激励, order 命令, command 命令, warn 警告, trouble 麻烦, 等。

【提示】

① dislike 不可接不定式作宾语补足语,但 should dislike 则可以。例如:

我不喜欢学生抽烟。

I dislike the students to smoke. [×]

I **should dislike** the students **to smoke**. [√]

② know 后可接不定式作宾语补足语。例如:

I know him **to be** a good worker. 我知道他做起事来是一把好手。

I know this **to be** a fact. 我知道这是一桩事实。

I have not known anything like this to **happen** before. 我从没听说发生过这样的事。

I've never known John **to tell** a lie. 我从没听说过约翰撒谎。

Did you ever **know him to say** he'd been ill? 你曾经听他说过他病了吗?

③ hope,demand 后面不能接动词不定式作宾语补足语(参阅有关章节)。例如:

他希望妹妹能帮一把。

He hoped his sister to lend him a hand. [×]

He hoped **that** his sister would lend him a hand. [√]

他要我放弃那个机会。

He demanded me to give up the chance. [×]

He demanded **that** I give up the chance. [√]

④ suggest 后一般不接动词不定式作宾语补足语。例如:

I suggested him not to go there alone. (不说)

I suggested **that** he not go there alone. [√]我建议他不要单独去那里。

但见过这样的句子:

She **suggested** a special committee **to work on** a new plan. 她提议成立一个特别委员会来制订一个新计划。(不定式可以看作表示目的)

⑤ 动词 decide, discover, explain, consider, ask, find out, forget, know, imagine, learn, observe, remember, tell, show, think, understand, wonder 等后可以接"how/who/whom/what/when/which/where/whether＋to 不定式"作宾语。"连接代词/副词＋to 不定式"结构还可以作主语、主语补语、介词宾语或定语等。例如：

I know **how to start** the machine. 我知道怎样开动这台机器。

I wonder **who to invite**. 我想知道要邀请谁。

I must **think what to do** next. 我必须计划一下下一步做什么。

I've forgotten **where to put it**. 我忘了把它放在哪里了。

Harold is teaching me **how to play** the guitar. 哈罗德在教我如何弹吉他。

She asked me **which to buy**. 她问我买哪一个。

She doesn't understand **how to look after** him. 她不懂得如何照顾他。

Please remind me **when to pay** the bill. 请提醒我什么时候付账单。

I can't **decide whom to invite**. 我决定不了邀请谁。

You ought to **learn how to be** patient. 你应该学会怎样保持耐心。

You must not **forget when to keep** silent. 你不能忘了什么时候该沉默。

He'll soon find out **how to drive** the car. 他不久就会学会开车的。

They **debated when to take** a vote. 他们争论着何时投票。

Notice how to draw a horse in motion. 注意怎样画奔跑中的马。

Let's **inquire how to get** there. 我们问一下怎样去那里。

I have to **consider what to do** next. 我将考虑下一步该怎么做。

You should **choose where to eat**. 你来选择在哪里吃饭吧。

I can't **remember how to get** there. 我记不起怎样到那儿的了。

We still have to **arrange how to get** home. 我们还必须安排好怎样回家。

Only the hunter could **say where to find** water. 只有猎人知道哪里能找到水。

Please **demonstrate how to do** the experiment. 该演示一下如何做这个实验。

I've shown him **how to work** the coffee machine. 我给他示范如何使用这台咖啡机。

Please inform us **how to find** Dr. Brown's house. 请告诉我们如何才能找到布朗博士的房子。

If you watch carefully, you will **see how to do** it. 如果你注意看,你就会看明白这东西怎么做。

She sat by the artist and **observed how to paint** a field and some trees. 她坐在那位艺术家身旁,观察着怎样画田野和田野上的一些树。

⑥ 动词 feel, suppose, prove, imagine, find, declare, consider, judge, guess, assert, esteem, believe 等后的宾语补足语常是"to be 或 to have＋过去分词"形式(参阅有关章节)。例如：

I should guess her **to be** around thirty years old. 我猜想她大约 30 岁。

She esteems herself **to be** lucky. 她自认为是幸运的。

I declare the story **to be** false. 我断言这个说法是虚假的。

I judged him **to have been** a gambler. 我判断他曾是个赌徒。

5. 作定语

1 动词不定式与其所修饰的词之间可有主谓关系或动宾关系;表示动宾关系时,如果该不定式是不及物动词,或者该不定式本身有宾语,其后应有必要的介词

The man **to help** you is Mr. Smith. 愿意帮助你的人是史密斯先生。(主谓关系)

I have a paper **to proofread**. 我有一篇文章要校对。(动宾关系)

He is a pleasant fellow **to work with**. 他是个很好共事的人。

She bought a bookshelf to **put** her books **on**. 她买了一个书架放书。

She has a room **to live in**. 她有一个房间住。

He has a child **to take care of**. 他有一个孩子要照管。

She can find no one **to make friends with**. 她找不到可交朋友的人。

We have no proof **to go to the police with**. 我们没有证据去找警察。

He lent me a book **to kill time with**. 他借给我一本书消磨时间。

She offered me a cup of coffee **to refresh my spirit with**. 她给我端来一杯咖啡,让我提提神。

I made notes of the phrases **to be memorized**. 我记下了需要背诵的短语。

The thing **to be** these days is a government official. 现在,人们愿意当的是政府官员。

Are you going to the conference **to be held** next week? 你准备参加下周举行的会议吗?

【提示】不定式所修饰的名词,可以是及物动词的宾语,双宾动词的宾语,也可以是及物性短语动词的宾语。例如:

He **found** no good **music to enjoy**. 他发现没有可供欣赏的好音乐。(music 是及物动词 found 的宾语)

They **brought** her some **clothes to wash**. 他们给她带来了一些要洗的衣服。(clothes 是双宾动词 brought 的直接宾语)

She **looked for** some interesting **novels to read**. 她寻找一些有趣的小说读。(novels 作短语动词 looked for 的宾语)

② 作定语的不定式可以表示情态意义

作定语的不定式有时含有情态意义,相当于 may, can, must, will, would 或 should 所具有的含义。例如:

He has no friend **to depend on**. 他没有可以依靠的朋友。(=whom he can depend on)

This is the only way **to break** open the box. 这是打开这个箱子的唯一方法。(=in which way one can break open the box)

She brought a nurse **to take care of her mother**. 她带来一位保姆,照顾她母亲。(=who may take care of her mother)

His wife left him a lot of problems **to solve**. 他妻子给他留下一大堆问题要解决。(=which he must solve)

He is not the kind of man **to do** such things. 他不是做这种事的人。(=who may do such things)

You have your children **to consider**. 你还应该考虑你的孩子。(=whom you should consider)

There are always some people **to believe** him. 总有些人会相信他。(=who may believe him)

It isn't a thing **to talk about**. 这种事不应谈。(=which shouldn't be talked about)

He is a man **to be trusted**. 他是个可信赖的人。(=who can be trusted)

He is not a man **to tell** lies. 他不是撒谎的人。(=who will tell lies)

He has only an old friend **to see** him off. 只有一位老朋友为他送行。(=who will see him off)

I have a lot of work **to finish** today. 我今天有许多工作要完成。(=which I should finish 或 which I must finish)

It is a sight never **to be forgotten**. 那景象永远也忘不了。(=that we will never forget)

③ 不定式可以修饰 there be 结构中作主语的名词

There is nothing **to worry about**. 没有什么可担心的。

There is a good rule **to go by**. 有一项应该遵守的好制度。

There is enough money **to spare**. 钱足够用的。

There is not a moment **to lose**. 刻不容缓。

There is plenty **to eat**. 可吃的东西很多。

She knows all there is **to know**. 所有的事情她全都知道。

比较:

还有更多的需要了解。

There is much more to be known. (不妥)

There is much more **to know**. [√]

④ 不定式常用于"have＋the＋抽象名词"结构中

He has **the goodness to do** it. 他好意做那件事。

She has **the kindness to help** you. 她出于好意帮助你。

He has **the impudence to slander** her. 他厚颜无耻地诽谤她。

I didn't have **the heart to tell** you the bad news. 我不忍心把这个坏消息告诉你。

She has **the face to speak** ill of Lucy. 她竟厚颜地说露西的坏话。

5 有些名词后常跟不定式作定语

time 时间	way 方法	right 权利	chance 机会
reason 理由	effort 努力	ambition 志向	movement 运动

It is already time **to start** spring sowing. 是开始春播的时候了。

Thank you for giving me the chance **to make** the speech. 谢谢你给我发言的机会。

6 有些动词和形容词后常跟不定式,这些动词和形容词派生出来的名词后也可用不定式作定语

ability 能力	agreement 同意	anxiety 渴望	attempt 试图
claim 宣称	decision 决定	determination 决心	need 需要
plan 计划	promise 答应	readiness 准备	tendency 倾向
willingness 愿意	wish 希望	impatience 渴望	obligation 义务
inclination 倾向,爱好	eagerness 急切		

Your ability to analyse the problem really surprises us. 你分析这个问题的能力真叫我们吃惊。

His eagerness to get back home was quite obvious. 看得出他急于回家。

She fulfilled her **promise to send** him abroad. 她履行了送他出国的诺言。

He made an **attempt to overcome** his weaknesses. 他努力克服自己的弱点。

She told me her **plan to buy** a villa. 她和我谈到买一栋别墅的计划。

【提示】这类名词后的不定式短语有时表示同位关系。例如:

His refusal to recommend Lucy to the committee is amazing. 他拒绝把露茜推荐给委员会使人吃惊。

He feels **an inclination to make a trip into the hills**. 他想到山里去玩玩。

I am under no **obligation to give him what he wants**. 我没有他要什么就给他什么的义务。

She has **a tendency to talk too much**. 她喜欢唠叨。

He has an **ambition to become a world champion**. 他一心想成为世界冠军。

7 不定式可以修饰作主语的名词,相当于一个定语从句,表明动作即将发生

The man to come to our assistance is Mike. 来帮助我们的人是迈克。

The future to greet us will be bright. 我们的未来将是美好的。

The plans to be made are of vital importance. 要制订的计划至关重要。

The lecture to follow will include the radical changes brought about by the French Revolution. 要上的课将包括法国大革命所带来的巨大变化这一内容。

The conference to take place next month is bound to be a great success. 下周举行的会议必将是个巨大的成功。

8 the first, the second, the last, the best, the only thing 等常跟不定式作定语

It is the only thing **to do**. 那是唯一可做的事。

He is always the first **to answer** questions. 他总是第一个回答问题。

He would be the last **to agree** to the plan. 他决不会同意这项计划。

9 当 go, spare 作"剩下"(left)解时,可作定语;另外还有"with/ without＋名词＋不定式"结构

He had five minutes **to go** before time was up. 他距时间结束还有五分钟。

They had only 100 dollars **to spare**. 他们只有 100 美元可用。

I can't go sightseeing **with** all these things **to attend to**. 有一大堆事情要做,我不能去度假。(＝ because I have ...)

With much money **to spend**, the boy was spoiled. 那个男孩花钱如流水,被惯坏了。(As he had ...)

With all the world **to rule**, he would not be content. 即使能够统治全世界,他也不会满足。(Though he might ...)

Men went hunting and fishing, **with** women **to remain** at home. 男人去打猎、捕鱼,女人留在家里。(=and women ...)

With so many people **to care** about her, she feels very proud. 有这么多人关心她,她感到非常自豪。(As so many people ...)

He left on a cold morning, **without** anyone **to see** him off. 他在一个寒冷的早上离开的,没有人为他送行。(=and no one ...)

Without anything **to do** the whole day, he felt rather dull. 他整天没事干,感到很无聊。

【提示】修饰某些抽象名词的不定式,有时可转换为介词短语。例如:

⎰ I have the honour **to be admitted** into the society. 我很荣幸被吸收进这个协会。
⎱ =I have the honour **of being admitted** into the society.

⎰ There is no necessity **to borrow** more money.
⎱ There is no necessity **for borrowing** more money. 没有必要借更多的钱。

⎰ She has no chance **to go** there again.
⎱ She has no chance **of going** there again. 她再没有机会去那里了。

⎰ Don't let slip any opportunity **to practise** your English.
⎱ Don't let slip any opportunity **of practising** your English. 别错过练习英语的任何机会。

⎰ She is in no mood **to speak** with him tonight.
⎱ She is in no mood **for speaking** with him tonight. 她今晚不想同他说话。

⑩ a much-to-be-longed-for place——不定式作前置定语

不定式作定语时一般需后置,但由连字号连接的不定式短语作定语常要前置,为一种简洁的表达法。例如:

not-to-be-avoided expenses 不可避免的费用

a difficult-to-solve puzzle 一个难解的谜

not-to-be-deprived rights 不可剥夺的权利

an easy-to-see sign 一个容易看见的符号

a strong-to-be-desired travel 一次十分渴望的旅行

a soon-to-be president 一位不久将成为总统的人

a much-to-be-longed-for place 一个令人十分向往的地方

the never-to-be-forgotten experience 永远不会忘记的经历

a soon-to-be-built railway 一条不久就要建成的铁路

a never-to-be-realized dream 一个永远也实现不了的梦想

a never-to-be-executed plan 一个永远也施行不了的计划

an ever-to-be-remembered song 一首应该永远记着的歌曲

the never-too-old-to-learn spirit 活到老学到老的精神

Those were **not-to-be-tolerated** words. 那些是不能容忍的话。

6. 作状语

不定式作状语的情况很多,可以表示目的、结果或原因等。

1 表示目的

不定式作目的状语时,其动作发生在谓语动作之后,一般放在句子后部,表示强调,也可以位于句首,前面可加 in order,但不能用 so as。不定式作目的状语时,其否定式一般不用"not+不定式",而用"in order not+不定式"或"so as not+不定式"。例如:

To save the child, he laid down his life. 他为抢救那个儿童而献出了自己的生命。

To enjoy a grander sight, you must climb to a greater height. 欲穷千里目,更上一层楼。

He traveled around the world **to gather** little-known facts about the disease. 他走遍世界,收集鲜为人知的有关这种疾病的资料。

The great society is a place where every child can find knowledge **to enrich** his mind and **to enlarge** his talents. 伟大社会是这样一个所在,每个儿童在此都能找到丰富自己头脑和扩大自己才华的知识。

Let's hurry **so as not to be** late for the meeting. 咱们快点走，免得开会迟到。（不能说 Let's hurry not to be late for the meeting.）

【提示】

① 在英语中，目的一般用不定式表示，不用"for＋动名词"这一形式。例如：

She has phoned **to say** that she will resign. 她来电话说她要辞职。（不用 for saying）

We eat **to live**. 我们吃饭是为了活着。（不用 for living）

② 不定式和分词都可在句中作状语。不定式可以位于句首或句尾，表示目的，作目的状语，而分词无论位于句首或句尾，都不可用作目的状语，但可以用作时间、原因、条件、方式等状语。比较：

她打开窗户，看见一只鸟飞过。

Opening the window, she saw a bird flying over. ［✓］（分词作时间状语）

To open the window, she saw a bird flying over. ［×］（不定式不可作时间状语）

To pass the exam, he worked hard at his lessons. 为了能通过考试，他刻苦读书。（不定式作目的状语）

Having passed the exam, he went to spend the holidays. 通过了考试，他就去度假了。（分词作时间状语）

2 表示结果

She tried to kill herself **only to be saved**. 她企图自杀，后来被救了。

A few days later he came back only **to find** that the troops had left. 他几天后回来时，发现部队已经离开了。（不定式动作后发生）

I worked late into the night **only to find** the job not yet half finished. 我一直工作到深夜，可活儿连一半也没有完成。

Yesterday I went to see her **only to learn** that she had gone abroad a week before. 昨天我去看她，不料听人说她一周前出国去了。

They look on the sunny side of things; they see obstacles **only to surmount** them. 他们总能看到事物光明的一面；他们也看见了面前的障碍，但只考虑如何去战胜障碍。

His father stopped smoking **only to start** again. 他父亲戒了烟，戒的结果只是重新开始抽烟。

He studied hard **only to fail**. 他学习很努力，但是没及格。

He escaped from the battlefield **only to be killed** by the natives. 他从战场上逃跑了，却被土著所杀。

He earned a lot of money **only for his son to squander**. 他赚了许多钱，却被他儿子所挥霍。

The boy went to the seaside **only to be drowned**. 那男孩去海边游泳，结果却淹死了。

I hurried to the post office **only to find it was closed**. 我匆忙赶往邮局，结果已经关门了。

He tried to harm other people，**only to ruin himself**. 他以害人开始，以害己告终。

He tried to please her **only to be disgusted** even more. 他设法讨好她，结果更引起厌恶。

She awoke **to find** herself locked in a room. 她醒来了，发现自己被锁在一个房间里。

They parted never **to see** each other. 他们分手了，再没有相见。

The enemy came upon us **only to be entrapped** and **wiped out**. 敌军发起袭击，结果陷入我方伏击而被歼灭。

She lived **to see** her grandson becoming the President of the United States. 她活到看见孙子当上了美国总统。

Someone will invariably offers to buy it，but they always **live to regret** it. 总有人愿意买它，但买主总有后悔的一天。

He served the customers heart and soul **to be praised** by all. 他全心全意地为顾客服务，受到了众人的赞扬。

He grew up **to be** a diplomat. 他长大成为一名外交家。

He did excellent work **to be** general manager of the famous company. 他工作非常出色，后来成为这家著名公司的总经理。

What have I said **to make** you so angry? 我说了什么话使你这样生气？

What **have** you **done to deserve** this severe criticism? 你做了什么,遭到如此严厉的批评? (= that you should deserve this severe criticism)

What **have** you **heard to be so excited**? 你听到了什么,竟如此激动? (= that you should be so excited)

Where **have** you **been to be so delighted**? 你去了哪儿,竟如此高兴? (= that you should be so delighted)

He lived **to be** an old man. 他活到高寿。

In 2004 she left home never **to return**. 她2004年离开了家,再没有回来。

He lifted a rock only **to drop** it on his own feet. 他搬起了石头,却砸在了自己脚上。

The traveler looked up suddenly **to find a leopard in the tree**. 那旅人猛然抬头一看,发现树上有一只豹子。

He is too young **to have seen** the bloody war. 他年龄小,没有亲见那场血腥的战争。

▶▶▶ 下列形容词是对人进行表扬或批评的,后面常接不定式表示结果:right, polite, crazy, generous, good, greedy, kind, selfish, silly, splendid, nice, unselfish, unkind 等。例如:

He is **generous to lend** us a large sum of money.

She is **very polite to show** us the way.

【提示】

① 这类结构中,不定式的逻辑主语大多为句子的主语。

② too ... to do 结构除表示结果外,还有别的含义。注意下面句子的译文:

It is **too** stormy **to sail** today. 今天风浪太大,无法开船。

I was **too** stubborn and **too** tired and **too** miserable **to leave** the hotel. 我情绪低落,加之疲惫不堪,执意不愿意离开这家旅店了。

I got there none **too** soon **to attend** the meeting. 我去开会,抵达得正是时候。

She is **too** ready **to suspect**. 她疑心太重。

You have **too** much **to say**. 你真多嘴。

3 表示原因

不定式作原因状语时,一般放在句尾。不定式常跟在一些形容词或过去分词后说明产生这种情绪的原因,常用的这类词有:happy, lucky, fortunate, pained, ashamed, surprised, grieved, frightened, shocked, sorry, glad, delighted, eager, disappointed, right, anxious, ready, clever, unwise, quick, foolish, rude, considerate, cruel, wrong, annoyed, bored, astonished, interested, overjoyed, puzzled, relieved, worried 等。例如:

She grieved **to hear of** the sad news. 听到那不幸的消息,她非常悲痛。(不定式动作先发生)

He felt shame **for his daughter to have told** lies. 他为女儿的撒谎而感到羞愧。

He burst out crying **to hear** her words. 听到她的话,他失声痛哭。

She fell into despair **to learn of** the failure. 听到失败的消息,她陷入绝望之中。

She blushed **to see** him. 她看到他脸红了。

He is **rude to behave** like that. 他那样做真是粗野。

You're **foolish to believe** him. 你相信他真是太傻了。

They laughed **to hear** the joke. 听到那个笑话他们都大笑起来。

She is sad **for you to have acted** so rashly. 你如此鲁莽行事,她很伤心。

He is happy **for his son to have made** so many contributions. 儿子作出了这么多的贡献,他很欣慰。

She must have been blind **not to see** through him. 她没有识破他,准是瞎了眼。

We shall be very **happy to co-operate** with you in the project. 在此项目中与你们合作,我们非常高兴。

【提示】在这类结构中,不定式的逻辑主语通常是句子的主语,但有时则不是。另外,这类形容词有些可变为名词短语。例如:

He is **a rude man** to behave like that.

You're **a fool** to believe him.

④ 表示评述

不定式可以表示说话人要评述的事实,一般是评述在前,事实在后,评述部分可以用陈述句,也可以用疑问句或感叹句。例如:

He is **cruel**(评述)**to kill** the cat(事实). 他杀死了那只猫,真残忍。

He is **heartless to abandon** his old mother. 他抛弃了自己的老母亲,真是丧尽天良。

He is **a coward to escape** his duty. 他逃避责任,是个懦夫。

You have **ruined** yourself **to have married** such a woman. 同这样一个女人结婚,你真是毁了自己。

He is **ungrateful to have hurt** you so deeply. 他竟那么深地伤害你,真是忘恩负义。

Are you **crazy to believe** his words? 相信他的话,你难道疯了?

How **stupid** of him **to trust** such a hoodlum! 竟相信这样一个骗子,他真是蠢透了!

What an **ungrateful** man he is **to abandon** his family! 他竟然抛弃了家庭,真是不义之人!

He is **a clever boy**(评述)**to have led** the enemy into the valley(事实). 他把敌人引进了山谷,真是个聪明的孩子。

⑤ 表明说话人的态度,在句中作独立成分

To make a long story short, he became bankrupt. 简单地说,他破产了。

To get back to my story, she declined the invitation. 接着说吧,她拒绝了邀请。

To say the least of it, he is an honest man. 至少,他是个诚实的人。

To do him justice, he has done something good. 公正地说,他做了一些好事。

Sad to tell, he committed suicide. 说来令人悲伤,他自杀了。

To tell the truth, this is all Greek to me. 说实话,我对此一窍不通。

To be true, we can do it well. 当然,我们能做好的。

He came home very late last night, **to be more exact**, very early this morning. 他昨天回家很晚,更确切地说,凌晨才到家。

To put it in plain terms, "do as you please" simply means to live in your own way and build at the depth of your soul a private "kingdom of freedom". "随心所欲",说白了,就是要有自己的活法,在心灵深处构筑独自的"自由王国"。

▶▶▶ 其他如:

to be plain 老实说吧	to be brief 简言之
strange to say 说来奇怪	to sum up 概括地说
truth to say/speak 说句实话	to be exact 精确地说
to give him his due 公正地说	to conclude 总之
to make matters worse 更糟的是	to be honest 老实说
to put it straight 直截了当地说吧	to put it plainly 直率地说
to bring the story short 长话短说	curious to mention 说来奇怪
to cut the matter short 长话短说	to say nothing of 姑且不讲
to return to my subject 言归正传	to crown all 更好/坏的是
to change the subject 换一个话题	to be frank with you 老实对你说吧
to tell you the truth 告诉你实话吧	to cut a long story short 长话短说
to use his own words 用他自己的话说	to start with/to begin with 首先

▶▶▶ 这些短语大都位于句首,偶尔位于句中或句尾,需用逗号同其他句子成分隔开。表示"更不用说"的几个短语多放在句子后部,如:to say nothing of, not to say, not to mention, not to speak of, let alone, much less, much more 等。

⑥ 表示条件

动词不定式可以表示条件,一般置于句首,否定不定式表示条件多置于句尾。不定式表示条件时,句中谓语常含有 will, shall, should, would, can, must 等。例如:

To look at her, you would think her a young woman, but she is in fact 47 years old. 看见她,你会

以为她是个年轻女子,但她实际上已经 47 岁了。(＝If you were to look at her)

One would be careless **not to see** the mistake. 发现不了这个错误就太粗心了。(＝if one should not see)

How can you catch the train **to start** so late? 要是这么晚才动身,你怎么能够赶得上火车?

You couldn't do that **to save** your life. 你即使为了救自己的命也不能那样做。

You do an honest man wrong **to call** him a liar. 如果你说他撒谎,那你就冤枉一个老实人了。

You will do better **to get** her support. 得到她的支持,你会做得更好。(＝if you get her support)

To be successful，one must do one's best. 要想成功,就要竭尽全力。

I should be very happy **to be** of service to you. 如能效劳,我当非常高兴。

One will get into trouble **to do** such a thing. 做这样的事会惹麻烦的。(＝if one should do such a thing)

To be a masterpiece, the book needs revising again and again. 要成为一部杰作,这本书需要反复修改。

You will regret one day **for your son to marry** her. 要是你儿子同她结婚,有一天你会后悔的。(带有逻辑主语)

I should have been sorry **to have missed** the chance. 要是失去那个机会,我会很难过的。(虚拟语气)

She would have been astonished **to have received** a letter from a stranger. 要是收到一个陌生人的信的话,她会大吃一惊的。(虚拟语气)

7 表示伴随情况

这种用法的不定式常以独立结构形式出现。例如:

They divided the work, John **to wash** the vegetables and Mary **to cook** the meal. 他们分了工,约翰洗菜,玛丽做饭。

A number of students sat around the professor, **some to** ask questions, **some to** discuss among themselves. 许多学生围着教授坐着,有些问问题,有些讨论着。

8 表示方面或方式

(1) slow，quick，prompt 等形容词后的不定式常表示方面或方式,这类形容词也可转换为副词,构成"动词＋副词"结构,还可用"形容词＋in＋动名词"结构。例如:

He is **slow to move**. 他动作慢。
He is **prompt to act**. 他动作快。

He moved **slowly**.
He acted **promptly**.

He is **slow in moving**.
He is **prompt in acting**.

(2) 有些表示意愿、能力、倾向、企图、可能性等的形容词或形容词化的过去分词后接的不定式,也是表示方面的。例如:

He is **hesitant to accept** her proposal. 他对是否接受她的建议迟疑不决。

She is **likely to go back** on her words. 她很有可能食言。

He is **sure to win**. 他一定会赢的。(＝will surely)

She is **certain to come** over. 她肯定会来的。

He is **prone to lose** his temper. 他动不动发脾气。

She is **eager to learn** music. 她渴望学习音乐。

He is **ready to** help you. 他乐意帮助你。

They **were impatient to start** on the trip. 他们急于想去旅行。

He is **reluctant to move** out of the room. 他不情愿搬出这个房间。

She seems **willing to try** again. 她似乎愿意再试一次。

The children were all **wild to have** a picnic. 孩子们想去野餐都想疯了。

He is **long to make** the decision. 他作决定用了很长时间。

He is **quick to see** the misprints. 他一眼就看出了印刷错误。

He is **anxious for you to go** there. 他急于想叫你去那里。(带逻辑主语)

She is **pleased for you to stay** with her. 她很高兴让你同她在一起。（带逻辑主语）

He is **eager to be visiting** the pyramids. 他渴望去看看金字塔。（进行时表示即将发生的事）

【提示】

① 表示可能性、潜在可能时，"be＋形容词"相当于"can/may/must＋动词原形"。例如：

He **is unfit to do** it. 他不适合做这个。（＝cannot do）

She **is qualified to be** a teacher. 她当教师够格。（＝can be）

You **are welcome to use** my bike. 我的自行车你随便使用。（＝may use）

You **are free to read** all these books. 所有这些书你随便读。（＝may read）

I **am obliged to go** there. 我得去那里。（＝must go）

② 比较：

　She is **quick to notice** the mistake. 她一眼就看出了错误。（多指某个特定场合）
　She is **quick at noticing** the mistake. 她一眼就能看出错误。（泛指一般特征）

③ 这类形容词有些可接不定式或"介词＋动名词"，但含义有些相同，有些不同。例如：

　He is **content to work** here.
　He is **content with working** here. 他对在这里工作很满意。

　She is **afraid to die**. 她怕死。（怕死的结果）
　She is **afraid of dying**. 她怕要死了。（怕病好不了）

　Our class is **certain to win**. 我相信我们班肯定会打赢。
　Our class is **certain of winning**. 我们班有把握打赢。

　Your father is **sure to live** to ninety. 你父亲一定能活到90岁。（医生说）
　Your father is **sure of living** to ninety. 你父亲自信能活到90岁。（他本人认为）

④ 这类形容词或形容词化的过去分词有：willing, ready, prone, reluctant, sure, able, apt, certain, loath, keen, fit, free, liable, likely, unable, hesitant, welcome, greedy, curious, due, eligible, eager, worthy, powerless, fated, poised, inclined, prepared, disposed, unqualified, determined 等。

9 so as to 和 so/such ... as to

so as to 通常引导目的状语，相当于 in order to，表示"以便"，也可引导结果状语；so/such ... as to 引导的是结果状语，so 后面跟形容词或副词，表示"到这种程度以致……"，such 后跟名词。so as to 前面可用逗号，而 so...as to 则不可。比较：

The test questions are kept secret, **so as to** prevent cheating. 考题保密，以防作弊。

She went in quietly **so as not to** wake the baby. 她静悄悄地进去，以防把婴儿弄醒。

She shouted **so as to** be heard along the street. 她喊得满街的人都听到了。

Ruth wouldn't be **so** careless **as to** forget her pen. 露丝不会这么粗心，以致把钢笔忘了带。（＝so ... that）

She was **so naive as to** believe his words. 她竟天真得相信了他的话。（＝so ... that）

He spoke **so eloquently as to** move us to tears. 他说得十分动人，我们大家都流了泪。（＝so ... that）

She was in **such** bad health **as to be obliged** to resign. 她的健康状况太差，不得不辞职了。

The mountain scenery is **so** beautiful **as not to express** in words. 山景如画，难以用语言描述。

Is life **so** dear, or peace **so** sweet，**as to be purchased** at the price of chains and slavery? 难道生命真的如此珍贵，和平真的如此美好，竟值得用枷锁与奴役为代价？

【提示】

① 在"形容词＋不定式"结构中，不定式的逻辑主语有时就是句子的主语，如上面所讲到的几种情况。但在某些形容词后，不定式的逻辑主语不是句子的主语，如表示难易等的形容词 hard, difficult, impossible, easy, convenient, nice, tough, tricky, awkward, pleasant, unpleasant 等，这些形容词后接的不定式，常把句子的主语作为其逻辑宾语。例如：

The work is difficult **to do**. 这项工作很难做。（do the work）

Lisa is hard **to please**. 莉萨难以取悦。(please Lisa)

▶▶ 这类形容词可变为表语,而把"不定式＋名词或代词"改为主语。例如:

To do the work is difficult.

To please Lisa is hard.

▶▶ 这类形容词可用于"It＋be＋形容词(for sb.)＋不定式"结构。例如:

It is difficult (for him) **to do** the work.

It is hard (for John) **to please** Lisa.

比较:

同他共事很难。	同她交朋友似乎不易。
He is hard **to work with**.	She seems troublesome **to make friends with**.
＝**To work with him** is hard.	＝**To make friends with her** seems troublesome.
＝**It** is hard **to work with** him.	＝**It** seems troublesome **to make friends with** her.
这男孩让她很难教。	依靠那人很危险。
The boy is hard **for her to teach**.	That man is dangerous **to rely on**.
＝**For her to teach** the boy is hard.	＝**To rely on the man** is dangerous.
＝**That** is a boy hard **to teach**.	＝**It** is dangerous **to rely on** the man.

▶▶ 上面这类形容词＋不定式,大都可以跟在名词或 one 等后作定语。例如:

Men **unfit to do** this kind of work will be dismissed. 不适应做这项工作的人将被解雇。

The girl **impatient to see** her mother got to the station in the early morning. 那个女孩急于想见母亲,一大早就到了火车站。(＝eager)

The team **likely to win** is from Nanjing. 可能获胜的队来自南京。

The students **able to swim** swam across the river. 会游泳的学生游过了河去。

The problems **impossible to settle** were set aside. 不能解决的问题被搁置起来。

He hasn't found a place **safe for them to hide in**. 他还没有找到一个可供他们安全隐藏的地方。

② fit, available, sufficient 等表示方面的形容词,后接的不定式的逻辑宾语通常就是句子的主语,可用于 for sb. 结构。这类形容词后的不定式不可变为句子主语。例如:

The water is **fit** (for us) **to drink**. [√]这水适宜(我们)喝。
To drink the water is fit. [×]
The room is **available** (for you) **to use**. [√]这个房间可(供你)用。
To use the room is available. [×]

③ 有些表示需要、劝告等的形容词,常用于"It＋be＋形容词＋不定式"结构中,这类形容词有essential, necessary, important, vital, possible, strange, advisable, fortunate 等。这类形容词也可用于"It＋be＋形容词＋that-从句(should)"。例如:

It is advisable **to give up** the job. 建议放弃这项工作。
It is advisable **that** he (should) give up the job.
It is important **to get** there before sunset. 在日落前到达那里很重要。
It is important **that** she (should) get there before sunset.

④ 下面一句的不定式作主语:

I to do it is out of the question. 我做那件事是不可能的。

⑤ 不定式可以用来表示叙述。例如:

To come back to the third passage. 咱们回到第三篇。(＝Let's come back to ...)

7. **for you to decide** 和 **know how to catch it** 中的不定式问题

不定式同连接副词、连接代词和人称代词连用,可以有逻辑主语,在句中作主语、宾语、定语、表语或状语等。

1 作主语

For John to say such a thing is nonsense. 如果约翰说这种话,那真是一派胡言。

It is natural **for her to refuse to take part in it**. 她拒绝参与这件事是很自然的。

It would be best **for Mary to pass the note to him**. 最好由玛丽把便条交给他。

It is quite possible **for you to catch up with** them in a short time. 你在短时间内赶上他们是很有可能的。

How to improve English is often discussed among the students. 学生们常常讨论如何提高英语水平的问题。

② 作宾语

I'll try to arrange **it for you to be** the first to speak. 我设法安排你第一个讲话。

We haven't decided **when to visit** the place. 我们还没有决定什么时候去参观那个地方。

I think **it** better **for you to see** the doctor. 我想你最好看一下医生。

He is not sure **of how to settle** this problem. 怎样解决这个问题他没有把握。（作介词宾语）

She seemed much interested **in what to study** there. 她对在那里从事什么研究非常感兴趣。

He paid little attention **to where to hold** the meeting. 他对在哪里举行会议不太关注。

比较：

The problem of **whom to select** as the chairman of the committee has been settled. 选谁当委员会主席这个问题已经解决了。

The problem **of how to select** the chairman of the committee has been settled. 怎样选举委员会主席这个问题已经解决了。

③ 作表语

What we want is **for you to understand** the matter clearly. 我们所希望的是你对这件事有个清楚的了解。

The idea is **for us to establish contacts with similar groups in the US**. 我们计划与美国的同类团体建立联系。

④ 作定语

He is an example **for us to follow**. 他是我们学习的榜样。

You haven't answered my question **where to get** these books. 你还不曾回答我从哪儿搞到这些书的。

⑤ 作状语

I sent him some pictures **for him to see** what Paris is like. 我送他几张画,让他瞧瞧巴黎是什么样子的。（目的）

I am sorry **for you to think like** that. 你那样想,我感到遗憾。（原因）

⑥ 作同位语

He tried to put through the idea **for me to handle the difficult customers**. 他试图说服我听他的主意,由我去对付挑剔的顾客。

The problem — **which way to go** — worried him for a long time. 走哪条路这一问题使他忧心了很长时间。

⑦ 作主语补足语

不定式作主语补足语时,同句子主语是主谓关系。例如:

She was seen **to enter** the bank. 有人看见她进了银行。
比较：They saw her **enter** the bank. （宾语补足语）

It is said **to be** true. 据说这是真的。

The house was found **to be** empty. 发现房子空着。

He was considered **to have** great promise. 他被认为大有希望。

The match was scheduled **to have taken place** in Paris. 这场比赛原定在巴黎举行。

8. "It is＋形容词＋X＋代词/名词＋不定式"句型——用 of 还是用 for

① 表语形容词不同

(1) 下列表示人物特征的形容词常同 of 搭配,构成"It is＋形容词＋of＋代词/名词＋不定式"句型(参阅"形容词"章节):bold, brave, careful, careless, clever, considerate, cruel, foolish, good, honest, kind, nice, rash, right, rude, stupid, silly, thoughtful, wise, wrong,

generous，nasty，absurd，noble，unkind，impudent，polite，sweet，selfish，ungrateful，unmanly，wicked，unwise 等。

这是一个带有感情色彩的不定式结构,表示好的意思时,具有"感谢,称赞"的意思;表示坏的意思时,含有"真是太……,真是……透了"的意思。本结构中的 of 不可换成 for。这类形容词同 of 后的名词或代词关系密切,有意义上的主表关系。例如:

It was very **thoughtful of** her to come to see me when I was ill. 承蒙她在我生病时来看我,我很感激。(＝She was thoughtful ...)

It was **nasty of** Jim to behave like that. 吉姆那样做事,真是太卑劣了。

It was very **rude of** me not to have replied sooner. 我没有早些答复,很是无礼。

▶▶ 这一结构均可改为"主语＋be＋形容词＋不定式",但已无感情色彩。例如:

He was **stupid to** make that silly remark. 他说那样的傻话,真是傻透了。

She was **generous to** lend me so much money. 她很慷慨,借给了我这么多钱。

▶▶ 在口语中,这一结构可由 how 引起,表示强烈的感叹,这时,it is, it was 或不定式常省略。例如:

How careless (it was) **of** Lewis to break the valuable vase! 刘易斯打破了那个珍贵的花瓶,多粗心啊!

How generous (it is) **of** him to lend me the big sum of money! 他借给了我一大笔钱,多慷慨啊!

How foolish of you to consent! 你同意这种事,真愚蠢啊!

出了这样一个错误,真是太粗心了。

It's careless **for** you to make such a mistake. [×]

It's careless **of** you to make such a mistake. [√]

▶▶ 这种结构中的 it 可改用 this 或 that。例如:

That is selfish of him to do so. 他这样做真是太自私了。

That is very good of you to send me home. 谢谢你送我回家。

(2) 下列表示事物性质的形容词常同 for 搭配,构成"It is＋形容词＋for＋代词/名词＋不定式"句型(参阅"形容词"章节):easy, necessary, possible, important, difficult, hard 等。这类形容词同 for 后的名词或代词关系不密切,没有意义上的主表关系;但是与句中的不定式结构关系密切,有意义上的主表关系。这类形容词多表示静态。例如:

It is **easy for** me to see through his trick. 我很容易就能看穿他的鬼把戏。(＝For me to see through his trick is easy.)

It is **hard for** him to get rid of his bad habits. 他很难改掉坏习惯。(＝For him to get rid of his bad habits is hard.)

2 所充当的句子成分不同

(1) "of＋名词/代词＋不定式"结构中的名词、代词作主语。例如:

It's wrong **of him to say** like that. 他那样说是错的。(He is wrong ...)

It's kind **of you to say** so. 你这样说真是太好了。(You are kind ...)

It was careless **of her to leave** her umbrella in the dining hall. 她把伞丢在餐厅了,真是太粗心。

(2) "for＋名词/代词＋不定式"结构在句中可作主语、表语、定语、宾语、状语等。例如:

For us to miss the opportunity would be a pity. 我们如果错失这个机会,可真遗憾。(主语)

They were standing near enough **for me to overhear** their conversation. 他们站得离我很近,因此我都能听到他们的谈话。(状语)

Father bought some story books **for me to read** during the summer vacation. 父亲买了一些故事书,要我在暑假里读。(定语)

It would be important **for us to remember** this. 我们记住这一点很重要。(主语)

The best way would be **for us to leave** it until tomorrow. 最好的办法是我们把它留到明天。(表语)

We consider it best **for her to write** the paper. 我们认为由她来写这篇文章最好。(宾语)

③ 不定式的逻辑主语不同

(1) 在"of＋名词/代词＋不定式"结构中,不定式的逻辑主语只能是表示有生命的人或物。例如:

It is really cruel of **him** to treat the monkey like that. 他那样对待猴子真是太残忍了。

(2) 在"for＋名词/代词＋不定式"结构中,不定式的逻辑主语既可以是人,也可以是无生命的事物,还可用 there 引导。例如:

It is important for **us to study** philosophy. 我们学习哲学很重要。

It is a good thing for **there to be** so many people present. 有这么多人出席是件好事。

Nowadays it is very common for **students to work** to earn money. 现在学生打工挣钱是很普通的事。

It is a pity for **there to be** any disagreement in the family. 家庭不和实在是很遗憾。

It is possible for **the old building to be pulled down** within two weeks. 在两周之内把这座旧楼拆掉是可能的。

比较:

It is foolish **of** her **to buy** the picture.
It is foolish **for** her **to buy** the picture.

第一句强调的是当事人"她"的特征,意为:She is foolish to buy the picture. (她真傻)

第二句强调的是行为(买画)的性质,指买画这件事,不是指"她",意为:For her to buy the picture is foolish.

【提示】"with＋whom/which＋to do"结构是一种简洁的表达方式,指人时用 whom,指物时用 which;这种结构中的 with 有时也可以是 by, through, on, from 等;这种结构通常用作后置定语,相当于一个定语从句。例如:

They had only a small amount of fuel **with which to pass the winter**. 他们只有少量燃料用于过冬。

(＝ ... with which they could pass the winter.)

She is a nice woman **with whom to work**. 同她共事很愉快。

He opened the north window **from which to enjoy** the distant hills. 他打开北窗,欣赏远山的风光。

④ 时间着眼点不同

of sb. 表示"出于"某人的品质、习性、意志等,所引导的不定式常表示已经发生的情况,也可以是当时情况或经常情况。for sb. 表示"对于某人来说",常表示尚未发生的情况,也可表示经常情况或当时情况。例如:

It was very honest **of him to give** them the money back. 他真是个诚实的人,把钱还给了他们。(已发生)

It was foolish **of them to expect** the economy to recover so quickly. 他们竟然指望经济这么快就复苏,真愚蠢。(当时情况)

It is necessary **for you to read** English every morning. 你很有必要每天早晨读英语。(尚未发生)

It is easy **for me to climb** up the tree. 爬上那棵树对我来说很容易。(尚未发生)

It is usual **for lectures to start** so early. 讲座通常都是这么早开始的。(经常情况)

⑤ 语气上有所不同

(1) of sb. 结构往往带有某种感叹意味,常可转换成 how 引导的感叹句,表示"太,真是,实在是"等。例如:

It was very considerate **of you to let** me know you were going to be late. 你让我知道你会迟些来,考虑得真是周到。
＝How considerate **of you** (it was) **to let** me know you were going to be late!

It is wicked **of him to betray** his friends. 他出卖朋友,真缺德。
How wicked **of him** (it is) **to betray** his friends!

(2) for sb. 结构大都带有情态意义,表示"应该,有必要"等,常可转换成带有情态动词的主语从句。例如:

It is essential **for us to get** plenty of exercise for a healthy life. 要健康地生活,有必要进行大量的锻炼。
= It is essential that we should get plenty of exercise for a healthy life.

It is important **for us to have** a balanced, healthy diet. 我们应该有均衡、健康的日常饮食,这很重要。
= It is important that we should have a balanced, healthy diet.

⑥ 可用于 of sb. 结构和 for sb. 结构的形容词

right, wrong, silly, good, foolish 等形容词可以表示人物特征,也可以说明事物的性质、行为,因而可用于 of sb. 结构或 for sb. 结构。例如:

It is good **of you** to give me timely help. 非常感谢你的及时帮助。(强调 you 的特征〈good〉)
It is good **for you** to stop smoking. 戒烟对你的健康有益。(强调 stop smoking 这一行为)

It's silly **of him** to believe her words. 他真傻,竟然相信她的话。
= He's silly to believe her words. (强调他本人 silly)

It's silly **for you** to sell the house. 你把房子卖了是愚蠢的。
= For you to sell the house is silly. (强调 sell the house 这一行为)

9. Oh, to be young again 的含义

动词不定式也可以用于感叹句和疑问句中,表示某种感情色彩。表示"感叹"时常用"to think that..."结构,指设想某种情景,而不禁感到惊讶或惋惜;这种结构中 that 后的从句多用 should 型虚拟式,也可用直陈式。to think of 结构亦可用于表示"感叹",to come to, to spend 等也有这种用法。表示"惊讶"常用"主语＋不定式"结构,不定式符号 to 有时可省去。表示"愿望"用"Oh, to be..."或"O to be..."结构。表示"特殊疑问"用"疑问词＋不定式"结构,但 why 后的不定式不带 to。例如:

To think that he should do this! 他竟干这种事!(= I am astonished that...)(感叹)

To think that he is so mean! 没想到他竟如此卑劣!(感叹)

To think that his being (having been) so irresponsible! 没想到他竟如此不负责任!(感叹)

He to scold me? 他竟然指责我?(惊讶)

A gentleman (to) **say** like that? 一个有身份的人竟然说出那种话?(惊讶)

Oh, **to be** young again! 但愿再享青春年华!(= Oh, how I wish I were young again!)

O to be at home! 要是在家里该多好!(愿望)

Oh, you coward, **to treat** a child so! 哎,你这个懦夫,竟如此对待一个孩子!(不满)

Oh God, **to see** her dance! 天哪,她的舞姿太迷人了!(赞美)

To think that she should die so young! 真没想到她竟英年早逝!(惋惜)

Money **to have** such power! 金钱竟有这么大的力量!(惊奇)

A poor man, and (to) **become** famous overnight! 一个穷人,竟然一夜之间成了名!(惊奇)

What! She **come** to see me! 什么!她来看我!(吃惊)

Oh, **to see** my parents again! 啊,但愿能再见到我的父母!(愿望)

You fool! **To think** she will marry you! 你这个傻子,竟认为她会嫁给你!(讥讽)

Why not **try** again? 为什么不再试试呢?(含义是:Come on, try once more!)

Why **stop** here? 为什么停在这里呢?(含义是:Let's go on!)

What fun **to see** a brood of ducks walking on the sand beach! 看到一窝小鸭在沙滩上行走的情景,多么有趣呀!

Oh, for a friend **to help** me and **advise** me at this time of need! 啊,在这困难的时候,要是有一位朋友给我帮助、给我出主意该多好!

10. mean for sb. to do sth. 还是 mean for sb. doing sth.

mean for, like for 和 arrange for ＋ sb. to do sth. 是固定结构,for 后面的宾语同不定式是主谓关系,不可用动名词。例如:

I have arranged **for Mary to write** a comment on the book. 我已安排玛丽为这本书写一个书评。
I would like **for you to go** there instead of her. 我想让你代她去那里。

I mean **for Henry to take up** the position. 我想让亨利担任这个职位。

【提示】注意下面两句:

I don't mean **there to be** any more trouble. 我不想再有更多的麻烦。

I don't mean **there to be** any unpleasantness. 我不打算引起任何不愉快。

11. try to consciously avoid——分裂不定式问题

❶ 一般说来,不定式是不可拆开的,但有时为了避免句意不清,可在中间加一副词(偶尔可用名词、形容词),构成"to＋副词＋动词原形"结构,这就是所谓的分裂不定式(split infinitive)

They went to the farm **to both help** the farmers with the farm work **and enjoy** the beautiful scenery. 他们到农场去,既为了帮助农民干活,也为了欣赏美丽的风景。

John was driving at 100 miles an hour, so we didn't have time **to more than glance at** the magnificent sight of the building. 约翰以每小时 100 英里的速度开车,因而我们连瞥一眼那些壮观的建筑物的时间都没有。

The travellers were asked **to please park** their cars away from the gate. 要求游人不要把他们的车停在大门口。

It takes time for a freshman **to fully get** accustomed to the new life style at college. 新生需要花时间适应大学新的生活方式。

A successful businessman should be able **to readily accommodate** to the changing economic conditions. 一个成功的商人应该能很快适应变化的经济情况。

> She tried **consciously** to **avoid** falling into his trap. (consciously 可能修饰 tried,也可能修饰 avoid)
> She tried to **avoid consciously** falling into his trap. (consciously 可能修饰 avoid,也可能修饰 falling into his trap)
> She tried to **consciously avoid** falling into his trap. 她特别当心不落入他的圈套。(consciously 只能修饰 avoid)

> She failed **entirely** to comprehend it. (entirely 可能修饰 failed 或 comprehend)
> She failed to **entirely** comprehend it. 她没有完全理解它。(entirely 只能修饰 comprehend)

❷ 构成分裂不定式的词一般放在 to 后,但在不定式完成时、进行时或被动态中,所插入的词应放在第一个助动词或 be 之后

He seemed to have **always** misunderstood me. 他似乎总是误解我。

Life's purpose is to be **always** looking for happiness. 生活的目的就是不断地寻找快乐。

【提示】若不定式短语有两个助动词,且不定式动词又被一个程度副词修饰,该程度副词应放在第二个助动词后。例如:

Her lectures seemed to have **never** been **very much** appreciated. 她的授课似乎从不大受欢迎。

▶▶ 考察下面句子的差异:

> He wished **never to see** her again. 他希望永远不再见到她。
> He **never wished** to see her again. 他从不希望再见到她。

> He **silently prepared** to accompany her. 为了陪伴她,他在默默地做准备。
> He prepared **to silently accompany** her. 他准备默默地陪伴他。(分裂不定式)

> **Once more** he made up his mind to become a suitor to her. 他又一次下决心向她求婚。
> He made up his mind **to once more become** a suitor to her. 他下决心再一次向她求婚。

> She remembered **plainly to have refused** his offer. 她清楚地记得拒绝了他的建议。
> She remembered **to have plainly refused** his offer. 她记得曾明确地拒绝了他的建议。

12. 不定式的动宾关系和主谓关系

不定式放在名词后作定语,常同该名词构成动宾关系;不定式放在形容词后作状语,常同句中主语构成动宾关系。例如:

She has **a large family to support**. 她有一个大家庭要养活。(support a family)

The boy is **difficult to teach**. 这男孩很难教。(teach the boy)

▶▶▶ 因此,如果不定式是不及物动词,则要在该动词后加上适当的介词,使之成为及物的短语动词,以

构成动宾关系。"及物动词＋介词"当然亦可。这类带介词的不定式短语可以是:动词＋介词的固定搭配,动词＋介词的非固定搭配,及物动词＋宾语＋介词。例如:

That is a good company to work for. 那是一个很好的公司,可以去那里工作。

Your brother is a good fellow **to work with.** 你弟弟是一个好同事。

The river is safe to **swim in.** 在这条河里游泳很安全。

The bed is comfortable to **sleep in.** 这张床睡上去很舒服。

The room is too small for five men to **rest in.** 这房间太小,不够五个人休息用。

He found **the little couch** uncomfortable to **sleep on.** 他觉得睡在那张小睡椅上不舒服。

The money is enough for you **to buy books with.** 这些钱够你买书用的。

She has no **one to fall back on.** 她没有人可以依靠。

The table is long enough for us **to play table tennis on.** 这张桌子足够长,可以在上面打乒乓球。

Henry is the best man **to consult the matter with.** 亨利是咨询这件事的最佳人选。

He asked for **a piece of paper** to **write on** and **a pen** to **write with.** 他要一张纸和一支笔写东西。

He set us **the rules to go by.** 他给我们制定了要遵守的规则。

Skating is often exciting to **go to.** 溜冰总是令人兴奋的。

The bed seemed to have been slept **in.** 这张床好像有人睡过。

He desired nothing but **a quiet room to study in.** 他别无所求,只想找一间安静的小屋学习。

▶▶▶ 若不定式有自己的宾语,则一般不与所修饰的词构成动宾关系,但间或也可以。例如:

This is the key **to unlock the door.** 这就是开门的钥匙。

Have you got **anything** to **defend yourself with**? 你有什么要为自己辩护的吗?

▶▶▶ 在"形容词＋不定式"结构中,如果不定式有自己的宾语,或者虽无宾语但有完整的意义,不定式便同主语构成主谓关系。例如:

The girl is quick to **take offence.** 那女孩动辄就生气。

He is always prompt to **act.** 他总是行动迅速。

▶▶▶ 但是,如果句中主语不是不定式的逻辑主语,而是别的人或物,则要在不定式前加上"for＋宾语"结构。比较:

She is quite willing **to join** our club. 她很愿意加入我们的俱乐部。

She is quite willing **for her husband to join** our club. 她很愿意让她丈夫加入我们的俱乐部。

13. 不可以说 I am impossible to do it

❶ 有些形容词通常不可用于"人称代词(it 除外)＋be＋形容词＋不定式"结构中,这类形容词有:probable, impossible, urgent, easy, hard, necessary, convenient, difficult, dangerous, lazy, weak, fast, heavy, clever, quiet, enthusiastic, troublesome 等

He is probable to make mistakes. [×]

但:He is **liable** to make mistakes. [√]他易于出错。

I am impossible to finish it today. [×]

但:It is **impossible** for me to finish it today. [√] 我今天不可能完成这项工作。

She was quiet to speak. [×]

但:She spoke **quietly.** [√] 她轻声说话。

She was fast to walk. [×]

但:She **walked** fast. [√]她走路快。

He is impossible to do it. [×]

但:He is **unable** to do it. [√]他不能做这件事。

It is **impossible** for him to do it. [√]

He is easy to catch cold. [×]

但: He is **liable** to catch cold. [√]他易患感冒。

I am urgent/hard/difficult/necessary to convince her. [×]

但:**It is urgent** for me to convince her. [√] 我要赶快说服她。

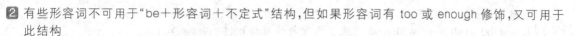

❷ 有些形容词不可用于"be＋形容词＋不定式"结构,但如果形容词有 too 或 enough 修饰,又可用于此结构

> She is weak to go on the journey. [×]
> 但:She is **too weak** to go on the journey. [√]她身体太虚弱,不能去旅行。

> He is lazy to wash his clothes. [×]
> 但:He is **too lazy** to wash his clothes. [√] 他太懒,连自己的衣服都不洗。

> The river is wide to swim across. [×]
> 但:The river is **too wide** to swim across. [√]河太宽,游不过去。

> The stone is heavy for me to move. [×]
> 但:The stone is **too heavy** for me to move. 这石头太重,我搬不动。

> The horse was clever to understand him. [×]
> 但:The horse was **clever enough** to understand him. [√]这马很聪明,能懂他的意思。

> He is enthusiastic to help them. [×]
> 但:He is **enthusiastic enough** to help them. [√]他很热情,愿意帮助他们。

三、动词不定式的时态和语态意义

不定式有一般、进行、完成和完成进行四种时态变化形式,一般式和完成式有被动语态变化形式,见下表:

时 态 ＼ 语 态	主动语态	被动语态
一 般 式	to write	to be written
进 行 式	to be writing	——
完 成 式	to have written	to have been written
完成进行式	to have been writing	——

1. 动词不定式的时态意义

❶ 不定式的一般式

不定式的一般式表示的动作与谓语动词的动作是同时发生的或是在其后发生的。例如:

Thousands of young people are learning **to ski**. 数以千计的年轻人在学习滑雪。(同时)

Where can we get some sickles **to cut** the rice with? 我们到哪儿去弄些镰刀割稻子呢?(未来)

❷ 不定式的进行式

不定式的进行式表示的动作与谓语动词的动作是同时的,而且正在进行着,在句中可作主语、复合谓语、宾语、表语、状语、宾语补足语、主语补足语。不定式的进行时也可表示"即将发生"。例如:

I hate **to be lying in** bed like this while other students are having class. 别的同学都在上课,我却这样躺在床上,心里真不好受。

My wish is **to be sailing** across the Pacific single-handed. 我的愿望是独自一人驾船横渡太平洋。

She found the temperature **to be dropping** fast. 她发现气温在急速下降。

John **thought Mary to be playing** the piano. 约翰以为玛丽在弹钢琴。

They seem **to be getting along** quite well. 他们似乎相处得很好。

You oughtn't **to be talking** so much. 你不应该说这么多。

He wants **to be dressing**. 他想要穿衣服。

She resolved **to be going**. 她决意要去。

I long **to be seeing** her. 我渴望见到她。

I've **to be going** now. 我现在得走了。

在这里同你坐坐挺好。
It is good **to sit** here with you. （坐下来时讲这句话）
It is good **to be sitting** here with you. （已坐在座位上时讲这句话）

He is said **to write** a preface to the book. 据说他要为这本书写一个序。（He will write.）
He is said **to be writing** a preface to the book. 据说他在为这本书写一个序。（He is writing.）

3 不定式的完成式

(1) 不定式的完成式常同 expect, hope 等连用，表示预计将来完成的动作；也同 mean, think, intend, promise, want, plan, wish, desire, was, were 等表示意图、打算、计划等的动词连用，表示想做而未曾实现的愿望或计划等；也表示先于谓语动词发生的动作或状态，"to have ＋过去分词"表示动作，to have been 表示状态。例如：

I hoped **to have finished** the work earlier. 我本希望可以更早些完成这项工作的。

I intended **to have come** to see you. 我本打算来看你的。（但没能来）

He was **to have fetched** you here. 他本该去把你带来的。

I meant **to have called** you last night. 我本打算昨晚给你打电话的。

She reported him **to have gone**. 她报告说他走了。

I am sorry **to have lost** your key. 把你的钥匙弄丢了，我很抱歉。

She was reported **to have died**. 据报道她已经死了。

He was impatient **to have finished** the job. 他渴望已经完成了工作。

The ship is supposed **to have been sunk**. 据估计那条船已被击沉。

I expect **to have read** this book by Friday. 我预计星期五前读完这本书。

Everybody supposed the hunter **to have died**. 大家都以为那个猎人已经死了。

Painting was thought **to have made** Bill's fortune. 人们认为绘画创作创造了比尔的财富。

The expedition is known **to have reached** the South Pole. 据说探险队已到达南极。

The President was **to have laid** the foundation stone but the plane couldn't take off because of the thick fog. 总统本想出席奠基仪式的，但由于大雾，飞机不能起飞。

They were **to have been married** in May but had to postpone the wedding until June. 他们本打算 5 月结婚的，但不得不推迟到 6 月。

You are lucky **to have won** the girl's heart. 你真幸运，赢得了那个女孩的芳心。（You have won …）

The boy was reported **to have been** missing for a month. 据报道那个男孩已经失踪了一个月。（He had been …）

比较：
She **intended** to come. 她打算要来。（是否来了并没交代）
She **had intended** to come **intended** to have come. 她曾想来的。（但没能来）

She hoped **to pass** the examination. 她希望能通过考试。（句义不清，未说明考试是否通过）
She hoped **to have passed** the examination. 她本希望通过那次考试的。（但没能）
She hoped **to pass** the examination, but failed. 她希望能通过那次考试，但却没通过。（句义清楚）

I happened **to meet** her on my way home. 我在回家的路上碰巧遇见了她。
She happened **to have been knocked down** by a car. 她碰巧被车撞倒了。

▶▶▶ 下面三个句子意思相同：
她本想做那件事的，但却没做。
She **intended** to do that, but she didn't.
She **had intended** to do that.
She **intended** to have done that.

(2) 用在 seem, appear, think, consider, believe 等后，表示一个动作先于另一个动作发生。例如：
I **seem to have seen** her somewhere before. 我好像以前在什么地方见过她。

He **was believed to have been** a reporter. 人们相信他曾经当过记者。

> She **seems** to have been ill. 她似乎曾生过病。
> ＝It seems that she was/has been ill.
> She **seemed** to have been ill. 她似乎过去生过病。
> ＝It seemed that she had been ill.
> She seems **to dance** very well. 她好像舞跳得很好。（指现在）
> She seems **to have danced** very well. 她好像过去舞跳得很好。（指过去）

> There appears **to be** some misunderstanding between them. 他们之间似乎有些误会。（现在存在）
> There appears **to have been** some misunderstanding between them. 他们之间似乎过去有些误会。（过去曾经存在）

(3) 在 should/would like 或 should/would have liked 后用不定式完成式表示没有实现的愿望。例如：

I **should like to have gone** with her. 我本想同她一起去的。（但没有去）

I **should have liked to have seen** her face when she read the letter. 我真想见到她读信时的表情。

> I would like **to have given** him a definite answer. 我但愿曾经给过他明确的答复。（现在愿望，现在知道已不能实现）
> I would have liked **to have given** him a definite answer. 我当时就但愿给过他明确的答复。（过去愿望，当时已知不能实现）

④ 不定式的完成进行式

表示动作在谓语动词的动作之前发生，而且一直进行着。例如：

John is said **to have been driving** carelessly. 据说约翰开车一直很粗心。

He was happy **to have been staying** with his uncle. 他很高兴一直跟他叔叔住在一起。

He looked too young **to have been publishing** books for six years. 他看上去很年轻，不像是已经出版了六年书的人。

⑤ "come＋不定式"表示一个动作发生的过程

He will **come to understand** it in the end. 他最终会明白的。

She has **come to like** him. 她渐渐地喜欢他了。

Later he **came to be** a famous painter. 后来他成了著名画家。

One day she may **come to be ashamed** of what she has done. 她总有一天会为她的所作所为感到羞愧的。

⑥ 不定式完成式 to have done 可用作主语，意为"假如过去……"，指虚拟的过去情况，句中谓语用 would 或 should

To have told the secret would have given me away. 如果说出那个秘密，当时就会把我断送了。

2. 动词不定式的被动语态

① 不定式被动式的逻辑主语

(1) 如果逻辑主语是动作的执行者，不定式用主动式；如果逻辑主语是动作的承受者，不定式用被动式。比较：

> The doctor recommended **him to air the room**. 医生建议他让房间透透气。（主动式）
> The doctor recommended **the room to be aired**. 医生建议让房间透透气。（被动式）

She felt a bit puzzled **to be asked** such a question. 被问了这样一个问题，她有点迷惑不解。（不定式的逻辑主语 she 是句子主语，逻辑主语是动作的承受者，故不定式用被动式）

These are **the books to be distributed** among the students. 这些是要发给学生的书。

The king ordered the treasures **to be brought** to the palace. 国王下令把珍宝送到皇宫里来。

(2) 在"名词/代词＋be＋easy/difficult/fit＋不定式"结构中，有时尽管句中主语是动作的承受者，不定式在意义上是被动的，形式上却是主动的。这时，可看成是省略了动词的逻辑主语 for us, for me, for you 等。例如：

This book is difficult **to read**. 这本书很难读懂。

The man is difficult **to get on with**. 那人很难相处。

He is hard **to convince**. 很难使他信服。

The film is great fun **to see**. 这部电影很好看。(for us)

The food was not fit **to eat**. 这食物不易吃。(for me)

The causes are not far **to seek**. 原因不难找出。(for you)

There is plenty **to eat**. 有许多吃的。(for us)

The path is easy **to find**. 那条小路容易找。(可说:The path is not easily to be found.)

(3) 在某些以 there 等开头的结构中用不定式的主动语态和被动语态均可,有些没有意义上的区别,有些则有区别。例如:

There is a lot of work **to do**/**to be done**. 有许多工作要做。

There is a lot **to say**/**to be said**. 有很多话要说。

There is nothing **to fear**/**to be feared**. 没有什么可怕的。

There's no more **to say**/**to be said**. 再没有什么可说的了。

There is no time **to lose**/**to be lost**. 时间不容耽搁。

There are a lot of letters **to write**/**to be written** this evening. 今天晚上有许多信要写。

There're many difficulties **to overcome**/**to be overcome**. 有很多困难必须克服。

{There is nothing **to do** now. 现在没有什么事可做。(＝We have nothing to do now.)(你可以走了)
{There is nothing **to be done**. 现在没有什么办法。(＝We can do nothing now.)(急也没用)

{There is nothing **to see**. 没有什么东西(可)值得看。(＝nothing worth seeing)
{There is nothing **to be seen**. 看不见什么东西。(＝nothing there at all)

{There is only one thing **to do**. 应当做的只有一件事。(only one thing that you should do)
{There is only one thing **to be done**. 可能采取的办法只有一个。(There is no other way.)

{This is the soldier **to send**. 这是我们应该派遣的士兵。(We should send him.)
{This is the soldier **to be sent**. 这个就是要派遣的士兵。(There isn't any other possibility.)

{I am ready **to shave**. 我要刮脸了。(自己刮)
{I am ready **to be shaved**. 我准备好刮脸了。(别人刮)

{He is still **to find out**. 他还是可能/应该/必须把事情了解清楚的。
{He is still **to be found out**. 对于这个人,可能还是需要了解清楚。

他有一个孩子要照看。
{He has a child **to look after**. (自己照看,by himself)
{He has a child **to be looked after**. (自己照看或由别人照看)

她没有信要打字了。
{She has no more letters **to type**. (自己打字)
{She has no more letters **to be typed**. (自己打字或别人打字)

▶▶▶ 但在 Tell me the names of the people **to contact**/**to be contacted**. 这类句型中,主动语态强调执行者,被动语态强调动作本身。例如:

The man to **consult**(＝for us to consult)/**to be consulted** is Professor Wang. 要咨询的人是王教授。

He is not a man **to trifle with**(＝for you to trifle with)/**to be trifled with**. 他可不是好惹的。

The procedure **to follow**(＝for you to follow)/**to be followed** is this. 下面的程序是这样的。

▶▶▶ 但是,如果句中的不定式逻辑主语不是在场交谈的你(们)或我(们),其被动意义只能以被动形式表示。例如:

It is the first skyscraper **to be built** in the country. 那是将在该国建造的第一幢摩天大楼。

Are you going to the dinner party **to be given** at the hotel? 你要去参加在宾馆举行的宴会吗?

The questions **to be answered** are on page ten. 需要回答的问题在第10页上。(未出现的逻辑主语可以是 for students, for learners 或 for you)

【提示】下列以 there 开头的句子须用被动式:

还有许多不尽如人意的地方。
There's still much left to desire. [×]
There's still much left **to be desired**. [√]

什么也得不到。
There's nothing to have. [×]
There's nothing **to be had**. [√]

一丝声响也听不见。
There is no sound to hear. [×]
There is no sound **to be heard**. [√]

(4) 如果不定式的逻辑主语是该不定式动作的施动者,那么,不定式同其所修饰的名词虽有动宾关系,也必须用主动形式,因为逻辑主语同不定式动作的关系更为直接。例如:

We've got plenty **to eat**. 我们可吃的东西很多。(we→eat)

You've given me much **to think about**. 你给了我许多值得思考的东西。(me→think about)

Has she any complaint **to make** against him? 她对他有什么怨言吗?(she→make)

He has two essays **to write**. 他有两篇文章要写。(he→write)

She has a large family **to support**. 她要养活一个大家庭。(she→support)

国王再没有什么地方可征服了。
The king had no more worlds to be conquered. [×]
The king had no more worlds **to conquer**. [√](the king→conquer)

(5) 在 too ... to 和 enough ... to 结构中,不定式可用主动语态和被动语态表示被动意义,但主动语态更常见。例如:

The book is cheap enough **to buy**. 这本书很便宜,买得起。(to be bought)

The box is too heavy **to carry**. 这箱子太重,搬不动。(to be carried)

(6) blame 的不定式作表语时,常用主动形式表示被动意义;有时,只能用被动形式;有时,可用主动形式和被动形式,但含义有所不同。例如:

Nobody is **to blame** for it. 这事谁也不怪。

Who's **to blame**? 怪谁?

You're not **to blame** for what happened. 出了事不能怪你。

I must say I'm very much **to blame**. 我必须说这主要怪我。

She's greatly **to be blamed** for neglect of her duties. 她玩忽职守,应该受到严厉批评。

He's **to be blamed** and punished. 他应当受到指责和惩罚。(本句不可说 to blame,因为不可说 He's to punish)

You are **to blame**. 这是你的过错。(= You are at fault.)
You are **to be blamed**. 你要受到责备。(= You are going to be blamed.)

(7) something, little, what, much, a great deal 等作句子的主语,表语为 to do 时,多用主动语态表示被动意义。例如:

A great deal of work remains **to do**. 还有许多工作要做。

What is **to do** tomorrow? 明天要做什么?

(8) to let 表示"出租"作表语时,也可用 to be let 形式,但含义在上有些细微的差别;有时则必须用 to be let 形式。例如:

The flat is **to let**. (从房屋主人的立场讲话,由房子的主人亲自向租房人说或登出广告)
The flat is **to be let**. (从房屋本身来说,代理人向租房人讲的话)

The house **won't let**. 房子不出租。/房子租不出去。(可能房子本身有问题,租不出去)
The house **won't be let**. 房子不出租。(可能房主无意出租)
The house **does not let**. 房子没出租。(只陈述没有出租这一事实)

The house is to be repaired and then **to be let**. 这房子要维修,然后出租。(本句不可说 to let,因为不可说 The house is to repair...)

Is this villa to be sold or **to be let**? 这套别墅是卖还是出租?(本句不可说 to let,因为不可说 This villa is to sell)

(9) 与 worth 连用的不定式一般要用主动语态表示被动意义。例如:

The book is worth going **to buy**. 这本书值得去买。

The sight is worth traveling **to see**. 那风景值得去游览。

2 不定式被动式的语法功能

同其主动式一样,不定式的被动式可以用作主语、宾语、表语、定语、状语、主语补足语和宾语补足语等。例如:

To be invited to the banquet is a great honour. 应邀出席宴会是个极大的荣誉。(主语)

He wished **to be sent** there. 他希望被派往那里。(宾语)

To love is no less happiness than **to be loved**. 爱与被爱同样幸福。(宾语)

He is **to be dealt** with by the law. 他应该受到法律的惩处。(表语)(应该)

The paper is **to be rewritten**. 这篇文章必须重写。(表语)(必须)

They are **to be married** soon. 他们快要结婚了。(表语)(安排)

It is a day never **to be forgotten**. 那是一个永远也不能忘记的日子。(定语)

It was a much-**to-be-longed**-for place. 那是一个十分令人向往的地方。(定语)

He is a man not **to be taken** lightly. 他这个人不可小视。(定语)

She had to shout **to be heard**. 她得大声喊,让人听见。(状语)

It is a calamity hard **to be borne**. 这是个难以承受的灾难。(状语)

He ordered the bridge **to be built** within three months. 他下令桥在三个月内建成。(宾补)

He did not like his intention **to be laughed at**. 他不喜欢他的意图受人嘲笑。(宾补)

The waste was left **to be cleared up**. 垃圾有待清理。(主补)

The table was asked **to be moved** into another room. 要求把这张桌子搬到另一个房间里去。(主补)

四、不带 to 的动词不定式

不定式多数情况下都是带 to 的(to-infinitive),但也有不带 to 的不定式(bare-infintive)。

1. 当几个动词不定式具有同样的功能时,to 只用在第一个不定式之前,以避免重复

He was at a loss as to what **to think** and say. 他一时思想乱了,不知该说什么。

It is just impossible **to see** that and **not feel** angry. 看到那个不生气是不可能的。

He decided **to settle down** in Paris and **continue** his fiction writing. 他决定在巴黎定居下来,继续他的小说写作。

▶▶ 但是,如果两个不定式表示对照或对比,或为了强调,则要重复 to。例如:

To die or **not to die** — that is the question. 是生还是死,这就是问题所在。

They came **not to save us**, but **to conquer us**. 他们不是为拯救我们而来,而是为征服我们而来。

She likes **to criticize** but not **to be criticized**. 她喜欢批评别人,而不喜欢被别人批评。

I have come **to comfort** you, but not **to trouble** you. 我是来安慰你,而不是来打扰你。

They went there **to drink**, **to gamble**, and **to fight**. 他们到那里去喝酒,去赌博,去打架。

He hasn't decided whether **to go** home or **to stay** at school during the vacation. 他还没有决定假期里回家还是留在学校。

2. 在以 why 引导的疑问句中不用 to

这种结构的肯定式表示不满或委婉的批评,否定式则表示建议。例如:

Why worry about such trifles? 为何为琐事烦心?

Why not do it right now? 为什么不现在就做?

Why stand up if you can sit down? 要是你能够坐下,为什么站着?

Why leave the window open? 为什么把窗子开着?

Why not try again? 为何不再试一次?

Why run? There will be another bus in two or three minutes. 为什么要跑呢?再过两三分钟就会

有另一辆公交车开来。

Few live as long as a hundred years and **why grieve** over a thousand in tears! 生命不满百,常怀千岁忧。

【提示】

① why not 后还可以接名词、名词短语或动名词短语。例如:

Why not tea? 为什么不要茶呢?

Why not a cup of coffee? 为什么不要一杯咖啡呢?

Why not taking a holiday? 为什么不休假呢?

② how 后也可用不带 to 的不定式。例如:

How leave her here? 怎么把她丢在这里?

3. 在 had better 等结构后不用 to

这类结构有:had better, had best, would rather, would rather ... than, would sooner, would sooner ... than, cannot but, cannot help but, do nothing but, might (just) as well, do nothing besides, do nothing than 等。例如:

I can't help **but be sorry**. 我十分抱歉。

He did nothing else **than cry**. 他只是哭。

There was nothing for the enemy to do **but surrender**. 敌人只得投降。

I'd far/much **sooner be** happy than rich. 我宁要幸福而不要财富。

She can't do anything **but ask** silly questions. 她一个劲地问一些傻问题。

What do you like to do **besides swim**? 你除了游泳还喜欢什么?

What does he do **save talk** nonsense? 他除了胡说八道还能做什么?

I'll do anything **but apologize** to her. 我决不向她道歉。

There is nothing to be done with these old houses **but pull** them down. 这些旧房子只有拆掉。

They **would rather/would sooner/had rather/had sooner die** than surrender. 他们宁死也不投降。

▶▶ 但是,如果 but 或 except 等前的谓语动词不是 do 或 help,to 不能省略。例如:

She had no choice **but to fight** to the end. 她没有别的选择,只有斗争到底。

There was no choice **but to** bear it and wait. 别无选择,只能忍耐、等待。

Nothing remains **but to** wait and see. 只能等着瞧,别无他法。

She never came **except to** quarrel. 她每次来必吵架。

He saw no alternative **except/but/save to** appeal to the court. 他别无选择,只能向法院起诉。

What is left **but** for me **to kill** him or for him **to kill** me. 要么我杀了他,要么他杀了我,别无选择。

▶▶ 但在下面的句子中,but,except,save 后可用或不用 to:

There is nothing to do **but** (to) stick it out to the end. 只能坚持到底。(but 前的 do 不是作谓语,而是不定式作定语)

There was nothing left to do **but** (to) **give up** the plan. 只能放弃这项计划。(理由同上)

There remained nothing **but** (to) **do** it again. 这个只能重做。

He did nothing **except/save** (to) **sleep**. 他只是一个劲地睡觉。

What does he do **save** (to) **talk** nonsense? 他除了一派胡言还能说什么?

【提示】

① 在否定句中,not 放在 had better,would rather 后,而在否定疑问句中,not 放在 had 和 would 后。例如:

I would rather **not** drink anything. 我什么也不想喝。

Hadn't you better make haste? 你是不是最好快一些?

Had I not better do it tomorrow? 我是不是最好明天做?

② 在下面一句中,用不用 to 均可:

She could do no otherwise **than** (to) **laugh**. 她止不住笑了。(＝She could not but laugh.)

4. 在 hear 等动词后,动词不定式作宾语补足语时不用 to

这类词有:hear, listen to, feel, see, look at, watch, notice, observe, perceive, let, make, bid, have, note, leave/let 等。例如:

He **made her give up** the property. 他使她放弃了财产。

What would you **have me do**? 你要我干什么呢?

She **noted a change come** over his face. 她注意到他的脸色变了。

Make form serve content. 让形式为内容服务。

We **smelt the leaves burn**. 我们闻到树叶燃烧的气味。

Bid her come in. 让她进来。

He **let the rope go**. 他撒开了绳子。

I can't stand to **have him hear** it. 让他听到这话,我受不了。

She **listened to him drop** his coin into the telephone and dial. 她听着他把硬币投进电话,然后拨号。

I sat **watching the shadows of trees creep** across the floor. 我坐着,望着树影在地板上缓缓移过。

I **heard the wind sough** through the pines. 我听到了风过松林的飒飒声。

I listened leisurely to a soft melody and **let myself be carried away** to a fairyland of beauty. 一阵轻柔的旋律把我带进一个美丽的仙界。

Bitterness fed on the man who had **made the world laugh**. 这位饱尝辛酸者却让全世界笑了。

A word of encouragement might have **made me respect** instead of **hate** him. 一句鼓励的话或许会使我尊敬他而不再恨他。

She sat at the window **watching the birds hop** about on the grass. 她坐在窗前,看着鸟儿在草地上跳来跳去。

He stood under the tree **listening to the bird sing** a merry song. 他站在树下,听那只鸟唱着欢快的歌。

Look at the monkeys fight with each other. 看那些猴子在打架呢。

I didn't **notice her go out**. 我没注意她出去了。

Did you **hear him go** downstairs? 你听到他下楼去了吗?

She **felt someone pat** her on the head. 她感到有人轻轻地拍了拍她的头。

He **let it be known** he would manage the ship. 他让人知道他将要驾驶那条船。

Someone **saw her enter** the house by the back door. 有人看见她从后门进了那所房子。

【提示】

① 上述某些动词,其后若用 to be 作宾语补足语,要带 to,但 to be 可以同时省略。例如:

I saw it **to be** an act of insult. 我认为这是一种侮辱行为。

I heard him **to be** very aggressive. 我听说他很好斗。

The old man often perceives the past **to be** better than the present. 这位老人常常认为过去比现在好。

The legacy made her (to be) the richest woman in the town. 这笔遗产使她成为这座小城里最富的女人。

② 在下面一句中,watch him to see 中的 to 不可省,因为 to see 用作目的状语,不是宾语补足语:

The man's furtive manner **made** the policeman **watch him to see** what he would do. 那个男人鬼鬼祟祟的样子,引起警察对他的行动进行监视。

5. 在 help 后面, to 有时可不用

如果 help 的主语参与宾语的动作,其后常用不带 to 的不定式作补语;如果 help 的主语不参与宾语的动作,其后作补语的不定式通常带 to,但美式英语通常不带 to。例如:

She often **helps** mother **clean** the rooms. 她经常帮助母亲打扫房间。

Tom **helped** his father **carry** the box upstairs. 汤姆帮助父亲把箱子搬上楼。

This book **helped** me **to see** the truth. 这本书帮助我了解了事实真相。

The policy **helps** the people there **to develop** agriculture. 这项政策帮助那里的人发展农业。

Music can **help** you **relax** after a whole day's hard work. 一天紧张工作之余听听音乐能帮助你放松。

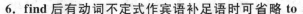

6. find 后有动词不定式作宾语补足语时可省略 to

I **found it**（to）**pay**. 我发现这样很合算。

【提示】find 后的宾语补足语为 to be 时，to 不可省。例如：

我发现在我所参观的所有城市中都是这种情况。

> I found this be true in all cities I visited.［×］
> I found this **to be** true in all cities I visited.［√］
> I found this（**to be**）true in all cities I visited.［√］

7. know sb./sth. do sth. 和 charge 后的宾补不定式有无 to 均可

这种用法的 know 表示"看见过，听见过"，charge 表示"要求，指示，告诫"。例如：

I **charged him**（to）**go** there. 我吩咐他去那里。

I've never **known her**（to）**lose** her temper. 我没看见过她发脾气。

I have never **known him**（to）**tell** lies. 我从没听说过他撒谎。

Have you ever **known him to get up** early? 你可曾知道他哪一次起床早过？

They **knew the man to have been** a spy. 他们听说那人过去曾当过间谍。（本句中的 to 不可省）

I've never **known him**（to）**sing** so beautifully before. 以前我一直不知道他唱歌这么好听。

I have **known him walk** with a beautiful girl，hand in hand. 我看见过他同一个漂亮女孩手挽着手走着。

【提示】

① know 用于一般现在时，其后只跟 to be，to be 可省略。例如：

I **know this to be** a fact. 我知道这是事实。

I **know him to be** a fool. 我知道他是个傻瓜。

② 下面句中的 to 不可省：

He is known **to lie**. 人们都知道他说谎。

③ 下面两句中的 to 不可省：

He charged the man **to be** silent. 他吩咐那个男人不要出声。

She charged him not **to accept** the gift. 她告诫他不要接受那份礼物。

8. 在 go，come 和 run 后可省略 to，直接用另一个动词，多用于表示命令、建议、请求或意愿等的句子中

Come have a drink with us. 来同我们喝一杯吧。（＝Come to have ...）

I'll **go see** my sister. 我要去看我妹妹。（＝go to see ...）

Let's **go hear** a concert. 我们去听音乐会吧。

Come sit with me. 来跟我坐在这儿。

Go chase yourself! 走开，别捣乱！

You should **go hide**. 你该躲起来。

You should **go thank** her. 你应该去感谢她。

I must **go telephone**. 我得去打电话。

Run buy some sugar，Tom. 快去买些糖，汤姆。

Go close the door. 去把门关上。

Mr. Wood asked her to **go live** in America. 伍德先生要她到美国定居。

You'd better **go get** him，anyway. 你最好还是去接他。

One Saturday night he said he wanted to **go see** the Christmas lights at the zoo. 一个周六晚上，他说他想去动物园观看圣诞节彩灯。

Aunt Polly was busy raising her own three children so Jacob would **come stay** with me on weekends. 波莉姨妈本身还有三个孩子要抚养，够忙的了，所以雅各布每个周末都会来和我一起过。

9. rather than 或 sooner than 位于句首时，其后的动词不用 to

Sooner than run the risk of losing more money，he accepted these terms. 他不愿冒损失更多的钱的危险，就接受了这些条件。

Rather than travel by air，he preferred a train on his tour. 他旅行不喜欢乘飞机,而喜欢坐火车。

They walked to the beach **rather than**（to）go by car. 他们不是开车而是步行去海滨的。(rather than 位于句尾时,可保留或省略 to)

10. 在 make believe，let go 等固定搭配中不用 to

这类固定搭配有:make believe 假装,let go 放开,hear tell 听人告诉说,hear say 听人说,let slip 错过,leave go 放开,let fall 使落下,let drop 无意说出/使落下,let fly 任其飘扬,let know 告知,let pass 放过,let ride 放任,help save 有助于拯救,hear talk 听人谈到,make do 凑合,let live 让人活,go hang 听其自然,等。例如:

Leave go of me! 放开我!

A word spoken is an arrow **let fly**. 说出的话就像射出的箭,收不回来。

I've **heard tell** of her before. 我以前听人说起过她。

We'll have to **make do** with what we have now. 我们将只得凑合着过了。

He **made believe** he was innocent. 他假装自己是无辜的。

Don't **let slip** such a good opportunity. 不要失掉这样一个好机会。

We can't let things **go hang**. 我们不能撒手不管。

She **let fall/drop** everything she was carrying. 她把所拿的东西都撒落了。

11. I judge her to be honest 中的 to be 可以省略

judge，imagine，prove，select，report，suppose，guess，assert，esteem，appoint，believe，consider，declare，think，understand 等动词后的宾语补足语用 to be 结构时,to be 可以省略。但如果是不定式完成式,则不可省。例如:

They **declared** themselves（to be）bankrupt. 他们宣布破产了。

We **judge** her（to be）honest. 我们认为她诚实。

We don't **consider** her（to be）suitable for the job. 我们认为她不适合做这项工作。

I **consider** him **to have been** unreliable. 我认为他不可靠。

12. 主语是 all，what 等引导的从句,作表语的不定式一般不用 to

如果主语是 all 或是 what 引导的从句,主语受 only，first，one，least 或形容词最高级修饰,且后面的从句或短语中有实义动词 do 时,作表语的不定式前一般不用 to。例如:

The least you can do is **help up** a little. 你至少也可以帮一把。

What she did to the matter was **keep silent**. 她对这件事就是保持沉默。

The only thing I could do was **go it alone**. 我唯一能做的就是单枪匹马干。

All he does is **gossip** about others. 他总是说人闲话。

All I did was **stare** in horror at the stream of lava coming down upon us. 我只是恐惧地凝望着冲我们而来的熔岩流。

【提示】在现代英语中,这类情况下作表语的不定式前用 to 也是正确用法,且呈渐多趋势。例如:

All I could do was **to watch** and **wait**. 我只能看着,等着。

One of the most important things you can do to improve your health is **to start** an exercise and weight loss program. 最重要的事情之一就是开始实行一个锻炼和减轻体重的计划。

▶▶▶ 口语中,在 as ... as 后有时可接不带 to 的不定式,但不宜模仿。例如:

If you'll be as good as **do** it for me, I shall go with you. 如果你肯为我做那件事,我就同你一起去。

He will recognize you as soon as **see** you. 他一看见你就会认出你的。

13. 不定式带不带 to 的几种特殊情况

① know better than 后的不定式通常带 to,但也有省略 to 的情况

She **knows better than to lend** him the money. 她很明智,不会把钱借给他。(＝too wise to lend)

He **knows better than to offend** the manager. 他很聪明,不会得罪经理。

He **knew better than to argue** with such a rascal. 他不屑于同这个无赖争辩。

He **knows better than to quarrel**. 他还不至于吵架。

You should **know better than**（to）go swimming right after lunch. 你应该知道午饭后不应该立即

去游泳。

She **knew better than** (to) **believe** his honey words. 她很明智,不至于相信他的甜言蜜语。

② "比较级＋名词＋than"结构后的不定式通常带 to,但也有省略 to 的情况

She has **more sense than to be deceived** by him. 她有理智,不会受他的骗。

He has a **better heart than to betray** his country. 他有良心,不会叛国的。

John has **better sense than** (to) **be carried away** by success. 约翰头脑清醒,不会被胜利冲昏头脑。

He has **better sense than** (to) **do** such a foolish thing. 他头脑清醒,不会干这样的蠢事。

They have **a better opinion of him than** (to) **suspect** him of anything. 他们对他的看法很好,不会怀疑他什么的。

③ "比较级＋than"结构后的不定式可以省略 to

Bob is **wiser than** (to) **make** such silly mistakes. 鲍勃很聪明,不会犯如此愚蠢的错误。

It is much **cheaper** for you to paint the room **than** (to) **ask** him to do it. 你自己油漆房间要比让他油漆便宜得多。

④ instead of 后连接的不定式一般要加 to

I asked her to have a rest **instead of to go** to work. 我要她休息一下,不要去上班。

I wrote the letter to comfort you **instead of to criticize** you. 我写这封信是为了要安慰你,不是批评你。

It is a painting to be appreciated, **instead of to be borrowed**. 这幅绘画供欣赏,不外借。

▶▶▶ 前面的不定式不带 to 时,instead of 后的 to 可以省略。例如:

He wasted his whole life **instead of** (to) **do** anything worthwhile. 他浪费掉了一生,没有做任何有价值的事。

She had the children **read** in the classroom **instead of go** out. 她让孩子们在教室里读书,不让他们出去。

五、fail to do sth. 还是 fail doing sth. ——介词 to 和不定式符号 to

英语中有相当数量的常用短语,其最后一个词是 to, to 既可以是介词,也可以是不定式符号。作为介词,to 后面须接名词或动名词,作为不定式符号,to 后面须接动词原形,不可混淆。下面就对常见的这类短语作一归纳。

1. 带介词 to 的短语

get down to 着手做,认真考虑

find one's/its way to/into 设法达到

feel up to 有力气做

cling to 粘住,坚持

amount to 共达到,等于,意味着

get over to sb. 被……懂得

admit to 承认

take to 喜欢上,从事,沉湎于,走向

be open to 愿意接受或考虑,可供,易达到

measure up to 与……相称,符合

make it to (a place) 成功地到达,某地

look up to 尊敬,敬仰

lead to 导致,引起

lead up to 慢慢引起,导致

wake to 开始意识到,醒来

succumb to 屈服于,为……所诱惑,死于

succeed to 继承

subscribe to 订阅,同意

keep to 遵守,坚持,坚持……方向

be given (over) to 沉溺于,喜爱,醉心于

give way to 对……让步,让位于,被……

give rise to 使……发生,引起

give one's mind to 专心于

get up to 执行,从事,读到

get sth. over to sb. 使(某人)懂得

warm to 爱好,同情,对……表示亲热

wise up to 了解,知道

turn to 求助于,依靠,转而从事于

trust to 依靠

testify to 为……作证明

look forward to 期望,盼望

run to 达到,发展到

relate to 与……有关

put one's mind to 致力于做……

confess to 承认

point to 指向,面向,表明

stick to 坚持,忠于	play up to 奉承……,利用……
stand up to 勇敢地面对,抵抗,经得起	pertain to 属于,与……有关
stand to 遵守,坚持,合乎	pander to 迎合,怂恿
be dedicated to 献身于,致力于	be sentenced to 被判刑
be converted to 改信(宗教)	be related to 与……有关
be committed to 对……承担责任,对……表态	be reduced to 沦为,降为
be annexed to 附加在……上	be preferable to 比……更可取/更好
be adjusted to 调节到	be pertinent to 与……有关
be acclimated to 习惯于	be opposed to 反对
see to 注意,处理,照料	be familiar to 为……所熟悉
say yes to 同意	be faithful to 忠于,恪守
with a view to 为了……	be equal to 胜任,等于,相同
be used to 习惯于	object to 反对
averse to 厌恶	in addition to 除……外
be addicted to 沉溺于,有嗜好	

take kindly to sth. 赞同(用于疑问句、否定句和感叹句)

Tell her not to be **subject to** fits of passion. 告诉她不要感情冲动。

What he said is not **pertinent to** the matter. 他所说的与此事无关。

He doesn't want to be **committed to** anything. 他什么事都不想承担责任。

Surely she will be **equal to** performing her duty. 当然,他将是称职的。

During the war, many people were **reduced to** living in poverty and misery. 在战争年代,许多人生活贫困而悲惨。

【提示】be accustomed to (习惯于)后可接不定式、动名词或名词。例如:

He is **accustomed to** { **get up** early. 他习惯早起。 / **getting up** early. / early **rise**. }

2. 带不定式符号 to 的短语

be supposed to do sth. 应该……	go all out to do sth. 全力以赴
fail to do sth. 未能……	make a point to do sth. 坚持……
have the goodness to do sth. 劳驾……	have a good/great mind to do sth. 很想……
go out of one's way to do sth. 特别费心……	
have the nerve to do sth. 有胆量……/居然有脸……	
have the face/check/neck to do sth. 居然有脸……	

find it in one's heart/in oneself to do sth. 忍心(常用于否定句)

They **went out of their way to** make the guests feel at home. 他们为使客人感到如在家里一样,特别花了一番心血。

I never thought such a shameless man **had the nerve to** say something bad against me. 我没想到这样一个无耻的人居然还有脸说我的坏话。

He **made it a point to** do morning exercises for half an hour every day. 他坚持每天早晨锻炼半个小时。

【提示】下面几个含有不定式结构的句子均有两种理解:

It is hard to read. { 读书难。(To read is hard. It 为形式主语,read 为不及物动词) / 它(文章、诗等)很难读。(To read it is hard. It 为代词,read 为及物动词) }

He was good to leave. { 他离开了,(这)太好了。(It was good of the man to leave. leave 为不及物动词) / 离开他太好了。(It was good to leave the man. leave 为及物动词) }

$\begin{cases} \text{She is too much of a coward to shoot.} \\ \text{她太胆小,不敢射击。(shoot 为不及物动词)} \\ \text{她太胆小,别人不会向她射击。(shoot 为及物动词)} \end{cases}$

$\begin{cases} \text{The lamb is too hot to eat.} \\ \text{羔羊热得不能吃东西。(eat 为不及物动词)} \\ \text{羔羊肉太热,不能吃。(eat 为及物动词)} \end{cases}$

$\begin{cases} \text{He is too good a man to swindle.} \\ \text{他是个很好的人,不会诈骗。(He is so good a person that he won't swindle. swindle 为不及物动词)} \\ \text{他是个很好的人,别人不会诈骗他。(He is so good a person that others won't swindle him. swindle 为及物动词)} \end{cases}$

【改正错误】

1. This is the only way we can imagine reducing the overuse of water in students' bathrooms.
   　　　　　A　　　　　　　　B　　　　C　　　　　　　　　　D

2. The play produced next month aims mainly to reflect the local culture.
   　　　　A　　　　B　　　　C　　　D

3. With the world changing fast, we have something new dealt with all by ourselves every day.
   A　　　　　B　　　　　　　　　　　　　　　　C　　D

4. Mr. Green stood up in defence of the 14-year-old boy, saying that he was not the one
   　　　　　A　　　　　　B　　　　　　　　　　　　　C
   to be blamed.
   　D

5. There were many talented actors out there just waiting to discover.
   　　　　A　　　　B　　　　　　C　　　　　　　　D

6. With Father's Day around the corner, I have taken some money out of the bank buying presents
   A　　　　　　　B　　　　　　　　　　　　　　　　　　C　　　　　　　D
   for my dad.

7. Schools across China are expected to hire 50,000 college students this year as short-term teachers,
   　　　A　　　　　　　　　　　　　　　　　　　　　　　　　　　　　　B
   almost three times the number hired last year, having helped reduce unemployment pressures.
   　　　　　　　　　　　　C　　　　　　　D

8. David threatened reporting his neighbor to the police if the damages were not paid.
   　　　　　　　A　　　　　　　B　　　C　　　　　　　　D

9. I like getting up early in summer. The morning air is so good to be breathed.
   　　　A　　　　　B　　　　　　　　　　　　C　　　　D

10. Tim Bemers-Lee is generally considered to found the World Wide Web, on which all the information is
    　　　　　　　　　　　　　　　　A　　　　　　　　　　　B　　　　C
    shared by all.
    　D

11. He took a taxi and hurried to the hotel, only to tell his girlfriend has already left.
    　A　　　　　B　　　　　　　　　C　　　　　　　　D

12. Nowadays people sometimes separate their waste to make it easier for it reused.
    A　　　　　　　　　　　　　B　　　　　　C　　　　　D

13. Leonardo da Vinci is said to be buying birds kept in cages in order to have the pleasure of setting
    　　　　　　　　A　　　　　B　　　　C
    them free.
    　D

14. The crowd cheered wildly at the sight of Liu Xiang, who was reported beraking the world record
    　　　　　　A　　　B　　　　　　　　　　　　　　　　C
    in the 110-meter hurdle race.
    D

15. It took <u>a long time</u> for the connection <u>between</u> body temperature and illness <u>to make</u>.
　　　　A　　　　　　　　　　　　B　　　　　　　　　　　　　　C　　　　　　　　　　　　　D

16. <u>With</u> some books he needed <u>to be bought</u>, he went <u>into</u> the bookstore <u>quickly</u>.
　　　A　　　　　　　　　　　　　　B　　　　　　　　C　　　　　　　　　D

17. — Can the project be finished <u>as planned</u>?
　　　　　　　　　　　　　　　　　　A

　　— Sure, <u>getting</u> it completed <u>in time</u>, we'll work <u>two more hours</u> a day.
　　　　　　　B　　　　　　　　　　C　　　　　　　　　　D

18. I would love <u>to go</u> to the party last night, <u>but</u> I <u>had to work</u> extra hours to finish a report.
　　　　　　　　A　　　　　　　　　　　　　　B　　　C　　　　　　　　D

19. She claimed <u>to be treated</u> <u>badly</u> in the supermarket when she <u>was shopping</u> <u>with</u> her son yesterday.
　　　　　　　　A　　　　　　B　　　　　　　　　　　　　　　C　　　　　D

20. The message is <u>of vital importance</u>, so it is supposed <u>being sent</u> as soon as <u>possible</u>.
　　　　　　　　A　　　　　　　　B　　　　　　　　　　C　　　　　　　　　　D

21. Sandy <u>could not do</u> anything but <u>to admit</u> <u>to</u> his teacher that he was <u>wrong</u>.
　　　　　　A　　　　　　　　　　B　　C　　　　　　　　　　　D

22. <u>With</u> a lot of difficult problems <u>settled</u>, the <u>newly-elected</u> president is <u>having</u> a hard time.
　　A　　　　　　　　　　　　B　　　　　　　C　　　　　　　　D

23. <u>It is said</u> <u>in</u> Australia there is <u>more land than</u> the government knows <u>to do what with it</u>.
　　A　　B　　　　　　　　　C　　　　　　　　　　　　　　D

24. <u>Police</u> are now searching for a woman who <u>is reported</u> <u>to be missing</u> since the flood <u>hit</u> the area
　　A　　　　　　　　　　　　　　　　B　　　　　C　　　　　　　　　D
last Friday.

25. Aids is said <u>to be</u> the biggest health challenge <u>to</u> both men and women in that area <u>over the past</u>
　　A　　　　B　　　　　　　　　　　　C　　　　　　　　　　　　　　　D
few years.

26. <u>And there</u>, almost <u>lost</u> in the big chair, sat her little brother, who never had <u>to tell</u> to keep
　　A　　　　　　　B　　　　　　　　　　　　　　　　　　　　　　　C
<u>quiet</u>.
　D

27. When <u>visiting</u> a foreign country, I sometimes <u>found</u> it difficult <u>making myself understand</u>.
　　　A　　B　　　　　　　　　　　　　C　　　　　　　D

28. The leaders <u>were to join</u> us <u>in</u> our discussion, but <u>owing to</u> more important <u>business</u> they couldn't
　　　　　　A　　　　　B　　　　　　　　　C　　　　　　　　　D
come.

29. <u>Having missed</u> the last bus, Peter had no alternative <u>but take</u> a taxi <u>home</u> though he did not like
　　A　　　　　　　　　　　　　　　　　　　　B　　　　　C
the idea.
　D

30. <u>Regardless of</u> your teaching method, <u>the objective</u> of any conversation class <u>should be</u> for the
　　A　　　　　　　　　　　　　　B　　　　　　　　　　　　　　C
students <u>practising</u> speaking.
　　　　　D

【答案】

1. B(to reduce)　　　2. A(to be produced)　3. C(to deal with)　4. D(to blame)
5. D(to be discovered) 6. D(to buy)　　　　7. D(to help)　　　8. A(to report)
9. D(to breathe)　　10. A(to have found)　11. C(to be told)　12. D(to be reused)
13. A(to have bought) 14. C(to have broken) 15. D(to be made)　16. B(to buy)
17. B(to get)　　　　18. A(to have gone)　　　　　19. A(to have been treated)
20. C(to be sent)　　21. B(admit)　　　　　　　22. B(to settle)
23. D(what to do with it)　24. C(have been missing)　25. B(to have been)
26. C(to be told)　　27. D(to make myself understood)　28. A(were to have joined)
29. B(but to take)　30. D(to practise)

第十二讲　-ing 分词之动名词(Gerund)

　　"动名词、现在分词"均以-ing 结尾,有些语法书把它们统称为"-ing 分词"。称谓上虽可划一,但实际用法和功能上相去甚远。为使读者便于掌握,便于使用,本书在"-ing 分词"名下,仍使用传统语法术语"动名词、现在分词"进行论述。

一、构成与特征

　　动名词也是动词的一种非限定形式,由动词原形加-ing 构成,与现在分词同形。动名词兼有动词和名词的特征和作用,其动词特征表现在可以带宾语、状语或表语。例如:

Getting up early is considered a good habit. 早起被认为是一种好习惯。(带状语)

He dreamt of **becoming an aviator**. 他梦想当一名飞行员。(带表语)

At the meeting he stressed the importance of **defeating their competitors**. 会上他强调了击败竞争对手的重要性。(带宾语)

▶▶ 此外,动名词的动词特征还表现在它的语态和时态变化。例如:

He insisted on his **being assigned** the mission. 他坚持要给自己分配这项任务。(一般被动式)

I know nothing about his **having served** in the army. 我一点也不知道他服过役。(完成时)

▶▶ 动名词的名词特征主要表现在它在句中可以充当主语或宾语,还可以受形容词、代词和名词的修饰,前面也可以加冠词。例如:

There is no justification for **the running** away in such haste. 如此匆忙逃走是无法辩解的。

All seems **smooth sailing**. 一切看来都很顺利。

What do you think of **our class going** out for an outing this weekend? 你认为我们班周末出去郊游怎样?

二、功能

1. 作主语

Saying is easier than doing. 说比做容易。

Being poor is no disgrace. 贫穷不是耻辱。

Reading is learning; **applying** is also learning. 读书是学习,应用也是学习。

Being late is an unforgivable sin here. 在这里,迟到是一种不可原谅的严重过错。

Did **playing a tyrant** make him act like a tyrant. 扮演暴君使他的行为举止像暴君吗?

Being a teacher is being present at the creation, when the clay begins to breathe. 当一名教师就意味着亲历上帝造人的过程,目睹用泥土捏成的人体开始呼吸,开始了生命。

His coming here will be a great help. 他到这儿来将大有帮助。(带逻辑主语)

Your drinking so much wine is not good for health. 你喝这么多酒对身体不好。(带逻辑主语)

Jack's suddenly disappearing made them worried. 杰克的忽然消失使他们十分担忧。(带逻辑主语和状语)

Seeing much, **suffering much**, and **studying much** are the three pillars of learning. 增广见闻,历经磨难,不断钻研是治学的三大支柱。

Today being sunny makes us happy. 今天阳光明媚,我们大家心情都很好。(带逻辑主语和表语)

Having studied computer is an important qualification for the job. 学过计算机对于从事这项工作

是一个重要条件。(完成时,带宾语)

Having seen a lot of the world in one's youth is a good thing. 年轻时见过很多世面是一件好事。(完成时,带宾语和状语)

There being a bus stop so near the school is a great advantage. 有一个公共汽车站离学校这么近,真是一大便利。(there be 结构)

【提示】

① use, good, pity, bore, time, fun, hard, funny, nice, odd, worth, difficult, worthwhile, interesting, tiring, better, foolish, enjoyable, pointless, crazy, terrible 等名词或形容词作表语时,可用 it 作形式主语,把作主语的动名词后置。例如:

It's crazy **her going off like that**. 她就那样走了真是疯了。

It's no use **waiting here**. 在这里等没用。

It's pointless **arguing with him**. 同他争辩是白费口舌。

It's rather tiring **looking after the kids**. 照看孩子极为累人。

It is dangerous **your swimming in this river**. 你在这条河里游泳很危险。

It is a blessing **having a park so near**. 离公园这么近,真是件幸运的事。

It's terrible **not being allowed to smoke at all**. 这里根本就不允许抽烟,真难受。

It's no good **helping** him. He doesn't help himself. 帮他没有用,他自己不争气。

② "there is no+动名词"为常见结构,相当于 it is impossible to do sth.。例如:

There is **no accounting for** tastes. 人各有所好。

There is **no persuading** her. 无法劝说她。

There was **no trusting** such a man. 这样的人不可信。

There is **no getting along** with him. 简直无法同他相处。

There is now **no turning** back. 现在只有前进,没有退路。

There is **no hiding** of evil but not to do it. 若要人不知,除非己莫为。

2. 作表语

Her job was **keeping** the hall as clean as possible. 她的工作是尽量使大厅保持整洁。

Denying this will be **shutting** one's eyes to facts. 否认这一点就是闭眼不看事实。

That is **asking** for trouble. 那是自找麻烦。

The best policy is **being** honest. 诚实方为上策。

This report is dull **reading**. 这篇报告读着很枯燥。

The problem is **their having** to face a lot of difficulties. 问题是他们得面对诸多困难。(带逻辑主语)

His aim is **everybody having** a good time. 他的目的是大家都玩得愉快。(带逻辑主语,也可说 everybody's having)

Her regret is **having done** so much for him and **being abandoned** by him. 她遗憾的是,曾为他奉献了那么多,而却被他抛弃了。(完成时,被动式)

His trouble is **having tried** every means and **being** still poor. 他的麻烦是,一切办法都试过了,却依然贫穷。(完成时)

3. 作动词宾语

He admitted **taking** the watch. 他承认拿了手表。

You'd better start **believing** me. 你最好开始相信我。

The day began **folding** up. 天晚了,暮色四合。

He loathed **getting** up early in the morning. 他讨厌一大早就起床。

They confessed **hating** the king. 他们承认痛恨国王。

I don't doubt **their wanting** to help. 我不怀疑他们想帮忙。

She was in low spirits and even **considered going** away. 她情绪低落,考虑着离开。

She imagined **finding** a wallet on the sidewalk. 她想象着自己在人行道上发现一个钱包。

I appreciate her **devoting** herself to the cause of education. 我非常钦佩她献身于教育事业的精神。

They bar **playing** cards for money. 他们禁止打牌赌钱。

You mustn't shirk **doing** your duty. 你不能逃避责任。

He owns **being** about to get married. 他承认快要结婚了。

He did some **telephoning**. 他打了几个电话。

The government has banned **logging** to protect the environment. 为了保护环境,政府已禁止砍伐木材。

> 我不堪久候。
> I can't stand to be kept waiting. 〔×〕
> I can't stand **being kept** waiting. 〔✓〕

▶▶ 下列动词后常跟动名词作宾语,其中有些可用 sb./sth. doing 结构:

admit, stand, anticipate, appreciate, avoid, complete, consider, delay, deny, detest, enjoy, escape, excuse, fancy(＝imagine), finish, forgive, imagine, keep(＝continue), mind, miss, pardon, postpone, practise, prevent, propose, recall, recollect, resent, risk, resist, suggest, advise, allow, permit, recommend, acknowledge, require, tolerate, picture, visualize, envision, despise, relish, loathe, disdain, abhor, decline, reject, facilitate, defer, involve, imply, ensure, guarantee, confirm, justify, substantiate, approve, endorse, favor, encourage, shirk, shun, bar, ban, prohibit, hinder, impede, omit, overlook, foresee, predict, contemplate 等。

▶▶ 但在 advise, allow, permit, recommend 后,如果提到有关的人,可用动词不定式。例如:

He advised me **to leave** right now. 他劝我马上就离开。

They don't allow **us to park** here. 他们不许我们在这里停车。

【提示】比较下面两句中动名词肯定式和否定式的不同含义:

> She excused/spared my **doing the work**. 她免除了我做那项工作。(我不必做那项工作了)
> She excused/spared my **not doing the work**. 她原谅了我没有做那项工作。(我没有做那项工作)

4. 作介词宾语

I think I can coax Father **into increasing** my pocket money. 我想我能说服父亲增加我的零花钱。

She left the room **without saying** a word more. 她没再多说什么就离开了房间。

I am looking forward **to meeting** her. 我盼望着和她会面。

He bribed the boss **into taking** him. 他贿赂老板留用了他。

We get pleasure **from loving** and **being loved**. 我们从爱别人和被别人爱中得到快乐。

She took it **as meaning** yes. 她以为那意味着同意。

Reading a good book is **like talking** with a lofty person. 读一本好书就像是在和一位高尚的人谈话。

Dressing well is **about being** polite in society. 穿着讲究是有教养的表现。

The business has expanded **from having** one office **to having** twelve. 这家公司已从一个分公司发展到拥有 12 个分公司了。

He is in danger **of boiling** over at the injustice of it all. 面对这一切的不公平,他怒火中烧,随时可能爆发。

They are aware there is a difference **between being** loving and **acting** loving, and **between being** knowledgeable and **acting** knowledgeable. 他们明白爱与装爱、博学与装博学之间的区别。

1 动名词作介词宾语常用在某些词组后面

go on, get through, insist on, persist in, keep on, accuse ... of, think of, care for, give up, put off, dream of, suspect ... of, charge ... with, prevent ... from, be engaged in, thank ... for, feel like, excuse ... for, aim at, devote ... to, depend on, set about, be capable of, be afraid of, be tired of, be sick of, succeed in, be interested in, be keen on, be responsible for, apologize for, believe in, dream of, worry about, aid sb. in, pay attention to, advice on, difficulty in, fancy for 对……的迷恋, genius for 做……的天赋, take to 喜欢, no harm in 无害处, abstain from 避免, motive for 动机, object to 反对, passion for……的热情, plan for……的计划, surprise at 对……感到吃惊, adapt at/in 熟练于, aware of 意识到, apprehensive of

对……担忧，apologetic for 道歉，confident of 对……有信心，equal to 胜任，exact in 精确……，fond of 喜爱，guilty of 为……内疚，fearful of 害怕，hopeful of 希望，awkward at 笨拙，intent on 决意，suitable for 适合，unconscious of 未意识到，right in 做得对，desirous of 渴望，wrong in 在……错，等，这些词组后跟动名词。例如：

He is intent on **carrying out** the experiment. 他专注于进行这项实验。

You are wrong in **accepting** her gift. 你接受她的礼品是错误的。

She is apologetic for **breaking** the vase. 她为打破了花瓶表示道歉。

There is no harm in **trying** again. 再试一次也无妨。

He took to **going** out for a walk in the evening. 他喜欢晚间散散步。

She felt like **going out**. 她想要出去。

She is desirous of **winning** the match. 她渴望赢这场比赛。(也可说 desirous to win the match)

True happiness consists in **being** contented with oneself. 真正的幸福在于知足。

He got married previous to **going** abroad. 他在出国前结了婚。

【提示】 cannot help＋动名词＝cannot avoid/resist＋动名词＝cannot refrain/keep/desist/abstain from＋动名词＝cannot hold/keep back from＋动名词＝cannot choose but＋动词原形或 cannot but＋动词原形。例如：She couldn't **abstain from/keep back from** smiling at the nodding flowers. 看见迎风招展的花儿，她喜不自禁，笑盈盈的。

2 动名词作介词宾语构成的介词短语，在句中可起状语作用

She left **without saying goodbye to us**. 她没有向我们告别就走了。

3 动名词作介词宾语构成的介词短语，在句中可起定语作用

His method **of organizing** the work is commendable. 他组织这项工作的办法是值得称赞的。

He hasn't much experience **in running** factories. 他没有多少管理工厂的经验。

▶▶ 这类介词短语(介词＋动名词)作定语修饰的名词常见的有：way (of)，method (of)，art (of)，chance (of)，opportunity (of)，habit (of)，hope (of)，process (of)，possibility (of)，importance (of)，necessity (of)，intention (of)，honor (of)，means (of)，right (of)，surprise (at)，astonishment (at)，excuse (for)，apology (for)，plan (for)，idea (of)，experience (in)，skill (in)，purpose (of)，practice (of)，choice (of)，custom (of)，object (of)，aptitude (for)等。

▶▶ 这类名词有些可以接"介词＋动名词"，也可接不定式，意义上一般没有区别。例如：

intention **of doing** sth. intention **to do** sth.(意愿)	mood **of doing** sth. mood **to do** sth.(心绪)
reason **of doing** sth. reason **to do** sth.(理由)	way **of doing** sth. way **to do** sth.(方法)
time **for doing** sth. time **to do** sth.(时间)	necessity **of doing** sth. necessity **to do** sth.(必要)
patience **in doing** sth. patience **to do** sth.(耐心)	propensity **for doing** sth. propensity **to do** sth.(倾向)
desire **of doing** sth. desire **to do** sth.(欲望)	freedom **in doing** sth. freedom **to do** sth.(自由)
honour **of doing** sth. honour **to do** sth.(荣幸)	opportunity **of doing** sth. opportunity **to do** sth.(机会)
objection **of doing** sth. objection **to do** sth.(反对)	choice **of doing** sth. choice **to do** sth.(选择)
capacity **of doing** sth. capacity **to do** sth.(能力)	failure **in doing** sth. failure **to do** sth.(失败)
chance **of doing** sth. chance **to do** sth.(机会)	claim **of doing** sth. claim **to do** sth.(要求)
attempt **at doing** sth. attempt **to do** sth.(企图)	aversion **to doing** sth. aversion **to do** sth.(厌恶)

【提示】

① 下面两个词组接动名词或不定式均可：

{entitle sb. **to doing sth.**
{entitle sb. **to do sth.** (使……有权利)

{see one's way **to doing sth.**
{see one's way **to do sth.** (设法)

Their educational qualifications **entitle them to getting/to get** a high salary. 他们的教育资历使他们有权利得到高薪水。

Father hoped that she could **see her way to settling/to settle** the dispute. 父亲希望她能够想办法解决争端。

② 名词 refusal, promise, effort, desire, attempt, ability, ambition, resolution, tendency, determination, failure 等后不可接"of ＋动名词"，但可以接不定式结构。例如：

He burns with an ambition of winning fame. ［×］(应改为 to win)

He has the ability of translating the book. ［×］(应改为 to translate 或 in translating)

③ 在 purpose, method, idea, habit 等后只能接"of ＋动名词"，不可接不定式，比如：the good idea **of playing snowball** (不说 to play)，for the purpose **of winning** (不说 to win)，in the habit **of rising early** (不说 to rise)，a new method **of learning** (不说 to learn)。

④ 某些形容词后既可接"介词＋动名词"，也可接不定式。例如：

{content **with doing sth.**
{content **to do sth.** (满足的)

{proud **of being**
{proud **to be** (自豪的)

{fortunate **in doing sth.**
{fortunate **to do sth.** (幸运的)

{unworthy **of being**
{unworthy **to be** (不值得的)

5. 作定语

1 动名词可以作定语

No one is allowed to speak aloud in the **reading** room. 阅览室里不准大声说话。

That is a shop dealing in **walking** sticks. 那是一家出售手杖的商店。

2 动名词作定语修饰名词，两者结合即构成合成名词

这类合成名词很多，常见的有：

sleeping-bag 睡袋	**dining**-car 餐车
running-track 跑道	**hunting** ground 猎场
waiting room 候车室	**washing** line 晾衣绳
swimming pool 游泳池	**sleeping** pill 安眠药片
fishing rod 钓竿	**living/sitting** room 客厅
flying suit 飞行服	**singing** competition 歌咏比赛
carving knife 雕刻刀	**parking** lot/space 停车场
consulting room 诊室	**drawing** pin 图钉
dressing table 梳妆台	**hearing** aid 助听器
freezing point 冰点	**watering** can 洒水壶
drinking water 饮用水	**bathing** suit 游泳衣
frying pan 煎锅	a **reading** report 书面报告
cooling system 冷却系统	**operating** room 手术室
washing liquid 洗涤剂	**driving** licence 驾驶证
cooking oil 食用油	**parking** meter 停车计时表
magnifying glass 放大镜	**drilling** platform 钻井台
marketing manager 销售经理	**racing** car 赛车
fishing ground 渔场	**rowing** boat 用桨划的小船
the **burning** point 燃点	**milking** machine 挤奶器
wedding clothes 婚礼穿的衣服	a **proving** ground 器材试验场

比较：

finishing touches 最后的润饰   a **finished** product 成品

a **losing** battle 必败的战争   a **lost** cause 败局已定的事业

writing desk 写字台   **written** language 书面语

closing time 下班时间   a **closed** shop 已关门的商店

a **sleeping** car 卧车   a **sleeping** child 熟睡的孩子

③ 在一部分合成名词中,动名词位于名词之后

family **planning** 计划生育   zebra **crossing** 人行横道

newspaper **cutting**(s) 剪报   spring **plowing** 春耕

stamp **collecting** 集邮   job-**hunting** 找工作

watersurfing 冲浪   window-**shopping** 逛商店

water-**proofing** 防水   fire **fighting** 消防工作

sunbathing 日光浴   **shoplifting** 在商店里偷东西

weightlifting 举重   horse-**riding** 骑马

house-**warming** 庆祝乔迁的晚会

6. 作状语

虽然动名词本身不能作状语,但"介词+动名词"结构的介词短语可以起状语作用,表示时间、原因、目的、让步、方式等。例如:

After getting up in the morning, he went out for a walk. 早晨起床后,我就出去散步了。(时间)

Jim was praised **for having broken** a record. 吉姆因破了纪录而受到赞扬。(原因)

With all his boasting, Henry achieved very little. 尽管大吹大擂,亨利的成就并不大。(让步)

They went to the front **by riding** in a truck. 他们坐卡车去了前线。(方式)

He went there **with the object of winning** her favor. 他去那里是为了赢得她的欢心。(目的)

【提示】She was a long time replying to my letter. 一句可译为"她拖了很长时间才给我回信。"句中的 replying 为动名词,可看作前面省略了 in,表示"在某方面",可视为状语。这种句型中的动名词短语亦可换为 before 从句;有时,这种句型可译为"花了……干某事",有 spend 的含义。例如:

He was a whole month **writing** the paper. 他写这篇论文花了一个月时间。

The committee were not long **reaching** the conclusion. 委员会不久就作出了结论。

Mark was a long time **getting rid of** his bad habits. 马克改掉他的坏习惯用了很长时间。(相当于 A long time had passed before he got rid of his bad habits.)

7. 作主语补足语

What she is going through is called **being in labor**. 她现在经历的就叫做分娩。

8. 作宾语补足语

He called that **killing two birds with one stone**. 他称那为一箭双雕。

三、动名词的复合结构

动名词可以有逻辑主语,一般规则是:①逻辑主语是有生命名词时,用名词或代词所有格(若作主语时,其逻辑主语只用所有格,若作宾语,逻辑主语也可用通格);②逻辑主语是无生命名词、抽象概念名词或句子时,只用通格;③逻辑主语是以 s 结尾的名词或是一个以上名词构成的词组,只用通格;④逻辑主语是数词、指示代词或不定代词 this, that, there, somebody, someone, nobody, none, anybody, anyone 时,一般用通格。例如:

Tom's coming is what we have expected. 汤姆的到来是我们预料到的。(有生命)

His leaving is a great loss. 他的离开是一个很大的损失。(有生命)

Mother disliked **me/my working** late. 母亲不喜欢我工作到很晚。(有生命)

He cannot permit **his daughter and son being insulted**. 他不许他女儿和儿子受到侮辱。

I can't restrain my anger when I hear of **people being** cruel to animals. 听到有人虐待动物的时候,我就抑制不住愤怒。

She is afraid of **you/your ruining** yourself. 她怕你毁了自己。

She is ashamed of **her son being** a prisoner. 她为自己的儿子是个囚犯而羞愧。

I object to **anyone/anyone's smoking** in the room. 我反对任何人在房间里抽烟。

It ended in **Barbara/Barbara's finding** the wallet. 最后芭芭拉找到了钱包才收了场。

She was angry at **me/my forgetting** to lock the door. 我忘了锁门,她很生气。

I am surprised at **him/his not helping** at all. 他一点也不愿帮忙,我很惊讶。

The meeting was cancelled without **her having been consulted**. 事先没跟她商量就把这次会议取消了。（有生命）

I encourage **them/their studying** science. 我鼓励他们学习科学。（有生命）

I am astonished at **Mary suddenly becoming** rich. 我对玛丽突然富起来感到吃惊。（有生命,介词宾语）

She dare not go there **without mother accompanying** her. 没有母亲陪伴,她不敢去那里。（有生命,介词宾语）

I don't like **Jack and Henry speaking** ill of each other. 我不喜欢杰克和亨利两人互相攻击。（两个有生命名词）

I am not surprised at **old and young falling** in love with her. 年轻的和年迈的都爱上了她,这我并不感到奇怪。（两个有生命名词）

I never heard of **a person of character doing** such a thing. 我从没听说过有操行的人做过这种事。（有生命词组）

It was quite unexpected **the students finishing** the exam so soon. 学生们这么快就答完考卷,是十分出乎意料的。（s结尾）

His sister Helen getting married last week was a great event in the town. 他姐姐海伦上周结婚在这座小城里可是件大事。（名词词组）

The glory of the marshal counts on **many soldiers dying** on the battlefield. 一将功成万骨枯。（s结尾）

This cannot be said without **some getting** angry. 这话说出来非得罪人不可。（指示代词）

I am doubtful of **this being** the best choice. 我怀疑这是最佳选择。（指示代词）

She is fond of **coffee being served** after dinner. 她喜欢饭后喝点咖啡。（无生命）

Is there any hope of our **team winning** the match? 我们队有希望获胜吗?（无生命）

In spite of **the four telling** the same story, I couldn't believe it. 尽管4个人异口同声,但我还是不相信。（数词）

He is opposed to the idea of **money being** everything. 他反对"金钱就是一切"这种观念。（无生命）

He was awakened by **somebody shouting** outside. 有人在外面高声叫喊把他吵醒了。（不定代词）

He disapproved of **that being** said about Jane. 他不赞同那样说简。（指示代词）

Jack spoke of **there being danger**. 杰克谈到过有危险。（there）

I have no doubt as to **this being** true. 对于这一点是真的,我并不怀疑。（指示代词）

The teacher insisted on **whoever broke the glass apologizing**. 老师坚持说,不论谁打破了玻璃都得赔偿道歉。（句子）

【提示】

① 动名词的复合结构多用作主语或宾语。例如:

John's having seen her did not make her worried. 约翰看见了她,这并没有使她不安。（主语）

Her daughter winning a gold medal surprised her. 女儿获得了金奖使她大为吃惊。（主语）

Does **them singing in the room above** disturb you? 他们在上面的房间里唱歌妨碍你吗?（主语）

Yesterday being Sunday postponed the match. 昨天是个星期天,比赛推迟了。（主语）

It ended in **the doctor being sent for**. 最后是去请大夫来。（宾语）

② 现在分词作宾语补足语时,其逻辑主语只能用物主代词或名词(即通格),不能用其所有格。例如:

我听见他在花园里唱歌。

I heard **him** singing in the garden. 〔√〕

I heard **his** singing in the garden. 〔×〕

I saw him **wearing** a red shirt. 我看见他穿着红衬衫。（wearing 是现在分词,him 不可变为 his）

I dislike him/his **wearing** a red shirt. 我讨厌他穿着红衬衫。（wearing 是动名词,其逻辑主语用 him 或 his 均可）

I insist on **the girl** going to bed at once. 我坚持要那女孩马上去睡。

He wanted to avoid **Henry doing** it in that way. 我想阻止亨利那样做。

③ 动名词的逻辑主语用作介词 with 的宾语时,应该用通格。例如:

He felt lonely **with his wife being** dead. 他妻子去世了,他感到很孤独。

It was a cosy room **with a fan spinning** overhead. 那是一个舒适的房间,一只电扇在头顶上旋转着。

四、动名词的时态和语态意义

动名词具有某些动词的特征,因而有时态和语态的变化。时态有一般式和完成式,语态有一般被动式和完成被动式。列表如下:

时　态	主动语态	被动语态	否定式
一般式	doing	being done	not doing
完成式	having done	having been done	not having done

1. 动名词的时态意义

与动词不定式一样,动名词也没有独立的绝对的时态意义,它的时态意义从属于句中谓语动词的时态。动名词的一般式所表示的动作与谓语动词的动作同时或在其后发生,或表示一般情况;动名词完成式所表示的动作在谓语动词动作之前发生。例如:

I am thinking of **getting** a new dictionary. 我在考虑买一本新词典。（以后、将来）

I approved of **his taking part in** the project. 我同意他参加这项工程。（同时或以后）

She advised our **studying** science. 她劝我们学习科学。（以后）

I have no doubt of her **passing** the exam. 我相信她会通过考试。（以后）

Learning is important to modern life. 学习对现代生活很重要。（一般情况）

I enjoy **listening to** classical music. 我喜欢听古典音乐。（一般情况）

He never talked to me about **his having been** in Paris. 他从未向我讲起他到过巴黎。（之前）

He is proud of **having won** the first prize. 他很自豪获得了一等奖。（之前）

She was not sure of **having done** anything wrong. 她不敢肯定是否做过什么错事。（之前）

Imagine **having traveled** round the world. 想象一下曾经周游过世界吧。（之前）

She is proud of **being** beautiful. 她为自己的美貌而自豪。（＝She is proud that she **is** beautiful. 同时）

I am confident of his **succeeding**. 我相信他会成功的。（＝I am confident that he **will succeed**. 以后）

Her success will depend upon **her working harder** and **being assisted** by friends. 她的成功取决于自身更努力和朋友们的帮助。（以后）

He confessed **having committed** murder. 他供认杀过人。（＝He confessed that he had committed murder.）（之前）

You mentioned **her having been working** here for years. 你提到她曾在这里工作过多年。（动名词完成进行式）

【提示】

① 与介词 on/upon 或 after 连用时,动名词的一般式也可以表示一个先于谓语动词的动作。在这

种情况下,谓语动词的动作一般是紧跟在动名词的动作之后的。例如:

On coming in she laid a file of documents upon the table. 她走了进来,把一份文件搁在桌上。

She confessed upon **being pressed** farther. 进一步追问时,她便招认了。

② 在下面一句中,动名词现在式所表示的动作发生在谓语动词之前:

Do you remember **seeing** him when he was a small boy? 你还记得在他小时候见过他吗?

③ remember 和 forget 等动词后可以用动名词的一般式或完成式,意义上并无什么差别,只是用一般式表示一个单纯的事实,用完成式强调动作的完成。例如:

我记得把情况告诉过你了。
{ I remember **telling** you the story.
{ I remember **having told** you the story.

2. 动名词的被动语态

动名词的主动语态表示主动行为,被动语态表示被动行为,动作的逻辑主语一般都可在句中找到。用主动语态时,逻辑主语发出动作;用被动语态时,逻辑主语承受动作。例如:

He doesn't like **being flattered**. 他不喜欢受人奉承。(He 是 being flattered 的逻辑主语)

Respecting others means **being respected**. 尊重他人就是尊重自己。

He will get angry at **being offended**. 受到冒犯他就会生气。

She likes **being seen**. 她喜欢出风头。

I heard of his **having been chosen** to be the coach of the team. 我听说他被选为球队的教练。

The housing problem is far from **being settled**. 住房问题还远未解决。

Nowadays **being killed** in traffic accidents is a common occurrence. 现今,交通事故造成的死亡是经常发生的事。(逻辑主语为省略的 people's)

▶▶ 但动名词在 need, want, deserve, repay, require, bear, take 需要, brook 忍受, stand 等表示"需要、值得、该受、忍受、经受"等动词及形容词 worth 后面时,常以主动形式表示被动意义。例如:

That **needs explaining**. 这需要加以解释。

The situation **requires careful handling**. 情况要求小心处理。

The room **needs cleaning up**. 这房间需要打扫了。

Your hair **wants cutting**. 你的头发该理一下了。

His language won't **bear repeating**. 他的用语不宜重复。

The job will **take noticing** a lot. 这项工作需要更多的注意。

She can't **brook interfering**. 她不能忍受他人的干涉。

The book **repays reading** and **re-reading**. 这本书值得一读再读。

This article **needs correcting**. 这篇文章需要修改。

This method **deserves recommending**. 这个方法值得推荐。

The scandal won't **bear thinking of**. 这种诽谤不值一提。

The boy **wants spanking**. 这孩子要被打屁股了。

The boy **wants whipping**. 这孩子该打。

The window **needs fixing**. 这窗户需要修理。

He can **stand teasing**. 他经得住捉弄。

The pants **need pressing**. 裤子需要熨烫。

The flowers **need watering**. 花儿需要浇水了。

Your English **needs brushing up**. 你的英文需要好好复习。

The old man **needs looking after**. 那位老人需要照顾。

This question **needs answering**. 这个问题需要回答。

She would like to know what **needs clarifying**. 她想知道需要澄清什么。

▶▶ 需要说明的是,上述几个动词,除 take, brook, stand 外,后面也可用不定式被动式,意思不变。例如:

The poor old man **deserves to be looked** after. 这位贫穷的老人值得受到照顾。

The child is too naughty. It **wants to be spanked**. 这孩子太淘气,该打屁股了。

It won't **bear to be thought** of. 那不值得想。

【提示】

① stand，bear，brook 等后亦可用动名词被动式。例如：

The words won't **bear being repeated**. 这些词不宜重复。

She can't **stand being teased** with questions. 她不能容忍别人用问题来取笑她。

② 介词 past 后用动名词的主动式和被动式均可。例如：

The watch is **past repairing/being repaired**. 这块表已经无法修了。

五、动名词和动词不定式在用法上的一些比较

1. 可以接动词不定式或动名词的动词或短语动词

常见的有：dislike，aspire，attempt，need，remember，neglect，decline，commence，delay，loathe 等，这类词的两种接续在意义上几乎没有区别。例如：

aim **at doing sth**.
aim **to do sth**. 旨在做某事

contribute **to doing sth**.
contribute **to do sth**. 贡献于某事

assist sb. **in doing sth**.
assist sb. **to do sth**. 帮助某人做某事

He **declined to answer** questions. 他拒绝回答问题。
He **declined going**. 他拒绝走。

plan（on）**buying it**
plan **to buy** it 计划买它

neglect **doing**
neglect **to do** 漏做

aspire **to doing sth**.
aspire **to do sth**. 渴望做某事

▶▶ 但下列词组在意义上有差别：

think about **doing sth**. 考虑做某事
think **to do sth**. 记得做某事

agree on **doing sth**. 协议做某事
agree **to do sth**. 同意做某事

▶▶ should/would like，和 should/would love 后接不定式。例如：

I'd like to have another try. 我想再试一次。

I'd love to come tomorrow. 我想明天来。

▶▶ forbear 后多接不定式，但也可说 forbear（from）doing sth. 例如：

She could not **forbear to express** her surprise. 她禁不住表示惊讶。
＝She could not **forbear（from）expressing** her surprise.

2. 动名词和动词不定式在表示动作和时间等方面的差别

一般说来，动名词表示一般习惯、抽象概念，泛指已成为过去的动作，时间概念不强，不是某一次动作。而动词不定式所表示的动作则往往是具体的或特定的动作，或是现在或将来的动作。比较：

撒谎不对。
Lying is wrong.（泛指这种做法、作风）
To lie is wrong.（对于执行者是谁，心目中是有所指的）

It's no use **crying** over spilt milk. 牛奶撒了，哭也没用。（抽象动作）
He said that it was no use **to argue** with Henry. 他说同亨利争辩没用。（具体动作）

I **like going** to the theater. 我很喜欢看戏。（泛指）
I don't **like to go** to the theater tonight. 我今晚不想去看戏。（具体）

He **likes riding**. 他喜欢骑马。（泛指）
He **likes to ride** the little white horse. 他想骑那匹小白马。（特指）

They **prefer staying** indoors when the weather is cold. 天冷时他们喜欢待在屋内。（泛指）
Would you **prefer to stay** at home this evening? 今晚你想待在家里吗?（具体某次）

I **love lying** on my back staring at the sky. 我爱仰卧在地上,凝望着天空。（也可用 love to lie on my back）
Though his income was small, he **loved to buy** books. 他收入不多,但喜欢买书。

Some people **hate getting up** early. 有些人不喜欢早起。

I **hate to break** things up，but it's time to go home. 我不愿意做事半途而废,但现在该回家了。

He **can't bear/endure seeing** animals treated cruelly. 每当看到动物受虐待他都不能容忍。(泛指,多次,一贯)

He **can't bear/endure to see** these animals treated cruelly. 看到这些动物受虐待使他不能容忍。(特指,一次)

I'**d love to show** him the picture. 我想把那幅画给他看。

I **love watching** the sunset. 我喜欢看落日。

I **hate to go** there today. 我今天不想去那里。

I **hate smoking**. 我讨厌抽烟。

I **hate lying** and **cheating**. 我讨厌撒谎骗人。

I **dread to think** what will happen to him. 我不敢想他会发生什么事。

I **dread flying**. 我害怕坐飞机。

约翰,我想听听你的意见。

John，I'd like hearing your views. [×]

John，I'd like **to hear** your views. [√]（现在的动作）

她受不了看他哭。

She **can't bear/endure** seeing him cry.

She **can't bear/endure** to see him cry.

▶▶▶ prefer 后接动名词和接不定式有不同的搭配:

句型 1:prefer＋名词或动名词＋to＋名词或动名词

句型 2:prefer＋不定式＋rather than＋动词原形

他喜欢步行胜过骑自行车。

He **preferred walking to riding** a bike.

He **preferred to walk rather than ride** a bike.

3. 在 begin，start，continue，cease 等词后用动名词还是用动词不定式

在动词 begin，start，continue，cease，intend，bother，omit 等后面跟动名词或动词不定式,含义并无大的差别;但如果表示有意识地"开始或停止做某事",多用动名词,而不定式则表示情况发生变化。比较:

She **intends buying/to buy** a piano. 她打算买一架钢琴。

Don't **bother getting/to get** dinner for us. We'll eat out. 不要麻烦为我们准备饭了,我们外出吃。

He **continued working/to work** as if nothing had happened. 他继续工作,就像什么也没发生一样。

Please don't **omit locking/to lock** the door when you leave. 你离开时别忘了锁门。

Well，everybody **started digging** like mad. 这下可好,人人都开始疯了似地大挖特挖。

I **began writing** the book in 2010. 我是在 2010 年开始写这本书的。（有意而为）

It **began to rain** as soon as we got home. 我们一到家就开始下雨了。（自然发生的变化）

He **began working** on it last year. 他去年开始的这项工作。（有意的动作）

He **began to realize** he had made a mistake. 他开始意识到自己犯了错误。（逐渐意识到,不是有意的）

The old man **ceased driving** long time ago. 那位老人早就不开车了。（有意地不再开车,因为年迈害怕出事）

The old man **ceased to breathe**. 那位老人停止了呼吸。（死亡无法自我控制）

At last they **ceased talking**. 最后他们结束了谈话。

His words **ceased to have** effect on her. 他的话对她不再有影响了。

4. 动名词和动词不定式的逻辑主语

动名词的逻辑主语可能是句子主语或句子中的某个词,也可能是泛指一般人,在句子里是找不到的;动词不定式的逻辑主语常是句子主语或句中的某个词。例如:

I **hate saying** nothing at a meeting but gossiping afterwards. 我不喜欢开会不说会后乱说。(可能指自己,也可能泛指一般人)

I **hate to be sitting** idle. 我不愿闲坐着。(自己闲坐)

She **likes singing**. 她喜欢歌咏。(她唱或别人唱)

She **likes to sing**. 她好唱。(一定是她自己唱)

5. 某些动词后面接动词不定式或接动名词所表示的意义会不同,有时甚至相反

这类词如:stop, quit, remember, try, forget, regret, want, can't help, mean, cease, scorn, propose, deserve, learn, go on, chance, leave off 等。比较:

He **stopped talking**. 他停止讲话。

He **stopped to talk**. 他停下来开始讲话。(停止原来做的事,开始讲话)

Please **remember to post** the letters. 请别忘了寄这几封信。(将来的动作)

I **remember posting** your letters. 我记得寄出了你的信。(过去的动作)

I **regret not having told** her earlier. 没能更早地告诉她,我很后悔。(表示过去)

I **regret to say** I must leave tomorrow. 我很遗憾地说,我明天必须走了。(表示现在)

He'll **try to finish** the work as early as possible. 他将设法尽早完成这项工作。(试图)

He'll **try making** a model ship. 他将试做一个模型船。(试验)

They **want to repair** the house. 他们要把房子维修一下。

The house **wants repairing**. 这房子需要维修了。

I **can't help doing** it. 我不能不做这件事。

I **can't help to do** it. 我不能帮助做这件事。

I **can't help (her) selling** the house. 我无可奈何,只得(任她)把房子卖了。

I **can't help (her) to sell** the house. 我不能帮助(她)把房子卖了。

I **forgot going** to the post office. 我忘了曾去过邮局。

I **forgot to go** to the post office. 我忘了去邮局。

Try being nice to him. 试着对他和颜悦色。

Try to be nice to him. 要尽量对他和颜悦色。

What do you **mean to do**? 你打算做什么?

His words **mean refusing** us. 他的话意味着拒绝我们。

Genius only **means hardworking** all one's life. 天才只意味着终生努力工作。

The buses **have ceased running**. 公共汽车停开了。(暂时)

The buses **have ceased to run**. 公共汽车停开了。(长期或永远)

I **scorn telling** lies. 我蔑视说谎。

I **scorn to tell** a lie. 我不屑于说谎。

She **proposed catching** the early train. 她建议赶早班火车。

She **proposed to catch** the early train. 她打算去赶早班火车。(她想……)

The workers **quit eating**. 工人们吃完饭了。

The workers **quit to eat**. 工人们停下来吃饭。(to eat 为目的状语)

She **left off writing** when she saw me come. 她看我来了就不写了。(停止写)

She **left off to spend** her holiday. 她动身去度假了。(离开某处,出发去……)

She **left off to stand up** and went out when she heard the voice of her son. 她听到是儿子的声音,停下手里的活,站起来走了出去。

She **left off grumbling** as she knew it was no use. 她停止了抱怨,因为她知道抱怨也没用。

He **deserves shooting** first. 首先该枪毙他。(= He ought to be shot first.)

He **deserves to shoot** first. 他该第一个进行射击。(= He deserves to be the first who will shoot.)

She has **learned to ski** skillfully. 她已经学会了滑雪,滑得很好。(学会了)

She has been **learning skiing** for five years but still falling down all the time. 她学滑雪已经五年了,但仍然总是会摔倒。(学习)

The foreign minister **went on talking** for three hours. 外交部长一连谈了三个小时。（连续做某事）
The foreign minister **went on to talk** about the present situation. 外交部长接着就谈当前形势。（接下来做某事）

John **chanced to find** his lost dictionary in Jack's room. 约翰碰巧在杰克房间里发现了丢失的词典。
John **chanced climbing** Mount Qomolangma last year. 去年约翰冒险攀登了珠穆朗玛峰。
He will not **chance driving** on the icy road. 他不愿在结了冰的路上冒险开车。

Jim **forgot to be photographed**. 吉姆忘了拍照。（没拍照）
Jim **forgot being photographed**. 吉姆忘了已拍过照。（已拍照）

【提示】mean 表示"意味着,意思是"时,通常跟名词、代词、动名词或从句作宾语,但在美式英语中,mean 后也可跟不定式作宾语,尤其是不定式(短语)作主语时。例如：
To raise wages **means to increase/increasing** purchasing power. 加薪就意味着提高购买力。
That red light **means to stop** your car and wait for the train to go by. 红灯亮了,这就表示你得停车,等火车过去。

6. 动名词和动词不定式作逻辑宾语

动名词和动词不定式均可以作逻辑宾语,用 it 充当形式宾语。不定式作逻辑宾语很普遍。例如：
I find **it** difficult **to understand** this theory. 我发现很难理解这个理论。
He made **it** his business **to help** the students. 他把帮助学生视为自己的责任。

▶▶ 但动名词作逻辑宾语只限于少数句型,一般用在 useless, worthwhile, senseless, fun, no use, no good, any good, a bore, a waste of time 等后。例如：
He deemed **it** no good **trying** once more. 他认为再试也没有用。
I find **it** useless/no use **advising** him to change his mind. 我觉得难以劝他改变主意。
I found **it** senseless **arguing** with him because he was willful. 他很任性,我觉得同他争辩毫无意义。

▶▶ 在 worthwhile 和 a bore 后用动名词或不定式作逻辑宾语均可。例如：
我认为再帮助他不值得。
I don't think **it worthwhile helping** him again.
I don't think **it worthwhile to help** him again.
我认为等人很讨厌。
I consider **it** a **bore being kept** waiting.
I consider **it** a **bore to be kept** waiting.

7. 动名词结构和动词不定式结构的转换

在某些情况下,"介词＋动名词结构"＝不定式结构,两者可以相互转换,意义上没有差别。再如：
fit for doing＝fit to do 适合做
ready for doing＝ready to do 准备好做
worthwhile doing＝worthwhile to do 值得做
decide on doing＝decide to do 决定做
suspect sb. of＝suspect sb. to be 怀疑某人
help sb. in doing＝help sb. to do 帮助某人做
bother about doing＝bother to do 费心做
persuade sb. into doing＝persuade sb. to do 说服某人做
warn sb. against doing＝warn sb. not to do 提醒某人不做
水太热,不能喝。
The water is too hot **for drinking**.
The water is too hot **to drink**.
食物足够过冬的。
The food is adequate **for lasting** the winter.
The food is adequate **to last** the winter.

他有这样一个好妻子,真幸运。

He is fortunate **in having** such a good wife.

He is fortunate **to have** such a good wife.

【提示】比较不同的含义:

Do you **think of going** abroad for further study? 你考虑出国深造吗?

Do you **think to go** abroad for further study? 你打算出国深造吗?

He is **on his way to catch** the train. 他在赶乘火车的途中。

He is **on his way to becoming** a writer. 他将会成为一名作家。

8. playing with fire 和 to play with fire——动名词和动词不定式的再比较

1 动名词→泛指;不定式→特指

She doesn't like **trifling** with serious things. 她不喜欢(任何人)拿严肃的事开玩笑。

She doesn't like **to trifle** with serious things. 她不喜欢拿严肃的事开玩笑。

This means **waiting**. 这就意味着等待。(何人不限)

I mean **to wait**. 我想要等。

Do you prefer **cooking** for yourself or **eating** outside? 你喜欢自己做饭还是到外面吃?(平常)

Would you like to have supper now, or would you prefer **to wait**? 你想现在吃饭还是想等一下?

It's a waste of time **doing it**. 做这件事是浪费时间。

It's a waste of time **to wait for her any longer**. 再等她就是浪费时间。

It's a waste of money **going there**. 去那里是浪费钱。

It's a waste of money **to buy this dictionary**. 买这本词典是浪费钱。

2 动名词→持续、反复发生;不定式→一时、一次、不确定的时间过程中的一次次

Quite unexpectedly, the telephone **began working** again. 完全出乎意料,电话又通了。

A star or two **began twinkling**. 一两颗星星开始闪烁。

I like **being** a woman. 我很喜欢/满意自己是一个女人。(持续,现实,我是一个女性)

I like **to be** a woman. 我愿做一个女人。(意愿,我是一个男性)

He **dreads going** out, or **meeting** people. 他害怕出去,害怕见人。(经常性)

I **dread to think** what will happen if we don't get there in time. 如果我们不能及时赶到那里会发生什么,我想都不敢想。(一时情况)

He had **begun doing** the experiments during the past year. 去年他就开始做试验了。(经常反复地)

He **began to say** something, but his words broke into a rasping cough. 他刚开始要说什么,就猛然粗声粗气地咳嗽起来。

It started **snowing** thick and fast. 开始下起了鹅毛大雪。

It started **to snow** on the tenth of December. 12 月 10 日开始下雪。

He **likes smoking** a cigarette while reading. 读书时他喜欢抽烟。

He **likes to smoke** a cigarette and then to go out for a walk. 他喜欢抽上一支烟,再出去散步。

She **likes me working** in the early morning. 她喜欢我大清早就工作。

She **likes me to work** in the early morning. 她愿意我大清早就工作。(but I never do it)

I hate the children **quarreling** all the time. 我讨厌孩子们吵个没完没了。(总是吵个没完)

I hate the children **to quarrel** in their room. 我讨厌孩子们在他们房间里争吵。(一次,他们平时是不吵的)

The children started **jumping** up and down the lawn. 孩子们开始在草地上蹦跳起来。

He started **to speak**, but stopped because she objected. 他开始讲话,但却停了下来,因为她反对。

It is necessary to continue **keeping** John here. 让约翰继续留在这里很有必要。(持续)

I shall continue **to do** all I can. 我将继续尽力而为。

3 动名词→有意志支配;不定式→无意志支配

I will begin **thinking** about the matter tomorrow. 我明天将考虑此事。

At last he ceased **working**. 最后他停止了工作。

The scars on his back began **to pain** him. 他背部的伤开始疼痛起来。

That never ceases **to amaze** me. 那一直使我惊奇。

The ice **started to melt**. 冰开始融化了。

The temperature **began to fall**. 气温开始下降了。

He **started to be frightened** by the lightening. 他开始害怕闪电。

Ten minutes later, the road **commenced to mount**. 10分钟后,道路开始爬坡。

He rose and **began pocketing** his notebook and spectacles. 他站起身来,开始把笔记本和眼镜放进衣袋中。

Joe **continued to improve**. His appetite increased. 乔的健康状况继续好转,食欲增进了。

Her blood pressure **started to fall**. 她的血压开始下降。

The town which Joyce wrote about has long since **ceased to exist**. 乔伊斯所描写的那个小镇早已不复存在了。

4 自然现象→动名词或不定式

It **began raining/to rain**. 天开始下雨了。

The ground **began falling/to fall** steeply. 地面开始急剧下落,形成陡坡。

5 动名词→书面语;不定式→口语

I fear **disturbing** her. 我怕打扰她。　　It started **snowing**. 开始下雪了。
I fear **to disturb** her.　　　　　　　It started **to snow**.

【提示】一般不用于进行时态的动词(感觉动词、认知动词、关系动词等)在 begin, start 等后面,只能用不定式。例如:

He **started to know** right from wrong. 他开始懂得是非了。(不说 to be knowing)

He **began to wonder**. 他开始觉得纳闷。(不说 to be wondering)

She **began to feel** afraid. 她开始害怕起来。

He **began to see** its importance. 他开始看出它的重要性了。

She **continued to resemble** her mother. 她越来越像她母亲。

She **continued to be** ill. 她一直还病着。

I **began to feel** dizzy. 我开始感到头晕。

I **continued to hear** only wind howling through the trees. 我一直只是听到风穿过树林的啸声。

▶▶▶ 但可以说:

I'm **beginning** to cook the dinner. 我正在着手做饭。

He **is starting to learn** Japanese. 他刚刚开始学日语。

Damn, it's **starting to rain**! 该死,下起雨来了!

The water **is beginning to boil**. 水开始煮沸了。

▶▶▶ 下面两句不妥,因为以-ing结尾的动词后不宜再用动名词:

I'm beginning cooking the dinner.
He is starting learning Japanese.

比较:

她渴望着去。
She anticipated to go. [×]
She **anticipated going**. [√] (anticipate＋动名词)

他盼望能去。
He expected going. [×]
He **expected to go**. [√] (expect＋不定式)

他在安排她去。
He was arranging her to go. [×]
He was **arranging that she should go**. [√] (arrange 不用不定式作宾语补足语)
He was **arranging for** her **to go**. [√]

我在准备让你去。

I'm **preparing** you **to go.** [✓]（所准备的是眼前的具体人或物）

I'm **preparing for** you **to go.** [✓]（所准备的是未来的活动）

I'm preparing you to come. [✕]（"you"不在眼前）

六、to 后面接动名词还是接动词原形

to 既可以是介词，也可以是不定式符号，在词组中容易混淆。若是介词，to 后接动名词，若是不定式符号，to 后接动词原形。参阅有关章节。下列词组为"动词＋介词"、"动词＋副词＋介词"、"动词＋反身代词＋介词"结构，后须接动名词：appeal to, assent to, allude to, adhere to, accede to, dedicate (oneself) to, defer to, limit (oneself) to, confess to, confine to, conform to, contribute to, object to, resort to, revert to, respond to, yield to, reconcile (oneself) to, reply to, resign (oneself) to, add to, admit to, attend to, bow to, attest to, come to, cling to, correspond to, consent to, get to, pertain to, react to, relate to, refer to, submit to, witness to, face up to, get down to, look forward to, get round to, feel up to, get near to, amount to 等于, take to 变得喜欢，等。例如：

What he said **amounts** to **denying** us. 他的话就等于拒绝我们。

She **confessed to having taken** the money. 她承认拿了钱。

He **took to writing** plays. 他喜欢上了写剧本。

I'm so tired I don't **feel up to going** out tonight. 我很累，今晚不想出去了。

▶▶▶ 下列词组后须接动名词：be confined to, be opposed to, be related to, be suited to, be subjected to, be indebted to, be dedicated to, be committed to, be attached to, be adapted to, be accustomed to, be reduced to, be reconciled to, be abbreviated to, be given to, be devoted to, be resigned to, doom sb. to 等。例如：

They were **confined to living** in the concentration camp. 他们被迫住在集中营里。

She was **reduced to begging** for her living. 她被迫乞讨为生。

七、动名词的常见结构

1. do some telephoning 等惯用结构

have difficulty/trouble/pleasure (in) doing sth. 做某事有困难/麻烦/乐趣

但：take (the) trouble to do sth. 不辞辛苦做某事

have a time (in) doing sth. 费很大力气做某事

但：have time to do sth. 有时间做某事

be busy (in) doing sth. 忙于做某事

busy oneself (in) doing sth.

do much drinking 喝得很多

do much/a lot of reading 读得很多

do some telephoning 打几个电话

do some washing 洗些衣服

for the doing 只消……就

burst out laughing/crying 大笑/大哭起来

of one's (own) doing 自己……的

What/How about doing sth.? ……如何?

spend one's time/money (in) doing sth. 花时间/钱做某事

lose no time in doing sth. 立刻做某事

be long in doing sth. 干事情很慢

What use is there in doing sth.? 做……有什么用?

make a point of doing sth. 认为……必要，重视

be through with doing sth. 做完某事

have a hard/bad time（in）doing sth. 做……很难

waste time/money/energy doing sth. 浪费时间/钱/精力做某事

What's the use/point/good of doing sth.？ 做……有什么用？

it's no use/of no use doing sth. ……是没有用的

there is no good/no use/no point（in）doing sth. 做……是没有用的

there is difficulty/trouble/pleasure（in）doing sth. 做某事有困难/麻烦/乐趣

have a pleasant/good/big time（in）doing sth. 做某事很快活

it's fun/a waste of time/a bore/such an encouragement doing sth. 做某事很有趣/是浪费时间/是很大的鼓舞

it's enjoyable/foolish/better/nice/rather tiring/interesting/pointless/worthwhile/crazy/terrible doing sth. 做某事很愉快/很蠢/较好/很好/很累人/很有趣/毫无意义/很值得/简直是疯了/很糟糕

there is no bearing/telling/saying/accounting for/hiding/going out 不可能……

No doing. 不准/不行。（＝Let there be no＋动名词，＝You must not＋动词）

It goes without saying that ……是不用说的（＝It is needless to say）

be on the point of doing 快要，濒于（＝be about to）

never/not ... without doing 没有……而不（＝whenever）

What do you say to doing? 以为……如何？

come/go near to doing 几乎要（＝come close to doing＝be almost＋过去分词）

There's no **holding** him. 这人管不住。

Since what is gone is gone for good and what is ahead is still ahead，what is the point of **getting** emotional? 既然过去的永远过去了，未来的还在未来，还伤感什么呢？

You may get it for the **asking**. 你要就能得到。

She is awfully long（in）**getting** here. 她姗姗来迟。

What's the good（of）**bragging**? 瞎吹有什么用？

She **came near**（to）**being** drowned. 她差点淹死。（to 可省）

They **came close to obtaining** a complete victory. 他们差点获得全胜。

She did some **telephoning** in the evening. 她晚上打了几个电话。

He showed me a picture of his own **doing**. 他给我看了一张他自己画的画。

It's interesting **planning** a trip. 设计旅程很有趣。

What do you say to **joining** us for dinner? 同我们一起吃晚饭你认为如何？

She wasted an hour **trying** to find the shop. 她想找到那家商店，浪费了一个小时。

He had a hard time（in）**looking** after these children. 他照看这些孩子们可真不容易。

You have no business（in）**asking about** my marriage. 你无权问我的婚姻状况。

He lacks experience（in）**doing** this kind of job. 他做这种工作缺乏经验。

He lost no time（in）**carrying out** the experiment. 他及时进行了那项实验。

I am tired（of）**repeating** these words. 重复这些话我感到厌烦。

They took turns（at）**looking after** the wounded. 他们轮流照看伤员。

She caught cold（through）**walking** in the rain. 她在雨中行走患了感冒。

They got lost（through）**rambling** in the mountains. 他们在山中漫游迷路了。

He earned a living（by）**selling** newspapers. 他靠卖报谋生。

I often amuse myself（by）**listening to** music. 我常常听音乐自乐。

He let us down（by）**breaking** his promise. 他违背了承诺，让我们大为失望。

He is never done（with）**asking about** my income. 他三番五次地问我的收入情况。

Are you through（with）**reading** the book? 那本书你读完了吗？

It's pointless **getting** nervous if some questions appear difficult. 如果一些问题看起来难以解决，

紧张也没有用。

The students had a time/had a good time（in）**dancing** disco at the party. 学生们在聚会上跳迪斯科玩得很开心。

【提示】

① 在 be busy in doing sth. 结构中，如果 busy 后是名词，也可用其他介词。例如：

She is busy **at** work now. 她正忙于工作。

He is busy **about/with** family cares. 他忙于家庭事务。

② 在 spend one's time/money in doing sth. 结构中，后面跟名词时可用 on、for 或 in。例如：

She has spent a lot of money **on/for** books. 她花了很多钱买书。

They spent a few hours **in** a pleasant conversation. 他们愉快地谈了几个小时。

③ it is no good 后用动名词是常见结构，但也可以用动词不定式。例如：

It's no good **worrying** about it now. 现在为那担忧已没有用了。

I know it was no good **to say** anything. 我知道说什么也没有用。

④ it is no use doing sth. 常指比较一般的情况，表示抽象的概念；it is no use to do sth. 常指比较具体的情况，与具体的事项联系，也就是指在某一特定场合。例如：

It's **no use crying** over spilt milk. 牛奶洒了，哭也没用。

He doesn't know the answer, so it is **no use to ask** him. 他不知道答案，问他也没有用。

下面的句型通用：

试也没有用。

It is no use trying.（口语体）

It is no use to try.（口语体）

It is of no use trying.

It is of use to try.

2. past understanding 结构

在介词 past，beyond，for，without 等后常用动名词作宾语。例如：

Her words are **past believing**. 她的话不可信。

The wounded is **past saving**. 这个伤员没救了。

The shoes are **past mending**. 鞋子不可补了。

The pain was almost **past bearing**. 疼痛几乎无法忍受。

That woman is **beyond reasoning**. 那女人不讲理。

The pain is **beyond enduring**. 疼痛难忍。

The apples are ripe **for picking**. 苹果熟了，可以摘了。

The water is not fit **for drinking**. 这水不宜饮用。

He left **without asking** for leave. 他没请假就离开了。

They sat face to face **without saying** anything. 他们面对面坐着，什么也不说。

She walked out **without saying** anything. It's **past understanding**. 她一句话没说就出去了。这让人无法理解。

八、their comings and goings——名词化动名词问题

在现代英语中，动名词（-ing 分词）用得越来越广泛，而且有不断产生新的衍生义的趋势。动名词的使用能起到简化词组结构或句子结构的作用，使表达简洁精练，还可以表述一些微妙概念。译为汉语时，这类 -ing 词要灵活处理，往往需要加词，利用汉语的习惯表达法，方能转述出原文的微妙含义来。例如：

diggings 矿区，发掘物　　　　　　　　outgoings 支出

bearings 方向，方位　　　　　　　　　trimming 花色配菜

innings 围垦的土地　　　　　　　　　losings 损失

soundings 探测所能达到的地方　　　　trappings 装饰品

rejoicings 欢庆,庆祝

staffing 聘用员工,人事安排

tunneling 开挖隧道

programming 程序设计

laying 分层

signaling 信号工作

rail reconditioning 钢轨整修

joint surfacing 接头整平

happenings 事件

pocketing 物归自己所有

machining 机器加工

coding 编码

bridging 桥接

industrial siding 工业专用线

bedding material 被褥

the beginning of the end 预示结局的最初征兆

murmurings of discontent 表示不满的叽叽咕咕声

When she'd first managed to get the **waitressing** job in the restaurant, she was delighted. 当她首次设法得到餐馆女侍者这一职务时,很是高兴。

Probably I would not even get a **spanking**. 也许我连屁股也不会挨打。

Famous for its enchanting beauty, the summer resort provides an enormous array of **lodging**, fine **dining**, outdoor activities, attractions kids of all ages will love, and great **shopping**. 避暑胜地风光绮丽,旅舍餐馆林立,有各种户外活动和孩子们喜爱的各种游戏,还有购物的好去处。

Tomorrow being Sunday, there will be no **schooling**. 明天是星期天,不上课。

Here in the lovely lakes region, we offer lake cruises, **swimming**, **fishing**, **hiking**, **biking**, scenic country drives, museums **antiquing** and of course **shopping**. 这儿的湖区风景如画,你可以坐游艇在湖上巡游,也可以在湖里游泳,或在湖边钓鱼,或作徒步旅行,骑自行车游览,或驾车观赏美丽的乡野景色,或在博物馆寻幽访古,当然也可以去购物。

I seemed to see a **rendering** and **upheaving** of all nature. 我似乎看到整个天地都在碎裂,在动荡。

Life is no plain **sailing**, and things go and grow independent of man's will. 人生的道路并非平坦的康庄大道,事物的发展往往不以人的意志为转移。

The **rising** of the sun was noble in the cold and warmth of October. 10 月的清晨乍寒还暖,日出的景象是很壮观的。

I heard the **barking** of dogs in the yard. 我听见了院子里的狗叫声。

My job is the **teaching** of English. 我的工作是教英语。

This poor boy, with scarcely a day's **schooling**, became master of four languages. 这个几乎没有上过一天学的穷孩子后来精通四种语言。

We discover her **writings** to be little more than **picturings** of her fortunes. 我们发现她的作品不过是她个人命运的写照。

Caroline could feel the **beginnings** of a smile on her face. 卡罗琳开始感到自己脸上有了笑意。

A stranger broke up the attempted **mugging** of my father. 一个陌生人赶跑了企图对我父亲行凶抢劫的人。

Education is not the **filling** of a pail, but the **lighting** of a fire. 教育不是往桶里灌水,而是把火点燃。

Within the city there was much **murmuring** against the ruler. 这座城市的人们对统治者怨声载道。

Ample **reading** produces fluent **writing**. 读书破万卷,下笔如有神。

I can recall the solemn twilight and mystery of the deep woods, the earthy smells, the faint odours of wild flowers, the clatter of drops when gusts shook the trees, and the far-off **hammering** of woodpeckers. 我还能回想起树林深处肃然的暮色和神秘,泥土的气味,野花的幽香,大风摇晃树枝时水滴的落地声,还有远处传来的啄木鸟的啪哒声。

I was homesick, too, for the **flaming** of maples in October. 我还想起家,老惦念着那 10 月间的枫叶似火。

1. 用法上的区别

1 动名词没有复数形式,而名词化动名词则可以有复数形式

These letters tell about his **doings** in America. 这些信讲述了他在美国的所作行为。(名词化动名词)

I don't care about their **comings and goings**. 我对他们的活动不感兴趣。(名词化动名词)

Every man has some **failings**. 人人都有失败的时候。(名词化动名词)

She could hear his gaspings and moanings. 她听得见他的喘气声和呻吟声。(名词化动名词)

She heard several **cryings**. 她听见几声喊叫。(名词化动名词)

Nobody knows about his **doings** there. 没有人知道他在那里的所作所为。(名词化动名词)

His **savings** are kept in the bank. 他的积蓄存在银行里。

The latest research **findings** will be published today. 最新的研究成果将于今天发表。

A good beginning makes **a good ending**. / Good **beginnings** make good **endings**. 开头好,诸事顺。(名词化动名词)

They faced their **sufferings** as if those things were inevitable. 他们面对自己的苦难遭遇,仿佛那些都是不可避免的事情。

▶▶▶ 其他如：shoutings, colorings, imaginings, cuttings, killings, burnings, sobbings, clappings, dealings, pillagings, outgoings 等。

2 动名词有时态和语态的变化,而名词化动名词则没有

I regret his **having done** that. 我对他做那个感到很遗憾。(动名词)

Being bullied by others is something shameful. 受别人欺侮是可耻的事。(动名词)

3 动名词不能带冠词或其他限定词(one, his, some, that 等),而名词化动名词却可以

She has **some washing** to do this morning. 她今天上午有些衣服要洗。

He was awakened by **the singing** of birds. 鸟鸣声把他弄醒了。

I'll go to the shop for **a fitting** tomorrow. 我明天要去商店试衣。

He can finish this book at **one sitting**. 他能一口气读完这本书。

She did **all the talking**. 她说个没完没了。

He is fond of **this chatting** with her. 他喜欢这样同她闲聊。

You can have it **for the asking**. 索要即得。

He gave **a reading** of her poems. 他朗读了她的诗。

I'll hang **the washing** out. 我要把洗好的衣服挂出去晾晒。

The machine is in **the making**. 机器在制造中。

I heard **a sobbing**. 我听见一声啜泣。

She heard **a clapping** of hands. 她听见了拍手声。

This keeping of the secret is safe. 这项秘密的保守是安全的

That killing of the animals is inhuman. 残杀动物是不人道的。

A shaking of hands is a must between friends. 朋友间握握手是必要的。

She can not get **a hearing**. 她得不到申辩的机会。

They have never done any **computing**. 他们从未使用过电脑。

The **lighting** of fire is forbidden in the forest. 在森林里点火是禁止的。

Bruno is still in **the running** for the world title. 布鲁诺仍有希望获得世界冠军。

The **coming** of summer foretells a rainy season here. 夏天的到来预示着这里将有一个雨季。

The **ringing** of the church bells called the worshippers to prayer. 教堂钟声响了,召唤教徒们祈祷。

【提示】

① gathering, washing 等词已经完全名词化了。

② 注意下面一句的含义:

Don't you see the **writing** on the wall? 你难道看不出灾祸将临的预兆吗? (the writing on the wall 意为"凶兆,厄运临头的预兆")

4 动名词用状语修饰,而名词化动名词用形容词修饰,且可带后置定语

They began **singing in the open**. 他们开始在露天唱起来。(动名词)

It is clear that they have **a secret understanding**. 很明显,他们有一个秘密协定。(名词化动名词)

The drawing up of the plan is his task. 制订这项计划是他的任务。(名词化动名词)

He is a man of **wide reading**. 他是个博览群书的人。(名词化动名词)

A little explaining is enough. 稍作解释就够了。（名词化动名词）

You can drive the car without **much training**. 你不用多少训练就能开车。（名词化动名词）

Have you heard of **the fighting of the natives**? 你听说过当地人斗殴的事吗？（名词化动名词）

The coming of my brother is of some help. 我弟弟的到来有些帮助。（名词化动名词）

No training of Jim is effective. 对吉姆怎样训练都没有效果。（名词化动名词）

The making of the vase by them is still a secret. 他们制作花瓶的方法仍然是个谜。（名词化动名词）

The bringing up of all these children by Jane is not easy. 简把这些孩子们抚养大真是不容易。（名词化动名词）

⑤ 动名词可用 it 作形式主语,而名词化动名词的逻辑主语通常以介词 of 的宾语形式出现

It's no use **trying to escape**. 想逃避是没有用的。（动名词）

The rising up of the workers is a great force. 工人们起来造反是一股巨大的力量。（名词化动名词）

⑥ 及物意义的动名词可以有宾语,名词化动名词的逻辑宾语要用 of 短语

I dislike people **putting on airs**. 我讨厌人摆架子。（动名词）

The **building of** a reservoir took a long time. 修建这座水库用了很长时间。（名词化动名词）

They are needed for the **making of** clothes, paper and other necessities. 需要他们做衣服、造纸和制作别的必需品。（名词化动名词）

The **setting up** of modern factories costs a lot of money. 建立现代工厂要花很多钱。（名词化动名词）

⑦ 动名词可用作定语修饰名词,名词化动名词只可用作定语的名词修饰

动名词:singing competition, writing desk, walking stick, swimming pool, running shoes, dining hall

名词化动名词:night-landing, hand-writing, day-dreaming, word-building, tiger-hunting 猎虎

▶▶▶ 但是,如果动词有同根名词或同根形容词,通常用其同根名词或形容词,而不用名词化动名词。例如:

They will improve the **management** of the factory. 他们将改进工厂的管理。（不用 managing）

What is the reason for his **refusal** of the invitation? 他拒绝邀请的理由是什么？（不用 refusing）

2. 含义上的区别

名词化的动名词表示未完成的动作,名词表示已完成的动作(即结果);名词化的动名词表示持续动作,名词表示一次性动作。例如:

working 工作→work 作品
collecting 收集→collection 收藏品
composing 作曲→composition 乐曲
translating 翻译→translation 翻译,译本
thinking 想→thought 思想
running 跑→a run 跑一次
rowing 划船→a row 划一次船
creating 创造→creation 创造,创造物,创作物

talking 谈话→a talk 一次谈话
kissing 吻→a kiss 一个吻
lying 撒谎→a lie 一个谎言
smoking 吸烟→a smoke 吸一次烟
walking 散步→a walk 一次散步
swimming 游泳→a swim 游一次
combining 联合→combination 联合,联合体

▶▶▶ 两者在意义上有时也不同。例如:

ending 结局→end 结束
paying 付款→pay 工资
cooking 烹调→cookery 烹调术

printing 印刷→print 印出的字体
coloring 着色→color 颜色

▶▶▶ 动名词的动作意味更强,常有描写性。例如:

flooding→flood 洪水
studying→study 学习,研究

struggling→struggle 斗争,奋斗
negotiating→negotiation 谈判

▶▶▶ 另外,名词多表示状态,相应的动名词多表示动作。例如:

为崇高的理想而死是一种光荣。
Death for a lofty ideal is a glory. [×]
Dying for a lofty ideal is a glory. [√]

3. 动名词形式的名词

① 抽象名词→learning 学识，feeling 感觉，accounting 会计学，sightseeing 观光，fishing 捕鱼，blessing 祝福，shooting 射击/狩猎，angling 钓鱼，bowling 打保龄球，canoeing 划小船，surfing 冲浪，sewing 缝纫，mountaineering 登山运动，yachting 乘坐游艇，hearing 听力/听

② 普通名词（大都有单复数变化）→meaning 意义，reading 读物，drawing 绘画，warning 警告，writing 文章，saying 谚语，painting 油画，sitting 一次开会，engraving 版画，sewing 缝制物，cutting 切（割）下的东西，binding 封皮，covering 罩/套，blacking 黑皮鞋油

③ 普通名词（常用复数形式）→greetings 问候，feelings 情感，tidings 消息，earnings 收入，belongings 财产，surroundings 环境，savings 储金，winnings 奖金，takings 收入，sawings 锯屑，parings 削皮，scrapings 削刮下来的碎屑，sweepings 扫拢的垃圾，hangings 帘帷/壁毯，incomings 收入，leavings 残渣，shavings 刨花，newspaper-clippings 剪报

比较：

dripping 滴下，滴下的水声　　　　holding（一块）土地
drippings 滴下的液体　　　　　　holdings 拥有的财产

I use **blacking** every week. 我每周都用黑鞋油。

Throw the **leavings** away. 把残渣扔掉。

He squandered all his **earnings**. 他把挣的钱都挥霍了。

Look at the beautiful **hangings**. 瞧那漂亮的壁毯。

They expressed their **longings** for peace. 他们表达了对和平的渴望。

There are piles of **sweepings** on the roadside. 路边有一堆堆扫拢的垃圾。

She sent him a bunch of press **cuttings** about the wedding. 她给他寄去了许多有关那次婚礼的剪报。

【改正错误】

1. Susan wanted to be <u>independent of</u> her parents. She tried <u>to live</u> <u>alone</u> , but she didn'tlike itand
                    A   B   C
   moved back <u>home</u>.
              D

2. After the <u>six-party</u> talk in Beijing, <u>an agreement</u> was reached <u>stating</u> that North Korea would
           A   B   C
   abandon <u>to develop</u> nuclear weapons.
            D

3. <u>To make</u> the right decision <u>concerning</u> the future is <u>probably</u> the most important thing we will <u>ever</u>
     A   B   C   D
   do in our life.

4. I <u>still</u> remember <u>to be taken</u> to <u>the Famen Temple</u> and <u>what</u> I saw there.
     A   B   C   D

5. It is worth <u>considering</u> what makes <u>convenience foods</u> so popular, and <u>introduces</u> better ones
             A   B   C
   <u>of your own</u>.
      D

6. I can't stand <u>to work</u> with Jane <u>in</u> the same office. She just refuses <u>to stop</u> talking while she works.
            A   B   C   D

7. It is difficult <u>to imagine</u> his <u>accept</u> the decision <u>without</u> any consideration.
    A   B   C   D

8. He got <u>well-prepared</u> for the job interview, <u>for</u> he couldn't risk <u>to lose</u> the good opportunity.
         A   B   C   D

9. The Presidents' attending the meeting himself <u>gave</u> <u>them</u> a great deal of encouragement.
            A   B C   D

10. As I will be away for <u>at least</u> a year, I'd appreciate <u>hearing</u> from you now and then <u>tell</u> me how
                    A   B   C

everyone is getting along.
               D

11. If you think that treating a woman well means always to get her permission for things,
                             A   B   C
   think again.
      D

12. While shopping, people sometimes can't help be persuaded into buying something they don't
      A   B   C
   really need.
      D

13. Although punctual himself, the professor was quite used for students to be late for his lecture.
      A   B   C   D

14. There is not deny that well-educated people should devote their knowledge and skills to their own
          A   B   C   D
   country and people.

15. Our modern civilization must not be thought of as to have been created in a short period of time.
          A   B   C   D

16. The grandparents couldn't help to smile when they saw the gold medal their grandson had got at
     A   B   C   D
   the Olympic Games.

17. Mr. Jankin regretted to blame his secretary for the mistake, for he later discovered it was his
                  A   B   C   D
   own fault.

18. Some bosses dislike to allow people to share their responsibilities; they keep all important matters
               A   B   C
   tightly in their own hands.
   D

19. Neither rain nor snow keeps the postman from delivering our letters which we so much look
          A   B   C
   forward to receive.
        D

20. Anthropologists assert that many of the early inhabitants there did not engage in planting but
                  A   B
   to hut, living primarily on buffalo meat.
   C   D

21. An organ is a group of tissues capable to perform some special functions, as, for example, the
         A B   C   D
   heart, the liver, or the lungs.

22. Exposed to sunlight for too much time will do harm to one's skin.
   A   B   C   D

23. I hear they've promoted Jack, but he didn't mention to be promoted when we talked
   A   B   C
   on the phone.
        D

24. — Did you have any trouble finding the house?
                          A
   — No, but I had a lot of difficulties to get in. Nobody seemed to know where the key was.
                           B   C   D

25. Is there any chance of the people in the back of the room to talk a little louder?
         A   B   C   D

26. The man in the corner confessed to have told a lie to the manager of the company.
          A   B   C   D

27. Lost in the strange city, the poor little girl fell to cry.
   A   B   C   D

28. She <u>put forward</u> the suggestion to Professor Green，who，after <u>being discussed</u> it with others,
　　　　A　　　　　　　　　　　　　　　　　　　　　　　　B　　　　　C

decided <u>to accept</u> it.
　　　　D

29. There is always <u>a temptation</u> to put off <u>do</u> an unpleasant task <u>as</u> long as <u>one</u> can.
　　　　　　　　　　A　　　　　　　　　B　　　　　　　　　　C　　　　　　D

30. I <u>really</u> can't understand <u>why</u> they <u>should</u> delay <u>to answer</u> my letter.
　　　A　　　　　　　　　　B　　　　　C　　　　　D

【答案】

1. B(living)　　　　　　　2. D(developing)　　　　　3. A(Making)

4. B(being taken)　　　　　5. C(introducing)　　　　　6. A(working)

7. C(accepting)　　　　　　8. D(losing)　　　　　　　9. A(President's attending)

10. C(telling)　　　　　　11. B(getting)　　　　　　12. B(being persuaded)

13. C(to students' being)　14. A(no denying)　　　　15. C(having been created)

16. B(smiling)　　　　　　17. A(having blamed)　　　18. A(allowing)

19. D(receiving)　　　　　20. C(in hunting)　　　　　21. C(capable of performing)

22. A(Being exposed)　　　23. B(having been promoted)　24. B(getting in)

25. C(talking)　　　　　　26. B(having told)　　　　27. D(crying)

28. C(discussing)　　　　　29. B(doing)　　　　　　　30. D(answering)

第十三讲 -ing 分词之现在分词 (Present Participle)和过去分词 (Past Participle)(-ed 分词)

一、构成、种类及特征

分词是动词的三种非限定形式之一,分为两种:现在分词(-ing 分词)和过去分词(-ed 分词)。现在分词的形式是"动词原形＋-ing",规则动词的过去分词在动词原形后面加-ed。与动词不定式一样,分词也具有动词的特征,有时态和语态的变化,并可带状语、宾语等。分词的否定式在分词前加 not (not wishing, not having received, not having been given)。例如:

Having hurried through his breakfast,he went to wait for the school bus. 他匆匆吃完早饭就去等校车了。(分词完成式)

The tower **being repaired** was put up in the Tang Dynasty. 正在修缮的那座塔建于唐代。(分词被动式)

Having been writing the book,I have no time for other things. 我一直在写这本书,没有时间做其他事情。(分词完成进行式)

Having been written in haste,the paper is far from being perfect. 仓促写就,这篇论文远非完美无缺。(分词完成被动式)

When **asked such a queer question**,he was at a loss how to answer. 被问了这样一个古怪问题,他不知怎样回答才好。(带宾语)

Not wanting to continue my service in the plant,I joined the army. 我不想继续在那家工厂做事,就入伍了。(分词否定式)

▶▶▶ 在读音上,有少数过去分词形式的形容词与一般过去分词不同。例如:

aged ['eɪdʒɪd] 年老的:my **aged** parents 我年迈的父母

aged [eɪdʒd] 有……岁:The course is open to children **aged** 12 and over. 本课程面向 12 岁及以上的儿童开设。

aged [eɪdʒd] (使)变老:Her recent illness has **aged** her. 她最近的病使她苍老了许多。

cursed ['kɜːsɪd] 该咒的,讨厌的:She was tired of the **cursed** place. 她十分厌烦这个讨厌的地方。

cursed [kɜːst] 咒骂,诅咒:The man was **cursed** by a witch doctor. 那男的受到巫医的诅咒。

learned ['lɜːnɪd] 博学的,有学问的:a **learned** professor 一位博学的教授,**learned** works 学术著作

learned [lɜːnd] 学习,学会:He has **learned** eight thousand English words. 他已经学了 8 000 个英语单词。

crooked ['krʊkɪd] 扭曲的:Her teeth were all **crooked**. 她的牙齿都长得歪歪扭扭的。

crooked [krʊkt] 使(手指、手臂)弯曲:She **crooked** her finger. 她勾起了手指。

blessed ['blesɪd] 有福的,可喜的,快乐的:a few minutes of **blessed** silence 令人惬意的片刻宁静

a **blessed** event 可喜的事情

blessed [blest] 有幸得到,被赋予:Fortunately I'm **blessed** with good health. 幸运的是,我有着健康的身体。

dogged ['dɒɡɪd] 坚持不懈的,顽强的:I admire her **dogged** determination to succeed. 我钦佩她不屈不挠务求成功的决心。

dogged [dɒɡd] (问题、噩运)紧随(某人):He has been **dogged** by misfortunes all his life. 他一生多灾多难。

▶▶▶ 有少数过去分词有两种不同的形式,且含义也不同。例如:

rotted(腐烂)→rotten(腐烂的)   sunk(陷下)→sunken(陷下的)
struck(被打击)→stricken(受打击的)   born(生)→borne(负担)
got(得到)→gotten(得到的)   hung(悬挂)→hanged(绞死)

二、现在分词与过去分词的区别与特点

现在分词与过去分词的区别主要表现在语态和时间概念上。在语态上,现在分词(除被动式外)表示主动意义,过去分词表示被动意义。在时间上,现在分词表示动作正在进行,过去分词则表示动作的完成。比较:

What he said **was** very **touching**. 他说的话非常感人。(主动)
I **was touched** by the sight. 我被这景象深深地打动了。(被动)

the **rising** sun 正在升起的太阳
the **risen** sun 升起了的太阳

the **falling** autumn leaves 纷纷飘落的秋叶
falling tide 落潮
the **fallen** autumn leaves 凋谢的秋叶

boiling water 正在沸腾的水
boiled water 煮沸了的水

fading flowers 正在凋谢的花
faded flowers 凋谢了的花

a **charming** girl 迷人的姑娘
a **charmed** girl 着了魔法的姑娘

exciting news 振奋人心的消息
an **excited** audience 兴奋激昂的群众

an **interesting** story 有趣的故事
an **interested** look 带着感兴趣的样子

a **pleasing** voice 悦耳的嗓音
a **pleased** look 满意的表情

a **moving** story 动人的故事
a **moved** audience 受感动的观众

the **surprising** news 令人吃惊的消息
the **surprised** people 感到吃惊的人们

the **tiring** work 累人的工作
a **tired** worker 感到疲惫的工人

the **changing** world 变化着的世界
the **changed** world 已经起变化的世界

developing countries 发展中国家
developed countries 发达国家

smoking fish 热气腾腾的鱼
smoked fish 熏鱼

steaming bread 热气腾腾的面包
steamed bread 面包

a **freezing** wind 凛冽的寒风
a **frozen** lake 结了冰的湖
frozen food 冷冻食品

rolling waves 翻滚的波涛
rolled steel 轧制钢材

a **boring** speech 乏味的演讲
a **bored** traveler 厌倦的旅人

a **recording** machine 录音机
a **recorded** interview 录音采访

a **conquering** army 所向披靡的军队
a **conquered** city 被征服的城市

a **striking** clock 敲响的钟
stricken area 受灾地区

a **terrifying** story 令人恐怖的故事
a **terrified** woman 感到惊恐的妇女

a **criticizing** speech 批评性的发言
a **criticized** speech 遭到批评的发言

organizing ideas 整理思路
organized ideas 有条理的思路

a **speaking** bird 会说话的鸟
the **spoken** language 口语
spoken thanks 口头感谢

burning house 燃烧着的房子
burnt house 烧毁的房子
burnt child 烧伤的小孩

▶▶▶ 同样,合成现在分词表示主动,合成过去分词表示被动或已完成。比较:

主动	被动或已完成
far-reaching effects 深远的影响	an **elegantly-furnished** room 陈设雅致的房间
oil-bearing crops 油料作物	a **clear-cut** reply 明确的答复
high-sounding words 高调	a **dimly-lighted** room 灯光暗淡的房间
an **easy-going** person 随和的人	a **well-read** person 博览群书的人
an **epoch-making** event 划时代事件	a **much-traveled** man 见闻广博的人

▶▶▶ 作前置定语的现在分词既可以表示动作正在进行中,也可以表示不在进行中。比较:

在进行	不在进行
raging flames 熊熊烈火	**neighbouring** country 邻国
howling wind 狂风	**promising** young man 有前途的青年
twittering swallow 呢喃的燕子	**running** water 自来水
glistening dew 晶莹的露珠	**convincing** argument 令人信服的论点
waning moon 下弦月	**burning** question 燃眉之急
twinkling star 闪烁的星星	**reading** public 读者

▶▶▶ 过去分词也可以表示主动意义。过去分词作前置定语既可以表示已完成的被动动作,也可以表示已完成的主动动作。不管是及物动词还是不及物动词,凡是"已经完成了的"动作或被动动作,作前置定语时一律用过去分词,而不用现在分词被动式,原则上语态服从时态。比较:

主动动作(已完成)	被动动作(已完成)
escaped prisoner 逃犯	**smoken** fish 熏鱼
retired general 退休的将军	**armed** forces 武装部队
one's **deceased** husband 亡夫	**canned** food 罐头食品
departed relatives 离去的亲人	**planned** economy 计划经济
a **burnt-out** candle 燃尽的蜡烛	a **long-lost** child 失散已久的孩子
a **moved** audience [√]	a **broken** car [√]
a being moved audience [×]	a being broken car [×]

a **mistaken** person 犯了错误的人 (a person who has made mistakes)

an **avowed** supporter of a political party 政党的公开支持者 (a man who has avowed himself to be a supporter)

The **confessed** thief will be sent to prison. 已招认的小偷将被送入监狱。(the thief who has confessed having stolen something)

▶▶▶ 英语中有几十个动词(大都为不及物动词)的过去分词用作前置定语时,表示的是已完成的主动动作,主要指一种变化或一种状态,没有被动意义,几乎已成为形容词。例如:

The **decayed** leaves were blown about in the wind. 枯叶在风中四处飘落。

We should adjust ourselves to the **changed** modes of life. 我们应该适应变化了的生活方式。

▶▶▶ 这类动词的更多实例:

withered leaves 枯叶	**settled** couple 安居的夫妇
returned students 归国留学生	**vanished** youth 逝去的青春
expired pact 期满的协议	**assembled** soldiers 集合的士兵
gone summers 过去的夏天	**grown** trees 长大了的树
abdicated emperor 弃位的国王	**eloped** pair 私奔的一对男女
aged painter 年迈的画家	**newly-arrived** guest 新到的客人
recently-**arrived** soldiers 新来的士兵	a **run-away** criminal 逃走的罪犯
the **deceased** partner 已故同伴	**fled** robber 逃跑的强盗
failed candidate 失败的候选人	**travelled** poet 交游广的诗人
fallen angel 堕落的天使	**foregone** days 往昔岁月
absconded debtor 潜逃的债务人	a **full-blown** rose 盛开的玫瑰
shrunken clothes 皱缩的衣服	a **full-grown** elephant 成年大象

a **drunken** man 醉汉

a **swollen** face 肿起的脸

the **exploded** bomb 爆炸了的炸弹

wilted flower 枯萎的花

vanished civilization 消逝的文明

faded curtains 褪色的窗帘

a **courtyard-turned** theater 院子改建成的剧场

revolted subjects 反叛的臣民

a **dated** map 过时的地图

vanished jewels 失去的珠宝

departed guests 离去的客人

faded colors 褪色

a **lawyer-turned** president 律师出身的总统

▶▶▶ 但下面作前置定语的过去分词只表示主动意义,没有"已完成"这种含义。这些词有些已成为形容词,应作为形容词看待:

finished war weapons 尖端作战武器

well-behaved young man 懂礼貌的年轻人

continued interest 持久的兴趣

mistaken opinion 错误的看法

the dangers of **drunk** driving 酒后驾车的危险

an **inexperienced** young man 涉世未深的年轻人

dignified appearance/silence 不凡的风度/高贵的静穆

an **impassioned** speech 慷慨激昂的演说

badly-behaved students 行为不端的学生

an **exhausted** smile 疲惫的笑容

a **finished** dancer 最优秀的舞蹈演员

a **learned** book/man 学术著作/有学问的人

a **practiced** man 技术娴熟的人 (a man skilled through practice)

a **professed** friend 一个自称是朋友的人 (a man who professed to be a friend)

a **professed** scientist 假冒的科学家 (a man who pretends to be a scientist)

a **professed** Muslim 一个公开承认信仰的伊斯兰教徒 (a man who professes his belief in Muslim)

a **confessed** alcoholic 自认是个酒鬼 (a man who confessed himself an alcoholic)

his **devoted** followers 他的忠实追随者 (followers who devote themselves to him)

a **contented** man 一个知足的人 (a man who contents himself with what he has)

an **experienced** man 有经验的人 (a man having the right kind of experience)

the **cultivated** people 有修养的人 (people having or showing good education and manners)

▶▶▶ 有些过去分词作前置定语,既可表示主动意义,也可以表示被动意义。例如:

{ a **threatened** foe 构成威胁的敌人 (a foe that threatens us)

threatened species 有灭绝危险的物种 (species that are threatened)

{ a **surprised** look 惊奇的表情 (a look that shows surprise)

a **surprised** boy 受惊吓的男孩 (a boy that is surprised)

{ **excited** optimism 兴奋的乐观 (excitement that shows optimism)

excited children 激动的孩子们 (children that are excited)

▶▶▶ come 和 become 两个不及物动词构成的过去分词短语要后置。例如:

a former teacher **become** a lover 后来成为情人的从前的教师

a god **come** down to the earth 降临到人间的神

He was a young carpenter, **come from Cherry Valley Village on the other side of the mountains**. 他是个年轻的木匠,从山那边樱桃谷村来。

【提示】

① 有些作前置定语的过去分词不表示动作的完成与否,只表示被动这一概念。例如:

so-called professor 所谓的教授

a **man-made** satellite 人造卫星

guided missile 导弹

the **interested** party 有利害关系的一方

② 有些作前置定语的过去分词表示尚未完成或者有待完成的动作,这种用法较少。例如:

Improved consumer confidence is crucial to an economic recovery. 增强消费者的信心对于经济复苏具有关键性的作用。

Increased carbon dioxide in the air is said to cause gradual warming of the earth's atmosphere. 空气中二氧化碳增多据说引起了全球大气的逐渐变暖。

They demanded **increased** wages. 他们要求增加工资。(相当于 They demanded their wages increased.)

Improved management is of vital importance. 改善管理至关重要。（相当于 To improve management is of vital importance. ）

He took pills every day, driving the pain underground and inviting it to return with **increased** authority. 他每天服用药片,把疼痛压下去,从而招致它以更大的威力再次发作。

三、功能

分词具有动词的特征,同时又具有形容词和副词的特征,因而它在句中可以作定语、表语、宾语补足语和状语等。

1. 作定语

1 情况 A

(1) 单个分词作定语一般放在被修饰词之前,分词短语作定语一般放在被修饰词之后,往往可用定语从句代替,但完成式的现在分词短语不能用作定语。例如:

A **barking** dog seldom bites. 吠犬不咬人。

The **beginning** student should be given more encouragement. 初学者应多给予鼓励。

A banquet was given in honour of the **distinguished** guests. 为贵宾举行了宴会。

Knowledge is **generalized** experience. 知识是经验的总结。

A **watched** pot never boils. 心急锅不开。

Behold the **risen** moon. 瞧那高悬的月亮。

The town lies in a **wooded** valley. 小城坐落在林木茂盛的山谷中。

A **balanced** diet provides nutrition for your body. 均衡的食物使你的身体获得营养。

Don't laugh at his **crippled** walk. 不要笑他的跛行。

People stared at him in **startled** admiration. 人们以惊讶而赞赏的目光注视着他。

Father looked at the child with a **pleased** expression. 父亲带着满意的表情看着孩子。

The suggestion **sent to the committee** was adopted. 呈送给委员会的建议被采纳了。

A man **getting up as soon as the cock crows** is a hard-working man. 鸡鸣即起的人是勤奋的人。

He is a businessman **growing rich in recent years**. 他是一位最近几年才富起来的商人。

Blue skies are not always a guarantee of **continuing** fine weather. 蔚蓝的天空并不能保证天气会持续晴好。

Adam and Eve were induced to eat the **Forbidden** Fruit by Satan. 亚当和夏娃受魔鬼的引诱偷吃了禁果。

The glow of the **setting** sun is splendid; it is a pity that dusk is fast approaching. 夕阳无限好,只是近黄昏。

Only that grass has the right to smile with pride at the **potted** plants in **glassed** green houses. 只有这种野草,才可以傲然地对那些玻璃棚中养育着的盆花哄笑。

The little houses with **flickering** oil lamps in the remote mountains and the **intoxicating** warmth and friendliness of their inhabitants left a deep impress on my memory. 那遥远的山中,小小的灯火人家里面,那醉人的温暖,那感人的热诚,长久地留在我的心中。

Swirling snow threatened to block the road. 大雪眼看就要封路。

The **wanted** man was charged with the murder of a teenage girl. 被通缉的犯人被指控谋杀了一个十几岁的少女。

In the early morning, you can see pearls of dew **glistening on the grass**. 晨曦初露的时候,可以看到露珠在草叶上闪烁。

Children **disciplined when they are young** will become good citizens. 小时候受过良好教育的儿童长大会成为好公民。

She came in and picked up a leaflet with PRIZES! PRIZES! PRIZES! **printed at the bottom**. 她进来了,拿起一张传单,其底边部印有"大奖! 大奖! 大奖!"

Those **living on a mountain** live off the mountain. 靠山吃山。

No amount of special education can make a genius out of a child **born with low intelligence**. 没有什么特别教育能把智力低下的儿童培养成天才。

I could see the woods in their autumn dress and hear the rustle we made as we ran through the **fallen** leaves. 我还能看见披上秋装的树林,听见我们匆匆走过落叶时发出的沙沙声。

Our life is a steady, ceaseless progress towards an **unseen** goal. 我们的人生是一段坚定不移、无止无休地朝着一个未知目标努力的过程。

A word **spoken** is an arrow **let fly**. 说出的话就像射出的箭,收不回来。

Money **spent on the brain** is never spent in vain. 智力投资永远也不会徒劳无益。

The youthful days **once gone** will never come again. 韶华不为少年留。

A cool breeze **brushing by** brought a **drizzling** shower down. 忽一阵凉风过了,唰唰地落下雨来。

Unfulfilled wish lives on in the unconscious. 未实现的愿望在无意识中继续存在。

The towel, **hung to dry**, grows wetter by the hour. 毛巾呢,本来是要挂着晾干的,却一个个钟点越来越湿了。

The best memories are those **left undisturbed**. 最美好的记忆是那些尘封的记忆。

The life of man is a long march through the night, **surrounded by invisible foes, tortured by weariness and pain**, towards a goal few can hope to reach. 人的生命是经历黑夜的长途跋涉,受到无形的敌人的包围,遭受着厌倦和痛苦的折磨,朝着很少有人有望达到的一个终点走去。

The west wind ruffled an autumn stream and distant mountains embraced the **setting** sun. 西风荡秋水,落日衔远山。

He has been watching outside the house, **closed, shuttered** and **abandoned**. 他一直守望着那幢门窗紧闭、被遗弃的房子。

The silver moon was high overhead, and there was a gentle breeze **playing down the valley**. 皓月当空,微风轻轻拂过山谷。

(2) as 可以引导分词短语作后置定语。例如:

The guests **as arriving today** are from England. 今天到的客人来自英国。(＝The guests who arrive today)

Her ability **as displayed in those years** is praised by all. 她在那些年里所表现出的才干受到众人的称赞。(＝which was displayed)

(3) 作前置定语的现在分词可以是及物动词,但更多的是不及物动词。作前置定语的及物动词的现在分词,其意义上的宾语可以为人,也可以为物。

① 意义上的宾语为人:

a **puzzling** problem 困扰人的问题 (a problem that puzzles someone)

a **moving** film 感人的电影 (a film that moves people)

a **convincing** promise 令人信服的承诺 (a promise that convinces people)

a **fascinating** girl 迷人的女孩 (a girl that fascinates people)

a **loving** father 慈爱的父亲 (a father who loves his children)

frightening howls 可怕的嚎叫声 (howls that frighten people)

misleading advertisements 误导的广告 (advertisements that mislead people)

a **forbidding** manner 令人望而生畏的举止 (a manner that forbids others to approach)

② 意义上的宾语为物:

an **understanding** man 善解人意的人 (a man who understands other's feelings)

a **knowing** person 知道内情的人 (a person who knows the secret)

a **deserving** student 值得奖励的学生 (a student who deserves to be rewarded)

arresting scenery 吸引人的景色 (the scenery that arrests one's attention)

an **unfeeling** judge 铁面法官 (a judge who feels no sympathy)

a **forgiving** smile 宽恕的微笑 (a smile that shows forgiveness) the **revealing** handwriting 透露线索的笔迹（the handwriting that reveals something）

an **unthinking** young man 不考虑后果的年轻人（a young man who does not think of the consequences）

（4）作前置定语的过去分词许多已失去动词的特点，成为纯粹的形容词。参见上文。

① 带前缀-un 的过去分词许多已成为形容词。例如：

It is an **underdeveloped** country. 那是一个欠发达国家。

An **unemployed** person is one who hasn't a job. 失业者就是没有工作的人。

It is an **uneducated** speech. 那是一次没有一点水平的发言。

She is a girl of **unequaled** beauty. 她是个有着倾国美貌的女孩。

These are **unfounded** rumours. 这是些毫无根据的谣传。

Her pleasant and **unaffected** manner charmed him. 她自然优雅的举止吸引了他。

He achieved **undreamt-of** success. 他取得了做梦也没想到的成功。

It is an **unheard-of** animal. 那是一种从未听说过的动物。

There is a pile of **undone** work. 有一大堆未做完的工作。

He took an **uninterested** attitude. 他采取了不感兴趣的态度。

▶▶▶ 其他如：**uncalled-for** criticisms 不适宜的批评，**unconfirmed** news 未得到证实的消息，**unexpected** visitors 突然来访的客人，**unknown** heroes 无名英雄，**unqualified** nurse 不合格的护士，**unsettled** question 未解决的问题，**untold** riches 无数的财富。

② 以-en 或-n 结尾的过去分词有些已变为形容词。例如：

The shop sells **frozen** food. 这家商店出售冷冻食品。

It is a **proven** fact. 这是不争的事实。

It is a **shorn** lamb. 这是一只剪了毛的羊。

He saw **a terror-stricken** girl. 他看见一个惊恐万分的女孩。

▶▶▶ 其他如：a **sunken** cheek 凹陷的面颊，a **rotten** egg 腐臭的鸡蛋，**sawn** timber 锯好的木材，a **swollen** face 肿胀的脸，**ill-gotten** money 不义之财。

③ 有些动词的过去分词作前置定语时，已不再是作动词时的意义，意思已发生变化，相当于一个形容词。例如：

confirmed bachelor 决定终身不结婚的人　　**surprised** expression 诧异的神色

crooked street 蜿蜒的街道　　**learned** words 学术专业词汇

the **blessed** virgin 圣母

a **celebrated** novel 著名小说（a famous novel, celebrated 已没有"庆祝"这种含义）

an **ill-favored** face 丑陋的脸（an ugly face, favored 不表示"赞同，偏爱"）

a **confirmed** drunkard 不可救药的酒鬼（a drunkard who is unlikely to be changed，这里的 confirmed 已没有"证实"这种含义）

one's **ill-advised** action 某人的不明智行为（one's unwise action, advise 已没有"劝告"这种含义）

④ 下面作前置定语的过去分词大多已变为形容词，注意其含义：

annoyed look 困惑的表情　　**blessed** rain 喜雨

surprised laughter 吃惊的大笑　　**inspired** talk 鼓动性的发言

excited brevity 简洁动人　　a **considered** view 经过深思熟虑的观点

an **inspired** article 授意写出的文章　　**guarded** optimism 审慎的乐观

crushed submission 完全的屈从　　a **determined** effort 坚定的努力

a **decided** step 决定性的步骤　　a **troubled** place 是非之地

diseased cattle 病牛　　a **decided** man 果断的人

a **decided** advantage 明显的优势　　**decided** change for the better 明显的好转

a **convinced** socialist 坚定不移的社会主义者　　a **mismatched** couple 不般配的一对

2 情况 B

单个的分词和动名词都可作前置定语，但分词往往表示被修饰词所发出的动作，即分词动作的逻辑主语是它所修饰的词;而动名词则不然,它所修饰的词不能充当其逻辑主语。另外,分词作定语时,分词为重读,被修饰词为次重读;动名词作定语时,重音落在动名词上,且动名词与被修饰词之间常用连字号。例如:

the **raging** storm＝the storm that is raging 肆虐的风暴(分词)

scorching heat＝heat that is scorching 炙热(分词)

a **'sleeping** 'baby 熟睡的婴儿 (a baby that is sleeping)(分词)
a **'sleeping** 'beauty 睡美人(分词)
a **'sleeping** car 卧车 (a car for sleeping)(动名词)

boiling water 沸水 (water that is boiling)(分词)
boiling-point 沸点 (point at which liquid boils)(动名词)

a **dancing** girl 正在跳舞的女孩 (a girl who is dancing)(分词)
a **dancing**-master 教舞蹈的教师 (a master who teaches dancing)(动名词)

working class 工人阶级(分词)
a **walking** method 工作方法 (a method of working)(动名词)
a **walking** dictionary 活字典(形容词)

a **running** stream 奔流的小溪 (a stream that is running)(分词)
running shoes 跑步用的鞋 (shoes for running)(动名词)

living language 活的语言(分词或形容词)
living standard 生活水准(动名词)
a **dying** bird 垂死的鸟(分词)
to one's **dying** day 至死(动名词)

flying saucer 飞碟(分词)
flying suit 飞行服(动名词)
the **closing** hour 打烊时间(动名词)
the **closed** window 关着的窗户(分词)

3 情况 C

分词作定语应注意的问题。

(1) 现在分词的时间意义。

现在分词作定语(后置或前置)要么表示一个正在进行的动作,一个即将发生的动作,要么表示某个状态,要么表示长久的或永久性的特点,这时,形容词性特点更强。例如:

an **expiring** lease 即将到期的租约

Can you see the star **moving** (that is moving) in the sky? 你能看见那颗在天上移动的星星吗?

She was not among those **crying**. 她不在那些哭喊者之列。

A man **going** to die is always kind-hearted. 人之将死,其心也善。

Do you know the number of people **coming** (who will come) to the party? 你知道来参加聚会的人数吗?(以上表示动作,正在进行或即将发生)

There is a piano **standing** (which stands) in the corner. 角落上有一架钢琴。

A man **respecting** others (who respects others) will be respected. 敬人者人敬之。

We can see the flowers **nodding** (which are nodding) gently in the wind. 我们能看见花在风中轻轻摇曳。

She looked at the city **being attacked** (which was being attacked) by the enemy. 她看着那遭受敌人攻击的城市。

Those were the problems **puzzling** (which puzzled) her day and night. 那些就是日夜困扰她的问题。

We can't teach a boy **refusing to be taught** (who refuses to be taught). 我们教不了不想学习的孩子。

We are all **living** creatures. 我们都是生物。(＝not inanimate things)

These are **burrowing** animals. 这些是掘洞动物。

It is a **thriving** community. 这是一个繁荣的社区。

It is a **flying** fish. 这是一条飞鱼。(＝that can fly)

She is a **charming** lady. 她颇有几分姿色。(＝attractive lady)(以上表示状态、长久性或永久

性特点)

▶▶ 由上述现在分词的特点可知,如果现在分词短语作后置定语时所表示的动作,在时间上同谓语动词所表示的动作不符合上述条件,不能使用现在分词,而应该使用定语从句。例如:

我想见见打破窗户的人。
- I want to see the man breaking the window. [×](break 的动作先发生)
- I want to see the man who **broke** the window. [√]

你知道有谁丢过钱吗?
- Do you know anyone having lost money? [×]
- Do you know anyone who **has lost** money? [√]

有谁能解决这个问题吗?
- Is there anyone settling the problem? [×]
- Is there anyone who can **settle** the problem? [√]

▶▶ 由此,我们也就知道了在哪些情况下定语从句可以用现在分词代替,即:定语从句谓语动词所表示的时间同主句谓语动词的时间相应一致时,或表示经常性、长久性情况。例如:

Did you see the man **who was talking**/**talking** to the manager? 你看见同经理说话的那个人了吗?

The grocery store **which stands**/**standing** across the street was set up last year. 街对面的那家食品杂货店是去年开办的。(stands 表示一个不大会更改的经常性情况)

▶▶ 下面第一句中的定语从句不可用现在分词替代,因为 the girl 是特指,不是泛指。

The girl **who looks after** his small children gets 2,500 *yuan* a month. 给他照看小孩的女孩每月 2 500 元。

Girls **who look after**/**looking after** small children get 2,500 *yuan* a month. 照看小孩的女孩子每月 2 500 元。(girls 泛指)

(2) 过去分词的时间意义。

① 过去分词表示的动作发生在谓语动词的动作之前。例如:

Is this the book **written**(which was written) by Henry James? 这是亨利·詹姆斯写的小说吗?

Half of the guests **invited**(who had been invited) to the reception were foreign ambassadors. 有一半出席招待会的客人是外国大使。

② 过去分词表示的是与句中谓语动词相应的经常性动作。例如:

These trucks carry goods **exported**(which are exported) to foreign countries. 这些卡车运送出口货物。

He was then a teacher **respected**(who was respected) by all his students. 他那时是一位受所有的学生都尊敬的老师。

③ 过去分词表示一个正在进行的动作,常用"being+过去分词"结构。例如:

The matter **being discussed**(which is being discussed)is of vital importance. 正在讨论的问题十分重要。

The man **being questioned**(who was being questioned) was a spy. 受审的男子是个间谍。

These **repeated** efforts(which were being repeated) were still inadequate. 反复作了多次努力,仍然不够。

④ 过去分词表示一个将来动作,用"to be+过去分词"结构。例如:

These are the machine tools **to be imported**(which are to be imported) from France. 这些是将从法国进口的机床。

He was invited to a meeting **to be held**(which was to be held) the next day. 他应邀出席将于次日举行的会议。

⑤ 表示较长久的或永久性的特点,形容词特点更强。例如:

It is difficult to save a man **enchanted** by the beauty of a woman. 被女人的美貌迷住的男人无可救药。

Used cars are very cheap. 旧车很便宜。(=old)

Stolen love, though dangerous, tastes exceptionally sweet. 偷情危险却格外甜。(＝secret)

Those **determined to kill** can always find suitable opportunities. 那些下决心杀人的人总能找到合适的机会。

(3) 单个分词,不论是现在分词还是过去分词,一般是不放在名词后作后置定语的,但在下面几种情况下,单个分词可以作后置定语。

① 表示对比或强调。例如:

There she saw a lot of people **coming** and **going**. 她在那里看见许多人来来往往。

Money **spent** is more than money **earned**. 花的钱比挣的钱多。

There are people **crying** and people **laughing**. 有人哭,有人笑。

② 如果被修饰词前有形容词最高级,或是代词(all, those, one 等),或是定语从句的简化。例如:

any person **objecting** 持反对意见的人

the people **taking** part 参加的人

It is the best painting **known**. 这是最著名的绘画。

He is one of the greatest poet **living**. 他是在世的最伟大的诗人之一。

All **suspected** must stay here. 所有受怀疑的人都必须留下来。

He is like one **charmed**. 他像个着了魔的人。

Most of the people **singing** were women. 唱歌的人中,大部分是妇女。

Who are the people **participating**? 参加的是哪些人?

the only virgin land **left** 剩下的唯一的处女地

Those **remaining** had to face all kinds of difficulties. 留下来的人必须面对各种困难。

③ 如果是固定结构或习惯说法。例如:

They wandered in the hills **for five days running**. 他们一连五天在山中漫游。

He lived alone in the hills **for years running**. 他一连数年独自一人住在山里。

She is a **musician born**. 她是一个天生的音乐家。(或 a born musician)

That is **nothing doing**. 不行。

I will not write to her **for the time being**. 暂时我不打算给她写信。

She died **in the year following**. 她在第二年去世了。

【提示】

① 比较前后置的不同含义:

the method **adopted** 采取的办法   the people **involved** 有关人士

an **adopted** child 养子   the **involved** explanation 复杂的解释

the authorities **concerned** 有关当局

a concerned **expression** 忧虑的神情

② 注意过去分词的某些用法:

the sold car [×]

the recently **sold** car [√]新近卖的车

4 分词作定语实例举要

分词用作定语的情况很多,结构简洁,表意丰富,有些可看作形容词,现举例如下。

(1) 单个分词作定语

everlasting friendship 永恒的友谊   the **ruling** group 统治集团

hating eyes 憎恶的眼神   a **leading** figure 领导人物

existing laws 现有法律   a **booming** town 繁荣的城市

rising generation 正在成长起来的一代   **living** things 有生命的东西

an **ageing** population 老龄化的人口   the **reigning** champion 当前的冠军

the **remaining** question 剩下的问题   **ailing** parents 体弱多病的父母

a **resounding** success 巨大的成功   a **dwindling** population 日益减少的人口

a **bleeding** nose 流血的鼻子   the **surrounding** towns 周围的城镇

diminishing returns 效益递减

astonishing facts 令人吃惊的事实

humiliating treaty 屈辱的条约

a frightening account 可怕的描述

devastating war 破坏性极大的战争

a broken promise 失信的诺言

a distressing situation 令人痛苦的局面

tiring work 累人的工作

convincing analysis 有说服力的分析

boring jokes 无聊的笑话

a paid tutor 有薪水的导师

satisfied smile 满意的微笑

processed food 加工过的食物

dried fruit 干果

fixed opinions 固定看法

a furnished room 有家具的房间

revised edition 修订本

a broken heart 破碎的心

lost paradise 失去的乐园

a forced smile 强笑

classified documents 机密文件

a reduced price 折扣价

a troubled look 苦恼的表情

a disappointed man 失望的人

an abandoned temple 废弃的寺庙

confused feelings 混杂的情绪

the seen fact 眼见的事实

an estranged couple 翻脸的夫妻

polluted water 污水

scattered showers 零星阵雨

simulated test 模拟考试

a bruised face 鼻青眼肿的脸

an amusing piece of news 一条很有趣的消息

refreshing cool drinks 使人感到清新的冷饮

a balanced point of view 不偏不倚的观点

threatening remarks 威胁的话

a disgusting smell 令人厌恶的气味

satisfying ending 令人满意的结局

disturbing experience 令人不安的经历

a boring book 枯燥乏味的书

a confusing word 使人糊涂的词

an embarrassing situation 令人尴尬的局面

a challenging problem 发人深省的问题

alarming statistics 令人吃惊的统计数字

tempting chocolates 诱人的巧克力

strained relations 紧张的关系

fried fish 煎鱼

steamed rice 米饭

haunted house 鬼屋

polluted streams 被污染的小溪

hidden meaning 隐含的意义

a broken leg 腿部骨折

condensed milk 炼乳

infected parts 受感染的部分

cooked food 熟食

a corrected version 修改稿

a pleased look 高兴的神情

interested members 感兴趣的会员

agitated voice 激动的声音

finished products 成品

required course 必修课

a lighted cigarette 点燃的香烟

a boring lecture 沉闷的授课

drooping plants 萎蔫的植物

an educated man 有教养的人

amused spectators 被逗乐的观众

broken dream 破灭的梦想

a disturbing rumor 引起恐慌的谣言

upsetting situation 令人苦恼的境地

spoken thanks 口头感谢

（2）合成分词作定语

合成现在分词或合成过去分词，本身有动状关系或动宾关系，通常由连字号连接，也有不用连字号的，常作定语，相当于形容词。例如：

long-lasting effects 长远的影响

hard-working people 勤劳的人民

quick-selling goods 快速售出的商品

far-reaching effects 深远的影响

never-ending complaints 没完没了的抱怨

fine-sounding words 动听的言词

a record-breaking flight 创纪录的飞行

hand-made goods 手工制品

a well dressed man 穿着讲究的男子

a long-running dispute 长期的争辩

a time-consuming job 费时间的工作

oil-bearing crops 油料作物

hard-wearing materials 耐磨的布料

a long-playing record 慢速唱片

close-fitting clothes 紧身衣

a mouth-watering aroma 诱人的香味

half-finished goods 半成品

a candle-lighted room 蜡烛照亮的房间

a **well-advised** plan 稳妥的计划　　　　　　**well-defined** policies 明确的政策

a **clear-cut** answer 明确的答复　　　　　　a **hand-operated** pump 手工操作泵

a **self-employed** painter 个体画家　　　　　a **simply-furnished** house 陈设简单的房屋

badly-paid employees 低工资的雇员　　　　a **long-awaited** dictionary 期待已久的词典

a **powerfully built** man 身材魁梧的男子　　 a **richly deserved** honour 应得的荣誉

superbly cut clothes 剪裁讲究的衣服　　　 **newly-invented** machine 新发明的机器

a **badly-built** house 质量低劣的房子　　　　**half-baked** meat 煮得半生不熟的肉

far-fetched explanation 牵强的解释　　　　**newly-born** baby 新生婴儿

newly fallen snow 新下的雪　　　　　　　**well-built** bridge 建造质量良好的桥

a **cautiously worded** statement 措词谨慎的声明　 **tree-lined** railway 两边有树的铁路

a **smooth-talking** young man 油嘴滑舌的年轻人

elegantly turned-out young lady 衣着雅致的年轻女士

a **research-oriented** hospital 以搞科研为重点的医院

2. 作表语

1 情况 A

　　分词作表语时,现在分词往往表示主语所具有的特征,过去分词往往表示主语的状态或状况。
例如:

The music is much **pleasing** to the ear. 音乐优美悦耳。

He was **sunk** in thought. 他陷入了沉思。

He's **gone**. 他走了。(他不在这里了。)

The sun is **set**. 太阳下山了。

Spring is **come**. 春天来了。

The empire is **fallen**. 帝国沦亡了。

All her hope is **gone**. 她所有的希望都破灭了。

You are **mistaken**. 你错了。

The electric wire is **broken**. 电线断了。

He felt **assured**. 他感到有把握。

It looks **decayed**. 它看上去已经腐烂了。

She seems **unthinking**. 她似乎漫不经心。

He appears **forbidding**. 他好像令人生畏。

He remained **unsatisfied**. 他依然不满足。

She grew **tired** of life. 她对生活厌倦了。

Her illness continued **unchanged**. 她的病仍没有好转。

He became **discouraged**. 他泄气了。

The situation proves **encouraging**. 形势是令人鼓舞的。

He got **promoted**. 他得到了提拔。

He is deeply **read** in American literature. 他精通美国文学。

They are **satisfied** with their present job. 他们对现在的工作很满意。

The moon is **borne** bright above the sea and bathes at once the distant one and me. 海上生明月,
天涯共此时。

Beyond the ford the sun is nearly **sunk** and from the village a wisp of smoke rises free. 渡头落余
日,墟里上孤烟。

2 情况 B

　　分词和动名词都可以作表语,但分词作表语时保持了它的形容词特征,对主语加以描述,而动名
词作表语时则表示一个行为动作。例如:

The game is very **exciting**. 这场比赛很激动人心。(分词相当于形容词)

The most important thing is **giving** the new generation a good training. 最重要的是对下一代进

行良好的教育。(动名词表示行为)

3. 作宾语补足语

分词一般只在两类动词后作宾语补足语：①感觉、感官、意愿动词，②使役、致使动词。这种用法中的现在分词表示正在进行的主动意义，过去分词则表示已经完成的被动意义，句式为：

> 感觉、感官、意愿动词＋宾语＋现在分词宾语补足语→意义主动(正在进行)
> 感觉、感官动词＋宾语＋过去分词宾语补足语→意义被动(已经完成)
> 使役、致使动词＋宾语＋现在分词宾语补足语→意义主动(正在进行)
> 使役、致使动词＋宾语＋过去分词宾语补足语→意义被动(已经完成)

1 感觉、感官、意愿动词后的分词宾语补足语

这类动词有 see, observe, notice, watch, hear, smell, listen to, look at, feel, find, want, wish 等。例如：

She **smelt** something **burning**. 她闻到有东西烧煳了。

She **felt** a great load **taken off** her mind. 她感到如释重负。

He **heard** his name **called**. 他听见有人叫他的名字。

I **found** the city greatly **changed**. 我发现这座城市变化很大。

I **found** those students **studying** very hard. 我发现那些学生非常努力。

She **saw** the thief **caught** by policemen. 她看见那个小偷被警察抓住了。

He doesn't **want** people **visiting** him at the weekend. 他不愿人们在周末来找他。

Did he **mind** the news **becoming** public? 这消息公布于众，他在意吗？

He felt apprehensions **stealing** over him. 他感到恐惧袭上心头。

He began to wish the whole business **finished**. 他开始希望整个事情早日结束。

Do you **want** the car **washed**? 你想要把车子洗一下吗？

I didn't **notice** her **leaving**. 我没注意到她离开。

He felt the happiness inside him **expanding**. 他觉得内心的快乐逐渐扩大。

He was very happy to **see** his mother **taken good care of** at home. 他很高兴看到母亲在家里受到很好的照顾。

He saw younger clerks who had more zest in their work, **promoted** over him. 他看到那些工作热情比他高的年轻员工晋了级，超过了他。

2 使役、致使动词后的分词宾语补足语

这类动词有 catch, set, have, make, get, start, leave, keep 等。例如：

The joke **set** them all **laughing**. 笑话使他们开怀大笑。

The teacher often **caught** him **dozing off** in class. 老师时常发现他在课堂上打瞌睡。

Her remark **left** me **wondering** what she was driving at. 她的话使我很纳闷，不知她意欲何为。

She still could not **make** herself **understood** in English. 她还不能用英语表达自己的意思。

He managed to **get** it **done** on time. 她设法把它完成了。

The impact **sent** her **flying**. 冲击力使她飞了起来。

I have **kept** you **waiting** a long time. 我让你久等了。

They **caught** him **doing** evil. 他们当场抓住他在做坏事。

What **makes** one **respected** is his actions. 使人受尊重的是其行为。

He **sent** the ball **flying**. 他把球扔了出去。

Many youngsters **have** their hair **colored**. 许多年轻人把头发染了色。

The explosion **sent** glass **flying** everywhere. 爆炸使玻璃到处乱飞。

The street ballad seller **set** all men **singing** of liberty. 这位唱歌谣的街头叫卖者使所有的人都唱起了自由之歌。

One blow from the long bamboo pole **sent** the dates **tumbling** down. 用长竹竿一击，枣子便纷纷落了下来。

The quiet graveyard **started** me **thinking** of all sorts of people in the world. 那寂静的墓园使我不

禁想起大千世界中的芸芸众生。

【提示】have 表示"允许"时,后接现在分词或不定式皆可。例如:

I won't **have** you **doing** that again.

I won't **have** you **do** that again. 我不许你再做那件事。（不加 to）

③ 作宾语补足语的分词前有时可以加 as

She **quoted** Lu Xun **as saying** that. 她引用了鲁迅说的话。

He **described** the picture **as expressing** the dream of mankind. 他描述说那幅画表现了人类的梦想。

They **considered** me **as having done** my best. 他们认为我尽了最大努力。

The results **show** their lessons **as having been well prepared**. 结果显示,他们的课准备得很充分。

④ 作宾语补足语的分词如果表示正在发生的被动动作,前面要加 being

She **saw** the wounded man **being carried** into the hospital. 她看见受伤的人正在被送往医院。

He **found** himself **being followed** by a wolf. 他发现自己正被一头狼跟踪着。

⑤ 分词作宾语补足语的两种特殊情况

（1）make 后的宾语补足语只能用过去分词,不能用现在分词。例如:

He couldn't **make** himself **believed**. 他不能使别人相信自己。

A statesman can **make** his influence **felt** through his speech and action. 政治家能够使自己的言行发挥影响。

The writer **made** himself **known** by the novel. 这位作家以这部小说而扬名。

（2）set 后的宾语补足语通常是现在分词,不用过去分词。例如:

He **set** the clock **going**. 他让钟走了起来。

Her words **set** me **thinking** deeply. 她的话让我深思。

His action **set** her **wondering**. 他的行为让她感到纳闷。

【提示】set sb. to do sth. ＝make sb. do sth.。例如:

老师让每位学生写一篇 2 000 字的短文。

The teacher **set** every student **to write** an essay of 2,000 words.

The teacher **made** every student **write** an essay of 2,000 words.

⑥ 感觉、感官动词后分词宾语补足语和不定式宾语补足语的区别

这类动词后可以用分词作宾语,也可以用不带 to 的不定式作宾语,其区别是:分词宾语补足语表示动作正在进行,尚未完成,不是全过程;不定式宾语补足语表示动作的完成,是全过程。另外,短暂性动词的分词作宾语补足语表示动作的反复,而不定式则表示动作的一次性。比较:

She woke and heard the wolf **howling**. 她醒来时听见了狼嚎。(The wolf was howling.)

She was overjoyed to hear you **say** that. 听你说起那件事她很高兴。(You said that.)

I saw a soldier **getting** on the train. 我看见一名士兵在上火车。

I saw a soldier **get** on the train and disappeared. 我看见一名士兵登上了火车,消失了。

Do you hear door bell **ringing**? 门铃在响你听见了吗?

Yes, I did, I heard it **ring** three times. 是的,我听见门铃响了三下。

She heard the door **slamming**. 她听见门在砰砰作响。(反复的动作)

She heard the door **slam**. 她听见门砰的一声关上了。(一次性动作,已完成)

【提示】有时两种结构作宾语补足语意义上没有什么差别。例如:

She noticed him **leaving/leave** the hall. 她注意到他离开了大厅。

He smelt something **smolder/smoldering**. 他闻到什么在冒烟。

I hate the door **to slam/slamming** at midnight. 我讨厌门在半夜里砰砰作响。

4. 作主语补足语

分词可用作主语补足语,说明主语的状态、动作等。例如:

The work was found not quite **completed**. 发现这项工作并没有完成。

She was seen **bringing** her son in the car. 人们看见她开着车把儿子送来。

He was again left **waiting** outside. 又让他在外面等着。

The door was left firmly **fastened**. 门紧锁着。

Tom was caught **dozing off** in class. 发现汤姆上课时打瞌睡。

【提示】

① 下面的被动结构后，as 引导的分词短语应视为主语补足语：

The accident **was reported as having been caused** by carelessness. 据报道，事故是由粗心引起的。

She **was praised as being** most responsible. 她因其高度的责任心而受到赞扬。

The story **was told as having happened** long long ago. 据说，这个故事发生在很久很久以前。

② 单个过去分词也可作主语补足语。例如：

The fire was reported **controlled**. 据报道，大火已被控制住。

She was seen **angered** at the words. 看见她听了那些话很生气。

5. 作状语

分词作状语时表示的动作是主语动作的一部分，与谓语表示的动作或状态是同时或几乎同时发生的，有时先于谓语动词的动作发生。分词作状语一般要用逗号同其他成分隔开，但也有不隔开的。分词可以作时间、原因、方式、条件、结果、目的、让步等状语。例如：

Defeated, they withdrew into the valley. 他们被打败了，退回到山谷中。（分词动作先发生）

Locked up, he had no way to escape. 他被关了起来，无法逃脱。（分词动作同时发生）

He telephoned **saying** that he wouldn't come for supper. 他打电话说他不来吃晚饭了。

1 作时间状语时相当于 when 引导的从句

这类状语通常放在句子前半部分，若两个动作同时发生，可在分词前用 when 或 while 表示强调。例如：

He cut himself **while shaving**. 他刮胡子时把脸刮破了。

She trembled a little **doing so**. 她这样做时稍稍颤抖了一下。（＝while doing so）

The old lady fell **going downstairs**. 那位老太太下楼时跌倒了。（＝when going）

Hearing the news, they immediately set off for Shanghai. 听到这个消息，他们立即出发到上海去了。（＝When they heard the news, they ...）

Seen from the pagoda, the south foot of the Purple Mountain is a sea of trees. 从这个塔上远眺，紫金山南麓是树的海洋。

When leaving the airport, they waved again and again to us. 离开机场时他们向我们频频招手。

Lying still in the grass, **waiting**, he heard the sound of the wild. 他静静地躺在草丛里，等待着，天籁之音不绝于耳。

Printed white, the house looks bigger. 漆成白色后，这房子像是大些了。

Cutting off all amusements or other employments that would divert his attention, he made this plan his sole study and business. 在中断所有可能分散他注意力的娱乐或外骛之后，他把执行这个计划作为他唯一的心事和任务。

Coming awake in the dark, I found myself lying in a strange house. 我在黑暗中慢慢醒来，发现自己躺在一个陌生的房子里。

【提示】

① 作时间状语的分词短语也可放在主语后或句尾，放在句尾时最强调。例如：

写完一封重要的信之后，我听了一会儿音乐。

Having written an important letter, I listened to the music for a while.

I, **having written an important letter**, listened to the music for a while. （最不强调）

I listened to the music for a while, **having written an important letter**. （最强调）

② 如果分词表示的动作紧接着谓语动作之后发生，分词应放在句尾。例如：

He opened the door, **greeting his guests**. 他打开门，迎接客人们。

She sat down, **listening to their** talk. 她坐了下来，听他们谈话。

③ 如果分词表示的动作先发生，谓语动词动作紧接着就发生，分词短语应放在句首，不能放在句尾。例如：

听到一个奇怪的声音,他们就停止了谈话。
They stopped talking, hearing a strange sound. [×]
Hearing a strange sound, they stopped talking. [✓]

看见一辆车开了过来,他们就站到一边。
They stepped aside, seeing a car coming. [×]
Seeing a car coming, they stepped aside. [✓]

❷ on doing sth. 不同于 in doing sth.

"on/in＋doing sth."也是常用的时间表示法,有些细微的差别。on doing sth. 相当于 as soon as,强调瞬间的动作;in doing sth. 相当于 when、while,强调的是连续缓慢的动作。比较:

On entering the room, she found the man lying dead on the floor. 她一进房间,就发现他躺在地板上,已经死了。(一走进……)

On reaching the town, he went directly to the hotel. 他一进城就直奔旅馆。(一到达……)

In doing the work he met a lot of difficulties. 做这项工作时,他遇到了诸多困难。(在做这项工作的过程中……)

In travelling through the country I saw many new natural features. 在乡间旅行时,我看到了许多先前从没见过的自然景观。(在乡间旅行的过程中……)

❸ 作原因状语相当于 as, since, because 引导的从句

这类状语多放在句子前半部分。例如:

Overcome with surprise, she was unable to utter a word. 她惊呆了,一句话也说不出。

Being spring, the flowers are in full bloom. 已是春天,花儿姹紫嫣红。

There **being** nothing to do, she went home. 无事可做,她就回家了。

Trusting as he did Joan, Sam lent the money to her. 萨姆相信琼,把钱借给了她。(＝As Sam trusted in Joan ...)

Being Sunday, the shops are overcrowded. 因为是星期天,商店里顾客盈门。(＝It being Sunday ... ＝As it was Sunday ...)

Being a layman in matters of culture, I would like to study them. 对于文化问题,我是门外汉,很想研究一下。(＝As I am a layman ...)

The doctor, **not wanting** to make the patient nervous, did not explain the seriousness of his illness. 医生怕使病人紧张,没有说明病情的严重性。

A bit **frightened**, he stood motionless. 他有点害怕,一动不动地站着。

He wasn't the kind to cry, and, besides, he was too old for that, **being eleven**. 他不是好哭的孩子,再说,都 11 岁了,老大不小的,哪能哭啊。(居句尾)

▶▶▶ 注意下面一个歧义句:

Asked to stay, she couldn't very well leave.
＝When she was asked to stay, she couldn't very well leave. (时间状语)
＝Since she was asked to stay, she couldn't very well leave. (原因状语)

❹ 作方式或伴随情况状语时不能用状语从句替换,但常可改写为并列成分

He walked down the hill, **singing softly to himself**. 他从小山上走下来,一路哼着曲儿。(＝He walked down the hill and sang softly to himself.)

He hurried to the hall, **followed by two guards**. 他快步走向大厅,身后跟着两个卫兵。(＝He hurried to the hall and was followed by two guards.)

The little boy who broke his father's antique vase stood there **wretched, expecting punishment**. 那个打碎了他爸爸古董花瓶的小男孩,可怜巴巴地站在那里,知道处罚是少不了的。

He came **running into the room**. 他跑进屋来。

Don't you go **looking for trouble**, Tom. 汤姆,你不要去自找麻烦。

She stood at the window **watching the sunset**. 她站在窗前看落日。

A cold wind came **blowing in at the window**. 一阵冷风从窗口吹进来。

He turned away **disappointed**. 他失望地走开了。

"It's wonderful," she said，**pleased**. 她高兴地说："那太好了。"

The three ladies were trapped in the lift，**screaming**. 三个女士困在电梯内，尖叫着呢。

Tortoises crawled about on the red earth，**going nowhere in the plenty of time**. 乌龟在红土上四处爬行，好半天也没爬多远。

I grabbed the boy by the arm，**scaring him half to death**. 我一把抓住男孩的手臂，把他吓得半死。

One day I was alone in the room，**watching the rustling fall of autumn leaves through the window**. 一天，我独自坐在房间里，看着窗外秋天的树叶唰拉拉地飘落。

The sun eased its way downward，**melting into the horizon until only a final red arc remained**. 太阳徐徐落下，融入地平线，最后只剩下一道红色的弧。

Suddenly the doorbell rang，**announcing the arrival of a visitor**. 门铃一声响，来了一位客人。

They walked up from the beach through a meadow that was soaking with dew，**following the young Indian who carried a lantern**. 他们跟着提着灯笼的印第安小伙子离开海滩，走进一片被露水打湿的草地。

Looking down at his feet，the man uttered a voiceless laugh. 那男的不出声地笑笑，低下头看看自己的脚。

The winds blew across the sea，**pushing little waves into bigger and bigger ones**. 风吹过海面，把小的波浪向前推进，变成越来越大的波浪。

Now the buds are sleeping within the bough，**dreaming of spring and cuckoos**. 叶芽正躺在树枝里沉睡，梦想着春天还有杜鹃。

Love is a beautiful song，**bringing us wild joy and happiness**. 爱是一首美妙的歌，带给我们幸福和欢乐。

Scattered and fallen，the plum petals may be ground in the mud，but their fragrance will endure. 零落成泥碾作尘，只有香如故。

The candle too takes pity on our parting，**shedding tears till the coming of dawn**. 蜡烛有心还惜别，替人垂泪到天明。

The deer silently crossed the fields，**half hidden in the mists of the fall mornings**. 小鹿静静地走过田野，隐没在秋日清晨的薄雾中。

Tightly clasping his fingers，**resting his elbows on his knees**，he was gazing at the children. 他望着那群孩子，臂肘支在膝盖上，十指交叉在一起。

Chattering，the children were coming back to the wood. 那群孩子又唧唧喳喳地回到了树林里。

The sun was blazing down with searing heat，**casting shades underneath plants and trees**. 赤日当空，树荫合地。

He lay on the river bank，**feeling the warmth of the sun against his face**. 他躺在河岸边，感受着阳光暖暖地照在脸上。

I spent some of the quietest Sundays of my life in Uncle Amo's yard，**lying under apple trees and listening to bees and not listening to Uncle Amos who was bumbling away at something**. 有许多宁静的星期天，我都是在艾默大叔的果园里度过的。躺在苹果树下，耳边响着蜜蜂的嗡嗡声，无须用心去听艾默大叔永无休止的唠叨。

Her moods were very changeable，**now laughing loudly**，**now sunk in despair**. 她的情绪变化无常，时而大笑不止，时而又跌入绝望的深渊。

He tipped back in an armchair，**now dozing**，**now reading**. 他侧身坐在手扶椅里看书，时而打起盹儿。

The old man loves to sit in the sun，**thinking**. 这位老人喜欢坐在太阳底下想事情。

Dressed in white，she suddenly appeared. 她突然出现了，一身白衣。

Kneeling and shutting her eyes，she prayed to the goddess. 她跪着，双目紧闭，向神灵祈祷。

Starving，he wandered about. 他食不饱腹，四处流浪。

Bleeding and **fainting**，the man lay by the road. 那人躺在路边，身上流着血，昏过去了。

They were at table, **chatting merrily**. 他们边吃边愉快地聊着。

He stood by the door, **looking out**. 他站在门口,向外张望。

The boy ran home, **crying**. 那男孩哭着跑回家去。

The children watched the game, **fascinated**. 孩子们观看着比赛,如醉如痴。

【提示】sit, lie, stand 后可用"and+动词原形",表示互为伴随情况,and 后的动词相当于一个现在分词。例如:

The old lady **sat waiting** for his return. 老太太坐着等他回来。
=The old lady sat and waited for his return.

She **sat singing** a merry song. 她坐着唱一首欢快的歌。
=She sat and sang a merry song.

He **lay reading** a novel. 他躺着读一本小说。
=He lay and read a novel.

They **stood watching** the waves rolling. 他们站着看波涛翻涌。
=They stood and watched the waves rolling.

5 作条件状语相当于 if, unless 等引导的从句

常见的引导条件状语的分词有:given, supposed, supposing, considering, provided, granted, compared with 等,这类状语要放在句子的前半部分。例如:

Turning to the right, you will find a path leading to his cottage. 向右转弯,你就可以找到一条通到他的别墅的小路。(=If you turn to the right, you ...)

Behaving yourself, you shall get a nice award. 如果好好表现,你会得到奖赏的。

Given another chance, I'll do it much better. 如果再给我一次机会,我会做得更好。(=If I am given another chance, I ...)

United we stand, **divided** we fall. 团结就是胜利,分裂必然失败。

Cleared, this site would make a good playground. 这片地方清理出来会成为一个很好的玩乐场所。

Given health, I can do it. 如果身体好,我就能做。

6 作结果状语相当于 so that 引导的从句

这类状语通常放在句子的后半部分,分词前面往往有副词 thus, thereby 或 only,并由逗号同前面的句子成分隔开,常可译为"于是,所以,因而"等。这种分词的逻辑主语既可以是句子的主语,也可以是前边的整个句子;逻辑主语为前边的整个句子时,其作用相当于一个非限制性定语从句。例如:

The old scientist died all of a sudden, **leaving the project unfinished**. 那位老科学家突然去世了,留下了未竟的事业。

He is always worrying about trifles, **losing sight of his main objectives**. 他总是操心琐事,失去了人生的主要目标。

He turned off the lamp, (**thereby**) **seeing nothing**. 他熄了灯,什么也看不见了。

The output of steel increased by 15% last year, **reaching 3,000,000 tons**. 钢产量增长了 15%,达到 300 万吨。

A number of new machines were introduced from abroad, **thus resulting in an increase in production**. 从国外进口了许多新机器,因而提高了产量。(相当于 which resulted in ...)

7 作让步状语相当于 though, even if 等引导的从句

Taking more care, I still made quite a few mistakes. 尽管我多加小心,还是犯了不少错误。

Wounded, the brave soldier continued to fight. 虽然受伤,那勇敢的战士仍然继续作战。

Admitting what she has said, I still think that she hasn't tried her best. 尽管承认她所说的话,但我仍然认为她没有尽最大努力。(=Although I admit what she has said ...)

Granting his honesty, we still can't employ him. 就算他是诚实的,我们也不能雇用他。

【提示】表示让步或条件的分词短语要放在主语前,一般不可放在句尾,但前有连词时例外。参见下文。例如:

他虽然努力地干,但仍然挣不够买车的钱。

He was still unable to earn enough money to buy a car, working hard as he did. [×]

Working hard as he did, he was still unable to earn enough money to buy a car. [√]

放任不管,这男孩会惹麻烦的。

The boy will get into trouble, left alone. [×]

Left alone, the boy will get into trouble. [√]

⑧ 作目的状语

He's gone **hunting**. 他去打猎了。

A man's first duty is to find a way of supporting himself, **thereby relieving other people of the necessity of supporting him**. 一个人的首要职责是设法自立,以免除别人对他生活的负担。

⑨ 作状语的分词短语前的连词

分词短语作状语时,有时前面可用一个连词,表示强调,或出于表达需要,常用的连词有:when, while, after, before, if, though, whether ... or, unless, as if 等。例如:

After taking the medicine, she felt better. 吃过药后,她感到好些了。

Whether sleeping or waking, he was not at ease. 不管睡着还是醒着,他心都不安。

The soldier walked very slowly **as if having been wounded**. 那个士兵走得很慢,好像受了伤似的。

The river is flowing peacefully, **as if murmuring** a never-ending story. 小河静静地流淌着,好像低声叙述着一个永远没有尽头的故事。

The man will die **unless operated on** at once. 除非立刻动手术,不然那人就会死。

▶▶▶ 如果这些连词后的分词是 being 或含有 being,则 being 常常省略。例如:

When（being）**alone**, she will think of the past. 一个人时,她会想到过去。

While（being）**at school**, he began to write the novel. 他在学校时就开始写这部小说了。

Though（being）**ill**, he would not take a rest. 虽然病了,他仍不愿休息。

Though（being）**a wealthy man**, John is always plain-dressed. 虽然很富有,约翰的穿着总是很简朴。

Though（being）**in her own room**, she still felt unsafe. 虽然在自己的房间里,她仍然感到不安全。

As if（being）**frightened**, the horses began to run like mad. 好像受了惊似的,马开始狂奔。

If（being）**well read**, the book will give you much to think. 如果细心读的话,这本书会给你许多值得思考的东西。

They dare not walk across the desert **unless**（being）**supplied with enough food and water**. 除非有足够的食物和水,否则他们不敢步行穿过沙漠。

The man, **as though**（being）**dead drunk**, suddenly jumped up and rushed out. 那人似乎烂醉如泥,但突然跳了起来,冲了出去。

【提示】

① "分词 being＋形容词、名词、介词短语"表示时间、原因、伴随情况等,可放在主语前（最自然）、主语后（较文气）,也可放在句尾,这种用法的 being 常可省略。例如:

（Being）**A man of few words**, Jack is most kind-hearted. 杰克是个沉默寡言的人,但非常善良。

John,（being）**in a bad mood**, did nothing yesterday. 约翰情绪不好,昨天什么也没做。

（Being）**A little girl**, Mary knows very little of the world. 玛丽是个小女孩,对世事知之甚少。

（Being）**An optimist**, he faces everything light-heartedly. 他是个乐天派,无忧无虑地面对一切。

吉姆忧心忡忡,疲惫不堪,睡了一整天。

（Being）**Weary and worried**, Jim slept the whole day.

Jim,（**being**）**weary and worried**, slept the whole day.

Jim slept the whole day,（being）**weary and worried**.

他病了,没有去上课。

Being sick, he didn't attend the class.

He, **being sick**, didn't attend the class.

那女孩非常胆小,不敢靠近狗。

The girl, **being very timid**, kept away from the dog.

The girl kept away from the dog, **being very timid**.

The girl being very timid, kept away from the dog. [×](应用逗号隔开)

② 考察下面几句中分词所表示的不同含义:

Gasping and **excited**, John aroused suspicion. 约翰大口喘着气,又很兴奋,引起了怀疑。

=Because he gasped and was excited, John aroused suspicion. (原因状语)

Gasping and **excited**, John entered the room. 约翰大口喘着气,兴奋地进了房间。

=John gasped and was excited when he entered the room. (伴随状语)

Not seen by anyone, Jim left the hotel. 吉姆离开了房间,没有人看见。

=Jim was not seen by anyone when he left the hotel. (伴随情况)

Not seen by anyone, Jim stole the money. 无人瞧见,吉姆便偷了钱。

=As he was not seen by anyone, Jim stole the money. (原因状语)

🔟 staring red 和 ripping good 的含义

英语中有少数现在分词可用作副词,修饰形容词,强调其程度或状态,相当于 very, exceedingly 等,意为"非常,极度"。这种用法的现在分词后有些可加-ly。例如:

perishing cold 极度寒冷　　　　　　　　**thundering** big 大得令人震惊

shocking bad 坏透了　　　　　　　　　**sopping** wet 湿淋淋

The flag is **staring** red. 这面旗是鲜红的。

They spent a **ripping** good night. 他们度过了一个美好的夜晚。

The man has a **shocking/thundering** bad temper. 那人脾气火暴。

The new-fallen snow is **dazzling** white. 刚下的雪白得耀眼。

It is **scorching** hot out there. 外面的天气热得像火烧似的。

The man is **raging/raving** mad. 那人怒不可遏。

He is **hopping** mad. 他气得跳起来。

The driver jumped down, **boiling** mad. 司机气急败坏地跳下车来。

There are several **boiling/burning/steaming/piping/scalding** hot days in summer in Nanjing. 南京每年夏天都有几天酷热的天气。

She came home **soaking/drenching/dripping/sopping** wet. 她回到家时浑身都湿透了。(可以说 soakingly 等)

The troops marched on in the **piercing/biting/freezing/perishing** cold. 部队在极度严寒中行进。

四、分词的逻辑主语与分词独立结构

1. 分词作定语时的逻辑主语

分词作定语时,其逻辑主语(sense subject)就是它所修饰的词。例如:

the **rising** tide 上涨的潮水(the tide that is rising)

the **withered** leaves 枯叶(the leaves that are withered)

2. 分词作状语时的逻辑主语

分词作状语时,在少数情况下,其逻辑主语与句子的主语不一致,分词用来修饰全句。例如:

Judging from appearance, he seems to be a strong man. 从外表看来,他好像是一个健壮的人。

Generally speaking, this novel is not very inspiring. 总的说来,这部小说并不太感人。

▶▶▶ 上述这种结构只限于为数很少的几个动词,比如:generally speaking 一般说来,broadly speaking 大体上说,considering 考虑到,talking of 谈到,putting it mildly 说得客气一点,regarding/touching/respecting the plan 关于这个计划,including the manager himself 包括经理本人,pending the trial 在审讯期间,excluding the captain 不包括船长,barring accidents 若无意外,granting that 即使,strictly speaking 严格说来,comparatively speaking 比较地说,roughly speaking 粗略地说,calculating roughly 大致算来,calculating strictly 严格算来,taking all things into consideration 从各方面来说，properly speaking 正确地说，musically speaking 就音乐而言，philosophically speaking 从哲学上讲，等。

3. 一般情况下，作状语的分词的逻辑主语就是句子的主语

分词所表示的动作应该是句中主语所发出或所承受的动作。如果分词或分词短语所表示的动作不是句中主语所发出或所承受的，那就是误用。弄清这一点，对于判断分词结构的正误很有帮助。试判断：

> Turning around, an old woman was seen walking towards the river. [×]
>
> **Turning around**, we saw an old woman walking towards the river. [√]我们转过身，看见一位老太太向河边走去。

▶▶ 在第一句中，分词短语 turning around 的逻辑主语显然不是句子的主语，即 turning around 这个动作根据句意不可能是 an old woman 发出的，因此用法不当。再比较：

> Seen from the hilltop, he was delighted to see a wonderland of a valley. [×]
>
> **Seen from** the hilltop, the valley looked like a wonderland. [√]从山顶上看去，峡谷宛若仙境。
>
> When using the machine, the instructions must be read first. [×]
>
> **When** using the machine, you/we must read the instructions first. [√]使用机器之前务必先看说明书。

▶▶ 在某些情况下，如果句子的内容暗示出分词结构的逻辑主语，句子的主语同分词的逻辑主语可以不一致。但这种表现法一般不宜模仿、使用。例如：

Standing on the cliff, **her heart** beat fast. 她站在悬崖旁，心怦怦直跳。（her heart 暗示出主语 she）

Speaking to the king for the first time, **his knees** shook. 他第一次同国王说话，腿直发抖。（his knees 暗示出主语 he）

4. 分词的独立结构

分词作状语时，其逻辑主语与句子的主语应该一致，否则，分词应有自己的逻辑主语，构成分词的独立结构（absolute construction）。独立结构一般位于句首，有时也居句尾，表示伴随情况时，常居句尾。分词的独立结构由"逻辑主语（名词、代词）＋分词"构成，可以表示时间、原因、条件、方式或伴随情况等。在独立结构中，分词的逻辑主语可以是分词动作的执行者，也可以是分词动作的承受者，可以是现在分词，也可以是过去分词，还可以是分词的完成式或被动式。

1 逻辑主语＋现在分词

这种结构表示主动意义。例如：

Mary coming back, they discussed it together. 玛丽回来后，他们一起讨论了那件事。（时间，＝When Mary came back ...）

All being well, the project will be finished in five months. 一切顺利的话，这项工程将在 5 个月内完成。（条件，＝If all is well）

Weather/Time permitting, we shall go there on foot. 如果天气/时间允许，我们将步行去那里。（条件，＝If weather/time permits ...）

Nobody having any more to say, the deal was closed. 没有人再要说什么，这桩买卖就成交了。（原因，＝Since nobody had any more to say ...）

That being the case, we'd better make another plan. 情况既然如此，我们最好重新制订计划。（原因，＝Since that is the case ...）

Advice failing, we have to use force. 劝说不成的话，我们就要使用武力。（条件，＝If advice fails...）

She walked along the path, **her daughter following close behind**. 她沿着小路走，其女儿紧跟在后面。（伴随情况，＝and her daughter followed close behind）

She watered the flowers, **her husband feeding the birds**. 她浇花，丈夫喂鸟。（伴随情况，＝...and her husband fed the birds）

John being away, she became a bit frightened. 约翰不在，她有点害怕。

The soldier fired on, **blood flowing from his right leg**. 那士兵继续射击，鲜血从他右腿上流了出来。

He just stood there, with a frozen smile on his face, staring at me, **his large hands hanging at his sides**. 他只是站在那儿,两手垂在身旁,脸上皮笑肉不笑地盯着我。

Lisa looked up at her father, **tears pouring down her face**. 莉萨泪流满面,仰望着父亲。

Life being very short, we ought not waste time in reading valueless books. 人生是短促的,我们不应该浪费时间去读那些毫无价值的书。

We all joined in singing the Christmas carols, **half of us crying**. 我们大家都跟着唱起了圣歌,其中有半数人是含着眼泪唱的。

He stood before the great crowd, tall and thin, **his sad face showing the sorrow of the war**. 他站在大众面前,显得高大而消瘦,那忧戚的面容流露出战争带来的悲伤。

A couple of police cars flashed past, **sirens wailing**. 几辆警车飞驰而过,警笛呼啸着。

The heavy frost coming on, dead leaves lay thick on the ground. 严霜打过,枯叶厚厚地堆在地上。

2 逻辑主语＋过去分词

这种结构表示被动意义。例如:

This done, they went home. 这个做完后,他们就回家了。(时间,＝When this was done ...)

The table set, they began to dine. 桌子摆好后,他们开始用餐。(时间,＝When the table was set ...)

That ended, they went out to dinner. 那结束后,他们就出去吃饭了。(时间,＝When that was ended ...)

Everything/All taken into consideration, his plan seems to be more workable. 从各方面考虑,他的计划似乎更可行。(条件,＝If everything/all is considered ...)

There are thirty workers, **all told**. 总共有 30 个工人。(条件,＝... if all is told)

Health and persistence given, one can do great things. 有健康的身体和顽强的毅力的话,一个人能做出伟大的事情。(条件,＝If health and persistence are given... ＝Given health and persistence...)

The hunter lay on his back, **his teeth set**, **his right hand clenched on his breast**. 猎人仰卧着,牙关紧闭,右手握成拳头放在胸口上。

Water changed into gas, we call it steam. 水变成气体时,我们称之为蒸汽。

Good luck given, I will earn more money than all of you. 运气好的话,我挣的钱将比你们所有的人都多。(条件,＝If good luck is given ... ＝Given good luck ...)

He was lying on the grass, **his hands crossed under his head**. 他躺在草地上,头枕双手。(方式、伴随情况,＝with his hands crossed under his head)

He returned three days later, **his face covered with mud and his clothes torn into pieces**. 他三天后回来了,脸上沾满了污泥,衣服撕成了碎片。(伴随情况,＝... and his face was covered with mud and his clothes were torn into pieces)

3 逻辑主语＋分词的完成式或分词的完成被动式

这种结构表示先完成动作的主动意义或先完成动作的被动意义。例如:

The moon having risen, they took a walk in the fields. 月亮升起后,他们在田野里散步。(时间,＝When the moon had risen)

The earthquake having destroyed everything, they became homeless. 地震毁坏了一切,他们无家可归。(原因,＝Because the earthquake had destroyed everything ...)

So much time having been spent, the work is only half done. 虽然花了这么多时间,这项工作才做了一半。(让步,＝Though so much time has been spent ...)

So much money having been wasted, he will be punished. 他会受到惩罚的,因为浪费了这么多钱。(原因,＝Because so much money has been wasted ...)

4 there＋being＋其他成分

这种结构多放在句首,也可放在句尾,常表示原因,其中的 being 不可省。例如:

There being nothing to do, we played games. 没有什么可做,我们玩起了游戏。(＝Because there was nothing to do ...)

There being no cause for alarm, she went back to her room. 没有什么意外情况,她就回到房间里

去了。（＝Because there was no cause for alarm ...）

They closed the store，**there being no customers**. 他们的店关门了，因为没有顾客。（＝Because there were no customers ...）

He stole the vase，**there being nobody around**. 周围没有人，他就偷了那个花瓶。（＝Because there was nobody around ...）

We left the meeting，**there obviously being no point in staying**. 会议没结束我们就离开了，因为继续留下来显然毫无意义。

5 可以省略 being 或 having been 的结构

在下面的结构中，分词 being 或 having been 可省略：

- 逻辑主语＋being＋形容词
- 逻辑主语＋being＋副词
- 逻辑主语＋being＋名词
- 逻辑主语＋being＋介词短语
- 逻辑主语＋being＋过去分词
- 逻辑主语＋having been＋过去分词
- 逻辑主语＋being＋不定式

The old man sat in the sofa，**his face**（being）**serious**. 老人坐在沙发里，一脸的严肃。（形容词）

He rushed into the room，**his eyes**（being）**aflame**. 他冲进房间，两眼通红。（形容词）

She sat quietly by the window，**her eyes**（being）**full of tears**. 她静静地坐在窗前，两眼噙着泪水。（形容词短语）

The storm（being）**over**，everything was in peace again. 暴风雨过去了，一切又复归平静。（副词）

He lay on the ground，**his face**（being）**downwards**. 他脸朝下趴在地上。（副词）

Lily（being）**away**，he felt lonely. 莉莉不在，他感到孤独。（副词）

There were 100 entrants for the competition，**the youngest**（being）**a boy of** 12. 有 100 人参加这项竞赛，年龄最小的是个 12 岁的男孩。（名词）

She came up，**her hair**（being）**a wreck**. 她走了过来，头发蓬乱不堪。（名词）

He came in，**a dictionary**（being）**in his hand**. 他走了进来，手里拿着一本词典。（介词短语）

He stood on deck，**pipe**（being）**in mouth**. 他站在甲板上，嘴里叼着烟斗。（介词短语）

I saw him out，**cap in hand**. 我看见他出去了，手里拿着帽子。（介词短语）

This（being）**done**，he left the room. 这事做完后，他离开了房间。（过去分词）

The first question（being）**answered**，he heaved a sigh of relief. 第一个问题回答后，他宽慰地舒了一口气。（过去分词）

The thief（having been）**caught**，they felt relieved. 小偷被抓住了，他们感到宽慰。（过去分词）

Everything（having been）**tried**，they were still unable to find a solution. 尽管一切都试过，他们仍然找不到解决问题的办法。（过去分词）

They decided to buy a car，**Mike**（being）**to pay half the money**. 他们决定买一辆车，迈克付一半的钱。（不定式主动式）

We planted 500 trees today，**the rest**（being）**to be planted tomorrow**. 我们今天种了 500 棵树，其余的树明天种。（不定式被动式）

The flower-selling girl stood in the wind，**cheek red with the cold**. 卖花姑娘站在风中，面颊冻得红红的。

He fixed the machine，**a spanner his only tool**. 他只用一个扳手作工具就把机器修好了。

Two hundred people died in the accident，**many of them children**. 有 200 人在事故中丧生，其中许多是儿童。

Suddenly he poised with his knife and fork in mid-air，**his expression a study**. 忽然，他举着刀和叉停在半空中，脸上带着一种钻研的神情。

On winter evenings，the ground where they trained was snowy and frozen，**the wind bitter**. 冬日

的清晨,他们进行训练的场地上冰封雪冻,寒风刺骨。

She stepped back, **her hands on her hips**. 她后退了几步,双手放在臀部。

The young lady looked remarkably well, **her skin clean and smooth**. 那年轻女子看上去很健康,皮肤洁净平滑。

He looked up, **annoyance on his face**. 他抬起头来,面有愠色。

She looked at the man, **her eyes full of doubt and discomfort**. 她带着怀疑和不快的目光看着那人。

The brave man fought the tiger, **a stick his only weapon**. 勇士打虎,唯一的武器就是一根棍子。

She knelt in front of Mother, **her face pale and tearstained, her month-old infant in her arms**. 她抱着刚满月的孩子,双膝跪在母亲面前,脸色苍白,两眼盈泪。

He wore a shirt, **the neck open**, showing his bare chest. 他穿着一件衬衫,领口敞开,露出赤裸的胸部。

▶▶▶ 有时候,用 being 还是 having been,意义上稍有差别。比较:

信号发出后,火车就开动了。
The signal **being given**, the train started. (时间上接得很紧)
The signal **having been given**, the train started. (时间上有间隔)
The signal **given**, the train started.

她的臂膀伤得厉害,不得不去看医生。
Her arm **being badly hurt**, she had to go to the doctor. (强调现在的情况)
Her arm **having been badly hurt**, she had to go to the doctor. (强调伤在过去)
Her arm badly **hurt**, she had to go to the doctor.

6 with/ without＋逻辑主语＋分词等

独立结构中的逻辑主语前有时可以加 with 或 without,作伴随状语或定语,这种结构中除用分词外,还可以用不定式、形容词、介词短语、副词或名词等。结构为:

with/without＋逻辑主语＋现在分词→主动意义(正在进行或发生)
with/without＋逻辑主语＋过去分词→被动意义(已经完成)

Without a word more spoken, she left the room. 她没再说一句话就离开了房间。

We sat in the courtyard, **with the moon rising above the treetops**. 我们坐在院子里,月亮渐渐爬上了树梢。

With night coming on, they went home. 夜幕降临了,他们就回家了。

With its natural habitat shrinking day after day, the species is doomed to extinction. 随着它的栖息地日渐萎缩,这个物种注定会灭绝。

With her head bent back, the little girl was gazing up at the sky and singing. 小女孩仰着头,望着天空,唱着歌儿。

The old cottage prefers to nestle snugly in shady valleys, **with trees growing closely about it in an intimate, familiar way**. 古老的农舍宁肯掩映在绿莹莹的山谷中,被树木亲密地环抱着。

He stood still **with his teeth set and his wide eyes flashing**. 他立定脚跟,咬紧牙关,瞪大的两眼闪着亮光。

Picture a broad white sandy beach **with bright blue waves crashing it, and a hot sun overhead**. 想象一片开阔的白沙海滩,蓝色的海浪光闪闪的,拍击着沙滩,头顶上是火辣辣的太阳。

With the first point agreed on, they turned their negotiation to another. 第一点达成协议后,他们的谈判便转入其他事项。

She started on the journey **without anyone accompanying her**. 她孤身一人开始了旅程。

He sat at desk **with the moon peeping through the window**. 他坐在桌旁,月亮从窗口探进脸儿。

She is now a beggar, **with all her fortune gone**. 她现在成了乞丐,所有的财富都化为乌有了。

He left home, **without a single word said**. 他什么也没说就离开了家。

I watched the man climbing the steep rock, **with my heart beating fast**. 我注视着那人攀爬上陡峭的崖壁,心里怦怦直跳。

He died **with his dream unfulfilled**. 他离开了人世,梦想成了空。

She told me the whole story **with eyes red**. 她哭着给我讲了整个故事。

With the sun up, they continued their journey. 太阳升起后,他们继续了旅程。

He couldn't sleep well, **with her in danger**. 她身处危险,他睡不好。

With all the work on hand, he shouldn't have gone to the cinema last night. 手头有一大堆事情做,他昨晚不该去看电影的。

With a lot of work to do, he decided to delay his vacation. 有很多工作要做,他决定推迟度假。

With the tree grown tall, we will get more shade. 树长高了,我们就能够享受更多的阴凉了。

She knew that **with him to help her**, she could and would succeed. 她知道,有他帮忙,她能够而且一定会成功。

With winter coming on, it's time to buy warm clothes. 冬天来临了,应该购买暖和的衣服了。

He returned from America, **with a good job waiting for him**. 他从美国回来了,有好工作在等着他。

He was asleep **with his head on his arms**. 他头枕着手臂睡着了。

His wife came down the stairs, **with her year-old son in her arms**. 他妻子下了楼,怀里抱着一岁大的儿子。

They stood **with their arms round each other**, quivering. 他们相拥站着,浑身颤抖着。

With Tom (being) away, we've got more room. 汤姆不在,我们的地方大些了。

He sat **with his arms clasped round his knees**. 他抱膝坐着。

George stood silently **with his arms folded**. 乔治交叉着双臂一言不发地站着。

The day was bright, **with a fresh breeze blowing**. 那天阳光灿烂,微风和煦。

I saw her go out, **with a bag in her hand**. 我看见她出去了,手里拿着一个包。

I won't be able to go on holiday **with father being ill**. 父亲病了,我不能去度假。

Diana soon fell asleep, **with the light still burning**. 戴安娜一会儿就睡着了,灯还亮着。

With the price of gold going up, the country's economy was better. 随着黄金价格的上涨,这个国家的经济情况好些了。

The policeman was lying on the bed **with all his clothes on**. 那警察和衣躺在床上。

With five minutes to go before the train left, we arrived at the station. 在火车开出前5分钟,我们到达了车站。

These sentences range from 10 or 15 to 60 words, **with the majority not far more than** 30. 这些句子从10个词、15个词到60个词不等,大部分不超过30个词。

She died **with her son yet a schoolboy**. 她去世的时候,她儿子还是个小学生。

The old couple walked down the road, **with the dog bounding in front of them**. 夫妻俩沿路走去,狗儿蹦蹦跳跳地跑在前面。

With three people away ill, we'll have to postpone the meeting. 三个人因病不来,我们只好把会议延期。

With the company in a mess, he decided to resign. 公司成了一个烂摊子,他决定辞职。

The ship left the harbour **with sails spread**. 那条船扬帆离港了。

The hostess met us in the doorway, **with a big smile on her face**. 女主人在门口迎接我们,笑容满面。

The soldiers entered an empty house **with its windows broken**. 士兵们进入了一个破了窗的空房子。

With so much to do in the morning, he didn't even have time to take medicine. 他一个上午有那么多事要做,甚至连吃药的时间也没有。

Without a thing to worry about, she lived a happy and peaceful life. 她无牵无挂,过着幸福、宁静的生活。

With so many papers to mark, I doubt if I have time to go out with you. 有那么多试卷要批改,我怀疑是否有时间同你一起出去。

The little boy stood there **with his hand still raised**. 那小男孩仍然举着手站在那里。

The door-keeper came up the path **with the dog padding at his heels**. 看门人沿着小路走来,狗紧跟在他后面。

Even now, **with all the pressures off her**, she was unable to rest. 即使现在,所有压力均已解脱,她仍不得安宁。

Without anyone noticing, he slipped out of the room. 他趁没人注意,溜出了房间。

He lay still on the bed, **with his eyes fixed on the date tree in the garden**. 他静静地躺在床上,注视着院子中的那棵枣树。

The students poured out of the teaching building, **with the school finished**. 放学了,学生们涌出了教学楼。

It is the first experiment, (with) **the second one to do next Friday**. 这是第一次试验,第二次试验下周五进行。

【提示】有时候,不同的独立结构可以表示同一个意思。例如:

$\left.\begin{array}{l}\textbf{With Peter away,}\\ \textbf{Peter being away,}\\ \textbf{Peter away,}\end{array}\right\}$ there's more room in the house. 彼得不在,家里宽敞了一些。

$\left.\begin{array}{l}\textbf{With the whole meeting in uproar,}\\ \textbf{The whole meeting in uproar,}\end{array}\right\}$ the chairman decided to take a vote on a later date. 整个会场一片喧嚣,主席决定择日表决。

$\left.\begin{array}{l}\textbf{With the matter settled,}\\ \textbf{The matter being settled,}\\ \textbf{The matter settled,}\end{array}\right\}$ he felt quite satisfied with the results. 事情解决了,他对结果非常满意。

The tiger leapt forward, $\left\{\begin{array}{l}\textbf{with its teeth bared, jaws wide open.}\\ \textbf{its teeth bared, jaws wide open.}\end{array}\right.$ 那只老虎扑了过来,血盆大口张着,露出了牙齿。

A country girl walked past them, $\left\{\begin{array}{l}\textbf{with a basket in her hand.}\\ \textbf{a basket in her hand.}\end{array}\right.$ 一个村姑从他们身旁走过,手里提着一只篮子。

$\left.\begin{array}{l}\textbf{With the trees growing tall,}\\ \textbf{With the trees grown tall,}\\ \textbf{With the trees now tall,}\\ \textbf{The trees now tall,}\end{array}\right\}$ we can get more fruits. 这些树长大起来了,我们就能收获更多的果子了。

五、分词的时态意义

与动词不定式和动名词一样,分词的时态意义从属于句中谓语动词的时态。若分词所表示的动作与谓语动作同时发生(几乎同时发生),或表示正在发生,用现在分词的一般式;若分词所表示的动作发生在句中谓语所表示的动作之前,就要用分词的完成式,或用过去分词(当分词作定语时)。另外,表示两个动作同时发生时,也可用"when/while＋分词"结构。例如:

Arriving at the station, he found the train had left. 到达车站时,他发现火车已经开了。(动作几乎同时发生)

Don't talk **while eating**. 吃饭时不要讲话。(动作同时发生)

When leaving, she waved to everyone of us. 她离开时向我们大家招手。(动作同时发生)

The man **planting** trees in front of the building is our dean. 在大楼前面植树的那个人是我们的系主任。(动作正在进行)

Not having tried his best, he failed in the exam. 由于没有尽最大努力,他这次考试没能通过。(分词动作在先)

Having been beaten seriously, the enemy retreated. 敌人受到重创后撤退了。(分词动作在先)

Having dressed myself, I went to the office. 我穿好了衣服就去了办公室。(分词动作在先)

Having been written in haste, the essay was not worth reading. 这篇文章写得匆忙,不值得读。(分词动作在先)

Having been married sixty years, they still love each other passionately. 他们结婚已 60 年了,仍然挚爱如初。(分词动作在先)

The idea **put forward** aroused great interest among us. 所提出的意见在我们当中引起了很大的兴趣。

（不说 The idea having been put forward ...）（分词动作在先）

六、分词的被动语态形式

如果分词的逻辑主语是动作的承受者,就要用分词的被动式。一般被动式表示正在进行的动作,完成被动式则强调分词所表示的动作先发生。例如:

The questions **being discussed** are of great importance. 正在讨论的问题非常重要。（分词动作在进行）

In those days they often went to the wharf to watch the ships **being loaded and unloaded**. 在那些日子里,他们常到码头去,看轮船装货、卸货。

His life was quiet and inoffensive，**being** principally passed about the neighboring streams. 他生活淡泊清静,与世无争,主要是在附近的溪流消磨时光。

Having been warned about typhoon，the fishmen sailed for the nearest harbour. 听到台风警报,渔民们便驾船向最近的港口驶去。（分词动作先完成）

I never **heard** him **speak** ill of others. 我从未听到他说别人的坏话。（主动）
I never **heard** him **spoken** ill of. 我从未听到过别人说他的坏话。（被动）

【提示】当句中谓语动词所表示的动作和现在分词所表示的动作在时间上不一致时,不能用现在分词一般式。参阅上文。例如:

打破玻璃的人是谁?
Who is the person breaking the glass? [×]
Who is the person that **broke** the glass? [✓]

完成了家庭作业,他就出去玩了。
Finishing his homework，he went out to play. [×]
Having finished his homework，he went out to play. [✓]

七、a knowing smile 会心的微笑和 a charming girl 迷人的少女——现在分词还是形容词

有些现在分词在长期使用过程中,已具有了形容词的主要特征,如可以由副词 very 或 too 修饰,可以有比较级等,也具有与形容词相同的句法功能。这类分词实际上已转化为形容词。常见的有:

exciting	boring	amusing	charming	annoying	comforting
confusing	disappointing	discouraging	disturbing	vexing	embarrassing
fascinating	inviting	missing	misleading	obliging	pleasing
pressing	puzzling	promising	refreshing	shocking	striking
surprising	amazing	encouraging	questioning		

appealing 吸引人的　　　　convincing 使人信服的　　　　lasting 持久的
crushing 沉重的　　　　　disgusting 令人讨厌的　　　　entertaining 引人入胜的
overwhelming 压倒的　　　perplexing 令人困惑的　　　　tempting 诱人的
uninteresting 没意思的　　uninviting 不诱人的　　　　　unsatisfying 不令人满意的
unhesitating 毫不犹豫的　unpromising 没有希望的

He is a **very promising** student. 他是一个很有前途的学生。

This is **the most boring** film I have ever seen. 这是我所看过的最乏味的电影。

▶▶▶ 同样,有些过去分词也已经完全形容词化了,可以用 very 或 too 修饰（当然亦可用 much 或 very much 修饰）,可以用于比较结构,具有形容词的主要语法特征。常见的有:

worried	unoccupied	undressed	unclassified	satisfied	interested
excited	disappointed	balanced	amused	civilized	embarrassed
hurried	reserved	undecided	unfinished	unsettled	tired
unprepared	unexpected	relaxed	pleased	frightened	educated
celebrated	amazed	alarmed	contented	fascinated	offended

surprised	uncooked	occupied	shocked	exhausted	distinguished
bored	noted	hurt	disturbed	advanced	cursed
aged	crooked	limited	astonished	crowded	

conceited 自负的　　　　　specialized 专门的　　　　　lined 有皱纹的

blessed 有福的　　　　　　pronounced 明显的　　　　　divided 有分歧的

learned 博学的　　　　　　confused 混乱的　　　　　　annoyed 苦恼的

depressed 颓丧的　　　　　devoted 忠实的　　　　　　discouraged 沮丧的

encouraged 受鼓舞的　　　experienced 有经验的　　　fixed 固定的

troubled 烦恼的　　　　　　determined 坚决的　　　　　puzzled 迷惑的

touched 感伤的　　　　　　ashamed　　　　　　　　　defeated 垂头丧气的

disgusted 讨厌的　　　　　delighted 高兴的　　　　　　uncalled-for 不必要的

unexpressed 未说明的　　　unforced 非强迫的　　　　　uninvited 未被邀请的

unexecuted 未被执行的　　　unexposed 未曝光的　　　　unreserved 无保留的

unpaved 未铺砌的　　　　　unsecured 未担保的　　　　unintended 不是存心的

unguarded 没有防备的　　　uninjured 未受伤害的　　　unheard 前所未闻的

uninhabited 无人居住的　　　unfounded 没有事实根据的　unsolved 未解决的

untouched 未触动过的　　　unwashed 未洗涤的　　　　uninterested 不感兴趣的

unnamed 未命名的　　　　　unsuspected 未被怀疑的　　untried 未经试验的

unwarned 未受警告的　　　unpractised 未经练习的　　　undreamed-of 做梦也没想到的

a **very frightened** child 非常害怕的孩子　　　a **very learned** man 很博学的人

a **very worried** look 很苦恼的表情

She is **very/much/very much delighted** to see you. 她见到你非常高兴。

His attitude towards work is **very/much changed**. 他对工作的态度大大改变了。(这里的 changed 有形容词化的趋势)

▶▶▶ 而有些现在分词仍具有动词性质,尚未形容词化,不可用 very 或 too 修饰,不可用于比较。可以说 a **very charming** girl,但不可说 a **very knowing** smile。下列都是未形容词化的现在分词:

an **accusing** finger 非难人的手指　　　　　**welcoming** speeches 欢迎词

a **barking** dog 吠犬　　　　　　　　　　　a **shining** example 光辉的榜样

a **forbidding** look 严峻的神态　　　　　　　a **crushing** blow 沉重的一击

a **leading** figure 领导人物　　　　　　　　a **rolling** log 不断变换职业的人

guiding principles 指导原则　　　　　　　**slimming** medicine 减肥药

比较:

{ **varying** colors 各不相同的颜色　　　　　　{ **differing** ideas 互不相同的思想

{ **various** colors 各种不同的颜色　　　　　　{ **different** ideas 各种不同的思想

八、go 等+现在分词结构

1. go 等+表示娱乐或运动的现在分词

go 后面可以跟表示娱乐活动或运动的动词的现在分词作状语,已构成一些固定搭配。在某些情况下,也可用"come, sit 等+现在分词"结构表示目的或方式。例如:

go **fishing** 去钓鱼　　　　　　　　　　　go **boating/rowing** 去划船

go **dancing** 去跳舞　　　　　　　　　　　go **camping** 去野营

go **hunting** 去打猎　　　　　　　　　　　go **riding** 去骑马

go **sailing** 去航海　　　　　　　　　　　go **picnicking** 去野餐

go **shooting** 去射击　　　　　　　　　　　go **skiing/skating** 去滑雪/溜冰

go **sight-seeing** 去观光　　　　　　　　　go **swimming** 去游泳

go **walking** 去散步　　　　　　　　　　　go **mountain-climbing** 去爬山

go **playing** 去玩　　　　　　　　　　　　go **wading** 去涉水

go **baseballing** 去打棒球　　　　　go **sporting** 去运动

go **rabbiting** 去猎兔　　　　　　　go **shopping** 去买东西

go **sledging** 乘雪橇去　　　　　　　go **hiking** 去远足

go **blackberrying** 采黑莓去　　　　　go **nutting** 采坚果去

go **people-watching** 去看热闹　　　　go **drinking** 去喝酒

go **rambling** 去漫游　　　　　　　　go **bicycling** 去骑自行车

go **bathing** 洗澡去　　　　　　　　go **golfing** 打高尔夫球去

go **grape picking** 去摘葡萄　　　　　go **jogging** 慢跑

go **outing** 去郊游　　　　　　　　　go **vacationing** 去旅行

go **job-hunting** 去找工作　　　　　　go **water-skiing** 去滑水

go **surf-riding** 去冲浪　　　　　　　go **horse-riding** 去骑马

go **cruising** 去游玩　　　　　　　　go **rock-climbing** 去攀岩

go **fowling** 去猎鸟　　　　　　　　go **home-finding** 回家去

go **scuba-diving** 去潜水　　　　　　go **house-finding** 去找房子

come **crying** 哭着来　　　　　　　　come **running** 跑着来

come **shouting** 喊着来　　　　　　　come **hurrying** 赶着来

come **singing** 唱着来　　　　　　　sit **reading** 坐着读

stand **gazing** 站着注视　　　　　　　sit **listening to** 坐着听

lie **reading** 躺着读　　　　　　　　stand **talking** 站着谈

lie **thinking** 躺着想　　　　　　　　sit **watching** 坐着看

stand **waiting** 站着等　　　　　　　go **shrimping/prawning** 去捕虾

go **strawberry picking** 去摘草莓　　　go **whale-hunting/whaling** 去捕鲸

go **mushroom-collecting** 去采蘑菇　　go **bathing in the river** 去河里洗澡

go **collecting birds' eggs** 去收集鸟蛋　come up **quarreling** 吵着走过来

She **came smiling**. 她微笑着来了。

The ship **came sailing** into the port. 船进港来了。

Torrents of water **came rushing** down the valley. 洪流咆哮着冲下山谷。

Fog **came rolling** from the ocean. 雾从海洋上滚滚而来。

A warm wind **came blowing** from the south. 一阵暖风从南方吹来。

Annie **came weeping** to me on Sunday. 一个星期天，安妮哭着来找我。

The cats have **gone ratting**. 猫都去捉老鼠了。

The sound of her voice **came floating** from an upstairs window. 她的声音从楼上窗口飘下来。

The high watery walls **came rolling** in. 一道道高耸的水墙滚滚而来。

The bus **came rumbling** up. 公共汽车隆隆地驶来了。

I saw dawn creep across the sky and all the birds **go flying** by. 我看见曙光悄然爬上天边，无数只鸟儿展翅从身边飞过。

It is said the Spring at the Twin Brook is still fair, and I, too, long to **go boating** there. 闻说双溪春尚好，也拟泛轻舟。

2. go＋-eer 结尾动词的现在分词(这种结构常含贬义)

　　go **racketeering** 敲诈勒索　　　　　go **sloganeering** 传播口号

　　go **profiteering** 进行投机活动　　　　go **pamphleteering** 编写或出版小册子

　　He has **gone electioneering**. 他进行竞选活动。(拉选票)

　　They went **black-marketeering**. 他们做黑市交易。

3. go＋teach/farm/soldier/nurse/beg/bricklay 等的现在分词(这种结构表示某种职业)

　　She **went teaching** in her youth. 她年轻时教过书。

　　He **went bricklaying** in his teens. 他十几岁就成了泥瓦匠。

4. go＋boast/eat/say 等的现在分词(这种结构表示某种令人不快的事)

Don't **go saying** that! 别提那件(令人不快的)事!

Never **go boasting** about your success. 决不要夸耀自己的成就。

Don't **go looking for** trouble,Tom. 汤姆,不要自找麻烦。

【提示】"go on＋名词"可表示去做某事或从事某项活动,含义上类似 go doing sth.。例如:

go on a hare hunt 去猎兔   **go on** a holiday 去度假

go on an excursion to 去……远足   **go on** a day excursion to 远足一天

go on a guided tour round the castle 在导游带领下参观城堡

九、分词等的悬垂结构

一般来讲,分词短语相当于状语从句时,其逻辑主语通常就是主句的主语。例如:

Looking up at the sky, **she** saw the moon shining bright and clear. 她抬头朝天上望去,看见了一轮明月。

上例中主句的主语是 she,因此,Looking up at the sky＝As she looked up at the sky,可见,这个分词短语的逻辑主语是主句的主语 she。如果分词短语的逻辑主语不是主句的主语,这样的分词短语就是悬垂结构(独立结构及 generally speaking 等除外)。例如:

Looking up at the sky, the moon shone bright and clear.

显然,主句的主语 the moon 不可能是分词短语 Looking up at the sky 的逻辑主语,故该分词短语也就悬垂无依着了。悬垂结构是应该加以避免的病句,归纳起来,可分为下面几类(参阅有关章节)。

1. 悬垂致病的分词结构

Walking along the lake, the country scenery presented a lovely show.

Sitting at the window, a flock of birds flew across the sky.

上两句中,walking 和 sitting 的逻辑主语都不可能是 the country scenery 和 a flock of birds,可用两种方法加以改正:

① 把分词短语扩展成状语从句,主句结构不变:

As she was walking along the lake, **the country scenery** presented a lovely show. 她沿着湖边走着,乡间的景色令人陶醉。

As he was sitting at the window, **a flock of birds** flew across the sky. 他坐在窗前,一群鸟从空中飞过。

② 保留分词短语,改变主句的主语,使之能成为分词短语的逻辑主语,并作其他相应变化:

Walking along the lake, **she** enjoyed a lovely show of the country scenery. 她沿湖边走着,欣赏着乡间的美景。

Sitting at the window, **he** saw a flock of birds fly across the sky. 他坐在窗前,看见一群鸟从空中飞过。

2. 悬垂致病的动名词结构

动名词和介词构成动名词短语,其逻辑主语也应是主句的主语。例如:

By **building** a railway there, **coal** can be carried out from the mountains.

From **attending** the class, **the principles of physics** were made clear.

▶▶▶ 主语 coal 不可能建造一条铁路,故不能充当 build 的主语;在情理上,句子主语 the principles of physics 是不能充当 attending 的主语的。改正悬垂动名词有两个方法:一是改变句子结构,使句子主语能成为动名词的逻辑主语,二是在动名词前加上代词或名词的属格,使动名词有自己的逻辑主语。上面两句可改写为:

By **building** a railway there, **people** can carry coal out from the mountains. 在那里修建一条铁路,人们就能把煤运出山去。

By **our building** a railway there, **people** can carry coal from the mountains. 我们在那里修建铁路,人们就能把煤运出山去。

From **attending** the class，we got a clear idea of the principles of physics.

From **our attending** the class，the principles of physics were made clear. 我们参加这个班，弄清楚了这些物理原理。

3. 悬垂致病的不定式结构

不定式短语常放在句首，作目的状语，其逻辑主语应是主句的主语。例如：

To speak English well，a lot of practice is needed.

To admit fresh air，the windows were all wide open.

▶▶ a lot of practice 在逻辑上不能成为 to speak English 的主语，同样，the windows 也不会有目的地 to admit fresh air。可通过语态等的变化避免这类悬垂病句，上面两句可改为：

To speak English well，**we** need/one needs a lot of practice. 要说好英语就得进行大量练习。

To admit fresh air，**he** opened all the windows. 他打开了所有的窗户，透透新鲜空气。

4. 悬垂致病的从句结构

如果时间、条件等状语从句的主语不是主句的主语或宾语，从句的主语和相关的动词不可省略，否则就荡然无着，句意不合情理。例如：

While reading the book，the door bell rang.

Though troubled by heavy family cares，the work was done as well as ever.

▶▶ reading the book 的主语显然不能是 the door bell，而 work 也不会 troubled，可以改变主句的主语或给从句补上适当的主谓结构。上面两句可改为：

While she **was reading** the book，the door bell rang. 她正在看书，这时门铃响了。

While reading the book，**she** heard the door bell ring. 她正在看书时，听到门铃响了。

Though he **was troubled** by heavy family cares，the work was done as well as ever.

Though troubled by heavy family cares，**he** did the work as well as ever. 他虽然家务繁重，但工作干得同往常一样好。

5. 悬垂但不致病的分词及分词短语

有些单个分词或分词短语，在句中没有逻辑上的主语，但已成为习惯用语或在词性上已转化为别类词（如介词），被认为是正确用法，主要有下面几种情况。

1 单个现在分词（已转化为介词）

这类词有：regarding 关于，concerning 关于，considering 关于，respecting 关于，touching 关于，including 包括，counting 包括，barring 除了，following 在后，beginning 从……开始，wanting 没有/缺，failing 没有，pending 在……之前/直到，notwithstanding 尽管，excepting 除了，等。例如：

I know nothing **regarding** the present situation. 我对目前的形势一无所知。

Touching her wealth，I have nothing to say. 关于她的财富，我没有什么可说的。

They were all saved **excepting** the captain. 大家都得救了，只有船长遇难。

There are ten applicants，**counting** Bill. 包括比尔，有 10 个申请人。

Wanting patience，one won't succeed. 没有耐心就不能成功。（＝without）

Failing water，fish can't live. 没有水，鱼儿不能活。（＝without）

She stayed here three months **wanting** one day. 她在这里待了差一天三个月。

They had to stay in the secret cave **pending** nightfall. 天黑前，他们必须待在那个秘密的洞穴里。

The new regulations were effective **beginning** October 1. 新规定自 10 月 1 日执行。

【提示】supposing 一词可作分词，后跟单词作宾语；也可作连词，后跟句子，为 supposing that...，表示"万一"，that 常省略。比较：

Supposing her unwilling，what then? 如果她不愿意，那怎么办？（分词）

Supposing the price to be low，will you buy it? 假如价格低的话，你会买吗？（分词）

Supposing（**that**）**something should go wrong**，what would you do then? 假如出了什么问题，你准备怎么对付？（连词，＝suppose）

Supposing（**that**）**she can't come**，who will do the work? 如果她不能来，谁做这项工作？（＝suppose）

2 judging from 等分词短语

这类分词有些是及物动词,有些是不及物动词,为固定说法,有些已转化为介词短语,常用的有:judging from 从……判断,according to 根据,talking of 谈到,allowing for 考虑到,owing to 由于,coming to 论及/说到,getting back to 回到,not excepting 包括,leaving . . . on one side 抛开……不谈,taking all things together 通盘考虑,taking all things into consideration 全盘考虑,setting aside 除开,viewing it from this point 从这一点来讲,等。例如:

Coming to politics, he is a layman. 谈到政治,他是个门外汉。

Talking of this film, it's wonderful. 说到这部电影,好极了。

According to an English proverb, he knows best what good is that has endured evil. 一则英语谚语说,吃得苦中苦,方知何为甜。

The project will take about eight months, **allowing for** delays caused by the rainy season. 考虑到雨季的耽误,这项工程大约需要八个月。

Viewing it from this standpoint, the regulation should not be abolished. 从这方面去看,这项规定不应该废除。

Setting aside the price, the machine has some other deficiencies. 抛开价格不谈,这台机器还有一些别的缺陷。

Everyone helped, **not/without excepting** Kate. 大家都帮了忙,凯特也不例外。

3 副词＋speaking

这类分词短语有:generally speaking 总的来说,frankly speaking 坦率地说,roughly speaking 粗略地说,honestly speaking 诚实地说,properly speaking 严格地说,strictly speaking 严格地说,politically speaking 从政治方面说,geographically speaking 从地理上说,biologically speaking 从生物学角度说,theoretically speaking 从理论上讲,等。例如:

Frankly speaking, the car is not worth buying. 坦率地说,这辆车不值得买。

Strictly speaking, this essay needs revising. 严格地说,这篇文章需要修改。

Politically speaking, he is not sensible. 从政治角度说,他不明智。

6. 悬垂但不致病的从句结构

如果状语从句的主语和主句的主语或宾语相同,则可将从句的主语及相关的动词(尤其是 be 动词)省略,这种结构似乎悬垂,但都是合乎逻辑的正确句子。考察下列各种情况。

1 when, while 时间从句

He enjoyed swimming **when** a young man. 他年轻时喜欢游泳。(he was)

A fortress is most vulnerable **when** attacked from within. 堡垒是最容易从内部攻破的。(it is)

He found this kind of tree **while** on an expedition to the rain forest. 他在热带雨林考察时发现了这种树。(he was)

2 where, wherever 地点从句

The river is smooth **where** deep. 静水流深。(it is)

Plant trees **wherever** possible. 能植树的地方都植树。(it is)

3 though, although, even if, however, whether, while if 让步从句

Although in his teens, he has already made some discoveries. 他虽然只有十几岁,却有了一些发明。(he is)

One should not boast about one's achievements, **however** great. 一个人不管有多大的成就也不应该吹嘘。(they may be)(they 指主句的宾语 achievements,故也可省略)

4 since 原因从句

That is a useless, **since** impossible, proposal. 因为不能实施,所以那是一个无用的建议。(it is)

He has, **since** a famous scientist, great influence on the public. 他是一位著名科学家,所以对大众有着巨大的影响。(he is)

5 till, until 时间从句

She did not care about it **till** too late. 她不把那当回事,直至后悔莫及。(it was)

Don't say anything **until** asked. 问到时才说话。（you are）

6 as, than 比较从句

Alice is more shy **than** unsocial. 艾丽斯与其说是不善交际，还不如说是害羞。（she is）

She is healthier **than** ever. 她比以往更健康。（she has ... been）

His deep thinking can be more easily conceived **than** described. 他那深刻的思想只能领悟，难以表述。（it can be easily）

7 as, as if, as though 方式从句

She wrote the paper **as** requested. 她按要求写了那篇文章。（she was）

The hill **as** seen from here commands a fine view. 从这里望去，山景很美。（it is）

The wounded soldier moved his lips **as if** to say something. 那伤兵动了动嘴唇，好像要说什么。（he were going to）

8 if, unless 条件从句

He is fifty, **if** a day. 他刚好 50 岁。（＝if he is a day old）

We have covered 200 miles, **if** a yard. 我们刚好走了 200 英里。（＝if we have come a yard）

Come at five, **if** not earlier. 5 点来，如果不能早些的话。（＝if you can't come earlier）

Never give advice **unless** asked. 切莫好为人师。（＝unless you are asked）

7. granted that 等结构

有些由"分词＋that"构成的短语可引导从句，表示原因、让步、条件等，为正确用法。这类短语有：considering that 因为/考虑到（＝since），seeing that 因为/既然（＝since），notwithstanding that 尽管（＝though），admitting/allowing/assuming/granting that 即使/尽管（＝although），granted that 即使（＝even if），provided that 如果/只要（＝on condition that），等。例如：

They started their trip **notwithstanding that** it rained heavily. 尽管天下了大雨，他们还是动身去旅行了。（让步）

He knows much of the world **seeing that** he is only twelve years old. 他对人生世事知道得相当多了，因为他才 12 岁。（原因）

Admitting that she has made a mistake, you should forgive her. 即使她犯了错误，你也应原谅她。（让步）

Granted that he is drunk, that is no excuse. 即使他醉酒了，那也不是借口。（让步）

Provided that one is diligent and patient, one can achieve something. 一个人只要勤奋有耐心，就能干成一番事业。（条件）

【改正错误】

1. I'm calling to enquire about the position to be advertised in yesterday's *China Daily*.
      A   B   C   D

2. The traffic rule says young children under the age of four and to weigh less than 40 pounds must be
               A   B   C   D
in a child safety seat.

3. At the age of 29, David was a worker, living in a small apartment near Boston and wondered what
    A   B   C
to do about his future.
    D

4. There is a great deal of evidence to indicate that music activities engage different parts of the
       A   B   C   D
brain.

5. At the beginning of the class, the noise of desks opened and closed could be heard outside the
  A   B   C   D
classroom.

6. The prize of the game show is $30,000 and an all expenses paying vacation to China.
        A   B   C   D

7. Don't use words, expressions, or phrases being known only to people with specific knowledge.
   A   B   C   D

8. Our teacher insisted that the key words worth paying attention to being underlined before class.
   A   B   C   D

9. The judge made the final decision after listening to the opinions of each party involving.
   A   B   C   D

10. There will be more than 750 projects to be started, created nearly 40,000 jobs starting this
    A   B   C
    summer, including 15,000 in a Youth Conservation Corps.
    D

11. On August 12, 2009 Typhoon Morakot swept across Taiwan island, leaving a lot of villages
    A   B   C
    damaging.
    D

12. Limited natural resources should be made full use of to meet the increased need of energy.
    A   B   D

13. Lots of rescue workers were working around the clock, having sent supplies to Yushu, Qinghai
    A   B   C
    Province after the earthquake.
    D

14. Dina, struggled for months to find a job as a waitress, finally took a position at a local advertising
    A   B   C   D
    agency.

15. Though was surprised to see us, the professor gave us a warm welcome.
    A   B   C   D

16. Seeing from the top of the tower, the south foot of the mountain is a sea of trees.
    A   B   C   D

17. To approach the city center, we saw a stone statue of about 10 meters in height.
    A   B   C   D

18. The students in the hall listened with full attention, not trying to miss any point.
    A   B   C   D

19. See that she was going off to sleep, I asked if she'd like that little doll on her bed.
    A   B   C   D

20. Having shown around the Water Cube, we were then taken to see the Bird's Nest for the 2008
    A   B   C
    Olympic Games.
    D

21. He was busy writing a story, only to stop once in a while to smoke a cigarette.
    A   B   C   D

22. Walter offered us a lift when he was leaving the office, but our work not having finished, we
    A   B   C
    refused his offer.
    D

23. In April, thousands of holidaymakers remained to be stuck due to the vocanic ash cloud.
    A   B   C   D

24. Lucy has a great sense of humor and always keeps her colleagues amusing with her stories.
    A   B   C   D

25. Distinguished guests and friends, welcome to our school. To attend the ceremony of
    A   B
    the 50th Anniversary this morning are our alumni from home and abroad.
    C   D

26. Whether we can raise enough money to carry out the project remains discussed.
    A   B   C   D

27. All the teachers discussed the plan that they would like to see to carry out in the next school
    A   B   C   D

year.

28. Hearing the news, he rushed out, leaving the book lie opened on the table, and disappeared
    A   B   C
into the distance.
      D

29. Dressed in her most beautiful skirt, the girl tried to make herself noticing at the party.
    A   B   C   D

30. A good story does not necessarily have to have a happy ending, but the reader must not be left
                            A   B   C
being unsatisfied.
      D

31. The country has already sent up eight unmanned spacecraft, the most recent has been launched
                            A   B   C
at the end of last March.
    D

32. Frank offered us a lift when he was leaving the office, but our work not having finished, we
                      A   B   C
refused the offer.
        D

33. Commercial banks make most of their income from interest earning on loans and investments
    A   B   C
in stocks and bonds.
      D

34. He wasn't appointed chairman of the committee, to be considered not very popular with all its
                        A   B   C   D
members.

35. The Portuguese give a great deal of credit to one man for having promoted sea travel, that man
                        A   B   C
was Prince Henry the navigator, who lived in the 15th century.
      D

36. The children went home from the grammar school, their lessons were finished for the day.
                      A   B   C   D

37. On the hilltop was the clear outline of a great wolf sitting still, ears pointing, alert, listening.
    A   B   C   D

38. There is no rain for two months, the farmers had to water their fields day and night.
    A   B   C   D

39. I send you only 2,000 dollars today, the rest follows in a year.
                A   B   C   D

40. The growing speed of a plant is influenced by a number of factors, most of them are beyond our
        A   B   C   D
control.

41. In the whirling snow, the soldier stood in front of the gate, a gun was in his hand.
    A   B   C   D

42. With a lot of difficult problems settled, the newly-elected president is having a hard time.
              A   B   C   D

43. John received an invitation to dinner, and with his work finishing, he gladly accepted it.
                  A   B   C   D

44. — Come on, please give me some ideas about the project.
                                        A

— Sorry. With so much work filled my mind, I almost break down.
              B   C   D

45. The fish tasted bad, the guests left much of it untouched.
                  A   B   C   D

46. The new teacher felt more uneasy with the whole class stared at her.
        A   B   C   D

47. The poor old man lay on his back, his clothes tearing open and his eyes fixed on the sky.
                 A   B   C   D

48. Without anyone led the way in that forest, you will certainly get lost in the coming week.
               A   B   C   D

49. The girl in the snapshot was smiling sweetly, her long hair flowed in the breeze.
                 A   B   C   D

50. It's quite strange that the man sleeps with his mouth closing and his eyes open.
             A   B   C   D

51. Goodby was said, they parted from each other, little knowing that they would never meet again.
                     B   C   D

52. John tried to divide the labor, each worker would be assigned a separate task.
                 A   B   C   D

53. Such is the case, there are no grounds to justify your complaints.
     A   B   C   D

【答案】

1. C(advertised)
2. C(weighing)
3. C(wondering)
4. B(indicating)
5. C(being opened and closed)
6. C(paid)
7. B(known)
8. C(to be underlined(省略了 should))
9. D(involved)
10. C(creating)
11. D(damaged)
12. D(increasing)
13. C(sending)
14. A(having struggled)
15. B(surprised)
16. A(Seen)
17. A(Approaching)
18. C(trying not)
19. A(Seeing)
20. A(Having been shown)
21. B(stopping)
22. C(not finished)
23. C(stuck)
24. C(amused)
25. B(Attending)
26. D(to be discussed)
27. C(carried out)
28. C(lying open)
29. D(noticed)
30. D(unsatisfied)
31. C(having been launched)
32. C(not being finished)
33. C(earned)
34. B(being considered)
35. D(being)
36. C(finished)
37. D(pointed)
38. A(There being)
39. C(to follow)
40. D(most of them)
41. D(gun in hand)
42. B(to settle)
43. B(finished)
44. C(filling)
45. A(tasting)
46. D(staring at her)
47. C(torn)
48. B(to lead)
49. C(flowing)
50. C(closed)
51. A(Goodby said)
52. C(assigned)
53. A(being)

第十四讲 虚拟语气(Subjunctive Mood)

一、三种语气简介

语气(Mood)是表示讲话人对说话内容的看法的一种语法范畴。英语中有三种语气：陈述语气(Indicative Mood)、祈使语气(Imperative Mood)和虚拟语气(Subjunctive Mood)。

1. 陈述语气

表示谓语动词所表达的动作或状态是符合客观现实的，也就是说把动作或状态当作事实表达出来，或提出一种看法。例如：

The windows look out onto the lake. 这些窗户面向湖泊。

The yellow leaves are whirling in the autumn wind. 秋风中黄叶纷飞。

You told me you loved me one morning in May. 5月的一个清晨，你对我说你爱我。

It's probably going to snow tomorrow. 明天可能要下雪了。

The moon is peeping through the window at the sleepless girl. 明月皎洁透窗入，照见长夜不眠人。

2. 祈使语气

表示号召、命令、请求、劝告、警告、禁止等。例如：

Let us help you. 我们来帮助你吧。

Do drop in to see us. 务必来坐坐。

Keep off the grass. 勿踏草地。

Never trouble trouble unless trouble troubles you. 勿惹麻烦，除非麻烦惹你。

3. 虚拟语气

虚拟语气把动作当作一种只存在于讲话人想象中的"假设"或"推测"，而不是当作客观现实中的真实事件。它表达的是怀疑、忧虑、推测、假设、想象或祝愿等。例如：

I wish I were a white cloud. 但愿我是一片云。

Mother told me to put on my sweater lest I should catch cold. 母亲要我穿上毛衣，以免着凉。

A judicious man wouldn't do like that. 一个明智的人是不会那样做的。

Not to be moved by the sight would require a heart of stone. 除非铁石心肠，谁都会被那情景所感动。

If it hadn't been raining, I would have gone to Chester's Restaurant as usual. 要不是下雨，我本来会像平常一样，去切斯特饭店的。

二、虚拟语气在条件句中的运用

英语中的条件句一般分为两种：真实条件句(Real Conditionals)和非真实条件句(Unreal Conditionals)，虚拟语气用在非真实条件句中。非真实条件句包括虚拟条件句、推测条件句和错综时间条件句等。

1. 虚拟条件句

虚拟条件句可分为两类：一类是叙述与现在事实相反的情况，一类是叙述与过去事实相反的情况；另外还有一类用于推测将来的情况，也称作推测条件句，构成列表如下：

	条件从句	结果主句
与现在 事实相反	A 式:If I/we/you/he/she/it/they＋ 　　动词过去式(be 动词的过去式 　　用 were) B 式:could＋动词原形	I/we/you/he/she/it/they＋ would＋动词原形
与过去 事实相反	A 式:If I/we/you/he/she/it/they 　　had＋过去分词 B 式:could have＋过去分词	I/we/you/he/she/it/they＋ would＋have＋过去分词
与将来 时间相反	A 式:一般过去式 B 式:were＋不定式 C 式:should＋动词原形 D 式:could＋动词原形	would/should＋动词原形

▶▶▶ 主句中的 would 有时可换用 should，could 或 might。

① 与现在事实相反

He **wouldn't** feel so cold if he **were** indoors. 他要是在室内就不会觉得冷了。

I am sorry I am very busy just now. If I **had** time，I **would** certainly go to the movies with you. 我很抱歉，现在很忙。如果有时间，我肯定陪你去看电影了。

If they **treated** me as a slave，I **had** to resign. 要是他们把我当作奴隶对待，我就要辞职。

If I **knew** the answer to all your questions，I **would** be a genius. 我要是能回答你所有问题的话，我就是天才了。

It **would** be convenient if we **could** will ourselves across lands and oceans. 如果我们能随意让自己跨越大地海洋，那可就方便了。

If wishes **were** horses，beggars **might** ride. 如果幻想能成为马匹，叫花子们都有了坐骑。

If its and ans **were** pots and pans，there**'d** be no work for tinkers' hand. 任你想得溜溜圆，水中捞月空喜欢。

If you **could** bear the loneliness. you **might** succeed. 如果你耐得住寂寞，你会成功的。

② 与过去事实相反

If we **hadn't made** adequate preparations，the conference **wouldn't have been** so successful. 如果我们不做充分的准备，会议是不会开得这么成功的。

The flood **might have caused** great damage to the people if we **hadn't built** so many reservoirs. 倘若我们没有修建这么多的水库，洪水就会使人民遭受巨大损失了。

We **wouldn't have cooked** it if we **could have eaten** it raw. 如果我们能生吃的话，我们就不会煮了。

③ 推测将来

If he **were** here this evening，we **would** play cards. 如果他今晚在这里的话，我们就玩牌。

If she **were to marry** Jack，she **would** be happy. 如果嫁给杰克，她会幸福的。

If I **were to do** the work，I **should** do it in a different way. 要是我做这项工作，我会以不同的方式去做。

If it **should** rain again，what else **could** I do? 要是再下雨的话，我还能做什么呢?

If she **should** know it，she **would** tell me. 如果她知道那件事，她会告诉我的。(But I doubt)

If he **should** have enough money，he **would** buy it. 要是他有足够的钱的话，他会买下它的。(But I doubt)

Though he **were to beg** on his knees，I **should** still refuse. 即使他跪下来求我，我也不会答应他的。

If it **were to be** warm enough，we **could** go into the hills tomorrow. 假如天气暖和的话，我们明天就到山里去。

$$\text{If it} \begin{cases} \text{snowed（非真实条件常用形式）} \\ \text{were to snow（可能性较小）} \\ \text{should snow（可能性较大）} \end{cases} \text{tomorrow, I should/would stay at home.}$$ 如果明天下雨，我就待在家里。

【提示】 在虚拟条件句中，当主语是第一人称（I）或第三人称单数（he, she, it）时，通常用 were，也可用 was，但在正式场合要用 were，在 If I were you 中要用 were；省略 if 句子倒装时，只能用 were；were 的否定式可用 were not 或 weren't。例如：

If I **were** you, I would go with him. 如果我是你，我就同他一起去。

If Peter **were/was** here, he would scold you. 如果彼得在这里，他会责骂你的。

Were I to do it, I would do it in a different way. 要是让我做这件事，我会用不同的方式做。

▶▶ 虚拟条件句中的谓语可用进行时，表示"如果……正在……"等，主句中的谓语仍用 would（或 might, should, could），并可根据情况选用时态。例如：

If we **weren't living** in the twenty-first century, people **would** think you were a sorcerer. 要不是生活在 21 世纪的话，人们会认为你是个男巫的。

If human beings **were not killing** each other, we **could be living** a happy life. 要是人类不自相残杀的话，我们就会过上幸福生活。

If you **hadn't been studying** so hard, you **might have failed** the exam. 要是你不一直刻苦学习的话，你就可能会考试通不过。

▶▶ 条件句通常放在主句前，但也可以放在主句后，有时也可放在句中。例如：

你要是愿意同我结婚的话，所有的财产都是你的。

If you would marry me, all the property would be yours.

All the property would be yours **if you would marry me**.

All the property, **if you would marry me**, would be yours.

要是医生没有及时给他动手术的话，杰克就没命了。

If the doctors hadn't operated on him timely, Jack would have died.

Jack would have died **if the doctors hadn't operated on him timely**.

Jack, **if the doctors hadn't operated on him timely**, would have died.

▶▶ 条件句中有 were, had, should, could 时，可以省略 if，而把 were, had, should, could 放在主语前，用倒装结构，这种用法主要用于书面语中。例如：

Were it necessary, I might resign. 如果需要的话，我可以辞职。

Should I have time, I would call on her. 我要是有时间就去看她。

Should you meet Mary, you would not be able to recognize her. 要是你见到玛丽的话，你也会认不出她了。

Had you informed me earlier, I wouldn't have signed the contract. 要是你早些告诉我的话，我是不会签那份合同的。

Were they to get married, they would be happy. 要是他们结婚的话，他们会幸福的。

Were he living happily, I would be very much astonished. 要是他生活幸福的话，我会大为吃惊的。

Had the forest still kept its gloom, it would have been bright in Hester's eyes. 如果森林昏暗依旧的话，但在海丝特的眼里，仍是光明一片。

Should I ever be in London, I should go to see your aunt. 如果我有一天来到伦敦，我将会去看望你姑母。

Should she not come, we should do it by ourselves. 如果她不来，我们就自己做。

Even **were** I careful as you are, I should not be able to avoid all misspellings. 即使我像你那样细心，我也不能避免所有的拼写错误。

Were the sky to fall, we should catch larks. 天塌下来，正好抓云雀。

▶▶ 虚拟语气中的主句通常是陈述句，但也可以是疑问句、感叹句或祈使句。例如：

If she had everything, **would she be happy**? 如果她什么都有，她会幸福吗？（疑问句）

If he had married Alice, **how happy he would have been**! 他要是娶了艾丽斯的话，他该是多么幸福

啊！(感叹句)

If you were man enough, **don't give up**. 如果你是个男子汉的话，就不要放弃。(祈使句)

If you should need help, **please tell me**. 如果你需要帮助，就请告诉我。(祈使句)

▶▶▶ "could have＋过去分词"也可用于虚拟条件句中，这时的 could 是情态动词，表示"能够"，相当于 had been able to . . . . 例如：

If I **could have earned** enough money, I should have travelled over the world. 要是我挣的钱足够多的话，我就会周游世界了。

If you **could have prevented** mistakes, you might have been more successful. 如果你能避免错误的话，你会更加成功的。

【提示】

① 在同一个句子中，不能一部分表示真实条件，另一部分表示非真实条件，不然就会破坏句子的一致性。例如：

> 如果他在这里，他就不会让事情这样了结。
> If he is here, he would not let the matter end this way. ［×］
> If he **were** here, he **would** not let the matter end this way. ［√］

> 如果我有那本书，我就会借给你。
> If I had the book, I will lend it to you. ［×］
> If I **had** the book, I **should** lend it to you. ［√］

> 如果她来，就会告诉你。
> If she comes, she would tell you. ［×］
> If she **comes**, she **will** tell you. ［√］

② 虚拟条件从句中不用 would。例如：

> 要是他昨天来的话，我会告诉他的。
> If he would have come yesterday, I should have told him. ［×］
> If he **had come** yesterday, I **should have told** him. ［√］

▶▶▶ 但如果表示有某种愿望，条件从句也可用 would，相当于 be willing to，常表示说话人不相信主语有这种愿望。例如：

If she **would** do it for me, I should be very much obliged. 要是她愿意为我做那件事，我将非常感激。(But I know she will not be willing to do it for me.)

If he **would** lend me the money, I would buy a car. 要是他愿意借钱给我，我就买一辆车。(But I know he will not be willing to)

If you **would**, you could. 要是你愿意的话，你能够。

2. 错综时间条件句

在错综时间条件句中，虚拟条件从句和主句动作发生的时间不一致，因此，主句和从句的谓语动词要根据各自所指的不同时间选用适当的虚拟语气形式。例如：

Had I taken my umbrella with me when I came out this morning, **I should** not be wet now. 如果我早上出门时带了伞，现在就不会淋湿了。(过去→现在)

If you **had spoken** to him last time you saw him, you **would** know what to do now. 如果你上次看到他时跟他说一下，现在就知道怎么做了。(过去→现在)

If I **were** you, I **wouldn't have missed** the film last night. 如果我是你，我就不会错过昨晚那部电影。(现在→过去)

If the criminal **were** honest, he **would have made** a clean breast of the whole thing long ago. 要是这个罪犯(一贯)老实的话，他(过去)早该彻底交代他的罪行了。(现在→过去)

If the ship **had left** at noon it **would be passing** through the canal now. 船要是在中午起航的话，此刻该通过这条运河了。(过去→现在进行)

If they **had left** home in early morning, they **would arrive** in half an hour. 要是他们一大早就离开家的话，再过半个小时就该到了。(过去→将来)

If you **hesitated** this moment, you **might** suffer in future. 如果你此刻犹豫不决的话,你以后会吃苦头的。(现在→将来)

If Mary **should** arrive today, she **must have started** three days ago. 如果玛丽今天到达的话,那她一定在三天前就动身了。(将来→过去)

If I **were** rich, **I would have bought** the villa last year. 要是我有钱,我去年会买那幢别墅的。

If they **had not been working** hard in the past few months, the crops **would not be growing** so well now. 要不是他们过去几个月中的辛勤耕作,庄稼现在不会长得这么好。

If my grandmother **were** alive, she **would** be 100 next year. 要是我祖母现在还健在的话,她明年就 100 岁了。

【提示】如果条件句作宾语从句,其动词形式不受主句谓语动词的影响。例如:

I often tell her that if she **had made** another try, she **might have been** successful. 我经常同她说,要是她再试一次的话,她可能会成功了。(过去)

I will tell her that if she **would/were to make** another try, she **might** be successful. 我将告诉她,如果她再试一次的话,她可能会成功的。(将来)

I have told her that if she **made** another try, she **might** be successful. 我对她说过,要是她再试一次的话,她可能会成功的。(现在)

3. A wise man wouldn't have done that——无"条件"的虚拟语气句子

　　这里的所谓无"条件",指的是句子表层没有通常使用的 if 或 I wish 等引起的表示条件的句子,但其深层结构或是上下文中还是有条件的。这种条件可以用介词、形容词、名词、代词、连词、动词、分词、不定式、定语从句或上下文等表示出来,用的是跳层或间接的方式。表示无"条件"的词有 with、without、or、but、otherwise、even、but for、in case of、what if(如果……将如何)等。这种句子往往是有主句而无从句。例如:

But for your help we **couldn't have succeeded**. 要不是你的帮助,我们是不会成功的。

They **wouldn't have reached** the agreement so easily **without that common ground**. 没有共同立场,他们是不会那么容易达成协议的。

▶▶▶ 上面两句中的 but for 和 without 可以用 If it were not for 来代替。

She wasn't feeling very well. **Otherwise** she **wouldn't have left** the meeting so early. 她感到不舒服,不然她不会那么早离开会场的。(连词,=or, or else)

She said she **would have come** to the party, **only** she had an urgent matter to attend to. (连词)

Under such circumstances I **would** probably **have done** the same. 在这样的情况下,我也可能做出同样的事情来。(介词短语)

I would do so in your place. 假如我处于你的位置,我会那样做的。(介词短语)

With better equipment, we **could have done** it better. (介词短语)

What **would** he **not give** for it? 要是能得到它,他什么不愿意给?(=if he could get it)(介词短语)

Doing your best, you **would be** scolded all the same. 你即使好好干也总是受到责备。(介词短语,= If you did your best)

More measures **would have been taken to get** better results. 要取得更好的结果,就要采取更多的措施。(不定式短语,=if they had wanted to get better results)

Given more time, we **would do** it better. 再给些时间,我们会做得更好。(分词短语)

Left to himself, he **would get lost** in the woods. 不管他的话,他会在森林里迷路。(分词短语,=if he were left to himself)

Cooked a little longer, the meat **would be** more delicious. 再多烧一会儿,肉会更香。(分词短语)

A gentleman wouldn't have said so. 一位绅士是不会那样说话的。(名词,=if he had been a gentleman)

Your refusal would make him sad. 你的拒绝会使他悲伤的。(名词,=if you should refuse)

With all the world to rule, he **would not be** content. 即使全世界都归他统治,他也不会满足。

I **wouldn't be** deceived **so easily**. 我是不会这么轻易受骗的。(代词,=if I were you)

The least error would spoil the secret plan. 即便最小的差错都会毁掉这个秘密计划。

A nation,**which often got into political troubles,would** never **make** progress. 一个经常陷于政治斗争的国家很难取得进步。(定语从句,=if it often got into political troubles)

What **would** people **say** about him,**whose wife should take bribes**? 要是他的妻子接受贿赂的话,人们会怎样说他呢?(定语从句)

A man **would** be blind **not to see that difficulty**. 连那个困难都看不见的人一定是瞎了眼。(不定式短语)

To talk with him,you **would** know he is a frank man. 同他谈话,你就会知道他是个坦率的人。(不定式短语)

To have studied harder,you **would have passed** the exam. 学习更刻苦些的话,你本来会通过考试的。(不定式完成式,=If you had ...)

Failing this,what **would** you **do**? 要是这个做不成,你要怎么办?(分词短语,=If you failed this...)

The same thing,**happening in war time,would amount** to disaster. 同样的事情要是发生在战时就会导致灾难。(分词短语)

On being shown this book,no one **would believe** that it was written by a ten-year girl. 看到这本书,谁都不会相信是一个 10 岁的女孩写的。(介词+动名词)

A man **who stopped working would amount** to nothing. 一个不做事的人将会一事无成。(定语从句)

He **would** be a foolish man **who should venture that**. 冒险做那个的人会是个傻子。(定语从句)

Give him an inch and he **would want** a foot. 他得寸进尺。(祈使句)

In the absence of the keeper,the house **would have been burned down**. 要是看守不在的话,这房子就会被烧毁。(介词短语)

It **would be** wrong **not to take** this matter into consideration. 不考虑这件事将是错误的。(=If you did not take ...)

A **true** friend **wouldn't have done** so. 真正的朋友是不会那样做的。(=If he had been ...)

A **judicious** man **would not have committed** suicide. 明智的人是不会自杀的。(=If he had been ...)

They **would have paid** attention to a **nice** girl. 要是一个漂亮女孩,他们会注意的。(=If she had been ...)

Not to be moved by it would require a heart of stone. 对此无动于衷会是铁石心肠。

Anyone **seeing them together might think** that they are twin sisters. 任何看见她们在一起的人都会认为她们是孪生姐妹。

Ordinarily,he **would have flown** into rage. 通常情况下,他会大发雷霆的。

Whipping would be too good for the wicked man. 鞭打对于一个恶人可就太便宜了。

Any man **who should do that would** be laughed at. 谁那样做都会受人嘲笑。

Don't bother to read all those papers. It **would take** too long. 不要费事看那些文件了,那会太花时间。(=If you read all those papers ...)

Only for your help,I **should have failed**. 要不是你帮忙,我早就失败了。

But for hope,life **would be** short. 如果没有希望,人生苦短。

A day **without hope would be** unimaginably pale. 没有盼头的日子是苍白不可想象的。

I **would have gone**,**only** you objected. 要不是你反对,我早就去了。

The white fog floated around them. **High in the sky**,it **would have been** a cloud. 白蒙蒙的水雾在他们身边飘绕。如果是在天上,这就是云。

To have told him the fact would have given me away. 如果把真相告诉他,当时就会把我断送了。

It **might have happened on another occasion**. 再有这种情况,事情也许会发生了。

An earlier launch of the lifeboats might have averted the tragedy. 假如早一些把救生艇放下去,可能就避免这场悲剧了。

He **would have done** anything **to make amends**. 若能弥补过错,他是什么都愿意做的。

The dish **would have been** better **with a bit less salt**. 少放些盐,这菜会更可口的。

I didn't press the point as it **would have been** useless. 我没坚持这一点,坚持大概也无用。

Myself,I **wouldn't do** such a thing. 我自己是不会做这种事的。

I might see the manager personally. It **would be** better. 我可以亲自见一下经理,这样会好一些。

I **would have come** earlier,but the car broke down on the way. 我本可来得更早的,但车子在路上抛锚了。

Neglecting this **would cause** trouble. 忽略这一点就会造成麻烦。

比较:

要不是她的指导,我们会失败的。
But for her guidance,we **should** fail.（同现在事实相反）
But for her guidance,we **should have failed**.（同过去事实相反）

4. 含蓄条件句

有些句子中,没有任何表示虚拟语气的词、短语或从句,但仍要用虚拟语气。这时,要么是省略了表示虚拟语气的部分,要么隐含在上下文中,称为含蓄条件句(Implied Conditionals)。参照上文。例如:

I **would do** anything for her. 我什么都会为她做的。(if I could)

You **might have failed**. 你本来会失败的。(if you made less efforts)

She **should have died**. 她本来会丧命的。(if she had taken that bus)

Even stones **would shed** tears. 即便石头也会落泪的。(to hear the sad story)

It **would do** you no good. 它对你没有好处。(if you should give up the job)

She **might have refused** to answer. 她可能会拒绝回答的。(if you had asked her)

We **could have won** the battle. 我们本可以赢得这场战斗的。(but we were impatient)

We **would have made** a lot of money. 我们本可以赚很多钱的。(but we gave up halfway)

Such mistakes **could have been** avoided. 这样的错误本可以避免的。(if one had been more careful)

She **would have acted** as you did. 她本会如你那样行事的。(if she were you)

Heaven **would cry** at their sufferings. 老天爷也会为他们的苦难哭泣。(if it were able to see their sufferings)

【提示】

① but/except＋表示条件的结构:

would＋动词原形＋but/except＋现在时陈述句(陈述语气)→表示同现在事实相反的假设
would have＋过去分词＋but/except＋过去时陈述句(陈述语气)→表示同过去事实相反的假设

I **would have gone** with her but I was too busy. 要不是太忙,我会同她一起去的。

I **would go** but it's too far. 我想去的,只是路太远了。

② 比较下面两句:

She **would have come** to see you but she was ill that day.
She **would have come** to see you but that she was ill that day.
要是那天她没生病,她就来看你了。

第一句中的 but 是并列连词,引导的是并列句,but 意为"但是";第二句中的 but 是介词,意为"除去",引导条件状语从句。but 既可以表示虚拟条件,也可以表示真实条件,但 but that 通常只表示虚拟条件。例如:

It never **rains but** it pours. 不雨则已,一雨倾盆。

She **would have bought** the book **but that** she had no money then. 要不是当时没有钱,她会买下那本书的。

▶▶▶ but that 结构可以放在句首,并可转换为"but for＋名词"结构,而 but 则不可。例如:

But that I saw it,I couldn't have believed it. 要不是亲眼所见,我是不会相信的。

But that it snowed heavily,they could have arrived there earlier. 要不是下大雪,他们本可以早些到那里的。(＝But for the heavy snow)

三、虚拟语气在某些从句中的运用

1. 动词 wish 后的宾语从句用虚拟语气

与现在事实相反,用 were 或动词的过去式;与过去事实相反,用"had＋过去分词"或"would/could＋have＋过去分词";表示将来没有把握或不太可能实现的愿望,用"would/should/could/might＋动词原形"。例如:

I **wish** she **were/was** here. 她在这儿就好了。

I **wish** the moon **were/was shining** at the moment. 但愿此刻有月亮。

I **wish** you **would go** with us tomorrow. 但愿你明天跟我们一块去。

I **wish** she **had taken** my advice. 那时她要是听我的话就好了。

Sophia **wished** she **hadn't done** it. 索菲娅希望她没做那件事。(后悔做了)

I **wish** that I **had** never **seen** her. 但愿我从未见过她。(后悔见了)

I **wish** you **wouldn't be** so nervous. 我希望你不要那么紧张。

He **wished** she **might do** better next time. 他希望她下次能做得更好。

I **wish** very much you **could manage** to come over. 我非常希望你能设法来一下。

I **wish** we **weren't** going now. 我们现在要是不走该多好呀!

I **wish** it **be** done immediately. 我希望这事立即完成。(wish 后有时可用 be 型虚拟语气)

Later that night, when the temperature dropped below freezing, I **wished** that I **had made** myself a fire. 那天深夜,气温降到零度冰点以下,我希望生了火有多好啊。

【提示】比较下面几个表示未实现的愿望的句子:

I **should like** to have taken his advice. 我现在真希望(那时)采纳了他的建议。

I **should have liked** to take his advice. 我本希望采纳他的建议的。

I **should have liked** to have taken his advice. (意同上面第二句,但结构笨重)

2. if only 和 would that 后用虚拟语气

谓语动词用一般过去时表示现在没有实现的愿望,用过去完成时表示过去没有实现的愿望,常译为"要是……就好了,但愿"。例如:

If only she **had known** where to find you. 她要是知道到哪里去找你就好了。

If only I **could speak** several foreign languages! 我要是能讲几种外语就好了!

If only you **would be** as you used to be! 你要是还像你过去那样,该有多好啊!

Would that I **could fly**. 但愿我能飞翔。

If only he **were/was** more cautious. 他要是更谨慎些就好了。

Would that I **were** young again. 但愿青春重在。

Would that we **had seen** her before she died. 她去世之前我们能见她一面该多好。

Would (that) I **had** never **seen** it! 但愿我根本没看见!

Would that I **were** with her now. 要是我现在同她在一起就好了。

Would (that) it **were** otherwise! 多么希望情况不是这样啊!

▶▶▶ would that 实际上是 I/We would 的简化,I would 相当于 I wish。例如:

I **would** I **were** a bird and **could** fly freely in the sky. 但愿我是一只鸟,在天空中自由地飞翔。

We **would that** we **had seen through** him earlier. 要是我们早些识破他就好了。

【提示】

① O that, Would to God, I would to Heaven, O would, God grant, God send 等意为 would that。例如:

O **that** she **were** with me now! 但愿她现在和我在一起!

O **that** money **grew** on the trees. 钱长在树上就好了。

Would to God she **would return** safely! 但愿她平安归来!

Would (to God) (that) I **had not made** the mistake! 多么希望我没有犯那个错误啊!

My heart, **would** (to) **God that** she **were** mine! 我的心啊,祈求上帝,但愿她成为我的爱侣!

② O that 结构用虚拟语气可表示惊讶或愤怒。例如:

O that she **should have failed**! 她竟然会失败!

③ should 可以表示惊讶、难以相信或不应该之事。参阅有关章节。例如:

Why **should** he publish such a novel? 他为何会出版这种小说?(惊讶)

Who **should** have thought of such an end! 谁会想到这样的结局!

Who **should** have broken the glass but himself? 不是他自己还有谁会把玻璃打碎呢?(不应该)

Who **should** have thought to meet you here! 谁会想到在这里碰到你!

Who are you that you **should** have despised the teacher? 你是何许人也,竟敢轻视教师?

What has captivated her mind that she **should** have said that? 什么使她鬼迷心窍,竟说出那种话来?

④ if only 引起的句子在个别情况下也有用陈述语气的。例如:

If only he **arrives** in time! 他要是能准时到就好啦!

If only he **will listen** to her. 他要是能听进她的话就好了。

3. 虚拟语气用在 suggest,order,demand 等后的宾语从句中

propose	command	request	desire	insist	require
decide	promise	argue	arrange	move	consent
determine	prefer	recommend	advise	intend	beg
urge	instruct	advocate	persuade		

resolve 决意	maintain 主张	deserve 值得提及	decree 裁决
vote 投票决定	dictate 命令	agree 决定	pray 恳求
legislate 立法	sentence 判决	object 反对	ask 要求
expect 希望	direct 命令	appoint 命令	provide 规定
specify 指定	persist 坚持	permit 允许	petition 请愿
stipulate 规定			

这类意念动词、祈使动词或态度动词后的宾语从句中用虚拟语气,谓语动词用动词原形或"should＋动词原形"。例如:

He **determined** that she (should) **go** at once. 他决定她马上就去。

I **prefer** that such comments **should cease**. 我希望这种评论能够中止。

They **intended** that the news (should) **be suppressed**. 他们想封锁消息。

She **insisted** that the seats (should) **be booked** in advance. 她坚持要预订座位。

They **requested** that he (should) **sing** a song. 他们要求他唱支歌。

He **advised** that the doctor (should) **be sent** for. 他建议派人请医生。

The committee **decided** that no one should **be admitted** without a ticket. 委员会决定无票者不得入场。

Sometimes she would **suggest** that I **should be saving** some of the money. 她有时会建议我存一些钱。

I **urged** that he (should) **read** this report carefully. 他劝他仔细看看这份报告。

It is **requested** that a vote (should) **be taken**. 有人请求表决。

The employees **demanded** that the manager (should) **resign**. 职工们要求经理辞职。

It is **desired** that she **come** at once. 希望她马上来。

The boy **decided** that he **should not become** a carpenter. 那男孩决定不当木工。

We **resolved** that our school (should) **have** a stadium. 我们决定我们学校要有一个体育馆。

The workers **demanded** that their wages (should) **be raised** by 10 percent. 工人们要求增加 10% 的工资。

Mrs. Thompson **suggested** that they **marry** and **live** with her in Dover Street until they could get a house of their own. 汤普森太太建议,他们结婚后可以先和她住在多佛街,等找到房子再说。

I **asked** that I (should) **be allowed** to see her. 我请求准许我见她。

I **beg** that she(should) **leave**. 我恳求她离开。

He **preferred** that she (should) **tell** him everything. 他更希望她把一切都告诉他。

I **recommend** that everyone (should) **buy** this dictionary. 我建议每人都买这本词典。

He **proposed** that the matter (should) **be reconsidered** at the next meeting. 他建议这个问题在下次会议上讨论。

The examination instructions **ask** that the students (should) **not use** a red pen. 考试说明要求学生不得用红笔答卷。

It was **arranged** that she **leave** the next week. 根据安排,她下周动身。

【提示】

① determine, decide, intend, desire, resolve 等直接用陈述语气也较常见。例如:

My elder brother **decided** that he **must go** home. 我哥哥决定他必须回家去。

Only you can **decide** what's best for you. 只有你能决定什么是对你最好的。

He has **decided** that nothing **shall/will prevent** him. 他下了决心,什么也不能阻止他。

Mr. Smith **intends** that his son **shall go** to college. 史密斯先生想让儿子上大学。

She **desires** that it **shall not be** mentioned at the present. 她希望目前不要提这件事。

They **resolved** that they **must part**. 他们下了决心,必须分开。

② should prefer 和 would prefer it if 后的从句,指现在或将来的情况,要用一般过去时表示虚拟。例如:

I **should prefer** you **traveled** by train. 我更愿意你乘火车旅行。

I **would prefer it if** you **didn't smoke** in front of the children. 我希望你不要在孩子们面前抽烟。

I **would prefer it if** I **didn't have** to do so much work. 当然我更希望不必做那么多工作。

③ 当 suggest 作"暗示,表明"解,insist 不表示"坚决要求",而作"坚决认为,坚持说"解,其后的从句要用陈述语气,不用虚拟语气。再如:

He **insisted** that he **was not involved** in the case. 他坚持认为自己同那个案子没有牵连。

She **insisted** that she **heard** somebody in the house. 她坚持说她听见房子里有人。

His pale face **suggested** that he **was** ill. 苍白的面容表明他病了。

His yawns **suggested** that he **would like** to go to bed. 他打哈欠暗示他想睡了。

All these facts **suggest** that he **is** not guilty. 所有这些事实都表明,他是无罪的。

4. 虚拟语气用在 advice 等名词后的主语从句、表语从句和同位语从句中

常用的这类名词有:advice, demand, order, necessity, resolution, decision, proposal, requirement, suggestion, idea, recommendation, preference, request, plan, motion, desire, sentence 等,谓语用动词原形或"should+动词原形"。例如:

The **demand** is that manuscripts (should) **be** written on one side only. 按照要求,手稿单面誊写。

He issued the **order** that the troops (should) **withdraw** at once. 他命令部队马上撤退。

Their **desire** was that a treaty (should) **be signed**. 他们的愿望是签一个条约。

The **sentence** is that the murderer (should) **be shot**. 判决是杀人犯执行枪决。

We will issue the **regulation** that the library (should) **be** open even on Sunday. 我们将发布规定,图书馆即使在星期天也要开放。

It is my **desire** that all the members of the family (should) **gather** once a year. 我的愿望是,全体家庭成员每年团圆一次。

5. 虚拟语气用在 important, necessary 等后的从句中

important	necessary	urgent	essential	appropriate	desirable
insistent	obligatory	vital	advisable	better	keen
preferable	fitting	right	good	proper	compulsory
careful 小心翼翼的	funny 可笑的		pitiful 可惜的		imperative 迫切的
resolved 决心的	eager 热切的		anxious 急切的		concerned 关切的
ridiculous 荒唐可笑的	unthinkable 不能想象的				

上述词可以构成"It is+形容词+that-从句",有些词要用于"I/We/He...+形容词+that-从句"句型,其后的句子要用虚拟语气,为(should) be 型。例如:

It is **necessary** that some immediate effort (should) **be made**. 必须立即采取行动。

It is **essential** that the program（should）**be** loaded into computer. 把程序输进计算机非常必要。

It will be **better** that they **be** informed about it. 把这件事通知他们比较好。

We were **anxious** that he **do** his bit. 我们都热望他能尽他的本分。

It is **vital** that he **be** warned in good time. 要及时对他提出警告,这极其重要。

He is **careful** that nobody（should）**know** about the secret. 他十分小心不让任何人知道这个秘密。

【提示】

① 下面一句用虚拟语气,表示主语的看法:

She regards/thinks it **of great importance** that a person **be** honest. 她认为诚实是重要的。

② It is amazing/odd/strange/wonderful/surprising/wrong/astonishing/annoying/irritable/upsetting/embarrassing/discouraging/disconcerting/disappointing/perplexing/bewildering/incredible/frightening/alarming/shocking/dreadful/despicable/contemptible/tragic/lamentable/deplorable/inconceivable/a pity/a shame/a thousand pities/to be regretted 和 I am surprised/sorry/upset/ashamed/embarrassed/amazed/astonished/pleased/happy/glad/shocked 等结构后的 that-从句中要用 should,一般不可省,意为"竟然,居然",表示说话人的惊异、懊悔、失望等情感。例如:

It is **amazing** that he **should** have learnt so much in such a short time. 他在这么短的时间内学了这么多东西,真是不可思议。

It is quite **wrong** that the children **should** be given so much homework to do. 给孩子们这么多家庭作业做,真是大错特错了。

It was **astonishing** that she **should** have kept the secret from him all through her lifetime. 她竟然把那个秘密对他隐瞒了一生,真令人吃惊。

It is **incredible** that Jane **should have finished** her paper so soon. 简这么快就完成了论文,真是不可思议。

I am **surprised** that he **should** have been so rude to you. 他对你这么粗鲁,我感到很吃惊。

It is **a pity** that Henry **should be** so careless. 亨利如此粗心,真令人遗憾。

It is **a shame** that he **should have done** such a thing. 他竟干这种事,真可耻。

I was **shocked** that he **should** be so cruel. 他竟然这么残忍,这使我大为震惊。

It's **unfair** that I should suffer from other's misconduct. 我竟代人受过,这太不公道。

It's **annoying** that the neighbor's dog **should** bark all day long. 邻居的狗整天叫,真是烦人。

It's **disappointing** that it **should** be raining. 竟然下起了雨,真叫人失望。

It't **queer** that you **should** be so different from your elder brother. 真是奇怪,你同你哥哥差别竟是这么大。

It's **laughable** that he **should** have the face to ask again for money. 他竟然好意思再要钱,真是可笑。

It does **seem silly** that I **should** have to do it. 我得做这件事,真是荒唐。

③ 下面几个句子中的从句也要用 should,表示"竟然",具有感情色彩:

It **strikes** me as funny that he **should** go without saying good-bye to anyone. 真是不可思议,他竟然跟谁都没打招呼就走了。

It **worries** me that she **should** be getting so vain. 她竟变得如此虚荣,这让我十分担心。

④ 在 Do you think it normal/proper 后的 that-从句中,谓语动词要用 should,表示"竟然",具有感情色彩。例如:

Do you **think** it **normal** that the child **should** be so tired? 这孩子竟这样疲惫,你认为这正常吗?

Do you **think** it **proper** that she **should** say that? 她竟然那样说话,你认为合适吗?

⑤ 有时,直陈现实用陈述语气,表示"竟然,竟会"用虚拟语气。例如:

I **hate**（it）that you **have** to endure it. 你这样忍受,我很不愿意。（事实）
I **hate** that he **should** be troubled by trifles. 我很不愿意他竟会为一些小事烦恼。
I **hate** that you **should** think so. 我很不愿意你竟会这样想。

What **surprised** me was that she **spoke/should speak** English so well. 使我惊讶的是,她英语（竟）说得这么好。

It **worries** me that Sarah **spends/should spend** so much time away from home. 萨拉(竟然)整天往外跑,这使我很担心。

I **regret** that you **see/should see** it like that. 你(竟然)这样看它,我很遗憾。

I'm **surprised** that the floods **swept/should have swept** away the houses. 洪水(竟然)摧毁了房屋,我非常惊讶。

⑥ 有时候,可以将表示情感等的句子前一部分省略,只保留 that 以后的部分,成为虚拟式的感叹句。例如:

That he **should** miss such a golden opportunity! 他竟然失去了这样一个宝贵的机会!(＝It is a pity that ...)

That they **should** resort to violence! 他们竟使用暴力!(＝I am surprised that ...)

⑦ 主句中的表语为形容词 true, certain, sure, natural, evident, apparent, likely, probable, possible, confident 等,或为 no wonder 时,其后从句中的谓语应用陈述语气。例如:

It is **apparent** that she **is** worried about something. 很明显,她心事重重。

I'm **confident** that he **will** win the next election. 我确信他能在下届选举中获胜。

No wonder the children **are** excited, this is the first time they've been abroad. 孩子们的激动是十分自然的,这是他们第一次出国。

6. It is (high, about) time ... 句型要求用虚拟语气

这时,谓语动词用过去式,指现在或将来的情况,表示"是该做或早应该做某事的时候了"。例如:

It is high time that we **were** off. 是我们该走的时候了。

It is time that we **ordered** dinner. 我们该订餐了。

It is time that somebody **taught** you to behave yourself. 该是有人教你守规矩的时候了。

Isn't it about time he **were** going to bed? 他现在是不是该去睡了?

▶▶▶ 这种结构中的过去式也可改为"should＋动词原形"(用 should 时,不能将其省略),但不如用过去式普通。例如:

It is about time we **should** go to bed. 我们该就寝了。

It is quite time she **should** wash her clothes. 她该洗衣服了。

I suppose it's almost time we **were leaving**. 我以为我们该离开了。(should be leaving)

▶▶▶ 上述两种形式均可用 It is time for sb. to do sth. 代替。例如:

It is about time for us to go to bed.

It is time for her to wash her clothes.

【提示】主语为 I 时通常用 was,不用 were。例如:

It's time I **was** in bed. 我该上床睡了。

It's **high time** I **was/should be** going. 现在我真该走了。

▶▶▶ 另外,这结构中用 about, quite, really, high 等是为了缓和或加强语气。

7. 在 for fear that, in order that, so that, lest 引导的目的状语从句中,谓语动词一般用虚拟语气

从句谓语动词用"should/could/might＋动词原形"。在以 lest 引导的从句中,谓语动词用"should＋动词原形",should 有时可省。例如:

He reminded her twice of it **lest** she **should** forget. 他提醒了她两次,怕她忘记。

He kept quiet **lest** he (should) disturb her. 他保持安静,以免打扰她。

She always studies hard **lest** she (should) lag behind. 她总是刻苦学习,以免落后。

I will not make a noise **for fear** (that) I **should/might** disturb you. 我不会出声的,以免打扰你。

I did this **so that** I **might** have a couple of weeks to prepare my paper. 我这样做是为了能有几周时间准备论文。

I have come all the way here **in order that** you **should** understand me. 我一路赶到这里,是为了让你能理解我。

【提示】若 in order that 和 so that 前的主句是现在时,其后的从句有时亦可用"can/may＋动词原形"。例如:Ask her to hurry up with the letters so that I **can** sign them. 要他把那些信准备快一

些,这样我好签字。

8. think 等动词后的虚拟语气

think, allow, admit, grant, suppose, mean, consider, accept 等意念动词或态度动词也可以表示对虚拟情况的意想或态度,但只可用 should 型结构,不用 be 型结构。例如:

I didn't **mean** that you **should come** so early. 我不想让你来这么早的。

I didn't **mean** that you **should come** to meet us. 我没想让你来接我们。

He **promised** that the car **should be repaired** within two days. 他答应在两天内把车修好。

Little did he **think** that we **should be watching** him. 他根本没想到我们会在监视他。

He began to **think** that he **shouldn't have granted** their demands. 他开始想他本不该答应他们的要求。

I never **thought** she **should be** so vain and selfish. 我根本想不到她会如此虚荣、自私。

The manager **agreed** that Tom and Dobie **should share** the prize. 经理同意汤姆和多比共享这笔奖金。

They **promised** that we **should have** a good rest after finishing the work. 他们承诺我们完成工作后好好休息一下。

9. marvel 等动词后的虚拟语气

marvel, rejoice, wonder, regret 等表示强烈感情变化的意念动词,通常用 should 型结构。例如:

I **marvel** that he **should be** able to do so much in such a short time. 他竟在这么短的时间内做了这么多事,我很吃惊。

I **regret** that you **should consider** it a burden to do it. 你竟认为做这件事是个负担,我很遗憾。

【提示】如果不强调意外的可叹、可喜、可悲、可疑等,这类动词后的从句也可以用直陈语气。例如:

I often **marvel** that humans **can treat** each other so badly. 我感到惊诧的是人类会如此恶待彼此。

I **regret** that I **shall** not be able to come. 我很遗憾不能来。

比较:

{ We **rejoice** (to learn) that you **have come** back. 你回来了,我们很高兴。

{ We **rejoice** that our dream **should have come** true. 我们的梦想成了真,真是可喜。

{ I **wonder** who he **is**. 我不知道他是谁。(事实)

{ I **wonder** that she **should have given up** the job. 她竟然放弃了那份工作,我很吃惊。

10. imagine 后的虚拟语气

imagine 可以表示现在或将来非现实情况的意想,用 were 型结构;也可表示对过去非实际情况的意想,用"had+过去分词"结构。例如:

Imagine that we **were** on a desolate island now. 设想一下我们现在在一个渺无人烟的荒岛上。

Imagine that you **were** laughed at by those shallow people. 设想你遭到那些浅薄之人的嘲笑。

Imagine that he **had not had taken** those measures, what would have happened? 设想他没有采取那些措施,会发生什么?

11. 以 as if/as though 引导的方式状语从句或表语从句,有时用虚拟语气

从句表示与现在事实相反,谓语动词用一般过去时;表示与过去事实相反,用"had+过去分词";表示将来的可能性不大,用"would/might/could+动词原形"。例如:

He talks **as if** he **knew** all about it. 他谈起来好像全知道似的。

It looks **as if** it **might** rain. 看上去好像要下雨。

She looks **as though** she **were** sick. 她看上去好像生病的样子。

I feel/felt **as if** we **had known** each other for years. 我感到好像我们已经认识多年了。

He talks about pyramids **as though** he **had seen** them himself. 他谈起金字塔来,就好像亲眼见过似的。

▶▶ as if/as though 后面的从句有时也可以用陈述语气,这是因为从句中的情况往往是可能发生的或可能被设想为真实的;主句谓语动词是 smell, taste 等时,as if/though 从句也常用陈述语气。例如:

It looks **as if** our side **is** going to win. 看来我方有赢的可能。

He looked **as if** he **was** about to burst into tears. 他看上去好像要哭起来了。

It seems **as if** we **shall** have to spend the night here. 似乎我们得在这里过夜了。

The meat tastes **as if** it **has gone** bad. 这肉吃起来似乎已经坏了。

The milk smells **as if** it **is** sour. 这牛奶闻起来好像酸了。

It doesn't look **as if** it **is** going to rain. 看起来不会下雨。

比较：

He walks **as if** he **is** drunk. 他走路的样子好像醉了。(＝He is probably drunk.)

He **walks as if** he **were** drunk. 他走起路来装作醉的样子。(＝He walks as if he **were** drunk, but he is not.)

She behaves **as if** she **owns** the farm. 她的举止好像表明她是这农场的主人。

She behaves **as if** she **owned** the farm. 她装模作样,好像她是这农场的主人。

It seems **that** she **has** no worries. 她似乎没有烦恼。(根据事实推出她可能真没有烦恼)

It seems **as if** she **has** no worries. 她似乎没有烦恼。(没有烦恼接近事实)

It seems **as if** she **had** no worries. 她似乎没有烦恼。(好像没有烦恼,其实烦恼很多)

【提示】

① 注意"It is not as if/as though＋虚拟式句子"的译法,这里,as if/as though 引导的是表语从句。

It isn't as if he were poor.

直译:他不像穷的样子。

意译:他才不穷呢。/他又不穷!

It is not as though she were going away for good. 又不是她离开不回来了。(意为:她还会回来的。)

Why did you invite him to the symposium? **It was not as if** he were an expert! 你为什么邀请他参加研讨会? 他又不是什么专家!

It isn't as if he had claimed to be the owner of the property. In fact he admitted that the property belonged to his uncle. 他又没有声称自己拥有那些财产呀! 事实上,他承认那些财产属于他叔叔。

② as if 前的主句有时可省略。例如:

As if he **were** a scholar. 好像他是个学者似的。

As if he **had seen** a ghost. 他好像见了鬼似的。

③ 在 than 后有时可跟一个由 if 引导的虚拟条件句。例如:

I can learn more from his words **than** (I could learn) **if I had read** ten books. 我从他的话中所学的东西比读10本书学的东西还多。

He feels happier in living alone **than** (he would feel) **if he were living** with his family. 他自己独住比同家人住在一起更愉快。

12. 在 though, if(＝though), so long as, even if, even though, whether, whatever, wherever, whoever, however, whichever, no matter what/who/how 等强式连接代词或副词引导的让步状语从句中用虚拟语气

这时,谓语动词用动词原形,表示推测、让步等含义,主句一般用直陈语气,但也有用虚拟语气的情况。例如:

Though everyone **desert** you, I will not. 哪怕人人都离你而去,我也不会。

Whatever be his defense, we cannot tolerate this disloyalty. 不论他怎样为自己辩解,我们也不能容忍他的不忠。

So long as a volume **hold** together, I am not disturbed as to its outer appearance. 只要书页不散开,我并不介意外观如何。

Whether he be right or wrong, he'll always go his own way. 不论对错,他总是特立独行。

However dangerous it **might** be, I would have a try. 不论多么危险,我也要试一下。

We won't change our plan **if** the rumor be true. 即使谣传是真的,我们也不会改变计划。(＝though)

Wherever you **might** go, you would be welcome. 你无论去哪里都受欢迎。

Whatever might come, we won't make concessions. 不论发生什么,我们都不会让步。(＝Come what may)

He would remain skinny, **if** he **should** eat more than usual. 即使他吃得比平时多,也胖不起来。（＝though）

We **wouldn't** stop halfway **though** there **might** be great difficulties. 尽管会有巨大困难,我们也不会半途而废的。

【提示】

① when, granted that 等引导的让步状语从句有时亦用虚拟语气。例如:

She walks **when** she **might** take a taxi. （＝though）虽然可以坐出租车,但她却步行。

Granted that you **had been drunk**, there is no excuse for you to do that. 即使喝醉了酒,你那样做也不容饶恕。

② although 引导的从句通常用直陈语气。例如:

They are generous **although** they **are** poor. 他们虽然穷,却乐善好施。

Although she **joined** the company only a year ago, she's already been promoted twice. 虽然她一年前才加入公司,但是已经两次晋升。

13. dream 等动词后的句子用虚拟语气

dream, believe, suspect, expect 等动词用于否定句或疑问句时,其后的宾语从句一般用"should（间或用 would 或 could）＋动词原形",表示惊讶、惶恐、怀疑、失望、不满等情绪。注意,这种结构中的 should 不可省。例如:

Little does she dream that she **could see** her children again. 她做梦也没有想到还能见到孩子们。

He just **couldn't believe** that his hometown **should have gone** through such great changes. 他简直难以相信自己的故乡会发生这样的巨大变化。

14. would rather, would sooner, had better, had rather, would as soon, just as soon 后的句子用虚拟语气

would rather 等后接从句,用虚拟语气,为一般过去时,表示一个现在或将来的愿望;用过去完成时,表示一个过去的愿望。例如:

I'd rather you **paid** the money yourself. 我宁愿你自己付那笔钱。（现在）

I'd soon you **didn't do** anything about it for the time being. 我宁愿你眼下把那件事放一下。（现在）

I **would sooner** she **painted** the door green next time. 我希望她下次把门漆成红色的。（将来）

I'd rather she **hadn't done** that. 我宁愿她没做那件事。（过去）

I **would rather** you **came** tomorrow than today. 我希望你明天来,不是今天来。

I'd sooner we **had** porridge for supper. 我宁愿咱们晚饭喝粥。

Her father's an earl. **I'd rather** he **weren't**. 她的父亲是个伯爵。我但愿他不是。

I'd much **rather** you **wrote** the report. 我很希望你写这个报告。

【提示】

① would rather 等接动词原形,指现在或将来时间,表示一种主观愿望或选择。例如:

I'd **rather do** it today. 我倒想今天就做。

He **would sooner die** than **surrender**. 他宁死不降。

She'**d rather not go** dancing tonight. 她今晚宁肯不去跳舞。

② would rather 等接不定式完成式,表示过去的某种选择不恰当。例如:

I'd **rather not have told** her the news. She is such a gossip. 我宁愿没把消息告诉她,她是个长舌妇。

I'd **rather have stayed** at home than went to the dull film. 我宁愿待在家里而没去看那个乏味的电影才好。

15. would rather ... than 和 would ... rather than 后的句子用虚拟语气

这两个结构中 than 后的从句要用"should＋动词原形",而且 than 后的从句可用或可不用 that 引导。例如:

I **would rather** die **than** （that）he **should know** the secret. 我宁愿死,也不会让他知道那个秘密。

He'd do anything **rather than** （that）**he should live** with such a shameless woman. 他宁死也不愿

同这样一个无耻的女人生活在一起。

16. would, should, could 和 might——情态动词在虚拟语气中的含义和用法

would, should, could 和 might 均可用于虚拟语气中, 但在含义和用法上有些差别:①第一人称可用 should 或 would, 其他人称多用 would;②would 可以表示情态意义, 表示主语的意愿和意图, 通用于所有人称, should 表示意愿和意见时, 只用于第二、第三人称;③could 可以表示"能力", 指由知识、技能、体力等所产生的能力;④could 可以表示"允许, 许诺", 相当于 would be allowed to, 但 might 则无此义;⑤表示"可能"时, could 和 might 可以互换, 但在否定句中多用 could;⑥ought to 表示推断和理应如何, 有时亦用 must 对过去表示推断。例如:

I **would** lend him the money if he asked me. 如果他向我借钱, 我就借给他。(意愿)

If he had time, he **should** do it. 他有时间就会做的。(意愿)

He **could** move the big stone if he should try. 他想搬就能搬动那块大石头。(能力)

If he forgot to come, you **could** go instead. 如果他忘了来, 你就代他去。(许诺)

If she started early, she **ought to** be here by now. 要是她动身早, 现在该到这儿了。(推断)

If you **could have saved** the fishermen, you would have been a hero. 要是你救了那些渔民的话, 你就会成为英雄了。(=had been able to save)

If he **might** do as he likes, he would make a lot of trouble. 如果他想干什么就可以干什么的话, 他会弄出许多麻烦来。(=were allowed to)

If you asked for it, you **should** have it. 如果你要它, 我就给你。(许诺, =I would be willing to give it to you.)

If you had been here this morning, you **must** have seen the famous writer. 如果你今天上午在这里, 你一定会见到那位著名作家的。(推断)

四、Love me, love my dog 爱屋及乌——条件句及虚拟式的其他表示法

1. so/as long as

so/as long as 表示一个真实条件, 谓语动词用陈述语气。例如:

You may borrow the book **so long as** you **return** it in one week. 只要在一周内归还, 你可以借这本书。

2. on condition that

on condition that 意为"在……条件下", 它所引导的从句谓语动词可以用陈述语气, 也可以用虚拟语气, 但均表示真实条件。例如:

I allow the tourists to go into the woods **on condition that** they **do/should do** no harm to the animals. 我让游客进入森林, 条件是他们不得伤害动物。

3. given that

given that 表示一个真实条件, 其从句谓语动词用陈述语气。例如:

Given that he doesn't agree to do it, we shall go it alone. 假如他不同意, 我们就自己干。

4. should 条件句+祈使句结构

当 if 条件句的谓语形式为"should+动词原形"时, 主句往往是祈使句。例如:

If she **should** come to see you, tell her to wait for me. 如果她来看你, 告诉她等我。

If you **should** meet Jane, give her my regards. 如果你遇见简, 请代问她好。

5. If it were not for ...

这个结构意为"如果没有……", 表示同现在事实相反的假设, 主句用 should 型虚拟语气。例如:

If it were not for the rain, the crops **should/would become** withered. 要不是有水的话, 庄稼就会枯萎了。

▶▶▶ If it had not been for ... 意为"如果当时没有……", 表示与过去事实相反的假设。例如:

If it had not been for your timely help, I **would have gone** bankrupt. 要不是你的及时帮助, 我就会破产了。

6. assuming（that）

assuming（that）表示一个真实条件，其从句谓语动词用陈述语气。例如：

Assuming（that）we can't get a loan, what shall we do? 假如我们贷不到款,该怎么办?

7. in the event that

in the event that 表示一个真实条件，其从句谓语动词用陈述语气。例如：

In the event that Mark rejects the proposal, what will she do? 要是马克拒绝这项建议,她该怎么办?

8. suppose/supposing（that）

suppose/supposing（that）可以表示真实条件（用陈述语气），也可以表示非真实条件（用虚拟语气），表示对过去、现在或将来的假设。例如：

> **Suppose/Supposing that** it **rains**, we won't go out.（下雨的可能性大）
> **Suppose/Supposing that** it **rained**, we shouldn't go out.（对将来的假设）

Suppose/Supposing that there were no gravitational force, objects would not fall to the ground when dropped. 假如没有引力,丢下的物品就不会落到地面上。（对现在情况的假设）

Suppose you and I **were** to find ourselves on a desert island. 设想你我发现我们在一座荒岛上。

Suppose he **had had** an accident, who would have paid? 如果他出了事故,谁会付钱呢?

Suppose someone **had seen** me enter your room at midnight. 如果有人看见我在半夜进入你的房间,那可怎么好!

Suppose Jim **knew** you are telling lies! 吉姆如果知道你在撒谎,他会怎么想啊!

Supposing she **had asked** you for money, would you have given her any? 假设她曾向你要钱,你会给她吗?

【提示】Who would have supposed＋that-从句，表示惊异或出乎意料,that-从句的谓语用"should 或 would＋动词原形"。例如：Who **would have supposed** that things **should/would** turn out this way? 谁能料到事情竟会有这种结果?

9. provided/providing（that）

provided/providing（that）表示的是真实条件，其从句谓语动词用陈述语气。例如：

I'll go rock-climbing **provided/providing** you **do** too. 要是你去攀岩的话,我也去。

一般说来，provided/providing that 可以同 if 换用，但还是有区别的。provided 原意为"规定"，引导的从句表示某种规定，主句的主语是规定者，以从句表示其愿望，希望其规定能够实现。显然，人们总是希望自己的愿望能够实现，而不希望自己的愿望落空。因此，我们可以说：

He was willing to give the job to me **provided that** I could assure him I could do it well. ［√］要是我向他保证能做好,他愿意把那项工作给我。（规定者"he"希望"I"向他保证做好工作）

但不可以说：He was not willing to give the job to me provided that I could not assure him I could do it well. ［×］（规定者"he"不希望 I could not assure ... 能实现,即并非他的愿望）

但是，if 表示的是一种假设的情况，不存在希望规定实现与否的问题；所以，if 可以在所有场合替代 provided/providing that，而 provided/providing that 不可在所有场合替代 if。例如：

> You will be criticized **provided that** you are as careless as before. ［×］（规定者不希望 ... as careless as before,应把 provided 改为 if）
> Children were permitted into the hall for the film **provided（that）** they did not make any trouble. ［√］只要孩子们不惹麻烦,就允许他们进大厅看电影。（规定者希望 they did not make any trouble 这一规定实现,可换用 if）

10. unless

unless 可以引导真实条件句，也可以引导非真实条件句。一般来讲，unless 从句可以用 if ... not ... 替换；但有时候，unless 从句意为 but ... if ... 或 except on condition that ... ，在这种意义上不可用 if ... not ... 代替。例如：

I couldn't get a grant **unless** I **had** five years' teaching experience. 教龄满五年我才能领到补助金。（＝if I did not have ...）

Unless you **had done** it earlier, you **would have failed**. 要不是动手早的话,你会做不成的。（＝If you had not done ...)

I **shouldn't have gone** to the door **unless** I **had heard** the bell. 要不是我听见门铃响,我是不会到门口去的。

> 要是没有足够的钱,我是不会买它的。
> I **couldn't have bought** it **unless** I had had enough money.
> ＝I couldn't have bought it, but I could have bought it if I had had enough money.
> ＝I couldn't have bought it except on condition that I had had enough money.

11. in case

in case引导的句子既可以用陈述语气,也可以用虚拟语气,由 should 构成,should 可省。例如:

> 假如下雪,运动会就将推迟。
> The games will be postponed **in case** it **snows**.
> The games will be postponed **in case** it (should) **snow**. (in case it snows 比 in case it should snow 可能性大些)

12. and 表示条件的三种结构形式

① 祈使句＋and＋陈述句。该结构中的祈使句相当于 if 引导的条件从句,陈述句既可以表示真实条件,也可以表示非真实条件,这时要用虚拟语气

Care for others **and** others **will love** you. 关心别人,别人就会喜欢你。

> One more step forward and you **will touch** it. 再向前一步,你就会摸到它的。(真实)
> One more step forward and you **would have touched** it. 再向前一步,你本可以摸到它的。(非真实)

② 祈使句＋and＋祈使句。该结构中的第一个祈使句相当于 if 引导的条件从句,连词 and 有时可省略

Spare the rod **and** spoil the child. 孩子不打不成器。

Light come, light go. 来得容易去得快。

Marry in haste, repent at leisure. 草率结婚,事后懊悔。

Love me, love my dog. 爱屋及乌。

③ 名词词组＋and＋陈述句。这种结构可表示真实条件或虚拟条件

One more effort, **and** you will gain your goal. 再努一把力,你就会实现目标的。

A few hours earlier, **and** you would have seen the famous novelist. 早来几个小时的话,你就会见到那位著名小说家的。

13. whether it/he be ... or ... 和 be it 结构

whether it/he be ... or ... 意为"不管/不论是……还是……",表示让步,为虚拟语气的一种表示方法,变异结构有 be it ... or ...,be he... or。用 be 表示假设的结构还有:be it, be they, though...be, if it be so, be that as it may 等。用 be 表示假设是一种陈旧用法,现在只出现在惯用语句、文件等正式文字中。例如:

Every day he takes a walk in the park in the evening, **whether it be fine or raining**. 不论阴天还是晴天,他每天晚上都要在公园里散步。

Be they common people or high-ranking officials, they stand equal before the law. 他们不管是平民还是高官,在法律面前都是平等的。

She can translate all these books into Chinese, **be they in English, French or Latin**. 她能够把所有这些书译成中文,不管它们是用英语写的,是用法语写的,还是用拉丁语写的。

Though all the world **be** false, still shall I be true. 即使人皆虚伪,我仍保持真诚。

If it be so, we can do nothing but withdraw. 果真如此,我们只有撤退了。

Be that as it may, he ought to spend time with his family. 即使如此,他也应该找时间陪伴家人。

Though the score **be** healed, yet a scar may remain. 伤口虽可愈合,总要留下疤疤。

Be the weather what it may, I will leave tomorrow. 不管天气怎样,我明天都要走了。

Be it true or not, I will see myself. 不论是真是假,我都要亲自看看。

The business of each day, **be it selling goods or shipping them**, went quite smoothly. 每天的事务,无论售货装货,都进行得井然有序。

Let a student be ever so clever，he should study hard. 一个学生不论多么聪明,都应该努力学习。（＝Be a student ever so clever ...）

Be it good or bad，it is my bike. 不管孬好,它总是我的自行车。

Be a man ever so rich，he should be humble. 一个人无论多富有,也应该低调行事。

Be he what he may，he must be punished. 不管他是谁,都得受到惩罚。

Home is home，**be it ever so homely**. 再穷也是家。

He will do anything for her，**be it to his death**. 为了她,他什么都会做,哪怕去死。

No man loves his fetters，**be they made of gold**. 即使是金子做的镣铐,也没有人喜欢戴。

14. or 表示条件的结构形式

"祈使句＋or＋陈述句"结构中的 or 表示一个否定概念,第一个祈使句相当于 If ... not ....。例如:

Make more effort，**or you will fail**. 更努力一些,不然你会失败的。（＝If you don't make ...）

【提示】or 可以表示同过去事实相反的非真实条件,即:or 后面的句子用虚拟语气;还可以用 or else，or otherwise 来强调 or。例如:

He can't be so irresponsible，**or they wouldn't have allowed** him to do that. 他不可能这么不负责任的,否则他们不会让他做这件事的。

I didn't know that he was a liar，**or else I wouldn't have believed** him. 我不知道他是个撒谎者,不然我不会相信他的。

I got caught in traffic；**or otherwise I would have been** here sooner. 我遇到了交通阻塞,不然的话我会早些到这里的。

15. 独立条件句中的虚拟语气

有时候,主句可以省略,只剩下条件句,仍用虚拟语气,独立存在;这种独立条件句常有"但愿……,……怎么办"等义。参阅上文。例如:

If I **succeeded**! 但愿我成功!

Oh，if I **could see** you! 但愿我能见到你!

Oh，if I **had** another chance! 但愿我再有一次机会!

O **had I not given up**! 我没有放弃该多好!

If that **were** all! 假如问题到此为止,那就好了!

Had I but taken his advice! 我要是听从他的劝告就好了!

If it **should rain**! 要是下雨该怎么办!

If she **didn't agree**! 要是她不同意该怎么办!

If the car **broke** down on the way! 要是汽车在路上出了故障该怎么办!

If she **knew** how I miss her. 但愿她知道我多么想念她。（miss 不变为 missed）

Oh，if I **knew** it **is** only a trap. 我要是知道那只是一个陷阱就好了。（is 不变为 was）

16. to think 表示"设想,真没想到"

To think he **should be** so mean. 真没想到他竟如此卑鄙。

To think he **should have become** famous overnight. 没想到他一夜成了名。

To think he **would end** up in debt. 没想到他最后负了债。

To think she **should have married** that man! 她竟然同那个男人结了婚!

To think it **should come** to this! 事情怎么会闹到这个地步!

17. should ... but 结构表示"原来是……"

Who **should come** in but her husband! 进来的正是她丈夫!

What **should I find** in the corner but a big bat. 我在墙角里看到的原来是一只很大的蝙蝠。

When I went downstairs whom **should** I meet but my former classmate. 我下楼时看见一个人,原来是我以前的同学。

18. if need be 结构表示"如果有必要"

I'll loan you some money if **need be**. 如有必要我就贷些款给你。

If need be，we'll leave tonight. 如果有必要,我们今晚就动身。

I shall tell you everything about it **if need be**. 如果需要的话,我将把有关的一切都告诉你。

19. would think 结构表示"会想到,会认为"

Anyone **would think** you are mad to do such a thing. 谁都会认为你做这样的事是发疯。

He **would** never **think** of buying such expensive furniture. 他根本没想买这样昂贵的家具。

五、虚拟语气的某些运用场合

1. 提出请求或邀请

Would you leave a note for her? 你要不要给她留个条子?

I should be grateful if you **would** be kind enough to help me. 若蒙相助,我将十分感激。

If you were to help her，it **would** keep her safer. 如果你要帮助她,会使她更安全的。

2. 提出建议或劝告

You **might** as well put the meeting off for a couple of days. 你们不妨把会议向后推迟两天。

It **would** be best if you didn't lend him the money. 你要是没借给他钱就好了。

3. 表示愿望、祝愿、诅咒或祈使

God **bless** you. 愿上帝保佑你。

Heaven **forbid**! 天地不容!

Heaven **help** us! 上天保佑我们!

So **be** it then! 那就这样吧!

So **be** it. 就这样吧。

Far **be** it from me to believe in such a man. 我才不会信赖这样的人。

Suffice it to say all our troubles are gone. 我们的一切困难都过去了,说这一句就够了。

May all your dreams come true! 愿你的一切梦想成真!

May you have a long and happy life. 祝你快乐长寿。

Light **be** her heart and gay her merry eyes! 愿她的心灵轻松,她的目光欢快!

Manners **be** hanged! 那套斯文,去他的吧!

Far **be** it from me to beg his mercy. 我绝不会乞求他的怜悯。

【改正错误】

1. If I hadn't stood under the ladder to catch you when you fell, you won't be smiling now.
　　　　　　　　　　 A　　　 B　　　　　　　 C　　　　 D

2. Were it not for the timely investment from the general public, our company would not be so
　 A　　　　　　 B　　　　　　 C
thriving as it is.
　　　 D

3. — I met Tom and told him about my plan.
　　　　　　　　　　 A

　 — I would rather you didn't tell him about it.
　　 B　　　　 C　　　　　 D

4. I often wonder what my life would be like if I didn't go to the beach that afternoon when I was 13.
　 A　　　 B　　　　　　　　　　 C　　　　　　　　　 D

5. If everyone in the country bought one soft-drink each day and threw it away, there will soon be a
　 A　　　　　　　　 B　　　　　　　　 C　　　　 D
huge mountain of rubbish.

6. This printer is of good quality. If it would break down within the first year, we would repair it
　　　　　　 A　　　　 B　　　 C
at our expense.
　 D

7. Would you be fired, your health care and other benefits would not be immediately cut off.
　 A　　　　　　 B　　　　　　 C　　　　　　　　　　 D

8. I thought you would remain there for a while after the conference. Otherwise I wouldn't buy you a
$\qquad$ A $\qquad\qquad$ B $\qquad\qquad\qquad\qquad\qquad\qquad\qquad$ C
single ticket.
D

9. I would put Jim's name on the race list yesterday but for his recent injury.
$\qquad$ A $\qquad\qquad$ B $\qquad\qquad\qquad\qquad$ C $\qquad\qquad$ D

10. Without the air to hold some of the sun's heat, the earth at night will be freezing cold.
$\qquad$ A $\qquad\qquad\qquad\qquad\qquad$ B $\qquad\qquad\qquad$ C $\qquad$ D

11. Jane's pale face suggested that she was ill, and her parents suggested that she had a medical
$\qquad$ A $\qquad\qquad\qquad\qquad\qquad$ B $\qquad\qquad\qquad\qquad\qquad\qquad\qquad$ C $\qquad$ D
examination.

12. George is going to talk about the geography of his country, but I'd rather he focus more on its
$\qquad\qquad\qquad$ A $\qquad\qquad\qquad\qquad\qquad\qquad\qquad$ B $\qquad\qquad$ C $\qquad$ D
culture.

13. I told your friend how to get to the hotel, but perhaps I might have driven her there.
$\qquad\qquad\qquad$ A $\qquad\qquad\qquad\qquad$ B $\qquad$ C $\qquad\qquad\qquad$ D

14. Jack had an expression of resentment, as if Martin made a fool of him.
$\qquad\qquad$ A $\qquad\qquad\qquad\qquad$ B $\qquad$ C $\qquad$ D

15. But for the help of my English teacher, I would not win the first prize in the English Writing Competition.
$\qquad\qquad$ A $\qquad\qquad\qquad\qquad$ B $\qquad\qquad\qquad$ C $\qquad\qquad$ D

16. Jean doesn't want to work right away because she thinks if she has to get a job she probably
$\qquad\qquad\qquad\qquad$ A $\qquad\qquad\qquad\qquad\qquad\qquad\qquad$ B $\qquad\qquad$ C
wouldn't be able to see her friends very often.
$\qquad\qquad\qquad\qquad\qquad$ D

17. After he was praised for what he had done, he said, "I did better under harder conditions."
$\qquad$ A $\qquad\qquad\qquad$ B $\qquad\qquad\qquad\qquad$ C $\qquad$ D

18. You shouldn't follow her so closely; you should have kept your distance.
$\qquad\qquad$ A $\qquad\qquad$ B $\qquad$ C $\qquad\qquad\qquad\qquad$ D

19. As Commander-in-Chief of the armed forces, I have directed that all measures to be taken for
A $\qquad\qquad\qquad$ B $\qquad\qquad\qquad\qquad\qquad\qquad\qquad$ C
our defence.
$\qquad$ D

20. It is essential that these application forms will be sent back as early as possible.
$\qquad\qquad\qquad$ A $\qquad\qquad\qquad\qquad$ B $\qquad$ C $\qquad$ D

21. Many a delegate was in favor of his proposal that a special committee was set up to investigate
$\qquad$ A $\qquad\qquad$ B $\qquad\qquad\qquad\qquad$ C $\qquad\qquad$ D
the incident.

22. Sometimes I wish that I be living in a different time and a different place.
$\qquad$ A $\qquad\qquad$ B $\qquad$ C $\qquad\qquad$ D

23. "You are very selfish. It's high time you realize that you are not the most important person
$\qquad\qquad$ A $\qquad\qquad\qquad\qquad\qquad$ B
in the world." Edgar said to the boss angrily.
$\qquad$ C $\qquad\qquad\qquad\qquad$ D

24. Look at the terrible situation I am in! If only I have followed your advice.
$\qquad$ A $\qquad\qquad\qquad\qquad$ B $\qquad\qquad$ D $\qquad\qquad$ D

25. We have hoped to start our own business, but we never had enough money.
$\qquad$ A $\qquad\qquad\qquad$ B $\qquad\qquad$ C $\qquad$ D

26. The business of each day, it being selling goods or shipping them, went quite smoothly.
$\qquad\qquad\qquad$ A $\qquad$ B $\qquad\qquad\qquad$ C $\qquad\qquad$ D

27. The scientist thinks it necessary that all the inventions of mankind must be used for good, not
$\qquad\qquad\qquad$ A $\qquad$ B $\qquad\qquad\qquad\qquad\qquad$ C
for evil.
D

28. They are the ones who assert that a better bridge could have been built have we had their
$\qquad\qquad$ A $\qquad\qquad\qquad$ B $\qquad\qquad\qquad$ C $\qquad\qquad$ D

28. They are the ones who assert that a better bridge could have been built have we had their
          A   B   C   D

assistance.

29. Electronic computers must be made very small. Otherwise it is impossible for them to be put in a
                            A   B   C   D

satellite.

30. Every attention must be put to him, lest he would feel that he is inferior to my other quests.
      A   B   C   D

【答案】

1. D(wouldn't be smiling)	2. A(Had it not been)	3. C(hadn't told)
4. C(hadn't gone)	5. D(would soon be)	6. B(should)
7. A(Should you be)	8. C(wouldn't have bought)	9. A(would have put)
10. C(would be)	11. C(have)	12. C(focused)
13. C(should have driven)	14. C(had made)	15. B(would not have won)
16. B(were to get)	17. C(would have done)	18. A(shouldn't have been following)
19. C(be taken)	20. B(be sent)	21. D(be set up)
22. B(were living)	23. B(realized)	24. C(had followed)
25. A(had hoped)	26. B(be it)	27. C((should) be used)
28. D(had)	29. B(would be)	30. C((should) feel)

第十五讲 简单句(Simple Sentence)与并列句(Compound Sentence)

一、简单句

只有一个主谓结构的独立分句叫简单句。在简单句中,主语和谓语可以由一个词或短语充当,也可以由两个或两个以上的词或短语充当,组成并列的主语或并列的谓语。除了主语和谓语外,简单句中还可以有宾语、定语、状语、补语等。

1. 简单句的五种基本句型

句　型	例　句
主语＋动词	Birds fly. 鸟会飞。
主语＋动词＋宾语	The early bird catches the worm. 捷足者先登。
主语＋系动词＋表语	They are birds of a feather. 他们是一丘之貉。
主语＋动词＋宾语＋补语	I heard the birds singing merrily. 我听见鸟儿在欢唱。
主语＋动词＋间宾＋直宾	She bought the bird a cage. 她给鸟儿买了一个笼子。

2. 简单句的扩展

1 主语的扩展

(1) 不定式

Her reluctance **to do** it troubles us. 她不愿做那件事使我们伤脑筋。

Decision has been made **to build** another temple in the hill. 已决定在山中再建一座寺庙。

A lot of magazines for women **to read** have been published. 出版了许多供女性阅读的杂志。

There's no reason for her **to refuse** it. 她没有理由拒绝。

His efforts **to carry out** the task is admirable. 他为执行这项任务所作的努力令人称羡。

The items **to be included** in the plan will be discussed at the meeting. 计划要包括的项目将在会上讨论。

(2) 分词

The room **facing the yard** is her study. 面朝院子的房间是她的书房。

The book **being studied** is a classical novel. 正研读的那本书是一部经典小说。

The student，**scolded by the teacher**，is her brother. 被老师责备的学生是她的兄弟。

The letter **written in the eighteenth century** is now very valuable. 这封写于 18 世纪的信很有价值。

(3) with 结构

A woman **with a baby in her arm** entered the room. 一个怀里抱着婴儿的妇女进了房间。

An old man **with some teeth missing** was sitting under the tree. 一位掉了一些牙的老人正坐在树下。

Along the road she saw all kinds of flowers **with their heads nodding in the wind**. 沿路我们看见各种各样的花在风中摇曳。

（4）并列主语

Fame，money and position are what he aspires. 名声、金钱、地位，这些都是他渴望得到的。

Playing football and dancing are his favorites. 踢足球和跳舞是他的所好。

To die or not to die is the question. 死还是不死是个问题。

（5）同位语

Everyone，**me included**，would rather have coffee. 每个人，包括我，都想要咖啡。

Animals，**particularly pandas**，hold much attention to children. 动物，尤其是大熊猫，很吸引孩子们。

The questions，**chiefly questions about the adventure**，were asked by the students. 学生们问了一些问题，尤其是关于那次历险的问题。

His aim，**to realize his early dream**，will be achieved. 他的目标，即实现他早年的梦想，将会实现。

His only hobby，**going fishing**，has brought him a lot of benefits. 他唯一的爱好——钓鱼——使他受益匪浅。

（6）并列定语

Her first three interesting little English paintings will be shown to the public. 她的头三张有趣的英语小绘画将向公众展出。

The ability **to give correct judgement and to make decisions** is important to a leader. 作出正确判断及作决定的能力对于领导者至关重要。

The girl **sitting and reading** there is his daughter. 坐在那边读书的是他女儿。

（7）综合

A great book, rich in ideas and beauty, a book that raises and tries to answer great fundamental questions, demands the most active reading of which you're capable. 一部伟大的书，思想丰富，行文优美，试图提出并解决重大的根本性的问题，应该最精心地阅读。

2 谓语的扩展

（1）不定式

She appeared **to have suffered** a lot. 她好像吃过很多苦头。

He will never get **to understand** it. 他永远也不会理解那一点的。

He doesn't seem **to be interested** in it. 他似乎对此不感兴趣。

You are supposed **to return** it in two days' time. 你应在两天内归还它。

It is meant **to give** her a warning. 这意在给她一个警告。

He is said **to have gone** abroad. 据说他出国去了。

The old are **to be respected**. 老人应受到尊重。

It is likely **to snow**. 可能要下雪。

（2）并列成分

She neither **hates** nor **loves** him. 她既不恨他，也不爱他。

She **waited** and **waited** and **waited**. 她等啊，等啊，等。

He **may** and **should** do it for her. 他可能而且应该为她做那件事。

He **has been**，**is** and **will** be remembered for his noble character and great deeds. 人们一直并将永远缅怀他的高尚品格和伟大业绩。

（3）空间状语

An old tree stood **in front of his house**. 一棵老树立在他的房前。

The bus is running **eastwards**. 公共汽车在向东行驶。

The plane will fly **the whole distance**. 这架飞机将飞全程。

High above in the blue sky there were flying some birds. 在高高的蓝天中，一些鸟儿在飞翔。

Down in the valley the torrent kept roaring day and night. 在深深的山谷中，激流日夜咆哮着。

Somewhere in the hills were buried the two kings. 在山中的某处，葬着两位帝王。

She saw smoke curling upward **far in the distance**. 她看见在很远的地方炊烟袅袅升起。

(4) 方式状语

He faces the accident **calmly**. 他平静地面对这一事故。

She entered the room **nervously**. 她紧张地进了房间。

He did the work **in a casual way**. 他工作漫不经心。

He cooked **in the English style**. 他烧英式菜肴。

He posted the letter **air mail**. 他航空邮寄了那封信。

They dressed the boy **cowboy style**. 他们给那个男孩一身牛仔的打扮。

▶▶ slowly, violently, rudely, loudly, gently, quickly, casually, conscientiously, fervently, accidentally, animatedly, willfully, willingly, deliberately, purposely, intentionally, unwillingly, voluntarily, kindly, mildly, bitterly, proudly, sadly, warmly, resentfully, gracefully, consistently, coldly, cordially, courteously, merrily, gratefully, humbly, legally, illegally, medically, surgically, frugally, microscopically, photographically, telegraphically, manfully, internationally, telescopically, categorically, indiscriminately, by means of, in … manner, in … style, in … way, without, through, with, as, like 等均可以作方式状语。

(5) 分词短语

He was gazing into the distance, **lost in thought**. 他凝视着远方,陷入沉思中。

Having been discouraged by the failure, he lost heart. 他遭受了失败的打击,灰了心。

Not having heard from him, she became worried. 她没有收到他的信,十分担心。

Meeting anywhere else, they wouldn't have recognized each other. 在别处相遇,他们相互会认不出来。

(6) 独立结构(with 结构)

She held her daughter, **tears streaming down her face**. 她搂着女儿,泪流满面。

With only one hour to go, they quickened their steps. 只剩下一个小时了,他们便加快了脚步。

So many people being absent, they canceled the meeting. 有那么多人缺席,他们便取消了会议。

With his heart beating fast, he slowed down. 心脏跳得很快,他便慢了下来。

He sat on a huge rock, **with his gun laid by**. 他坐在一块巨石上,枪放在一旁。

Her son having left, she lives alone in the house. 儿子离开后,她独自一人住在房间里。

No food left, he had to go begging. 没有食物了,他只得去乞讨。

(7) 介词短语

She did it **for her own good**. 她是为自己做那件事的。

In case of fire, call the police. 如果发生火灾,打电话叫警察。

With your help, I am sure to succeed. 有你的帮助,我一定会成功的。

But for her advice, he would have gone astray. 要不是她的忠告,他会走上邪路的。

In the event of snow, the match will be canceled. 要是下雪,比赛将会取消。

He did all this **with a view to making her happy**. 他做的这一切都是为了使她幸福。

Granting his honesty, he may be mistaken. 就算他诚实,也有可能是错的。

Given more time, we could do it well. 给更多的时间,我们会把它做得更好。

Considering his age, the work is well done. 考虑到他的年龄,这工作已经做得不错了。

▶▶ with … in view, with a view to, for … good, for the benefit of, with an eye to, for the good of, for … sake, for the sake of, for fear of, for the purpose of, with the object/intent/aim of, with all, in spite of, despite, regardless of, disregarding, for all that, for all the world, at all events, at any rate, in any event, at all costs 等介词或介词短语均可用于谓语的扩展。

(8) 程度状语

She **obviously** enjoys the music. 她显然很欣赏这音乐。

I **partially** agree with him. 我部分地同意他。

He hates her **a great deal**. 他对她恨之入骨。

It doesn't matter **in the least**. 这一点也没有关系。

She **kind of** likes him. 她有点喜欢他。

He **all but** fell over the ship. 他差点儿从船上掉下去。

I **fully** agree with you. 我完全赞同你。

He wounded her **deeply**. 他深深地伤害了她。

She **little** cares about what happens to him. 她根本不关心他的事。

▶▶ nearly, virtually, barely, in the least, scarcely, practically, all but, as good as, not … at all, little, not … in the slightest, in the slightest, sort of, kind of, sufficiently, more or less, slightly, in part, partially, a bit, merely, in some respects, to some extent, simply, somewhat, a little, fairly, quite, severely, violently, by far, bitterly, greatly, highly, enormously, deeply, awfully, considerably, strongly, for sure, surely, definitely, certainly, for certain, really, totally, fully, most of all, by all means, entirely, completely, in all respects, perfectly, thoroughly, once for all, utterly, extremely 等程度状语均可用于谓语的扩展。

（9）评注状语

To make a long story short, she lost the ring. 长话短说,她丢了戒指。

Frankly, I don't like it. 坦率地说,我不喜欢它。

Quite honestly, he is not qualified for the job. 说句实话,他做这工作不称职。

Rightly, he helped her at that time. 说句公道话,他在那时帮了她。

To my amazement, he won the gold medal. 使我惊异的是,他得了金牌。

▶▶ foolishly, shrewdly, sensibly, reasonably, wisely, cunningly, prudently, mercifully, cleverly, artfully, unreasonably, unwisely, understandably, plainly, possibly, surely, strangely, surprisingly, presumably, unjustly, wrongly, unexpectedly, supposedly, rightly, justly, oddly, naturally, most/very likely, inevitably, interestingly, personally, generally, truthfully, candidly, flatly, clearly, hopefully, definitely, conveniently, appropriately, apparently, broadly, amazingly, outwardly, fundamentally, theoretically, briefly, officially, strictly, frankly, simply, actually, seriously, inwardly, nominally, privately, honestly, essentially, roughly, in conclusion, in short, as a matter of fact, in a word, in all frankness, to one's regret, without doubt, to one's satisfaction, to one's displeasure, to tell the truth, to be fair, to put it bluntly, to be precise, to make matters worse, to be honest, to be exact, to be frank, to make a long story short, as you know, as I remember, I wonder, you know/see, as it happens, if I dare say so, if you please, if I may say so, if you don't mind 等评注状语均可用于谓语的扩展。

3 表语的扩展

（1）be＋形容词＋不定式(主语是不定式的逻辑主语,为动作的执行者)。例如：

She is **willing to lend** me the money. 她愿意借钱给我。

He is **stupid to say** that. 他说那种话真蠢。

She is **pleased to see** him back. 她很高兴看见他回来。

He is **grieved to hear** the news. 他听到这个消息十分悲伤。

▶▶ slow, fit, eager, willing, prompt, fluent, prepared, disposed, thankful, frightened, depressed, amazed, powerless, unqualified, disinclined, likely, unable, contented, disturbed, impatient, shocked, sorry, sure, liable, determined, keen, reluctant, lucky, thoughtful, wonderful, wise, careless, frank, sly, silly, unwise, careful, foolish, inconsiderate, rude, unkind, astonished, dissatisfied, grieved, puzzled, inclined, ready, anxious, free, apt, qualified, hesitant, overjoyed, furious, disappointed, disgusted, ashamed, annoyed, worried, amazed, gratified, greedy, naughty, thoughtless, ungrateful, mad, honest, courageous, ill-natured, polite, decent, impudent, brave, crazy, cruel, considerate 等后均可接不定式用于表语的扩展。

(2) be＋形容词＋不定式（主语与不定式是动宾关系，为动作的承受者）。例如：

The essay is **difficult to read**. 这篇散文难读。

Her words are **hard to understand**. 她的话很难理解。

The water is not **fit to drink**. 这水不宜饮用。

在这条河里游泳不安全。
{ The river is not safe to swim. ［×］
  The river is not **safe to swim** in. ［√］

同她谈话很惬意。
{ She is pleasant to talk. ［×］
  She is **pleasant to talk with**. ［√］

▶▶ nice, useful, ready, dangerous, fit, nasty, pleasant, convenient, sufficient, cheap, awkward, easy, expensive, horrible, simple, hard, awful, amusing, impossible, strange, funny, interesting, extraordinary 等都属于这类形容词，均可用于表语的扩展。

(3) be＋形容词＋to（to 为介词）。例如：

He is **blind to** his own mistake. 他看不见自己的缺点。

She is **indifferent to** such trifles. 她对这些小事不屑一顾。

He is **opposed to** the plan. 他反对这项计划。

▶▶ similar, equal, dear, close, respectful, sensitive, true, superior, inferior, loyal, sincere, kind, due, accustomed, subject 等皆为这种用法，均可用于表语的扩展。

(4) be＋形容词＋at。例如：

He is **no expert at** English. 他根本不是什么英语专家。

I am **disgusted at** his words. 我讨厌他的话。

She is **alarmed at** the sound. 她听到那声响很惊愕。

▶▶ clever, pleased, no good, good, surprised, brilliant, better, astonished, puzzled, angry, bad, delighted 等皆为这种用法，均可用于表语的扩展。

(5) be＋形容词＋with。例如：

She is **bored with** the man. 她厌倦了那男人。

She is **seized with** a bad cold. 她患了重感冒。

He is **strict with** children. 他对孩子们要求严格。

▶▶ familiar, uneasy, sick, concerned, busy, content, friendly, furious, filled, satisfied, occupied, comfortable, disappointed 等皆为这种用法，均可用于表语的扩展。

(6) be＋形容词＋of。例如：

I am **convinced of** his honesty. 我确信他的诚实。

She is **worthy of** the praise. 她值得赞扬。

He is **scared of** the snake. 他怕蛇。

▶▶ glad, full, fond, tired, sure, ashamed, certain, aware, capable, conscious, convinced, guilty, proud, short, sick 等皆为这种用法，均可用于表语的扩展。

(7) be＋形容词＋about。例如：

He is **annoyed about** the matter. 他为那件事烦心。

He is **mad about** money. 他想钱都想疯了。

She is **aggrieved about** the failure. 她对这次失败十分痛心。

▶▶ happy, worried, reasonable, frightened, glad 等皆为这种用法，均可用于表语的扩展。

(8) be＋形容词＋from。例如：

The village is **remote from** here. 那个村庄离这里很远。

You are **free from** blame. 你没有过错。

It is **far from** being true. 这根本不是真的。

▶▶ different, absent, distant 等皆为这种用法, 均可用于表语的扩展。

(9) be+形容词+in。例如：

He is **confident in** the work. 他对工作充满信心。

She is **absorbed in** the book. 她沉醉于书中。

The boy is **weak in** maths. 这男孩数学差。

▶▶ experienced, risk, poor, interested 等皆为这种用法, 均可用于表语的扩展。

(10) be+形容词+on。例如：

He is **hard on** the children. 他对孩子们很严厉。

She is **intent on** the job. 她对工作十分专心。

He is **reliant on** his father. 他依靠父亲。

▶▶ severe, keen, bent, based, dependent 等均可用于表语的扩展。

二、并列句(并列连词)

含有两个或两个以上的独立分句的句子叫并列句。这些独立分句处于平等的、互不依从的并列地位。英语并列句通常不能只用逗号隔开(较短的句子例外), 而要用分号或并列连接词连接, 连词前可用或不用逗号。另外, 一个句子中如果有两个以上的并列分句, 而且要用同样的并列连词时, 通常只在最后一个句子前用这个连词, 其他分句之间用逗号。例如：

Tom went to college **but** Jack joined the army. 汤姆上了大学, 但杰克入伍了。(并列连词)

Henry has already left, Sally is going to leave, **but** I haven't made any decision yet. 亨利已经走了, 莎丽也快走了, 但是我还没有做出决定。(短句子)

Any medicine can be dangerous; **for example**, even aspirin can cause illness. 任何药物都可能是危险的; 比如说, 甚至阿司匹林也能引起疾病。(用分号)

1. and 表示平行、顺接、递进、转折、让步、对照、评注、同位等

He closed the window, turned off the light **and** left the room. 他关上窗, 熄了灯, 离开了房间。(顺接, 先后顺序)

Her brother is an engineer **and** her sister is a painter. 她哥哥是工程师, 她妹妹是画家。(平行)

It is big **and** ugly. 它又大又难看。(平行)

I slept **and** dreamed last night. 我昨天夜里做了一夜梦。(平行, 同时性)

She did a good job, **and** so she deserved to be praised. 她工作做得很好, 应当受到赞扬。(因果)

He tried hard, **and** he failed to get it done on time. 他作出了努力, 但没能够及时完成。(=and yet)(转折)

He was rich **and** lived like a beggar. 他很富有, 却生活得像个乞丐。(对比)

Alice is clever **and** Jane is dull. 艾丽斯聪明, 而简笨。(=but)(对比)

He didn't come to the party, **and** that's a pity. 他没有来参加晚会, 真是遗憾。(评注)

One more word **and** I'll knock you flat. 你再说一句, 我就把你打翻。(条件和结果)

He can't keep the flowers alive **and** he has watered them well, too. 他虽然给这些花勤浇水, 还是不能使它们存活。(=Although he has watered ...)(让步)

Life is a jolly affair, **and** we have to take it with smiles and laughter all the way. 人生是快乐的, 我们必须欢笑着度过一生。(顺序, 递进)

She a lady, **and** behaves so! 她本是一位贵夫人, 行为却是这么粗鲁!(转折)

Religion involves adventure **and** discovery **and** a joy in living dangerously. 宗教涉及冒险、发现, 并在危险中快乐地生活。(平行)

Think it over again **and** you'll find a way out. 再想一下, 你就会想出解决办法的。(条件)

I missed breakfast **and** I'm starving. 我没吃早饭, 现在饿极了。(结果)

She did the work **and** did it well. 她做了那项工作, 而且做得很好。(递进)

We have come to the last **and** most important step of the experiment. 我们的实验已经到了最后

阶段,也是最重要的阶段。(同位)

Mary is ten **and** can't dress herself. 玛丽 10 岁了,还不会穿衣服呢。(让步,对比)

You're alive **and** she's dead. 你活着,而她却死了。(对比,转折)

There was no return address **and Mom couldn't thank her**. 没有回信的地址,所以妈妈没法谢她。(因果)

Around this time of the year, poplars and willows began to sprout, **and** new buds appeared on the early mountain peaches. 这个时候,杨柳已经发芽,早的山桃也吐蕾了。(平行)

【提示】

① 在 nice and cosy, good and cool, fine and joyful, rare and beautiful, good and mad, good and tired, good and dark, fine and strong, nice and high, rare and hungry, rare and happy 等结构中,and 前的形容词实质上起副词作用,修饰后面的形容词,表示强调(参阅有关章节)。例如:

It is **good and cool** in the evening. 晚间很凉爽。(＝very cool)

I like my tea **nice and hot**. 我非常喜欢喝热茶。

Jack is a **good and bad** boy. 杰克是个很坏的小子。

The pattern is **good and complete**. 这个式样是非常完美的。

She would make you **rare and happy**. 她会使你非常幸福的。

② at once ... and 意为"既……又",常同 both ... and, equally ... and, alike ... and 换用。但不可说 both ... as well as。例如:

He is **at once/both/alike/equally** a poet **and** a statesman. 他既是诗人又是政治家。

He was **at once** detested **and** despised. 他既被人憎恨又被人鄙视。

③ and 还可以放在句首,表示语义增进、因果、转折、承上启下等关系,or 和 but 也可位于句首起承接作用。例如:

And he told her what had happened. 于是他告诉她发生了什么事。

A child is a seed. You water it. You care for it the best you can. **And** then it grows all by itself into a beautiful flower. 一个孩子就是一颗种子。你浇灌它,全心全意地爱护它。然后,它就会自然而然地开出美丽的花朵来。

And now I'd like to introduce our next speaker, Mr. Thompson. 现在我想介绍下一位发言人汤普森先生。

He knew he had to move out. **And** quit the job. **And** get out of the town. 他知道他非得搬出去不可,还得离职,并离开这座小城。

And I saw the reluctant turning away and then the one last look. 我看见那恋恋不舍地走开,最后又看上一眼。

Sometimes people don't know enough about how to eat right. **Or** they find it hard to fit an exercise plan into their busy liver. **Or** they just don't know where to begin. 有时人们不够了解如何合理地进食。或者他们发现在繁忙的生活中难以有时间安排一个锻炼计划。或者他们就是不知道从何处开始。

④ and 还可以用在分词短语和介词短语等前,表示一种附加情况,起强调作用,相当于汉语中的"而且"。例如:

They were too tired to walk on, **and night coming on too**. 他们累得走不动了,而且天也晚了。

She accepted it at once **and with evident pleasure**. 她立刻接受了它,而且显然很高兴。

⑤ and 可以表示时间的一致性、同时性。例如:

She can express her ideas in English **and that effectively**. 她能很好地用英语表达自己的想法。

She solved the problem carefully **and without error**. 她细心而准确无误地解决了这个问题。

⑥ and 可用于"名词＋and＋名词"结构,表示"与……合起来,附带"。例如:

brandy and water 掺了水的白兰地

Do you want some **fish and chips**? 你想要些炸鱼薯条吗?

Noodle and egg is a kind of delicious food. 鸡蛋面是一种美味食品。

比较：

{ a pen **and** a pencil 一支钢笔和一支铅笔(并列关系)

{ a pen **and** pencil 配套的钢笔和铅笔(附加关系)

⑦ and 可用于"复数名词＋and＋复数名词"结构中，表示"一连，众多，优劣不同"等。例如：

He waited for hours **and** hours. 他一连等了好几个小时。

That was years **and** years ago. 那是多少年前的事了。

There are photos **and** photos. 照片一张接着一张。

There are teachers **and** teachers. 教师也有优劣之分。

⑧ and 可用在"try/come/go/stop/run/wait/write/be sure＋and＋动词"结构中表示目的，"and＋动词"相当于不定式。参阅下文。例如：

Go **and** fetch some firewood. 去弄些木柴来。

Try **and** come tomorrow. 争取明天来。

Can I come **and** see you tomorrow? 我明天能来看你吗？

You must try **and** understand him. 你要去理解他。

He ran **and** told her the good news. 他跑着去把这个好消息告诉她。

She wrote **and** told me about her life there. 她写信告诉我她在那里的生活情况。

They went **and** complained about their low pay. 他们去抱怨待遇太低。

Be sure **and** come back by ten. 10 点钟一定要回来。

I'll see if I can try **and** persuade him to come. 我看看能不能试着说服他来。

People stopped **and** stared as she screamed at him. 她对他大叫时，人们停下来盯着他们看。

⑨ and 可用于"动词＋and＋动词"结构中，两个动词为同一动词形式，表示"连续，反复"。例如：

I waited **and** waited. 我等呀等。

She coughed **and** coughed. 她咳个不停。

We ran **and** ran. 我们跑呀跑。

⑩ and 可用于"动词＋and＋动词"结构中，两个动词为不同的动词形式，"and＋动词"相当于现在分词，表示方式或伴随情况。例如：

{ We sat **and** waited. 我们坐着等。

{ ＝We sat waiting.

{ She sat **and** stared out of the window. 她坐着凝望着窗外。

{ ＝She sat staring out of the window.

{ Mary stood **and** waved until his car was gone. 玛丽站在那儿挥手，直到他的汽车远去。

{ ＝Mary stood waving until his car was gone.

⑪ and 可用于引出同位语，表示"即，也就是"。例如：

The last **and** best picture was taken by Andy. 最后一张照片，也就是最好的一张，是安迪拍的。

The fifth **and** last point is that we need to look more carefully at the costs. 第五点，也就是最后一点，我们需要更仔细地审查成本。

⑫ and 可以表示"也像……一样"，连接两个并列成分。例如：

Wine **and** judgment mature with age. 陈酒也像人的判断力一样，历久而弥香。

A word **and** an arrow let go cannot be recalled. 说出口的话就像射出的箭一样，是收不回来的。

⑬ and 可以表示 and at the same time，这时，and 前后的两个成分往往一个肯定，另一个否定。例如：

You can't eat your cake **and** have it. 糕饼吃了就没有了。

These are not cheap **and** wear-resistant shoes. 这些都是价格便宜，可就是不耐穿的鞋。

You cannot work **and** play. 你不能一边玩一边工作。

The horse cannot carry your luggage **and** his too. 这匹马不能既驮你的行李，又驮他的行李。

⑭ 如果 and 连接的是两个相关的事物或概念，and 前后两个成分均否定。例如：

If you don't know shorthand **and** typewriting, you can't be a secretary. 如果你既不会速写，又不会打字，就不能当秘书。(shorthand 和 typewriting 是紧密相关的文秘工作)

⑮ and 和 or 可用于"形容词＋名词"并用的结构中。例如：

daily **and** evening papers 日报和晚报

the postal **and** telephone services 邮局电话服务

2. but 和 yet 表示转折或对照(但是,然而)

It's true that he is young, **but** he is experienced and responsible. 诚然他很年轻,但是他既有经验,又认真负责。

He is poor, **yet** he is clever and noble-hearted. 他很穷,然而人却很聪明,心地又善良。

Fortune often knocks at the door, **but** the fool does not invite her in. 幸运之神常光顾,痴人不知把门开。

I hoped to study abroad, **but** fate had decided otherwise. 我本来希望出国留学,但天意弄人难如愿。

The monks may run away, **but** the temple cannot run away with them. 跑得了和尚,跑不了庙。

▶▶ but 和 yet 尽管都可译为"但是",区别还是有的,主要有如下几点：

① but 是并列连词,而 yet 则可作并列连词或副词,不可说 and but,但可说 and yet, but yet。

② but 不可放在句尾,而 yet 则可放在句尾。

③ but 表示对照或对立时,一般都比较轻松自然,而 yet 表示对照或对立时,则往往比较强烈,时常出人意料。

④ but 在某些习惯说法中不可用 yet 替代。

She is American **but** she speaks Chinese very fluently. 她是美国人,但她中文说得非常流利。(自然轻松的比较或对立)

She is American, **yet** she knows little about American history. 她是美国人,但她却对美国历史知之甚少。(较强烈的比较或矛盾)

It is true that he lacks experience, **but** he is diligent and honest. 诚然他缺乏经验,但是他勤奋,而且诚实。

这是奇怪的,但是真的。
{ This is strange **and yet** true. [✓]
  This is strange and but true. [✕]

{ A：Let's have another try. 让我们再试一次。
  B：**But** how? 但是怎样试呢?(习惯表达法,不用 yet)

【提示】

① never ... but 意为 when ... always。例如：

I **never** see the picture **but** I think of my college years. 看到这张照片我就会想起大学时代的生活。

② yet 有时可连接两个形容词,有时还可用在句首。例如：

It is big **yet** ugly. 它虽大却很丑。

The job is hard, **yet** quite profitable. 这工作难做,却很赚钱。

Yet her letter afforded a clue to her intentions. 但是,通过这封信,可知道她的意图所在。

③ 在 not such ... but, so ... but 或"否定主语＋be＋so＋but"句型中,but 相当于 that ... not。例如：

He is **not such** a fool **but** he knows it. 他还没有笨到连这个都不知道。

No task is **so** hard **but/but that** he can accomplish it. 再艰难的任务他也能完成。

④ 在 I do not doubt but/but that, I do not deny but/but that, It is not impossible but/but that 句型中,but 或 but that 无实义,相当于连词 that。例如：

He didn't doubt **but that** snow would shortly fall. 他相信很快就要下雪了。

I do not deny **but that** it is a wise decision. 我不否认这是个明智的决定。

There's no doubt **but that** he is guilty. 毫无疑问他有罪。

⑤ only 亦可用作并列连词,意为"但是,只是",常用于口语中,相当于 but,前面可用逗号或分号。例如：

He has promised to do it, **only** he does not keep his word. 他已答应做那件事了,只是他不守信用。

Travel wherever you want to; **only** return at the end of the month. 你去哪里旅行都行,只是要在月底返回。

⑥ still 可以用作并列连词,意为"但是,然而",前面用逗号或分号均可。例如:

Autumn is come, **still** it is rather hot. 秋天到了,但是天气仍然很热。

She failed, **still** she did not lose heart. 她失败了,但她并没有灰心。

⑦ and yet 和 but yet 是 yet 的变体,与 but 同义。转折的表示法还有:indeed ... but 的确……不过,it is true ... but, to be sure ... but, on the contrary, on the other hand 等。例如:

She's vain, **and yet** people like her. 她很虚荣,可是人们喜欢她。

I have given him all he asked for, **but yet** he is still not satisfied. 他要什么我都给了,可是他仍不满足。

It's true she is beautiful, **but** she is rather selfish. 她确实很漂亮,却相当自私。

To be sure he's a nice person, **but** he is not very clever. 他当然是个好人,却不聪明。

Indeed she tried hard, **but** she did not succeed. 她的确很努力,却没有成功。

He loves her **indeed**, **but** he dare not propose marriage to her. 他确实爱她,却不敢向她求婚。

She is not a stupid girl; **on the contrary**, she is quite intelligent. 她不傻,相反,她很聪明。(相反,与此相反)

Recite some good essays; **on the other hand**, you should often practise writing. 背诵一些好文章,另一方面,还应该经常练习写作。(在另一方面)

Food there is cheaper; clothing, **on the other hand**, is dearer. 那里的食品较便宜,而衣服却较贵。(而……却)

⑧ still, yet, however, nevertheless 常可换用,however 语气较弱,常作插入语用;yet, still 和 nevertheless 常表示强烈的对比或相反的结论;but 只表示相反,不表示强调。例如:

Wise men love truth; **yet/still/however/nevertheless** fools shun it. 聪明人爱真理,而傻子却逃避它。

You can fool some people all the time, **but** you can't fool all the people all the time. 你可能永远欺骗一些人,但是你不能永远欺骗所有的人。(相反的情况)

Spring has come on; **however**, it is still cold. 春天已经来临,可是天气仍然很冷。(语气弱)

She has seen much of the world; **still** she is eager to see more. 她见过许多世面,却渴望见更多的世面。(语气较强些)

He is faced with a lot of difficulties; **nevertheless** he will never give up. 他面临着许多困难,然而他决不会放弃。(较强的对比)

He didn't like it, **yet** he said nothing. 他不喜欢它,可是他什么也没说。(较强的对比)

3. for 表示原因或理由(因为)

They cancelled their trip to Yangzhou last Sunday, **for** it rained the whole day. 上星期天他们取消了去扬州的游程,因为整整下了一天雨。

It must have rained, **for** the ground is wet. 准是下过雨了,因为地面是湿的。

The seed with life is never pessimistic or sad, **for** it has undergone resistance and pressure. 有生命力的种子决不会悲观,叹气,因为有了阻力才有磨炼。

4. so 和 and so 表示结果(所以)

so 和 and so 表示"所以,因此",用于口语中,前面用逗号,有时不用逗号。例如:

She told me to do it, **so** I did it. 她告诉我做那件事,所以我就做了。

Nobody seemed about **so** I went in. 周围似乎没有人,所以我就进去了。

It is foggy today, **so** we can't see the distant hills. 今天有雾,所以看不见远处的小山。

The meeting began at eight (and) **so** he must start at half past seven. 会议8点开始,所以他必须7点半动身。

5. while, whereas 表示对比(而)

He likes sports, **while** I'd rather collect stamps. 他喜欢运动,而我则爱好集邮。

Wise men seek after truth **while/whereas** fools despise knowledge. 智者求真理，愚人贬知识。

You can wear out iron shoes in fruitless search, **whereas** you may hit on what you need without even looking for it. 踏破铁鞋无觅处，得来全不费工夫。

6. or 表示选择(或者,不然的话)、大约或不确定等

Wear your coat **or** you'll catch cold. 把大衣穿上，不然会感冒的。

She's a student **or** something. 她是个学生什么的。

It costs a hundred dollars **or** so. 它大约值 100 美元。

Pleasant **or** no, the news is true. 不管是好是坏，反正消息是真的。（or 后可跟 no）

Do it yourself **or** ask somebody else to do it. 你自己做这件事，或者请别人做也可以。

He left the key in the classroom **or** somewhere. 他把钥匙忘在了教室里或什么地方。

Money **or** no money, she has made up her mind to do the experiment. 不论有没有钱，她已下定决心进行这项实验。

【提示】or 也可以表示同位关系或一种改换的说法，意为"即，或者说"。例如：

He studies botany, **or** the science of plants. 他学习植物学，即关于植物的科学。

It is a pillar, **or** more correctly a column. 这是一根柱子，或说得更确切些，一根圆柱。

7. as well as 作并列连词侧重在前项

as well as 作连词时相当于 not only ... but also 和 no less ... than，但 not only ... but also 侧重在后项，as well as 和 no less ... than 侧重在前项。例如：

We must learn to look at problems all-sidedly, seeing the reverse **as well as** the obverse side of things. 我们应该学会全面地看问题，既看到事物的正面，也要看到事物的反面。

A true man should be practical **as well as** far-sighted. 一个真正的人不仅要有远见，而且还要讲究实际。

Action and foresight will be needed **as well as** learning and reputation. 博学多才和德高望重的学者及有远见卓识的实干家都需要。

比较：

他不仅是学者，而且是政治家。
He is a statesman **as well as** a scholar.
He is **no less** a statesman **than** a scholar.
He is **not only** a scholar **but also** a statesman.

他不仅写童话故事，还写诗和小说。
He wrote poems, novels, as well as fairy tales. ［×］
He wrote poems **and** novels **as well as** fairy tales. ［√］（A，B，C 三项用 as well as 连接时，应为 A and B as well as C，不可说 A，B，as well as C）

他不仅有技术，而且有经验。
He has experience **as well as** skill.
He has **no less** experience **than** skill.
He has **not only** skill **but also** experience.

【提示】

① as well as 有时也可同 and ... as well 换用，但 and ... as well 侧重后项。比较：

他不仅要扩大阅读量，而且要加强作文训练。
He needs to develop his reading, **and** his writing **as well**.
He needs to develop his writing **as well as** his reading.
He needs to develop **not only** his reading **but also** his writing.

② 在否定句中，as well as 的位置不同，句意往往有很大差别。比较：

He, **as well as** she, will not come. 他不会来，她也不会来。
He will not come **as well as** she. 她将来，但他将不会来。（否定前者，肯定后者）

Henry, **as well as** his brother, doesn't work hard. 亨利同他弟弟一样,工作不努力。

Henry doesn't work hard **as well as** his brother. 亨利工作不努力,但他弟弟努力。

③ as well as 可以连接三个或三个以上并列的人或物,表示"和,以及"。

④ as well as 用作介词时表示"除了……还",相当于 besides, in addition to, 放在句首或句尾。例如:

He taught Chinese literature at the university, **as well as** writing novels. 除了写小说外,他还在大学里教中国文学。

As well as breaking her leg, she hurt her arm. 她摔断了腿,还伤了胳膊。(她不仅摔断了腿,而且还伤了胳膊。)

⑤ as well as 连接的应是平等成分,可以连接名词、代词、形容词、动词、介词短语、非谓语动词和从句。例如:

On Sundays his landlady provided dinner **as well as** breakfast. 每逢星期天,他的女房东不仅提供早餐,也提供正餐。

She agreed with you **as well as** me. 她不仅同意我,也同意你。

This is a political **as well as** an economic question. 这不仅是一个经济问题,而且也是一个政治问题。

She's clever **as well as** beautiful. 她不但漂亮,而且聪明。

It is important for you **as well as** for me. 这不仅对我重要,而且对你也重要。

He worked at night **as well as** during the day. 他不仅白天工作,而且夜晚也工作。

We can not expect her to go to work **as well as** look after the baby. 我们不能指望她既照看婴儿,又去上班。

The invention of calculating computers is a revolution, bringing about a considerable development in almost all fields **as well as** saving people much time. 计算机的发明是一场革命,不仅给人们节省了大量时间,而且给几乎所有领域都带来了极大发展。

She had washed where others could not see **as well as** others could see. 她不但洗净了别人看得见的地方,而且也洗净了别人看不见的地方。

她和我都在那里。

She was there as well as me. [×]

She was there as well as **I**. [√]

▶▶ 下面一个句子能产生歧义,试以分析: I respect her **as well as** you.

8. rather than 也可起并列连词的作用,连接两个完全对等的语法结构

1 连接形容词

He is modest **rather than** shy. 他是谦虚,不是害羞。

Be honest **rather than** clever. 诚实胜机巧。

2 连接名词

Jane prefers maths **rather than** physics. 简喜欢数学胜过物理。

3 连接谓语动词

The old man hobbled **rather than** ran. 那位老人一瘸一拐地走着,没有跑。

He lay **rather than** sat in his armchair. 与其说他坐在手扶椅里,不如说他躺在里面。

4 连接不定式

Rather than work, she would play. 她不工作,而是想玩。(不带 to)

Rather than beg in the street, he would prefer to die. 他宁死也不去街上乞讨。

He had wandered away **rather than** be with his friends. 他走开了,没有同朋友们在一起。

Grace decided to quit the job **rather than** to accept the terms. 格雷丝决定辞去工作而不接受条件。(带 to,因其前面的对等结构有 to)

Rather than disappoint them, he told the children amusing stories. 他不让孩子们失望,给他们讲有趣的故事。(不带 to)

▶▶ 考察下面一句: **Sooner than** betray his country, he would die. 他宁死也不叛国。

⑤ 连接分句

It was what he meant **rather than** what he said. 这是他的意思,但话可没这么说。

Rather than you say anything, I would speak to the manager myself. 与其让你说,我想亲自同经理谈。

I should thank you **rather than** that you should thank me. 应该是我谢你,不是你谢我。(rather than 后可有引导词 that)

⑥ 连接介词短语

She depended on flashes of insight **rather than** on any carefully organized analysis. 她靠的是敏锐的洞察力而非仔细的分析。

They rely mainly on their own efforts **rather than** on outside help. 他们主要依靠自己的努力,而非依靠外援。

⑦ 连接副词

I'd prefer to dine out **rather than** at home. 我倒想出去吃饭,而非在家里吃。

⑧ 连接代词

It ought to be you **rather than** him that signs the letter. 签署这个信件的应是你而不是他。

⑨ 连接分词

He insisted on having the room papered **rather than** painted. 他坚持给这个房间贴墙纸而不油漆。

⑩ 连接动名词

Rather than waiting for help, he crawled to the exit bit by bit. 他没有坐等救助,而是朝出口处一点点爬过去。

I always prefer walking alone **rather than** having somebody with me. 我一向喜欢独自散步,而不是同人一起。

9. 有些并列连词也可以连接并列分句,如 either ... or, neither ... nor, not only ... but also 等

Neither I would consult him **nor** he would ask me for advice. 我不想跟他商量,他也不会向我征求意见。

Not only was the room well decorated, **but also** meal was ready. 不但房间布置好了,饭也准备好了。

10. besides 等副词也可以起并列连词的作用

有些副词,如 besides, consequently(因而,所以), furthermore(而且)等不是修饰句中的副词、形容词或动词,而是起承接作用,使上下文(句)意思连贯,语义衔接,形成具有逻辑性、连贯性的语篇。这类副词实际上是作连词用的,通常称为等立连接副词,可分为如下几类:

① 表示意义增补、补充和说明:further, furthermore, again, besides, additionally, moreover, likewise 等。

② 表示意思相反、对比:contrarily, inversely, conversely, contrariwise, oppositely, rather 等。

③ 表示内容与上文类似或相同:similarly, identically, equivalently, equally, correspondingly, likewise, indifferently 等。

④ 表示概括或总结:generally, overall, altogether 等。

⑤ 表示结果:thus, therefore, accordingly, consequently 等。

⑥ 表示时间:sometimes, meanwhile, occasionally 等。

⑦ 表示让步:yet, nevertheless, however, though, notwithstanding 等。

⑧ 表示条件:elsewise 等。

⑨ 表示列举:first(ly), second(ly), third(ly), fourth, finally 等。

▶▶▶ 值得注意的是,这些词所连接的并列分句一般要用分号隔开(有时也可用句号),但前面若有 and, but, or 等并列连词时,则不用分号,要用逗号。例如:

I don't want to go; **besides** I'm tired. 我不想去,再说,我也累了。

The rain was heavy; **consequently** the land was flooded. 雨下得很大,结果地都被淹了。

He drank too much, **and consequently** he became drunk. 他酒喝得太多,所以醉了。

The house isn't big enough for us; **furthermore,** it is too far away from the town. 这房子不够我们

住的，而且，离城也太远了。

The bridge was exploded; **therefore**, they had to take another way. 桥被炸毁了，因此，他们不得不走另一条路。

She was out of health, **and therefore** she couldn't go to work today. 她身体不好，所以今天不能上班。

He studied hard; **thus** he gained high marks. 他学习用功，因此得了高分。

She was not at home; **accordingly** I left a note. 她不在家，所以我留了一张便条。

He has received a good education; **moreover**, he is a genius. 他受过良好的教育，而且更是一位天才。

She prepared her English lessons; **also** she wrote a composition. 她准备了英语功课，还写了一篇作文。

His father is a famous poet; **likewise** he could write poems at the age of ten. 他父亲是一位著名诗人，同样地，他 10 岁就能写诗。

The bike was bought three months ago; **again**, it was in good condition. 这辆自行车是三个月前买的，而且状况很好。

He knows a lot about England; **indeed** he has been in most countries in Europe. 他很了解英国，实际上，他到过大多数欧洲国家。

She rarely meets people, **and therefore** she feels shy. 她很少见人，因此害羞。

He is a teacher, **and besides** he is a poet. 他是位教师，另外，他还是个诗人。

The weather changed suddenly, and **accordingly** we had to change our plan. 天气突然变了，因此我们必须改变计划。

Girls wear fashionable clothes. **Similarly** some birds have bright feathers. 女孩子穿时髦的衣服，同样，有些鸟有着鲜亮的羽毛。

Colin is starting college in September. **Meanwhile** he's traveling around Europe. 科林 9 月份开始上大学，他借着这段时间环游欧洲。

【提示】

① 这类副词多居句首，但有些也可居句尾。例如：

She took the early bus and I did **likewise**. 她乘了早班公共汽车，我也是。

② however, therefore, consequently, furthermore 等副词有时可放在主语后，这时，这个主语前应有个分号或句号。例如：

The storm was terrible; few houses, **however**, were damaged. 风暴非常猛烈，但毁坏的房屋很少。

It rained on and on for several weeks. The construction of the bridge, **therefore**, was delayed. 阴雨绵绵，一连下了几个星期，因此，大桥的建设延期了。

③ furthermore, moreover 和 besides 常可换用。例如：

Television is entertaining; **furthermore/moreover/besides**, it is instructive. 电视给人们提供娱乐，而且还有教育性。

④ hence 用作连接副词，表示"所以，因此"，主要用于书面语，表示严格的推理，前面用逗号或分号均可。例如：

It's getting dark, **hence** I must go home now. 天黑下来了，所以我必须回家了。

The car is hand-made; **hence** it's expensive. 这辆车是手工制作的，因此很贵。

He overslept; **hence** he was late. 他睡过头了，所以迟到了。

⑤ else 和 or else 表示"否则，要不然"，前面可用逗号或分号。例如：

Do your duty, **else** you will be dismissed. 要尽职尽责，不然你会被解雇的。

Dress warmly, **or else** you'll catch cold. 穿暖和点，不然会感冒的。

You must go there at once; **else** you won't be back in time. 你必须立即去那里，否则你就不能及时返回了。

⑥ otherwise 表示"否则，不然"，前面常用逗号或分号，偶尔可用句号。例如：

Do it now, **otherwise** it will be too late. 现在就做吧，不然就晚了。

They settled the argument; **otherwise**, there would have been war. 他们解决了争论，不然会发

生战争的。

He is honest, **otherwise** I wouldn't have sent him there. 他诚实,不然我不会派他去那里的。

⑦ then 和 so then 表示"因此,那么",指逻辑顺序,强调结果,前面可用逗号或分号;如果用于 if ... then 句型,前面用逗号。例如:

You've walked the whole day, **then** you must be tired now. 你走了一天的路,一定累了。

You have been to Egypt; **so then**, you must have seen the pyramids. 你到过埃及,那么,你一定见过金字塔了。

If things done can be undone, **then** there will be no regret in the world. 如果过去可以挽回,世界上就不会有遗憾。

⑧ and then 表示"然后,而且",指自然顺序或用于强调,相当于 and also,前面可用逗号或不用。例如:

They stayed a week in Nanjing, **and then** went to Hangzhou. 他们在南京待了一个星期,然后就前往杭州。

First think **and then** speak. 想好了才说。

The rent is reasonable, **and then** the location is highly desirable. 租金合理,而且位置又很理想。

⑨ 再比较:then 指逻辑顺序,强调结果;consequently 强调因果关系;therefore 和 hence 表示严格的推理,后面的结论是必然结果;accordingly 表示自然的结果。例如:

If A is true, **then** B is false. 如果 A 是真的,那么 B 就是假的。

三、某些句子结构例解

1. 在 go, come, stay, stop, run, try, wait 等动词后,可以用 and 代替表示目的的动词不定式

这种结构中的重点在 and 之后。例如:

Stay **and** have supper. 留下来吃晚饭吧。(＝Stay to have supper. 更口语化一些)

Will you go **and** get some water? 你去打点水好吗?

Try **and** calm yourself. 尽量镇静下来。

Stop **and** show your pass. 停下来出示证件。

Come **and** have a drink. 来喝点儿酒。

We ought to stop **and** think. 我们应该停下来想一想。

I went **and** had dinner with her yesterday. 我昨天到她那里,和她一起吃饭。

I went **and** had a good dinner, feeling better all the time. 我去吃了一顿丰盛的晚饭,情绪越来越好。

Try **and** be there on time. 尽量准时到那里。

【提示】

① try and ... 和 wait and ... 只能用 try 和 wait 的原形(见上例),下面几句是错误的:

He tried and calmed himself.

He always tries and calms himself.

We waited and saw.

② hurry up 和 mind 后的 and 不可换成不定式。例如:

Mind **and** write to her. 记着给她写信。

Mind **and** do what you're told. 注意做要你做的事。

Hurry up **and** get ready. 快一点准备好。

2. as well as 一般连接平行结构,但与动词连用时,通常要接动名词

She is clever **as well as** beautiful. 她不但漂亮而且聪明。(＝She is not only beautiful but also clever.)

The girl plays the piano **as well as** singing. 那个女孩不仅会唱歌,而且会弹钢琴。

3. as for 和 as to

1 当表示"至于"(speaking of)这个意思时,as for, as to 都可以用,一般位于句首,但 as for 常含有贬义

As for that man，I despise him. 至于那个人，我瞧不起他。

As for/As to the money needed，we can get loans from the city bank. 至于所需经费，我们可以从市银行贷款。

② 当表示"关于"(concerning)，后跟 whether、when、what、where、how 等引导的从句时，只能用 as to，有时 as to 可省略；这种用法上的 as to 一般位于句中

He is always outspoken **as to** what is right and what is wrong. 关于是非问题，他总是敢于直言的。

I am not certain (**as to**) when he will come back. 我不敢肯定他何时返回。

③ as for 后一般只接名词或动名词，as to 后还可以接"疑问词(what, where ...)＋不定式"结构

As for asking him for help，I shall never do that. 至于向他求助，我决不会的。

As for being timid，you will get over that. 说到胆怯，你自会克服的。

He asked me **as to** what to say. 他问我要说什么。

④ as to 常同表示疑问、争议、讯问等的动词连用

I have no doubt **as to** his innocence. 我对他的清白毫无疑问。

He inquired again **as to** that case. 他再次问起了那个案子。

He inquired **as to** where the diamond had been found. 他询问钻石是在哪里找到的。

I inquired of the clerk **as to** which documents were needed. 我询问办事员需要哪些文件。

4. as it is 和 as it were

① as it is/ was 意为"事实上，实际上"(in reality, as a matter of fact)

As it was，she was a very vain girl. 其实，她是一个虚荣心很强的女孩。

I thought that things would get better；but **as it is**，they are getting worse. 我以为情况会好转的，可事实上却更糟了。

I wish I could tide you over. **As it is**，I am unable to help. 我希望能够帮助你渡过难关，但眼下我无能为力。

【提示】as it is 还可放在句尾，紧跟在名词或代词之后，意为"照现在的样子，按目前的情况"等。例如：

It is impossible to finish the work **as it is**. 这项工作照目前这个样子是无法完成的。

Take the world **as it is**. 世界就是这个样子，不要奢望什么。（一切顺其自然。）

Don't worry about it，leave it **as it is**. 不必担心，任其自然。

② as it were 是 as it is 的一种虚拟语气，意为"似乎，可以说是，打个比方说"

Professor Wang is，**as it were**，a walking dictionary. 王教授可以说是一部活字典。

The sky is covered，**as it were**，with a black curtain. 天空好像被黑幕遮住了似的。

The film is，**as it were**，a true reflection of the Second World War. 可以说，这部电影是第二次世界大战的真实写照。

He is my best friend，and my second half，**as it were**. 他是我最好的朋友，打个比方说吧，是我的另一半。

5. there be 句型的用法

① there＋情态动词、助动词＋be (可用于一般时、进行时、完成时、完成进行时，也可用于被动语态)

No matter how far into the night，**there is** always a light at the window shining through darkness like a beacon to the one bound for home late. 不管夜有多深，窗口总有一盏灯亮着，像灯塔，留给迟归的人。

On Sunday after the rain **there was** an April glory and freshness added to the quiet of the later summer country. 在这雨后的星期天除了残夏特有的恬静，乡野间还透出一种 4 月的辉耀和新生气息。

There is the rustle of branches in the morning breeze；**there is** the music of a sunny shower against the window. 晨风吹拂中可以听见枝丫飒飒有声，阳光中的阵雨洒在窗口，有似音乐飘来。

There is no endless winter in the world. 世上没有无尽的寒冬。

There has to/got to be a first time for everything. 什么事情都必然有开头一遭。

We are anxious to see what **there is** to be seen of the city. 我们都急于看城里可看的景物。

There's no special way of doing it. 做这没有什么特别的办法。

There must be some explanation for such a long delay. 耽搁这么长时间,一定事出有因。

Suddenly **there was** a loud crash as the clock fell to the floor. 突然传来一声巨响,钟掉到了地板上。

There is no royal road to learning. 学问无捷径。

There is no rose without a thorn. 世上没有不带刺的玫瑰。

There might be drinks if you wait a moment. 如果你等一会儿,可能会有酒菜。

There has been being an old lady looks after him. 有个老太太一直在照顾他。

There may have been an accident. 可能发生了事故。

There hasn't been any rain for some days. 已经有好几天没下雨了。

When **might there be** an answer? 什么时候会有个答复?

Might there have been someone smoking here? 会有人在这里抽过烟吗?

There could be a lot of treasure in the ancient tomb. 这座古墓中可能有大量财宝。

2 there + to be/ being

there be 结构中的 be 可以是谓语形式,也可以是非谓语形式;为非谓语形式时,be 可以是不定式形式(to be)或-ing 形式(being)。非谓语形式的 there to be 和 there being 结构可用作主语、状语或动词(短语)的宾语。注意下面几点:

① there to be 作主语时,通常要用 for 引导,而 there being 作主语时,则不用 for 引导。

② there to be 可用在 like, hate, expect, prefer, consider, mean, intend, hope, love, want, wish, understand 等动词后作宾语,这时不用 there being。

③ deny, avoid 等动词后用 there being。

④ 作介词宾语时,for 后用 there to be,其他介词后用 there being。

⑤ 作原因状语时,要用 there being。

⑥ 为求句子平衡,有时可用 it 代替作主语的 for there to be 或 there being。

I don't mean **there to be** any more trouble. 我不想再有更多的麻烦。

For there to be a mistake in a computer's arithmetic is impossible. 计算机在计算上出错是不可能的。

There being a bridge over the river is a great advantage to the villagers. 河上建了一座桥,这对村民们来说十分便利。

It is most convenient **there being** a supermarket near our home. 我家附近有家超市,真方便。

He hated **there to be** any interference with his work. 他讨厌干扰他的工作。

I should prefer **there to be** no discussion of my private affairs. 我希望不要讨论我的私事。

It would be surprising **for there not to be** any objections. 如果没有任何反对意见就奇怪了。

We have no objection to **there being** a parking lot here. 我们不反对在这里修建一个停车场。

They asked **for there to be** a post office nearby. 他们要求附近要有一个邮局。

I wish **there to be** a fundamental change. 我希望有一个根本性的改变。

There is still some hope of **there being** an early settlement of the dispute. 还有希望早日解决这场争端。

I never dreamed of **there being** such great progress. 我做梦也没想到会有这么大的发展。

There having been no news about her for a long time, they thought that she was dead. 由于很长时间都没有她的音讯,他们以为她死了。

It's a great pity **for there to be** much trouble in the company. 公司里矛盾多多实在是件不幸之事。

It is impossible **for there to be** any more apples. 不可能有更多的苹果了。

I'd like **there to be** more flowers in the garden. 我希望园子里多种些花。

What's the chance of **there being an** election this year? 今年举行选举的可能性有多大?

It was too late **for there to be** any bus. 太晚了,不会有公共汽车了。

In that case it is impossible **for there to be** an escape from the building. 在那种情况下,从楼内逃离是不可能的。

She denied **there being** any trouble in the matter. 她否认这件事有什么麻烦。

We must avoid **there being** any misunderstanding between us. 一定要避免我们之间有什么误解。

He was disappointed **at there being** no money left. 钱已用光,他很失望。

There being nothing else to do, they went home. 无事可做,他们便回家了。(此句 there being 结构为独立主格,作状语)

> 一年的这个时候雨水这么多是罕见的。
> **For there to be** so much rain at this time of the year is unusual.
> **It** is unusual **for there to be** so much rain at this time of the year.

③ there+live 结构和 there+come 结构

① 表示状态、存在:there+live/exist/remain/lie/stand/appear 显得/stay/belong/seem/happen 碰巧

② 表示动作(产生、到来、出现):there+come/arise/appear/enter/occur/rise/reach/ride/shine/arrive/pass/follow/run/fly/die/sail/flash/go/break/emerge/happen/rush/spring up/take place

③ 其他情况:there+turn out to be/prove to be/try to be

Do you think **there remains** nothing to be done? 你认为没有什么可做了吗?

Suddenly **there entered** a woman asking for help. 突然走进来一个妇女,请求给予帮助。

There arose the question of how to persuade him into adopting our proposal. 问题出现了,不知该怎样来说服他采纳我们的建议。

There followed an uncomfortable silence. 接着是一阵令人难以忍受的沉默。

There belongs to the last century a very strange style not to be seen today. 那是上个世纪的一种奇特的式样,现在见不到了。

There seems to be no reason for changing our plans. 似乎没有理由改变我们的计划。

There appear to be several different ways to settle the problem. 解决这一问题好像有几个不同的方法。

There doesn't seem to have been any difficulty climbing over the mountain. 攀过这座山似乎没有遇到什么困难。

There lies a bamboo garden at the back of the village. 村庄的后面有一个竹园。

There stands a pine tree at the top of the hill. 小山顶上立着一棵松树。

There happened an accident here in the morning. 上午这里发生过一起事故。

There flew a five-star red flag from the window. 窗口飘着一面五星红旗。

There seems to be some mistake. 大概弄错了吧。

There happened to be nobody in the office. 当时碰巧办公室里没有人。

There appeared to be no significant difference between the two groups in the test. 这两组在测试中似乎没有明显的差异。

In the cold and darkness, **there went** along the street a poor little boy, bare-headed and with naked feet. 夜色昏暗,天气寒冷,沿街而行的是一个可怜的小男孩,没戴帽子,赤着双脚。

At the foot of Mt.Emei, around Fuhu Temple, **there lives** a species of butterfly — one of the **rarest** rarities of the mountain. 峨嵋山下,伏虎寺旁,有一种蝴蝶,是峨嵋山最珍贵的蝴蝶之一。

There reaches me across the vast of time no more than a faint and broken echo. 越过广袤的时空传到我耳边的只不过是一个微小的、断断续续的回声。

Several times lately I have lain wakeful when **there sounded** the first note of the earliest lark. 最近我多次躺着无法入睡,直到传来最早的云雀的第一声鸣叫。

In the valley **there runs** a river. 山谷里有一条河。

There came the jingle-jangle of metallic objects from the shop. 店铺里传来了金属制品的叮叮当当声。

There once **occurred** an earthquake in the area. 这个地区曾经发生过地震。

There runs a stream in the distance. 远处有一条小溪。

There came to his mind a beautiful face. 他的脑海中浮现出一个美丽的面容。

Suddenly **there entered** a tall man all in white. 突然进来一个一身白衣的高个子男人。

On a Sunday in December, **there died** a famous poet in the hospital. 10 月里一个星期天，有一位著名诗人在这家医院去世。

There flashed through his mind a wonderful idea. 他的脑海中闪过一个绝妙的主意。

There sailed a brave old man over the sea. 大海上航行着一位勇敢的老人。

There sprang up a wild gale. 突然刮起了一阵狂风。

There took place a five-day strike. 发生了五天的罢工。

There turned out to be very few people for the rally. 结果，参加集会的人很少。

There proved to be no good medicine for the disease. 已证明治疗这种疾病没有良药。

There tried to be an assassination. 有人试图搞暗杀。

There was just **coming through** an important message. 有条重要信息刚刚传了过来。

【提示】there 后偶尔也可以用及物动词。再如：

There reached him the crying of a boy. 他听见了一个男孩的哭喊声。

There struck her a strange idea. 她突然起了一奇怪的念头。

4 there is no＋动名词

这种结构通常表示"不可能，无法"，大都相当于"it is impossible＋不定式"结构，一般可用情态动词（can not，could not，must not 等）加以改写。本结构中的动名词起主语作用，无表语。

There was no lighting fireworks that day. 那天不能燃放烟火。（相当于：One could not light fireworks that day.）

There must be no standing beyond the yellow line. 不可站在黄线外。（相当于：One must not stand beyond the yellow line.）

There is no accounting for habits. 习惯是无法说清楚的。

There is no bearing with such a rude man. 这种粗野的人是无法容忍的。

There is no saying when the war will end. 天晓得这场战争何时结束。

There is no blinking the fact that he has done his best. 不可否认，他已经尽了最大努力。

There is no knowing when he can finish writing the book. 他什么时候能写完这本书不得而知。

There is no telling who will be given the job. 不知道这项工作将安排谁做。

There is no holding the boy. 这个男孩管不住。

There's no denying that this is a serious blow. 无可否认，这是个严重的打击。

There is no predicting when there will be an earthquake. 地震何时发生无法预报。

There is no resisting his wiles. 他诡计多端，防不胜防。

There is no arguing that what he said is true. 他说的是事实，这一点不容置疑。

Once you let him start talking, **there is no stopping him**. 一旦让他开始讲话，就无法止住他。

There is no mistaking her intentions this time. 这次她的意图不可能看错。

He is rude and selfish, **there is no denying it**. 他粗野、自私，这是不容否认的。

There is no holding back the wheel of history. 历史的车轮不可阻挡。

There is no hiding of evil but not to do it. 若要人不知，除非己莫为。

There is no joking about it. 这事开不得玩笑。

There is no living on the island. 那岛上无法居住。

【提示】

① 这种结构偶尔可见非情态的解释。例如：

There was no turning the other cheek. 没有人甘受侮辱。（相当于：No one turned the other cheek.）

There was no shooting of birds. 没有人打鸟。（相当于：No one shot birds.）

② 本句型中的 no 有时也可用 not any 或 never any 代替。例如：

There is never any telling what will happen in the future. 谁知道将来会发生什么呢。

The man is a bore，but **there is not any getting** him away. 那人很讨厌,但却无法摆脱他。

③ 注意下面一个歧义句:

> **There is no writing** on the blackboard today.
>
> 今天不能在黑板上写字。(writing 为动名词)
>
> 今天黑板上没有写字。(writing 为名词)
>
> 今天不打算在黑板上写字。(writing 为动名词)

⑤ there＋is likely/ certain/ sure/ going/ bound/ used unlikely/ due/ liable＋to be

There's going to be a heavy show. 要下大雪了。

There's to be an investigation. 要进行调查。

There's sure to be some rain tonight. 今晚肯定会下雨的。

There used to be a bookstore on the corner. 街角上从前有一个书店。

There is likely to be a storm in the afternoon. 下午可能有一场暴风雨。

⑥ there be＋过去分词(为被动语态,这时的 be 成为助动词)

There are said to be troops on the road. 据说路上有部队在行进。(＝It is said that ...)

There was expected to be some discussion. 期望进行一些讨论。(＝It was expected ...)

There was held a splendid banquet last night. 昨晚举行了一场盛大宴会。

There was meant to be another conversation. 还要再进行一次会谈。

There were found all kinds of birds in the park. 发现这个公园里有各种各样的鸟。

There are displayed summer clothes in the windows. 橱窗里陈列着夏装。

There was thought to be no oil in this area. 人们认为这个地区没有油。

There are now **published** millions of children's books every year in China. 中国现在每年出版数百万册儿童读物。

There are believed to be over one hundred people killed in the plane crash. 据认为有一百多人死于这次空难。

There were stolen two priceless paintings from the museum. 博物馆有两幅价值连城的画被盗。

In recent years **there has been produced** more food than the country needs. 该国近年来生产的粮食绰绰有余。

In the distance **there was heard** the lowing of the cattle. 远处传来了牛的哞哞声。

There are said to be differences between the political and military wings. 政治派系与军队派系之间据说是有分歧的。

【提示】表示事物"消失、离开"的动词不可用于"there＋动词"句型。比较:

> There **emerged** a boat. [✓] 出现了一条小船。
>
> There disappeared a boat. [×]

> There **sailed** a ship. [✓]有一条船在航行。
>
> There sailed away a ship. [×]

⑦ there is no point/use in ＋动名词

这种结构意为"……是没有意义的/无用的"。例如:

There is no point in making the same suggestions. 提出同样的建议毫无意义。

There is no use（**in**）**arguing** any more. 再吵下去没有什么用了。

⑧ there has to be(表示"一定,必须")

There has to be some reason. (这事)一定有原因。

There has to be an investigation. 必须进行调查。

There has to be/has got to be some trouble. 一定出现麻烦了。

There have to be some willow trees along the river. 河边得种些柳树才好。

⑨ there be 结构可以用在定语从句中

That's all (that) **there's** to it. 如此而已。

Such icy wind as **there was** made them shiver all over. 当时这种冷风冻得他们浑身发抖。

⑩ there be 句型能够用 have 替换的三种情况

（1）表示"客观存在"时,两者可换用。例如:

Ⅰ**Have you** any money about you? 你身上带钱了吗?

Is there any money about you?

The tree **has** many apples on it. 树上有许多苹果。

There are many apples on the tree.

（2）表示整体和部分的关系或组成关系时,两者可换用。例如:

The house **has** six rooms. 这所房子有六个房间。

There are six rooms in the house.

How many letters **has** this word? 这个词有多少个字母?

How many letters **are there** in this word?

（3）如果 have 的主语是人称意义很淡薄的 we, they 时,可换用。例如:

We've a lot of rain recently. 近来雨水很多。

There has been a lot of rain recently.

They **have** a picture on the wall. 墙上有一幅画。

There is a picture on the wall.

【提示】比较下面两个句子。

Is there **any wine** in the bottle? 瓶子里有酒吗? (不管数量多少,还有没有酒)

Is there **wine** in the bottle? 瓶子里是酒吗? (不知是酒还是别的什么)

⑪ there be 或其他动词＋the＋名词

there be 结构通常后接 a, some, any, no 等非特指的限定词,但有时也可接"定冠词 the＋名词",表示举例、分类、强调等,有时则是语法上的需要。例如:

She has read many western literary works. Among them, for example, **there are the novels by Charles Dickens, plays by Shakespeare and poems by Yeats**. 她读过许多西方文学作品,比如说,其中有查尔斯·狄更斯的小说、莎士比亚的戏剧和叶芝的诗歌。(举例)

Speeches may broadly be divided into two kinds. **There is the speech a man makes when he has something to say, and the speech he endeavors to make when he has to say something**. 话语大致可以分为两类:有话要说而说的话和迫不得已而说的话。(分类)

There is the question of money to consider. 有要考虑的资金问题。(引起注意)

In the kitchen **there was the smell** of something burnt. 厨房里有股烧糊的味道。(后有定语)

There is still the problem that he lacks experience. 还有他缺乏经验的问题。(后有同位语)

There must not be the least interruption in the work. 这项工作不得有任何干扰。(形容词最高级前)

After her speech, **there followed the strangest** silence. 她讲完话后是一阵非常奇怪的寂静。(形容词最高级前)

▶▶▶ there be 结构中的名词前有时还可用指示代词、物主代词等,表示特指和强调。例如:

And **there are those clothes** to wash. 还有那些衣服要洗。(用 those)

Then **there is her father**; we should invite him too. 还有她父亲,我们也应该邀请他。(用 her)

There was the same house, the same people and the same life. 有同样的房子、同样的人和同样的生活。

⑫ there be 结构中的主语可以是代词

There's but we two. 只有我们两人。

There's only us two. (口语)

Among those qualified for the job, **there's you** and she. 胜任这项工作的人当中有你和她。

⑬ there be 结构中的主语之后可以接不定式或从句

There was no rule for them **to go by**. 他们没有要遵守的规章制度。

There's some people **I'd like to recommend to you**. 有几位我想给你介绍一下。

▶▶▶ 比较下面两句:

There is a watch on the table. 桌子上有一块手表。(there be 结构)

There is the watch I want to buy. 那儿就是我要买的手表。(there 重读,为副词,有词义,已不是引导词)

14. there is no question→表示"无疑"还是表示"可能"

▶▶▶ there is no question 后接 that 从句或 but that 从句时,question 意为"无疑,毫无疑问"。例如:

There is no question **that** they will win the match. 他们毫无疑问会赢得那场比赛。

There is no question **but that** it is true. 这无疑是真的。

There can be no question **that** he is right. 他无疑是正确的。

▶▶▶ there is no question 后接 of 或 about 短语时,question 可以表示"无疑,毫无疑问",也可以表示"可能,可能性",视上下文而定。

(1) 表示"无疑"。例如:

There is no question **of** her guilt. 她毫无疑问是有罪的。

There is no question **about** his honesty. 他无疑是诚实的。

There is really **no question about** that. 那是毫无疑问的。

(2) 表示"可能"。例如:

There is no question **of** escape. 逃跑是不可能的。

There is no question **of** success if you don't do your best. 你若不竭尽全力的话,就没有成功的可能。

【提示】"there is no question of +动名词"结构中的 question 只表示"可能,可能性"。例如:

There will be no question of **walking** through the forest. 步行穿过森林是不可能的。

There is no question of her **marrying** you. 她是不可能和你结婚的。

There is no question of their **paying** all the money. 要他们付所有的钱是不可能的。

15. 表示一种类型

There is **the man** who does so. 有做这种事的人。

There's **the kind of college student** who spends money like water. 有那种大学生,他们花钱如流水。

16. 表示举例

Quite a number of old men like to go fishing. **There is the retired engineer** downstairs, for example. 有许多老人喜欢钓鱼,比方说,楼下的那位退休工程师就是一个。

There were several places where we children often went to play. **There was the bamboo garden** at the back of the village, for example. 有几个地方,我们这些孩子们常去玩耍,比如村后的那个竹园。

6. it is a waste of time doing sth.

a waste of time, not the slightest use, no easy task/job, a bore 等在本结构中作表语,真正主语要求用动名词,但 it is no use/good 后也可用不定式。参阅动名词章节内容。例如:

It's a waste of time trying to reason with him. 同他讲道理是浪费时间。

It's a bore listening to such a monotonous lecture. 听这样冗长的讲课真令人厌倦。

It is no good your refusing to do it. 你拒绝做那件事没有什么好处。

It's no use talking with him again. 再跟他谈也没有用处。

【提示】it's no use/no good . . . 也可改成 there's no use/no good, . . . 但 it's a waste of time . . . 等则不可改为 there be 结构。

7. The man is not rich and kind 的含义

在 The man is not rich and kind. 一句中,not . . . and 表示部分否定。and 前面的词通常表示肯定,and 后面的词通常表示否定,意为"不都……"。上面的句子意为"那人为富不仁"。这种结构表示两个行动或两事的矛盾,即有其一则不能有其二,两者不可兼而有之。若两者都否定,要用 or。参阅否定章节内容。例如:

She **cannot** sing **and** dance. 她会唱歌,但不会跳舞。(=She can sing, but she cannot dance.)

You **cannot** smoke and drink **and** keep healthy. 一个人不能既想抽烟喝酒,又想保持健康。(只能

取一)

He does not speak English **clearly** and **correctly**. 他英语说得清楚,但不正确。

{These shoes **are not** cheap **and** wear-resistant. 这些鞋子价格便宜,但不耐穿。
{These shoes **are not** cheap **or** wear-resistant. 这些鞋子不便宜,也不耐穿。

{She **does not** speak **and** write English.
她并不仅会讲英语,又会写英语。
她不是只会讲讲英,就是只会写英语。

【提示】这种结构有时也表示全部否定,即 and 同 or。比较:

{I don't know A **and** B. (可有两种含义:我不认识 A,也不认识 B。我只认识 A,但不认识 B。)
{I don't know A **or** B. (只有一种含义:我不认识 A,也不认识 B。)
{I know A, **but** not B. (只有一种含义:我认识 A,但不认识 B。)

8. not . . . as well as

在 not . . . as well as 结构中,not 后面的词表示否定,as well as 后面的词表示肯定,这恰好同 not . . . and 相反。例如:

{我不会接受这项工作,但是他会。
{I shall **not** take the work **as well as** he.
={I shall not take the work, but he will take the work.

{我收到了周先生的来信,但没有收到李先生的来信。
{I have **not** heard from Mr. Li **as well as** from Mr. Zhou.
={I have heard from Mr. Zhou, but I have not heard from Mr. Li.

9. it is in/with . . . as in/with 的含义

这个结构意为"和……一样",是由 as . . . so 变化而来。例如:

It is in life **as in** a journey. 人生好比旅行一样。

It is with friendship **as with** health that needs enough nourishment. 友谊犹如身体,需要足够的营养。

It is with time **as with** the currents of water: once it goes, it never comes back again. 时光如流水,一去不复返。

四、感叹句的表达法

英语感叹句(Exclamatory Sentence)主要有 24 种表达法。

1. 以 if, if only 或 as if 起首

这种结构表示较强的愿望、遗憾、惊奇、沮丧、埋怨或恼怒,if 可同否定谓语连用。例如:

If only I had known her earlier. 我要是早些认识她就好了。

If only they had been nurtured instead of sacrificed! 假如他们当时能得到培养而不做牺牲品,那该多好啊!

If it had been anyone but you! 若是别人而不是你,那就好了!

If I haven't repeated the mistake! 我要是没再出错该多好!

If he isn't the laziest guy on earth! 他要不是世界上最懒的家伙才怪呢!

If only she had had more courage. 她要是勇敢些就好了!

If only the photographs weren't missing! 那些照片没有丢失就好了!

As if I would allow it! 我才不会允许呢!

As if I cared! 我才不会管它呢!

If this is Christian work! 这哪里是基督徒干的活!(埋怨)

And **if** he didn't try to knock me down! 他是想把我打翻在地!(愤怒)

If people would only be frank and say what they really think! 人们要是襟怀坦白,把心里想的话都说出来,那多好啊!

2. 以 to think that, to think of, to be 等起首

To think that I shall never see her again! 真没想到我将再也见不到她了!

To think of my leaving the umbrella in the train! 想不到我竟然把伞忘在火车上了。

To think he should abandon his wife and child for another woman! 想不到他竟抛妻弃子另寻新欢!

To be in Nanjing now! 现在要是在南京该多好啊!

To sell the house at such a low price! 竟把房子以如此低的价格卖了!

3. 以 who 起首,表示惊奇

Who would have thought it! 谁能想得到啊!

Who else could have done it! 还有谁会做这件事!

4. 以 up, off, in, away, here, there 等起首

Up to the cliff climbed the man! 那人攀到悬崖上去了!

Here it begins! 来吧,开始啦!

Here comes the boss! 头儿来啦!

Off they went! 他们都走了!

5. 疑问句形式(肯定式或否定式)

Was I excited! 我是多么的激动呀!

Is she pleased! 她当然高兴啦!

Hasn't he graduated! 他确实毕业了!

Is he handsome! 他的确很英俊!

How can he be so broad-minded! 他的胸怀是多么宽广!

Am I a fool! 我真傻呀!

Isn't she clever! 她真聪明!

Am I hungry! 我多么饿呀!

Aren't you lucky! 你真走运!

Could one have believed it! 谁会相信这个!

Aren't they sweet! 他们多可爱啊!

Can he run! 他真会跑!

How strange and impressive **was** life! 人生是多么奇妙动人啊!

How miserable a life **did** she live! 她过着多么悲惨的生活啊!

How much valuable work **did** he do! 他做过多少有价值的工作啊!

How many times **have** I met you in dreams at night! 几回魂梦与君同!

How many an innocent-looking apple is harbouring a worm in the bud. 有多少看上去纯洁无瑕的苹果,刚刚发芽就已经包藏蛀虫。

How many a pear which presents a blooming face to the world is rotten at the core. 有多少梨子,在向人们展现容光焕发的笑容时,内里已经腐烂。

How many a man has started a new era in his life from the reading of a book! 有多少人一生中的新纪元就始于读了某一本书!

Aren't the flowers lovely?! 这花儿可爱吧?!

Wasn't it a marvelous concert! 真是绝妙的音乐会啊!

Now, **isn't** that a fine blanket! 瞧,多好的毯子!

Isn't any of these a real pleasure in life? 这些,无一不是人生一乐!

Aren't they wonderful! 真是好看极了!

Has/Hasn't she grown! 她长这么大了!

How fast **did** he run! 他跑得多快啊!
= How he ran!

What an interesting film **did** we see! 我们看了一部多么有趣的电影啊!
= What an interesting film we saw!

$\begin{cases}\text{What an immense amount of money \textbf{did} they spend on the project! 他们在这项工程上花了多少钱啊!}\\ =\text{What an immense amount of money they spent on the project!}\end{cases}$

$\begin{cases}\text{What stories \textbf{hasn't} she told me! 什么样的故事她没给我讲过啊!}\\ =\text{What stories she hasn't told me!}\end{cases}$

【提示】感叹句为否定疑问句形式时,必须用缩略形式 n't,否则就成了否定疑问句。例如:

Has she **not** grown up?(为否定疑问句,意为"她还没有长大成人吗?")

6. 陈述句形式(句中多有 so, such 等)

You're a fine one! 你真是好样的啊!(反语,讽刺)

You're a right one! 你干得真行啊!(你简直是个傻瓜!)

He was **so** angry! 他是如此气愤!

The little boy is **so clever**! 这个小男孩真聪明!

It was **such** terrible writing! 写得真糟糕!

7. 以 such, so 起首

Such long queues! 排的队都可真长!

Such were his words! 他可就是这样说的!

Such a lovely garden! 多可爱的花园啊!

Such a good child! 多好的孩子呀!

Such peace had fallen on the world! 宁静笼罩着整个大地!

So easy and swift is the passage from life to death in wild nature! 在野性的自然界里,从生到死的过程是多么轻易,多么迅速啊!

8. 以 that 起首,表示愿望、遗憾

That it should ever come to this! 事情竟然会弄到这种地步!

That I could fly! 我要是能飞就好了!

That she would be there! 我真希望她到那里!

That it might be the last! 但愿这是最后一次!

That it were so! 但愿是这样!

That the rain would stop! 雨要是停了就好了!

That I should be accused of murder! 竟然有人控告我杀人!

That he should act so rudely toward you! 他对你竟然如此粗鲁!

9. 短语感叹句

Well done! 干得好!

Even worse! 更加糟糕!

Just my luck! 又倒霉了!

Some people! 还有这种人!

Some building! 多好的大楼啊!

At last! At last! 终于盼到了!终于盼到了!(介词短语)

Twenty years! Such a long time! 20 年了!多么长的时间呀!(名词短语)

The grass and the rising sun! 多么青葱的草地,多么明媚的晨光!

10. oh/o 表示高兴、惊奇、遗憾、痛苦、不耐烦等

Oh, that she were here! 唉,她要是在这里该多好!

Oh, what a lovely garden! 啊,多美的园子呀!(高兴)

Oh, dear me! 啊,天哪!(惊奇)

Oh, we're late again. 唉,我们又来晚了。(遗憾)

Oh, is that so? 啊,是这样吗?(怀疑)

Oh, if she could only come! 她要是能来就好了!(遗憾)

Oh, that I had the wings of an eagle! 我多么希望有一双鹰的翅膀!(愿望)

Oh, for a friend to help us and advise us! 能有一位朋友帮助指教我们,该有多好啊!

Oh, what a burden he is shouldering! 啊,他的担子多重啊!

Oh, please don't ask me any more. 唉,求你别再问我了。

11. well 表示惊异、期望、责备、松一口气、不以为然等

Well, I never expected to see you here! 哎呀,我真没想到会在这里见到你!(惊奇)

Well, here we are at last! 好了,我们终于到了!(欣慰)

Well, who should have taken my umbrella? 嗯,谁会拿了我的雨伞呢?(疑问)

Well, if that isn't the limit! 唉,实在是忍无可忍了!

Well, there's no need to shout. 唉,用不着大声嚷嚷。(规劝)

Well, that is over. 好啦,事情总算过去了。(松一口气)

Well, that's all I have now. 唉,我就只有这些了。(无奈)

Well, perhaps you are right. 嗯,也许你说得对。

Well, I think it's a good idea. 嗯,我觉得这是一个好主意。

Well, I did my best, I can't do any more than that. 算了,我已经尽力,我只能做到这样了。

Well, that's all for today, I'll see you all tomorrow. 好啦,今天就到此为止,我们明天见。

Well, if this isn't my old friend Sam! 天哪,这不是我的老朋友萨姆吗?

Well, let's see now, I could book you in for an appointment next Thursday. 这个,我们看一下,我能给你预约在下个星期四。

12. ah 表示恐惧、痛苦、高兴、恳求、惊奇、欣慰等

Ah, it was truly a splendid moment. 啊,那真是一个美妙的时刻。(高兴)

Ah, how pitiful! 唉,真可怜!(怜悯)

Ah, that's right. 嗯,这就对了。(同意)

Ah, how wonderful! 啊,真是太好了!(赞赏)

Ah, that is impudence! 哼,真无耻!

"Ah, what splendid clothes!" thought the emperor. "啊!多华丽的衣服!"皇帝想。

13. why 表示惊奇、不足为奇、赞成、异议、不耐烦等

Why, a child could answer that! 哎呀,这连孩子都能回答!(惊奇)

Why, what's the harm! 嗨,这又有什么害处!(不耐烦)

Why, don't be silly! 嗨,别犯傻了!(劝告)

"What is three plus six?" "Why, nine." "3 加 6 是多少?""这还不知道,是 9。"

No good woman would act as she has done. Why, man, she's after your money. 好女人是不会像她那样做事的。你还不知道,伙计,她是为你的钱。

14. come 表示鼓励、安慰、引起注意、不耐烦等

Come, we must be off now. 喂,我们得走了。

Come on now, don't cry. 好了,别哭了。

Come, come, don't worry, everything will be okay. 好了,好了,别担心,一切都会好起来的。

15. now 表示请求、安慰、说明、警告、命令等

Now, Let's move on to the question of payment. 好了,我们下面来说付款的问题吧。

Now, now, leave him alone, it's not fair to blame him. 行了,行了,放过他吧,责备他是不公平的。

Now, hurry up! I haven't got all day! 好了,快点! 我没有太多的时间。

Now then, what'the matter? 喂,怎么了?

Now, let's play cards. 喏,我们打打牌吧。

16. there 表示安慰、鼓励、得意、同情、失望、不耐烦、引起注意等

There, there, don't get so upset! 好啦,好啦,别这么难过啦!

There — what's that! 哟,那是什么?

There! I've done it! I've resigned. 瞧,我已经做了! 我已经辞职了。

There, there, you said too much. 得啦,得啦,你说得太多了。

17. man 表示引起注意、兴奋、不耐烦、轻蔑等

Man，that was a lucky escape! 哎呀，那真是侥幸逃脱啊！

We have won the game，**man**! 啊，我们赢了！

Hurry up，**man**. 嗨，快点。

Nonsense，**man**! 呸，全是胡说八道！

Man，what a game! 哈，多精彩的比赛！

Man! It's cold in here. 哎呀，这儿真冷！

Man alive! What an exciting ball game! 唷！好紧张的一场球赛！

18. boy 表示兴奋、欢喜、惊奇、失望、烦恼等

Boy，that was a great meal! 嘿，那顿饭真不错！

Oh，**boy**! Jean's sick again. 哎！吉恩又病了。

Boy，oh，**boy**! The boxer's knocked down! 哇，真漂亮，那拳击手被击倒了！

19. hello, hi, hey 用于打招呼

Hello，John，what's happening now? 嘿，约翰，出了什么事？

Hi，have a cigar? 喂，来支雪茄好吗？

Hey，that's nice! 嘿！真妙！

She picked up the receiver and said "**Hello**?" 她拿起电话听筒说："喂？"

20. dear, dear me, oh dear, (my) goodness, (good) gracious, gracious me 表示惊异、难过、不耐烦等

这些表示法有时可译为"天哪，我的天"等，多为女性使用。例如：

Dear me! What awful weather! 哎呀，多糟的天气！

Dear oh dear，that's terrible news. 天哪，天哪，那真是个可怕的消息。

Dear，**dear**，I am sorry. Hope I didn't hurt you. 天哪，天哪，太抱歉了，希望没有弄痛你。

Oh dear! I've forgotten my key. 啊呀！我忘了带钥匙。

Dear me，I didn't know he should be so vain and selfish. 天哪，真不知道他是这样虚荣而自私。

Goodness，have you been expelled? 天哪，你已经被开除了吗？

Gracious，what a dirty place! 天哪，这地方真脏！

21. Lord, Good Lord, Oh Lord, (Good) heavens 表示惊异、兴奋、不耐烦、不高兴等

这些表示法多为男性使用。例如：

Lord，what a fine day! 啊，多好的天气啊！（兴奋）

Heavens，it's snowing at last! 啊呀，终于下雪了！

Good heavens，what a mess! 天哪！多乱呀！

Good Lord，the girl can recite one hundred poems. 我的天，这小女孩竟能背诵 100 首诗。

22. would (that) 表示愿望、遗憾

Would it were otherwise! 如果事情不是这样该多好啊！

Would that I was with her now! 要是我现在同她在一起该多好！

Would that I had seen him before he died! 要是在他去世之前我能见他一面该有多好！

23. fancy 表示愿望、惊奇

Fancy having a villa on the beach! 在海滨有一幢别墅多好！

Fancy your knowing her! 没想到你居然认识她！

Fancy her saying such rude things! 想不到她竟然说出这种粗话来！

A：The Petersons are getting divorced. 彼得森夫妇要离婚。

B：**Fancy** that! 真想不到！

▶▶▶ 其他感叹词还有：ow(表示疼痛)，ouch(表示疼痛)，alas(表示悲哀)，bravo(欢呼语)，hush(要求安静)，mm(表示怀疑、犹豫、赞同等)，ugh(表示厌恶、恐惧)等。

24. what 和 how 均可用于感叹句,但结构有所不同

```
        ┌ 形容词(副词)
        │ 形容词+a/an+单数名词      ┐
how+ ┤ many/much/few/little+名词  ├ +主语和谓语
        │                          ┘
        └ how+主语+谓语
```

```
        ┌ a/an+形容词+单数名词  ┐
        │ a/an+单数名词          │
what+┤ (形容词)+不可数名词      ├ +主语和谓语
        │ 形容词+复数名词        ┘
        │ what+主语+谓语
        └ what+名词+谓语
```

What (good) wine this is! 这是多么好的酒啊!

What strong wind is blowing! 风刮得多大啊!(what 可修饰名词作主语)

What a pleasant stretch of country! 多么令人赏心悦目的乡野啊!

What an open and optimistic outlook! 何等洒脱、达观!

What a frosty morning it is! 今天早晨霜真大!

What he must have suffered! 他一定吃了不少苦头!

How I longed for those carefree days! 我多么向往那些无忧无虑的岁月啊!

How few books she has! 她拥有的书多么少呀!

How little food they have! 他们的食物多么少呀!

How time flies! 时间多快呀!

How kind of you! 您真客气!

How lovely! 多可爱啊!

How awful! 太糟了!

What a pity! 真遗憾!

What fun! 多好玩啊!

What luck! 多幸运啊!

What a horrible thing to do! 做这种事真可怕!

What a funny story! 多有趣的故事!

What a lovely day! 多好的天气!

What an honest child! 多诚实的孩子啊!

How beautifully she sings! 她唱得多美啊!

How she ran! 她跑得多快啊!

For **how many** years have I waited! 我等了多少年啊!

How he studied! 他学习多么努力啊!

How he thought of Mary! 他多么思念玛丽啊!

{ **How wonderful a time** we ever had together!
{ **What a wonderful time** we ever had together! 我们曾经一起度过了多么美好的时光啊!

{ **What** these ancient buildings could tell us! 这些古老的建筑能向我们述说多少往事啊!(感叹句)
{ **What** could these ancient buildings tell us? 这些古老的建筑能向我们述说什么呢?(特殊疑问句)

五、祈使句的特殊结构及疑难问题

英语祈使句(Imperative Sentence)有一些特殊结构和疑难问题,分述如下。

1. no+名词或动名词

用于指示标牌、布告,意为"禁止,不许"。例如:

No parking. 不许停车。

No spitting! 不准随地吐痰!

No litter! 不准乱扔垃圾!

No entry! 不准入内!

No thoroughfare! 禁止通行!

No scribbling on the wall! 墙上不许涂写!

2. 以 have done 起首

这种结构相当于 stop（doing），有时表示"结束，停止"。例如：

Have done! 住手!

Have done scolding him! 不要再责备他了!

Have done running! 跑完了!（不要跑了!）

3. be＋形容词、名词

Be still! 不要动!

Be careful! 当心!

Be no flatterer! 不要奉承拍马!

Be quiet! 安静些!

Go on, **be a man.** 坚持下去，拿出点男子汉气概来。

4. be/get＋过去分词

Be seated, please. 请坐。

Be reassured. 请放心。

Be gone! 滚开!

Be guided by reason. 理智些。

Be persuaded by your father. 听你父亲的话。

Get refreshed by taking a bath. 洗个澡恢复精神吧。

5. be＋现在分词

祈使句也可以有进行式。例如：

Don't be leaning out of the window! 勿将头伸出窗外!

Do be sweeping the floor when I come in! 我进来时，（你）一定在擦地板吧!

6. do＋祈使句

这种结构表示强调，常译为"务必，一定要"。例如：

Do save us! 天哪!（救救我们吧!）

Do tell me the reason. 务必告诉我理由。

Do be honest. 一定要诚实。

Do be on time. 务必准时到。

Do be a man of courage. 一定要做个勇敢者。

Do be away from danger. 一定要远离危险。

Do be at peace with each other. 务必要和睦相处。

7. 与附加疑问句连用(以缓和语气)

Open the door! ↘(强硬，命令)

Open the door, **will you**? ↗(略缓和)

Open the door, **won't you**? ↘(较缓和)

Open the door, **won't you**? ↗(最缓和)

Help her with box, **won't somebody**? 谁帮她搬一下箱子?

Come and have a look, **why don't you**? 你为什么不来看看呢?

8. 祈使句的一些疑难问题

1 祈使句的主语

祈使句的主语多为不言而喻的 you，一般不出现。但若是要强调主语，或表示急躁、厌烦、不高兴、愤怒等感情色彩,或表示向谁请求或发出命令,祈使句可有主语。除 you 外,祈使句的主语还可以是不定代词 one,someone,somebody,everyone,everybody 或名词。例如:

Now you have a try. 现在你试一下。(强调)

You get out! 你给我滚出去!(愤怒)

You show her the way to the bookstore. 你给她指一下去书店的路。(请求)

You mind your own business! /Mind your own business, **you**! 你不要管闲事!(厌烦)

Somebody close the window! 谁去把窗户关上!(请求或命令)

Someone call a taxi. 谁去叫一辆出租车。(相当于 You,不用 calls)

One stay here. (你)待在这儿。(相当于 You,不用 stays)

Anybody don't stand there. 谁也不要站在那儿。(不用 doesn't)

Ladies go to the front, please. 女士们请到前面来。

Henry read the poem first. 亨利先读这首诗。

The both of you be careful! 你们俩都得小心!

You be quiet! 你别出声!

> A:Sorry, Joe. I didn't mean to do it. 对不起,乔,我不是有意做的。
> B:Don't call me "Joe". I'm Mr. Parker to you, and **don't** you forget it! 不要叫我"乔"。你要叫我帕克先生才是,切记不要忘了!

John, you open the door. 约翰,你去开门。

You wait and see. 你等着瞧。

Now you're getting off. 你现在要下车了。

You are going to bed. 你马上睡觉去。(=Go to bed at once.)

Do you do it for me. 请你一定为我做这件事。(恳求)

Come here, you! 你,过来。(you 放在句尾,表示轻视,傲气)

【提示】下面两句中的"whoever said that"和"you with glasses"应看作主语:

Whoever said that, raise your hand. 说这话的不管是谁,举起手来。

You with glasses, come out here. 那个戴眼镜的,出来。

2 祈使句的否定式

祈使句的否定式一般是在谓语动词前加 do not 或 don't(口语中),有时也可用 never;若祈使句有主语,否定词 don't 或 never 要置于主语之前,不可用 do not。例如:

Do not come in unless asked. 非请莫入。

Don't you believe it. 决不要相信它。

Don't marry a nobody like Bill. 不要嫁给像比尔那样的平庸之人。

Don't you say that again! 你可不要再说那个了!

Don't be deceived by her looks. 不要被她的外表蒙骗了。

Don't be a stranger. 不要见外。

Don't be in pain. 别强忍着痛。

Don't you ever forget the lesson. 你不要忘了这个教训。(不能说 Do not you ...)

Don't anyone make any noise. 谁也不要出声。

Do not seek evil gains; Evil gains are the equivalent of disaster. 不要想发不义之财,不义之财等于灾害。

Do not eat to live. 不要为吃饭而活。

Don't you fight! 千万不要打架!

Don't be pressing me for an answer. 不要逼着我回答。

Never be late again next time. 下次不可再迟到。

【提示】下面的祈使句否定形式,常见于法律文件、文学语体中,也出现在某些谚语中。

Tell not all you know. 不要把知道的都告诉人。

Believe not all you hear. 不要听到的都相信。

Do not all you can. 不要能干的都干。

3 let 祈使句

(1) let 的宾语可以是 me，us，him，her，it，them 或名词，但不能是 you。let us 不同于 let's；let us 一般表示请求对方允许自己干某事，通常不包括对方 you，let 相当于 allow，意为 please allow us ... 或 you allow us ...；let's 通常用于提议，us 包括对方 you，相当于 I/we suggest that you and I/we ....。

(2) let 的否定式为 let's not 或 let us not，但 let 的宾语为第三人称时，否定式一般为 Don't let him/it/anyone。在非正式文体中，其他人称亦可用 Don't let。

(3) let 可以有强调式 Do let's ... 或 Do let us。

(4) let 可以构成 let there be ... 结构，"no＋动名词/名词祈使句"就常可为 let there be 替代。

(5) let 祈使句只能用一般现在时，但可以有被动语态。let 句除表示祈使外，还可表示规劝、号召、吩咐、警告、建议、愿望、让步等。

Let's not be in such a hurry. 咱们不要这么匆忙。

Don't let her disturb you. 不要让她干扰你。

Let there be no misunderstanding between them. 但愿他们之间不会有什么误解。

Let all the children be well educated. 让所有的孩子都得到良好的教育。

Let bygones be bygones. Don't dwell on the past too much. 让过去的事情成为过去吧，不要沉湎于过去。

Let her be. 随便她。

Let him（be）alone. 随便他。

Let there be no parking here. 这里不准停车。（＝You must not park here.）

Let there be light. 让那里亮起来。

Let's not get angry. 咱们别生气。

If the baby's sleeping, **let** her be. 如果宝宝睡了，就让她睡吧。

Let your feeling carry you away. 跟着你的感觉走吧。

Let him go where he might, I don't care.（＝Wherever he might go ...）

Let her be the richest woman in the world, what would it be to me?（＝Even if she were ...）

Let **me** do it.〔√〕让我来做。
Let you do it.〔×〕

比较：
Let's **not** do it. 咱们不要做那个吧。
Don't let's do it. 咱们可不要做那个。（语气强）

4 无动词祈使句

一般来讲，祈使句都要有动词，但是有些用于口号、告示等的祈使句却是没有动词的，虽为只言片语，却简洁明了。无动词祈使句结构主要有：①名词或名词短语；②介词短语；③名词或代词＋副词；④形容词＋名词/代词；⑤副词＋with 短语；none of＋名词或代词等。例如：

Patience! 耐心点！

Danger! 危险！

Poison! 有毒！

After you! 您先请！

Now for it! 干起来吧！

On with your cap! 戴上帽子！

Over. 完毕，请回复。（无线电用话）

Bottoms up! 干杯！

No admittance except on business. 非公莫入。

None of your little tricks! 不要再玩弄鬼把戏！

None of your impudence! 休要无礼！

None of your nonsense! 不要胡说八道！

None of that again! 不要再那样!

Hands up! 举起手来!

Eyes left! 向左看齐!

This side down! 这边向下!

Hands off! 勿动手!

Below here! 下面的人小心!

Off with it! 把它拿下来!

On with your coat! 穿上你的外衣!

Up with the box! 把箱子放上去!

5 祈使句可以表示让步等

祈使句还可表示让步、条件、假设、强调等意义。例如:

Search where you may, you can't find it. 不管你怎么找都找不到它。(让步)

Come when you will, you are welcome. 你不论何时来都受欢迎。(让步)

Give him an inch, and he will take a foot. 他得寸进尺。(条件)

Seize the chance, or you will regret it. 抓住这个机会,不然你会后悔的。(条件)

Let there be a comma here. 假设这里有一个逗号。

Fancy meeting you here! 真没想到在这里遇见你。(惊讶)

Hang me if I know it. 我根本不知道。(强烈否定,＝I never know it.)

See if I don't go. 我肯定会去的。(强调,＝I shall certainly go.)

Catch me gambling. 我决不会赌博的。(强调,＝I never gamble.)

6 祈使句的不同语气

比较:

Would you kindly open the door? 请你开一下门好吗?(最客气)

Would you mind opening the door? (客气)

Will you please open the door? (客气)

Please open the door. (客气)

Kindly open the door. (客气)

Open the door, will you/won't you/would you? (客气)

Just open the door. (对熟人的请求)

You'd better open the door. (建议)

You must open the door. (严肃)

Open the door. (略带命令口气)

Open the door, do. (略带命令口气)

You shall open the door. (命令)

You can open the door. (命令)

Open the door, can't you? (不耐烦)

Open the door, you? (傲气十足)

7 祈使句一些较陈旧的说法

So be it. 就这样吧。(＝Let it be so.)

Suffice it to say that the boss is satisfied with your work. 我只想说,老板对你的工作很满意。(＝Let it be sufficient to say ...)

Be it known to all that China is still a developing country. 让世人皆知,中国仍是一个发展中国家。(＝Let it be known to all ...)

8 let 祈使句有时相当于陈述句

以 let 起首的祈使句结构,有时并不表示祈使之意,而是相当于陈述句。例如:

Let it be. 随它去吧。

Let this be a warning to you. 这件事就当作对你的警告。

Let young men bear this in mind. 年轻人应铭记此事。

Let others say what they will，I will go my own way. 走自己的路，让别人去说吧。

Let no man deter you from speaking the truth. 要永远说实话。

Let this accident be a lesson in the danger of drinking and driving. 这一事故可以作为酒后驾车的教训。

Let AB be equal to A′B′. 设 AB 等于 A′B′。

六、祝愿句

祝愿句(Optative Sentence)是表示对个人、团体、成就、工作、学业、生活、婚姻等的良好祝贺、祝愿或希冀。英语祝愿句主要有下面几种表示法。

1. 以 may 起首

May you succeed. 祝你成功。

May you succeed in your undertaking! 祝你事业成功!

May both the bride and groom have long and happy lives. 祝新娘新郎幸福长寿。

May you return safe and sound. 祝你平安归来。

May good fortune be with you. 祝你交好运。

May you always have fair weather and plain sailing. 祝你万事如意，一帆风顺。

May next year be a good year for you. 祝来年交好运。

May all happiness attend you. 祝永远幸福。

May you enjoy many years of health and happiness. 祝你健身长寿，美满幸福。

May you have a good journey! 祝你一路顺风!

May you have a most happy and prosperous New Year. 祝新年快乐幸福，大吉大利。

May our friendship last forever! 愿我们的友谊长存!

May you spend every day in the happiest way. 愿你每天都过得无比幸福。

May the joy and happiness around you today and always. 愿快乐幸福永伴着你。

May your joy last through the year. 愿你这一年愉快欢欣。

May this occasion bring you happiness and prosperity! 愿此佳节赐福于您!

May your memories today be warm ones. 愿你今天的回忆温馨。

May you soon make your name known in the world. 愿你早日扬名天下。

May you stay forever young. 愿你青春永驻。

May your wishes all come true. 愿你凡事如愿以偿。

May your heart always be joyful. 愿你内心永远喜悦。

May all the lovers in the world be couples in the end. 愿天下有情人终成眷属。

2. 以 I/we/let us wish 起首，或以 wish, wishing 起首

I wish you success in the examination. 祝您考试成功。

I wish you all the happiness in the world! 祝你幸福无比!

I heartily **wish** you every success. 真诚地祝你成功。

I wish you every success in your career. 祝你事业有成。

I wish you a full recovery. 祝你早日康复。

Let us wish you greater success in your work. 祝你们在工作中取得更大成绩。

We wish you a Merry Christmas and a Happy New Year. 我们祝你圣诞快乐，新年幸福!

Wish me luck! 祝我走运吧!

Wish you a speedy recovery from illness. 祝你早日康复。

Wish you the best of health and success. 祝你身体健康，事业有成!

Wishing you get well soon. 祝你早日痊愈。

Wishing your dreams come true. 但愿天从人愿!

I wish you and your family good health and good luck in everything. 祝你和你的家人身体健康，

万事如意。

Wishing you a New Year filled with happiness! 祝你新年快乐!

Wishing you a safe journey! 祝你旅途平安!

Wishing you a long life together. 祝你们白头偕老。

Wish/**Wishing** you many happy returns of your birthday! 祝您长寿!

3. 以 I/we hope 起首或以 hoping 起首

I hope you have a lovely birthday. 祝你生日快乐。

I hope everything goes well. 祝诸事顺利。

I hope you'll get over it soon. 希望你很快就康复。

Hope he'll get used to life here soon. 希望他能很快适应这里的生活。

Hope things go all right with you. 愿你事事称心。

Hoping you have a nice Christmas. 祝圣诞快乐。

I hope you'll win still greater victories in the scientific research. 祝你在科研中取得更大成就。

I hope your new dwelling will bring you and your family loads of fortune and good health. 谨祝你的新居将为你全家带来鸿运和安康。

4. 以 with 起首

With best wishes. 祝好。

With best wishes for your married life. 致以新婚最美好的祝愿。

With hearty wishes for prosperity of your country. 衷心祝愿贵国繁荣昌盛!

With every good wish for success in your career. 祝你事业成功。

5. 以 I/we/let me send/offer 起首

I send you my warmest congratulations on your success. 我为你的成功致以最热烈的祝贺。

We offer our sincere congratulations. 谨表示衷心的祝贺。

Let me offer my hearty good wishes for your success. 请让我衷心地祝你成功。

Let me offer my congratulations for the splendid performance tonight. 请允许我祝贺今晚的演出取得圆满成功。

6. 以 let's, I'd like to 起首

Let peace forever hold her sway. 愿世界永远和平。

Let's drink to the success of your program. 让我们为你的项目成功干杯。

Let's drink to the bride and bridegroom! 让我们举杯向新郎和新娘祝酒!

I'd like to wish you every success in the examination. 我谨祝你考试成功。

I'd like to convey my heartiest good wishes for the happy occasion. 我衷心祝福这幸福的时刻。

7. 以动词短语形式

Have a good time. 祝你过得愉快。

Relax and enjoy yourself on your trip. 祝旅途轻松愉快。

Have a safe trip home. 一路平安。

Have a wonderful time on May Day. 祝五一节愉快。

Have a ball on your trip. 祝你旅途愉快。

Sleep well and **have** pleasant dreams. 祝你睡得香,好梦长。

Make still greater progress in the New Year. 祝新年百尺竿头,更进一步。

8. 以名词短语形式

Good luck! 祝你好运!

Success to you all! 祝诸位成功!

Every success with you! 祝你一切成功!

A good journey to you! 祝你一路平安!

Bon voyage and the happiest journey to you. 祝一路平安,旅途愉快。

Congratulations on your wedding! 恭贺新禧!

Congratulations on winning the prize! 祝贺你获奖!

Happy Spring Festival! 春节快乐!

Merry birthday! 生日快乐!

Congratulations on your promotion. 祝贺你晋升!

Congratulations on your graduation! 祝贺你学成毕业!

Better luck next time! 祝下次运气更好!

Many happy returns of the day. 祝你长寿。

Good luck with your job interview! 祝你求职面试成功!

Eternal glory to the heroes! 愿英雄们与日月同辉!

Good health and good luck! 恭祝健康、幸运!

A very, very happy birthday and many, many more of them to come! 祝福如东海,寿比南山!

Congratulations and every happiness on your wedding day! 恭贺新禧,祝你们幸福美满!

Best wishes from one of your old friends. 请接受一个老朋友最美好的祝愿。

Best wishes for setting new record. 预祝创造新纪录。

Greetings to you, my friends and colleagues. 祝福你们,我的朋友和同事们。

Happy anniversary! 祝结婚周年快乐!

Every success with you! 祝你一切顺利!

9. 其他形式表示的祝愿

Long live our friendship! 友谊长存!

God bless you! 愿上帝保佑你! (为 May God bless you 的省略式)

Here's to a long and happy life! 祝长寿、快乐! (以 here's 起首)

Here's wishing you all the best in the coming year. 祝你来年万事如意。

Here's to you/your health. 祝你健康。

Light be her heart and gay her merry eyes! 愿她的心灵轻松,她的目光欢快!

七、六种不用 yes 和 no 回答的一般疑问句

1. 回答"介意与否"

A：Would you mind if I open the window? 我打开窗户你不介意吧?

B：Not at all. /Certainly not. /Of course not. 不介意。

B：I'm sorry, but I would. 对不起,请不要开。

2. 拒绝邀请或不能给予满意回答而表示歉意

A：Could you come to the party this evening? 你今晚来参加聚会好吗?

B：I'd love to, but you see I'm too busy. / That's very kind of you, but I'm afraid I can't. 我想来,但你瞧,我太忙了。/多谢,但我恐怕来不了。

A：Can you return the book in two days? 你能在两天内还书吗?

B：Sorry, but I can return it in four days. 对不起,但我能在四天内还。

A：Is he a proper person for the job? 他是做这项工作的合适人选吗?

B：I don't think so. 我想不是。

3. 接受邀请或要求

A：Will you send her a note for me? 你为我给她带个信好吗?

B：I'd be glad to. 很乐意。

A：May I look at the picture? 我可以看看这幅画吗?

B：Certainly. Here you are. 当然,给你吧。

4. 回答某种带有责备意味的句子

A：Do you remember what I told you before? 你还记得我先前对你说的话吗?

B：I'm sorry, sir. 对不起,先生。

5. 对提问作出主观判断

> A：Are the shoes too big? 这些鞋子太大了吗?
> B：I think they are all right. 我觉得很合适。

> A：Is the book worth reading? 这本书值得读吗?
> B：I think so./I don't think so. 我想值得。/我想不值得。

6. 对提出的问题不能确定

> A：Who's taken my pen? 谁拿我的钢笔了?
> B：Let me see. Ah, it's Bob. 让我想想,哦,是鲍勃。

比较:

> Shall we go by train or by ship? ↗我们乘火车去或船去好吗? (一般疑问句,升调)
> Shall we go by train↗or (shall we go) by ship? ↘我们是乘火车去,还是乘船去? (选择疑问句,前分句用升调,后分句用降调)

八、表示疑问的插入语结构

这种插入语以一般疑问句的形式,置于特殊疑问词之后,该结构中的特殊疑问句用正常的陈述句词序,不可倒装,结构为:

特殊疑问词 + { do you think/say / do you believe/suppose / did you say / can you guess } + 正常的陈述句词序

Which train **did you say** you had taken? 你说你乘了哪趟火车?

Who **do you guess** that woman is? 你猜那女人是谁?

Whom **do you think** I should see first? 你认为我应该先见谁?

▶▶▶ 有一类插入语,修饰名词或 what, where, when, how 等疑问代词或副词,常表示一种鄙夷情绪。例如:

He has gone **God knows** where. 天知道他去哪里了。

He has done **Heaven knows** what. 谁知道他干了些什么。

She has **nobody knows** how many boy friends. 谁知道她有多少男朋友。

He waited for her **I do not know** how long. 谁知道他等了她多久。

【提示】还有一种陈述语序的疑问句,附加在句尾,主语一般是"I",谓语用一般现在时,表示讲话人对前面句子的真实性犹豫不决。这种疑问句的动词一般为表示"认为,猜想"等的动词,如:think, feel, hear, expect, guess, suppose, suspect, consider, assume, presume, understand 等。例如:

Simon is ill, **I suppose**? 西蒙大概病了吧?

The story took place in Africa, **I believe**? 这个故事可能发生在非洲吧。

九、疑难句型结构举要

1. 否定的一般疑问句不表示疑问

否定的一般疑问句常常表示提问人的怀疑、惊讶、邀请、赞叹等。例如:

Is it not/Isn't it a lovely day? 这天气多么好啊! (赞叹)

Is he not/Isn't he going? 他不去了吗? (怀疑)

Do you not/Don't you believe me? 你不相信我? (惊讶)

Won't you have a cup of tea? 请喝杯茶。(邀请)

2. 不表示反意的附加疑问句

有时候,陈述句及其后的附加问句均为肯定结构,或均为否定结构,并不表示反意,而是表示某种回忆或推测,或带有高兴、兴趣、惊讶、讥讽、愤怒等感情色彩。这种附加问句多用升调。例如:

You've seen her before, **have you**? 你以前见过她,对吧?（重复已说过的话）

The wallet is in the box, **is it**? 钱包在盒子里,是吧?（推断）

So she likes the handicapped man, **does she**? 这么说来她喜欢那个残疾人,对吧?（惊讶）

So that's your trick, **is it**? 那就是你的鬼把戏,对吗?（讥讽）

You missed the chance, **did you**? 你失去了那个机会,是吧?（遗憾）

I am your slave, **am I**? 我是你的奴隶,是不是?（反感）

Oh, you've made another mistake, **have you**? 噢,你又犯了一个错误,是不是?（责备）

You **are** tired, **are** you? 你累了,是吗?（关心）

He **has** got promoted, **has** he? 他晋级了,是吗?（惊讶）

It **is** seven o'clock, **is it**? 7点钟了,对吗?（怀疑）

"John **is** angry with you." " So he is, **is he**? "约翰生你的气了。""他生我的气,是吗?"（讥讽）

So he won't pay the money, **won't he**? We'll see about that. 这么说他不付钱了,是不是? 好吧,我们走着瞧。（威胁）

"I **won't** wait any longer." " Oh, you won't, **won't you**?"" 我一刻也不想等了。""噢,你不想等了,是吗?"（吃惊）

She's too good for me, **is she**? Well, we'll soon see about that! 我配不上她,是吗? 好吧,我们很快清楚了。

A: You mustn't smoke here, sir. 先生,你不要在这儿抽烟。
B: I mustn't, **mustn't** I? 不要我抽,是吗?（挑衅）

A: Julia has just sold her car for 5,000 dollars. 朱莉娅把她的车子卖掉了,得了 5 000 美元。
B: She has, **has she**? 真的?（她的运气真不错）

A: Andrew says he can speak six languages fluently. 安德鲁说他能流利地讲六种语言。
B: Oh, he does, **does he**? 哦,他能吗?（惊讶,怀疑）

A: You're really a hypocrite. 你真是一个伪君子。
B: Oh I am, **am I**? 什么,你说我是……?（愤怒）

▶▶▶ 下面两句用降调,表示同意。

"It **is** a good book." "Yes, **isn't it**!" ↘"这是一本好书。""是的,的确是。"

"He has a good job." "**Hasn't** he!" ↘"他有一份好工作。""是份好工作。"

3. 相当于陈述句的修辞性问句

修辞性问句(Rhetorical Question)是为某种修辞效果而提出的,不需要回答,相当于陈述句,肯定结构表示否定,否定结构表示肯定意义。一般疑问句及由 what 或 when 等引导的疑问句均可作修辞性问句。修辞性问句可以是表示强调,也可以表示暗示、感叹、惊异、怀疑、悔恨、抗辩、厌赏、建议等。例如:

Isn't it silly to do such things? 做这种事不是太愚蠢了吗?（强调）

Must I kowtow to him? 我还得给他磕头?（＝I need not.）

Shall I forget it? 这事我会忘吗?（＝I shall never forget it.）

Why didn't I take his advice? 我当时为什么不接受他的建议呀?（悔恨）

Wasn't it a wonderful evening? 多么美好的夜晚啊!（赞赏）

Why not try again? 为何不再试试呢?（建议）

Who cares? 谁管啦?（＝Nobody cares.）

Who would have written the poem but her? 真没想到是她写了那首诗!（惊异）

Is it necessary? 这有必要吗?（意即没有必要）

Does it matter much? 这事重要吗?（意即不重要）

Who doesn't know this? 这个谁不知道?（意即谁都知道）

What do I care? 关我什么事?（意即我才不在乎呢）

What more do you want? 你还想要什么呢?（意即应该知足了）

Can the blind see? 瞎子还能看见东西?（＝The blind can't see.）

Can't you get someone else to do it? 你难道不能找别人来做这件事吗？（应该可以）

Why should you do it? （我认为）你不该做这件事。（＝I don't think ...）

Why should you listen to him? 你没有必要听他的。

What is this to you? 你甭管，这事与你无关！

When have I told a lie? 我什么时候撒过谎？

What have I done against you? 我怎样对不起你了？

When have I lost heart? 我什么时候灰心过？

Who should there be? 还能有哪个呢？（不可能有别人）

How should I know? 我哪里晓得？（我不知晓）

Why should you be so excited? 你何必这样激动？（没有必要）

How could he ever really forget? 他怎么会忘呢？

How can I do it? 我哪干得了？（＝I can not do it.）

How could you ask such questions? 亏你问得出口！

What a good time did we have yesterday? 我们昨天玩得多开心啊！

Where didn't I see her smile? 我见她总是面露笑容。

What else would you say? 你还能说什么呢？（＝You will say nothing else.）

What sufferings did he not go through? 什么样的苦他没受过？

Who wouldn't be cheered by flowers? 谁看见花会不高兴呢？

How do I know unless I see it? 没有看见，我怎么会知道呢？

比较：

Why **do** you do it like this? 你怎么能这样做？（＝You should not do it like this.）

Why **don't** you do it like this? 你怎么不这样做？（＝You should do it like this.）

▶▶▶ 下面两种结构也是修辞性问句：

She to forget the appointment? 她才不会忘了约会呢。

He a gentleman? 他是个君子？（根本不是）

4. 陈述疑问句的使用场合

陈述疑问句(Declarative Question)指那些在陈述句结构后加有问号的句子，它往往不同于普通疑问句，有如下几种表达功能：①表示某种感情色彩，如惊异、讥讽、愤怒、怀疑等；②确认一下前面所说的内容（对前面的话不明确、不相信、怀疑时）；③对前面的话进行推断，并预期得到肯定的回答，也表示诚挚的询问。这种句子常用升调。例如：

You don't know the famous writer? 你连那位著名作家都不知道？（讥讽）

You say you didn't see him come in? 你说你没有看见他进来？（怀疑）

He is the manager? 他就是经理？（惊异）

So that's why you broke up relations with him? 看来那就是你同他断绝关系的原因吧？（推断）

Then you know what happened to them later? 那么你知道他们以后怎样了？（询问）

He is forty-what this year? 他今年四十几岁了？（询问）

And you want me to go through all this morning's mail so you can change a single word? 你是想让我把上午所有的邮件统统查一遍，好让你去改那么一个词，是吗？（不耐烦）

He writes a book? 他写了一本书？（怀疑、吃惊）

I love her? No. No. 我爱她？不，不。（＝Did you say ...?）

John will be there? 约翰将在那里？（核实）

He arrived yesterday? 他昨天到的？（核实＝Did you say ...?）

What you saw? 你看见了什么？（重复对方的话，希望对方复述一下）

Where she was born? 她出生在哪里？（想确认一下对方刚说的话）

You'll not go swimming with us? 你不和我们一道去游泳吗？

Your what is lost? 你的什么东西丢了？

Everything is ready? 一切都准备好了吧？

He is your who? 他是你什么人？

You are going to which supermarket? 你要去哪一家超市？

【提示】如果要对 He went to work without breakfast. 中的 without breakfast 提问，不可说成 How did he go to work? 因为 how 是问"方式"的，回答可能是 He went to work by bike. 显然不合原意。可用如下两种结构：

Did he go to work with or without breakfast?（选择疑问句）

He went to work without breakfast?（陈述句结构）

5. 证实疑问句

证实疑问句(Affirmative Question)由代表原主语的代词加 be 动词或助动词(do，does，did)构成。这种疑问句很少要求回答，带有惊奇、遗憾等感情色彩，有时为更为礼貌的说法。例如：

A：There is some dirt on your shirt. 你衬衫上有脏东西。

B：Oh，dear，**is there**? 哎呀，真的吗？

A：Harold is coming over at the weekend. 哈罗德周末过来。

B：**Is he**? 是吗？（太好了）

A：I didn't find the book in the library. 我在图书馆里没有找到那本书。

B：**Didn't you**? 是吗？（真奇怪）

A：Allen isn't going with us. 艾伦不和我们一起去了。

B：**Isn't he**? 是吗？（真遗憾）

6. Why aren't/isn't＋主语...? 和 Why don't/doesn't＋主语＋be...?

"Why aren't/isn't＋主语...?"结构，表示表语所体现的特征主语通常不具有，而"Why don't/doesn't＋主语＋be...?"结构，表示表语所体现的特征主语通常具有。比较：

Why aren't you more attentive? You'll lag behind. 你为什么老不专心呢？你会落伍的。

Why don't you be more attentive?（这次）你为什么不注意呢？

Why aren't you more careful? 你为什么总是那么粗心？

Why don't you be more careful?（这次）你为什么不细心些呢？

Why isn't she more patient? 她为什么总是不耐心呢？

Why isn't he more reasonable? 他为什么总是不讲理呢？

7. I know what 是否意为"我知道什么"

英语中有些句子不可照字面去理解，去翻译，否则就会落入"陷阱"。这些句子已成为习语，有着特定的含义，需细加辨别。例如：

I know what. 我有一个主意。

You don't say so. 真的，不会吧。不至于吧。（不是"你不这样说。"）

Don't tell me. 不至于吧。/不见得吧。/莫非……（不是"不要告诉我。"）

I tell you what. 让我把真相告诉你。（不是"我告诉你什么。"）

So what? 有什么稀罕的。（不是"因此什么?"）

That is a good book，what? 那是一本好书，是吗？（what 相当于 isn't it）

What a shame! 真可惜！（不是"多么羞耻！"）

You can say that（again）! 我同意！/你说对了！（不是"你可以说那个！"）

You said it! 对了！/正是如此！（不是"你说那个了！"）

十、the City of Rome——同位语要点

两个句子成分，指同一人或物，处于同等位置，其中一个成分解释或说明另一个，这个成分就是同位语(Apposition/Appositive)。可用作同位语的有名词、数词、代词、动名词、不定式、介词短语、从句等。同位语一般紧跟在其所解释或说明的名词之后，但有时也隔开。参阅"名词性从句"章节。例如：

the City of Rome 罗马城(of 短语)

the art of painting 绘画艺术

a brute of a king 残暴的国王

He，**a farmer's son**，is determined to fight his way out in the world. 他是一个农民的儿子，决心

在世界上做出一番事业来。(名词)

We have everything we need：**brains，wealth，technology**. 我们拥有所需的一切：智慧、财富和技术。(名词)

The hotel，**an imposing building**，looked east so we got the sun first thing in the morning. 那旅馆，一座宏伟的建筑，朝东，所以我们早上第一眼看到的是太阳。(名词)

My colleague，**Catherine**，is on holiday. 我的同事凯瑟琳在度假。(名词)

Let's **you and me** do it，Henry. 我俩做这件事吧，亨利。(代词，不隔开)

He gave **the boys** two apples **each**. 他给每个男孩两个苹果。(代词，不隔开)

Are you **two** ready? 你们俩准备好了吗?(数词，不隔开)

His new proposal，**to build a tube in the city**，was accepted. 他在城里建一条地铁的新建议被接受了。(不定式)

The first plan，**leaving at midnight**，was turned down. 在午夜动身这第一个计划被否决了。(动名词)

Mr. Zhang，**a famous scientist**，will visit our university this afternoon. 张先生是一位著名科学家，将于今天下午造访我们学校。(名词)

The question，**whether to leave or not**，annoys him. 去还是留的问题困扰着他。(不定式)

Her explanation，**that she didn't receive the letter**，surprised them all. 她解释说没有收到那封信，这使他们很吃惊。(从句)

It is not a question **whether he is reliable**. 这不是他是否可靠的问题。(从句)

▶▶▶ 同位语与其所说明的名词之间常插入一些词语，如：namely，viz.(＝that is)，that is 即，等，也有用破折号或冒号的。例如：

There are three very large rivers in Africa，**viz.** the Congo，Niger and Nile. 非洲有三大河流，即刚果河、尼日尔河和尼罗河。

She works all day，**that is to say**，from eight a. m to five p. m. 她工作了一整天，也就是说，从上午8点到下午5点。

Something he knew he had missed：**the flower of life**. 有一样东西他知道他已经错过，那就是逝去的年华。

He said he was in love with someone else — **a secretary from work**. 他说他爱上了别人——工作中认识的一个女秘书。

十一、插入语

在英语句子中，有些词、短语、从句、句子等表示的是说话人的态度或看法，解释或说明，常用逗号同句中其他成分隔开(也用破折号或括号)，这就是插入语(Parenthesis/Parenthetical Expression)。插入语可居句首、句中或句尾，视具体上下文而定。

1. 单词插入语

用作插入语的单词通常是副词，如：clearly，apparently，frankly，basically，personally，probably，possibly，luckily，hopefully，definitely，indeed，maybe，however，though，perhaps 等。例如：

It is，**indeed**，a great pity. 那确实是令人遗憾的事。

He was luckier，**however**，because he was only slightly wounded. 然而，他较幸运，因为他只受了点轻伤。

He is young. He knows a lot about the world，**though**. 他很年轻，但他很懂人情世故。(＝Though he is young，he knows a lot about the world.)

2. 短语插入语

短语插入语通常有如下几种：

(1) 介词短语插入语：of course，by the way，in fact，in short，in my opinion，in other words，in general，by my estimate，in a few words，to one's surprise，to one's amazement，to one's regret 等。

（2）形容词短语插入语：worst still, strange enough, least possible, serious enough, most important 等。

（3）分词短语插入语：generally speaking, judging from, frankly speaking, strictly speaking, roughly speaking 等。

（4）不定式短语插入语：to start with, so to speak, to begin with, to be exact, to be sure, to sum up, to be precise, to tell the truth 等。

This is, **after all**, the least important part of the problem. 这毕竟是问题最无足轻重的部分。

Strange to say, she did not come to the party. 说来奇怪，她没来参加聚会。

He is, **by no means**, an honest man. 他决不是诚实的人。

She wrote, **to be exact**, ten novels in her lifetime. 准确地说，她一生写了10部小说。

His words, **to a certain extent**, are right. 他的话在某种程度上是对的。

The bird's face, **strange to say**, looks like a man's face. 说来奇怪，这只鸟的脸就像人的脸一样。

I can feel the thumping rain, **upon my head**, of walnuts when the wind sent them down. 我还能感觉到大风吹落核桃掉落在头顶时的一阵阵呼呼响。

The essence of wisdom is emancipation, **as far as possible**, from the tyranny of the here and the now. 智慧的本质是尽可能地从一时一地的专横之中解放出来。

Putting it frankly, I have never thought about it. 坦率地说，我从没考虑过这件事。

The kite, **looking like an eagle**, is flying high in the sky. 那只风筝在高空中飞翔，就像一只鹰。（分词短语）

The question, **how to make our life more meaningful**, deserves thinking over. 怎样使我们的生活更有意义这一问题值得考虑。（不定式短语）

To be honest, you are unwise to decline the offer. 说老实话，你拒绝帮助是不明智的。

She played better than I had expected, **to be sure**. 的确，她演奏得比我预料的好。

We all learned this theory, **so to speak**, at our mother's knee. 这个理论我们都学过，可以说，是在孩提时期学的。

To be fair, she was not entirely to blame for that. 说句公道话，这不能全怪她。

She didn't act very sensibly, **to put it mildly**. 说轻一点，她行事不够理智。

To be frank with you, I don't like the house. 坦率地说，我不喜欢这房子。

To begin with, she has suffered a great deal to bring up the children. 首先，她受了很多苦才把孩子养大。

3. "and+副词等"用作插入语

"and+副词、介词短语、句子或 what 从句"可用作插入语，对前面的句子进一步说明。例如：

It has been said, **and truly**, that he laughs best who laughs last. 人们曾说过，而且说得不错，谁笑在最后，谁笑得最好。（＝and it has been said truly）

She refused, **and with reason**, their demand. 她拒绝了他们的要求，而且很有理。

She is a good daughter, **and we have reasons to believe**, a good wife. 她是一个好女儿，我们也有理由相信她是一个好妻子。

She didn't support him, **and, what was worse**, laughed at him. 她没有支持他，更恶劣的是她嘲笑他。

Do your work well, **and, what is more important**, learn as much as possible. 做好工作，而且更重要的是，要尽可能多学知识。

He is a good writer, （and) what is better, a great statesman. 他是一位优秀作家，而且更是一位伟大的政治家。

4. 独立分句用作插入语

独立分句可用作插入语，位于所修饰或说明的词后面，一般要用逗号同其他成分隔开，有时前后要用破折号，但也有不用标点符号的。例如：

You may learn to play the piano well, **let's say**, 4 years. 你能学会弹钢琴，比如说，用四年时间。

He went to the meeting, and **what was worse**, insisted on speaking. 他去参加了会议，更要命的

是,他坚持要发言。

As luck would have it, we met unexpectedly after so many years. 真是太巧了,分别这么多年,我们竟意外相遇了。

These birds—**I wonder where they come from**—sing in the garden every morning. 这些鸟——不知从哪里来的——每天早晨在院子里鸣叫。

For ten years—**he lived alone on the island**—he had to struggle with all kinds of difficulties. 十年来——他独自一人住在岛上——他必须同各种困难作斗争。

At the age of eight—**such is the power of genius**—he began to make inventions. 八岁时——天才的力量真大——他就开始发明东西了。

These are the men who **I feel confident** will do great things. 这些人我相信会干大事的。(句中,不用标点符号)

The book—**I have read only a part of it**—is among the best sellers. 这本书我只读了一部分,是畅销书之一。(句中,破折号)

Then I discovered, **what was news to me**, his wife was the king's sister. 后来我发现,他的夫人是国王的妹妹,这我以前可从不知道。

He went to the meeting and, **what was worse**, insisted on speaking. 他去参加了会,更要命的是,他坚持要发言。

5. if ever 等用作插入语

if ever, if any, if not, if possible, when necessary 等也可用作插入语,常用逗号隔开。例如:

There is little, **if any**, hope of winning. 获胜的希望要说有的话,也是很小的。(＝if there is any)

We seldom, **if ever**, talked about the past. 我们很少谈到过去。

It is a proper, **if not the best**, way to settle the problem. 这是解决这一问题的合适方法,如果不是最好的话。

6. 状语从句用作插入语

if you like, it I may say so, as far as I am concerned, as far as I know, as I see it, as I know it, as it is/was, as it were 等。

状语从句用作插入语时,可放在句首、句中或句尾。例如:

> You may, **if you like**, raise some birds. 如果你喜欢,可以养些鸟。
> ＝**If you like**, you may raise some birds.
> ＝You may raise some birds, **if you like**.

That man, **as far as I know**, is a miser. 据我所知,那人是个吝啬鬼。

Our hometown, **when you come back**, will have changed greatly. 你回来时,我们的家乡将会发生了巨大变化。

He is, **as I told you before**, rather ambitious. 如我以前告诉你的,他这人雄心勃勃。(＝He is rather ambitious, **as I told you before**.)(句中或句尾)

A great man, **though** (he is) **dead**, yet lives. 伟大的人虽死犹生。(句中,省略,其他如 if ever, if any 等)

7. I think 等主谓(宾)结构用作插入语

主谓结构或主谓宾结构可用作插入语,常用的有:I think, I suppose, I hear, I know, I understand, I remember, I feel confident, I say, I guess, he told me, it is said, that is, it seems, I have learned 等,位于句中或句尾,有些只能位于句中,一般要用逗号同其他成分隔开。这类插入语位于句首时,大都成为复合句中的主句,而不再是插入语。例如:

> 我认为人是自己的主人。
> Man, **I believe**, is his own master.(插入语)
> **I believe** (that) man is his own master.(主句)

> Honesty, **I think**, is the best policy. 我认为诚实才是上策。
> ＝Honesty is the best policy, **I think**.
> ＝**I think** (that) honesty is the best policy.

Labor has, **I believe**, a bitter root, but sweet taste. 我相信,工作有苦的根,甜的果。

A hypocrite, **we know**, is worse than a demon. 我们知道虚伪的人比恶魔更可怕。

Knowledge has, **he told us**, no enemy but ignorance. 他告诉我们愚昧是知识唯一的敌人。

Great pains, **I hear**, quickly find ease. 我听说大难不死,必有后福。

Smooth seas, **I understand**, do not make skillful sailors. 我知道平静的大海造就不出优秀的水手。

Skill, **it is true**, wins over noble birth. 出身显贵,实不如一技在身。

We haven't got many tourist attractions, **it's true**, but we do try to make the best of what we've got. 的确,我们这儿没有多少吸引游客之处,可我们已在尽量充分利用已有的条件。

The first step, **it seems**, is all the difficulty. 似乎万事开头难。

The man, **I think**, does not deserve the prize. 我认为那人不配获奖。(句中)

The drink is rather refreshing, **I suppose**. 我想这饮料很提神。(句尾)

History, **we know**, is apt to repeat itself. 我们知道,历史往往会重演。(= History is apt to repeat itself, **we know**.)(句中或句尾)

【提示】

① 这类结构作插入语时,有时也不用标点符号,特别是紧跟在关系代词之后时。例如:

Outside is standing a young man who **I think** is a reporter. 外面站着一个青年,我想是一位记者。

This is the boy who **they say** is a genius. 这就是他们称为天才的那个男孩。

② 某些名词短语插入语或介词短语插入语可放在括号中或用破折号隔开。

There was nothing (except a lonely tree) to be seen in the garden. 院子里(除了一棵孤树)什么也看不到。

The lakes—**the West Lake and the Taihu Lake**—are the famous scenic spots in China. 西湖和太湖都是中国的著名景点。

十二、单部句

1. 单部句的特点

单部句(One-member Sentence)只有一个成分,分不出主语和谓语,或者说既是主语又是谓语。一个单词,一个短语,特立独行,自立门户,不受主语指派,无需谓语管束,简洁精练,活泼生动,这就是单部句,是一种极富表现力的修辞手法,在汉语和英语中都使用得较广。例如:

江南。早春二月。

蓝天。碧海。白帆。

鸡声茅店月,人迹板桥霜。

大漠孤烟塞北,杏花春雨江南。

At dawn I left the hotel and walked down the beach empty-handed and alone. **No boats. No people. No footprints. No birds even**. 天刚蒙蒙亮,我就离开了旅馆,两手空空,独自一人走向海滩。没有船,没有人,没有脚印,甚至连鸟也没有。

I remembered all too well the trials of raising my three teens. **The curfews, the arguments, the homework struggles**. 我想起在我的三个儿女10来岁时抚养他们所经历的艰难困苦。晚间不许他们外出,对一些事争论不休,还为他们的家庭作业担心不已。

2. 单部句的应用

① 英语单部句常用于描写故事发生的背景。例如:

A fine winter morning. 一个晴朗的冬天早晨。

Night. A mountain village. Dog's barks. 深夜。山村。几声狗犬。

It is Friday. **Hot and muggy, with scarcely a breeze.** 星期五,天气闷热,几乎一丝风也没有。

② 英语单部句排比连用可增强文章气势,渲染某种氛围,表达某种语气,如愤激、悲痛、感伤、震惊等。例如:

Years of hard work, little food, only a cold room to live in and never a moment to rest. 多年辛劳,食不果腹,一间寒室栖身,未得片刻休息。(感伤、愤激)

There is a line at the post office waiting for the window to open after the noon break. **Old people coming to collect their social security checks, summer students with their pink cards after packages from home, businessmen, secretaries, housewives, needing stamps, money orders, envelopes for overseas mail!** 邮局里人们排着长长的队伍,等待午休后开门营业。老人到这儿来为的是领取社会保险金;暑期学生带着粉红色的学生证领取家中寄来的包裹;商人、秘书,还有家庭主妇到这儿来是想买邮票、汇款或者买国际航空信封的。(人头攒动的场面,焦急等待的心情)

③ 英语单部句可以表示命令、赞赏、祝愿、禁止等。例如:

Out! 出去!

Great! 真棒! 干得好!

Oh,my God! 噢! 我的上帝呀!

Good luck! 祝好运!

Hands off! 请勿动手!

3. 单部句的分类

英语中由单词表示的感叹句或祈使句均可看作单部句。

① 名词单部句

Silence! 肃静!

Nonsense! 胡说!

Patience! 耐心点!

Poison! 有毒!

Danger! 危险!

Rubbish! 废话!

Congratulations! 恭喜!

Cutie! 亮妞!

② 形容词单部句

Lovely! 可爱!

Remarkable! 漂亮! 太棒了!

Wonderful! 太好了!

Terrific! 好极了!

Sweet! 帅呆了!

Cool! 酷!

Unbelievable! 难以置信!

Neat! 妙!

Beautiful! 漂亮!

Dangerous! 危险!

Careful! 小心!

③ 副词单部句

Again! 再来一遍!

Back! 回去!

Down! 放下!

Up! 起来!

Higher! 举高些!

④ 感叹词单部句

Wow! 哇!(表示惊奇、钦佩等)

Ha! 哈!(表示快乐、惊异)

⑤ 动词单部句

Love all. 爱所有的人。

Seize the day, **seize** the hour. 只争朝夕。

Stand by each other. 相互支持。

Never **give up**. 决不放弃。

Hope for the best. 做最好的梦。

6 动名词单部句

No **spitting**! 不许吐痰!

No **smoking**! 不许抽烟!

Then I thought of him as a blue-eyed toddler. **Laughing，teasing，easy to hug**. 接着,我想起长着一对蓝眼睛的他年幼学步时的模样。他总是笑呵呵的,喜欢缠着人,愿意让人抱。(easy to hug 为形容词单部句)

7 词组单部句

Hands up! 举起手来!

At easy! 稍息!

With pleasure. 很高兴。/好的。

Hats off! 脱帽!

8 名词短语单部句

It was a dead island. **No trees. No animals. Only bare rocks**. 那是一个死寂的岛屿。没有树木,没有动物,只有裸露的岩石。

She could imagine his situation. **A lonely man. Shabby clothes**. 她能够想象出他的境况。孤独伶仃,破衣烂衫。

There he was，never making much money，but with the comforts of home around him. **No big hayfields to worry about. No wife craving more than one new dress a year. One best pair of trousers to his name. Not many books to excite him. No itch ever spreading out upon him to go out and take the world by its horns**. 他就是这样一个人,从未挣过大钱,却尽情享受着家的舒适温馨。没有大块干草场要他操心。妻子从不吵着一年要两件新衣服。在他的名下只有一条像样的裤子。没有几本书让他激动不已。没有难以抑制的渴望在内心泛滥,使他离开家门去闯世界。

She would know that I was still the man who had so disarmed her all those years ago. **Mighty，righteous，above all that material shit. A man of manners. A man of morals. A man of soul**. 她这下会明白,我还是多年前那个让她乖乖投入我怀抱的人。强大,正直,对物质上的狗屁东西不为所动。一个循规蹈矩的人。一个品行端正的人。一个有灵魂的人。(本段中既有名词短语单部句,也有形容词单部句)

【改正错误】

1. The artist was born poor，so poor he remained all his life.
                     A   B   C   D

2. We're going to the bookstore in John's car. You can come with us and you can meet us there
                          A   B   C

   later.

3. You have failed two tests. You'd better start working hard，but you won't pass the course.
                A   B   C   D

4. I thought we'd be late for the concert，so we ended up getting there ahead of time.
                 A   B   C   D

5. It just isn't fair; for I was working as a waiter last month，my friends were lying on the beach.
       A   B   C   D

6. The shop doesn't open until 11 a.m.，or it loses a lot of business.
               A   B   C   D

7. It is true that the old road is less direct and a bit longer. We won't take the new one，therefore，
                          A   B   C

   because we don't feel safe on it.
                    D

8. Do you feel like going out and would you like to have dinner at home?
　　　　　A　　　　　　　B　　　　　　　　C　　　　　D

9. You think you are going to change the world, so in the end, the world changes you.
　　A　　　　　　　B　　　　　　　　　C　　　D

10. The difference lies not in the color of the grapes while in the fact that the grapes' seeds and skins
　　　　　　　A　　　　　　　　　　　B　　　　　　　C　　　D
are not removed.

11. In many countries in the world, breakfast is a snack other than a meal, but the traditional English
A　　　　　　　　　　　　　　　　　　　　　　B　　　　C
breakfast is a full meal.
　　　　　　　D

12. Knowledge is the foot of thought then, as long as it is put in our brain, we will grow wiser.
　　　　　　　A　　　　　　　B　　　C　　　　　　　　　　　　　　　D

13. I was about to turn off the computer while an e-mail arrived, informing me of the change of
　　　　　　A　　　　　　　B　　　　　　　　C
the travel schedule.
　　D

14. I grew up in Africa, and at least I should say that I spent much of the first ten years of my life
　　　　　　　　　A　　　　　　B　　　　　　C　　　D
there.

15. He found it increasingly difficult to read, or his eyesight was beginning to fail.
　　　　A　　B　　　　　　　　C　　　　　　　　　D

16. Find ways to praise your children often, till you'll find they will open their hearts.
　　　A　　　　　　　　　B　　C　　　　　　　　D

17. Jack plays basketball well, for his favorite sport is badminton.
　　　　　　　A　B　　C　　　　　D

18. They wanted to charge $5,000 for the car, since we managed to bring the price down.
　　　　　　A　　B　　　　C　　　　　　　D

19. A man cannot smile like a child, so a child smiles with his eyes, while a man smiles with his lips
　　　　　　　A　　B　　　　　C
alone.
　D

20. Either you or the headmaster are to hand out the prizes to those gifted students at the meeting.
　　　A　　　　　　B　　　　　　　　　　　C　　　　　D

21. E-mail, as well as telephones, are playing an important part in daily communication.
　　　A　　　　　　B　　　　　C　　D

22. Reality is not the way you wish things to be, nor the way they appear to be, and the way they
　　　　　A　　　　　　　B　　　　　　　　　C
actually are.
　D

23. Not only does he do his work well and he helps others with their work.
　　　A　　　　B　C　　　　　　D

24. It's really very dangerous. One more step, or the baby will fall into the well.
　　A　　　　　　B　　C　　　　　D

25. — Coffee or milk?
　　　A
— Only milk, please, and I used to like coffee.
　B　　　　　C　　　D

【答案】

1. C(and)	2. C(or)	3. C(or)	4. B(but)
5. B(while)	6. C(so)	7. C(however)	8. B(or)
9. C(but)	10. B(but)	11. B(rather than)	12. B(and)
13. B(when)	14. A(or)	15. C(for)	16. C(and)

17. B（yet） 　　　　18. C（but） 　　　　19. B（for） 　　　　20. B（is to hand out）
21. B（is playing） 　　22. C（but） 　　　　23. C（but also） 　　24. C（and）
25. C（but）

【辨别正误】

1.
{ A：It's a challenge，I guess，<u>for</u> man against man.
{ B：It's a challenge，I guess，<u>of</u> man against man.

2.
{ A：The little boy came riding full speed down the motorway on his bicycle. <u>How</u> a dangerous scene it was!
{ B：<u>What</u> a dangerous scene it was!

3.
{ A：<u>What</u> interesting role she played in the film ! No wonder she has won an Oscar.
{ B：<u>What an</u> interesting role she played in the film ! No wonder she has won an Oscar.

4.
{ A：Mary，<u>comes</u> here—everybody else，stay where you are.
{ B：Mary，<u>come</u> here—everybody else，stay where you are.

5.
{ A：Don't be discouraged. <u>Taking</u> things as they are and you will enjoy every day of your life.
{ B：Don't be discouraged. <u>Take</u> things as they are and you will enjoy every day of your life.

6.
{ A：We haven't enough books for <u>anybody</u>；some of you will have to share.
{ B：We haven't enough books for <u>everybody</u>；some of you will have to share.

7.
{ A：As you know，there is <u>not such</u> car in this neighborhood.
{ B：As you know，there is <u>no such</u> car in this neighborhood.

8.
{ A：Don't call me "Joe"，I'm Mr. Parker to you，and <u>do</u> you forget it!
{ B：Don't call me "Joe"，I'm Mr. Parker to you，and <u>don't</u> you forget it!

9.
{ A：It is often said that the joy of traveling is not in arriving at your destination <u>or</u> in the journey itself.
{ B：It is often said that the joy of traveling is not in arriving at your destination <u>but</u> in the journey itself.

10.
{ A：<u>What a fun</u> it is to have a cold drink on such a hot day!
{ B：<u>What fun</u> it is to have a cold drink on such a hot day!

11.
{ A：<u>Searching</u> the website of the Fire Department in your city，and you will learn a lot about firefighting.
{ B：<u>Search</u> the website of the Fire Department in your city，and you will learn a lot about firefighting.

12.
{ A：Turn on the television or open a magazine and <u>you often see</u> advertisements showing happy families.
{ B：Turn on the television or open a magazine and <u>you will often see</u> advertisements showing happy families.

【答案】
1. A.[×]　B.[√]　　2. A.[×]　B.[√]　　3. A.[×]　B.[√]　　4. A.[×]　B.[√]
5. A.[×]　B.[√]　　6. A.[×]　B.[√]　　7. A.[×]　B.[√]　　8. A.[×]　B.[√]
9. A.[×]　B.[√]　　10. A.[×]　B.[√]　　11. A.[×]　B.[√]　　12. A.[×]　B.[√]

第十六讲　名词性从句(Nominal / Noun Clause)

一、引导名词性从句的关联词

引导名词性从句的关联词(Correlative)主要有下面几种。

1. 连接词 that，whether 和 if

(1) 连词 that 本身无意义,有时可省略;whether 和 if 本身有意义,均不能省略。that 和 whether 可以连接所有的名词性从句,而 if 引导名词性从句时,主要引导宾语从句或不在句首的主语从句;if 可引导表语从句,但少见。

(2) whether 可以作介词宾语,而 if 则不能。

(3) whether 引导的句子可以放在复合句的句首,而 if 引导的从句只能放在主句谓语动词后面。引导宾语从句时,if 和 whether 可以互换,在口语中多用 if,但宾语从句位于主句之前时,只用 whether。

(4) whether 后可以接不定式,而 if 则不能。

(5) whether or no 意为"无论如何,不管",不可说 if or no。

(6) 动词 wonder 可以接 if 或 whether 从句,也可以接 that 从句。

(7) 动词 doubt(怀疑,不知道)的肯定句接 if 或 whether 从句,但否定式 don't doubt 和疑问式 Do you doubt 要接 that 从句;doubt 作"不信"解,表示强烈的不相信时,在陈述句中可接 that 从句。

(8) if 和 whether 常用在 see，ask，try，wonder，know 等动词后。

(9) 可以说 no matter whether 或 no matter if。

(10) 这三个连词在句中只起连接作用,不担任句子成分。

That he survived the accident is a miracle. 他在这场事故中幸免于难,真是奇迹。（主语从句）

Whether she comes or not makes no difference. 她来不来都没有关系。（句首主语从句,不用 if 引导）

It is doubtful **whether** he is coming. 他是否来不得而知。（可用 if,主语从句,但不在句首）

I don't know **whether** he will attend the concert. 我不知道他是否去参加音乐会。（可用 if,宾语从句）

The problem is (that) we can't get there early enough. 问题是我们不能很早到达那里。（表语从句）

I haven't settled the question of **whether** I'll lend him the money. 我还没有决定是否把钱借给他。（不用 if,作介词的宾语）

He didn't know **whether** to get married or to wait. 他不知道是现在结婚,还是等等再说。（不用 if）

The question **whether** he should join the team has not been decided upon. 他是否加入这个队的问题还没有决定。（不用 if,同位语从句）

The question is **whether** it is worth trying. 问题是这是否值得一试。（不用 if,表语从句）

No matter **whether** she comes or not, we'll go there tomorrow. 不管她来不来,我们明天都将去那儿。

What I'm anxious to know is **whether** the library is open now. 我急于想知道的是图书馆现在是否开门了。（可用 if,表语从句）

这件事情上我们是否错了现在还不能下结论。

It remains to be seen **if** we are wrong in the matter. [✓]（主语从句,不在句首）

If we are wrong in the matter remains to be seen. [✗]

Tell him **whether** you need the book. 告诉他你是否需要这本书。（宾语从句,"是否"）

Tell him **if** you need the book. 如果你需要这本书,就告诉他。（状语从句,"如果"）

I **doubt that** she will stay there. 我不信她会留在那里。（不相信）

I **doubt whether** she will stay there. 我怀疑她是否会留在那里。（怀疑）

I **doubt that** she is guilty. 我不信她有罪。（＝I don't think ...）

I **doubt whether**（可用 if）she is guilty. 我不知道她是否有罪。（＝I am not sure ...）

I **suspect that** she is guilty. 我怀疑她有罪。（＝I think ...）

I **doubt that** it's true. 我不信那是真的。（不信，＝I don't think it is true.）

I **doubt whether** it's true. 我怀疑那是不是真的。（怀疑）

I **don't doubt that** you are innocent. 我相信你是清白的。

She never **doubted that** she was right. 她从不怀疑自己是正确的。

I **don't doubt that**（不用 if 或 whether）he will come soon. 我不怀疑他不久会来。

Can you **doubt that** she will win? 你怀疑她会赢吗？

Nobody can possibly **doubt that** he will succeed. 没有人会怀疑他会成功。

【提示】

① whether 和 that 都可以引导宾语从句，但有所不同。如果宾语从句表示两种可能性居其一时，只能用 whether（or not 可省），不可用 that。例如：

　I wonder **whether** he knows the manager (or not). 我不知道他是否认识经理。

　I doubt **whether** the news is true or not. 我怀疑这消息是不是真的。

　　＝I doubt **whether or not** the news is true.

▶▶▶ 如果宾语从句表示的是一种事实，不带有两种可能的性质，要用 that，不用 whether。例如：

　I do not doubt **that** she will wait for you. 我不怀疑她会等你的。

　I asked **that** she (should) come immediately. 我要她立即就来。

　Please see **that** he does the work well. 请务必让他把工作做好。

　比较：

　I wonder **whether** he did it. 我想知道他是否做了那件事。（后可加 or not）

　I wonder **that** he did it. 他竟然做了那件事，我感到很奇怪。（后不用 or not）

② whether ... or 可以引导让步状语从句，意为"无论，不论"，这时 or 不可省，而 if 则不可。例如：

Whether it rains **or** snows, I don't care. 不管是下雨还是下雪，我都不在乎。（不用 if）

③ 在现代英语中，既可以用 whether ... or, whether ... or not 引导宾语从句，也可以用 if ... or, if ... or not 引导宾语从句。例如：

　I don't care **whether** you come **or not**. 我不在乎你来不来。（可用 if）

　Please try to find out **whether** he is at home **or** at the office. 请尽量查明他在家还是在办公室。（可用 if）

　I asked her **if** she wanted tea **or** coffee **or** ice-cream. 我问她要茶、咖啡还是冰淇淋。

④ whether 后可以直接跟 or not 或 or no，构成 whether or not 或 whether or no，if 则不可。例如：

　He will write you **whether or not** he can do it. 他会写信告诉你他能否做那件事。（不用 if）

　Whether or not she did it, I can't tell. 她是否做了那件事，我不能说。（不用 if）

　He will leave for Paris tomorrow, **whether or no**. 他明天无论如何要动身去巴黎了。

⑤ whether 和 if 引导的宾语从句，可以用肯定式，也可以用否定式，但含义时常不同。比较：

　He asked **whether** she **could** help. 他问她是否能帮忙。（表示疑问，可加 or not）

　He asked **whether** she **couldn't** help. 他认为她能帮忙。（表示肯定，后不可加 or not）

　She considered **whether** it **would** be wiser to remain silent. 她考虑保持沉默是否更明智。（表示疑问）

　She considered **whether** it **wouldn't** be wiser to remain silent. 她认为保持沉默会更明智。（表示肯定）

　He wondered **if** he **had better** break off all the relations with her. 他想知道是否最好同她断绝关系。（表示疑问）

　He wondered **if** he **hadn't better** break off all relations with her. 他知道最好还是同她断绝关系。（表示肯定）

我不知道她身体是否安好。

I don't know **whether** she is well **or not**. (不知是否安好)

I don't know **whether** she is well. (怀疑身体不好)

I don't know **whether** she is **not** well. (想来非常不好)

▶▶▶ ask, wonder, discover, see, consider, doubt 后的 whether 或 if 引导的宾语从句常有这种区别。但有时候, if…not 意同"if+肯定式"。例如:

I wonder **if** he **isn't** mistaken. 我想他是错了。

＝I wonder **if** he **is** mistaken.

⑥ 下面一句中, if 引导的否定句应看作条件状语从句, 这里不可用 whether:

I don't care **if** he doesn't pay the money. 如果他不付钱, 我也不介意。(不用 whether)

▶▶▶ 分析下面一个歧义句:

I shall tell you later **if** I have enough money.

我晚些时候将告诉你我是否有足够的钱。(if 表示"是否", 引导宾语从句)

如果我有足够的钱, 我晚些时候将会告诉你。(if 表示"如果", 引导条件状语从句)

▶▶▶ 下面两句则不会产生歧义:

I shall tell you later, **if** I have enough money. (只表示条件, 意为"如果")

I shall tell you later **whether** I have enough money. (只表示"是否")

2. 连接代词

在英语语法中, 有连接代词(Conjunctive Pronoun)、连接副词(Conjunctive Adverb)和关系代词(Relative Pronoun)、关系副词(Relative Adverb)之分; 连接代词和连接副词引导名词性从句——主语从句、表语从句、宾语从句、同位语从句, 关系代词和关系副词引导定语从句。

引导名词性从句的连接代词有: who 谁(主格), whom 谁(宾格), whose 谁的(所有格), what 什么……的东西, which 哪一个/些(指人或物), whatever 无论什么, whichever 无论哪一个, whoever 无论谁。

▶▶▶ 连接代词在句中既起连接作用, 同时又担当主语、宾语、定语、表语等成分。例如:

Who will preside at the meeting has not been decided yet. 由谁主持会议还没有决定。(引导主语从句同时作从句的主语)

He asked **whom** I borrowed the money from. 他问我向谁借的钱。(引导宾语从句同时作从句的宾语)

Which team has won the game is not known yet. 还不知道哪个队赢了这场比赛。(引导主语从句同时作从句的定语)

This is **what** he said to me. 这就是他对我说的。(引导表语从句同时作从句的宾语)

【提示】

① 比较下面的缩合连接代词/复合连接代词(Condensed Conjunctive Pronoun), 这些词不表示疑问:

who＝anyone who/the person who　　　what＝anything/all/something that

whatever＝anything that　　　whoever＝anyone who/those who

whichever＝anyone who/any one which/that　　　whomever＝anyone who/whom

whosever＝anyone whose/anything that

Who believes that will believe anything. 相信那件事的人会相信任何事。

After the earthquake, they soon repaired **what** had been damaged. 地震过后, 他们很快就将损坏的东西修复一新。

Help yourself to **whatever** you want. 请尽情享用。

Whatever I have is at your service. 我所有的一切你尽管使用。

I'll take **whatever** help I can get. 任何帮助我都接受。

We must do **whatever** is best for her. 我们必须做对她最有益的事。

I'll take **whoever** wants to go. 谁想去我就带谁去。

Whoever is responsible for this will be punished. 对此事负有责任的人都将受到惩罚。

Who delays, pays. 延误者罚款。

He is not **who** I thought he was. 他已不是我过去所想象的人。

You're responsible to **whoever** is in charge of sales. 你对掌管销售的人员负责,无论其为何人。

She can marry **whomever/whoever/who** she chooses. 她可以和她选择的任何人结婚。

You can have **whichever** you like best. 你可以拿你最喜欢的。

Buy **whichever** is cheapest. 哪个便宜买哪个。

Whichever climbs to the top of the hill first will receive a prize. 哪个先到山顶,哪个得奖。

Take **whichever** picture you like. 你喜欢哪幅画就拿哪幅。

We are fully prepared for **whatever** problems lie ahead. 无论前面会遇到什么困难,我们都有充分准备。

We should try our best to help **whomever** we love and respect. 我们应尽力帮助我们热爱和尊重的人们。

Whosever are left here for a certain time will be confiscated. 不管谁的东西落在这里一段时间后就被充公。

Whosever books are overdue will be find. 不管谁的书延期都要被罚款。

I'll pay **whatever** fee you ask. 你要的任何费用我都会付。

The office is cleaned by **whoever's** turn it is that day. 当天轮到谁,谁就打扫办公室。

Whoever's this is is to be returned. 不管这是谁的都得归还。

▶▶▶ 既然这些连接代词起着连词和充当句子成分的双重作用,其后不能再用连词。例如:

　　值得做的事就应该做好。
　　Whatever that is worth doing should be done well. 〔×〕
　　Whatever is worth doing should be done well. 〔√〕

　　谁得第一名谁得金牌。
　　The gold medal will be presented to whoever that comes out first. 〔×〕
　　The gold medal will be presented to **whoever** comes out first. 〔√〕

② what 有时保留它原有的疑问意义,表示"什么",有时作缩合连接代词,等于"the thing which/that",这时,what 前面不能再加 that 或 all。另外,what 若作疑问代词,介词可移到 what 前,而用作连接代词则不可。例如:

　　这幅画使我想起了我曾经在一个湖边看到的景色。
　　The picture reminded me of what that I had ever seen near a lake. 〔×〕
　　The picture reminded me of **what** I had ever seen near a lake. 〔√〕(＝the things which)

　　It was clear **what** he meant. 他是什么意思,那很清楚。(疑问代词)
　　What worries him is his wife's health. 他忧虑的是他妻子的健康。(连接代词)

　　他吃了所买的东西。
　　He ate **what** he paid for. 〔√〕(连接代词)
　　He ate for what he paid. 〔×〕

　　他问学生们水是由什么组成的。
　　He asked the pupils **what** water was composed of. 〔√〕(疑问代词)
　　He asked the pupils **of what** water was composed. 〔√〕

　　她所说的是真的。
　　All what she said is true. 〔×〕
　　What she said is true. 〔√〕
　　All that she said is true. 〔√〕

③ what 既可以是疑问代词,也可以是连接代词,其区别是:what 从句的谓语动词含有怀疑、询问、不肯定的意义时,what 为疑问代词;反之,指具体的事件,表示肯定意义时,what 就是连接代词。参阅上文。比较:

　　I don't know **what** he is writing. 我不知道他在写什么。(疑问代词)
　　I know **what** he meant. 我知道他的意思。(连接代词)

What is happening outside is not known. 不知道外面在发生什么事。(疑问代词)

What is happening outside does not concern us. 外面发生的事与我们无关。(连接代词)

What follows is doubtful. 接着会发生什么还难以料定。(疑问代词)

What follows is satisfactory. 接着发生的事是令人满意的。(连接代词)

The question is **what** she told her son before she died. 问题是她临死之前告诉了她儿子什么。(疑问代词)

The decision is **what** she told her son before she died. 决定就是她临死之前告诉她儿子的。(连接代词)

④ 比较:

We can see **what appears** to be **a plate**. 我们能看到那个貌似盘子的东西。

We can see **what appear** to be **plates**. 我们能看到貌似盘子的一些东西。

3. 连接副词

引导名词性从句的连接副词有:

when(=the time when 什么时候,何时)   where(=the place where 什么地方,何时)

how(=the way in which 如何,怎样)   why(=the reason why 为什么)

连接副词起双重作用,在句中既是连接词,又作状语。这类词引导的从句在句中可以用作主语、宾语或表语。例如:

When we can begin the expedition is still a question. 我们何时才能开始这次考察仍悬而未决。(引导主语从句同时作从句的时间状语)

We didn't know **why** she didn't come. 我们不知道她为什么没来。(引导宾语从句同时作从句的原因状语)

The question is **how** we can get the loan. 问题是我们如何才能弄到贷款。(引导表语从句同时作从句的方式状语)

I remember **when** it used to be a quiet village. 我记得它曾经是个安静的村庄。(引导宾语从句同时作从句的状语)

Fall is **when** fruits become ripe. 秋天是果实成熟的季节。(引导表语从句同时作从句的状语)

They are waiting outside for **when** they should be wanted. 他们在外面等着,随时听候指派。(作介词 for 的宾语)

That's **where** he used to live. 那就是他从前住的地方。(引导表语从句)

▶▶▶ 考察下面一个歧义句:

I don't remember **when** the meeting was held.

我不记得那个会议是什么时候开的。(when 作疑问副词,意为"什么时候")

我不记得开那个会议的时间了。(when 作连接副词,相当于 the time when)

【提示】名词性从句一般用陈述语序。例如:

他准备怎样做这件事是个谜。

How is he going to do it is a mystery. [不妥]

How he is going to do it is a mystery. [√]

他能否买到火车票仍然是个问题。

It is still a question whether can he buy a railway ticket. [不妥]

It is still a question **whether he can buy** a railway ticket. [√]

4. but,but that 和 but what

1 用于 no doubt 和 not deny 之后,等于 that

There can be no doubt **but that** it is the best choice. 这无疑是最好的选择。

She didn't doubt **but that/but** he was a responsible man. 她不怀疑他是个有责任心的人。

I cant not deny **but what** it is an urgent matter. 我不否认这是一件急迫的事情。

2 用于特殊疑问句中或否定词之后,相当于 that ...not

$\left\{\begin{array}{l}\text{Who knows \textbf{but that} it may be true? 谁能说这不会是真的呢?}\\ = \text{Who knows \textbf{that} it may not be true?}\\ \text{I can hardly believe \textbf{but that} the answer is right. 我简直不能相信这答案不正确。}\\ = \text{I can hardly believe \textbf{that} the answer is not right.}\end{array}\right.$

3 but that 可以引导条件状语从句

这时,but that 表示"若不是",相当于 if 从句,主句常用虚拟语气。例如:

He would have helped you **but that** he was short of money at the time. 如果不是当时没有钱的话,他会帮助你的。

He would have said no **but that** he was afraid. 若不是害怕的话,他会说不的。

But that she aided me, I might have gone bankrupt. 要不是她帮助我的话,我可能已破产了。(= If she hadn't aided me ...)

【提示】but,but that 和 but what 还可以引导结果状语从句,参阅第十八讲。

二、主语从句

1. 主语从句在复合句中充当主语

大多数主语从句(subject clause)都可以用 it 代替,作形式主语,把主语从句置于句尾。that 引导的主语从句可用 it 代替,that 一般不省。当 what 引导的主语从句表示"……的东西"时,一般不用 it 作形式主语。whatever,whoever,whichever 一般也不用 it 作形式主语。例如:

That I liked geography seemed strange to my father. 我喜欢地理,在我父亲看来,这很奇怪。

That you will have an answer is certain. 你能得到答复,这是肯定的。

That the thieves will be caught is likely. 这伙盗贼被抓住的可能性很大。

What angered me most was his total lack of remorse. 最使我生气的是他居然毫无悔意。

Why he did such a thing is not clear. 并不清楚他为什么做这种事。

Where she lives has not been found out. 还没有查清楚她住在哪里。

When he heard about it is unknown. 他什么时候听到那个消息不得而知。

Whether or not these figures are accurate remains to be checked. 这些数字是否确切还有待核对。

Who he is doesn't concern me. 他是谁与我无关。

What will be,will be. 要发生的事总是要发生的。

That she should be ungrateful cut him to the heart. 她竟忘恩负义,这使他很伤心。

That Mary liked Chinese food seemed strange to her mother. 玛丽喜欢吃中国菜,在她母亲看来,这很奇怪。

That all his dreams and ambitions will be fulfilled is unlikely. 他所有的梦想和抱负都能实现,这可能性不大。

Whether she sold the house and how much money she got out of it doesn't concern you. 她是否卖了房子,从中得了多少钱,与你无关。

That the two sides should have a difference of opinion over aims and methods is natural. 双方在目的和方法上意见有些不一致是自然的。

It was clear enough **what she meant**. 她的意思是再清楚不过了。

It's not my business,**how he chooses to live**. 他爱怎么生活就怎么生活,这与我不相干。

Is it known **where she went**? 知道她去哪儿了吗?

It hurt her a great deal **that all she had done for him in the past years was of no avail**. 想着多年来为他奉献的一切都付诸东流水,她伤心欲绝。

It's well known **that the Chinese people show great hospitality**. 中国人以热情著称于世。

It matters **what you'll do**. 你要做什么,这至关重要。

It is a complete mystery **what led to the tragic consequences**. 是什么造成了悲剧性的后果,这完全是个谜。

【提示】

① 带 that 主语从句的复合句为疑问句、感叹句时,that 主语从句要后置,用形式主语 it 代之。例如:

How could **it** happen **that the kids showed no interest in what I was saying**? 小家伙们怎么会对我的话一点也不感兴趣呢?

Is **it** possible **that the famous gallery will present the works of a new artist**? 这家著名美术馆有可能展出一个刚出道的艺术家的作品吗?

Why is **it** that **her case has attracted an enormous amount of public sympathy**? 为什么她的案子得到了无数公众的同情?

How amazing **it** is **that the 70-year-old man should have swum across the channel**! 这位 70 岁的老人竟然游过了海峡,真是令人惊奇!

How amusing **it** is **that the magician conjured a rabbit out of his hat**! 魔术师从帽子里变出一只兔子,真逗人!

② 在 It dawned on sb. that 结构中,that 引导的从句只能后置。例如:

It dawned on her **that he had been right all along**. 她突然意识到他一直都是对的。

③ 比较:

他所需要的是更多的经验。
What he needs is more experience. [√]
It is more experience what he needs. [×]
据估计,飞到火星来回的时间要超过一年。
That a round-trip to Mars would take more than a year is estimated. [√]
It is estimated that a round-trip to Mars would take more than a year. [√]
她是否要扮演这个角色值得怀疑。
Whether she would play the part is still doubtful. [√]
It is still doubtful whether she would play the part. [√]
犯人是如何逃跑的是个谜。
How the prisoner escaped is a mystery. [√]
It is a mystery how the prisoner escaped. [√]

④ because 偶尔可以引导主语从句。

2. it 作形式主语和 it 引导强调句的比较

it 作形式主语代替主语从句,主要是为了平衡句子结构(特别是谓语较短时),主语从句的连接词没有变化。而 it 引导的强调句则是对某一句子成分的强调(这一成分可以是词、词组或句子),其结构是"It be＋that"。无论强调的是什么成分,都通用连接词 that,强调人时也可用 who/whom/whose,强调地点时也可用 where,强调时间时也可用 when。参阅有关章节。比较:

It was ordered **that** the goods be sent there by plane. 根据命令,那些货物必须空运到那里。
(it 作形式主语)
It was last summer **that** he graduated from the university. 他是去年夏天从那所大学毕业的。
(it be that 为强调句型)

It has been found out **who** set the record. 已经弄清楚纪录是谁创造的。(it 作形式主语)
It was Mary **that/who** set the record. 是玛丽创造了纪录。(it be that 为强调句型)

3. 用 it 作形式主语的主语从句结构

在本部分第四类结构或某些其他结构中,有时也可用连接代词或连接副词引导的从句。

① 主语＋名词＋从句

It is a pity that ... 遗憾的是…… 　　It is a fact that ... 事实是……
It is good news that ... ……是好消息 　　It is no wonder that ... ……不足为奇
It is a wonder that ... 真是个奇迹…… 　　It is a shame that ... ……真是可耻
It is an honour that ... ……非常荣幸 　　It is common knowledge that ... ……是常识

② 主语＋形容词＋从句

It is quite clear that ... 明确无误…… 　　It is amazing that ... 令人惊诧的是……
It is natural that ... 很自然…… 　　　　It is obvious that ... 显而易见……

It is fortunate that . . . 幸运的是……　　　It is possible that . . . 很可能……

It is unlikely that . . . 不可能……　　　　It is strange that . . . 奇怪的是……

3 It＋过去分词＋从句

It is not known that . . . ……不得而知　　It is not decided that . . . ……尚未决定

It is said that . . . 据说……　　　　　　It is reported that . . . 据报道……

It must be pointed out that . . . 必须指出……　　It is to be discussed that . . . ……有待讨论

It has been proved that . . . 已证明……　　It is estimated that . . . 据估计……

It is to be noted that . . . 值得注意的是……　　It is believed that . . . 据认为……

It is universally believed . . . 普遍认为……　　It is announced that . . . 据宣布……

It can safely be said that . . . 完全可以说……　　It must be admitted that . . . 必须承认……

It can thus be concluded that . . . 可以由此得出结论

4 其他

It doesn't matter . . . ……是无关紧要的

It makes no difference . . . ……毫无区别

It doesn't make too much difference that . . . ……关系不大

It doesn't need to be bothered that . . . 不必担忧……

It is of little consequence that . . . ……无关紧要

It suddenly struck me/occurred to me that . . . 我突然想到/感觉到……

【提示】在下面的结构中,it 为虚设主语,that-从句是一个外置的主语,但该主语不可前置放在句首:

〔It seems/appears/(so) happens/chanced/transpired/came about/turned out/occurred to＋that-从句

〔It may /could be＋that-从句

Thus **it** came about **that he left home on a cold winter morning, never to return**. 就这样,他在一个寒冷的冬天早晨离开了家,再没有回来过。

How did **it** come about **that he did not report the theft until two days after it occurred**? 他怎么直到盗窃案发生两天后才报案呢?

Didn't **it** occur to you **that the detectives were keeping the place under observation**? 你当时没有想到这个地方受到侦探的监视吗?

关于这类结构的详细说明和例示参阅第三讲中"it 的用法"一节。

4. 主语从句不可位于句首的几种情况

除了 if 引导的主语从句不可居复合句的句首外,在下列情况下,主语从句亦不可提前。

1 It doesn't matter＋how/ whether . . . 结构中的主语从句不可提前

他喜不喜欢它都没关系。

〔It doesn't matter **whether he likes it or not**. ［√］

〔Whether he likes it or not doesn't matter. ［×］

2 It is said/ reported . . . 结构中的主语从句不可提前

据说这条高速公路明年通车。

〔It is said that **the expressway will be open to traffic next year**. ［√］

〔That the expressway will be open to traffic next year is said. ［×］

3 含主语从句的复合句是疑问句时,主语从句不可提前

下午可能会下雪吗?

〔Is it likely **that it will snow in the afternoon**? ［√］

〔Is that it will snow in the afternoon likely? ［×］

【提示】在简短句子中,主语从句的引导词 that 可以省略。例如:

It's a good thing George can't hear us. 乔治听不见我们讲话是个好事。

It's a pity you can't swim. 你不会游泳,真遗憾。

It seems likely someone left the door unlocked. 似乎有人可能忘了锁门就出去了。

三、宾语从句

1. 作动词的宾语(object clause)

1 由 that 引导的宾语从句

I wish (**that**) **she would understand me**. 我希望她能理解我。(that 可省)

I don't think (**that**) **he is right**. 我认为他不对。(that 可省)

He ordered **that we should start at once**. 他命令我们立即出发。(that 一般不可省)

We have reason to believe **that she knew the victim quite well**. 我们有理由相信,她跟受害人很熟悉。

Jim suggested **that we go to the Rocky Mountains during the summer**. 吉姆建议我们夏天去落基山。

(that 一般不可省)

▶▶▶ 下列动词后常跟 that 引导的宾语从句:

admit	agree	answer	believe	complain	confess	decide	declare	deny
dream	expect	explain	feel	hear	hope	imagine	intend	insist
mean	notice	order	propose	remember	reply	request	require	say
see	suggest	think	wish					

2 由 what, when, how, which, why, how many, how much, who, whom, whether/ if 引导的宾语从句

I don't know **what she has bought for Father's birthday**. 我不知道她为父亲的生日买了什么。

Words don't always mean **what they seem** to mean. 话语常有弦外之音。

They don't know **what it takes to be successful**. 他们不知道成功需要什么素质。

Guess **what famous person said this**. 猜猜看是哪位名人说的话。

He tasted **what she gave him**. 他尝了她给他的东西。

Sam collected **what information he could find**. 萨姆收集了他能找到的少许信息。

She gave **whoever asked for a copy of the paper**. 那篇论文谁要她都给一份。

Take **whatever you like**. 你喜欢什么就拿什么。

Choose **whoever is the fittest**. 选最合适的人。

He accepted **what money people gave him**. 他接受了人们给他的那点儿钱。

They couldn't agree (about/as to) **who should be sent there**. 派谁去哪儿,他们未能取得一致意见。

He explained **how the tool was used**. 他解释了这个工具怎样使用。

I was only asking **how this could have happened**. 我只是问怎么会发生这样的事。

She hurried to find out **what the problem was**. 她赶忙去找问题所在。

I can't think **why she ever married him**. 我想不明白她为什么居然嫁给了他。

Let's hear **what he's got to say**. 让我们听听他怎么说吧。

The teacher pointed out **where she was wrong**. 老师指出她错的地方。

I couldn't make out **what they were talking about**. 我听不清楚他们在谈论什么。

Do you ever discover **who sent you the flowers**? 你弄清是谁给你送的花了吗?

He anticipated **where the enemy would try to cross the river**. 他预测敌人要在什么地方过河。

I don't care **whether we win or lose**. 我不在乎我们是赢还是输。

You can complain, but I doubt **if it'll make any difference**. 你可以抱怨,但是我看抱怨也未必有用。

The waiter enquired **whether we would like to sit near the window**. 侍者问我们是否想靠窗边坐。

The doctor felt John's arm to find out **if the bone was broken**. 医生摸了摸约翰的手臂,看看骨折了没有。

She gave **whoever it was a meal**. 不管谁来,她都给饭吃。(whoever 引导宾语从句,本身作间接宾语)

Choose **whoever is the most capable as your partner**. 选最能干的作为你的合伙人。(本句中的宾语从句带补语)

He wondered **if the letter was miscarried**. 他想那封信是不是误投了。

▶▶▶ 下列动词(词组)后常跟 what, whether/if 引导的宾语从句:

ask, discuss, doubt, find out, imagine, inform, inquire, know, question, show 展示, tell, understand 明白, wonder 想知道,等。

【提示】

① explain 后跟 that 从句时,表示"说明,告诉",相当于 tell;explain 后跟 why 从句时,表示"解释"。比较:

> She **explained** that she came late. 她说明她来迟了。
> She **explained** why she came late. 她解释她为什么来迟了。

② 比较:

> You don't seem to know **when** you can get the work done. 你似乎不知道什么时候才能把这项工作完成。(句中的 when 为连接副词,意为"什么时候")
> You don't seem to know **when** you're lucky. 你是幸运的,而你似乎不知道。/你似乎是身在福中不知福。(句中的 when 由 the time when 缩减而成,可以看作前面省略了 the time,为缩合连接副词,不表示"什么时候")

▶▶ 在 when=the time when 这一用法上,when 还可引导用作介词宾语的宾语从句。例如:

John will leave in a month, **by when** everything will be ready.

They were talking **from when** the snow began to fall.

> Do you know **that** she is a poet? 她是一位诗人,你知道吗?
> Do you know **if** she is a poet? 她是否是一位诗人,你知道吗?

> I don't know **that** he swam across the river. 我不知道他游过了那条河。
> I don't know **how** he swam across the river. 我不知道他是怎样游过那条河的。

3 动词+间接宾语+宾语从句

有些宾语从句前可有一个间接宾语,这个间接宾语有的可省,有的则不能省。例如:

He has informed **me when they are to discuss my proposal**. 他已经通知我他们将在什么时候讨论我的建议。(me 不可省)

The manager asked **me what I didn't know about the company**. 经理问我关于这家公司我还有什么不了解的。

She promised (us) **that she would give us more help later on**. 她答应以后给我们更多的帮助。

Show me **where George Washington lived**. 领我看看乔治·华盛顿住过的地方。

We'll make him **whatever he is fit for**. 他够什么料,我们就把他培养成什么料。

Go and ask Peter **whether he's coming tonight**. 去问问彼得他今晚是否来。

The captain of the ship assured **the passengers that there was no danger**. 船长向乘客保证不会有危险。

Would you advise **me where I should spend my holidays this summer**? 你说我今年夏天在哪里度假为好?

The sight of the clock reminded **him that he was late**. 一看到钟他就知道迟到了。

The policeman warned **us that the roads were icy**. 那位警察提醒我们道路结了冰。

You may call **it what you like**. 你爱叫它什么就叫它什么。

▶▶ 这类动词常见的有:advise, ask, assure, inform, promise, question, remind, show, teach, tell, warn 等。

2. 作介词宾语

Whether we can succeed depends **on how well we cooperate**. 我们能否成功取决于我们合作得怎样。

He was not conscious **of what an important discovery he had made**. 他没有意识到自己做出了多么重要的发现。

I was curious **as to what we would do next**. 我很想知道下一步我们该做什么。

A boundary dispute is a quarrel **about where a boundary is or ought to be**. 边界纠纷就是关于边界在何处或应当在何处的争论。

Mara was extremely careful (about) **what she ate**. 玛拉在饮食上极为讲究。

The doctor was doubtful (about) **whether the patient would survive the operation**. 医生怀疑病人能否熬过这次手术。

He's very fuzzy (about) **how his meals are cooked**. 他对饭菜做得怎样是很讲究的。

I can't make up my mind (about) **whether I should resign or not**. 我下不了决心,究竟辞职还是不辞职。

She hasn't decided (on) **which model she will buy**. 她还没有决定买哪一种型号的。

Just look (at) **what you've done**! 看看你干了什么？

They couldn't agree (about/as to) **how it should be done**. 这件事该怎么做，他们的意见不一致。

I don't care (about) **what others say**. 我不在乎别人说什么。

She pointed **to what looked like a box**. 她指向一个看似盒子的东西。

I tried not to think **of what Richard was doing**. 我尽量不去想理查德在做什么。

He began to think **about what he would do next**. 他开始考虑下一步该做什么。

The car stopped short only a few inches **from where I stood**. 汽车在离我只有几英寸的地方突然停住了。

The actual sum is greater **than what Aunt May asked for**. 实际数量比梅姨要求的多。

She returned the letter **to whosoever's address was on it**. 信封上写着谁的地址，她就把信退到谁那儿去。

We are paid **according to how much work we do**. 我们的工资随工作量而定。

We couldn't decide **as to which is the best**. 至于哪一个最好，我们决定不了。

Mary will sit **beside whom she chooses**. 玛丽总要坐在自己挑选的人旁边。

The police questioned him **as to where the car had been found**. 警察盘问他这辆车是在哪里发现的。

After a shouted opinion **of what he thought of the restaurant**，he stormed out. 他大喊大嚷地发表了一通他认为餐馆应该是什么样的议论后，就冲出去了。

The guard questioned the man **about where he had come from**. 卫兵盘问那人是从哪儿来的。

They reminded me **of what would never be again**. 它们使我想起了那些永不再有的东西。

The family argued bitterly **over who should inherit the house**. 这家人就谁该继承房产激烈争吵。

I joined him **at what turned out to be nearly an all-night job of getting the toy trains put together and set up**. 我和他一起把玩具火车集中起来，装配好，几乎干了一个通宵。

They added a short essay **on who are the most powerful people in America**. 他们又为美国最有权势的人加了一篇短文。

Nobody could be sure **of which kind of wildlife would be useful to us in the future**. 没有人有把握知道野生动植物中哪一种将来可能对我们有用。

【提示】

① wh-型宾语从句保留疑问意义时，其前面的介词有时可省略。当 who, what 等 wh-词失去疑问意义，相当于 the person who, the thing which, that which, the place at which 等，所引导的宾语从句前的介词不可省略，见上例。比较：

　　Bill asked **what Jane wanted**. 比尔问简要什么。（what 保留疑问意义）
　　Bill asked **about what Jane wanted**.
　　比尔问简要什么。（what 保留疑问意义）
　　比尔问起简所要的东西。（what 失去疑问意义，相当于 the thing which）

　　She was not aware (of) **how rude he could be**. 她不知道他会有多么粗野。
　　She was not aware **of what was happening outside**. 她不知道外面在发生什么事。（本句中的 what 引导名词性从句，相当于 the thing which/that）

　　I wasn't certain (of) **when I lost my license**. 我弄不清我什么时候丢失执照的。
　　I am certain **of what she said**. 我了解她所说的情况。

② 由过去分词转变的形容词+介词，后接 wh-词引导的宾语从句时，介词一般不可省。例如：

　　Mom was very upset **that you didn't phone**. 你没有来电话，妈妈很不高兴。
　　Mom was very upset **about what you said at the meeting**. 妈妈对你在会上说的话很是担心。

　　I was worried **that the delicate ecological balance of the area would be upset**. 我担心这个地区脆弱的生态平衡会被打乱。
　　I'm worried **about what bad effects such books will have on teenagers**. 我担心这样的书会对青少年产生怎样的不良影响。

③ that 引导的从句偶尔可用于 to be 后作宾语补足语。例如：

I thought her argument to be **that we should increase taxation**. 我想她的论点就是我们应当增加税收。

④ 只在 in, but, except, save, notwithstanding 等少数几个介词后可用由 that 引导的宾语从句，已形成固定搭配，即 in that 在于/因为，but that 要不是……/只是……，except/save that 除了……，notwithstanding that 虽然。例如：

The higher income tax is harmful **in that** it may discourage people from trying to earn more. 所得税过高是有害的,因为它可能使人不愿意多赚钱。(＝because)

He differed from his colleagues **in that he devoted his spare time to reading**. 他与同事们的不同之处在于,他把业余时间花在学习上。

The paper was perfect **except that there were some misprints**. 除了一些印刷错误之外,这篇论文很好。

I would have come to see you **but that** I had something urgent to do then. 若不是当时有些急事要办的话,我本来会来看你的。

I agree with you, **save that you have got one or two details wrong**. 我同意你的看法,除了一两处你弄错的细节外。

I shall go **notwithstanding that I am long delayed**. 虽然我耽误了很久,但我还是要去。

3. 作形容词宾语

I am afraid（**that**）**I've made a mistake**. 恐怕我犯了一个错误。

I'm delighted（**that**）**you get good grades in school**. 你在学校成绩优秀,我很高兴。

We are not sure **whether we can persuade him out of smoking**. 我们不敢肯定能否说服他戒烟。

He was very anxious **that the meeting the following day should be a success**. 他热切希望第二天的会议取得成功。

Eliot was determined **that his son would do well** and sent him to a private school. 艾略特坚信儿子会学业优异,把他送到了私立学校学习。

The President was clear **that this situation could not last long**. 总统很清楚,这种局势维持不了多久。

I am appalled **that thousands of people are killed every year in road accidents**. 每年都有成千上万的人死于交通事故,这使我非常震惊。

We are confident that **next year's profits will be higher**. 我们确信明年的利润会增加。

You should be thankful **that you have escaped with minor injuries**. 你逃了出来,只受了点轻伤,应该感到欣慰。

I am certain **that she will get over her illness**. 我确信她会战胜疾病的。

I was convinced **that we were doing the right thing**. 我确信我们做的事是正确的。

He is bitterly regretful **that he never went to college**. 他为自己从来没上过大学深感遗憾。

She was satisfied **that her daughter satisfied all the conditions for admission**. 她女儿符合所有的录取条件,她很满意。

Gordan was bitterly disappointed **that he failed that course**. 戈登那门课没及格,非常灰心。

【提示】

① that 引导的从句常跟在下列形容词后作宾语,that 有时可省略：

anxious, aware, certain, confident, convinced, determined, glad, surprised, worried, sorry, thankful, ashamed, disappointed, annoyed, pleased, hurt, satisfied, content, proud 等。

② 有些语法书把这类形容词后的从句称为方面状语从句,还有些语法书把某些这类形容词后的从句看作原因状语从句。

4. 动词＋it＋that 结构

正如我们常用 it 作形式主语,代替真正的 that 主语从句一样,我们也常用 it 作形式宾语,把作为真正宾语的 that 从句放在句尾,特别是在带复合宾语的句子中。这种结构中的 that 一般不省。本结构中的宾语从句也可用 why, how, when, where 等引导。例如：

I shall see to **it that he is taken good care of when you are absent**. 你不在的时候,我负责把他照顾好。(本句中的 that 可省,也可省去 to it)

I heard **it** said **that she had gone abroad**. 听说她到国外去了。

We consider **it** absolutely necessary **that we should open our door to the outside world**. 打开国门,实行开放,我们认为这是绝对必要的。

He has made **it** clear **that he won't agree to the plan**. 他说得很清楚,他不会同意这个计划的。

Mr. Taylor made **it** clear **that there was to be no compromise**. 泰勒先生清楚地说明没有商量的余地。

He has made **it** known **why he chose to make politics a career**. 他已经清楚地说明了他为什么决定从政。

I think **it** right **that the government should cut funding in this way**. 我认为政府这样削减经费是正确的。

He made **it** known **that he would not be running for re-election**. 他公开宣布他不打算竞选连任。

I think **it** best **that you have the car ready by Monday**. 我想你最好星期一前备好车。

I have **it** on my conscience **that I've made a big mistake**. 我犯了一个大错误,心里很难过。

I think **it** urgent **that we should build a shelter for the homeless**. 我认为当务之急是为无家可归者建庇护所。

I feel **it** a stupid thing **that he should have sold the house in downtown area**. 他竟然把市中心的房子卖掉了,我觉得他是干了一件蠢事。

I tried to bring **it** to his attention **that house prices have come down in recent months**. 我试图让他注意到,最近几个月房价降下来了。

【提示】有时,带补语的宾语从句不用 it 替代,而直接把补语前置。另外,宾语从句在句中也可作间接宾语,较少见。例如:

The President has never made **public when and why he made the decision**. 总统从未公开说明他做出那项决定的时间和原因。

He gave **where the old houses had stood** a last look. 他向老房子所在的地方看了最后一眼。

5. 不可直接跟 that-从句的动词

下列动词后不可接 that 从句:ask, refuse, let, like, cause, force, love, help, condemn, admire, celebrate, entreat 恳求, dislike, loathe 厌恶, overlook 忽视, take 认为, forgive 原谅, behold 看到, bid 命令, hate 憎恨, see 看见, want 想要,等。但上述某些词可用 it 或 the fact 作为媒介,后跟 that-从句。例如:

I take **it that** you've heard that Rick's resigned. 我想你已经听说里克辞职了。

I take **it** from your silence **that** you don't agree to the solution. 你保持沉默,我想你是不同意这个解决方案。

She owed **it** to her husband's devoted care **that** she had rapidly recovered. 她很快痊愈了,多亏她丈夫的细心照料。

I don't like **it that** someone should phone me late at night. 我不喜欢有人在夜里很晚的时候给我打电话。

他忽略了他犯了另一个错误这一事实。
He overlooked that he had made another mistake. [×]
He overlooked **the fact that** he had made another mistake. [√]

我羡慕他们赢了比赛。
I admire that they won the match. [×]
I admire **their winning** the match. [√](可接动名词)

我看见她离开了房间。
I saw that she left the room. [×]
I saw her **leave** the room. [√](可接宾语+不定式)

她不喜欢那两个男孩一起玩。

She does not like that the two boys play together. [×]

She does not like the two boys **to play** together. [√]

我想让他立即就来。

I want that he comes at once. [×]

I want him **to come** at once. [√]（可接宾语＋不定式）

【提示】上述某些词在某层意思上可接 that 从句，比如 see 表示"发现，觉得"，后可接 that-从句。例如：

I saw（that）she would not lend us money. 我觉得她不会把钱借给我们。（＝felt）

I saw **that** the light was still on in his room. 我发现他房间里的灯还亮着。

6. 不可以 that-从句作直接宾语的动词

有些动词不可以 that 从句作直接宾语，不用于"动词＋间接宾语＋that-从句"结构。常见的有：envy，order，accuse，refuse，impress，forgive，blame，advise，congratulate，denounce 指责，等。这些动词后要用动名词等。例如：

她原谅了他违背承诺。

She forgave him that he had broken his promise. [×]

She forgave **him for breaking** his promise. [√]（＝his breaking）

他给经理的印象是个诚实的人。

He impressed the manager that he was an honest man. [×]

He impressed **the manager as** an honest man. [√]（＝with his honesty）

他劝我做那件事。

He advised that I should do it. [×]

He advised me **to do** it. [√]

不要怪我没按时来。

Don't blame me that I did not come on time. [×]

Don't blame me **for not coming** on time. [√]

我羡慕她英语说得那么好。

I envy her that she speaks English so well. [×]

I envy **her speaking** English so well. [√]

原谅我来迟了。

Excuse me that I come late. [×]

Excuse me **for coming** late. [√]

Excuse me **coming** late. [√]

我祝贺你取得了成功。

I congratulate you that you have succeeded. [×]

I congratulate you **upon your success**. [√]

但可以说：Well，congratulate yourself **that** you resisted the temptation. 好啦，你抵制住了诱惑，应该庆幸才是。

7. that 引导宾语从句时的省略

1 主句谓语动词是 agree，argue，hold，learn，maintain，observe，contend，conceive，reckon，remark，state，suggest，assume，announce，calculate，indicate 等时，其后宾语从句的引导词 that 通常不可省略

Most scientists agree **that** global warming is a serious problem. 大多数科学家都认为全球气候变暖是个严重的问题。

She was pleased to learn **that** he had arrived safely. 得知他安全抵达，她很高兴。

Mr. Jones remarked **that** Peter was a very clear-headed young man. 琼斯先生说，彼得是一位头脑十分清醒的青年。

2 主句谓语动词是 hear, know, grant, say, see, perceive, confess, consider, declare, remember, understand, propose, be told 等时,其后宾语从句的引导词 that 可省,也可不省

I hear (that) you've been selected to play the A team. 我听说你已入选 A 队了。

I grant (that) he is honest. 我承认他是诚实的。

Mr. Banks has proposed (that) I become his business partner. 班克斯先生建议我成为他的生意伙伴。

I remember (that) all of the passengers survived the accident. 我记得所有的乘客在那起事故中都活下来了。

The theory holds (that) universe is endless. 这种理论认为,宇宙是没有边际的。

3 主句谓语动词是 think, suppose, presume, dare say 等时,其后宾语从句的引导词 that 通常省略。would rather 和 would sooner 后,引导从句的 that 通常省略

I think I'd be going. 我想我得走了。

He supposed it was too late to change his mind. 他想,改变主意已经太晚了。

I dare say it was a fight to the death. 我敢说那是一场殊死的搏斗。

I would rather you met us at 10:30 at the station. 我希望你 10 点半在车站接我们。

I'd sooner you didn't ask me to speak. 我宁愿你不让我发言。

4 在简短句中,宾语从句的引导词 that 多省略

I know he is against us. 我知道他反对我们。

Adam says he's thirsty. 亚当说他口渴。

I hope you have a lovely birthday. 我希望你过一个快乐的生日。

5 当一个句子有多个并列的宾语从句时,尤其是第一个宾语从句特别长,后面宾语从句前的 that 不可省略。同样,当一个句子很复杂,句中有多个从句时,that 不可省略

We hoped, in case the mother could not be back, **that** the children would stay with us for the night. 假如孩子的母亲不能回来,我们希望孩子们在我们这里过夜。

I wished (**that**) we could go sightseeing in Hangzhou this summer and **that** we could buy some books on our way back in Shanghai. 我希望今年夏天到杭州去玩玩,并在返回的路上到上海买点书。

We must believe **that** each one of us is able to do something well, and **that**, when we discover what this something is, we must work until we succeed. 我们应该相信,我们每个人都能有所作为,当我们发现了这个某种东西是什么,我们就必须工作,直到成功。

She wrote **that** she would come and see him sometimes, and **that** she would never forget what he had done for her. 她写信说,她会不时来看他,而且永远不会忘记他曾经的帮助。

He realized **that** the girl was rather vain and selfish and **that** marrying her would be a great mistake. 他意识到,那女孩很虚荣,很自私,娶她将铸成大错。

I believer (**that**) this money will tide them over the difficulties and **that** things will improve. 我相信,这笔钱会帮助他们渡过难关,情况会好起来的。

6 句中带有插入语时,宾语从句的引导词 that 不可省。带补语的宾语从句的引导词 that 通常不可省

He said **that**, under the circumstances, the result was the best that could be expected. 他说,在此情况下,这是能期待的最好结果。

He felt it necessary **that** he should give Alice a call later. 他觉得有必要晚些时候给艾丽斯打个电话。

【提示】有时,引导词 that 的位置不同,则句义不同。例如:

She felt sure last Monday **that** she'd made the right decision. 她上周一确信,自己做出了正确的决定。
She felt sure **that** last Monday she'd made the right decision. 她确信,自己上周一做出了正确的决定。

8. I don't think he is right——否定主句还是否定从句

1 如果主句谓语动词表示的是"认为,相信,猜测"等概念,如:think, consider, suppose, believe, expect, fancy, guess, reckon, imagine, feel, look like 等,其后的宾语从句若含有否定意义,一般要把否定词移到主句谓语上,从句谓语用肯定式

I don't think he can do it better than me. 我想他不会比我做得更好。

He didn't believe（that）such things mattered much. 他认为这样的事没有多大关系。

I don't suppose she likes the book. 我认为她不喜欢这本书。

He didn't feel that he was happy although he lived in a rich family. 他虽然家庭富裕,但觉得自己并不快乐。

It doesn't look like the weather will clear up. 天看起来不会放晴。

② 在下列场合,通常是从句中的谓语动词采用否定式:①think 等前有副词或表示强调的 do, does, did;②think 等同其他词构成并列谓语;③think 等动词不是以一般现在时出现;④think, reckon 等动词用于插入语中

I really expect she **didn't** say that to him. 我的确希望她不把那个对他说。

I think and hope that he **won't** be deceived by the man. 我认为并希望他不受那人的骗。

He imagined that you **wouldn't** be going with him. 他设想你不会同他一起去的。

You won't have any objection, **I reckon**. 我想你不会反对的。

【提示】

① 如果说话人想要强调主句的内容,表述某种看法,语气较强,并不想以委婉的口气表达,就直接否定主句,不发生否定转移。例如:

I never thought she would be so vain and ignorant. 我真没想到她会这样虚荣而无知。

I couldn't believe he deserted his wife. 我真不敢相信他抛弃了妻子。

② 在 not doubt 不怀疑,not deny 不否认,there can be no doubt 等结构后,用 but that 或 but what 均可,也可用 but,相当于 that。在 who knows . . . , I can hardly believe . . . 等结构后,也可用 but that 或 but what,相当于 that . . . not。参见上文。再如:

I do not deny **but that/but what** I have read the book. 我不否认我读过那本书。

There can be no doubt **but that** he is rather narrow-minded. 他心胸狭窄是无可置疑的。

Who knows **but what** he may have escaped? 谁晓得他不会已经逃跑了呢?（＝Who knows **that** he may **not** have escaped?）

③ 比较:

> 你知道谁得了一等奖吗?
> **Do you know** who got the first prize?（强调"知道"或"不知道"）
> **Who do you know** got the first prize?（强调"是谁,是何人"）

四、表语从句

表语从句（predicative clause）放在连系动词后,充当复合句中的表语,一般结构是"主语＋连系词＋表语从句"。可以接表语从句的连系动词有 be, look, remain, seem 等。引导表语从句的 that 常可省略。另外,还有常用的"the reason . . . that"和"it/this/that is because . . ."结构。例如:

It seems **that/as if it is going to snow**. 看起来天要下雪了。

This is **how Jane lives**. 简就是这样生活的。

That is **why Jack got scolded**. 这就是杰克受训斥的原因。

That's **where the river joins the sea**. 那就是河流入海的地方。

Home is **where you can find love and care**. 家是你能够得到爱和关怀的地方。

Tomorrow is **when it would be most convenient**. 明天是最合适的时间。

Home is **where the heart is**. 家是心神向往的地方。

The **reason** he did not come is **that** he was ill. 他没来的原因是他病了。

It may be **because he didn't sleep well last night**. 也许是因为他昨天夜里没有睡好。

The question remains **whether we can win the majority of the people**. 问题是我们能否赢得大多数人民群众的支持。

You must be **what the public thinks you are, not what you really are or could be**. 你必须成为大众意想中的你,而不是那个真实的你或者可能实现的你。

The reason why/that he was dismissed is **that he was careless and irresponsible**. 他被开除的原因是

工作马虎,不负责任。

The point is **that you should have told me where you were mistaken**. 最重要的是你本应告诉我你错在哪里。

I need something official to prove you are **who you say you are**. 我要的是某种能证实你说的身份的官方证件。

【提示】

① 注意下面两个表语从句:

The years of peace are **when** everyone can lead a happy life. 和平年代是人人都过上幸福生活的年代。(=the time when)

You are **why** his hair becomes grey. 是你使他白了头。

② 下面一句中,sound 是连系动词,表语从句是 the headmaster he was,为倒装结构,表示强调,every inch 为状语:

He sounded every inch **the headmaster he was**. 他讲起话来,俨然一副十足的校长派头。

③ 在口语或非正式文体中,可以说 the reason is because...。例如:

The reason is **because he isn't really up to the task**. 理由是他实在不能胜任那项工作。

五、同位语从句

1. 同位语从句用于对名词作进一步解释,说明名词的具体内容

能接同位语从句(appositive clause)的名词有:

belief 相信	fact 事实	hope 希望	idea 想法	doubt 怀疑
news 消息	rumor 传闻	conclusion 结论	evidence 证据	suggestion 建议
problem 问题	order 命令	decision 决定	discovery 发现	explanation 解释
information 消息	knowledge 知识	law 法律	opinion 观点	possibility 可能
principle 原则	truth 真理	promise 许诺	report 报告	thought 思想
statement 声明	rule 规定	certainty 肯定	probability 可能	likelihood 可能
proposition 主张	premonition 预感	proof 证明	reason 理由	sense 感觉
premise 前提	advice 建议	answer 答复	arrangement 安排	condition 条件
demand 要求	dream 梦想	view 观点	effect 大意	hunch 预感
convention 传统	exception 例外	extent 程度	guarantee 保证	indication 迹象
hypothesis 假设		impression 印象		understanding 理解
insistence 坚持/主张		presumption 推断/假定		proposal 建议/提议
request 要求/请求		desire 愿望/渴望		will 遗嘱/遗愿
resolution 决议/决定		assumption 假定/假设		chance 机会/可能性
claim 声称/断言		concept 想法/概念		supposition 假定/推测
assertion 断言/主张		feeling 感觉/感受		ground 理由/根据
motion 动议/提议		notion 想法/观念		announcement 通告/宣告

同位语从句一般由 that 引导,但也可以用连接代词(what,which,who)、连接副词(when,where,why,how)或 whether/if 引导。例如:

The news **that we are invited to the conference** is very encouraging. 我们被邀请去参加会议的消息令人鼓舞。

Einstein came to the conclusion **that the maximum speed possible in the universe is that of light**. 爱因斯坦得出的结论是,宇宙中的最大速度是光速。

There arose the question **where we could get the loan**. 这样就产生了一问题:我们到哪里贷款。

There is a possibility **that he is a spy**. 他可能是个间谍。

The rumor **that he was arrested** was unfounded. 关于他被捕的传闻是没有根据的。

Is there any **certainty** that she will win the match? 她有把握赢得这场比赛吗?

A story goes **that the emperor was killed by his son**. 据传说,那个皇帝是被他儿子杀死的。

Nobody can explain the mystery **why he suddenly disappeared**. 没有人能解开他突然消失了这个谜。

The idea **that the number "13" brings bad luck** seems to be quite absurd. 认为"13"是不吉利的数字这一观念似乎挺荒唐可笑的。

I have no idea **what has happened to him**. 我不知道他发生了什么事。

Faith **that he was on the right track** supported him through all his research. 相信思路对头这一信念一直支持着他从事自己的研究工作。

Her explanation，**that she didn't receive the letter**，surprised them all. 她解释说她没有收到那封信使他们都大为吃惊。

It is not a question **whether he is reliable**. 这不是他是否可靠的问题。

The question remains，**to what extent is it true**? 问题依然是，它在多大程度上是真实的？

The committee hasn't solved the problem **who should be in charge of the key project**. 委员会还没有解决由谁负责那项重点工程的问题。

The last question，**what effective measures should be taken**，was fully discussed at the meeting. 最后一个问题，要采取怎样的有效措施，在会上进行了充分讨论。

I know his secret，**how he bought the guard off and made contact with his family**. 我知道他的秘密，他是怎样买通了岗哨，同家人取得了联系。

The ancient Greek adage Know Thyself is true for all areas of life. 古希腊格言"了解自己"对各个生活领域都适用。

This illustrates the maxim **that if we had no faults of our own, we would not take so much pleasure in noticing those of others**. 这说明了那条箴言："如果我们自己没有错误，就不会那么乐于发现别人的错误。"

Somewhere in our early education we become addicted to the notion **that pain means sickness**. 在我们早期教育的某个阶段，我们变得对疼痛即疾病这一概念深信不疑。

The suggestion came from the president **that new rules should be adopted**. 采用新规则的建议来自校长。

My original question，**why she did that**，has not been answered. 她为什么做那件事，我的这个最初的问题还没有得到回答。

I agree with Roy's point **that we need to look more closely at the costs**. 我同意罗伊关于我们需要更仔细地审查成本的看法。

She started taking money，in the mistaken belief **that she would not be discovered**. 她开始偷钱，误以为自己不会被察觉。

There's some hope **that we'll find a solution to our problem**. 我们还有希望找到解决问题的方法。

There is no doubt **that he is a fine scholar**. 毋庸置疑，他是一位优秀的学者。

There are evidences **that someone has been living here**. 种种迹象表明，有人住在这里。

He made the suggestion **that they go for a drive**. 他建议他们开车出去兜兜风。

She gave an answer **that she knew nothing about the robbery**. 她回答说对这宗抢劫案一无所知。

I give you my personal assurance **that the work will be done very soon**. 我个人向你保证，这项工作将很快完成。

He bought her daughter a pocket dictionary，**exactly what she longed to have**. 他给女儿买了一本袖珍词典，这正是她盼望得到的。

I was under the impression **that he was on vacation that week**. 我的印象是他那个星期在休假。

I don't know the thing，as you see，**that she's been under a lot of pressure at work**. 如你所知，我不了解这个情况，她工作中承受着很大的压力。

Lily suddenly got the feeling **that someone was watching her**. 莉莉突然感觉有人在看她。

He has a notion **that human beings are basically good**. 他有一种观念，认为人本质上是好的。

Many couples refuse to face the fact **that they have problems with their marriage**. 许多夫妇拒绝面对自己的婚姻出现问题这一事实。

You'll have to take the risk **that you may be taken prisoner by the enemy**. 你得冒被敌人抓住的危险。

The summer of 1969, **when men first set foot on the moon**, will never be forgotten. 1969 年夏,人类首次登上月球的时刻,将永载史册。

【提示】

① 下面作同位语的句子放在句首,后要用破折号:

The man is narrow-minded and rather selfish—a fact many people know. 许多人都知道那人心胸狭窄,非常自私。

What he should do, when he should do, how he should do—these questions puzzled him all day long. 他该做什么,什么时候做,怎样做——这些问题整天困扰着他。

Ice began to melt, the grass began to sprout—sure signs that spring is coming on. 冰开始融化,草开始发芽——春天已经来到。

② 下面句中的 that-从句为 this 的同位语:

It has come to this, **that he is asked to quit school**. 事情到了这个地步,校方要他退学。

2. 在 on condition that, on the supposition, on (the) ground(s), with the exception, in spite of the fact, on the understanding, on the assumption, on the pretence, under the impression 等后可以跟同位语从句

I lent him the dictionary **on condition that he would return it before Friday**. 我把词典借给了他,条件是他在星期五之前还。

They rejected the proposal **on the ground that it was unpractical**. 他们拒绝了那个提议,因为它不切实际。

The girl is always **under the illusion that the prince will marry her some day**. 那姑娘整天幻想着有朝一日王子会娶她。

3. 同位语从句有时可以不紧跟在它所说明的名词后面,而是被别的词隔开

An idea came to her that she might do the experiment in another way. 她突然想起可以用另一种方法做这个实验。

He got a message from Mr. Johnson **that the manager could not see him that afternoon**. 他从约翰逊先生那里得到消息,经理那天下午不能同他会面了。

The order came that the warship sailed directly to New York. 军舰奉命直航纽约。

4. 同位语从句与定语从句的区别

(1) 定语从句中的 that 既代替先行词,同时又在从句中作某个成分(主语或宾语),that 作宾语时常可省略;而同位语从句中的 that 是连词,只起连接主句和从句的作用,不充当句中任何成分,that 一般不省(非正式文体中有时可省)。

(2) 定语从句是形容词性的,其功能是修饰先行词,对先行词加以限定,描述它的性质或特征;同位语从句等同于先行词,是名词性的,其功能是对名词作补充说明。

(3) 同位语从句的先行词应是表示抽象概念的词,如 idea, belief, conclusion, impression 等,而定语从句的先行词可以是各种表示抽象概念或具体概念的词。

The proposal **that he put forward** is to be discussed at the meeting. 他提出的建议将在会上讨论。(定语从句,that 在从句中作宾语)

The proposal **that we should import more equipment from abroad** is to be discussed at the meeting. 我们应当从国外进口更多设备这个建议将在会上讨论。(同位语从句,that 在从句中不作任何成分)

比较:

She expressed **the hope that she would write a novel someday**. 她表示希望有一天能写一部小说。(同位语从句)

Why did she give up the hope **that she cherished so long**? 她为什么放弃了长期怀有的希望?(定语从句)

The news **that he has succeeded** inspired them all. 他成功的消息使他们深受鼓舞。（同位语从句）

What's the news **that upset her so much**? 什么消息使她如此烦恼？（定语从句）

The rumor **that he stole the ring** proved groundless. 他偷了戒指的谣传被证明毫无证据。（同位语从句，意义等同，that 一般不省）

The rumor（that）**he spread among the students** has been denied. 他在学生中间散布的谣言被否定了。（定语从句，意义不等同，that 可省）

The conclusion that **no man but errs** is well-grounded. 人皆有错这一结论是极有道理的。（同位语从句，意义等同，that 一般不省）

The conclusion（that）**they arrived at after much discussion** is right. 他们经过多次讨论得出的结论是正确的。（定语从句，意义不同，that 可省）

She received the message **that he would come by plane**. 她收到了他将乘飞机来的消息。（同位语从句）

She received the message（that）**you sent her a few days ago**. 你几天前给她发的消息她收到了。（定语从句）

【提示】

① 在 the fact that，see to it that，take it that，depend on it that，answer for it that 结构中，同位语从句的引导词 that 有时可省略。当然，see to it that 等中的 it that 也可看作是引导宾语从句。例如：

Will you see to it（that）**this letter get mailed today**? 请你务必今天把这封信寄出，好吗？

I take it（that）**you're not interested**. 我认为你不感兴趣。

I'll answer for it（that）**he's qualified to teach in high school**. 我担保他有资格教中学。

② 比较：

He wanted to conceal the fact **that he used to be a spy**. 他想隐瞒自己曾经当过间谍这一事实。（同位语从句）

She told the police a surprising fact **that/which helped to track down the murderer**. 她告诉警方一个惊人的事实，这有助于追捕杀人凶手。（定语从句）

It was such a surprising **fact that her face turned white**. 这个事实如此惊人，她的脸一下变得煞白。（结果状语从句）

5. 可以充当同位语的其他词组或短语

① 名词词组、代词或数词

限制性名词同位语与前面的词关系密切，中间不用逗号；非限制性名词同位语与前面的词关系松散，常用逗号隔开；代词同位语和数词同位语一般不同逗号隔开。为了强调作用或使句子结构平衡，同位语也可出现在句首或句尾。例如：

We **none of us** want to go there. 我们谁也不想去那里。

You may leave it to them **three**. 你可以把这事交给他们三人。

We **all** have our shortcomings. 我们大家都有弱点。

My old friend **John** came this morning. 我的老朋友约翰今天早上来了。

The wounded, **his grandpa**, has been hospitalized. 伤者是他的爷爷，已经送进了医院。

Last autumn, they had six days' travel in Hangzhou, **a holiday resort in southeast China**. 去年秋天，他们在中国东南部的度假胜地杭州游览了六天。

He has everything a man can aspire to: **love, wealth and position**. 一个人所能向往的他都有：爱情、财富和地位。

Sing us a song, **that** that was sung by you and your daughter, when I last passed. 给我们唱个歌吧，就是上次我经过时你和你女儿唱的那个。

Always a diligent student, Henry studied even harder after he entered the university. 亨利一向是个勤奋的学生，上大学后学习更加努力了。

He liked to read books on Chinese history, **particularly books on ancient Chinese history**. 他喜欢读有关中国历史方面的书,特别是中国古代史方面的书。

Formerly a salesman, John is now a manager. 约翰以前是个推销员,现在当了经理。

He enjoys reading modern American novels, **especially those by Earnest Hemingway**. 他喜欢读美国现代小说,尤其是欧内斯特·海明威的小说。

It was a consolation for her soul, **a candle in her spiritual world**. 这是她精神世界中的一豆烛光,是她心灵的慰藉。

How do we account for this split between the critics and the readers, **the head and the heart**? 评论家和读者之间,也就是理智和感情之间的这种分歧如何解释呢?

He entered Ramapo College of New Jersey, **a small school with excellent facilities for the handicapped**. 他进入了新泽西州的拉马波学院,这是一个小型学府,有专供残疾人使用的优良设施。

In the laboratory, **Marie the scientist** was making one of the most important discoveries of science. 在实验室里,科学家玛丽为科学上最重要的一项发现工作着。

At home, **Marie the wife and mother**, bathed her baby daughter and did the work of the house. 在家里,身为妻子和母亲的玛丽给幼小的女儿洗澡,还干家里的活儿。

The first plan, **leaving at midnight**, was turned down. 午夜动身这第一个计划被否决了。

Beginnings are apt to be shadowy, and so it is with the beginning of that great mother of life, **the sea**. 起源往往是朦胧的,大海——生命的伟大母亲——的起源也是朦朦胧胧的。

There's also home cinema, **the hot topic of the moment**. 也出现了家庭影院,这是当前人们热衷于谈论的话题。

Over lunch, mom told me about January 14, 2009, **the day she lost her purse at a department store**. 吃午饭的时候,妈妈给我讲了 2009 年 1 月 14 日的事情,这一天她在一家百货商店掉了钱包。

She found new enjoyment in her life as a housewife, **the life she had always wanted since she was a little girl in a rough, overcrowded home**. 她发现作为家庭主妇她的生活有一种新的乐趣,这是她自童年以来在吵闹杂沓的家庭中一直向往的一种生活。

Pierre's is expensive, **a place where I can't afford to have lunch very often**. 皮埃尔饭店很贵,要常去那里吃午饭,我可吃不起。

Playing chess, **his only interest in life**, has brought him many friends. 他唯一的爱好是下棋,这使他结交了许多朋友。

Only one problem remains — **the shortage of money**. 只剩下一个问题了——缺钱。

Winston Churchill, **Britain's Prime Minister during the Second World War**, died in 1965. 温斯顿·丘吉尔是第二次世界大战时的英国首相,于 1965 年辞世。

And because he was **Aristotle, the great thinker**, no one questioned his idea. 因为他是伟大的思想家亚力斯多德,所以没有人怀疑他的观点。

Bloodhounds of the sea, sharks are equipped with an extraordinary sense of smell. 鲨鱼是海洋霸主,有着极其敏锐的嗅觉。

In a sense **nouns** can be divided into two kinds: **the countable noun and the uncountable noun**. 名词可以分为两类:可数名词和不可数名词。

【提示】名词同位语有时可附带修饰成分,修饰整个名词词组。例如:

Simon, **at that time a young research worker**, was lured on to destruction by money. 西蒙当时是一个年轻科研人员,被金钱诱惑而走向了毁灭。

Professor Smith, **in his college years a football fan**, often watches football games on TV. 史密斯教授在大学读书时就是个足球迷,常常在电视上看足球赛。

The island, **once a paradise for birds and animals**, is now a dead place with no life or vegetation. 这座岛曾经是鸟类和动物的天堂,现在却是一个不毛之地,没有生命,也没有植物。

2 动名词短语(常用逗号、分号、破折号隔开)

He enjoys the exercise, **swimming in winter**. 他喜爱冬天游泳这项运动。

Asking him to join us, that's a good idea. 要他加入我们,那是个好主意。

That's my pleasure, **doing you a favour**. 我很乐意帮你个忙。

Cursing your children and beating them—is this the only way to teach them? 责骂并打孩子——这就是你教育他们的唯一方式吗?

He tried to achieve the impossible—**earning a million dollars in a day**. 他想做不可能做的事——在一天之内赚100万美元。

There are three ingredients in the good life: **learning, earning and yearning**. 美好的生活共由三个部分组成:学到、挣到和渴望得到。

His only interest in life, **seeing sights**, brought him many friends. 他生活中的唯一兴趣就是游历,这使他结交了许多朋友。

③ 不定式短语(常用破折号隔开,有时用逗号)

There's one thing he'll never do—**to tell lies**. 有一件事他决不会做——撒谎。

To wander into the hills, that's a good idea. 去山里漫游,那是个好主意。

To talk about things you don't know—that is foolish. 谈你不了解的事情——那是愚蠢。

The question **what to do next** hasn't been solved. 下一步该做什么的问题还没解决。

He could not do anything more than what he promised — **namely, to look after Charlotte's estate**. 他只能做到自己答应的事,那就是照看夏洛蒂的庄园。

The problem **where to get enough money** is to be discussed at the meeting. 到哪里弄到足够的钱的问题要在会上讨论。

The suggestion—**for us to delay the meeting till next week**—seems reasonable. 我们把会议推迟到下周这一建议似乎很合理。

The proposal, **to build a new library**, was accepted. 建一座新图书馆的建议被接受了。

The question, **whether to leave or not**, annoys him. 去还是留的问题困扰着他。

John had but one aim—**to earn more money to lighten the burden of his parents.** 约翰只有一个目的,挣更多的钱以减轻父母的负担。

Is this your purpose, to avoid being punished? 逃避惩罚——这是你的目的吗?

④ 形容词词组(用逗号隔开,有时用破折号)

All the people, Chinese and foreign, must obey the new law. 所有的人,不论是中国人还是外国人,都得遵守新的法律。

Mother became more thrifty—**more attentive to the expenses of life**—than she had been. 母亲比过去更为节俭,更注意生活开支。

▶▶▶ 下列句子中的形容词短语多看作定语,也有语法学家看作同位语:

All the countries, big or small, are equal. 所有的国家不论大小,一律平等

Mr. Brown, **full of vigor and vitality**, is a key person in the company. 布朗先生精力充沛,充满活力,是公司里的关键人物。

The hills, **green with trees 10 years ago**, has now become bare. 这些小山10年前还树木葱郁,现在已是光秃秃的了。

People, **old and young**, enjoy watching the TV play. 无论老少都喜欢看这部电视剧。

⑤ 副词或副词短语

The English teacher asked them to speak so—**slowly, loudly and clearly**. 英语老师要他们这样讲英语:要讲得慢,声音要大,发音要清晰。

Mr. Green came to see me not long ago, that is, **only last week**. 格林先生来看我是在不久前,就是上星期吧。

⑥ 介词短语

He came from a peasant's family, that is, **from the bottom of society**. 他出身农民家庭,即从社会底层而来。

She left last month—that is, **in October** this year. 她是上个月,也就是今年 10 月离开的。

Arabic is written in the opposite direction to English, that is, **from right to left**. 阿拉伯文的书写方式与英语相反,即从右到左。

7 动词

The old man always murmurs—that is, **speaks in a very low voice**. 这位老人总是小声说话,也就是用很低的声音说话。

8 状语从句

As long as you don't gave up, i. e., **so long as you cherish high hopes in your heart**, there is possibility of success. 只要你不放弃,也就是说只要你心中的希望之火不灭,就有成功的可能。

9 同位语的歧义

They sent Mary a waitress from the hotel.
= They sent a waitress from the hotel to Mary. 他们派了一个饭店的女服务员给玛丽。(双宾语)
= They sent Mary, a waitress from the hotel. 他们派去了玛丽,饭店的一位女服务员。(同位语)

They considered John a good musician.
= They considered John to be a good musician. 他们把约翰看作一位优秀的音乐家。(宾语补足语)
= They considered John, a good musician. 他们考虑到了约翰,他是一位优秀的音乐家。(同位语)

6. 同位语的引导词

同位语与其所解释、说明的词之间常插入一些词语,称为同位语引导词,常用的有:namely/viz., that is/i. e. /ie, or, for short, or better, in particular, particularly, in other words, that is to say, such as, say, including, for example/e. g. /eg, for instance, chiefly, especially, mostly, or rather, in short, to wit, let us say, mainly 等。另外,冒号、破折号也常用于引导同位语。例如:

A pronoun is a pro-form, **i. e. a form used to refer to a person or a thing**. 代词是一种替代词,即用于指代人或物的一种形式。

Any dictionary, **say** Procter's *Cambridge International Dictionary of English* will serve my purpose for the time being. 任何一本词典,比如普洛克特的《剑桥国际英语词典》,都可以供我暂时使用。

We have four seasons, **viz. spring, summer, autumn and winter**. 我们有四季,即春、夏、秋、冬。

Their daily necessities—**that is/namely clothes, food, etc.**—were supplied by the old sailor. 他们的日常用品,即衣服、食物等,都由那位老水手提供。

A Christmas gift, **or/or rather a book on American history**, will be sent to you. 一个圣诞礼物,也就是一本有关美国历史的书,将给你寄去。

There remains only one problem, **namely who they should send to head the research there**. 只剩下一个问题,也就是他们应当派谁去那里领导研究工作。

She studies botany, **or the science of plants**. 她研究植物学,即关于植物的科学。

I believe her account of the story, **that is to say, I have no reason to doubt it**. 我相信她的陈述,也就是说,我没有理由怀疑它。

Her son—**her only son**—was killed in the war. 她的独子在战争中死去了。

Love is a climate—**a climate of the heart**. 爱是一种气氛——一种心心相印的气氛。

We seem to be exploring a wonderland, **or rather, a gold mine**. 我们好像在探索一个奇妙的地方,或者更确切地说,一座金矿。

This is a pillar, **or more correctly, a column**. 这是一根柱子,说得更正确些,是一根圆柱。

He has only one pleasure: **eating**. 他只有一种嗜好,那就是吃。

In the whole world there is only one person he really admires—**himself**. 这个世界上只有一个人他真正看得上——他自己。

I have found my way to success—**making every effort to turn a dream into reality**. 我找到了一条成

功之路,那就是竭尽一切努力务使梦想成真。

At 42, he had realized the ambition of many bright young engineers: **to own a manufacturing business**. 他 42 岁就实现了许多年轻有为的工程师梦寐以求的宏图大志:自己有个工厂。

Then there is a still higher type of courage—**the courage to brave pain, to live with it, to never let others know of it and to still find joy in life, and to wake up in the morning with enthusiasm for the day ahead**. 然而还有更高一层的勇气——这种勇气就是勇敢面对痛苦,忍受痛苦,绝不让他人知道痛苦,而且依然能够在生活中找到欢乐,清晨醒来时怀着热情去迎接新的一天到来的勇气。

A long lost scene sprang to life, complete in every detail —**the voice of a dead parent, the smell of cooking, street noise outside a childhood home**. 多年忘怀的景象又历历在目,栩栩如生:亡父母的声音,炒菜的香味,孩提时代街上的喧闹声。

Only one problem remains—**the shortage of money**. 只存在一个问题,那就是缺钱。

We must value children by their integrity, strength, commitment, courage—**spiritual qualities abundant in both boys and girls**. 我们必须就忠诚、能力、责任心、勇敢等男孩女孩都富有的精神品质来对他们评估。

7. Singer Jackson 和 the Lady Mary——人名同位语问题

对人称呼,由于种种原因(如表示尊敬、亲昵,或表示身份、职业等),往往不宜直呼其名,需要在人名前加表示职业、身份等的名词,其结构有下面几种。

1 普通名词＋专有名词

这种结构前不可加冠词、指示代词、物主代词等限定词,专有名词为教名或姓氏。在 king, queen, prince, pope 等后要用教名,其他名词后通常用姓氏。例如:

King George 乔治国王	Queen Mary 玛丽女王
President Lincoln 林肯总统	General Grant 格兰特将军
Cousin Jim 吉姆表兄	Brother Henry 亨利兄弟
Cook Zhang 张厨师	Nurse Zhou 周护士
Butcher Cao 曹屠户	Widow Zhao 赵寡妇
Singer Jackson 歌星杰克逊	Translator Li 李翻译
Lady Wang 王女士	Master Qi 齐大师
Shepherds Lin and Jin 牧羊人林和金	British scientist Newton 英国科学家牛顿

Cook Cook cooks better than cooks from cookshops. (我家)厨师库克做菜,比饭店的厨师做得好。

2 专有名词＋普通名词

这种结构中的普通名词多为职业或称号。例如:

Madison the plumber 水暖工麦迪逊	Gene the barber 理发师吉恩
Donald Duck 唐老鸭	Mickey Mouse 米老鼠
Susan Chambermaid 女佣苏珊	Edward Prince of Wales 威尔士王子爱德华
Stevenson the critic 评论家斯蒂文森	

Pourtney Love the singer and drug addict 歌手和吸毒者普特尼·洛夫

Oprah Winfrey the talk show host 脱口秀主持人奥柏拉·温弗里

Calvin Klein the clothing designer 服装设计师卡尔文·克莱恩

Jerry Seinfeld the comedian and TV star 喜剧演员和电视明星杰里·圣菲尔德

3 限定词＋普通名词＋专有名词

这种结构中的名词前可加冠词、指示代词、物主代词等限定词。例如:

the lady Mary 玛丽女士	your niece Helen 你的侄女海伦
his colleague Jack 他的同事杰克	the Emperor Henry Ⅱ 皇帝亨利二世
the poet Virgil 诗人维吉尔	the engineer Hudson 哈德森工程师
the lawyer Wilson 律师威尔逊	the painter Black 画家布莱克

【提示】

① 如果表示职业的名词放在人名后,则强调职业名词。例如:

Wilson the **lawyer**　　　　　　　　　　Black the **painter**

② 下面的称号并不表示亲属：

Father Sam 萨姆神父　　　　　　　　　Mother Riley 赖利大妈

Brother John 约翰修士　　　　　　　　Sister Ruth 露丝修女（须用教名）

③ 在报刊文章中，称号常用小写。例如：

baker Michael 面包师迈克尔　　　　　　wife Catherine 妻子凯瑟琳

④ 下面两种结构均正确：

银行家沃克 → {Banker Walker（结构紧密，重读人名）
　　　　　　　{the banker Walker（结构松散，重读称号，且称号一般小写）

施洗者约翰 → {John Baptist
　　　　　　　{John the Baptist

8. 用 of 的同位语和不用 of 的同位语

1 不用 of 的同位语

表示动物名称、实物名称或职业名称的同位语，中间不加 of。例如：

the dog Funny 滑稽狗　　　the cat Mummy 妈咪猫　　　the ship Titanic 泰坦尼克号轮船

the singer Mary 歌手玛丽　　the carpenter Bill Turner 木匠比尔·特纳

2 用 of 的同位语

地点名词、时间名词、集体名词、抽象名词作同位语时，中间通常要加 of。有时，动名词、句子作同位语时，也要用 of 引导。例如：

Were he alive today，he would surely avoid his own tragic and irrevocable error **of putting all of his eggs in one male basket**. 倘若此人今日仍活着的话，他一定会避免他自己的悲剧和抱憾终身的过失：将一切都押在一个男性后裔身上。

The habit **of doing that which you do not care about when you would much rather be doing something else** is invaluable. 在你宁愿做其他事情的时候，却仍能够从事你不感兴趣的工作，这种习惯十分可贵。

She drew away suddenly with a cry **of ugh，how he stinks**. 她突然缩回去，喊道："哎呀，他真臭。"

the city of Nanjing 南京市　　　　　　the Province of Jiangsu 江苏省

the County of Kent 肯特郡　　　　　　the lake of Geneva 日内瓦湖

the district of Delhi 德里区　　　　　　the family of Jackson 杰克逊的家庭

the firm of Macmillan 麦克米伦公司　　the month of May 五月

the year（of）2010 2010 年　　　　　　the habit of smoking 吸烟的习惯

the art of painting 绘画艺术　　　　　　the game of hide-and-seek 捉迷藏游戏

the subject of industrial management 工业管理这一专题

【提示】

① 但也可以说：Jiangsu Province, Kent County, Delhi District。

② 下面表示文艺作品的同位语，中间用不用 of 均可：

the fairy tale（of）*Alice In Wonderland*《艾丽斯漫游仙境记》这一童话故事

the novel（of）*Pride and Prejudice* 小说《傲慢与偏见》

the play（of）*Hamlet* 戏剧《哈姆雷特》

the song（of）*Endless Love* 歌曲《无尽的爱》

the poem（of）*A Red，Red Rose* 诗歌《一朵红红的玫瑰》

the Sonata（of）*Moonlight* 奏鸣曲《月光》

【改正错误】

1. Part of the reason Charles Dickens loved his own novel *David copperfield* was what it was rather closely
　　　A　　　　　　　　　　　　　　　　　　　　　　　　　　　B　　　　　　　C

　modeled on his own life.
　　　D

2. Whether some people regard as a drawback is seen as a plus by many others.
    A   B   C   D

3. Teachers recommend parents must not allow their children under 12 to ride bicycles to school
                             A   B   C
for safety.
    D

4. We should respect food and think about the people who don't have which we have here and treat
                  A   B   C
food nicely.
    D

5. Cindy shut the door heavily and burst into tears. No one in the office knew that he was so angry.
                     A   B   C   D

6. — Have you finished yet?
                   A
   — No，I've read up to what the children discover the secret cave.
               B   C   D

7. It never occurred to me if you could succeed in persuading him to change his mind.
           A   B   C   D

8. When changing lanes，a driver should use his turning signal to let other drivers know
   A   B   C
which lane is he entering.
      D

9. How much one enjoys himself traveling depends largely on how he goes with，whether his friends
   A   B   C
or relatives.
 D

10. She is very dear to us. We've been prepared to do whichever it takes to save her life.
           A   B   C   D

11. We should consider the students' request when the school library provide more books on popular
                  A   B   C   D
science.

12. At first，he hated the new job，but decided to give himself a few months to see when it got
    A   B   C
any better.
   D

13. It is obvious to the students as they should get well prepared for their future.
      A   B   C   D

14. The last time we had great fun was where we were visiting the Water Park.
    A   B   C   D

15. Students are always interested in finding out how long they can go with a new teacher.
        A   B   C   D

16. Tomorrow is Tom's birthday. Have you any idea when the party is to be held，at home or in a
                                 A   B   C D
restaurant?

17. It is known to us all is that the coming Olympic Games will take place in an Asian country.
  A   B   C   D

18. The seaside here draws a lot of tourists every summer. Warm sunshine and soft sands make how
                  A   B   C   D
it is .

19. Having checked the doors were closed，and when all the lights were off，the boy opened the door
                   A   B   C
to his bedroom.
 D

20. It is none of your business which other people think about you. Believe yourself.
      A   B   C   D

21. No matter which team wins on Saturday will go through to the national championships.
    A   B   C   D

22. A warm thought suddenly came to me when I might use the pocket money to buy some flowers for
                             A   B   C   D
    my mother's birthday.

23. If they are close friends is not clear though they live together.
    A   B   C   D

24. That sculpture is to a block of marble, education is to a human soul.
         A   B   C   D

25. Mum is coming. What present you expect she has got for your coming birthday?
           A   B   C   D

26. Great changes have taken place in that school. It is no longer that it was 20 years ago, when it
                                                               A   B   C
    was so poorly equipped.
              D

27. You are saying that everyone should be equal, and this is what I disagree.
    A   B   C   D

28. The other day, my brother drove his car down the street at which I thought was a dangerous
               A   B   C   D
    speed.

29. What song Jay Zhou sings will surely become popular pretty soon.
    A   B   C   D

30. Actually girls can be who they want to be just like boys, whether it is an engineer, a nurse or a
    A   B   C   D
    general manager.

【答案】

1. B(that)	2. A(What)	3. A(not allow)	4. C(what)
5. C(why)	6. C(where)	7. B(that)	8. D(which lane he is entering)
9. C(who)	10. C(whatever)	11. B(that)	12. C(if)
13. B(that)	14. C(when)	15. C(how far)	16. A(where)
17. A(What)	18. C(what)	19. B(that)	20. B(what)
21. A(Whichever)	22. B(that)	23. A(Whether)	24. A(What)
25. C(do you expect)	26. B(what)	27. D(where)	28. C(what)
29. A(Whatever)	30. B(whatever)		

第十七讲　定语从句(The Attributive Clause)

一、关系代词引导的定语从句

1. 关系代词(relative pronoun)用来指代先行词是人或物的名词或代词

关系代词分类表

作用 \ 功能	用于限制性从句或非限制性从句		通常用于限制性从句
	代替人	代替物	代替人或物
主　语	who	which	that
宾　语	whom	which	that
定　语	whose (＝of whom)	whose (＝of which)	

He is a man **who/that means what he says**. 他是一个说话算数的人。(指人，作主语)

The people **whom/that you met in the campus yesterday** are from England. 你昨天在校园里碰到的那些人是从英国来的。(指人，作宾语)

Is there anyone in your department **whose father is a painter**? 你们系里有谁的父亲是画家吗？(指人，作定语)

The young man **with whom I traveled** could speak English. 同我一起旅行的那个年轻人会说英语。(指人，作宾语)

Anything **that that lady does** looks pretty. 那位女士不论做什么都很好看。(指物，作宾语)

The bicycle **the brake of which was damaged** has now been repaired. 那辆坏了闸的自行车现在已经修好了。(指物，作主语)

2. 使用要点

1 关系代词的省略

(1) 作直接宾语时可以省略。例如：

Is there anything (that) I can do for you? 我能为您效劳吗？

Who was the woman (that) you were talking with? 你刚才同她谈话的妇女是谁？

The man (whom) you saw just now is our manager. 你刚才见到的那个人是我们的经理。

(2) 在"there＋be"结构的从句中作主语的关系代词可以省略。例如：

This is the only bus (that) **there is** to that park. 这是开往那个公园的唯一的一路公共汽车。

He would rather place his money in the best investment (that) **there is**. 他宁愿把钱用于最可靠的投资。

The old professor made full use of the time (that) **there was** left to him to continue his research in the field of electronics. 这位老教授充分利用余年，继续他在电子学方面的研究。

(3) That is ＋先行词，It is ＋先行词，There is ＋先行词，Here is ＋先行词，其后定语从句的主语 that 或 who 常可省略。例如：

That is the man (that/who) exposed the illicit financial dealings. 那就是揭露非法金融交易的人。

That's all（that）is the matter with him. 他的问题就是这些。

This is the man（that/who）fixed my car. 这就是帮我修车的人。

It's a thing（that）happens from time to time. 这种事情偶尔会发生。

There is somebody（who）wants to see you. 有人想见你。

There is something（that）makes him frightened. 有什么东西使他害怕。

There was never any war（that）brought worse disaster to the world. 从来没有任何战争给世界带来这么大灾难的。

【提示】

① 关系代词放在介词后作宾语时,不能省略。但介词位于句尾时,关系代词可以省略。例如:

This is the girl **with whom** he worked. （whom 不可省）

This is the girl（whom）he worked **with**. 这就是同他一起工作的女孩。

This is the room **in which** Churchill was born. （which 不可省）

This is the room（which）Churchill was born **in**. 这就是丘吉尔出生的房间。

② who 或 whom 的先行词有时可省略,相当于 one who/whom, anyone/who/whom, those who。

例如:

Who knows most says least. 大智若愚。（＝He who, anyone who）

Who works not shall not eat. 不劳无获。

Who eats must pay. 吃了就得付钱。

Whom the gods love die young. 天妒奇才常命短。

This is written to **whom** it may concern. 致相关者。（＝any person whom）

Who marries a beauty marries trouble. 娶了美人就要了麻烦。（＝Those who）

Who are thirsty drink in silence. 口渴的人会静静地饮水。

② 格言、谚语、警句中的定语从句指人主语通常是类指,一般用 that,偶尔也用 who

He is lifeless **that** is faultless. 只要活着,总会犯错。

He **that** respects not is not respected. 你不敬人,人不敬你。

He **that** would eat the fruit must climb the tree. 想吃果子就得爬树。

He **that** mischief hatches. mischief catches. 害人必害己。

He laughs best **that/who** laughs last. 笑在最后的,笑得最开心。

Heaven does not let down the one **that** has a will. 苍天不负有心人。

It is a good wife **that** never grumbles. 再好的妻子也会唠叨。

It's easy to kick a man **that** is down. 虎落平原被犬欺。

He **who** loses courage loses all. 一个人失去了生活的勇气就失去了一切。

He **who** knows most knows best how little he knows. 知识越多的人越最清楚自己知道的东西太少。

③ 定语从句为 that be, that is, that it is, that there is, 以 be 为谓语,从句主语通常用 that

He's not the man **that** he was. 他已不是从前的他了。

The decisions are in the hands of the powers **that** be. 决定权在当局者手中。

It is not the beautiful lake **that** it was. 它已不再是从前那个美丽的湖了。

Mrs. Johnson **that** is to be will have everything a woman could wish for. 这位未来的约翰逊夫人将拥有一个女人所想要的一切。

The old lady was away back in the full and happy life **that** had been. 老太太完全沉浸在对过去充实而幸福的生活的回忆中。

That's all（that）there is to it. 如此而已。

That is the only one（that）there is. 这是仅有的一个。

They have eaten all the food（that）there is to be had. 他们把所有的食物都吃完了。

It is the only book（that）there is on the Antarctic exploration. 这是唯一一本关于南极探险的书。

④ 先行词是 who, whom, which, what 时,限制性定语从句一般用 that 引导,以避免 wh-语音的重复

Who that had seen the sight could ever forget? 见到这种景象,谁会忘记呢?

What man is there **that** has no worry in life? 生活中谁没有不顺心的事呢？

I couldn't tell you who it was **that** revealed the secret. 我不能告诉你是谁透露了那个秘密。

Please tell me who it was **that** you talked about. 请告诉我你们刚才谈的是谁。

She showed which picture it was **that** she took in Scotland. 她给我看哪张是她在苏格兰拍的照片。

Who **that** you have ever seen can do better? 你看见过谁能做得更好？

5 先行词为 that 时，定语从句通常用 which 引导

What's that **which** he asked for? 他要的是什么？

She has found that **which** he lost the other day. 他前天丢的东西她找到了。

That **which** purifies us is trial, and trial is by what is contrary. 凡我们纯洁者是考验，而考验则必借相反的事物。

6 在限制性定语从句中，作表语的关系代词通常用 that

The town is not the tourist attraction **that** it once was. 这座小城不再是从前那样的旅游胜地了。

This high-ranking official was still at heart the greedy merchant **that he had been.** 这名高官骨子里依然是从前那个贪婪的商人。

7 先行词为 those，关系代词通常用 who

Chance favours only those **who** know how to court her. 机会只青睐那些知道如何去追求她的人。

Great men are those **who** profit the most from the fewest mistakes. 伟大人物都能从最少的错误中吸取最多的教益。

8 如果关系代词紧跟在介词后面，不能用 who 或 that，只能用 which 或 whom

This is the question **about which**（不用 that）they have had so much discussion in the past few weeks. 这就是几周来他们反复讨论的那个问题。

The people **with whom**（不用 that）he worked thought he was a bit strange. 同他一起工作的人都觉得他有点怪。

They sat down by the north window **outside which** there was a flower garden. 他们在北窗边坐了下来，窗外有一个花园。

He is a famous statesman **than whom** none is more influential in China. 他是一位著名的政治家，在中国，没有人比他更有影响力了。

9 如果先行词是 all, much, anything, something, nothing, everything, little, none, few 等不定代词，关系代词一般只用 that，不用 which(但 something, everything 或 anything 后，偶尔也用 which)

That's all（that）I could do at that time. 这就是我当时所能做的一切。

I'm keeping **the few that** will be sent to Mary next month. 我正收藏着下个月寄给玛丽的那几个。

There was **not much that** interested me at the travel show. 那个旅游展览会上没有什么吸引我的。

Please just tell me **anything**（that）you know about the author of the book. 凡是你知道的关于本书作者的情况请都告诉我。

Inner sunshine warms not only the heart of the owner, but of **all that** come in contact with it. 内心的欢乐不仅温暖了欢乐者自己的心，也温暖了所有与之接触者的心。

There is **little that** can be believed about it. 几无可信之处。

She has **nothing that** is good to say. 她没有什么好说的。

She hates **everything that** is modern. 所有现代的东西她都不喜欢。

【提示】在"It is＋名词＋定语从句＋定语从句"结构中，后一定语从句要用 that。例如：

It is only a man **who** has seen much of the world **that** can be a leader. 只有阅历丰富的人才能当领导。

It is always the mouth **which** talks too much **that** arouses troubles. 言多必失。

It is a man **who** is honest **that** can do the work. 只有诚实的人才能做这项工作。

10 如果先行词被形容词最高级以及 first, last, any, only, few, little, much, no, some, very 等词修饰，引导限制性定语从句常用关系代词 that，不用 which, who 或 whom

He is the **only** person **that** was present at the time. 他是当时唯一在场的人。

This is the **best** TV set **that** is made in China. 这是中国生产的最好的电视机。

The **little** information **that** I could get about them was largely contradictory. 我能得到的有关他们的少量信息大部分是自相矛盾的。

The **very** ambulance **that** was available broke down on the way. 仅能找到的救护车也在路上抛了锚。

Which was the **first** battleship **that** crossed the strait? 渡过海峡的第一艘战舰是哪一艘?

It is the **fastest** sports car **that** has ever been made. 这是已制造出的最快的赛车。

Which is the **next** road **that** will be widened? 下一条要拓宽的是哪条路?

No sample **that** we have received is satisfactory. 我们已收到的样品没有一个令人满意。

They are the **last** persons **that** can believe all men are born equal. 他们是最不会相信"人人生来平等"的人了。

Please send us **any** information **that** you have about the subject. 有关这个专题的任何资料都请寄给我们。

⑪ 在非限制性定语从句和接续性定语从句中,一般不用 that,要用 who 或 which,作宾语用的代词也不能省略

The Heavenly Lake, **which** is one of the world famous scenic spots, is on Tianshan Mountain. 天池是世界名胜之一,位于天山之上。

There are thirty students in the class, **the majority of whom** are from the city. 这个班上有 30 位学生,大多数来自城市。

I will pardon her, **who** didn't do it on purpose. 我会原谅她,她不是有意的。

I met Professor Xu, **who** told me the result of the election. 我碰见徐教授,他告诉我选举的结果。

【提示】偶尔也见到在非限制性定语从句前使用关系代词 that 的情况。例如:

I looked at Mary's sad face, (a face) **that** I had once so passionately loved. 我望着玛丽忧伤的面容,这面容我一度那样深情地爱过。

⑫ which 可以引导修饰整个主句的定语从句

which 可以引导从句修饰前面的整个主句,代替主句所表示的整体概念或部分概念。在这种从句中,which 可以作主语,也可以作宾语、定语或表语,多数情况下意思同 and this 相似。例如:

New Concept English is intended for foreign students, **which is** known to all of us. 《新概念英语》是为外国学生编写的,这是我们大家都知道的。(which 作主语)

She was awarded a gold medal, **which** the whole family considered a great honor. 她被授予一枚金质奖章,全家人都认为这是极大的光荣。(which 作宾语)

He lost the manuscript during the war, **in which case** he had to rewrite the book. 他在战争中把手稿丢失了,既然如此,他就不得不重写那本书了。(which 作定语)

She was very patient towards the children, **which** her husband seldom was. 她对孩子们非常耐心,她丈夫却很少这样。(which 作表语)

Some pilots are specialized in trial flight, **which** is most dangerous. 有些飞行员专门做试飞工作,这是十分危险的。

I told him to go to a doctor, **which** advice he took. 我告诉他去看医生,他接受了这个建议。(指代部分概念)

Don't call between 12 o'clock and 1 o'clock, **at which time** I am usually having lunch. 不要在 12 点和 1 点之间来电话,这段时间里我通常在吃午饭。

She is studying economics, **which knowledge** is very important today. 她在学习经济学,这门知识现在非常重要。

He believes in self-reliance, **which idea** I fully agree to. 他相信要依靠自己,我完全赞同这种观念。

She died three days ago, **which** I can't believe. 她三年前去世了,这我很难相信。(=which fact, a fact which)

Jim was seriously ill, **which** she did not know. 吉姆病得很重,这她并不知道。(= which circumstance)

They bribed the officials, **which practice** was common here. 他们贿赂官员,在这里很普遍。

The President was killed, **which circumstance** was very serious. 总统被杀害了,这种情况非常严重。(＝which fact)

Jim's car was last in the queue, **which** gave Ted enough time to put his plan of revenge into operation. 吉姆的车是队伍中的最后一辆,这就给了泰德足够的时间将他的复仇计划付诸实施。

I left my keys at home, **which** was a pretty silly thing to do. 我把钥匙落在家里了,干了件没脑子的事。

Mother arrived home just then, **which** spoiled everything. 就在这时,母亲回家来了,把一切都给搅了。

She married him, **which** was disgraceful. 她嫁给了他,真丢人。

The kitchen hadn't been cleaned properly the night before, **which** put him in a bad mood. 前一天晚上厨房没有收拾干净,这使他心情很坏。

He cycles from home to office every day, **which** is pretty good for his health. 他每天骑自行车从家去办公室,这对他的健康非常好。

The child was addicted to computer games, **which** worried his parents very much. 这孩子沉迷于玩电脑游戏,这使他父母很担心。

The rain washed away the track, **which** prevented the train from running. 大雨冲走了铁轨,火车无法行驶。

He was furious about this and sued the young man's mother **which** led to a trial and imprisonment for two years. 他为此大发雷霆,向这名青年的母亲提出控诉,结果,法院判她两年徒刑。

She then decided to leave, **which decision** pleased me greatly. 她那时决定离开,这个决定使我非常高兴。

I asked her not to lend money to Peter, **which** sounds like an ungrateful thing to say. 我叫她不要借钱给彼得,这样说听上去好像有些忘恩负义。

The plane was badly delayed, **which** made the passengers very angry. 飞机严重误点,这使乘客们非常气愤。

They were divorced within a year, **which** was unexpected. 他们结婚不到一年就离婚了,真出人意料。

The manager said nothing, **which** made him still more tense. 经理什么也没说,这使他更加紧张。

They said he told lies about the agreement, **which** he didn't. 他们说关于那项协议他撒了谎,事实上他并没有撒谎。

The people who rise to the top in politics are usually the most ruthless, **which** you know. 政坛巨头通常都是无情的,这你是知道的。

He got the address wrong, **for which mistake** he apologized. 他把地址搞错了,为此他道了歉。

She may have missed the train, **in which case** she won't arrive for another hour. 她可能没有赶上火车,那样再过一个小时她也到不了。

This I did at nine o'clock, **after which** I watched TV. 这件事是我9点做的,之后我就看电视了。

She said she was short of money, **which** was untrue. 她说她缺钱,这不真实。

My brother spent five years at college, **during which time** he studied medicine. 我弟弟上了五年大学,学医。

He believes in public ownership, **which idea** I am quite opposed to. 他相信公有制,对此观念我持反对态度。

He gave me a lift back to Nanjing, **which** was very kind of him. 他让我搭他的便车回南京,真是太好了。

Hester heaved a long deep sigh, **in which** the burden of shame and anguish departed from her spirit. 海丝特长长地舒了一口气,重压在心头的羞辱和苦痛也随之而去。

【提示】

① which 代表主句或其一部分时,引导的从句通常要放在主句后,但偶尔也见到 which 从句放在

主句前的情况,指其后句子或部分的整体情况。例如:

Moreover, **which** you may hardly believe, the motive for this murder was jealousy. 而且,你可能难以相信这一点,这桩谋杀案是由妒忌引起的。

They also said, **which** was not surprising, that the sex shop was a danger to public morals. 他们还说,性用品商店会危害社会公德,这不奇怪。

Primarily, **which** is very curious, these birds fly back to the island on the same day every year. 首先,这些鸟儿年复一年在同一天飞回到这个岛上来,这说来很奇怪。

He hung around for hours and, **which** was worse, kept me from doing my work. 他闲逛了好几个小时,更糟的是,他还不让我工作。

He buried himself in studying English. And—**which** was the point—it was of no use to him then. 他埋头学习英语,而且关键所在是,英语当时对他并没有任何用处。

Anyway, the evening, **which** I'll tell you more about later, I ended up staying at Richard's place. 不管怎样,我那天晚上是在理查德那儿过的夜,有关的详情我晚些时候再同你讲。

② 注意下面两种 which 的用法:

He is sure to come unless (**which** is impossible) he has something urgent. 除非有紧急事务,否则他一定会来的。(which 从句放在括号中,表示作出某种说明)

She said, "I've done my best." **Which** was true. 她说:"我已经尽力了。"这是真的。(which 紧跟在直接引语之后)

13 用作表语的关系代词

(1) 关系代词 that 可指代人或物,可用作表语,仅用于限制性定语从句中。例如:

He is no longer the **simple-minded man that** he was five years ago. 他已不再是五年前那个头脑简单的他了。

He is said to be **everything that** an honest man should be. 人们说他具备了一个正直的人应有的一切美好品质。

What he said and did there showed the man **that** he was. 他在那里的言行反映出他真实的本人。

He never revealed himself as the man (**that**) he was. 他从没透露过他的真实身份。

(2) 关系代词 which 可用作表语,通常指物,但也可用来指人的地位、性格和修养等。例如:

The modern car is no longer the car **which** it was in 1930's. 现代的汽车已不是 20 世纪 30 年代的汽车了。

She looks like a Russian, **which** you are not. 她看上去像个俄罗斯人,而你不像。

She did it like a clever girl **which** she undoubtedly is. 她像一个灵巧的姑娘那样做了这件事,她无疑是一位灵巧的姑娘。

They thought him dull, **which** he was not. 他们认为他头脑迟钝,实则不然。

This is not the type of modern house **which my own is**. 这不是我房子那样的现代化住宅。

My wife is wordy, **which** she was not. 我妻子现在爱唠叨,她过去不是。

The police accused him of being a murderer, **which** he was. 警方控告他是个杀人犯,他真是个杀人犯。

Jack is a reckless driver **which** his elder brother is not. 杰克是个鲁莽的司机,而他哥哥则不是这样。

【提示】在正式文体中,which 表示人的类属、性质、特征、身份,that 或 who 表示特定、具体的某个人。比较:

Diana is an experienced teacher **which** her boyfriend was not. 戴安娜是一位有经验的教师,而她的男朋友则缺乏经验。(类属)

Diana is the most experienced teacher **that** I've ever met. 戴安娜是我遇见过的最有经验的教师。(特定)

I was surprised to find Frank a different man from the one **which** I used to know. 我惊讶地发现弗兰克已不是我原来熟知的那种人了。(类属)

I was surprised to find Frank a different man from the one **that** I used to know. 我惊讶地发现弗兰克已不是我原来熟知的那个人了。(特定)

She is the perfect accountant **which** her younger sister is not. 她是她妹妹所不能达到的那种十全十美的会计师。(类属)

Stay faithful to the person **that/who** you're married to. 对与你结婚的人要忠贞不渝。(具体)

在口语或非正式文体中,也有用 that 表示类属的情况。例如:

The country village and the urban housing estate both needed the best men **which/that** can be found for them. 农村与城市住宅区都需要能为它们找到优秀的管理人才。

He is commonly regarded as a Funny Man than as the revolutionary **which/that**, at bottom, he is. 一般都把他看作滑稽人,不看作革命者,而他骨子里却是个革命者。

(3) 关系代词 as 可用作表语,引导非限制性定语从句,相当于 which。例如:

The question is very difficult, **as/which** indeed it is. 这个问题很难,的确很难。

14 whose meaning 和 the meaning of which

(1) whose 引导定语从句,既可指人也可指物。whose 在定语从句中有时同 it 连用,it 起形式主语的作用,表示强调。例如:

They had a sentence **whose meaning** was completely beyond them. 他们有一个句子,其含义他们完全不懂。(＝the meaning of which was . . .)(注意加 the)

She's become famous by writing a novel **whose purport** nobody was quite sure of. 她写了一部小说一举成名,这部小说的主旨谁也拿不准。(＝the purport of which . . .)

This is the building **whose** windows were all painted green. 这就是窗户全漆成绿色的那幢大楼。

He stars an elderly stranger in town, **whose arrival is followed by some mysterious deaths**. 他主演的是镇上一位年迈的陌生人。自他到来之后,镇上发生了几起神秘的死亡事件。

In 2012 she caught a serious illness **from whose effects** she still suffers. 2012 年她患了重病,直到现在还没有康复。(＝the effects of which)

This is the painter **whose house** a lot of pictures were stolen from. 这就是那位家里有许多画被盗的画家。

If you happen to be the farmer on **whose land** the locusts arrive, then it's a very serious problem. 大量的蝗虫来到了农场主的田里,如果你碰巧就是这位农场主,那么,这便是一个非常严重的问题。

It is a book of rare value, **many of whose pages** are dog-eared. 这是一本珍本书,许多书页都翻得卷了角了。

It would mean giving more power to the courts, **many of whose members** are widely believed to be corrupt. 这意味着给法院更大的权力,而人们广泛认为许多法官腐败。

A teacher is a person **whose** duty is to teach. 教师的职责是教书。

A teacher is a person **whose** duty it is to teach.

▶▶▶ 这两个句子意思相同,结构有所不同。whose duty it is to teach 中的 it 是形式主语,真正主语是不定式 to teach,从强调结构 it is his duty to teach 演化而来。再如:

There are many organizations **whose** sole purpose **it** is to help mentally retarded children. 有许多组织,其唯一的目的就是帮助弱智儿童。(演化自 it is their sole purpose to help . . .)

(2) 名词/代词/数词＋of＋whom 和名词/代词/数词＋of＋which。

若用定语从句表示"所属"关系,先行词指人时,用"名词/代词/数词＋of＋whom"结构;先行词指物时,用"名词/代词/数词＋of＋which"结构,of 前表示部分,of 后表示整体。whose 指物时,可用 . . .of which 代替。例如:

The committee consists of 20 members, **five of whom** are women. 这个委员会有 20 名成员组成,妇女 5 名。

The book contains 50 poems, **most of which** were written in the 1930's. 这本书中有 50 首诗，大部分写于 20 世纪 30 年代。

There are two left, **one of which** is almost finished and **the other of which** is not quite. 还剩下两个，一个即将完成，另一个还远未完成。

I can lend you two books, **both of which** are very interesting. 我可以借给你两本书，这两本书都很有趣。(＝of which both)

It would involve all Rome in a fearful strife, **the end of which** no man could foresee. 这会使整个罗马卷入一场可怕的战争，其结局没有人能预料。

▶▶▶ 下面三句意思相同：

> 这条两岸树木葱郁的河流向大海。
> The river **whose banks** are covered with trees flows to the sea.
> The river **of which the banks** are covered with trees flows to the sea.
> The river **the banks of which** are covered with trees flows to the sea.

▶▶▶ 下面三句表述相同的含义：

> 这个班上有 20 名学生，背景各不相同。
> There are in this class twenty students, **whose backgrounds** are different.
> There are in this class twenty students, **the backgrounds of whom** are different.
> There are in this class twenty students, **of whom the backgrounds** are different.

▶▶▶ 但是，...of which 所修饰的词若是数词、不定代词或另有其他限定词(the 除外)，不可改为"whose ..."结构。例如：

There are six possibilities, **every one of which** involves difficulty. 有六种可能，其中每一个都有困难。

They offered a strong opposition, **of the like of which** he had never dreamed. 他们进行了有力的抵抗，他做梦都没想到会遇到这样的抵抗。

An aircraft engine consists of thousands of parts, **each of which** has its importance. 航空发动机有数千个零件，每个零件都有其重要作用。

He now has 20,000 hectares of land, **more than two-thirds of which** are under cultivation. 他现在有两万公顷土地，超过三分之二都在耕种。(不可说 whose more than two-thirds...)

▶▶▶ 注意下面一句：

Linda had just been delivered of twin boys of **which**, by the way, Mark seems to have been the father. 琳达刚生了一对双胞胎男孩，马克好像是孩子的父亲。(婴儿常被当作中性的事物看待)

15 先行词是集体名词用 who 还是用 which

如果作先行词的集体名词着眼于集体的整体，关系代词用 which；如果指集体中的各个成员，则用 who。比较：

> The basketball team, **which** is playing very well, will come out first. 这个篮球队打得很好，将会得第一名。
> The basketball team, **who** are having a rest, will begin another match in twenty minutes. 这个篮球队的队员们正在休息，将于 20 分钟后开始另一场比赛。

16 如果先行词是 anyone, anybody, everyone, everybody, someone, somebody, 应用 who 或 whom, 不用 which

Is there **anyone** here **who** can speak French? 这里有谁会说法语吗？

He saw the manager talking with **somebody whom** he didn't know. 他看见经理在同一个他不认识的人谈话。

17 如果有两个或两个以上先行词, 兼指人或物, 应用 that

The famous writer and **his works that** the radio broadcast have aroused great interest among the students. 广播中播出的那位著名作家及其作品在学生中间引起了极大的兴趣。

They spoke highly of **the diplomat** and **his brilliant success that** they read about in the newspaper. 他们高度赞扬在报上读到的那位外交家和他的辉煌业绩。

He was watching **the children** and **parcels that** filled the car. 他看着把车子塞得满满的孩子和包裹。

A victim is a person, animal or thing **that** suffers pain, death, harm, etc. 受害者是遭受痛苦、死亡、伤害等的人、动物或东西。

She wrote a book about **the people** and **things that** impressed her most deeply during her visit there. 她把在那里访问期间给她印象最深的人和事写成了一本书。

The old man and **the dog that** were crossing the road were seriously injured. 正在过马路的老人和狗伤得很厉害。

18 不可以说 a film about that I told you

关系代词 that 前不能用介词，须把介词移至句尾。参阅上下文。比较：

你看过我告诉你的电影吗？
Have you seen the film about that I told you? [×]
Have you seen the film **that** I told you **about**? [√]

17 世纪是科学和哲学取得重大发展的世纪。
The seventeenth century was one in that many significant advances were made in both science and philosophy. [×]
The seventeenth century was one **in which** many significant advances were made in both science and philosophy. [√]

19 a girl with whom to work 还是 a girl whom to work with

关系代词 whom 和 which 可以同不定式和介词连用，其结构为：

介词＋whom/which＋不定式
(whom/which 省略)不定式＋介词

▶▶ 要注意的是，介词在前时，whom 和 which 不可省略，介词在句尾时，whom 和 which 必须省略。比较：

她是个共事令人愉快的姑娘。
She is a pleasant girl **with whom to work**. [√]
She is a pleasant girl **to work with**. [√]
She is a pleasant girl whom to work with. [×]

他还没有达到适婚年龄。
He has not reached the proper age **at which to marry**. [√]
He has not reached the proper age **to marry at**. [√]
He has not reached the proper age which to marry at. [×]

▶▶ 注意下面一句：

Who **that** you have ever seen can do better? 你曾见过谁能做得更好？（这里只能用 that，避免与 who 重复）

20 "介词＋关系代词"结构问题

"介词＋关系代词(whom, which)"引导定语从句的要点如下：

(1) "介词＋关系代词"结构可以引导限制性定语从句，也可以引导非限制性定语从句。

(2) "介词＋关系代词"结构中的介词可以是 in, on, about, from, for, through, with, to, at, against, during, without, by means of, because of, by virtue of 等，关系代词可用 whom 或 which。

(3) "介词＋关系代词"结构中介词的选用或根据上下文要表达的具体意思，或根据先行词的习惯搭配，或根据定语从句中某些词或短语的习惯搭配，有时候，这个介词可能就是作定语从句谓语的短语动词的一个固定介词(如 sail for 中的 for, choose from 中的 from 等)。

(4) "介词＋关系代词"结构在定语从句中可以作状语或定语，并可修饰别的名词一同作状语。

(5) which 在定语从句中可以单独作定语，而 whom 却不可。参阅上文。

This is the ring **on which** she spent 1,000 dollars. 这就是她花 1 000 美元买的戒指。（习惯搭

配,状语)

The economist **with whom** all of us are familiar will visit our company. 我们大家都熟悉的那位经济学家将要访问我们公司。(习惯搭配,表语)

I can't remember the age **at which** he won the prize. 我记不起他获奖的年龄了。(习惯搭配,状语)(at the age 在……岁时)

Sound is a tool **by means of which** people communicate with each other. 声音是人们互相交流的工具。(状语)

He was found disappointed at his failure, **because of which** he was criticized. 发现他因失败而灰心丧气,他因此受到了批评。(状语)

Excitement deprived me of all power of utterance, **in which case** I would but stand there, nodding and waving. 我激动得说不出话来,在那种情况下,我只能站在那里点着头,挥着手。(定语)

Ten years of hard work changed her greatly, **for which reason** he could hardly recognize her at first sight. 10 年的辛劳使她变化很大,你一见之下很难认出她来了。(定语)

Water boils at 100℃, **at which temperature** it changes to gas. 水在 100 摄氏度沸腾,在这个温度上就变成了气体。(定语)

I called her by the wrong name, **for which mistake** I apologize. 我叫错了她的名字,我为这个错误而道歉。

This is an enormous field **of which** I can here touch only the fringe. 这是一个很广阔的领域,我在这里只能谈个大概。

There's only one problem **about which** they disagree. 只有一个问题他们没能达成一致。

This was an undoubted social evil **against which** many voices were to be raised. 这无疑是一种社会邪恶,势必遭到人们的强烈反对。

A telegram **of which half/half of which** was false deceived them. 一个半真半假的电报欺骗了他们。

There are few things **of which** he stands in more awe than the starry sky overhead. 几乎没有什么比头上的星空更让他敬畏的了。

It was a very agreeable place located within two small hills, **in the midst of which** flowed a great river. 那个地方位于两山之间,景色宜人,一条大河穿流而过。

The holiday villa had large windows on every side **from which** one could enjoy the lakeside scenery, as enchanting as fairyland. 度假别墅轩窗四围,满目湖光山色,真如仙境。

A friend is someone who draws out your best qualities, **with whom** you sparkle and become more knowledgeable. 朋友就是能使你表现出你自己最佳品质的人,与他在一起你就会精神焕发,更有见识。

Juliet appeared above at a window, **through which** her exceeding beauty seemed to break like the light of the sun in the east. 朱丽叶在上面一扇窗口露面了,她那绝色美貌宛如东方的太阳光芒初放。

The papers **for which** he was searching have been recovered. 他刚才在搜寻的那些文件已经找回来了。

The bridge **on which** they were standing collapsed. 他们站在上面的那座桥倒塌了。

Sam spent six years in college, **during which time** he studied economics. 萨姆上了六年大学,其间他学习经济学。

She came to the city in 1995, **in which year** there was no college here yet. 她 1995 年来到这座城市,那时这里还没有一所大学。(＝at which time)

【提示】

① 指具体明确的关系时,介词多置于句末,也可置于关系代词之前;指抽象或隐含关系时,介词要置于关系代词之前。例如:

他正站在上面的那个梯子开始滑动。

The ladder **which/that** he was standing **on** began to slip. [✓]

The ladder **on which** he was standing began to slip. [✓]

是驾驶员的疏忽造成了飞机被毁。

It was the pilot's carelessness **through which** the plane was destroyed.

不说:It was the pilot's carelessness which/that the plane was destroyed through.

简是那么一位妇女,年龄对她来说算不了什么。

Jane was a woman **with whom** age didn't count.

不说:Jane was a woman whom/that age didn't count with.

这项决定是在我瞌睡不断的那次会议上作出的。

The decision was made at the meeting **during which** I kept falling asleep.

不说:The decision was made at the meeting which/that I kept falling asleep during.

② from where 中的 where 为关系代词,可以引导定语从句。例如:

She stood near the north window, **from where** she could see the whole garden. 她靠近北窗站着,从那里她能看见整个公园。(=through which)

He climbed up to the top of the temple, **from where** he could see nothing but trees. 他攀上塔顶,举目四望都是树。(=and from the top of the temple/from on the top of which,但不可用 from which)

That's the place **from where** the river branches out. 这就是河流分叉的地方。

From **where** did he come? 他来自何处?(where 是疑问代词)

Where did you buy the book? 你从哪里买的书。(where 是疑问副词)

比较:

China is the birthplace of kites, **from where** kites flying spread to Japan, Korea and India. 中国是风筝的故乡,从那里风筝传到日本、朝鲜和印度。(from where 引导非限制性定语从句)

The car stopped suddenly only a few inches **from where** I stood. 小汽车就在我站的地方几英寸处突然停了下来。(from where 引导状语从句)

③ 两个词或三个词构成的固定短语动词,在定语从句中一般不宜将介词分开放在关系代词前,如:listen to, look at, depend on, pay attention to, take care of 等。例如:

Please tell me **what** you are listening **to**. 请告诉我你在听什么?(不说 ... to what you are listening)

This is the girl **whom** he will take care **of**. 这就是他将照料的女孩。(不说 ... of whom he will take care)

21 是定语从句还是宾语从句

who, whom 和 which 等引导的从句,可以是宾语从句,也可以是定语从句,应加以区别。例如:

He is the writer **who wrote the book**. 他就是写这部书的作家。(只能是定语从句)

Please tell Professor Wang **who wrote the book**.

请告诉写这本书的王教授。(定语从句)

请告诉王教授,这本书是谁写的。(宾语从句)

Would you ask the woman **who is singing in the room**?

你去问问正在房间里唱歌的那位妇女好吗?(定语从句)

你去问问那位妇女,谁在房间里唱歌,好吗?(宾语从句)

22 "介词+which"后接不定式短语作后置定语,相当于一个定语从句

Allow me half an hour **in which to wash the clothes**. 留给我半个小时洗衣服。

He had no pretext **on which to break his promise**. 他没有违背诺言的借口。

He has a knife **with which to defend himself**. 他有一把自卫的刀。

She has saved another thousand dollars **with which to support her family**. 她又省下了1 000美元,用以接济家庭。

23 that 有时相当于 for which 或 in which

有时候,that 相当于 for which 或 in which,表示原因或方式。参阅下文。

He apologized to her for the very reason **that** he had wronged her. 他向她道歉,只是因为他冤枉了她。(that＝for which)

I wish you would see things in the light **that** we see them. 我希望你能以我们的方式看待事物。(that＝in which)

24 that 引导从句可以表示让步、评论、感叹等,这时要用倒装结构(参阅有关章节)

Simple-minded man **that** he was, he could see through her lies. 他虽然头脑简单,但也能识破她的谎言。

Ten-year-old child **that** he is, he knows what's good for him. 他虽然只是个 10 岁的孩子,但也知道好歹。

You bullied that honest man, rascal **that** you are. 你欺侮那个诚实的人,真是个无赖!

Beast **that** he was, to kill the innocent children. 他杀害了那些无辜的儿童,真是禽兽不如!

二、关系副词引导的定语从句

1. 关系副词(relative adverb)引导的定语从句在从句中表示时间、地点或原因等

1 关系副词的意思相当于"介词＋which 结构"(其用法分类列表如下)

关 系 副 词	被替代的先行词	在从句中的作用
when(＝at, in, on, during which)	表示时间的名词	时间状语
where(＝in, at which)	表示地点的名词	地点状语
why(for which)	只有 reason	原因状语

He will always remember **the day when/on which** his father returned from America. 他将永远记着父亲从美国返回的那一天。

This was **the time when/at which** she left for Beijing. 这就是她动身去北京的时间。

The bookstore where/in which his sister works is the largest one in Nanjing. 他妹妹工作的那家书店是南京最大的。

I don't know **the reason why/for which** he didn't come to the meeting yesterday morning. 我不知道他为什么没参加昨天上午的会议。

2 关系副词引导定语从句时只起状语作用,既不能作动词的宾语,也不能作介词的宾语

那人据说来自一个无人知晓的小城。
- The man is said to come from a town where nobody knew. [×]
- The man is said to come from a town **which** nobody knew. [√]

这是人们安居乐业的时代。
- That is the age in when people live in peace and happiness. [×]
- That is the age **in which** people live in peace and happiness. [√]

你知道她做那件事的原因吗?
- Do you know the reason why she did it for? [×]
- Do you know the reason **why** she did it? [√]

【提示】

① 地点名词后当然可以接 where 从句,但其他如 case, point, conditions, job 等表示"情况,方面"等的名词后亦可接 where 从句,这种用法的 where 相当于 under which, from which 等,意为"在这种情况下,从……中"等。例如:

There are **some cases where** this rule does not hold good. 在某些情况下,这条规则不适用。

There are **many instances where** he is cool-headed. 他在许多情况下都是冷静的。

He had to face **the conditions where** pressure was heavy. 他必须面对压力很大的情况。

They are in **a difficult situation where** all efforts seem futile. 他们的处境艰难,似乎一切努力都是徒劳。

I will show you **the point where** you fail. 我将指出你的失败所在。

This is **a job where** you can learn something. 从这项工作中你能学到一些东西。

② where 和 in which 均可引导定语从句,有时可以换用,但含义并不完全相同。比较:

那就是她在那里长大的城市。

That is **the city where** she grew up. (仅指一个地点,the city 可省)

That is **the city in which** she grew up. (强调"在……之内",the city 不可省)

▶▶▶ 但在下面的句子中,只可用 in which,不可用 where:

She had only **the long nights in which** to study. 她只有在漫漫长夜里才能读书学习。(in which 表示时间)

They hired **two boats in which** they came up to the source of the river. 他们租了两条船,乘船来到了那条河的源头。(in which 表示乘船)

③ when 可作介词宾语,意为"那时"。例如:

He left his hometown in 2012 and **since when** he has never come back. 他 2012 年离开了家,再也没有回来。(=since then)

2. **that 有时可以代替关系副词 when, where, why, how 引导定语从句,也可代替 as, in which, at which 等引导定语从句,表示时间、地点或原因**

that 用作关系副词,其先行词通常是 time, day, year, reason, direction, way, distance 等。例如:

This is **the university that** he studied at 20 years ago. 这就是他 20 年前求学的那所大学。(注意:本句用关系副词 where 时,后不可用 at)

Do you still remember **the day that/when** he arrived? 你还记得他到达的那一天吗?

This is **the second week that/during which** he hasn't come for class. 这是他第二周没来上课了。

He died on **the day that/when** his second daughter was born. 他在他二女儿出生的那天去世了。

The night **that/when** she left was rainy. 她离开的那天晚上下着雨。

She knows the place **that/where** he stays. 她知道他待在哪里。

The speed **that/at which** he is driving is 100 miles an hour. 他以每小时 100 英里的速度行车。

That is the manner **that/how** he deceived her. 他就是那样欺骗她的。

I don't like **the way that/in which** he did it. 我不喜欢他做这件事的方式。

I've altered **the way/that/in which** I teach science. 我改变了自己教授理科的方式。

She cooked potatoes in **the same manner that/as** her mother did. 她用和母亲同样的方式烧土豆。

He does not see this matter in **the same light that/as** we do. 对于这个问题,他和我们的看法不用。

That's the **place that/where** the contest takes place every two years. 那就是赛事每两年举行一次的地方。

I admire **the way/that/in which** he manages to see both sides of the question. 我赞赏他从两个方面看问题那种思想方法。

The reason that/why he missed the train is that he got up late. 他误了火车的原因是他起床迟了。

【提示】

① 先行词 time, moment, day 等后的定语从句用 when 引导时,先行词为句子重点所在,为未知的新信息,是要引起注意的中心,先行词多为主语、宾语或表语,这时的 when 不可换成 that。例如:

There are **times when** such things are necessary. 有些时候,这些东西是必需的。

It's a **sort of day when** you'd like to stay in bed. 要是赶上那种天气,你喜欢躺着不起床。

There are **moments when** I forget all about it. 有些时候,我把它完全忘了。

There was a **time when** man ate things raw. 过去有个时期,人类生吃东西。

It was one of those cool moonlit **evenings when** we walked hand in hand along the lake. 就是在那样一个月朗风轻的夜晚,我们手挽着手在湖边散步。

It was **a moment when** he must make the final decision. 那是他必须做出最后决定的时刻。

She's looking forward to **the day when** her daughter wins the championship. 她盼望着女儿获得冠军的那一天。

I still remember **the morning when** he left home. 我还记得他离开家的那个早晨。

② 先行词 the time, the day, the night, the moment 等后的定语从句用 that 引导时,先行词并非句子重点所在,而是确定的、已知的时间。这种用法的先行词多为介词短语中的宾语,如 by the time,或具有连词功能的固定搭配,如 the moment, the instant, the day 等。例如:

By **the time** (that) the policemen arrived, she had been robbed of all her possessions. 警察到达时,她已被抢去了所有财物。

On **the day that** I finish writing the book, I shall go for a month's holiday at the seaside. 我写完这本书的那天,我将去海滨度一个月的假。

The moment that he had said it he knew what a mistake he had made. 那话他一说出口,就知道自己犯了个大错。

She went home, **the same evening that** she heard the news. 听到那个消息的当晚她就回家了。

Frederick was the only friend I made during **the four years that** I was at college. 弗雷德里克是我大学四年期间结交的唯一一个朋友。

He called her **the instant** (that) he heard it. 他一听到那个消息就给她打了电话。

It happened **the day that** the marriage took place. 事情就发生在举行婚礼的那天。

③ 在 It's time that, It is about time that, It is high time that, That was the day that, Please tell me the exact time/date that 等结构中,要用 that 引导定语从句。例如:

It's about time (that) he got himself a proper job. 他该给自己找一份合适的工作了。

Is it not high time **that** you got down to marking the papers? 难道不是你应该阅卷的时候了吗?

That was **the day that** the whole village turned out to welcome us home. 那就是全村的人都出来欢迎我们回家的那一天。

Please tell me **the exact date** (that) the Second World War broke out. 请告诉我第二次世界大战爆发的确切日期。

④ 在 There came a day when, The day will come when 等结构中,要用 when 引导定语从句。例如:

There came **a day when** the rain fell in torrents. 有那么一天,大雨倾盆。

Then **the day** came **when** they had to part company. 他们不得不分手的那一天终于到来了。

3. how 不能用来引导定语从句

This is the way how he behaves. [×]

如果要用 how,句子中就不能有先行词,可以说:

> This is **how he behaves**. 这就是他的行为表现。
> This is the **way he behaves**.

三、as 在定语从句中的用法

1. 引导限制性定语从句

在限制性定语从句中,as 多和 such 或 the same 连用,构成 such...as 和 the same...as 结构,可以代替先行词是人或物的名词。在 the same...as 结构中,as 也可以用 that 代替。例如:

Such people as were recommended by him were reliable. 他所推荐的人是可靠的。(as 作主语)

Such books as I have read are classical works. 我所读过的书都是些经典著作。(as 作宾语)

I've never seen **such a talented young man as** he is. 我从未见过像他这样才华横溢的年轻人。(as 作表语)

I'd like to use **the same tool as** (that) is used here. 我想使用和这里用的一样的工具。(as 作主语)

▶▶▶ the same...that 虽然在结构上与 the same...as 相同,但有时句意却不一样。比较:

> This is the **same** book **as** I read last week. 这和我上周读的那本书是一样的。
> This is the **same** book **that** I read last week. 这就是我上周读的那本书。

▶▶▶ 但如果先行词表示抽象概念,则没有这种区别。例如:

She told me the same story **as**(that)she had told you. 她给我讲的和给你讲的是同一个故事。

▶▶▶ as 还可以用在 so 和 as 之后,构成 so . . . as, as . . . as 结构。这种结构前面的 so 或 as 是副词,后面的 as 是代词。例如:

In the city, I saw **so** grand a National Day celebration **as** I never dreamt of. 在那个城市里,我看到了连做梦也不会想到的如此宏大的国庆庆祝活动。

He is **as** great a painter **as** ever lived. 他是一个伟大的画家。(one of the greatest)

2. 引导非限制性定语从句

在非限制性定语从句中,as 作为关系代词代替整个主句,这时,as 引导的从句位置较灵活,可以位于主句前面、中间或后面,一般用逗号与主句隔开,通常译为"对……如……一样,对……像……一样"等。

as 和 which 在这种用法上的区别是:which 作为关系代词也可以指前面的一个句子或词组所包含的内容,但 which 指的通常是前面提到过的情况或事实。which 引导的从句一般放在主句之后,偶尔也可放在所指代的句子或部分之前。as 既可指前面已经提到的情况(这一事实,那一情况),也可指后面将要提到的情况。另外,as 后若为"be+过去分词"构成的被动语态,be 常省略。which 后的 be 在同样情况下则不可省略。as 引导从句时,有"为人所熟知,显然"的含义,which 则没有这层意思。as 引导的从句往往表示一种附加说明,which 引导的从句则为较重要的评说。例如:

As(不用 which)might be expected, John was admitted to the university. 约翰被大学录取了,这是可以预料到的。(as 代替后面的句子,在从句中作主语)

More American troops are being sent to the Middle East, **as**(可用 which)I have learnt from the newspaper. 我从报纸上得知,更多的美国部队正在被派往中东。(as 代替前面的句子,在从句中作主语)

The material is elastic, **as**(不用 which 或 is)shown in the figure. 如图所示,这种材料富有弹性。

Another recession is setting in, **as** is already occurring, for instance, with the car industry. 又一次衰退正在到来,比如,在汽车工业中已经出现了这种情况。

She usually takes forty winks after lunch, **as** is her habit. 她午饭后通常小睡一会儿,这是她的习惯。

He is a bit out of his mind, **as** all those who know him can see. 他精神有点不大正常,这一点所有认识他的人都看得出来。

As is reported, a foreign delegation will visit our factory. 正如报道所说,一个外国代表团将访问我们厂。(不可说 As it is reported)

I voted Labour, **as** did my husband. 我投了工党的票,我丈夫也是。

Anne's very tall, **as** is her mother. 安妮个子很高,她妈妈个子也高。

He is a teacher, **as** was his wife before they moved to Shanghai. 他是教师,他们家搬到上海之前他妻子也是教师。

The man was a scholar, **as** was evident from his way of walking. 那人是一位学者,这从他的走路姿态明显看得出。

Mother Nature is protesting at the pollution we've been creating for the last century, **as** we might not realize. 大自然在对我们过去一个世纪一直在制造的污染表示抗议,我们自己可能没有意识到。

As she hoped, she won the championship. 她如愿以偿获得了冠军。

Why hadn't he accepted the offer of $9,000, **as** he felt to be reasonable? 他觉得 9 000 美元的报价是合理的,却为什么没有接受呢?

As is very natural, the film was criticized for its sex and violence. 这部影片因充斥着性行为和暴力镜头而受到批评,这很自然。

He is no scholar, **as** his father is. 他根本不是他父亲那样的名副其实的学者。

He seemed lacking in enthusiasm, **as** indeed he was. 他看样子缺乏热情,实际真是这样。

David is diligent, **as** is all his classmates. 戴维很勤奋,他的同学都是这样。

She thinks him narrow-minded, **as** it probably is. 她认为他心胸狭窄,他可能真是这样。

As a poet points out, life is but a dream. 正如一位诗人指出的,人生只不过是一场梦。(不可说 As a poet points it out, as 引导从句同时作宾语)

I advised my sister, **as** was my duty. 我劝了我妹妹,这是我的责任。

She became angry, **as** many could see. 她生气了,许多人都看得出来。

The result, **as** may be expected, is bad. 正如所预料的那样,结果很糟糕。

Children, **as** is always the case, love their mother. 儿童通常总是喜爱母亲。

▶▶▶ 但下面两句用 it 都是正确的,因为 it 代表一个单词或短语,在习惯用语 as we know 后作宾语(as 是连词):

Money, **as** we know **it**, is the root of all evils. 我们都知道,金钱是万恶之源。

Cambridge University, **as** we know **it**, is one of the oldest universities in the world. 众所周知,剑桥大学是世界上最古老的大学之一。

比较:

He went bankrupt, **as** I predicted. 正如我所料,他破产了。

He went bankrupt, **which** is what I predicted. 他破产了,这正是我所预料到的。

The contract was canceled, **as** we exactly wanted. 正如我们所希望的那样,那项合同被废止了。

The contract was canceled, **which** was exactly what we wanted. 那项合同被废止了,这正是我们所希望的。

He didn't have any hope of success, **as** she knew. 正如她所知道的,他没有任何成功的希望。(as 为关系代词,引导定语从句,亦可放在句首)

He didn't have any hope of success, **as** she thought. 他没有任何成功的希望,而她却认为他有。(as 为连接词,相当于 but 或 yet,原句意为:He didn't have any hope of success, but she thought he had. as she thought 不可放在句首,可视为表示转折或让步的状语从句)

▶▶▶ 下面是常见的 as 引导的结构,一般位于句首,有时也位于句中或句尾:

as is well known 众所周知

as is often the case 情况常常如此

as may be imagined 可以想象得出

as often happens 这种情况常常发生

as has been said before 如前所述

as has been pointed out 正如已经指出的

as will be shown in ... 将在……中指出

as is hoped 正如所希望的

as is usual (with sb.) (某人)经常如此

as is natural 很自然

as is supposed 如所料想的

as is anticipated 如所预料的

as is the custom with 习惯如此

【提示】

① as 从句可以表达比例。例如:

As prices rise, (so) the demand for higher wages will increase. 物价上涨了,人们要求工资也增长。

As we get older, we become less willing to change our ideas. 人老了,便会不愿意改变观念了。

② as 从句可以表示评论。例如:

The hall, **as often happens,** became very crowded. 这个大厅时常人满为患。

As everyone knows, running water does not get stale. 众所周知,流水不腐。

③ as 从句表示两个动作、行为相比较。例如:

She scolded him, **as** she had scolded her son. 她责骂了他,正如责骂她儿子一样。

He failed to keep his promise, **as** I thought he would. 他没有遵守诺言,而我以为他会的。

④ as 引导原因状语从句时,主句不可以 that's why 开始。例如:

我知道你对古典音乐感兴趣,所以我想邀请你来听音乐会。

As I know you are interested in classical music, that's why I want to invite you to the concert. [×]

As I know you are interested in classical music, I want to invite you to the concert. [√]

I know you are interested in classical music, **and that's why** I want to invite you to the concert. [√]

⑤ 表示某一类别事物的举例,要用 such as 或 like,不用 as。例如:

他喜欢吃新鲜的东西,如西红柿和黄瓜。
He prefers eating fresh things as tomatoes and cucumbers. [×]
He prefers eating fresh things **such as** tomatoes and cucumbers. [√]
He prefers eating fresh things **like** tomatoes and cucumbers. [√]

⑥ 表示某人、某事起什么作用,充当什么角色,以什么资格。例如:

She worked **as a secretary**. 她任秘书。

He served **as the British ambassador to China**. 他任英国驻华大使。

▶▶▶ 考察下面一个歧义句:As a manager of the company, I give you this warning.

⑦ as 后可跟名词短语、介词短语、形容词和过去分词。例如:

As in previous elections, he lost the support of the majority. 如在前一次选举中一样,他失去了大多数人的支持。

They described him as {
very dangerous.
having a hot temper. 他们描述他很危险/脾气很坏/伤得很重。
seriously wounded.
}

⑧ 连词 as 可以表示一种情况也适用于另外一人、一事或一群人,这种用法中,as 后的句子要倒装。例如:

I fear snakes, **as do most people**. 我怕蛇,大多数人都怕蛇。

He suffered a lot, **as were many people in those years**. 他受了许多苦,就像那些年月里许多人一样。

He is an orthodox Jew, **as were all his family**. 他是个正统的犹太教徒,同他全家一样。

⑨ 结构 as is hoped, as is usual with sb., as is natural, as is supposed, as is anticipated, as is the custom with sb., as is often the case 等中的 as 既可视为关系代词,相当于 which,引导定语从句,也可视为连词,后省略了 it,引导状语从句。例如:

He stayed late into the night, **as** is often the case. 他待到深夜,经常是这样。(＝which is often the case, ＝as it is often the case)

⑩ 在某些习惯用法中,用 as 而不用 which。例如:

Professor Smith, **as we know**, has written a new book on the subject. 我们知道,史密斯教授写了一本有关这个专题的新书。

She has gone out for a walk, **as may be imagined**. 可以想象,她出去散步了。

⑪ as 引导的从句在意义上应同主句保持和谐一致,即相辅相成关系,如果不一致,则要用 which。例如:

He got up early, **as/which** was usual with him. 他起得早,已成为习惯了。

She was not sick, **as/which** some of her classmates were. 她没有晕车,而她的一些同学晕车了。

He seemed a Frenchman, **as/which** in fact he was. 他像是个法国人,事实上他就是个法国人。

John writes war novels, **as/which** you know. 约翰写战争小说,这你是知道的。

She must have gone through a lot, **as/which** may be seen from her weather-beaten face. 她一定是历经磨难的,这可以从她饱经风霜的面容看得出来。

他接管了政府,这是不合法的。
He took over the government, **which was unlawful**. [√]
He took over the government, as was unlawful. [×]

她嫁给了他,这是出人意料的。
She married him, **which was unexpected**. [√]
She married him, as is unexpected. [×]
She married him, **as expected**. [√]

⑫ as 引导非限制性定语从句作主语时,还可用 be 以外的其他连系动词作谓语,如 seem, become 等,一般不用其他行为动词;但 which 引导非限制性定语从句作主语时,则可用各类动词作谓语。例如:

He didn't say anything at the meeting, **as seemed strange**. 他在会上什么也没说,这似乎很奇怪。

He did much but said little, **as became his character**. 他做得多说得少,这符合他的性格。

She failed in the experiment, **which surprised all of us**. 她的实验失败了,这使我们大家都很吃惊。(不可用 as)

▶▶▶ 但在 as it often happens, as it often occurs 等含有 it 的结构中,it 省去后,as 则可以同行为动词连用。例如:

Two bikes were stolen last week, **as (it) often happened** in the school. 上周有两辆自行车被盗,这在这所学校经常发生。

⑬ 注意下面一句的含义:

> She is dead, **as** I live.
> 她死了,正像我还活着。〔×〕
> 她死了,而我还活着。〔×〕
> 她的的确确是死了。〔√〕

本句中的 as I live 是一种习惯说法,意为 indeed,用于强调,类似的还有:as I am here, as the sun shines 等。

⑭ as regards, as follows, as concerns, as seems best 为无人称动词句,as 为连词,中间不可插入 it。例如:

The results are **as follows**: First is China, then Germany, then Japan. 结果如下:第一名是中国,其次是德国,再后是日本。

As regards that family, it never quite regained its former influence. 至于那个家族,它再也没有恢复昔日的影响力。

I shall act **as seems best**. 我将尽量办好。

As concerns environmental issues, the government will enforce existing regulations. 关于环境问题,政府将执行现行条例。

3. as 构成的短语

as likely as not 多半(with greater probability)　as one(man)一致地

as often as not 常常(very frequently)　as regards 关于

as soon as not 更愿(more willingly)　as concerns 关于

as far as 远至(某地),就……而言　as concerning 关于

as follows 如下(as comes next)　as far as...is concerned 关于,至于

as from 自……之日起(dating from)　as good as 像……一样,几乎等于

as/**so long as** 只要,在……的时候(while)　as such 作为……的身份,……的本身

as much as to say 好像是说　(just) as soon 宁可(rather)

as yet 至今,尚(until now)　as well 也,亦(also)

as well as 和(in addition to)　without so much as 连……都不

such as 如,像(for example)　not such as +动词 不至于

in so far as 在……的范围内,就……来说　as a matter of fact 事实上

as many 同数的,和……一样多　as against 比……(in comparison with)

as a rule 通常,照例(generally)　as many again 多一倍

as big/large as life 与实物一般大小,确确实实

not/never so much as +动词 连……都不(not even)

She will come **as likely as not**. 她多半会来。

During foggy weather the trains are late **as often as not**. 火车在雾天常常晚点。

She would stay at home **as soon as not**. 她可太乐意待在家里了。

Is he **as good as** his word? 他是否言而有信?

I haven't heard from her **as yet**. 我至今仍未收到她的信。

She gave a look **as much as** to say "Mind your own business!" 她摆出一副好像是说"不用你管"似的面孔。

You will learn your lesson only **in so far as** you are willing to study them. 你的功课学得怎样，完全视你努力的情况而定。

I would **just as soon** live here. 我还是住在这里好。

Her illness was **not such as to** cause any anxiety. 她的病尚不令人担忧。

He is standing there, **large as life**. 他明明就站在那里。

【提示】比较不同的含义：

Wealth, **as such**, doesn't matter much. 财富本身算不了什么。（本身）

In the countryside strangers are welcome **as such**. 在乡间，外乡人是名副其实作为外乡人受到欢迎的。（名副其实地）

There are no hotels, **as such**, in the town. 这个小城里没有像样的旅馆。（像样的，真正的）

Languages, **such as** English and French, are not difficult to learn. 语言，如英语和法语并不难学。

She recognized me **as soon as** she saw me. 她一看见我就把我认出来了。（一……就）

He didn't arrive **as soon as** I had expected. 他来得不像我期待的那么早。（像……一样早）

I would just **as soon** stay at home **as** go. 我与其去还不如留在家里好。（与其……不如，＝rather ... than）

He could **as soon** write an epic **as** drive a car. 他要是会开汽车就会写叙事诗了。（要是能……的话就会）

She **cannot so much as** write her own name. 她甚至连自己的名字都不会写。（not/never so much as 后跟动词）

She left **without so much as** saying "Thank you". 她连一声道谢都没说就走了。（without so much as 后跟动名词）

Leave it **as it is**. 顺其自然。（放在句尾，表示"照原样，照样"）

As it is, they are not sisters. 事实上，她们不是姐妹。（放在句首，表示"事实上"）

The world, **as it is**, is full of new inventions. 现在的世界充满了新的发明。（放在句中，表示"现在的"）

She felt, **as it were**, in a dream. 她觉得仿佛在梦中。（as it were 表示"好像，仿佛"）

As long as there is life there is hope. 有生命就有希望。（只要，＝on condition that）

You shall never enter the room **so long as** I live in it. 我住在这个房间的时候你永远不能进去。（当……的时候，＝while）

You can stay here **as long as** you want. 你想在这里待多久就待多久。（像……那么久）

As long as you are going, I'll go too. 既然你去，我也去。（既然，＝since）

She has **as many** books **as** you. 她的书和你的一样多。（和……一样多）

He can learn **as many as** 100 new words by heart in one day. 他一天内能背会多达100个生词。（多至，多达）

Take **as many as** you want. 你要多少就拿多少。（多少……多少）

He has been writing the novel **as many as** 10 years. 这部小说他整整写了10年。（整整）

As many as come are welcome. 来者都是客。（凡……都）

四、but 在定语从句中的用法

but 可用作关系代词引导定语从句，通常同具有否定意义的主句连用，其先行词可以是人，也可以是物。but 在意义上等于"that... not"，"who... not"，"which... not"。but 只用于限制性定语从句。例如：

There was not a single student in my class **but**（who did not）learnt a lot from him. 我班上每一个学生都从他那里学到很多东西。

There was not one house **but**（which was not）was burnt down. 所有的房子都被烧掉了。

Not a day went by **but**（which did not）brought us good news. 没有一天不给我们带来好消息。

There are few of them **but** admire your achievement. 他们几乎每个人都羡慕你的成就。

What did she see **but** was miserable? 她所见皆凄惨不堪。(＝She saw nothing except what was miserable.)

There is nothing in the world **but** is influenced by the sun. 世界上没有任何东西不受到太阳的影响。

Few of them who were present **but** praised him for his courage. 在场的几乎没有人不赞扬他的勇气。

Not a tree, a wild flower, a bird in the valley **but** revived memories of his childhood. 山谷中没有一棵树，没有一朵野花，没有一只鸟，不唤起他对童年的回忆。

There is nothing about him **but** what is tolerable. 他身上没有任何东西是不可容忍的。

There isn't a girl **but** faces this problem. 没有一个女孩不面临这个问题。

There is scarcely a visitor **but** likes the seaside town. 几乎每一个游客都喜欢这座海滨小城。

> 再难的东西经过实践也会变得容易。
> Nothing is so hard **but** it becomes easy by practice.
> Nothing is so hard **that** it does not become easy by practice.

▶▶▶ but 结构也可以省略。例如：

No rule **but** has exceptions. 凡规则皆有例外。(There is)

Few books **but** have a misprint or two. 凡书都有一两处印刷错误。(There are)

五、what 用法要点

1. 用作关系代词

1 用于 what is worse, what is a different thing 等结构中

本结构中，what 是关系代词，泛指上文或下文，意为"更……，尤其……"。这种结构通常用作插入语。例如：

He attended the contest and **what was more surprising**, won a gold medal. 他参加了比赛，更令人称奇的是，还赢得了金牌。

She was born in a rich family; **what was better still**, some of her relatives were famous scholars. 她出生于富裕家庭，更为优越的是，她的一些亲属是著名学者。

Great men are often unknown, or **what is worse**, misknown. 伟大的人常常是默默无闻的，或者，更糟的是，常被误解。

If, **what seldom happens**, he would repent, he would be a good boy. 如果他能悔过——这种可能性很少——他就会是一个好孩子。

He knows how to write and, **what is a different thing**, how to make money. 他会写作，而且与此不同的是，他还会赚钱。

She decided, **what was the only choice**, that she would keep it a secret. 她决定保守秘密，这可是唯一的选择。

The boy is not only very clever but (**what is very likely**) honest. 这男孩极其聪明，而且(极有可能)很诚实。(放在括号中作出某种说明)

He has (**what is more precious**) a noble heart. 他有着高贵的心灵——这更为可贵。

2 what 相当于 the thing(s) which 或 the person(s) that

what 既可以指人，也可以指物。指人时相当于 the person(s) that，指物时相当于 the thing(s) which。值得注意的是，这种用法的 what 本身已包括先行词，前面不能再有先行词，称为缩合连接代词，参见上文。也就是说，前有先行词时，视具体情况用 that，which 或 who，没有先行词时，就要用 what。what 在其所引导的从句中可以作主语、宾语和表语。例如：

What is beautiful is not always good. 美的东西并不总是善的。

That is exactly **what** he told me. 那正是他告诉我的。(指物)

What has been done can not be undone. 覆水难收。(指物)

Never pretend to be **what** you are not. 为人不可虚伪。(指人)

She is **what** you call a snob. 她就是那种可称为势利眼的人。(＝She is the woman that you call a snob.)

那就是我想买的家具。
{ That is the furniture **what** we want to buy. [×]
  That is the furniture **that/which** we want to buy. [√] }

比较：
{ I don't know **what** you want. 我不知道你要什么。（what 是疑问代词）
  That is **what** you want. 那就是你要的东西。（what 为缩合连接代词，＝the thing which） }
She asked me **what** I didn't know.（这是一个歧义句。译为"她问我所不知道的东西"时，what 为缩合连接代词，相当于 the things that；译为"她问我不知道什么时"，what 为疑问代词。）

【提示】
① 有时候，介词可以放在句尾，也可以放在 what 前。例如：
{ **What** did you do it **for**? 你做那件事是为了什么？
  For what did you do it?（For what＝Why） }
{ **What** will you depend **on**? 你将依靠什么？
  On what will you depend? }
▶▶ 但在下面的短语中，介词不可放在句尾：
By what means did they get the information? 他们是凭什么方式弄到情报的？
In what circumstances will they sign the treaty? 他们在什么情况下会签署协议？
In what respect are their measures better? 他们的措施在哪方面更好些？
At what time did he finish writing the long poem? 他在什么时候写完那首长诗的？
In what way will you settle the problem? 你用什么方式解决这个问题？
② what 有时可用作副词，表示"到什么程度"。例如：
"**What** does the affair matter?" "It matters **much**." "这件事有什么关系？""它关系重大。"
"**What** do I care if I fail again?" "I care **little**." "我要是再次失败了会在意吗？""我不在意。"

2. what money 相当于 all the money that
what 在其所引导的从句中还可以作定语。例如：
The father gave **what money** he had to his son. 这位父亲把所有的钱都给了儿子。（＝all the money that）
We've decided to give you **what help** we can. 我们决定尽全力帮助你。（＝any help that，as much help as）
He shared **what little water** he had with his companions. 他把自己仅有的一点水分给了伙伴们。（＝all the little water that）
What songs he has learned are about love. 他学的歌都是关于爱情的。（＝All the songs that）
What few he had was stolen. 他所有的不多的东西都是偷来的。（＝The few that）
She was robbed of **what little money** she had. 她仅有的一点钱也被抢去了。

3. no sense whatever 的含义
whatever 可作形容词，常同 not，any，no，nothing，anything 一起用于否定句或疑问句中，放在名词或代词之后，意为"一点也……"，相当于副词短语 at all。例如：
I have no doubt **whatever** about it. 我对此一点儿也不怀疑。（＝I have no doubt about it at all.）
She has no sense **whatever**. 她没有一点头脑。
I know nothing of it **whatever**. 我对此一无所知。

4. know what's what 的含义
what 同其他词类结合，构成一些惯用习语，常见的有：know what's what 内行/有判断力，so what 那又怎么样，what if 如果……怎么办，what's what 真相/具体情况，give sb. what for 严斥……/痛打……，know what one's about 有头脑/会处理困难局面，what/how about ... 怎么样，guess what 告诉你一个消息，and what not 其他/等等，what of it? 那又怎么样？I tell you what 我有一个建议/我有个想法，and I don't know what... 什么的（相当于 and God knows what），what have you 等等。
This is a meeting to find out **what's what**. 这是一个弄清具体情况的会议。

She said I was stupid and thoughtless and **I don't know what**. 她说我愚笨、没头脑什么的。

Guess what，the spy was caught on the spot. 告诉你个消息,间谍当场被捉住了。

We should try to meet the needs，cultural，recreational，**what have you**, of the members of the community. 我们应当设法满足社区成员的文化、娱乐等的需求。

A：He isn't satisfied with your plan? 他对你的计划不满意。
B：Well，**what of it**? 哟,那又怎么样?

I know **what**. 我有一个主意。(=I have an idea.)

He knows **what is what**. 他很有判断力。(=what is useful or important)

I'll tell you **what**. 我给你说件事。(=something)

They sold pens, pencils, rubbers **and what not**. 他们卖钢笔、铅笔、橡皮等。(或 and what have you，and what all，and the like)

"You told her the secret?""**So what**?" "你把消息告诉她了?""那怎么啦?"

"You've given up the plan.""**What then**?" "你放弃了那项计划。""那怎么样?"

What if he fails to come? 如果他不来怎么办? (=What will happen)

What though he loses the match? 他比赛输了会怎么样? (=What will happen)

What do you say to the plan? 你为以这个计划怎样? (=What do you think of)

What is behind the news? 这消息背后隐藏着什么? (=What is hidden behind)

What is the point of holding another meeting? 再举行一次会议有什么意义? (=What is the meaning)

I must give the man **what for**. 我们必须惩罚那个人。(=punishment)

Dr. what's-his-name said it was true. 某某博士说那是真的。

He heard of it from **Miss what-do-you-call-her**. 他从某某小姐那里听到的。

She has flown to **what's-its-name-city**. 她飞到某个城市去了。

Please show us **what-do-you-call-it**. 请给我们看看某样东西。

5．what is called

what is called, what we call 和 what you call 表示"所谓的",有时含有贬义。例如:

He is **what is called** a "child prodigy". 他就是所谓的"神童"。

It is **what you call** a "new fashion". 这就是你所谓的"新潮"。

Some of **what we call** great books are written in blood and tears. 我们称为伟大的书,有些是用血泪写成的。

6．what one is

what one is 表示"某人现在的样子,某人今日的成就,某人的人品",what one has 表示"某人所有的,某人的财产";what one was 或 used to be 表示"某人过去的样子"。例如:

I admire him for **what he is**, not for **what he has**. 我因他的人品而羡慕他,不是因他的财富。

Her painstaking efforts made her **what she is**. 她今天的成就是她勤奋努力的结果。

He is not **what he was**. 他已非从前的他了。

7．what ... for 和 for what

what ... for 和 for what 常用于询问原因或目的,相当于 why。例如:

What did you leave the school **for**? 你为什么离开那所学校?
=**Why** did you leave the school?

For what will he go abroad? 他为什么要出国?
=**Why** will he go abroad?

8．what with ... and what with 和 what by ... and what by

what with...and what with 意为"半因……半因",表示原因,后一个 what with 可省;what by...and what by 意为"半靠……半靠",表示方式,后一个 what by 可省。这种用法的 what 为副词。例如:

What with continual rain and (what with) a bad hotel, we didn't enjoy our holiday much. 由于连续下雨,旅馆又不好,我们的假日过得不怎么愉快。

What by threats, **and**（what by）entreaties, he gained his purpose. 他软硬兼施,达到了目的。

【提示】

① what 可用于双重疑问句中,when,who,where 等也可以这样使用。例如:

What novel written by **what** writer was the best in the nineteenth century? 哪位作家写的哪部小说是 19 世纪最好的?

Who defeated **whom** in the battle? 在那次战斗中谁打败了谁?

How long has he lived here and since **when**? 他在这里住了多久并从何时开始住在这里的?

How much food is eaten by **how many** people in this country? 在这个国家有多少人吃多少粮食?

▶▶▶ 这种含有两个疑问词的结构也可用作宾语。例如:

I don't know **what** is better than **what** here. 我不知道这里什么比什么好。

They talked about **who** was married to **whom**. 他们谈论着谁同谁结了婚。

Don't ask **who** has earned **how** much. 不要问谁挣了多少钱。

② what 可用于简短的追问式疑问句中,要求把话重复一遍,以便听清楚;which,whom 等也有这种用法。注意,这种用法要用陈述句语序。例如:

"He is a painter." "He is **what**?" "他是个画家。""他是干什么的?"

"She lent me 100 dollars." "She lent you **how many** dollars?" "她借给我 100 美元。""她借给你多少美元?"

"He likes playing volleyball." "He likes playing **what**?" "他喜欢打排球。""他喜欢打什么?"

"He preferred this picture to that one." "Prefer **which** picture?" "他喜爱这幅画胜过那幅画。""喜欢哪幅画?"

"She eloped with John." "She eloped with **whom**?" "她同约翰私奔了。""她同谁私奔了?"

③ what 可用于省略疑问句中,旨在了解更多的情况,结构为"what＋介词"。where,who 等也有这种用法。例如:

"Please open the box." "**What** with?" "请打开盒子。""用什么?"

"I went downtown this morning." "**What** for?" "我今天上午进城了。""为什么?"

"Send the letter at once." "**Who** to?" "快点寄掉这封信。""寄给谁?"

六、than 用法要点

1. than 兼有连词和代词的性质

在带有比较级的句子中,than 可以作代词,兼有连词和代词的性质。也有学者认为这种用法的 than 是连词,后面省略了主语 what。例如:

The boy has eaten more food **than** is good for his health. 那个男孩吃得太多,对身体不好。

Never give him more money **than** is necessary. 不要给他超出需用的钱。

That evening he drank more beer **than** had been his custom. 那天晚上他啤酒喝得比平常多。

There are more demands **than** can be satisfied. 需求难以满足。

The question is more complicated **than** appears on the surface. 问题比表面上看起来复杂得多。

He did more **than** was required of him. 他所做的比他应该做的多。

There is more to it **than** meets the eye. 看见的并非全部。

The house was more luxuriously decorated **than** suited his taste. 那房子装饰得太豪华,不合他的审美趣味。

【提示】as 也有类似的用法。例如:She ate just as much **as** was good for her. 她吃得适量。

2. than whom 结构

than 可同 whom 连用,构成比较结构,引导限制性定语从句或非限制性定语从句。例如:

She is a woman **than whom** no one is more selfish. 没有比她更自私的女人了。

He is a scientist **than whom** I can imagine no one greater. 我想不出一个比他更伟大的科学家了。

Here is our manager, **than whom** a more capable man does not exist. 这就是我们的经理,世上再没有比他更能干的人了。

3. other than, else than 和 otherwise than

这三个结构表示"除了",相当于 but, except。例如:

I can think of no solution **other than** this one. 除了这种解决方法外,我想不出别的。

= I can think of no **other** solution **than** this one.

= I can think of no solution **but/except** this one.

You can't get to the top of the mountain **else/other than** by climbing. 除了攀登外,你没有别的办法到达山顶。

You can't get to the top of the mountain **except/but** by climbing.

He drank nothing **else than** tea. 他只喝了茶。

= He drank nothing **but** tea.

七、限制性定语从句和非限制性定语从句

1. 限制性定语从句和非限制性定语从句差异的比较

名　称	意　义	结构要求	功　能	引导词	译　法
限制性定语从句(Restrictive Attributive Clause)	起限定作用,指特定的人或物,不可省略,否则原句句意不完整	紧跟先行词,同先行词之间一般不加逗号	修饰先行词	关系代词、关系副词或 that(作宾语时可省略)	一般译为定语从句
非限制性定语从句(Non-restrictive Attributive Clause)	仅作补充或说明,若省略掉,原句句意也是完整的	用逗号与主句隔开	修饰先行词或整个主句	只用关系代词或关系副词,一般不用 that	可译为并列分句

In a business society, **where people run about in pursuit of personal gains at the expense of others**, it is really difficult to do as you please. 生存在功利社会,奔波劳顿,勾心斗角,若想做到随心所欲,实在很难。(非限制性)

I don't like **people who lose their temper easily**. 我不喜欢动辄发脾气的人。(限制性)

If you have a friend **who knows your heart**, distance can't keep you two apart. 海内存知己,天涯若比邻。(限制性)

Boys who attend this school have to wear uniforms. 在这所学校上学的男孩必须穿制服。(限制性)

He lent me a thousand dollars, **which was exactly the amount I needed**. 他借给我 1 000 美元,这笔钱正好够我用。(非限制性)

A crimson flush was glowing on her cheek, **which had been long so pale**. 她苍白已久的脸颊泛起了红晕。(非限制性)

The sun, **which had hidden all day**, now came out in full splendor. 那太阳,整天躲在云层里,现在又光芒四射了。(非限制性)

The manuscript was written in Latin, **which language I did not understand**. 手稿是用拉丁文写的,我看不懂。(非限制性)

He was left on a desolate island, **where he stayed for as long as three months**. 他被抛到一个荒岛上,在那里待了三个月之久。(非限制性)

比较:

He has **two sisters who are working in the city**. 他有两个妹妹在这个城市里工作。(限制性,意为:有两个在这个城里工作的妹妹,言外之意:他可能还有别的妹妹不在这个城里工作)

He has two sisters, **who are working in the city**. 他有两个妹妹,都在这个城市里工作。(非限制性,补充说明)

The children **who wanted to play football** were disappointed when it rained. 想踢足球的那些孩子因为下雨而感到失望。(限制性,意为:只有那些想踢足球的孩子感到失望,而另一些孩子可能不在乎)

The children, **who wanted to play football**, were disappointed when it rained. 那些孩子都想踢足球,因下雨而感到失望。(非限制性)

There were very few passengers **that escaped without serious injury**. 没受重伤而逃出来的旅客很少。(逃出来的旅客大都受了重伤)

There were very few passengers, **who escaped without serious injury**. 旅客很少,都逃出来了,没受重伤。(旅客人数少,没有受到什么重伤)

The government **which promises to cut taxes** will be popular. 保证减税的政府才会得人心。(限制性,任何一个政府)

The government, **which promises to cut taxes**, will be popular. 这个政府,它保证要减税,将会是得人心的。(非限制性,现政府)

▶▶ 下面两个句子只一逗号之差,但句意却大相径庭,颇富幽默感,若能理解其意,会不禁使人捧腹,试加以分析:

He will wear no clothes **which will distinguish him from his fellow men**.
He will wear no clothes, **which will distinguish him from his fellow men**.

【提示】

① 下面两句均为限制性定语从句,用逗号把插入语隔开:

A civilization, today common to the whole world, **that allows such crimes to proceed unchecked deserves to perish, and inevitably will**. 一种对这样的罪行不予制止、任其泛滥的社会——这样的社会今天在全世界还很普遍——是应该灭亡,也必须要灭亡的。

It was just the sort of place, he reflected whimsically, **which his aunt had loved to write about in her books.** 他很古怪地回想起来,这正是他姑妈爱在书里描写的那种地方。

② 定语从句在一定的上下文中具有状语从句的作用,可以表示条件、原因、目的、结果、让步等。例如:

He would be a stubborn man **who always went it alone and never gave an ear to other people's suggestions.** 一个人如果一意孤行,听不进别人的意见,他就是个固执的人。(条件)

Henry was clever, diligent and willing to help others, **for which he was often praised by the teacher.** 亨利聪明、勤奋、乐于助人,经常受老师的表扬。(因果)

③ that I know, that I remember, that I can think of, that I can discover 等为惯用短语,由非限制性定语从句转变而来,只能用 that。例如:

No other athlete has won so many medals, **that I know.** 就我所知,还没有任何别的运动员得过这么多奖牌。

The contract was signed without his knowledge, **that I remember.** 在我的记忆中,那份合同是在他不知情的情况下签署的。

She hasn't, **that I can think of,** given up hope of ever marrying. 按我的想法,她并没有彻底放弃结婚的希望。

He did not, **that I could discover,** lose his head even in the most serious crisis. 就我所见,他即使在最紧要的危急关头也没有失去理智。

He took a book sometimes with him, but never read it **that I saw.** 他有时拿着一本书,可就我所看到的,那书他却从来没读过。

④ 注意下面一个歧义句:

I asked the professor **who would be sent abroad.**
我问了这位将要被派往国外的教授。(限制性定语从句)
我问了这位教授谁将要被派往国外。(宾语补足语)

2. 用关系代词还是用关系副词

正确选用关系词有时并不那么容易。同样的先行词,由于在从句中所起的作用不同,须用不同的关系词代替它。下面几点可作为选择的依据:①弄清楚代替先行词的关系词在从句中作什么成分,是主语、宾语、定语还是状语;②辨别先行词表示的是人、物、时间、地点还是原因;③判断从句是限制性的还是非限制性的。比较:

This is **the place where** the traffic accident occurred. 这就是发生交通事故的地方。(where 作状语)
This is **the place which** the foreign guests are going to visit. 这就是外国朋友要参观的地方。(which 作宾语)

The reason which she gave is unbelievable. 她提出的理由是不可信的。(which 作宾语)
The reason why he refused her is not known. 他拒绝她的原因不得而知。(why 作状语)

The tree which has been cut down is 300 years old. 那棵被砍倒的树已有 300 年的历史。(which 作主语)
The tree whose leaves have fallen is 300 years old. 那棵落了叶的树已有 300 年的历史。(whose 作定语)

3. 定语从句同先行词的隔裂

1 如果作主语的先行词跟有一个较长的定语从句和一个较短的谓语,为平衡句子结构,要把谓语动词放在先行词和定语从句之间,这种关系代词同先行词的隔裂为正确结构

He won't live long **who smokes three or four packs of cigarettes every day for many years**. 一个在许多年里每天抽三四包烟的人寿命不会长。

He can conquer the world **who can conquer himself**. 能征服自己的人能征服世界。

Such a book will sell well, **as is written in blood and tears**. 用血泪写成的书会有很好的销路的。

Which of you can offer proof, **that has seen the accident**? 你们谁目睹了那个事故能作证?

A new teacher will come tomorrow **who will teach you English**. 一位新教师明天来,将教你们英语。

Who doesn't hate her, **that knows what a heartless woman she is**? 谁人知道她是个多么无情的女人,能不恨她呢?

The time is now near at hand **which must probably determine whether we are to be freemen or slaves**. 我们能成为自由人,还是沦为奴隶,决定的时刻已迫在眉睫。

We lived in **a house** in a village **that looked across the river and the plain to the mountains**. 我们住在乡下一幢房子里,望得见隔着河流和平原的那些高山。

2 如果作宾语的先行词跟有一个较长的定语从句和一个较短的宾语补足语或状语,为平衡句子结构,要把补足语或状语放在先行词和定语从句之间

She considered **the dictionary valuable which was compiled by first-rate scholars from different countries**. 她认为那部由不同国家的一流学者编写的词典价值极高。

She asked **the boy to stay at home who had been ill for a long time**. 她要求那个病了很久的男孩待在家里。

I regard the man **as lost who has lost his heart**. 我视丧失信心的人无可救药。

Do you remember **one afternoon ten years ago when I came to your house and borrowed a diamond necklace**? 你记得十年前的一天下午我到你家借钻石项链的事吗?

4. 关系代词用作表语

关系代词 that, which 和 as 可用作表语:①that 在限制性定语从句中作表语,可省;②which 在非限制性定语从句中作表语,不可省;③as 可在限制性定语从句和非限制性定语从句中作表语,并可指人,一般不省。例如:

She is not the sweet girl (that) she **was**. 她不再是从前那个甜美的女孩了。

He is all (that) a man should **be**. 他具有一个真正的人所应有的品质。

He is not the man (that) he **seems**. 他这人不可貌相。

He is a fool, **which** you **are not**. 他傻,你不傻。

She wrote a great novel, **which** it still **is** today. 她写了一部伟大的小说,这部小说今天依然是伟大的。

He looks like an honest man, **as he is not**. 他看上去是个诚实的人,但实际上不是。

He is patient this time, **as he has never been**. 他这次很耐心,过去可从不这样。

【提示】

① 在下面的句子中,that 或 as 的先行词作另一名词或代词的同位语:

I lent her the money, **fool that** I was. 我真傻,竟借钱给她。

He sent some flowers to Mary, **angel that** she is. 他给天使般的玛丽寄了一些花。

He didn't love her, **pretty girl** as she is. 她是个漂亮的女孩,但他不爱她。

② 在下面的句子中,that,which 或 as 作宾语的补语:

He is not the gentleman (that) people thought him. 他不是人们先前认为的那样的贤德之人。

He is still the optimistic man **as you used to find him**. 他仍然是你过去看到的那个乐天派。

③ 一个先行词可以跟两个定语从句,可以是限制性的,也可以是非限制性的,用 and, but 或 or 连接起来。例如:

The book **which** you are reading and **which** is read by many young people is written by Mark Twain. 你正在读的并且被许多年轻人读的那本书是马克·吐温写的。

The man **whom** you met yesterday and **whose** name often appears in the newspaper is a famous scientist. 你昨天遇见的其名字常在报纸上出现的那个人是一位著名科学家。

④ 在某些句子中,第一个定语从句同先行词关系密切,表示一个统一的意思,后面再跟一个定语从句加以修饰,这两个从句之间不可加 and,but 或 or。例如:

He is the only man **that** is alive **who** witnessed the accident. 他是唯一健在且目睹过那次事件的人。(who 不用 that 替代)

There is not a day (**that**) he spent with her **that** does not arouse sweet memory. 他同她一起度过的每一天都会唤起甜蜜的回忆。

5. there be 引导的限制性定语从句

there is/are 或 there has ever been 等结构作"目前有的,曾经有过的"解时,可引导限制性定语从句,置于被修饰的名词后面,作该从句主语的关系代词 that,who,which 常省略。参见上文。例如:

This is the only one (that) **there is**. 这是这儿的唯一一个。

I have told you everything **there is** to tell. 我已经把要说的一切都告诉你了。

She knows the difference **there is** between good and evil. 她知道善恶之间的差别。

You can see all **there is** to see. 你想看什么就可以看什么。

It is the commonest thing **there is** in the world. 这是世界上最平常不过的事。

The misprints **there are** in the novel are astounding. 这本小说中的印刷错误多得惊人。

That is all **there is** and **there has been**. 那就是现在有的和曾经有的。

Henry was the only person (that) **there was** to witness the accident. 亨利是唯一见证了那个事故的人。

This car is probably faster than any of its kind (that) **there has ever been**. 这部车可能比任何已有的同类车都快。

6. 定语从句的状语含义

有些定语从句,具有状语含义,表示时间、条件、因果、目的、让步、结果等,译成汉语时,往往要添加适当的词语,如"因为,以免,结果,虽然,尽管"等,以转述出真实内在关系。例如:

She had a chance to see the famous writer, **who was visiting Suzhou last month**. 这位著名作家上个月访问苏州时,她有机会见到了他。(时间)

One will surely succeed **who perseveres to the end**. 只要坚持到底,就一定会成功。(条件)

A cat, **whose eyes can take in more rays of light than our eyes**, can see clearly in the night. 由于猫的眼睛比我们人的眼睛能吸收更多的光线,所以在夜里也能看得很清楚。(因果)

A delegation was sent **that should settle the tribal conflicts there**. 派了一个代表团,以便解决那里部落间的冲突。(目的)

His grandmother, **who is now in her eighties**, still does her own cooking. 他祖母虽然八十多岁了,可还是自己做饭。(让步)

There occurred a big flood in the south last year，**which caused a severe damage of property and a great loss of lives**. 去年南方发大水,结果造成了重大的财产和生命损失。(结果)

【改正错误】

1. Underline{By} serving others，a person focuses on someone Underline{other than} himself or herself，Underline{who can be very}
   　A　　　　　　　　　　　　　　　　　　　B　　　　　　　　　　　　　C
   eye-opening and Underline{rewarding}.
   　　　　　　　　　D

2. It is Underline{reported} that two schools，Underline{boths of them} are being built Underline{in} my hometown，will open
   　　　A　　　　　　　　　　　B　　　　　　　　　　　　　C
   Underline{next year}.
   　D

3. Women Underline{who} drink more than two Underline{cups of coffee} a day have a Underline{greater} chance of having heart
   　　　A　　　　　　　　　　　B　　　　　　　　　　　C
   disease than Underline{those} don't.
   　　　　　D

4. Underline{Last week}，only two people came to Underline{look at} the house，Underline{none of whom} wanted to buy Underline{it}.
   　A　　　　　　　　　　　　　　B　　　　　　　　C　　　　　　　　　　D

5. I was told that there were Underline{about} 50 foreign students Underline{studying} Chinese in the school，Underline{whom of most}
   　　　　　　　　　　　　A　　　　　　　　　　B　　　　　　　　　　　　　C
   were Underline{from} Germany.
   　　D

6. A person Underline{whom} e-mail account is Underline{full} won't be able to Underline{send} or receive Underline{any e-mails}.
   　　　　A　　　　　　　　B　　　　　　　　　　C　　　　　　　D

7. The young man Underline{pulled out} a gold watch，Underline{which the hands of} were Underline{made of} small diamonds.
   　　　　　　　A　　B　　　　　　　　C　　　　　　　　D

8. She'll Underline{never} forget her stay there Underline{where} she found her son who had gone Underline{missing} two years Underline{before}.
   　　　A　　　　　　　　　　　B　　　　　　　　　　　　　　C　　　　　　D

9. Occasions are quite Underline{rare why} I have the time to Underline{spend} a day Underline{with my kids}.
   　　　　　　　A　B　　　　　　　　C　　　　　D

10. Mozart's Underline{birthplace} and the house Underline{there} he composed "The Magic Flute" are Underline{both} museums now.
    　　　A　　　　　　　　　B　　　　　　　　　　　　　C　　　　　D

11. We're Underline{just} trying to reach a point which Underline{both sides} will sit down Underline{together} and talk.
    　　　A　　　　　　　　　　B　　C　　　　　　　　D

12. Underline{When} I explained Underline{on the phone}，your Underline{request} will be considered Underline{at} the next meeting.
    　A　　　　　　B　　　　　　　C　　　　　　　　　D

13. The hourse I Underline{grew up in which} has been Underline{taken down} and replaced Underline{by} an office building.
    　　　　　A　B　　　　　　C　　　　　　D

14. Underline{All} of the flowers now Underline{raised here} have developed Underline{from} those Underline{they grew} once in the forest.
    　A　　　　　　　　B　　　　　　　　　C　　　　D

15. He regretted the days Underline{when} he wasted Underline{in the woods} and Underline{when} he Underline{should have studied}.
    　　　　　　　　A　　　　　　B　　　　　C　　　　D

16. He is the only one of the students Underline{who have} been a winner of Underline{scholarship} for Underline{three years}.
    　　　　　　　　　　　　　A　　B　　　　　　C　　　　D

17. School saftey has set off Underline{alarm bells} in China Underline{with} frequent reports of serious accidents Underline{for which}
    　　　　　　　　　A　　　　　　　B　　　　　　　　　　　　　　　C
    students got hurt Underline{or killed}.
    　　　　　D

18. At present，many graduates Underline{from} some famous universities Underline{end up} with a job Underline{which}they are not
    　　A　　　　　　　B　　　　　　　　　　　C　　　　　　　D
    suited.

19. The Oscar is one of the film prizes Underline{that has not been} offered Underline{to} Underline{any} Chinese actor or actress
    　　　　　　　　　　　　　A　　　　　　　　　B　C

so far.
  D

20. He made another wonderful discovery, which I think it is of great importance to science.
             A   B   C   D

21. Tony will never forget these days when he lived in China with her mother, that has a great effect
                      A   B   C   D
on her life.

22. The science of medicine, which progress has been very rapid lately, is perhaps the most
                        A   B   C
   important of all the sciences.
         D

23. Stress is everywhere and we are faced with it every day. In fact, stress isn't such a bad thing
                              A   B
   what is often supposed to be.
    C   D

24. This summer, part of Southeast China was struck by floods, from that effect the people are still
            A   B   C   D
suffering.

25. Nowadays teenagers like to go to fast restaurauts, which as the name suggests, eating doesn't
           A   B   C
take much time.
    D

26. Babara went to the States a couple of years ago, by that time she had learned to dance and act
             A   B   C
in comedies.
  D

27. Life is like a long race that we compete with others to go beyond ourselves.
         A   B   C   D

28. I was born in New Orleans, Louisiana, a city of which name will create a picture of beautiful
                                       A   B
trees and green grass in our mind.
   C   D

29. I find teaching fun and challenging. It is a job that you are doing something serious but
                  A   B   C   D
interesting.

30. For many cities in the world, there is no room to spread out further, for which New York is an
 A   B   C   D
example.

【答案】

1. C(which)	2. B(both of which)	3. D(those who)	4. C(neither of whom)
5. C(most of whom)	6. A(whose)	7. C(the hands of which)	8. B(when)
9. B(when)	10. B(where)	11. B(where)	12. A(As)
13. B(in)	14. D(that grew once)	15. A(that)	16. B(has been)
17. C(in which)	18. D(to which)	19. A(that have not been)	
20. B(which I think is)	21. D(which)	22. A(in which)	23. C(as)
24. C(whose)	25. B(where)	26. C(by which time)	27. B(where)
28. A(whose)	29. B(where)	30. D(of which)	

第十八讲　状语从句(The Adverbial Clause)

状语从句	连　　词
时　间	when 当……时,whenever 每当……,as 当……时,while 在……时,since 自从……,till 直到……,until 直到……,before 在……前,after 在……后,as soon as 一……就,once 一旦……,the moment 一……就,immediately 一……就,the day 在……那天,the night 在……夜里,no sooner……than 一……就,hardly/scarcely...when 一……就,the instant 一……就,instantly 一……就,directly 一……就,the minute 一……就,the second 一……就,every time 每当,the entire time 在……整段时间里,now 在……时/在……之际
地　点	where 在……地方,wherever 在任何地方,everywhere 在每一……地方
条　件	if 如果,unless 除非,providing/provided（that）假如,as/so long as 只要,on condition that 条件是,suppose/supposing（that）假如,in case 如果,only if 只要,if only 但愿/要是……就好了,assuming（that）假如
原　因	because 因为,since 既然,as 因为,now（that）既然,seeing（that）既然,considering（that）考虑到/因为,in that 由于/因为,in view of the fact that 鉴于,in respect that 就……来说/因为
让　步	though 虽然,although 虽然,even if/even though 即使,as 尽管,while 虽然/尽管,whatever 无论什么,wherever 无论哪里,whoever 无论谁,however 无论怎样,no matter...不论,for all（that）尽管,granting/granted（that）即使,assuming（that）即使,supposing（that）即使,whether...or 不论……还是,in spite of the fact that 尽管,notwithstanding the fact that 不管,despite the fact that 不管
比　较	(not) as...as（不）像……一样,(not) the same as（不）同……一样,not so as 不如……,(not) such...as（不）如……,than 比……
方　式	as 像……/犹如……,as if/as though 好像/仿佛,the way……的方式/……的样子
目　的	that 为了/以便,so that 为了/以便,lest 以防,in case 以防/以免,for fear that 以防,in order that 为了
结　果	so that 结果,so...that 如此……以至于,such...that 如此……以至于,to such a degree/extent that 如此……以至于,but/but that 要不是

二、时间状语从句

1. when, whenever, as, while 和 now

　　when 表示某个具体的时间,所引导从句的动作或是与主句的动作同时发生,或是先于主句动作。when 可指一段时间,也可指一点时间,既可表示一时性的动作,又可表示持续性的动作。

whenever 指的是"任何一个不具体的时间"。as 所表示的动作与主句动作同时发生,具有延续的含义,一般同延续性动词连用,也可同短暂性动词连用,指短暂情况。表示相随渐变的情况,常用 as,常译为"一边……一边,正当……的时候"。while 表示持续性的动作或状态,主句的情况发生在 while 从句持续或因反复而持续的过程中,一般不表示一时性或短暂性的动作。as 和 while 可译为"一边……一边……,正当……的时候"。now 可以表示"在……之际,在……时"。例如:

He entered the room **when/while/as** the meeting was going on. 正当开会的时候他走进了房间。(指一段时间)

When she comes, I shall tell her to wait for you. 她来的时候我会告诉她等你的。(指一点时间,不能用 while)

I learned French **when** I was young. 我的法语是年轻时学的。(主句持续,从句持续)

Stop singing **when** the bell rings. 铃一响就不要唱了。(主句短暂,从句短暂)

I was cooking supper **when** she arrived. 她来到时我正在做晚饭。(主句持续,从句短暂)

Let's go boating **when** the moon has risen. 月亮升起后我们去划船吧。(主句动作后于从句动作)

When you come back, you'll find the appearance of the city greatly changed. 你回来后将会发现城市的面貌发生了巨大变化。(主句动作后于从句动作)

Her grandma died **when** she was eleven years old. 她 11 岁那年祖母去世了。(主句短暂,从句持续)

I had hardly stepped in the office **when** the telephone rang. 我刚刚进办公室,电话就响了。(主句动作先于从句动作)

Perhaps, this scene will come back to you years after **when** you sit alone at sunset like this. 也许,多年后的一个黄昏,像现在,你一人独坐的时候,会想起眼前的这一刻的。(主句动作与从句动作同时发生)

He told us his adventures in the Arctic **as** we went along. 我们一边走着,他一边给我们讲他在北极的历险故事。(主句动作与从句动作同时发生)

As time passed, things seemed to get worse. 随着时间的推移,情况似乎变得更糟。(相随渐变)

She glanced at me curiously **as** I opened the door. 我开门时,她用好奇的目光打量着我。(从句短暂)

The sun was sinking **as** we turned for home. 我们回家时,正夕阳西下。(主句延续,从句短暂)

She rose **as** I entered. 我刚一进来,她就站了起来。(主句短暂,从句短暂)

As it grew darker it became colder. 天渐黑,越发冷起来了。(相随渐变)

As time goes on, we become wiser and wiser. 时光流逝中,我们变得越来越明智了。(相随渐变)

His anger grew **as** he talked. 他越说越生气。(相随渐变)

A touch of frustration and helplessness comes over me **as** I realize how time flies. 时光如梭,我只觉得三分怅惘,几分无奈。

As/While Jim was reading, Jack was writing. 吉姆阅读的时候,杰克在写东西。(指一段时间)

As/When he finished the speech, the audience burst into applause. 他讲话结束的时候,听众掌声雷动。(指一点时间)

I saw the sun **as** it went down behind a blue line of mountains. 我看着太阳落到了大山蓝色轮廓的后面。

He arrived **while** we were having dinner. 他来的时候我们正吃饭。

Make hay **while** the sun shines. 趁着天晴好晒草。(趁热打铁)

Never get on or off a bus **while** it is in motion. 公共汽车未停稳时,不要上车或下车。

You carry on with the work **while** I have a rest. 我休息时,你把这工作做一下。

While she ate she grew more restless. 她吃着吃着越发不安起来。

【提示】

① while 还可以作并列连词,引导并列分句,相当于 whereas,表示对比,可译为"……而……,……但是……",有时相当于 although(尽管)。例如:

I am fond of English **while he likes maths.** 我喜欢英语,而他却喜欢数学。

While she is a likeable girl she can be extremely difficult to work with. 她虽然是一个可爱的姑

娘,但有时却很难共事。

The west is veiled in rain **while** the east enjoys sunshine. 东边日出西边雨。

While I admit that the problem is difficult, I don't think that it can't be solved. 尽管我承认这个问题很难,但我并不认为无法解决。

② 在现代英语中,while 从句的谓语偶尔也可用终止性动词。例如:

Frank put the magazine on the shelf **while** he finished reading. 弗兰克读完那本书后,就把它放回到架子上。

③ when 有时表示"虽然,尽管"的含义,相当于 although;有时具有"既然考虑到"的含义,相当于 since; when 还可作"如果"解,相当于 if。例如:

He walked **when** he might take a taxi. 尽管他可以乘出租车,不过他还是步行。

How can I help them **when** they won't listen to me? 既然他们不听我的话,我怎么帮助他们呢?

They kept digging **when** they must have known there was no hope. 虽然他们明知没有希望,但还是在不停地挖。

How can we finish it before sunset **when** you won't help? 要是你不肯帮忙,我们哪能在日落前做完呢?

④ when 还可用作并列连词,表示"在那时,然后"。例如:

They are longing for New Year's Day, **when** they can have a few days' holiday. 他们渴望着新年的到来,那时,他们可以有几天的假期。(when＝and on New Year's Day)

She came on Monday, **when** I was busy doing an experiment. 她星期一来的,那天我正忙着做实验。(when＝and on Monday)

She will stay here till Friday, **when** she will start for New York. 她将在这里待到星期五,然后去纽约。(when＝and then, after which)

The President will visit Shanghai in October, **when** he will deliver a speech in Fudan University. 总统将于10月前往上海,届时将在复旦大学发表演讲。

I was walking along the road **when** suddenly someone patted me on the shoulder from behind. 我正在路上走着,这时忽然有人从后面拍拍我的肩膀。

⑤ when 引导的从句还可作表语。例如:

The time was **when** we were happy and gay. 那时候我们无忧无虑。

That will be **when** you are rich. 那要等你富有之后。

⑥ when 可以表示对比,意为"而"。例如:

His hands were suddenly uncertain and awkward, **when** they had held things surely before. 过去他拿什么都是很稳当的,现在他双手突然变得笨拙失灵,不听使唤。

⑦ "in＋动名词"所表示的时间概念。

这种结构相当于由 when 或 while 引导的从句,in 含有 when 或 while 的意思。例如:

In going through the forest, he found a lot of rare plants. 他穿过森林时,发现了许多许多珍稀植物。
＝When he was going through the forest, he found a lot of rare plants.

In crossing the river, he came among new natural features. 过河时,他见到了新的自然景观。
＝While he was crossing the river, he came among new natural features.

▶▶▶ 考察下面一个歧义句:

He didn't come to see her **when** she asked.
＝When she asked, he didn't come to see her. 她要他来,但他并没有来看她。
＝He came to see her, but not at the time she asked him to come to see her. 他来看她了,但并不是在她要他来的时候。

2. before 和 after

before 和 after 表示的是两个时间或两个事件之间的先后关系。before 引导的从句的动作通常发生在主句动作之后,如果从句是过去时,主句一般要用过去完成时。after 引导的从句的动作通常

发生在主句动作之前,如果主句用过去时,从句要用过去完成时。例如:

They had got everything ready **before** I arrived. 在我到达之前他们已经把一切都准备好了。

After he had worked in the factory for ten years, he went abroad. 他在这家工厂工作了10年后就出国了。

It was **not long before** he sensed the danger of the position. (not 〈...〉long ... 意为"不久……就",before 有时也可换为 when,但主句主语是 it 时,只能用 before,不用 when,如上句)

【提示】如果不强调时间的先后,或是因为从句中使用的是某个状态动词,after 和 before 句子结构中的谓语动词也可以都用一般过去时。例如:

He arrived **after** the game started. 比赛开始后他才到达。

She did not understand me **before** I explained it to her. 在我向她解释之前,她不理解我的意思。

3. no sooner ... than 和 hardly/scarcely ... when/before

这几个连词词组都是表示主句和从句动作随即相继发生,意为"一……就,刚刚……就",主句动词通常用过去完成时,但也有用一般过去时的情况。如果 no sooner,hardly 或 scarcely 位于句首,主句要倒装,即把 had 放在主语前。例如:

He had **hardly** gone to bed **when** the door bell rang. 他刚刚睡下,门铃就响了。

No sooner had he got off the train **than** his daughter ran towards him. 他刚一下车,女儿就跑了过来。

Scarcely was she out of sight **when** they came. 她刚一走远他们就来了。

The words were **scarcely** out my mouth **before** Lisa cried. 我的话刚出口莉萨就哭了起来。

【提示】hardly ... when 和 scarcely ... when 有时可同 not ... before 换用。例如:

They had **hardly** talked for half an hour **when** she entered. 他们才谈了不到半小时她就进来了。
＝ They had **not** talked for half an hour **before** she entered.

4. as soon as, the moment, directly, immediately, instantly, once 和 the instant 等

这几个连词引导的从句都表示从句动作一发生,主句动作随即发生,通常译为"一……就"。instantly 语气最强,immediately 次之,directly 又次之。

另外,the second, the minute, the instant, every time, any time, next time, the first time, the last time, the day, the month, the week, the year, the morning, the afternoon, the entire time, the night, all the time 等亦可作连词,引导时间状语从句。例如:

I shall come **as soon as** I've finished supper. 我一吃完晚饭就来。

They told me the news **immediately** they got the message. 他们一得到口信就把消息告诉我了。

She came to the scene **the moment** she heard of the accident. 她一听说出事了,就立刻来到了现场。

Every time he walked by the lake, he thought of his childhood life.

She was lost in thought **all the time** they were discussing the matter.

I must have stared at the clock **the entire time** he was gone. 在他走后的那整段时间里,我肯定一直在盯着时钟。

They carved their first date on the headboard **the night** they married. 他们新婚之夜就在床头板上刻下了他们的第一个日期。

Our greatest glory consists not in never falling, but in rising **every time** we fall. 我们的了不起,不在于我们永远不败,而在于我们跌倒了能爬起来。

【提示】

① immediately, directly, instantly, once 等可以用作连词,也可以用作副词。比较:

She went to see him **directly** she got the letter. 她一收到信就去看他了。(连词)
She went to see him **directly** after she got the letter. 她收到信后就立即去看他了。(副词)

Instantly the bell rang and the students came into the classroom. 很快铃就响了,学生们都进了教室。(副词)
Instantly the bell rang, the students came into the classroom. 铃一响,学生们都进了教室。(连词)

② once 引导的从句可以表示时间和条件。下面一句有两种意义:

> **Once** you understand this rule, you will have no further difficulty.
> = **As soon as** you understand this rule, you will have no further difficulty. (时间)
> = **If** you once understand this rule, you will have no further difficulty. (条件)

③ as soon as 引导时间状语从句时,从句谓语根据情况可用一般现在时、一般过去时、现在完成时或过去完成时。例如:

Could you ring me up **as soon as** he **arrives**? 他一到你就给我打电话好吗? (一般现在时)

As soon as he **found** a job he would write to you. 他一找到工作就给你写信。(一般过去时)

She'll be coming over **as soon as** I've settled down. 我一安顿下来她就会来的。(现在完成时)

He left **as soon as** he **had drunk** coffee. 他一喝完咖啡就离开了。(过去完成时)

5. till 和 until

这两个词的意思都是"直到……,一直……为止",相当于 up to the time that,表示一个动作持续到某一时刻或某一动作发生为止,它们引起一个表示一段时间的状语,其后的词或从句表示这段时间的终点,用法相近,但在句首只能用 until。在肯定句中,主句要用延续性动词;在否定句中,until 和 till 通常同非延续性动词连用,有时也可同延续性动词连用。not … until 和 not … before 意思相同,表示"直到……才,在……以前不"。

表示过去的动作或状态时,till/until 从句用过去完成时(如不强调动作结束的先后顺序,也可用一般过去时),主句用一般过去时;表示将来的动作或状态时,till/until 从句用一般现在时,主句用一般现在时或一般将来时。例如:

She stood there **till/until** he had passed out of sight. 她站在那里看着,直到望不见他的身影。

I'll wait **till** we meet again. 我将一直等到我们再次见面。

He had not known the weight **until** he felt the freedom. 获得自由日,方知重压沉。

Until they had finished the work, they did not go home. 他们直到工作完成了才回家。(不用 till)

He didn't have a girlfriend **until** he was thirty. 他直到 30 岁才有女朋友。

> 直到我回来他才进入房间。
> He entered the room until I returned. [×]
> He didn't enter the room **until/before** I returned. [√]

【提示】

① 有些动词,既可用作延续性动词,也可用作非延续性动词,因此,其肯定式和否定式均可与 until 或 till 连用,但表示的意义往往不同。例如:

He **ate** until it was dark. 他吃饭一直吃到天黑。(eat 为延续性动词)

He **did not eat** until it was dark. 他直到天黑才吃饭。(eat 为非延续性动词)

② 与 till, until 连用时,be 动词既可用肯定式,也可用否定式;表示状态延续的动词如 keep, remain, seem 常用肯定式;表示变化、完成的动词如 become, grow, turn, come, finish, go, reach, return, start, get 等要用否定式。例如:

The door **remained** open **until** it was dark. 门一直到天黑都开着。

The leaves **didn't turn** yellow **until** last month. 树叶一直到上个月才变黄。(until 作介词)

③ 在表示时间概念时,by 与 until 不同。by 表示"到……为止(not later than)",动作已完成,谓语应是非延续性动词;until 表示"直到(某时)为止(up to [the time])",谓语应是延续性动词。例如:

> 你能在星期六前完成工作吗?
> Can you finish the work until Saturday? [×]
> Can you finish the work **by** Saturday? [√]

> 你要把钥匙保存到星期四。
> You'll have to keep the key by Thursday. [×]
> You'll have to keep the key **until** Thursday. [√]

④ 有时候,until 从句的位置不同会引起句意的变化,like 等词也有这种情况。比较:

I didn't see the temple **until** I got to the top of the hill. 我一直到了山顶才看见那座庙。

Until I got to the top of the hill, I didn't see the temple. 我一直到了山顶也没有看见那座庙。

He doesn't enjoy classical music **like** other students. 他并不像别的学生那样喜欢古典音乐。

(=He doesn't enjoy classical music, but other students do.)

Like other students, he doesn't enjoy modern music. 像别的学生一样,他也不喜欢现代音乐。

(=Neither the students nor he enjoys modern music.)

⑤ until 和 till 引导的从句谓语不可用 shall, will 或 would。例如:

我们可以在这里待到雨止。

We may stay here until the rain shall stop. [×]

We may stay here until the rain **stops**. [√]

6. until/till 和 before 的区别

1 相同方面

(1) 如果主句或简单句中的谓语动词为延续性动词的肯定式,可用 until/till 和 before,但在意义上往往有差别。例如:

She **lived** in the house **until** he came back. 她在那所房子里一直住到他回来。(到此为止)

She **lived** in the house **before** he came back. 在他回来之前,她住在那所房子里。(强调 "在……之前")

He **worked until** five o'clock p.m. 他工作到下午 5 点为止。

He **worked before** five o'clock p.m. 他下午 5 点之前在工作。

They sat in the waiting room **until/before** the train pulled in.

(2) 如果主句或简单句中的谓语动词为非延续性动词的否定式,可用 until/till 和 before,意义上一般没有什么区别。例如:

He **didn't leave until/before** the rain stopped. 雨停了他才离开。

The moon **will not come** out **until/before** the clouds disappear. 云散了月亮才会出现。

2 不同方面

(1) 如主句或简单句的谓语为非延续性动词的肯定式,只能用 before,不可用 until/till。例如:

Before they arrived, the train had **pulled out**. 在他们到达之前,火车已开出了。(不用 until)

He can **complete** the work **before** sunset. 他能够在日落前完成工作。(不用 until)

(2) 如果主句或简单句的谓语动词为延续性动词或状态动词的否定式,要用 before,一般不用 until/till。例如:

He **had not done** anything **before** she came. 她来之前,他什么也没有做。

They **were not** rich **before** 2010. 他们在 2010 年以前并不富裕。

One **does not know** the value of health **before/until** one loses it. 人们失去了健康才知道健康的价值。(本句可用 before 或 until,为 not ... until 结构,但 not ... until 强调的是从句,而 not ... before 强调的是主句)

(3) 在 it wasn't until ...that 强调结构中,不用 before。例如:

It wasn't until Sunday morning **that** I heard the news. 直到星期天上午我才听到这个消息。(相当于 I didn't hear the news until Sunday morning.)

It wasn't until they had a discussion **that** they made up their mind. 他们直到讨论之后才下定决心。

(4) not until 可以位于句首,表示强调,句子倒装,不可用 before。例如:

Not until yesterday did I see the writer. 我直到昨天才见到那位作家。

Not until after the war did they meet. 他们直到战后才相见。

7. since

since 所引导的从句多用非延续性动词,主句中用完成时态。例如:

Since he graduated from the college, he **has worked** in this city. 他大学毕业后一直在这个城市里工作。

Jack came to see me last month. **Since we left school** (till then), we **had not seen** each other. 杰

克上个月来看我。自从我们离开学校(直到那时),我们一直没有见面。

【提示】

① since 从句用非延续性动词表示肯定含义;since 从句用延续性动词或状态动词的过去式,表示的通常是动作或状态的完成或结束,表示否定意义,即与该动词的词义相反;而延续性动词的现在完成时则表示肯定含义,即与该动词的词义一致。例如:

Since he lived in Nanjing, I have not heard from him. 自从他离开南京以来,我没有收到过他的信。(＝Since he left Nanjing, ...)

Since she was in Yangzhou, she has kept correspondence with her former friends. 她离开扬州以来,一直同过去的朋友保持着通信联系。(＝Since she left Yangzhou, ...)

How long is it **since you were in Paris**? 从你离开巴黎以来有多久了?

It is ten years **since he was a mayor**. 他不当市长已有十年了。

Three years have passed **since I smoked**. 我戒烟已经三年了。

I haven't seen him **since we were boys together**. 自从我们小时候分手后,我就从没有再见过他。

Ten minutes have passed **since the rain stopped**. 雨停了十分钟了。

I have only met him once **since I have lived here**. 自从我在这里住下以后,仅见到过他一次。

比较:

It was fifteen years **since she had lived here**. 从她搬走到那时,已经过了15年。

It is fifteen years **since she lived here**. 她搬走已有15年了。

It is so long **since we saw each other**. 从我们上次见面,已经很久了。(到现在已经很久了)

It had been so long **since we had seen each other**. 从我们在那时之前见面到那一天,已经很久了。(到过去那一天已经很久了)

② 作介词时,since 后要接时间点,不接时间段,since 还用作副词。参阅第四讲。例如:

他自五年前就在写这本书了。

He has been writing the book since five years. [×]

He has been writing the book **since five years ago**. [√]

He has been writing the book **for five years**/**since he retired**. [√]

The old man died **long since**/**many years since**. 这位老人去世很久了/许多年了。

三、地点状语从句

地点状语从句由 where, wherever 和 everywhere 引导,可以放在主句前,也可以放在主句后。where 指"在某个地方",wherever 指"在任何一个地方",everywhere 指"每一⋯⋯地方"。例如:

You should put the book **where it was**. 你应该把书放在原来的地方。

Wherever you go, you should do your work well. 不论到什么地方都要把工作做好。

▶▶ where 除表示地点外,还可以表示条件、对比和让步等。例如:

Where there is love, there is faith. 只要有爱情就会有真诚。(条件)

There is never peace **where** men are greedy. 人类贪欲不止,世界和平无望。(条件)

Where I was fascinated by the lecture, my brother showed intolerable indifference. 我哥哥对这个演讲毫无兴趣,而我则被深深地吸引住了。(对比)

We want to stay at home, **where** children would rather spend the holiday in the country. 我们想留在家里,而孩子们却宁愿去乡间度假。(对比)

Go **where** you should, keep on studying. 无论你到哪里,你都应该继续学习。(让步)

Unfortunately, **where** we should expect gratitude, we often find the opposite. 遗憾的是,虽然我们本该得到感激,却常常得到的是怨恨。(＝though we should ...)(让步)

Birth is nothing **where** virtue is not. 如果没有品德,出身再好也白搭。(＝Birth is nothing if virtue is not.)(条件)

Persistent people begin their success **where** others end in failure. 不屈不挠者从他人失败的地方获取成功。(表示方面,"在那方面,在那种情况下")

四、条件状语从句

条件状语从句可位于主句前面或后面。

1. if 和 unless

if 表示正面的条件,意为"如果";unless 表示反面的条件,意为"除非,如果不"(if … not)。例如:

If he doesn't come before 12 o'clock, we won't wait for him. 如果他 12 点前不来,我们就不等他了。

If we want light, we must conquer darkness. 我们要光明,就得征服黑暗。

If love between the two can last for long, why need they stay together day and night? 两情若是长久时,又岂在朝朝暮暮。

Man cannot discover new oceans **unless** he has the courage to lose sight of the shore. 人类只有鼓起勇气告别海岸,才能发现新的大洋。

I shall go tomorrow **unless it rains**. 除非明天下雨,否则我就要走了。/如果明天不下雨,我就要走了。

【提示】

① if 引导的从句既可以表示好的条件,也可以表示不好的条件;表示好的条件时,可用 providing that, provided that, on condition that 等替换;而表示不好的条件时,则不可用这几个条件连词替换,但可以用 so/as long as 替换。例如:

> If it snows tomorrow, we shall play snowballs. 如果明天下雪,我们就打雪仗。(好的条件,可用 providing that 等替换)
>
> If it snows tomorrow, we shall delay our trip to the seaside. 如果明天下雪,我们就推迟去海滨旅行。(不好的条件,可用 so long as 替换)

② 比较:

> I know nothing about her **unless** she is fond of swimming.
>
> I know nothing about her **except that** she is fond of swimming.

第一句的 unless 表示假设条件,意为"如果她不喜欢游泳,我对她(的其他情况)就一无所知"。

第二句中的 except that 表示"除去"一个事实,意为"我只知道她喜欢游泳,别的情况不知道"。

③ if … not 和 unless 通常是可以换用的。例如:

> 你如果不很好地掌握英语语法,就写不好英语。
>
> **If** you **don't** have a good command of English grammar, you won't write good English.
>
> **Unless** you have a good command of English grammar, you won't write good English.

▶▶▶ 但是,if 引导从句可以表示非真实条件(用虚拟语气),而 unless 引导从句一般不可表示非真实条件。下面一句只能用 if … not:

We would lend him the money **if** he **didn't** break his promise. 如果他不违背诺言的话,我们就会把钱借给他。

▶▶▶ 有时候,在主句后面,unless 可以引导一个从句作某种补充说明,通常用破折号同主句隔开,这种用法的 unless 不可用 if … not 代替。比较:

> They couldn't have found the cave — **unless** they had found a guide. 他们不可能发现那个洞穴——除非他们找到了向导。(他们没能发现那个洞穴)
>
> **If** they **hadn't** found a guide, they couldn't have found the cave. 他们要不是找到了向导,就不可能发现那个洞穴的。(他们在向导的帮助下发现了那个洞穴)

④ if 有时相当于 when 或 whenever,可译为"每当……就"。例如:

If I feel any doubt, I inquire. 我一有不解的地方就问。

If he was tired, he had a short rest. 每当累了,他就休息一会儿。

If the moon shines bright, he takes a walk in the garden. 每当月明的夜晚,他就在花园里散步。

⑤ if 有时相当于 since 或 seeing that,可译为"既然"。例如:

If you like the dictionary, why don't you buy it? 你既然喜欢这本词典,为什么不买呢?

If you don't want to stay with us, you may leave at any time. 你既然不想同我们在一起,你可以随时离开。

If you don't like the job, why don't you change it? 既然你不喜欢这工作,为什么不跳槽呢?

If you want to know, I haven't heard about it. 既然你想知道,那就告诉你,我从没听说过这件事。

If you're going out, it's going to rain in the afternoon. 既然你要出去,那我就告诉你,下午要下雨的。(It is relevant to tell you that it is going to rain in the afternoon.)

⑥ if 引导的从句表示对比。例如:

If I am a bad carpenter, I am a worse tailor. 我不是好木匠,更不是好裁缝。

If you're the queen, then I'm Napoleon. 你不是皇后,正如我不是拿破仑一样。

⑦ if 可同否定词连用,多以感叹句的形式出现,表示"惊讶"等情感,意为"不是……才怪,这不是"。例如:

Well, **if** it isn't our old friend Smith! 哦,这不是我们的老朋友史密斯吗!

If he isn't the laziest guy on earth! 他不是天下最懒的家伙才怪呢!

⑧ if 可在简单句中表示与事实相反的愿望,谓语动词用虚拟语气,相当于 I wish, if only,意为"要是……多好"。例如:

If she were here with me! 她要是在这里同我在一起该多好!

If I had been warned! 要是有人提醒我该多好!

2. providing/provided (that), supposing/suppose (that), assuming (that), as long as, so long as, on condition that 和 in case

这些连词(词组)意思相近,有"如果,只要,假如,假使,在……条件下"等意义。例如:

So/As long as you keep on trying, you will surely succeed. 只要你继续努力,你就会成功。

Suppose/Supposing (that) I don't have a day off, what shall we do? 假如我没有假,那该怎么办?

In case John comes, please tell him to wait. 假如约翰来了,请让他等一下。

Assuming that the proposal is accepted, when are we going to get the money? 假定这个建议被采纳,我们什么时候能拿到钱?

I don't mind Hill coming with us, **provided** he pays for his own meals. 只要希尔自付餐费,我不介意他和我们一起去。

You may go out **providing** you do your homework first. 你只要先把家庭作业做完,可以出去。

I will lend you the money **on condition that** you pay it back in one month. 我可以借钱给你,条件是你一个月内归还。

【提示】in case of 后接名词,意为"万一,假如",in the case of 意为"就……来说"。

3. only if 和 if only

only if 引导的从句用陈述语气,意为"只要……";if only 引导的从句要用虚拟语气,意为"但愿……,要是……就好了"。比较:

Only if we persist in carrying out the open-door policy, we will achieve greater success in every field. 只要我们坚持改革开放,我们就能在各个方面取得更大的成就。

If only I had known it, I wouldn't have troubled him. 要是我早知道那件事,我就不会麻烦他了。

If only that photograph weren't missing! 要是那张照片没丢失该多好!

If only it would stop raining. 但愿雨停了。

4. without

without 也可用作连词,意为"除非,如果不",相当于 unless,引导条件状语从句。例如:

They can't go, **without** (that) they get permission. 他们未经许可是不准去的。

She never goes out **without** she loses her umbrella. 她每次出去总是把伞丢失。

I'd never have known you **without** you spoke to me. 如果当时你没同我说话,我就会永远不认识你的。

5. 顺推条件句和逆推条件句

1 顺推条件句

如果条件从句和主句所述为因果关系,或同时表现,或顺着过去、现在、将来的时序,这就是"顺推"。如果条件从句用一般现在时,表示经常一贯的情况,主句即使指过去,也还属于"顺推"。例如:

If he said so, he is a liar. 如果他这么说过,他就是一个骗人精。

If she **has arrived** at the airport, she **will** be with us soon. 如果她已到达机场,她一会儿就和我们在一起了。

If she is always ready to help, he **must have asked** her to look after the child. 如果她一向愿意帮助别人,他一定请她照看孩子了。

② 逆推条件句

如果条件从句和主句所述不是因果关系,而是主观推理,主句情况可能发生在前,这就属于"逆推"。例如:

If he ever **won**, he **must have trained** hard. 如果他果真赢了,他一定进行过艰苦的训练。

If my son **is** a genius, I've underestimated him. 如果我儿子是个天才的话,那么我原先就低估了他。

If he **has** a computer, probably he **borrowed** it from his friend. 如果他有电脑,很可能是从他朋友那里借来的。

【提示】让步状语从句和原因状语从句后的主句也可以表示逆推。例如:

Though the lights are still on, the meeting **may have ended** an hour earlier. 尽管灯还亮着,会议也许在一个小时前就结束了。

As the river **rose**, it **must have rained** last night. 河水涨了,昨天夜里一定下雨了。

6. 条件概念的其他表示法

① 分词

Born in better times, he would have done credit to the country. 如果出生在好的年代,他会为国家作出贡献的。

I have an income large enough to take care of me, **living as I do**. 像现在这样生活,我有足够的收入供养自己。

② 不定式

To look at him, one would think he is only in his thirties. 看他的外貌,人们会认为他只有三十几岁。

One would be a fool **not to take the opportunity**. 不抓住这个机会就是个呆子。

③ if, unless 引导的省略句

If in doubt, ask a policeman. 如有疑问,就问警察。

She won't come **unless invited properly**. 除非体面地邀请,否则她不会来的。

④ 从句

Anyone **who should do that** would be laughed at. 谁做那件事都会受嘲笑。

He **that would eat the fruit** must climb the tree. 想吃果子就得爬树。

⑤ 并列句(祈使句+and,祈使句+or)

Give him an inch and he will take a mile. 他会得寸进尺。

Stir and you are a dead man. 动一动就打死你。

Preserve or we shall fail. 坚持一下,不然我们就会前功尽弃。

Climb a storey higher and you'll get a view of a thousand-*li*. 欲穷千里目,更上一层楼。

Conquer the desires, or they will conquer you. 战胜欲念,不然欲念就会战胜你。

Believe that you will succeed, and you will. 相信自己定能成功,你就能成功。

⑥ 谚语

Waste not, want not. 不消费,不需求。

Sow nothing, reap nothing. 不播种,不收获。

Sound in body, sound in mind. 身体健康精神爽。

No pains, no gains. 不劳无获。

⑦ but for, but that, so that, only that 和 in the event that

but for(接名词短语)和 but that 意为"倘若不是,要不是",主句要用虚拟语气;so that 相当于 so long as;only that 相当于 were it not that,意为"如果不是";in the event that 相当于 in case。例如:

But for air and water, nothing could live. 没有空气和水,什么也活不了。

She could not have believed it, **but that** she saw it. 要不是亲眼看见,她是不会相信的。

So that it be done, I don't care who does it. 只要能完成,我不在乎谁去做。

He would have come, **but that** he was engaged to dine out. 要不是他约定好了外出吃饭,他本来会来的。(＝but)

But that he is short of money, he would buy a car. 要不是缺钱,他会买辆车的。

The sunset is charming, **only that** it is near dusk. 夕阳无限好,只是近黄昏。(＝except that)

⑧ must/ have to ... before ... can/ could ...

这个结构意为"必须/只有……才能……"。例如:

One **must** sow **before** one can reap. 只有播种才有收获。

Electronic computers **must** be programmed **before** they can work. 电子计算机要编好程序才能工作。

⑨ 介词短语

Without a cool mind we are apt to form hasty conclusions. 如果不冷静,我们就容易做出草率的结论。

There can be no knowledge **apart from** practice. 离开了实践就不会有认识。

⑩ once

Once the way is fixed upon, everything will be done accordingly. 方针如果一旦确定,一切都将按此进行。

Once bit, twice shy. 一朝被蛇咬,十年怕井绳。

⑪ 名词或形容词

有个别名词或形容词也可表示"条件"。例如:

Your **refusal** to come might give offence. 你如果拒绝来就会得罪人。

An **honest** man would have done differently. 一个诚实的人就不会这样做。

⑫ according as

according as 可以表示"如果",引导条件状语从句,相当于 if。例如:

According as I have time, I'll go with you. 如果我有时间,我将同你一起去。

＝If I have time, I'll go with you.

⑬ where ... there ...

这种结构表示"如果……则,若……则"。例如:

Where bees are, **there** is honey. 哪儿有蜜蜂哪儿就有蜜。

Where the money is, **there's** the power. 有钱就有势。

Where there are heights, **there** are precipices. 高山之巅,必有悬崖。

Where there is no fire, **there** is no smoke. 无火不冒烟。/无风不起浪。

Where there is a will, **there** is a way. 有志者事竟成。

Where your treasure is, **there** will your heart also be. 你的财富在哪里,你的心也在哪里。

⑭ when 和 while

How can we explain it to you **when** you won't listen? 你不听,我们又怎么能向你能释清楚呢?

How can he succeed **when** he won't work hard? 他不肯努力,又怎能成功呢?

No one can drive a car **when** they haven't learnt how. 如果不学驾驶,谁也不会开车。

While I breathe, I hope. 只要一息尚存,我总抱有希望。

While there is life there is hope. 只要活着就有希望。

7. He's on the wrong side of fifty if a day 中的 if 不表示条件

在 if a day, if a man, if a yard, if a penny, if an inch 等类似结构中,if 不是表示条件,而是对年龄、重量、身高、价值、数量等进行强调,意为"一定,至少,无论如何"。例如:

He's on the wrong side of fifty **if a day**. 他肯定有五十多岁了。(＝He's certainly over fifty.)

The army is 100,000 **if a man**. 这支军队足有 10 万人。(＝The army is at any rate over 100,000.)

The coat will cost 1,000 pounds **if a penny**. 这件大衣至少要花 1 000 镑。(＝The coat will cost at least 1,000 pounds.)

▶▶▶ 这种用法的 if 亦可引导从句,放在主句之后。例如:

This box weighs twenty pounds **if it weighs an ounce**. 这箱子至少重达 20 磅。

The villa must be one million dollars **if it is worth a cent**. 这套别墅一定值 100 万美元。

He earns five hundred pounds per month **if he earns a penny**. 他一个月的确能挣 500 英镑。

五、原因状语从句

1. because, since, as 和 for

because 表示原因的语气最强,常用于回答以疑问词 why 引导的疑问句。because 从句一般位于主句后面(也可放在主句前面),但是当 because 从句表示理由时,只能放在主句后面。for 引导的从句并不说明主句行为发生的直接原因,只是提供一些有助于说明情况的补充说明,且不可位于主句前。since 表示一种附带的原因,或者表示已知的、显然的理由,意为"既然",引导的从句常放在句首。as 所表示的理由最弱,只是对主句的附带说明,重点在主句。as 从句通常放在主句前,有时也可改用 so 引导的复合句。例如:

Since you say so, I suppose it is true. 你既然这么说,我想这是真的。

As she was young, she was not equal to the task. 因为她还年轻,胜任不了这项工作。

As I am about to start a journey, I shall not be able to begin the work before I return. 因为我即将出去旅行,回来之前我不能开始那项工作。

I am about to start on a journey, **so** I shall not be able to begin the work before I return. 我即将出去旅行,所以回来之前我不能开始那项工作。

他受了处分,因为他没有遵守规定。
{ He was punished **because he did not obey the regulations**. [✓]
Because he did not obey the regulations, he was punished. [✓](不可说 For he ...)(原因)

她可能没有参加会议,因为我在大厅里没有看见她。
{ Because I didn't see her in the hall, she probably didn't attend the meeting. [✗]
She probably didn't attend the meeting **because I didn't see her in the hall**. [✓](理由)

【提示】

① for 和 because 的比较。

for 是并列连词,只用于连接表示原因的分句,因此不能用于第一个分句的句首。此外,for 还可以表示推断式解释,而 because 却不能。但是,如果 for 从句表示原因,有时可与 because 互相替换。例如:

There must be no one in the house **for the door is closed**. 门关着,屋子里准是没人。(不可用 because)(推断)

The day breaks, **for** the birds are singing. 天要亮了,因为鸟在叫。(不可用 because,鸟叫并不是天亮的原因,只能从鸟叫推测出"天要亮了")

It is going to rain, **for** the barometer is falling. 天要下雨了,因为气压在下降。(不可用 because,推断)

Someone in the house must be ill, **for** a doctor has just come out. 房子里准是有人生病了,因为一个医生刚刚出来。(不可用 because,推断)

It must have rained last night, **for** the road is wet. 昨晚一定下雨了,因为路上是湿的。(不用 because,推断)

{ I didn't go to see him **because/for a heavy snow was falling**.
Because a heavy snow was falling, I didn't go to see him. 由于天下大雪,我没有去看他。
(不可用 for)

{ **Because/As/Since** he was the best candidate, he got the job. 因为他是最佳人选,他得到了那份工作。(表示原因)
As/Since he was the best candidate, he must have got the job. 由于他是最佳人选,他一定得到了那份工作。(表示推断,不用 because)

{ He went to bed early, **because** he was tired. 他早早地睡了,因为他累了。(直接的理由)
He must be tired, **for** he went to bed early. 他准是累了,因为他早早地睡了。(间接的推断)

He is loved by all, **because** he is honest. 他因诚实而受到大家的喜爱。(直接的理由)

He must be honest, **for** he is loved by all. 他一定很诚实,因为大家都喜爱他。(间接的推断)

② 强调原因状语只能用"it is because that"结构,这里的 because 不能换成 since, as 或 for。例如:

It was because he was too careless that he failed in the exam. 他正是因为太粗心才考试没有通过。(不能用 as 或 since)

③ for 不可用于 not ... but 结构,引导的从句不可作表语,也不可被副词修饰。例如:

I like her not for she is rich, **but for** she is noble-hearted. [×](for 改为 because)

It is **because** he is warm-hearted. [√] 那是因为他很担心。(不可用 for)

He lost his temper simply **because** she forgot to post the letter. [√] 他大发脾气,只是因为她忘了寄信。(不可用 for)

④ 比较:

结果或结论分句＋for＋原因分句

原因分句＋so＋结果或结论分句

He will get promoted, **for** he has done good work. 他将得到提拔,因为工作干得好。

He has done good work, **so** he will get promoted. 他工作干得好,所以将得到提拔。

2. seeing (that), now (that), considering (that)和 in that

这几个连词同 since, as 意义相近,都有"鉴于某个事实,原因是"的意思。例如:

Now (that) **you are old enough to judge things**, you should start your own career. 你既然已经长大,能明辨事理了,就应该去开创自己的事业。

Seeing (that) **she was seriously ill**, they sent for the doctor. 鉴于她病情严重,他们派人请了医生。

We could have a joint party, **seeing that** your birthday is the same day as mine. 因为你和我的生日在同一天,我们可以一起开一个生日聚会。

Now that they got to know each other a little better, they get along just fine. 由于彼此之间有了进一步了解,他们相处得不错。

Now that you mentioned it, I do remember the country girl. 经你一提,我就想起那个乡村女孩了。

The situation is rather complicated **in that** we have two managing directors. 由于我们有两位总经理,所以情况很复杂。

Now that winter was upon us, we needed wood for heat. 冬天到了,我们需要木柴取暖。

A gas differs from a solid **in that** it has no definite shape. 气体不同于固体,就在于它没有一定的形状。

Theory is valuable **in that** it can provide a direction for practice. 理论所以有价值,就在于它能给实践指出方向。

In that she is ill, she feels unable to do it. 因为病了,她觉得不能做那件事。

This is an ideal site for a university **in that** it is far from the downtown area. 这里是建一所大学的理想选址,因为它远离市区。

▶▶▶ 另外,seeing 也可用作介词,后接名词,表示原因。例如:

She is not fit for the position **seeing** her youth and inexperience. 由于年轻又缺乏经验,她不适合这个岗位。

3. She didn't marry you because you had money 的含义

在由 because 引导的主从复合句中,如果主句中含有否定词 not,则可能是否定 because 引导的从句。上面的句子可以改写为:

She married you **not because** you had money but because she loved you. 她嫁给了你,不是因为你有钱,而是因为她爱你。

The machine did **not** stop **because** the fuel was used up. 机器停了下来,并不是因为燃料耗尽了。(因为别的原因)

The mountain is **not** famous **because** it is high. 这是座名山,但并非因为它高。

I have **not** kept back her name **because** I feared your rivalry. 我并不是因为怕你和我竞争,才不

把她的名字告诉你。

【提示】

① on the ground(s) that，for the reason that，by reason that，for fear that，owing to/on account of the fact that，for that，in as much as，inasmuch as，in respect that 等也可引导原因状语从句。例如：

In as much as/Inasmuch as we have gone so far, we might go a little further. 我们既然已经走了这么远，还可再走远一点儿。

For that he is a boy, I forgive his bad manners. 鉴于他是个孩子，我原谅他的无礼。

She looked down on him **by reason that** he was poor. 因为他穷，她看不起他。

He disliked her **on the ground**(s) **that** she is lazy. 因为她懒惰，他不喜欢她。（＝on the ground of her laziness＝by reason of her laziness ＝by the reason of her laziness）

The pay was high **in respect that** the work was not finished on time. 由于工作没能按期完成，这样的付酬算是很高了。

② 在由 because，as 和 since 引导原因状语从句的主从复合句中，主句前不可用 so。例如：

$$\begin{cases} \text{Because/As/Since she was careless, so she failed. } [\times] \\ \text{She failed \textbf{because} she was careless. } [\checkmark] \text{ 她失败了，因为她粗心。} \\ \text{She was careless, \textbf{so} she failed. } [\checkmark] \text{她粗心，所以她失败了。} \end{cases}$$

4. 过去分词＋as＋主语＋is/was 和现在分词＋as＋主语＋does/did

这是一种强调语气的表示"原因"的结构。例如：

This essay, **published as it was** in a small magazine, remained unknown for a long time. 这篇杂文由于发表在一个小杂志上，所以很长时间没有人知道。

Living as he does remote from the city, he rarely has visitors. 他住在离城很远的地方，所以很少有人来访。

5. not that . . . but that . . .

这种结构意为"不是因为，而是因为"。例如：

Not that I don't like the film，**but that** I have no time for it. 不是因为我不喜欢这部电影，而是因为我没有时间去看。

▶▶▶ 句中的 that＝because。not that. . . but that 有时表示"不是……而是……"。not that 单独使用相当于 I don't mean that。例如：

The soldier's essential honour was **not that** he killed his enemy, **but that** he was willing to die. 军人真正的光荣，不是杀敌，而是不惜牺牲。

Not that a life of drudgery should be our ideal life. 我不是说终身劳苦是我们的理想生活。

6. not . . . because

本结构中的 not 否定的是 because 引导的整个从句（参阅上文）。例如：

$$\begin{cases} \text{The country is \textbf{not} strong \textbf{because} it is large. 国强不在大。} \\ =\text{The country is strong not because it is large.} \end{cases}$$

$$\begin{cases} \text{The flowers are \textbf{not} fragrant \textbf{because} they are numerous. 花香不在多。} \\ =\text{The flowers are fragrant not because they are numerous.} \end{cases}$$

7. 名词＋that＋句子

Henry did not quarrel with her, **gentle creature that he was**. 亨利没同她争吵，因为他是一个性情温和的人。

Tony，fool that/as was，believed what she said. 托尼真是个傻瓜，相信了她的话。

8. that

有一种句型，为"the＋形容词/副词比较级＋that 从句"。本句型中，that 引导的是原因状语。例如：

The failure was the more lamentable **that he didn't hold on to the last**. 由于他没有坚持到最后，这次失败更为可悲可叹。

The achievement was the greater **that he did it all by himself**. 由于他独自一人做成了这件事，其

成就更为伟大。

A bad book is the worse **that it cannot repent**. 坏书由于不会悔过而为害尤甚。

9. 原因的其他表达方式

1 用 with, by, for, in, on, after, through, between, under, from, of, at, over 等介词表示原因

He was criticized **for** talking big. 他因吹牛而受到批评。

We could hardly see each other **for** the mist. 由于起雾,我们相互都很难看得见了。

After your letter, I didn't think I'd ever see you again. 由于你这封信,我想我再也不会见你了。

She succeeded in the research **after** hard work. 由于工作努力,她的研究项目成功了。

The soldier died **from** a wound in the head. 那个士兵因头部受伤而死。

He was exhausted **from** all the sleepless nights. 由于这些不眠之夜,他已是筋疲力尽了。

The mistake was made **through** his fault. 由于他的过失才造成了这个错误。

Last year she lost 30 working days **through** sickness. 她去年由于生病损失了 30 个工作日。

He felt hurt **at** what you said. 他因你的话而感到不愉快。

I was uneasy **at** her silence. 我因她沉默不语而不安。

Her hands got rough **with** hard work all the year round. 由于长年累月地干重活,她的手变得粗了。

With John away there's more room in the house. 由于约翰不在,家里宽敞了一些。

He always drank too much and lost jobs **by** it. 他老是饮酒过量,因此多次失业。

We must be losing at least a third of our staff **under** new technology. 由于新技术的应用,我们必定要解雇至少三分之一的员工。

She left **of** her own free will. 她是自愿离开的。

He cut down the expenses **of** necessity. 他出于无奈,削减了开支。

We rejoice **over** the victory. 我们为胜利而感到欢欣鼓舞。

Between astonishment and despair she hardly knew what to do. 由于惊诧又绝望,她简直不知该怎么办才好。

2 用 owing to, thanks to, because of, on account of, out of, by virtue of, in view of, by reason of, as a result of, in consequence of, in default of, in light of, on the score of 等短语引导。due to 多引导表语,也可引导状语, owing to 引导状语或表语

The accident was **due to/owing to** his careless driving. 这次事故是由于他开车不谨慎造成的。

The boy opened the box **out of** curiosity. 那小男孩出于好奇把盒子打开了。

He has succeeded **by virtue of** industry. 他因勤奋而获得成功。

Owing to lack of funds, the project will not continue next year. 由于缺乏资金,该项目明年将中止。

On account of the rise in prices, we must also charge more. 因为涨价了,所以我们也得多收费。

Thanks to his kind kelp, we accomplished the task ahead of schedule. 由于他的热情帮助,我们提前完成了任务。

In view of these facts, it isn't fair to blame her. 鉴于这些事实,责备她不太公平。

He had to retire **because of** ill health. 他因为健康状况不佳,不得不退休。

By reason of his lameness, the boy could not play football. 由于跛足,那男孩不能踢足球。

As a result of the pilots' strike, all flights have had to be canceled. 由于飞行员罢工,所有航班都被迫取消了。

In consequence of his leg injury, he was dismissed by his boss. 他因腿部受伤而被老板解雇了。

In default of expert help, we shall have to rely on our own efforts. 由于没有专家的帮助,我们将只能依靠自己的力量。

In light of the muddy roads, we all put on our rubbers. 道路泥泞,我们都穿上了胶鞋。

She declined his invitation **on the score of** ill health. 由于身体不适,她谢绝了他的邀请。

3 with 复合结构

She felt lonely **with her daughter away**. 女儿不在,她感到孤独。

He felt rather nervous **with so many people staring at him**. 这么多人都盯着他看,他感到很紧张。

4 独立主格结构

Children away at school, she had time to go downtown doing shopping. 孩子们都在学校上学,她就有时间进城购物了。

No boat available, they had to swim across the river. 没有船可用,他们只好游过河去。

His hands numb from the cold, he could not hold the pen. 他的手冻僵了,握不住笔。

5 倒装结构

Timid as he was, he didn't dare to go deep into the cave. 由于胆小,他不敢到洞穴深处去。

Young that she was, they didn't allow her to join the expedition team. 由于她年龄还小,他们没让她参加探险队。

6 固定句型

The reason why I was late is that I missed the first bus. 我迟到是因为没有赶上头班公共汽车。

She was busy nursing her sick father. **That is why** you haven't seen her these days. 她忙于照顾生病的父亲,这就是你这些天没有见到她的原因。

7 分词短语

Having plenty of leisure, I started reading all kinds of books. 由于有充裕的时间,我就读起各种书籍来。

Confined to bed, he needed to be waited on in everything. 因为她卧病在床,什么事都要人伺候。

Having had no answer, I wrote again. 由于没有回音,我又写了一封信。

8 形容词短语

Unable to get water to drink, half of them died in the desert. 由于找不到水喝,他们有一半人死在沙漠里了。

Pleased with Mary's work, the manager gave her a pay rise. 由于对玛丽的工作很满意,经理给她加了薪。

9 不定式短语

I am pleased **to hear about your new job**. 听说你找到了新工作,我很高兴。

She got worried **to see her son spend so much time away from home**. 看见儿子整天在外面跑,她很是忧心。

10 and 引导的并列谓语中,前一个谓语表示原因

He was sick **and** took some medicine. 他生病了,因而就服了一些药。

I missed supper **and** I'm starving! 我没吃晚饭,所以现在饿极了。

The car hit a tree **and** turned over. 汽车撞在了一棵树上翻倒了。

11 (all) the better for ... 和 not the less for,意为"因……而更,不因……而较不……"

I love him **all the better for** his faults. 正因为他有过失,所以我更爱他。

I do not work **the less** hard **for** my repeated failures. 我不因屡次失败而泄气。

12 it is that 结构

If she loves him, **it is that** he has a perfect character. 如果她爱他的话,那是因为他有完美的人格。(it is that＝it is because)

If you hate him, **it is that** he has done better than you. 如果你恨他的话,那是因为他比你做得好。

13 what with/ through ... and what with/ through 和 what by ... and what by ...,意为"一半因为……,一半因为……,或因……,或因……"

What with the wind and **what with** the rain, their picnic was spoiled. 风雨交加把他们的野餐给搅了。

What with the drought and (what with) the neglect, the garden is in a sad condition. 由于干旱,加上疏于管理,花园的情况十分糟糕。

What with neighbors, relatives, and friends there, the house was overflowing with people. 由于有邻居、亲属和朋友在那里,房子里满是人。

What by threats **and** entreaties, he finally had his will. 他软硬兼施,终于实现了自己的意愿。

What for official business and **what for** private business, I have no leisure. 一半因公事,一半因私事,忙得我不可开交。

Between overwork and indignation, he was laid up. 一半因为劳累,一半因为气愤,他病倒了。

六、让步状语从句

1. though, although, even if, if 和 even though

这几个词和短语都有"虽然、即使、尽管"的意思。even if 和 even though 带有强调的意味,语气较强,though 和 although 语气较弱。though 比 although 通俗,但不如 although 正式。让步状语从句可以放在主句前或主句后。例如:

I had a very good time **although/though/even if/even though I didn't know anybody at the party**. 尽管在这次社交会上我谁也不认识,但我还是玩得很愉快。

Even though/Even if/Although you don't like wine, just try a glass of this. 即使你不喜欢喝酒,也请尝一尝吧。

Even though I have many delicate feelings to share, who can I speak to? 便纵有千种风情,更与何人说?

Even if my tears turn into a stream in May, still it can't carry all my grief away. 便作春江都是泪,流不尽,许多愁。

【提示】

① 按照汉语习惯,在"虽然"引导的从句后面常用"但是"作为主句的开始,而英语却不允许在 though 或 although 从句后用 but。如果要强调前后两个部分的对比意义,可在主句前加 yet、still 或 nevertheless。例如:

Although she has a lot of money, **yet/still** she is unhappy. 她虽然有很多钱,但是却不幸福。

Though all men were against him, **nevertheless** he persevered. 虽然众人都反对,但他仍然坚持下去。

⎰ I will not believe it **though** she affirms it. 虽然她肯定那件事,我还是不相信。
⎱ **Though** she affirms it, **yet** I will not believe it.

② 当让步状语从句指某种假设的情况时,通常用 though,而不用 although。例如:

Though everyone desert you, I will not. 哪怕人人都离你而去,我也不会。

We'll leave as arranged **though** it might rain tomorrow. 即使明天下雨,我们也将按原计划动身。

③ even if 和 even though 引导的从句可用陈述语气或虚拟语气,但含义有所不同。比较:

⎰ **Even if I am** busy, I will attend the meeting. 虽然忙,我也要参加会议。(现在确实忙)
⎱ **Even if I were** busy, I would attend the meeting. 即使忙,我也要参加会议。(假设,可能不忙)

④ though 可以表示 and yet, in spite of that。例如:

Einstein had little concern for money, **though** he could have been extremely rich. 爱因斯坦很少关心钱,他本来也是可以成为百万富翁的。

▶▶ if 既可引导条件状语从句,也可引导让步状语从句,视句意而定。例如:

If he is poor, he is very honest. 他虽穷,但很正直。

If we break, we can benefit from our failure. 即使我们破了产,我们也能从失败中汲取教训。

She is in good health, **if** (she is) somewhat thinner than desirable. 她虽然瘦了一点,但还是很健康的。

⎰ **If the sea were to run dry and the rocks were to crumble**, I would not break my word. 即使海枯石烂,我也不会背弃诺言。(= Even if the sea ...)(让步)
⎱ **If the sea were to run dry and the rocks were to crumble**, I would break my word. 如果海枯石烂,我就背弃诺言。(条件)

⎰ We will go out **if** it should rain. 即使下雨我们也要出去。(让步)
⎱ We will not go out **if** it should rain. 如果下雨,我们就不出去。(条件)

2. while 和 whereas

while 和 whereas 也可以引导让步从句,突出对比主句和从句所表示的两种差异的情况。例如:

He is experienced **while/whereas he is young**. 他虽然年轻,但是很有经验。

I prefer working late into the night, **while/whereas he would rather work early before dawn**. 我喜欢工作到深夜,而他宁愿凌晨干活。

3. whether ... or (not)

whether ... or (not)可以引导让步状语从句,提供两个对比的情况,意为"不管……"。例如:

Whether it rains or not, I shall go out for an outing tomorrow. 不管下不下雨,我明天都要去郊游。

Whether she comes here or we go there, the topic of discussion will remain unchanged. 不论她来这里或是我们去那里,论题仍然不变。

Whether or no they liked it, the enemy had to give up their plan. 不管敌人愿不愿意,他们只得放弃那计划。(可以用 whether or no 引导让步状语从句)

4. whatever, whenever, wherever, whoever, whichever 和 however

这几个词也可以引导让步状语从句,相当于 no matter what/when/where/who/which/how,意思是"无论什么,无论何时,无论何处,无论谁,无论哪一个,无论如何",表示不论在什么条件下进行随意的选择。例如:

Whatever/No matter what happens, we shall never lose hope. 无论发生什么,我们都不会失去信心。

Whoever/No matter who you are, you must obey the school regulations. 不管是谁,都必须遵守校规。

Wherever/No matter where you go, I would keep you company. 不管你到哪里,我都会陪着你。

Whoever else may object, I shall approve. 不论谁反对我都会赞成。

However mean your life is, meet it and live it. 不论你的生活如何卑贱,你都要面对它,过好它。

However shrewd a businessman is, it is impossible that he has never lost money. 再精明的生意人也不可能从不亏钱。

I will tell on him, **whoever he is**. 不论他是谁,我都要告发他。

Whenever it happened, it was certainly not last Friday. 不管事情是什么时候发生的,肯定不是上星期五。

Wherever you saw the painting, it was not in the gallery. 你在哪里看见这幅画都有可能,但肯定不是在这个画廊里。

Sleep **wherever you like**. 你想睡哪儿就睡哪儿。

Some people drive **however they like**. 有些人开车太随意。

【提示】

① no matter 可以同 whether 连用。例如:

No matter whether it snows or not, I shall start on the journey. 不论是否下雪,我都将出发去旅行。

She listens to the music for one hour every day **no matter whether** she is free or busy. 不论是闲是忙,她每天都要听一个小时的音乐。

② 句义明确时,however 和 whatever 引导的让步从句可以省略 be 或 may/might be;从句的主语与主句的主语相同时,亦可省略。例如:

The country is always beautiful **whatever** the season. 不管什么季节,乡间总是很美。

However imperfect the book (may be), it is the fruits of her ten years' toil. 这本书无论如何不完美,却也是她十年辛劳的成果。(＝The book, however imperfect ⟨it may be⟩, is the fruits of her ten years' toil.)

Whatever his social position (may be), a man is equal in the eye of the law. 一个人不论其社会地位如何,在法律面前都是平等的。

5. for all (that)

for all (that)意为"不管,虽然",后接从句或短语。例如:

For all (that) you say/Whatever you may say/No matter what you say, he will never change his plan. 不管你说什么,他也不会改变计划。

For all (that) he has made mistakes /Although he has made mistakes, he is still a noble man. 虽

然他有过错,但仍然是一个品格高尚的人。

For all your explanations, I understand no better than before. 尽管你作了解释,我还是不懂。

▶▶ 同 for all 相近的短语有 with all one's (faults, learning ...) 和 after all。例如:

With all your advantages, you are not a success. 你虽有很多有利条件,但不是很成功。

After all our advice, he insisted on doing it in his own way. 尽管我们劝说了,但他还是坚持按自己的方法去做。

【提示】下面的介词短语亦可具有让步含义:at all costs, at any cost, in any case, at all events, in any event, at any rate, at any risk, at all risks, for love or money, under all circumstances, at that, for all that, for (all) the world, for worlds, for anything, in any way 等,意为"无论如何,不管怎样,尽管如此"等。例如:

She won't do it **for all the world**. 无论如何,她也不愿意做那件事。

At all events you had better try. 无论如何,你最好试试。

They are determined to get the information **at any cost**. 他们决心不惜一切代价获取那项情报。

He will climb the mountain **at all risks**. 不管冒什么险他都要爬那座山。

The novel is hard to read, but **at that** I enjoy it. 这部小说很难读,但尽管这样我还是喜欢它。

I wouldn't allow you to go alone **for anything**. 我无论如何也不会让你独个儿去。

I shall forgive him **in any way**. 不管怎样我都会原谅他的。

You can't tell her the news **in any case**. She is a gossip. 你无论如何也不能把这消息告诉她,她是个长舌妇。

I don't like the book, **for all that** so many people consider it worth reading. 我不喜欢这本书,尽管许多人认为值得一读。

6. even now/then/so

这个短语相当于 though it is true。例如:

The fire was out, but **even so**, the smell of smoke was strong. 虽然火已熄灭,但烟味仍很浓。

I've done my best, but **even now**/**even then** she is not satisfied. 尽管我已尽了最大努力,但她仍不满足。

7. not but that/what

这个短语相当于 though。例如:

I can't help him, **not but** I pity him. 虽然我同情他,但是不能帮助他。

He is very strong, **not but that** he will catch cold sometimes. 他身体很强壮,虽然有时会患感冒。

I've never walked that far, **not but what** I could do it if I tried. 我从未走那么远,虽然我要走还是可以走的。

8. granting/granted (that), assuming (that) 和 supposing (that)

这几个连词词组用法相同,意为"即使,就算"。例如:

Granting/Granted (that) **you don't like the proposal**, you shouldn't have rejected it without consulting others. 即使你不喜欢这个建议,你也不应该没同别人商量就把它否决了。

Granting/Granted (that) **he has ability**, it does not mean that he can do the work well. 就算他有能力,但这也并不意味着他能把工作做好。

Supposing (that) I lose my job tomorrow, I won't beg his mercy. 即使我明天就丢了工作,我也不会乞求他的怜悯。

Assuming (that) my business fails and I go bankrupt, I won't give up the research. 即使我的经营失败了,我破产了,我也不会放弃这项研究工作。

9. 让步概念的其他表示法

1 分词

Waking or sleeping, the matter is always in her mind. 不管醒着还是睡着,这件事总是在她脑海里挥之不去。

Born of the same parents, he bears no resemblance to his brothers. 虽然是同父母所生,但他同他

的兄弟们一点儿也不像。

② 形容词和名词

Well or sick，calm or worried，she is always restrained in her expression. 不论身体好坏，心情怎样，她出言总是非常克制。

A timid young man，Henry jumped into the icy lake and saved the boy. 虽然是一个胆小的青年，亨利还是跳进湖水中救起了那个男孩。

③ 从句或主句

Many men **who had few advantages in their youth** have done great things for their country. 有许多人，虽然年轻时并无优势可言，但却成了国家的栋梁之材。（＝ Although they had . . .）

As bad as he is，he is not without merits. 他虽然坏，但也不是没有优点。

It is a wise man that never makes mistakes. 无论怎样聪明的人也难免要犯错误。（＝ However wise a man may be . . .）

I am not such a fool but I see through his trick. 我虽愚笨，但还是能识破他的诡计的。

④ still 和 yet

This is a very unpleasant affair. **Still** we can't change it. 这虽是一件很不愉快的事情，但我们不能改变它。

He seemed to be honest，and **yet** I did not quite like him. 他好像很老实，但我却不太喜欢他。（＝ Though he seemed . . .）

⑤ the＋形容词最高级

The **wisest** man cannot know everything. 即使是最聪明的人也不能什么都知道。

The **best** brewer sometimes makes bad beer. 即使是最好的酿造家，有时也难免要造出坏啤酒。

⑥ (It is) true (that)...but

It is true that he is young，**but** he is clever. 诚然他年轻，但很聪明。

The task is very difficult，**true**，**but** we will fulfill it in time. 这项任务诚然很困难，但我们一定按时完成。

⑦ 句子＋and＋句子

本结构中的 and 相当于 and yet，第一句表示"让步"，但也有第二句表示让步的。例如：

We tried our best **and** we failed in the experiment. 我们虽然尽了最大努力，但试验仍然失败了。

I can't keep these flowers alive **and** I've watered them well. 我不能养活这些花，尽管我已经很好地给它们浇了水。

⑧ 动词＋what, where, how, which, when . . .＋will/ may

Come when you will，you will find her in the study. 无论什么时候来，你总会在书房里找到她。

Be the consequences what they **may**，I will not shrink from doing my duty. 不管后果如何，我对于履行我的义务决不畏缩。

⑨ be＋主语＋(ever) so＋形容词

Be a man ever so learned，he ought not to be proud. 一个人不管多么有学问，也不应该骄傲。

Be the rain ever so heavy，I will go there this evening. 雨再大我今晚都要去那里。

▶▶▶ 也可用 let 强调这种句型。例如：

Let the situation be ever so gloomy，a real man will not lose heart. 不管形势多么令人沮丧，一个真正的男子汉绝不气馁。

⑩ 不定式

You couldn't do that **to save your life**. 即使为了保全你的生命，你也不能做那件事。

To try her best，she could not overtake him. 不管怎样努力，她还是不能赶上他。

⑪ 动词＋or＋动词

本结构中 or 前后的动词意思相反。例如：

Sink or swim，I won't give up. 不管成败与否，我都不会放弃。

They will continue to do the work，**rain or shine**. 他们将风雨无阻，继续这项工作。

⑫ 并列分句

A screw may be tiny，but it has its role to play. 一颗螺丝钉虽小，但也有其作用。

She has been here only for one year；she's，however，become quite an expert in the field. 她虽然来这里才一年，却已成了这个领域的专家。(＝Although she has been here ...)

⑬ notwithstanding that

这个短语表示"虽然"，相当于 though 或 although，that 可省。例如：

She is not contented **notwithstanding**（that）she has a large fortune. 她虽然有一大笔财富，但还不满足。

Notwithstanding（that）the situation was unfavourable，he still remained composed. 虽然形势不利，他依然镇静自若。

⑭ when

when 也可以表示"虽然"。例如：

He walks **when** he might take a taxi. 虽然他可以乘出租车，但还步行。

He stopped trying **when** he might have succeeded next time. 虽然他下次可能成功，但他却放弃了。

She cut down the tree **when** it was the best in the garden. 虽然这棵树是院子里最好的，她却把它砍掉了。

⑮ admitting（that）

这个短语表示"即使"。例如：

Admitting（that）it is so，you are still in the wrong. 即使情况如此，你还是错了。

【提示】可以表示让步的还有 despite，in spite of，despite the fact that，in spite of the fact that 等，均可译为"虽然"。例如：

> 她虽富有，但并不幸福。
> **With all** her wealth，she is not happy.
> **Despite the fact that** she is wealthy，she is not happy.

> 虽然他有能力，但做不了这件事。
> **After all** his ability，he can't do it.
> **In spite of the fact** that he is able，he can't do it.

10. 让步状语从句的倒装

though 引导的让步从句可以倒装。在倒装句中，though 可以用 as 或 that 代替，但用 as 和 that 引导的让步状语从句必须倒装；如果动词或现在分词提前放在句首，谓语要补加助动词 do，does，did 或 will 等。作表语的单数可数名词放在句首时，该名词前不可加定冠词或不定冠词。结构如下：

```
形容词/副词/动词/分词/名词＋though/as/that＋主语＋谓语
```

Patient though/as he was，he was unwilling to wait three hours. 他虽有耐性，但也不愿等三个小时。

Hard as/though she tried，she failed to pass the exam. 尽管她非常努力，但还是没有通过那次考试。

Fail though he did，he would never give up. 尽管他失败了，但也决不会放弃。

Child as/that he was，he had a good command of English. 他虽然还是个孩子，但已经熟知英语。

Living，as I do，so remote from town，I have many visitors. 我虽然住得离城很远，却有许多客人。

Intelligent as she was，she had not much insight. 她人很聪明，但洞察力不强。

Try as she might，she couldn't get the door open. 她想尽了办法，可就是打不开门。

Unlikely as it might seem，I'm tired too. 尽管看起来不像，但我的确也累了。

He was unable to make much progress，**hard as he tried**. 他虽然付出了很大努力，却进步不大。

Standing as it does at the top of the hill，the temple is well preserved. 这座寺庙虽然坐落在小山的顶上，但是保存完好。

Much as I admire him as a painter，I do not like him as a man. 他作为画家我很羡慕，但我不喜欢他的为人。

They could not find the lost journalist，**search as they would**. 无论他们怎么搜寻，就是找不到那个

失踪的记者。

Naked that/as he was，he braved the storm. 他虽然没穿衣服，却迎着暴风雨向前冲去。

Successful as he is，he has his own regrets and worries. 他虽然很成功，但也有自己的遗憾和烦恼。

Love your life，**poor as it is**. 尽管贫寒，但要爱你的生活。

▶▶ 本句型中从句的主语若是代词，主谓语序不倒装；如果从句的主语是名词，主谓语序可以倒装或不倒装，倒装的情况多见于正式文体或文学作品中。例如：

Difficult as was the task/Difficult as the task was，they finished it on time. 任务虽然艰巨，但他们仍然按时完成了。

▶▶ 名词、形容词或现在分词放在句首时，也可以表示原因。参见有关部分。例如：

Child as he was，he couldn't understand these complicated social problems. 他还是个孩子，弄不懂这些复杂的社会问题。

Hidden as it is by the trees, the tower can scarcely be seen. 这座塔隐于树林中，很难看见。

比较：

- **Tired as** she was, she sat up studying late into the night. 她虽然疲倦了，但还是学习到很晚才睡。（让步）
- **Tired as** she was, she went to bed early. 她疲倦了，所以早早地睡了。（原因）

- **Rich as** she is, she is unhappy. 她虽然富有，但并不幸福。（让步）
- **Rich as** she is, she needn't do odd jobs. 她很富有，不需要干零活。（原因）

- **Cold as/that** it was, they stayed indoors. 由于天冷，他们待在室内。
- **Cold as/that** it was, they went swimming as usual. 天虽然冷，他们仍像平时一样去游泳。

- **Botanist that/as she is**, she knows these rare plants well. 因为是植物学家，她对这些珍稀植物所知甚多。
- **Botanist that/as she is**, she doesn't know all these rare plants. 虽然是植物学家，所有这些珍稀植物她并非都了解。

- **Burdened as** he was，he couldn't walk fast. 他负荷太重，走不快。
- **Burdened as** he was，he could walk fast. 他虽然负荷很重，但仍能走得很快。

11. 让步状语从句中的虚拟语气

如果让步从句表示的是事实，动词就用陈述语气；如果从句的情况是假设的、非事实性的，动词常用虚拟语气（用动词原形或用"should＋动词原形"）。例如：

Though the weather be unfavourable，I shall leave tomorrow. 即使天气不好，我明天也要动身了。（"天气不好"是假设的情况）

Whatever be the reason，you are wrong to have done that. 不管是什么理由，你那样做都是错的。（"不管是什么理由"不是事实）

Whatever be his defence，we cannot tolerate his disloyalty. 不论他怎样为自己辩护，我们都不能容忍他的不忠。

Even though it（should）not succeed at once，there is no harm in trying. 尽管此事不会马上成功，但试一试也无妨。（"会不会成功"不是事实）

七、方式状语从句

1. as 和 just as

这两个连词的意思是"如……，犹如……，正如……，依照……"（in a particular way, in the same manner that...）。just as 比 as 更为强调。例如：

Please do it **as I told you**. 请按照我所讲的去做。

Just as water is the most important of liquids，so air is the most important of gases. 空气是气体中最重要的一种，正如水是液体中最重要的一种一样。

They watched her closely **as a cat watches a rat**. 他们严密监视她，就好像猫盯着老鼠那样。

We'd better leave things **as they are** before the police arrive. 在警察到来之前，我们最好保持现

场原样。

The whole operation went exactly **as it had been planned**. 整个行动严格按照计划进行。

He played the idiot and revealed nothing **as he agreed**. 按他同意过的那样,他装成白痴,没有透露任何事情。

All was **as it had been**. 一切都同原先一样。

He paid her two thousand dollars **as he had promised**. 如他所答应过的,他付给了她2 000美元。

I have changed it **as you suggest**. 我按你建议的方式把它改了。

Do as you would be done by. 你要人家怎样待你,你就要怎样待人。

比较:

The wind changed **as he predicted**. 如他所预测的一样,风向变了。(as 表示"如同……一样")

The wind **did not** change **as he predicted**. 与他所预测的相反,风向并没有变。(not... as 这里表示"正与……相反",不可译为"正如他所预测的那样,风向并没有变。")

This kind of bat doesn't eat fish **as many people think**.

与许多人的看法相反,这种蝙蝠并不吃鱼。[✓]

如同许多人认为的那样,这种蝙蝠并不吃鱼。[×]

【提示】下面几个句子中 as 引导的从句,可以看作是方面状语从句。

He was, **as I remember**, unusually warm-hearted, loving and generous. 我记得,他为人热诚,充满爱心,很慷慨。

She wants to live alone and be independent, **as I understand her**. 就我对她的了解来说,她是想独自生活,不再依赖别人。

He's not bad, **as politicians go**. 就一般政治家而言,他不算差了。

Eighty thousand dollars for a four-bedroomed house isn't bad **as things go these days**. 就现在的情况来说,8 万美元买一所四间卧室的房子算是不错了。

She is really quite good **as girls go**. 作为女孩子来说,她就满不错了。

2. as if/as though

as if/as though 意为"好像,仿佛",引导的从句时可以用陈述语气,表示所说的情况是事实或实现的可能性较大;也可以用虚拟语气,表示不符合事实或与事实相反的情况,动词是 be 时,一般用were。例如:

It looks **as if/as though it is going to rain**. 天看起来好像要下雨了。

He treats me **as if I were a stranger**. 他待我如陌生人。

The little boy spoke **as if he were a grown-up**. 那小男孩说起话来像个大人似的。

【提示】

① as if/as though 从句可用省略形式,后面可接不定式、分词、形容词、副词或介词短语等。例如:

She stood at the door **as if** (she was) **waiting for someone**. 她在门口站着,好像在等谁似的。

The boy looked **as if** (he was) **in search of something**. 那个男孩看起来好像在寻找什么东西似的。

She hurriedly left the room **as though angry**. 她急匆匆离开了房间,好像生气了。

He sat for a while **as if stunned**. 他好像晕眩了似的坐了一会儿。

Some flowers shut up at night **as if** (they do this in order) **to sleep**. 有些花在夜间收拢,仿佛要睡眠一样。

② as 和 like 的比较

as 是连词(也可作介词、副词或代词),后面接句子(有时可省略主语或谓语的一部分),like是介词,后面接名词或相当于名词的词。但在口语中,like 也可用作连词,后接句子。例如:

Do it **like** he does. 照他那样去做。

She loves the boy **like** he was her son. 她爱那个男孩就像爱自己的亲儿子一样。

It looks **like** I'll be late today. 看起来我今天要迟到了。

It was **like** when you came home. 那感觉就像回到家里一样。

空气之于人犹如水之于鱼。

Air is to man like water is to fish. [不妥]

Air is to man **as** water is to fish. [√]（本句为书面语）

在纽约，正和一些其他城市一样，环境污染越来越严重。

In New York, like in some other cities, environmental pollution is becoming more and more serious. （可用，like 表示"如"，后面可以接介词短语）

In New York, **as** in some other cities, environmental pollution is becoming more and more serious. [√]（as 后可接介词短语）

③ how 亦可引导方式状语从句，相当于 in the manner that 或 as，意为"照……的样子"。例如：

You should behave **how** your father does. 你应该以你父亲的行为做榜样。

I have a right to do things **how** I please. 我有权按我喜欢的方式做事。

3. according as 和 according to

according as 是连词词组，后面接句子，意思是"以……方式，按……"；according to 是介词短语，后面只能接单词或词组，意思是"根据……，随着……不同而不同"。例如：

They are paid **according as how well they work**. 他们是按工作情况的好坏来领取工资的。

According to the timetable, the train gets in at 8:30. 根据时刻表，火车8点半进站。

The thermometer rises or falls **according as the air is hot or cold**. 寒暑表/水银柱随着空气的热冷而升降。

【提示】

① in accordance with 可同 according to 换用，但语气较为郑重。例如：

The word is pronounced **in accordance with** sound American usage. 这个词是按照标准的美国用法拼读的。

② according to 只可用作状语，而 in accordance with 亦可用作表语。

③ the way。这种用法的 the way 相当于 the way that，the way in which。例如：

He taught the pupils **the way** he taught his own daughter. 他按教自己女儿的方法教学生。

Mary didn't see things **the way** her mother did. 玛丽看待事情的方式与她母亲不同。

He didn't speak **the way** I do. 他说话的方式跟我不同。

We didn't do it **the way** we do now. 我们从前的做法同现在不一样。

八、比较状语从句

as, as...as, the same as 和 such...as 用于表示同等程度的比较，否定句用 not so/as...as, not the same...as, not such...as。例如：

She dances **as gracefully as** her sister. 她的舞姿同她妹妹的一样优雅。

Your watch **is not the same as** mine. 你的表同我的表不一样。

The girl is **as innocent as** she is pretty. 这女孩既秀美可爱，又天真无邪。

He is **as modest as** his brother is not. 他很谦虚，而他弟弟一点也不谦虚。

Martin was **as impatient as** he was stubborn. 马丁既固执又急躁。

Reading is to the mind **as food is to the body**. 读书对于心灵的滋养，犹如食物对于身体。

【提示】

① as 和 than 连接的比较状语从句常常省去同主句相同的部分，只留下相比的部分。例如：

Bill is **taller than Bob** (is). 比尔比鲍勃高。

I know you **better than he** (knows you). 我比他更了解你。

比较：I know you **better than him**. 我了解你比了解他更多。

② 在 as 和 than 连接的从句中，常用替代词 do 或其他助动词或情态动词的某种形式代替与主句相同的谓语部分。例如：

Jack works as hard as Jim **does**. 杰克工作如吉姆一样努力。

I bought fewer books than you **would**. 我买的书比你要买的少。（此句 would 后省略 buy）

③ as ... as 结构中前一个用作副词的 as,有时可省略。例如:

The boy ran down the stairs **quick as rabbit**. 那小男孩跑下楼去,像兔子一样快。

Patient as always, she heard me out. 她像平时一样耐心,听完了我的话。

So bright was the moon that the flowers were **bright as by day**. 月光皎洁,花儿看上去像白天一样鲜亮。

④ to what extent 和 by how much 也可引导比较状语从句。例如:

To what extent you study harder, to that extent you get more. 你学习越努力,获得的知识越多。

By how much the higher you climb, by so much the more scenery you see. 你登得越高,看到的风景就越多。

⑤ 第五讲中有关于比较结构的详细论述,请参阅。

九、目的状语从句

1. so that 和 in order that

这两个连词短语都表示"为了,以便"。so that 较常用,in order that 用于正式文体。so that 所引导的从句常与 will/would, shall/would, can/could, may/might 以及 should 连用。in order that 从句可放在主句前面或后面,而 so that 从句一般放在主句的后面,间或也可位于主句的前面。例如:

Study hard **so that** you can/may pass the entrance examination. 努力学习,以便能顺利通过入学考试。

So that she would not misunderstand him, he wrote her a long letter to clarify the fact. 为了不使她产生误解,他写了一封长信说明事实真相。(可用 in order that)

So that everyone could see, the taller children stood at the back. 为了让大家都看得见,个子高的孩子站在了后面。

He went to the lecture hall early, **so that** he would get a good seat. 他早早就去了演讲厅,想找个好座位。

Ten contestants later failed drug tests, **so that** the race had to be rerun. 有 10 名参赛者后来没有通过药检,赛跑只得重新进行。

We were now lying flat, **so that** he might not see us. 我们此刻平躺着,这样他就不会看见我们。

The teacher underlined the words **so that**/**in order that** the students might pay special attention to it. 教师在一些词下面画线,为的是让学生们特别注意这些词。

She looked down **so that** he shouldn't see her eyes. 她往下看,为的是他不会看到她的眼睛。

It is very important to protect wild lives **so that** human kind can still live on earth. 要使地球继续供养人类生存,保护好野生生物是极为重要的。

In order that everybody should hear him, he spoke loudly. 他大声说话,为了使大家都能听得见。

We talked quietly **in order that** we should not disturb the other passengers. 我们小声说话,以免打扰别的旅客。

I've arrived early **in order that** I can/may/will get a seat in the front row. 我到得早,想在前排找一个座位。

【提示】

① so that 中的 so 有时可省略,只用 that,有时也只用 so。例如:

She got up early (so) **that** she could catch the first bus. 为了能赶上第一班车,她早早地起了床。

We will do our best **so** (that) no lives may be lost. 我们将尽全力,以求不死一人。

Bring the photo closer **that** I may see it better. 把照片拿近点,好让我看得更清楚。

The vase had been put on top of the cupboard, **so** it wouldn't get broken. 花瓶放在了橱柜顶上,以免被打破。

② so 有时起状语作用,修饰前面的动词。例如:

She pampered him **so that** he would feel thoroughly contented. 她非常娇惯他,目的是使他感到完全满足。

③ so that 有时亦可分开。例如:

So live your life **that** old age will bring you no regrets. 好好地生活,以使老年无悔。

We have **so** arranged matters **that** one of us is always on duty. 我们这样安排事务,为的是我们总有一人值班。

Love, whether newly born, or aroused from a deathlike slumber, must always create a sunshine, filling the heart **so** full of radiance, **that** it overflows upon the outward world. 爱情,无论是新生的,还是从死亡般沉睡中醒来的,势必创造光明,使内心充满光辉,并照亮外部世界。

④ 可用 and 连接两个 so that 从句。例如:

We went by train **so that** we could save some money and **so that** we could enjoy the beautiful scenery on the way. 我们坐火车去,以便省些钱,以便能欣赏沿途的美丽风光。

⑤ so 还可以表示相随发生的情况,意为"于是,因而,所以"。例如:

I had a bad cold, **so** I went to bed early. 我得了重感冒,就早早上床睡了。

I heard a noise **so** I got out of bed and turned the light on. 我听到一声响动,所以就起床把灯打开。

⑥ "so that＋句子"和"in order that＋句子"均可以转换成 in order to 或 so as to 结构。

in order to 或 so as to 更为简单明了,为日常用语。值得注意的是,in order to 或 so as to 所在句中的主语必须同时也是 in order to 或 so as to 后面的动词的逻辑主语,否则,就不可用 in order to 或 so as to,而要用 so that 或 in order that。例如:

她进城去,为的是买些衣服。
She went downtown **in order to** buy some clothes. [✓]
She went downtown **in order that** she would buy some clothes. [✓]

他反复解释,以便大家都能理解。
He explained it again and again **so that** everyone could understand. [✓]
He explained it again and again so as to understand. [×]
He explained it again and again **for everyone to understand.** [✓] (补加逻辑主语)

2. lest, for fear that 和 in case

这三个连词(词组)意思是"以防,以免"。lest 从句一般要用虚拟语气,形式为"should＋动词原形"或只用动词原形。for fear that 从句和 in case 从句一般用虚拟语气,但有时也可以用陈述语气。例如:

He emphasized it again and again, **lest she** (should) **forget.** 他反复强调这一点,免得她忘了。

Take an umbrella with you **in case it should rain/rains.** 带把伞,以防下雨。

In case I forget, please remind me of the appointment. 万一我忘记了,请提醒我约会的时间。

They hid themselves behind some bushes **for fear that/in case the enemy** (should) **find them.** 他们躲在树丛后面,以防被敌人发现。

Grown people should never say or do anything wrong before children, **lest** they should set them a bad example. 成年人永远也不应该在孩子们面前说不正当的话,做不正当的事,以免给他们立下一个坏的榜样。

3. lest 和 so that 等的转换

lest 等引导的目的状语从句可以转换为"so that 等＋否定动词",亦可转换为否定不定式或否定性动名词短语,还可转换为肯定性介词短语。比较:

彼得刻苦学习,以便通过考试。
Peter studied hard **lest/for fear that/in case** he **should fail** in the examination.
Peter studied hard **so that/that/in order that** he **should not fail** in the examination.
Peter studied hard **so as not to/in order not to fail** in the examination.
Peter studied hard **for fear of failing** in the examination.
Peter studied hard **for the purpose of/for the sake of/with the view to/with the aim to/with the aim of/with the purpose of/with the object of/with an eye to/with the intention of/with the view of passing** the examination.

【提示】to the intent that, to the end that, on purpose that 也可引导目的状语从句。例如:

He worked hard **to the intent that** he might have a bright future. 他努力工作,为的是有一个光明的前途。

十、结果状语从句

结果状语从句通常位于主句之后。

1. so ... that 和 such ... that

so＋形容词/副词/动词＋that
so＋形容词＋a/an＋单数名词＋that
so＋形容词＋复数名词
so＋形容词＋不可数名词
such＋a/an＋(形容词)＋单数名词＋that
such＋(形容词)＋复数名词
such＋that

The wind was **so** strong **that** we could hardly move forward. 风刮得那么大,我们简直寸步难行。

The difference is **such that** all will perceive it. 差别这么大,所有的人都看得出来。(＝so great that)

The pain was **such** (that) he couldn't sleep. 疼得他睡不着觉。(that 有时可省)

The fear **so** overcame her (**that**) she trembled all over. 她非常害怕,浑身抖个不停。

Such was the cold **that** even the birds were frozen to death. 极度寒冷,甚至连鸟儿也冻死了。

The man's behaviour is **such that** everybody must be on guard against him. 那人行为不端,人人都得提防着他。

It has cleared up beautifully **so that** we may take a boat trip up the Qinhuai River. 天已放晴,我们可以乘船一游秦淮河。

The Christmas tree was **so** beautifully decorated **that** none could see it without joy. 这棵圣诞树装饰得这么漂亮,谁见了都会喜欢的。

The mountain-climber is **so** badly injured **that** he might die. 那登山者伤得那么重,可能活不成了。

Such was her condition **that** she must be operated on at once. 她的情况十分严重,必须马上动手术。

The old lady's mumble was **such that** we could not make out a single word of what she said. 那老太太咕哝个不停,可我们连一个字也听不明白。

To **such** lengths did he go in rehearsal **that** two actors walked out. 他在排演中搞得太过分以致两名男演员退出不干了。

He had **so** many things to do **that** he was busy all day long. 他要做的事情太多,整天忙个不停。

He earned **so** little money **that** he could barely support his family. 他挣得钱太少,难以养家糊口。

Fog hides the mountain peaks, the snow swirls down the valleys, and a wind blows **so** bitterly **that** the orphanage boys who take the milk twice daily to the baby cottage reach the door with fingers stiff in an agony of numbness. 云雾遮蔽了重重峰峦,雪花飞旋着冲入山谷。在呼啸的寒风中,孤儿院的男孩们将一份份牛奶端到育婴房去,一天得跑两趟呢。当他们走到育婴房门口的时候,手指冻得僵硬,一点儿都不听使唤了。

比较:

It was **such** a cold day that all the pipes in the house froze up.
It was **so** cold a day that all the pipes in the house froze up. 天气极度寒冷,房子里所有的水管都冻结了。(注意搭配关系:such 为形容词,修饰名词短语 a cold day; so 为副词,修饰形容词 hot)

He made **so** inspiring a speech that everybody got excited.
He made **such** an inspiring speech that everybody got excited.
He made a speech **so** inspiring that everybody got excited. 他的演讲这么鼓舞人心,大家都非常激动。

【提示】

① 结果状语从句有时可改为不定式短语。例如:

He is **so** honest **that** he will not tell a lie. 他很诚实,不会说谎的。
He is **too** honest **to** tell a lie.

The man was **so** rude **that** he insulted others in their face. 那人非常粗鲁,当面侮辱别人。

The man was rude **enough to** insult others in their face.

The man was **so** rude **as to** insult others in their face.

② so much ... that 和 so much so that 比 so ... that 和 so that 在语气上更强。例如:

She was **so much** tired **that** she couldn't walk on. 她极度疲倦,走不动了。

The man is very ignorant **so much so that** he cannot understand such a simple problem. 那人非常无知,甚至连这样简单的问题都不理解。

She is poor, **so much so that** she had to go begging. 她很穷,穷得不得不去讨饭。

The heat was terrible **so much so that** crops withered. 天气极为炎热,庄稼都枯萎了。

2. so, that 和 so that

这三个连词都可以引导结果状语从句。so that 最常用,so 和 that 多用于口语或非正式文体中。so that 从句常用逗号同主句隔开。例如:

He made a wrong decision, **so that** half of his lifetime was wasted. 他做了错误的决定,结果毁掉了半生。

He didn't abide by the contract, **so** he was fined. 他没有遵守协约,因此被罚了款。

His statement was clear **that** everybody was convinced. 他的话这么明白,大家都信服了。

Have you nothing to do, **that** you are sitting there idle? 你闲坐在那里,难道无事可做吗?

My hand shook **so** I could hardly pour the water. 我的手抖得厉害,几乎无法倒水。

We pray **that** she may recover soon. 我们祈望她早日康复。

The ball rolled into the bush, **so that** I couldn't see it. 球滚到了灌木丛中,我看不见了。

Can you touch pitch **that** you do not defile yourself? 你能摸沥青而不弄脏手吗?

He must have fallen ill **that** his face is so pale. 他一定是病了,脸色这样苍白。

Someone must have offended him **that** he was so angry. 一定是有人冒犯他了,他那么生气。

Where were your eyes **that** you did not see the tree? 你瞎了眼了,怎么就看不见那棵树?

We are not slaves **that** we should be ordered to do this or that. 我们不是奴隶,怎么能任人摆布呢?

The plane flew into the clouds **that** we couldn't see it. 飞机飞入云层中,我们看不见它了。

I'm not a child **that** I should fall into his trap. 我又不是孩子,不会上他的当的。

I'm not a cow **that** you should expect me to eat grass! 我又不是牛,你怎么能指望我吃草呢?

What had happened **that** she looked so worried and disappointed? 她看上去如此忧伤而失望,究竟发生了什么?

Do you have any sense of justice **that** you should tolerate such cruelties to children? 你有没有一点正义感,怎么能容忍对儿童的如此虐待?

Your earnest wishes can only find fulfillment if you succeed in attaining love and understanding of men, and animals, and plants, and stars, **so that** every joy becomes your joy and every pain your pain. 如果你们确实获得了世人、动物、植物还有星辰的爱和理解,结果各种喜悦成为你们的喜悦,各种痛苦成为你们的痛苦,你们那热切的愿望才能得以实现。

▶▶ that 引导的上述某些状语从句,有些语法书看作是推论性状语从句。

3. but, but that 和 but what

如果主句含有 never, never so, not so, not such 等否定词,可用 but, but that 或 but what 引导表示结果的状语从句,构成双重否定,相当于 that ... not 或 unless,可译为"没有……不"。参见上文。例如:

She never comes **but** she borrows. 她不借东西不来。

=She never comes **unless** she borrows.

She is not so old **but that** she can read. 她并未老到不能读书。

=She is not so old **that** she can **not** read.

=She is not too old to read.

He is not such a fool **but that** he knows it. 他并非笨得不知道这个。

＝He is not so foolish that he does not know it.

There is no man so learned **but what** he can learn something from this book. 再博学的人都会从本书中学到一些东西。

4. 如何辨别 so that 引导的是结果状语从句还是目的状语从句

so that 既可以引导结果状语从句,也可以引导目的状语从句,主要区别是:目的状语从句中的动词前要用 may/might, can/could, should 和 would 等情态动词,表示某种可能性、愿望,是主观意念;而结果状语从句则不同,表示的是客观事实,较少使用情态动词,但表示"可能的结果"可用 may/might,表示"实际上不能"可用 can't/couldn't。引导结果状语从句的 so that 前常有逗号同主句隔开,读时在主句后稍作停顿;而引导目的状语从句的 so that 前一般不用逗号(但有例外)。结果状语从句通常放在主句后(但有例外),而目的状语从句可放在主句前。例如:

So that we should/might see the sunrise, we started for the peak early. 为了能看到日出,我们一大早就动身到山顶上去了。(目的)

Nothing was heard of her, **so**(that)**people thought that she was dead**. 没有听到她的消息,所以人们认为她死了。(结果)

比较:

She left early, **so that she caught the train**. 她动身早,所以赶上了火车。(结果)

She left early **so that she could catch the train**. 她动身早,以便能赶上火车。(目的)

The hall was guarded by soldiers **so that** no outsiders might get in. 士兵守卫着大厅,以使外人不能进入。(目的)

The hall was crowded with people **so that** they couldn't get in. 大厅里挤满了人,他们进不去。(结果)

【提示】

① 在过去时中,so that 引导目的状语从句时,其否定结构只能用 might not, should not 或 would not,不可用 could not;如果 so that 引导的是结果状语从句,在过去时中可以用 could not。例如:

She got up early so that she **would/might/should not** miss the train. 她早起床,以免误了火车。(目的状语从句,不可用 could not)

The heavy rain lasted the whole day, so that they **couldn't** continue their journey. 大雨下了一整天,他们难以继续旅行。(结果状语从句,可用 could not)

② 有时候,引导目的状语从句的 so that 前也可用逗号,这时,要判断它是结果状语从句还是目的状语从句,就要分析前后文的关系才行。例如:

He explained the poem in great detail, **so that** the students **understood** it. 他非常详细地讲解这首诗,所以学生们都理解了。(结果)

He explained the poem in great detail, **so that** the students **might understand** it. 他非常详细地讲解这首诗,以便学生们能够理解。(目的)

③ 在下面一句中,so 是副词,修饰动词,that 引导结果状语从句,这时 so 后面可稍作停顿。

Her heart beat **so that** she could hardly breathe. 她的心跳得那么厉害,连气都喘不过来。

5. He never played with the children that a quarrel did not follow 中的 that

句中 that 引导的是结果状语从句,that 也可改为 but that, but what 或 but,全句意为 He never played with the children without quarrelling with them. 再如:

Hardly a month passed **that** she did not get another new idea. 她每个月都会有好主意。(＝Every month she got some new idea.)

There is no man so friendless **that** he can not find a friend. 再孤僻的人也能找到朋友。(＝There is no man too friendless to find a friend.)

【提示】引导结果状语从句的连词还有:insomuch that, to such a degree that, to such an extent that 等。例如:

The rain fell in torrents, **insomuch that** I was wet through. 大雨倾盆,我身上都湿透了。

The temperature lowered **to such a degree that** the lake froze over. 温度骤降,湖都结冰了。

He was mad **to such an extent that** he beat his mother. 他竟然疯狂到打起他母亲来了。

十一、"the way＋句子"的用法

"the way＋句子"主要有四种用法。

1. the way 相当于 how

这时,the way 作副词用。例如:

I should like to know **the way**(in which) you learned to master the technique within so short a time. 我很想知道你是怎么在这样短的时间内掌握该技术的。(＝I should like to know how ...)

That's **the way** she did it. 她就是那样做的。(＝That's how she did it.)

2. the way 相当于 as

这时,the way 作连词用,表示方式,相当于 as,意为"像"。例如:

She doesn't speak **the way** he does. 她说话的方式与他不同。(＝She doesn't speak as he does.)

I shall do the work **the way** my father did. 我将像我父亲那样做这项工作。(＝I shall do the work as my father did.)

She played the violin **the way** the old violinist had taught her. (＝She played the violin as ...)

3. the way 相当于 if(从句)

这时,the way 作连词用,表示一种条件关系,意为"如果照这样(下去)",相当于 if(从句)。例如:

The way you are studying now, you won't make much progress. 照这样学习,你是不会有多大进步的。(相当于 If you study like this, you won't make much progress.)

The way you are doing it, it is completely crazy. 你做这件事完全是发疯。(相当于 If you do it, ...)

4. the way 相当于 the manner

这时,the way 作名词用,相当于 the manner,表示"方式"。例如:

I don't like **the way** she walks. 我不喜欢她走路的方式。
＝I don't like the manner of her walking.

【提示】

① 有些语法学家认为,the way 充当从属连词,是 in the way in which 或 in the way that 的省略形式。

② in a way 表示"以某种方式",in 不可省,后接从句。例如:

She cooks chicken **in a way** I like. 我喜欢她那样烧鸡。

She spoke **in a way** that reminded me of her mother. 她说话的样子使我想起了她母亲。

③ 下面 2 种结构均正确,意义上没有什么差异:

There's no way **to prove/of proving** he was a spy. 无法证明他是个间谍。

What's the right way **to do/of doing** it? 做那件事的正确方法是什么?

④ on the way to 表示"即将,正在走向",后接名词、动名词和动词原形均可。例如:

He is **on the way to become** an engineer.(不普通)
He is **on the way to becoming** an engineer. [√]他快要成为工程师了。
He is **on the way to success**. [√]他快要成功了。

【改正错误】

1. John thinks it won't be long after he is ready for his new job.
                A   B   C D

2. It is difficult for us to learn a lesson in life when we've actually had that lesson.
                A   B C   D

3. Parents should take seriously their children's requests for sunglasses unless eye protection is
                   A   B   C

necessary in sunny weather.
        D

4. Today, we will begin when we stopped yesterday so that no point will be left out.
　　　　　　　　　　　　　A　　　　　　　　　　　　　B　　　　C　　　　　　　D

5. She had her camera ready so that she saw something that would make a good picture.
　　　　　　　　　　　A　　B　　　　　　　　　　　　　C　　　　　　　　　　D

6. Pop music is such an important part of society as it has even influenced our language.
　　A　　　　　　　　　　　　B　　　　　　　　C　　　　D

7. If you are traveling in which the customs are really foreign to your own, please do as the Romans
　　　　　　　　　　　A　　　　　　　　　　B　　　C　　　　　　　　　　　　　　　D
do.

8. You may use the room as you like so far as you clean it up afterwards.
　　　　　　　　　　　A　　　　B　　　　　　　C　　　D

9. If only the police thought he was the most likely one, since they had no exact proof about it, they
　　A　　　　　　　　　　　　　　B　　　　　　　　　　　　　　C　　　　D
could not arrest him.

10. Whatever is the weather like tomorrow, our ship will set sail for Macao.
　　　　　A　　　　　　　　　　　　　　　　　　　B　C　D

11. He speaks English well indeed, but of course not so fluently than a native speaker.
　　　　　　　　　A　　　　　　B　　　　　　C　　　　　　D

12. Jack wasn't saying anything but the teacher smiled at him in case he had done
　　　　　　　　A　　　　　　　　　　　　B　　　　C
something very clever.
　　　D

13. The school rules state that no child shall be allowed out of the school during the day, once
　　　　　　　　　　　　　A　　　　　　　　　B　　　　　　C　　　　D
accompanied by an adult.

14. Every evening after dinner, though not tired from work, I will spead some time walking my dog.
　　　　　　A　　　　　B　　　　　　　　　　　　　　　　C　　　　D

15. When having compared different cultures, we often pay attention only to the differences without
　　　A　　　　　　　　　　　　　　　　　　　　　　　B　　　　　　　　　C
noticing the many sililarities.
　　　　D

16. We were about to go back for class again while the headmaster called us together.
　　　　　　A　　　　　B　C　　　　　　　　　　　　D

17. Children are always told to do everything what their parents or teachers do.
　　　　　A　　　　B　　　　　　C　　　　　　　　　D

18. Whatever well prepared a gymnast is , he still needs a lot of luck in performing.
　　A　　　　　　　　　　B　　　C　　　　　D

19. Some Chinese students find it difficult to understand native speakers if only they've learned a lot
　　　　　　　　　　A　　　　　　　　　　　B　　　　　C
about grammar and known many words.
　　　　　　　　　D

20. My grandpa looked here and there on the ground now that he was looking for something.
　　　　　　　A　　　　B　　　　C　　　　　　　　　D

21. — The thread of my kite broke and it flew away.
　　　　　　　A　　　　　　　　B
— I told you it would easily break when it was the weakest.
　　　　　　　　C　　　　D

22. Although they're planning to live here only until Jim gets his degree, they don't want to buy
　　A　　　　　　　　　B　　　　　　C
much furniture.
　　D

23. Even if Jank has no interest in the piano, there is no point pushing him to learn it.
　　A　　　　　　　　B　　　　　　　　C　　　　　　D

24. Because of the heavy traffic, it was already time for lunch break until she got to her office.
　　A　　　　　　　　　　　B　　　　　　C　　　　D

25. Just use this room for the time being, and we'll offer you a larger one as fas as it becomes
    _____A_____B_____C
    available.
    _____
    D

26. Unsatisfied though was he with the payment，he took the job just to get some work experience.
    _____A_____B___C_____D

27. I travel to the Binhai New Area by light railway every day，which do many businessmen who live
    _____A_____B_____C
    in downtown Tianjin.
    _____
    D

28. I'd like to arrive 20 minutes early as a result I can have time for a cup of tea.
    _____A_____B_____C_____D

29. Many of them turned a deaf ear to his advice，ever since they knew it to be valuable.
    ___A_____B_____C_____D

30. All people，however they are old or young，rich or poor，have been trying their best to help
    _____A_____B_____C
    those in need since the disaster.
    _____D

【答案】

1. B(before)   2. C(until)   3. C(because)   4. A(where)
5. B(in case)   6. C(that)   7. A(where)   8. B(so long as)
9. A(Although)   10. A(Whatever the weather is like)   11. C(so fluently as ＝)
12. C(as if)   13. D(unless)   14. B(if)   15. A(comparing)
16. C(when)   17. C(as)   18. A(However)   19. C(even if)
20. C(as if)   21. D(where)   22. A(Since)   23. A(Now that)
24. D(when)   25. C(as soon as)   26. A(though he was) 27. B(as)
28. C(so that)   29. C(even though)   30. A(whether)

第十九讲 一致关系(Agreement/Concord)

一、主语和谓语的一致

1. 集体名词作主语,如果指整体概念,谓语动词用单数形式;如果指具体成员,谓语动词用复数形式

常见的这类名词有 army, audience, class, club, offspring, company, committee, crowd, crew, couple, family, group, mob, government, jury, party, population, staff, team, union, public, cabinet, faculty, board, band, orchestra, council, Bank of China 中国银行, the Ministry of Defence 国防部, the Labour Party 工党, the press 新闻界, the neighborhood 街坊/四邻,等。参阅"名词"章节。例如:

The whole room was for the idea. 全房间的人都赞成这个主意。

Room 606 want coffee. 606 房间的人要咖啡。

The population of the earth is increasing very fast. 地球上的人口在迅速增长。

One third of the population here **are** workers. 这里的人口中有三分之一是工人。

His offspring surprises him every day. 他的子女每天都给他带来惊奇。

His offspring are now going their separate ways. 他的子女现在都已各奔东西了。

By then, a new President, **the opposition fears**, will have begun a four year term. 反对党担心,到那时,一位新总统将会开始一个四年的任期了。

The opposition are meeting quietly to organize their forces. 反对派密谋组织自己的军队。

The choir sings in church every Sunday. 唱诗班每个星期天都在教堂里演唱。

The choir have all studied in a college of music. 这个唱诗班的成员都在音乐学院学习过。

The crew has a long service record. 这条船的船员有着很长的水上生涯。

The crew are daring, though fresh. 船员们虽缺乏经验,但个个都很勇敢。

The crew were all drunk. 乘员全都喝醉了。

A train crew consists of 15 people. 一趟列车的乘务组由 15 人组成。(crew 可用作可数名词)

In these cities, **the public travels** by bus. 在这些城市里,公众出门乘公交车。(某范围内的公众)

The television **public is** increasing rapidly. 电视观众在迅速增加。(某一部分公众)

Is there **a public** for that kind of activity? 有公众赞成那种活动吗?(从事某项活动的公众)

The public now **know/knows** the whole story. 公众现已知道了那件事的全部真相。(泛指,谓语动词可用单、复数)

Give **the public** what **they want/it wants**. 应满足公众的要求。

The public are/is requested to obey the law. 公众被要求遵纪守法。

The company was set up last year. 这家公司是去年成立的。

The company are mostly young men. 这家公司的成员大都是年轻人。

The cavalry was assembled. 骑兵被集合起来了。

The cavalry wear scarlet trousers. 骑兵们穿着猩红色的裤子。

The team is well organized. 这个队组织得很好。

The team are all good players. 这个队的队员都是好样的。

The team are full of enthusiasm. 队员们热情很高。

This hotel is at the foot of a hill. 这家旅馆在一个小山脚下。

All the hotel are gathered in the hall. 全旅馆的人都集中在大厅里。

The young couple/pair is happy. 这对年轻夫妇很幸福。（一对）

The young couple/pair are quarrelling with each other. 这对年轻夫妇在吵架。（两人）

The couple were happily married. 这对恋人高高兴兴地结婚了。（两人）

Each couple was asked to complete a form. 每对夫妻都要填一张表。（一对）

What a good pair they are! 他们是多好的一对儿！

The litter of kittens was born last night. 这窝小猫是昨天夜里生下的。

The litter of kittens are meowing. 这窝小猫都在喵喵叫。

Her family is all early risers. 〔×〕

Her family are all early risers. 〔√〕她家的人都喜欢早起。

The family now live in Paris. 那家人现在住在巴黎。

I've got it clear that my family is very poor. 我已经说得很清楚，我家很穷。

The average family is a great deal smaller than it used to be. 现在，一般家庭的规模比以前小多了。

There are only a few families in the village. 村子里只有几户人家。（多个家庭）

Has she any family? 她有子女吗？（子女）

The whole family are in trouble. 全家人都遇到了麻烦。（家人）

The army was ordered to launch an attack on the city at dawn. 部队受命在拂晓时对该城发起进攻。

The army are helping to clear up after the floods. 大水过后，部队在帮助清理灾后现场。

The committee is to deal with this matter. 委员会要处理这个事件。（机构）

The committee are divided in opinion. 委员们意见不一致。（委员们）

The committee differ as to who its next chairman should be. 委员会对于谁应担任下届主席，意见不一。

This class consists of twenty students. 这个班有20个学生。（班级）

This class are all boys. 这个班的学生全是男生。（班里的学生们）

Three classes are lining up in front of the building. 三个班级在大楼前排队。（多个班级）

There is no school today. 今天不上学。（抽象意义，表示"上学"）

There was no school here three years ago. 三年前这里没有学校。

The whole school is talking about the new library. 全校师生都在谈论那个新图书馆。（全校学生）

There are schools of art, law and medicine in the town. 城里有艺术学校、法律学校和医学学校。（多所学校）

The village is not far from here. 那个村庄离这里不远。

The whole village are out greeting him. 全村人都出来迎接他。（村民们）

All the village are for the plan. 全村人都赞同这项计划。（村民们）

There are several fishing villages along the lake. 湖岸上有几个小渔村。（多个村庄）

There is a crowd of lookers-on there. 那里有一群旁观的人。（一群，用单数）

There are crowds of visitors in the park. 公园里有一群一群的参观者。（多群，用复数）

The crowd are gone. 人群都散了。（人群）

There was a large audience at the concert. 音乐会上听众很多。（表示"观众，听众"，有单复数变化）

The audience are dressed in a variety of ways. 观众穿戴各式各样。（总称"观众，听众"）

The audience was increasing then. 观众当时正在增加。（作整体看，可用单数）

The audience was enormous. 听众非常多。

The audience were/was moved by the show. 观众为演出所感动。（有时用单、复数皆可）

▶▶▶ 有时，谓语动词用单数或复数均可。例如：

The jury is/are about to announce the result. 裁判团即将宣布结果。

The enemy is/are fleeing in utter confusion. 敌人在狼狈逃窜。

The local council is/are to look into the matter. 地方政府将会调查此事。

The leadership of the movement is/are divided. 运动的领导层意见分歧。

The night shift is/are arriving now. 夜班工人现在快到了。

The school's teaching staff is/are excellent. 这个学校的教师是好样的。

The government is/are considering further tax cuts. 政府正在考虑进一步减税。

The majority was/were against the proposal. 大多数人反对这一提议。

The data we have collected is/are not enough to be convincing.我们所收集到的数据还不足以使人信服。

The press is/are always interested in the private lives of famous people. 新闻界对于知名人士的私生活很感兴趣。

【提示】

① the proletariat 和 the bourgeoisie 通常用单数谓语动词。例如：

The proletariat is dauntless. 无产阶级是无畏的。

The new bourgeoisie has taken over the power. 新兴的资产阶级接管了政权。

② alphabet 有单复数形式。如果指一国语言的全部字母,用单数形式;指不同语言的字母,要用复数形式。一个字母要用 letter。例如：

    The English **alphabet is** not hard to learn. 英语字母不难学。

    The English and French **alphabets are** nearly the same. 英语字母与法语字母几乎相同。

    The word has five **letters**. 这个单词有五个字母。

③ 可以用"every one/a member of+集体名词"表示单数。例如：

Every one of the committee **is** for the plan. 委员会的每个人都赞成这项计划。

Two members of the team **are** absent. 队里有两人缺席。

④ "the whole+集体名词"作主语时,动词用单数;"all the+集体名词"作主语时,动词用单复数均可。例如：

    The whole staff **has** signed the petition. 全体工作人员都在请愿书上签了字。

    All the staff **have/has** signed the petition.

⑤ 比较：

    The help is of great value to them. 这个帮助对他们极有价值。(帮助)

    The help are asking for higher wages. 佣人们要求更高的工资。(佣人们)

⑥ 比较 twin(双胞胎之一)和 twins(双胞胎)的单复数：

    This twin is like the other. 这个孪生子像另一个。

    These twins are like each other. 这对双胞胎很相像。

⑦ population, offspring, crew 等词也可以有复数形式,但要指不同的范围或所属。例如：

The crews of the two ships are on holiday. 这两条船的船员在休假。

    The population of this city is large. 这座城市的人口众多。

    The populations of the two cities are different. 这两座城市的人口不同。

    Her offspring is wealthy. 她的后代很富有。(一人的后代)

    Their offsprings are farmers. 他们的后代都是农民。(多人的后代)

2. 有些有生命的集体名词作主语时,谓语动词通常用复数形式

常见的这类名词有 cattle, folk, people, police, gentry, kindred, clergy, militia, mankind, vermin 害虫, personnel 全体人员,laity 俗人/外行,等。例如：

The mankind long for peace. 人类渴望和平。

The cattle are grazing in the field. 牛在田野里吃草。

The police have not made any arrests. 警方没有进行搜捕。

Many gentry have come to the party. 许多绅士来参加了晚会。

The Chinese people are hardworking. 中国人勤劳。

All the local clergy were invited to the ceremony. 当地所有的教会人员都应邀出席了典礼。

Archaeologists use many words that the **laity do not** understand. 考古学家的许多用语是外行人听不懂的。

【提示】

① people 表示"民族"时有单复数形式,但表示"人,人民"时为复数意义,不可加 s。例如：

The Chinese are **a polite people**. 中国人是一个有礼貌的民族。

A people is a national group. 一个民族是同族的一个人群。

There are many **peoples** in the world. 世界上有许多不同的民族。

They met all sorts of **people** on the way. 他们在路上遇到各种各样的人。

下面一句中的 wicked people 被看作一个被定义的词组,要用单数形式:

Wicked people means people who have no love. 无仁爱之心的人谓之恶人。

② youth 一词作主语时,作群体看,谓语动词用复数;作整体看,谓语动词可用单数;作个体看,视情况而定,表示"青春,青少年时期",不可数。复数形式的 youths 表示"男青年"。例如:

The youth are like the rising sun. 青年人就像初升的太阳。

The youth of today are fond of dancing. 现在的青年很喜欢跳舞。

The youth of the country is/are ready to fight. 这个国家的青年已准备好战斗。(整体看待)

The youth of today is/are better off than we used to be. 今天的年轻人比我们过去的境况要好。(整体看待)

Some people say that **today's youth has** no sense of responsibility. 有人说现在的青年缺乏责任感。(整体看待)

A youth is standing under the tree. 一名青年人正站在树下。(个体)

Youth is a time when many people rebel against their parents. 在青少年时期,许多人都会违抗自己的父母。

Some youths are swimming in the river. 一些男青年在河里游泳。

③ 集体名词前面大都可以加数词。例如:

Ten police are standing by the road. 路边站着 10 名警察。(= ten policemen)

Her three kindred are living in England now. 她的三位亲属现在住在英国。

Six hundred cattle are imported. 进口了 600 头牛。

Five clergy are sitting in the yard. 五位牧师坐在院子里。

④ laity 作主语时,谓语动词也有用单数的情况。例如:

The **laity is not** interested in it. 俗人对此不感兴趣。

⑤ mankind 作主语时,也有用单数的情况。例如:

Mankind is making constant progress. 人类在不断地进步。

但要说:**Mankind are** responsible for their behaviour. 人类要对自己的行为负责。(句中有 their)

⑥ 这类名词有些有其相应的表示个体成员的词,有单复数的变化。例如:

gentry → gentleman, peasantry → peasant, mankind → man, police → policeman, militia → militiaman, clergy → clergyman, laity → layman, infantry → infantryman, nobility → nobleman, the English → Englishman, the Spanish → Spaniard, the Dutch → Dutchman, the British → Briton 等。

3. 无生命的集体名词作主语时,谓语动词用单数形式

常见的这类名词有:scenery, weaponry, machinery, clothing, poetry, jewelery, millinery(女帽), cutlery, stationery, crockery, hosiery, footwear, underware, glassware, hardwear, merchandise, foliage 等。例如:

The merchandise has gone through the examination. 商品已经通过检查。

Much of her jewelery was missing. 她的许多珠宝都丢失了。

4. 单复数同形的名词作主语时,谓语形式要根据句义来确定

常见的这类名词有:craft, aircraft, deer, fish, means, sheep, swine, species, series, works, crossroads, headquarters, antelope 羚羊, carp 鲤鱼, salmon 鲑鱼, trout 鳟鱼, flounder 比目鱼, alms, amends, barracks, glass-works, golf-links, gallows, kennels, shambles 等。例如:

In the storm all the **craft** were sunk. 在风暴中,所有的船只都沉没了。

He came to a **crossroads**. 他来到一个十字路口。

An alms was given to the old man. 这件救济品给了那位老人。

These alms were given to the old man. 这些救济品给了那位老人。

An **amends is** required. 需要作出赔偿。

These **amends are** enough. 这些赔偿费就够了。

The **species of fish are** numerous. 鱼的种类繁多。

This **species of rose is** very curious. 这种玫瑰花很奇特。

Every **means has** been tried. 每种方法都试过了。

The **means of communication** between here and outside **are** interrupted. 这里同外界的通信手段都中断了。

A **gallows is** being set up. 一副绞架正在被竖起。

Some **gallows are** being set up. 几副绞架正在被竖起。

The **glass works was** not far from here. 那家玻璃厂离这儿不远。

The **glass works were** not far from here. 那些玻璃厂离这儿不远。

Salmon is a good dish. 鲑鱼是一道好菜。(作为食品)

Five **salmon are** in the basin. 盆里有五条鲑鱼。

A **barracks was** set up in the suburbs. 郊区建起了一座营房。

Two **barracks** outside the town **were** stormed. 城外的两座营房遭袭。

The sheep is/are running. 羊在跑。(指一只羊用 is,指多只羊用 are)

【提示】

① swine 的复数形式也可加"s"。例如:

The **swine/swines** are being driven into the field. 猪在被驱赶到田间去。

② means 作"财富"解时,谓语动词用复数形式。例如:

Her **means permit** her to live comfortably. 财富使她能过舒适的生活。

③ tidings(消息),whereabouts(下落,行踪),bona fides(诚意,善意)作主语时,谓语用单、复数皆可。例如:

The escaped prisoner's **whereabouts is/are** still unknown. 逃犯的下落仍然不明。

The **tidings is/are** bad. 消息不好。

His **bona fides is/are** unquestionable. 他的诚意不容置疑。

④ poultry 表示"家禽"时,为集体名词,谓语动词用复数;表示"禽肉"时,为不可数名词,谓语动词用单数。例如:

Poultry is delicious. 家禽肉味道美。(作为食品)

The poultry are drinking water. 家禽在饮水。(作为活动的动物)

5. 书名等作主语时的谓语动词单复数

用作书名、剧名、报纸名、国名、组织机构等的复数名词,或由 and 连接的单数形式的专有名词,作主语时,谓语动词用单数形式;如果是复数形式的山脉、群岛、海峡、湖泊、瀑布、湖泊群等的名称作主语,谓语动词通常用复数形式。例如:

The Canterbury Tales is my favorite book. 《坎特伯雷故事集》是我爱读的书。

Gulliver's Travels is very interesting. 《格列佛游记》非常有趣。

Romeo and Juliet is a tragedy. 《罗密欧与朱丽叶》是一出悲剧。

Wuthering Heights is a masterpiece. 《呼啸山庄》是一部杰作。

The New York Times still **has** a wide circulation. 《纽约时报》的销路仍很广。

The Arabian Nights is a very interesting story-book. 《天方夜谭》是一本非常有趣的故事书。

The Origin of Species is a monumental work. 《物种起源》是一部巨著。

The United Nations is an international organization. 联合国是一个世界性的组织。

Athens is the capital of Greece. 雅典是希腊的首都。

The Himalayas are the roof of the world. 喜马拉雅山是世界的屋脊。

The Niagara Falls are the falls on the Niagara River. 尼亚加拉瀑布位于尼亚加拉河上。

The Great Lakes lie between the USA and Canada. 五大湖位于美国和加拿大之间。

The Philippines lie on the southeast of China. 菲律宾群岛位于中国东南方。

The Olympics are held every four years. 奥林匹克运动会每四年举行一次。

但：**Niagara Falls is** a stupendous sight. 尼亚加拉瀑布是非常壮观的景象。

6. 动词不定式短语、动名词短语、从句或其他短语作主语时,谓语动词用单数形式

Making speeches is not his strong point. 演讲不是他的特长。

How the book will sell depends on the author. 这本书销路如何取决于作者。

To work hard is necessary. 努力工作是需要的。

Whether she comes or not is of no matter. 她来不来都没有关系。

Early to bed and early to rise is healthful. 早睡早起身体好。

Just because I'm optimistic doesn't mean that I don't have concerns about what's going to happen to all of us. 我持乐观态度并不等于我对我们大家今后面临的一切毫不担忧。

"The bigger they come,the harder they fall" was one of her favorite maxims. "爬得越高,跌得越重"是她最喜欢的格言之一。

"God's in His heaven,all's right with the world" is their motto. "上帝就在天堂,世界一切美好"是他们的人生格言。

比较：

> **Weeping and wailing** does nothing towards solving the problem. 哭泣无助于问题的解决。(weeping and wailing 指一回事)
>
> **Reading three classical novels** and **making some social investigations are** assignments for the students during the holiday. 阅读三部古典小说,进行一些社会调查,这就是学生们假期中的作业。(指不同性质的两件事)

7. 一些常用作复数或只有复数形式的名词作主语时,谓语动词用复数形式

这类名词包括二合一的服装名词、工具名词、仪器名词,也包括一些在某种含义上用复数形式的名词,如:clothes, trousers, scales, spectacles, effects, goods, papers, arms, greens, tongs, riches, suburbs, wages, stockings, tweezers, customs, gloves, compasses, binoculars, jeans, shades, calipers, flares, forceps, suspenders, belongings, bookings, clippings, diggings, earnings, sweepings, takings, surroundings, doings, eaves, odds, thanks, woods, winnings, savings, remains, quarters, oats, premises, rapids, grounds, assets, archives, fireworks, morals, proceeds 收益, shorts 短裤, filings 锉屑, braces 背带/畸齿矫正钢丝架,等。pliers 和 tongs 等用作单复数皆可。例如:

The eaves are dripping. 屋檐在滴水。

Riches are not always dependable. 财富无常。

The scales are mine. 这杆秤是我的。(间或用单数 scale)

The goods are to be exported to Canada. 这些货物要出口到加拿大。

The sightings were reported 20 years ago. 这些发现 20 年前就报道过。

但：**The whereabouts** of the princess **was/were** known only to the king. 公主的行踪只有国王知道。

The dramatics of the performance **was/were** second-rate. 这个表演的舞台艺术是二流的。

> **The odds are** ten to one against your winning. 你获胜的机会很少。
>
> **What's** the odds? 有什么关系? (相当于 What does it matter?)

> Good **tidings are/is** pouring in. 好消息不断传来。
>
> **The tidings has/have** come a little too late. 消息来得有点儿太晚了。(tidings 可作单数或复数)

> **The remains** of an ancient city **was/were** found there. 在那里发现了一座古城的遗迹。(表示"遗迹"可作单数或复数)
>
> **The remains** of the meal **was/were** fed to the cats. 剩下的饭菜都喂了猫。(表示"剩余物"可作单数或复数)
>
> The late poet's **remains are** buried in the churchyard. 已故诗人的遗体安葬在教堂墓地里。(表示"遗体"作复数)

【提示】

① 若表示成双的东西的名词前面有数量词 pair,要根据 pair 的单复数来确定谓语的单数或复数

形式。前有 cluster, bunch, collection 等也是这种用法。例如:

The scissors are on the ground. 这把剪刀在地上。

This pair of scissors belongs to the tailor. 这把剪刀是裁缝的。

但也可说:**A scissors is** on the ground. 一把剪刀在地上。(scissors 偶尔可用单数谓语动词)

A pliers is in the box. 一把钳子在盒子里。

The pliers are in the box. 这把钳子在盒子里。

A cluster of grapes is on the table. 一串葡萄在桌子上。

Several clusters of grapes are on the table. 几串葡萄在桌子上。

Ten pair(s) of gloves are on show. 展出了 10 副手套。

② brain 表示"脑浆,脑髓,智慧,智囊"时,常用复数形式 brains,作主语时,谓语动词一般用单数形式,且不可用 many 修饰,要用 much。例如:

Sheep's brains is his favorite dish. 羊脑是他喜爱的菜肴。

Tom **was the brains** of the outfit. 汤姆是这帮人的军师。

He's nice, but he hasn't much **brains**. 他为人很好,但智力不怎么样。

③ 5,000 dollars 表示一种价值,72 degrees 表示一种温度,像"多达 5 000 美元"和"高达 72 度"这样的说法,只能译为 as much as 5,000 dollars 和 as much/high as 72 degrees,不可用 as many as。

④ pains(辛苦)虽为复数形式,却不可用 many 修饰,要用 great, much, a great deal of 等修饰,谓语动词用单复数均可。例如:

Much pains has/have been taken to keep the plan secret. 为使这个计划保密费尽了心思。

⑤ 下面一句中,谓语动词要用单数形式:

Telegraph Buildings is in East Street. 电报大楼在东街。

8. 表示时间、距离、价格、度量衡等的复数名词或短语作为一个整体看待时,谓语动词一般用单数形式

Fifty years is not a long time. 50 年并不长。

Four thousand dollars is more than she can afford. 她付不起 4 000 美元。

Twenty shillings was missing from the drawer. 抽屉里少了 20 先令。

A mere two miles isn't far to walk. 仅仅两英里走着不远。

Ten pounds doesn't buy as much as it used to. 10 英镑没有以前买的东西多了。

Seventy people means a large party. 70 人就是一大群人了。

Three pints is enough for me. 三品脱对我就够了。

Ten apples is enough. 10 个苹果就够了。

An estimated two hundred persons was killed in the battle. 在那场战斗中大约打死了 200 人。

A happy five days has passed like a dream. 那快乐的五天像梦一样过去了。

The six months was a terrible dream to her. 那六个月对她是一场噩梦。

That first five days was happy indeed. 起初五天很愉快。

【提示】

① 但若强调这类词组的复数意义,谓语动词也可用复数形式。例如:

Two hundred tons of water were used last month. 上个月用了 200 吨水。

The fifty miles were covered by the winner in three hours. 优胜者花三小时跑完了 50 英里路程。

② as little as three minutes 仅用三分钟,as little as four days 仅用四天,为正确用法,不可用 as many as。

9. 算式中表示数字的主语一般视为单数,谓语动词多用单数形式

用 plus 和 and 表示"加",用 minus 和 less 表示"减",用 times 表示"乘"时,句中谓语动词多用单数,但也可用复数。例如:

Five plus/and five **is/are** ten. 5 加 5 等于 10。

Ten minus/less six **leaves/leave** four. 10 减 6 等于 4。

Ten times four **makes/make** 40. 10 乘 4 等于 40。

【提示】在用 from 表示"被减",multiplied by 表示"被乘",into 和 divided 表示"被除"时,其谓语动词通常用单数形式。例如:

8 **from** 10 **leaves/is** 2. 10 减 8 等于 2。

25 **divided** by 5 **equals** 5. 25 除以 5 等于 5。

Two **into** eight **goes** four. 2 除 8 得 4。

5 **multiplied** by 8 **equals** 40. 5 乘 8 等于 40。

10. 以-ics 结尾的学科名词和疾病名词作主语时的谓语动词单复数

这类词如:AIDS, mathematics, physics, electronics, classics, linguistics, plastics, tactics, statistics, economics, optics 光学, acoustics 声学, measles 麻疹, diabetes 糖尿病, mechanics 力学, mumps 腮腺炎, shingles 带状疱疹, ethics 伦理学, politics 政治学, athletics 体育学,等,作为学科或疾病名称时,是单数名词,谓语动词用单数形式;而如果转义表示具体实践活动、性能、现象等,则是复数名词,谓语动词用复数形式。例如:

Mathematics seems to be difficult to him. 数学在他看来似乎很难。

His **politics are** very radical. 他的政治观点很激进。

The **acoustics are** imported from abroad. 这些音响设备是从国外进口的。

Statistics in his report **are** not accurate. 他报告中的统计数字不确切。

Classics is a compulsory subject here. 古希腊罗马文学是这里的必修课。

⎧ **Tactics differs** from strategy. 战术与战略不同。(战术,兵法)
⎩ His **tactics are** successful. 他的战术行动是成功的。(策略,战术行动)

⎧ **Athletics is** recommended for the old. 老年人应参加运动。
⎪ **Athletics** include all kinds of sports, such as rowing and running. 体育运动包括各种竞技,如划
⎩ 船和赛跑。

⎧ **Economics is** a study of production and consumption. 经济学研究的是生产与消费。
⎩ **The economics in this country are** stable. 这个国家的经济稳定。

【提示】个别这类名词用单数或复数皆可。例如:

Mumps **is/are** fairly rare here. 腮腺炎在这里相当罕见。

Your mathematics **is/are** not so well. 你的数学可不大好啊。(成绩,能力)

11. "the十形容词、分词等"作主语,谓语动词用单数还是用复数

1 泛指一类人时,谓语动词用复数形式

这类词有:the poor 穷人, the rich 富人, the deaf 聋子, the brave 勇敢者, the dead 死者, the dumb 哑巴, the old 老人, the young 年轻人, the sick 病人, the innocent 无知的人/无辜的人, the guilty 有罪的人, the wise, the living 活着的人, the unemployed 失业者, the injured, the wounded, the strong 强者, the weak 弱者, the learned 有学问的人, the aged 老人, the down-trodden 受践踏的人, the oppressed 受压迫者, the dying 快死的人, the exploited 被剥削者, the able-bodied 身强力壮的人, the mentally ill 精神病患者, the deceased 死者, the bereaved 丧失亲人的人, the beloved 心爱的人, the departed 死者, the assured 被保险人, the pure in heart 心地纯洁的人,等。例如:

The living mourn for the dead. 生者哀悼死者。

The wise are perceptive men. 聪明人是有洞察力的人。

The good are happy. 善者长乐。

The oppressed are to rise one day. 受压迫者总有一天会反抗。

The walking wounded were left behind. 轻伤员被留在了后面。

2 指个别人时,要看作单数,谓语动词用单数形式

His intended is a pretty girl. 他的未婚妻是个漂亮女孩。

The dead was about thirty years of age. 死者 30 岁左右。

⎧ **The accused was** found guilty. 那个被告被证明有罪。
⎩ **Several of the accused were** found guilty. 几个被告被证明有罪。

The bereaved was full of grief for his dead wife. 失妻者痛失良妻。

The bereaved were full of grief for their dead children. 丧失孩子的父母们为死去的孩子而哀痛。

The beloved is forever in his heart. 被爱的人永远在他心中。(一个)

The beloved are forever in his heart. 被爱的人永远在他心中。(多个)

The deceased has left nothing to his children. 死者没给他的孩子留下任何东西。(一人)

The deceased have left nothing to their children. 死者没有给他们的孩子留下任何东西。(多个)

The departed is gone forever. 逝者长已矣。(一人)

The departed are gone forever. 逝者长已矣。(多人)

The assured has not been paid. 被保险者没有得到赔偿。(一人)

The assured have not been paid. 被保险者没有得到赔偿。(多人)

The condemned was sentenced to death. 犯人被判了死刑。(一人)

The condemned were sentenced to death. 犯人被判了死刑。(多人)

③ 以-sh, -ch 和-ese 等结尾的表示民族、国籍、种族的名词,表示总称,谓语动词用复数形式

这类词有:the Chinese, the English, the British 英国人, the Spanish 西班牙人, the Russian 俄罗斯人, the French 法国人, the Swedish 瑞典人, the Polish 波兰人, the Dutch 荷兰人, the Danish 丹麦人, the Japanese 日本人, the Portuguese 葡萄牙人, the Turkish 土耳其人, the Welsh 威尔士人, the Irish 爱尔兰人, the Congolese 刚果人,等。例如:

The English are a little conservative. 英国人有点保守。

中国人勤劳。
The Chinese is hard-working. [×]
The Chinese are hard-working. [√]

【提示】

① Swiss 和 Chinese 等指国人时单复数形式相同,如 a Swiss, two Swiss, a Chinese, two Chinese;但 Swede(瑞典人)和 Jew(犹太人)指国人时有单复数变化,如:a Swede, two Swedes, a Jew, two Jews。

② Jewish 是形容词,意为"犹太人的,具有犹太人特点的",表示犹太民族要用 the Jews。注意下面泛指全体和指个别成员的不同用语:

the British 英国人 　　　　　　　the Irish 爱尔兰人
two Britons 两个英国人 　　　　　two Irishmen 两个爱尔兰人
the Spanish 西班牙人 　　　　　　the French 法国人
two Spaniards 两个西班牙人 　　　two Frenchmen 两个法国人

④ 表示不可数的事物、抽象概念、某种特征或某种特征的一类东西,谓语动词用单数形式

这类词有:the worst 最坏的情况, the latest 最新情况, the smooth 好事, the unknown 未知的事, the rough 难事, the foreign 外国的事情, the unreal 不真实的事物, the exciting 令人激动的事, the lovely 漂亮的东西, the mystical 神秘的事物, the good 善, the evil 恶, the beautiful 美, the ugly 丑, the true 真, the false 假, the ridiculous 荒谬, the sentimental 多愁善感, the supernatural 超自然,等。例如:

The agreeable is not always the useful. 好看的不一定实用。

The beautiful is the ideal of life. 美是生活的理想境界。

The true looks less attractive than **the false**. 真往往不如假那么迷人。

The unknown is bound to come. 未知的事一定会来的。

The very best is yet to come. 最好的结果还在后头。

The mystical and **supernatural appeals** to some people. 神秘的东西和超自然的东西对一些人很有吸引力。

12. 某些企业、航空公司、俱乐部、球队等带有集体意义的专有名词作主语时,谓语动词通常用复数形式

John Smith and Son Ltd. announce the completion of the bridge across the bay. 约翰·史密斯父

子有限公司宣布跨海湾大桥的峻工。

Air Canada are now trying their best to improve their service. 加拿大航空公司正尽全力提高服务质量。

France are playing England in a football match next week. 下周法国队要同英国队进行一场足球赛。

The B. B. C. have just broadcast the news of the plane crash. 英国广播公司刚刚播了那起空难的消息。比较：

{ **Tunisia is** a developing country. 突尼斯是一个发展中国家。（国家）

{ **Tunisia are** sure to win the match. 突尼斯球队一定会赢得这场比赛。（球队）

13. 以-s 结尾的游戏名词作主语时的谓语动词单复数

这类词如：billiards 台球（戏），bowls 滚球戏，darts 飞镖游戏，dominoes 多米诺骨牌游戏，draughts 西洋跳棋，fives（英式）墙手球，skittles 撞柱游戏，marbles 弹子游戏，ninepins 九柱戏，checkers/chequers 西洋跳棋，等。例如：

Billiards is his favorite recreation. 台球是他喜爱的娱乐活动。

Fives has continued to be played by the hand. 手球一直以来都是用手玩。

Is draughts a game for two? 跳棋是两人玩的游戏吗？

▶▶ 但：**Cards are** allowed here. 这里允许玩纸牌。（cards 作主语，谓语用复数）

Two darts were thrown at the target. 向目标扔了两支镖。（游戏所用的镖，谓语用复数）

Marbles sold here **vary** in kind and quality. 这里出售各种各样的弹子，品种多样，质量不一。（各种弹子，谓语用复数）

14. "a number of＋名词"的中心词是短语中的名词，故谓语动词用复数形式；而"the number of＋名词"的中心词是 number，故谓语动词用单数形式

{ A number of **students were** absent yesterday. 许多学生昨天缺席。

{ The **number** of pages in this book **is** nine hundred. 本书的页数是 900。

{ **A total of** fifty thousand trees **are** planted this spring. 今年春天总共植了五万棵树。

{ **The total of** trees planted this spring **is** about fifty thousand. 今年春天植树的总数大约是五万棵。

{ **An average of** five books **are** read each month. 平均每月读五本书。

{ **The average of** books read **is** five each month. 每月读书的平均数是五本。

【提示】下面的短语作主语时，谓语动词用复数：a majority of people 许多人，a variety of colors 各种各样的颜色，a sea of faces 人山人海，a flood of resources 无数的财富，a mountain of grain bags 堆积如山的粮袋，a rain of bombs 雨点般的炸弹，a storm of locusts 肆虐的蝗虫，a trickle of customers 川流不息的顾客。

15. "one and a half＋复数名词"和"a＋单数名词＋and a half"作主语

"one and a half ＋复数名词"和"a ＋单数名词＋and a half"作主语时，谓语动词通常用复数形式，因为复数的概念不是表示"至少两个"，而是表示"一个以上"。例如：

One and a half years have passed since then. 自那以来，一年半过去了。

An apple and a half were left on the table. 一个半苹果剩在桌子上。

▶▶ 但这种结构用单数谓语动词的情况很常见，这是根据"概念一致"的原则把它作整体看待。例如：

A month and a half has elapsed. 一个半月过去了。（a period of a month and a half）

One and a half dollars was spent on sugar. 花了 1.5 美元买糖。（＝one dollar and a half）

It is **one and a half** meters long. 它一米半长。

【提示】

① "half a/an＋单数名词"作主语，谓语动词用单数。例如：

Half a dollar was spent on food. 花了半美元买食品。

② two and a half 接复数名词跟单数谓语动词。例如：

Two and a half years isn't quite long. 两年半的时间不太长。

16. "a herd of 等＋名词"作主语时的谓语动词单复数

a herd of，a pack of，a flock of，a school of，a swarm of，a drove of 等表示数量的集体名词短

语,如果指的是一个整体(一群人或动物),谓语动词用单数;如果侧重于组成群体的成员上,可以用复数动词。例如:

A flock of sheep were running into the road and causing confusion among the traffic. 一群羊跑到了公路上,给交通造成了混乱。

A pack of wolves **was** following them closely. 狼群紧跟在他们后面。

{ **That herd** of cows and calves **has** been sold. 那群母牛和小牛已经卖了。

{ **That herd** of cows and calves **are** driven into the sheds one by one. 那群母牛和小牛正一个个被赶进牲口棚。

17. **little, much, a little, only a little, quite a little, much more, a great deal of, an amount of, a quantity of** 用于修饰不可数名词,谓语动词用单数形式

A large amount of money is spent on the project. 这项工程耗费了巨额资金。

▶▶ a quantity of 间或也可以修饰可数名词。例如:

A quantity of baskets are on sale. 有一批篮子待售。

18. **用 and 连接的两个名词作主语,指同一人或物或通常由两个部件构成的物品时,用单数谓语动词,指不同的人或物或分开的东西用复数谓语动词**

另外,两种抽象的东西被人们看作是不可分的一个整体,两个名词已构成一种食品等时,谓语动词亦用单数。例如:

The secretary and manager was present at the meeting. 书记兼经理出席了会议。

The lorry and driver were safe in the accident. 汽车和驾驶员在事故中都平安无事。

The poet and singer has come. 那位诗人兼歌唱家来了。

My neighbour and colleague is watering the flowers. 我的邻居兼同事在浇花。

The secretary and the manager were present at the meeting. 书记和经理都出席了会议。

Care and patience is needed to teach these children. 教育这些儿童需要细心和耐心。

Health and strength is above all gold. 身强体壮胜过金银财宝。

Truth and honesty is the best policy. 诚实才是上策。

Wit and humor abounds in the book. 这本书中充满了机智和幽默。

War and peace is a constant theme in history. 战争与和平是历史的永恒主题。

The number and diversity of British newspapers **is** considerable. 英国报纸数量大,品种多。

Brown bread and butter is usually eaten with smoked salmon. (涂了黄油的黑面包)

Rice and eggs is her usual breakfast. 她的早点通常是蛋炒饭。

Salt and water is also a kind of medicine. 盐开水也是一种药。

The hammer and sickle was flying from a tall flagpole. (铁锤镰刀旗)

Trial and error is the source of our knowledge. 磨难和错误是我们知识的来源。

His warmest admirer and severest critic is his wife. (admirer 和 critic 为一人)

The candlestick and candle sells for one dollar. 烛台和蜡烛卖一美元。

The hustle and bustle of city life **fatigues** many people. 奔波的城市生活使许多人疲惫不堪。

Whose **is this watch and chain**? 这块带表链的手表是谁的?

Noodle and egg is very popular with the Chinese. 中国人很喜欢吃鸡蛋面。

Ham and eggs is a good breakfast. 火腿蛋是很好的早餐。

The iron and steel industry is of great importance to the national economy. 钢铁工业对国民经济至关重要。(一种工业)

The food and the textile industry depend mainly on agriculture for raw material. 食品工业和纺织工业主要靠农业提供原料。

Just before dawn **a son and heir was born**, and **mother and son were doing well**. 就在天亮前,一个儿子降生了,家里就有了继承人,母子都平安。

A poet and artist is coming to speak to us about Chinese literature and painting tomorrow afternoon. 一位诗人艺术家明天下午要来给我们讲中国文学。

A brace and bit is a tool for making holes. 手摇曲柄钻是一种打洞的工具。

The wheel and axle is out of order. 轮轴已经失修了。

The tumult and shouting was dying. 喧闹声渐止了。

All work and no play makes Jack a dull boy. 只工作不玩耍,聪明的杰克也变傻。

The owner and editor-in-chief of the newspaper is to attend the conference. 这家报纸的业主兼主编将参加会议。(一人)

The owner and the editor-in-chief of the newspaper are to attend the conference. 这家报纸的业主和主编将参加会议。(两人)

Potato and roasted beef is a delicious dish. 土豆烧牛肉是一道美味可口的菜。(一种菜)

Potato and beef were put on the table. 土豆和牛肉端上了桌。(两种菜)

A worker and technician is fixing the car. 一位工人技师在修车。

A worker and a technician are fixing the car. 一位工人和一位技师在修车。

▶▶▶ 其他如:a knife and fork 一副刀叉,a cup and saucer 带茶托的茶杯,a coat and skirt 一套上装和裙子,a carriage and pair 双马拉的马车,a coach/carriage and four 四驾马车,a cart and horse 一辆(套着)马(的)车,a watch and chain 带链的挂表,a desk and chair 一套桌椅,bacon and eggs 咸肉鸡蛋,cheese and wine 奶酪和葡萄酒,tripe and onions 牛肚和洋葱,sausage(s) and mash 香肠和土豆泥,a needle and thread 针线/穿了线的针,duck and peas 鸭肉烧豌豆,whisky and soda 威士忌加苏打水,等。

▶▶▶ 如果一个不可数名词被几个并列的形容词修饰,指几样东西,动词用复数;如果指一样东西,动词用单数。例如:

English and German grammar are different. 英语语法和德语语法是不同的。

Cool and fresh wind is blowing from the south. 凉爽而清新的风正从南方吹来。

▶▶▶ 如果两个名词重复,但指不同的东西,谓语动词用复数。例如:

The situation before the war and **the situation** after the war **are** not the same. 战前的形势和战后的形势是不同的。

比较:

Her home and office is on the fifth floor. 她的家兼办公室在五楼。(一个地方)

Her home and her office are on the fifth floor. 她的家和办公室在五楼。(两个地方)

Fish and chips is a popular meal in Britain. 鱼和炸土豆片在英国是很受欢迎的膳食。

Fish and chips are enough for me. 鱼和炸土豆片对我来说就够了。

▶▶▶ 有时候,两个抽象名词用作主语时,谓语动词用单数或复数均可。例如:

His courage and endurance is/are admirable. 他的勇气和耐心令人称赞。

Care and understanding is/are important. 关怀和理解是重要的。

▶▶▶ 在下面一句中,两个动名词由 and 连接作主语,谓语动词要用单数,因为包饺子、吃饺子是作为一种传统、一种习俗看待的:

Making and having dumplings on Chinese New Year's Eve **is** a tradition in Northern China. 在农历大年夜包饺子、吃饺子是中国北方的传统。

【提示】两种以上的不同物质混为一体用作主语时,谓语动词要用单数。例如:

The smoke and gas fills the building. 大楼里烟气弥漫。

Much mud and sand gathers to block the river. 许许多多的泥沙积聚堵塞了河道。

Water and oil is flowing down the river. 水带着油顺河而下。

▶▶▶ 下面两句指的是不同的人或物:

Your and **my husband were** present at the meeting. 你丈夫和我丈夫都出席了会议。

Good and **bad butter are** easy to identify. 好坏黄油容易识别。

▶▶▶ 下列短语作主语时,因其数的概念不明确,谓语用单数或复数均可:

justice and law 正义与法律,time and tide 岁月,fairness and impartiality 公正和不偏不倚

19. 用 **both...and** 连接两个名词作主语,谓语动词用复数形式

Both bread and butter were sold out in that grocery. 那家食品杂货店卖光了面包和黄油。

20. 用 **and** 连接的两个单数名词作主语,若前面有 **each, every, no** 等修饰,谓语动词用单数形式

No sound and (no) **voice is heard.** 听不见任何声响。

No teacher and no student is admitted. 师生一律不得入内。

In our country **every boy and every girl has** the right to receive education. 在我国,男孩和女孩都有受教育的权利。

Each animal and **each** tree is well tended in the park. 公园里的每一个动物、每一棵树木都得到了很好的照管。

Not enjoyment, and **not sorrow**, **is** our destined end or way. 欢乐和悲伤都不是我们注定的结果或生活方式。

21. 单数名词作主语,后面紧跟 **as well as, no less than, rather than, more than, but, except, besides, with, accompanied by, along with, together with, like, including, in addition to, combined with, as much as, no less than** 等时,谓语动词用单数形式

The teacher as well as the students likes this painting. 不仅学生,老师也喜欢这幅油画。

The father rather than the brothers is responsible. 应负责的是父亲,而不是兄弟。

John, **more than anyone else in the class**, **is** eager to attend the speech contest. 约翰比班上其他任何人都更渴望参加演讲比赛。

22. 用 **or, either ... or, neither ... nor, not only ... but also** 等连接的名词或代词作主语时,谓语动词形式同最近的主语保持一致

One or two **friends are** coming this evening. 一两个朋友今晚要来。

Either the principal or his **assistants are** to attend the meeting. 校长或是他的助手要来参加会议。

Neither I nor **he is** to blame. 我和他都不该受责备。

【提示】在口语或非正式文体中,either...or 和 neither...nor 作主语时,也可用复数谓语动词。例如:

If **either David or Anne comes/come**, he or she/they will want a drink. 戴维或安妮来时,他或她/他们都要喝点。

Neither Frank nor Allen was/were at the wedding. 弗兰克和艾伦哪一个都没有出席婚礼。

23. "**all** (**of**)等＋名词"作主语时的谓语动词单复数

"all (of), half (of), some (of), remainder (of), the rest (of), plenty (of), a part of, enough of, most of, a lot of, lots of, abundance of, bulk of, mass of, a heap of, heaps of, scads of, a world of, a flood of, a store of, a percentage of, two thirds of, per cent of 等＋名词"作主语时,谓语动词的单复数取决于 of 后的名词是单数还是复数,或者视具体的上下文而定。参阅名词章节。例如:

Most of his spare time was spent in reading. 他的大部分业余时间都花在阅读上了。

Most of the houses in this town **are** new. 这座城市的大多数房子是新的。

Half of the food is unfit to eat. 这些食物中有一半不能吃。

Half of the books are novels. 这些书中有一半是小说。

Abundance of meat has spoilt. 许多肉都坏了。

Abundance of birds have flown away. 许多鸟都飞走了。

Plenty of snow has melted. 大量的雪都化了。

Plenty of apples are needed here. 这里需要大量的苹果。

The rest of the money was locked in the safe. 其余的钱锁在保险箱里。

The rest of the peasants are still poor. 其余的农民还很穷。

A mass of snow lies in the yard. 院子里积了大量的雪。

A mass of customers are entering the supermarket. 大批顾客正走进那家商场。

Two thirds of the milk is sour. 三分之二的牛奶酸了。

Two thirds of the trees are newly planted. 三分之二的树是新植的。

The bulk of the work has been done. 大部分的工作已经完成。

The bulk of the villagers have gone fishing. 大部分村民都去捕鱼了。

A large proportion of her income is spent on clothes. 她的大部分收入都花在了衣服上。

A large proportion of the inhabitants are Chinese. 居民大部分都是华人。

A large percentage of water in the lake is polluted. 这个湖里的水大部分都被污染了。

A large percentage of his novels are worth reading. 他的大部分小说都值得读。

Fifty per cent of my task has been done. 我的任务已经完成50%。

Fifty per cent of the students have passed the exam. 50%的学生通过了这次考试。

A part of the land was devoted to agriculture. 一部分土地用于农作物种植。

A part of the fields were watered. 一部分田地浇过水了。

A part of the workers there are women. 那儿的工人有一部分是女性。

Loads of milk was poured into the sea. 大量的牛奶倒进了海里。

Loads of apples were rotten. 许多苹果都烂了。

Most guests have left and **the remainder are** staying here for night. 大多数客人都走了,留下的将在这里过夜。

24. both, (a) few, many, several 等作主语或修饰主语,谓语动词用复数形式

Both (of) the instruments **are** not precision ones. 这两种仪器并不都是精密的。

Few people **live** to be 130. 很少有人活到130岁。

Few of the guests **were** familiar to us. 客人中没有几个是我们熟悉的。

Several of them **have** decided to walk home. 他们有几个人已决定步行回家。

【提示】several 用作代词充当主语时,谓语动词用复数。例如:

Several were broken. 破了几个。

Several are in the garden. 有几个在园子里。

25. 合成代词 someone, anything, nobody, everyone 等作主语,代词 each, every one, no one, either, neither, another, the other 作主语,以及"either/neither/each/every/many a + 名词"作主语时,谓语动词用单数形式

We went to see a couple of houses, but **neither was** suitable. 我们去看了两处房子,但都不合适。

Nothing in the world **moves** faster than light. 世界上没有什么东西比光传播得更快。

Either is tenable. 双方都站得住脚。

Many a ship has been wrecked on these rocks. 有许多船在这些礁石上触礁。

Many a boy and many a girl has seen this painting. 许多男孩和女孩都看过这幅油画。(＝Many boys and girls have ...)

Many a woman and (many a) man has watched the sunrise here. 许多男女都曾在这里看过日出。(后一个 many a 可省)

【提示】

① many 和 another 搭配为一种特殊用法。例如:

Like **many another** boy, Jim has passed the exam. 就像许多别的男孩子一样,吉姆通过了考试。

② many is 的后跟单数名词,放在句首,意为"多得是,很多"。例如:

Many is the man she has helped. 她帮助过的人很多很多。

Many's the time I've seen him walk along the lake. 我有好多次看见他在湖边散步。

Many's the job he's left unfinished. 他留下了许多未完成的工作。

③ either 和 neither 后有复数名词,指二者或三者以上有共同情况时,对个别肯定或否定就相当于对全部,因而在口语或正式文体中,可用复数谓语动词表明其实指复数。例如:

Are/Is either of the boys ready? 两个男孩都准备好了吗?

Are either of you taking lessons? 你们俩都要上课吗?

Has/Have either of them been seen recently? 最近见到他俩了吗?

Either of you **are** welcome. 你们俩哪一位都受欢迎。

I sent cards to Mary and Linda, but **neither** (of them) **has/have** replied. I doubt if **either** (of them) **is/are** coming. 我给玛丽和琳达寄了请柬,但两人都没回音。我想两人谁也不会来的。

26. 在"one of+the+复数名词+定语从句"结构中,定语从句一般视为修饰复数名词,故从句谓语动词用复数形式

This is **one of the laboratories** that **have been built** this year in our institute. 这是我院今年建成的实验室之一。

That is **one of the commissions** that **have been demolished**. 那是被撤销的委员会之一。

【提示】在"the mere one of+复数名词"和"the only one of+复数名词+定语从句"结构中,定语从句应视为修饰单数名词,故从句谓语动词用单数形式。例如:

He was **the only one of the boys** who **was** given a prize. 他是这些孩子中唯一得奖的。

This is **the mere one of the books** on the subject that **has** been written in Chinese. 这是有关该专题的唯一的一本汉语书。

27. "more than one+单数名词"作主语,谓语动词用单数形式

More than one defendant was involved in the case. 这个案子涉及不止一个被告。

More than one girl has applied for the post of Eliot's secretary. 不止一个女孩申请艾略特的秘书一职。

【提示】

① "more than one+单数名词"在 there be 结构中作主语,谓语动词用单、复数皆可。例如:

There **is/are more than one possible solution**. 可能的解决办法不止一种。

There **is/are more than one person** voting against it. 投票反对它的不止一人。

② more than one 单独作主语,谓语动词可用单数或复数,取决于 more 或 one 哪一个重读。例如:

More than one { **are** coming. (more 重读) / **is** coming. (one 重读) 来的不止一人。

③ "more+复数名词+than one"作主语,谓语动词要用复数形式。比较:

{ **More than one road leads** to the mountain village. / **More roads than one lead** to the mountain village. 通往那个山林不止一条路。

28. 在"代词+定语从句"结构中,从句谓语的数要同被修饰的代词保持一致

I, who **am** wrong, should apologize to him. 我有过错,理应向他道歉。

Each one of us who **are** now living is destined to witness remarkable scientific discoveries. 我们每个在世的人必定会亲眼看到一些卓越的科学发现。

29. 由 what 引导的主语从句,谓语动词一般用单数形式;若从句谓语或从句后的表语是复数形式,谓语动词通常用复数形式,但也有用单数形式的情况

What you said is quite to the point. 你说到点子上去了。

What we need are qualified teachers. 我们需要的是合格的教师。

What I want are details. 我想要的是细节。

What are needed are rational and firm actions. 需要的是理智而果敢的行动。

What I say and think are/is no business of his. 我说什么想什么不关他的事。

What make the river more beautiful is/are the lotus plants growing in the water. 使这条河更美的是水中生长的荷花。

What are often regarded as poisonous fungi are sometimes safely edible. 一些常被认为有毒的蘑菇有时却可以放心地食用。

However, **what I saw and what I remembered were** not the same. 然而,我眼前所见与此时所忆已相去甚远。(所见和所忆,两者不同)

比较:

{ **What she says and does do not** agree. 她说的和做的不相符。("说"和"做"是两件事) / **What she says and does does not** matter much. 她的言行无关紧要。("说"和"做"为一件事,总指其行为)

> **What seems to be a cat is** something else. 似乎是猫的东西其实是别的什么。（what＝a thing that）
>
> **What seem to be cats are** some other animals. 似乎是猫的东西其实是别的动物。（what＝things that）

30. 某些名词以-s 结尾,形式上是复数,但实际上作单数用,后接单数动词

常见的这类名词有:summons 传票,news 消息, salts 泻盐,等。例如:

The summons was served on the man. 已向那人发了传票。

There's good **news** tonight. 今晚有好消息。

31. "the＋形容词/数词 and the ＋形容词＋单数名词"结构作主语用复数动词

> **The fourth and the** last paragraph **are** well written. 第四段和最后一段写得好。（指两段）
>
> **The fourth and last paragraph is** well written. 第四段即最后一段写得好。（指一段）

32. none 的单复数问题

"none of＋不可数名词"接单数动词,"none of＋复数名词"接复数动词或单数动词均可。none 单独使用,代表不可数名词时动词用单数,代表复数名词时动词用复数或单数。例如:

None of the money in the pocket **is** his. 口袋中的钱都不是他的。

I need some **ink** but there **is none** in the bottle. 我需要一些墨水,但瓶子里一点都没有。

If you need a repairman, there's **none** better than Bob. 如果你需要一个修理工,哪个也不如鲍勃好。

None of our factories **is** in operation yet. 我们的工厂还没有一个运转起来。

Twenty **guests** were invited, but none **have/has** agreed to come. 邀请了 20 位客人,但谁也没答应来。

None of **his colleagues know/knows** the truth. 他的同事们谁也不知道事实真相。

None of the **pens are/is** mine. 这些笔都不是我的。

None of the people there **are/is** Japanese. 那边的人都不是日本人。

▶▶ 但下面一句须用单数动词,因为表语 sister 是单数:

None of them there **is** his sister. 那边的人中没有他妹妹。

33. manners 的单复数问题

manners 作主语时,谓语动词用单复数均可。例如:

Where **are** your **manners**? 你还懂不懂礼貌?

His manners are improving. 他更懂礼貌了。

Good manners is a rarity today. 现在人们对礼节不那么看重了。

It **is bad manners** to interrupt. 打断别人是不礼貌的。

It **wasn't manners** to make too many inquiries into others' affairs. 过多地打听别人的事情是不礼貌的。

Her **manners are** deplorable, but she has a heart of gold. 她不拘礼节,却有一颗金子般的心。

▶▶ 注意下面一句:

Her only **hope** for the future **is/are** her children. 她对未来的唯一希望就是她的孩子们。

34. "one or two＋复数名词"的单复数问题

"one or two＋复数名词"结构作主语时,谓语动词总是用复数。例如:

There **are one or two problems** to be tackled today. 有一两个问题今天要解决。

One or two soldiers have to be sent. 要派去一两个士兵。

▶▶ 但:Only a word or two **is/are** misprinted. 只有一两个词印错了。

A word or two **is/are** missing here. 这里缺了一两个词。

35. 并列名词后的单复数问题

几个名词并列作主语,如果最后一个名词起着归纳和顶点的作用,谓语动词用单数。例如:

His property, his family, **his life was** in danger. 他的财产,他的家庭,他的生命处于危险之中。

Your interest, your honor, **God** himself **bids** you do it. 你的利益,你的荣誉,上帝自己叫你做这件事。

36. 同位语的单复数问题

同位语作并列主语时,谓语动词要同第一个词(中心词)一致。例如:

The famous statesman, or the man who drafted the *Declaration of Independence*, **has been revered** by later generations. 那位著名的政治家,即《独立宣言》的起草者,受到后世人们的敬仰。

All his property—the books, the pictures and the house—**was consumed** by the fire. 他所有的财产——他的书,他的画,他的房子——都被大火吞噬了。

37. the following 的单复数问题

the following 作主语时,谓语动词可用单数,也可用复数。如果表语是单数名词或上下文表示的是单数概念,谓语动词用单数;如果表语是复数名词或上下文表示的是复数概念,则谓语动词用复数。例如:

The following is the correct answer. 下面是正确答案。

The following deserves/deserve noticing. 下面一点/几点值得注意。

The following have been chosen to play in tomorrow's match. 下述人员被选中参加明天的比赛。

The following are the alternatives we shall discuss. 下面是我们将要讨论的各种选择。

38. a grey hair 和 a long beard

指一人的全部头发或多人的头发时,hair 是集合名词,前不可加 a,后不可加 s,谓语动词用单数;指一根一根的头发时,hair 是可数名词,有单复数变化。例如:

He has grey **hair**. 他满头白发。

He has (some) grey **hairs**. 他有了一些白头发。

These young men have long **hair**. 这些年轻人都留着长发。

▶▶▶ beard 是集体名词,指一个人的全部胡须时用 a beard,指多人的胡须时用 beards(注意与 hair 不同);一根胡须要用 a whisker 表示,多根胡须用 whiskers。例如:

The old man has a long **beard**. 这位老人留着长胡须。

These old men have long **beards**. 这些老人都留着长胡须。

39. 商店名称作主语的单复数问题

商店名称作主语时,谓语动词用单复数皆可(但在英式英语中用单数)。例如:

Longman's **sells/sell** this kind of cloth. 朗曼商店出售这种布。

Harrod's **is/are** not far from here. 哈罗德店离这里不远。

40. is partners with sb. 还是 are partners with sb.

下面有些句子,连系动词同主语一致,而不受表语的影响,还有些是名词与数词不一致,另有一些是习惯用法:

These stars were his only guide. 这些星星是他唯一的向导。(不用 was)

His only pleasure is the cards. 他的唯一娱乐就是玩牌。(不用 are)

The room is all bottles and newspapers. 房间里到处都是瓶子和报纸。(不用 are)

The park is all flowers and trees. 公园里到处是花和树。(不用 are)

Many fall victim. 许多人都是受害者。(不用 victims)

We are always the victor. 我们总是赢家。(不用 victors)

They have become master of the Chinese language. 他们已掌握了中文。(不用 masters)

He is partners/pals with me. 他是我的搭档。(习惯用法)

She is shipmates with Jim. 她同吉姆同乘一船。(习惯用法)

I am quits with the boss. 我同老板算清账了。

John is enemies with them. 约翰同他们关系不好。

She is great friends with my sister. 她同我妹妹是好朋友。

Parks are one of the places for children to play in. 公园是儿童玩耍的地方之一。

41. 数词和量词的单复数问题

1 数词作主语时,不论指人或指物,谓语通常要用复数形式(one 等除外)

Few know the secret. 很少有人知道这个秘密。

Six are missing. 丢了六个。

A few have been wounded. 有几个受了伤。

Twenty head of cattle are in the field. 田里有 20 头牛。

Eight yoke of oxen are grazing. 八对公牛在吃草。

2 量词作主语时,通常看作单数,谓语动词也用单数

A little is enough. 一点就够了。

Too much old magazines is on sale there. 那里有许许多多的旧杂志出售。

Not much clothes is needed. 不需要很多衣服。

Too much fruits is also harmful to your health. 吃太多的水果对身体也不好。

▶▶ 上面句中的 magazines,clothes 和 fruits 均为复数名词,但这里用 much 修饰,表示"太多"的量,不是从一本本、一件件、一只只去看的,而是从总量上去看的,故谓语动词用单数。

42. majority 的单复数问题

1 majority 含义为 the greater number,指可数的概念。the majority 作主语时,如果泛指多数(与少数相对),谓语动词用单复数皆可

The majority is/are in favor of the plan. 大多数人赞成这项计划。

The majority is/are against him. 大多数人都反对他。

⎧ **The majority is** doing its best. 大多数人都在尽全力。
⎩ **The majority are** doing their best. (要用 are,因为句中有 their)

2 如果指整体、统一体,majority 常被看作单数

The majority is always able to impose its will on the minority. 多数总是能把其意志强加于少数。

The majority is for him. 多数人支持他。

3 如果指多出的数目,majority 常被看作单数

Her majority was five votes. 她多五票取胜。

His majority was a big/small one. 他以绝对/微弱多数票获胜。

4 如果指多数中的各个成员,majority 被看作复数

The majority are of different minds on the matter. 大多数人在这个问题上持不同意见。

5 the majority of＋复数名词,表示"大多数……",谓语动词用复数

The majority of doctors believe that smoking **is** harmful to health. 大多数医生都认为吸烟有害健康。

The majority of her friends have gone abroad. 她的大多数朋友都出国了。

6 the majority of＋集体名词,谓语动词用单数或复数均可

The majority of the population in the country lives/live in cities. 这个国家的大部分人口都住在城市里。

The majority of the committee has/have arrived. 委员会的大部分成员都到达了。

7 a majority of＋复数名词,表示"多数,许多",谓语动词用复数

A majority of workers now **work** five days a week. 现在多数工人每周工作五天。

8 表示量(amount)的概念要用 most,一般不用 majority

Most of the forest has been cut down. 这片森林大部分都被砍了。

Most of the area is covered by snow. 这个地区的大部分都被雪覆盖着。

比较:

⎧ **The majority of children** like sports. 多数孩子喜欢运动。(含有对比,意指有少数小孩不喜欢运动)
⎩ **Most children** like sports. 大多数孩子喜欢运动。(不含对比,指一般小孩)

▶▶ majority 构成的习语:

win by/with a big/small/narrow **majority** 以绝大/微弱/勉强/多数票取胜

be elected by a **majority** of 108 以 108 票的多数当选

【提示】在非正式文体中,the majority of 后接表示量的不可数名词也偶尔见到,但不易模仿造句。

例如:

The majority of the day was spent in reading. 一天的大部分都花在了读书上。

He ate **the majority of the meal**. 大部分的饭都被他吃了。

43. amount 的单复数问题

1 a good/ great/ vast/ large/ small amount of＋不可数名词

A vast amount of heat is sent from the sun. 太阳释放出大量的热能。

A large amount of danger is awaiting him. 许多危险在等着他。

Only **a small amount of water was** left. 只剩下很少的水了。

2 the amount of＋不可数名词或复数名词，但谓语动词用单数

The amount of work astonishes her. 工作量之大使他震惊。

The amount of apples is at least ten truckloads. 苹果的量至少有 10 卡车。

The amount of books in the library **is** huge. 这个图书馆藏书的数量非常大。（美式英语，可用 amount 代替 number）

3 large/ increasing/ small amounts of＋不可数名词，谓语动词用复数

Large amounts of money were spent on the project. 这项工作花费了大量的钱。（不用 was）

Small amounts of land were used for keeping animals. 少量的土地被用于饲养动物。

Increasing amounts of force are necessary. 需要越来越大的力量。（不用 is）

▶▶▶ 注意不说 a little amount 或 a big amount，并参阅有关部分。

44. "a group of 等＋名词"作主语时的谓语动词单复数

a group of，a squad of，a platoon of 等结构若强调整体，谓语动词用单数；若侧重于组成群体的成员上，强调各个组成部分，谓语动词用复数。

"a company of＋复数名词"作主语，谓语可用单数或复数。"a committee of，a panel of，a portion of，a series of，a/the board of，a species of，a piece of＋名词"作主语，谓语动词用单数。例如：

A company of travellers is/are arriving soon. 一队旅行者即将到达。

A committee of experts is discussing the matter. 一个专家委员会在讨论这件事。

The board of directors is likely to veto the proposal. 董事会可能会否决这项建议。

A series of lectures on psychology is said to be given by Mr. Stone. 据说斯通先生将要作一系列关于心理学的演讲。

A panel of three psychiatrists and four doctors is to leave on Friday. 一个由三名精神病学家和四名医生组成的小组将于星期五出发。

A broken piece of pottery was found. 发现了一块碎陶器。

这群儿童在同一个班上。

This group of children is in the same class. （强调整体）

This group of children are in the same class. （强调个体）

This group of member is listening to the teacher carefully. 这组队员都在认真地听课。

This group of members are listening to the teacher carefully. 这组队员各个都在认真地听课。

45. "a pair of＋复数名词"的单复数问题

这种结构通常要求用单数谓语动词，与 pair 保持一致；但若强调个别成员，也可用复数谓语动词。例如：

A pair of glasses is needed. 需要一副眼镜。

A pair of thieves were caught yesterday. 昨天抓住了两个盗贼。

46. a kind of 和 this kind of 等后的单复数问题

1 "a kind/ sort/ type of＋单数名词"和"this kind/ sort/ type of＋单数名词"用单数谓语动词

There **is a kind of tree** in the garden which flowers once every two years. 院子里有一种每两年开一次花的树。

This kind of book is worth buying. 这种书值得买。

That sort of paint is very expensive. 那种油漆很贵。

▶▶▶ 后接复数名词时，也可用复数谓语动词，这时强调名词的复数概念。例如：

This kind of men are/is dangerous. 这种人很危险。

The kind of books you've just mentioned **are** valuable. 你刚才提到的那种书很有价值。

2 these/ those kind of＋单数名词或复数名词,要求用复数谓语动词

These kind of tree(s) are rare now. 这种树现在很少见到了。

3 these/ those kinds of＋单数名词或复数名词,用复数谓语动词

Those kinds of fruit(s) are cheap. 那些种类的水果便宜。

4 what kinds of＋单数名词,用复数谓语动词

What kinds of bird stay here for the winter? 哪些种类的鸟在这里过冬?

比较:

What kind of flower do you like most? 你最喜欢哪一类的花?

＝**What kind of flowers** do you like most?

What kinds of flower do you like most? 你最喜欢哪些花?

＝**What kinds of flowers** do you like most?

▶▶ 注意下面两句的含义:

He served us **a kind of** coffee. 他给我们喝一种咖啡。

He served us with coffee **of a kind**. 他给我们喝说是咖啡而非咖啡的东西。(徒有其名,实在太差)

比较:

Birds of that kind are rare now. 那种鸟现在很稀少了。

Men of this kind are dangerous. 这种人很危险。

There **are many kinds** of apples. 有许多种类的苹果。

Questions of that sort are very difficult. 那种问题非常难解。

Books of this kind are good for children. 这类书对儿童有益。(强调特定一种)

Books of these kinds are good for children. 这些种类的书对儿童有益。(强调特定几种)

47. "worth＋名词"的单复数问题

1 worth＋单数名词或复数名词,通常要求用单数谓语动词

The worth of the stamp is estimated at two hundred dollars. 这枚邮票估价 200 美元。

The worth of noble men is not always understood. 高尚的人并不总是被人理解的。

2 金额＋worth,谓语动词形式要依金额是单数或复数等而定

One dollar's worth of stamps **is** bought. 买了一美元的邮票。

Ten dollars' worth of stamps **are** bought. 买了 10 美元的邮票。

There **is a hundred pounds' worth** of shoes in the box. 这个箱子里有价值 100 英镑的鞋子。(把"100 英镑价值"看作单一量)

A hundred pounds' worth of shoes **were** lost. 有价值 100 英镑的鞋子丢失了。(把 A hundred pounds' worth of 视为定语)

48. that 作主语时,其表语可以是复数名词;this 作主语时,其表语可以不止一人

That is bad manners. 那是不礼貌的行为。

This is my brother Andrew and his daughter Rose. 这是我弟弟安德鲁和他的女儿罗丝。(介绍某人)

【提示】this,that 和 another 后可接复数名词。例如:

this three **weeks** 这三个星期(作一整体时单数看待)

that five **months** 那五个月

another eight **years** 再过八年

49. "neither of＋名词或代词"的单复数问题

"neither of＋名词或代词"作主语时,谓语动词多用单数形式,但也可用复数形式。例如:

Neither of the children was hurt. 两个孩子都没伤着。

Neither of the books is satisfactory. 两本书都不令人满意。

Neither of them are rich. 他们俩都不富有。

Neither of the brothers were alive. 兄弟俩都不在人世了。

50. two lumps of sugar 等的单复数问题

"复数量词＋of＋不可数名词"作主语时,谓语动词有时用单复数皆可。例如:

Two lumps of sugar are/is in the box. 两块糖在盒子里。

Three slices of bread have/has been thrown away. 扔掉了三块面包。

51. one after another 的单复数问题

one after another 作主语时,谓语动词用单数或复数均可。例如:

One after another has/have gone out of the cinema. 人们一个接一个走出了电影院。

One after another was/were asked the same question. 一个接一个地都被问了同样的问题。

52. "a body of＋复数名词或不可数名词"的单复数问题

a body of＋复数名词或不可数名词作主语时,谓语动词用单数形式,如:a body of people 一群人,a body of words 一些单词,a body of water 一片水域。例如:

A body of people is standing on the river bank. 一群人站在河岸上。

二、名词和代词的一致

代词与其所代替或修饰的名词应在人称和性别上保持一致。例如:

Men are known by **their** companions. 观其友知其为人。

Everyone had **his** say at the meeting. 会上每人都发了言。

No one can do it **himself**. 单独一个人谁也做不了这件事。

Something strange has happened,didn't **it**? 发生了奇怪的事情,是不是?

The plan wasn't illegal in **itself** but it would lead to some doubtful practices. 这项计划本身并不是非法的,但它会导致一些有疑问的做法。

比较:

The owner and the captain discussed it with **their** colleagues. 船主和船长与他们的同事讨论了那件事。(两人,用 their)

The owner and captain discussed it with **his** colleagues. 船主兼船长与他的同事讨论了那件事。(一人,用 his)

She bought **bread and butter** at the shop, and **they** were very cheap. 她在那家店里买了面包和黄油,都很便宜。(面包和黄油,两样东西,用 they)

She ate **bread and butter** for breakfast, and **it** is her favorite food. 她早餐吃了黄油面包,这是她喜爱的食物。(涂有黄油的面包,一样东西,用 it)

三、分词逻辑主语的一致

表示时间、条件、伴随等的分词的逻辑主语必须同所在句中的主语保持一致。例如:

Translated into English, the sentence was found to have an entirely different word order. 翻译成英语,这个句子的词序完全不同了。

Hearing the bad news, **she** burst into tears. 听到这不幸的消息,她失声痛哭。

Hearing the bad news, **they** burst into tears. 听到这不幸的消息,他们失声痛哭。

四、并列/平行结构中成分的一致

1. 为使句子前后保持平衡和协调,句中的并列成分应在结构上保持一致

同一句中的并列主语、谓语等在语法等方面要求对应。例如:

Her job is **washing, cleaning** and **taking** care of the children. 她的工作是洗衣服、打扫卫生和看孩子。(均为动名词)

The instrument has been welcomed by users because of its **stability in serviceability, reliability in operation** and **simplicity in maintenance**. 该仪器性能稳定,操作可靠,维修方便,因而受到用户欢迎。(均为名词)

2. 在比较结构中,被比较的事物应是同等成分

在比较从句中,用 that 代替前面的单数名词,而用 those 代替前面的复数名词。例如:

The students in our department are fewer than **those** in their department. 我们系的学生比他们系的学生少。

The climate of Beijing is not so changeable as **that** of the seaside town. 北京的天气不像那座海滨小城的天气那么多变。

五、倒装结构中主谓语的一致

在倒装句中,其他成分放到句子前部,而主语则往往被置于句子后部。这时要注意辨认主语,谓语动词要同主语保持一致。例如:

After the exams **is the time** for rest. 考完了试就可以休息了。

In the margins **was written something** in red ink. 有人在书页的行间用红笔写了些词句。

六、there be 句型中的主谓一致

在 there be 句型中,当 be 动词后的第一个并列成分带有不定冠词时,谓语动词按就近原则用单数形式。例如:

There **is a sausage**,an orange and a piece of cheese on the table. 桌子上有一根香肠、一只橘子和一片干酪。

There **was a long spring board** and three rafts at varying distance from the shore. 离岸边不同的地方,有一块跳板和三个木筏。

There **was singing, dancing and laughter** at the party. 聚会上人们又唱又跳,一片欢声笑语。

There **is a time** to be silent and **a time** to speak, **a time** for study and **a time** for recreation. 该说就说,不该说就不说,该学习就学习,该娱乐就娱乐。

There is/are my wife and family to consider. 我的妻子,还有孩子们,需要考虑。(用 is,把 my wife and family 看作一个整体)

▶▶▶ there is/was 后有时也可接复数名词,尤其在口语中,这符合人们的思维习惯,往往先说出 there is/was,后才想起后面的名词。例如:

There's thousands of people gathering on the square. 广场上聚集着成千上万的人。

There's good books and **bad books**. 有好书也有坏书。

【改正错误】

1. The <u>population</u> of the two provinces <u>have grown</u> to more than <u>twice</u> what it was in 1950. The
           A   B   C

   figure is now approaching <u>96 million</u>.
                   D

2. We live <u>day by day</u>, but in the great things, the time <u>of</u> days and weeks <u>are</u> so small that a day is
           A   B   C

   <u>unimportant</u>.
      D

3. Professor Smith, <u>along with</u> his assistants, <u>are working</u> on the project <u>day and night</u> to meet
               A   B   C

   the <u>deadline</u>.
      D

4. The father <u>as well as</u> his three children <u>go</u> skating on the <u>frozen</u> river every Sunday afternoon
           A   B   C

   <u>in winter</u>.
     D

5. A poet and artist <u>are</u> coming to speak <u>to us</u> about Chinese literature and <u>painting</u> <u>tomorrow afternoon</u>.
           A   B   C   D

6. A <u>survey</u> of the opinions of experts <u>shows</u> that three hours of <u>outdoor</u> exercise <u>are</u> good for one's
    A   B   C   D

health.

7. The company had <u>about</u> 30 notebook computers but only one-third <u>was</u> used regularly. Now we had
   A   B

   60 <u>working</u> <u>all day long</u>.
      C   D

8. <u>Most</u> of what has been said <u>about</u> the Smiths <u>being</u> also true of <u>the Johnsons</u>.
   A   B   C   D

9. — Why does the lake smell <u>terrible</u>?
                              A

   — Because <u>large</u> <u>quantities</u> of water <u>has</u> been polluted.
     B   C   D

10. The <u>number</u> of foreign students <u>attending</u> Chinese universities <u>have</u> been rising <u>steadily</u> since
       A   B   C   D

    2005.

11. <u>Nowadays</u>, <u>a large number</u> of women, especially <u>those from</u> the countryside, <u>works</u> in the
    A   B   C   D

    clothing industry.

12. Either you <u>or</u> one of your students <u>are</u> to attend the meeting that is <u>due</u> tomorrow.
    A   B   C   D

13. There <u>remain</u> a certain <u>doubt</u> among the people <u>as to</u> the <u>practical value</u> of the project.
          A   B   C   D

14. <u>How and why</u> Jim came to China <u>are</u> not known. And <u>when and where</u> to the new factories <u>has</u>
    A   B   C   D

    not been decided.

15. Three hundred and fifty pounds <u>are</u> <u>too</u> unreasonable <u>a</u> price for a <u>second-hand</u> car.
                                   A B   C   D

16. <u>About</u> 70 percent of the students <u>are</u> from the south; the rest of them <u>is</u> from <u>the north</u>.
    A   B   C   D

17. It is <u>not</u> J.K. Rowling <u>but</u> her works that <u>makes</u> the readers <u>excited</u>.
          A   B   C   D

18. Looking after her <u>grandchildren</u> and <u>doing</u> some cooking <u>is</u> her <u>everyday</u> work.
                      A   B   C   D

19. Now every boy <u>and</u> every girl of the peasant workers <u>have</u> the right <u>to be educated</u> <u>in public schools</u>.
                  A   B   C   D

20. When the chairman <u>announced</u> his <u>arrangement</u>, the majority of the experts <u>was</u> <u>against</u> it.
                      A   B   C   D

21. The teacher and writer <u>has</u> come to our discussion, and the singer and the dancer <u>has</u> come <u>too</u>.
    A   B   C   D

22. — One or two students <u>has</u> been chosen <u>to take part</u> in the Olympic competition.
                          A   B

    — Are you or he going to work <u>with</u> them?
      C   D

23. <u>That</u> is a picture of our campus and <u>between</u> the two lines of trees <u>stand</u> the science building.
    A   B   C   D

24. My parents bought <u>me</u> two novels and <u>CD players</u>. <u>Such</u> was the birthday gifts they sent me.
                      A   B   C   D

25. The fact that so many people <u>still</u> smoke in public places <u>suggest</u> that we may need a <u>nationwide</u>
                                 A   B   C

    campaign to raise awareness of the <u>risks</u> of smoking.
                                       D

26. Such poets <u>as</u> Shakespeare and Shelley are <u>widely</u> read, <u>of whose works</u>, however, some <u>is</u>
               A   B   C   D

    difficult to understand.

27. It is reported that many a foreigner <u>are</u> looking forward to <u>visiting</u> the <u>mysterious</u> China and many
                                   A   B   C

    <u>have</u> done so.
      D

28. Barbara is easy <u>to recognize</u> <u>as</u> she's the only one of the women who <u>wear</u> <u>evening dress</u>.
                  A   B   C   D

29. The public <u>is</u> generous <u>in</u> their contributions <u>to</u> the earthquake <u>victims</u>.
              A   B   C   D

30. American society is <u>one</u> of rapid change. <u>Studies</u> show that one <u>out of</u> five American families
                        A   B   C

    <u>move</u> every year.
      D

【答案】

1. B(has grown)	2. C(is)	3. B(is working)	4. B(goes)
5. A(is)	6. D(is)	7. B(were)	8. C(is)
9. D(have)	10. C(has)	11. D(work)	12. C(is)
13. A(remains)	14. B(is)	15. A(is)	16. C(are)
17. C(make)	18. C(are)	19. B(has)	20. C(were)
21. C(have)	22. A(have)	23. D(stands)	24. C(were)
25. B(suggests)	26. C(are)	27. A(is)	28. C(wears)
29. A(are)	30. D(moves)		

第二十讲　倒　装(Inversion)

一、语法倒装

1. 虚拟条件句中的倒装

如果虚拟条件句中的谓语部分含有 were，had 或 should，可以把它们放在句首，省去连词 if，变成倒装句。例如：

Should he act like that again，he would be punished. 要是他再这样干，他就要受到惩罚。

Were it not for your help，I wouldn't have got what I have today. 要是没有你的帮助，我就不会有今天。

Had I known it earlier，I wouldn't have lent him the money. 要是早知道这件事，我就不会把钱借给他了。

2. 当句首为 here, there, now, then 等副词，谓语动词为 be, go, come 等时，句子的主谓要求倒装

Here is the book you want. 你要的书在这儿。

There goes the bell. 铃响了。

There come the rest of the party. 剩下的人都来了。

Here's the reply to your question. 这是我对你的问题的答复。

Then came the day of his departure. 他起程的日子到了。

Then came the time to part. 然后就到了分手的时候了。

Now comes your turn. 现在轮到你了。

Then came the order to take off. 起飞的命令到了。

Then came the day of his examination. 他参加考试的日子到了。

Then opens an epoch of social and economic reform. 这时开始了社会和经济改革的时代。

There came a wind，light，warm，flowing over the boundless sea. 一阵暖风从那辽阔的海面上轻轻吹过。

Then came the memory of the good times we had together. 这时，脑海中浮现出我们一起度过的美好时光。

【提示】

① 若主语为人称代词，则不用倒装。例如：

There **he comes**! 他来了！

Here **they are**. 他们在这儿。

A：Where is the key? 钥匙在哪里？

B：Here **it is**. 在这里。

② 在 there be/appear 句型中，如果地点状语放在句首，there 有时可以省略。例如：

From behind the door (there) **rushed out** a black dog. 从后门跑出一条黑狗。

On the top of the hill (there) **are** huge bare rocks. 山顶上是巨大的裸露岩石。

3. 副词或介词＋with＋其他成分

这是一种表示祈使命令的倒装结构，句中省略了动词。例如：

In with you! 进去吧！

Up with the wallet! 捡起那个钱包！

Down with it! 撕下它！（＝Take it down!）

Off with your caps! 脱去你们的帽子！（＝Take off your caps!）

Out with it! 说出来！（＝Speak it out!）

Off with his head. 把他的头砍下。

On with the dance. 接着跳吧。

On with your clothes. 穿上衣服吧。

Away with old ideas. 去掉陈旧的观念吧。

In with it! 把它装进去吧!

Off to bed with you! 上床睡觉去!

Away with him. 带他走。

Into the dustbin with all this junk. 把这些废物全部扔进垃圾箱里。

4. so can we 和 so he is

如果前面句子中所说的情况也适合后面的句子,后面的句子常用 so(肯定句), nor, either, no more(否定句)引导倒装句,并且用 do/does/did 代替实义动词。例如:

They can leave now, **so can we**. 他们现在可以离开了,我们也能。

You have helped her, and **so has she you**. 你帮助过她,她也帮助过你。(= and she has helped you)

He loves the girl. **So does she him**. 他爱这个女孩,这个女孩也爱他。

She respected me and **so did I her**. 她尊重我,我也尊重她。

You can't do it, **nor can I**. 你不能做这件事,我也不能。

He did not converse at meals; **nor did he talk in bed**. 他食不语,寝不言。

He didn't see the film last night, **neither did she**. 他昨晚没看电影,她也没看。

She can't understand his lecture, **no more can I**. 她听不懂他的演讲,我也听不懂。

I don't have time to do the filing and **no more do you**! 我没有时间把文件归档,你也没有!

This country was conquered by those who moved forward and **so will space**. 这个国家是由那些勇往直前的人征服的,太空也将由他们来征服。

The life which I led there with my eight cousins was delightful, and **so is the memory of it**. 在那儿我和八位堂兄在一起的生活很快乐,因此留下的回忆也是快乐的。

▶▶▶ 但如果不是表示情况的适合,而是表示对前面句子内容的同意或肯定,则不能用倒装句。例如:

He is a good student, **so he is**. 他是个好学生,他的确是。

"There is a bird nesting in the tree outside the window." "**So there is**." "窗外的树上有一只鸟在筑巢。""真的有。"

A: Did Jack tell you to go there? 杰克告诉你去那里了吗?
B: He did. And **so I did**. 他告诉了,我也去了。(不可说 And so did I)

【提示】倒装结构中的 nor 也可换为 and nor 或 but nor;表示另一人或物"也不"时,也可用 and neither。例如:

She did not do it, **and nor/but nor** did she try to. 她没做那件事,也没想做。

You are not wrong, **and neither** is she. 你没错,她也没错。

5. 感叹句中的倒装

How happy the children are! 孩子们多幸福啊!(表语前置)

Now, **isn't that** a fine blanket! 瞧,多好的毯子!(be 动词前置)

What a lovely birthday present the old lady has received! 这位老太太收到一份多好的生日礼物啊!(宾语前置)

【提示】what 与 how 引起的感叹句,主语较长时,特别是带有后置定语,常要倒装主谓语。例如:

How beautiful **are the hills** with clouds against them! 山峦在云彩的映衬下多美啊!

What a big mistake **is this** that caused us great trouble! 犯了一个多大的错误呀,这个错误给我们带来了很大的麻烦。

6. the more ..., the more 结构中的倒装

The harder you work, **the happier** you feel. 你工作越努力,就越觉得快乐。(状语前置、表语前置)

The more you study, **the more** you know. 你学得越多,就知道得越多。(宾语前置)

7. 从句中连接代词或连接副词的倒装

He couldn't tell **where** his home was. 他说不清楚他的家在哪里。(宾语从句中表语前置)

Whatever I have is at your service. 我所有的东西请随便使用。(主语从句中宾语前置)

However fast he may run, he will never catch up with Jim. 他无论跑得多快,也赶不上吉姆。(状语从句中状语前置)

8. many a time, often 和 next 等表示时间、次数或顺序的副词(短语)位于句首时的倒装

Many a time have I seen her taking a walk alone. 我许多次看见她独自散步。(也可说 Many a time I have ...)

Many a time in college years **have** we wandered in the hills. 在大学时代,我们有许多次在山中漫游。(也可说 Many a time in college years we have ...)

Often did she come to my home in the past. 她过去常常到我家来。(也可说 She often came ...)

Often have I heard it said that it is a good book. 我常听人说这是一本好书。(也可说 I have often heard ...)(也可说 Very/Quite often I have heard ...)

Twice within her lifetime has she been to England. 她一生中已两次到过英国。

Next came a man in his forties. 下一个来的是一个四十几岁的人。

Long did we wait before hearing from her. 我们等了很久才收到她的信。

Long did the hours seem while I waited there. 我在那里等的时候,时间似乎过得特别慢。

9. well, so, gladly 等表示方式、程度的副词位于句首时常倒装

Well do I remember the day I saw her first. 我第一次见到她的那一天,我记忆犹新。

Well did I know her and **well did** she know me. 我很了解她,她也很了解我。

Gladly would I accept your proposal. 我很高兴接受你的建议。

Bitterly did she regret her ignorance. 她为自己的无知而深感懊悔。

So died hope in the one male. 于是寄托在这唯一男性身上的希望也随之破灭了。(本句中的 so 表示"就这样,就那样,于是",直接倒装谓语动词)

10. 副词性短语位于句首时,常把主语与谓语倒装

On her left sat her husband. 她左边坐着她丈夫。

Beyond the river lives an old fisherman. 有个老渔夫住在河的对岸。

Among the guests was standing Mary. 玛丽站在客人中间。

Beyond the lawn lay Mr. Baker's kitchen garden. 草坪那头是贝克先生自己栽种瓜菜的家庭菜园。

Ahead and to the right loomed the long dark line of the ridge of the Rocky Mountains. 落基山脉山脊长长的暗色线条在前方和右边隐约显现。

Round and round flew the plane. 一圈又一圈,飞机在上空盘旋。

Across the river lies a newly built bridge. 河上有座新建的桥。

Below us on our right was a richly-wooded valley. 在我们右下方有一个树林茂密的山谷。

On the table against the window was a photograph of a beautiful girl in red. 靠窗的桌子上有张一身红衣的漂亮女孩的照片。

At one side of the square stood the old church. Facing the church were the city hall, a small cafe, and a store. 广场的一边矗立着古老的教堂。教堂对面是市政厅,一个小咖啡馆和一家商店。

【提示】副词性短语位于句首时,若主语为代词,不用倒装。例如:

Behind the counter she stood, beautiful and pale. 她站在柜台后面,美丽的面容有些苍白。

11. 行为动词的倒装

在含有情态动词的谓语中,行为动词(有时连同宾语或补语)可以倒装表示强调;如无情态动词,要加上 do 的适当形式。例如:

I have my duty to do, and **do it** I will. 我有责任,我会尽职尽责的。

Write a poem I cannot; let me write an essay instead. 诗我写不好,我就写一篇杂文吧。

Go ahead I must. 我必须做下去。

Stay and guard it he did. 他真待在那里守着。

12. 定语、状语和宾语补足语的倒装

❶ 从句、不定式或介词短语等作定语修饰主语时，通常紧跟在主语之后，但如果定语成分过长，应将其放在谓语动词之后，以使主语和谓语靠近，其结构为：主语＋谓语＋定语成分

> 背后对你耍诡计、中伤你的人是狡诈之人。
> **He is a sly person who** gets up to crafty tricks behind your backs and slanders you.（优）
> **He who** gets up to crafty tricks behind your backs and slanders you is a sly person.（劣）

> 该是这对夫妻谈一谈中止婚姻关系的时候了。
> **The time had come** for the couple to have a serious talk and to break up their marriage.（优）
> **The time** for the couple to have a serious talk and to break up their marriage **had come**.（劣）

A new master will come tomorrow **who** will teach you German. 有一位新老师明天来，他将教你们德语。

Several investigations have begun **into the cause of the fire**. 对于火灾的原因已作过几次调查。

He is very empty **that is full of himself**. 自以为了不起的，其实算不得什么。

He jests at scars **that never felt a wound**. 没受过伤的人总爱嘲弄伤疤。

There is a **rumour** going around **that her father's bankrupt**. 谣传四起，说她父亲破产了。

A man might pass for insane **who should see things as they are**. 看清事物本质的人会被认为是疯子。

Children are liable to be injured by automobiles **who play on the streets**. 儿童在街上玩耍容易被汽车撞伤。

A list has been drawn up **of books you'll have to read in the coming year**. 来年你们要读的书已被列出。

❷ 在 where, whom, which 引导的定语从句中，有时可用倒装结构，以求句子结构平衡，顺畅

He's a man on **whom falls a heavy responsibility**. 他是个肩负重任的人。

He still remembered the yard **where was a well beneath the date tree**. 他还记得那个院子，院中有一棵枣树，树下有一口井。

The grounds there were covered with dark green grass through **which stretched a straight white stone path**. 那儿处处是碧绿的芳草，绿草中铺着洁白、笔直的石子路。

It had a small square around **which were the important buildings of the village**. 它有一个小广场，广场四周是村子的重要建筑物。

❸ 动词的宾语过长时，须将修饰动词的状语移到宾语之前，其结构为：动词＋状语＋宾语

> 她难以让他理解她的想法和意图。
> She was unable to **get across to him** what she really thought and meant. ［✓］
> She was unable to get what she really thought and meant across to him.（不妥）

> 一个漂亮女孩脖子上围了一个围巾，一直垂到腰间。
> A pretty girl **wore around her neck** a scarf which hung down to her waist. ［✓］
> A pretty girl wore a scarf which hung down to her waist around her neck.（不妥）

❹ 宾语补足语一般应在宾语之后，但宾语过长时，应将其移到宾语之前，结构为：动词＋宾语补足语＋宾语

The medicine will **render certain** a night's sleep. 这药能确保一夜安眠。

> 她清楚地表明将要全力以赴支持这一巨大工程。
> She **made clear** her whole-hearted support to the gigantic project. ［✓］
> She made her whole-hearted support to the gigantic project clear.（不妥）

> 他们把所有关闭了整整一个月的窗户都打开了。
> They **pushed open** all the windows that remained closed for a whole month. ［✓］
> They pushed all the windows that remained closed for a whole month open.（不妥）

❺ 有时，中心词和修饰它的介词短语被状语、插入语或从句隔开；有时，中心词和修饰它的从句被状语隔开

There is **a park** in Nanjing **for the blind**. 南京有一个盲人公园。

The complaint people have **about the weather here** is that it is too hot in summer. 人们对这儿天气

的抱怨是嫌它夏天太热。

She saw **a bird**, high up in the tree, **with red feathers and a long tail**. 她看见高高的树上有一只鸟,红羽毛,长尾巴。

The workers discussed **the plan** with great interest **for increasing production**. 工人们兴致很高地讨论着增产计划。

He met **an old man**, a foreigner, **with glasses**. 他遇见一位戴眼镜的老人,是个外国人。

She will give us **more information** if (it is) necessary **about the city**. 如有必要,她将给我们提供有关这座城市的更多的情况。

There was **a middle-aged man** under the tree **who** was smoking a long pipe. 树下有一位中年人,正吸着一根长烟管。

【提示】如果定语、状语或宾语补足语较短,则不必倒装,当然倒装也可以。例如:

He who cannot be angry is a fool, but **he who** will not is a wise man. 不会发怒之人为愚人,不欲发怒之人为智者。(= He is a fool who ...)

All that go to church are not saints. 去做礼拜者,并非皆圣徒。(= All are not saints that go to church.)

13. of 短语的倒装

of 短语修饰主语或表语时,如果过长,可以把 of 短语移到句首,语气更强。例如:

Of how to protect the rivers and seas from being polluted, the question remains to be settled. 如何保护江河海洋不受污染,这个问题有待解决。

Of the fifty passengers, only three survived. 50 名乘客中,只有三人活了下来。

Of all human inventions in the twentieth century, the spaceship is perhaps the greatest. 在 20 世纪人类的所有发明中,航天飞机也许是最伟大的。

14. I ever shall 结构

ever, certainly, never, once, surely, all 等词,正常位于 be 动词、助动词或情态动词之后,但如果句子以 be 动词、助动词或情态动词结尾,ever 等词要前置。例如:

A: Finished it? 做完了?
B: No, I doubt whether I **ever shall**. 没有,我怀疑是否能完成。

We won't retreat; we never have and **never will**. 我们不后退,我们从来没后退过,将来也决不后退。

This is not really an argument why it could not happen, but rather the expression of a wish that it **never will**! 这其实不是争论它为什么不可能发生,而是表达希望它永不发生!

At that time, I did not consider this a luxury, although today it **certainly is**. 在今天看来这无疑是一种奢望,可是那时的我,却并不以为然。

"Can you swim?" "I **certainly can**." "你会游泳吗?" "我当然会。"

She's out-spoken, which her husband **never is**. 她心直口快,有啥说啥,而她丈夫却不然。

She is influenced by her background but we **all are**. 她受家庭背景的影响,但我们也一样。

None of the people on the list was described as famous, although I think several **surely are**. 这个名单中没有一个是被称为名人的,尽管我觉得其中有些人确实是名人。

A wise man changes his mind, but a fool **never will**. 聪明人会改变主意,但傻子不会。

The rivers and mountains make a vivid picture — what a host of heroes **once were**! 江山如画,一时多少豪杰!

15. "三三两两"应译为 twos and threes, 不可译为 threes and twos

某些习惯说法或短语,汉英表达方式不同,词序先后有异,应尊重习惯表达。例如:

near and far 远近	southeast 东南
northeast 东北	from north to south 从南到北
audio-visual teaching aids 视听教具	sound in mind and body 身心健全
whether rich or poor 不论贫富	young and old/old and young 老少
rain or shine 不论晴雨	food and drink 饮食

look to the right and left 朝左右看看

land and water 水陆

flesh and blood 血肉

look right and left 左顾右盼

north，south，east and west 东西南北

hot and cold 冷热

back and forth 前后

vice and crime 罪恶

back and forth 来回

snow and ice 冰雪

win or lose 无论输赢

to and fro 来回地

（in）black and white 白纸黑字

friend and foe 敌友

aunts and uncles 叔叔婶婶

queen bee 蜂王

life expectancy 期望寿命

town and cities 城镇

track and field 田径

room and board 食宿

silver and gold 金银

sooner or later 迟早

fight north and south 南征北战

workers，young and old 老少工人

bride and bridegroom 新郎新娘

fire and water 水火

weal and woe 祸福

arts and crafts 工艺美术

backwards and forwards 来回地

clean and tidy 整洁

sink or swim 无论成败

go through fire and water 赴汤蹈火

pick and choose 挑挑拣拣

wine and women 花天酒地

profit and loss 损益

eyes and ears 耳目

draft charter 宪章草案

East China 华东

foot and mouth disease 口蹄疫

food，clothing，shelter and traffic 衣食住行

small and medium-sized enterprises 中小企业

old and new cadre/cadre，old and new 新老干部

contradictions between ourselves and the enemy 敌我矛盾

Fire and water have no mercy. 水火无情。The seasons **came and went**. 冬去春来，岁月悠悠。

The marriage will **sooner or later** end in separation if not in divorce. 这场婚姻迟早不是离婚，也得分居。

They ran **to and fro** in the street. 他们在街上跑来跑去。

【提示】英语中几个形容词或名词并列作定语时，孰先孰后有其规律性，译成汉语时，有些需要根据汉语习惯调整顺序。参阅有关章节。例如：

a **long**，**cold** night 一个寒冷的漫漫长夜

a **big tall** policeman 一个身材高大的警察

new advanced technique 先进的新技术

a **new ugly** chair 一把难看的新椅子

a **little brown** bowl 一只褐色的小碗

She cooked a **nice hot** dinner. 她给我们做了热腾腾的美餐。

Frank is a **bright young** engineer. 弗兰克是一个年轻有为的工程师。

It was a **cool moonlit** evening. 那是一个月朗风轻的夜晚。

He met an **old French flower** woman. 他遇见了一位卖花的法国老妪。

He is a **good**，**kind** person at bottom. 他实际上是个热心肠的好人。

A great stream of **black**，**smoking** liquid was rolling down the side of the mountain toward the village. 大股冒烟的黑色熔岩沿着山坡向村子滚滚而来。

二、修辞倒装

1. 当"only＋状语"位于句首表示强调时用倒装，如不在句首或虽在句首但不修饰状语时用正常语序

只有这样我们才能把英语学好。

Only in this way can we learn English well.（倒装）

You can learn English well **only in this way**.（正常）

只有当你获得足够的数据时,你才能得出正确的结论。

Only when you have obtained sufficient data **can you** come to a sound conclusion. (倒装)

You can come to a sound conclusion **only when** you have obtained sufficient data. (正常)

Only after the accident did he become cautious. 只有在那次事故之后,他才谨慎起来。

Only by working hard can one succeed. 只有努力才能成功。

Only thus can we finish the job ahead of schedule. 只有这样我们才能提前完成工作。

Only lately did I see the professor on campus. 只是最近我才在校园里见到这位教授。

Only when one falls ill does one know the value of health. 只有生了病才知道健康的可贵。

Only once have I seen him. 我只见过他一面。

Only now and then could we hear the ringing of the church bells in the far distance. 我们只是偶尔能听到远处教堂的钟声。

Only after the war is over can people there live a peaceful life. 只有在战争结束后,那里的人们才能过上和平生活。

【提示】下面一句不倒装,因为 only 引导的短语不是状语:

Only few of the children haven't yet got a chance of being educated. 只有很少的儿童得不到教育的机会。

2. never 等具有否定意义或否定形式的词或词组居句首时用倒装,不居句首时则用正常语序

这类词或词组常用的有:

never 从不	seldom 很少
rarely 很少	little 一点也不,几乎没有
scarcely 几乎不	hardly 几乎不
not 不,没有	nowhere 没有地方
not often 不经常	not a bit 一点也不
not until 直到……才	still less 更少
on no account 决不	not on any account 决不
hardly...when 一……就	no sooner...than 一……就
on no consideration 决不	neither...(nor) 不……(也不)
in no way 决不	not on one's life 决不
at no time 从不	in no case 决不
by no means 决不	in vain 无效,没有用
not infrequently 经常	not once or twice 许多次
much less 更不能,也不能	in/under no circumstances 决不

not only/merely/alone/simply/but also/also/likewise 不但……而且

Not infrequently does she go downtown. 她经常进城。(=very often)

In no other way can the disease be prevented. 这种疾病,没有任何别的方式能够预防。

Rarely have I seen such a bright moon. 我很少看到这么明亮的月亮。

Rarely does he go to the movies. 他很少看电影。

Not often do they meet. 他们不常见面。

Nowhere in all space or on a thousand worlds **will** there be men to share our loneliness. 空间或无数天体上没有一处会有人存在,能够分担我们的寂寞。

As for what will happen to them, I can not foretell, **much less can** I guarantee. 他们今后的命运,我不能预知,更不能担保。

Little did I know that she had already left. 我一点也不知道她已经离开了。(=I didn't know at all that ...)

Not until I had read the report **did** I understand the true state of affairs. 直到我读了那个报道,才了解到事情的真实状况。

Never should they know what she had suffered. 他们永远也不会知道她遭受了怎样的苦难。

Never before have I seen such a beautiful sunrise. 我以前从没见过这么美的日出。

Very rarely does the temperature go above thirty here. 这里的气温很少有超过 30 度的。

In vain did I try to get Sue to come with us. 我想带苏一起来,但没有成。

Nowhere was the lost car to be found. 丢失的车哪里都找不到。

> 我从未听到过这种胡说!
> **Never in all my life have** I heard such nonsense! (倒装)
> **I have never** heard such nonsense in all my life. (正常)

> 丘吉尔不仅是一位政治家,还是一位作家。
> **Not only was Churchill** a statesman, but also a writer. (倒装)
> **Churchill was not only** a statesman but also a writer. (正常)

> **Not even twenty years ago you could** see this kind of bird living in the wild. 仅仅不到 20 年前,你还能看到野生状态下的这种鸟。(not 否定状语)
> **Not even twenty years ago could you see** this kind of bird living in the wild. 即使是在 20 年前,你也看不到野生状态下的这种鸟了。(not 否定谓语)

【提示】如果放在句首的否定词修饰句子的主语,构成主语的一部分,则不用倒装结构。例如:
Scarcely a drop of rain fell last month. 上个月几乎没下一滴雨。

> **Not a word** was said. 一句话也没说。
> 但:**Not** a word **did** I **say** at the meeting. 我在会上一句话也没说。(not 修饰谓语动词)

3. 英语中有的让步状语从句可用 as, though 等引起的倒装结构表示,其结构一般为"形容词/副词/动词/分词/名词+as/though+主语+谓语";be 用于句首也可以表示让步

Young as she is, she has seen much of the world. 她虽然年轻,却见过很多世面。

Strange though it may appear, it is true. 看起来奇怪,却是真的。

Primary school pupil as she is, she can speak English very fluently. 她虽然还只是个小学生,但英语却说得很流利。

Brilliant as you are, you can't know everything. 不管你有多聪明,也不可能什么都知道。

Beautiful though the necklace is, I don't think it worth the money. 尽管这条项链非常漂亮,但我认为它不值那么多钱。

Much as I'd like to visit the town, I'm afraid it's inconvenient to go there in this hot weather. 尽管我非常想去游览那座小城,但恐怕在这样的热天里去那里不方便。

Try as I might, I could not bring him round. 我虽然作了很大努力,但还是说服不了他。

Detest him as/though we may, we must admire what he has accomplished. 我们可能会讨厌他,但不得不羡慕他的成就。

Woman as she is, she is courageous. 她虽然是女人,却很勇敢。

Brave as he is, he trembles at the sight of a snake. 他虽然勇敢,但看到蛇仍然会发抖。

Be a man ever so rich, he ought not to be idle. 人无论多富有都不该懒惰。(＝No matter how rich a man may be..., ＝However rich a man may be...)

Be he king or slave, he shall be punished. 无论他是国王还是奴隶,都必须受到惩罚。(＝Let him be king or slave...)

He is the happiest, **be he king or farmer**, who finds peace and pleasure in his home. 不管他是国王还是农夫,家庭安宁快乐,就是最大的幸福。

Be you familiar with her or not, you should go to her for more advice. 不论你和她熟悉与否,你都应该去征求她的意见。

Be I worker or teacher, I should do my duty loyally to the country. 不管我是工人还是教师,我都应忠心耿耿地为国尽职。

Be it true or not, I will see myself. 是真是假,我要亲自看看。

比较:

Standing as it does on a hill, the temple commands a fine view. 这寺庙坐落在小山上,风景优美。（原因）

Situated as it was near a market, the house was very quiet. 这房子靠近集市,但很安静。（让步）

Young as she was, she was equal to the task. 她虽然年轻,却胜任这项工作。（让步）

Young as she was, she was not equal to the task. 因为年轻,她胜任不了这项工作。（原因）

▶▶▶ 下面一句的倒装结构表示原因:

Living, as I do, so remote from town, I rarely have visitors. 因为住的地方离城很远,我少有访客。

【提示】

① that 引导原因状语从句居句首时,从句中的表语要求倒装。例如:

Coward that he was, he ran back as soon as the enemy attacked. 他是个懦夫,敌人一进攻他就吓跑了。

② as,though,that 引导的让步状语从句中,表语居句首时,若主语是名词,主语可以倒装,也可以不倒装。例如:

Terrible as was the snowstorm, he continued his way. 尽管暴风雪很大,但他仍然继续赶路。

4. 为加强语气,"so/such...that"结构中的 so 或 such 位于句首时用倒装;to such a degree/ an extent, to such lengths 等介词短语位于句首时也要用倒装

他走得非常快,我们无人能跟得上。

So fast did he walk that none of us was his equal.（倒装）

He walked **so fast that** none of us was his equal.（正常）

爆炸的力量很大,把所有的窗户都震破了。

Such was the force of explosion that all the windows were broken.（倒装）

The force of explosion **was such that** all the windows were broken.（正常）

So dark was it that he couldn't see the faces of his companions. 天这么黑,他看不见同伴的脸。

To such lengths did he speak that everyone got bored. 他讲了很长时间,大家都厌倦了。

5. 为使句子平衡、上下文衔接或强调用倒装

１ 主语较长,为使句子平衡或强调,倒装表语;动词的-ed 形式或-ing 形式置于句首,主语是名词时,常要倒装表语

On the floor were piles of books, magazines and newspapers. 地板上是一堆堆的书、杂志和报纸。

Gone are the days when my heart was young and gay. 那快乐的年轻时光一去不复返了。

Higher up were forests of maple trees. 上面那里是枫树林。

Right above their wedding date was another name and date: Elizabeth, October 22, 2010. 就在他们结婚日期上方还写着一个名字和一个日期:伊丽莎白,2010 年 10 月 22 日。

Sitting on a grassy grave, beneath one of the windows of the church, **was** a little girl. 在教堂的一扇窗下长满绿草的坟堆上,坐着一个小女孩。

Below the window were several melon stalls, and **above them was** the Telecom Tower with a big clock on top of it. 窗口下,有几个卖西瓜的摊点,在他们的头顶上方,是电信塔楼和城市报时钟。

In the centre of the campus was a newly-built fan-shaped fountain. 校园的中心地带是一个新修的扇形喷泉。

In front of the window was a skinny boy around nine years old, his nose pressed against the glass. 窗前站着一个约莫九岁光景的瘦小男孩,鼻子紧贴玻璃。

Green and green are the willows on the ferry. 渡头杨柳青青。

There in a department-store window were two electric trains chugging through a snow-covered town. 在一家百货商店的橱窗里,有两列电动火车正在一座白雪覆盖的城里喀喀嚓嚓地行驶。

Around the pond, near and far, high and low, **are** trees. 池塘的四面,远远近近,高高低低都是树。

Green are the clouds in the sky and **faded are** the leaves on the ground. 碧云天,黄叶地。

Inside were four men, one of whom ordered him to lie down on his back. 里面有四个人,其中一人命令他仰面躺下。

In cherry valley were hills and trees, trickling streams and small pools. 樱桃谷有山,有树,有潺潺

的溪流和涓涓的山涧。

Great was his surprise when he heard the news. 他听到这个消息时大为吃惊。

Sitting in the armchair is an old man in his eighties. 坐在手扶椅里的是一位八十多岁的老人。

To be particularly considered are the following questions. 需要特别考虑的是下列问题。

Seated on the ground were a group of students playing guitars. 坐在地上的是一群弹吉他的学生。

Pasted on the seat was a note, which said "Occupied". 位子上贴着一张条子，上面写着"预留位置"。

Hanging on the west wall are a group of pictures by Van Gogh. 挂在西墙上的是一组凡·高的画。

Happy are those who are contented. 知足者常乐。

Happy is he who has a sound mind in a sound body. 身体健康、心智健全的人是幸福的。

Blessed are the pure in heart, for they shall see God. 心地纯洁的人有福了，因为他们能看见上帝。

Stretched between them was a large Chinese flag. 他们之间展开一面巨大的中国国旗。

Closely related with this is the capacity to be tolerant of the weaknesses and immaturity of human nature which induce people to make mistakes. 与此密切相关的，是能够宽容人性的弱点和不完美，正是这些弱点和不完美，才使得人们犯错误。

Tired enough were the mountain-climbers. 登山的人都够累的了。

At the top of the list is the notion that intelligence is measured by your ability to solve complex problems. 位居榜首的是这样一种理念：才智是解决复杂问题的能力。

2 主语较长，为使句子平衡、顺畅或强调，倒装状语

In the middle of the garden stands a red-brick house, and **at the back of the house runs** a small stream lined by trees. 花园当中是一所红砖房子，房后有一条小溪，两岸树木繁茂。

Through the open window came in the moonlight and the chirping of autumn insects. 透过敞开的窗户，月光洒了进来，飘来了秋虫的唧唧声。

The door opened and **out of it came** a girl with a rosy face. 门开了，走出一个面色红润的姑娘。

By his side sat the faithful pet dog. 在他身旁蹲着他的忠实爱犬。

At the back of the village flows a murmuring stream. 村后流淌着潺潺溪水。

Around the corner from the cherry orchard stood a decaying church. 绕过樱桃园，是一座破败了的教堂。

Before her eyes unfolded row upon row of careful writing. 一行行隽秀的字跳入她的眼帘。

Through the smoky rain rushed a green bicycle with a big bag slung over the cross bar. 烟雨中，冲出一辆绿色的自行车，车梁架上拴着个大布袋。

In the country, close by the highway, stood a farmhouse. 在乡下靠近公路的地方，有一处农舍。

Far away in the meadow gleams the silver stream. 在远处的草地上，银色的小溪闪闪发光。

Through the door came an old French flower woman. 从前门进来一位卖花的法国老妪。

From the valley came the tuneful sound of birds. 从山谷中传来了悦耳的鸟鸣声。

Round and round and round went the big wheel. 那个大轮子转呀，转呀，转个不停。

Upright stand the bamboos on the steep cliff. 在陡峭的悬崖上竹子傲然顶立。

In the doorway lay at least twelve umbrellas of all sizes and colors. 门口放着一堆雨伞，少说也有十一二把，五颜六色，大小不一。

From near, then far comes the tragic sound of a flute. 远近有凄凉的笛声。

A short way off stood the dining hall, where I found a tree bearing snow-white blossoms. 再往前走不远就是餐厅，那儿有一株美丽的树，开着雪一样白的花儿。

Near the opening to a large forest lived a woodcutter with his wife. 通向一片大树林的空地附近，住着一位樵夫和他的妻子。

There, in the west, lies the answer — cloud has piled on cloud to form a ridge of white towers. 原来答案就在西边天际，云层重重叠叠，就像一排白塔。

In the middle of all this sat my mother, now retired, and I. 如今已经退休的母亲和我就坐在这群人中间。

At the edge of the forest stood a small inn half hidden by the trees. 森林的边上有一家小旅馆，半隐在树丛中。

In the far distance was seen green pastures rolling away to the sea. 远远的地方，可以看到绿油油的牧场绵连起伏，一直到海边。

3 倒装宾语以求强调

This I'll never forget. 这件事我将永世不忘。

What man has done man can do. 前人所能做的，后人也能做。

What he gave his mind to he mastered. 他用心学什么，就能精通什么。

Every word he spoke to her, she felt as an insult. 他对她说的每一个字，她都认为是侮辱。

What he did I cannot imagine. 我想象不出他做了什么。

What you cannot afford to buy, do without. 你买不起的东西，就不要买。

What will be the outcome, no one can tell. 后果会怎样，没人知道。

The past one can know, but **the future** one can only feel. 一个人可以明知过去，但只能体悟未来。

Those books you may sell, but **this one** I'll keep all my life. 那些书你可以卖掉，但这本书我将终身保存。

Three things man cannot live without — air, food and water. 有三样东西，人不可或缺——空气、食物和水。

Many good suggestions did the guests make to better the service here. 客人们就改善这里的服务提出了许多很好的建议。

Upon the education of the people of this country the fate of this country depends. 这个国家的命运取决于这个国家全体国民所受的教育。（连同介词前置）

Upon your courage and conduct rest the hopes of our bleeding and insulted country. 我们正在流血受辱的祖国寄希望于你们的勇敢和战斗。

For this, I am forever grateful. 为此，我一辈子都感激不尽。

The company has asked me to resign. **That** I will never do. 公司要求我辞职，我决不会答应。

Whether it is true or not, I don't care. 这是真是假，我并不在乎。（被前置的宾语后加逗号）

A lot of good it did them. 这使他们受益良多。

Angels they are like. 他们真像天使啊。

Such a life she lived. 她过的就是这样一种生活。

A scornful laugh laughed he. 他轻蔑地笑了笑。

【提示】宾语补足语也可倒装置于句首，表示强调。例如：

Monitor we all made him. 我们都选他当班长。

Selfish does our life make us. 生活使我们变得多么自私。

4 状语置于句首，表示特别强调（参阅上文）

Here and there I saw snakes. 我到处看到蛇。

Then he was dean of the English Department. 那时他是英语系的系主任。

Sometimes I strolled around the park for the whole afternoon. 有时候，我整个下午都在公园里转悠。

Merrily the stream ran down among the rocks. 小溪欢快地在岩石间流淌。

For ten days he lay hidden in the cave. 他在洞穴中藏了十天。

To me it's the best choice. 对我来说这是最好的选择。

On top of the hill we got caught in a rainstorm. 在山顶上，我们遇上了暴风雨。

In many ways, she reminded Sam of his mother. 在许多方面，她都使萨姆想起母亲。

A long way Mac's still got to go before he'll make a manager. 想当上经理，那人仍有很长的路要走。

One way or another we must start our own business. 无论如何我们得开办自己的公司。

In this way these vegetables can be cooked better. 用这种方法，这些蔬菜可以烹制得更好。

Without her I should not have managed it. 没有她，我是做不成这事的。

With them she was selfless. 对待他们，她是无私的。

For a lot time he buried himself in his studies. 大部分时间他都埋头于学习。

For miles and miles，we saw nothing but trees. 绵延数英里，我们所见都是无边无际的树。

For her，it was all over. 对于她，一切都结束了。

Very，very slowly he began to crawl towards the bridge. 很慢，很慢地，他朝那座桥爬去。

Long I lived a checked life and now I return to nature and freedom. 久在樊笼里，复得返自然。

My parents insisted upon college instead of a conservatory of music, and **to college** I went — quite happily. 父母坚持要我上大学，不准我进音乐学院，我也就上了大学，当时还很高兴。

On and on and on and on he strode, far out over the sands, singing wildly to the sea. 向前、向前、向前、向前，他大步走向前，穿过沙滩走向远处，朝着大海尽情歌唱。

Long, long she suffered his gaze and then quietly withdrew her eyes from his and bent them towards the stream. 她久久久久地默认了他的凝视，后来平静地从他的目光里移开，转向溪流。

Here and there I saw ants. 我到处看到蚂蚁。

A long way this goes towards solving the problem. 这样做，大大推动了问题的解决。

Into the forest of pines the moon sheds her lights；**over the glistening rocks** the water glides. 明月松间照，清泉石上流。

比较：

> **With no coaching she will** pass the entrance examination. 没有任何辅导，她也会通过入学考试的。（附加问句用 won't she?）
>
> **With no coaching will she** pass the entrance examination. 给她下多大工夫辅导，她也不会通过入学考试的。（＝She will not pass the entrance examination. 附加问句用 will she?）

5 倒装，为使句子与上下文衔接紧密

(Almost reluctantly she tore the envelope open.) **Folded in the card was a piece of paper. Written on the card was a message** under the printed Happy Birthday…（她几乎带有几分勉强撕开了信封。）只见生日贺卡里夹着一张折起来的纸页。贺卡上印有"生日快乐"的字样，下面写着一句附言……

For the island is rich with historic associations and **over it broods always the enigmatic memory of Tiberius the Emperor**. 因为这个岛上尽是能够勾起你联想的历史遗迹，总叫你想起提比略大帝的神秘故事。

He was a bachelor when I first knew him and **a bachelor** he remained after all these years. 我最初认识他时他是个单身汉，过了这么多年他还是个单身一人。

He only marked twenty-five exam papers the whole morning. **The rest of the papers** he decided to mark in the evening. 整个上午他才评阅了 25 份考卷，其余的考卷他打算在晚上评阅。

【提示】前一句中所讲的内容以替代词的形式出现在后一句的句首，用倒装形式，并常以 rather, yet, especially 等开头，以引起注意，并使前后两句在意义上的关系更加清楚。例如：

Her book is not a biography in the ordinary sense; rather **is it** a series of recollections. 她的书不是正常意义上的传记，而是一组回忆。

6 用代词复指句中的某个成分，表示强调

这种结构中，由代词指代的成分常后置，也可前置，形成倒装。例如：

Almost **all of them** came back finally, **those that left**. 那些离开过的人们，最终都回来了。

I wish to see **you** famous and almost famous, **wayfarers on this planet**. 这星球上的芸芸过客们，我盼你们不久就功成名就，或近乎功成名就吧！

It's a sign of aging, **always to be thinking** of the past. 老是沉湎于回忆往事是衰老的迹象。

All that time my father spent away from home when I was little, I got it all back. 我小时候爸爸离家奔波的全部时间我都补了回来。

When **they**'d washed up the supper dishes they went out on the porch, **the old man and the bit of a boy**. 吃好晚饭，洗好盘子，一老一少来到了门廊上。

That woman I thought you told me, you were never going to see **her** again. 我想你告诉过我那个妇

女的情况,你将永远不会再见到她了。

7 谓语部分全部倒装,位于句首,表示特别强调(参阅上文)

Naked come I into the world, and **naked must** I go out. 赤条条来,赤条条走。

Above are the snow peaks. 头顶上是积雪的群峰。

Out would step to join the procession the farmer and his family in their Sunday clothes, neat, dark and silent as if they were going uphill to church. 庄稼汉和一家大小个个衣着光鲜,干净整洁,默默无声,三脚两步出来加入人群行列,仿佛是上山去做礼拜一般。

8 表语、反身代词置于句首,表示特别强调

Terribly boring the man really is. 那人极讨人厌。

Myself, I wouldn't do such a thing. 我自己是不会做这种事的。

9 较长的宾语置于状语后

The railway workers received for dinner **nothing but thin gruel and wild fruits**. 铁路工人们吃的只有稀稀的粥和野草。

10 较长的宾语置于宾语补足语后

Many people consider impossible **what really is possible**. 许多人都把可能的事当成了不可能。

Looking in through the window, the policeman saw lying dead on the floor **a woman and a boy, eyes wide open**. 从窗口望去,警察看见地板上躺着一个妇女和一个男孩,已经死了,眼睛睁得大大的。

11 较长的定语后置

What a vivid description she gave us **of the birds, flowers and animals she saw on the island, in the Pacific Ocean**! 她给我们多么生动地描绘了她在太平洋中的那座岛上所见到的各种鸟儿、花儿和动物啊!

【提示】有多个形容词修饰某个名词时,可以用一个作前置定语,而将其他的置于名词后。例如:

He stared at the still water, **clear and clean**. 他看着那静止的水,清清的,很洁净。

Before me lay a vast forest, **dark, deep and mysterious**. 在我的面前是一片无垠的森林,又黑又深,神秘得很。

6. 为了生动地描写动作, in, out, away, up, down, off 等副词或拟声词可以放在句首倒装

Away flew the bird! 鸟扑地一声飞跑了!(陈述句:The bird flew away.)

Down went the boat! 船沉了!(陈述句:The boat went down.)

Off went Jack! 杰克去了!(陈述句:Jock went off.)

Out rushed a missile from under the bomber. 一枚导弹从轰炸机下唰的一声射了出去。

Up shot the rocket into the air. 嗖的一声火箭上了天。

Down fell the stone with a crash. 哗啦一声石头落了下来。

Up went the elevator to the eighteenth floor. 电梯直上 18 楼。

Soft went the music. 轻轻地,音乐声起,若有似无。

Quack! Quack! **Out fluttered** into the air several grey-feathered ducks from among scattered reeds. "吱嘎——嘎嘎",几只羽毛灰麻麻的水鸭子从疏落的芦荻中飞了起来。

Out sprang the sparrow. 那只麻雀突然跳了出来。

Down fell a few pears. 突然掉下来几个梨子。

Up went the prices again! 又涨价了!

Up and away flew the bird! 那鸟一下飞走了!

Down came the rain and **up went** the umbrellas. 下雨了,伞都撑了起来。

Down came the hammer and **out flew** the sparks. 铁锤一落,火星四溅。

"Quack!" came the cry of a startled water bird. "嘎——"传来一声水禽被惊动的叫声。

The door of the car swung open and **out stepped** a middle-aged man. 汽车门打开了,走出来一位中年人。

All at once, as with a sudden smile of heaven, **forth burst** the sunshine, pouring a very flood into the obscure forest and gladdening each green leaf. 片刻间,天空仿佛绽开了笑脸,道道光柱照亮

了阴暗的森林,片片绿叶都显得生机勃勃。

Bang,bang,bang came three reports of firecrackers. 砰! 砰! 砰! 三声炮响。

【提示】上述结构若主语为代词,则用正常语序。例如:

Away **they went.** 他们走了。(陈述句:They went away.)

Over **it turns!** 它翻过来了!(陈述句:It turns over.)

Away **they went,** helter-skelter, yelling-screaming. 他们慌慌张张,大喊大叫地逃走了。

7. 在比较状语从句和方式状语从句中用倒装

在复合句中,than 或 as 引导的分句,如果谓语动词省略或表语省略,且是两个句子的主语相比较时,要用倒装,助动词放在主语前。这种倒装也可以看作是为了强调主语。例如:

She works as hard **as does anyone else** in the factory. 她像工厂里任何其他人一样努力工作。

John will give you more **than will Jack.** 约翰给你的将比杰克多。

He is as responsible a man **as are you.** 他像你一样地负责任。

He travelled a great deal as **did most of his friends.** 他到过很多地方旅行,他的多数朋友也是这样。

Harry is unusually tall,as **are his brothers.** 哈里的个头特别高,他的兄弟们也都是高个子。

He was honest and diligent,**as were most of his classmates.** 他诚实且勤奋,他的大多数同学也都是这样。

He believed,**as did the whole class,** the window had been broken the night before. 他相信,全班人都相信,窗户是前天晚上打破的。

Flying demands a much greater supply of energy **than do most other forms of transportation.** 飞行比大多数其他交通工具需要更多的能量。

I spend less **than do most of them.** 我花费的比他们大多数人都少。

【提示】注意下面两句:

In winter, the closer to the North Pole, the shorter **is the day.** 冬季里越靠近北极白天就越短。

He left the office without saying a word **more** to the boss. 他没有再同老板多说一句话离开了办公室。

= He left the office without saying a word **more than** he had said to the boss.

8. 名词、形容词+that+主语和 be

这种倒装结构可以表示感叹、评论等,有很强的强调意味。例如:

Oh,**miserable,unhappy** that I am! 啊,我是多么凄惨,多么不幸!

Beast that I was, to trust him! 我真是混蛋,竟相信他!

You recovered the estate easily enough then,**robber and rascal** that you are. 那么你轻而易举地弄回了这份产业,你真是个强盗,是个无赖。

9. 在宾语从句为直接引语的句子里,若全部或部分直接引语位于主句之前常用倒装;若作宾语从句的直接引语置于主句之后则用正常语序

"救命! 救命!"孩子喊道。

"Help! Help!" **shouted the boy.** (倒装)(也可说 the boy shouted)

The boy shouted,"Help! Help!"(正常)

杰克说:"我相信你是对的。"

"I am sure," **said Jack,**"you are right."(倒装)(也可说 Jack said)

Jack said, "I am sure you are right."(正常)

"No sir," **replied the girl,**"I want to go home." "不,先生,我要回家去。"那女孩回答道。(也可说 the girl replied)

"I can't do it," **he had said.** "我做不了这个。"他说。(有助动词时不可倒装)

10. 某些习惯说法中用倒装

How **goes it** with you? 你好吗?(=How are you?)

How **came it** that she knew the secret? 她怎么会知道那个秘密的?(=How did it come that...)

What **mattered it**? 这有什么关系?

What **care I**? 关我什么事?

What **signifies it**? 这是什么意思?

11. not it 结构

在否定回答中，not 有时放在主语前面。例如:

"Will it rain?" "**Not it**." "会下雨吗?" "不会。" (＝It will not rain.)

"Are you ready?" "**Not I**." "你准备好了吗?" "我没有。" (也可用 me)

"I think you can come tomorrow." "**Not we**." "我想你们明天能来。" "我们不能来。" (也可用 us)

【改正错误】

1. — Is <u>everyone</u> here?
　　　　 A

— <u>Not yet</u>... Look, there <u>comes</u> the rest of <u>our guests</u>!
　　 B　　　　　　　　　　 C　　　　　　　 D

2. <u>Not until</u> he left his home <u>he began</u> to know <u>how</u> important the family was <u>for him</u>.
　　 A　　　　　　　　　 B　　　　　　　 C　　　　　　　　　　　　 D

3. We <u>laugh at</u> jokes, <u>but</u> seldom <u>we think</u> about <u>how</u> they work.
　　　 A　　　　　 B　　　　 C　　　　　 D

4. At the meeting place of the Yangtze River <u>and</u> the Jialing River <u>Chongqing lies</u>, <u>one</u> of the ten
　　　　　　　　　　　　　　　　　 B　　　　　　　　　　　 C　　　 D

largest cities in China.

5. <u>For a moment</u> nothing <u>happened</u>. Then <u>did voices come</u> all shouting <u>together</u>.
　　 A　　　　　　 B　　　　　　 C　　　　　　　　　 D

6. The computer was used <u>in teaching</u>. <u>As a result</u>, not only <u>was saved teachers' energy</u>, but students
　　　　　　　　　 A　　　　　　 B　　　　　　 C

became more <u>interested</u> in the lessons.
　　　　　 D

7. <u>So sudden</u> the attack <u>was</u> that the enemy <u>had</u> no time <u>to escape</u>.
　 A　　　 B　　　　　　　 C　　　　　　 D

8. Unsatisfied <u>though was he</u> <u>with</u> the payment, he took the job <u>just</u> to get some <u>work experience</u>.
　　　　　　 A　　　 B　　　　　　　　　　　　 C　　　　　　 D

9. It was announced <u>that</u> only when the fire was <u>under control</u> the residents would be <u>permitted</u> to
　　　　　　　 A　　　　　　　　　　 B　　　　　　　　　　　 C

return to their <u>homes</u>.
　　　　　 D

10. Bill wasn't happy <u>about</u> the <u>delay</u> of the report <u>by Jason</u>, and <u>either was I</u>.
　　　　　　　 A　　　 B　　　　　　　 C　　　　　 D

11. Only if you eat the <u>correct</u> foods <u>you will</u> be able to <u>keep fit</u> and stay <u>healthy</u>.
　　　　　　　　 A　　　　 B　　　　　　 C　　　　　 D

12. — How was the <u>televised</u> debate last night?
　　　　　　　　 A

— <u>Super</u>! Rarely a debate <u>attracted</u> so much <u>media</u> attention.
　 B　　　　　　 C　　　　　 D

13. Little <u>he realized</u> that we were watching his <u>every move</u>, <u>so</u> he seemed to be <u>going his own way</u> in
　　 A　　　　　　　　　　　 B　　 C　　　　　　　 D

his business.

14. <u>Strange as might it sound</u>, his idea was <u>accepted</u> by all the <u>people</u> at the <u>meeting</u>.
　　　　 A　　　　　　　　　　 B　　　　　 C　　　　 D

15. I have <u>been living</u> in the United States for twenty years, but seldom <u>I have</u> felt <u>so lonely</u> <u>as now</u>.
　　　　 A　　　　　　　　　　　　　　　　　　　 B　　　 C　　　 D

16. Never <u>in my widest dreams</u> <u>I could</u> imagine these people are living <u>in</u> such poor <u>conditions</u>.
　　　　 A　　　　　 B　　　　　　　　　　　　 C　　　　 D

17. <u>Just by</u> <u>keeping down</u> costs will Power Data hold its <u>advantage</u> over <u>other</u> companies.
　 A　　　 B　　　　　　　　　　　　　　 C　　　 D

18. I've tried <u>very hard</u> to <u>improve</u> my English. But by no means <u>the teacher is satisfied</u> with my
           A   B   C

<u>progress</u>.
  D

19. <u>A quiet student</u> as he may be, he talks <u>a lot</u> about his <u>favorite</u> singers <u>after class</u>.
       A   B   C   D

20. In the dark forests <u>many lakes lie</u>, some large <u>enough</u> to <u>hold</u> several <u>English towns</u>.
                    A   B   C   D

21. — Father, <u>you promised</u>!
               A

   — Well, <u>so did I</u>. But it was you <u>who</u> didn't <u>keep your word</u> first.
          B   C   D

22. Two hours <u>away from</u> the <u>center</u> of New York <u>some of the world's largest bears live</u>.
          A B   C   D

23. Nowhere <u>else</u> in the world <u>enjoy you</u> can more attractive scenery that <u>in Wales</u>.
     A   B   C   D

24. In no country <u>other than</u> Britain, <u>as is often said</u>, <u>one can</u> experience four seasons <u>in a day</u>.
             A   B   C   D

25. Not only <u>can travel</u> give people relaxation <u>and pleasure</u>, but <u>can it</u> increase their knowledge
          A   B   C

<u>of any kind</u>.
   D

26. Autum <u>coming</u>, down do the <u>leaves fall</u>. And soon the trees will <u>become bare</u>.
    A   B   C   D

27. My parents do <u>leave</u> lots of food and money the other day <u>to make sure</u> I don't starve; <u>so starving</u>
              A   B   C

<u>is the least of</u> my worries.
     D

28. <u>As far as</u> I'm <u>concerned</u>, education is <u>about</u> learning and the more you learn,
    A   B   C

<u>the more for life you are equipped</u>.
         D

29. <u>Too much</u> homework did we <u>have to do</u> that we had no time <u>to take a rest</u>.
    A   B   C   D

30. <u>Of the making of good books there is</u> <u>no end</u>; neither <u>there is</u> any end to their influence <u>on</u> man's
 A   B   C   D

lives.

【答案】

1. C(come)   2. B(did he begin)   3. C(do we think)   4. C(lies chongqing)

5. C(came voices)   6. C(was teachers' energy saved)   7. B(was the attack)

8. A(though he was)   9. C(would the residents be permitted)   10. D(neither was I)

11. B(will you)   12. C(did a debate attract)   13. A(did he realize)

14. A(Strange as it might sound)   15. B(have I)   16. B(could I)

17. A(Only)   18. C(is the teacher satisfied)   19. A(Quiet student)

20. A(lie many lakes)   21. B(so I did)   22. D(live some of the world's largest bears)

23. C(can you enjoy)   24. C(can one)   25. C(it can)   26. C(fall the leaves)

27. A(did leave)   28. D(the more equipped for life you are)   29. A(So much)

30. C(is there)

第二十一讲　附加疑问句(Tag Question)

　　附加疑问句也称为"反意疑问句",可以表示真实的疑问,也可以表示说话者的某种倾向、强调或反问。附加疑问句有前后两个部分,一般而论,若前一部分为肯定式,后一部分一般用否定式;若前一部分为否定式,后一部分一般用肯定式。

一、陈述句谓语动词为 have 的附加疑问句

1. 当 have 作"有"解时,可以有两种形式

　　He hasn't any sisters, **has he?**
　　He doesn't have any sisters, **does he?** 他没有姐妹,是吗?

　　She **doesn't have** a lot of money to spare, **does** she? (不可用"has she?",因为前面用的是"doesn't")

2. 当 have 作"经历,遭受,得到,吃"等解时,疑问部分只用 do 的适当形式

　　You all had a good time, **didn't** you? 你们都玩得很好,是吗?
　　He often has colds, **doesn't** he? 他经常患感冒,是吗?
　　They had milk and bread for breakfast, **didn't** they? 他们早餐喝牛奶吃面包,是吗?

3. 当陈述句谓语动词含有 have to, had to 时,疑问部分用 do 的适当形式

　　have got to 虽同 have to 含义相同,但疑问部分要用 have 的适当形式。例如:
　　I have got to explain the situation to them, **haven't I?** 我得把情况向他们介绍一下,是不是?
　　We have to get there at eight tomorrow, **don't** we? 明天我们必须8点到达那里,不是吗?
　　They had to take the early train, **didn't** they? 他们要赶早班火车,不是吗?

二、其他类型的附加疑问句

1. 当陈述句谓语动词为系动词、助动词、情态动词时,疑问部分要重复这些动词

　　He is a teacher, **isn't he?** 他是一位教师,不是吗?
　　There won't be any concert this Saturday evening, **will** there? 本星期六晚上没有音乐会,是吗?
　　You can solve the problem, **can't** you? 你能解决这个问题,不是吗?
　　I am very busy, **aren't/ain't** I? 我很忙,不是吗?
　　I am a middle-school student, **am I not?** 我是一个中学生,不是吗?

▶▶▶ 陈述句若是 I am ... 结构,疑问部分要用 aren't I, ain't I 或 am I not (正式),而不用 an't I 或 am not I。

2. need 和 dare 既可以用作情态动词,又可以用作行为动词,要注意它们在附加疑问句中的区别

　　You needn't hand in your paper, **need** you? 你不需要交出论文,是吗?
　　He doesn't need to go there, **does** he? 他不必去那里,是吗?
　　He dare do it, **daren't** he? 他敢做这件事,不是吗?
　　He doesn't dare to ask the teacher, **does** he? 他不敢问老师,是吗?

3. 当陈述句谓语部分含有 used to 时,疑问部分可用 didn't, usedn't 或 usen't

　　但是,如果是 there used to be ... 句型,附加疑问句用 wasn't/weren't there。例如:
　　He used to get up early, **usedn't/usen't** he?
　　He used to get up early, **didn't** he? 你过去起床早,不是吗?
　　There used to be a peach tree in the garden, **wasn't there?** 从前这园子里有一棵桃树,是吗?

4. 谓语部分含有 had better，would rather，would like，ought to 的陈述句的附加疑问句形式

You'd better go now，**hadn't** you？你最好现在走，不是吗？

You'd rather go there early，**wouldn't** you？你最好早些去那里，不是吗？

He'd like to go，**wouldn't** he？他要走，是吗？

She ought to go by plane，**shouldn't**/**oughtn't** she？她应该乘飞机去，不是吗？

【提示】当陈述句的助动词为 ought to 时，附加疑问句的谓语形式有两种：ought you（oughtn't you）或 should you（shouldn't you）。此外，在上述附加疑问句中，要格外注意区别简略形式：'d＝had 或 would。you'd better 引起的附加疑问句用 hadn't you，而 you'd rather 和 you'd like 引起的附加疑问句用 wouldn't you。例如：

He'd rather listen to others than talk himself，**wouldn't** he？（不可用 hadn't he？）

5. 当陈述句中的谓语动词是表示愿望的 wish 时，附加疑问句的谓语要用 may，而且前后两个部分均用肯定式

I wish to go home now，**may** I？我想现在回家，行吗？

I wish not to be disturbed in my work，**may** I？希望我的工作不受干扰，行吗？

6. 当陈述句中的主语为 this，that，everything，anything，something，nothing 等时，附加疑问句的主语用 it

Everything is all right，**isn't it**？一切正常，不是吗？

Nothing can stop us now，**can it**？现在没有任何东西可以阻挡我们，是吗？

7. 当陈述句中的主语为 anybody，anyone，everybody，everyone，somebody，someone，nobody，no one，these，those 等时，附加疑问句中的主语用 they

Everyone knows the answer，don't **they**？人人都知道答案，不是吗？

Nobody says a word about the incident，do **they**？对于这场事故人们守口如瓶，是吗？

No one wants to go，do **they**？没有人想走，是吗？

Everybody has arrived，haven't **they**？人人都到了，是吧？

【提示】陈述句主语为 such 时，附加疑问句的主语单数用 it，复数用 they。例如：

Such is his trick，isn't **it**？这就是他的鬼把戏，是吧？

Such are your excuses，aren't **they**？这些就是你的借口，是吧？

8. 含有宾语从句的主从复合句的附加疑问句

若陈述句为含有宾语从句的主从复合句，主句的主语不是第一人称，附加疑问句的谓语动词和主语代词一般同主句的谓语动词和主语保持一致。但是，若陈述句为"I/we（don't）think，believe，suppose，figure，assume，fancy，imagine，reckon，expect，seem，feel，bet 等表示想法、意见、猜测的动词＋宾语从句"，附加疑问句的谓语动词和主语应同宾语从句的谓语动词和主语保持一致，如果主句是否定式，附加疑问句要用肯定式，反之亦然。例如：

He never **said** she would come，**did he**？他从未说过她要来，是吗？

You never **told** us why you were late for the last meeting，**did you**？你从未告诉过我们你上次会议迟到的原因，是吗？

I don't think **he can** finish the work，**can he**？我认为他无法完成这项工作，不是吗？（＝I think he can't …）

I don't believe **she knows** it，**does she**？我认为她不知道这件事，是吗？（＝I believe she doesn't …）

I didn't expect that **she would** come，**would she**？我想她不会来，她会吗？（＝I expected she wouldn't …）

I imagine（that）**she doesn't care**，**does she**？我认为她不会在意，她会吗？

I suppose **Henry's singing**，**isn't he**？我猜亨利在唱歌，是不是？

比较：

> I think you'll come to the meeting，**won't you**？（附加疑问句的主语和谓语同宾语从句的主语和谓语一致，因为主句是"第一人称单数 I＋［don't］think 等动词"）
>
> Mary thinks you'll come to the meeting，**doesn't she**？（主句的主语不是第一人称时，附加疑问句的主语和谓语要同主句的主语和谓语一致）

You don't think she is more anxious to go there than others, **do you**? 你认为她不比别人更渴望去那里,是吗?

We had never thought she would play so well in the match, **had we**? 我们从没想到她在比赛中能发挥得这么好,是不是? (主句的主语虽是第一人称,但谓语不是一般现在时或一般过去时,附加疑问句中的主语和谓语要同主句的主语和谓语一致)

【提示】

① 在"It doesn't seem that+句子"等类似结构中,附加疑问句的主语和谓语要同从句的主语和谓语保持一致。例如:

It doesn't seem that he can get it, **can he**? 他好像得不到它,是不是?

It seems that he is the right person for the job, **isn't he**? 他好像是做这项工作的合适人选,不是吗?

② 实际上,语言的运用是十分灵活的,有时并不拘泥于某些规则,比如,即使主句不是 I believe 之类的句子,附加疑问句也有同从句主谓语一致的现象。例如:

She says **he has read** the book, **hasn't he**? 她说他读过那本书,是不是?

The most urgent thing is that **we should** send them clothes to pass the winter, **shouldn't we**? 最紧迫的是我们要给他们送去衣服过冬,是不是?

9. 含有主语从句和表语从句的主从复合句的附加疑问句

如果主语从句或表语从句由 whether, if, who, what, which, where, how, when 等引导,附加疑问句应对应于主句;但要注意,如果主语是从句(主语从句),其后附加疑问句的主语要用 it。例如:

What he lacks is courage, **isn't it**? 他缺乏的是勇气,不是吗?

Things were not as you imagined, **were they**? 情况不是你想象的那样,不是吗? (表语从句)

How you will handle the matter is for you to decide, **isn't it**? 怎样处理这件事由你自己决定,不是吗?

That's where you are wrong, **isn't it**? 你错就错在那里,不是吗? (此结构的 this 和 that 均要用 it 替代)

It isn't surprising that he was the only man qualified for the job, **is it**? 他是唯一称职做那项工作的人,这并不使人惊奇,不是吗?

Whether or not she will take up the job is up to her parents, **isn't it**? 她是否接受这项工作由她父母决定,是不是?

10. 如果陈述句中出现表示否定意义的词,如 few, hardly, little, never, no one, nobody, nothing, rarely, scarcely, seldom, nowhere 等时,附加疑问句要用肯定式

He has **few** good reasons for staying, **has he**? 他没有什么理由留下来,是吗?

She **hardly** writes to you, **does she**? 她很少给你写信,是吗?

【提示】

① 如果陈述句的否定词仅带有否定前缀(un-, il-等)或否定后缀(-less),附加疑问句要用否定式。例如:

The man is **careless**, **isn't** he? 那人粗心,不是吗?

The medicine is **useless**, **isn't** it? 这种药没有用,是吗?

The driver was **uneasy** about the icy roads, **wasn't** he? 司机对道路结了冰感到不安,不是吗?

② 如果陈述句中的谓语仅是含有否定意义的动词,附加疑问句要用否定式。例如:

She **failed** to obtain a scholarship, **didn't** she? 她没能获得奖学金,是吗?

11. 祈使句的附加疑问句一般只用肯定式

1 let's 引导的祈使句,其附加疑问句一般用"shall we"

Let's have a meeting, **shall we**? 我们开会吧,好吗?

2 由动词原形引导的祈使句或 let us(不是 let's)引导的祈使句,其附加疑问句一般用"will you"

Read the text, **will you**? 请读课文,好吗?

Let us go home, **will you**? 我们回家吧,好吗?

【提示】

① let us 不是 let's, let us 是请求对方"让我们……",意为"you let us"。再如:

Let him go with you, **will you**? 让他跟你一道走,好吗?

② 为使祈使句听起来比较婉转、客气,还可以用 would you, won't you, can you, could you, can't you 等。例如:

Open the window, **won't you**? 请打开窗户,好吗?

Wait for me, **can you**? 请等我,好吗?

Lend me this book, **could you**? 把这本书借给我,好吗?

③ 在否定祈使句后只能用"will you?"。例如:

Don't forget to post the letter, **will you**? 不要忘了寄这封信,好吗?

Never trouble trouble till trouble troubles you, **will you**? 不要惹麻烦,除非麻烦惹你,好吗?

④ 以 let me 开头的祈使句,附加疑问句可用 will you 或 may I。例如:

Let me do it for you, **may I**? 我来给你做,好吗?

Let me have a rest, **will you**? 让我休息一会儿,好吗?

⑤ 祈使句的附加疑问句多用升调,但亦可用降调表示命令口吻。

12. 感叹句的附加疑问句一律用否定式,而且要用 be 的一般现在时

在这种句子中,主语是人时用 he 或 you 等人称代词,主语是物时用 it,这类附加疑问句多用升调。例如:

What a lovely day, **isn't it**? 多好的天气啊!(对物感叹)

What a stupid fellow, **isn't he**? 多傻的小子!(对人感叹)

How cool the water is, **isn't it**? 水多么凉爽啊!

13. 陈述句中 must 后动词的类属和时态不同,附加疑问句也不同

Judging by the smell, the food **must be** good, **isn't it**? 从气味上判断,这食物一定很好,不是吗?(句中的 must 表示猜测,陈述句可改为:I'm sure the food is good.)

She **must have arrived** by air, **hasn't she**? 她准是乘飞机来的,是吗?(句中的 must 也是表示猜测,陈述句可改为:I'm sure she has arrived by air.)

You **must have read** the book last month, **didn't you**? 你上个月一定读过这本书,是不是?(陈述句中出现了具体的过去时间状语,附加疑问句要用过去时)

Jim **must have been** absent that day, **wasn't he**? 吉姆那天一定是缺席了,是吗?

The student must be working very hard, **isn't he**? 那个学生一定很用功,是不是?(陈述句可改为:I think the student is working very hard.)

You **must see** the doctor, **needn't you**? 你一定要去看医生,是吧?(must 表示"必要,有必要"时,附加疑问句要用 needn't。mustn't 意为"不可以",故不可用)

You **mustn't do** that again, **must you**? 你一定不要再做那事,行吗?(mustn't 表示"不可,一定不要"时,附加疑问句用 must)

We **mustn't** be late, **must we**? 我们一定不要迟到,是不是?

Soldiers **must** obey orders, **mustn't they**? 士兵必须听从命令,不是吗?(must 表示"必须"时,附加疑问句用 mustn't)

You **mustn't** park your car here, **must you**? 你不能把车停在这里,不是吗?(mustn't 表示"禁止"时,附加疑问句用 must)

It **must be** eleven, **isn't it**? 时间该是 11 点了,是吗?

So it **must be** all right, **isn't it**? 那一定全对,不是吗?

14. 陈述句谓语动词为 may 的附加疑问句

当陈述句中的谓语动词是 may 或 might 时,附加疑问句要用 may 或 might(偶尔也用 will 表示请求)。例如:

I **may** come and borrow the book tomorrow, **mayn't I**? 我可以明天来借那本书,是吧?

The experience **may have been** long in your memory, **mayn't it**? 那段经历可能已经长久地存在于你的记忆里,不是吗?

Then he **mightn't have heard** from you，**might** he? 那么他可能没有收到你的信,是吧?

You **might** bring me some paper，**will you**? 你给我带些纸来,行吗?（请求）

15. 陈述句主语是不定式等的附加疑问句

当陈述句的主语是不定式、动名词或词组时,附加疑问句的主语应是 it。例如:

To get rid of a bad habit is not easy，**isn't it**? 改掉一个坏习惯不容易,是不是?

Doing morning exercises has helped to improve her health，**hasn't it**? 晨练帮她增强了体质,是吧?

From Shanghai to Nanjing is over 300 kilometers，**isn't it**? 从上海到南京有三百多公里,是吧?

16. 陈述句主语为 each of ... 结构的附加疑问句

当陈述句的主语为 each of ...结构时,附加疑问句主语用 he, she 或 it 时强调"各个,各自",用 we，you 或 they 时强调"全体"。例如:

Each of us have got a prize，**haven't we**? 我们每个人都得了奖,不是吗?

Each of these novels is to be discussed this term，**isn't it**? 这些小说中的每一部本学期都要研讨,是不是?

17. 陈述句主语为 one 的附加疑问句

陈述句主语为 one 时,附加疑问句的主语在正式场合用 one,非正式场合用 you。例如:

One should learn from others，shouldn't **one**? 人应该向他人学习,不是吗?（you→非正式）

One can be one's own master，can't **one**? 人能成为自己的主人,不是吗?

18. none 的附加疑问句

none of ...结构作主语时,附加疑问句谓语动词的数和人称,要同前面的陈述部分谓语动词的数和人称一致。例如:

None of his friends **has** come，**has he**? 他的朋友都没有来,是吗?（不可用 have they）

None of his friends **is** interested in it，**is he**? 他的朋友对此都不感兴趣,是吧?（不可用 are they）
None of his friends **are** interested in it，**are they**? （不可用 is he）

19. neither ... nor ... 的附加疑问句

neither ... nor ... 也是有附加疑问句的,但要注意,neither ... nor ... 本身已是否定结构,故附加疑问句要用肯定式。例如:

He can **neither** read **nor** write，**can he**? 他不会读书也不会写字,不是吗?

The book is **neither** in Chinese **nor** in English，**is it**? 这本书既不是用中文写的,也不是用英语写的,是吧?

20. am I right? 等用作附加疑问句

英语中有少量不变的附加疑问句或附加疑问词,形式固定,不随其前面的陈述句谓语等的变化而变化,这种问句是希望听话人作出反应。常用的有:eh? right? OK? don't you think? am I right? isn't that so? 等。例如:

That's a good book，**eh**? 那本书很不错,是吗?

Little streams feed big rivers，**right**? 小河汇入大江,对不对?

You have read the poem，**am I right**? 你读过那首诗,对吗?

He won't accept the job，**don't you think**? 他不会接受这份工作的,你说呢?

She didn't ask for it，**isn't that true**? 她没有要那个,是吗?

She is Mary，**or is she**? 她是玛丽,我没弄错吧?

The hotel is very comfortable，**or is it**? 旅馆很舒适,是不是这样?

I'll see you at eight，**OK**? 8 点见面,好吗?

Neither John nor Tom will take part in the English evening，**isn't that so**? 约翰和汤姆都不参加英语晚会,是这样吗?

21. 附加疑问句的降调与升调问题

1 否定的附加疑问句位于肯定陈述句之后,若两个部分均用降调,则表示对所讲的内容把握较大,希望得到赞同、确信或肯定;但若陈述部分用降调,附加疑问句用升调,则表示对所讲的内容把握性不大,希望对方加以证实,作出断定。肯定的附加疑问句位于否定陈述句之后,若两部分均用降调,则表示对所讲的话较肯定,希望对方相信,期待对方同意,或为了加强语气,或为了提高对方的兴趣;若陈述部分用降调,附加疑问句用升调,则表示对所讲的内容不那么肯定,希望得到核实

He **has done** a good job,↘ **hasn't** he?↘ 他工作干得很好,是吧?(肯定)

She **has passed** the test,↘ **hasn't** she?↗ 她考试通过了,是不是?(把握性不大)

It's true,↘**isn't it**?↘ 这是真的,是不是?(肯定)

He's **put on** a lot of weight,↘ **hasn't** he?↘ 他可不真的体重增加了!(确信不疑)

You **don't agree** with her,↘**do you**?↘ 你不同意她,是吗?(希望对方赞同)

She **is not** a painter,↘**is** she?↗她不是画家,是吗?(把握性不大,希望证实)

You've heard the love story,↘ { haven't you?↗你听说过那个爱情故事,是吗? / haven't you?↘你听说过那个爱情故事,是吧?! }

2 另有一种附加疑问句,同陈述句的谓语形式保持一致,都是肯定形式或都是否定形式,这种问句一般用升调,表示"关心,惊讶,怀疑,愤怒,讥讽"等感情

You look pale. You **are not** feeling well,**aren't** you?↗你脸色很苍白。你感觉不太好,是不是?(关心)

It **wasn't** a very good book,**wasn't it**?↗那本书不怎么样,是吧?(遗憾)

You **don't like** the film,**don't you**?↗你不喜欢这部电影,是吗?(惊奇)

You **won't pay** the money,**won't you**?↗你不付钱,是不是?(质问,威吓)

So **that's** your little trick,**is it**?↗那就是你的小把戏,是不是?(讥讽)

So you don't like my doing it,don't you?↗这么说你不喜欢我做那件事,是不是?(质问,责备)

"You **want** to fool me,**do you**?"↗ She warned the man. "你想愚弄我,是不是?"她警告那人道。(愤怒)

{ A:That man is rather mean. 那个人很卑劣。 / B:He **has wronged** many people,**has** he?↗他曾经伤害过很多人,不是吗?(愤怒) }

22. 附加疑问句的几种特殊情况

There were **only** ten people present,**weren't**/**were there**? 只有十个人到场,是吗?(陈述句中含有副词 only 时,附加疑问句中用否定式或肯定式均可)

You and I drew the plan,**didn't we**? 你我二人共同制订的计划,不是吗?(含有 I 的两人用 we)

Whisky and soda sells well here,**doesn't it**? 苏打威士忌在这里销得很好,是吧?(whisky and soda 为一种混合饮料)

The love and care she gets from her husband is intense,**isn't it**? 她从她丈夫那里得到了深深的爱,是吧?(love and care 为同一种概念)

It's the second time (that) you have read the book,**isn't it**? 这是你第二次读这本书,是吗?(陈述句部分为"It's the first/second ... time+that 从句"时,附加疑问句要同主句一致)

Darling,you will forever be with me,**won't you**,in the years to come? 亲爱的,在未来的岁月里,你会永远同我在一起,是吧?(附加疑问句可插在句中)

"You must pay me the money." "Oh,I must,**must I**?"↗ "你必须付我那笔钱。""哦,我必须付,真的吗?!"(愤怒,讥讽)

"She's seen through his little game." "**Hasn't she!**"↘ "她看穿了他的小把戏。""她可不真的看穿了他的小把戏!"(可用感叹号)

【辨别正误】

1. { A.Sarch had her washing machine repaired the day before yesterday,<u>hadn't she</u>?( ) / B.Sarch had her washing machine repaired the day before yesterday,<u>didn't she</u>?( ) }

2. { A.You and I could hardly work together,<u>couldn't we</u>?( ) / B.You and I could hardly work together,<u>could we</u>?( ) }

3. { A.Nobody phoned me while I was out,<u>did he</u>?( ) / B.Nobody phoned me while I was out,<u>did they</u>?( ) }

4. { A. He must be helping the old man to water the flowers, <u>mustn't he</u>? (　)
{ B. He must be helping the old man to water the flowers, <u>isn't he</u>? (　)

5. { A. There is no light in the dormitory. They must have gone to the lecture, <u>mustn't they</u>? (　)
{ B. There is no light in the dormitory. They must have gone to the lecture, <u>haven't they</u>? (　)

6. { A. Everything seems all right, <u>don't they</u>? (　)
{ B. Everything seems all right, <u>doesn't it</u>? (　)

7. { A. It's a fine day. Let's go fishing, <u>don't we</u>? (　)
{ B. It's a fine day. Let's go fishing, <u>shall we</u>? (　)

8. { A. I'm sure you'd rather she went to school by bus, <u>aren't I</u>? (　)
{ B. I'm sure you'd rather she went to school by bus, <u>wouldn't you</u>? (　)

9. { A. Brian told you that there wasn't anyone in the room at that time, <u>was there</u>? (　)
{ B. Brian told you that there wasn't anyone in the room at that time, <u>didn't he</u>? (　)

10. { A. I don't suppose anyone will volunteer, <u>do I</u>? (　)
{ B. I don't suppose anyone will volunteer, <u>will they</u>? (　)

11. { A. Doing morning exercises has helped to improve her health, <u>haven't they</u>? (　)
{ B. Doing morning exercises has helped to improve her health, <u>hasn't it</u>? (　)

12. { A. She never said that she was good at mathematics, <u>was she</u>? (　)
{ B. She never said that she was good at mathematics, <u>did she</u>? (　)

13. { A. You must have seen the film last week, <u>mustn't you</u>? (　)
{ B. You must have seen the film last week, <u>didn't you</u>? (　)

14. { A. He must leave early because he isn't feeling well, <u>mustn't he</u>? (　)
{ B. He must leave early because he isn't feeling well, <u>needn't he</u>? (　)

15. { A. It's the first time that she has been to Australia, <u>hasn't he</u>? (　)
{ B. It's the first time that she has been to Australia, <u>isn't he</u>? (　)

16. { A. If you want help — money or anything, let me know, <u>don't you</u>? (　)
{ B. If you want help — money or anything, let me know, <u>will you</u>? (　)

17. { A. The news that they failed their driving test discouraged him, <u>didn't they</u>? (　)
{ B. The news that they failed their driving test discouraged him, <u>didn't it</u>? (　)

18. { A. When you've finished with that book, don't forget to put it back on the shelf, <u>do you</u>? (　)
{ B. When you've finished with that book, don't forget to put it back on the shelf, <u>will you</u>? (　)

19. { A. He never dared to ask her a question, <u>dared he</u>? (　)
{ B. He never dared to ask her a question, <u>did he</u>? (　)

20. { A. I don't think she will arrive here in time, <u>do I</u>? (　)
{ B. I don't think she will arrive here in time, <u>will she</u>? (　)

21. { A. We have to do another experiment today, <u>haven't we</u>? (　)
{ B. We have to do another experiment today, <u>don't we</u>? (　)

22. { A. You ought to go to visit her, <u>couldn't you</u>? (　)
{ B. You ought to go to visit her, <u>shouldn't you</u>? /<u>oughtn't you</u>? (　)

23. { A. I hope they won't have to wait all day, <u>don't I</u>? (　)
{ B. I hope they won't have to wait all day, <u>will they</u>? (　)

24. { A. There aren't many cafes. We'd better stop at the nex place, <u>wouldn't we</u>? (　)
{ B. There aren't many cafes. We'd better stop at the nex place, <u>hadn't we</u>? (　)

25. { A. I wish to recollect where I met her, <u>do I</u>? (　)
{ B. I wish to recollect where I met her, <u>may I</u>? (　)

26. { A. If he hadn't spoken to the salesgirl beforehand, he might have spent more money than he
could really have afforded, <u>hadn't he</u>? (　)
{ B. If he hadn't spoken to the salesgirl beforehand, he might have spent more money than he
could really have afforded, <u>mightn't he</u>? (　)

27. {
A. Today's weather isn't as cold as it was yesterday，<u>was it</u>? ( )
B. Today's weather isn't as cold as it was yesterday，<u>is it</u>? ( )
}

28. {
A. I am the only person who is to blame，<u>am not I</u>? ( )
B. I am the only person who is to blame，<u>aren't I</u>? ( )
}

29. {
A. If Jim had a small boat, he would let us use it, <u>hadn't he</u>? ( )
B. If Jim had a small boat, he would let us use it, <u>wouldn't he</u>? ( )
}

30. {
A. It is high time that we left，<u>didn't we</u>? ( )
B. It is high time that we left，<u>isn't it</u>? ( )
}

【答案】

1. A.[×] B.[√]   2. A.[×] B.[√]   3. A.[×] B.[√]   4. A.[×] B.[√]
5. A.[×] B.[√]   6. A.[×] B.[√]   7. A.[×] B.[√]   8. A.[×] B.[√]
9. A.[×] B.[√]   10. A.[×] B.[√]   11. A.[×] B.[√]   12. A.[×] B.[√]
13. A.[×] B.[√]   14. A.[×] B.[√]   15. A.[×] B.[√]   16. A.[×] B.[√]
17. A.[×] B.[√]   18. A.[×] B.[√]   19. A.[×] B.[√]   20. A.[×] B.[√]
21. A.[×] B.[√]   22. A.[×] B.[√]   23. A.[×] B.[√]   24. A.[×] B.[√]
25. A.[×] B.[√]   26. A.[×] B.[√]   27. A.[×] B.[√]   28. A.[×] B.[√]
29. A.[×] B.[√]   30. A.[×] B.[√]

第二十二讲 省 略(Ellipsis)

一、不用替代词的省略

1. 主语

（You）Had a good time，did you？玩得挺好，是吗？

（It）Seems easy. 似乎很容易。

（It）Sounds funny. 听起来很滑稽。

（It）Looks like they are okay. 看上去不错。

（You）Stop quarreling. 别吵了。

（We）Must be back before noon. 中午前必须赶回来。

2. 谓语

All aboard！全都上船/车/飞机！（＝All come aboard. ）

Pardon？您说什么？（＝Beg pardon？）

A：What happened？出了什么事？
B：Nothing（happened）. 没什么事。

3. 主语和部分谓语

Well done！干得好！（＝That's well done！）

Coming tomorrow. 我明天来。（＝I'm coming tomorrow. ）

Seen Mary？看见玛丽了吗？（＝Have you seen Mary？）

（Have you）Heard anything of Bob lately？最近听说过鲍勃的事情吗？

（He was）Feeding the birds，wasn't he？他在喂鸟，是吗？

（It is）My mistake. 是我的错。

（It is）Very kind of you to help me. 你帮助我真是太好了。

A：Do you mind my smoking here？你介意我在这里抽烟吗？
B：Yes. （You'd）Better not. 是的，最好不要抽。

4. 助动词或 be 动词

（Do）You understand？懂吗？

（Have）Children done their homework？孩子们做完作业了吗？

Sam（will）·be back today，will he？萨姆今天回来，是吗？

Children（are）out with Aunt，are they？孩子们同保姆出去了，对吗？

5. There（be）

（There's）Nothing wrong. 没什么问题。

（Is there）Anything I can do for you？能为你做点什么？

（Is there）Anything you don't understand？有什么不理解的吗？

6. 主语＋动词＋宾语

A：To whom did you lend the book？你把那本书借给谁了？
B：To John. 借给约翰了。（I lent the book）

7. 名词短语的中心词

An hour in the morning is worth two（hours）in the evening. 一日之计在于晨。

He was always the first（man）to come and the last（man）to leave. 他总是到得最早走得最晚。

8. **所有格后面的名词**

Mary's（dress）is a beautiful dress. 玛丽的衣服真漂亮。

He stayed in his uncle's（house）during the summer vacation. 他在叔叔家过的暑假。

9. **冠词**

① 两个名词并列时,第二个名词前的冠词常可省略

Both the old and（the）young took part in the singing competition. 老老少少都参加了歌咏比赛。

Is the baby a boy or（a）girl? 婴儿是男是女?

② 名词作同位语时,其前的定冠词常可省略

（The）**War hero** Douglas Bader has come. 战斗英雄道格拉斯·巴德来了。

The conference was held in Beijing,（the）**capital of China**. 会议是在中国的首都北京开的。

As（the）**owner and editor of the evening paper**, he made it popular. 作为这家晚报的业主和编辑,他使这份报纸广受欢迎。

③ 报刊标题

（The）Restaurant Fire Disaster 旅馆火灾

④ 小型广告

（A）2nd fl flt in mod blk close West End, dble recep 位于西区的一个现代化街区的一套公寓,在二楼,有双会客室（A second floor flat in a modern block close to the West End with a double reception room）

⑤ 购物单

Cleaner's：collect clothes 干洗店:取衣服

Supermarket：eggs, sugar, salt, wine 超级市场:售鸡蛋、糖、盐、酒

⑥ 注解

（The）Causes of（the）1st World War：massive re-armament ... 导致第一次世界大战的原因:大规模军备……

⑦ 通知,告示

（The）Flat（is）on sale. 公寓出售。

（The）Lift（is）out of order. 电梯故障。

⑧ 说明、释义

Cut along（the）dotted line. 沿虚线剪开。

Pen：long thin object to write in ink 钢笔:使用墨水书写的细长物件

Frame 车架（箭头所指）

⑨ 书名

（An）*Outline of American History*《美国史纲》

10. **并列结构中的同等句子成分**

你可以会前或会后把消息告诉他。
{ You may tell him the news before（the meeting begins）or after the meeting begins.

You may tell him the news before the meeting begins or after（the meeting begins）.

Peter likes（Mary）, but John hates Mary. 彼得喜欢玛丽,但约翰痛恨玛丽。

Jim came at eight but Henry（came）at nine. 吉姆8点来的,亨利9点来的。

I noticed how the teacher asked the questions and（how）they were answered. 我注意到老师是怎样问问题的,学生又是怎样回答的。

To some life is pleasure, and to others（life is）suffering. 生活对一些人是乐,对另一些人是苦。

You may go by land or（by）water. 你可以从陆路去或乘船去。

It doesn't matter whether he is for（the plan）or against the plan. 他赞同或反对这项计划都没有关系。

I have heard（about）and read about his adventures in the mountains. 我听说过也读过他在山中的奇遇。

I am willing to meet her when（she likes）and where she likes. 我愿意随时随地见她。

If you have time and(if)you are interested in the expedition,we'll let you go with us. 如果你有时间,又对探险感兴趣,我们将让你同去。

It is a matter of life and(of)death. 那是一件生死攸关的事。

I think human beings must have a chance to learn to cherish the past,(to)act in the present,and(to)leave the future. 我想,芸芸众生必须有一个机会,学会珍惜过去,立足现在,着眼未来。

In repose she was like a lovely flower mirrored in the water;in motion,(she was like)a pliant willow swaying in the wind. 娴静似娇花照水,行动如弱柳扶风。

She dreamed of him often,and he of her. 她常常梦见他,他也梦见她。

If it clears up,we will go out,if not,not. 如果天晴,我们就出去;如果不晴,就不出去。

He fell madly in love with her,and she with him. 他疯狂地爱上了她,她也疯狂地爱上了他。

Good will be rewarded with good,and evil with evil. 善有善报,恶有恶报。

Little children look forward to the arrival of lunar New Year,and adults to that of spring. 小孩盼过年,大人盼开春。

Some people are born clever,and others stupid. 有些人生来就聪明,而有些人生来就笨。

Courage in excess becomes foolhardiness,affection weakness,and thrift avarice. 勇敢过度,即成蛮勇;感情过度,即成溺爱;俭约过度,即成贪婪。

At twenty years of age,the will reigns;at thirty,the wit;and at forty,the judgement. 20岁时,受意志支配;30岁时,受智慧支配;40岁时,受判断支配。

It takes five hundred years' religious devotion for people to acquire a chance of sharing a boat and one thousand years'(religious devotion for people to acquire a chance)of sharing a marriage bed. 五百年修得同船渡,一千年修得共枕眠。

I said what I thought,just like always—and would about a man. 我心口如一,从来如是,谈到男人也一样。

There were tears in her eyes,terror in mine. 她眼里含着泪水,而我眼里全是恐惧。

It'll be nice if *The Morning Star* happens. But if not,not. Life goes on. 最好《晨星》如期上演,不能的话,就算了罢。日子照过。(If it does not happen,it does not happen.)

▶▶但:Does he prefer travelling by night or by day? 他喜欢夜间游历还是白天游历?(by不可省,表示的是对照,两个不同的时间)

11. 关系代词或关系副词

1 作主语的省略

(1)在以 it 起首的强调句中。例如:

　It wasn't I(that)told her the news. 不是我把消息告诉她的。

　It wasn't she(that)made the mistake. 不是她出的错。

　It is he himself(that)is hunted down. 被捉住的是他自己。

(2)在"anybody＋that 从句"结构中,作主语的 that 可以省略。例如:

　Anybody(that)can't do it well can't join the expedition team. 任何连这个都做不了的人不能参加探险队。

▶▶下面一句中,不是省略从句主语,而是省略主句主语(who 也可看作缩合连接代词):

　(He)Who breaks,pays. 谁打破的谁赔。

(3)在以 what,who 等起首的疑问句中。例如:

　Who is it(that)took away my pen? 是谁拿走了我的钢笔?

　What is the black spot(that)moves about on the wall? 墙上那个移动的黑点是什么?

(4)在以 we have 起首的句子中。例如:

　We have 20 essays(that,which)should be read during the vacation. 我们假期中有20篇散文要读。

　We have only about 200 hundred dollars(that,which)can be put to use. 我们只有大约200美元可用。

（5）主句以 that is, that was 起首,其后定语从句中作主语的关系代词常可省略。例如：

That's the thing（that, which）might happen to any man. 这种事情谁都可能发生。

Was that someone（that）took my umbrella? 是有人拿了我的雨伞了吗?

We're acquaintances, and that's all（that）there's to it. 我们认识,就是这样。

（6）主句以 there be, here be 起首,其后定语从句中作主语的关系代词常可省略。例如：

There is something（that）keeps worrying me. 有些事情使我忧心。

There is a young man（that）runs after her. 有个年轻人在追求她。

There was a girl（who, that）wanted to see you. 有一个女孩想见你。

Here are the students（that, who）called on her yesterday. 这些就是昨天来看她的那些学生。

Here is the professor（who）comes from Harvard University. 这位是从哈佛大学来的教授。

There is a young man here（that）can carry the luggage for you. 这里有一位年轻人可以为你搬行李。

（7）在形容词最高级或"only/last/first＋名词＋that（＋ever）"结构中。例如：

He is the greatest scientist（that）ever breathed. 他是有史以来最伟大的科学家。

She is the only girl（that）ever passed the test. 她是唯一通过考试的女孩。

He was the first man（that was）ever saved during the disaster. 他是在灾难中救出的第一人。

He's the noblest man（that, that has）ever breathed. 他是最高尚的人。

Jill was the last name（that）occurred me. 我当时想到别的什么名字也不会想到吉尔的名字。

（8）在 I think, I admit, I believe, I feel, I know, he guesses 等插入语前作主语的关系代词。例如：

They talked about the plan（that）I believe is not practical. 他们所谈的方案我认为难以施行。

She would look up things（that）she thought would take her interest. 她常常找寻她认为使她感兴趣的东西。

Many of these qualities（that）we think are typical of the Chinese. 这些品质中,我们认为有许多是中国人所特有的。

The man asked for something（that）I knew couldn't be provided. 那人所要求的,我知道是无法提供的。

He's worked out a plan（that）I believe is impractical. 他制订了个计划,我认为不可行。

It is no good to try for something（that）you know at the start is wildly out of your reach. 若开始就知道某个目标根本达不到却硬要去实现,那不会有任何好处。

（9）几个 that 关系从句修饰同一个先行词时,只需保留一个关系代词,其余的均可省略。例如：

It is said that we use hardly one hundred-thousandth of the heat that there is in coal and（that）could be extracted from it. 据说,煤中含有并可提取的热能我们利用不到十万分之一。

The villa（that）he bought in 2008 and that he sold in 2011 is now again on sale. 他 2008 年购买并于 2011 年出售的那幢别墅现在又在出售了。

The dictionary（that）he compiled in 1993 and（that）he revised last year is very popular among college students. 他于 1993 年编写并于去年修订的那部词典深得大学生喜爱。（有时关系代词均可省略）

2 作宾语和表语的省略

that, whom, which 作宾语和表语时一般都可省。例如：

I have given him anything（that）he asked for. 他要的我都给了。

She is not the girl（that）she used to be. 她不再是从前那个女孩了。

She said he was anything（that）a man should be. 她说他是个十全十美的男人。

The fear of ill exceeds the ill（that）we fear. 怕祸害比祸害本身更可怕。

He is said to be everything（that）an honest man should be. 据说,他具备了一个诚实的人的一切素质。

3 作状语的省略

He liked the place for the very reason（that）she ever lived there. 他喜欢那个地方就是因为她

曾在那里住过。

I liked the way (that) she did it. 我喜欢她做事的方式。

This is the place (that) they swam across the river. 这就是他们游过河的地方。

Those were the years (that) he was in trouble. 那些是他遭难的岁月。

This is the factory (where) he worked many years ago. 这就是他很多年前工作过的工厂。

【提示】在"关系代词＋be/have＋come"结构中,关系代词可连同 be,have 一起省略。例如:

It is a dream (that has) come true. 这是一个圆了的梦。

Here are the friends (who have) come to see you. 朋友们看你来了。

12. 物主代词

在某些词组短语中,物主代词可以省略。例如:

He lost (his) patience. 他不耐烦了。

I felt at (my) ease. 我感到舒适。

She took (her) leave soon afterwards. 她不久后就离开了。

【提示】有时候,用不用物主代词含义不同。比较:

I shall remember her **for life**. 我将永远记着她。(＝forever)

I shall remember her **for my life**. 她救了我的命,我将永远记着她。(＝which she has saved)

13. as ... as 结构中的省略

这种省略通常有两种情况:①从句中与主句中重复的词可省;②在把两个时间、地点等相比较时,第一个 as 可省。例如:

He handles great things as easily as (he handles) small things. 他举重若轻。

He is now as diligent as (he was) when he was in middle school. 他现在如同在中学时一样勤奋。

He can be (as) happy in hard times as in good days. 他顺境逆境都快乐。

He is (as) optimistic now as before. 他像从前一样乐观。

He gave her as much as (he gave) me. 他给她的同给我的一样多。

She looked after the orphans as carefully as (she looked) after her own children. 她照顾孤儿如同照顾自己的孩子一样细心。

【提示】在下面的句子中,主要动词被省略:

He obeys Judy as a son should (obey) a mother. 他顺从朱迪就像顺从母亲一样。

She fondled the cat as a mother would (fondle) her child. 她逗那只猫就像母亲逗孩子一样。

He let the man go as a cat might (let) a mouse (go). 他让那人走了,就像猫放走了耗子。

He did his homework carefully as his sister had (done) hers. 他做家庭作业很认真,就像他姐姐一样。

14. 全句省略

某些表示愿望或假设的复合句常可将主句或从句省略。例如:

If I could see her again (how happy I should be)! 但愿我能再见她一面!

(It is pity) That such a great man should die! 这样的伟人竟然会死!

I might have been a rich man (if I had taken her advice). 我可能已经成为富豪了。

二、用替代词的省略

在某些情况下,当我们省略掉某个词、词组或句子时,还需要用某个替代词。常用的替代词有 do/does so, not, to, neither, nor, do so, do that, do it, one/ones, the same 等。

1. do/does

do 可以用来代替动词或动词加其他成分。例如:

He speaks English more fluently than you **do**. 他说英语比你流利。(＝speak English)

"Did you see the film?" "Yes, I **did**." "你看电影了吗?""是的,我看了。"(＝saw the film)

Mark hoped that they would all do their duty to the country as Englishmen **should do**. 马克希望他们都能像英国人应该做的那样为国尽责。(＝should do their duty to the country)

Henry never really succeeded in his ambitions. He might have **done**, one felt, had it not been for the restlessness of his nature. 亨利从没有真正实现自己的抱负，人们觉得要不是性格焦躁，他本可能实现的。（＝succeeded in his ambitions）

She was always meaning to tell him the fact, but never **did**. 她总是想把事实真相告诉他，但从没这么做。

These plants require moist soil at all times. Those plants **do too**. 这些植物需要随时保持潮湿的土壤，那些植物也是一样。

【提示】替代词 do/does 有时可带有宾语。例如：

The driver asked me to fasten my seat belt, **which I did**. 司机要我系上安全带，我就系上了。

Emma likes chocolate better than she **does** candy. 埃玛喜欢吃巧克力胜过吃糖。

2. so 和 not

so 可以代替单词（形容词，副词）、词组或句子，常同 call, expect, hope, do, fear, hear, imagine, remain, behave, become, suppose, speak, say, tell, think, believe, see, notice, appear, fancy, guess, presume, reckon, seem, suspect, trust, understand 等连用。not 代替否定的句子，用法与 so 相似可放在 surely, certainly, possibly, perhaps, probably, absolutely 等副词后。be afraid 后可用 so 或 not。例如：

Prices at present are reasonably stable, and will probably remain **so**. 目前价格很稳定，并且可能还要保持下去。（＝stable）

Bill is very popular and Ted is even more **so**. 比尔非常受欢迎，而特德更是如此。（＝popular）

Andrew often behaved prudently, but he did not always behave **so**. 安德鲁做事常常是谨慎的，但并不总是这样。（＝prudently）should do. （＝should do their duty to the country）

Her work is not yet consistent in styles, but will no doubt become **so**. 她的作品还没有形成自己的风格，但将来肯定会的。（＝consistent）

The soldiers searched the big room carefully, but the small room less **so**. 士兵们仔细搜查了大房间，但没那么仔细搜查小房间。（＝carefully）

The newspapers claim she killed him in self-defence but that just isn't **so**. 报纸宣称，她出于自卫杀了他，但事实并非如此。

"Will it rain tomorrow?" "I hope **not**." "明天要下雨吗？""我希望不下。"

"Is he angry?" "It seems **not**." "他生气了吗？""似乎没有。"

"Do you think they're happy?" "I wouldn't say **so**." "你认为他们幸福吗？""我可不这么说。"

"Did you break her camera?" "Certainly **not**." "你把她的相机弄坏了吗？""当然没有。"

"Do you think I dare ask her?" "Perhaps **not**." "你认为我敢问她吗？""也许不敢。"

"Do you think she'll return to work after the baby?" "Probably **not**." "你认为她生完孩子后会再回来工作吗？""很可能不会。"

"He must be a worker." "I imagine **so**." "他一定是个工人。""我想是的。"（＝that he is a worker）

"Has she finished reading the book?" "I hope **so**." "她读完那本书了吗？""我希望读完了。"（＝that she has finished reading the book）

She was not angry at first, but became **so** after a while. 她起初没有生气，但过了一会儿生气了。（angry）

He is a great friend of mine and I hope he will always remain **so**. 他是我的好朋友，希望他永远是。（a great friend of mine）

Is he the best student in the class? 他是班上最好的学生吗？
I think **so**. 我想是的。（＝that he is ...）
I think **not**. 我想不是的。（＝that he is not ... I don't think he is ... Perhaps not）

He will return at the weekend. 他将在周末返回。
I am afraid **not**. 恐怕不会。（＝that he will not return at the weekend）

{ A：Is it snowing? 在下雪吗？
{ B：I'm afraid **so**. 恐怕是的。

▶▶▶ 要注意的是，so 作替代词一般同表示个人看法或想法的动词连用，口气比较婉转，不表示肯定，也不表示否定，因此，在表示肯定或怀疑的答句中不可用 so。例如：

{ A：Are they coming to the party? 他们来参加聚会吗？
{ B：I'm sure of **it**.[√] 我敢肯定。
{ B：I doubt **it**.[√] 很难说。
{ B：I'm sure so. [×]
{ B：I doubt so. [×]

▶▶▶ 同样，在 ask 和 know 之后不可用 so。例如：

他知道那个。	你为什么问那个？
He knows **that**.[√]	Why do you ask **that**? [√]
He knows so. [×]	Why do you ask so? [×]

▶▶▶ 另外，not 不可用于个别表示说话的动词之后，但主语是非特指的人称时除外。例如：

她这样说的。	约翰这样告诉我的。
She said **so**. [√]	John told me **so**. [√]
She said not. [×]	John told me not. [×]

▶▶▶ 但可以说：They say not，It seems/appears not，It says not 等。

【提示】

① so 可以用 less，more，so much，too much 等修饰。例如：

He is very skilled as a pianist，but she is even **more so**. 他是个技巧娴熟的钢琴家，她更是技高一筹。

Jerry is very honest，maybe **too much so**. 杰里很诚实，但也许太过头了。

Although he was **exhausted**，he was **less so** than you feared. 虽然他没有力气了，但还没有像你担心的那样精疲力竭。

② so 可以放在句首或句尾，但若谓语动词是 see，notice 或 hear，则只能放在句首。例如：

我相信是这样。/我说是这样。/我认为是这样。
{ I believe/say/think **so**.
{ ＝**So** I believe/say/think.

我明白了。/我听到的就是这样。/我看到的就是这样。
{ **So** I see/hear/notice. [√]
{ I see/hear/notice so. [×]

③ 下面句中的 not she 相当于"no, she didn't"，语气较强：

{ A：Did she pay you the money? 她付你钱了吗？
{ B：**Not she**. 没有。

④ "not＋状语"也是一种常见的省略。例如：

{ A：Will you go out for a walk? 你想出去散步吗？
{ B：**Not this evening**. 今晚不出去。（＝No, I won't go out for a walk this evening.）

{ A：I want to talk with someone about it. 我想同谁谈谈这件事。
{ B：**Not with them**. 不要同他们谈。（＝I don't want you to talk with them about it.）

⑤ not that 结构有时意为 I don't mean that … 或 I don't say that …，有时意为 not because。例如：

Why didn't you come last night? **Not that** I care, of course. 你昨晚为什么没有来？当然，我并不介意。

If you need money, I can lend you some — **not that** I am rich, of course. 如果你需要钱，我可以借给你一些，当然，我并不是说我很富。

She went to bed early. **Not that** she was ill, but that she was tired. 她早早就上床睡了，不是因为她病了，而是因为她累了。

3. to

　　to 代替不定式,常同 refuse,want,seem,intend,mean,expect,hope,like,be afraid,prefer,care,oblige,forget,wish,try 等连用。例如:

I asked him to see the film, but he didn't want **to** (see the film). 我要他去看电影,但他不想去。

Some people suggested that she reconsider the matter, but she refused **to** (reconsider the matter). 有些人建议她重新考虑这件事,但她拒绝了。

【提示】

① 动词 hope,think,fear,wish,be afraid 和 so,to 连用的比较。

　　so 可以代替单词、词组和句子,而 to 则只代替动词不定式。例如:

$\begin{cases} A:Will\ you\ stay\ for\ lunch? \ 你留下来吃午饭吗? \\ B: \begin{cases} 我希望留下来。 \\ I\ hope\ \mathbf{so}.\ (=I\ will\ stay\ for\ lunch.\,) \\ I\ hope\ \mathbf{to}.\ (=stay\ for\ lunch) \end{cases} \end{cases}$

② 如果省略的不定式结构中含有 be,have 或 have been,一般要保留 be,have 或 have been。例如:

$\begin{cases} A:Are\ you\ on\ holiday? \ 你在度假吗? \\ B:No,\ but\ I'd\ like\ \mathbf{to\ be}.\ 不,但我想去度假。 \end{cases}$

$\begin{cases} A:She\ hasn't\ done\ it\ yet.\ 她还没有完成呢。 \\ B:She\ ought\ \mathbf{to\ have}.\ 她应该完成的。 \end{cases}$

4. 复合替代词 do so,do that 和 do it

1　do so 常用来表示同一主语的同一动作,可以替代动词加宾语,也可以替代动词加状语

She said she would go with me, but she didn't **do so**. 她说她要同我一起去,但她并没有去。(=go with me)

He tried hard to keep a straight face but could not **do so**. 他拼命忍住笑,但做不到。(=keep a straight face)

They planned to reach the top of the mountain, but nobody knew if they **did so**. 他们计划到达山顶,但没有人知道他们是否真的到了。(=reach the top of the mountain)

"Have you checked over the paper?" "I will **do so** in the evening." "这篇论文你仔细检查过了吗?" "我今天晚上检查。"

Just finish off watering the flowers. And let me know when you've **done so**. 把花都浇一下,浇完了跟我说一声。(=finished off watering the flowers)

2　do so 替代动词加宾语结构时,so 可以用 it 或 that 取代,用 it 指具体事物,用 that 表示较重的口气

Henry is going to make the experiment and he wanted me to **do it**, too. 亨利打算做那项实验,他要我也做一下。

They played cards after supper and I watched them **do that**. 他们晚饭后玩了牌,我看他们玩的。

3　do so/ do that/ do it 一般只用于替代动态动词,而不适合替代静态动词,而 do 则可以

He felt insulted by her words, and she didn't know he **did**. 她的话使他感到受了侮辱,而她竟没有察觉。(不用 do so,do it,do that)

Sam likes Chinese food, and he always has (done). 萨姆喜欢吃中国菜,而且一直喜欢吃。(不用 do so,do it,do that)

比较:

She feels better today. 她今天感觉好些了。

$\begin{cases} I\ think\ she\ \mathbf{does}.\ [\checkmark]\ 我想是的。 \\ Yes,\ so\ she\ \mathbf{does}.\ [\checkmark]\ 是的,她好些了。 \end{cases}$

$\begin{cases} I\ think\ she\ does\ so.\ [\times] \\ Yes,\ she\ does\ that.\ [\times] \\ Yes,\ she\ does\ it.\ [\times] \end{cases}$

【提示】

① 在 believe, know, hope, doubt 等动词后可以用 that 表示附和别人的看法或说法,但不用于回答问题。例如:

He is a very capable man. 他很能干。 | It is a good film. 这部电影很好。
I believe **that**. 我相信。(=so) | I know **that**. 我知道。(不可用 so)

② that 可以替代可数名词或不可数名词,只指物,不指人,其后要跟修饰语。例如:

No bread eaten is so sweet as **that** earned by one's own labour. 自己的劳动果实吃起来最香甜。

③ 有时候,do 和 do so 可换用,并可用助动词 do 表示强调。例如:

He said he crossed the desert in four days, but I doubt if he **did/did so/did do so**. 他说他 4 天之内横穿了沙漠,但是我怀疑他是否真的做到了。

④ do so, do it 和 do that 有时可换用,只是 do it 和 do that 更为强调。例如:

Mr. Smith has taken a trip to the hills. He has been **doing so/doing it/doing that** every other day since he moved here. 史密斯先生进山游玩去了。自从家搬到这儿,他隔天就会进山一次。

He is beating his wife again. He always **does so/does it/does that** when he's drunk. 他又在打他妻子了,喝醉酒后他总会这么做。

⑤ do 不可替代非限定性动词,而 do so, do it, do that 则可以。例如:

He failed to break the record and I shall try my best to **do so**. 他没能打破纪录,我要全力以赴破纪录。

⑥ do so 的变化形式 doing so 可变为 so doing。例如:

Jane spends ages doing her hair in the mornings. **And in so doing/doing so** she is often late for work. 简早上会花很长时间弄头发,这使她上班经常迟到。

In doing so/so doing they only demonstrate their lack of good faith. 他们这样做,只能表明缺乏诚信。

5. one 和 ones

one 和 ones 具有泛指性质,常用来替代单数或复数可数名词,不能替代不可数名词;使用时要注意下面几点:

① one 和 ones 与它们所替代的名词在"数"方面可以不一致。

② one 和 ones 与其所替代的名词在句法功能上可以不一致。

③ one 和 ones 与其所替代的名词在所指意义上可以不同。

④ one 前面不带任何修饰语时,可以替代整个名词词组。

⑤ one 前面有 this 或 that, ones 前面有 these 或 those,或者两者前面有形成对比的形容词、最高级形容词或 the next, the last 时, one 或 ones 可以省略; one 前面的形容词带定冠词 the 时, one 也可省略。

⑥ one 或 ones 后面可以跟修饰语,可能是从句、介词短语或分词短语等。

⑦ 所有格 my, your, our, her 和 their 被其相应的物主代词 mine 等代替时,不用 one 或 ones。

⑧ whose 和名词所有格之后不用 one 或 ones;基数词(one 等)和序数词(first 等)通常不同 one 连用; own 也不可同 one 或 ones 连用。

⑨ another 和 other 可以单独使用,也可跟 one,复数形式可用 other ones 或 others。

⑩ which 和 former, latter, either, neither 后可以跟 one 或 ones,也可以不跟。

He prefers the new **edition** to the old **ones**. 他喜欢新版,不喜欢旧版。("数"方面不一致)

Do you see the **teachers** over there? The **one** wearing the grey coat is her father. 你看见那边的老师了吗?穿灰色大衣的是她父亲。(句法功能不一致, teachers 作宾语, one 作主语)

I don't like this film. I'd like to see a **more interesting one**. 我不喜欢这部电影,我想看一部更有趣的。(所指对象不同)

There are two pens on the desk; he only took **the cheaper**. 书桌上有两支钢笔,他只拿了那支便宜的。(one)

Let's finish the exercise so we can go on to **the next**. 我们把这个练习做完,这样就可以做下一个。(one)

Of all his poems, I like the **ones that are connected with nature best**. 在他所有的诗中,我最喜欢有关自然的诗。

This is her book, not **yours**. 这是她的书,不是你的。(不能说 yours one 或 your one)

I prefer to use my **own**. 我宁愿用我自己的。(不能说 my own one)

Whose is it? 它是谁的。(不能说 whose one)

Her bike is better than her **brother's**. 她的自行车比她弟弟的自行车好。(不能说 brother's one)

Please try **another**(one). 请再试一个。

He has three English dictionaries, but I have **seven**. 他有三部英语词典,但我有七部。(不能说 seven ones)

The first film is better than the **second**. 第一部电影比第二部好。

He is **the more pessimistic**(one) of the two. 他是两者中更为悲观的一个。

I think he's **the dullest**(one). 我认为他是最无聊的。

I like **the blue**(one). 我喜欢那个蓝色的。

Do you want this bag or **that**(one)? 你要这个包还是那个包?

Do you like these paintings or **those**(ones)? 你喜欢这些画还是那些画?

You can take this dictionary, I will keep **the other**(one). 你可以拿这本词典,另一本我保存。

比较:

他尝过人生的酸甜苦辣。
He has known good luck and **bad**(luck). [✓]
He has known good luck and bad one. [✗]

灰布要比黑布好。
The grey cloth is better than the **black**(cloth). [✓]
The grey cloth is better than the black one. [✗]

6. the same

the same 一般指物,表示是同一类的另一事物或另一些事物,也表示同一种情况;the same 可替代名词词组、形容词词组、从句或比较结构。例如:

John ordered two fried eggs. I ordered **the same**. 约翰要了两个煎鸡蛋,我也要了两个。(=two fried eggs.)

We can trust Jane. I think I could say **the same of her husband**. 我们可以相信简,我想我可以说她丈夫也值得信赖。(=that we can trust her husband)

These apples are just as sour as the last ones we had. They taste **the same**. 这些苹果同我们刚才吃的一样酸,味道一个样。(=as sour as the last ones we had)

"I'd like a cup of tea." "(The) Same for me, please." "我要喝杯茶。""我也喝茶。"

"Musically speaking, the concert was only average." "I say **the same**." "就音乐而言,这场音乐会只是中等水平。""我也这么认为。"(替代从句)

"Happy Christmas!" "And **the same** to you, Ben." "圣诞快乐!""也祝你圣诞快乐,本。"

I feel **the same** today as I did yesterday. 我今天的感觉同昨天一样。

The dishes are delicious and the soup smells **the same**. 菜肴很可口,汤闻起来味道也不错。

These coins may look **the same** but one's a forgery. 这些硬币看起来也许一样,但其中有一个是假的。

"I lost my bike last mouth." "**The same** happened ot me." "我上个月把自行车丢了。""我也丢了一辆自行车。"

【提示】表示"做同一件事"要用 do so,表示"做同样的事",用 do the same,也可用 do so。例如:

He was trying to follow her example but could not **do so**. 他努力以她为榜样,但做不到。(不可用 do the same)

He sold the car but didn't tell his wife he had **done so**. 他卖了车,但并没有告诉妻子。(不可用 do the same)

She bought her mother a birthday cake but didn't know that her brother had **done so/done the** same. 她为母亲买了一个生日蛋糕,但不知道弟弟也给母亲买了一个。

7. one 和 that 作替代词的区别

1️⃣ one 可替代人或物,that 只能代替物

I have a brother, **one** in the army. 我有一个弟弟,在部队服役。

Look at the clock, **that** on the wall. 看看那口钟,墙上那个。

Her seat was next to **that** of the mayor. 她的座位就在市长的旁边。

2️⃣ one 只能替代可数名词,that 可替代可数名词和不可数名词

The novel is as interesting as the **one/that** I read last year. 这部小说同我去年读的那部一样有趣。

The weather here is hotter than **that** in New York. 这里的天气比纽约的天气热。

It was a beautiful butterfly just like **the one/that** we had seen in the mountain the other day. 那是一只美丽的蝴蝶,就跟我们几天前在山中看到的那一只一样。

3️⃣ one 可以有前置或后置定语,而 that 只能有后置定语

Your answer to the question is better than **that** of hers. 你对问题的回答比她的好。

Please look at the map, **the one on the right wall**. 请看那张地图,右墙上的那张。

This is a red pen, and I have three other blue **ones**. 这是一支红钢笔,我还有三支蓝钢笔。

4️⃣ one(不加定语)表示泛指,that 表示特指

The music is as sweet as **that** we heard yesterday. 这音乐同我们昨天听的一样甜美。

A poem written by an American poet is usually harder to understand than **one** by a Chinese poet. 美国诗人写的诗通常比中国诗人写的诗难懂。

三、状语从句和独立结构中的省略

1. 如果状语从句的主语与主句主语一致,而且状语从句谓语中有 be 动词,可以将状语从句的主语连同 be 动词一起省略

引导这类状语从句的连词有 when, while, though, if, unless, although, even if, as if 等。其结构模式一般为:

主句可以位于句首,即"主句+(连词+现在分词……)";主句也可以分开,即"主句主语+(连词+现在分词……)+主句谓语"。例如:

He moved his lips **as if** (he wanted) **to speak**. 他的嘴动着仿佛要说什么。

It has little taste, **unless** (it is) **hot**. 这菜辣一点才有味。

She loved him **as if** (he was) **her own son**. 她爱他如子。

The man is rolling on the ground **as if** (he is) **hurt badly in the leg**. 那个男的在地上打着滚,似乎他的腿伤得厉害。

This thing, **if** (it is) **continued**, is going to do her great harm. 这种事情如果继续下去,将会对她造成极大伤害。

Once (it is) **seen**, it can never be forgotten. 那真是一见难忘。

A jade, **even if** (it is) **shattered**, can never lose its purity and likewise a bamboo, **even if cleaved**, will remain straight. 玉可碎而不可损其白,竹可破而不可毁其节。

Although (he is) **lonely in a new land**, Mr. White was described by his fellow workers as cheerful, of a friendly nature, honest, and modest. 虽然怀特先生单身一人,又生活在异乡客地,但正如他的同事所描述的那样,他性格开朗,待人友善,诚实守信,虚怀若谷。

While (I was) **ready to help her**, I didn't know what she wanted. 虽然我愿意帮她,可我不知道她

的所需。

I met the girl **while**（I was）**on a visit to New York**. 我是在纽约之游的途中遇见那位姑娘的。

The statues, **if not good**, are tolerable. 这些塑像虽然不是很好的,但还可以。

His hair is shaggy, **though not as long as that of some**. 他的头发虽不像有些人留得那样长,却乱蓬蓬的。

When in doubt, ask the chairman himself. 有疑问时,问一下主席本人。(连词＋介词短语)

He came across the picture **while on a visit** to New York. 他在游览纽约时遇见这幅画的。(连词＋介词短语)

He could write poems **when yet a child**. 他还是小孩子时就会写诗。(连词＋名词)

Our motherland is stronger **than ever**. 我们的祖国比以往任何时候都更加强大。(连词＋副词)

You must eat it **when fresh**. 你必须趁新鲜吃。(连词＋形容词)

Her opinion, **whether right or wrong**, deserved our attention. 她的意见不论对错,都值得我们注意。(连词＋形容词)

> 他问老师问题时很有礼貌。
> **When he was asking the teacher**, he was polite.
> **When asking the teacher**, he was polite. (连词＋现在分词)

> 虽然很害怕,他还是成功逃脱了。
> **Although he was frightened**, he managed to run away.
> **Although frightened**, he managed to run away. (连词＋过去分词)

> 问到时才说话。
> Don't say anything **unless you are asked**.
> Don't say anything **unless asked**. (连词＋过去分词)

> 如果养得好,这只鸟能活 20 年。
> **If it is taken good care of**, the bird can live as long as twenty years.
> **If taken good care of**, the bird can live as long as twenty years. (连词＋过去分词)

【提示】

① 状语从句中的名词尽管与主句的主语不同,但如果它与主句的逻辑主语相同,或根据主从句的对应关系判断,意思比较明确,同时谓语部分又含有 be 的某种形式,从句中的"主语＋be"部分可以省略。例如:

They expect to live **where**（the place is）**not polluted**. 他们期望生活在一个未受污染的地方。

There are some safety measures to follow **while**（you are）**training**. 有一些安全措施训练时必须遵守。

② if, as long as 引导的状语从句中含有 there be 的某种形式,there be 常可以省略。例如:

You shouldn't lose heart **as long as**（there is）**any hope with you**. 只要有一线希望你就不能灰心。

Correct the mistakes, **if**（there are）**any**（mistakes）**in the paragraph**. 如果这一段中有错,就改正。

③ 状语从句中的连词、主语和 be 有时可同时省略,只剩下分词短语。例如:

Even the finest landscape,（if it is）**seen daily**, becomes monotonous. 即便是最美的风景,日日看来,也会变得单调乏味。

④ 在省略时,要将状语从句的主语和 be 动词同时省略,不可只省略主语或 be 动词,例如:

Although he frightened, he managed to run away. 〔×〕

Although was frightened, he managed to run away. 〔×〕

2. 在作状语的独立分词结构中,分词往往可以省略

The meeting（being）**over**, the delegates walked out of the hall. 散会后,代表们走出了大厅。

The work（having been）**done**, he left the office. 工作完成后,他离开了办公室。

3. because ill 还是 because of being ill

并非所有的状语从句都可以省略主语和 be 动词,由 after, because, before 等引导的状语从句一般要改写成介词短语等,用动名词代替 be 动词。例如:

> 因为病了,他不能参加会议。
> Because he was ill, he didn't attend the meeting.
> Because ill, he didn't attend the meeting. [×]
> **Because of being ill**, he didn't attend the meeting. [✓]
> **Being ill**, he didn't attend the meeting. [✓]

> 他被杀害后扔进了海里。
> After he was killed he was thrown away into the sea.
> After killed, he was thrown away into the sea. [×]
> **After being killed**, he was thrown away into the sea. [✓]

4. 在 if it is possible, when it is necessary 等类似结构中,it is 常可省略

If possible, we'll build another railroad in this area. 如有可能,我们将在这个地区修建另一条铁路。

Omit a word or two **where possible**. 尽可能省去一两个词。

We'll have the old house pulled down **when necessary**. 需要时我们将把旧屋拆掉。

You may write it in pen or in pencil, **as required**. 你可以按要求用铅笔或钢笔写。

Don't do it **unless required**. 需要你做才做。

Put a comma, **where needed**. 在需要的地方加一个逗号。

Please tell me **when finished**. 做完后同我说一声。

Don't do it **till too late**. 这事拖延不得。

Here, **as elsewhere**, honesty is the best policy. 这里如同在别处一样,诚实才是上策。

5. 比较状语从句中的省略

① 从句中省略主语

Both rooms were as clean **as** (it) **could be**. 两个房间都窗明几净。

The situation there was not so bad **as** (it) **had been reported**. 那里的形势并不像报道的那样严重。

The profit was not so handsome **as** (it) **was expected**. 利润并不像原先期望的那样丰厚。

There were more casualties **than** (it) **was reported**. 伤亡人数比报告的数字要多。

Don't take more money **than** (it) **was absolutely necessary**. 钱带够就行,不要多带。

Don't eat more **than** (what) **is good for you**. 吃东西切勿过量。

Don't say more **than** (what) **is necessary**. 说话要适可而止。

There were more students present **than** (it) **was/were expected**. 出席的学生比预料的多。

You have given him more **than** (what) **is required**. 你给的超出了他想要的。

These ads were not so effective **as** (it) **had been hoped**. 这些广告的效果不如希望的好。

He gave them as much money **as** (it) **was asked for**. 他们要多少钱,他就给多少钱。

The disaster caused by the hurricane is worse **than** (it) **has been generally supposed**. 飓风造成的灾害比一般设想的更为严重。

② 从句省略重复的谓语、助动词、情态动词或主语和谓语

He plays with her **as a cat** (plays) **with mouse**. 他玩弄她就像猫玩弄耗子。

She speaks English more fluently **than you** (do). 她说英语比你流利。

The wise man draws more advantage from his enemies **than the fool** (draws) **from his friends**. 聪明人得益于对手超过蠢人得益于朋友。

The experience as a sailor has more influence on him **than** (it has) **on me**. 当水手的经历对他的影响比对我的影响大。

I would just as soon stay at home **as** (I would) **go**. 与其去,我倒愿意留在家里。

The beautiful scenery can be more easily conceived **than** (it can be) **described**. 那美景只能想象,难以描述。

③ 从句省略重复的谓语和宾语

I love you more **than** he (loves you). 我比他更爱你。

Jim gave her more help **than** I (gave her). 吉姆给她的帮助比我多。

4 从句省略重复的表语,或省略主语、系动词和表语

He is more learned **than**（what）**he looks**. 他貌不惊人,但学识渊博。

Charles is a better man **than**（what）**you'll ever be**! 你永远也不会成为查尔斯这样的好人的!

He is more able and energetic **than**（what）**he appears**. 他比看上去要能干、精力充沛得多。

He is stronger **than**（he was）when I saw him last. 他的身体比我上次见他时更为强壮了。

She is fonder of country music **than**（she is fond）of pop music. 她喜欢乡村音乐胜过流行音乐。

四、介词的省略

1. 在 it is no use（in）doing sth. 等结构中,动名词前的 in/at 常可省略

常见的这类结构有:

it is no use（in）doing sth. 做……没有用

it is no good（in）doing sth. 做……没有用处/好处

there is no hurry（in）doing sth. 不急于做……

be busy/late/weary（in）doing sth. 忙于/迟于/讨厌做……

take turns（in, at）doing sth. 轮流做……

busy/occupy oneself（in）doing sth. 忙于做……

be long（in）doing sth. 迟迟才做……

there is no point（in）doing sth. 做……无意义

there is no use/good（in）doing sth. 做……无用处

employ oneself（in）doing sth. 从事于……

have no business（in）doing sth. 无权做……

lose no time（in）doing sth. 不失时机地做……

have a hard time（in）doing sth. 做……很难

spend/waste time/money/energy（in）doing sth. 花时间/金钱/精力做……

have trouble/difficulty（in）doing sth. 做……有困难

be employed/engaged/occupied（in）doing sth. 从事于……,忙碌于……

She employs herself（in）writing. 她从事写作。

The farmers are busy（in）hoeing corn. 农民们忙着在玉米地里锄草。

He is engaged（in）preparing for the evening party. 他正忙着为晚会做准备。

He has no business（in）saying such things about me. 他无权对我说三道四。

She lost no time（in）rewriting the book. 她很快就开始重写那本书了。

▶▶▶ 当 spend time/money（in）doing sth. 结构用于被动语态时,in 通常不省略,但也有省的情况。例如:

They spent a large sum of money（in）building the tower. 他们建造这座塔花了一大笔钱。

A large sum of money was spent **in** building the tower.

2. 当连接代词（what, whose）、连接副词（how, when）以及 whether 引导从句或不定式短语时,其前面的 of, about, as to 等常可省略

I am not aware（of）how he got it. 我不知道他怎样弄到它的。

She had no idea（as to）what to do. 她不知道该做什么。

He hesitated（about）what to say next. 他对下面该说什么犹豫不决。

3. 表示一段时间或方式的短语中的 for, in, by, at 等常常省略;但是在否定句中或引导介词短语位于句首强调持续时间时,for 一般不可省略

The snowy weather lasted（for）**two weeks**. 雪持续下了两个星期。

He remained single（for）**all his life**. 他一辈子单身。

Don't treat her（in）**that way**. 不要那样待她。

They bound him（by）**hand and foot**. 他们把他的手脚都捆起来了。

He doesn't do it（in）**the way** I do. 他没有照我的方式去做。

They came (at) **full speed**. 他们全速赶来。

He's been off work (for) **a long time**. 他已经很久不工作了。

They have been walking (for) **a good half hour**. 他们已步行了足有半小时。

She was away from home (for) **five or six days**. 她离开家已经五六天了。

Sam waited (for) **a few moments** and then got on the bus. 萨姆等了一小会儿,然后就上了公共汽车。

We've been here (for) **three days/weeks**. 我们来这里已有三天/周了。

The play ran (for) **three months**. 那出话剧连续演了三个月。

I have waited (for) **ages**. 我已等了太久了。

She didn't say anything **for several hours**. 她几个小时一句话也没说。

I haven't spoken to her **for four weeks**. 我已有四个星期没同她说话了。

We haven't seen each other **for two years**. 我们俩已有两年没见面了。

For 300 years, the treasure lay buried in the cave, unknown. 长达 300 年,这些财宝埋藏在洞穴中,无人知晓。

For two years he lived alone in a wooden hut by the lake. 整整两年,他独自一人住在湖边的一个小木屋里。

【提示】在表示进行意义的句子中,for 通常不省略。例如:

We've been walking **for two hours**. 我们已步行了两个小时。

I've been meaning to ask you **for ages**. 我早就想问你了。

I've been coming to see you **for years**. 多年来,我总想来看你。

They were kept waiting **for over three hours**. 他们一直等了三个多小时。

The ship has been sailing in the Pacific **for two weeks**. 这艘船已在太平洋上航行了两个星期。

4. at, in, of, from, by, with 在某些句子结构中可以省略

常见的这类结构有:

What's the use (of) **crying**? 哭有什么用?

There are a lot of trees on this side (of) **the hill**. 山的这边有很多树。

Can you prevent him (from) **smoking** more? 你能让他不再吸烟好吗?

He earned a lot of money (by) selling newspapers. 他靠卖报纸挣了很多钱。

He sent the letter (by) **express/airmail**. 他把信快递了/空邮了。

The housewife cooked (in) **the Italian style**. 这位主妇烧意大利式的菜肴。

She wasn't (at) **home** when I got back. 我回来时,她不在家。

He stood (at) **the back** of the tree. 他站在树的后面。

The naughty boy stood before the teacher, (with his) **head bowed**. 那淘气的男孩站在老师面前,头低着。

【提示】near, next 和 opposite 后的 to 常被省略,但当 next to 作"几乎"解时,to 不可省。参阅"形容词"章节。例如:

Our school is **next/opposite** the park. 我们的学校靠近公园。(省略了 to)

It is **next to** impossible. 那几乎是不可能的。(不可省略 to)

5. 表语名词 age, color 等前的 of 可以省略

当表语为 age, color, weight, length, width, help, design, shape, size, thickness, height, volume, no use 等时,其前的 of 可以省略。例如:

The two machines are (of) **the same design**. 这两台机器是同一个型号的。

The boys are (of) **the same** height. 这些男孩个头一样高。

They are (of) **the same age**. 他们同龄。

Is this coat (of) any use to you? 这件外套对你有用吗?

Have you seen any fish (of) **that size**? 你见过那样大小的鱼吗?

(Of) **What size** is your hat? 你的帽子几号?

(Of) **What price** is this pen? 这支钢笔多少钱?

（Of）**What size** shall I make the box? 我把盒子做成多大？

6．两个介词短语连用时的介词省略问题

当 instead of 或并列连词 or，and，either … or，both … and，not only … but（also）等连接两个介词短语时，如果两个介词相同，第二个介词常可省略。例如：

You may go there **by train** or（by）**plane**. 你可以乘火车或乘飞机去那里。

You should think not only **of getting** but（of）**giving**. 你不应只想到索取，还要想到付出。

She came to the island both **for work** and（for）**play**. 她来到这座岛上，既为了工作，也为了游玩。

You may do the work either **with John** or（with）**Mary**. 你可以同约翰或玛丽一起做这项工作。

She sent the money **to Helen** instead of（to）**Kate**. 她把钱寄给了海伦，而没有寄给凯特。

That is a matter **of life** and（of）**death**. 那是一件生死攸关的事情。

▶▶▶ 但表示强烈对照时，介词不可省。例如：

Are they paid **by day** or **by month**? 他们是按天付钱还是按月付钱？

【提示】如果 and 或 or 连接的两个介词短语的宾语相同，通常要把第一个宾语省略，以求简洁。例如：

They usually started to climb the mountain **before** or **after the sunrise**. 他们通常在日出前后开始爬山。

I don't know whether she is **for** or **against the plan**. 我不知道她是赞同还是反对这项计划。

They carried the old man **up** and **down the hill**. 他们把那位老人抬上山，又抬下山。

7．某些动词后的介词可以省略

某些动词后的介词可以省略，这时，原来的不及物动词就成为及物动词。例如：

She **passed**（by）my window. 她从我窗前走过。

He **ruled**（over）the kingdom. 他统治着那个王国。

He **succeeded**（to）Jim in the office. 他接替吉姆的办公室工作。

He **jumped**（over）the stream. 他跳过小溪。

She **lamented**（over）his death. 她哀悼他的去世。

He **mourned**（over）his failure. 他为失败而伤心。

Moonlight **penetrated**（into）the room. 月光洒进了房间。

They **roamed**（about，over）the world. 他们在世界各地漫游。

Don't **mock**（at）anyone. 不要嘲笑任何人。

He **repented**（of）his folly. 他后悔自己的不智。

She **owned**（to）her fault. 她承认了自己的错误。

She **testified**（to）his honesty. 她证实他的诚实。

She **shared**（in）my sorrows. 她分担我的忧愁。

He **trod**（on）her left foot. 他踩了她的左脚。

He **confessed**（to）stealing the money. 他承认偷了钱。

Let us **drink**（to）his health. 让我们为他的健康干杯。

They **approached**（to）the village. 他们走近那个村庄。

He **ceased**（from）smoking. 他戒烟了。

She **admitted**（to）bribing the boss. 她承认贿赂了老板。

He **attained**（to）fame. 他成名了。

He **sought**（after，for）fame and wealth. 他求名求利。

She **pondered**（over，on）the suggestion. 她认真考虑了那个建议。

The essay **treats**（of）a new problem. 这篇文章探讨一个新的问题。

They have **fled**（from）the town. 他们逃离了那座小城。

五、上下文篇章中的省略

现代社会的快节奏，网络信息的瞬时性，反映在语言的运用上，便是人们用词的简约、明快，能用少量词汇表达的意思决不拉长，并且在不影响理解的情况下尽量省略。省略不仅出现在同一句子中，也出现在上下文篇章中，这也是现代英语一个新的特点。例如：

You'd have to follow rules. **My rules**. 你得遵守规矩,我定的规矩。

They had my packet too. **Dismissed for theft**. 他们收回了我的工资袋,以偷窃为由把我解雇了。

I didn't get off the tube. **Just waited for it to go back**. 我并没有下车,我坐等地铁往回开呢。

The only thing I can do now is wait. **Wait for the telephone or the doorbell to ring**. **Wait for whoever he is**. 我现在唯一能做的事是等待。等着门铃或电话铃响。等待来人,不管是谁。

【改正错误】

1. — Everybody is going to <u>climb</u> the mountain, <u>Can I go to</u>, mom?

                                 A   B

— I'm afraid so. <u>Wait till</u> you are <u>old enough</u>, dear.

          C   D

2. The experiment shows that <u>proper</u> amount of exercise, <u>if to carry out</u> <u>regularly</u>, can <u>improve</u> our

                               A   B   C   D

health.

3. Every evening <u>after dinner</u>, <u>if not being tired</u> from work, I will spend <u>some time</u> <u>walking my dog</u>.

                   A   B   C   D

4. <u>Some</u> of you <u>may have finished</u> Unit One. <u>If not</u>, you can go on <u>to Unit Two</u>.

A   B   C   D

5. — What's the matter <u>with</u> Della?

                      A

— Well, her parents <u>wouldn't allow</u> her <u>to go</u> to the party, but she still <u>hopes so</u>.

                    B   C   D

6. — Who should be <u>responsible for</u> the accident?

                        A

— The boss, <u>not</u> the workers. They <u>just</u> carried out the order <u>as are told</u>.

         B   C   D

7. <u>In my opinion</u>, life in <u>the twenty-first</u> century is <u>much</u> easier than it <u>was used to be</u>.

      A   B   C   D

8. — What <u>should</u> I do <u>with</u> this passage?

          A   B

— <u>Finding out</u> the main idea of <u>each</u> paragraph.

    C   D

9. — You <u>should have thanked</u> the hostess <u>before leaving</u>.

              A   B

— I <u>meant to do</u>. But I couldn't find her <u>when</u> I was leaving.

       C   D

10. If I <u>am admitted</u> by a famous university this summer, my parents will take me <u>to Hong Kong</u> and

      A   B

Macao, <u>If no</u>, they <u>won't</u>.

        C   D

11. <u>One</u> of the sides of the board <u>should be painted</u> <u>yellow</u>, and <u>the other is white</u>.

A   B   C   D

12. The research is <u>so designed</u> <u>that</u> once <u>beginning</u> nothing can be done <u>to change it</u>.

                A   B   C   D

13. <u>No matter how</u> frequently <u>are performed</u>, the <u>works</u> of Beethoven still attract people

     A   B   C

all over the world.

      D

14. The flowers his friend <u>gave</u> him <u>the other day</u> will die <u>unless</u> <u>to water</u> every day.

      A   B   C   D

15. — Have you got <u>any</u> particular plans for the <u>coming</u> holiday?

                  A   B

— Yes, <u>if it possible</u>, I'm going to visit some homes <u>for the old</u> in the city.

        C   D

16. — Tom，you didn't come to the party last night?
        A

 — I was going，but I suddenly remembered I had homework to do.
    B   C   D

17. Little joy can equal those of a surprising ending when you read stories.
  A   B   C   D

18. — You should apologize to her，Barry.
    A

 — I suppose to，but it's not going to be easy.
    B   C   D

19. — You haven't lost the ticket，have you?
          A

 — I hope to. I know it's not easy to get another one at the moment.
    B   C   D

20. — Excuse me. Is this the right road to the Summer Palace?
    A   B   C

 — Sorry，I am not sure. But it must be.
            D

21. My uncle's house in the downtown area is much smaller than ours，but it is twice so expensive.
       A   B   C   D

22. — Do you think Jack is going to watch a football match this weekend?
       A   B   C

 — I believe not so.
    D

23. Jim wanted to play football with his friends in the street，but his father told him not to do it.
    A   B   C   D

24. When you offered some immediate help，it's always polite of you to say a simple "Thank you".
   A   B   C   D

25. All the dishes in this menu，unless are otherwise stated，will serve two or three people.
   A   B   C   D

26. — The boys are not doing a good job at all，are they?
        A B C

 — I don't guess.
   D

【答案】

1. C（I'm afraid not）   2. B（if carried out）   3. B（if not tired）

4. C（if so）   5. D（hopes to）   6. D（as told）

7. D（it used to be）   8. C（Find out［You should find out］） 9. C（I meant to）

10. C（if not）   11. D（the other white）   12. C（begun）

13. B（performed）   14. D（unless watered）   15. C（if possible）

16. B（was going to）   17. B（that）   18. B（suppose so）

19. B（hope not）   20. D（might be）   21. D（twice as）

22. D（I believe not）   23. D（not to）   24. A（offered）

25. C（unless otherwise stated） 26. D（I guess not）

第二十三讲 强 调(Emphasis)

在说话或写文章时,我们有时候要突出或强调某个词、词组或句子,这时就要用强调结构。下面探讨的是各类强调句型、强调词汇及强调方式。

一、结构强调

1. It be＋状语＋that＋句子

这种结构用来强调状语,表示状语成分的可以是单词、短语或状语从句。强调的如果是原因状语从句,从句只能由 because 引导;强调表示原因的短语要用 because of 引导,不可用 since, as 或 why 引导。例如:

It was last summer that I graduated from the university. 我是去年夏天从那所大学毕业的。(时间状语)

It was at an evening party that I first saw her. 我是在一次晚会上第一次见到她的。(地点状语)

It is only when one is ill that one realizes the value of health. 人们生了病才知道健康的价值。(时间状语从句)

It was because the water had risen that they could not cross the river. 正是因为水涨了,他们没有渡过河去。(原因状语从句,不用 since, why, as)

It is in these respects that the difficulty lies. 这正是困难之所在。

It was with a sigh that she consented. 她虽然同意了,却是唉声叹气勉强同意的。

It was as well (that) Peter was moving into that new house, away from here. 彼得也要离开这儿,搬进他的新家。

It is the longing to be home that quickens my steps. 思家心切,我加快了脚步。

It was right then (that) I got the idea. 就在这时我突然有了个主意。

It is in times of crisis that you find out who your real friends are. 正是在危急时刻,你才会发现谁是真正的朋友。

Is it here (that) we are going to have a picnic? 我们野餐是在这儿吗?

Was it for this that he resigned? 他辞职难道就是为了这个吗?

It was on that condition that I agreed to move out of the house. 正是在这种条件下我才同意搬出房子的。

It was in this way that he learnt to live with stress. 他就是这样学会了承受压力。

It was directly under the main street that the subway runs. 地铁正是在主街的正下方穿过。

It was in my early youth that I read the book. 正是在我很年轻的时候读过这本书。

It was in the dead of winter that he went back to his hometown. 正是在隆冬时节,他回到了故乡。

It was with some college students that I traveled across Eastern Europe. 我正是同一些大学生一起游历了东欧。

It was on that account that she decided to do research in her later life. 正是出于这种考虑,她决定自己的后半生做研究工作。

It is by 5 percent that income tax will be increased. 所得税将提高百分之五。

It is with foreign businesses that we are competing. 我们与之竞争的是外国公司。

It is very soon that the stream will dry up. 小溪很快就会干涸了。

It is seldom that she shows her feelings. 她很少表露感情。

It is not often that you got an opportunity like this. 你得到如此良机的时候是不多的。

It was the first time that/when I saw her that I fell in love with her. 正是在我第一次见到她时就爱上了她。

It was/is fifty years ago that the country started her space program. 该国开始其太空计划已有 50 多年了。

It has always been in the dead of night that the strange sound has come from the ancient temple. 总是在夜深人静的时候,从古寺中传来奇怪的声音。

It was then that he took to smoking. 他就是在那个时候养成了吸烟的习惯。

It was very lately that the crime was exposed. 这桩罪行就在最近才被揭露出来。

It was in 2005 **that** he won the Nobel Prize for literature. 就是在 2005 年他获得了诺贝尔文学奖。

It was just after midnight that the ship sailed into the harbour. 正是在午夜过后船才进港。

It is rarely that this method is used in modern laboratories. 很少在现代实验里使用这种方法了。

It was for fun that we drove all the way to the beach. 我们从老远开车去海滨是为了取乐。

It was because of ill health that he retired at the age of fifty. 正是因为健康状况不佳,他 50 岁时便退休了。

It is for a better life that he is working hard. 正是为了能过上更好的生活,他辛勤工作着。

It was in one ship with the explorers that I came to the desolate island. 我同探险的人乘坐同一条船来到这座荒岛上。

It was as soon as he got out of the room that the bomb exploded. 他刚一离开房间,炸弹就爆炸了。

It was where the river joined the sea that the ship sank. 正是在河流入海的地方,这条船沉没了。

It was on condition that she should pay it back within a month that I lent her the money. 正是在她一个月内归还的条件下,我才把钱借给她的。

It was when the leaves turned golden that these birds began to fly south. 正是在树叶变成金黄的时候,这些鸟才开始南飞。

It was not because it was profitable but because it was worth doing that I took over the job. 不是因为有利可图,而是因为值得做,我才接管了这项工作。

> **It** was in the bookstore **that** they first met. 他们最初见面是在那家书店里。(强调句)
> **That** is the bookstore **where/in which** they first met. 那就是他们最初见面的书店。(定语从句)

> **It** was for this reason **that** he put all of his money into this business. 正是由于这个原因,他把所有的钱都投到了这家企业。(强调句)
> **That** was the reason **why** he put all of his money into this business. 这就是他为什么把所有的钱都投到这家企业的原因。(定语从句)

【提示】强调时间状语时还可用 when 引导,强调地点状语时还可用 where 引导;但如果被强调部分是表示时间、地点的介词短语,就不可用 when 或 where,而要用 that。

2. It be＋代词/名词/带定语从句的名词/名词性从句/形容词＋that/who/whom/which/whose＋句子

这种结构强调名词或代词时,该名词或代词可以是后面句子的主语、宾语或宾语补足语,如果是主语,则直接用"that＋谓语"。强调人时,还可用 who(主格)和 whom(宾格),有时根据上下文需要还可用 whose;强调事物或情况时,还可用 which。这种结构也可以强调名词性从句、带定语从句的名词或 everything 等代词。本结构强调的宾语补足语可以是形容词、名词或介词短语。例如:

It is Professor Wu that/who sent me the letter. 给我寄信的是吴教授。(主语)

It is you that are/is to blame. 该受责备的是你。(主语)

It is this novel that/which they talked about last week. 他们上周讨论的就是这部小说。(宾语)

It was chairman of the committee that we elected him. 我们选他当委员会的主席。(宾语补足语)

It is red that he has painted the door. 他把门漆成了红色。(宾语补足语)

It's been he/him that they elected captain. 他们选为船长的是他。(带补语的宾语)

It was Doctor James that/whom we invited to give us a lecture. 应邀给我们作报告的是詹姆士博士。(宾语)

It was what he said at the meeting that made her angry. 正是他在会上说的话,使她气愤。(名词性从句)

It was what he reported to the headquarters that helped to find out the spy. 正是他向总部报告的情况,在查找出间谍中起了作用。(名词性从句)

It is what you will do that is essential. 重要的是你的行动。(主语从句)

It was the total devotion that she had to her job **that** won her colleagues' praise. 正是她对工作的全身心的投入,赢得了同事们的赞扬。(带定语从句的名词)

It's not everything that happens **that** gets into the papers. 不是发生的每一件事都会登在报纸上的。(带定语从句的代词)

It was my colleague Bill Turner whose bike I lost. 我丢的是我的同事比尔·特纳的自行车。

It's not the beard that makes the philosopher. 不以胡子长短论哲学家。

It's me that has to send her home. 不得不把她送回家的是我。

It isn't I that wants to go there. 要到那里去的并不是我。

It is myself who is cooking supper. 是我自己在做晚饭。

It wasn't John who fixed your car. 给你修车的不是约翰。

It is the last straw that breaks the camel's back. 是最后一根稻草压断了驼背。

It's her mind that's suffering now, not her body. 是她的心灵在受煎熬,不是肉体。

It is the man behind the gun that tells. 胜败在人不在武器。

It is not helps but obstacles that makes a man. 造就人的是阻力,不是帮助。

It will be Bill who speaks first. 第一个发言的将是比尔。

It is not only the plight of the villagers that he sympathized with. 他同情的不只是村民的困境。

It's going to be a monkey that is sent into space. 被送往太空的将是一只猴子。

It may be this sense of humor that makes him popular. 使他受欢迎的可能就是这种幽默感。

It might be himself who might be in trouble now. 现在陷入困境的那就可能是他自己了。

It must have been Jack that forgot to lock the door. 忘记锁门的一定是杰克。

It might have been the polluted water that made the villagers sick. 使村民们生病的可能是被污染的水。

It's the 'painting **that** she likes best. 她最喜欢的就是这幅油画。(强调句,painting 最重读)

It's the painting (**that**) she 'gave 'me last year. 这就是她去年送给我的那幅油画。(定语从句,gave 和 me 最重读)

It was a 'weird 'dream **that** I had last night. 我昨夜做的是一个怪异的梦。(强调句,weird 和 dream 最重读)

It is a dream **that** has 'come 'true. 这是一个圆了的梦。(定语从句,come 和 true 最重读)

It was the 'turtle **that** he saved. 他救下来的正是这只海龟。(强调句,turtle 最重读)

It was the turtle **that** he 'saved. 这正是他救下来的那只海龟。(定语从句,saved 最重读)

It is 'good 'time **that** this church clock is always keeping. 教堂的钟走得一直很准。(强调句,good 和 time 最重读)

It's high time **that** we should 'vote. 现在我们该投票选举了。(定语从句,vote 最重读)

▶▶▶ 注意下面句子的差异:

I suppose it is **I who am** responsible. 我以为该负责的是我。(不用 is)

I suppose it is **me who is** responsible. (不用 am)

I suppose it is **he/she who is** responsible. 我以为该负责的是他/她。

I suppose it is **we/they who are** responsible. 我以为该负责的是我们/他们。

It is **him** whom you met at the station. 你在车站接的是他。(强调结构,不用 he)

That is **he** whom you met at the station. 你在车站接的那是他。(that is ... 结构,不用 him)

【提示】

① 在现代英语中,这一句型也可以强调表语,一般是名词性表语,但在某些地方,比如在爱尔兰英语中,也可强调形容词性表语。例如:

It is a painter that he is now. 他现在是画家了。

It was angry that Mark was. 马克生气了。

- It's an **editor-in-chief** that he is now. [✓]他现在当的是主编了。
- It's **an editor-in-chief** that he has become. [✓]

② 本句型不可强调谓语动词以及 though, although, whereas 等引导的让步状语从句或对比状语从句。例如:

- Andy teaches music at a middle school. 安迪在一所中学教音乐。(谓语动词)
- It is teaches that Andy music at a middle school. [×]
- Although he is young, he knows a lot about the world. 他虽然年轻, 却颇懂人情世故。(让步状语从句)
- It is though he is young that he knows a lot about the world. [×]
- I like classical music whereas he prefers pop songs. 我喜欢古典音乐, 而他喜欢流行音乐。(对比状语从句)
- It is whereas he prefers pop songs that I like classical music. [×]

③ 本结构中的 be 动词可有多种变化形式, 见上文中的例子。

3. 句尾的强调

英语句子的句尾是突出的位置, 要强调某个部分, 可以把它放在句尾, 而把不重要的部分放在句子中间。例如:

Karl saw in Linda **strength, determination, a vigorous and vivacious girl, the kind of woman he needed**. 在琳达身上, 卡尔看到了力量和果敢, 一个朝气蓬勃的活泼女孩, 他心仪的伴侣。

- 据说, 中东不久就要爆发战争了。
- The war would soon break out in the Middle East, we were told. (弱)
- The war, we were told, would soon break out **in the Middle East**. (强)

- A 队很可能赢得这场比赛。
- Team A will win the match, in all probability. (弱)
- Team A will, in all probability, **win the match**. (强)

- 英语词汇的历史在很多方面也就是我们文明发展的历史。
- The history of English words is the history of our civilization in many ways. (弱)
- In many ways, the history of English words is **the history of our civilization**. (强)

4. 倒装结构和句首的强调

倒装结构和句首位置可以强调状语、表语、宾语、宾语补足语等。例如:

Never will they give up the struggle for freedom and peace. 他们决不会放弃为自由与和平而斗争。(状语)

Under no circumstances can visitors be allowed to walk on the grass. 游客决不可踩踏草坪。(状语)

Most bitterly did she complain to her father. 她非常伤心地向父亲诉苦。

Never a cent did he earn in the whole month. 整整一个月他连一分钱也没挣到。

Not in the least would he care about it. 他对这件事根本不在乎。

Seldom have I seen her recently. 我近来难得见到她了。

Hardly does she understand what he wants. 她几乎不了解他想要什么。

Hardly a slice of bread did they waste. 他们连一片面包也不浪费。

No one else shall I live with. 我将不再同任何人住在一起。

Only yesterday did I hear of the news. 我只是昨天才知道那个消息的。

Across the river lies a newly built bridge. 河上是一座新落成的桥。

Very little care does he take of the children. 他很少关心孩子们。

He was a famous singer, I've heard. 我听说他是一位著名歌唱家。(宾语从句)

Enclosed is a cheque for 300 *yuan*. 内附一张 300 元的支票(谓语)

Go ahead, I must. 我必须一往无前。(谓语)

A terrible mess you've made of the work. 你把工作弄得一团糟。（宾语）

War we are not afraid of, but **war** we are opposed to. 我们不害怕战争，我们反对战争。（介词宾语）

Alice, he proposed to. 他向艾丽斯求婚。（介词宾语）

Keener and keener she became on painting. 她越来越喜欢绘画。（表语）

A flying saucer it certainly was. 它肯定是一个飞碟。（表语）

Fool Dick may be, but **thief** he is not. 迪克可能很傻，但决不是小偷。（表语）

A scandal people called the whole matter. 人们称这整个事件是一桩丑闻。（宾语补足语）

In China she was born, and **in China** she would die. 她生于中国，也将终老于中国。（状语）

Alone she lived in a wooden hut by the river. 她独自一个住在河边的一个小木屋里。（状语）

Child as he is, he knows a lot about Chinese painting. 他虽然是个孩子，却对中国画了解甚多。（让步从句）

Much as he liked her, he had to leave for a long period of time. 他虽然很爱她，也不得不离开一段时间。（让步从句）

The bomb went off, evidently from the depths of the basement, and **a very big one** it was. 炸弹爆炸了，显然是放在地下室的深处，还是相当大的一枚炸弹。（表语）

To the world he is unknown in death as he was in life. And **yet to me** his life was a success. 在这个大千世界上，他死后默默无闻，犹如他生前一样。然而在我看来，他的一生是成功的。（状语）

And **practise** we did, for days until the start of the next semester. 我们一道练了起来，直到新学期开始。（谓语）

{ He would much like to see her again. 他很想能再见她一面。

{ **Much** would he like to see her again. （状语起首）

{ A man's early education is very important in his later life. 人的早年教育对后来的生活至关重要。

{ **Very important** is a man's early education in his later life. （表语起首）

{ They will go different ways, but will reach the same destination. 他们将走不同的路，但将到同一个目的地。

{ **Different ways** they will go, but **the same destination** they will reach. （宾语起首）

【提示】

① 下面的"主要动词＋主语＋助动词"结构也是表示强调。例如：

If I must die, **die I must**. 如果我必须死，我就死。

If I should do it, **do it I will**. 如果我该做，我就会做。

He did not fail. **Succeed he did**. 他没有失败，他成功了。

She wanted to leave and **leave she did**. 她想要离开，她的确离开了。

Surrender he would not till he was killed. 他到死也不会投降。

Die he would not because he was optimistic. 他不会死的，因为他乐观。

While I may travel around the world, **travel I will**. 只要我还能在这个世界上旅行，我就会一直旅行下去。

② 强调表语时，可以用"表语＋it is/was＋that/who"结构。例如：

He it is who is on guard today. 是他今天执勤。

This it was that made the children frightened. 正是这个东西把孩子们吓坏了。

The hunter recovered of the bite, **the snake it was that** died. 那猎人被咬伤后痊愈了，死了的是那条蛇。

This book it was that gave me hope and knowledge in those hard years. 正是这本书，在那些艰难的岁月里给了我希望和知识。

A knife it was (that) the policeman found in the boy's pocket. 警察在那个男孩衣袋中发现的是一把匕首。

③ 如果名词、形容词或副词不位于句首，as 相当于 since 或 because，引导原因状语从句，不作 though 解。例如：

As he was ill, he stayed home for a rest. 他因病在家休息。（原因）

Ill as he was, he worked the whole day. 他虽然生病，但仍然工作了一整天。（让步）

▶▶▶ 但有时候，as倒装结构可能表示原因状语，也可能表示让步状语，视上下文而定。例如：

Young as he was, he did not know much about the world. 他由于年轻，对世事了解甚少。（原因）

Young as he was, he knew a lot about the world. 他虽然年轻，却很懂人情世故。（让步）

④ 在强调句中，that, whom作直接宾语或间接宾语时可以省略。例如：

It's me (that, whom) she gave the book to. 他把那本书给我了。

It was the sales manager (that) they were complaining about. 他们抱怨的是那个销售经理。

It's little (that) we know about the animal. 关于这种动物，我们所知甚少。

It's fame (that) he is seeking. 他求的是名。

Was it her (that) you were talking about? 你们谈论的是她吗？

It is not I (who) to blame. 该受责备的不是我。

It was a new dictionary (that) Father sent to me. 父亲给我寄来的是一部新词典。

⑤ 如果强调的是时间状语或地点状语，that有时可以省略。例如：

It was in that bookstore (that) I came across the book. 我是在那家书店里碰到这本书的。

It's to the basketball match (that) I came. 我正是奔着篮球赛来的。

It was only yesterday (that) we first met. 只是在昨天我们才第一次会面。

Was it last year (that) you got the degree? 你是在去年获得学位的吗？

⑥ 强调表语时，that常可省略。例如：

It was only a bricklayer (that) he could become. 他那时只能当一个泥瓦匠。

It's a serious problem (that) water pollution has become. 水污染已经成了严重的问题。

It is in sympathy with the weak (that) we are. 我们是同情弱者的。

⑦ 在强调句中，that, who作主语时，在口语中可以省略。例如：

It's practice (that) does it. 经常练习才能熟练。

It was her (who) gave me hope and courage. 是她给了我希望和勇气。

It's a rich man (who, that) donated the money. 捐这笔钱的是一个富人。

It wasn't Jim (who, that) let out the dog. 不是吉姆把狗放出去的。

It might be herself (that) forgot to lock the door. 很有可能正是她自己忘了锁门。

⑧ 强调句中，被强调的名词/代词作表语时，可以带有定语从句。例如：

It's not everyone **that comes** (that, who) is welcome. 并不是谁来都受欢迎。

It's those **that are down** (that) would be up. 正是那些地位卑微的人要翻身上来。

It is the man **who is far-sighted** (who) realizes its great significance. 正是目光远大的人才会意识到它的重大意义。

It's one of those girls (that) **you meet from time to time in the street** (that) stirs memories of youth and love. 能唤起对青春和爱情回忆的，正是你时不时会在街上看到的女孩子中的一个。

5. "特殊疑问词＋is/was＋it＋that＋句子"结构的强调

如果强调的是特殊疑问句，要用"特殊疑问词＋is/was＋it＋that＋句子"结构，that有时可省，表示"究竟在哪里……，到底是谁……"等。例如：

Where was it (that) you saw the man? 你到底在哪里看见那个人的？

Who is it (that) you want to see? 你究竟想见谁？

Who was it that gave the alarm? 是谁报的警？

How is it (that) your answer differs from his? 你的回答怎么与他的不同？

Which is it that you want? 你想要的是哪一个？

When was it that you ever said so? 你是什么时候说这个话的。

Why is it that you want to change your idea? 你为什么要改变主意？

What is it that you want me to say? 你想让我说什么？

6. what/who/which...is/was...强调结构

"what/who/which ... is/was ..."结构可以强调主语、宾语、表语等名词性成分,有时可同"It is/was+被强调成分"换用。例如:

I don't know **what it is in him that** makes him attractive to the girls. 我不知道他身上是什么对女孩子有那么大的吸引力。

We wonder **what quality it was** which he possessed **that** enabled him to weather the most extreme crisis. 我们想知道,他具有什么样的品质,使他渡过了最严重的危难。

The question is **who it is that** we can trust. 问题是我们能相信谁。

He asked **which picture it is that** we should send the President as a present.他问我们应该送给总统哪幅画作为礼物。

It rests on **what measure it is that** is most effective. 那取决于什么样的措施最有效。

What he is **is** a first-rate surgeon. 他正是一位一流的外科医生。

What I'm going to do **is**(to) clear away the dead leaves. 我正要做的就是把枯叶清扫掉。

What she'll do **is**(to) raise people's awareness of AIDS. 她将做的正是要唤起人们对艾滋病的警觉。

What they have done **is**(to) make a mess in the house. 他们做的正是把屋子里弄得乱七八糟。

What he did **was**(to) eat and sleep all day long. 他整天就是吃了睡,睡了吃。

What we doubt **is** not your honesty but your experience. 我们怀疑的不是你的诚实,而是你的经验。

{ **It is** the quality(that) they are complaining about. 他们抱怨的正是质量问题。
What they are complaining about **is** the quality.

{ **It was** the footprints **that** revealed the hiding place of the criminal. 正是脚印暴露了罪犯的藏身之地。
What revealed the hiding place of the criminal **was** the footprints.

{ **It** was a Christmas card(that) he sent her. 他给她寄去的是一张圣诞卡。
What he sent her **was** a Christmas card.

7. Spring is when..., This place is where... 等强调结构

when 和 where 可以引导表语从句,其先行词就是作主语的词语。例如:

Spring is **when** the trees puts forth buds and leaves. 春天是树木吐芽长叶之时。

Autumn is **when** fruits are ripe and gathered. 秋天是果实成熟收获的季节。

2010 was **when** she began her career as an actress. 她的演员生涯始于2010年。

Here is **where** the river burst its banks. 这里就是河水决堤的地方。

This very place was **where** the accident happened. 事故正是在这个地方发生的。

二、其他类型的强调

1. do 和 never

如果句子中没有助动词,在肯定句中可以用 do 表示强调,一般译为"务必,一定,确实"等。"never+助动词 do"也常用作强调。例如:

Do come early. 一定早点来。

She **did** send you a letter last week. 她上周确实给你寄过一封信。

"You are quite wrong — she **does** like you." "你大错特错了——她的的确确喜欢你!"

At one time the world **did** have to be conquered. 世界一度确实需要由人类去征服。

The Times **did** come knocking at my door.《时报》真的来叩门了。

The truth **never did** come to light. 事实真相一直没有被发现。

I **never did** like her, you know. 我从没有喜欢过他,你是知道的。

He belongs to the world, but especially **does** he belong to America. 他属于全世界,但他首先是属于美国的。

2. utter, sheer, very 和 ever

very 表示强调时，前面常有 the, this, that 或 my, their 等词，后跟名词，也可在名词前插入 first, same, own 等词，相当于 exactly, real, true, genuine, actual, mere, itself and no other, just, none other than, even 等。ever 表示强调时，多构成 ever so, ever such, as...as ever 词组；ever 也可放在 what, who, where, when, which, why, how 后，书写时同这些词分开写，意为"究竟，到底"（分开写时，其含义不同于 whatever, whoever 等）。例如：

At that **very** moment he came. 就在那时，他来了。

The **very** sight of snake makes the girl shiver. 那女孩一看见蛇就发抖。

He escaped under their **very** nose. 他就在他们的鼻子底下逃跑了。

I'll go this **very** minute. 我立即就去。

This is the **very** lowest price. 这是最最低的价。

You may keep the book for your **very** own. 你可以保留这本书，仅为自己用。

Who **ever** said so? 这到底是谁说的？

What **ever** do you mean by saying that? 你说那话到底什么意思？（不可用 whatever）

She is **ever such** a nice girl. 她真是个好姑娘。

He is **as** great a poet **as ever** lived. 从来没有比他更伟大的诗人。

What he said was **utter** nonsense. 他说的是一派胡言。

She won by **sheer** luck. 她完全凭侥幸获胜。

It is **ever so** cold. 冷得要命。

She was **ever so** tired. 她非常疲倦。

He enjoyed himself **ever so** much at the party. 他在晚会上玩得非常开心。

【提示】

① "as＋形容词/副词＋as ever/before" 意为"跟从前同样的"；more ... than ever 意为"比从前更……"。例如：

She is **as** diligent **as ever.** 她跟从前一样勤奋。

He is **more** diligent **than ever.** 他比从前更勤奋。

② whatever 和 whatsoever 在否定句或疑问句中放在名词后表示强调。例如：

There can be no doubt **whatever** about it. 这件事是毫无疑问的。

That's nothing **whatsoever** to do with me. 那件事同我一点关系没有。

3. at all

这种用法的 at all 意为"根本，究竟，毕竟"。例如：

If it were not for the sun, we could not live **at all**. 如果没有太阳，我们根本就不能存活。

Do you know it **at all**? 你究竟知道不知道？

4. the last

the last 加名词可以表示强烈的否定意义，注意译法。例如：

He would be **the last** person in the world to deny this. 他决不会否认这一点。

This is the **last** place where I expected to meet you. 我万没有想到会在这儿碰上你。

Not to keep his promise will be **the last** thing for him to do. 他绝不会不守承诺的。

He is **the last** man to do it. 他决不会干那事。

He should be **the last** (man) to blame. 怎么也不该怪他。

She is **the last** person for such a job. 她最不配做这个工作。

He is **the last** man to consult. 根本不宜找他商量。

5. on earth, in the world, earthly 和 under the sun

这些短语或单词用于肯定句意为"究竟"，用于否定句意为"全然，一点也……"，也可加强最高级的语气，意为"最最"。例如：

Where **under the sun** did you put the book? 你到底把书放到哪里去了？

It is the finest thing **under the sun**. 这是世界上最美好的东西。

She had not a penny **in the world**. 她身无分文。

Who **in the world** is it? 这到底是谁?

How **on earth** could all this be explained? 这一切该如何解释?

That is the most ridiculous thing **on earth**. 那是最可笑的事情了。

What **earthly** thing are you doing now? 你这会儿到底在干什么?

6. the devil, the hell, the deuce, the blazes, in (the) hell, the plague, in heaven, under heaven, a plague, the mischief 和 the dickens

这几个短语同 what, who, where, when, why, how 连用,意为"到底,究竟",有时是粗话。例如:

Who **the dickens** is she? 她到底是谁?

What **the deuce** is the matter? 究竟是怎么回事?

What **the blazes** is he? 他到底是干什么的?

What **in hell** is she doing? 她究竟在干什么?

She doesn't have a hope **in hell** of winning the game. 她压根儿没有希望赢这场比赛。

Where **the devil** did he go? 他妈的他到哪里去了?

When **the plague** will you pay me? 你他妈的到底什么时候还我钱?

Why **the blazes** did you do like that? 你他妈的究竟为什么那样做?

What **a plague** does he want to do? 他妈的他到底想干什么?

【提示】

① in heaven's name, in the name of wonder, in the name of fortune, in the name of reason, in the name of common sense, in thunder, in (all) creation 等也用来表示强调,意为"到底,究竟"。例如:

Which **in the name of wonder** do you decide to choose? 你究竟决定选哪一个?

What **in thunder** have you done? 你他妈的究竟干了些什么?

② 下面句中的 the devil 也表示强调:

The devil he should worry. 他才不当回事呢。

　　A: Is he an expert? 他是专家吗?

　　B: **The devil** he is. 他绝对不是。

7. I'll be hanged if ... 和 I'll be damned if I ...

I'll be hanged if ... 表示"决不,决不会",I'll be/I am damned if I ... 表示"要是我……,我就不是人!"。例如:

I'll be damned if it is true. 那决不是真的。

I'll be damned if I do it. 我决不做那件事。

I'll be hanged if I go there. 我死也不去那里。

8. not for the world, not on your life 和 not for worlds

这几个词组表示强烈的否定。例如:

Not for worlds would she surrender. 她决不会屈服的。

I wouldn't let her go out alone **for the world**. 我决不会让她一个人单独出去的。

9. anything like 和 anything near

这两个词组用于否定句。例如:

The film isn't **anything like** as interesting as we expected. 这部电影根本没有我们想象的那样有趣。

She **never** came **anywhere near** to knowing what it was. 她根本不懂得这是什么。

10. far, much, by far, still, a great/good deal 和 all the＋比较级

这几个词或词组用来修饰形容词或副词比较级,以加强语气。例如:

Opening the window made it **all the** hotter. 打开窗户反而更热。

That is **all the** faster she can run. 她最多只能跑这么快。

The path through the forest is **by far** more pleasant than that across the field. 穿过森林的小径远比穿过田野的小径怡人。

11. if a

说明数量、高度、年龄，意为"准有，无论如何有"。例如：

She is forty, **if a day.** 她一定有 40 岁了。

He is six feet high, **if he is an inch**. 他准有六英尺高。

We've covered twenty miles, **if a yard.** 我们一定走了 20 英里了。

12. if ever, if any, if anything, if at all 和 if you like

这几个短语一般单独作状语，if ever 和 if any 也可引导状语从句，有时含有让步的意思。例如：

He is a musician **if ever** there was one. 世界上没有音乐家则已，如有就是他。(＝if anyone was＝if there was one at all)

If ever anyone on this earth is simple and unaffected, Robert is. 如果世界上有纯朴、率真的人的话，罗伯特便是。

If ever he was ever happy, it was when he was reading or writing in his study. 如果说他曾有过快乐的时刻，那便是他在书房中读书或写作的时候。

That's a tall story, **if you like**. 那真是一个令人难以相信的故事。

He has little, **if any**, money left. 他剩余的钱即使有也很少。

There are few, **if any**, famous failures. 成名的失败事例即便有，也是少数。

I don't suppose there will be more than a dozen left, **if any**. 我认为即使有剩余的也不会超过十几个。

There is little, **if any**, difference between them. 它们之间几乎没有什么差别。

Mark out new words **if any**. 如有生词就标出来。

If anything, the writing is a little neater. 若说区别的话，这篇文章只是整洁一点。

13. if 从句

She is sixty **if she is a day**. 她至少 60 岁了。

The man must be forty **if he is an hour**. 那男的至少 40 岁了。

He despises fame and wealth, **if anyone does**. 如果真有人淡泊名利的话，他便是一个。

If the boy's death is due to anybody, then it's due to the doctor. 如果这个男孩的死有人要负责任的话，这个人就是那名医生。

14. 主语＋and＋表语和 and＋主语＋表语

Of course he'll come, **a sailor and afraid** of the weather. 他当然会来的，一个水手还会怕天气不好。

A cadre and indifferent to the suffering of the people. 当了官岂能漠视人民的疾苦。

They were badly in need of help, **and she away**. 他们急需帮助，而她偏偏不在。

We are busy making preparations, **and you idle** in here. 我们都忙着作准备，你却在这里闲待着。

15. and that 和 and . . . at that

that 是代词，代替前面整句的内容，and that 一般译为"而且"。例如：

She only speaks French, **and that** not very well. 她只会讲法语，而且讲得不大好。

She offered a suggestion, **and a good one at that**. 她提了一个建议，而且是一个好建议。

In May I heard from Nancy that Walter was ill **and hopelessly at that**. 我 5 月收到南希的来信，说沃尔特生病了，而且是重病。

▶▶ 有时候，at that 相当于 after all, anyway, in spite of all。例如：

The job was hard to do, but **at that** he liked it. 这项工作很难做，但他还是喜欢它。

16. 形容词后置

The living body, **animal or human**, is a storehouse of electricity. 生物体，不论是动物还是人，都是电能的存储器。

A scientist is a good observer, **accurate, patient and objective**. 科学家善于观察事物，准确、耐心、客观。

17. nothing if not

意为"非常，极"(very, extremely)。例如：

The boy was **nothing if not** clever. 这男孩绝顶聪明。
= The boy was **nothing** if he was **not** clever.
= The boy was **very** clever.

18. anything but

意为"根本不,决不,决不是"。例如:

Her visit to America was **anything but** a success. 她的美国之行根本不成功.

He is **anything but** honest. 他极不诚实。
= He is not honest at all.
= He is far from (being) honest.
= He is by no means honest.

19. none 表示的强调

This is **none** of your business. 这与你没有丝毫关系。

He is **none** of my friends. 他决不是我的朋友。(= He is by no means one of my friends.)

You can do **none** of this. 这个你绝对不可做。

He shall be **none** of my son. 他决不是我的儿子。

I shall give her **none** of my money. 我一分钱也不会给她。

He is **none** of the richest. 他很穷。(= very poor)

The film is **none** of the best. 这部电影一点也不好。

She is **none** of the happiest. 她极不幸福。(= very unhappy)

20. not an ounce of 等表示的强调

There is **not an ounce of** justice. 没有一点公道。

He has **not a flicker of** courage. 他没有丝毫勇气。

There is **not a suggestion of** wind. 一丝风也没有。

There is **not a hint/glimmer of** hope. 一点希望也没有。

Not a morsel of food was left. 一片面包也没留下。

Not a drop of rain has fallen. 一滴雨也没下。

He does **not** know **a word of** English. 他一个英语单词也不认识。

He has **no ghost of** an idea about the matter. 他对那件事一点也不知道。

21. not... a little, not... a damn 等表示的强调

He did not regret **a little/a rush**. 他一点也不后悔。

He did **not** care **a straw/a bean/a fig/a jot/a button**. 他一点也不介意。

He did **not** worry **a pin/a scrap**. 他一点也不担心。

It is **not** worth **a cent/a damn/a curse/two hoots**. 它一文钱也不值。

The man did **not** flinch **a hair**. 那人一点也不畏缩。

Not a single customer came. 连一个顾客也没来。

She took **not the least** notice of your remarks. 她一点也不注意你的话。

He had **not the smallest** doubt. 他一点也不怀疑。

She paid **not the slightest** attention to him. 她对他一点也不注意。

He uttered **not a single** syllable. 他一声都没吭。

It mattered **not a bit**. 这一点关系没有。

He hesitated **not a moment**. 他一点也没迟疑。

His help **wasn't** worth **a fig**. 他的帮助毫无价值。

22. as...as 表示的强调

It is **as plain as plain can be**. 这真是清楚得不能再清楚了。

He is **as honest as the day is long**. 他为人非常正直。

I'm **as thirsty as thirsty may be**. 我口渴得不得了。

It is **as clear as clear can be**. 那是再明白没有了。

At that moment she felt as happy as the day was long. 在那一时刻,她感到非常幸福。

23. like anything, to the life, why oh why 等表示的强调

She is out of and away the cleverest girl in our class. 她绝对是我们班里最优秀的学生。

He was thrilled to bits to have a room of his own at last. 他终于有了一个自己的房间,兴奋极了。

The boy can mimic his uncle to the life. 这小男孩能逼真地模仿他叔叔。

When I saw the accident, I was shaken to the core. 看到事故的时候,我十分震惊。

He is an artist to the fingertips. 他是个地地道道的艺术家。

He is your father all over. 他完全像你的父亲。

This boy is every inch his father's son. 这个男孩完完全全像他的父亲。

She knew the problem in and out. 她对这个问题了解得很透彻。

It is a delusion from first to last. 那是彻头彻尾的妄想。

She knows her subject inside out. 她对自己的专业了解得很透彻。

She knows her work from A to Z. 她完全熟悉自己的工作。

The evil system was destroyed root and branch. 那罪恶的制度被彻底摧毁了。

If you catch it, hang on for dear life. 如果你抓住了它,那就舍命也不要松手。

He is brave like anything. 他非常勇敢。

It is a thousand pity. 这非常可惜。

He was tired to the world. 他累得疲惫不堪。

The figure is one hundred percent correct. 这个数字千真万确。

He is a conservative to the core. 他是个彻头彻尾的保守派。

You'll disgrace me to the dust! 你将使我羞辱不堪!

John carried out all his pledges to the letter. 约翰严格履行自己的诺言。

We enjoyed ourselves at party to the top of our bent. 我们在晚会上玩得痛快极了。

It's far and away the best. 这是最最好的。

Why oh why did I say those horrible things? 我为什么会那样胡言乱语?

24. 反身代词表示的强调

Where is he itself? 他到底在哪里?

She is beauty itself. 她是美的化身。

25. 形容词最高级表示的强调

He explained it in the simplest of the simple language. 他用极为简单的话对此作了解释。

He is the meanest of the mean. 没人比他更卑鄙了。

26. 简短句子连用表示的强调

He is cruel, he is lustful, he is sly. 他残忍,他好色,他非常狡诈。

I came, I saw, I conquered. 我所到之处,所见之地,攻无不克,战无不胜。

Everything has suddenly gone quiet. Birds do not chirp. Leaves do not rustle. Insects do not sing.
刹那间,万物都沉寂无声。鸟儿不再喁啾,树叶不再作响,虫儿不再吟唱。

27. 用复指法进行强调

有时,在同一句中,可用 this, it 等复指被强调的成分。例如:

They can't do it, those boys. 那些男孩子做不了这事。

They will make trouble, those villains. 那些恶棍会惹麻烦的。

He must be angry, my brother. 我弟弟他一定生气了。

It is a good place for old men, that park. 那个公园是老人们的好去处。

This I know, you love her. 你爱她,这一点我知道。

You'll be quitting your job, I take it. 你要把工作辞了,我设想是这样的。

When they'd washed up the supper dishes they went out on the porch, the old man and the bit of a boy. 吃过晚饭,洗好盘子,一老一小来到了门廊上。

28. 用重复法进行强调

She told me that she would never, never forget her college years. 她告诉我说,她永远永远也不会

忘记她的大学岁月。

Like Lincoln, he was tall, raw-boned, strong and homely. **Like Lincoln**, he was obedient, responsible, and hard-working. **Like Lincoln**, he thirsted for knowledge. 像林肯一样,他个头高大,面容消瘦,身体强壮,相貌平平;像林肯一样,他忠顺,负责,勤勉;像林肯一样,他对知识如饥似渴。

They **talked and talked** the first day they met. 见面的第一天,他们谈了好久好久。

There was **failure, success, more failure, a little success, a little more success**. 有失败,有成功,失败的多,成功的少,然后成功多了一点。

I'm afraid we're in **deep, deep** trouble. We just may have to close down. 我们的麻烦多多,恐怕得停止营业了。

I could see, could feel **the same longing, the same desperate longing**. 我看得见,也感觉得到那同样的渴望和急切的期待。

We fear **the worst**, expect **the worst**, thus invite **the worst**. 我们怕最坏的事,期待着最坏的事,而恰恰就招来了最坏的事。

It was a **wet wet** day. 那天的雨下呀下,下个不停。

He died **gently gently** in her arms. 他安详地在她怀里走了。

I told her that her eyes were a **deep deep** blue, blue as the sea. 我跟她说,她的眼睛多么多么湛蓝,湛蓝如大海。

29. 用层进法进行强调

His way of life was **expensive, pointless, and utterly ruthless**. 他生活奢侈,醉生梦死,极端残忍。

To win victory, many people **shed their blood, gave up their personal interests and laid down their lives**. 为了取得胜利,许多人甘洒热血,放弃了个人利益,献出了宝贵的生命。

30. by God, by George, for God's sake, for heaven's sake, for goodness' sake 和 for pity's sake

Who **for heaven's sake** is this chap? 这家伙究竟是谁?

By God, I don't know it. 我真的不知道这件事

For pity's sake, do help up a little. 可怜可怜,帮点忙吧。

31. whistle, whisper, bubble 等

拟声词可以表示强调,形象而生动,常用的有:whistle, whisper, bubble, crash, murmur, roar, crack, clap, clink, cluck, thump, splash, bang, titter, howl, clash 等。例如:

He **whispered** the word in her ear. 他同她窃窃私语。

He **banged** the door open. 他砰的一声打开了门。

The water is **bubbling** down the rocks. 水哗哗地从岩石上流下来。

The twigs **cracked** under pressure. 树枝在压力下咔嚓一声断了。

The rain **tinkled** on the window. 雨水叮当地敲打着窗户。

The ball fell **splash** into the pond. 球扑通一声掉进了池塘里。

32. shall 用于第二、三人称

You **shall** be there in two hours. 你必须在两个小时之内赶到那里。(命令)

Children **shall** not see the film. 这部电影儿童不可以看。(规定)

He **shall** gain his aim. 他不达目的,誓不罢休。(必定)

33. 从 He didn't buy the book because he was interested in poetry 的歧义看重音强调

在一个句子中,若要对某个词或词组进行强调,可以重读该词或词组。由于强调的对象不同,同一个句子可能有多种意义,比如上面这个句子就可以有两种意思:

He didn't buy the book because he was interested in 'poetry. 他没有买那本书,因为它同诗歌没有关系。(他本人对诗歌感兴趣)(重音落在 poetry 上,对它进行强调,意为 He didn't buy the book, because it had nothing to do with poetry, and it is poetry that he was interested in.)

He didn't buy the 'book because he was interested in poetry. 他买了那本书,并不是因为他对诗歌感兴趣。(那本书是有关诗歌的)(重音落在 book 上,意为 He bought the book, but it wasn't because he was interested in poetry.)

比较：

Father 'didn't take Jack to swim in the pool today. 父亲今天没有带杰克去游泳。（Perhaps Father forgot to take Jack to swim in the pool today.）

Father didn't take 'Jack to swim today.（It was Tom that Father took to swim in the pool today.）

Father didn't take Jack to 'swim in the pool today.（Father took Jack to the pool today just to see it.）

Father didn't take Jack to swim in the 'pool today.（Father took Jack to swim at the seaside, not in the pool.）

Father didn't take Jack to swim in the pool 'today.（It was yesterday that Father took Jack to swim in the pool.）

'Father didn't take Jack to swim in the pool today.（It was Mother who took Jack to swim in the pool today.）

He's a 'mad doctor. 他是精神病科的医生。

He's a 'mad 'doctor. 他是患有精神病的医生。

She is an 'English student. 她是英国学生。/她是学英语的学生。

She is an 'English 'student. 她是英国学生。

I 'beg your pardon. 我没听清楚,请你再说一遍。

I beg your 'pardon. 对不起。（表示道歉）

I 'will speak to her. 我一定要同她谈谈。（强调要这样做）

I will 'speak to her. 我将同她谈谈。（But I won't write to her）

I will speak to 'her. 我将同她谈谈。（But I won't speak to others）

He 'can read. 他能读。（不是不能读）

He can 'read. 他能读。（But he can't write）

34. There are books and books 的含义

把同一个名词、动词或数词用 and 连接进行重复,是一种强调方法,以使语义突出,表达生动。这类重复可以表示"不同的类型",也可以表示"许多的,大量的"。例如：

There are **books and books**. 既有好书,也有坏书。

There are **doctors and doctors**. 既有良医,也有庸医。

You will find **artists and artists**. 既有优秀的艺术家,也有欺世盗名的草包。

There are **ants and ants and ants** on the ground. 地上到处都是蚂蚁。

She **thought and thought and thought** and couldn't go to sleep. 她思来想去,难以成眠。

They received **twenty and twenty** suggestions. 他们收到了许许多多的建议。

【提示】

① 表语名词同主语重复往往表示"究竟,到底,该是这样"等,具有强调含义。例如：

I shall pay for it. **Business is business**. 钱由我付,生意毕竟是生意。

You are quite right. **Lawyer is lawyer**. 你说得很对,法官到底还是法官。

Boys will be **boys**. 男孩子总归是男孩子嘛。

② 下面的结构也表示强调：

He is a **London of Londoners**. 他是地地道道的伦敦人。

35. out and out 等表示的强调

把同一个介词、形容词或副词用 and 连接进行重复,具有强调含义,常用的有：again and again, on and on, out and out, over and over, up and up, more and more, through and through, around and around, all in all 等。例如：

He is an **out-and-out** scoundrel. 他是一个十足的恶棍。

The birds were flying **around and around** the house. 鸟儿绕着房屋飞来飞去。

He is an honest man **through and through**. 他为人极诚实。

The soldiers walked **on and on**. 士兵们马不停蹄地行进。

He read the poem **over and over**. 他把那首诗读了一遍又一遍。

He is a northerner **through and through**. 他是个地地道道的北方人。

He is fair **through and through**. 他是完全公正的。

He is a tyrant **out and out**. 他是个地地道道的暴君。

【改正错误】

1. John's success has <u>nothing to do</u> with good luck. It is years of <u>hard work</u> <u>as has made</u> him <u>what</u> he
               A   B   C   D
   is today.

2. It was from <u>only</u> a few supplies that she <u>had bought</u> in the village <u>where</u> the hostess cooked <u>such</u> a
              A   B   C   D
   nice dinner.

3. It was <u>until</u> he came back <u>from Africa</u> that year <u>that</u> he met the girl he would like <u>to marry</u>.
            A   B   C   D

4. It was <u>along</u> the Mississippi River <u>how</u> Mark Twain <u>spent</u> <u>much</u> of his childhood.
            A   B   C   D

5. I <u>just</u> wonder <u>how it is</u> that makes him <u>so</u> <u>excited</u>.
     A   B   C D

6. — <u>What was it</u> that he managed <u>to get</u> the <u>information</u>?
         A   B   C
   — Oh, a friend of his helped him.
                      D

7. <u>Why</u>! I have nothing to confess. <u>How is it</u> that you want me <u>to say</u>?
   A   B   C   D

8. — In <u>which</u> part of the play was <u>this when</u> your brother appeared?
          A   B   C
   — In the last ten minutes.
      D

9. Without <u>a doubt</u>, it was <u>them</u> <u>who</u> won <u>the game</u>.
          A   B C   D

10. Can it be in the drawer <u>which</u> you put your <u>keys</u>?
     A   B   C   D

11. It was <u>after</u> he got what <u>he had desired</u> <u>which</u> he realized it was <u>not so</u> important.
       A   B   C   D

12. I don't mind <u>her criticizing me</u>, but <u>that</u> is how she does it <u>that</u> I <u>object to</u>.
               A   B   C   D

13. <u>This is not</u> <u>who is right</u> but what is right <u>that</u> is of <u>importance</u>.
     A   B   C   D

14. I've already <u>forgotten</u> <u>where was it</u> that you <u>put</u> the dictionary yesterday.
          A   B   C   D

15. Was it <u>that</u> he said <u>or</u> something <u>that</u> he did that made her cry <u>so sadly</u>.
        A   B   C   D

16. — <u>What is it</u> that Mr. Smith <u>seldom</u> mentions his childhood?
         A   B
   — Perhaps he suffered <u>a lot</u> in his childhood.
         C   D

17. Was it <u>why</u> it snowed last night <u>that</u> you didn't <u>come to</u> the party?
     A B   C   D

【答案】

1. C(that)	2. C(that)	3. A(not until)	4. B(that)
5. B(what it is)	6. A(How was it)	7. C(What is it that)	8. C(it that)
9. B(they)	10. C(that)	11. C(that)	12. B(it)
13. A(It)	14. B(where it was)	15. A(what)	16. A(Why is it)
17. A(because)			

第二十四讲 否 定(Negation)

否定(Negation)与肯定(Affirmative)相对。英语中的否定结构形式多样,有部分否定、全部否定、几乎否定、双重否定等。在译成汉语时,有时要将否定结构译成肯定含义,有时又要将肯定结构译成否定含义;有时在英语中否定主语,译成汉语时就要转换成否定谓语。诸如此类的现象很多,值得探讨。

一、常用否定表示法

1. 部分否定

1 代词或副词与 not 搭配

代词或副词如 all,both,every,everybody,every day,everyone,anybody,many,everything,entirely,altogether,absolutely,wholly,completely,everywhere,always,often 等与 not 搭配使用时,表示部分否定,意为"并非都是,不是每个都是"等。例如:

Both of them **are not** my brothers. 他们两个不全是我的兄弟。(这一句是部分否定,不可译成"他们两个都不是我的兄弟",如要表达这个意思,要说:**Neither** of them is my brother.)

All is not gold that glitters. 闪闪发光物,未必皆黄金。
=Not all is gold that glitters.

Every man **can not** do it. 不是每个人都能做这件事。
=Not every man can do it.

All are not friends that speak us fair. 对我们和和气气说话的人并非都是朋友。

I **do not** remember **all** these formulas. 这些公式我并非全都记得。

This kind of tree **is not** found **everywhere**. 这种树并非哪里都能找到。

Everyone can not answer this question. 并非每个人都能回答这个问题。

The rich **are not always** happy. 富人未必总是幸福的。

Every couple **is not** a pair. 成对成双多,珠联璧合少。(=Not every couple is a pair.)

Not all her work is successful. 并非她所有的工作都是成功的。

Not all birds can fly. 并非所有的鸟都会飞。

All are not thieves that dogs bark at. 遭狗狂吠者,并非皆盗贼。

Not every child wants to become a film star. 并非所有的孩子都想成为电影明星。

Every man **cannot** be a writer. 并非每个人都可成为作家。

Every man **cannot** be a hero. 并非人人都能成为英雄。

All bread **is not** baked in one oven. 人生性各异,不可强求同。

Not every horse can run fast. 并非每匹马都跑得快。

Not both of them are fit for the job. 他们两人不是都适合这个工作。

I **don't** want **both** of the dictionaries. 我不是两本词典都想要。

He **doesn't always** stay up late. 他不是总是睡得很晚。

I **don't** go to work **every day**. 我不是每天都去上班。

Not all men are honest. 不是所有的人都诚实。

Not all English people like fish and chips. 并不是所有英国人都喜欢炸鱼加炸土豆条。

All is not lost that is in peril. 身陷危难时,并非万事休。

He **didn't** eat **all** the cake. 他并没有把所有的蛋糕都吃完。

All are not capable that are in high position. 身居高位者,并非皆贤才。

All teachers of English **are not** experienced teachers. 并非所有英语教师都是有经验的。

All truths **are not** to be told at all times. 不是所有的实情在所有场合都适宜说出。

She **didn't** attend **every** lecture. 她并非每一个讲座都听。

Both the books **are not** worth reading. 这两本书并非都值得读。

All the scientists **are not** geniuses. 并非所有的科学家都是天才。

These rules **don't** apply to **all** cases. 这些规则并不适用于所有的情况。

I **don't** know **everything** about him. 对他的情况我并不都了解。

She **is not always** excited. 她并非总是兴奋。

I **don't altogether** agree with you. 我并不完全同意你。

It **is not altogether** bad. 那并不完全是坏事。

I **don't** like **both**. 并非两个我都喜欢。

He **is not absolutely** wrong. 他并不完全错。

I **don't wholly** believe it. 我并不完全相信它。

She **is not entirely** mistaken. 她并没有完全弄错。

【提示】

① all ... not 和 both ... not 有时可以表示全部否定,这时,句中一般有情态动词。例如:

All the difficulties **cannot** make him give up. 没有什么困难能够使他放弃。

All the money in the world **won't** make her happy. 世界上所有的钱也不能使她幸福。

② all, both, everybody 等与带有否定意义的词(decline, fail, nothing 等)连用,或者与带有否定词缀的词(dishonest, unhappy 等)连用,表示全部否定,意为"都不,全不"。例如:

All of them were **unhappy**. 他们都不幸福。(＝None of them was happy.)

Both girls **disbelieve** in his words. 两个女孩都不相信他的话。

All these politicians are **dishonest**. 所有这些政客都不诚实。

All their attempts came to **nothing**. 他们所有的努力都毫无结果。

③ not ... all 和 not ... anybody 等有时既可表示部分否定,也可表示全部否定。例如:

She **wasn't** listening **all** the time.
她一直没有注意听。(否定的中心是谓语 wasn't listening)
她并不是一直都在注意听。(否定的中心是 all the time)

She **doesn't** lend her car to **anybody**.
她的车不借给任何人。(降调,全部否定)
她的车不是任何人都给借的。(升调,部分否定)

2 明修栈道,暗度陈仓

汉语有句成语:"明修栈道,暗度陈仓",指的是一种虚虚实实、声东击西、使人莫辨真相的战术,表现了虚指与实指、形式与实质的不同。说来也巧,英语语言中的否定结构也往往具有这种形与实不符的现象,形式上否定的是 A,但实际意义上否定的却是 B,等等。这种否定的虚实移位,往往造成歧义,需细加辨别。

(1) 否定主语,但否定词 not 在形式上往往否定谓语,也就是上文所说的"部分否定"。全称代词 all, both, everybody 等作否定句主语时,都可能产生否定移位,形式上否定全体,但实际上否定部分,参阅上文。再如:

Everybody can not enjoy the music. 并非每个人都能欣赏这首曲子。(＝Not everybody can enjoy the music.)

(2) 否定表语和宾语,但否定词 not 在形式上往往否定谓语。这种否定也是用否定全体的形式来否定部分,常同 all, everyone 等连用。例如:

I **don't** agree with all of you. 我并不完全同意你们。(＝I agree with some of you.)

I **don't** like both of the books. 这两本书我并非都喜欢。(＝I like not both of them.)(只喜欢其中的一本)

The cloth **does not** feel very soft. 这布摸起来不是太柔软。(= The cloth feels not very soft.)

（3）否定状语，但否定词 not 在形式上往往否定谓语。例如：

I **did not** do it for myself. 我做那件事并非为了自己。（=I did it not for myself. ）

He **didn't** shout to frighten you. 他大声喊叫不是为了吓唬你。

Henry **doesn't** inspire fear like his brother. 亨利不像他弟弟那样使人望而生畏。

The student **did not** sit there listening to the teacher. 那个学生坐在那里，并没有听老师讲课。

She **didn't** return the same person that she left. 返回时，她同先前离开时判若两人。

He **has not** come to the decision quickly. 他并不是匆忙做出决定的。（ = He has come to the decision not quickly. ）

She **didn't** come to complain, but to solve the problem. 她来这里不是发牢骚的，而是解决问题的。

They **did not** go into the mountains to hunt animals, but to protect them. 他们进山去不是为了捕杀动物，而是要保护它们。

▶▶▶ 但是，谓语中的否定词 not 并非只能否定其后的状语，如上面第二个例句也可理解为 For myself, I did not do it. （我为了自己，没做那件事。）为避免歧义，可以将状语提前，并在其后加逗号。如果是遇到 not ... because 句型，若否定主句，可将 because 从句提到主句前，或在 because 从句前加逗号同主句隔开；若否定从句，可在 because 前加 not，或用 It is/was ... that ... 结构。在口语中，否定主句时，主句谓语动词用降调；否定从句时，主句谓语动词读升调。下面几个句子均能产生歧义，试加以分析，并调整句子结构以排除歧义。

The poem is not found in this volume.

She didn't come to the meeting by train.

He didn't buy the picture because it was cheap.

（4）happen, prove, pretend 等后有否定不定式时，否定词 not 往往移位否定谓语。例如：

She **didn't** happen to be present. 她当时恰巧不在场。

He **didn't** pretend to notice the misprint. 他假装没注意到那个印刷错误。

（5）在 not ... and ... 结构中，and 连接两个表语、谓语动词、状语、定语或宾语，表示部分否定，否定的往往是 and 后的部分。例如：

The house is **not** big **and** comfortable. 这房子很大，但不舒适。

He does **not** speak Russian **and** French. 他说俄语，但不说法语。

Don't drink **and** drive. 不要酒后开车。（喝了酒就不要开车。）

These are **not** cheap **and** wear-resistant rubbers. 这些胶鞋价格便宜，可就是不耐穿。

The man is **not** rich **and** kind. 那人为富不仁。

She did **not** speak correctly **and** clearly. 她说得正确，但不够清楚。

We **cannot** put on airs **and** make people like us. 要是摆架子，别人就不会喜欢我们。

He is **not** a bright **and** diligent boy. 他并不是个又聪明又勤奋的孩子。（他是个聪明的孩子，但不勤奋。）

【提示】

① 在古雅的文体中，还常用"行为动词＋not"这种否定结构。例如：

I **know not** what else she can do for you. 我不知道她还能为你做什么。（相当于 do not know）

He **doubted not** but that she would regret some day. 我相信她有一天会后悔的。（相当于 did not doubt）

② some 与 not 连用也构成部分否定。例如：

I **don't** like **some** of the exhibits. 有些展品我不喜欢。

I **don't** like **any** of the exhibits. 展品我一个也不喜欢。

She **didn't** invite **some** of her colleagues. 有些同事她没有邀请。

She **didn't** invite **any** of her colleagues. 她的同事她一个也没有邀请。

2. 全部否定

英语中表示全部否定时常用 no, not, none, nobody, nothing, nowhere, neither, never 等。例如：

None of my friends smoke. 我的朋友都不抽烟。

Neither of the substances dissolves in water. 这两种物质都不溶于水。

The book is **nowhere** to be found. 那本书哪儿也找不到。

No cigarette is completely harmless. 香烟没有完全无害的。

Nothing in the world is difficult for one who sets his mind to it. 世上无难事,只怕有心人。

Never have we been daunted by difficulties. 我们任何时候都没有被困难吓倒过。

▶▶▶ 正确理解和区分部分否定和全部否定是很重要的,稍一疏忽,就会出现译文上的错误。比较:

> I **don't** know **anything** about her. 我对她的情况一无所知。(全部否定)
> I **don't** know **everything** about her. 她的情况我并不完全知道。(部分否定)

> **None** of the answers are right. 所有的答案都不正确。(全部否定)
> **All** the answers are not right. 并非所有的答案都是正确的。(部分否定)

> I **do not** know **any** of them. 他们我全不认识。(全部否定)
> I **do not** know **all** of them. 他们我并非个个都认识。(部分否定)

> **Not** any student has read these magazines.
> 没有任何学生读过这些杂志。(全部否定)
> 并非任何学生都读过这些杂志。(部分否定)

> The horse **cannot** carry your luggage and hers.
> 这匹马既不能驮你的行李,也不能驮她的行李。(全部否定)
> 这匹马不能既驮你的行李,又驮她的行李。(部分否定)

> Sam **didn't** sleep for eight hours.
> 萨姆八个小时没睡觉。(全部否定)
> 萨姆没有睡足八个小时。(部分否定)

3. 双重否定,意义肯定

双重否定是指同一个句子里出现两个否定词,即否定之否定。双重否定句表示的意思是肯定的,通常比肯定句的语气更重或更委婉。译成汉语时可以译成肯定形式,也可以保持双重否定的形式。双重否定表示法多种多样,主要有:①no/not+否定意义形容词;②no/not/never/few+否定意义动词;③no/not/never+without+名词/动名词;④not+否定意义副词;⑤no+否定意义名词;⑥can not ...and not。例如:

No one can command others who **cannot** command himself. 正人先正己。

There was **never** a great genius **without** a tincture of madness. 伟大的天才总有点癫狂。

He **doesn't** lend his books to **nobody**. 他的书没有哪个不借。

You **can't** make something out of **nothing**. 巧妇难为无米之炊。

What's done **cannot** be **undone**. 做过的事后悔也无用。

Nothing is **nothing** at all. 没有一件事情是微不足道的。

Few things are **impossible** to a willing mind. 只要有志气,没有任何事情办不到。

It is **impossible not** to do it. 不做这件事是不可能的。

Nothing is **impossible** to a willing mind. 有志者事竟成。

Not infrequently did they quarrel. 他们经常吵架。

He was **not** weak **never** to resume his work again. 他的身体还没有虚弱到以后不能恢复工作的地步。

Not a day passed **without** a number of people being killed in traffic accidents. 每天都有很多人死于车祸。

It is **not impossible** to master a foreign language within a short period of time if you use a good study method. 如果你学习方法对头,那么在短时期内掌握一门外语并不是不可能的。

Variation outside the range given are **not unlikely**. 变化超出规定范围并非不可能。

Nobody had **nothing** to eat. 人人都有东西吃。

We see him **not infrequently**. 我们时常见到他。

There's **not** a person in our village who **isn't** anxious to put the place on the map. 我们村子里没有一个人不渴望将这个地方标到地图上。

She told him what she thought of his contribution in **no uncertain** terms. 她毫不含糊地告诉他她对他贡献的看法。

Not unnaturally，he rejected her demand. 他很自然地拒绝了她的要求。

It seems **no impossibility** to John. 在约翰看来,这不是不可能的。

She is an **not unattractive** middle-aged woman. 她是个还有几分姿色的中年女人。

He has built up a **not inconsiderable** business empire. 他已经建立起一个相当规模的商业帝国。

His angry outburst was **not unexpected**. 他的勃然大怒并非完全出人意料。

He's **not unreasonable**. He's right in a way. 他并非没有道理,从某种意义上讲他是对的。

He made some **not unintelligent** observations. 他作了一些具有一定见解的评论。

The world has done me **no injustice**. 这世界并没有对我不公平。

Immortal garland is to be run for, **not without** dust and heat. 不朽的花环是备极艰辛而后得到的。

The moon **never** beams **without** bringing me dreams of the beautiful Annabel Lee. 每夜月亮的光辉都为我带来了梦寐,梦见美丽的安娜贝尔·李。

She has given me **no small** support. 她给了我极大的帮助。

Nothing is **unnecessary**. 没有什么是不必要的。

Her grandson **never fails** to phone her on her birthday. 她孙子从来不会忘记在她生日时打电话给她。

No way is **impossible** to courage. 勇敢者不会有绝路。

It is **not uncommon** nowadays for students to have bank loans. 学生获得银行贷款如今已是平常事。

No smoke **without** fire. 无火不起烟。

Nothing is **unexpected**. 一切都在预料之中。

Few things are **impossible** to diligence and skill. 只要勤奋,有技能,任何事情都能办得到。

Nothing has been done that **can not** be done better. 任何事情都有改进的余地。

Never did she hear the tune **without** being moved to tears. 每当她听到这首曲子,总会潸然泪下。

Scarcely an adventure or character is given in his works, that **may not** be traced to his own colorful life. 他作品中的每一桩事情或每一个人物几乎都是取材于他本身丰富多彩的生活经历。

Not infrequently the clouds began to gather，and there was every sign that a change was at hand. 时常看到云块开始聚集,大有天色马上要变的样子。

Nowadays it is **not seldom** that man lives to be ninety years old. 今天,活到 90 岁的人是很常见的。

You **cannot** read the book and **not** be inspired. 你读了这本书,不能不受鼓舞。

You **cannot** see the film and **not** be moved. 你看了这部电影,不能不受感动。

He went out as usual，though **not without** some fear. 他照常出去了,虽然有些害怕。

It's **not uncommon** for the students to make spelling mistakes. 学生们出现拼写错误是常见的。

Nobody does **nothing**. 人人都要做事的。

He is **not displeased** with my answer. 他对我的回答感到满意。

Now **no** spaceship **cannot** be loaded with man. 现在没有任何宇宙飞船不能载人了。

No machine ever runs **without** some friction. 从来没有一台机器运转时没有摩擦。

At the beginning of learning English you can **not** speak it **without** making mistakes. 开始学英语时讲英语不可能不犯错误。

There is **nothing** so difficult **but** it becomes easy by practice. 无论多么困难的事,只要实践便会变得容易了。

▶▶▶ 再如:not unprepared 不是毫无准备,not immutable 并非一成不变,not unobjectionable 并非不可反驳,not unlike 跟……一样,等。

4. 几乎否定

几乎否定(又称半否定)表示整个句子的意思接近于否定,常用的词有 little/few 很少/一点儿, barely 仅仅/几乎不,hardly 几乎不/简直不,rarely 很少,scarcely 几乎没有/简直不,seldom 不常/很少,等。例如:

This problem has been **little** studied. 对这个问题几乎还没有研究过。

He **little** realizes the danger he is in. 他几乎还没有意识到所面临的危险。

I **seldom** get any sleep. 我几乎不能入睡。

Scarcely anybody believes that. 几乎没有人相信这件事。

It is **hardly** right. 这几乎是不对的。

Little remains to be said. 简直没有什么可说的了。

Hardly a day goes by when I don't think of her. 几乎没有一天我不想她。

Her voice was so low, I could **barely** hear her. 她说话的声音很轻,我几乎听不见。

I understand **little** of what she said. 她说的我几乎全不理解。

He would **hardly** recognize his hometown if he saw it now. 如果他现在看到了故乡,将很难辨认了。

【提示】这些词后常插入 if ever, if any, if at all 等表示让步概念。例如:

They **rarely**, **if ever**, tour to that country. 他们难得到那个国家去旅行。

The manuscript has **few**, **if any**, misspellings. 这部手稿的拼写错误即使有也是极少的。

5. 形式否定,意义肯定

英语中有些形式上否定而内容含义却是肯定的结构,译成汉语时不能拘泥于原文表层结构的否定,要忠实于原文含义,即译出此类否定结构的肯定含义。

1 cannot ... too

意为"越……越……,非常,无论怎样……也不过分",相当于 It is impossible to overdo, The more ... the better。在此结构中,cannot 也可改用 can hardly/scarcely/never, too 也可改用 over, enough, sufficient 等。例如:

You **cannot** be **too** cautious. 你越谨慎越好。

A man **can never** have **too** many friends. 朋友越多越好。

We **can hardly** praise his achievement **too** much. 对他的成就我们无论怎样赞扬也不过分。

He **can't** see you quickly **enough**. 他想尽快见到你。(=He desires to see you as soon as possible.)

Newton's contribution to modern science **can scarcely** be **overrated**. 牛顿对现代科学的贡献无论怎样评价也不过高。

【提示】"cannot wait+不定式"意为"be eager to ... 急于做",表示强调的肯定意义。例如:

I **cannot wait to** read the book. 我非常渴望读到这本书。

He **couldn't wait to** see her. 他渴望见到她。

2 cannot but+v, cannot help but+v, cannot help+v-ing

意为"不得不,禁不住"。例如:

We **cannot but** read books to increase our knowledge. 我们只有读书才能增长知识。

I **can't help but** feel sorry for her. 我不能不为她感到遗憾。

We **cannot help** admiring his courage. 我们不能不佩服他的勇敢。

One's world outlook **cannot but** come through in what one says and does. 一个人的世界观必然在他的言行中表现出来。

3 no/nobody...but

意为"都……,没有……不……,只有……才……"。例如:

There is **no** man **but** has his faults. 人皆有过。

There is **no** rule **but** has exceptions. 凡是规则都有例外。

Nobody reads the **book** but will be moved. 这本书谁读了都会受感动。

There exists **no** man **but** has an enemy. 人不树敌世上无。

There is **no** material **but** will deform more or less under the action of force. 各种材料在力的作用

下,多少都会有些变形。

【提示】

① 这种结构中的 but 起关系代词的作用,相当于 that/which/who does/will/have ... not.

② 在疑问词或否定词后面,but 都含有否定意义,不论是作代词还是连词均表示双重否定,也就是肯定,意为"没有……不"等。参阅有关章节。比较:

> No one believes **that** she will succeed. 没有人相信她会成功。(否定)
> No one believes **but** she will succeed. 人们相信她会成功。(直译为"没有人相信她不会成功",为双重否定表示的肯定)

> There is no one **that** knows him. 没有人认识他。(否定)
> There is no one **but** knows him. 人人都认识他。(肯定)

> There is no man **that** errs. 人都没有错。(否定)
> There is no man **but** errs. 人人都会有错。(肯定)

③ 注意下面三句:

You will not find the answer **but** (that) you study it thoroughly. 你不深入研究就找不到答案。(＝只有……才能,条件状语)

He is not such a fool **but** he can tell a friend from a foe. 他并没有蠢到敌友不分。(程度状语)

But (that) you lent him a large sum of money, he would have gone bankrupt. 要不是你借给了他一大笔钱,他早就破产了。(条件状语,这种结构中的主句要用虚拟语气)

4 never/not ... but (that)

意为"每当……总是……,没有哪次不是……",but (that) 可以引导结果从句、条件从句、定语从句等。例如:

I **never** see you **but** I think of my mother. 每当看见你时,我总是想起我的母亲来。

He **never** played with them **but** (that) a quarrel followed. 他每次和他们一起玩,总会引起一场吵闹。

It **never** rains **but** it pours. 雨不下则已,下则倾盆。(祸不单行。)

I **never** think of summer **but** I think of my school days. 想到夏天就想起了我的学生时代。

Never a day passed **but** brought us good news. 我们每天都有好消息。

He will **not** be angry **but that** he is offended. 人们惹了他他才会生气。(条件状语)

I **never** walked in the park **but** (that) I thought of her. 我每次从公园里走过总会想到她。(结果状语)

5 nothing but, none but 与 nowhere but

意为"仅仅,只,只有……才",与 nothing other than 同义。nothing but 后接非指人的名词,none but 后接指人的名词或非指人的名词。例如:

We can see **nothing but/nothing other than** water. 我们目之所及尽是水。

The children want to do **nothing but** watch television. 孩子们只想看电视。

None but me knew what happened. 只有我知道发生了什么事情。

None but a fool would do such a thing. 只有傻瓜才愿干这件事。

Nothing was heard **but** the dripping of water. 只听见雨水的滴嗒声。

He chose **none but** the best. 他只选最好的。

You can find that sort of bird **nowhere but** in Australia. 你只有在澳大利亚才能找到那种鸟。

▶▶▶ 这种形式有时也可用疑问句来表示。例如:

What is coal **but** a kind of stone? 煤只不过是一种石头。

Whose fault is it **but** your own? 这只不过是你自己的过失。

【提示】 下面一句也是形式否定,意义肯定:

She can **hardly** be **other than** grateful. 她非常感激。

6 nothing else than

意为"仅仅,完全"。例如:

His failure was due to **nothing else than** his own carelessness. 他的失败完全是他的粗心所造成的。

7 no/none other than

意为"正是，仅仅是"。例如：

This is **no other than** the book we want to buy. 这正是我们要买的那本书。

She is **none other than** my adviser. 她正是我的导师。

The anonymous letter was written by **none other than** the author himself. 写匿名信的正是作者本人。

8 more often than not

意为"常常，往往"。例如：

During foggy weather the trains are late **more often than not**. 在有雾的天气里，火车常常晚点。

The street is crowded **more often than not**. 那条大街常常很拥挤。

John is a fairly good swimmer. He wins **more often than not**. 约翰是个游泳健将，他常常在比赛中获奖。

【提示】

① as often as not 意同 more often than not 相近，意为 quite often, fairly often。例如：

As often as not, he gets up late. 他时常晚起床。

② as likely as not 意为"很可能，或许"，相当于 maybe, very likely。例如：

She will forget all about it **as likely as not**. 她很可能忘得一干二净。

9 It was all（that）one could do not to＋动词

这种结构意为"很难不"。例如：

It was all he could do not to tell the whole story. 他尽量不说出全部实情。

It was all she could do not to cry. 她竭力不哭。

10 can't keep from 与 can't refrain from

意为"禁不住，不得不"。例如：

She **couldn't keep from** laughing. 她不禁大笑起来。

I **can't refrain from** rejecting his proposal. 我不得不否决他的建议。

11 否定词＋比较级（相当于最高级）

I **couldn't** agree **more**. 我非常同意。

He **couldn't** feel **better**. 他感到好极了。（＝He felt best.）

There is **nothing** he likes **more than** a glass of beer. 他非常喜欢啤酒。

Nothing is **more valuable** than health. 健康是最宝贵的。（＝Health is the most valuable.）

Never have I seen **more beautiful** scenery than this! 我从来没见过如此美的景色！

Never was a man **more fortunate** than he. 世上没有一个人像他那样幸运。

Nobody is **more selfish** than the merchant. 没有比那个商人更自私的人了。

He wants **nothing more** than time. 他最需要的是时间。

To her，**nothing** is **more humiliating** than being laughed at by others. 对于她来说，没有比受人嘲笑更蒙受耻辱了。

【提示】比较：no more than 只能/仅仅，no less than 不亚于/同样/正是，no worse than 同……一样好。例如：

He could **no more than** go there alone. 他只能独自一人去那里了。（只能，仅仅）

She is **no less** beautiful **than** her sister. 她同她妹妹一样漂亮。（同样，不亚于）

He is **no less** a person **than** the man you are looking for. 他正是你在找的那个人。（正是）

Her paper is **no worse than** his. 她的论文同他的一样好。（同……一样好）

12 否定词＋without

There is **no** smoke **without** fire. 有烟必有火。

He did it **not without** reason. 他做那件事不是没有理由。（＝with reason）

He believed，**not without** reason，that the project will be a success. 他有理由相信，这项工程会成功的。

13 否定词＋till/ until/ unless/ before 等

这种结构意为"直到……才"。例如：

Draw **not** your bow **till/before** your arrow is fixed. 箭搭好了才拉弓。

You can **never** gain your aim，**unless** you work hard. 你只有努力工作才能达到目的。

【提示】下面一个句子可能产生歧义：

Mr. Wilson did **not** sit down **until** the other person took his seat.

别人落座之后威尔逊先生才坐下。

别人坐了他的座位，威尔逊先生才坐下。

⑭ 否定句＋and＋否定谓语

这种结构表示"只要……就……"。例如：

No one will see the film **and not** be moved. 这部电影谁看了都会受感动。

＝Everyone will be moved when he sees the film.

One can **not** see her **and not** love her. 谁见到她都会爱上她。

＝Anyone that sees her will love her.

⑮ 疑问句＋and＋否定谓语

这种结构表示"只要……就……，只要……能不……?"。例如：

Can you read the book **and not** be moved? 你读了这本书能不受感动？（意为：一定会受感动）

＝Can you not be moved when you read the book?

Can anybody see the girl **and not** be charmed? 谁见了这个女孩都会迷上她的。

＝Anybody that sees the girl will be charmed.

⑯ no otherwise（than）

no otherwise（than）表示"只是，不会其他"，相当于 only，nothing but 等。例如：

He is **no otherwise** afraid **than** of his father. 他只是怕他父亲。（＝only afraid）

He does **no otherwise than** fool around all day. 他整天只是到处转悠。（＝nothing but）

She will be a good artist，and **no otherwise**. 她将成为一名优秀的艺术家，一定会。（＝surely）

⑰ 否定修辞性问句表示的肯定

形式否定的修辞性问句常表示非常强烈的肯定。参阅下文。例如：

Who **does not know** it? 人人都知道这个。

What **has** he **not suffered**? 他受过很多苦。

Does no one understand me? 肯定会有人理解我的。

Can't man change the world? 人类能够改变世界。（＝Man can change the world.）

⑱ 否定感叹句表示的肯定

Isn't it wonderful! 真好啊！

What bad deeds **would** he **not** do! 他什么坏事都能干得出来！

Wasn't it a wonderful match! 比赛真是太精彩了！（＝It was really a wonderful match!）

⑲ nothing if not——否定的习惯用语表示的肯定

nothing if not 表示的是肯定，相当于 very，much，extremely，above all(极其，特别是，主要特点是，首先)，多用来强调作表语的形容词或名词。参阅有关章节。例如：

He was **nothing if not** modest. 他是个很谦逊的人。

She is **nothing if not** friendly. 她为人极为友善。

He is **nothing if not** a musician. 他确实是个音乐家。

▶▶ 这类表示肯定的习惯用语还有：likely as not 很可能，nothing short of 完全/确实，all to nothing 百分之百的，as soon as not 乐意，nothing very much 平平常常，worse than nothing 十分糟糕，等。例如：

She would go **as soon as not**. 她可太乐意去。

His behavior was **nothing short of** rudeness. 他的举止非常不礼貌。

Likely as not，we'll never be told what really happened. 很可能，我们永远也不会被告知到底发生了什么。

【提示】下面几个句子，形式是否定，但意义上均为肯定，或是表示礼貌，或是表示强调：

Won't you have some beer? 喝点啤酒吧。

Hasn't he grown? 他长大了。

How many feet, I wonder, **have not trodden** that path. 不知道曾有多少人走过那条小路。

⑳ not a bit, not a little, not a few, no little, no few, no small 和 no slightly 等

在肯定句中,a bit 和 a little 意义相同,表示"有点儿"。例如:

I feel **a bit/a little** cold. 我感到有点冷。

▶▶ 但是,在否定句中,not a bit 表示否定的意思,是 not 的强语势,相当于 not in the least, not at all, 意为"毫不,一点也不"。而 not a little 则表示肯定的意思,相当于 much, a lot, considerably, 意为 "很,很多的"。not slightly 意为"很,十分"。比较:

{ no little＝much
{ no few＝many

{ no small＝great
{ no common＝very peculiar

{ not a little＝much
{ only a little＝little

{ not a few＝many
{ only a few＝few

{ quite a little＝much
{ but a little＝only a little＝little

{ quite a few＝many
{ but a few＝only a few＝few

{ He is **not a bit** tired. 他一点也不累。(＝He is not tired at all.)
{ He is **not a little** tired. 他非常累。(＝He is very tired.)

{ She has **not a bit** experience. 她没有什么经验。(＝She has no experience at all.)
{ She has **not a little** experience. 她有着丰富的经验。(＝She has much experience.)

He is **not a bit** like his father. 他一点也不像他父亲。

She **hasn't** changed **a bit**. 她一点也没变。

He has not **a few** books. 他有许多书。

She is **not a little** frightened. 她非常害怕。

I am **no little** pleased. 我非常快乐。

They talked **no little**. 他们谈了很多。

She likes a man of **no little** humor. 她喜欢幽默风趣的人。

He is a person of **no little** importance. 他是个相当重要的人物。

Hers was **no common** talent. 她才华超群。

He is a man of **no common** type. 他可不是一般的人。(＝very peculiar)

It added **no little** to his pride. 这极大地增加了他的自豪感。

To my **no little** astonishment, they got divorced. 我大为吃惊的是,他们离婚了。

They displayed **no little** interest in the project. 他们对这项工程显示出了很大的兴趣。

She sensed **not a little** hostility in his manner. 她感到他的举止明显带有敌意。

She spent **no small** amount of money on clothes. 她在购买衣服上花掉的钱可不少。

To my **no small** astonishment, I found the room locked. 我发现这个房间锁着,觉得非常奇怪。

He has **no small** reputation as a writer. 他是名气很大的作家。(no small＝great, no 为形容词,修饰被形容词修饰的名词)

He **doesn't** like the vase **a little**. 他非常喜爱这个花瓶。

They **didn't** praise him **slightly**. 他们对他十分赞赏。

She spent **not a little** on book. 她买书花的钱可不少。

He is **no little** of a statesman. 他是个了不起的政治家。

He knows **no few** famous scholars. 他认识许多著名学者。

No few friends broke off with him. 不少朋友都同他绝交了。

No few of them were absent. 他们许多人都缺席了。

To her **no small** delight, she came out first. 她得了第一名,非常高兴。

Not once or twice have I advised her. 我多次劝过她。(＝many times)

{ The affair has given her **not a little** trouble.
{ The affair has given her **quite a little** trouble. 这件事给她带来许多麻烦。

The affair has given her **only a little** trouble.

The affair has given her **but a little** trouble. 这件事给她带来很少麻烦。

He has **but a few** friends. 他朋友很少。

He has **quite a few** friends. 他有很多朋友。

比较：

She has **no small** chance of success. 她大有成功的可能。

She has **no smallest** chance of success. 她完全没有成功的可能。（＝She has not the smallest chance of success.）

【提示】

① 在某些句子结构中，谓语动词可以用肯定式或否定式，但句意不变。例如：

I wonder if you **can**（**not**）**help** her in her work. 我不知道你是否能在工作中帮帮她。

He talked with her again and again, to see if he **can**（**not**）**persuade** her into doing it. 他同她谈了数次，看看是否可能说服她做那件事。

I don't know whether he **has**（**no**）**friends** here. 我不知道他在这里是否有朋友。

She asked me whether she **would**（**not**）**do** anything for me. 她问我她是否能为我做点什么。

② 下面两对句子，用肯定式和否定式都可以，表示的意思基本相同：

He tries to buy a pair of shoes that **will wear**.（＝wear well）

He tries to buy a pair of shoes **that will not wear**. 他想买一双耐穿的鞋。（not wear out easily）

第一句中的 wear 意为"耐用（endure continued use）"；第二句中的 wear 意为"磨损（become less useful）"。

She excused **my doing the work.**

She excused **my not doing the work.** 她同意我不做那项工作。

第一句中的 excuse 意为 dispense（免除），本身有否定含义，全句相当于 She freed me from doing the work.（她免除我做那项工作。）第二句中的 excuse 意为 pardon（原谅），全句相当于 She pardoned me not doing the work.（她原谅我不做那项工作。）

③ not 与数量词连用时，有时表示否定含义，相当于 less than，意为"不足，少于"，但有时表示肯定含义，相当于 more than，意为"多于，不止，远多于，绝非"。例如：

She does **not** get 500 dollars a month. 她一个月挣不到500美元。（not 否定 500 dollars，意为"不足"）

She does **not** live on 500 dollars a month. 她一个月靠500美元是活不下去的。（not 否定 live，意为"多于"）

I have seen her **not** once or twice. 我见过她不止一两次。

④ not half 通常表示"根本不，一点也不"，但有时也可以表示肯定含义，意为"非常"（extremely）；not half good 表示"非常好"，not half bad 表示"相当好"。例如：

He can **not half** speak English. 他根本不会说英语。（否定）

I do **not half** like the book. 我一点也不喜欢这本书。（否定）

She did **not half** cry. 她号啕大哭。（肯定）

She is **not half** willing to help you. 她非常愿意帮助你。（肯定）

A: Do you like the scenery? 你喜欢这风景吗？

B: Oh, **not half**! 啊，太喜欢了！（肯定）

It's **not half** bad. 这很好。

He **didn't half** support my proposal. 他非常支持我的建议。

The film is **not half good**. 这部电影非常好。（＝very good, not bad at all）

It is **not half** raining now. 雨正下得很大。

⑤ not the least 和 not the least of sth. 可以表示肯定意义，意为"不少，很，非常"。例如：

That is **not the least** of her anxieties. 那是她最担心的。

They differed in many ways. **Not the least** was the difference in character. 他们在许多方面不

同,最主要是性格不同。

⑥ 表示部分否定的词位于句首时,句子不倒装,而表示全部否定的词位于句首时,句子要倒装。
　　例如:

　　Not too often, he took a trip to the mountains. 他去山里旅行过,只是不常去。

　　Never too often did he take a trip to the mountains. 他很少去山里旅行。

⑦ 比较:

　　Not even five years ago you could see green hills and clear streams here. 在不到五年前,在这里你还能看到苍翠的山峦和清澈的溪流。

　　Not even five years ago could you see green hills and clear streams here. 甚至五年前你在这里还能看到苍翠的山峦和清澈的溪流。

　　In no time he got the car fixed. 他一会儿就把那辆车修好了。

　　At no time did I tell you that you could use my car. 我从没告诉过你可以用我的车子。

⑧ 注意下面一句中 not ... enough 的含义:

　　I couldn't get **enough** pictures of him the first time he put on Air Force uniform.

　　他首次穿上空军制服时,我不能给他拍足够的照片。[×]

　　他首次穿上空军制服时,我给他拍照怎么也拍不够。[√]

6. 形式肯定,意义否定

英语中某些结构形式上是肯定的,而内容却是否定的。对于这些形式肯定、意义否定的结构,我们在阅读理解时同样不应拘泥于原文的表层结构,翻译时要译出它们的否定含义。

1 more than ... can

相当于 can not,意为"简直不,不可能,难以"。例如:

The beauty of the park is **more than** words **can** describe. 这个公园美得无法形容。

This is **more than I can** tell. 这件事我是不能讲的。

He has bitten off **more than** he **can** chew. 他承担了力所不及的事情。

The boy has become very insolent and it is **more than** his parents **can** bear. 这个男孩变得非常无礼,到了他父母不能忍受的地步。

The traveller entertained his host with stories, some of which were really **more than** could be believed. 旅行者讲了一些故事给他的主人听,其中一些简直难以置信。

Tom seemed to enjoy the danger, which was **more than could** be said of Jim and Polly. 汤姆似乎喜欢那种危险,而吉姆和波莉可不喜欢那危险的事。

2 more than one can help

相当于 as little as possible,意为"尽量不,绝对不"。例如:

Don't tell him **more than you can help**. 能不跟他讲就尽量不跟他讲。

She never does **more** work **than she can help**. 能不做的事她绝对不会做的。

3 more A than B

意为"是 A 不是 B;与其说是 B,不如说是 A"。例如:

He is **more** brave **than** wise. 他有勇无谋。

I was **more** angry **than** frightened. 我不是害怕了,而是生气了。

Everything in the world should be regarded **more** as in motion **than** as at rest. 世界上万物都应该看成是在运动之中,而不是处于静止状态。

The book seems to be **more** a dictionary **than** a grammar. 这本书看起来与其说是一本语法书,不如说是一本词典。

The growth of the separate sciences has been **more** developmental **than** intentional. 各门学科的成长是自然发展的,而不是人为促成的。

4 比较级＋than＋to＋v

意为"不至于……,懂得……不该……"。例如:

I am **wiser than to believe** that. 我不至于傻到竟然相信那种事情。

She knew **better than to go** out alone on such a night. 这样的夜晚，她不至于连不该单独外出都不知道。

You ought to know **better than to go** swimming immediately after a meal. 你应该知道刚吃过饭不宜立即去游泳。

Fools may believe you，but **I know better**. 傻子才会相信你，但我可不相信你的话。（省略了不定式）

5 anything but

意为"绝对不，根本不是，一点也不"。例如：

The wooden bridge is **anything but** safe. 那座木桥一点也不安全。

The explanation is **anything but** clear. 这个解释一点也不清楚。

He is **anything but** a scholar. 他决不是什么学者。

I will do **anything but** that. 我决不干那种事。

It's a sick joke if the West thinks he's a liberal—he is **anything but** liberal. 如果西方把他看作一个自由派人士，那无疑是开令人厌恶的玩笑，他根本不是什么自由派。

6 have yet to＋动词

这种结构相当于"have not yet＋过去分词"。例如：

I **have yet to hear** the story. 我还没听过那个故事。
＝I have not yet heard the story.

I **have yet to learn** the new skill. 我还没有学那项新技术。
＝I have not yet learnt the new skill.

7. "It is a/an＋形容词＋名词＋that"结构的谚语表示的否定

It is a **long lane that** has no turning. 没有不拐弯的长路。（事必有转机。）

It's an **ill wind that** blows nobody good. 没有使人人都遭殃的恶风。（害于此者利于彼。）

It is an **ill bird that** fouls its own nest. 没有自污其巢的恶鸟。（家丑不可外扬。）

It is a **wise father that** knows his own child. 无论怎样聪明的父亲也未必了解自己的孩子。

It is a **poor man that** never rejoices. 再不幸的人也有欢乐的时候。

8. "as＋形容词原级＋as"表示的否定

A nod is **as good as** a wink to the blind horse. 根本不必点头。

I was **as surprised as** anyone on hearing the news. 听到这个消息没有人比我更吃惊了。

9. may/might（just）as well 表示的否定

It is still raining hard outside；we **may as well** stay here over the night. 外面依然在下大雨，我们还不如待在这里过夜呢。

How slow the bus is! We **might as well** walk. 这汽车开得多慢呀！我们还不如步行呢。

You **might as well** throw the money into the sea as lend it to him. 你把钱借给他还不如扔进海里。

You **might as well** burn these books than give them to her. 你把这些书给她还不如烧掉的好。

【提示】下面 since 从句中的动词肯定式具有否定含义：

It has been five years **since he worked there**. 他不在那里工作已经五年了。

It has been twenty years **since I was in the countryside**. 我离开农村已经 20 年了。

10. 名词引起的否定

常见的有：neglect 忽视，failure 失败，refusal 拒绝，absence 缺少，denial 否认，want 缺少，zero 乌有，shortage 缺乏，reluctance 不情愿，ignorance 无知/不知，loss 失去，exclusion 排除，lack 缺少，negation 否定，等；Greek to/all Greek to 也表示否定含义，意为"对……一无所知"。例如：

Shaking the head is a sigh of **negation**. 摇头是不同意的一种表示。

The **failure** was the making of him. 这次不成功是他后来成功的基础。

A few new instruments are in a state of **neglect**. 一些仪器处于无人管理的状态。

He answered the question with a certain **reluctance**. 他有些不情愿地回答了这个问题。

They were all in **ignorance** of her whereabouts. 他们都不知道她的下落。

The kids showed **zero** interest in what I was saying. 小家伙们对我说的话一点都不感兴趣。

Shortage of skilled labor is the chief cause of the delay at the factory. 缺乏熟练工是该厂生产停滞的主要原因。

Latin is **Greek to** her. 她对希腊文一无所知。

That's all **Greek to** me. 我对那一点都不懂。

11. 动词或动词短语引起的否定

常见的有：escape 逃过……的注意，baffle 阻碍/难住，resist 拒受……的影响，reject 不同意，decline 拒绝，negate 否认，doubt 不相信，wonder 不知道，grudge 不情愿做，spare 用不着，fail 不及格，exclude 不包括，overlook 看漏/忽略，cease 终止，neglect 忽视，defy 使成为不可能，forbid 不许，miss 没有击中，deny 否认，lack 缺乏，refuse 拒绝，give up 放弃，refrain from 克制不做，keep up with 不落后于，save ... from 使……不受，shut one's eyes to 不看，to say nothing of 更不用说，not to mention 更不用说，protect/keep/prevent... from 避免，keep off 不接近，keep out 不使入内，turn a deaf ear to 对……根本不听，fall short of 不足，live up to 不辜负，differ from 与……不同，prefer ... to 宁愿……而不，deprive ... of 使丧失，lose sight of 看不见，make light of 视……不足道，dissuade ... from 劝阻，keep ... dark 不把……说出去，等。例如：

We will **live up to** the expectations of the people. 我们决不辜负人民对我们的期望。

The first bombs **missed** the target. 第一批炸弹没有击中目标。

The specification **lacks** detail. 这份说明书不够详细。

The error in calculation **escaped** the accountant. 这个计算上的错误没有被会计看出。

The scene **baffled** all description. 这景色(美得)无法描述。

I rather **doubt** if her words are true. 我一点也不敢确定她的话是否真实。

Please **refrain from** smoking in public places. 请勿在公共场所吸烟。

I **wonder** if she will come. 我不知道她是否来。

The mean man **grudged** the food his horse ate. 这个吝啬鬼不肯让他的马吃饱。

He **absented** himself from the meeting on some pretext. 他借故不出席会议。

The value of loss in this equation is so small that we can **overlook** it. 在此公式中,损耗值太小,可以忽略不计。

A lot of these children have been **deprived of** a normal home life. 这些孩子中有许多不能过上正常的家庭生活。

He **makes light of** getting fired, but I know how angry he is. 他把解雇不当一回事,但我知道他有多么生气。

That's where the whole argument **falls down**. 那就是整个论点站不住脚的地方。

Unfortunately, the course **fell short of** our expectations. 不幸的是,这门课程没有达到我们的期望。

The lady couldn't **spare** the car. 这位女士没有汽车不行。

She **forgot** to mail the letter. 她没有把信寄出。

He tried to **avoid** falling into the trap. 他设法不落入圈套。

He just **lost** the train. 他刚好没赶上火车。

The lazy man **shunned** work. 那个懒汉不干活。

Please **keep** the news **dark**. 请不要把这个消息说出去。

Your question **beats** me. 你的问题令我不解。

12. 形容词引起的否定

常见的有：clear of 无障碍，devoid of 没有，alien to 不相容，absent from 缺席，different from 不同于，reluctant to 不情愿，far from 一点也不，free from 不受……影响，foreign to 与……无关的，free of 无……的，safe from 免于，short of 缺少，ignorant of 不知道，independent of 不受……支配，impatient of 对……不耐烦，deficient in 缺乏，blind to 看不见，a far cry from 完全不同于，far and few between 很少，less than 少于，dead to 对……无反应，等。例如：

The roads are now **clear of** snow. 现在路上已经没有积雪。

She is **reluctant to** leave her hometown. 她不愿离开家乡。

Her explanation is **far from** satisfactory. 她的解释远不能让人满意。

Short of equipment，we made our own. 没有设备，我们就自己制造。

Mothers are sometimes **blind to** the faults of their children. 做母亲的有时不能觉察自己孩子的过错。

The house is totally **devoid of** furniture. 这幢房子里什么家具也没有。

Her nature is **free of** jealousy. 她天生没有妒忌心。

The town is **free from** thieves. 这座小城里没有盗贼。

This question is **foreign to** the matter in hand. 这个问题与待处理的事情无关。

All music is **alike to** him. 他不懂音乐。

Far be it **from** me to assert that he is a criminal. 我决不想断言他是个罪犯。

The first computer was **a far cry from** a modern one. 早期的计算机同今天的相比有天壤之别。

Holidays are **far and few between**. 假日很少。

【提示】

① the least ... 和 the last ... 结构亦可表示否定，相当于 the most unlikely, the least unlikely，后接不定式或定语从句，意为"最不配，最不愿，决不……"，是一种强有力的否定方法。例如：

He is **the last man** she wants to meet. 她最不愿意遇见的就是他。

That is **the least** of his worries. 那是他最不担心的事情。

She is **the last** woman to eat her words. 她决不会认错的。

② be all thumbs, leave much to be desired 等短语可以表示否定。例如：

I'm **all thumbs** as far as drawing is concerned. 谈到绘画，我可一窍不通。

The paper **leaves much to be desired**. 这篇论文很不完善。

③ no small chance 和 no smallest chance

no small 表示的是肯定意义，相当于 a great。英语中，否定式同形容词或副词原级、比较级或最高级连用，常常表示强调的肯定意义，而不是表示否定。例如：

She has **no small** chance of success. 她极有可能会成功。

He has **no small** reputation as a writer. 作为一个作家，他的声誉是很高的。

She **never** felt happier in her life. 她那时最高兴。

④ 下面 no smallest 等表示的是强否定，相当于 not the least ... 。例如：

She has **no smallest** chance of success. 她完全没有成功的可能。

I have **not the faintest** suspicion of his honesty. 我一点儿也不怀疑他的诚实。

He has **not the slightest** hope of winning the match. 他赢得这场比赛是毫无希望的。

13. Catch me doing that！——反语等表示的否定

反语(reverse remark)指的是用正面的话来表达反面的意思。Catch me doing that！一句形式肯定，但含义否定，相当于 You won't catch me doing that. 或 I won't do that. 反语语势很强，常用来表示讽刺、强调等，多用感叹句形式。例如：

Catch me saying that！我可不会说那个的！

You're telling me. 我不用你指教。（＝I don't need you to tell me.）

A fat lot you know！你懂的真多！（＝You know nothing!)（你什么都不懂！)

You may ask him for all I care. 你想问就问他吧，我才不管呢！（＝I don't care if you ask him.）

Much I care. 我才不在乎呢。（＝I don't care at all)

Do that again if you dare. 量你也不敢再做那件事了。（＝You dare not do that again.）

I am damned if it is true. 绝对没有这回事。

I shall be hanged if I go there. 我死也不去那里。

I should worry. 我才不放在心上呢。

A: Is he an expert? 他是专家吗？
B: The devil he is. 他绝对不是。

【提示】

① as ...as 结构有时亦可用作反语，肯定的形式表示否定的意义。例如：

He knows **as** much of himself **as** a blind man does of colors. 他没有自知之明,犹如盲人不识颜色。

You **might as well** expect a river to flow backwards **as** hope to change his idea. 你不能使他改变主意,正如不能使河水倒流一样。

② if 从句独立使用作感叹句,或在 See if I do/don't 这类结构中,肯定谓语表示否定意义,否定谓语表示肯定意义,这种用法的 if 从句往往表示强调、惊奇、恼怒、沮丧等感情色彩。例如:

If this **is** human life! 这真不是人过的生活!(＝This is not human life at all.)

If it **isn't** the picture she has been looking for! 天哪! 这不就是她一直在找的照片吗!

If it **isn't** a pity! 真可惜!(＝It is a pity indeed.)

I shall never tell her the secret. **See if** I **do**. 我永远不会把那个秘密告诉她的。永远不会。(＝I shall never tell her.)

Try it **if** you **dare**. 你不敢试。(＝You don't dare to try it.)

I shall tell her the secret. **See if** I **don't**. 我会把那个秘密告诉她的。肯定会的。(＝Surely I shall tell her.)

I'm damned/jiggered/a villain **if** I **let** him know it. 我要是让他知道这件事,我就不是人。(＝I will never let him know it.)

14. 介词或介词短语引起的否定

常见的有:past 超过,above 超出……之外,without 没有,beyond 超出,instead of 代替,in vain 无效/徒然,in the dark 一点也不知道,at a loss 不知所措,but for 要不是,in spite of 不管,at fault 出错,against 提防,before 与其……宁愿,below低于,beside 与……无关,but 除……之外,except 除……之外,from 阻止/使不做某事,off 离开/中断,under 在……下/不足,within 不超出(范围、时间等),beneath 不如/在……下,beneath one's notice 不值得理睬,out of 不在……里面/不再处于某种状态,out of the question 不可能,in the dark about 对……不知,off the beaten track 不落俗套,off one's guard 毫无防备,at one's wits' end 不知所措,at the end of one's rope/row 山穷水尽,out of the swim 不合时髦/不合潮流,aside from 除……以外,等。例如:

Her memory is **at fault**. 她想不起来了。

The book is **beyond me**. 这本书我看不懂。

Test showed that the machine was **in order**. 测试表明,这台机器没有毛病。

I was quite **in the dark** about the matter. 这件事我一点也不知道。

His statement was entirely **out of place** on such an occasion. 在这种场合,他说的话是完全不适当的。

Please lend me that dictionary **instead of** this one. 请借给我那本字典而不是这本。

He was wearing a scarf **instead of** a tie. 他戴着围巾,没系领带。

I found myself **at a loss** for words of consolation. 我简直想不出安慰的话来。

You'd better stay **out of** that affair. 你最好不要介入那件事。

A noble man is **above flattery**. 一个高尚的人是不屑于阿谀奉承的。

I warned him **against** going there. 我提醒他不要去那里。

She'd choose death **before** dishonour. 她宁死而不受辱。

He is **below** her in intelligence. 他的智力不如她。

Such behaviour is **beneath** him. 这种举动同他的身份不相称。

What she said is **beside** the question. 她说的话与这个问题无关。

Whose fault is it **but** hers? 不是她的错又是谁的错?

This book is **above** criticism. 这本书无可指责。

My gratitude is **beyond** my words. 我的感激之情无法用言语表达。

But for sunlight there would be no moonlight. 要是没有阳光,就不会有月光。

He went **in spite of** the rain. 他不顾天下雨也去了。

Rose **prefers** the town **to** the country. 罗丝喜欢城市而不喜欢乡下。

Everybody is down on him **except** you. 人人都对他进行攻击,但你却没有。

She persuaded him **from** taking the foolish step. 她劝他不要采取愚蠢的行动。

He went his own way **in spite of** all the gossip. 他不顾各种闲言碎语,走着自己的路。

She is **off** duty today. 今天她不值班。

The pain is almost **past** bearing. 疼痛简直无法忍受。

His stupidity is **past** all belief. 他的愚蠢简直不可思议。

All the children here are **under** eight. 这里所有的孩子都不到八岁。

The work is not **within** man's power. 这项工作非人力所能及。

There is no smoke **without** fire. 没有火,就没有烟。

The performance is **off the beaten track**. 这表演不落俗套。

【提示】

① 介词 before 可以表示否定,连词 before 也可以表示否定。例如:

The bird flew away **before** he shot. 他还没有开枪,鸟就飞走了。(不等……就)

He got up **before** the moon set down. 月亮还未落他就起床了。(尚未……就)

He would die **before** he betrayed his country. 他宁肯死也不愿背叛国家。(宁愿……决不)

Another week passed **before he knew it**. 又一个星期不知不觉地过去了。(before sb. knew it 意为"不知不觉,还没弄清")

She fell off the boat into the river **before she knew it**. 她还没弄清怎么回事就从船上掉进了河里。

② other than 意为"不同于,非,除了",可以看作介词短语或副词短语。例如:

There is nobody here **other than** me. 这里除了我以外没有别人。

He performed **other than** perfectly. 他的表演远非尽善尽美。

The truth is quite **other than** what you think. 真实情况与你想的完全不同。

15. 副词短语引起的否定

常见的有:much less/still less/let alone 更不用说,by no means 决不,in no way 决不,no longer 不再,no more 也不/不再,on no account 决不,under no circumstances 决不,in vain 徒劳,not...at all 根本不,not...in the least 一点也不,in no case 决不,等。例如:

He **can't** speak English **at all**. 他根本不会说英语。

Youth lost will return **no more**. 青春一去不复返。

He is **by no means** selfish. 他决不自私。

You must **on no account** lend money to him. 你决不能把钱借给他。

The baby can't even crawl yet, **let alone** walk. 这孩子连爬都不会,更不用说走了。

She is **not** worried **in the least**. 她一点也不担心。

【提示】英语中有些副词在肯定和否定上相对应,分别用于肯定句或否定句,但也有例外。例如:

I've **already** read this chapter. 这一章我已经读过。
The potatoes aren't quite ready **yet**. 土豆还没有做好呢。

They've been married **a long time**. 他们结婚已经很长时间了。
He didn't wait **long**. 他等的时间不长。

I've travelled **a great deal**. 我到过很多地方。
We don't go to the theater **much** these days. 如今我们不常去看戏。

In a sense, I think he likes being responsible for everything. 从某种意义上说,我认为他喜欢包揽一切。
This election was not fair **in any** adequate **sense**. 在任何适当的意义上讲,这次选举都不公平。

I've only met him **once**. 我只见过他一面。
I'll take a vacation **sometime** in April. 我将在4月的某个时候休假。
I don't remember **ever** seeing her before. 我不记得以前见过她。

They went **a long way**. 他们走了很远。
We didn't go **far**. 我们走得不远。
We didn't go **a long way**. [×](a long way 习惯用于肯定句)

Nick **still** lives here. 尼克还住在这里。

Nick doesn't live here **anymore**. 尼克已不住在这里了。

She **still** isn't ready. 她还没准备好。(still 也可用于否定句,通常放在否定词前)

In a way he is right. 他在某种程度上是对的。

He didn't get hurt **in any way**. 他根本就没受伤。

We've arrived **somewhat** late, I'm afraid. 恐怕我们有些来迟了。

There was nothing to worry about **at all**. 根本没有什么要担心的。

His condition has **more or less** improved. 他的境况多少有些改善。

I don't blame you **in the least**. 我一点也不怪你。

It's high time we had a cup of tea **somewhere**. 该是我们找个地方喝杯茶的时候了。

He had never dared to ask her to go **anywhere** with him. 他从不敢要求她同他去哪里。

16. 在修辞性问句中,肯定的形式表示强烈的否定

Who knows? 谁又知道呢?(＝Nobody knows.)

Is there a reason for despair? 难道有绝望的理由吗?(＝Surely there is no reason for despair.)

Who would have thought of that? 谁也不会想到那个。(＝No one would have thought of that.)

What can mean more than life? 没有什么东西比生命更重要。(＝Nothing can mean more than life.)

17. 带否定意义的连词表示的否定

常用的有:unless, sooner than, rather than, rather...than 等。例如:

Unless you call me to say you're not coming, I'll see you at the theater. 如果你不打电话通知我你不来,我就去剧院见你。

Sooner than travel by air, he'd prefer a week on a big liner. 他宁愿坐一个星期的巨型班轮,也不愿乘飞机旅行。

She's my sister's friend really, **rather than** mine. 她实际上是我姐姐的朋友,而不是我的朋友。(rather than 后的成分表示否定)

Rather than cause trouble, she paid the money. 她不愿引起麻烦就付了那笔钱。

It was what she meant **rather than** what she said that annoyed me. 让我生气的不是她说的话,而是她的意思。

The parents should be blamed **rather than** the children. 应受到责备的是父母而不是孩子们。

He seemed indifferent **rather than** angry. 他好像是冷淡而不是愤怒。

The siren **rather** whispers **than** screams. 警报器呜呜作响,而不是尖声怪叫。(than 后的成分表示否定)

二、英汉否定语气的转换

汉英两种语言在表达否定方面有一定的差异。有些句子,在英语中否定主语,而译成汉语时却否定了谓语;在英语中否定谓语,而译成汉语时却又否定了状语。这种现象我们称之为否定语气的转移。在阅读和翻译的过程中,只有注意到这种否定语气的转移,才能正确理解原文并使译文通顺,合乎习惯。

1. 否定主语转换为否定谓语

Neither plan is practicable. 两个方案都行不通。

No sound was heard. 没有听到声音。

No signal is detected. 没有检测到信号。

No energy can be created, and **none** destroyed. 能量不能创造,也不能毁灭。

2. 否定谓语转换为否定状语

He **doesn't study** in the classroom. 他不在教室里学习。

I was **not playing** all the time. 我没有一直在玩。

We **are not here** to conquer the country, but to save it. 我们来到这里,不是为了征服这个国家,

而是要拯救它。

Miss Green **had not worked** here long when she was sent abroad. 格林小姐在这里工作不久就被派往国外了。

She **didn't go** to work by bike. 她不是骑自行车上班的。

I **haven't come** here to beg mercy. 我来这里并不是为了乞求怜悯。

We **haven't called** the meeting to discuss the matter. 我们开会不是讨论那件事。

Metals **do not change** their form as easily as plastic bodies do. 金属不像塑料物体那样容易变形。

Contrary to what is thought，the earth **does not move** round in the empty space. 与通常的想法相反，地球并不是在空无一物的空间中运转的。

比较：

> The meeting **was not called** due to the employees' protest.
> 由于雇员抗议，这个会议没有召开。（否定谓语）
> 不是由于雇员的抗议才召开这个会议的。（否定状语）

3. 否定谓语转换为否定主语

> A：He'll go to the party. 他将去参加聚会。
> B：**Not I**! 我不会！（＝I won't）

> A：Do you want to have a look? 你要看一看吗？
> B：**Not me**! 我不看。

> A：Do you think the rain will last long? 你认为雨会下很长时间吗？
> B：**Not it**! 不会的。

4. 主句的否定转换为从句的否定（not ... because 结构）

The motor **did not stop** because the electricity was off. 电机停止运转，并非因为电源中断了。

The object **did not move** because I pushed on it. 该物体移动，不是因为我推了它。

I **didn't buy** the book because it is cheap. 我买了那本书，并不是因为它便宜。

The mountain **is not valuable** because it is high. 山并不因为高才有价值。

The car **didn't break down** because the gasoline had been used up. 车子不是因为汽油耗尽而抛锚的。

Facts **do not cease** to exist just because they are ignored. 事实并不因为人们忽视就不存在了。

She **didn't come** here because you were ill. 她并不是因为你生病而来这里的。

This book **is not** valuable because it is interesting. 这本书不是因为有趣而有价值。

You **shouldn't give up** hope because you have failed in the experiment. 你不应因实验失败而放弃希望。

▶▶▶ 但这种结构并非都发生否定转移。例如：

She **didn't go to work** because she was ill. 她没去上班，因为她病了。（不发生否定转移）

5. 否定主句的谓语转换为否定（宾语）从句的谓语

1 这类否定的转移多出现在动词 think, believe, expect, suppose, imagine, reckon, fancy 等后面的宾语从句中，也出现在 It seems, It appears, It looks as if, It feels as if, It sounds as if 等后的句子中

I **don't think** John will come. 我认为约翰不会来。（当然也可以说 I think John won't come. 下同）

I **don't suppose** they will object to my suggestion. 我想他们不会反对我的建议。

We **do not consider** that neutrons have charges. 我们认为中子不带电。

I **don't believe** the paper is written by him. 我以为这篇论文不是他写的。

I **don't calculate** that he has said that before. 我以为他没有说过那种话。

I **don't expect** that you're right. 我认为你不对。

I **didn't anticipate** that he would come to the meeting. 我估计他不会来开会的。

I **don't reckon** he'll go there again. 我以为他不会再去那里的。

I **don't feel** the food can last us through the winter. 我以为食物不够我们过冬。

He **didn't imagine** that she would go abroad. 他料想她不会出国了。

I **don't figure** he can pass the examination. 我认为他考试不会及格。

I **did not think** he'd have the balls to say that. 我认为他不会有胆量那么说。

I **do not think** my innocent childhood memories will ever be the same. 我觉得，我天真烂漫的童年回忆已是昨日黄花。

I **don't suppose** you've ever heard of my hometown. 我想你从未听说过我的家乡。

I **don't suppose** you're prepared to make a full confession now? 我想你大概不打算彻底坦白吧？

I **don' suppose** there's any harm in asking her. 我想问问她也无妨。

I **didn't feel** the fire would do severe damage to property. 我觉得，这次火灾不会对财产造成严重破坏。

I **don't think** weddings are nearly as pretty as they used to be in our day. 我想，如今婚礼不如我们当年那样好看啦。

I **don't suppose** he'll be pleased to see you this evening. 我想他今晚不会乐意见你的。

I **didn't think** it was just a coincidence. 我认为它不仅仅是巧合。

You **don't think** he was pushed, then? 那你认为他没有被强迫？

It **doesn't seem** that we can get there before dark. 看来天黑前我们到不了那里了。

It **doesn't look as if** he was poisoned. 看起来他不像是中毒。

【提示】

① think 后接宾语从句时，也并非都发生否定转移，下面几种情况下就不发生移位：

She thought he **wouldn't** give up trying. 她想他不会放弃努力的。（think 用于过去有关时态中）

I have been thinking you **should not** put all your eggs in one basket. 我一直在想，你不应该把所有的鸡蛋都放在一个篮子里。（think 用于完成时中）

I almost think it **is not** her pen. 我差点认为这不是她的钢笔。（think 前有 almost, never, little 等副词修饰时）

I think we **don't** know her well **enough**. 我想我们对她还不够了解。（think 后的宾语从句中含有 not ... enough, not ... at all, not a little 等时）

I think fifty dollars is **nowhere** near enough. 我想 50 美元远远不够。（think 后的宾语从句含中有 nowhere, no, nothing, seldom, scarcely, few 等否定意义词时）

I do think **he's not** fit for the position. 我确实认为他不称职。（think 前有 do, does, did 表示强调时）

② hope 后接否定从句时，一般不可将否定转移到主句上。例如：

I hope he **doesn't** give up the job. 我希望他不要放弃这份工作。

I hope and believe that he **will not** give up halfway. 我希望并相信他不会半途而废。

③ say 和某些情态动词（主要有 wouldn't, couldn't 和 shouldn't）连用时，允许否定转移。例如：

I **shouldn't say** your choice is right. 我看，你的选择是不对的。

I **wouldn't say** the novel is worth reading. 我认为这部小说不值得读。

❷ 当 view, wish, belief, thought, opinion 等名词作主句的表语时，可以把从句中谓语的否定转移到主句的谓语上

It **is not my opinion** that he is the best man for the job. 我认为他并非是做这项工作的最佳人选。

It **is not my belief** that you can make something out of nothing. 我相信你不能做无米之炊。

It **is not my wish** that you should break your word. 我希望你不要违背诺言。

It **is not my thought** that he can finish the work within a week. 我认为他不可能在一周内完成这项工作。

6. 否定介词宾语转换为否定谓语

The circuit should be overloaded on **no conditions**. 电路在任何情况下都不得过载。

In **no circumstances** must a soldier leave his post. 士兵在任何情况下都不得擅离自己的岗位。

Under **no circumstances** would he yield. 在任何情况下他都不会屈服。

7. 否定宾语转换为否定谓语

We knew of **no effective way** to store solar energy then. 我们那时候不知道贮藏太阳能的有效方法。

At **no time** and under **no circumstances** will China be the first to use unclear weapons. 中国在任何时候和任何情况下都不会首先使用核武器。

8. 否定表达方式不同强调程度不同

有时候,不同的否定表达方式,可以表示相同或相近的含义,但语气上则有强有弱。例如:

I **didn't** give her **any**. 我什么也没有给她。
I gave her **none**. 我一点儿也没有给她。(强调)

He **doesn't** want **anyone** to live with him. 他不想让人同他住在一起。
He wants **no one** to live with him. (语气更强)

They **didn't** see any fish in the polluted river. 他们在污染的河流里没有看到鱼。
They saw **no fish** in the polluted river.

He **didn't** say **anything** at the meeting. 他在会上没说什么。
He said **nothing** at the meeting. 他在会上什么也没说。

This should **not** be seen as a defeat **at all**. 这绝对不应看作是一种失败。
This should **in no way** be seen as a defeat.

She **didn't** go **anywhere** during the holiday. 她假期哪里也没有去。
She went **nowhere** during the holiday.

I **didn't** see **either** of the writers. 那两位作家我一个也没见到。
I saw **neither** of the writers.

He **doesn't** drink **anymore/any longer**. 他不再喝酒了。
He drinks **no more**.

三、几种易引起误解的否定结构及否定形式

1. no, not 与 not a/an/any

no 用作形容词时,用来否定名词或代词,相当于 not a 或 not any。not 是副词,构成否定句。no 否定名词时往往带有感情色彩,用在表示职业或人物的名词前常含贬义,意为"无资格,外行,不会"等,有时表示强烈的否定。例如:

It is **no distance** to the cinema. 这儿离电影院很近。
Frank is **no hypocrite**. 弗兰克绝对不是伪君子。
He is **no scholar**. 他没有文化。(＝He is illiterate.)(无知)
He is **no genius**. 他愚笨。(＝He is dull.)
He is **no millionaire**. 他穷。(＝He is poor.)

He is **no doctor** at all. 他对医道一窍不通。
He is **not a doctor**. 他不是从医的。(可能是教师或商人)

He is **no artist**. 他决不是个艺术家。(根本算不上艺术家)
He is **not an artist**. 他不是艺术家。(可能是个数学家)

John is **no honest** man. 约翰是个很不老实的人。
John is not **an honest** man. 约翰不是个老实人。

They are **no friends** of ours. 他们决非我们的朋友。
They are **not our friends**. 他们不是我们的朋友。(可能是别人的朋友)

He is **no fool**. 他很精明。(他可不是傻子。)(＝He is anything but a fool.)
He is **not a fool**. 他不是呆子。

He is **no teacher**. 他根本不是个当教师的材料。
He is **not a teacher**. 他不是教师。(可能是建筑师)

He paid **no tax** last year. 他去年没交税。(本应交税)
He **didn't** pay **any tax** last year. 他去年没交税。(陈述事实)

【提示】no ... 和 not a/not any 有时表示相同的含义,但用 not a/not any 更为强调。例如:

There is **no** star in the sky. 天空中没有星星。

There is **not** a star in the sky.

I saw **no** one in the car. 我看见车里没有人。

I **didn't** see **anyone/anybody** in the car.

I have **no** money left. 我没有钱了。(一般句型)

I have **not any** money left. 我的钱一点也不剩了。(强调句型)

2. no more . . . than 与 not more . . . than

1 no more . . . than 含有消极、否定的意思,译为"A 与 B 都不……,不……也不"等,相当于 not . . . just as . . . not

He is **no more** diligent **than** you. 你不勤奋,他也不勤奋。(都不勤奋)

= He is **not** diligent just **as you are not** diligent.

He is **no more** a teacher **than** we are. 我们不是教师,他也不是教师。

= He is not a teacher just **as we are not** teachers.

He is **no more** a company director **than** I am. 他不是什么公司经理,正如我也不是。

He is **no more** a fool **than** you. 他和你一样,也不傻。

He is **no more** rich **than** poor. 他不穷也不富。

The man is **no more** a painter **than** a writer. 那人既不是作家,也不是画家。

He can **no more** ride **than** fly. 他不会骑马正如他不会飞一样。

Her father could **no more** write without tobacco **than** without air. 她父亲写作时,不吸烟就像不呼吸空气一样写不出来。

2 no more . . . than 句型对比较的双方 A 与 B 即 than 的前后两部分在意义上都给予否定。应注意,than 后面的从句在形式上是肯定的,但在意义上却是否定的,所以译为"A 与 B 都不……",着重点往往是 than 前的部分

I am **no more** an expert **than** he. 他跟我一样不是专家。

This book is **no more** interesting **than** that one. 这本书和那本书一样都没有趣。

You are **no more** a general **than** I am a statesman. 你不是将军,犹如我不是政治家。

A home without love is **no more** a home **than** a man without soul. 无爱之家庭犹如无灵魂之人。

A student can **no more** obtain knowledge without studying **than** a farmer can get harvest without ploughing. 学生不学习不能获得知识,正如农民不耕种不能得到收获一样。

Your story today is **no more** convincing **than** the one yesterday. 你今天讲的故事和昨天讲的故事都不令人信服。

Davis, an honest, inoffensive man, thought of **no more** harm in others **than** he had in himself. 戴维斯是一个老老实实、与世无争的人,是一个自己心中从不想伤害别人而且认为别人也跟他一样没有恶意的人。

Truth fears lies **no more than** gold fears rust. 真理不怕谎言,正如黄金不怕锈斑。

3 no more . . . than 与 not . . . any more than 意思相近

上面**2**中第五句可改写成:

A student **cannot** obtain knowledge without studying **any more than** a farmer can get harvest without ploughing.

再如:

He is **not** a poet **any more than** I am a novelist. 他不是诗人,正如我不是小说家一样。

A whale is **not** a fish **any more than** a horse is. 鲸不是鱼,正如马也不是鱼一样。

The chimpanzee is **not** genetically designed to speak **any more than** humans are designed to fly. 从遗传学的角度讲,正如人生来就不能飞行一样,黑猩猩也天生就不会讲话。

【提示】no more . . . than 可用于表示同一个人的两个方面择其一,意为"与其说……,倒不如说"。例如:

He is **no more** a teacher **than** a worker. 说他是个教师,倒不如说他是个工人。

He is **no more** a wise man **than** an intelligent man. 说他是个明智的人,倒不如说他是个有知识的人。

比较:

He is **no more** an engineer **than** a writer.

他不是工程师,也不是作家。

说他是工程师,倒不如说他是作家。

He is **not more** an engineer **than** a writer.

说他是工程师,倒不如说他是作家。

4 not more ... than 句型说明比较的双方 A 与 B 都是好的,都给予肯定,意为"A 比不上 B,A 不像 B ……或没有到……的程度"等。本句型着重点往往在后一个分句,译成汉语时,仍按原来的语序

He is **not more** diligent **than** you. 他没有像你那样勤奋。(两个人都勤奋,但你更勤奋)

This book is **not more** interesting **than** that one. 这本书不如那本书有趣。(两本书都有趣)

Xiao Wang is **not more** careful **than** Xiao Li. 小王比不上小李仔细。(小王和小李都仔细,但小王仔细的程度不如小李)

▶▶ not more ... than 与 less ... than 或 not so ... as 的意思相近,上面一句可改为:

Xiao Wang is less careful than Xiao Li.

Xiao Wang is not so careful as Xiao Li.

3. no more than 与 not more than

no more than 强调"少",译作"只有,不过,仅仅";not more than 是客观叙述,意为"不超过"。例如:

He is **no more than** five years old. 他只有五岁。(有嫌"小"的意思)

He is **not more than** five years old. 他不会超过五岁。

He has learned **no more than** 100 words. 他才学会 100 个字。(有"少"的意思)

He has learned **not more than** 100 words. 他学会的字不超过 100 个。

He has **no more than** five dollars on him. 他身上仅有五美元。(强调少,但有五美元)

He has **not more than** five dollars on him. 他身上带的钱不超过五美元。(强调数额少于五美元)

He said **no more than** we had expected. 他只是说了我们所预料的而已。

4. no less than 与 not less than

no less than＝as much as 或 as many as,意为"竟有……之多,多达",强调"多",有时表示 exactly, only 等,意为"简直是";not less than 意为"不少于,至少",是客观的叙述。例如:

A poor man is **no less** a citizen **than** a rich man. 穷人和富人一样都是公民。

＝A poor man is **as much** a citizen **as** a rich man.

No less than twenty soldiers were wounded. 至少有 20 名士兵受了伤。(＝as many as)

It means **no less than** an insult. 这简直等于污辱。(＝exactly)

It is **no less than** blackmail to ask such a high price. 要这样的高价简直是敲诈勒索。

You can speak to your boss **no less than** he can speak to you. 你有权同老板说话,正如他有权同你说话一样。(＝as much as)

His son has read **no less than** 30 English books. 他儿子竟然已经读了 30 本英文书。(强调"多")

His son has read **not less than** 30 English books. 他儿子读的英文书不少于 30 本。(不强调"多"或"少",只是客观叙述)

There were **no less than** five thousand people at the meeting. 到会的竟然多达 5 000 人。(强调人多)

There were **not less than** five thousand people at the meeting. 到会的不少于 5 000 人。(不强调人多或人少)

【提示】注意下面句中 no less 的用法:

"What are you writing?" "A new novel, **no less.**" "你在写什么呢?""在写一部新小说呢!"(表示自豪)

5. no less ... than

no less ... than 前后均为肯定,译为"正如,恰好;就是/正是……(人);不劣于,不下于;和……一样,多达,应有……之多"等,常含有惊奇等感情色彩。例如:

He fought with **no less** daring **than** skill. 他既勇敢又善战。

No less an authority **than** Dr. James has spoken highly of the invention. 连詹姆斯这样的权威都高度评价这项发明。

The middle-aged man was **no less/no other** a person **than** the new minister. 这位中年人正是新来的部长。

Her voice is **no less** sweet **than** it used to be. 她的歌喉和从前一样甜美。

The designs for our machines are **no less** the product of our creative imaginations **than** are works of art. 我们机器的设计和艺术作品一样,都是我们创造性想象力的产物。

Tom is **no less** prudent **than** Jim. 汤姆和吉姆一样谨慎。(＝Both Tom and Jim are prudent. ＝Tom is as prudent as Jim.)

比较(这里的 no 用作副词):

not bigger than 不比……大
no bigger than＝as small as 和……一样小

not wiser than 不比……聪明
no wiser than＝as stupid as 和……一样笨

not richer than 不比……富
no richer than＝as poor as 和……一样穷

not later than 不比迟
no later than＝as early as 和……一样早

not heavier than 不比……重
no heavier than＝as light as 和……一样轻

not darker than 不比……黑
no darker than＝as bright as 和……一样亮

【提示】no less than 可表示"只能",相当于 can not ... but。例如:

He can do **no less/no more than** laugh. 他只能发笑。

6. no/little better than 与 not better than

no/little better than＝as bad as,意为"和……一样不好……,和……一样坏",表示两者都不好,都差等,这里 no 或 little 作副词用,相当于 not at all;not better than 意为"并不比……好,至多也不过是,还不如"。例如:

He's **no better than** a beggar. 他比乞丐好不到哪儿去。

I found him **no better than** an idiot. 我觉得他简直是个呆子。

She sings **no better than** a crow. 她唱得太差劲。(as poorly as a crow)

The orphans' homes then were **no better than** living hells. 那时的孤儿院简直和人间地狱一样。

This car is **no better than** that one. 这辆车和那辆车一样差。

This machine is **no better than** that one. 这台机器和那台机器差不多。(都不好)
This machine is **not better than** that one. 这台机器并不比那台机器好。(都不错)

His pronunciation is **no better than** mine. 他的发音和我的一样糟。
His pronunciation is **not better than** mine. 他的发音不比我的好。

7. not/never nearly

not/never nearly 表示"根本不",是一种强势否定,相当于 not at all;类似结构还有 not ... anywhere near, never ... anywhere near 等。例如:

She **isn't nearly** aware of the danger. 她根本没有意识到危险。

She **never** came **anywhere near** to knowing what it meant. 她根本没有弄懂那是什么意思。

He **isn't anywhere near** as honest as you think. 他根本不像你想象的那样诚实。

8. nowhere near

nowhere near 表示"根本不,远远没有,远不及"。例如:

It took **nowhere near** three hours. 花的时间远不到三个小时。(＝much less than)

Fifty dollars is **nowhere near** enough. 50 美元还差得远呢。

She is **nowhere near** finding out the truth of the matter. 她根本没有弄清楚事实真相。

This is **nowhere near** so good as that. 这远远没有那好。

9. nothing like

nothing like 表示"没有东西比得上,没有比……更好的,没有什么比……更"。例如:

There is **nothing like** home. 金窝银窝不如自家草窝。

There's **nothing like** walking as a means of keeping fit. 什么也比不上散步更有利于健康。

It was **nothing like** what he expected. 事情一点也不像他原先期望的那样。

He was **nothing like** so careful now as in the past. 他现在远不如过去那么细心。

10. 表示强调的接续否定

在同一句中,一个否定词后又接续另一个否定词,对否定加以强调。例如:

None of them dare do it, **not** one. 他们谁也不敢做那件事,没有一个敢。

I **cannot** go, **no** farther. 我不能走了,不能再走了。

He **won't** lend his car to anyone, **not** even to you. 他不会把车借给任何人,就连你也不借。

I **wouldn't** accept his help, **not** if I went begging. 我就是去讨饭也不会接受他的帮助。

11. 双重否定表示的强调否定

在口语中,有时双重否定并不表示肯定,而是表示强调的否定语气,但这种表示法在书面语中应避免。例如:

We **don't** know **nothing** about it. 我们对那件事一点也不知晓。

Nobody don't know where we're from. 谁也不知道我们从哪里来。

I **never** get **no** sleep these days. 这些日子我怎么也睡不着。

He has not a single relative, no friend, no money, **no nothing**. 他没有一个亲属,没有朋友,没有钱,什么也没有。

【译成汉语】

1. All materials are not fuels which burn.

2. I don't like both of the novels.

3. Both children are not clever.

4. A man of learning is not always a man of wisdom.

5. The good and the beautiful do not always go together.

6. Both of the substances do not dissolve in water.

7. Opportunities come to all，but all are not ready for them when they come.

8. Every man is not polite , and all are not born gentlemen.

9. Not every minute difference is noted.

10. Not both of them can serve the purpose.

11. Every subject is not treated in the same way.

12. All forms of matter do not have the same properties.

13. A nation can no more exist without people than a tree can grow without roots.

14. Oil does not blend with water any more than iron floats on it.

15. She is no more than an ordinary worker，but she has invented a lot of new machines.

16. A home without love is no more a home than a body without a soul is a man.

17. You are no more a general than I am a scholar.

18. Nations are not to be judged by their size any more than individuals.

19. In the battle, the bandits killed were no less than twenty thousand.

20. All food is not good to eat.

【参考译文】

1. 能燃烧的材料并非都是燃料。

2. 这两本小说我不是都喜欢。

3. 这两个孩子并不都是聪明的。

4. 有学问的人并不一定是有智慧的人。

5. 善和美不一定总是一致的。

6. 这两种物质并不都溶于水。

7. 机会是均等的,人人都有,但不见得在机会到来的时候人人都准备好去接受它。

8. 不见得人人都懂礼貌,而所有的人也不见得都是天生的君子。

9. 并不是每一点细微的差别都注意到了。

10. 并不是两者都适合这个用途。

11. 并不是每一个题目都用同样处理。

12. 不是一切形式的物质都具有相同的特性。

13. 一个国家不能离开人民而存在,正如树没有根不能生长一样。

14. 油不和水混合,正如铁不能浮在水上一样。

15. 她只不过是一个普通工人,然而却发明了许多新机器。

16. 没有感情的家庭不称其为家,同样,没有灵魂的躯体也不称其为人。

17. 你不是将军,就如同我不是学者一样。

18. 国家如同个人一样,不能以大小衡量。

19. 在那一战役中,匪徒死亡者多达两万人。

20. 并非所有的食物都好吃。

第二十五讲 造句与修辞
(Sentence-making and Rhetorics)

在英语语言的实际运用中,不宜总是用"主—谓—表"、"主—谓—宾"等简单句结构。简单句容量小,有局限性,用多了会使句型呆板、单调,千句一面,文章乏味,没有可读性,因而也就不能较好地表达思想。要使语言新鲜、生动、富有吸引力,不断地变换句子结构、句型及表达方式,是非常必要的,也是可能的。比如,同一思想往往可以用简单句、复合句或并列句表达,可用分词短语表达,也可用介词短语表达;可用主动语态表达,也可用被动语态表达;可用肯定形式表达,也可用否定形式表达;可用直陈语气表达,也可用虚拟语气表达,等等。另外,从修辞学的角度讲,英语句子有松散句(Loose Sentence)、尾重句(Periodic Sentence)和平衡句(Balanced Sentence)之分。在松散句中,主要信息或实质部分先出现,后跟修饰语或补充性细节;在尾重句中,主要信息或实质部分出现在句尾或句子后半部分;在平行句中,信息同等重要,句式结构相同,并驾齐驱,相互独立。同时,行文时,还可使用某些修辞手法,如明喻、暗喻、夸张、拟人等,从而更加形象地描写事物,更加生动地说明事理。

英语句式变化多样,修辞手法丰富多彩,我们完全可以根据思想表达的需要,利用各种词句表现手法,安排句子的各种成分,以达到理想的表达效果。下面对英语的造句原则和修辞进行综合考察,通过转换对比和例示,揭示出英语行文造句及表述的灵活性和多样性。

一、统一性

统一性(Unity)主要涉及人人关系和平行结构。

1. 从属关系准则

在一个句子中(指复合句),如果要表达的是两个或两个以上的思想,而这些思想同等重要,互不依附,处于并列的地位,那就要把它们当作并列句处理,用并列连词(and, but, or 等)连接起来。例如:

His father is a professor **and** his mother is a musician. 他父亲是一位教授,母亲是一位音乐家。

Call me old-fashioned, **but** I like handwritten letters. 叫我老古董好了,但我还是喜欢写的信。

▶▶ 但是,如果句子中所表达的两个或两个以上的思想不是同等重要的,而是一个为主要思想,其余的为次要的、附属性的思想(用以说明或限定主要思想),那就不能把它们当成并列句处理,而要用主从复合句或别的结构来处理。主从复合句只能用从属连词(when, where, so, because 等)连接,不能用并列连词连接。

1 第一原则:勿将句子中主要思想和次要思想的位置颠倒

> The snow stopped when the old man died. (不妥)
> The old man died when the snow stopped. [√]雪停的时候,老人去世了。

> The waiters were serving coffee when the ship struck the rock and sank. (不妥)
> When the waiters were serving coffee, the ship struck the rock and sank. [√]服务员上咖啡的时候,船触礁下沉了。

2 第二原则:勿在主从复合句中插入并列连词

> They came out first in the football match, and which delighted us. [×]
> They came out first in the football match, **which** delighted us. [√]他们在足球赛中获得第一名,这使我们都很高兴。

> I have two brothers, but who are younger than I. [×]
> I have two brothers, **who** are younger than I. [√]我有两个兄弟,年龄都比我小。

3 第三原则：正确选择连接词

In case she had been ill for a month, she was never absent from school. [×]

Although she had been ill for a month, she was never absent from school. [√]

虽然病了一个月，但她从来没缺过课。

Since he speaks softly is no proof that he is kind. [×]

That he speaks softly is no proof that he is kind. [√]（主语从句）

他说话温柔并不能证明他是善良的。

2. 平行结构准则

　　平行结构准则要求：同等重要的、并列的句子成分(思想、概念)要用同类的语法形式来表示，要用并列连词连接。在使用并列连词如 and, but, or, neither ... nor, either ... or, not only ... but also, both ... and 等时，所连接的应该是名词对名词，副词对副词，分词对分词，不定式对不定式，动词对动词，句子对句子等，而不能把其中一个概念用分词结构表达，另外两个概念用不定式或从句表达。

▶▶ 下面两个句子是违反平行结构准则的：

The painting was **colorful, shocking** and **could not easily be understood.**

　　这个句子中的三个表语(三个概念)具有相同的语法功能，都是说明主语的，应该放在相同的结构中，都用形容词。可以把 could not easily be understood 改为 hard to understand。

We saw Tom **walking towards** the river, **taking off** his clothes and **to plunge into the water.**

　　这个句子中的三个宾语补足语表示三个平行的概念，三个并列的动作，即"走到河边，脱下衣服，跳入水中"。因此，应该用相同的语法结构表示，都用现在分词短语。可以把 to plunge 改为 plunging。

▶▶ 我们知道，在不影响句意明晰的情况下，句中相同的介词、代词、冠词等可以省略，但如果省略后会造成意思上的混乱或不合逻辑，则不可省略。例如：

The woman denied that she had got into the shop at night and she had taken the ring.

因为第二个宾语从句前没有连词 that，全句的句意就是"那个妇女否认曾在夜晚进入该店，然后偷了戒指。"

那个女的否认她夜里进入店中拿了戒指。

The woman denied that she had got into the shop at night and **that** she had taken the ring. [√]

The woman denied that she had got into the shop at night and **taken** the ring. [√]

▶▶▶ 考察下面两句：

In the picture she saw a doctor, solider and teacher. （一人还是三人？）

The dog is more of a danger to the strangers than the local residents. （歧义）

1 名词平行结构

The patient's symptoms were fever, dizziness, and his head hurt. [×]

The patient's symptoms were **fever, dizziness,** and **headache.** [√]

病人的症状是发烧、头晕、头痛。

The speaker called attention to the beginning and how it ended. [×]

The speaker called attention to **the beginning** and **end** of the movement. [√]

演讲者要人们注意这场运动的起始及其终结。

Studies serve for delight, for ornament, and for being able. [×]

Studies serve **for delight, for ornament,** and **for ability.** [√]

读书能够带来愉悦，使人高雅、聪慧。

The award was for a combination of scholarship, someone who was a good leader, and ability in athletics. [×]

The award was for a combination of scholarship, **a good leadership,** and ability in athletics. [√]

这个奖是为学识渊博、富有领导才能、独具数学才能的人而设。

She was a woman of mean understanding, little information, and with uncertain temper. [×]

She was a woman of mean understanding, little information, and **uncertain temper**. [√]

她是一个理解力差、孤陋寡闻、脾气无常的女人。

② 形容词平行结构

Jack was honest, industrious, and he has talent. （不妥）

Jack was **honest, industrious** and **talented**. [√]杰克诚实、勤奋又聪明。

He was sympathetic, tolerant, and people respected him. （不妥）

He was **sympathetic, tolerant**, and **respected by people**. [√]

他富有同情心，胸襟博大，受到人民的爱戴。

I value a friend who is sweet, kind, and love. [×]

I value a friend who is **sweet, kind**, and **loving**. [√]

我看重这样的朋友：他性情温和，心地宽厚，并有爱心。

③ 分词平行结构

I am thinking of the future of this country, threatened with the black waters of confusion, threatened with mob government, threatening with what I cannot see. [×]

I am thinking of the future of this country, **threatened** with the black waters of confusion, **threatened** with mob government, **threatened** with what I cannot see. [√]

我正思考着这个国家的未来，她正陷入暗无天日的混乱之中，正受到暴民的威胁，正受到我看不见的邪恶的威胁。

The boys were running, shouting and to laugh. [×]

The boys were **running, shouting** and **laughing**. [√]

男孩子们一边跑，一边笑着、叫着。

The old man returned home, disappointed and exhausting. [×]

The old man returned home, **disappointed** and **exhausted**. [√]

老人回家来了，精疲力竭，非常失望。

④ 动名词平行结构

Jane prefers singing to dance. [×]

Jane prefers **singing** to **dancing**. [√]

简喜欢唱歌胜过跳舞。

Henry's work is reading books and to write book reviews. [×]

Henry's work is **reading** books and **writing** book reviews. [√]

亨利的工作是读读书，写写书评。

⑤ 动词不定式平行结构

To know what is good and doing what is right is not the same thing. [×]

To know what is good and **to do** what is right is not the same thing. [√]

知道什么是好的和实际做得好是不同的。

He told us to look at the picture and that we should tell him what we found. [×]

He told us **to look at** the picture and **to tell** him what we found. [√]

他让我们看一看那张图画，然后告诉他我们发现了什么。

She likes to knit, to sew and crocheting. [×]

She likes to knit, to sew, and **to crochet**. [√]

她喜欢编织、缝纫和针织。

To finish school and to getting a good job are his ambitions. [×]

To finish school and **to get** a good job are his ambitions. [√]

完成学业，找一份好工作是他的愿望。

She came to class prepared to take notes and with some questions to ask. [×]

She came to class prepared to take notes and to ask some questions. [√]

她来上课，准备记笔记并问些问题。

6 副词平行结构

The work is handsome and skillfully done. [×]

The work is **handsomely** and **skillfully** done. [√] 这工作做得漂亮,有水平。

7 介词短语平行结构

The room is fifteen feet in length and thirteen feet wide. [×]

The room is fifteen feet **in length** and thirteen feet **in width**. [√]

这个房间长 15 英尺,宽 13 英尺。

They drove first to the lake, then to the river and finally the ocean. [×]

They drove first **to the lake**, then **to the river** and finally **to the ocean**. [√]

What is written **without effort** is in general read **without pleasure**. 草草写就的东西通常都读来索然无味。

She defended him **when living, amidst the clamors of his enemies**; and praised him **when dead, amidst the silence of his friends**. 生前,她捍卫他,不顾敌人的叫嚣;死后,她赞扬他,哪管朋友的缄然。

8 谓语动词平行结构

The man walked up to the garden gate, hesitated and the bell rang. (不妥)

The man walked up to the garden gate, hesitated and then **rang the bell**. [√]

那人走到花园的门前,迟疑了一下,便按响了门铃。

At the street corner, she stopped, stood straight and to look at the boy lying on the ground. [×]

At the street corner, she stopped, stood straight and **looked** at the boy lying on the ground. [√]

在街角上,她停了下来,直直地站着,看着躺在地上的男孩。

9 句子平行结构

A person who is able and the will to do things should be given an important task. [×]

A person **who is able** and **has the will** to do things should be given an important task. [√]

一个有能力而又乐意做事的人应委以重任。

I forgot that the bill was due on Monday and the company would close my account if it wasn't paid. [×]

I forgot that the bill was due on Friday and **that the company would dismiss** me if it wasn't paid. [√]

我忘了票据星期五到期,如果不付的话,公司将会把我除名。

They are looking for a house that has four bedrooms and sitting on a hillside lot. [×]

They are looking for a house that has four bedrooms and **that sits on a hillside lot**. [√]

他们在找一处房子,有四个房间,坐落在小山上。

【提示】连接词要放在平行的成分之前。例如:

She either is a painter or a musician. [×]

She is **either** a painter **or** a musician. [√] 她或是一位画家,或是一位音乐家。

He saw both the thief and reported it to the police. [×]

He **both** saw the thief **and** reported it to the police. [√]

他看见了那个小偷,并报告了警察。

He is not only well-known in China but also in many other countries. [×]

He is well-known **not only** in China **but also** in many other countries. [√]

他不仅在中国有名,而且在许多别的国家知名度也很高。

二、连贯性

连贯性(Coherence)的要求是:句子前后之间要有照应、有衔接,思想的表达应该是有序的、清楚的,句子与句子之间的过渡要符合逻辑,不能造成歧义或矛盾。

1. 正确使用人称代词

When **I** came back at midnight，you saw the light in his room was still on. [×]

When **I** came back at midnight，**I** saw the light in his room was still on. [√]

我午夜返回时，看到他房间里的灯还亮着。

Every student must hand in their paper by the end of the term.（口语）

Every student must hand in **his** paper by the end of the term. [√]

每个学生在期末都必须把论文交上来。

The committee are divided in **its** opinions. [×]

The committee are divided in **their** opinions. [√]

委员们的意见有分歧。

2. 正确选择视点

在作文时，文思要连贯，不可突然从一个视点转到另一个视点。

☐ **勿突然改变主语和语态**

Great changes have taken place in China since the reform was begun in 1979. [×]

Great changes have taken place in China since the reform **began** in 1979. [√]

自 1979 年改革以来，中国发生了巨大的变化。

She came out successful in the speech contest and an award was received by her. [×]

She came out successful in the speech contest and **received** an award. [√]

她在演讲比赛中取得了好成绩，获得了一份奖品。

He ran to the station and the train was taken by him. [×]

He ran to the station and **took** the train. [√]他跑到车站，乘上了火车。

☐ **勿在一个句子中突然改变时态**

The old professor has worked in the university for over thirty years and publishes three books. [×]

The old professor **has worked** in the university for over thirty years and（**has**）**published** three books. [√]这位老教授在这所大学里已经工作了 30 年，出版了三本书。

He went to see her and tells her what happened. [×]

He **went** to see her and **told** her what happened. [√]

他去看了她，并告诉了她所发生的事情。

☐ **勿突然改变语气**

英语中有三种语气，即陈述语气、虚拟语气和祈使语气。在复合句中，语气应该相同。

Come here and you must bring your book with you. [×]

Come here and **bring** your book with you. [√]到这里来，并把书带来。

If I had known that earlier，I told you. [×]

If I had known that earlier，I **would have** told you. [√]

要是我早点知道那件事，我就会告诉你了。

3. 勿用悬垂修饰语

悬垂修饰语指的是与句子中主语不能发生联系的分词、不定式或介词短语等。

Having been bitten by a mad dog，the doctor tried to cure the boy with a new kind of medicine. [×]

Having been bitten by a mad dog，the boy was cured by the doctor with a new kind of medicine. [√]那个男孩被疯狗咬了，医生用一种新药为他治疗。

To finish the work on time，some new and effective measures have been taken by them. [×]

To finish the work on time，they have taken some new and effective measures. [√]

为了按时完成工作，他们采取了一些新的有效措施。

After graduating from college，my father wanted me to pursue my education in the United States. [×]

After I graduated from college，my father wanted me to pursue my education in the Untied States. [√]

我大学毕业后，父亲让我去美国继续深造。

4. 句意要符合逻辑

He was made to study medicine when he was young and he loved music very much. [×]

Although he loved music very much，he was made to study medicine when he was young. [✓]

他虽然很喜欢音乐,但是年轻的时候却被迫学医了。

The two lovers committing suicide，their parents didn't agree to their marriage. [×]

Because their parents didn't agree to their marriage，**the two lovers committed suicide**. [✓]

由于父母不同意他们的婚事,这一对恋人自杀了。

5. 注意修饰语在句中的位置

Wrapped in a piece of silk cloth，Mother sent her daughter a birthday present. [×]

Mother sent her daughter a birthday present，**wrapped in a piece of silk cloth**. [✓]

母亲给女儿寄去了一份生日礼物,用一块丝布包着。

He merely did it for his own interest. [×]

He did it **merely** for his own interest. [✓]

他做那件事纯粹是为了个人利益。

三、简洁性

简洁性(Simplicity)指的是用词要简洁,句子不累赘。

1. 文字要简洁

The chairman will give the explanation of the reason for the delay of it. (差)

The chairman **will explain** the reason for **its delay**. (优)

主席将要解释推迟的原因。

The factory was close to the point of being at bankruptcy. (差)

The factory was almost **bankrupt**. (优)这家工厂几乎破产了。

Professor Wang knows a great deal in terms of the condition of the American history. (差)

Professor Wang knows a great deal **about** the American history. (优)

王教授对于美国历史有着渊博的知识。

Helen always behaves in a respectful manner towards others. (差)

Helen always behaves **respectfully** towards others. (优)

海伦对人彬彬有礼。

2. 删除重复的词

The government has decided to improve the living conditions of the people better. (差)

The government has decided to **improve** the living conditions of the people. (优)

政府已经决定改善人民的居住条件。

They had sufficient enough food to last them the whole winter. (差)

They had **sufficient** food to last them the whole winter. (优)

他们有足够的食物过冬。

Whoever want to go he should report to the office. [×]

Whoever wants to go should report to the office. [✓]

谁想去谁就向办公室报告。

History, as we know, it is apt to repeat itself. [×]

History, as we know, is apt to repeat itself. [✓]

我们知道,历史往往是会重演的。

Jack who wants to call on his friends before he leaves for England. [×]

Jack wants to call on his friends before he leaves for England. [✓]

杰克在动身去英国之前想去看看朋友。

四、句式转换与标点

英语句式丰富多彩,这就使得不同的句式进行转换成为可能。下面介绍一些常用的句式转换方法。

1. 从句→分词短语

- **As he was lying in the grass**,he thought of the seaside where he had spent the summer.
- **Lying in the grass**,he thought of the seaside where he had spent the summer.
- 他躺在草丛里,想着曾经度夏的海滨。

- He helped save the people **that were hurt** in the car accident.
- He helped save the people **hurt** in the car accident.
- 他参与救助车祸中受伤的人。

- The man **who owns** the house will be awarded \$15,000 in damages.
- The man **owing** the house will be awarded \$15,000 in damages.
- 这幢房屋的主人将获得 15 000 美元的赔偿金。

- Her father,**who had studied** in America for five years,knew American way of life well.
- Her father,**having studied** in America for five years,knew American way of life well.
- 他父亲在美国学习了五年,很了解美国人的生活方式。

- The cars **which are being assembled** will be exported to New Zealand.
- The cars **being assembled** will be exported to New Zealand.
- 正在装配的汽车将出口到新西兰。

2. 伴随状语→独立主格

- The dog edged toward me threateningly,**his head lowered and teeth bared**.
- **Head lowered and teeth bared**,the dog edged toward me threateningly.
- 那狗低着头,龇着牙,朝我一点点挪过来,很是可怕。

3. 从句→不定式短语

- He spoke louder **so that** the audience could hear him clearly.
- **For the audience to hear him** clearly,he spoke louder.
- 为了让观众听得清楚,他大声说。

- There are still a lot of papers **that must be marked**.
- There are still a lot of papers **to be marked**.
- 还有许多试卷待阅。

- The expressway **which will be widened** next month leads to Shanghai.
- The expressway **to be widened** next month leads to Shanghai.
- 下个月将要拓宽的高速公路通往上海。

4. 正常语序→倒装语序

- The sense of humor **rarely deserted** this noble man.
- **Rarely did** the sense of humor desert this noble man.
- 这个高尚的人从不乏幽默感。

- He **bitterly regretted** the decision.
- **Bitterly did** he regret the decision.
- 他为那个决定后悔不已。

- **As he was** a coward,he ran back as soon as the enemy attacked.
- **Coward as he was**,he ran back as soon as the enemy attacked.
- 由于他是个胆小鬼,敌人一进攻,他就往回跑。

- He seems **very dishonest**.
- **Very dishonest** he seemed.
- 他像是非常不诚实。

5. 从句→形容词短语

> **As he was tired and hungry**, the man was unwilling to move on.
> **Tired and hungry**, the man was unwilling to move on.
> 那人又累又饿,不想再走了。

> The village children, **who were eager to see** the film, came to the playground before sunset.
> The village children, **eager to see** the film, came to the playground before sunset.
> 乡村的孩子们一心想看电影,太阳还没有落山就早早地来到了操场上。

> The travellers, **who were too tired to walk** on, camped by the lake.
> The travellers, **too tired to walk on**, camped by the lake.
> 旅人太累了,再也走不动了,就在湖边安营。

> The man **who was responsible for the sales department** refused to deal with his complaints.
> The man **responsible for the sales department** refused to deal with his complaints.
> 销售部门的负责人拒绝处理他的投诉。

6. 从句→名词短语

> She wrote a long letter to the mayor, **who was her classmate at college**.
> She wrote a long letter to the mayor, **her classmate at college**.
> 她给市长——她大学的同学——写了一封长信。

> After a whole day's journey, they reached the small town, **which was the birthplace of the great musician**.
> After a whole day's journey, they reached the small town, **the birthplace of the great musician**.
> 经过一天的旅程,他们来到了这座小城——那位伟大音乐家的诞生地。

7. 从句→介词短语

> In the corridor he met a young lady **who had a baby in her arms**.
> In the corridor he met a young lady **with a baby in her arms**.
> 在走廊里,他遇见一位怀抱着婴儿的年轻女子。

> For a whole week in the depth of the winter, they lived in shabby hotel rooms **that had no light or heating**.
> For a whole week in the depth of the winter they lived in shabby hotel rooms **without light or heating**. 隆冬季节的整整一个星期,他们住在破旧的旅馆房间里,没有照明,也没有暖气。

> They lived in a world **that had no rules**.
> The lived in a world **without rules**.
> 他们生活在一个没有规则的世界里。

> She told me **that the match had been cancelled**.
> She told me **about the cancellation of the match**.
> 她告诉我比赛取消了。

> He boasted **that he was successful**.
> He boasted **about his success**.
> 他夸耀自己的成功。

8. 表语从句→主语从句

> The most appealing to her was **what was in him**.
> **What was in him** was the most appealing to her.
> 最吸引她的是他的人品和学识。

> His wife's poor health is **what he is worried about**.
> **What he's worried about** is his wife's poor health.
> 他担心的是妻子身体不好。

9. 介词短语→主语

The war broke out **on the evening of November** 3.

The evening of November 3 saw the outbreak of the war. （时间名词作主语，生动）

那场战争于 11 月 3 日夜里爆发。

There is a beautiful lake **in the city**.

The city boasts a beautiful lake. （地点名词作主语，简洁）

这座城里有一个美丽的湖。

She was filled with great happiness **at the thought of seeing him soon**.

The thought of seeing him soon filled her heart with great happiness. （动作名词作主语）

一想到他，她浑身就充满了幸福的暖流。

He was walking alone in the field **at dusk**.

Dusk found him walking alone in the field. （自然现象名词作主语，生动）

黄昏时分，他一个人在田野里走着。

10. 形容词→名词

The assembly was very **quiet**.

A hush fell upon the assembly. （情景名词作主语，生动）

会场一片寂静。

11. 介词宾语→同源宾语

He expressed his relief **with a deep sigh** when hearing the news.

He **sighed a deep sigh of relief** when hearing the news.

听到这个消息，他长叹了一口气，如释重负。

12. 否定→双重否定

This is really an **important** question.

This is **no unimportant** question.

这个问题并非不重要。

He was very **satisfied** with her work.

He was **never dissatisfied** with her work.

他从没对她的工作表示不满。

When I hear the bird's song, I will **think of** the springtime.

I **never** hear of the bird's song **without** thinking of the springtime.

Never do I hear of the bird's song **but** will think of the springtime.

每当听到这种鸟的叫声，我就会想到春天。

13. 其他结构→系表结构

When he left he was **a poor boy**, and when he returned he was **a famous statesman**.

He **left a poor boy** and **returned a famous statesman**.

他离开时是一个穷孩子，回来时已是一名著名政治家。

When Helen and Jane **parted**, they were **good friends**.

Helen and Jane **parted good friends**.

海伦和简友好地分了手。

The moon was **bright** when it **rose** in the east.

The moon **rose bright** in the east.

月亮明灿灿地从东方升起。

14. 名词→动词

The woman made a **motion** for the girl to come over.

The woman **motioned** for the girl to come over.

那女的示意要女孩过来。

15. 副词→名词

Jim looked about the room **desperately**.

Jim looked about the room with **desperation**.

吉姆绝望地环顾了一下房间。

16. 形容词→名词

Her **graceful** movements won outbursts of applause.

The **grace** of her movements won outbursts of applause.

她优雅的举止赢得了阵阵掌声。

17. 形容词→副词

The girl laughed a **merry** laugh.

The girl laughed **merrily**.

那女孩笑得很开心。

18. 动词→名词

The living conditions have greatly **improved** in the countryside.

Great **improvement** has been made in the countryside.

乡村已有了长足的进步。

19. 副词→介词短语

Reluctantly, the man handed over his gun.

With reluctance, the man handed over his gun.

那人不大情愿地把枪递了过来。

20. 副词→形容词

She showed her shortcomings **clearly**.

She gave a **clear** show of her shortcomings.

她把自己的缺点暴露无遗。

21. 松散句→尾重句

松散句(Loose Sentence)是想到哪里说到哪里,不着重强调或突出哪一部分。

尾重句(Periodic Sentence)是把关键意思或主要部分放在句尾,形成整句的高潮,从而达到强调的目的。

The garden is beautiful. It is situated on a hill. The garden belongs to Helen. The garden appeals to me very much.

Helen's beautiful garden, which is situated on a hill, **appeals to me very much**. 海伦的花园很美,坐落在小山上,我非常喜欢。(强调我喜欢这个花园)

Helen's garden, which is situated on a hill and appeals to me very much **is beautiful**. (强调花园漂亮)

Helen's beautiful garden, which appeals to me very much, **is situated on a hill**. (强调花园所处的位置)

The beautiful garden, which is situated on a hill and appeals to me very much, **belongs to Helen**. (强调花园的归属)

The boy wanted to reach the fruit inside. He tried to open the car door. He was hungry. He shook the car angrily and broke its window.

The hungry boy who wanted to reach the fruit inside by opening the car door **shook the car angrily and broke its window**. 那饥饿的男孩想打开车门拿里面的水果,愤怒地摇晃着汽车,弄破了车窗玻璃。(强调对车子造成的损坏)

The boy, who, in order to reach the fruit inside by opening the car door, shook the car angrily and broke its window, **was hungry**. (强调男孩饥肠辘辘)

The hungry boy, who, trying to open the car door, shook the car angrily and broke its window, **wanted to reach the fruit inside**. (强调行为的目的)

The boy, who wanted to reach the fruit inside by opening the car door, was hungry, so he shook the car angrily and broke its window. (并列句,结构均衡,信息同等重要)

22. 尾重句→松散句

> When reason is against a man, **he will be against reason**.
> **He will be against reason** when reason is against a man.
> 人丧失了理智便会做出荒唐之事。

> It is **strange enough** that such a woman should have written one of the best novels in the world.
> That such a woman should have written one of the best novels in the world is **strange enough**.
> 这样一个女的竟然能写出世界上最优秀的小说之一,真是离奇。

23. 标点符号使用中的易错点

1 逗号一般情况下不能用于连接两个独立分句(短而简单的句子有时有例外)

> He couldn't decide upon a new computer, there were many attractive models. [×]
> He couldn't decide upon a new computer, for there were so many attractive models. [√]
> 他决定不了买一台新电脑,因为有这么多吸引人的型号。

2 如果独立分句之间没有 and, but, for, or, nor 等并列连词连接,要用分号

> Philip wrote steadily for two hours the results were good. [×]
> Philip wrote steadily for two hours; the results were good. [√]
> 菲利普一连写了两个小时,效果很好。

3 插入语一般要用逗号同其他句子成分隔开

> There are people I am sure who will say that the water is too cold. [×]
> There are people, **I am sure**, who will say that the water is too cold. [√]
> 我敢说,有人会说这水太凉。

4 非限制性定语从句要用逗号同其他句子成分隔开

> Who would have thought that the Pulitzer Prize for reporting which is normally given annually would not have been awarded this year? [×]
> Who would have thought that the Pulitzer Prize for reporting, **which is normally given annually**, would not have been awarded this year? [√]
> 谁能想到普利策新闻奖——通常一年一度颁发——今年竟不颁发了呢?

5 在以 for example, moreover, for instance, furthermore, nevertheless, otherwise, that is, besides, therefore, also, accordingly, however, hence, still, consequently, instead, thus 等副词或词组连接的独立分句之间一般要用分号

> Electronics is changing the habits of many people, for example, television viewing is becoming popular throughout the world. [×]
> Electronics is changing the habits of many people; **for example**, television viewing is becoming popular throughout the world. [√]
> 电子学正在改变着许多人的生活习惯,比如,看电视正在全球普及开来。

6 冒号用在一系列同位语成分之前,也用在 as follows, the following 之后

> The workers unlocked the cabin and carried in our furniture, a couch, four chairs, a table, and two beds. [×]
> The workers unlocked the cabin and carried in our furniture: **a couch, four chairs, a table, and two beds.** [√]
> 工人们打开了小房间的锁,搬进来了我们的家具:一个沙发,四把椅子,一张桌子和两张床。

【提示】 冒号可以表示原因。例如:Even her brother might have snickered: **she sold only two copies.** 因为她的书只卖出两本,就连她哥哥也会哂笑她。

7 在 like, including, such as 以及 be 动词后不用冒号

> The three soups we ordered were: bird's nest, sweet-and-sour sauce, and shark's fin. [×]
> The three soups we ordered **were bird's nest, sweet-and-sour sauce, and shark's fin**. [√]
> 我们要了三份汤——燕窝、糖醋汁和鱼翅。

8 分词短语、不定式短语、独立分词结构在句首作状语时,一般要用逗号同其他成分隔开

Not having enough hands they stopped the work half way. (不妥)

Not having enough hands, they stopped the work half way. [✓]

由于人手不够,那项工作他们干了一半就停下了。

⑨ 状语从句位于句首或句中时,一般要用逗号同其他成分隔开

When you have finished reading will you help me with my lessons? (不妥)

When you have finished reading, will you help me with my lessons? [✓]

你读完后,帮我学功课好吗?

⑩ 破折号常用于解释、说明、补充信息、反问,而逗号则不可

In the whole world there is only one person he really admires, himself. (不妥)

In the whole world there is only one person he really admires — himself. [✓]

全世界值得他钦佩的人只有一个——他自己。

It is a win-win situation—good for the employees and the company. 这是一种双赢的情况——对雇员有利,对公司也好。

She told me how to get to her house, but left out the most important detail—the name of the street. 她告诉我怎样到她家,却漏掉了最重要的细节——街道的名称。

There is one thing about hens that looks like wisdom — they don't cackle until they have laid their eggs. 母鸡有一点看上去是明智的——它们下了蛋之后才咯咯叫。

It is clear—is it not? —that corrupt officials must be severely punished. 很清楚——不是吗? ——腐败官员必须受到严厉的惩处。

He is a disturber of the peace — quick, impatient, positive and restless. 他是一个不安于现状的人——聪颖敏捷,充满渴望,坚定果断,不知疲倦。

⑪ 英语 etc. (等等)不可与省略号(...)连用

The loans will cover the cost of repairs, decoration, new equipment...ect. [×]

The loans will cover the cost of repairs, decoration, new equipment, etc. [✓]

这些贷款将用于支付修理、装修、购置新设备等费用。

⑫ when 有时相当于 and then,表示"其时,然后",具有并列连词的功能,这种用法的 when 前常有逗号,但也有不用的情况

We were about to start, **when it began to rain**. 我们正准备出发,这时下起了雨。

I expect to be there no longer than two days, **when** I shall return. 我预计至多在那里待两天,随后就回来。

⑬ 应正确使用连字号

A group of **five-foot soldiers** marched towards the building. (含糊)

A group of **five foot soldiers** marched towards the building. (清晰)

A group of **five foot-soldiers** marched towards the building. (清晰)

▶▶▶ five-foot 意为"五英尺",foot-soldiers 意为"步兵"。

⑭ 注意勿使标点引起歧义

Only a small part of his **records, lectures, and speeches** were destroyed by the fire. [✓]

他只有一小部分录音带、授课稿和演说稿被火烧掉了。(烧掉了三样东西)

Only a small part of his **records, lectures and speeches**, were destroyed by the fire. [✓]

他只有一小部分录音带——授课和演说的记录——被火烧掉了。(烧掉了一样东西)

五、短句的修辞作用

短句,结构简单,用词简约,句意明了,极富乐感。在篇章中恰当地使用短句,能起到很好的修辞效果,如烘托气氛,表现个性,蒙太奇手法描写画面,等等。例如:

It begins when a feeling of stillness creeps into my consciousness. Everything has suddenly gone quiet. **Birds do not chirp**. **Leaves do not rustle**. **Insects do not sing**. 一种寂静的感觉渐渐开始涌上心头。刹那间,万物都沉寂无声。鸟儿不再啁啾,树叶不再作响,虫儿不再吟唱。(短句烘托出暴

风雨将至前的气氛:暂时的一片沉寂,沉寂中透着紧张,短暂的沉寂兆示着铺天盖地的暴风雨)

Within an hour, snow was spread upon the lawn like a white tablecloth. The children came yelling. **They rolled in it, they tasted it, they packed it into balls and tossed it at one another.** 不到一个小时,雪就把草坪盖住了,犹如铺上了一块洁白的桌布。孩子们喊叫着来到雪地上,他们在雪中打滚,品尝着雪,把雪捏成雪球互相扔打。(三个短句中,四个动词连用:瞧,孩子们在积雪的草坪上玩得多快活! 儿童的天真可爱、活泼好动跃然纸上)

"I love the West," said the girl, irrelevantly. **Her eyes were shining softly. She looked away out the car window. She began to speak truly and simply, without the gloss of style and manner:"Mamma and I spent the summer in Denver. She went home a week ago because father was slightly ill. I could live and be happy in the West. I think the air here agrees with me. Money isn't everything. But people always misunderstand and remain stupid."** "我喜欢西部,"姑娘心不在焉地说,眼光温柔地闪动着。她从车窗向外眺望,把仪态和风度抛在一边,坦率自然地说:"妈妈和我在丹佛度过了夏天,因为父亲有点小病,她一星期前回去了。我可以在西部过得很愉快。我想这儿的空气适合我。金钱并不是一切,但是人们常理解错误,并执迷不悟。"(10 个短句,用词简约,符合姑娘欢快、活泼、率真的个性,字里行间,我们看到一个单纯、阳光、乐观的女孩形象)

A porch light came on. A car door slammed. A television flickered. 一道门廊的灯光出现了,一扇车门砰的一声关上了,一台电视机闪烁了。(三个短句,典型的蒙太奇手法,描写了三个小场面:晨光中,人们开始新的一天了。)

The hotel was nice; the weather was hot; the beaches were beautiful. Altogether it was a great vacation. 旅馆舒适,天气暖和,海滨美丽。总之,这个假期过得很愉快。(简短的句式,排比开来,表露出作者的喜悦之情,假期中所见所感,美好时光,巴不得一口气说出来,同他人共享)

六、修辞格

修辞格(figures of speech)指各种修辞方式,如对偶、拟人等,运用得当,可使语言表达得鲜明而生动。现把英语主要修辞格介绍如下。

1. 明喻(Simile)

明喻是直接把一物同某种与其具有同一性质或特点的另一物相比较,常用比喻词有 as, like, seem, like, as though 等。例如:

The moon is **like a silver coin**. 月亮就像一枚银币。

Childhood is **like a swiftly passing dream**. 童年犹如一场短暂的梦。

He never gets annoyed, for worries slip off his mind **as from an open net**. 他从不心烦,因为他的心像张开的网,放过了焦躁苦恼。

A few seconds later, Christmas exploded throughout the restaurant **like a bomb**. 几秒钟后,圣诞节那固有的欢乐激情像枚炸弹似的爆裂开来。

Beauty is as summer fruits, which are easy to corrupt, and cannot last. 美犹如盛夏的水果,是容易腐烂而难以保持的。

Virtue is **like a rich stone**, best plain set. 美德好比宝石,天然去雕饰,更显华贵。

The smallest courtesies along the rough roads of life are **like the little birds that sing to us all winter, and make that season of ice and snow more endurable**. 在坎坷的生活道路上,最细小的礼仪犹如在漫长的冬天为我们歌唱的小鸟,那歌声使冰天雪地的寒冬变得较易忍受了。

The sun on our backs seemed **like a gentle herdsman** driving us home at evening. 夕阳在背后好似和蔼的牧人晚间赶车送我们回家。

The highest intellects, **like the tops of mountains**, are the first to catch and to reflect the dawn. 智慧犹如群山之巅,首先瞥见曙光照亮四方。

A man of words and not of deeds is **like a garden full of weeds**. 一个会说不会做的人,就像野草丛生的花园。

Knowledge is **like a radiant lighthouse**, illuminating brightly the voyage of life. 知识像灯塔散射

出万丈光芒,把人生的航程之路照得灿烂辉煌。

Like black hulks, the shadows of the great trees **ride at anchor** on the billowy sea of grass. 大树的阴影像黑色的大船停泊在波浪起伏的茫茫草原上。(ride at anchor 为暗喻)

Habit is easy to form but hard to break. 习惯养成容易改掉难。

Habit **may be likened to a cable**: every day we weave a thread, and soon we cannot break it.
习惯可以比作缆索,我们每日织进一根线,久而久之,便难以弄断了。

2. 暗喻(Metaphor)

暗喻是间接地把一物同与其具有某种相似点的另一物相比较,不用比喻词。例如:

Since your ship was first launched upon **the sea of life**, you have never been still for a single moment. 自从你驶入人生的海洋,你的航船便没有片刻停歇。

The poor man, after being tempest-tossed through life, **safely moored in a snug and quiet harbour** in the evening of his days. 这位贫穷的人,一生饱经风暴的颠簸,最终在一个平静安宁的港湾里停泊下来,安度晚年。

His good nature spread itself like oil over **the troubled sea of thought** and kept the mind smooth and equable in the roughest weather. 他的好性情能像油那样在汹涌的思想海洋上延展开来,使心潮在狂风暴雨袭击下也能保持平静安宁。

If dreams die, life is **a broken winged bird** that can not fly. 假如梦想消亡,今生就像鸟儿折断了翅膀,再也不能自由飞翔。

Books are the **ever-burning lamps of accumulated wisdom**. 书籍是人类积累起来的智慧所点燃的永不熄灭的灯。

Happiness is **a butterfly**, which, when pursued, is always just beyond your grasp, but which, if you sit down quietly, may alight upon you. 幸福是一只蝴蝶,你要去追逐她,她总是在你前面不远的地方让你抓不到;但是如果你稍稍坐下来,也许她会落在你身上。

A great poem is **a fountain** forever overflowing with the waters of wisdom and delight. 一部伟大的诗篇像一座喷泉,会永远喷出智慧与欢快的水花。

The city is **a jungle** where no one is safe after the dark. 这座城市犹如丛林,天黑以后,人人自危。

Above them flew **the winged fishermen**, the seagulls. 在他们的头顶上,飞翔着海鸥——那长着翅膀的渔夫。

The world is **a stage**. 世界就是一个大舞台。

Books are **food for the mind**. 书籍是心灵的食粮。

Rivers of rain ran down the window behind him. 只见他背后的窗户,雨流成河。

The road of life has many turns. 生活之路曲曲折折。

Something he knew he had missed: **the flower of life**. 有一样东西他知道自己早已错过,那就是逝去的年华。

How noiseless falls **the foot of time**. That only treads on flowers! 时间的脚步多么轻柔,只在花上行走。

Kindness plays a very important role in people's relationship.

Kindness is **the golden chain** by which society is bound. 善良是一条金链,把人们紧紧相连。

3. 拟人(Personification)

拟人是把非人的事物当作人来写,把人的特点赋予事物或某种抽象概念,用本来只适用于人的名词、形容词、动词来描写事物,使其具有人的某些属性。例如:

The blue eyes of spring **laughed** from between rosy clouds. 春天蓝湛湛的眼睛透过玫瑰色的云缝欢笑。

How can the splendor of springtide in a garden be enclosed? A twig of red apricot flower **peeps** out over the wall. 满园春色关不住,一枝红杏出墙来。

Thousands of millions of blades of grass and corn **were eagerly drinking**. 千千万万青草和许多的叶片正在开怀痛饮。

The dog laughed and **said**,"Don't deceive me that way." 那狗大笑着说:"别那样骗我。"

The treacherous fox broke his promise and ran away. 那狡诈的狐狸失信逃跑了。

In such a society, **freedom blushes** for shame. 在这样的社会中,自由羞得满面通红。

Justice was forced to **rise up** under such heavy pressure. 在如此重压下,正义被迫起身反抗。

The autumn wind is **sighing**. 秋风瑟瑟。

The **hungry flames tore up** the buildings faster than anything I had seen! 饥饿的火焰一会儿工夫就把整幢大楼吞没了。

She watched the moon shining on the lake.
She watched **the moonlight dancing** on the lake. 她看着月光在湖面上闪烁。

The gentle breeze was blowing.
The gentle breeze caressed my cheeks and **soothed** my anger. 轻风拂摸着我的面颊,平息着我的怒气。

The ancient tower stood there and all day the sea rose and fell.
The ancient tower spoke to her of the disaster, and all day **the sea-waves sobbed** with sorrow. 古塔向她诉说着曾经的灾难,海浪无时不在呜咽悲泣。

▶▶ 下面的句子,也可看作是拟人用法,译成汉语时,有些要进行主谓转换,改为人作主语。

The fifth century saw the end of the Roman Empire. 罗马帝国在五世纪灭亡。

This old house has seen better days. 这座老房子从前是挺漂亮的。

Liberation found my hometown with few schools. 解放时,我家乡学校很少。

This field has witnessed a battle. 这片土地上曾打过仗。

Those years witnessed the Industrial Revolution. 那些是发生工业革命的年代。

These islands have seen a lot of history. 这些岛屿是许多历史事件的见证。

The new century will see great changes. 新世纪将会出现巨大变革。

Monday morning found Jack miserable. 星期一早晨杰克一副可怜相。

The noise killed the music. 噪音淹没了音乐声。

A surprising sight greeted her eyes. 一幅惊人的景象呈现在她眼前。

The exact date has escaped me. 我记不起确切日期了。

The misprint escaped her. 她没有看出这个印刷错误。

Remorse **preyed upon** her mind. 她心中悔恨不已。

Cheers and embraces greeted the heroes as they stepped down from the plane. 英雄们走下飞机时,受到人们的热烈欢迎和拥抱。

4. 夸张(Hyperbole)

夸张就是故意夸大事实,给人以深刻的印象,起强调作用。例如:

I will love you forever.
I will love you **until the sky falls** and **the sea runs dry**. 我爱你,海枯石烂不变心。

Thank you **a thousand**. 真是万分感谢!

I'll be **damned** if I will! 我绝对不会!

The waves were **mountain high**. 海浪山一样高。

▶▶ 夸张常与暗喻连在一起,如:flood of tears, heaps of time, a sea of faces, oceans of troubles。

5. 委婉语(Euphemism)

委婉语即使用婉词来避免提及刺耳或不愉快的东西。例如:

die 死→pass away, go west, breathe one's last, decease

kill 杀→finish, make away with, put away, remove, settle

tell a lie 说谎→distort the truth, misrepresent the facts

mad 疯→insane

foolish 愚蠢→unwise

pregnant 怀孕→in the family way

6. 反语(Irony)

反语即讲反话,故意使用同本意相反的说法。例如:

You've got us into **a nice mess**! 你干的好事,看把我们弄得多尴尬!

"How **unselfish** you are!" said Helen angrily. "你好不自私!"海伦愤怒地说。

How great you are to lord it over a small nation! 你们欺侮一个小国家,真是太伟大了!

A **fine** expression of gratitude! 好一种感激的表示!(就这样表示感激!)

"That's really **lovely**, that is!" he said with heavy irony. 他极为讽刺地说:"那太好了,太好了。"

Isn't your father **a kind man** to be giving the old fellow a blanket like that to go away with? 你爸爸真不错,送这么好的毯子给我老头儿带走。(儿子用一条毯子把父亲打发走,这位父亲对孙子如是说)

7. 对偶(Antithesis)

对偶即两个相同或相似的语言结构的对仗或对照。例如:

Those bygone days have been dispersed as smoke by a light wind, or evaporated as mist by the morning sun. 那些过去的日子,如轻烟,被微风吹散了,如薄雾,被初阳蒸融了。

Hatred darkens life, love illuminates it. 恨使生活漆黑一片,爱使生活阳光灿烂。

Kind words are the flowers; kind deeds are the fruits. 文明的语言是花,美好的行为是果。

Knowledge advances by steps, and not by leaps. 知识的增长靠日积月累,并非一蹴而就。

Faults are thick where love is thin. 一朝情义淡,样样不顺眼。

United we stand, divided we fall. 团结则立,分裂则亡。

Well begun, half done. 良好的开始是成功的一半。

Idle young, needy old. 少壮不努力,老大徒伤悲。

You're going; I'm staying. 你去我留下。

8. 转喻(Metonymy)

转喻也叫换喻,即借用与某物相关或关联的东西代称其物。例如:

The power of **pen** is mightier than **sword**. 文足以胜武。(这里 pen 代替 intelligence,sword 代替 brute force)

He gave up **the sword** for **the plough**. 他解甲归田了。

The kettle boils. 水开了。(the kettle=the water in the kettle)

Gray hairs should be respected. 老人应该受到尊重。(gray hairs=old people)

from **the cradle** to **the grave** 从生到死(=from babyhood to death)

9. 间接肯定法(Litotes)

间接肯定法是指用否定的形式来表示肯定的一种修辞方法。例如:

He is **no ordinary** diplomat. 他是个杰出的外交家。(=He is a very remarkable diplomat.)

He is **not without** ambition. 他雄心勃勃。(=He is quite ambitious.)

That's **no laughing** matter. 那可不是闹着玩的。(=That's a serious matter.)

She **won't be sorry** when a man like him dies. 像他那样一个人死了,她一点也不会难过。(=She will be very glad when he dies.)

10. 类比(Analogy)

类比就是把两种本质上不同的事物之间的共同点加以比较,来说明道理,把抽象的概念具体化,把深奥的哲理浅显化。例如:

Forests are **to nature** what **the lung** is **to man**. 森林之于大自然,就像肺之于人一样。

The brush is **to the painter** what **the piano** is **to the musician**. 画笔之于画家,犹如钢琴之于音乐家。

Judicious praise is **to children** what **the sun** is **to flowers**. 明智的赞扬对于孩子的作用,犹如阳光对于花朵的作用一样。

11. 提喻(Synecdoche)

提喻是以某事物的局部表示整体,抽象表示具体,特殊表示一般,或者反之。例如:

More **hands** are needed in the work. 这项工作需要更多的人。(hand 是人体的一部分,代表人)

He has five **mouths** to feed. 他要养活五口人。（mouth 是人体的一部分,代表人）

He is her **admiration**. 他是她崇拜的人。（admiration 表示被崇拜的人,是抽象代表具体）

A thousand **mustaches** can live together, but not four **breasts**. 千条汉子能共处,两个婆娘难相容。

There is a mixture of the **tiger** and the **ape** in his character. 他既残暴又狡猾。（tiger 表示"残暴",ape 表示"狡猾",是具体表示抽象）

12. 拟声 (Onomatopoeia)

拟声就是模拟声音,突出人或物的动作声响,使之生动,使人如闻其声,如临其境。例如:

The stream is **murmuring** down the hill. 小溪哗哗地流下山去。

Some girls are **giggling** in the yard. 一些女孩在院子里咯咯地笑着。

Rain drops were **pattering** on the window. 雨点啪哒啪哒地敲击着窗户。

He heard the **twitter** of birds among the bushes. 他听到树丛中鸟儿的叽叽喳喳声。

Thump! A table was overturned! 哗啦! 桌子被推翻了。

"What's happened?" he **muttered**. "怎么回事呀?"他喃喃地问。

Thunder **rumbled** in the distance. 远处雷声隆隆。

The stone **fell** on his head. 石头啪嗒落在他的头上。

My stomach **rumbled** emptily. 我的肚子饿得咕咕响。

The logs were burning **briskly** in the fire. 木柴在火中噼里啪啦烧得正旺。

A crystal tear-drop **plopped** down on to the letter. 一颗晶莹的泪珠扑地落在信纸上。

Tom **fell asleep** almost immediately. 汤姆几乎倒头就呼呼睡了。

The kids **are crying** loudly. 孩子们在哇哇大哭。

Crash! The door was broken. 轰隆! 门砸开了。

Love **pit-patted** in her heart. 爱情在她心中噗噗直跳。

The tent **flip-flopped** in the gusty wind. 帐篷在阵风中啪啪嗒嗒地响着。

The iron gates of the park shut with a **jangling clang**. 公园的铁门哐啷一声关上了。

The waves were surging high, **crash**! **crash**! 波涛汹涌,轰! 轰!

The train **rattled** noisily over the points. 火车咔哒咔哒地驶过道岔。

He let the beer **gurgle** down his throat. 他咕噜咕噜地喝起啤酒。

I felt panic rising, and my heart **banged** loudly in my chest. 我感到越来越恐慌,心在胸膛里怦怦地跳。

All was quiet and still except for the distant **tinkling** of a piano. 除了远处一架钢琴的叮当叮当声外,万籁俱寂。

The low **whirr** of the spinning wheel spoke to him of the warmth of home and his mother's love. 嗡嗡的、低沉的纺车声,透着家庭的温暖和母亲的抚爱。

He heard them **whispering** and **chattering** all the time. 他听见他们叽叽喳喳讲个没完。

13. 反论 (Paradox)

反论是似非而是的说法,乍听似乎荒唐,但实际上却有道理。例如:

The child is father to the man. 儿童是成人之父。（从小可以看大。）

More haste, less speed. 欲速则不达。

The faster you try to finish, the longer it takes you. 你越想做得快,你花费的时间就越多。

14. 矛盾修饰法 (Oxymoron)

矛盾修饰法是指修饰语和被修饰语之间看来似乎是矛盾的,但实则相反相成。例如:

sour-sweet days 苦涩而甜蜜的岁月　　creative destruction 创造性的破坏

poor rich men 贫穷的富人　　living death 死一般的活着

victorious defeat 胜利的失败　　bitterly happy 苦涩的愉快

idiotic wisdom 愚蠢的智慧　　crowded solitude 拥挤的独处

a wise fool 聪明的傻子　　sweet sorrow 苦中有甜

painful pleasure 悲喜交集　　brilliant lunatics 聪明的蠢货

a desperate longing 绝望中心存渴望

honest thief 诚实的贼

a beautiful idiot 漂亮的白痴

deafening silence 震耳欲聋的沉寂

cruel kindness 残忍的善人

the littlest great man 人格最渺小的伟人

obsequious majesty 半尊半卑

disagreeably pleasant laugh 令人恶心的嬉笑声

It gave her a **delightful surprise**. 这使她又惊又喜。

They had a **love-hate** relationship. 他们的关系是爱中有恨,恨中有爱。

New York has **the poorest millionaires, the littlest great man, the haughtiest beggars, the plainest beauties, the lowest skyscrapers, the dolefulest pleasures** of any town I ever saw. 纽约有的是心灵空虚的百万富翁,人格最渺小的伟人,最目空一切的乞丐,最令人瞧不上眼的美女,最卑鄙龌龊的摩天大楼和最令人悲哀的娱乐,比我所见到过的任何城市都有过之而无不及。

He sat there and watched them, so **changelessly changing**, so **bright and dark**, so **grave and gay**. 他坐在那儿注视着,觉得眼前的景色,既是始终如一,又是变化多端,既是光彩夺目,又是朦胧黑暗,既是庄严肃穆,又是轻松愉快。

She was half Spanish and the rest Norwegian, a smoking bubbly mixture of **cold fire** and **hot ice**. 她一半是西班牙血统,一半是挪威血统,是寒冷的火焰和炽热的冰块的混血儿,既热情奔放又充满幻想。

15. 双关(Pun)

双关是巧妙地利用同音异义或同形异义现象,使同一个词或同一个句子表达两种不同的含义,使之含蓄幽默,一语双关。例如:

We must all **hang** together, or we shall all **hang** separately. 我们必须团结在一起,不然我们将一个个地被绞死。(利用一词多义,第一个 hang 表示"团结",第二个 hang 表示"绞死")

If art was his **calling**, he dialed a wrong number. 尽管他要以艺术为业,但拨错了号。(calling 表示"职业,打电话")

All day long they **lie** in the sun, and when the sun goes down, they **lie** some more! 他们在太阳底下躺着,一整天说鬼话,到太阳落山时,他们说鬼话越发起劲。(lie 表法"躺,撒谎")

"Mine is a long **tale**"(tail), said the mouse to Alice. 老鼠对艾丽斯说:"我的故事是一个很长的故事。"(或者:我的尾巴是一个很长的尾巴。)(利用同音双关,tale 与 tail 同音)

Seven days without water makes one **weak**(week). 七天不喝水使人虚弱。(或者:没有水的七天构成一周。)(利用同音双关,weak 与 week 同音)

{ A: Why is an empty purse always the same?
{ B: Because there is never any **change** in it. (利用一词多义,change 可理解为"变化"或"零钱")

{ A: What makes the tower **lean**? (lean 可表示"倾斜",也可表示"瘦的")
{ B: It never eats.

{ A: I would like a book, please.
{ B: Something **light**? (light 可以表示"轻松的(读物)",也可表示重量"轻的")
{ A: Well, it doesn't matter. I have a car with me.

{ A: I **found** it **out**. (find sth. out 可以表示"查明",也可表示"发现……出去了")
{ B: But I **found** it in the room. (这里的 found 表示"发现")

{ A: Are you **engaged**? (be engaged 可以表示"忙于",也可表示"订婚")
{ B: Yes. I have been **engaged** to Mary. (这里的 engaged 表示"订婚")

16. 转移修饰(Transferred Epithet)

转移修饰就是把通常形容人的词语用到修饰事物上,或者把通常修饰甲类事物的形容词转用来修饰乙类,以产生简洁、新颖、形象的效果。例如:

a wide-eyed answer 睁大着眼睛回答

an icy look 一副冷漠的神色

a helpless smile 无可奈何的微笑

dry humor 冷面幽默

embarrassed delight 既尴尬又高兴

cheerful wine 使人快乐的酒

dizzy height 令人眩晕的高度

an amazed silence 一阵惊讶,默不作声

isolated ignorance 由于隔绝而不了解　　　　gnawing poverty 令人心酸的贫困

a nostalgic mountain village 一个令人怀念的山村

the unthinking moment 想是想了，但什么也想不出

Cold mountains stretch into a belt of **sorrowful** green. 寒山一带伤心碧。

Only the **sympathetic** moon was shining there for me alone on flowers fallen to the ground. 只有那脉脉含情的月亮把银辉洒在落花上，与我孑然相对。

A **nervous** silence was followed by **nervous** laughter. 先是一阵局促不安的沉默，接着又是一阵局促不安的干笑。

17. 一语双叙(Syllepsis)

一语双叙就是用一个词语同时与两个部分搭配，含义上一个为字面意义，一个为比喻意义，可产生幽默、俏皮等效果。例如：

Yesterday she **had a blue heart and coat**. 贝蒂穿着蓝色衣服，心情忧郁。(had a blue heart 意为"忧郁"，had a coat 意为"穿着一件大衣")

He got up early and **caught the train and a cold**. 他起了个大早，赶上了火车，却患了感冒。(caught the train 意为"赶上了火车"，caught a cold 意为"患了感冒")

She **left in a flood of tears and a car**. 她哭着坐车走了。(in a flood of tears 意为"痛哭着"，in a car 意为"乘车")

He **picked up his hat and his courage**. 他捡起帽子，鼓起了勇气。(picked up his hat 意为"捡起了帽子"，picked up his courage 意为"鼓起勇气")

She **opened the door and her heart** to him. 她打开门，向他敞开心扉。(opened the door 意为"开门"，opened her heart to him 意为"向……吐露了心声")

He **lost his position and his life**. 他丢了官职，丢了性命。(lost his position 意为"失去了职位"，lost his life 意为"丢了命")

During my stay there, I **lost my hair**, **my appetite and a ton of weight**. 在那儿期间，我的头发脱落了，没有胃口，体重剧减。

He left **in a fury and the rain**. 他气急败坏地冒雨走了。

Those clothes **fit the man and the times**. 那些衣服男人穿很合身，也很时髦。

Never **show the bottom of your purse or your mind**. 钱包和心思，都不能露底。

She **lost her legs and her mind**. 她失去了双腿，精神也失常了。

He **killed the man and the luggage**. 他杀了那人并毁掉了行李。

18. 对照(Contrast)

对照就是把意义相反的字词、短语或句子等平行地排列起来，在结构上对称，揭示出事物间的对立或矛盾。例如：

He is **rich in goods** but **poor in spirit**. 他物质丰富，精神贫乏。

That they **sow in tears** shall **reap in joy**. 含泪耕种者将快乐地收获。

There is more danger from a **pretended friend** than from an **open enemy**. 更多的危险来自伪装的朋友，而不是来自公开的敌人。

Some people are **greedy and selfish** while others are **kindly and generous**. 有些人贪婪、自私，而另一些人善良、慷慨。

19. 排比(Parallelism)

排比是一连串内容相关、结构类似的句子成分或句子，或几个单词，并列使用，层层深入，可以表示强调，使句子结构紧凑，或制造某种氛围，或表示某种语气。例如：

If you don't vote, don't complain. **Never before in history have American citizens held such power in their own hands. Never before have they had the opportunity to formulate such well-informed opinions. Never before have they been allowed such vigorous and unrestrained debate on the issues.** Not to vote is to throw away your simplest and most effective means of political influence. 如果你们不投票，就不要抱怨。美国公民们在历史上手中从没有掌握过这样的权力；他们过去从没有

机会系统地阐述自己的真知灼见;他们过去从没有被允许对问题畅所欲言,无拘无束地进行辩论。不投票,便是白白放弃你们施展政治影响力的最简单也是最有效的手段。

Studies serve **for delight**, **for ornament**, and **for ability**. 读书足以怡情,足以博采,足以长才。

The notice which you have been pleased to take of my labours, had it been early, had been kind; but it has been delayed **till I am indifferent and cannot enjoy it; till I am solitary, and cannot impart it; till I am known and do not want it**. 你有意关注起我的所为,如果这种关注早些来到,当甚欣慰;但它来得太迟了,我已经不感兴趣了,也消受不了了;我已是遁世之人,无人与之分享了;我已是名闻天下,不需要锦上添花了。(本段出自 18 世纪英国文坛巨擘 Samuel Johnson 的名作《Letter to Chesterfield》。文中倾吐了作者历经七年,孤身奋战,编写第一部英语词典的艰辛、屈辱和愤慨。这段选文运用三个由 till 引导的排比从句,环环相扣,层层加深,步步逼近,表现了铮铮铁骨。)

I'm **struggling**, **fumbling**, **mumbling** like a fool. 我再三推托,手足无措,支支吾吾,像个傻子。

This small, delicate sign was a comfort **beyond words**, **beyond touch**, **beyond time**. 这个小小的、微妙的神迹带给我的安慰超越了语言、抚摸和时间。

There is no confusion of objects in the eye, but **one hill or one tree or one man**. 视线里景物不是纷然杂呈,只有一座山、一棵树或是一个人。

These same questions that **disturb and puzzle and confound** us have in their turn occured to all the wise men. 我们为之不安和感到疑惑茫然的问题,所有的聪明人都曾经碰到过。

I wished that at that moment I could go back to **the peace and the beauty and the living** of the days I used to know. 我心里盼望着能马上重温我往日所熟悉的平静美好的生活。

For the first time in her life she stood naked in the open air, **at the mercy of the sun**, **the breeze that beat upon her**, **and the waves that invited her**. 平生第一次她赤裸裸地站在光天化日之下,任凭阳光戏弄,任凭海风吹拍,任凭呼唤她的海浪泼溅。

Self-made, **self-taught**, **self-reared**, the candle maker's son gave light to all the world. 这位蜡烛制造商的儿子,自强不息,自食其力,自学成才,给全世界带来了光明。

Trust **hard work**, **perseverance and determination**. 要相信勤奋、毅力和决心。

The sunlight shimmered upon my table, and made me long **for the scent of the flowering earth**, **for the green of the hillside**, **for the singing of the skylark above the fields**. 阳光在我的书桌上闪烁,使我想念那百花盛开的大地的芳馨,想念那山坡上的一片青翠,想念那田野上空云雀的歌声。

But most of the time the days are models of **beauty and wonder and comfort**, with the kind sea stroking the back of the warm sand. 但是多半时间,白昼堪称美丽、奇观和舒适的良辰美景,温和的海水抚拍着热乎乎的沙土的后端。

He is cruel, he is lustful, he is sly. 他残忍,他好色,他非常狡诈。

Love all, trust a few, be false to none. 博爱天下所有的人,相信少数几个人,不要负于任何人。

20. 头韵(Alliteration)

头韵指在一组词或一行诗中用相同的字母或声韵开头。例如:

He is all **fire** and **fight**. 他火暴脾气,好打好斗。

The **sun sank slowly**. 太阳慢慢地落下去了。

They have returned home, **safe** and **sound**. 他们已安抵家中。

He was fighting a losing battle with **dust** and **dirt**. 他是在打一场一败涂地的败仗。

They all worked with **might** and **main**. 他们都全力以赴地工作。

A **light** heart **lives long**. 心情开朗,寿命就长。

A good **skater** never tries to **skate** in two directions at once. 优秀的滑冰手从不试图同时滑向两个方向。

Ideological education is **part** and **parcel** of our education programme. 思想教育是我们的教育方案的一个组成部分。

With only 3% of Americans in agriculture today, **brain** has supplanted **brawn**. 今天在美国,脑力

已经取代了体力,只有百分之三的美国人在从事农业。

The bandage was **wound** around the **wound**. 绷带缠绕在伤口上。

A **minute** is a **minute** part of a day. 一分钟是一天中极小的部分。

He did not **object** to the **object**. 他并不反对这个对象。

The **dove dove** into the bushes. 鸽子俯冲进了矮树林。

Have you ever seen a **saw saw** a **saw**? 你曾见过锯子锯锯子吗?

Then, **slowly, slipping** and **sliding** down the glass, the flakes would melt, its beauty fleeting. 然后,慢慢地,滑下来,滑下玻璃,雪花将溶化,美丽将消逝。

A **slip** of the **lip** can sink a **ship**. 随便说句话能使一艘轮船沉没。

【辨别正误】

1. { A. Sometimes it is more difficult to find qualified men than getting financial support. ( )
   { B. Sometimes it is more difficult to find qualified men than to get financial support. ( )

2. { A. What one can say and what should one do are two different things. ( )
   { B. What one can say and what one can do are two different things. ( )

3. { A. You can be either for the proposal or you are against the proposal. ( )
   { B. You can be either for the proposal or against the proposal. ( )

4. { A. They saw the man taking off his clothes and to plunge into water. ( )
   { B. They saw the man taking off his clothes and plunging into water. ( )

5. { A. Either you control them or to be controled by them. ( )
   { B. Either you control them or you are controled by them. ( )

6. { A. The kind-hearted woman both saved the boy and that she gave him financial support. ( )
   { B. The kind-hearted woman both saved the boy and gave him financial support. ( )

7. { A. I prefer staying at home to go downtown. ( )
   { B. I prefer staying at home to going downtown. ( )

8. { A. The new law can protect the water from being polluted and the animals from killed. ( )
   { B. The new law can protect the water from being polluted and the animals being killed. ( )

9. { A. She killed him not because she loved him less but loved the country more. ( )
   { B. She killed him not because she loved him less but because she loved the country more. ( )

10. { A. We should keep fit, study well and trying to do more for the country. ( )
    { B. We should keep fit, study well and try to do more for the country. ( )

11. { A. The book was not very popular only in China but also in many other countries. ( )
    { B. The book was very popular not only in China but also in many other countries. ( )

12. { A. Mr. Johnson was young, enthusiastic, and having interest in many activities. ( )
    { B. Mr. Johnson was young, enthusiastic and interested in many activities. ( )

13. { A. The natural resources in Kentucky include rich soils, mineral deposits, forests are thick and plentiful plant and animal life. ( )
    { B. The natural resources in Kentucky include rich soils, mineral deposits, thick forests and plentiful plant and animal life. ( )

14. { A. Please buy me the smallest, most recently published and less expensive dictionary that you may come across during your stay in Nanjing. ( )
    { B. Please buy me the smallest, most recently published and least expensive dictionary that you may come across during your stay in Nanjing. ( )

15. { A. Jane sat in her room studying her lessons while her brothers were outside played their games. ( )
    { B. Jane sat in her room studying her lessons while her brothers were outside playing their games. ( )

16.
A. They decided not to cancel their trip but <u>postpone</u> it. (　)
B. They decided not to cancel their trip but <u>to postpone</u> it. (　)

17.
A. Mary said she <u>wanted to</u> and would have married him if she knew where he was at that time. (　)
B. Mary said she <u>wanted to marry</u> and would have married him if she knew where he was at that time. (　)

18.
A. The old sailor returned twenty days later, <u>with illness</u>, tired and unhappy. (　)
B. The old sailor returned twenty days later, <u>ill</u>, tired and unhappy. (　)

19.
A. No one was permitted to go near him, let alone <u>succeeding</u> in persuading him out of the decision. (　)
B. No one was permitted to go near him, let alone <u>succeeded</u> in persuading him out of the decision. (　)

20.
A. We have done things we ought not to have done and <u>leave</u> undone things we ought to have done. (　)
B. We have done things we ought not to have done and <u>left</u> undone things we ought to have done. (　)

21.
A. Understanding what you are like, what you value and <u>that</u> you want to become is the foundation for all career planning. (　)
B. Understanding what you are like, what you value and <u>what</u> you want to become is the foundation for all career planning. (　)

22.
A. The old lady's job is washing, cleaning and <u>to take</u> care of the children. (　)
B. The old lady's job is washing, cleaning and <u>taking</u> care of the children. (　)

23.
A. He has nothing to do all the time. He kills his nights by watching TV and his days <u>to sleep</u>. (　)
B. He has nothing to do all the time. He kills his nights by watching TV and his days <u>by sleeping</u>. (　)

24.
A. The advertisement claims that this new-brand car made in Germany is safe, comfortable and <u>easily used</u>. (　)
B. The advertisement claims that this new-brand car made in Germany is safe, comfortable and <u>easy to use</u>. (　)

25.
A. The instrument has been welcomed by users because of its stability in serviceability, reliability in operation and <u>simple</u> in maintenance. (　)
B. The instrument has been welcomed by users because of its stability in serviceability, reliability in operation and <u>simplicity</u> in maintenance. (　)

26.
A. The well-known painter spent ten days in the resorts traveling on foot, climbing mountains and <u>to bathe</u> in the sea. (　)
B. The well-known painter spent ten days in the resorts traveling on foot, climbing mountains and <u>bathing</u> in the sea. (　)

27.
A. The typist was fast and <u>efficiently</u> and was hired immediately. (　)
B. The typist was fast and <u>efficient</u> and was hired immediately. (　)

28.
A. Collecting coins was his favorite pastime, but <u>to listen to</u> music also gave him great pleasure. (　)
B. Collecting coins was his favorite pastime, but <u>listening to</u> music also gave him great pleasure. (　)

29.
A. The man practises what he preaches because he doesn't smoke, drink or <u>does</u> anything to excess. (　)
B. The man practises what he preaches because he doesn't smoke, drink or <u>do</u> anything to excess. (　)

【答案】

1. A.[×] B.[√]　　2. A.[×] B.[√]　　3. A.[×] B.[√]　　4. A.[×] B.[√]
5. A.[×] B.[√]　　6. A.[×] B.[√]　　7. A.[×] B.[√]　　8. A.[×] B.[√]
9. A.[×] B.[√]　　10. A.[×] B.[√]　　11. A.[×] B.[√]　　12. A.[×] B.[√]
13. A.[×] B.[√]　　14. A.[×] B.[√]　　15. A.[×] B.[√]　　16. A.[×] B.[√]
17. A.[×] B.[√]　　18. A.[×] B.[√]　　19. A.[×] B.[√]　　20. A.[×] B.[√]
21. A.[×] B.[√]　　22. A.[×] B.[√]　　23. A.[×] B.[√]　　24. A.[×] B.[√]
25. A.[×] B.[√]　　26. A.[×] B.[√]　　27. A.[×] B.[√]　　28. A.[×] B.[√]
29. A.[×] B.[√]

英语貌合神离句与特殊难点 356 例讲评

　　英语貌合神离句,指的是结构形似而含义不同的英语句子。这类句子由于"貌合",易引起误解和误用,且出现的频率较高,是英语学习中的一大难点。事实证明,即使是已具有相当水平的英语学习者,如果平时不注意分析研究,也往往不辨"庐山真面目",看不出这类句子的真正内涵或言外之意。因此,可以这样说,从能否正确理解这类句子,可以判断出一位英语学习者的英语语言功底和理解能力。另一方面,英语中有相当数量的表意丰富、搭配功能强、用法复杂的词汇和特殊难点,掌握好了,可以为己所用,挥洒自如,妙笔生花;掌握不了,则如隔雾看花,不解真谛,每每出错。下面的句子大都是英语貌合神离句和特殊难点的"经典",具有典型性和代表性,如能悉心研读,必将会发现英语语言的"新大陆",得到意外的惊喜和收获。

1. { **According to the plan**，they must finish the work by Monday. 按照计划,他们必须在星期一以前完成工作。(修饰全句)
　　By Monday they must finish the work **according to the plan**. 在星期一以前他们必须按照计划完成工作。(修饰 finish)

2. { That is my **all**. 我一切都在那里。/那是我的一切。(all 为名词)
　　All that is mine. 那一切都是我的。(all 为形容词)

3. { Jack has **also** decided to spend a few days in Austria on his way to Switzerland. 杰克也决定在前往瑞士途中在奥地利逗留几天。(修饰谓语)
　　Jack has decided **also** to spend a few days in Austria on his way to Switzerland. 杰克决定在他前往瑞士途中在奥地利也要逗留几天。(修饰不定式)

4. { She had the grace **at least** to admit that she was partly in the wrong. 至少她很痛快,承认她自己也有一部分过错。(修饰 had the grace)
　　She had the grace to admit that she was **at least** partly in the wrong. 她倒很痛快,承认自己至少也有些过错。(修饰 partly in the wrong)

5. { Her speech was reported **at length** in the newspapers. 她的演讲词在报纸上详细地登载出来。(＝in great detail)
　　At length，her speech was reported in the newspapers. 她的演讲词终于在报纸上登载出来。(＝at last)

6. { We were passing by a **boat house** when we met her. 我们从游艇停泊处经过,碰上了她。(a place where boats anchor)
　　We were passing by a **house boat** when we met her. 我们从一艘住家船边经过,碰上了她。(a boat serving as a house)

7. { The police made a careful study of the **book case**. 警察仔细察看了书橱。
　　The police made a careful study of the **case book**. 警察仔细研究了案例。(判例、案例)

8. { He took her to a **bus station**. 他带她到一个汽车站。
　　He took her to a **station bus**. 他带她到一辆往返(火)车站的公共汽车那里。

9. { They found the empty **bottle**. 他们找到了空瓶子。(empty 作定语)
　　They found the **bottle** empty. 他们发现瓶子是空着的。(empty 作宾补)

10. { How people **can** be such fools! 怎么会有人这么傻!(对真人真事感到惋惜、惊奇)
　　How **can** people be such fools? 谁可能会那么傻呢?(未必有的事情)

11. { How old she **is**! 她竟然这么衰老!(同样,How young she is! ＝She is extremely young.)
　　How old **is** she? 她多大年纪?(同样,How young is she? 她有多年轻?)

12. { I gazed at the broken **case glass** and didn't know what to do. 我注视着破碎的镂花厚玻璃,不知该怎么办。(镂花厚玻璃)
　　I gazed at the broken **glass case** and didn't know what to do. 我注视着破碎的玻璃橱柜,不知该怎么办。(玻璃橱柜)

13. {
He likes **this kind of chocolates**. 他喜欢这种品牌的巧克力。（式样、品牌）
He likes **chocolates of this kind**. 他喜欢这种口味的巧克力。（质量、特征）
}

14. {
He **kept her company**. 他陪着她。
He **kept company with** her. 他和她交朋友/谈恋爱。（结交、要好）
}

15. {
We didn't buy it, **did we**, because it was cheap. 我们没买，对不对，那东西质量很差。（did we 强调主句）
We didn't buy them because it was cheap, **did we**? 我们不是因为便宜才买，对不对？（反意问句）
}

16. {
It never occurred to her to **doubt** that the story might be false. 对于情节可能纯属虚构这一点，她深信不疑。（相信故事是虚构的）
The **doubt** never occurred to her that the story might be false. 她从来没怀疑过故事可能是假的。（相信故事是真的，that ... 为同位语从句）
}

17. {
Can you tell me all you know about a **flower garden**? 你可以把你所知道关于花园的一切都告诉我吗？（不同于 vegetable garden）
Can you tell me all you know about a **garden flower**? 你可以把你所知道关于园中种植的花卉的一切情况都告诉我吗？（不同于 wild flower）
}

18. {
She **simply** spoke. 她只不过说说而已。（没有行动）
She spoke **simply**. 她说起话来，简洁、直率。
}

19. {
Two of my brother's **friends** came to see him off. 我哥哥的朋友当中有两个人来给他送行。（不止两个朋友）
Two **friends** of my brother's came to see him off. 我哥哥的两个朋友来给他送行。（可能只有两个朋友）
}

20. {
The orator made himself **generally** unpopular with the crowd. 这个演说家，群众普遍不喜欢他。（修饰 unpopular）
The orator **generally** made himself unpopular with the crowd. 这个演说家通常不受群众欢迎。（修饰 made）
}

21. {
Thank you. This is a piece of **good advice** for me. 谢谢你。这意见对我真有好处。（benefit me）
Thank you. This is a **good piece** of advice for me. 谢谢你。这真是金石之言！（I think highly）
}

22. {
Half a bottle is left. 剩下半瓶。
A half-bottle is left. 剩下半瓶装的一瓶。
}

23. {
Jim's father gave him **half** a crown. 吉姆的爸爸给他半克朗的钱。（可能是若干枚钱币）
Jim's father gave him a **half-crown**. 吉姆的爸爸给他一枚半克朗的钱币。（一枚钱币）
}

24. {
He drank **half** another cup. 他又喝了半杯。
He drank another **half-cup**. 他把另外半杯也喝了下去。
}

25. {
He poured **himself** out a glass of water. 他自己倒一杯水喝。（不是给别人倒的）
He poured out a glass of water **himself**. 他亲自倒一杯水。（可能给别人）
}

26. {
She saw him **through**. 她对他帮助到底。
She **saw through** him. 她看透了他的为人。
}

27. {
He gave him a tip about **the horse races**. 他教了他一些赛马经。（指注押在哪一匹马上）
He gave him a tip about **the race horses**. 他告诉他这些比赛用的马的底细。（该买哪一匹）
}

28. {
Only yesterday I met her and discussed the matter with her. 我昨天刚看见她，还和她讨论过这件事情。（时间之近）
Only yesterday did I meet her and discuss the matter with her. 我到昨天才见到她和她讨论了这件事情。（时间之迟）
}

29. {
She will explain quite clearly **in future** what she intends to do. 今后她会说得很清楚，她打算做什么。（修饰主句）
She will explain quite clearly what she intends to do **in future**. 她会说得很清楚，她今后打算做什么。（修饰从句）
}

30. {
She tried **in vain** to prevent the work from being done. 她试图阻挠工作的完成，结果失败了。
She tried to prevent the work from being done **in vain**. 她试图防止工作做得劳而无功。
}

31. {
I hope she will soon **get over** it. 我希望她很快就会忘掉这件事。（忘掉，克服）
I hope she will soon **get it over**. 我希望她很快就会结束这件事。（结束）
}

32. {
I should **like to have gone**. 可惜我没去，要去就好了。（I wish I had gone）
I should have **liked to go**. 可惜我不知道，要知道我就去了。（I liked to, but I didn't know.）（当时不知道，不然一定会去的）
}

33. {
This district is **new** to him. 这地方他以前没来过。
He is **new** to this district. 他刚在这里定居不久。
}

34. {
She had **nothing more to say**. 她再也没有什么好说的了。
She had to **say nothing more**. 她不该再说什么。（had to 相当于 should）
}

35. {
I **often wake up** during the night. 我常常在半夜里醒来。
I **wake up often** during the night. 我夜里醒来好多次。
}

36. {
Quite properly she was punished. 她受处分，理所应当。（修饰全句）
She was punished **quite properly**. 她所受的处分恰如其分。（修饰 punished）
}

37. {
They have come **rather a long way**. 他们已经走了相当长的路。
They came a **rather long way**. 他们来的这条路相当长。
}

38. {
Some authors write because they have **a story to tell**. 有些作家写文章是因为感到有东西可写。（乐意写）
Some authors write because they have **to tell a story**. 有些作家写文章是因为非写不可。（为了养家等）
}

39. {
It is **a sort of** wine. 这是一种酒。
It is wine **of a sort**. 这也算是酒。（of a sort 含贬义）
}

40. {
I noticed **that** while she was present he would never say a word. 我注意到她在场时他总是一言不发。
I noticed **while** she was present **that** he would never say a word. 当她也在场的时候，我注意到他一言不发。
}

41. {
He is inexperienced，he is quite clever **though**. 他没有经验，不过他很聪明。（=nevertheless，however）
He is inexperienced **though** he is quite clever. 虽然他很聪明，可是他没有经验。
}

42. {
When Jack arrived，I was just going to bed. 杰克到达时，我正要上床睡觉。
I was just going to bed **when** Jack arrived. 我正要上床睡觉，恰恰在这时候，杰克却来了。（=and then）
}

43. {
The fruit is **good to eat**. 这种水果可以吃。（不脏不烂）
The fruit is **good eating**. 这水果很好吃。（enjoyable）
}

44. {
I don't **like to punish** first offenders. 我不愿意处分初次犯错误的人。（like 的宾语为 to punish）
I don't **like punishing first offenders**. 对初次犯错误的人就给予处分，我不赞成。（like 的宾语为 punishing first offenders）
}

45. {
I don't **like to talk** with her. 我不愿和她谈话。
I don't **like talking** with her. 我讨厌和她谈话。（厌恶）
}

46. {
He was seen **to lie down** on the grass. 有人看到他在草地上躺了下来。（动作）
He was seen **lying down** on the grass. 有人看到他正在草地上躺着。（状态）
}

47. {
He must have had a busy time since he **started to cycle**. 自从他骑车出发以后，肯定够他忙了。（set off by bike）
He must have had a busy time since he **started cycling**. 自从开始骑车后，肯定够他忙了。（不再坐汽车）
}

48. {
He **went on to question** me where she had been. 他接着问我她刚才上哪儿去了。（前后动作不同。刚才他在做别的事情，而现在却问）
He **went on questioning** me where she had been. 他继续问我她刚才上哪儿去了这个问题。（继续）
}

49. {
She was **accustomed to walk** for ten minutes after lunch. 她经常在午饭后散步10分钟。
She was **accustomed to walking** long distances. 她已惯于长途步行。
}

50. {
The servant was **afraid to wake** up his master. 仆人不敢叫醒他的主人。（叫醒他要挨骂、挨打）
The servant was **afraid of waking** up his master. 仆人怕把他主人惊醒。（趁他睡觉逃跑，万一惊醒他，就跑不成了）
}

51. {
They were **engaged to carry out** an important piece of research. 聘请他们来进行一项重要的研究项目。（be employed）
They were **engaged in carrying out** an important piece of research. 他们忙于进行一项重要的研究项目。（be busy）
}

52. {
She is **good to do** that. 她真好，做了这件事。
She is **good at doing** that. 她很擅长做这件事。
}

53. {
They are **sure to meet** him. 他们肯定会见到他。（certain to meet）
They are **sure of meeting** him. 他们深信会见到他。（be confident of meeting）
}

54. {
A knife is **used to cut** bread. 用刀切面包。（特定目的）
A knife is **used for cutting** purposes. 刀子的用途是切削。（一般用途）
}

55. {
They **agreed to do** it. 他们同意这样做。
They **are agreed on doing** it. 他们对做这件事取得了一致的意见。
}

56.
- We can't **help** her **break** the code. It's too elaborate. 我们没办法帮她破解那个密码，太复杂了。
- We can't **help** her **breaking** the code. It's too simple. 我们没办法不让她识破密码，太简单了。(prevent)

57.
- There was no reason **for her** to make such a decision. 她没有理由做出这样的决定。
- There was, **for her**, no reason for making such a decision. 照她看来，不存在做出这样决定的理由。(插入语)

58.
- The principal has **resigned to make** way for a younger man. 校长辞职，让比他年轻的人接替。
- The principal **is resigned to making** way for a younger man. 校长只好接受事实，让位给比他年轻的人。(屈从，服从)

59.
- She **was** very busy last week. 上个星期她很忙。
- She **has been** very busy for the last week. 这个星期以来她一直很忙。

60.
- Since I **was** at this school, there have been three head-masters. 从我离开这个学校时候起，已经换了三个校长。(现不在该校)
- Since I **have been** at this school, there have been three head-masters. 从我来这个学校起，我们已经换了三个校长。(现仍在该校)

61.
- Since he **was** ill, his friend has visited him every day. 从他病好之后，他的朋友天天来看他。
- Since he **has been** ill, his friend has visited him every day. 从他生病起，他的朋友天天来看他。

62.
- She **is** clever. 她很聪明。
- She **is being** clever. 她在卖弄聪明。(一时的特点)

63.
- When he is in Beijing, he always **reads** *China Pictorial*. 他在北京的时候总是看《中国画报》。(特别喜欢看它)
- When he is in Beijing, he **is** always **reading** *China Pictorial*. 他在北京的时候，整天看《中国画报》。(除此之外，几乎不做别的事)

64.
- We'd **better dress** for dinner. 我们最好是穿礼服赴宴。(时间尚早)
- We'd **better be dressing** for dinner. 我们要去赴宴，现在最好就要换衣服了。(此刻就要去)

65.
- We can discuss this while we **eat**. 我们可在吃饭的时候讨论这件事。
- We can discuss this while we **are eating**. 我们可以一边吃一边讨论这件事。

66.
- What **do** you **do** for a living? I write poems. 你靠什么生活？我写诗歌。(一生)
- What **are** you **doing** for a living? I am writing poems. 你目前靠什么生活？我写诗歌。(最近)

67.
- If I should see him right now, I **should insult** him. 如果我现在能看到他，我就要侮辱他。
- If I should see him as I am now, I **should be insulting** him. 如果我现在就这个样子见他，那就等于侮辱他。

68.
- I heard the news at my uncle's, where I **have dined** frequently. 我在我叔叔家听到这消息，我常在他家里吃饭。
- I heard the news at my uncle's, where I **have been dining**. 我在我叔叔家听到这消息，我刚刚在他那里吃过饭。(刚刚发生)

69.
- She **hasn't spoken** since three o'clock. 她从3点钟起，就再没说话了。
- She **hasn't been speaking** since three o'clock. 她不是从3点钟起就开始说话的。(可能从3点半)

70.
- She **is playing** a folk-song next. 她接着要演奏一曲民歌。
- She **will be playing** some more later. 她以后还要演奏更多的曲子。

71.
- He's **seeing** you at once. 他立即要接见你。(immediate future)
- He'll **be seeing** you in a few minutes. 他等一会儿会接见你的。(near future)

72.
- Where **does** she **come** from? 她是哪里人？
- Where **has** she **come** from? 她从哪儿来？

73.
- If the envelope **was sealed**, the contents would not have fallen out. 看来信封口没封好，否则里面的东西不会掉出来。(从掉出的东西推测)
- If the envelope **had been sealed**, the contents would not have fallen out. 信封没封好。要是封好了，里面的东西就不会掉出来了。(对过去假设)

74.
- If you hadn't stopped him, he **would be** here. 要不是你拦住了他，他此刻可能到这儿了。(现在)
- If you hadn't stopped him, he **would have been** here. 要不是你拦住了他，他那时候就到这儿了。(过去)

75.
- I hoped that you **would help**. 我想你会出力帮忙的。
- I hoped that you **would have helped**. 我本以为你会出力帮忙的。

76.
- He was clever enough **to be** a doctor. 他够聪明，能当医生。
- He was clever enough **to have been** a doctor. 以他的聪明，本来完全可以成为一个医生的。

77.
He walks as if he **is** drunk. 从他走路的姿态看来，他是醉了。
He walks as if he **were** drunk. 他摇摇晃晃地走路，活像喝醉了酒。（未醉）

78.
Help was given to anyone who had work **to do**. 对一切有工作要做的人，给予帮助。
Help was given to anyone who had work **to be done**. 对一切有工作需要别人做的人，给予帮助。

79.
Rome and Naples...even Florence are **yet to see**. 罗马，那不勒斯……甚至佛罗伦萨，我们还没有看到。（we haven't seen）
Rome and Naples...even Florence are **yet to be seen**. 罗马，那不勒斯……甚至佛罗伦萨，还可以看到。（we shall see）

80.
He has had these impulses since he **can** remember. 在他的记忆之中，他一直有这种感情冲动。
He has had these impulses since he **has been able to** remember. 从他能记事以来，他一直有这种感情冲动。

81.
Can I see the manager, please? 我能够见一见经理吗？（迫切，近乎强求）
May I see the manager, please? 我可以见一见经理吗？（礼貌）

82.
He **can** have disguised himself. 他当时可以化装的。（有条件化装）
He **may** have disguised himself. 他当时可能化了装。（未被识破）

83.
We **might** ask him to be a chairman. 我们不妨请他担任主席。（建议）
We **could** ask him to be a chairman. 要是请他担任主席，我们是做得到的。（可以办到）

84.
He **must** stay the night. 他今天晚上一定要在这里过夜。（我要求他留下来）（主观愿望）
He **has to** stay the night. 他只好在这里过夜。（末班车已经开走了，或者是风雨交加回不去）（客观情况使然）

85.
You **must** change you shoes. 你必须换双鞋子。（刚打扫过的房间，我不能让你穿这双沾满污泥的鞋子走进来）
You **have to** change your shoes. 你得换双鞋子。（例如按照当地风俗，提醒对方。进清真寺就得换鞋，这是伊斯兰教的规矩）

86.
We **should** not tell falsehoods. 我们不该讲假话。（个人看法）
We **ought** not to tell falsehoods. （我们）不该讲假话。（道德，伦理）

87.
Have you（any）sugar in your tea? 你茶里已经加了糖吗？（具体时间，特定时间）
Do you **have** sugar in your tea? 你喝茶要放糖吗？（经常性习惯动作）

88.
I **hadn't** any tea. 我没有茶叶。
I **didn't have** any tea. 我没喝茶。

89.
She **doesn't need** to be told. 她用不着别人告诉她。（早知道了）
She **needn't be** told. 不必告诉她。（可以对她保密）

90.
I **didn't need to answer** the questions, which saved me a lot of trouble. 我无需回答问题，省了好多事。（没回答）
I **needn't have answered** the questions, which would have saved me a lot of trouble. 我原本不需回答那些问题，要那样做的话，就会省掉好多事了。（回答了）

91.
We had better act on his **advice**. 我们最好按照他的意见办。
We had better act on his **advices**. 我们最好按照他的通知办。

92.
He put on an **air** of innocence. 他装出一副清白的样子。
He put on **airs**. 他摆架子。

93.
An old **car** problem may arise. 可能又引起历来已久的汽车问题。
An old **cars** problem may arise. 可能引起旧车（处理）的问题。

94.
She laid **a cloth** on the table. 她把一条餐巾铺在桌上。
She laid **a piece of cloth** on the table. 她把一块布放在桌上。

95.
He wrote an article on **labor condition**. 他写了一篇关于劳动条件的文章。（名词作定语）
He wrote an article on the **condition of labor**. 他写了一篇关于劳动力状况的文章。

96.
We were touched by her **confidence**. 她的信任使我们感动。
We were touched by her **confidences**. 她吐露出来的秘密使我们感动。

97.
She has an **eye** for antique furniture. 她很会鉴赏古代家具。
She has **eyes** only for antique furniture. 她只想看看古代家具。

98.
It is his **manner** that annoys me. 他的举止态度使我很不舒服。
It is his **manners** that annoy me. 他的礼貌使我很不舒服。

99.
{
This is the **problem** page of a girl's magazine. 这是某妇女杂志中使编辑很伤脑筋的一个版面。
This is the **problems** page of a girl's magazine. 这是某妇女杂志中解答困难问题的版面。
}

100.
{
I live on my younger **brother's** allowance. 我靠我作为弟弟所应得的津贴过生活。(I am a younger brother.)
I live on the allowance of my younger **brother**. 我靠我弟弟的津贴过生活。(I am an elder brother.)
}

101.
{
Here comes the stout **sailor's** wife. 那个水手的大个子老婆来了。
Here comes the wife of the stout **sailor**. 胖水手的老婆来了。
}

102.
{
The children took a fancy to **him**. 孩子们喜欢他。(＝The children like him.)
The children took **his** fancy. 他喜欢孩子们。(＝He likes the children.)
}

103.
{
It's time **we** made up our minds. 我们早就该做出决定了!
It's time for **us** to make up our minds. 我们应该做出决定。
}

104.
{
What is he like? 他这个人怎么样?(品质、水平、性格,回答可能是 friendly, noble, polite, warm-hearted)
How is he? 他好吗?/他现在怎么样?/他身体怎样?
}

105.
{
What was the weather like? 气候怎么样?(常下雨吗? 天气热吗? 海洋性? 大陆性?)(What be...like 句型常用来询问一个地区的气候特征、一个地方或一个人的特征。)
How was the weather? 气候怎么样?(那地方比起这里的气候怎么样? 你可喜欢?)
}

106.
{
What's the time? 几点了?
How's the time? 还有多少时间?
}

107.
{
How is **business**? 生意怎么样?
How is **the business**? 店里怎么样?(商店)
}

108.
{
We were **in control of** the situation. 我们控制了局面。
The situation was **under our control**. 局面在我们控制之中。
}

109.
{
I hope he will behave himself properly **in future**. 我希望今后他会表现不错。(from now on 从此以后)
I hope he will behave himself properly **in the future**. 我希望将来他会表现不错。
}

110.
{
I just came from **High Street**. 我刚从街上来。("I"为本地人)
I just came from **the High Street**. 我刚从街上来。("I"为异乡人)
}

111.
{
She had to **keep house**. 她必须料理家务。(do housework)
She had to **keep the house**. 她只好闭门不出。(生病了)(stay at home)
}

112.
{
Young Melbourne was hard to deal with. 年轻的墨尔本很难对付。
The young Melbourne was hard to deal with. 青年时代的墨尔本很难对付。
}

113.
{
You should pay more attention to matters of **moment**. 你应当更注意重要的事件。(of importance)
You should pay more attention to matters of **the moment**. 你应当更注意当前的事件。(at present)
}

114.
{
He has eaten **most** apples. 他吃了大部分的苹果。
He has eaten **the most** apples. 他苹果吃得最多。
}

115.
{
He made a study of the custom of **most civilised nations**. 他研究了大部分文明国家的风俗习惯。
He made a study of the custom of **the most civilised nations**. 他研究了文化最发达国家的风俗习惯。
}

116.
{
What kind/sort of car is it? 什么牌子的车子?
What kind/sort of a car is it? 怎么样的车子?(质量好吗?)
}

117.
{
What chance has he missed? 他错过了什么机会?(疑问句)
What a chance he has missed! 多么难得的机会,他竟错过!(感叹句)
}

118.
{
Now I know **what novel** he has written. 现在我知道他写的是什么小说。(何种题材)
Now I know **what a novel** he has written. 现在我知道他写了一部了不起的小说。(感叹)
}

119.
{
I had no idea **what difficult position** he was in. 我当时不知道他处在什么样的一种困境中。
I had no idea **what a difficult position** he was in. 我当时不知道他处境何等困难。(感叹)
}

120.
{
What kind of **workman** is he? 他是干什么活的工人?(泥瓦匠)
What kind of **a workman** is he? 他干活怎么样?(是否踏实)
}

121.
{
What kind of **doctor** is he? 他是什么博士?(医学博士,文学博士……)
What kind of **a doctor** is he? 他医术怎么样?
}

122.
{
What kind of **holiday** did you have? 你是怎么度假的?(旅行,参加夏令营……)
What kind of **a holiday** did you have? 你假期过得愉快吗?
}

123.
She bought **a red and green** dress. 她买了一套有红、绿两色的女装。(一套)
She bought **a red and a green** dress. 她买了一套红的和一套绿的女装。(两套)

124.
The ship was **badly** armed. 这艘船武器装备得不合理。(not properly)
The ship was **ill** armed. 这艘船的武器配备不够。(insufficient)

125.
He talks very **different** now from what he did when I first knew him. 他现在谈话中所流露的观点跟以往我刚认识他的时候很不一样。
He talks very **differently** now from what he did when I first knew him. 他现在的谈吐跟我刚认识他的时候很不相同。

126.
He works **hard**. 他辛勤地工作。
He **hardly** works. 他几乎不工作。

127.
I don't mind **harder** work. 我不在乎更困难/繁重工作。
I don't mind **more hard work**. 我不在乎更多的困难/繁重的工作。

128.
His **high-rated** property is the talk of the town. 他那份税率很高的房产成为当地人们的话题。
His **highly rated** property is the talk of the town. 他那份备受称赞的房产成为当地人们的话题。

129.
He **thinks much of** you. 他对你评价很高。(praises... highly)
He **thinks well of** you. 他对你印象很好。(has a good opinion of)

130.
Always **nervous**, the man opened the letters. 这个人本来就神经质,这时候紧张地把信拆开。
Always **nervously**, the man opened the letters. 这个人拆信时候总是很紧张,这时拆开信件也不例外。

131.
He wasn't a writer **originally**. 他原先不是一个作家。
He wasn't an **original** writer. 他不是一个有创意的作家。

132.
It is **plain** silly to put forward such a proposal. 提出这么一个建议真是百分之百的糊涂。(out and out)
It is **plainly** silly to put forward such a proposal. 提出这么一个建议,显然很糊涂。(evidently)

133.
We must take account of his **potent** influence. 我们必须考虑他的强有力的影响。
We must take account of his **potential** influence. 我们必须考虑他的潜在影响。

134.
This is **pure** water. 这是纯净的水。
This is **purely** water. 这只不过是水。(merely)

135.
She is the **worse** of the two. 她比另一个人差。
She is the **worst** of the two. 两个人当中,她差多了。

136.
He turned **thief**. 他堕落成为小偷。
He turned **out**(to be) a thief. 原来他是个小偷。

137.
Ammunition had to be **saved** for an actual attack. 必须把军火节省下来,以备真正发动进攻时用。
Ammunition had to be **saved up** for an actual attack. 必须把军火储备起来,以备真正发动进攻时用。(store up)

138.
I **stood in for** him. 我暂时替他一下。(replaced)
I **stood up for** him. 我拥护他。(supported)

139.
Don't **take such a fuss about** them. 别为他们大惊小怪。
Don't **make such a fuss of** them. 不要过于惯着他们。(别太吹捧他们)

140.
I read **about** the accident in the newspaper. 我在报纸上细读了这起事故的经过。(peruse)
I read **of** the accident in the newspaper. 我从报纸上知道了这起事故。(learn of)

141.
He thought **about** the problem. 他考虑这个问题。
He thought **of** the problem. 他想到这个问题。

142.
He doesn't think much **about** that proposal. 他并没有怎么考虑这个建议。
He doesn't think much **of** that proposal. 他对这个建议评价不高。

143.
The policeman ran **after** him. 警察在后面追他。(pursuing)
The policeman ran **behind** him. 警察在他后面跑。

144.
There were constant conflicts **among** employers, workers and trade union officials. 雇主内部、工人内部、工会职员内部都经常发生摩擦。
There were constant conflicts **between** employers, workers and trade union officials. 雇主、工人和工会职员三方面经常发生摩擦。

145.
I swear **at** him. 我诅咒他。
I swear **by** him. 我非常相信他。

146.
- He is sitting **at** his desk. 他正伏案书写。
- He is sitting **in** his desk. 他正坐在连桌面的椅子上。

147.
- He made an attempt **at** the speed record. 他试图创造新的速度纪录。
- He made an attempt **on** the speed record. 他试图打破原有的速度纪录。

148.
- He worked **at** a table. 他伏案工作。
- He worked **on** a table. 他做一张桌子。

149.
- He pointed **at** something over there. 他用手指着那边某件东西。
- He pointed **to** something over there. 他指着那边某件东西。（来解释说明某一问题）

150.
- We all rejoice **at** your good fortune. 我们大家都为你的好运气而感到喜悦。
- We all rejoice **with** you in your good fortune. 我们大家和你一样为你的好运气而感到高兴。

151.
- We shall not be home **by** six. 到 6 点钟,我们还不能到家。
- We shall not be home **till** six. 我们要到 6 点钟才能到家。

152.
- The argument was colored **by** prejudice. 论点受偏见的影响。
- The argument was colored **with** wit. 论点中含有机智。

153.
- We camped there **for** the summer. 整个夏天我们在那里宿营。
- We camped there **in** the summer. 夏天我们在那里宿营。（可能只是一段时间）

154.
- He was jealous **for** his friend's reputation. 他生怕他朋友的名誉受损害。
- He was jealous **of** his friend's reputation. 他忌妒他朋友的声誉。

155.
- He has been away **for** the last month. 过去这一个月中他都不在家。（刚过去的 30 天）
- He has been away **since** last month. 他从上个月起就不在家。

156.
- He stood up **for** them. 他拥护/支持他们。
- He stood up **to** them. 他反抗他们。（oppose）

157.
- Let me stand in **for** you. 让我暂时替你一下。
- Let me stand in **with** you. 让我也分摊一份。（share）

158.
- His friend reproached him **for** having disclosed the secret. 他的朋友因为他泄露秘密责怪他。（泄密是事实）
- His friend reproached him **with** having disclosed the secret. 他的朋友责怪他泄露秘密。（泄露只是一种假定）

159.
- Cloth is made **from** cotton. 布是由棉花加工成的。
- Cloth is made **of** cotton. 布是用棉纱/线织成的。（cotton 指棉纱/线）

160.
- He said he wasn't informed **in** these matters. 他说他对这一方面的事不很熟悉。（unfamiliar）
- He said he wasn't informed **of** this matter. 他说没人告诉过他这件事。（No one told him.）

161.
- The walls are **in** stone. 墙壁是由石料砌成的。（外观）
- The walls are **of** stone. 墙壁是由石料砌成的。（强度,耐久）

162.
- He was confined **in** his room. 他被关在房中。（shut in）
- He was confined **to** his room. 他整日守在房中不出来。

163.
- He has gone **into** business. 他经商去了。
- He has gone **to** business. 他上班去了。

164.
- They shut the door **on/upon** visitors. 他们关住门不让参观的人进来。
- They shut the door **to** visitors. 他们不欢迎来访者。

165.
- He is good **to** children. 他对儿童很和蔼。（be kind）
- He is good **with** children. 他管孩子很有办法。（be good at）

166.
- He is familiar **to** me. 我对/同他很熟。
- He is familiar **with** me. 他对我很随便。

167.
- I had a good talk **to** him yesterday. 我昨天说了他一顿。
- I had a good talk **with** him yesterday. 我昨天和他交谈了很久。

168.
- They were **playing** football. 他们在比赛足球。
- They were playing **at** football. 他们在踢足球玩。

169.
- He was **shot** on his way home. 他在回家的路上被枪杀了。
- He was **shot at** on his way home. 在回家的路上,有人向他开枪。

170.
- I will **work** it. 我要想办法安排。（handle）
- I will **work at** it. 我要努力做这件事。（try to do）

171. Is John **at** home? 约翰在家吗?
     Is John home **yet**? 约翰回来了吗?（back yet）

172. He **inquired** the reason. 他查问理由。（ask about）
     He **inquired into** the reason. 他仔细调查原因。（investigate）

173. Please **arrange** another table. 请另外摆一张桌子。
     Please **arrange for** another table. 请叫他们再摆一张桌子。

174. They all **fear** him. 他们都怕他。
     They all **fear for** him. 他们都为他焦急。（be anxious about）

175. They are **searching** the thief. 他们正在搜查小偷。（搜身）
     They are **searching for** the thief. 他们正在搜捕小偷。（小偷在逃）

176. He **escaped** prison. 他没进监狱。
     He **escaped from** prison. 他越狱跑了。

177. He **quotes** Shakespeare. 他引用莎士比亚的话。（his words）
     He **quotes from** Shakespeare. 他引用莎士比亚的著作。（his works）

178. He **believes** the press. 他相信报刊上的报道。
     He **believes in** the press. 新闻自由是他的信念。

179. I happened to be **visiting Manchester** at the time of the Exhibition. 展览会期间我刚好在曼彻斯特游览/参观。
     I happened to be **visiting in Manchester** at the time of the Exhibition. 展览会期间,我刚好在曼彻斯特探亲/访友。

180. The society **boasts** great names among its membership. 这个协会的会员中有许多有名人物。
     The society **boasts of** great names among its membership. 这个协会夸口说它的会员中有许多是名人。

181. She **swept out** the room. 她打扫好了房间。（clean）
     She **swept out of** the room. 她很神气地走出房间。（stalk）

182. We are **checking** their movements. 我们正在阻挡他们前进。
     We are **checking on** their movements. 我们正在核实他们的动态。

183. Standing there, she can easily **spy** the man in the crowd. 站在那里,她很容易在人群中发现那个人。
     Standing there, she can easily **spy on** the man in the crowd. 站在那里,她很容易在人群中监视那个人。

184. No, I won't **tell** him. 不,我不会告诉他。
     No, I won't **tell on** him. 不,我不会告发他。（＝report on）

185. He **attended** a lecture. 他参加讲座。
     He **attended to** his lecture. 他对演讲做好布置。（made preparations for）

186. Dr. Smith **attended** this patient. 史密斯医生负责治疗这个病人。
     Dr. Smith **attended to** this patient. 史密斯医生看了这个病人的病。

187. It is not like him to **report** Mr. Brown. 他不像是会去告发布朗先生的那种人。
     It is not like him to **report to** Mr. Brown. 他不像是向布朗先生报告的人。

188. You had better **see** the performance. 你最好看一看演出。
     You had better **see to** the performance. 你最好注意一下演出的事。

189. **Show** him the door. 请他出去。（逐客令）
     Show him **to** the door. 陪他到门口。

190. I don't like this job, but I suppose I shall have to **stick** it. 我不喜欢这个工作,不过我想我只好忍耐。（endure）
     I don't like this job, but I suppose I shall have to **stick to** it. 我不喜欢这个工作,不过我想我只好干下去,不要更变。

191. This article cannot be **improved**. 这文章没办法再改了。
     This article cannot be **improved upon**. 不可能有比这更好的文章。

192. The poor quality of his work has been **remarked**. 他工作质量之差已为人所觉察。（noticed）
     The poor quality of his work has been **remarked upon**. 他工作质量之差受到议论。

193. I am going to **consult** Dr. Johnson. 我打算请教约翰逊医生。（请他看病）
     I am going to **consult with** Dr. Johnson. 我打算和约翰逊医生商量。

194. Have you **finished** the paper? 你写/看完论文了吗?
     Have you **finished with** the paper? 这论文/报纸你不再需要了吗?（Do you still need it?）

195. { The Conservatives **joined** the Liberals in supporting the bill. 保守党跟在自由党后面支持这项法案。
{ The Conservatives **joined with** the Liberals in supporting the bill. 保守党和自由党联合起来支持这项法案。

196. { They **lodged** the Johnsons. 他们把房间租给约翰逊一家。(let rooms to)
{ They **lodged with** the Johnsons. 他们向约翰逊家租了房间。(live together)

197. { Our scheme **met with** an objection. 我们的计划碰到了反对意见。
{ Our scheme **met** his objection. 我们的方案消除了他的反对意见。

198. { She writes **just like** her brother did when he was young. 她的书法就像她哥哥小时候的一样。(handwriting)
{ She writes **just as** her brother did when he was young. 她写字的样子,就像她哥哥小时候一样。(manner)

199. { I never go to see him **unless** he is ill. 除非他病了,要不然,我从不去看他。
{ I never go to see him **but** he is ill. 每次看他,他总是病了。(Every time I ... he ...)

200. { I doubt **if** there is a better gardener. 我怀疑还会有哪个花匠比他更好。(意思是没有)
{ I doubt **whether** there is a better gardener. 我没把握有没有比他更好的花匠。

201. { There were very few passengers **that** escaped without serious injury. 没有几个旅客不受重伤而脱险的。(大都受了重伤)
{ There were very few passengers, **who** escaped without serious injury. 旅客很少,他们没有受什么重伤就脱险了。

202. { I'd like to see if I **can** find it. 我要看看能不能找到它。
{ I'd like to see if I **cannot** find it. 我倒要看看是不是就会找不到它。(不相信找不到)

203. { **Didn't I tell** you you weren't to play near the pond? 我不是告诉过你别在池塘边玩耍吗?
{ **Did I not tell** you you weren't to play near the pond? (这么说,)我没有告诉过你别在池塘边玩耍吗?

204. { This book was **specially** written for foreign students. 这本书是专门为外国学生写的。(for them only)
{ This book was **especially** useful to foreign students. 这本书对于外国学生特别有用。(particularly, extremely)

205. { With all his examinations **passed**, he could enjoy a carefree holiday. 现在各门考试全部合格,他可以痛快过一个假日了。(过去分词)
{ With all his examinations **past**, he could enjoy a care-free holiday. 现在各科全已考过,他可以痛快过一个假日了。(形容词)

206. { They are **plain** people. 他们是很普通的人。
{ They are **plains** people. 他们是平原居民。

207. { That piece of paper he found on the floor was a **return** ticket. 他在地板上捡到的那张纸是一张来回车票。
{ That piece of paper he found on the floor was a **returned** ticket. 他在地板上捡到的那张纸是一张退回来的车票。

208. { How much money have you **left**? 你留下多少钱?(to you wife)
{ How much money have you **got left**? 你剩下多少钱?(够不够买车票?)

209. { He was left with only his daughter to **care for him**. 只剩下他女儿来照顾他。
{ He was left with only his daughter to **care for**. 只剩下他女儿靠他照顾。

210. { The book will sell well; It is **bound**. 这本书会很畅销,它是装订的。
{ The book will sell well; It is **bound to**. 这本书会很畅销,肯定是这样。

211. { You go if you want to. I don't **care**. 你要去就去吧。我不在乎。(mind)
{ You go if you want to. I don't **care to**. 你要去就去吧,我不想去。(go)

212. { I heard everything he **told me**. 他对我说的每一句话,我都听到了。
{ I heard everything he **told me to**. 他要我听的每一句话,我全听到了。

213. { **Come, now**. Don't waste time. 来吧,别浪费时间。(now是语气词)
{ **Come now**. Don't waste time. 现在就来,别浪费时间。

214. { **Still**, the price is quite reasonable. 尽管这样,价格还是相当公道的。
{ **Still** the price is quite reasonable. 价格仍旧相当公道。

215. { I wouldn't advise you to go there **for his sake**. 我不愿意劝你为了他的缘故而去那个地方。
{ I wouldn't advise you to go there, **for his sake**. 我不愿意劝你去那个地方,这是为了他的缘故。

216. { Mary went to the shop **only to** discover how expensive the dress was. 玛丽去商店,只是为了要看看衣服到底有多贵。(目的)
{ Mary went to the shop, **only to** discover that the dress was too expensive. 玛丽去商店,却发现衣服太贵了。(结果)

217.
{ He won't think he has any reason to thank you **for all** that you've done. 他觉得不必要为你所做的事向你致谢。(thank sb. for sth. 结构)

He won't think he has any reason to thank you, **for all** that you've done. 尽管你做了那么多,他不会感谢你的。(although)

218.
{ We did not come early **because** we thought it would be inconvenient to you. 我们不是因为怕对你不方便,才来得早。(是别的原因)

We did not come early, **because** we thought it would be inconvenient to you. 我们没有很早来,怕的是对你不方便。

219.
{ Would you like **John or Henry** to go with you? 你要约翰还是亨利跟你一起去吗?

Would you like **John, or Henry**, to go with you? 你喜欢约翰和你一起去呢,还是亨利和你一道去?

220.
{ **The facts the prisoner admitted pointed** to him as the guilty person but he protested he was innocent. 在押被告供认的事实说明他是罪犯,可是他申辩说自己无罪。(定语从句)

The facts, the prisoner admitted, pointed to him as the guilty person but he protested he was innocent. 在押被告承认,事实经过会使人以为他是罪犯,可是他申辩说实际上他是无辜的。(插入语)

221.
{ **What** is your brother? 你弟弟是干什么的?(职业、身份;回答可以是 a worker, a manager)

What does your brother **look like**? 他弟弟是个什么样子的人?(长相、外表;回答可以是 tall, thin, young, dark-haired, handsome)

How does your brother **look**? 你弟弟现在的情况怎样?(目前情况如何;回答可以是 busy all day long, aged considerably after his wife's death, deep in debt)

222.
{ She is **a lady of virtue**. 她是个贤德的女人。(of virtue 作后置定语,相当于形容词 virtuous,如 a man of courage＝a courageous man, a child of fortune＝a fortunate child〈幸运儿〉,a man of few words〈寡言之人〉)

He is **a cow of a middle-aged man**. 他是一位体壮如牛的中年男子。(of 后的词作同位语,如 that idiot of a Tom 那个傻瓜汤姆)

223.
{ She has never recovered **his loss**. 失去了他,她一直没有恢复过来。(动宾关系,his loss＝she loses him)

He has never recovered **his loss**. 他一直没有从自己的损失中恢复过来。(主谓关系,his loss＝he loses something)

224.
{ He did **it** that he might get more money. 他这样做为的是得到更多的钱。(it 为具体事物,that 引导目的状语从句)

He took **it** that he might get more money. 他认为他可能得到更多的钱。(it 为形式宾语,真正的宾语为 that 从句;在 have, resent, dislike, leave 等后有 that 从句作宾语从句中,常用 it 作形式宾语,如 resent it that..., dislike it that...)

225.
{ I **found her** a good girl. 我发现她是一个好女孩。(a good girl 为宾语补足语,相当于 to be a good girl)

I **found her** a good boy. 我给她找了个好男孩。(a good boy 为直接宾语,相当于 found a good boy for her)

226.
{ He left the town **disappointed**. 他失望地离开了那个小城。(disappointed 为主语补足语,修饰 He,说明状态,可移至句首)

He left the city **unguarded**. 他让那个小城不设防。(unguarded 为宾语补足语,说明 the city 的状态,left 意为"让处于某种状态",如 leave sth. undone, leave the questions unanswered)

227.
{ He ran the shop **single-handed**. 他一个人开店。(说明主语,表示方法,作状语)

He caught the thief **red-handed**. 他当场抓住了小偷。(说明宾语,作宾语补足语)

228.
{ She is **calculating**. Please don't disturb her. 她在算账,不要打扰她。(分词,进行时态)

She is **calculating** whereas her husband is broad-minded. 她工于心计,而她丈夫则宽宏大量。(形容词作表语,如 He is lacking in ability.)

229.
{ She **promised** me **to attend** the meeting. 她答应我参加会议的。(不定式的执行者是 She, me 可省略,相当于 She promised to attend the meeting. 或 She promised me that she would attend the meeting.)

She **permitted** me **to attend** the meeting. 她允许我参加会议的。(不定式的执行者是 me, me 不可省,相当于 She permitted my attending the meeting.)

230.
{ She **caught** the students **cheating** at exams. 她抓住了考试作弊的学生。(分词,作宾语补足语,说明 the students 当时的动作状态)

She **hated** the students **cheating** at exams. 她讨厌考试作弊的学生。(动名词,the students 作 cheating 的逻辑主语,相当于 the students' cheating at exams,一起作 hated 的宾语;like, hate, prefer, dislike, resent, don't mind, can't stand 等后的-ing 形式的词均为动名词,如 resent people smoking in the room, dislike John doing it in that way)

231. $\begin{cases}\end{cases}$ They **made** the fire **last** during the night. 他们让火燃了一整夜。(made 为使役动词,相当于 let,不定式 last 前没有 to,作宾语补足语)

They **made** the fire **to keep off** wild animals during the night. 他们生了火,使动物在夜里不敢靠近。(made 相当于 built,意为"升火",不定式 to keep off 作目的状语)

232. $\begin{cases}\end{cases}$ She was the only woman **to witness** the accident. 她是唯一目睹那个事故的女人。(the only woman 同 to witness 有主谓关系,相当于...the only woman who witnessed the accident)

She was the only woman **to trust** in the company. 她是公司里唯一可以信赖的女人。(the only woman 同 to trust 有动宾关系,相当于...the only woman whom we trusted in the company)

233. $\begin{cases}\end{cases}$ The girl loved him **so as to** marry him. 那女孩非常爱他,同他结了婚。(本句中的 so as to 不可看作一个整体,而是分别起作用,so 作副词,意为"如此地、非常地",也可视为后面省略了 much 或 deeply,相当于 so much 或 so deeply;as to 引起结果状语;这句话可改为...so deeply that she married him 或...deeply so that she married him)

The girl married him **so as to** comfort him. 那女孩同他结了婚,以便能安慰他。(so as to 为一统一体,相当于 in order to,引起目的状语,相当于 The girl married him in order to comfort him.)

234. $\begin{cases}\end{cases}$ **What** do you call that in Chinese? 在汉语中你把那个称作什么?(what 为疑问代词,作宾语补足语,说明 that)

How do you say that in Chinese? 那个在汉语中怎样说?(how 为疑问副词,修饰 say,作方式状语)

235. $\begin{cases}\end{cases}$ She did it **so as to** win honors for the country. 她这样做是为国争光。(引导目的状语)

The moon was bright, **so as to** enable them to find a way through the forest. 月光很亮,使他们能够找到一条穿过森林的路。(引导结果状语)

236. $\begin{cases}\end{cases}$ The girl wept **to receive** the letter. 收到信那女孩哭了。(不定式为原因状语,其动作先于谓语动词,相当于 When the girl received the letter, she wept.)

The girl wept **to obtain** our sympathy. 那女孩哭了,想以此博得我们的同情。(不定式为目的状语,其动作后于谓语动词,相当于...in order to obtain our sympathy)

The girl wept **to become** all tears. 那女孩哭成个泪人儿。(不定式为结果状语,相当于...and then became all tears)

237. $\begin{cases}\end{cases}$ The tower is **low** for us to climb. 塔不高,我们爬得上去。(相当于 low enough for us to climb. 或 so low that we can climb,表示肯定含义)

The tower is **high** for us to climb. 塔太高,我们爬不上去。(相当于 too high for us to climb 或 so high that we can't climb,表示否定含义)

238. $\begin{cases}\end{cases}$ He is **not too** proud of himself **to** accept other's suggestions. 他还不至于太高傲而不能接受别人的建议。(not 否定整个 too...to 结构,意为"并不太……所以能",表示肯定意义,相当于 He is not very proud and he can accept other's suggestions.)

He is **too** ambitious **not to** take the chance. 他雄心勃勃,不会不抓住那个机会的。(not 否定不定式 to take the chance,便取消了否定的含义,表示肯定,意为"太……不会不",相当于 He is so ambitious that he won't miss the chance.)

239. $\begin{cases}\end{cases}$ **To my mind**, a forced kindness deserves no thanks. 在我看来,勉强的善举不值得感谢。(to my mind 相当于 in my opinion or view,意为"照……看来或想",其他如 to one's belief 自信,to one's knowledge 据……所知,to one's way of thinking 在……看来)

To our regret, the downpour spoilt our trip. 使我遗憾的是,大雨搅了我们的旅行。(to our regret 意为"使我遗憾的是";to 同表示情感的名词连用,表示"结果、效果",意为"使、致使",如 to one's great joy 使……高兴的是,much to one's surprise 使……大为吃惊的是)

240. $\begin{cases}\end{cases}$ She **struck** me **as** an honest girl. 她给我的印象是一个诚实的女孩。(strike...as 意为"使感到,给印象",an honest girl 同 she 为同一人,作主语补足语)

She **mocked** me **as** a country boy. 她嘲笑我是一个农村孩子。(as 短语作宾语补足语,与 me 为同一人,结构与 regard...as,remember...as 相同)

241. $\begin{cases}\end{cases}$ She **treated** him kindly **as** her best friend. 她友好地把他当作自己最好的朋友看待。(as 短语为宾语补足语)

She **treated** him kindly **as** his best friend. 作为他的最好朋友,她友好地对待他。(as 短语为主语补足语)

242. She regarded him **with interest**. 她饶有兴趣地看着他。（with interest 表示方式、情绪，作状语，相当于 interestedly，其他如 with great zeal，with all my heart，with calmness，with delight，with enthusiasm）

She tried to reach the branch **with some red apples**. 她试图得到那个结满了红苹果的树枝。（with some red apples 作后置定语）

She served us **with fruits**. 她用水果招待我们。（这类 with 短语大都表示物质、材料等，如 supply . . . with rice，present . . . with books）

243. She has nothing **to write**. 她没有东西写。（指写的内容）

She has nothing **to write with**. 她没有东西写。（指写的工具）

244. **I don't know whether** she has read the book **or not**. 我不知道她是否读过这本书。（本句型中 or not 可省，也可提前，说成 I don't know whether or not she . . .）

I don't know whether she **hasn't read** the book. 我想她也许读过这本书。（本句型为双重否定，而实际表示的是不太肯定的主观看法或猜测，意为"我看……大概，我想……也许"）

245. He went there **to see if** everything was ready for the journey. 他去那里看看旅行是否都做好了准备。（if 可换为 whether）

He went there **to see that** everything was ready for the journey. 他去那里落实为旅行做好一切准备。（see that 相当于 see to it that，作 take care 解，意为"负责，保证，留神，注意"）

246. The suggestion **that** she has offered is worth considering. 她提的建议值得考虑。（that 引导定语从句，为关系代词，作从句谓语动词的宾语，可省，也可用 which 替代）

The suggestion **that** she will go there in his place is worth considering. 她将代他去的建议值得考虑。（that 为连接词，引导同位语从句，为 the suggestion 的具体内容，that 不作语法成分，只起连接作用，一般不可省）

247. I shall never forget the day **that** I spent there. 我永远也不会忘记在那里度过的那一天。（that 为关系代词，可省，也可用 which 代替）

I shall never forget the day **that** I first met her. 我永远也不会忘记第一次见到她的那一天。（that 为关系副词，可用 when 或 on which 代替，修饰 met，也可省）

248. The happy days were coming **when they won freedom and independence**. 他们获得自由和独立的时候，幸福的日子就到来了。（when 引导状语从句，亦可放在句首）

The happy days are coming **when they can enjoy themselves to their hearts' contents**. 他们能够尽情享受的愉快日子到来了。（when 引导定语从句，为使句子平衡，同被修饰的词 the happy days 隔开了。再如：Spring is the morning of the year when everything wakes up.）

249. The book is written in **such easy English that** even beginners can read it. 这本书是用简易英语写的，甚至初学者也能读。（that 引导程度状语从句，只起连接作用）

The book is written in **such easy English as** even beginners can read. 这本书是用初学者也能读的简易英语写的。（as 引导定语从句，为关系代词，作 read 的宾语，修饰 English；注意，上面第一个例句尾部的 it 不可省，而第二个例句尾部不可加 it。再如：She had such a fright **as** made her ill. 这句中 as 也是引导定语从句，作主语，修饰 fright）

250. Please let me know **if** she **returns** tonight. 如果她今晚返回，请让我知道。（if 引导条件状语从句，亦可放在句首）

Please let me know **if** she **will return** tonight. 请让我知道她今晚是否返回。（if 引导宾语从句，相当于 whether，意为"是否"，不可放在句首）

251. After the accident Henry was mad, and **so he was**. 事故之后亨利疯了，他确实疯了。（he 与 Henry 为同一人）

After the accident Henry was mad, and **so was he**. 事故之后亨利疯了，他也疯了。（he 与 Henry 不是同一人；再如 People said Joe succeeded；so he did，and so did she. 人们说乔成功了，是的，他是成功了，她也成功了。）

252. The fine weather **added to** our pleasure. 天公作美，我们分外开心。

This sum of money **adds up to** 1,000 dollars. 总钱数达 1 000 美元。

253. Nothing could stop the **advance** of the army. 什么也不能阻止军队前进。（主谓关系：军队前进）

He has contributed much to the **advancement** of science. 他对科学的进步贡献巨大。（动宾关系：发展科学）

254. The manager gave **advance** notice of the meeting. 经理预先通知了开会的事。（指时间、距离方面"先期的,在前的",只作定语）

She read widely among the most **advanced** thinkers of her age. 她广泛阅读了她那个时代最深刻的思想家的作品。（先进的,高深的）

He's **advanced** in years. 他年事已高。（live to an advanced age,年老的）

255. He wrote about his **adventures** in the African jungle. 他记述了在非洲丛林中的历险。（褒义词,指非常激动人心的经历）

A profitable **venture** made her fortune. 一次有利的投机使她发了财。（商业上的冒险,投机活动）

He **ventured** a proposal. 他冒昧提了一个建议。（动词:冒昧,敢于）

256. She gave me 200 dollars **in all**. 她总共给了我 200 美元。（总共,共计）

He was **all in** after a whole day's work. 他工作一整天后疲惫不堪。（疲倦的,相当于 exhausted, very tired）

257. Our eyes can **accommodate** themselves **to** seeing objects at different distances. 我们的眼睛能自动调解去看不同距离的物体。（适应某种工作、环境,相当于 suit to）

He often **accommodates** his friends **with** money. 他常常接济朋友们钱财。（provides with）

258. That's one true **act** of friendship. 那是真正的友谊之举。（简单、具体、短暂的行为）

They were ready for any **action** to defend the country. 他们已做好准备,采取任何行动保卫国家。（总称,指长时间才可完成的一系列动作）

259. He **acted as** chairman in my absence. 我不在时他当主席。（充当,起……的作用,扮演,相当于 serve as,接表示职务、身份的名词）

He **is** temporarily **acting for** me in that post. 他暂时代我履行这个职位。（代理,相当于 do the work for another,接人名或代词）

260. The ring cost **all of** 100 dollars. 这个戒指足足花了 100 美元。（副词,足足,至少）

She chose him, **of all** others, because of his ability and honesty. 她在所有人中偏偏选了他,因为他有能力,人又诚实。（在所有……中偏偏,后接复数可数名词）

261. He worked **around the clock**. 他连续工作了一天一夜。（＝round the clock, the clock round, the clock-around. 作状语,连续一整天、一昼夜）

The around-the-clock work made him very tired. 一天一夜的工作使他疲惫不堪。（＝round-the-clock,定语,连续一整天、一昼夜）

262. **As a result**, he suffered a lot in those days. 因此,他在那些年里受了很多苦。（状语,用逗号同其他成分隔开,因此、结果）

She succeeded **as a result of** persistent efforts. 她由于坚持不懈的努力而获得了成功。（状语,后接名词,由于……的结果,作为……的结果）

263. We should consider the problem **as a whole**. 我们应该从整体上考虑这个问题。（作为一个整体看待）

The paper is well-written **on the whole**. 这篇论文总的来看写得不错。（总的来看,大体上）

264. The discussion came **to an end** at 11 o'clock. 讨论 11 点钟结束的。（结束,常同 come, draw, bring 连用）

He will fight **to the end**. 他将战斗到底。（到底、至死,强调极点、程度,常同 carry, fight 连用）

265. He sold the goods to me **at cost**. 他以成本价把货物卖给了我。（照原价,按成本）

He understood it **to his cost**. 他吃了苦头后才理解了这一点。（吃了苦头之后才……,付出了代价才……）

266. He can't feel **at ease** with headache. 他头痛,感到不舒服。（舒适地、舒适的,无约束的、无拘束地,亦可作 at one's ease）

He can lift the stone **with ease**. 他能很轻松地搬起这块石头。（＝easily）

267. She always keeps a dictionary **at hand**. 她总在手边放一本词典。（在手边,在附近）

The summer holiday is **at hand**. 暑假就要到了。（迫近）

He has a lot of money **in hand**. 他手头有很多钱。（手头拥有钱或物）

They have the situation well **in hand**. 他们很好地掌控了局势。（在控制或进行中）

268. It snowed **at intervals** this week. 本周雪断断续续地下着。（不时地,相当于 now and then;亦可说 at long intervals, at short intervals）

She went downtown **at intervals of** ten days. 她每隔十天进一次城。（间隔……,相当于 every;亦可说 at an interval of）

269. {
She felt **at peace** at last. 她最终安心了。(表语,强调状态,in a state of freedom or quietness)
He went on with his work **in peace**. 他静静地继续工作着。(状语,相当于 quietly)
}

270. {
They came **by sea**. 他们乘船来的。(交通方式)
She met him **at sea**. 她在海上航行时遇见他的。(在航海期间,在海上)
The city is **on the sea**. 那座城市在海边。(在海岸上,在海边)
}

271. {
The murderer was shot **at sight**. 杀人犯一被发现就被射杀了。(一见到……立即,亦可用 on, as soon as sth. or sb. is seen)
There is no man **in sight**. 看不见一个人。(能被看到,在……视力范围内;able to be seen)
They came **in sight of** the town at last. 他们终于看见了那座小城。(able to see,主语必须是人)
He is to be punished **in the sight of** law. 依据法律他要受到惩罚。(在……看来,在……眼里,常与人名或 law,God 等连用)
}

272. {
It is dangerous to corner **at speed**. 高速转弯很危险。(高速地、全力地,speed 前可加 full,top 等)
He was walking forward **with** great **speed**. 他快步向前走。(很快地、急速地,相当于 swiftly,quickly)
}

273. {
At the spot where he died,people erected a monument. 人们在他去世的地方立了一块纪念碑。(在……的地点或场所)
The spy was arrested **on the spot**. 间谍当场被逮捕。(当场,立即)
}

274. {
She went in and out of the secret cave **at will**. 她随意出入那个秘密洞穴。(随意,任意,相当于 as one wishes)
He does the work **with a will**. 他满怀热情地做这项工作。(热情地,起劲地,相当于 with great enthusiasm)
}

275. {
He is **at work** upon a paper. 他在写一篇论文。(从事,忙于,后接 upon 或 on;亦可作"在工作"解,相当于 operating 或 working,如 the man at work,the machine at work)
The company has a railroad **on work** now. 这家公司目前在修一条铁路。(在完成中,相当于 in process of being done;亦可表示"在业",相当于 having employment)
}

276. {
The boy can count **backwards** from twenty to one. 这个男孩能够从20倒数到1。(向后地,后退地,用作副词;backward 亦可作副词,与 backwards 同义)
He is never **backward** in speaking out his mind. 他从来都敢于提出自己的意见。(用作形容词,畏缩的,落后的,弱智的)
}

277. {
The new shoes **become** her. 新鞋她穿很合适。(同……相称,相当于 suit)
What will **become of** the children now that their parents are dead? 父母去世了,孩子们会怎样呢?(发生……情况,相当于 happen to,常有"不妙"的含义)
}

278. {
It looks as though it will snow **before long**. 天看起来不久就要下雪了。(不久,相当于 soon,其中的 long 作名词)
I heard of her name **long before**. 我很久以前就听说过她的名字。(很久以前,作副词)
The building was burnt down **long before** he came back. 那幢建筑早在他回来之前就被烧毁了。(早在……之前,作连词)
}

279. {
The lamp **belongs on** that table. 台灯适合放在那个书桌上。(适合放在某处,适合待在某处)
This item of expenditure **belongs under** the head of office expenses. 这笔支出该归在办公费项下。(应归在……下)
In the scientific field, the name of Einstein **belongs with** that of Newton. 在科技领域中,爱因斯坦同牛顿齐名。(跟……有同样适当的地位,相当于 have a proper or suitable place with)
}

280. {
She was a **born** musician. 她是一位天生的音乐家。(天生的,还可用于 be born 结构,表示"出身,出生",后跟 in, at, on 等)
His persistent efforts have **borne** rich fruit. 他坚持不懈的努力已经结出了硕果。(结出,产生;还可作"生育"解,相当于 give birth to,如 She has borne two children.)
}

281. {
She accused him of **having broken his word**. 她指责他不守信用。(失言,毁约,word 为单数)
It is hard for the conceited man to **eat his words**. 要那个自负的人认错是很难的。(收回自己说的话,承认错误,words 用复数)
}

282. The light bulb in the room **burned out** and he put in a new one. 房间里的灯泡坏了,他换了一个新的。(烧坏,指设备、灯泡等)

He put some wood on the fire and it **burned up** with a crackle. 他在火上放了一些木柴,火便噼啪地烧得旺了。(烧得旺;但作"烧光、烧尽"解时,两者可换用,如 burn up old letters 或 burn out old letters)

283. **By and by** the rest of my family came on board. 不久,我家其余的人都上了船。(不久,不久以后,相当于 soon,before long)

By the by/bye, have you ever heard of the name? 顺便问一下,你听说过那个名字吗?(作插入语)

284. Mr. Zhang, **by contrast**, was much more out-spoken. 相比之下,张先生更是快人快语。(用作状语,如 stand by contrast with each other 形成对比)

In contrast to/with his younger brother, he was always considerate in his treatment of others. 与他弟弟相比,他更能体谅别人。(和……对比,与……相反,用作状语或表语)

His white hair was **in sharp contrast to/with** his dark skin. 他的满头白发同他的黝黑的皮肤形成鲜明的对照。

285. I prefer to travel **by day** rather than by night. 我喜欢白天旅行,而不是在夜间。(相当于 during the day)

The employees were paid **by the day**, rather than by the hour. 雇员们是按天计酬的,而不是按小时。(也可以说 by the month 按月,by the year 按年)

286. The dragged her off **by force**. 他们把她强行拖走了。(用作状语)

People went to see the fireworks **in force**. 人们蜂拥去看烟火。(大批地,大量地,指人,可用作表语或状语)

The treaty shall remain **in force** for a period of five years. 这项协议有效期为五年。(用作表语或定语)

287. His manners are rough, but he is a kind man **at heart**. 他的行为粗鲁,但本质上善良。(在本质上,在内心深处,相当于 in reality, in one's inmost feeling;亦可表示"关心,想到",如 have another's interests at heart)

They are asked to learn the rules **by heart**. 他们被要求熟记这些规定。(靠记忆,常同 learn, know, get 等连用)

288. Some people are quick-tempered **by nature**. 有些人天生的急性子。(天生地,如 generous by nature, cruel by nature)

It is a change **in nature**. 这是性质上的变化。(性质上的,作后置定语;亦可表示"在世界上,在任何地方",如 the prettiest girl in nature(世界上最漂亮的姑娘;还可表示"究竟,完全",相当于 on earth,用以加强语气,如 What in nature does she want?)

Her request was **in the nature of** a command. 她的请求简直像命令。(属……的性质,类似,作后置定语或表语,如 be in the nature of a dog to be faithful to its master)

It is not **in his nature** to be jealous of other people's good fortune. 忌妒别人的好运不是他的个性。(是……的本性)

289. She's **on the way** to success. 她正在走向成功。(接近,正在走向,如 on the way to become a skilled worker)

Christmas is **on the way**. 圣诞节就要到了。(即将来到,亦可表示"即将送到,在……的路上",如 on the way home)

In a way I agree with your estimate of the situation. 我有些赞同你对形势的估计。(在某种程度上,有几分)

290. There were five of them in the boat and they rowed **by turns**. 小船上他们共有五人,轮流划着桨。(轮流地,交替地,相当于 alternately;亦可表示"一阵……一阵……,一时……一时……",如 feel cheerful and sad by turns, go hot and cold by turns)

We went **in turn** to be examined by the doctor. 他们依次进来,接受医生的检查。(依次地,相当于 one after another,in proper order)

Jim stayed with Mary till midnight, comforting her and being comforted **in turn**. 吉姆陪玛丽一直待到半夜,安慰她,也被她安慰。(转而,反过来,又对……做同样的事)

291. She is **clever with** her hands. 她的手很巧。(善于使用,后接工具、器械或人体器官,如 hand 等)

She's **clever at** painting. 她擅长绘画。(擅长于……,后接名词或动名词)

292. The book is a **comprehensive** study of the American history. 这本书是对美国历史的全面研究。(全面的,综合的)

What he said is not **comprehensible** to ordinary minds. 他的话并非普通人能够理解。(可以理解的,好懂的)

293. Her work **is concerned with** the preparation of the document. 她的工作涉及文件的准备。（与……有关，有牵连，相当于 have something to do with, involved in）

She felt very **concerned for/about/over** his safety. 她深为他的健康担忧。（对……关心，担忧，相当于 worried about）

294. The wing of a bird **corresponds to** the arm of a man. 鸟的翅膀相当于人的手臂。（相当于，等于，意为 be equivalent to，be similar to）

I **corresponded with** him about his business. 关于他的企业，我和他有通信往来。（与……有通信往来）

The job **corresponds with/to** his interests. 这项工作与他的兴趣相符。（相符，一致，这种用法可用 with 或 to）

295. The general has many **deadly** enemies. 这位将军有许多死敌。（不共戴天的，令人受不了的，如 the deadly smell 令人难闻的气味，不可用 deathly）

The man is **deathly** ill. 那人已病入膏肓。（非常，极，用作副词，可同 deadly 换用，如 deathly or deadly dull；亦可表示"致命的，死一般的"，可用 deadly 换用，如 deathly or deadly pale, deathly or deadly disease）

296. Tom's mistake cost him **dear**. 汤姆的错误使他付出了很大代价。（作副词，昂贵地，付、花很高代价，常同 sell, pay, cost, buy 连用，如 buy cheap and sell dear 贱买贵卖，pay dear for, sell the goods very dear）

She **dearly** loves to go back to her hometown. 她很想回到故乡去。（作副词，非常，深深地，如 love sb. dearly 深深地爱着某人；亦可表示"付出很大代价"，相当于 at great cost，这种意义上可同 dear 换用，如 pay dearly or dear for one's mistakes, be bought dearly or be bought dear）

297. He is quite **decided** about it. 他对这件事非常坚决。（坚决的，果断的，指人，作表语或定语，如 a decided man, in a decided manner, be decided in one's answer；亦可表示"肯定的，明确的"，指物，如 a decided answer 一个确定无疑的答复，a decided difference between the two 两者之间的明显差别）

This is the **decisive** factor to his success. 这是他成功的决定性因素。（决定性的，指物，如 a decisive battle, a decisive change, a decisive move；亦可表示"果断的"，指人，这种意义上可同 decided 换用，如 a decisive person, give a decisive answer）

298. It is a **delightful** evening. 那是一个怡人的夜晚。（令人高兴的，怡人的，作定语或表语，主语是物，如 a delightful chat, The music is delightful to me.）

Father is **delighted** with my paper. 父亲对我的论文很是高兴。（对……感到高兴，一般作表语，主语是人，后可接介词、不定式或 that 从句，如 delighted at the news, delighted with sb., delighted to receive one's letter, be delighted that one is successful）

299. Wisdom **differs from** cunning. 智慧与狡诈不同。（与……不同，这种意义上不可用 with，如 differ sharply from, differ greatly from, differ from sb. in many respects）

He **differs with/from** her on that matter. 他在那件事情上同她意见不一致。（持不同意见，有分歧，这种意义上可同 from 换用，如 differ with/from sb. about over sth.）

300. He **directed** his energies **to** improving conditions. 他专注于改善条件。（把精力、注意力贯注于，把目标、方向指给，这种意义上不可用 at，如 direct sb. to the station 为……指点去车站的路，direct one's attention to sth.）

This warning **is directed at/to** him. 警告是针对他的。（话、文章等针对，把枪、炮等对准，这种意义上可同 to 换用，如 direct the gun at/to the window, direct one's remarks at/to sb.）

301. He **was** very **disappointed at/about** losing the race. 赛跑没赢他很是失望。（后接事物名词、动名词短语或 what 从句，但不接指人的名词或代词，如 disappointed at/about the result）

They **were disappointed with/in** the new manager. 他们对新经理很是失望。（后接指人的名词或代词；但亦可接事物名词，这时可同 at 和 about 换用，如 disappointed with/in/at/about sb.'s work）

302. No one can **do without** sleep for very long. 谁长时间不睡都不行。（不要，没有……也行，相当于 get along without, dispense with, give up，如 do without a holiday, do without luxuries, do without the service of a secretary）

They want to **do away with** the old regulations. 他们想废除旧的规章制度。（废除，结束，相当于 put an end to, abolish；亦可表示"杀掉，弄死"，相当于 kill，如 do away with the enemy/oneself）

303. Those who **do good** will find peace. 行善者心安了。（做好事，行善，可同 much, a lot of 连用，后可接 for，句子的主语一般是人，如 do a lot of good for the people）

A day in the country will **do you good**. 在乡间待上一天对你很有益处。（对……有益处，相当于 benefit sb.，亦可说 do good to sb.，句子主语一般是物）

304.
- She bought an **electric** blanket yesterday. 她昨天买了一条电热毯。（电动的，带电的，指由电操作或由电产生的，如 electric light, electric iron）
- He is an **electrical** engineer. 他是一位电气工程师。（与电有关的，所修饰的名词本身一般不带电，如 an electric book 一本电学方面的书）

305.
- Albert Einstein **emigrated** from Germany to the United States. 艾伯特·爱因斯坦从德国移居到美国。（离开本国移往国外，与 from 和 to 连用）
- John has decided to **immigrate** into our country. 约翰已决定移居到我们国家。（从异地他乡移入，同 to 或 into 连用）
- Some birds **migrate** to the south in winter. 有些鸟冬天飞往南方。（迁移，移居，指氏族、部落的移居或鸟类的迁移）

306.
- The battle **ended in** a victory/failure. 那场战斗以胜利/失败结束。（以……为结果，告终）
- She **ended** her own life **by** killing herself. 她以自杀结束了自己的生命。（by 表示方式、手段）

307.
- These children are **exceedingly** well behaved. 这些孩子表现得非常好。（非常、极其，相当于 extremely, very much）
- The prices at this hotel are **excessively** high. 这家旅馆的价格太高。（过分地、过度地，相当于 too）

308.
- Other **exhibits** include paintings and photos showing the life of the local people. 别的展品包括表现当地人生活的绘画和照片。（展品，陈列品，亦可指小型展览会）
- In the afternoon she went to an **exhibition** of modern art. 下午，她去看了一场现代艺术展览会。（指大型的"展览会"，亦可表示"表演赛、展出"，如 a boxing exhibition 拳击表演赛，hold exhibition matches, handicrafts on exhibition 展出手工艺品）

309.
- This explanation is **far from** satisfactory. 这个解释远不能令人满意。（远远不、完全不，有否定意味，后接形容词、代词、名词、动名词，如 far from a fool, far from being a failure）
- The guns were fetched **from far**. 这些枪是从远方弄来的。（从远方，far 为名词）

310.
- One of my **favorite** sayings is "There is no smoke without fire". 我喜欢的格言之一是"无火不冒烟"。（作形容词，意为"最喜欢的"；亦可作名词，意为"最喜欢的人或物，宠儿"，如 be a favorite with/of one's mother）
- A trade pact has been signed granting China the most **favored** nation treatment. 签署了一项贸易协定，给予中国最惠国待遇。（受优惠的，优惠的）
- She made a **favorable** impression on the manager. 她给经理的印象很好。（良好的，有利的，如 the favorable weather, the favorable remarks about；亦可表示"赞同"，作表语，如 be favorable to the proposal）

311.
- She lives in a flat **for the moment**. 她暂时住在一个公寓里。（目前，暂时，常用于一般现在时）
- I'm busy **at the moment**. 我此刻正忙。（此刻，在过去时中意为"那时"）
- He will be back **in a moment**. 他马上就回来。（马上，立即，同非延续性动词连用）
- Please wait here **for a moment**. 请在这里等一会儿。（一会儿，同延续性动词连用）

312.
- Shall I **go for a doctor** for you? 我去给你请医生好吗？（去请医生，为他人看病）
- You look pale, and you'd better **go to a doctor**. 你的脸色苍白，最好去看医生。（自己"去看病"）

313.
- Don't **go to the trouble** to persuade him. It's useless. 不要再费心劝他了，没有用。（费心，不辞劳苦，亦可说 take the trouble，后接不定式或 of 短语）
- If he **gets into** trouble, it is your responsibility. 如果他有麻烦，那是你的责任。（招致麻烦、不幸，陷入困境，同 dispute, difficulty 等连用）

314.
- The soldiers fought **hand to hand**. 士兵们进行肉搏。（短兵相接，逼近地）
- They walked along the road **hand in hand**. 他们手挽着手沿路走去。（手拉着手；亦可作"联合地"解，如 Theory should go hand in hand with practice.）

315.
- She came **in company with** some girls. 她和一些女孩子一起来了。（和……一起）
- The delegation visited the city **in the company of** the prime minister. 代表团在首相的陪同下游览了市容。（在……的陪同下）
- Behave yourself **in company**. 在众人面前规矩些。（在公众面前）

316.
- He has just written a long poem **in memory of** the famous scientist. 他写了一首长诗纪念那位著名科学家。（纪念）
- **To the memory of** those who died in the anti-fascist war. 谨以此书/此片献给在反法西斯战争中献身的人们。

317. Can you list the kings of England **by name**? 你能说出诸英王的名字吗？（按名字，名字叫，凭名字，如 Jack by name 名叫杰克，know sb. by name 知道某人的名字）

She knew a gentleman **by the name of** Francis. 她认识一个叫弗朗西斯的人。（名叫……的，亦作 under the name of 或 of the name of，后接人的姓名，作后置定语）

He is a scholar **in name** but not in fact. 他是个徒有虚名的学者。（有名无实的，名义上的，a democracy in name，be married in name）

I arrest you **in the name of** the law. 我以法律的名义逮捕你。（以……的名义，代表……，如 in the name of the king 以国王的名义，亦可说 in sb.'s name；若后接 God, Heaven, Goodness，则意为"到底，究竟"，表示惊异情绪，如 What in the name of Heaven are you doing here?）

He wrote **under the name of** George Eliot. 他以乔治·艾略特的笔名写作。（以……为笔名）

318. It will not be **in place** to raise the issue at the meeting. 在会上提出这个问题不合适。（作表语，恰当的，适当的；亦可表示"在适当或原来的位置"，作表语或状语，如 like everything to be in place, leave everything in place）

The Chinese use chopsticks **in place of** knives and forks. 中国人使用筷子代替刀叉。（代替，相当于 instead of，作状语）

319. **In point of** cost, the first plan is the better. 从花费上看，第一个计划更好。（就……来说，从……上看）

We were **on the point of** telephoning you when your telegram arrived. 我们正要打电话，你的电报到了。（作表语，正要……，即将，接近，如 on the point of death, on the point of going）

320. He is a man **of the world**. 他是个老于世故的人。（相当于 worldly）

She looks **for all the world** like her mother. 她简直跟她母亲一模一样。（完全，一点不差；在否定句中作"无论如何"解，如 won't do it for all the world）

321. There was not a house **in view**. 一处房子也看不见。（可以看见，亦可表示"在考虑中，意在"，如 have a plan in view 考虑一项计划）

In view of facts, it seems useless to continue. 鉴于事实情况，继续下去毫无用处。（鉴于，由……看来，相当于 considering）

He wrote **with a view of** earning money. 他写作是为了挣钱。（为的是，为了；亦可用 to，后接动名词或名词）

322. We've **kept up** our friendship for over twenty years now. 我们的友谊已经持续了二十多年。（继续，维持；亦可表示"斗志、价格等不低落"，如 Their spirit kept up in spite of the hardships.）

The prices **have kept up**. 物价一直在上涨。

We must **keep up with** the times. 我们要跟上时代步伐。（跟上，与……同步前进，如 keep up with them, keep up with medical development）

323. There is a **limit** to my patience. 我的忍耐是有限度的。（限度、界限、极限，如 set a limit to 对……加以限制，know no limits）

A wise man knows his **limitations**. 聪明人自知自己的缺陷。（指受条件、环境等因素的"限制"，作可数名词或不可数名词）

324. We should **make the best of** our time. 我们应该充分利用时间。（充分利用）

With her indomitable spirit she **got the best of** her disease. 她以坚强不屈的意志战胜了疾病。（胜过，战胜，占优势，如 get the best of sb. by a clever trick 以智取胜；亦可说 get the better of）

325. You'd better tell him not to **make trouble**. 你最好告诉他不要找麻烦。（捣乱，制造麻烦）

You need not **take the trouble** to do that. 你不必费心做那个。（不怕麻烦，费心，如 take the trouble about sth. , take the trouble of doing sth. ）

326. We'd better go through with the work, Jane, **now that** we've begun. 简，既然已经开始了，我们最好还是把这项工作完成吧。（既然，相当于 since）

I have nothing against her, **only that** I dislike her manner. 我对她没有什么意见，只是不喜欢她的行为方式。（除……之外，要不是，引导条件状语从句，相当于 except that）

327. The plan is **on the board**. 这个计划正在会上讨论。（在会上讨论，相当于 be discussed at a meeting）

Helen is now **on the boards**. 海伦现在当演员了。（当演员，演出）

They set sail after the passengers came **on board** the ship. 乘客们登船以后，船便起航了。（在船、飞机、车上）

328.
{ We are **proud of** our country. 我们为我们的祖国而自豪。（为……自豪,用于褒义）
{ There is nothing to be **proud about**. 没有什么值得骄傲的。（对……洋洋得意,用于贬义）

329.
{ The train is going at the **rate** of 200 miles an hour. 火车正以每小时200英里的速度行驶。（比率,变率, 速率,侧重指各种百分率,如 be taxed at the rate of 15% 以15%的税率纳税）
{ Mix sand and cement in the **ratio** of two to one. 按两份黄沙对一份水泥的比例搅拌。（比例,比价）

330.
{ They are **ready for** the trip. 他们已准备好去旅行。（准备好干什么,相当于 ready to do sth. , 如 ready for distribution, ready for packing）
{ He is always **ready with** excuses. 他总是有借口。（准备好所要说的话,后接 reply, excuse, answer, explanation, suggestion 等）

331.
{ They are now in the **rest room** of the station. 他们正在车站的休息室里。（休息室,亦表示"共公厕所"）
{ That **rest house** is quite clean. 那家招待所很干净。（招待所,亦作"别墅"解）

332.
{ She is **satisfied with** your answer. 她对你的回答很满意。（对……满意,后接人或事物名词,相当于 pleased with）
{ She is **satisfied of** your ability to write the paper. 她确信你有能力写这篇论文。（确信,后接事物名词或 抽象名词,相当于 sure of）

333.
{ She **set about** writing the poem. 她着手写那首诗。（开始,着手,后接动名词）
{ She **set out** to climb the hill. 她开始爬山。（开始,着手,后接不定式）

334.
{ He is **shy of** (with) strangers. 他在陌生人面前怕难为情。（在……面前害羞,这种意义上可同 with 换 用;shy of 亦可表示"对……有顾虑,对……感到怀疑,缺少",如 shy of doing it 对做那件事有顾虑,shy of this sort of man 对这种人有怀疑,shy of money 缺钱）
{ The girl **shied away from** looking the strange man in the eye. 那女孩避开不看那个陌生人。（由于害羞、 顾虑等而避免做某事,相当于 avoid doing sth. out of shyness or fear, etc.）

335.
{ The girl is obviously **sick for** home. 那女孩显然渴望回家。（渴望,盼望）
{ He was **sick of** lying in bed. 他讨厌躺在床上。（对某人、某事或做什么事感到厌恶或不耐烦）
{ John is **sick with** a fever. 约翰发烧病倒了。（患……病,亦可表示对某人感到不高兴,如 be sick with him for being late）

336.
{ She **sticks at** her work ten hours a day. 她坚持一天工作10个小时。（"坚持"工作、学习等,后接名词、代 词或动名词）
{ Students must **stick to** the rule. 学生们必须遵守这项规定。（"坚持"立场、观点、原则等,后接名词;亦可表 示"坚守"岗位,"信守"合同、诺言,"忠于"某人,"粘在……上"）

337.
{ The thief was **surprised by** the police. 小偷被警察意外撞见。（"被意外地"捉住、撞见、遇见）
{ I am not **surprised at** his doing such a thing. 我对他做这样的事不感到吃惊。（对……感到惊奇）

338.
{ Nobody **took** any **note of** what he said. 没有人注意他说的话。（注意,相当于 paid attention to）
{ He **took notes of** everything the professor said. 他把那位教授说的话都记了下来。（把……记下来,记笔 记）
{ **Take note**, the train is coming. 当心,火车来了。（注意,留心,相当于 take care,独立使用,也可接不定式 或 that 从句）

339.
{ He **took** great **pains** to explain the rule clearly. 他尽量把那个规定解释得清楚些。（尽力,费心,特别注 意,后接不定式或 with 短语,如 take pains with one's work 工作非常刻苦）
{ She **has pains** in the leg. 她腿痛。（……痛,亦可说 have a pain,后常接 in＋身体部位名词,如 leg, arm, foot 等）

340.
{ He usually **tunes in to/on** BBC. 他通常收听BBC的节目。（收听,收看）
{ The policy is quite **in tune** with the needs of the people. 这项政策与人民的需求相一致。（与……一致, 协调）

341.
{ She keeps a book **under her arm**. 她腋下夹着一本书。（在……腋下）
{ She has a child **in her arms**. 她怀里抱着一个孩子。（怀里接抱着）

342.
{ The cat likes to sit **in the sun**. 这只猫喜欢晒太阳。（在阳光下,晒太阳,如 Don't read in the sun.）
{ I am sure she has visited every country **under the sun**. 我敢说她游遍了世界上的所有国家。（全世界的, 在任何地方,亦可用于加强语气,意为"究竟,到底",Where under the sun could I have put the book?）

343.
- She has lost a **valuable** ring. 她丢了一个贵重的戒指。（贵重的，值钱的，令人钦佩的，如 a most valuable writer）
- The friendship of the two countries is old and **valued**. 这两个国家的友谊久远而备受珍视。（受重视的，被珍视的；亦可表示"经估价的，已有评价的"，如 a painting valued at one thousand dollars）

344.
- Her **variable** mood is rather troublesome. 她反复无常的情绪很叫人烦心。（多变的，反复无常的）
- The task was difficult for **various** reasons. 这项任务很难，理由有很多种。（各种各样的，接复数名词）
- Their work is very interesting and **varied**. 他们的工作非常有趣，且内容多变。（各不相同的，变化很多的，接复数名词或单数名词，强调不同，如 lead a varied life, have a varied career; various 和 varied 两者有时可换用，但强调点不同，如 Their opinions are various/varied.）

345.
- People **vary** very much **in** their ideas. 人们的想法大不相同。（在……方面不同，相当于 differ in）
- The prices of goods **vary with** the reason. 货物的价格随季节变化。（随……而不同，改变）
- The film **varies from** the original. 这部电影与原作相去甚远。（与……不同；亦可表示"违反"，如 vary from the rule/the law of nature）

346.
- The old man was **visited** by many troubles. 那位老人灾难连连。（使遭受，灾难等降临到）
- After the meeting, we **visited with** the novelist for a while. 会后，我们同那位小说家交谈了一会儿。（同……交谈或聊天，相当于 chat with 或 talk with；亦可表示"访问、探视"，如 visit with one's parents）

347.
- This failure may **wake** her **up**. 这次失败也许会使她醒悟。（使醒悟）
- At last he **woke up to** the danger he was in. 他终于意识到了自己身处的险境。（认识到，意识到，相当于 realize；亦可表示"使……认识到"，如 wake sb. to the possibilities of）

348.
- He is faithful **in word** and deed. 他表里如一。（在口头上，如 a friend in word 口头上的朋友；与实义动词连用时，亦可用 with words，如 admit one's mistakes in word/with words）
- **In a word**, I don't trust him. 总之，我不信任他。（总之）

349.
- They **took a turn** in the yard before going to bed. 他们睡前在院子里转了一圈。（转一圈）
- They **took turns** in the yard at keeping watch. 他们轮流在院子里值班。（轮流）

350.
- He always **pays attention to** others' private affairs. 他总是关注别人的私事。（注意）
- He always **pays attentions to** beautiful girls. 他总是向漂亮女孩献殷勤。（向……献殷勤）

351.
- He kept the garden well **by art**. 他粗心待弄花园。（用"人工"）
- He deceived the girl **by arts**. 他用诡计骗了那个女孩。（用"诡计"）

352.
- She **has the last word** in ordering goods. 她对订购货物有决定权。（做最后决定，有决定权）
- She **had her last words** and died. 她临终讲了些话就去世了。（讲了些临终的话）

353.
- He **raised his hand** at the enemy. 他举起手，向敌人挥去。
- He **raised his hands** to the enemy. 他举起手向敌人投降。

354.
- She **has** no one **take care of** her. 她不让别人照顾她。（has 为使役动词，相当于 make, let）
- She **has** no one **to take care of** her. 她无人照顾。（has 意为"有"，无使役意义）

355.
- She had the machine **run** all day long. 她整天让机器运行着。（run 为动词原形）
- She had the shop **run** all day long. 她的店整天营业。（run 为过去分词，shop 是 run 动作的承受者）

356.
- 门口有两个女的在等你。
- At the door there are two women **waiting for you**. （只说明一个事实：门口有两个女的在等。）
- At the door there are two women **who are waiting for you**. （不仅说明一个事实，而且含有个人的感情色彩：希望你快点去接待她们）

主要参考书目

Alexander，L. G. Longman English Grammar[M]. New York：Longman Group Limited，1998.

Boliner，D. The Phrasal Verb in English[M]. Massachusetts：Harvard University Press，1971.

Carver，D. J. Collins English Learner's Dictionary[M]. London：Collins，1974.

Chambers. Chambers Universal Learner's Dictionary[M]. Edinburgh：W & R Chambers Ltd.，1980.

Close，R. A. A Reference Grammar for Students of English[M]. London：Longman，1975.

Evans，B. A Dictionary of American Usage[M]. New York：Random House，1975.

Fowler，W. H. A Dictionary of Modern English Usage[M]. Oxford：Oxford University Press，1965.

Hill，L. A. Prepositions and Adverbial Particles[M]. Oxford：Oxford University Press，1968.

Hornby，A. S. Guide to Patterns and Usage in English[M]. Oxford：Oxford University Press，1975.

Jesperson，O. A Modern English Grammar on Historical Principles[M]. Copenhagen：Munksgaard，1909 - 1949.

Leech，G. Meaning and the English Verb[M]. London：Longman，1971.

M. T. Boatner. A Dictionary of American Idioms[M]. New York：Barron's Educational Series Inc，1975.

M. West：A General Service List of English Words[M]. London：Longman，1977.

Onions，C. T. The Oxford Dictionary of English Etymology[M]. Oxford：Oxford University Press，1982.

Quirk，R. et al. A Comprehensive Grammar of the English Language[M]. London：Longman，1985.

R. Leech et al. A Communicative Grammar of English[M]. London：Longman，1985.

Seidl，J. et al. English Idioms[M]. Oxford：Oxford University Press，1988.

Swan，M. Practical English Usage[M]. Oxford：Oxford University Press，1987.

Watson，O. Longman Modern English Dictionary[M]. London：Longman Group Limited，1976.

Wood，F. T. Current English Usage[M]. London：Macmillan & Co. Ltd.，1981.

包惠南. 中国文化与汉英翻译[M]. 北京：外文出版社，2004.

顾正阳. 诗词曲英译理论探索[M]. 上海：上海交通大学出版社，2004.

毛荣贵，等. 译味深长[M]. 北京：中国对外翻译出版公司，2005.

潘绍中. 新时代精选汉英词典[M]. 北京：商务印书馆，2002.

小西友七. 英语前置词活用辞典[M]. 东京：大修馆书店，1974.

许渊冲. 唐诗三百首新译[M]. 北京：中国对外翻译出版公司，1988.

余士雄. 高级英汉词典[M]. 北京：外语教育与研究出版社，2002.

张道真. 现代英语用法词典[M]. 北京：外语教学与研究出版社，1995.

郑雅丽. 英汉修辞互译导引[M]. 广州：暨南大学出版社，2004.

英语世界杂志社. 英语世界[M]. 北京：商务印书馆，2000 — 2012.

主要参考书目

Brannberg, J. & Lundgren: English Grammar, 101. New York, Longman Group Limited, 1986.

Bolmer, D. The Phrasal Verb in English, MA. Cambridge: Harvard University Press.

Carver, D. et al. Collins English Learner's Dictionary. M. London: Collins, 1974.

Chambers Etymological Dictionary of the English Language. M. Edinburgh: W. & R. Chambers Ltd.

Close, R. A. A Reference Grammar for Students of English. M. J. London: Longman, 1975.

Foster, B. A Dictionary of American Usage. M. J. New York: Random House, 1976.

Fowler, W. H. A Dictionary of Modern English Usage. M. London: Oxford University Press, 1965.

Gill, R. Mastering English Language. M. London: Macmillan, 1985.

Hornby, A. S. Guide to Patterns and Usage in English. M. J. London: Oxford University Press, 1975.

Jespersen, O. A Modern English Grammar on Historical Principles. M. Copenhagen: Munksgaard, 1909.

Lyons, J. Semantics. M. London: Cambridge University Press.

Leech, G. & Svartvik, J. A Communicative Grammar of English. M. London: Longman, 1975.

Morris, W. (ed.) The American Heritage Dictionary. M. New York: American Heritage Publishing Co., 1973.

Palmer, F. R. Semantics. M. London: Cambridge University Press.

Quirk, R. et al. A Comprehensive Grammar of the English Language. M. J. London: Longman, 1985.

Thomson, A. J. & Martinet, A. V. A Practical English Grammar. M. London: Oxford University Press.

Zandvoort, R. W. A Handbook of English Grammar. M. London: Longman.